T5-AGO-464

# BÜRGERSINN UND AUFBEGEHREN

## BIEDERMEIER UND VORMÄRZ IN WIEN 1815-1848

J&V

*Zur Erinnerung*
*an unseren langjährigen Direktor*
*Obersenatsrat Hofrat*
*Dr. Robert Waissenberger (1926–1987),*
*dessen Idee zur Realisierung dieser*
*Ausstellung geführt hat.*

Die Ausstellung
„Bürgersinn und Aufbegehren –
Biedermeier und Vormärz in Wien"
wird vom Bundesministerium für
Wissenschaft und Forschung gefördert.

109. Sonderausstellung
des Historischen Museums der Stadt Wien,
Karlsplatz, im Künstlerhaus, Karlsplatz 5,
17. Dezember 1987 bis 12. Juni 1988

Titelblatt: Tapetenmuster aus dem
Österreichischen Museum für angewandte
Kunst

Kataloggestaltung und Plakatserie: Tino Erben

Fotografische Arbeiten: Foto Otto, Viktor
Harrandt



Hersteller: Agens Werk Geyer + Reisser,
Wien

ISBN 3-224-16741-6
JUGEND UND VOLK WIEN MÜNCHEN

Als Hofrat Robert Waissenberger, der langjährige Direktor der Museen der Stadt Wien, mir vor mehr als zwei Jahren den Plan vorlegte, die nächste Großausstellung dem Vormärz und dem Wiener Biedermeier zu widmen, war ich von dieser Idee fasziniert. Nach dem großen Erfolg der „Wien um 1900"-Schau lag es nahe, sich jener Epoche anzunehmen, die oft so sehr als das „eigentlich Wienerische" empfunden wird. Robert Waissenberger konnte diese Arbeit nicht mehr beenden, er starb für uns alle viel zu früh. Sein Mitarbeiterstab setzte aber dort fort, wo er aufhören mußte, und mit dieser Ausstellung präsentiert sich auch die neue Leitung des Historischen Museums zum ersten Mal in einem größeren, internationalen Rahmen.

Die vorliegende Ausstellung zeigt, wie schwer es schon damals war, sich in einer Welt der Gegensätze widerspruchslos einzuordnen. Einerseits schuf sich das Biedermeier den (selbstgewählten?) Weg in eine hochkultivierte, heile Welt des Privaten, andererseits trieben die gesellschaftlichen Entwicklungen einem tiefgreifenden Konflikt zu, der sich in der Revolution des Jahres 1848 gewaltsam entladen sollte. Die Janusköpfigkeit dieser Epoche wird in der Ausstellung zu zeigen sein. Hier der Herr Biedermeier, der ein abgeklärtes Leben in goldener Mittelmäßigkeit führen will, dort der Revolutionär des Vormärz, der den Weg zu den demokratischen Reformen der zweiten Hälfte des 19. Jahrhunderts ebnet.

In dem Spannungsfeld zwischen privater Beschaulichkeit und sozialem Engagement gewinnt das Biedermeier für uns eine neue Aktualität und fordert zu Vergleichen mit unserer Gegenwart heraus. Wenn es der Biedermeierausstellung gelingt, in ihren Besuchern die Neugierde für solche Fragestellungen zu wecken, hätte sie schon eine wichtige Aufgabe erfüllt.

*Ihr*

*Dr. Helmut Zilk*

Erstaunlich bald wurde das Biedermeier gründlich mißverstanden, als die 1855 gegründeten Münchner „Fliegenden Blätter" die Naivität der Zeit von 1815 bis 1848 in der Person des spießbürgerlichen „Herrn Biedermeier" mit beißender Ironie bedachten. Schon damals glaubte man sich der Kleinkariertheit der Väter haushoch überlegen und erfand als Prototypus des zipfelmützigen Philisters die Herren „Biedermann", „Bummelmaier" und – eben „Biedermeier", dem freilich ein baldiges Ende vorausgesagt wurde, denn Leute seines Schlages galten als „fossile Überreste" der „vormärzsündfluthlichen Zeiten, wo man im Schatten kühler Sauerkrauttöpfe gemütlich aß, trank, dichtete und verdaute und das Übrige Gott und dem Bundestage anheimstellte".

Die Epoche freilich war keineswegs nur eine Zeit der Beschaulichkeit und Stille, der Wohnlichkeit und Harmonie, der Sittenstrenge und des Glücks, als die sie bei oberflächlicher Betrachtung erscheint. Schönes Glas, gediegenes Mobiliar und idyllische Bilder illustrieren nur einen Teil des biedermeierlichen Lebens, das durchaus nicht der Inbegriff der Idylle war, sondern stattfand in einer Ära zwischen Restauration und Revolution.

Der historische Hintergrund, vor dem sich Herr „Biedermeier" seine Welt einrichtete, wird bis heute gerne vergessen. Man lebte zwischen den patriotisch erlittenen Franzosenkriegen am Beginn des Jahrhunderts und dem Scheitern der bürgerlichen Revolution am Ende des Jahres 1848. Eine lächerlich restriktive Zensur überwachte Freiheitsregungen jeder Art. Der vom Staat gewissermaßen vorgegebene politische, moralische und künstlerische Kodex erstickte jede nach Öffentlichkeit strebende freiheitliche Regung – nicht zuletzt deshalb reagierte man hilflos auf den Einbruch der Technik, auf die rasch voranschreitende Industrialisierung, auf die daraus erwachsenden sozialen Spannungen und das zunehmende Elend weiter Bevölkerungsschichten.

Die Ausstellung „Bürgersinn und Aufbegehren – Biedermeier und Vormärz in Wien. 1815–1848" gibt einen Einblick in diese Zeitspanne der Wiener Geschichte in all ihren Widersprüchlichkeiten. Sie räumt gründlich auf mit dem Klischeebild einer heilen Welt voll zufriedener Biedermänner, indem sie eine Ära darstellt, die uns unter restriktiven Bedingungen unvergängliche kulturelle und geistige Werte hinterlassen hat und in der sich zugleich der Aufbruch in die moderne Industriegesellschaft ankündigt.

*Amtsführender Stadtrat für Kultur*
*Dr. Ursula Pasterk*

# VORWORT

*Wir treiben jetzt Familienglück –*
*Was höher lockt, das ist von Übel –*
*Die Friedensschwalbe kehrt zurück,*
*Die einst genistet in des Hauses Giebel.*
*Gemütlich ruhen Wald und Fluß,*
*Von sanftem Mondlicht übergossen;*
*Nur manchmal knallts – ist das ein Schuß? –*
*Es ist vielleicht ein Freund, den man erschossen.*

Als Heinrich Heine diese Verse 1849 schrieb, war die Unschuld des Wiener Biedermeier bereits verloren gegangen. Mit einem naiv gläubigen Bekenntnis zu Kaiser und Vaterland hatte diese Epoche begonnen, im naiven Vertrauen der von den Studenten geführten Proletarier, daß auch ihre Menschenwürde Beachtung fände, setzte brutaler monarchischer Wille dem zum Vormärz gewandelten Biedermeier ein Ende.

Die vordergründige Glätte und Ebenmäßigkeit der Jahre zwischen 1815 und 1848 zeigte Sprünge und Brüche wie andere Epochen auch. Das ist im Grunde nicht verwunderlich; aber verwunderlich ist, daß dieses nur selten ausgesprochen wurde, weil man offenbar nur allzugerne dem Menschen des Biedermeier bei seiner Flucht in die heile Welt des Kunstwerks folgte, wo die Bedrohtheit der Gegenwart aufgehoben schien. Selbstverständlich will auch unsere Ausstellung dem Rückzug des Bürgers in die Privatheit, seinem Ausleben der Muße, seiner unverbindlichen Hinwendung zur Natur, zur Wissenschaft, zur Schönheit und zur beherrschten Sinnlichkeit, aber auch seiner freizügigen Hingabe an Theater und Tanz folgen. Aber genauso selbstverständlich will unsere Ausstellung der Gebrochenheit der Zeit Raum geben: Auf Henry Kissingers Interpretation der konservativen politischen Lösung dieser Epoche, daß sie dieser Generation etwas gab, was vielleicht noch kostbarer war als die Erfüllung aller Hoffnungen, nämlich eine Periode der Stabilität ohne einen großen Krieg und ohne eine permanente Revolution, antworten wir mit dem Hinweis auf die militärische Intervention österreichischer Marineinfanterie im Jahre 1840 im Libanon.

Mit der Gestaltung der Ausstellung wurde Arch. Mag. Boris Podrecca betraut. Ihm und seinen Mitarbeitern danke nicht nur ich für die unzähligen schönen Stunden gemeinsamer Arbeit, alle meine Kolleginnen und Kollegen aus dem Haus schließen sich diesem Dank mit gleicher Freude an, es war eine reiche Zeit.

Die Sammlungen des Historischen Museums der Stadt Wien sind so reich an Exponaten aus der Zeit des Biedermeier, daß auch eine so große Ausstellung mit Gegenständen aus eigenem Besitz gestaltet werden könnte. Um das Bild dieser Epoche aber noch geschlossener vorführen zu können, wollten wir auf die Hilfe und großzügige Bereitschaft zahlreicher öffentlicher und privater Leihgeber des In- und Auslandes nicht verzichten. Ihre Namen finden sich im Katalog an anderer Stelle, hier möchte ich ihnen allen meinen aufrichtigen Dank sagen. Es wäre falsch, eine Einzelnennung von der Zahl der Leihgaben abhängig zu machen, auch nur eine Leihgabe hat ihren einzigartigen Wert.

Besonderen Dank möchte ich Herrn Dr. Paul Asenbaum sagen, ohne seinen Rat und seinen Einsatz wäre vieles so nicht möglich gewesen, wie es nun geworden ist.

Zu danken ist der Gesellschaft bildender Künstler Österreichs und ihrem Präsidenten, Herrn Prof. Hans Mayr, die wieder, wie schon zwei Male, dem Historischen Museum der Stadt Wien die Möglichkeit gaben, die Räume des „Künstlerhauses“ durch viele Monate zu nutzen.

Wenn ich ganz zuletzt meinen Mitarbeitern im Historischen Museum der Stadt Wien, meinen Kolleginnen und Kollegen und der freien Mitarbeiterin unseres Hauses, Frau Dr. Selma Krasa, danke, dann tue ich dies mit ganz besonderer Freude. Die Umstände, unter denen wir alle zu einem Team geworden sind, waren wiederholt alles andere als einfach. Trotz vieler und vielfacher Erschwernisse und trotz großen und verschiedenartigsten Drucks können wir diese Ausstellung der Öffentlichkeit präsentieren: Es ist eine Gemeinschaftsarbeit einer trotz aller Individualität geschlossenen Gruppe. Ich danke von ganzem Herzen.

*Senatsrat*
*Dr. Günter Düriegl*
*Direktor der Museen der Stadt Wien*

**Wissenschaftliches Konzept:**

Hofrat Dr. Robert Waissenberger †
Obersenatsrat

Direktor Dr. Günter Düriegl
Senatsrat

Dr. Karl Albrecht-Weinberger

Dr. Hans Bisanz

Dr. Wilhelm Deutschmann

Dr. Regina Forstner

Dr. Renata Kassal-Mikula

Dr. Adelbert Schusser

Dr. Susanne Walther

Dr. Reingard Witzmann

Dr. Sylvia Wurm

**Ausstellungsleitung:**

Direktor Dr. Günter Düriegl
Senatsrat

Dr. Renata Kassal-Mikula

Franz Novak

**Ausstellungsbüro:**

Dr. Wilhelm Deutschmann

Silvia Svoboda

**Restauratoren und Werkstätten:**

Erich Dittrich

Heinrich Dornig

Erich Fahringer

Andreas Faigel

Günter Fröhlich

Mag. Hermine Hausner

Mag. Christine Maringer

Helmut Mayer

Friedrich Minar

Heinz Roth

Andrea Schmidt

Gerhard Schmolka

Mag. Raja Schwahn

Mag. Hilde Seidl

Viktoria Wagesreiter

Georg Weiß

Gottfried Wurzer

**Figurinen:**

Christiane Engel-Janosi

Martha Kolar

**Verwaltung:**

Ferdinand Fellinger

Franz Novak

Claudia Oesterreicher

Silvia Svoboda

**Kanzlei:**

Monika Sostek

Regina Janek

Eva Fuchs

Martin Sevecka

Andreas Wallner

Sabine Zajac

**Katalog:**

Redaktion:

Dr. Selma Krasa

Dr. Regina Forstner

Dr. Susanne Walther

Dr. Sylvia Wurm

**Graphische Gestaltung:**

Tino Erben

---

**Präsentationskonzept und Gestaltung der Ausstellung:**

Mag. arch. Boris Podrecca

**Mitarbeiter im Atelier Podrecca:**

Mag. art. Ingrid Schmutzer

Dipl.-Ing. Gerhard Luckner

Dipl.-Ing. Gabriele Hochholdinger

Cand. arch. Susan H. Jones

Dipl.-Ing. Franz Knauer

Sekr. Susanne Madl

Dipl.-Ing. Arch. Aleksander Ostan

Mag. art. Max Panly

Cand. arch. Norbert Thaler

Dipl.-Ing. Maty Vozlić

**Lichttechnische Gestaltung:**

Arch. Rudolf Lamprecht

**Bildhauerarbeiten:**

Gero Schwanberg

---

**Videofilm:**

Kurt J. Mrkwicka Filmproduktion, Wien

Buch: Harald Sterk und
Prof. Dr. Alfred Vendl

Gestaltung: Prof. Dr. Alfred Vendl,
Lazlo Nemeth

Produktionsleitung: Mag. Kurt Jetmar

Fachberatung: Dr. Günter Düriegl

**Leihgeber:**

Adalbert Stifter Gesellschaft, Wien

Antikensammlung, Kunsthistorisches Museum, Wien

Art Institute of Chicago, Chicago

Bezirksmuseum Mariahilf, Wien

Bezirksmuseum Neubau, Wien

Bibliothek der Akademie der bildenden Künste, Wien

Bundeskanzleramt, Wien

Civico Museo del Mare, Triest

Prinzessin Clementine Croy, Schloß Corvey, BRD

Direktionsrat Helmut Czakler, Wien

Prim. Univ.-Prof. Dr. Herbert Czitober, Wien

Prof. Anton Dermota, Wien

Die Erste österreichische Spar-Casse-Bank, Wien

Wolfgang Doblhoff

Ehemaliges Hofmobiliendepot, Wien

Firma Jenö Eisenberger, Wien

Galerie am Graben, Wien

Glasgalerie Michael Kovacek, Wien

Germanisches Nationalmuseum, Nürnberg

Gesellschaft der Musikfreunde, Wien

Graphische Sammlung Albertina, Wien

Prof. Camila Haerdtl, Wien

Hamburger Kunsthalle, Hamburg

Heeresgeschichtliches Museum, Wien

Dipl.-Ing. Hans Hoyos, Wien

Institut für Astronomie der Universität Wien

Institut für Geschichte der Medizin der Universität Wien

Abteilung für Kunstgewerbe zum Landesmuseum Joanneum, Graz

Dipl.-Kfm. Dr. Oswald Kadlecek, Wiener Porzellanmanufaktur, Augarten Ges.m.b.H., Wien

Keltenmuseum, Hallein

Kunsthistorisches Museum, Wien

Kunsthandel Schlapka KG, München

Kunsthandlung Reinhold Entzmann & Co., Wien

Kupferstichkabinett der Akademie der bildenden Künste, Wien

Prim. Univ.-Doz. Dr. Heinrich Lill, Wien

Paul Fürst Metternich-Winneburg, Johannisberg, BRD

Moravská Galerie, Brünn

Musée de l'Armée, Paris

Musiksammlung der Österreichischen Nationalbibliothek, Wien

Musikabteilung der Staatsbibliothek Preußischer Kulturbesitz, Berlin

Naturhistorisches Museum, Wien

Niederösterreichische Landesbibliothek, Druckschriftensammlung, Wien

Niederösterreichische Landesbibliothek, Topographische Sammlung, Wien

Niederösterreichisches Landesarchiv, Wien

Niederösterreichisches Landesmuseum, Wien

Oberösterreichisches Landesmuseum, Linz

Österreichische Nationalbank, Wien

Österreichische Galerie, Wien

Österreichisches Museum für angewandte Kunst, Wien

Österreichisches Museum für Völkerkunde, Wien

Österreichisches Staatsarchiv, Abteilung Finanz- und Hofkammerarchiv, Wien

Österreichisches Staatsarchiv, Abteilung Haus-, Hof- und Staatsarchiv, Wien

Österreichisches Tabakmuseum, Wien

Porträtsammlung und Bildarchiv der Österreichischen Nationalbibliothek, Wien

Sammlung alter Musikinstrumente, Kunsthistorisches Museum, Wien

Sammlung Dkfm. Geiecker

Sammlung Ronald S. und Jo Carol Lauder, Wien

Sammlung Lobmeyr, Wien

Sammlung Georg Schäfer, Schweinfurt

Sammlungen des regierenden Fürsten von und zu Liechtenstein, Schloß Vaduz

Dr. Hans Schneider, Tutzing, BRD

Anna Feja Seitler, Wien

Staatliche Schlösser und Gärten Potsdam-Sanssouci, Dresden, DDR

Rollettmuseum, Städtische Sammlungen Baden

Szépmüvészeti Múzeum, Budapest

Technisches Museum für Industrie und Gewerbe, Wien

Theatersammlung der Österreichischen Nationalbibliothek, Wien

Tiroler Landesmuseum Ferdinandeum, Innsbruck

Universitätsbibliothek der Technischen Universität, Wien

Wiener Männergesang-Verein, Wien

Wiener Schubertbund, Wien

Wiener Stadt- und Landesarchiv, Wien

Zisterzienserstift Lilienfeld, Niederösterreich

**Inhaltsverzeichnis:**

*Orientierungsplan der Ausstellung*

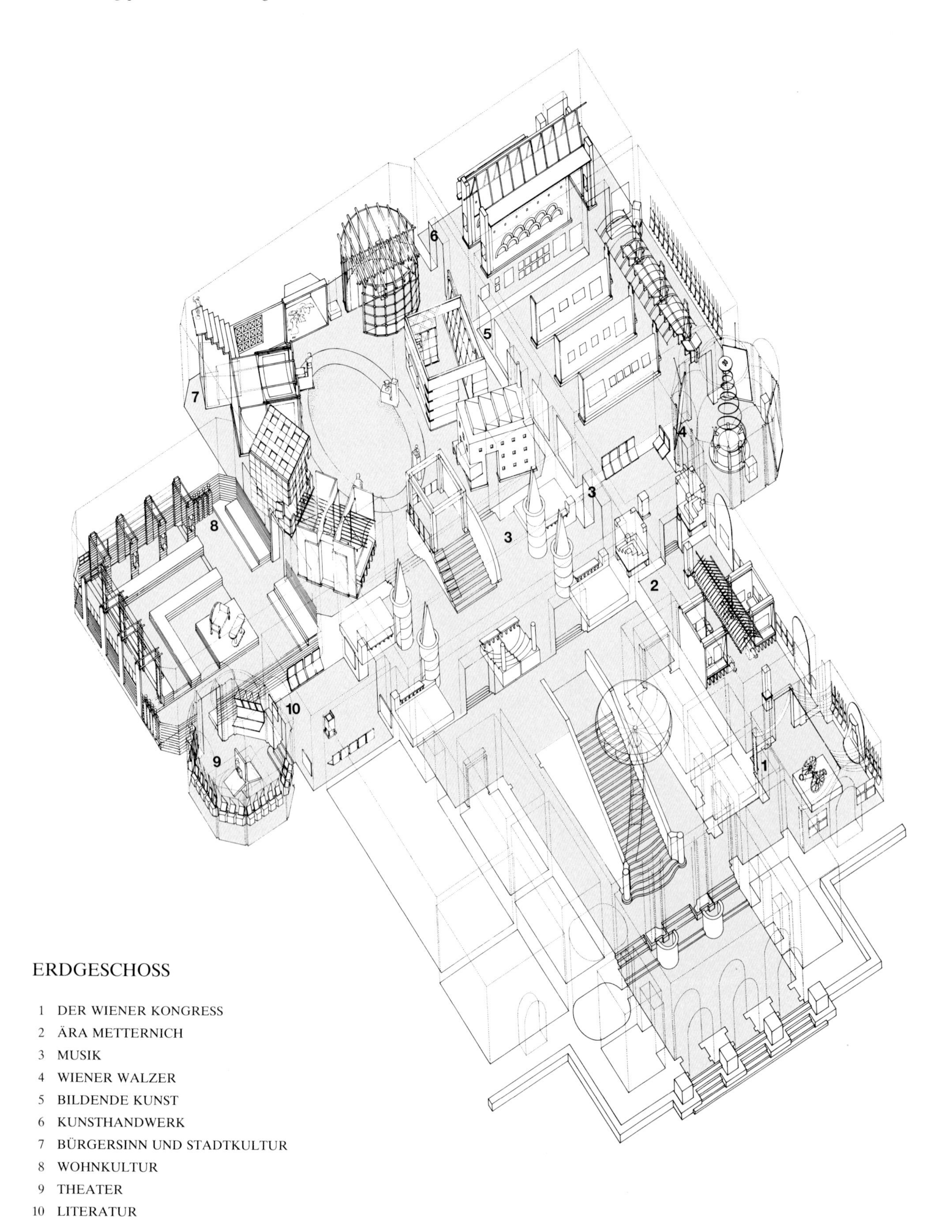


ERDGESCHOSS

1 DER WIENER KONGRESS
2 ÄRA METTERNICH
3 MUSIK
4 WIENER WALZER
5 BILDENDE KUNST
6 KUNSTHANDWERK
7 BÜRGERSINN UND STADTKULTUR
8 WOHNKULTUR
9 THEATER
10 LITERATUR

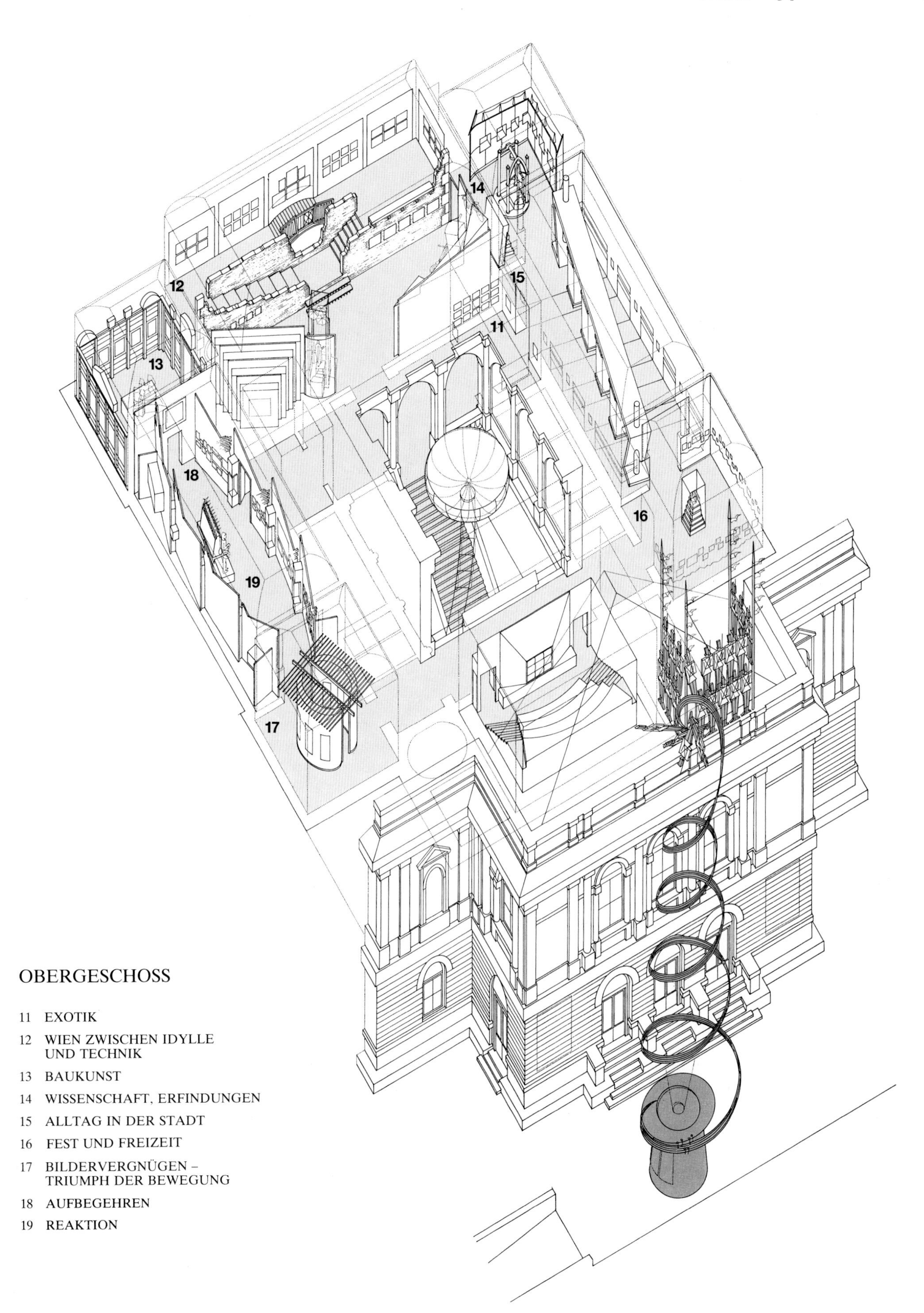


## OBERGESCHOSS

11 EXOTIK
12 WIEN ZWISCHEN IDYLLE UND TECHNIK
13 BAUKUNST
14 WISSENSCHAFT, ERFINDUNGEN
15 ALLTAG IN DER STADT
16 FEST UND FREIZEIT
17 BILDERVERGNÜGEN – TRIUMPH DER BEWEGUNG
18 AUFBEGEHREN
19 REAKTION

Zeichnung Atelier Podrecca

# DIE BIEDERMEIER-AUSSTELLUNG

Eine Ausstellung im allgemeinen ist etwas zwischen Kunst und Architektur; von der Kunst bezieht sie die Kurzlebigkeit der Betrachtung, von der Architektur Körper und Masse.

Sie unterscheidet sich von beiden im wesentlichen durch ihre spezifische Dauer. Sie wird nie, auch wenn sie unübertroffen ist, weiter denkmalgepflegt werden können, denn sie muß am Ende zerstört werden.

Aus dieser spezifischen Zeitlichkeit, beinahe aus dieser leisen Tragik heraus, bezieht die Ausstellung ihre wesentliche Haltung. In der Betrachtung und Deutung der Wirklichkeit einer anderen Zeit, durch ihre spezifische Wirklichkeit, muß sich eine historische Ausstellung der Abstraktion bedienen.

Der daraus resultierende Wirklichkeitstausch führt, ohne daß der Betrachter allzulange gefragt wird, in die Realitätssphäre einer Täuschung, wo Überzeichnung, Obsession der Gestalt, Mimik usw. unentbehrlich sind. Dies ganz im Gegensatz zur Architektur, die durch ihre Dauer und durch ihre Abnutzung letztlich allgemein verantwortlich ist und eine Rahmenhandlung des Lebens bedeutet – oder der Kunst, die nur Eigenleben ist und selbstverantwortlich handelt.

Durch diese Surrogate schließlich erstellt auch die Ausstellung einen Ausgleich zwischen ihrer und der darzustellenden Zeit. Sie versucht die Simultanität im Erleben beider Pole als Ganzheit zu erfassen, und hier liegt auch ihr objektiver Realitätswert.

Von einer formalen Prämisse her betrachtet, entsteht die Biedermeier-Ausstellung in Wien in einem Mißverhältnis vom kleinen Biedermeier-Objekt zum breitbrüstigen Volumen des Künstlerhauses.

Ähnlich den russischen Puppen, wo eine aus der anderen gezogen wird, versinnbildlicht das darzustellende Material die kleinste und letzte und der Raum die größte und erste Puppe. Was dazwischen liegt ist die Ausstellung. Sie versucht im wesentlichen die Maßstabsdivergenz des Gesamten in *eine* Gestalt überzuführen und die Ideogramme des Biedermeier bzw. des Historismus mit jenen unserer Zeit simultan ablesbar zu machen.

Um einer allzu kunsthistorischen Didaktik und Fabelei zu entfliehen, folgt das Hineinbauen der kleinen Architektur in die Ausstellungsräume einem attributiven Charakter des Planes. Er orientiert sich nicht mimetisch an der Illustration von Ereignissen einer veristischen Geschichte, sondern an der allgemeinen Atmosphäre, der Bewegungslust, dem Maß, der Schärfe und Polychromie im Ausdruck dieser Zeit.

Die Ausstellung huldigt weder einer noblen Bescheidenheit und Zurückhaltung noch einer psychoanalysierenden Exklusivität. Es wird hier der Versuch unternommen, beinahe populistisch die Frontalität und Offenheit, die Heraldik der Zeichen des Biedermeier zu schildern. Es ist ein lauter „homo ludens“ mit erhöhtem Lebensgefühl und triebhaftem Spiel, der im Abwandeln der Klassik deren Grenzen ad absurdum führt.

Die Grundhaltung dieser Zeit ist visionär – wie gradlinig führt die filmische Sequenz des „Schmucks“ der Biedermeiertapete zum Musterkabinett der Wiener Werkstätte! Die Lust des sich Zeigenlassens im Biedermeier, vom Freundschaftsakt bis zum wundersamen Elixier, bedarf des Schmucks in seiner Urwurzel als Dämmung des „horror vacui“. Diese eindämmende Lust, das Repressive und Bedrohliche, das Böse und Häßliche durch Schmuck und Tanz unwirksam zu machen, schlägt oft ins Komische über, wie in der Märchenwelt, wo der geprellte Teufel letztlich zur komischen Figur wird.

Abgeleitet vom Komischen im Biedermeier, von dem Willkürakt der Zensur, von der Schärfe der Karikatur, von der Erfindungswut, wie jener der Hosenträger, bis hin zu den bewegten Bildern einer temperierten Erotik begründet sich der sozialästhetische Aspekt dieser Epoche.

Die Irritation, die daraus folgt, beruht auf der Spannung der Unvereinbarkeit von abgeleiteter Form und inhaltlicher Bedeutung. Dies setzt jene formale Abstraktion voraus, die auch in der Ausstellung behutsam, aber in regelmäßigen Abständen eingesetzt wird. Nicht zuletzt will man durch die Gestalt der Ausstellung das klassische Bild des Biedermeier als Apotheose einer wohlbescheidenen Häuslichkeit modifizieren.

Die allgemeine repräsentative Symbolik lehnt sich an die Polarität der Vorgänge unserer Zeit. Es wird nicht bloß nach Neuartigem, Besonderem und Erstklassigem gesucht, sondern es wird die Kraft der allgemeinen Phänomene – eingefügt und eingebettet in die Breite des Geschehens – gleichwertig erfaßt.

*Boris Podrecca*

KAPITEL 1

# DER WIENER KONGRESS

Die „Schlußakte" des Wiener Kongresses ist die entscheidende Manifestation politischer Willensbildung am Beginn des „Biedermeier". Sie bedeutet das Ende der 1789 in Frankreich ausgebrochenen und sich durch das Napoleonische Imperium verbreiteten Revolution. Sie gibt dem „biedermeierlichen" Menschen die Grundlage für sein mit dem Begriffspaar „Bürgersinn und Aufbegehren" gekennzeichnetes ambivalentes Verhalten.

# DER WIENER KONGRESS 1814/15

*Anna Hedwig Benna*

Zu den Ereignissen, die Wien fast ein Jahr lang in den Mittelpunkt des Weltgeschehens und des Weltinteresses rückten, gehört unzweifelhaft der Wiener Kongreß, der von Mitte September 1814 bis Mitte Juni 1815 in der österreichischen Hauptstadt abgehalten wurde.

Mit seinen fast 238.000 Einwohnern zählte Wien damals zu den drei größten Hauptstädten Europas. Das seit der Bannung der Türkengefahr zur barocken Kaiserstadt geformte Wien erlebte seit den achtziger Jahren des 18. Jahrhunderts durch den starken Zuzug von Kaufleuten und Bankiers und durch die im Gefolge der Industrialisierung seit 1800 verstärkte Zuwanderung von Arbeitskräften eine Entwicklung zur Großstadt[1], die neben den Licht- auch die Schattenseiten des Pauperismus[2] noch vor der Revolution von 1848 aufwies.

Daß die Wahl der Alliierten, die die Hegemonie Napoleons gebrochen hatten, nach dem Abschluß der Friedensverträge von Paris vom 30. Mai 1814 (1. Pariser Friede) auf Wien als Tagungsort für den zur Ausführung dieser Verträge stipulierten Kongreß fiel, verdankte die kaiserliche Haupt- und Residenzstadt Kaiser Alexander I. von Rußland als Anreger dieser Geste des Dankes der Alliierten an Österreich, das über zwei Jahrzehnte allein und in wechselnden Koalitionen der Expansionspolitik des revolutionären und imperialen Frankreich Widerstand geleistet und einen sehr maßgeblichen Anteil an den Befreiungskriegen schon allein durch die Erhebung in Tirol (1809) gehabt hatte. Dazu kam noch, daß die Politik des seit 1809 im Amt des dirigierenden Ministers der auswärtigen Geschäfte befindlichen Clemens Graf (seit 1813 Fürst) Metternich, Österreich nach vorsichtigem Taktieren als Verbündeter Napoleons I. schließlich durch die Verträge von Teplitz vom 9. September 1813 mit Rußland und Preußen und von Chaumont vom 1. März 1814 mit Großbritannien, Preußen und Rußland an die Spitze der Koalition der europäischen Großmächte führte, die das Ende der Herrschaft Napoleons und seine Abdankung als Kaiser der Franzosen mit dem Einsatz militärischer Mittel zustande brachte[3].

Es war das glänzende Ambiente, das Wien trotz zweimaliger französischer Besatzung in den Jahren 1805 und 1809[4] den Teilnehmern des Kongresses, Monarchen, Diplomaten und Vertretern verschiedenster Gemeinschaften, bieten konnte, es waren vor allem die Festlichkeiten, die den Rahmen für die unter Ausschluß der Öffentlichkeit sich vollziehende Arbeit der verschiedenen Gremien, Konferenzen, Komitees und Kommissionen abgaben, die im Mittelpunkt einer 80 Jahre nachher vom k. k. Museum für Kunst und Industrie (heute Österreichisches Museum für angewandte Kunst) veranstalteten Wiener-Kongreß-Ausstellung[5] sowie einer zwei Jahre später erschienenen Publikation zur Kulturgeschichte der Kongreßzeit[6] standen.

Am Ende des Ersten Weltkrieges, ein Jahrhundert später, als Friedensverhandlungen aktuell wurden, gewann der Wiener Kongreß für diese Konferenzen exemplarische Bedeutung. Die Studie Charles Websters, verfaßt im Auftrag des Foreign Office, über den Wiener Kongreß und seine Arbeitsweise[7] ebenso wie das unter Leitung von Ludwig Bittner im Haus-, Hof- und Staatsarchiv entstehende Corpus pacifictionum, eine systematische Sammlung der Friedensverträge aus der Zeit von 1792–1913, waren als Rüstzeug für Teilnehmer an Friedensverhandlungen gedacht, erlangten aber keine Aktualität.[8]

Politische Aktualität gewann die Erinnerung an den Wiener Kongreß in den Jahren vor dem Abschluß des Österreichischen Staatsvertrages. Die fünf Türen, die in den historischen Kongreßsaal im Gebäude der Staatskanzlei, dem heutigen Bundeskanzleramt, führen, inspirierten Bundeskanzler Leopold Figl, der den Abschluß des Staatsvertrages unermüdlich bei den Alliierten monierte, zu dem Hinweis, vier Türen wären für die vier Alliierten, die fünfte für Österreich bestimmt[9].

10 Jahre nach dem Abschluß des Österreichischen Staatsvertrages und 150 Jahre nach dem Wiener Kongreß kam nun die Zeit für eine umfassende repräsentative Ausstellung, die in der Hofburg vom 1. Juni bis 15. Oktober 1965 stattfand. Die zahlreichen aus in- und ausländischen Archiven und Sammlungen stammenden Exponate dokumentierten Politik, Gesellschaft, Wirtschaft, Wissenschaft, Musik, Theater, Bildende Kunst und Kunstgewerbe der Zeit des Kongresses[10].

Der Wiener Kongreß, der die Kongresse des 17. und 18. Jahrhunderts, gemessen an den von ihm zu lösenden politischen Fragen, an der Beteiligung von Souveränen, Außenministern, Diplomaten und Persönlichkeiten des öffentlichen Lebens,

Kat. Nr. 1/12 Schlittenfahrt nach Schönbrunn, 1815

weit übertraf, entwickelte eigene Arbeitsweisen und Methoden zur Erledigung der ihm übertragenen Aufgaben, vor allem der Rekonstruktion Europas auf der Grundlage des Gleichgewichtes (balance of power). Es wurde in Konferenzen, Komitees und Kommissionen unter Ausschluß der Öffentlichkeit gearbeitet. Die Ergebnisse dieser Arbeiten erfuhren ihre Beurkundung in der Schlußakte vom 9. Juni 1815.

Ab Mitte September 1814 – der ursprünglich vorgesehene Termin für den Beginn des Kongresses mußte um zwei Monate vom 1. August auf den 1. Oktober verschoben werden – trafen in Wien Repräsentanten von 200 Staaten und Städten und verschiedensten Gemeinschaften als Kongreßdelegierte, aber auch Monarchen, als erster Zar Alexander I. von Rußland, gefolgt von König Friedrich Wilhelm III. von Preußen und den Königen von Dänemark, Bayern, Württemberg und Sachsen ein[11]. Die österreichische Hauptstadt wurde von Anfang Oktober bis in den Advent 1814 und vom 6. Jänner (Dreikönig) bis 8. Februar 1815 (Aschermittwoch) zum Schauplatz glänzender Feste, die als Fortsetzung der Arbeiten des Kongresses in den verschiedenen Gremien als „Völkerfeste" gedacht waren, um den Delegierten Gelegenheit zu geben, einander möglichst oft, auch in einer gelockerten Atmosphäre zu treffen, um dort begonnene politische Gespräche fortzusetzen[12]. Der Kongreß arbeitete trotz der Festlichkeiten! Nach der Landung Napoleons auf dem französischen Festland Anfang März 1815 blieb ihm zum Festefeiern allerdings keine Zeit mehr. So erscheint die Kritik des Fürsten Charles de Ligne, die dieser kurz vor seinem Ableben (13. September 1814) an den ersten beiden Monaten der Tätigkeit des Kongresses äußerte „Le congrès danse, mais il ne marche pas", als unberechtigt[13].

Die Arbeiten des Kongresses setzten schon in den ersten Tagen nach der Ankunft der Delegierten der Vier (Alliierten von Chaumont) ein. Auf Wunsch Metternichs beschäftigte sich schon am 16. September 1814 eine Konferenz von Vertretern der Vier mit essentiellen Fragen der künftigen Arbeit des Kongresses. Entsprechend den Geheim- und Separatartikeln des 1. Pariser Friedens, in denen Frankreich auf ein Mitspracherecht bei der Verteilung der von Napoleon eroberten Gebiete verzichtet hatte, beanspruchten die Vier die Durchführung der territorialen Neuordnung des Kontinents für sich allein. Für die praktischen Arbeiten sahen sie die Aufstellung je eines Komitees für die gemein- und außereuropäischen Angelegenheiten – unter Heranziehung Frankreichs und Spaniens – und eines Komitees für die deutschen Verfassungsfragen, bestehend aus Vertretern Österreichs, Preußens, Hannovers, Bayerns und Württembergs, und später auch eines eigenen für die Schweizer Angelegenheiten vor[14].

Der Anspruch der Vier auf die alleinige Leitung des Kongresses scheiterte am Widerspruch Talleyrands, der dabei die Unterstützung der Vertreter Spaniens, Portugals und Schwedens fand, die ihrerseits als Signatarmächte des 1. Pariser Friedens Aufnahme in das leitende Gremium des Kongresses verlangten und diese auch ebenso wie Frankreich erhielten. Damit war die Konferenz der Acht als eines der leitenden Gremien des Kongresses konstituiert[15]. Der Konferenz der Acht wurde die von Gentz ausgearbeitete und von den Vier bereits am 29. September genehmigte Deklaration zur Kongreßeröffnung vorgelegt. Damit war dieser auch formell eröffnet[16]. Einen Tag später wurde Metternich als residierendem Außenminister auf Vorschlag Talleyrands das Präsidium des Kongresses übertragen[17].

Zu den wichtigsten Aufgaben der Konferenz der Acht gehörte unzweifelhaft die Prüfung der Vollmachten. Dafür wurde eine eigene Kommission, die Verifizierungskommission, eingesetzt, die die Prüfung der Vollmachten der Signatarbevollmächtigten sowie der übrigen, an die eine Aufforderung, ihre Vollmachten der Verifizierungskommission vorzulegen, ergangen war, durchzuführen hatte. Die Verifizierungskommission führte die Prüfung der Vollmachten in 108 Fällen durch[18].

Auf Anregung Talleyrands setzte die Konferenz der Acht am 30. Oktober 1814 eine Kommission zur Regelung der Rangfragen der Diplomaten ein. Die von dieser Kommission ausgearbeiteten Artikel bildeten das Wiener Reglement vom 19. März 1815, das, ergänzt durch die Beschlüsse des Kongresses von Aachen vom 21. November 1818, bis 1961 in Geltung blieb[19].

Als Frage von gemeineuropäischer Bedeutung wurde die Frage der Freiheit der Schiffahrt auf dem Rhein und auf anderen Völker und Staaten verbindenden oder trennenden Flüssen durch die Schiffahrtskommission und deren Unterkommissionen behandelt und soweit es sich um die Schiffahrt auf dem Rhein und seinen Nebenflüssen (Main, Neckar, Mosel, Maas, Schelde) handelte, auch geregelt. Die Handelsschiffahrt auf der Weichsel wurde durch österreichisch-preußische Erklärungen geordnet[20].

Die aus Vertretern der Acht bestehende Abolitionskommission behandelte die Frage der Abschaffung des Negerhandels. Dieser war Gegenstand eines englisch-französischen Vertrages vom 30. Mai 1814 und wurde durch ein englisch-portugiesisches Abkommen vom 2. Jänner 1815 ergänzt. Castlereaghs Anliegen, die Abschaffung des Negerhandels, wurde als „question de morale, politique et d' humanité" von Österreich, Preußen, Rußland und Schweden gegenüber den Kolonialmächten Spanien und Portugal unterstützt. Der Kongreß erließ eine Deklaration gegen den Handel mit Negersklaven[21].

Neben die Konferenz der Acht als leitendem Gremium des Kongresses trat seit Anfang Jänner 1815, seit der Sitzung vom 12. Jänner, die Konferenz der Fünf, die aus der Konferenz der Vier durch Aufnahme Frankreichs in das Gremium der vier Siegermächte hervorging. Die Frage der Aufnahme Frankreichs in das Gremium der Vier spaltete die Siegermächte: Rußland und Preußen waren gegen eine Aufnahme Talleyrands, Großbritannien und Österreich, die dafür waren, schlossen am 3. Jänner 1815 ein geheimes Defensivbündnis mit Frankreich ab. Das Einlenken Preußens und Rußlands in der polnisch-sächsischen Frage und ihre Zustimmung zur Aufnahme Talleyrands in das Gremium der Vier führte zu einer Entspannung der Krise Anfang Jänner 1815, die den Fortgang des Kongresses fast in Frage gestellt hätte[22].

Die Konferenz der Fünf löste in 47 Sitzungen wichtige territoriale Fragen, die von der staatsrechtlichen Restitution bis zu komplizierten Aufteilungen, Um- und Neuverteilungen von Territorien reichten. Nach Annahme durch beteiligte Staaten wurden von den Betroffenen Verträge darüber abgeschlossen. Die territorialen Verschiebungen wurden notwendig, nachdem Frankreich Gebiete durch Verträge und Annexionen erworben, die Errichtung Napoleonischer Staaten (Königreiche Italien und Westfalen), der Großherzogtümer Frankfurt und Würzburg, und die damit verbundenen Entschädigungen, vor allem auf dem ehemaligen Staatsgebiet des Heiligen Römischen Reiches nach dem Reichsdeputationshauptschluß (1803)[23] zu tiefgreifenden Veränderungen der politischen Landkarte Europas geführt hatten.

Unterstützt wurde die Konferenz der Fünf in ihrer Aufgabe der Rekonstruktion Europas durch eine eigene Statistische Kommision, die auf Anregung Metternichs eingesetzt wurde. Ihr oblag die Verifizierung aller strittigen Daten, die Aufzählung aller eroberten Territorien und deren quantitative und qualitative Schätzung[24]. Die Konferenz der Fünf konnte demnach die polnisch-sächsische Frage einschließlich der Rekonstruktion Preußens, zahlreiche deutsche Territorialfragen, die Rekonstruktion Österreichs, der italienischen Staatenwelt, die Metternich nach dem Vorbild des Deutschen Bundes als Lega Italica[25] organisiert haben wollte, aber nicht konnte, das Schicksal Hollands und Belgiens lösen und über die Ionischen Inseln, die spanische Grenzstadt Olivenza und Französisch Guayana beraten[26].

Im Zuge der territorialen Rekonstruktion wurden zwei Sonderkommissionen gebildet: Die „Genua Kommission" hatte die Aufgabe, die Übergabe Genuas – seit 1797 Ligurische Republik, seit 1805 von Frankreich annektiert – an Sardinien gemäß dem 2. Geheimartikel des 1. Pariser Friedens vorzubereiten[27]; die „Bouillon Kommission" hatte die Ansprüche der beiden Anwärter auf einen Teil des von Frankreich 1793 annektierten Herzogtums Bouillon zu prüfen[28].

Mit verfassungsrechtlichen Fragen waren die Schweizer Kommission und das Deutsche Komitee, beide von den Vier schon Mitte September 1814 eingesetzt, befaßt. Die Schweiz gab sich auf Grund der Züricher Konvention vom 29. Dezember 1813 eine neue Verfassung und brachte diese im Sinne des Art. 6 des 1. Pariser Friedens vor den Wiener Kongreß. Die Schweizer Kommission war das Forum, dem die Schweizer Deputation ihre Gesamtforderungen nach Freiheit, Unabhängigkeit, Neutralität und militärisch gesicherten Grenzlinien vorlegte. Der Deklarationsentwurf der Schweizer Kommission wurde am 19. März 1815 von der Konferenz der Acht genehmigt[29]. Dem Deutschen Komitee gehörten bis Mai 1815 nur Österreich, Preußen, Hannover, Bayern und Württemberg mit ihren Vertretern an, dann aber, als deutsche Staaten ihre Mitwirkung am Kampf gegen Napoleon von ihrer Teilnahme an der Ausarbeitung der Deutschen Bundesakte abhängig machten, Vertreter der vereinigten Fürsten und freien Städte und schließlich alle deutschen Delegierten, insgesamt 39[30]. Die Bundesakte wurde am 8. Juni paraphiert, das Originalinstrument konnte nach Ausfertigung und Besiegelung am 12. Juni Metternich übergeben werden, der es samt den Akzessionen und Ratifikationen im Oktober 1816 dem Bundestagsarchiv in Frankfurt überließ[31].

Der Ausbruch Napoleons aus dem ihm nach seiner Abdankung überlassenen Fürstentum Elba[32] und seine Landung in Südfrankreich Anfang März 1815 rief als primäre Reaktion des Kongresses seine Ächtung „comme perturbateur du monde" durch die Konferenz der Acht am 13. März 1815 hervor[33].

Die Vier schlossen am 27. März 1815 ein Bündnis gegen Napoleon, dem Talleyrand für Frankreich und dem später eine Anzahl deutscher Staaten (Bayern, Württemberg, Hannover, Baden, Sachsen, Hessen-Darmstadt), aber auch Sardinien, die Niederlande und Portugal beitraten. Zur Annahme dieser Beitritte wurde eine eigene Akzessionskommission eingesetzt[34]. Die Tatsache der Ausübung der Regierungsgewalt durch Napoleon in Frankreich veranlaßte Talleyrand, eine Erklärung des Kongresses, durch diese Tatsache habe sich nichts an der Achterklärung des Kongresses geändert, anzuregen. Zur Abwägung des Für und Wider einer derartigen neuerlichen Enuntiation des Kongresses wurde eine Deklarationskommission eingesetzt[35]. Und schließlich folgte noch die Aufstellung einer Militärkommission zur Koordination der militärischen Maßnahmen, die von den Alliierten gegen Napoleon ergriffen wurden, vor allem Aufstellung der Armee und deren Verpflegung sowie Fragen des Durchmarsches[36].

Der neue Feldzug in Frankreich hinderte die weiteren Arbeiten des Kongresses nicht, er beschleunigte sie eher, und das galt auch für die Beurkundung der Ergebnisse des Kongresses in einer Schlußakte, auf die man sich statt Veröffentlichung der Partikularabmachungen samt Erklärung, die das Zustandekommen eines Schlußaktes auf einen späteren Zeitpunkt verschob, geeinigt hatte. Auf Vorschlag Metternichs wurden in diese Schlußakte alle Vertrags- und Protokollpunkte von allgemeinem Interesse aufgenommen und die Partikularabmachungen in vollem Wortlaut als Anhang angeschlossen – laut Art. 118 stellen die Annexe einen integrierenden Bestandteil der Schlußakte „ayant la même force que les articles" dar – wobei die 121 Artikel und die 17 Annexe als „un seul corps d'œuvre" aufzufassen seien[37]. Der Kreis der vertragschließenden und unterzeichnenden Staaten der Schlußakte wurde von der Konferenz der Fünf am 6. Juni auf die acht Signatarmächte des 1. Pariser Friedens beschränkt. Diese Begrenzung erwies sich

Kat. Nr. 1/17 Sitzung des Wiener Kongresses

als notwendig, da Berechnungen ergaben, daß die Zahl der Ratifikation bei einem größeren Kreis ins Ungemessene (1600) ansteigen würde. Alle übrigen Staaten wurden daher in Art. 119 und in einem eigenen Rundschreiben vom 13. Juni 1815 zum Beitritt eingeladen[38].

Die Arbeiten an der Redaktion der Schlußakte wurden von der Redaktionskommission so weit vorangetrieben, daß die Paraphierung von 110 Artikeln am 9. Juni 1815 erfolgen und die Schlußakte auf diesen Tag datiert werden konnte; nachträglich wurden noch am 11. Juni 11 Artikel der Deutschen Bundesakte (allgemeine Artikel) paraphiert, worüber ein Nachtrag im Protokoll des 9. Juni angelegt wurde[39]. Nach Anfertigung der Originalausfertigungen durch die Kongreßkanzleien der Signatarmächte erfolgte deren Unterzeichnung und Besiegelung am 19. Juni, einen Tag nach der Schlacht bei Waterloo (18. Juni 1815), in Metternichs Vorzimmer im Gebäude der Staatskanzlei durch die noch in Wien weilenden Signatarbevollmächtigten. Den bereits den Monarchen nachgereisten Außenministern Metternich, Hardenberg, Nesselrode und Talleyrand wurden die Urkunden zur Einholung der noch ausständigen Unterschriften nachgeschickt; die Besiegelung war vorher mit den in Wien zurückgebliebenen Petschaften der Signatarbevollmächtigten mit Ausnahme des von Labrador vorgenommen worden. Das österreichische Exemplar der Schlußakte kehrte erst am 21. August 1815 wieder nach Wien zurück[40].

Abweichend von der sonst bei Ratifikationen üblichen Inserierung der Unterhändlerurkunde in den Text der Ratifikationsurkunde wurden auf Beschluß der Signatarmächte vom 4. November 1815 die Texte der Ratifikationen in eine die Inserierung der Unterhändlerurkunde der Schlußakte vermeidende Form gebracht, und ähnliche gekürzte Texte wurden auch für die Beitritte (Akzessionen) und Annahmen (Akzeptationen) vorgeschrieben[41].

Um den Bevollmächtigten der zum Beitritt eingeladenen Staaten Einsichtnahme in den Text der Schlußakte für die Berichterstattung an ihre Regierungen zu ermöglichen, wurde ein sogenanntes Normalexemplar – die Originalausfertigungen der Signatarmächte blieben bei diesen und gelangten in deren Archive – ausgefertigt. Dieses, kalligraphisch hervorragend gestaltete, in roten Samt gebundene und mit den vergoldeten Wappen der Signatarmächte auf dem Vorder- und Rückendeckel geschmückte Libell konnte erst nach Einholung der noch ausständigen Unterschriften in Paris ab Spätherbst 1815 in der Staatskanzlei aufgelegt werden[42].

Einschließlich Spaniens, das es vorzog, der Schlußakte am 7. Juni 1817 beizutreten statt sie zu unterzeichnen und zu ratifizieren, traten 23 Staaten der Schlußakte des Wiener Kongresses bis 1820 bei[43].

Durch den Wiener Kongreß wurde der Frieden in Europa durch die auf der Basis des Gleichgewichts erfolgende Rekonstruktion Europas, die im Falle des Deutschen Bundes den Charakter einer regionalen, internationalen Organisation politisch-militärischen Charakters zum Schutze von Unabhängigkeit und Unverletzbarkeit der Mitgliedstaaten nach innen und außen[44] annahm, auf Jahrzehnte hinaus gesichert. Getragen wurde das Werk des Kongresses von der Pentarchie der europäischen Großmächte, in die Frankreich dank des Maßhaltens der leitenden Staatsmänner[45] schon während des Kongresses (Konferenz der Fünf) und nach dem 2. Pariser Frieden und dem Abschluß der Allianz der Vier vom 20. November 1815 aufgenommen wurde. Die Fünf bestimmten die europäische Politik bis in die sechziger Jahre hinein, obzwar sich schon seit den dreißiger Jahren zwei Gruppen, die Westmächte (Großbritannien und Frankreich) und die Ostmächte (Österreich, Preußen, Rußland) abzeichneten. Die Pentarchie trug auch die vom Kongreß geschaffene territoriale Neuordnung Europas: Änderungen wie die Anerkennung des Neustaates Belgien (1831) und die Anerkennung der Annexion des Freistaates Krakau durch Österreich (1846) erfolgten im Wege des Konsenses der Großmächte[46]. Erst die Sprengsätze von Nationalismus und Imperialismus veränderten die politische Landkarte Europas in den sechziger Jahren durch die Dethronisierung der Bourbonen (Königreich beider Sizilien, Parma und Piacenza) und der Habsburger (Lombardo-Venetianisches Königreich, Sekundogenitur in Toskana, Tertiogenitur in Modena) in Italien und den Untergang des Deutschen Bundes, der rechtlich durch den Prager Frieden vom 23. August 1866 sowie durch die mit anderen deutschen Staaten abgeschlossenen Verträge endete[47].

Der Wiener Kongreß stand am Beginn einer Epoche, die sowohl als Zeit der Restauration[48] als auch als Zeit der Emanzipation[49] bezeichnet werden kann. Nicht der Wiener Kongreß, wohl aber der Vierbund vom 20. November 1815 bildete die Instrumente der Restauration zur Erhaltung der wiederhergestellten alten Ordnung gegen abermalige Revolutionen aus. Diese Instrumente waren die Ministerial- und Monarchenkongresse, die tatsächlich in Aachen (1818), Karlsbad (1819), Wien (1820), Troppau (1820), Laibach (1821) und Verona (1822) tagten, sowie die Interventionen, die von Österreich in den zwanziger und dreißiger Jahren innerhalb der italienischen Staatenwelt und von Frankreich in Spanien (1820) vorgenommen wurden; Großbritannien distanzierte sich schon in den zwanziger Jahren von der Interventionspolitik. Gegen oder trotz der Restauration wurden gleichzeitig Kräfte der Emanzipation als nationale Unabhängigkeitsbewegungen, politische Umstürze und soziale Veränderungen frei, die zu einer Umstrukturierung von Politik und Gesellschaft seit der Mitte des 19. Jahrhunderts führten.

**Anmerkungen:**

[1] Alois Brusatti, Wien 1814/15. In: Katalog 150 Jahre Wiener Kongreß, Wien 1965, S. 233f.; Erich Zöllner, Der Wiener Kongreß, ebenda S. 18; Jean de Bourgoing, Historik und Legende, ebenda S. 25, 27; Franz Stamprech, Die älteste Tageszeitung der Welt. Werden und Entstehung der Wiener Zeitung, Wien 1977, S. 146.

[2] Vgl. Wolfgang Häusler, Von der Massenarmut zur Arbeiterbewegung. Demokratie und soziale Frage in der Wiener Revolution von 1848, Wien 1979, S. 88, 96.

[3] Josef Karl Mayr, Aufbau und Arbeitsweise des Wiener Kongresses. In: Archivalische Zeitschrift (= AZ) 45 (1939), S. 67; Richard Blaas, Der Wiener Kongreß in Dokumenten. In: 150 Jahre Wiener Kongreß, S. 103; derselbe, Staatskanzler Fürst Metternich. In: Diplomatie und Außenpolitik Österreichs. Elf Beiträge zu ihrer Geschichte. Hrsg. von Erich Zöllner, Wien 1977, S. 99 ff.

[4] Vgl. Walter Boguth, Die Okkupation Wiens und Niederösterreichs durch die Franzosen im Jahre 1809. In: Jahrbuch für Landeskunde von Niederösterreich 7 (1908); Josef Karl Mayr, Wien im Zeitalter Napoleons. Staatsfinanzen, Lebensverhältnisse, Beamte, Militärs. In: Abh. zur Geschichte und Quellenkunde der Stadt Wien 6 (1940); Rudolf Till, Wien unter fremder Besatzung. In: Wiener Geschichtsblätter 8 (1953), S. 76 ff.

[5] K. k. Museum für Kunst und Industrie, Katalog der Wiener-Congreß-Ausstellung 1896, Wien 1896; Anton Mörath, Der fürstlich Schwarzenberg'sche Staatswagen in der Kongreßausstellung. In: Monatsblatt des Alterthums-Vereines zu Wien. 1896, S. 32ff.

[6] Eduard Leisching (Hrsg.), Der Wiener Congreß. Culturgeschichte der bildenden Künste und des Kunstgewerbes, Theater, Musik, Wien 1898.

[7] Charles Webster, The Congress of Vienna, 1814–1815², London 1934; Mayr in AZ 45, S. 66.

[8] Josef Karl Mayr, Die Schlußakte des Wiener Kongresses. In: Historische Blätter (Hist. Bll.) 7 (1937), S. 61.

[9] Persönliche Erinnerung der Verf.

[10] 150 Jahre Wiener Kongreß. Katalog: Der Wiener Kongreß, 1. September 1814 bis 9. Juni 1815, Wien 1965.

[11] Zöllner, Wiener Kongreß, S. 10f.; Blaas, Wiener Kongreß in Dokumenten, S. 106. Eine Liste der Kongreßdelegierten (alphabetisch nach Staaten) aus den Papieren des Herzogs Albert von Sachsen-Teschen, gedruckt in: 150 Jahre Wiener Kongreß, S. 473ff.

[12] Bourgoing, Historik und Legende, S. 29f., 31f.; Manfred Kandler, Die Feste des Kongresses. In: Katalog 150 Jahre Wiener Kongreß, S. 247 ff.; Franz Hadamowsky, Theater und Fest beim Wiener Kongreß, ebenda S. 274 ff.; Stamprech (zit. Anm. 1), S. 158f.

[13] Jean de Bourgoing, Vom Wiener Kongreß², Wien 1964, S. 25; Historik und Legende, S. 23.

[14] Webster, Congress of Vienna, S. 60f.; Mayr in AZ 45, S. 74.

[15] Webster, Congress of Vienna, S. 86; Mayr in AZ 45, S. 69, 84; Blaas, Wiener Kongreß in Dokumenten, S. 107.

[16] Mayr in AZ 45, S. 72.

[17] Blaas, Wiener Kongreß in Dokumenten, S. 107; Bourgoing, Historik und Legende, S. 53.

[18] Mayr in AZ 45, S. 95f., 97; Blaas, Wiener Kongreß in Dokumenten, S. 108.

[19] Mayr in AZ 45, S. 103 f. Vgl. Otto Krauske, Die Entwicklung der ständigen Diplomatie vom fünfzehnten Jahrhundert bis zu den Beschlüssen von 1815 und 1818, Leipzig 1885, S. 149f.; Erwin Matsch, Der Auswärtige Dienst von Österreich(-Ungarn) 1720–1920, Wien 1986, S. 107f.

[20] Mayr in AZ 45, S. 106 f.

[21] Mayr in AZ 45, S. 102f.

[22] Mayr in AZ 45, S. 84 ff.; Blaas, Wiener Kongreß in Dokumenten, S. 109f.

[23] Harm Klueting, Die Folgen der Säkularisationen. Zur Diskussion der wirtschaftlichen und sozialen Auswirkungen der Vermögenssäkularisation in Deutschland zwischen Revolution und Restauration. Hrsg. von H. Berding–H. P. Ullmann, 1981, S. 200f., 290.

[24] Mayr in AZ 45, S. 104 ff.; Harm Klueting, Die Lehre von der Macht der Staaten. Das außenpolitische Machtproblem in der „politischen Wissenschaft" und in der praktischen Politik im 18. Jahrhundert, Berlin 1986, S. 299f.

[25] Mayr in AZ 45, S. 100. Vgl. auch Karl Großmann, Metternichs Plan eines italienischen Bundes. In: Hist. Bll. 4 (1931); Edith Kotasek, Ein Einigungsplan für Italien aus dem Jahre 1821. In: Mitteilungen des Österreichischen Staatsarchivs 7 (1954), S. 208 ff.

[26] Mayr in AZ 45, S. 87f.

[27] Mayr in AZ 45, S. 100.

[28] Mayr in AZ 45, S. 108.

[29] Mayr in AZ 45, S. 97–100.

[30] Mayr in AZ 45, S. 69, 89 ff.; Blaas, Wiener Kongreß in Dokumenten, S. 90.

[31] Mayr in Hist. Bll. 7, S. 65; derselbe in AZ 45, S. 93 ff., 126. Die Originalausfertigung der Deutschen Bundesakte von 1815 Juni 8 erliegt im Bundesarchiv, Außenstelle Frankfurt am Main.

[32] Vgl. Das Schreiben Kaiser Franz I. an Metternich vom 1814 April 12 (HHStA, Staatskanzlei. Vorträge, Kart. 194; Österreichische und europäische Geschichte in Dokumenten des Haus-, Hof- und Staatsarchivs 2, Wien 1965, 76 Nr. 225; Blaas, Wiener Kongreß in Dokumenten 105) „. . . auch Napoleon bleibt zu nahe an Frankreich und Europa . . . Hauptsache ist, den Napoleon aus Frankreich, und wolle Gott weit wegbringen . . ."

[33] Blaas, Wiener Kongreß in Dokumenten, S. 112.

[34] Mayr in AZ 45, S. 89, S. 111 ff.; Blaas, Wiener Kongreß in Dokumenten, S. 113.

[35] Mayr in AZ 45, S. 114; Blaas, Wiener Kongreß in Dokumenten, S. 113.

[36] Mayr in AZ 45, S. 109; Blaas, Wiener Kongreß in Dokumenten, S. 113.

[37] Mayr in Hist. Bll. 7, S. 62f.; dasselbe in AZ 45, S. 117.

[38] Webster, Congress of Vienna, S. 80, Anm. 3; Mayr in Hist. Bll. 7, S. 64; dasselbe in AZ 45, S. 118.

[39] Mayr in Hist. Bll. 7, S. 64f.; derselbe in AZ 45, S. 118f.

[40] Mayr in Hist. Bll. 7, S. 65 ff.; derselbe in AZ 45, S. 118f, 120f.

[41] Mayr in Hist. Bll. 7, S. 69; derselbe in AZ 45, S. 123.

[42] Mayr in Hist. Bll. 7, S. 67f.; derselbe in AZ 45, S. 122f.

[43] Mayr in Hist. Bll. 7, S. 70; derselbe in AZ 45, S. 123.

[44] Vgl. Stephan Verosta, Die Bündnispolitik der Donaumonarchie vor dem Ersten Weltkrieg in Diplomatie und Außenpolitik Österreichs. Elf Beiträge zu ihrer Geschichte. Hrsg. von Erich Zöllner, Wien 1977, S. 126.

[45] Heinrich Benedikt, Das Zeitalter der Emanzipationen 1815–1848, Wien 1977, S. 27.

[46] Benedikt, Zeitalter der Emanzipationen, S. 276f.; Matsch, Der Auswärtige Dienst, S. 149f.

[47] Verosta, Bündnispolitik, S. 126; Matsch, Der Auswärtige Dienst, S. 160, 273 Anm. 659.

[48] Karl Griewank, Der Wiener Kongreß und die europäische Restauration 1814/15, Leipzig 1954.

[49] Vgl. Anm. 45.

# RUSSLAND ALS EUROPÄISCHE MACHT: Die Zaren Alexander I. und Nikolaj I.

*Walter Leitsch*

Kat. Nr. 1/7 Allegorie auf die „Heilige Allianz“

Niemand hat als Einzelperson mehr zum Niedergang des großen Kriegsmannes, des bürgerlichen Aufsteigerhelden Napoleon, beigetragen als Zar Alexander I. Gegen den Rat fast aller russischen Würdenträger setzte er durch, daß die russischen Armeen Napoleon über die Grenzen Rußlands hinaus verfolgten, daß sich dieser Aktion immer mehr europäische Herrscher anschlossen, und daß schließlich die Armeen einer großen Koalition Napoleon besiegten. Für eine Weile sah es nun so aus, als hätten die Europäer einen monarchisch-aristokratischen Helden gegen einen bürgerlichen Aufsteigerhelden eingetauscht. Alexander I. genoß in ganz Europa eine ungeheure Popularität. Das Bedürfnis der Europäer nach Heldenverehrung war offensichtlich durch Napoleon noch nicht ausreichend befriedigt worden. Alexander I. spielte diese Rolle eines gesamteuropäischen Helden mit allergrößtem Vergnügen. Allerdings wollte er nicht in die Geschichte als Eroberer, sondern als heroischer Friedensengel eingehen, den Europäern den Frieden bringen, den sie nach den vielen Kriegen sehr, sehr nötig hatten. Daher bot er auch all seinen Einfluß auf, um für die besiegten Franzosen eine außergewöhnlich günstige Friedensregelung zu erwirken. Frankreich wurde nicht besetzt, und der Kaiser ehrenvoll in Pension geschickt. Der Großmut des Siegers wurde viel bewundert, doch die Staatenlenker alten Schlages hatten ihre Zweifel. Sie sollten Recht behalten: Napoleon kehrte zurück und mußte noch einmal besiegt werden. Napoleons Wiederkehr war eine Niederlage Alexanders. Schon früher, während des Wiener Kongresses, mußte der heroische Friedensengel einige Federn lassen. In den ersten Monaten des Kongresses beschäftigte die Staatsmänner eine Frage mehr als die vielen anderen zusammen, die man hier zu behandeln hatte.

Alexander wollte unbedingt das Königreich Polen, das im Jahre 1795 unter den drei Nachbarn – Rußland, Preußen und Österreich – endgültig und ganz aufgeteilt worden war, in seiner alten Größe wieder errichten. Preußen sollte auf Kosten Sachsens, das allzulange mit Napoleon gemeinsame Sache gemacht hatte, entschädigt werden; den Österreichern konnte man bei der Neuregelung der politischen Verhältnisse in Italien entgegenkommen. Nun empfanden im zweiten Jahrzehnt des 19. Jahrhunderts viele politisch Verantwortlichen die Aufteilung Polens als eine Ungerechtigkeit. Noch zu Lebzeiten Katharinas II., die in den Teilungen Polens eine Ruhmestat sah, hatte Alexander einem Freund anvertraut, daß er an dieses Auslöschen Polens nur mit Abscheu denken könne. Als Friedensengel Europas wollte er nun dieses Unrecht aus der Welt schaffen. Als erfahrener Diplomat und Kenner Europas gab er sich wohl nicht der Illusion hin, daß er dieses Ziel leicht erreichen könne, zumal er forderte, daß die polnische Königswürde im russischen Kaiserhaus erblich sein solle. In den Augen der österreichischen und englischen Staatsmänner wollte Alexander nur die russische Macht vergrößern, und das galt es zu verhindern. Beging Alexander einen Fehler, als er auf dieser Personalunion bestand? Man muß bedenken, daß er auch die durch die Teilungen an Rußland gekommenen Gebiete zum Teil in dieses Königreich Polen einbringen wollte. Er mußte also für die Lösung des Problems Polen nicht nur die europäischen Staatsmänner, sondern auch die russische Oberschicht gewinnen, die mit seltenen Ausnahmen polenfeindlich war, und zwar nicht nur die Konservativen, sondern auch die Liberalen. Daher mußte Alexander für eine Lösung des Problems Polen eintreten, die in den Augen der Russen eine russische Lösung war. Alexander mußte sich schließlich mit einem Kompromiß zufriedengeben, der niemanden befriedigte: Das mit Rußland in Personalunion verbundene Königreich Polen erhielt eine erstaunlich liberale Verfassung. Das vergrämte die liberal gesinnten und die konservativen Russen. Das Königreich war jedoch territorial sehr klein. Das vergrämte die Polen. Aus der Dreiteilung Polens wurde eine Fünfteilung: Ehemals polnisches Territorium stand unter russischer, preußischer und österreichischer Verwaltung; das kleine Königreich Polen war in Personalunion mit Rußland verbunden; nur die Freistadt Krakau, ein winziges Gebiet, hatte eine polnische Verwaltung und war zumindest formal selbständig. Alexander hatte eine Bereinigung des Problems angestrebt. Die Lösung, mit der er sich schließlich zufriedengeben mußte, trug den Keim weiterer großer Schwierigkeiten für die Mächte und Leiden für die Polen in sich.

Der persönliche Einsatz Alexanders bei den Beratungen des Wiener Kongresses war erstaunlich: Während die anderen gekrönten Häupter die Führung der politischen Geschäfte weitgehend (König von Preußen), vorwiegend (Kaiser von Österreich und König von England) oder völlig (König von Frankreich) ihren Ministern überließen, führte Alexander die Geschäfte und Verhandlungen selbst. Er verfügte über ein halbes Dutzend Ratgeber, die verschiedene Interessen vertraten und die er immer nur bei bestimmten Konstellationen einsetzte. Eigentlich vertrat keiner von ihnen – nicht einmal der einzige Russe, Graf Razumovskij – die nationalen Interessen Rußlands; die sechs Männer waren gleichsam nur seine Sekretäre. Noch während des Wiener Kongresses geriet Alexander wieder einmal in eine mystisch-religiöse Phase. Das Resultat seiner Überlegungen, wie man das politische Leben durch religiös-moralische Prinzipien regeln könnte, flossen schließlich in einen Vertragstext ein, den er den europäischen Monarchen vorlegte. Wiederum mußte sich Alexander mit einem Kompromiß begnügen: Sein schärfster Widersacher während der Verhandlungen dieser Jahre, der österreichische Kanzler Metternich, unterzog diese Schrift einer Überarbeitung, so daß der endgültige Vertragstext (unterzeichnet in Paris am 26. September 1815) kaum noch geeignet war, die europäische Politik mit christlichem Geist zu erfüllen. Vielmehr wurde diese „Heilige Allianz“ zu einem Instrument der Monarchen, um jeden Widerstand gegen die Herrschaft der konservativen Mächte in gemeinsamen Aktionen auszumerzen.

Wäre es Europa wirklich besser ergangen, hätte sich Alexander mit seiner christlichen Weltordnung durchgesetzt? Wie lange hätte Alexander die Macht gehabt, europaweit seine Prinzipien gegen diejenigen durchzusetzen, die von solchen Prinzipien nichts hielten? Er hätte das nur können, wenn er die nationalen Interessen Rußlands hintangestellt hätte. Wie lange hätte ihm die russische Oberschicht eine solche Politik erlaubt? Verfügte Rußland überhaupt über die nötigen Mittel, eine solche Politik in Europa zu erzwingen? Vieles war reformbedürftig in Rußland, und Alexander wußte das. In seinen ersten Regierungsjahren führte er mit einigem Schwung eine Reihe von Reformen durch. Dann kam jedoch die große Auseinandersetzung mit Napoleon. Die Reformen mußten verschoben werden. Nach 1815 hatte der Zar kein Interesse mehr an Reformen. In seiner

Kat. Nr. 1/29 Alexander I.

Jugend überlegte er mit seinen Beratern die Möglichkeiten, Rußland eine Verfassung zu geben und die Leibeigenschaft abzuschaffen. Von diesem frühen Reformeifer blieb in den letzten zehn Jahren seiner Regierung so gut wie nichts übrig. Zwar kümmerte er sich nach wie vor um die internationale Politik, doch die Verwaltung seines eigenen Landes überließ er Männern, die jegliche Modernisierung Rußlands ablehnten.

Die Mißstände machten nicht nur das Leben der Menschen schwer erträglich, sondern sie untergruben auch die Machtbasis der europäischen Politik Rußlands. Die Verwaltung lag in den Händen einer weitgehend korrupten, schikanösen und inkompetenten Bürokratie. In der hierarchischen Lebensordnung waren die Untergebenen den Vorgesetzten auf Gnade und Ungnade ausgeliefert. Die Verlogenheit erreichte groteske Ausmaße. An der Spitze dieser Hierarchie stand der Autokrat, dessen Macht nur durch seine eigenen moralischen Prinzipien beschränkt war. Die Basis der Gesellschaft, die eigentlichen Wertschöpfer, die Leibeigenen, waren eine Masse von völlig Rechtlosen. Auch die Zwischenschichten wurden durch die totale Macht oben und durch die ebenso totale Ohnmacht unten korrumpiert. Angesichts der geistigen, wirtschaftlichen und sozialen Entwicklung war eine solche Ordnung nicht mehr zeitgemäß. Die Kriege der Jahre 1805–1815 hatten das Land finanziell ruiniert. Um die europäische Geltung nicht zu verlieren, hielt sich der Zar eine große Armee, die sich das Land einfach nicht leisten konnte. Die Leibeigenschaft und der Lebensstil des Adels waren eine gigantische Verschwendung von Energien und Mitteln. Weder Alexander noch Nikolaj, sein Bruder und Nachfolger, wagten es, die Leibeigenschaft abzuschaffen. Sie fürchteten den Widerstand des Adels, ohne dessen Mitarbeit sie das Land nicht regieren konnten. Nur wenige Adelige waren liberalen Ideen gegenüber aufgeschlossen, mit ihnen allein konnte man das Land nicht regieren.

In jedem autokratischen System kommt es weitgehend darauf an, welche Ziele sich der Herrscher steckt. Alexanders Jugendideale waren eindrucksvoll, doch niemand hatte ihm beigebracht, wie man solche Reformen durchführt. Auch keiner der Herrscher des 18. Jahrhunderts war auf sein hohes Amt vorbereitet worden. Zwar erhielt Alexander eine viel bessere Erziehung als seine Vorgänger, doch bei dem hochgebildeten Laharpe lernte Alexander kaum etwas, das ihm helfen konnte, praktisch-politische Probleme zu bewältigen. Er wurde zum Europäer erzogen, fand sich in den europäischen Verhältnissen besser zurecht als in den russischen. An der Diskrepanz zwischen westeuropäischer Bildung und russischer Wirklichkeit krankten seine Reformversuche. Er lernte aus dem Dilemma nichts: Obwohl schon 1821 feststand, daß Nikolaj seinem Bruder auf den Thron folgen sollte, hat Alexander dem zukünftigen Zaren ausschließlich militärische Aufgaben zugeteilt, ihn also nicht auf das Herrscheramt vorbereitet.

Wollte man das Leben in Rußland modernisieren, mußte man mit der Abschaffung der Leibeigenschaft beginnen. Sie verurteilte mehr als die Hälfte der Bevölkerung zu einem menschenunwürdigen Dasein und war vom Standpunkt der Agrarwirtschaft aus ein nationales Unglück. Überdies verpraßte der Adel einen erheblichen Teil des Nationaleinkommens auf sinnlose Weise. Reformen waren also nur möglich, wenn man die wirtschaftliche Macht des Adels beschnitt. Die zwei Herrscher, die nach Peter dem Großen im 18. Jahrhundert am längsten regiert hatten, waren durch Adelsverschwörungen an die Macht gekommen. Auch der Vater und Vorgänger Alexanders wurde von einer Adelsverschwörung ermordet (24. März 1801). Diese Erfahrungen mahnten zur Vorsicht im Umgang mit den Adeligen, die bereit waren, das System zu verteidigen, das ihnen große wirtschaftliche Vorteile bot. Ein Teil der jungen Generation, die mit Alexander auszog, Europa von Napoleon zu befreien, fand Gefallen an den liberalen Ideen, die auch der Zar unterstützte, doch waren sie nach ihrer Rückkehr nach Rußland enttäuscht: Alexander hatte sich dafür eingesetzt, daß Frankreich und Polen Verfassungen erhielten, aber er war offensichtlich nicht bereit, das politische Leben Rußlands zu modernisieren. Junge Adelige schufen Geheimgesellschaften und planten liberale Reformen für Rußland. Alexander wußte bestens Bescheid über diese Beratungen und die Mitglieder, doch er ließ sie gewähren. Er nahm diese Verschwörerzirkel wohl nicht ernst, zumal es sich um zahlenmäßig ganz kleine Gruppen handelte. Er wollte sie wohl auch nicht für Zukunftsvisionen bestrafen, die ihn einst selbst fasziniert hatten. Alexander starb (1. Dezember 1825) weit entfernt von der Hauptstadt in einer kleinen Stadt am Schwarzen Meer. Schon Jahre vor seinem Tod hatte er im Kreise der Familie die Nachfolge geregelt. Es sollte ihm nicht der nächstjüngere Bruder Konstantin, sondern der dritte Bruder Nikolaj auf dem Thron folgen, doch nur wenige Leute hatten von dieser Nachfolgeregelung Kenntnis, so daß Nikolaj, der sich in der Hauptstadt befand, als die Nachricht vom Tod Alexanders eintraf, Konstantin zum Zaren ausrufen ließ. Konstantin selbst befand sich in Warschau, es dauerte viele Tage, bis man die Angelegenheit brieflich regeln konnte. Viele Tage lang war also diese autokratischste aller Autokratien ohne Autokrator, denn Konstantin wollte die Nachfolge nicht antreten, Nikolaj wiederum scheute sich, den Thron ohne eine eindeutige Verzichtserklärung Konstantins zu besteigen. Das war eine an sich nicht wirklich ernste und nur vorübergehende Krise an der Spitze des Staates, doch zwang diese Situation die Geheimgesellschaften zum Handeln, denn hätten sie diese einmalig günstige Gelegenheit ungenützt verstreichen lassen, hätten sie sich selbst nicht mehr ernst nehmen können. Als nun Nikolaj sich schließlich dazu durchrang, den Thron zu besteigen, verweigerte ein Teil der Petersburger Garnison den Treueeid und forderte eine Verfassung. Mit Hilfe von Regimentern, die Nikolaj ergeben waren, machte er der Meuterei der jungen Adeligen, die unter der Bezeichnung Dekabristen in die Geschichte eingingen, ein Ende. Nichts hatte er in seinem Leben so geschätzt wie die Armee. Am Tag seiner Thronbesteigung wandte sich ein Teil dieser Armee gegen ihn. Junge Adelige forderten liberale Reformen und waren sogar bereit, für dieses Ziel ihr Leben zu opfern. Andererseits waren die Konservativen, die Masse des Adels, gegen solche Reformen. Von ihnen konnte man ebenfalls annehmen, daß sie gegebenenfalls handeln würden, um ihre Interessen zu verteidigen. Dazwischen stand Nikolaj. Was sollte er tun? Er war überzeugt, daß die autokratische Ordnung, eine Ordnung ohne jegliches liberale Element, das einzig Gute für Rußland war. Mit ihm bestieg ein Mann den Thron Rußlands, den man als den letzten wahren Autokraten bezeichnen kann, als Inbegriff von law and order. Obwohl die europäisch Gebildeten seiner Zeit auch in Rußland längst davon überzeugt waren, daß die autokratische Ordnung nicht zeitgemäß war, plagten Nikolaj keine Zweifel dieser Art.

Nikolaj I., Lithographie

Er verhörte die Dekabristen zum Teil selbst und studierte genau, was ihnen am russischen Leben mißfiel. Er hatte wohl auch den guten Willen, viele der Übelstände abzuschaffen. Doch er dachte nicht daran, das Übel an der Wurzel zu packen. Seiner persönlichen Neigung entsprechend versuchte er, das Leben nach militärischen Prinzipien zu organisieren. Er steckte einen Großteil der Menschen in Uniformen und ließ sogar die Kirche von einem General verwalten. Er baute ein Spitzelsystem auf und studierte eine Unzahl von Berichten. Er verlegte die politischen Entscheidungen in die von der Öffentlichkeit völlig abgeschirmte dritte Abteilung seiner Privatkanzlei und degradierte die offizielle Regierung zu einer reinen Exekutive. Obwohl er Konstitutionen verabscheute, ließ er sich, weil es den Gesetzen entsprach, zum konstitutionellen König von Polen krönen. Der polnische Aufstand gegen die russische Herrschaft im Jahre 1830 war für ihn eher Anlaß zur Freude, denn nun konnte er auch den Polen die Segnungen der Autokratie bringen.

Auch in der internationalen Politik wollte er diesen Prinzipien Geltung verschaffen, so daß man ihn den Gendarm Europas nannte. Allerdings hatte er nicht ein so starkes Interesse an der europäischen Politik wie sein Bruder und Vorgänger. Als Konzession an den Zeitgeist ließ er eine offizielle Ideologie konzipieren: Das politische System Rußlands sollte auf drei Säulen ruhen: Auf der Autokratie, der Orthodoxie und der Volksverbundenheit (narodnost). Nur die Autokratie war ein allgemein anwendbares Prinzip; die anderen beiden waren – und das war ganz bewußt so – rein russische Elemente der offiziellen Ideologie.

Als 1848 in Frankreich die Revolution ausbrach, fühlte sich Nikolaj in seiner Politik bestätigt: Einem schwachen König geschieht es recht, wenn man ihn verjagt. Der Zar war auch keineswegs bereit, sich für den König einzusetzen: kein Tropfen russischen Blutes sollte wegen Frankreich vergossen werden; die „unwürdigen Franzosen“, wie er sich ausdrückte, sollten ruhig einander umbringen. Die Situation änderte sich jedoch in den Augen Nikolajs grundlegend, sobald mehr Länder von der Bewegung erfaßt wurden und die Revolution näher an die Grenzen Rußlands heranrückte. Die Zensur wurde verschärft, die russischen Zeitungen durften nur auf eine ganz bestimmte Weise über die Ereignisse in Europa berichten, und an den Grenzen traf man militärische Vorkehrungen. Doch die Bewegung griff nicht einmal auf den russischen Teil Polens über, obwohl in den benachbarten Provinzen, in Posen und in Galizien, die Polen sehr wohl in diese Bewegung hineingezogen wurden. Wieder einmal blieb Rußland außerhalb einer gesamteuropäischen Bewegung. Schließlich mußte Österreich die Hilfe Rußlands in Anspruch nehmen, um dem Aufstand in Ungarn ein Ende zu bereiten. In den Augen der Konservativen Europas wuchs das Prestige Rußlands ins Unermeßliche. Im gleichen Maße wuchs auch das Selbstbewußtsein Nikolajs. In den Augen der Liberalen wurde Rußland nun endgültig zum Hort der finstersten Reaktion. Einige Jahre lang konnte Nikolaj die Stellung des Herrschers der eindeutig dominierenden Landmacht Europas genießen. Der Krimkrieg (1853–1856) machte jedoch der Vormachtstellung Rußlands ein Ende.

Alexander I. war ein überzeugter Europäer gewesen, sein politischer Horizont war eindrucksvoll weit. Nikolaj I. sah alles nur unter dem Gesichtspunkt russischer nationaler Interessen. Der Horizont der Politik Rußlands verengte sich. Aber Nikolaj war nicht nur der letzte Autokrat, den keine Zweifel an der Gültigkeit des Systems plagten, er war auch fleißiger als irgendein Herrscher Rußlands seit Peter dem Großen. Er kümmerte sich um alles und arbeitete bis zur Erschöpfung. Sein Pflichtbewußtsein war eindrucksvoll. Als sich die Niederlage im Krimkrieg abzeichnete, und die Armee, auf die er soviel Sorgfalt und Mühe verwendet hatte, versagte, starb er an einer simplen Erkältung, eigentlich an Erschöpfung und Frustration (2. März 1855). Weder die gebildeten Zeitgenossen noch die Historiker konnten an ihm viel Gutes finden. Er verspielte die Stellung, die Alexander I. für Rußland in den Jahren nach 1812 erkämpft hatte. Er hinterließ ein Reich, das technisch und wirtschaftlich in den vorangegangenen fünfzig Jahren im Vergleich zu den westeuropäischen Ländern zurückgeblieben war. Aber in der Regierungszeit Nikolajs entstanden auch einige der bedeutendsten Werke der russischen Literatur (Puschkin, Lermontov, Gogol), und Glinka schuf die so reizvolle Synthese der europäischen mit der typisch russischen Musik. Zwischen den Napoleonischen Kriegen und dem Krimkrieg genoß eine Generation eine Epoche des Friedens (1815–1853), denn die kurzen Kriege gegen das Osmanische Reich (1828/29) und gegen Polen (1830/31) wie auch die Kämpfe im Kaukasusgebiet waren nur Randerscheinungen im Leben der Russen. Es war im Grunde eine ruhige und beschauliche Zeit, wohl auch eine gute Zeit für alle jene, die materiell abgesichert waren und denen Fortschritt und Freiheit nicht viel bedeuteten. Bildung blieb jedoch ein Privileg einer ganz kleinen Gruppe von Menschen vorwiegend aristokratischer Herkunft. Rußland verfügte zwar über ein gutes System von Unterrichtsanstalten, doch bei einer Bevölkerung von rund 70 Millionen gab es nur 17.809 Mittelschüler (1854) und 3018 Universitätsstudenten (1850). War Rußland ein Reich ohne Zukunft? Die bald nach dem Tode Nikolajs von seinem Sohn und Nachfolger Alexander II. in den sechziger Jahren durchgeführten Reformen ließen die Konservativen ein letztes Mal hoffen, sie könnten die autokratische Herrschaftsstruktur erhalten und gleichzeitig Wirtschaft und Kultur stärken und modernisieren.

**Literatur:**


Marc Raeff, Understanding Imperial Russia. State and Society in the Old Regime. New York 1984.

Daniel T. Orlovsky, The Limits of Reform: The Ministry of Internal Affairs in Imperial Russia, 1802–1881. Cambridge, Mass., London 1981.

Alan Palmer, Alexander I. Tsar of War and Peace. London (1974).

Andrei A. Lobanov-Rostovsky, Russia and Europe 1789–1825. Durham N. C. 1947.

Ulrike Eich, Rußland und Europa. Studien zur russischen Deutschlandpolitik in der Zeit des Wiener Kongresses. Köln, Wien 1986, 466 S. = Passauer Historische Forschungen I.

Patricia Kennedy Grimsted, The Foreign Ministers of Alexander I. Political Attitudes and the Conduct of Russian Diplomacy, 1801–1825. Berkely and Los Angeles 1969.

N. Eidelmann, Conspiracy Against the Tsar. Moscow (1985).

Theodor Schiemann, Geschichte Rußlands unter Kaiser Nikolaus I. 4 Bde., Berlin 1904–1919.

Maurice Paléologue, Alexandre Ier. Un tsar énigmatique. Paris (1937).

W. Bruce Lincoln, Nicholas I. Emperor and Autocrat of All the Russias (London 1978), 424 S. Deutsche Übersetzung: Nikolaus I. von Rußland 1796–1855. München (1981).

Nicholas V. Riasanovsky, Nicholas I and Official Nationality in Russia, 1825–1855. Berkely and Los Angeles 1961.

Sidney Monas, The Third Section, Police and Society in Russia under Nicholas I. Cambridge, Mass. 1961.

W. Bruce Lincoln, In the Vanguard of Reform. Russia's Enlighted Bureaucrats 1825–1861. Dekalb, Ill. 1982.

A. S. Nifontow, Rußland im Jahre 1848. Berlin (1954).

## 1 DER WIENER KONGRESS

*Karl Joseph de Ligne an Charles-Maurice Talleyrand-Périgord: „On a dit que j'ai dit que le Congrès danse et ne marche pas. Ce qui fait que rien ne transpire que ces messieurs."*

Kat. Nr. 1/1

**1/1**
**Geschützrohr**

Wien, 1810
Sechspfünder
Ges. Länge: 158 cm, größter Dm.: 27 cm
Einfacher Bronzeguß. Zwischen den Delphinen die Inschrift: 7 C (Centner) 6 lib (Pfund) Nr. 2. Große Inschrift am Kammerstück: FRANZ I./DEN BÜRGERN/DER STADT WIEN/FÜR ERPROBTE/TREUE./ANHAENGLICHKEIT/UND BIEDERSINN/MDCCCX. Am Boden: UNTER DEM BÜRGERMEISTER/STEPHAN EDLEN VON WOHLLEBEN/DEN IV. OCTOBER MDCCCX/V. LETHENYEY MAIOR UND SK. GUSS DIRECTOR IN WIEN.
Moderne Lafette nach zeitgenössischem Vorbild.
HM, Inv. Nr. 126.292

Dieses und die unter den Kat. Nrn. 2/1/1 ff. gezeigten Geschütze übergab Kaiser Franz I. bei einer großen Bürgerparade 1810 den Wienern als Ersatz für die Verluste des Kriegsjahres 1809.
GD
Abbildung

**1/2**
**Lederfauteuil aus dem Besitz von Clemens Lothar Wenzel Fürst Metternich**

Fürst Paul von Metternich-Winneburg

**1/3**
**Feierlicher Einzug Kaiser Franz' I. in Wien am 16. Juni 1814**

Johann Nepomuk Hoechle (1790–1835)
Kolorierte Radierung und Kupferstich kombiniert, 40,5 × 54 cm
Sign. li. u.: Höchle. Bez.: Feierlicher Einzug S. M. des Kaisers von Oestreich Franz 1./in seiner Residenzstadt Wien den 16 July 1814 . . .
HM, Inv. Nr. 96.579

Gehört als Blatt Nr. 18 zu der bei Artaria erschienenen Serie: „Schlachten, Ereignisse und andere militärische Vorstellungen." – Die Triumphpforte, das letzte Werk des Architekten Johann Ferdinand Hetzendorf von Hohenberg (1732–1816), stand auf dem Glacis vor dem Kärntnertore. „. . . Glücklich bin ich, daß ich diesen Tag erlebt; er ist und wird der schönste meines Lebens bleiben; mag nun mit mir werden, was Gott will . . ." (Tagebuch Erzherzog Johanns).

„. . . Unendlich war der Jubel, als jetzt der Kaiser selbst an der Seite seines Bruders, des damaligen Großherzogs von Florenz, von der Generalität umgeben, erschien. Rührend, freudenvoll und erhebend war dieser Moment durch seine eigentümliche Wirklichkeit und durch die Betrachtung dessen, was zum Glück und zum ruhigen Wohlsein der Völker geschehen war und sich für die Zukunft hoffen ließ . . ." (Caroline Pichler, Denkwürdigkeiten aus meinem Leben, hrsg. von Emil Karl Blümml, München 1914, 2. Bd., S. 22)
GD
Abbildung

**1/4**
**Anton Diabelli (1781–1858)**

Glorreiche Rückkehr Franz' des Allgeliebten in seine Residenz am 16ten Juni 1814. Ein charakteristisches Tongemälde für das Piano-Forte. Wien (1814)
Erstdruck (Platten-Nr. 1419), Wien, bei Th. Weigl
24 × 32,5 cm
Wien, Musiksammlung der Österreichischen Nationalbibliothek, Inv. Nr. MS 38.622/3

Zu den zahlreichen in Wien wirkenden Komponisten, welche die Siegesfeierlichkeiten des Jahres 1814 zum Anlaß nahmen, hiezu musikalisch Stellung zu nehmen, gehörte auch der Komponist und Musikverleger Anton Diabelli (1781–1858). Noch von Paris aus genehmigte Kaiser Franz I. einen ersten Entwurf für die Gestaltung der Feierlichkeiten bei seinem Einzug in Wien am 16. Juni 1814.

Der Komponist Diabelli schrieb eine große Anzahl Klaviermusik, 2 Opern, 6 Schauspielmusiken, Orchestertänze, Lieder, 17 Messen und anderes mehr. Zu Diabelli siehe auch Kat. Nr. 3/4/4.
ASchu

**1/5**
**Maximilian Joseph Leidesdorf (1787–1840)**

Wiens froheste Feyer. Eine musikalisch-charakteristische Darstellung der Rückkehr unseres allgeliebten Landesvaters Seiner Majestät Kaiser Franz I. Für das Piano-Forte componirt
Erstdruck, Wien, bei Pietro Mechetti, PN 360 [1814], 26 × 36 cm
Wien, Archiv der Gesellschaft der Musikfreunde in Wien, VII 16297 (Q 13789)

Von zeitgenössischer Hand ist das Datum dieses Einzugs – 16. Juni 1814 – dem Text auf dem Titelblatt hinzugefügt; das Exemplar stammt aus der Musikaliensammlung des Bruders des Kaisers, Erzherzog Rudolph. In diesen Jahren wurden aktuelle kriegerische oder politische Ereignisse laufend durch derartige Programmmusiken illustriert, kommentiert und der Bevölkerung nahe gebracht. Die Überschriften der einzelnen Teile dieser Fantasie: Der, zum Einzug Sr. Majestät bestimmte Tag, bricht unter dem lauten Jubel der Einwohner Wiens, an; Rührung des Volks, bei dem Gedanken, der grossen Opfer welche unser erhabener Monarch dem Wohl der

Menschheit gebracht hat; Verschiedene Bürger Corps versammeln sich, das Fest zu verherrlichen und Ordnung zu erhalten; Glokkengeläute und Kanonen Donner verkünden die nahe Ankunft unseres Kaisers; Feierlicher Einzug Marsch in den Dom zu St. Stephan; Seine Majestät werden an der Kirchenpforte, von der Geistlichkeit empfangen; Te Deum laudamus; Seine Maj: kehren aus der Kirche zurück; Die Kanonen rings um die Wälle werden gelöst, und die Glocken geläutet.
Siehe auch Kat. Nr. 2/1/28.
OB

**1/6**
**Medaille auf den Triumph-Einzug Franz I. in Wien, 1814**

Johann Endletsberger (1779–1856)
Einseitig: TRIUMPH EINZUG FRANZ DES I IN WIEN Einzug Franz' I. durch die Triumphpforte beim Kärntnertor in Wien.
Sign. re. u.: I. E. Im Abschnitt: ER. KEHRT. AUS.FERNEM.LAND./DES.FRIEDENS. GOLDNEN ZWEIG. / IN.SEGENREICHER. HAND./1814.
Messing, versilbert, Dm.: 64 mm
HM, Inv. Nr. 38.196

Kaiser Franz I. genehmigte noch von Paris aus einen ersten Entwurf für die Gestaltung der Feierlichkeiten bei seinem Einzug in Wien am 16. Juni 1814. Siehe auch Kat. Nr. 1/3.

Johann Endletsberger war ab 1800 im Dienst des Hauptmünzamtes in Wien und Prag tätig. 1814 schuf er mehrere Friedensmedaillen.
ASchu

**1/7**
**Allegorie auf die Heilige Allianz**

Federzeichnung, aquarelliert, 13,5 × 9,4 cm
Auf Untersatzpapier mit Aquatinta – Rand montiert. Pl.: 20,8 × 16,7 cm; Bl.: 28,4 × 20,9 cm
HM, Inv. Nr. 56.466/5

Die drei Monarchen, Zar Alexander I., Kaiser Franz I. und Friedrich Wilhelm III. von Preußen, reichen einander die Hände zum heiligen Bund. Zwei Säulen, von floralem Schmuck umgeben, tragen je drei flammende Herzen; eine Girlande, drei sich vereinende Lorbeerkränze und ein achtstrahliger blauer Stern mit aufgelegtem Bindenschild und dem Monogramm „FI" krönen die Handlung. Die Worte zu Häupten der Monarchen würdigen das Geschehen: Weñ so Monarchen sich vereinen/So muß der Menschheit Glück er-/ scheiñen.
GD
Abbildung

**1/8**
**Der Wiener Kongreß**

Kupferstich, koloriert, Pl.: 26,5 × 38 cm; Bl.: 30,1 × 47,8 cm
Bez. Mi. u.: Denkwürdige zusam̃enkunft der Hohen Regierenden Monarchen/IN DEN CONGRES IN WIEN/nach der Siegreichen befreyung Europa im Jahre 1814. Bez. re. u.: Wien bey A. Tessaro.
HM, Inv. Nr. 57.788
Abbildung

**1/9**
**Clemens Wenzel Fürst Metternich-Winneburg (1773–1859)**

Thomas Lawrence (1769–1830)
Öl auf Leinwand, 130,2 × 96,3 cm
Wien, Bundeskanzleramt

Aus rheinischem Grafengeschlecht stammend, lernte er früh die Französische Revolution kennen und wurde ihr unerbittlicher Gegner: Der Kampf gegen diese wurde das Prinzip seines politischen Handelns. 1794 nach Wien gekommen, heiratete er im darauffolgenden Jahr Eleonore Gräfin Kaunitz, die Enkelin des verstorbenen Staatskanzlers. 1801 wurde er österreichischer Gesandter in Dresden, wo Friedrich Gentz sein Mitarbeiter und Publizist wurde. 1803 wurde er Gesandter in Berlin. Seit 1806 drängte er als Botschafter in Paris auf eine militärische Auseinandersetzung mit Frankreich. Nach der bitteren Niederlage von 1809 und dem darauffolgenden Frieden von Schönbrunn trat er als Außenminister für ein vorsichtiges Taktieren gegenüber Napoleon ein und riet u. a. zur Hochzeit der Kaisertocher Marie Louise mit Napoleon. Seit 1811 österreichischer Staatskanzler, konnte er zwar nicht umhin, vertragsgemäß ein österreichisches Corps auf französischer Seite in den Rußlandfeldzug zu entsenden, das jedoch weitestgehend durch diplomatische Schachzüge von den schwersten Kämpfen ferngehalten werden konnte. Nach der Niederlage und Abdankung Napoleons wurde Metternich der führende Diplomat der Siegermächte. Als „Kutscher Europas" leitete er 1814/15 den Wiener Kongreß, bei dem er für die Schaffung eines europäischen Kräftegleichgewichts und – soweit möglich – für die Wiederherstellung der alten politischen Ordnung sorgte. Anstelle des überholten alten Römischen Reiches trat er jedoch für die Gründung des Deutschen Bundes (39 Staaten unter den Präsidialmächten Österreich und Preußen) ein. Eine Garantie für den internationalen Frieden sollte die zwischen den Monarchen Franz I., Alexander I. und Friedrich Wilhelm III. geschlossene „Heilige Allianz" geben.

Metternichs Innenpolitik verschaffte ihm den Beinamen des „Fürsten von Mitternacht". Als leidenschaftlicher Gegner von demokratischen, liberalen und nationalen Ideen ließ er diese mit Polizei- und Zensurmethoden bekämpfen („Metternichsches System"), die die totale politische Entmündigung des Bürgers erzwangen und mit zur Revolution von 1848 führten.

Nach dem Tod von Kaiser Franz I. leitete Metternich in der „Staatskonferenz" (zusammen mit Erzherzog Ludwig und Franz Anton Graf Kolowrat-Liebsteinsky) die Staatsgeschäfte anstelle des regierungsunfähigen Kaisers Ferdinand I. Sein unbeweglicher Konservativismus machte Metternich schließlich zum meistgehaßten Feind der Revolution. Am 13. März 1848 gestürzt, flüchtete er nach England. 1851 kehrte er nach Wien zurück, wo er seine letzten Jahre noch als Berater des jungen Kaiser Franz Josephs I. tätig war.
WD

**1/10**
**Kaiser Napoleon I. im Krönungsornat**

François-Pascal-Simon Gérard (1770–1837)
Öl auf Leinwand, 223 × 146,5 cm
Dresden, Staatliche Kunstsammlungen, Inv. Nr. 2.518

Seit Napoleon Bonaparte zum Ersten Konsul der französischen Republik ernannt worden war, waren eine Reihe von Attentaten auf ihn verübt worden. Die daraus resultierende Unsicherheit, was nach einem unvorhergesehenen Tod Napoleons aus Frankreich werden sollte, hatte bereits 1802 zu einer Publikation geführt, in der der Autor, Oberst Bonneville Ayral, vorschlug, ihn zum ersten Kaiser der Gallier und Ahnherrn einer erblichen Dynastie zu machen. Nach der rechtzeitigen Verhaftung von Georges Cadoudal, der ein weiteres Attentat geplant hatte, im Februar 1804 begann man, die Pläne für eine Krönung Napoleons tatsächlich zu realisieren. Auch er selber, der ursprünglich dagegen gewesen war, befaßte sich nun sehr intensiv mit den Vorbereitungen. Der Titel, „Kaiser der Franzosen", den er annehmen würde, sollte andeuten, daß Napoleon seine neue Würde, die er vom Volke erhalten hatte, deutlich von der der alten europäischen Dynastien absetzen wollte. Das drückte sich auch in der Wahl der Krone aus, die dem Lorbeerkranz nachempfunden war, mit dem römische Imperatoren bei ihrem Triumph gekrönt worden waren. Als weitere Insignien wurden ein Szepter und Schwert verwendet, die angeblich aus dem Besitz von Karl dem Großen stammten. Wie dieser sollte auch Napoleon vom Papst gekrönt werden. Als Krönungsort wurde die Pariser Kathedrale Nôtre Dame gewählt; die französischen Könige waren ja in Reims gekrönt worden. Napoleon setzte sich während der Zeremonie am 2. Dezember 1804 die Krone selber auf und krönte dann seine Frau Josephine. Die künstlerische Gestaltung der Feierlichkeiten lag in den Händen von Isabey. Tatsächlich hörten von nun an die Attentate auf das Leben Napoleons auf. Eine weitere Folge war, daß der Kaiser, da seine erste Frau keine Kinder mehr bekommen konnte und um Eingang in die europäischen Herrscherfamilien zu finden, sich von ihr scheiden ließ und als zweite Frau eine Tochter

Kat. Nr. 1/3

Kat. Nr. 1/8

Kat. Nr. 1/11/1

Kat. Nr. 1/11/3

Kat. Nr. 1/13

Kat. Nr. 1/15

Kat. Nr. 1/10

von Kaiser Franz I. von Österreich, Marie Louise, heiratete. Beider Sohn erhielt den Namen seines Vaters und wurde nach dessen Sturz als Franz Herzog von Reichstadt am Wiener Hof erzogen.
SK
Abbildung

**1/11/1**
**Das Militärfest im Prater am 18. Oktober 1814**

Öl auf Leinwand, 102 × 159 cm
Bez. o. (auf dem Rahmen): ZUM ANGEDENKEN DES FESTES/IM PRATER AM 18. OCTOBER 1814.
HM, Inv. Nr. 102.745

Das Militärfest fand im Prater zur Jahresfeier der Völkerschlacht von Leipzig bei strahlendem Herbstwetter am 18. Oktober 1814 statt. Schauplatz war das Lusthaus mit seiner unmittelbaren Umgebung und der anschließende, nur durch einen schmalen Donauarm getrennte Teil der Simmeringer Heide. Die Truppen defilierten in der Nähe des Lusthauses vor den Monarchen, hierauf fand das Festmahl statt. Die Monarchen tafelten im Lusthaus, für die Soldaten (Offiziere und Gemeine gemeinsam) wurden die Speisen im Freien aufgetragen. „. . . Einer fühlte sich in allen geehrt, erhoben – alle bewachten den einzelnen, und so schienen diese Tausende von Geladenen und Zusehern eine einträchtige, geordnete Familie, die sich um ihren Vater versammelte und ein gemeinschaftliches Fest begingen . . .“

*Lit.: Caroline Pichler, Denkwürdigkeiten aus meinem Leben, hrsg. von Emil Karl Blümml, München 1914, 2. Bd., S. 31.*
GD
Abbildung

**1/11/2**
**Situationsplan zum Militärfest**

Feder, aquarelliert, 72,5 × 51 cm
HM, Inv. Nr. 19.977

Situationsplan mit Legende (re. u.); die Tafeln tragen die Regimentsfarben, der Festplatz wurde mit Fischernetzen abgesperrt, die Verbindung zur Simmeringer Heide durch drei Schiffsbrücken, deren Geländer aus erbeuteten Gewehren verfertigt waren, hergestellt.
GD

**1/11/3**
**Das Militärfest**

Balthasar Wigand (1770–1846)
Gouache, 21,4 × 34 cm
Sign. re. u.: Wigand f. Bez. Mi. u.: FVIT DECIMO OCTAVO OCTOBRIS.
HM, Inv. Nr. 24.957

Die übergroß geschriebenen Großbuchstaben des Textes ergeben das Chronogramm (VI = 6, D = 500, C = 100, I = 1, M = 1000, C = 100, V = 5, C = 100, I = 1, „1813“.
GD
Abbildung

**1/12**
**Die Schlittenfahrt nach Schönbrunn am 22. Jänner 1815**

Friedrich Philipp Reinhold (1779–1840)
Kupferstich und Radierung kombiniert, koloriert, 47,7 × 65,5 cm
Sign. li. u.: Fr. Phill. Reinhold pinxt.
Beschriftet deutsch und französisch. DARSTELLUNG DER AM 22.tem JANUAR 1815/während der Anwesenheit der hohen verbündeten Monarchen in Wien auf allerhöchsten Befehl/Sr. k. k. apostolischen Majestät veranstalteten feyerlichen Schlittenfahrt.
HM, Inv. Nr. 108.483

Die vom österreichischen Hofe lange Zeit vorbereitete Schlittenfahrt hatte mehrmals verschoben werden müssen und fand endlich am 22. Jänner 1815 statt. Vom Josefsplatz bewegte sich der Zug zunächst durch die vornehmsten Straßen und Plätze Wiens, um schließlich die Stadt zu verlassen und im Galopp nach Schönbrunn zu eilen. Das Gepränge und der zur Schau getragene Reichtum der an der Unterhaltung Beteiligten hatte die Bevölkerung in großer Zahl herbeigelockt. Immerhin wurden bereits kritische Stimmen laut, welche die Verschwendungssucht anprangerten.
GD
Abbildung

**1/13**
**Maskenball im Redoutensaal der Wiener Hofburg, um 1815**

Joseph Schütz (1784–nach 1815)
Radierung, koloriert, 30 × 43 cm
Sign. Mi. u.: Ansicht des K. K. Redouten Saales während eines Masquenballes.
HM, Inv. Nr. 19.877

Der Ausspruch des österreichischen Feldmarschalls Karl Josef Fürst von Ligne „Der Kongreß tanzt wohl, aber er geht nicht" wurde legendär. Der neue Modetanz war der Wiener Walzer, dessen Choreographie zur Zeit des Wiener Kongresses bereits so ausgebildet war, wie wir ihn heute noch kennen.

Schon Ende des 18. Jahrhunderts hatte sich in Wien eine spezifische Ballkultur entwickelt. Neue, großzügige Tanzlokale wurden gebaut, und die bisher nur dem Adel vorbehaltenen Redoutensäle in der kaiserlichen Hofburg wurden unter Joseph II. öffentlich zugänglich gemacht. Diese Redouten gehörten bis in das Biedermeier zu den vornehmsten Faschingsvergnügen der Wiener. Außerdem waren diese Bälle die einzigen Veranstaltungen in Wien, bei denen das Tragen von Masken erlaubt war. Erst als die strengen behördlichen Verbote des 18. Jahrhunderts in Vergessenheit geraten waren, kam das Larventragen auf Bällen im späten Biedermeier wieder auf. (Siehe auch Kat. Nr. 4/21.)
ReWi
Abbildung

Kat. Nr. 1/16

**1/14**
**Joseph Wilde**

Alexander's favorit Taenze für das Clavier verfaßt und aufgeführt bey den kaiserlichen Hof-Bällen sowohl, als bey Sr. Durchlaucht Herrn Fürst Metternich während der Anwesenheit der hohen und höchsten Monarchen in Wien, 1814
Erstdruck, Wien, bei S. A. Steiner
Aufgeschlagen: 26,5 × 65,5 cm
Wien, Musiksammlung der Österreichischen Nationalbibliothek, Inv. Nr. MS 1534
*Lit.: Siehe F. Mailer, Die Walzer des Biedermeier, im vorliegenden Katalog.*
ASchu

**1/15**
**Das kaiserliche Karussell am 23. November 1814**

Feder, aquarelliert, 26,9 × 41,2 cm
HM, Inv. Nr. 23.712
Vorlage für den bei Artaria & Comp. erschienenen kolorierten Kupferstich CARUSELL in der K. K. Winterreitschule gegeben in Gegenwart der hohen Allürten im Jahre 1814.

Dieses Fest, der Form und dem Inhalt nach eine spielerisches „Türkenkopfstechen", fand in der Winterreitschule in der Burg nach langen Wochen sorgfältigster Vorbereitungen am 23. November 1814 statt. Man bedauerte den Verlust ritterlicher Geschicklichkeitsspiele (wie auf dem Blatt dargestellt: mit einem Wurfspieß mußten die Türkenköpfe im vollen Galopp getroffen werden). Der Höhepunkt war ein Scheingefecht, bei dem zwei gegnerische Parteien aufeinander losstürmten, bestimmte Regeln, die Verletzungen ernsthafter Natur jedoch ausschließen sollten, waren dabei unbedingt einzuhalten. Hier wurde ein Fest veranstaltet, das in seiner strahlenden und schillernden Aufwendigkeit nicht unwesentlich dazu beigetragen haben mag, daß man die tatsächliche Arbeit des Wiener Kongresses völlig übersah.
GD
Abbildung

**1/16**
**Palast und Garten des Fürsten Razumovsky, um 1825**

Eduard Gurk (1801–1841)
Aquarell und Deckfarben, 9,5 × 14,3 cm. Auf laviertem Untersatzkarton (20 × 23,5 cm) montiert
HM, Inv. Nr. 15.336

Andreas Graf (ab 1815 Fürst) Razumovsky (1752–1835) ließ als Gesandter Rußlands (1801–1807) in Wien 1803–1807 von dem Architekten Louis Montoyer an der Grenze der Vorstädte Erdberg und Landstraße dieses Palais erbauen, in dem er auch seine wertvollen Kunstschätze aufbewahrte. Razumovsky, eine einflußreiche Persönlichkeit des gesellschaftlichen und musikalischen Lebens in Wien, gründete 1808 für musikalische Feiern ein eigenes Streichquartett, das vor allem Beethovens Kammermusik zu Gehör brachte. Am 31. Dezember 1814 brach in dem Palais kurz vor Beginn eines Ballfestes, das Zar Alexander I. für Gäste des Wiener Kongresses veranstalten wollte, ein Brand aus, dem das Gebäude teilweise zum Opfer fiel. Der Bau konnte erst nach einigen Jahren des Restaurierens wiederhergestellt werden.

Nach dem Tod des Fürsten Razumovsky kam das Palais vorübergehend in den Besitz von Fürst Johann Liechtenstein. Seit 1851 ist das Palais Sitz der Geologischen Reichsanstalt (heute Geologische Bundesanstalt, Wien 3, Rasumofskygasse 23–25).
ASchu
Abbildung

**1/17**
**Sitzung des Wiener Kongresses**

Jean Godefroy (1771–1839) nach Jean Baptiste Isabey (1767–1855)
Linien- und Punktierstich, Pl.: 66 × 88 cm
Sign., dat. u. bez. u.: J. Isabey à Paris/Rue des 3 Fréres No. 7. Déposé à la Direction royale de la Librairie. J. Godefroy/1819
Bez. Mi. u.: CONGRES DE VIENNE./ SEANCE DES PLENIPOTENTIAIRES/ DES HUIT PUISANCES SIGNATAIRES./ DU TRAITE DE PARIS.
HM, Inv. Nr. 169.581

Das Bild zeigt die Delegierten am Wiener Kongreß (18. September 1814 bis 9. Juni 1815) in einer Verhandlungspause: soeben ist der Herzog von Wellington eingetreten, um Lord Castlereagh abzulösen. Der Raum ist der Verhandlungssaal im Palais am Ballhausplatz; im Gemälde an der Wand Kaiser Franz I. im Krönungsornat als römisch-deutscher Kaiser; im Gemälde des Nebenraumes Maria Theresia sowie rechts die Büste des Fürsten Kaunitz. Die Randleisten des Stiches zeigen in den vier Ecken die zu erstrebenden Ideale „Veritas" (Wahrhaftigkeit), „Prudentia" (Klugheit), „Sapientia" (Weisheit) und „Scientia" (Wissen). In der Mitte oben „Justitia", die Gerechtigkeit. In Medaillons oben die Herrscher Georg III. von England, Franz I. von Österreich, Ferdinand VII. von Spanien, Ludwig XVIII. von Frankreich, Johann VI. von Portugal, Friedrich Wilhelm III. von Preußen, Alexander I. von Rußland und Karl XIII. von Schweden.

In der unteren Leiste die Wappen der Länder dieser Herrscher. In den seitlichen Leisten 21 Wappen dargestellter Delegierter. Die dargestellten Verhandlungsteilnehmer: Stehend (von links nach rechts): Wellington (England), Lobo (Portugal), Saldanha (Portugal), Löwenhjelm (Schweden), Noailles (Frankreich), Metternich (Österreich), Latour Dupin (Frankreich), Nesselrode (Rußland), Razumovsky (Rußland), Stewart (England), Wacken (Österreich), Gentz (Österreich), Humboldt (Preußen), Cathcart (England).

Sitzend (von links nach rechts): Hardenberg (Preußen), Palmella (Portugal), Castlereagh (England), Dalberg (Frankreich), Wessenberg (Österreich), Labrador (Spanien), Talleyrand (Frankreich), Stackelberg (Rußland).

Im Auftrage Talleyrands begleitete Isabey die französische Delegation nach Wien, wo er sich schon 1812 aufgehalten und die Mitglieder der kaiserlichen Familie gemalt hatte, um hier nun ein Gemälde der versammelten Kongreßmitglieder zu schaffen. Besuche in seinem Atelier in der Leopoldstadt (Jägerzeile) wurden bald elegante Gewohnheit, der Reihe nach saßen ihm sämtliche Delegierte, so daß der Künstler bereits im Jänner 1815 in der Lage war, eine Subskription für das Blatt auszuschreiben. Er beabsichtigte, mit der Zeichnung bis Anfang März fertig zu sein, wonach Jean Godefroy den Druck bis Ende 1816 fertiggestellt haben sollte; tatsächlich verzögerte sich aber das Erscheinen des Blattes, 1918 lag es zum ersten Mal vor. Das Blatt hat immer zu den Raritäten gezählt. Bereits Isabey selbst kündigte es mit 120 Francs mit der Schrift, mit 240 Francs vor der Schrift und zum doppelten Preis nach Ablauf der Subskription an.
GD
Abbildung

**1/18**
**Sieges- und Friedensmedaille auf den Wiener Kongreß, 1814**

Heinrich Jacob Pfeuffer (1801–1861)
Vs.: Über der Erdkugel schwebende, von vorne gesehene Siegesgöttin mit Kranz und Palmzweig. Sie ist von vierzehn mit Lorbeer bekränzten Köpfen (Fürsten und Heerführern aus den Jahren 1813/14) umgeben, die wie folgt beschriftet sind: KAI. FRANZ.II. – KAIS. ALEXANDER.I. – KÖ. WILHELM.II. – HER. V. WEIMAR. – KR. V. WÜRTEMBERG. – F. SCHWARZENBERG – F. BLÜCHER – F. WREDE – HER. WELLINGTON – GR. BÜLOW – F. WITTGENSTEIN – GR. YORK – GR. PLATOW – KR. V. SCHWEDEN. Umschrift (mit Ortsangabe und Datum von sechs Siegen der Verbündeten): TREBIN. 23. AUG. 1813. KATZBACH. 26. AUG. 1813. KULM. 30. AUG. 1813. DENNEWITZ. 6. SEPT. 1813. NOLLENDORF. 17. SEPT. 1813. LEIPZIG. 16–19. OCT. 1813.
Rs.: Triumphbogen über dreizeiliger Inschrift: SIEGS UND FRIEDENS MÜNZE/ZUM WIENER CONGRESS/OCTOBER.1814. Umschrift (in sechs Kreisen mit Aufzählung zahlreicher Schlachten und – im letzten Kreis – eroberter Städte aus den Jahren 1813 und 1814):
HANAU. 30. OCT. 1813. BRIENNE. 1. FEBR. 1814. ORTEZ. 28. FEBR. 1814. TOURNAI. 7. MAERZ. 1814. LAON. 9. MAERZ 1814. ARCIS. S. AUBE. 21. MAERZ 1814/
LAFERE CHAMPENOISE. 25. MAERZ. 1814. MONTMARTRE. 30. MAERZ. 1814. TOULOUSE. 10. APR. 1814. HAYNAU. 19. AUG. 1813. GOLDBERG. 23. AUG. 1813/ LÖWENBERG. 29. AUG. 1813. MÖKKERN. 27. AUG. 1813. PIRNA. 7. SEPT. 1813. WEISSENFELS. 13. SEPT. 1813. DOMITZ. 10. SEPT. 1813. KASSEL. 30. SEPT. 1813/
FREIBURG. 20. OCT. 1813. FRIESENHEIM. 1. IAN. 1814. ST.M.AUX MINES. 10. IAN. 1814. CHARMES. 12. IAN. 1814/ HOCHSTRAATEN. 12. IAN. 1814. BAR-S.AUBE. 24. IAN. 1814. LAFERE CHAMPENOISE. 5. FEBR. 1814/
DANZIG. ZAMOSK. MODLIN. STETTIN. GENF. NYMWEGEN. WITTENBERG. TORGAU. DRESDEN. LION. TOUL. BREDA. NANCY. BRÜSSEL. PARIS./.
Zinn, Dm.: 77 mm
HM, Inv. Nr. 90.285

In dem Beiblatt zur Medaille (herausgegeben von Friedrich Stammer, Hildburghausen, im Oktober 1814) heißt es wortwörtlich: „Es sind 15 Hauptschlachten, die vom 23. August 1813 an bis zum 10. April 1814 gegen den gemeinschaftlichen Feind geliefert wurden, nebst 15 Hauptgefechten, alle mit Angabe des Ortes und der Zeit, und endlich 15 von unsern siegreichen Armeen genommene große Städte, die sich auf ihr angedeutet befinden . . ."

Die Rückseite der Medaille zeigt weiters den Triumphbogen in Paris, „den Napoleon im Jahre 1806 errichten hatte lassen und auf dem die berühmten Pferde von St. Markus in Venedig aufgestellt worden waren" („Baden und Württemberg im Zeitalter Napoleons", Ausstellung des Württembergischen Landesmuseums Stuttgart, 1987, Kat. Nr. 116). Heinrich Jacob Pfeuffer (1778–1836) wirkte als Graveur in Suhl, einer Stadt am Südabhang des Thüringer Waldes.

Das vorliegende Exponat ist übrigens ein typisches Beispiel für die große Zahl an „Volksmedaillen", die in deutschen Ländern nach den Siegen über Napoleon geprägt wurden.
ASchu

**1/19**
**Schraubmedaille auf den Wiener Kongreß, 1814**

Leopold Heuberger (1786–1839)
Vs.: UNSTERBLICHKEIT DEN BEGLÜKERN (sic!) EUROPENS. Die Friedensgöttin mit einem Fuß auf der Erde stehend, mit der rechten Hand einen Sternenkranz emporhaltend, in der linken Hand einen Palmzweig.
Sign. Mi. u.: HEUBERGER
Rs.: Vier Lorbeerkränze, darin EIN WILLE – EIN MUTH – EINE KRAFT – EIN ZWECK
Umschrift:
HAT SIE VEREINT//MDCCCXIII – MDCCCXIV
Silber, Dm.: 53 mm
Inliegend 12 doppelseitige kolorierte Stiche, je 6 Bildnisse und daneben die dazugehörigen Namen: Franz I Kaiser von Oestreich, Alexander I Kaiser von Russland, Friedrich Wilhelm III König vn Preussen, Friedrich VI König von Dänemark, Maximilian König von Bayern. Fried. Wilh. Carl II König von Würtemberg. Erste und letzte Seite: F (= Franz), N (= Napoleon). Auf der Rückseite in einzelnen Großbuchstaben: FÜRSTENVEREIN
HM, Inv. Nr. 57.450

Zu Leopold Heuberger siehe Kat. Nr. 2/4/4.

**1/20**
**Die deutsche Bundesakte, paraphiertes Exemplar**

1815 Juni 8, Wien
Original, Papier
Wien, Österreichisches Staatsarchiv, Abteilung Haus-, Hof- und Staatsarchiv,
StK. Kongreßakten, Kart. 6 (alt 11), fol. 1, 9–11
Aufgeschlagen: fol. 1, fol. 9, fol. 10, fol. 11

Die Bundesakte besteht aus 2 Teilen (Allgemeine und Besondere Bestimmungen) mit 20 Artikeln. Die Allgemeinen Bestimmungen (Art. 1–11) wurden in die Wiener Kongreßakte als Artikel 53–63 aufgenommen und damit unter die Garantie der Signatarmächte gestellt. Verglichen mit der Verfassung des alten Reiches bedeutete die Bundesakte eine Verbesserung insofern, als der Bund nach außen hin viel geschlossener auftrat als das Reich. Die Bundesakte blieb mit verschiedenen Änderungen bis 1866 gültig.

fol. 1: Präambel:

„Einleitend wird festgehalten, daß ‚die souveränen Fürsten und freien Städte Deutschlands, den gemeinsamen Wunsch hegend, den Artikel 6 des 1. Pariser Friedens in Erfüllung zu setzen, und von den Vorteilen überzeugt, welche aus einer festen und dauerhaften Verbindung für die Sicherheit und Unabhängigkeit Deutschlands und die Ruhe und das Gleichgewicht Europas hervorgehen würden', vereinbart haben, ‚sich zu einem beständigen Bunde zu vereinigen'."

fol. 9: Artikel 1:

„Die Souveränen Fürsten und freien Städte Deutschlands mit Einschluß Ihrer Majestäten des Kaisers von Oesterreich und der Könige von Preußen, von Dänemark und der Niederlande, und zwar der Kaiser von Oesterreich der König von Preußen beyde für die gesamten vormals zum deutschen Reich gehörigen Besitzungen der König von Dänemark für Holstein der König der Niederlande für das Großherzogthum Luxemburg, vereinigen sich zu einem beständigen Bunde welcher der deutsche Bund heißen soll."

(Von den österreichischen Territorien blieben also die polnischen, ungarischen und italienischen Gebietsteile ausgeschlossen, eingeschlossen waren aber Böhmen, Mähren, Krain, Triest, Tirol bis südlich Trient; von den preußischen Territorien blieben demnach ausgeschlossen Ost- und Westpreußen, Posen sowie die Erwerbungen aus den polnischen Teilungen.)

fol. 10: Artikel 2:

„Der Zweck desselben ist Erhaltung der äußeren und inneren Sicherheit dieses Landes und der Unabhängigkeit und Unverletzbarkeit der einzelnen deutschen Staaten."

fol. 11: Artikel 3:

„Alle Bundesglieder haben als solche gleiche Rechte; sie verpflichten sich alle gleichmäßig die Bundesacte unverbrüchlich zu halten."
GD

**1/21**
**Die Heilige Allianz**

1815 September 26, Paris
Original, Papier
Wien, Österreichisches Staatsarchiv, Abteilung Haus-, Hof- und Staatsarchiv, AUR, fol. 1–4

Alexander I. von Rußland, Franz I. von Österreich und Friedrich Wilhelm III. von Preußen bekannten sich in dem aus drei Artikeln bestehenden Vertrag zum Gedanken der Restauration. Das staatliche Leben sollte christlichen Moralprinzipien unterworfen werden und dem Bekenntnis zum patriarchalischen Regiment, zum Gottesgnadentum, zur Friedensidee und zum Völkerbund folgen. In der Präambel hielten die Monarchen fest, „. . . Daß es notwendig ist, die von den Mächten in ihren gegenseitigen Beziehungen einzunehmende Haltung auf die erhabenen Wahrheiten zu gründen, die uns die ewige Religion Gottes des Heilandes lehrt . . . daß der gegenwärtige Akt keinen anderen Zweck hat, als vor aller Welt ihre unerschüttliche Entschlossenheit zu bekunden, zur Regel ihres Verhaltens sowohl in der Verwaltung als ihrer eigenen Staaten wie in ihren politischen Beziehungen zu jeder anderen Regierung allein die Gebote dieser heiligen Religion zu nehmen, die Gebote der Gerechtigkeit, der Menschenfreundlichkeit und des Friedens, die, weit davon entfernt, nur für das Privatleben zu gelten, im Gegenteil unmittelbar auf die Entschlüsse der Fürsten Einfluß üben und alle ihre Schritte lenken sollen, da sie das einzige Mittel sind, die menschlichen Einrichtungen zu befestigen und ihrer Unvollkommenheit abzuhelfen . . ."

Die Initiative zur Unterzeichnung der Heiligen Allianz ging von Alexander I. aus, der die beiden anderen Monarchen mit der Vorlage eines Manifestes überraschte, das, stark beeinflußt von den Gedanken der Juliane von Krüderer und der deutschen Romantiker Adam Müller und Franz Baader, Alexander Stourdza entworfen hatte. Sowohl Franz I. als auch Friedrich Wilhelm III. hatten ernste Bedenken gegen diese Form einer „moralischen Manifestation", aber beide wollten den Zaren durch eine Absage nicht verletzen. Erst Metternich, der den Vertrag als „zum mindesten unnütz" einstufte und diesen „Ausflug einer pietistischen Stimmung des Kaisers Alexander" ein „lauttönendes Nichts" nannte, änderte das Dokument so weit ab, daß es einen konkreten politischen Charakter annahm und dadurch beitragen konnte, die bestehende Regierungsform zu stützen. Siehe Kat. Nr. 1/7.
GD

**1/22**
**Die Schlußakte des Wiener Kongresses**

1815 Juni 9
Faksimile
Wien, Österreichisches Staatsarchiv, Abteilung Haus-, Hof- und Staatsarchiv

Die Schlußakte (121 Artikel) setzte die Bestimmungen fest, die der Wiener Kongreß getroffen hatte. Sie regelte europäische und innerdeutsche Belange, schloß in den Artikeln 53 bis 63 die Deutsche Bundesakte ein und stellte sie damit unter die Garantie der Signatarmächte.

Österreich erhielt alle Gebietsteile zurück (Art. 93–95), die es in den Friedensschlüssen mit Napoleon (1797, 1801, 1805, 1809) verloren hatte, es trat aber Belgien an die Niederlande ab und überließ den Breisgau an Baden und Württemberg.

Gemeinsam mit Preußen und Rußland übte Österreich das Protektorat über den neutralen Freistaat Krakau aus (1846 Österreich einverleibt). Österreich wurde die bestimmende Macht in Italien, es herrschte im Königreich Lombardo-Venetien und in den habsburgischen Sekundogenituren Toskana, Modena, Parma, Piacenza und Guastalla.

Befaßte sich die Mehrzahl der Vertragsartikel mit Gebietsverteilungen an die Fürsten (Art. 1–107), so ist darauf zu verweisen, daß sich die Artikel 108–117 mit Angelegenheiten des Völkerrechtes beschäftigten, wie der freien Schiffahrt auf Flüssen mit mehreren Uferstaaten, aber auch der Abschaffung des Sklavenhandels.

Die Restauration nach der durch Frankreichs Revolution verursachten europäischen Katastrophe war keine bloße Wiederherstellung des Alten, sondern eine Neuordnung, die sich auf die Legitimität des monarchischen Prinzips berief.
GD

**1/23**
**Aktenmappe Metternichs**

Wien, um 1814/15
Leder, Goldpressung, Leinen, Metallverschluß
48,5 × 32 × 3,4 cm
Rote Ledermappe, Rand mit Goldbordüre verziert, gefüttert mit blauem Leinen und grünem Leder mit Goldbordüre
HM, Inv. Nr. 178.776
Abbildung

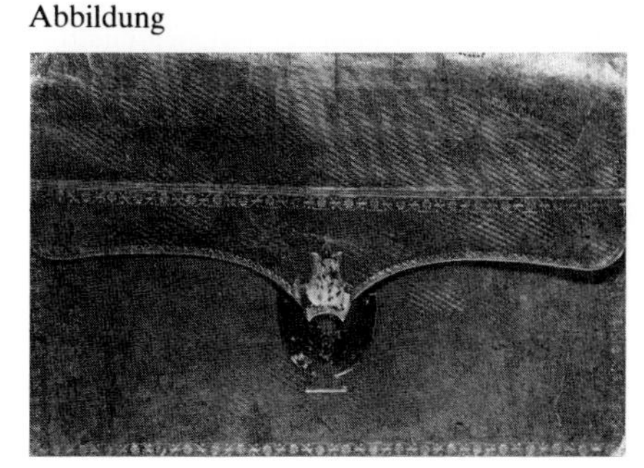

Kat. Nr. 1/23

**1/24**
**Friedrich von Gentz (1764–1832)**

Friedrich Lieder d. Ä. (1780–1859), 1825
Kreidelithographie, 33,2 × 24 cm
Sign. u. dat. re. u.: Lieder 1825.
HM, Inv. Nr. 12.513

Der aus Breslau gebürtige Staatsmann und politische Schriftsteller befand sich seit 1802 im österreichischen Staatsdienst. Seine publizistische Tätigkeit hatte zunächst den Befreiungskampf gegen Napoleon zum Inhalt, nach 1815 war er der erklärte Vertraute Metternichs, dessen System er durch entsprechende Veröffentlichungen untermauern half. Er gründete 1818 die „Wiener Jahrbücher der Literatur" und schuf mit dem „Österreichischen Beobachter" die erste politische Zeitung des Landes.
SW
Abbildung

**1/25**
**Wilhelm Freiherr von Humboldt (1767–1835)**

Eduard Eichens (1804–1877), nach Franz Krüger (1797–1857)
Kupferstich, 21,2 × 14,8 cm
Sign. li. u.: gez. v. Fr. Krüger., re. u.: gest. v. Eduard Eichens
HM, Inv. Nr. 1.236

Der mit Goethe und Schiller befreundete Gelehrte und Staatsmann war eine der bestimmenden Persönlichkeiten in der preußischen Reformzeit. Auf dem Wiener Kongreß agierte er neben Hardenberg, der sich politisch in eine andere Richtung hin entwickeln sollte, als Vertreter seines Landes. Humboldts entschlossenes Auftreten gegen die Karlsbader Beschlüsse führte 1817 dazu, daß er als Minister für ständische und kommunale Angelegenheiten demissionierte.
SW
Abbildung

**1/26**
**Henry Robert Stewart Castlereagh, Marquis von Londonderry (1769–1822)**

Blasius Höfel (1792–1863) nach Thomas Lawrence (1769–1830)
Punktierstich, 34,6 × 23,5 cm
Sign. li. u.: Tho Lawrence pinx., re. u.: Blas. Höfel sc.
HM, Inv. Nr. 73.665

Der englische Politiker (Kriegsminister 1805–1806 und 1807–1809, seit 1812 Außenminister) trat beim Wiener Kongreß maßgeblich für das europäische Gleichgewicht ein. Anfänglich ein Befürworter von Metternichs Politik, brachte er später der Heiligen Allianz weniger Sympathie entgegen, wegen innenpolitischer Schwierigkeiten beendete er sein Leben durch Selbstmord.

*Lit.: Ausstellungskatalog „Die Aera Metternich", Historisches Museum der Stadt Wien 1984, Nr. 3/6.*
SW
Abbildung

**1/27**
**Carl Gustav Graf Löwenhjelm (1790–1858)**

Josef Kriehuber (1800–1876), 1836
Kreidelithographie, 40,4 × 30,7 cm
Sign. u. dat. li. u.: Kriehuber 836.
HM, Inv. Nr. 80.623

Der General und Diplomat Löwenhjelm vertrat auf dem Wiener Kongreß die Interessen Schwedens, das sich im Kampf gegen Napoleon auf die Seite der Verbündeten gestellt und dafür mit dem Verlust Schwedisch-Vorpommerns und Rügens bezahlt hatte. Der Kieler Friede entschädigte Schweden mit Norwegen, welches allerdings seine Verfassung behielt und mit diesem nur in einer Personalunion verbunden wurde.
SW
Abbildung

**1/28**
**König Ludwig XVIII. von Frankreich (1755–1824)**

Blasius Höfel (1792–1863) nach Peter Krafft (1780–1856)
Punktierstich, 37,2 × 26,4 cm
Sign. li. u.: P. Krafft del., re. u.: Blasius Höfel. sc.
HM, Inv. Nr. 73.844

Der dargestellte Regent nahm 1795 den Königstitel an. Von Napoleon verfolgt, war er zu einem unsteten Wanderleben gezwungen, seit 1809 lebte er in England. Nach der Abdankung seines Gegners zog er am 3. Mai 1814 in Paris ein, wo er am 4. Juni eine liberale Verfassung erließ, allerdings war die spätere Zeit seiner Regierung durch eine Wendung zur Reaktion hin bestimmt.
SW
Abbildung

**1/29**
**Zar Alexander I. von Rußland (1777–1825)**

Blasius Höfel (1792–1863) nach Jean B. Isabey (1767–1855)
Punktierstich, 38,1 × 27,1 cm
Sign. Mi. u.: I. Isabey pinx.
HM, Inv. Nr. 73.622

Der Sohn Pauls I. und Enkel von Katharina II. folgte 1801 seinem ermordeten Vater auf dem Thron. Seine Regierung war durch seine im Sinne der Aufklärung gestaltete Erziehung gekennzeichnet und durch das Bestreben, den Einfluß des Hochadels auszuschalten. Auf dem Wiener Kongreß gelang Zar Alexander die Anerkennung eines mit Rußland verbündeten Königreichs Polen mit einer von ihm verliehenen Verfassung, der zweite Pariser Friede bedeutete für ihn den Höhepunkt seiner Machtstellung in Europa.
SW
Abbildung

**1/30**
**König Ferdinand VII. von Spanien (1784–1833)**

Punktierstich, 38,5 × 27,3 cm
HM, Inv. Nr. 73.719

Obwohl der König zu den Parteigängern Napoleons gehört hatte, wurde er von diesem 1808 zum Thronverzicht gezwungen. Nach seiner 1814 erfolgten Rückkehr versuchte der Monarch die Wiedererrichtung des früheren Absolutismus, einer 1820 ausgebrochenen Revolution konnte er erst 1823 mit französischer Unterstützung wirksam begegnen.
SW
Abbildung

**1/31**
**Pedro von Souza Holstein, Herzog von Palmella (1781–1850)**

Hél. Hubert
Punktierstich, 30,8 × 23,1 cm
Sign. re. u.: Az. Hubert sc.
HM, Inv. Nr. 12.421

Der Herzog von Palmella und spätere Ministerpräsident Portugals (seit 1823) vertrat auf dem Wiener Kongreß die Interessen seines Landes, das 1807 von den Franzosen besetzt und 1814 von englischen Truppen befreit worden war. Zu dieser Zeit befand sich der portugiesische Hof in Brasilien, König Johann VI. kehrte erst 1820 aus Rio de Janeiro zurück.
SW
Abbildung

**1/32**
**Franz I. (1768–1835), 1825**

Johann Baptist Lampi d. J. (1775–1837)
Öl auf Leinwand, 205,5 × 141,5 cm
Sign. u. dat. li. u.: Joannes eques de Lampi junior pinxit A. MDCCCXXV
HM, Inv. Nr. 47.264

Nach Wurzbach malte Lampi Kaiser Franz I. viermal in Lebensgröße, u. a. für den Magistratssaal des (Alten) Rathauses, wofür er die Große Salvator-Medaille erhielt. Ebenfalls für den Magistratssaal entstand die Serie sämtlicher Regenten Österreichs. Nach Vollendung dieses Auftrages wurde er zum Wiener Ehrenbürger ernannt.

*Lit.: Wurzbach, Biographisches Lexikon des Kaiserthums Österreich, Bd. 14 (1865), S. 61 ff.*
RKM

**1/33**
**Ferdinand I. (1793–1875), 1840**

Franz Wiehl (1837–1858 in Wien und Prag nachweisbar)
Öl auf Leinwand, 232 × 161 cm
Sign. u. dat.
HM, Inv. Nr. 51.967

Das Bild hing im Stadtratssitzungssaal des (Alten) Rathauses.
RKM

Kat. Nr. 1/24

Kat. Nr. 1/25

Kat. Nr. 1/26

Kat. Nr. 1/31

Kat. Nr. 1/28

Kat. Nr. 1/30

Kat. Nr. 1/27

# KAPITEL 2

## ÄRA METTERNICH

In der Pragmatik der „Schlußakte", der „Heiligen Allianz" und des „Intentionsprinzip" erstarrt das konservative Europa (Österreich, der Deutsche Bund, Rußland) zu Polizeistaaten. Polizeimaßnahmen werden nicht nur innenpolitisch (Hambacher Fest, Frankfurter Wachensturm), sondern auch außenpolitisch (Griechischer Freiheitskampf, Aufstand des ägyptischen Vizekönigs) getroffen. Die für dieses System verantwortlichen Monarchen (Kaiser Franz, Zar Nikolaj I.) entziehen sich geschickt der berechtigten Schuldzuweisung durch Vortäuschen bürgerlicher Einfachheit und damit Gefangenheit in einem gleichsam entpersönlichten Staat. Der Widerspruch von Schein und Sein ist eine der Grundlagen für 1848.

# METTERNICH

*Günter Düriegl*

Kat. Nr. 2/2/1 F. Lieder, Clemens Lothar Wenzel Fürst Metternich

„Eine allgemeine Lebensregel für mich ist, das zu lieben, was mein Gegner haßt, das zu pflegen, was er verwirft, und mit einem Wort, das zu tun, was er mich nicht tun sehen möchte. In dieser Richtung suche ich bei den Feinden stets Rat."[1] Auch wenn diese an den bayerischen Staatsminister Wrede gerichteten Sätze des sechzigjährigen Metternich nicht nur der posierenden Eitelkeit eines den Höhepunkt seines Wirkens und Wollens bereits überschreitenden Mannes zuzuschreiben waren, sondern zu einem guten Teil auch redlicher Unbekümmertheit entsprangen, offenbaren sie dennoch jenes verletzend hochmütige Selbstbewußtsein, dem die Mitwelt mit empörter Erregung begegnete.

Clemens Lothar Wenzel Metternich, geboren in Koblenz am 15. Mai 1773, entstammte einem alten reichsunmittelbaren rheinischen Geschlecht, weltoffene Denkweise, Vernunft und Humanität waren die Leitbilder seiner aristokratischen Erziehung von Jugend an. Das Studium der Philosophie in Straßburg und der Rechte und der Diplomatie in Mainz festigten diese aus der geistigen Atmosphäre der Familie erwachsene Weltsicht. Getroffen wurde Metternich durch die über die Reichsgrenze ausgreifende Französische Revolution. Im Völkerfrühling, den viele zurecht mit Enthusiasmus begrüßten, in diesem Aufbruch des sich erstmals als selbstbewußte Nation erlebenden französischen Volkes, verlor die Revolution durch die Schreckensherrschaft des jakobinischen Nationalkonvents ihre Unschuld. Metternich verachtete den zügellosen Ausbruch der autoritätslosen Massen; vermutlich reagierte er heftiger als andere, da in weiterer Folge auch seine Familie durch die Revolution heimatlos geworden war – im hilflos geführten Krieg des monarchischen Europa ging auch das linksrheinische Reichsgebiet verloren –, den Metternichs verblieb nur ihr Gut Königswart in Böhmen.

Zum Österreicher geworden durch seine 1795 geschlossene erste Ehe mit Maria Eleonore[2], der Enkelin des Staatskanzlers Wenzel Anton Kaunitz, entwickelte Metternich sein politisches „Prinzip", das die anderen zumeist ein „System" nannten, aus der analytischen Beobachtung des Aufbruchs und Zusammenbruchs des alten Europa in dieser Zeit. „Wo Alles wankt und wechselt, ist vor Allem nöthig, daß irgend Etwas beharre, wo das Suchende sich anschließen, das Verirrte seine Zuflucht finden könne . . . Ich habe ein Princip und nach diesem handle ich unwandelbar. Ein Princip ist aber keine Doctrin, beide sind im Gegentheile sehr verschieden; jenes ist in der moralischen Welt, was in der physischen ein Felsen, fest, unbezwinglich, überall sich gleich; eine Doctrin ist immer willkürlich und in ihrer Folgerichtigkeit gewaltsam, für den Staatsmann ein schlechtes Werkzeug. Im Princip darf der Staatsmann nie wanken, er muß dasselbe unerschütterlich festhalten, dagegen in der Anwendung darf er sich tausend Modificationen gestatten, ja, er muß sie von selbst aufsuchen und wählen, wenn er seine Sache und sich nicht freventlich in die Luft sprengen will; der Staatsmann darf keine Stange Eisen sein, er muß eine Stahlfeder sein, die sich unter jedem Drucke biegt, ihm aber auch widerstrebt und gleich wieder, so wie er aufhört, die frühere Gestalt annimmt."[3]

Solange Metternich so spricht, ist wenig einzuwenden gegen das, was er sein „Prinzip" nannte; Beachtung haben aber die Prämissen zu finden, die er vorgab. Das Fundament seines Prinzipiengebäudes[4] war eine durch den gesunden Verstand erkannte aristokratische Weltordnung, in der das Naturrecht, Individualismus und Philanthropismus, die Nivellierung der Gesellschaft, Freiheit, Gleichheit und Menschenrechte, Volkssouveränität und Volksrepräsentation keinen Platz hatten. Die natürliche und geistige Welt werden gleichmäßig regiert durch die Prinzipien der Vernunft und Moral und durch die Gesetze der Natur. Der ewige Kampf der großen moralischen Gewalten und der materiellen Kräfte des Erhaltens und des Zerstörens findet sich sowohl im großen sozialen Einheitskörper der Menschheit als auch in den sozialen Einzelkörpern der Staaten. Der Gleichgewichtszustand zwischen Gewalt und Kraft ist eine Naturnotwendigkeit, bei stürmischem Vorwärtsdrängen der Zerstörungskräfte ist verstärktes Erhalten alles gesetzlich Bestehenden geboten. Aus diesen Überlegungen entwickelte Metternich den gedanklichen Zusammenhang des „inneren" mit dem „äußeren", des sozialen mit dem politischen Gleichgewicht. Zugeständnisse gegenüber moralischen und sozialen Prinzipien sind abzulehnen, Evolutionen in den Bedürfnissen des Staates und des Volkes sind möglich. Unabdingbar ist es aber, in Zeiten der Bewegung alle Kraft auf das Beharren zu legen. Nur die Natur, nicht der Mensch kann Neues schaffen: die natürlichen Lebensbedingungen und die Geschichte sind Ausdruck der Natur, künstliche Verfassungsschöpfungen und nationale Einheitsbildungen sind abzulehnen. Zur Regelung der Gewalten, zur Sicherung des äußeren und inneren Gleichgewichtes sind die Staaten solidarisch verpflichtet; die Ordnung im Inneren des Einzelstaates kann nur das monarchische Prinzip wahren, das in der Legitimität eine wertvolle, aber nicht unentbehrliche Stütze besitzt und dem kraftvolle Autorität, Förderung der natürlichen korporativen Gebilde, präventive Maßregeln gegen die Instrumente der zerstörenden Gewalt und die föderative Verbindung von Einheit und Vielfalt zur Pflicht gemacht werden.

In all seinem Denken war aber Metternich keineswegs ein Vertreter des Mittelmaßes: „Wer ein Princip hat, der muß auf das Aeußerste gehen, nicht eine Mitte behaupten wollen, die in Wahrheit keine ist, sondern nur eine scheinbare, ein elendes Zusammenhalten widerstrebender Enden."[5] Er war aber ein erklärter Feind jeder Zerstörung, denn diese wandte sich gegen das von ihm absolut gesetzte Recht mit seinen Gesetzen der Vernunft, Moral und Natur. Mit Zerstörung gleichgesetzt wurde alles Revolutionäre und Despotische. Gegen die Revolution kämpfte Metternich Zeit seines politischen Lebens; der monarchische Despotismus wurde von ihm verurteilt, denn auch die Monarchie war nach seiner Sicht, die aus der selbstbewußten reichsständischen Tradition resultierte, durch das Recht gebunden, aber bekämpft hat er ihn nicht. Ungestraft brach 1837 Ernst August, König von Hannover, Herzog von Cumberland die Verfassung. Dieser Autokrat und Menschenverächter, von dem man damals in der englischen Öffentlichkeit schrieb: „Der Herzog von Cumberland hat bereits alle menschlichen Verbrechen begangen mit einer Ausnahme, des Selbstmordes"[6], durfte sogar die ihn deswegen anklagenden „Göttinger Sieben" aus dem Staatsdienst entlassen und auch des Landes verweisen.

Metternich verhinderte sogar, daß der Bundestag den Klagen stattgab. Im Falle monarchischer Willkür war er denn doch eher eine unter dem Druck gebogene Stahlfeder als ein Felsen. Aus der Sicht solchen Agierens mußte das zum Prinzip erhobene Konservative an Metternich, die alte europäische Tradition vom Primat des Rechtes vor der Willkür der Macht denn doch vieles an Glanz verlieren.

Kat. Nr. 2/2/2 Die Staatskanzlei

Metternichs Laufbahn war glänzend. 1801 wurde er Gesandter in Dresden, 1803 in Berlin, 1806 Botschafter in Paris. Hier erhielt er nun jene Schulung, die ihn zum hervorragenden Diplomaten machte: Im persönlichen Verkehr mit Napoleon, Talleyrand und Fouché lernte er vollendete Selbstbeherrschung, Taktieren, Lavieren und die Kunst der doppelten Wege. Hier erkannte er aber auch die angreifbare Allzumenschlichkeit des Kaisers der Franzosen und wurde auch dadurch in seinem optimistischen Vertrauen in das Ende des Napoleonischen Reiches bestärkt. Die Niederlage von Austerlitz, die schmerzlichen Verluste Österreichs im Frieden von Preßburg, das Ende des Heiligen Römischen Reiches, die gräßliche Verstümmelung Preußens, der Verrat Rußlands, die Schaffung des Herzogtums Warschau und des Königreichs Westfalen machten ihn nicht irre.

Auch er war einer der Väter der österreichischen nationalen Erhebung des Jahres 1809. Jedoch Wagram folgte auf Aspern, der „Volkskrieg" hatte versagt. Ab nun vertraute Metternich nur mehr der Staatskunst, der Rationalist verbannte Enthusiasmus und Haß als Kräfte des Irrationalen aus seinem politischen Kalkül. Rasch und vernünftig reagierte er auf den gescheiterten Versuch.

Bereits zwei Tage nach dem Verhängnis von Wagram ernannte ihn Franz I. zum Staatsminister und übertrug ihm die Geschäfte der Staatskanzlei. Metternich war damit die Aufgabe zugefallen, einem militärisch ohnmächtigen, mit ungeheuren Kontributionen belasteten, zu einem bedeutungslosen Binnenstaat verkrüppelten österreichischen Kaisertum die verlorene Größe wiederzugewinnen. Von allem Anfang an verstand man den Weg nicht, den er dabei ging. Als erstes vermittelte er die Heirat der Tochter seines Kaisers mit Napoleon und setzte damit das Mitteleuropa bedrohende Bündnis Frankreichs mit Rußland einer schweren Belastung aus. Gleichzeitig schwächte er Napoleons Weltmachtsystem, indem er Österreich einen Rückhalt an dem bisherigen Todfeind schuf. Da es anders nicht möglich war, unterstützte Metternich die Napoleonische Universalmonarchie sogar militärisch im Rußlandfeldzug der Großen Armee. Es gelang, Österreich aus der Allianz von Kalisch herauszuhalten, da das Land Zeit gewinnen mußte, um unter Heranziehung aller verfügbaren finanziellen Mittel eine starke Truppenmacht aufzustellen. Die Aufstandsbewegung des „Alpenbundes" mußte unterdrückt werden, da der Zeitpunkt noch verfrüht war, sich gegen Napoleon zu erheben.

Wie undurchschaubar Metternich das Netz diplomatischer Verbindungen geknüpft hatte, zeigt gerade die zuletzt genannte Maßnahme. Das neutrale Bayern, dessen Zusammenarbeit Österreich suchte, wäre durch einen neuerlichen Aufstand in Tirol in die Arme Napoleons getrieben worden, wieder einmal wäre im Falle eines Krieges mit einem Zangenangriff aus Italien und Süddeutschland zu rechnen gewesen. Natürlich blieben diese Zusammenhänge unbekannt, bekannt hingegen wurde die Verhaftung der aktiven Teilnehmer des Alpenbundes und die polizeiliche Überwachung seines prominentesten Mitgliedes, des Erzherzogs Johann, der sich zudem nun für etliche Jahre nicht mehr in Tirol aufhalten durfte.

Metternich hatte richtig kalkuliert, als letzte Macht trat Österreich dem Bündnis gegen Frankreich bei, die Entscheidung fiel in der Völkerschlacht bei Leipzig. Noch sollte Napoleon geschont werden, da dieser aber das wohl sehr großzügige Friedensangebot, sich mit den natürlichen Grenzen Frankreichs zu bescheiden, ausschlug, mußte ein Feldzug nach Frankreich die Macht Bonapartes brechen. Nach dem mißglückten Friedenskongreß von Châtillon entschied sich das französische Volk gegen seinen Imperator, am 31. März 1814 zogen die Alliierten in Paris ein. Aus der Abdankung Napoleons zugunsten seines Sohnes wurde ein bedingungsloser Thronverzicht, die Bourbonen kehrten zurück. Bereits am 30. Mai 1814 wurde der erste Pariser Frieden geschlossen; um das Revolutionszeitalter zu beenden, einigte man sich, einen Kongreß nach Wien einzuberufen. Daß die Wahl auf die Hauptstadt Österreichs als Tagungsort fiel, bedeutete ohne Zweifel den größten Erfolg und glänzendsten Triumph in Metternichs politischer Laufbahn. Der österreichische Staatsminister führte den Vorsitz der Diplomatenkonferenz, und das Hauptanliegen seiner Staatsphilosophie, die Herstellung des politischen Gleichgewichtes, wurde durch die Ausgewogenheit der „Pentarchie" tatsächlich Wirklichkeit. Die Herrschaft der fünf Großmächte Österreich, Preußen, Rußland, England und Frankreich sollte einer Revolution keinerlei Möglichkeiten zur Entfaltung mehr bieten. Deutlich wurde dies wirksam, als Napoleon meinte, ernste Differenzen der Alliierten über Detailfragen der Neuordnung würden ihm die Restauration seiner Macht ermöglichen. Die Großmächte waren

Kat. Nr. 2/2/10 Die Seeschlacht bei Navarino am 20. Oktober 1827

bereits wieder einig, als sie Napoleons Flucht von Elba erfuhren. Sie unterzeichneten die Schlußakte des Wiener Kongresses noch vor der Schlacht von Waterloo. Die „Heilige Allianz", das eher zum Mißvergnügen Metternichs vom pastoralromantisch moralisierenden Zaren auf christlicher Grundlage erdachte Fürstenbündnis, sollte der Realität der Herrschaftsmechanismen die religiöse Weihe geben.

Metternichs Weltsystem konnte sich als europäische Kraft bewähren, solange die Pentarchie politisch zusammenhielt und in ihren Völkern die Ruhetendenz überwog; sein Bereich verengte sich, als das im Gleichgewicht gehaltene politische Staatensystem die Balance verlor und die neuen Ideen immer mehr an Boden gewannen; es brach zusammen, als die nationale und freiheitliche Idee, Weltbürgertum und soziales Beharren, der einzelstaatliche Realismus den politischen Universalismus besiegte[7]. Alle Staaten sollten ihre Regierungsgrundlagen auf die Prinzipien Metternichs, der seit 1821 die Würde eines Staatskanzlers bekleidete, stellen. Österreichs Aufgabe sollte es sein, gleichsam ein Lehrbeispiel für die Durchsetzung der konservativen Ideen nach außen und nach innen darzustellen.

Im Zusammenwirken der europäischen Mächte sollten revolutionäre Bewegungen nicht nur verhindert, sondern bereits im Keim erstickt werden. In diesem Sinne traf man sich auf den Kongressen zu Aachen (1818), Troppau (1820), Laibach (1821) und Verona (1822). Schien sich anfangs das geplante System der Intervention zu verwirklichen, so zeigten gerade die Beratungen von Verona mit ihrer zusätzlichen Problemstellung, der griechischen Frage, die hier neben dem revolutionären Aufbruch in Spanien bereits angeschnitten wurde, daß Europa keineswegs so geschlossen dachte, wie es Metternich konzipiert hatte. Während für ihn die „legitime" Herrschaft des Sultans unantastbar war, dachten weder Rußland noch England daran, der romantischen Begeisterung für die griechischen Freiheitskämpfer, die auch von der deutschen Öffentlichkeit enthusiastisch gefeiert wurden, entgegen zu treten. Metternichs Prinzip scheiterte: Die offene Intervention anglofranzösischer Flotteneinheiten und russischer Armeeabteilungen brachte Griechenland die Freiheit, ein Kongreß (London 1830) besiegelte und legalisierte eine Aktion, die im Gegensatz zum Interventionsprinzip gestanden war.

Die der Bündnis- und Prinzipientreue dienenden außenpolitischen Abmachungen sollten durch entsprechende innerstaatliche Aktionen und Verfügungen ermöglicht und abgesichert werden. Im Metternichschen Einflußbereich, im Deutschen Bund – hier führte Österreich ja den Vorsitz –, folgten auf das Wartburgfest 1817, die Ermordung Kotzebues

Kat. Nr. 2/2/15 Die Eroberung von Saida (Sidon) am 26. September 1840

und das Attentat auf Karl Ibell 1819, auf Ereignisse also, die einen gewissen politischen Extremismus ankündigten, die Karlsbader Beschlüsse 1819 und die Wiener Schlußakte der folgenden Jahre. Von nun an wurde jede Art politischer Betätigung im Bund durch einschneidende Zensurmaßnahmen und Sanktionen gegen alle Verbindungen und Vereinigungen, insbesondere gegen die Burschenschaften, unter drückender Kontrolle gehalten.

So erklärt sich auch, daß der erste tiefe Einbruch in die konservative europäische Staatenwelt, die französische Julirevolution des Jahres 1830, trotz Widerhalls auch in Österreich keine rechte Wirkung zeitigte. In unmittelbarer Folge der Ereignisse in Paris zerbrach der großniederländische Barrierestaat, das Königreich Belgien wurde geschaffen. In Warschau erhoben sich polnische Patrioten gegen die Herrschaft des Zaren, in Modena, Parma und im Kirchenstaat brachen heftige Unruhen aus. In Braunschweig, Hannover, Kurhessen und Sachsen, Bundesstaaten, die entgegen den Bestimmungen der Bundesakte nicht einmal Verfassungen des frühkonstitutionellen Typs besaßen, brachen heftige Unruhen aus, die Liberalisierungen und Verfassungsänderungen zur Folge hatten.

Während österreichische Truppen auf der Apenninenhalbinsel erfolgreich zugunsten der konservativen Ordnung intervenierten, warf russisches Militär den polnischen Aufstand nieder. Rußland hob die polnische Verfassung auf und regierte das Land ab nun als unterworfene Provinz.

In noch engerem Bündnis versuchten die konservativen Mächte ein Gegengewicht zum neuen liberalen Übergewicht Westeuropas zu schaffen, jedoch, auch ihre Eigeninteressen begannen, den ausgewogenen Bau der europäischen Einheit zu zersprengen. So mußte es bedenklich erscheinen, daß der auf dem Wiener Kongreß vermiedene russische Machtzuwachs auf Kosten Polens nun eine Gegebenheit mit einer gefährlichen Sprengkraft wurde.

So stark war aber Metternichs Regiment in Österreich, daß alle diese Ereignisse zwar bekannt wurden, jedoch ohne politische Folgen blieben. Auch das Hambacher Fest des Jahres 1832, von dem der Konservativismus sehr wohl erkannte, daß es fast die Bedeutung einer deutschen Nationalversammlung hatte, und auch der Frankfurter Wachensturm des Jahres 1833 zeitigten keine direkten Auswirkungen.

Metternich erkannte durchaus, daß die Art der österreichischen Staatsführung am Ende scheitern mußte, es fehlte ihm jedoch die moralische Kraft zu entscheidendem Widerstand gegen Überkommenes, zu einem Abschütteln des tatenlosen Zusehens konnte er sich nicht aufraffen.

Mit dem Tod Franz I. am 2. März 1835 gab es keine Chance mehr, konstruktive Arbeit für eine Neuordnung der inneren Verhältnisse Österreichs zu leisten. Sein Nachfolger, Ferdinand I., zur Regierung nicht befähigt, mußte die eigentliche Führung der staatlichen Geschäfte der am 12. Dezember 1836 gegründeten „Staatskonferenz" überlassen und bildete auf diese Weise wohl das seltsamste Zerrbild eines absoluten Herrschers. Die Hauptverantwortung für die Leitung der Geschicke der Monarchie lag vornehmlich in den Händen zweier Männer: Franz Anton Graf Kolowrat-Liebensteinsky lenkte die innere Verwaltungsarbeit, im besonderen die Finanzen, Metternichs Hauptarbeitsgebiet war auch unter dem neuen Kaiser die Außenpolitik. Arbeitsfähig war diese Staatskonferenz jedoch nicht: Sie war gespalten durch den persönlichen Gegensatz der beiden zuletzt genannten Männer und gelähmt durch die Unbeweglichkeit des Vorsitzenden, des Erzherzogs Ludwig, und in ihrer Arbeit behindert durch die offene Gegnerschaft, mit der Mitglieder des Kaiserhauses dem Staatskanzler begegneten.

Entgegen den Absichten Metternichs hielt man an der zentralistischen Staatsverwaltung fest, der er einen gemäßigten Föderalismus mit dem starken Zentrum der regierenden Dynastie entgegenstellen wollte, um die Trennung der sprachlich und kulturell verschiedenen Teile vom Gesamtkörper zu verhindern. Aber schon unter Franz I. waren diese Überlegungen des Fürsten nur Überlegungen geblieben, jetzt, da von einer Regierung keine Rede war, denn alles konzentrierte sich nur auf eine, der Tradition folgende Verwaltung, kam als erschwerendes Versäumnis hinzu, daß ein österreichisches Staatsgefühl nicht entwickelt worden war. Schon früher erwachte nationale und freiheitliche Regungen gewannen nun zunehmend Profil: In Böhmen verstärkten sich die Gegensätze zwischen Deutschen und Tschechen, in Ungarn regte sich nicht nur der Magyarismus gegen den Illyrismus, hier opponierten auch soziale und politische Kräfte gegen den altständischen Feudalismus. In Galizien standen Polen gegen Ruthenen, die italienischen Untertanen der Habsburgermonarchie waren erklärte Gegner Österreichs.

Zur gleichen Zeit, da dieser Aufbruch nationaler Interessen immer spürbarer wurde, verschlimmerte sich die Finanzlage des Staates zusehends und verschlechterte damit die Basis nötiger Reformen auf vielen Gebieten. Andererseits verlangte der kommerziell und industriell erstarkte Mittelstand immer vernehmbarer nach einer Konstitution und forderte wirtschaftliche Bewegungsfreiheit sowie Befreiung vom bürokratischen Druck. Die unteren Schichten hingegen gerieten immer mehr in existentielles Elend. Um die Mitte der vierziger Jahre stieg die Not ins Unerträgliche. Mißernten hatten Lebensmittelteuerungen zur Folge, die Mietzinse stiegen ins Unerschwingliche, Exekutionen und Pfändungen lasteten auf dem Wiener Gewerbe, Konkurse führten zu Entlassungen und Massenarbeitslosigkeit. Wohl jung, aber durchaus hörbar waren die grellen Töne der radikalen Propaganda sozialistischer und kommunistischer Ideen, denen die Verarmung nicht bloß zu erduldendes Schicksal, sondern tiefster Mißstand war, den es zu überwinden galt. Das von Metternich so wesentlich mitgeprägte herrschende politische System verfügte über keinerlei Kapazität mehr, diese tiefe Krise der konservativen Welt zu lösen.

Auch außenpolitisch hatte sich das von Metternich konzipierte System überholt, wie der nur zögernd gefundene Konsens im Konflikt zwischen dem Sultan und seinem unbotmäßigen Vasallen, dem Vizekönig von Ägypten, 1839–1841 offenbarte und die österreichische Annexion des Freistaates Krakau 1846 bewies. Die

Kat. Nr. 18/2/10 Die erste zensurfreie Karikatur in Österreich

Schlußakte des Wiener Kongresses konnte nun nicht länger als Garant einer europäischen Ordnung gelten.

Diese Ordnung, dieses Werk eines staatsmännischen Lebens, brach schließlich in den Wiener Märztagen des Jahres 1848 binnen vierundzwanzig Stunden zusammen. Die Revolution, die im vorausgegangenen Jahrhundert Metternichs Jugend bestimmt hatte, griff nun wieder gewaltsam in sein Leben ein und bereitete seinem europäischen und österreichischen Wirken ein Ende[8]. Wohl kehrte der Staatskanzler 1851 aus dem englischen Exil nach Wien zurück, seine Zeit jedoch war vorbei. Als er am 11. Juli 1859 starb, waren die Österreicher eben gezwungen, nach der Niederlage von Magenta die Lombardei zu räumen, der Zerfall des Metternichschen Österreich begann.

**Anmerkungen:**

[1] Metternich an Wrede, Wien, 29. April 1833, in: Viktor Bibl, Metternich in neuer Beleuchtung und sein Briefwechsel mit dem bayerischen Staatsminister Wrede, Wien 1928.

[2] Metternich war dreimal verheiratet:
a) 27. September 1795 mit Maria Eleonora Kaunitz-Rittberg (1775–1825),
b) 5. März 1827 mit Maria Antonia Leykam-Beilstein (1806–1829),
c) 30. Jänner 1831 mit Melanie Marie Antoinette Zichy-Ferraris (1805–1854).

[3] Metternich an Varnhagen, 1834, in: Constant von Wurzbach, Biographisches Lexikon des Kaiserthums Oesterreich, Bd. 18, Wien 1868, S. 44f.

[4] Zum folgenden vgl.: Heinrich Ritter v. Srbik, Klemens Lothar Metternich, in: Große Österreicher. Neue Österreichische Biographie ab 1815, Bd. XI, S. 20f.

[5] Metternich an Varnhagen, 1834 (zit. Anm. 3).

[6] Zitiert nach: Eberhard Weis, Der Durchbruch des Bürgertums 1776–1847. Bd. 4 der Propyläen Geschichte Europas, o. J., S. 392.

[7] Srbik, (zit. Anm. 4), S. 20.

[8] Vgl. Heinrich Ritter v. Srbik, Metternich. Der Staatsmann und der Mensch, 2 Bde., München 1925, Bd. 2, S. 293.

# DAS ÖSTERREICHISCHE KAISERTUM ZWISCHEN 1804 UND 1848

*Günter Düriegl*

Die Ära Metternich, jener Zeitraum, der keineswegs zu Unrecht nach dem Staatskanzler benannt wird, waren doch Idee und Wille des Fürsten der entscheidende Impuls für Leben und Politik in Europa, wurde dadurch ermöglicht, daß der „Kutscher Europas" im vollständigen Einverständnis seines Kaisers handelte. Er war schon eine beachtenswerte Herrscherpersönlichkeit, dieser „gute Kaiser Franz", der durch den gar nicht so kurzen Zeitraum von 43 Jahren die Kaiserkrone getragen hat. Richtigerweise müßte man von Kronen sprechen! Denn zwei Kronen trug dieser, am 12. Februar 1768 in Florenz geborene Monarch: Er war Kaiser zweier Reiche, die, nachdem sie für die knappe Spanne von zwei Jahren gleichzeitig Bestand hatten, einander ablösten: Als Franz II. war dieser Enkel Maria Theresias erwählter römischer Kaiser, als Franz I. war er erblicher Kaiser von Österreich.

Die zuletzt genannte Würde nahm er am 11. August 1804 an, „obschon wir durch göttliche Fügung und durch die Wahl der Kurfürsten des Römisch-Deutschen Reiches zu einer Würde gediehen sind, welche uns für unsere Person keinen Zuwachs an Titel und Ansehen zu wünschen übrig läßt, so muß doch unsere Sorgfalt als Regent des Hauses und der Monarchie von Österreich, dahin gerichtet sein, daß jene vollkommene Gleichheit des Titels und erblichen Würde mit den vorzüglichsten europäischen Regenten und Mächten aufrechterhalten und behauptet werde, welche den Souveränen Österreichs, sowohl in Hinsicht des uralten Glanzes ihres Erzhauses, als vermöge der Größe und Bevölkerung ihrer, so beträchtliche Königreiche und unabhängige Fürstentümer in sich fassenden Staaten gebühret, und durch völkerrechtliche Ausübung und Tractaten versichert ist . . ."[1]. Die Veröffentlichung dieses Patents fand am 5. November 1804 statt, von einer eigenen Krönung nahm man Abstand.

Es waren keine billigen Machtgelüste, die Franz diesen Schritt tun ließen – solche waren diesem willensstarken, ausdauernden und pflichtbewußten ältesten Sohn Leopolds II. Zeit seines Lebens fremd –, es war politisches Kalkül, das vielleicht sogar notwendig war, rechtens war es kaum. Mit dieser neuen Kaiserwürde gab Österreich die Antwort auf den 18. Mai 1804, als in Paris eine neue Verfassung als Staatsgrundgesetz verkündet wurde, die den bisherigen „lebenslänglichen" Konsul als „Kaiser der Franzosen" mit der Lenkung des Staates betraute und diese Würde als erblich für seine Nachkommen erklärte.

Es war zu befürchten, daß nach dem Vordringen Frankreichs zum Rhein und nach der Ausschaltung der geistlichen Fürstentümer im Kurfürstenkolleg und im Reichsfürstenrat, die eine künftige Kaiserwahl eines Habsburgers unwahrscheinlich erscheinen ließ, eine völlige Auflösung des Reiches nicht verhindert werden könnte. Die neu geschaffene, im Haus Habsburg erbliche Kaiserwürde sollte dem neuen französischen Kaisertum wenigstens dem Rang nach gleichwertig und weniger gefährdet als das römisch-deutsche Kaisertum sein. Der Kaisertitel bezog sich implicite auch auf Ungarn, doch erklärte man, um nationale und ständische Empfindlichkeiten zu schonen, daß Verfassungen und Rechte der Länder nicht angetastet würden. Der eingeschlagene Weg war zweifellos anfechtbar; einmal hatte man sich nicht um die Zustimmung der erbländischen Stände gekümmert, dann war auch die Verfassung des Heiligen Römischen Reiches verletzt, denn das neue Gebilde gründete sich auf habsburgische Reichslande, über die Franz nicht die volle Souveränität besaß. Ferner hatte man Kurfürsten und Reichstag übergangen[2].

Man wußte zweifellos, auf was man sich da einließ, denn Zusammenhänge wurden bewußt gewahrt: Als Schildwappen wurde das alte rot-weiß-rote Babenberger-Wappen gewählt, die österreichische Hauskrone Kaiser Rudolfs II. überhöhte den umrahmenden Hauptschild, die ottonische Kaiserkrone den großen deutschen Rückenschild. Aus dem Reichswappen stammten der Doppeladler und die Farben schwarz-gelb.

Napoleons Versuch, die Revolution, deren sinnfälligste Gestalt er ja in seiner Person sah – nicht von ungefähr sagte er doch „je suis la révolution" –, im erblichen Kaisertum seines Geschlechts auf immer festzuschreiben, beantwortete Franz mit einem Entschluß, der altes Reichsrecht mißachtete. Der Untergang dieses von höchster Stelle verletzten Reiches kam bald:

Der unglücklich geführte Dritte Koalitionskrieg endete für Österreich mit dem drückenden Frieden von Preßburg, 1805. Wichtige Veränderungen in Deutschland folgten auf die österreichische Niederlage. Nicht unbeeindruckt – der letzte geistliche Reichsfürst Deutschlands, Fürstprimas Karl Theodor von Dalberg, beriet den Kaiser der Franzosen in so mancher Frage – erwog Napoleon für einige Zeit den Plan, sich selbst zum Römischen Kaiser krönen zu lassen: Das Reich Karls des Großen, verkörpert durch die Herrschaft über Frankreich, Deutschland und Italien[3], wäre erneuert worden. Durch die abwartende Haltung Wiens mißlang dieser Plan, die Mitglieder des nun begründeten Rheinbundes, dessen Protektor Napoleon war, verkündeten ihr Ausscheiden aus dem Reich. Unter Berufung darauf und gedrängt durch heftige Drohungen Napoleons legte Franz II. am 6. August 1806 die römische Kaiserkrone zurück und gab gleichzeitig die Auflösung des „Heiligen Römischen Reiches" bekannt: „Wir Franz der Zweyte, von Gottes Gnaden erwählter römischer Kaiser, zu allen Zeiten Mehrer des Reiches . . . erklären demnach . . ., daß wir das Reichsoberhaupt Amt und Würde . . . als erloschen . . . betrachten . . ."[4].

Auch dieser Akt des „guten Kaisers Franz" war juristisch anfechtbar, denn es ging ja nicht um einen beliebigen Verein, den man statutengemäß auflösen konnte. Aber Protest oder laute Entrüstung darüber waren nicht zu hören, der Staatsbegriff hatte den Reichsbegriff bereits überwunden. Bezeichnend dafür ist Goethes Tagebucheintragung zum 6. und 7. August 1806: „Abends um 7.00 Uhr in Hof. Nachricht von der Erklärung des Rheinischen Bundes und dem Protektorat. Reflexionen und Diskussionen. Gutes Abendessen . . . Zwiespalt des Bedienten und Kutschers auf dem Bocke, welcher uns mehr in Leidenschaft versetzte als die Spaltung des Römischen Reiches"[5].

Und doch war dieses einst durch die Kaiserkrönung Ottos I. 962 gefestigte Staatswesen im deutschen Wesen und Fühlen tief verwurzelt. Die mitleidlose

Liquidierung unter dem ultimativen Druck einer Macht, die schon seit langem als „Erbfeind" galt, trug zur Anfachung eines deutschen Nationalbewußtseins bei, das eine wesentlich schärfere Prägung erhielt, als dies zur Zeit des alten Reiches, dessen Wiederherstellung bald zum mystischen Sehnsuchtsziel der deutschen Romantik wurde, jemals der Fall gewesen war[6].

Es ist beachtenswert, mit welch auffallender Mischung aus Sendungsbewußtsein und persönlichem Geschäftssinn Franz I. die Krisen des Kampfes gegen das revolutionäre Frankreich durchgestanden hat[7]. Doch ihm, dem ursprünglich auch josephinische Züge nicht gefehlt hatten, verfestigte sich der Sinn zum starren Festhalten am Legitimen, zum alleinigen Dogma von Bürokratie und Polizei im staatlichen Leben.

Es fiel nicht auf, doch es ist auffallend und bemerkenswert, wie gut es Franz I. verstand, seinen Namen und seine Person aus all dem herauszuhalten, was mit dem Druck des Metternichschen Systems gleichgesetzt wurde. In Habitus und Gestus, in seinem ganzen Auftreten konnte er den Bürgern als einer der ihren erscheinen, der stille Gärtner, der er auch war, fügte sich genauso schön in die biedermeierliche Idylle wie sein Unmut, den er verbürgterweise über die Zensur äußerte: „Unsere Zensur ist wirklich blöd"[8]. Gerne scheint man ihm geglaubt zu haben, daß auch er ein Gefangener jenes Systems war, dessen Zustände zu ändern jedoch in seiner Macht gelegen hätte. Der Burgschauspieler Karl Ludwig Costenoble schreibt in seinen „Tagebüchern" zum 3. September 1832, er habe sich bei Franz I. persönlich für ein Stück eingesetzt und diesem das Manuskript zur Durchsicht überreicht.

„I will's lesen", habe der Kaiser gesagt, „aber sie werden sehen, mir richten nix aus"[9]. Die private Panegyrik in den persönlichen Aufzeichnungen Costenobles paßt so recht in das Bild vom „guten Kaiser Franz"; fast unerträglich werden Lobhudeleien jedoch, wenn sie in aller Öffentlichkeit so formuliert wurden, wie die letzten Verse der sentimental pathetischen Ballade „Die Schreckensnacht auf den 1. März 1830":

*Verblichne! Die ihr geendet,*
*eilt friedlich eurem Schöpfer zu,*
*den Gnadenblick zu euch gewendet,*
*gibt neues Leben er und Ruh'.*
*Verderben läßt die Vorsicht keinen.*
*Freut euch bei Gott im hehren Glanz.*
*Ein Vater sorgt für eure Kleinen,*
*man nennt ihn „Österreichs Vater Franz"*[10].

Hinter der Naivität solcher Verse konnte sich der Kaiser in der Ehrfurcht seines Volkes geborgen fühlen, das nicht sah, daß er in Wahrheit als unumschränkter Herrscher regierte, dessen Handlungen und Unterlassungen den politischen Kurs setzten. Noch zu Lebzeiten Franz I. war zu erkennen, daß ein im Rigorismus der Formen erstarrter Staat scheitern mußte.

Mit dem Tod Franz I. am 2. März 1835 gab es keine Chance mehr, konstruktive Arbeit für eine Neuordnung der inneren Verhältnisse Österreichs zu leisten. Auch der Wiener Humor zeigte sich in dieser Frage recht skeptisch, wie die folgende nicht unbekannte Anekdote recht treffend ausführt: Am Abend des 2. März sammelte sich das Volk der Haupt- und Residenzstadt bei strömendem Regen auf dem Ballhausplatz und weinte unter aufgespannten Schirmen lautlos vor sich hin. Als Metternich nach dem Verscheiden des Kaisers Franz auf dem Balkon der Staatskanzlei erschien und hinunterrief: „Weint nicht, Kinder, es bleibt ja alles beim alten!" antwortete die Menge: „Deshalb weinen wir ja!"

Niemand zweifelte daran, daß Ferdinand I. zur Regierung nicht befähigt war. Weder seine geistigen noch seine körperlichen Möglichkeiten reichten aus, Staatsaufgaben zu übernehmen. Bedauernswert im Leben Ferdinands, dessen vier Großeltern Geschwister waren[11], war es, daß sein Vater niemals auch nur den geringsten Zweifel aufkommen ließ, daß sein am 19. April 1793 zur Welt gekommener erstgeborener Sohn einmal die Nachfolge auf dem österreichischen Kaiserthron antreten würde. Dieser im Grunde bemitleidenswerte, der steten Hilfe bedürftige Mensch wäre ohne die erregende Forderung, eine Majestät zu sein, im Grunde ein liebenswert hilfloser Mann gewesen, der sich zeitlebens bemühte, die ihm angeborenen Schwächen zu überwinden[12]. Immerhin gelang es ihm, der von frühester Jugend an an Epilepsie litt – fallsüchtig war auch sein Onkel Erzherzog Carl – und der fast immer als schwachsinnig charakterisiert wird, Italienisch, Lateinisch, Französisch und Ungarisch zu erlernen und diese Sprachen auch praktisch anzuwenden. Für diesen verschreckten Menschen, dem alle deutlich zeigten, wie unzulänglich er war[13], bedeutete es eine außerordentliche Leistung, eine natürliche Auffassung von der Würde seines Amtes zu entwickeln, die trotz seiner offenkundigen Sonderlichkeiten – es kam schon vor, daß er auf dem Glacis in Generalsuniform mit dem Regenschirm am Arm angetroffen wurde – das österreichische Kaisertum beim Volk nie in Mißkredit brachte.

Franz I. schwor nun seinen der hilfreichen Leitung bedürftigen Sohn auf seine politische Überzeugung dadurch ein, daß er ihn mit seinem politischen Vermächtnis, an dessen Textierung Metternich beteiligt war, an seinen Willen band: „Ich folge der Stimme Meines Gewissens, wie jener Meines Herzens, in dem Ich dir – den die allwaltende Vorsehung zur schweren Pflicht der Regierung berief – die folgenden Rathschläge als den Ausfluß Meiner väterlichen Liebe für dich und die Monarchie zu empfehlen. Betrachte diese Regeln für dein Benehmen als ein theures Vermächtnis. Der Segen des Himmels wird auf deren Beachtung ruhen. Verrükke nicht an den Grundlagen des Staatsgebäudes; regiere, und verändere nicht; stelle dich fest und unerschütterlich auf die Grundsätze, mittels deren stetten Beachtung Ich die Monarchie nicht nur durch die Stürme harter Zeiten geführt, sondern derselben den ihr gebührenden hohen Standpunkt gesichert habe, den sie in der Welt einnimmt. Ehre die wohlerworbenen Rechte, dann kannst du gleich fest auf der Ehrfurcht bestehen, die deinen Regenten-Rechten gebührt. Betrachte die Einigkeit in der Familie, und bewahre sie als eines der höchsten Güter . . . Übertrage auf den Fürsten Metternich, Meinen treuesten Diener und Freund, das Vertrauen, welches Ich ihm während einer so langen Reihe von Jahren gewidmet habe. Fasse über öffentliche Angelegenheiten, wie über Personen, keine Entschlüsse, ohne ihn darüber gehört zu haben. Dagegen mache Ich es ihm zur Pflicht, gegen dich mit der selben Aufrichtigkeit und treuen Anhänglichkeit vorzugehen, die er Mir stets bewiesen hat"[14].

Doch nicht Metternich gewann mit diesen auf seine Person ausgerichteten Passagen des Testaments Einfluß auf Ferdinand I., sondern eine „Staatskonferenz" führte seit dem 12. Dezember 1836 die Regierungsgeschäfte. Doch arbeitsfähig war diese Regentschaft nicht.

Der Zusammenbruch der politischen Ordnung erfolgte am 13. März 1848. Bereits am 14. März gewährte die Regierung die Pressefreiheit und hob die Zensur auf, am folgenden Tag, als Metternich fliehen mußte, versprach Ferdinand I. eine liberale Verfassung für die nahe Zukunft. Das österreichische Ancien régime wankte erheblich, an ein Ende des revolutionären Sturmes war nicht zu denken, die Hofburg reagierte hilflos.

Energisch und zielgerichtet handelte nur Erzherzogin Sophie, die Mutter Franz Josephs, des Sohnes von Erzherzog Franz Karl, des Neffen Ferdinands I. An die Fortsetzung der Studien ihres am 18. August 1830 geborenen Sohnes war im Hinblick auf die Wiener Ereignisse nicht zu denken. Schon Windisch-Graetz hatte geraten, den Erzherzog von den Bildern der Empörung fernzuhalten, die Ambitionen und das Durchsetzungsvermögen der Mutter ersparten ihm nun den trostlosen Anblick eines ambulanten Hofes[15]. Sie setzte es durch, daß Franz Joseph am Krieg gegen die Aufständischen in Italien teilnahm. Von dort zurückgekehrt, wurde der Erzherzog nach Innsbruck gerufen, wo der Hof die Rückkehr nach Wien vorbereitete, der Aufenthalt in der Haupt- und Residenzstadt war für einige Zeit zu gefährlich erschienen.

Am 12. August traf man wieder in Wien ein, der Armee war es gelungen, die Stellung der Dynastie und des ganzen monarchisch konservativen Systems zu stärken: Radetzky hatte auf dem italienischen Kriegsschauplatz neue Erfolge errungen, Piemont-Sardinien war in der ersten Schlacht von Custozza besiegt und Mailand zurückerobert worden. Kurz nach der Einnahme der Stadt wurde am 6. August ein Waffenstillstand geschlosssen.

Aber auch in Böhmen hatte die Reaktion gesiegt. Nach mehrtägigen Unruhen und Kämpfen wurde Prag am 15. Juni 1848 erstürmt.

Die Revolution beging in Wien Fehler: Am 23. August versagte der „Sicherheitsausschuß“ in der „Praterschlacht“, am 13. September ließ sich die Mehrheit des Reichstages von der Linken mitreißen und verweigerte eine Dankadresse für die in Italien auch gegen den äußeren Feind siegreich gewesene Armee. Zudem entsprach die Haltung des Reichstages nicht mehr ganz der öffentlichen Meinung. Im Bürgertum regten sich in zunehmendem Maße patriotische Stimmen[16], die revolutionäre Begeisterung des Mittelstandes kühlte ab. In der Zwischenzeit hatte sich die Krise in Ungarn verschärft. Am 2. Juli eröffnete der Palatin Erzherzog Stephan den neugewählten Reichstag, den ersten und einzigen innerhalb eines Jahrhunderts, der durch ein echt demokratisches Wahlrecht gewählt worden war. Dieser scheute sich nicht, schon in seinen ersten gesetzgebenden Handlungen die kaiserliche Regierung herauszufordern. Eine getrennte Armee wurde gegründet, die Schaffung eines getrennten Staatshaushalts und die Herausgabe ungarischer Banknoten wurde beschlossen.

Der Hof reagierte sofort: Unter Jellačić rückten Truppen über die Save in Ungarn ein, der kroatische Befehlshaber war über den heftigen Kampf zwischen Magyaren und Serben erbittert, ein allgemeiner Bürgerkrieg schien unmittelbar bevorzustehen. Graf Batthyány, der Ministerpräsident, trat zurück, Ludwig Kossuth, der Führer und Held der Radikalen, übernahm die Führung, und da auch der Palatin abdankte und nicht ersetzt wurde, verfügte Kossuth fast über die Macht eines Diktators. Je mehr sich die Lage verschärfte, desto weniger wagte es der Reichstag, sich ihm zu widersetzen.

Am 28. September wurde Graf Lamberg, der königliche Kommissär für Ungarn und Oberbefehlshaber über sämtliche ungarischen und kroatischen Truppen, auf der Fahrt von Ofen nach Pesth beim Passieren der Kettenbrücke auf grausame Weise ermordet. Die kaiserliche Regierung erklärte daraufhin die Gesetzgebung des Reichstages für ungültig, da sie nicht vom Kaiser sanktioniert worden war, und verhängte den Belagerungszustand über das Land. General Jellačić erhielt größere Vollmachten, einschließlich der Übernahme der Zivilverwaltung in Ungarn. Der nun in Permanenz tagende Reichstag erklärte seinerseits das kaiserliche Manifest für ungültig, Jellačić wurde als Verräter gebrandmarkt. Mit diesen Maßnahmen auf beiden Seiten hatte die Revolution in Ungarn eine Stufe erreicht, auf der eine friedliche Lösung unmöglich geworden war[17].

Jene Kreise der Wiener Bevölkerung, die noch revolutionär gesinnt waren, sympathisierten mit den Magyaren. Die tragische Entladung dieser Haltung erfolgte am 6. Oktober, als der Kriegsminister Graf Latour gelyncht wurde. Am 7. Oktober begab sich der Hof nach Olmütz, am 22. Oktober wurde der Reichstag in seine Nähe, nach Kremsier, verlegt.

Diese erzwungene Reise nach Mähren machte auf den jungen Erzherzog Thronfolger einen tiefen Eindruck. So berichtet Helfert, daß in Olmütz der junge Erzherzog seiner Umgebung sehr in sich gekehrt, über sein Alter hinaus ernst erschien. Es war die erste schwere persönliche Erfahrung des künftigen Kaisers. Die Erinnerung an die Revolution bildete von da an ein unzerstörbares Grundelement im persönlichen Denken des jungen Mannes, der nun seine politische Erziehung durch die Ereignisse selbst zu empfangen hatte[18]. Der Thronwechsel zu seinen Gunsten stand unmittelbar bevor.

Zunächst galt es noch, die Revolution in Wien niederzuwerfen. Am 26. Oktober begann die Beschießung der Stadt, am 31. Oktober erstürmte Windisch-Graetz auch das Zentrum. Gewiß, die Einnahme Wiens durch kaiserliche Truppen bedeutete tatsächlich das Ende der revolutionären Tätigkeit außerhalb Ungarns, sie bedeutete aber auch das Ende der bis zum Aufstand der Pariser Kommune im Jahre 1871 eindeutigsten Arbeiterrevolution. Denn für die Wiener Oktober-Revolution war es bezeichnend, daß ihre treibende Kraft weder aus den Reihen der Intellektuellen des Mittelstandes kam, noch von den Professoren der Frankfurter Nationalversammlung oder den aufgeklärten politischen Journalisten, sondern aus den Reihen der Arbeiter[19]. Der Wiener Erfolg hatte das Prestige des Fürsten Windisch-Graetz beinahe ins Ungemessene gesteigert. Nunmehr war aber auch für seinen übersteigerten Legitimismus die fällige Veränderung auf dem Thron zu einer Notwendigkeit geworden. Der erste Schritt hierzu war die Bildung einer neuen Regierung, die geeignet erschien, die durch die Wiedereroberung Wiens eingeleitete große, auf Wiederherstellung der kaiserlichen Macht abzielende Aktion erfolgreich durchzuführen. Zum Haupt dieser Regierung hatte Fürst Windisch-Graetz seinen Schwager, den Fürsten Felix Schwarzenberg, ausersehen.

Mit einem Lippenbekenntnis zur konstitutionellen Monarchie stellte Schwarzenberg am 27. November 1848 sein Ministerium dem Kremsierer Reichstag vor und vollzog damit nicht nur den Bruch des Versprechens, das er Fürst Windisch-Graetz und Kaiserin Maria Anna gegeben hatte, sondern auch die erste bewußte

Irreführung der Bevölkerung Österreichs und des Reichstages! Und nun, nach langen Bemühungen und weiteren unerfreulichen Täuschungsmanövern, war es soweit:

Am Morgen des 2. Dezember 1848 versammelte sich die kaiserliche Familie im erzherzoglichen Palast zu Olmütz zu einer feierlichen Sitzung, in welcher Fürst Schwarzenberg die von ihm vorbereiteten Erklärungen Kaiser Ferdinands I. und Erzherzog Franz Karls über Abdankung und Thronentsagung, sodann die Erklärung der Großjährigkeit des Erzherzogs „Franzi" und schließlich die Ankündigung der Thronbesteigung des Erzherzogs Franz Joseph als Kaiser verlas.

Der junge Thronanwärter war schon mehrere Wochen vorher von dem gefaßten Plan in Kenntnis gesetzt worden. Als der Akt vollzogen war, ließ er sich auf ein Knie nieder, um seinem Oheim den Dank auszusprechen. Die Antwort des abdankenden Kaisers, der den jungen Neffen umarmte, sein Antlitz streichelte und ihm sagte: „Gott segne dich, bleib nur brav, Gott wird dich schützen; es ist gern geschehen", wird häufig als das letzte ehrliche Wort des alten Österreich angesehen, mit dem die zu Ende gegangene Epoche in fast bürgerlich biederer Weise verabschiedet wurde.

**Anmerkungen:**

[1] 1804, August 11, Pragmatikal-Verordnung.

[2] Vgl. Erich Zöllner, Geschichte Österreichs. Von den Anfängen bis zur Gegenwart, Aufl., S. 335.

[3] Zöllner (zit. Anm. 2), S. 337.

[4] K. auch k. k. Privilegirte Wiener Zeitung vom Sonnabend, dem 9. August 1806, Nr. 64, S. 4001 f.

[5] Zitiert nach Golo Mann, Deutsche Geschichte des 19. und 20. Jahrhunderts, Frankfurt am Main, 1958, S. 70.

[6] Zöllner (zit. Anm. 2), S. 337.

[7] Handschreiben Kaiser Franz I. an Metternich, 1814, April 12, Troyes. Wien, Österreichisches Staatsarchiv, Abteilung Haus-, Hof- und Staatsarchiv, Stk. Vorträge, Kart. 195, fol. 21–22.
„Lieber Fürst Metternich! Auf ihre Berichte vom 11ten April finde ich ihnen zu bedeuten, daß ich anhier keine Feinde und auch keine Fourage zu bekommen ist, heute auf Pont-sur-Seine marschire mit meinen eigenen (sic!), dann morgen weiter gegen Paris so gut ich kann. Ich danke für alles was sie verfügt haben. Die Hauptsache ist den Napoleon aus Frankreich, und wollte Gott weit weg zu bringen. Daher haben sie recht gehabt den Abschluß des Traktats nicht bis auf meine Ankunft zu verschieben, denn nur dadurch kann dem Krieg ein Friede werden. Die Insel Elba ist mir nicht recht denn sie ist für Toskana ein Schaden, man disponirt mit Gegenständen für andere die meiner Familie taugen, was man in Hinkunft nicht angehen Lassen kann und Napoleon bleibt zu nahe an Frankreich und Europa. Übrigens muß getrachtet werden zu erhalten daß Elba wenn die Sache nicht verhindert werden kann nach Napoleons Tod zu Toskana komme. Daß ich Mit Vormund des Kinds werde für Parma etc. und daß für den Fall des Todes meiner Tochter und des Kindes die selben zukommenden Staaten nicht auf die Neapolitanische Familie reversible werden. Nun alle confusionen die Champagnys rückkehr verursachen dürften zu vermeiden habe ich einen officier directe mit einem Brief an meine Tochter geschickt der alles bestättigt als meine Gesinnung was sie ihm geschrieben, und sie an ihre Anleitungen anweiset. Dieser off. hat nun den Auftrag die Antwort zu bringen. Übrigens dankt der Vater für alles was sie seiner Tochter gethan haben Franz."
Ein auffallendes Handschreiben des Kaisers: es zeigt viel von seinen politischen Interessen für Europa: „. . . den Napoleon. . . weit weg zu bringen . . .", viel mehr aber von seinen sehr persönlich-familiären Präferenzen. „. . . Elba . . . ist für Toskana ein Schaden . . . daß für den Fall des Todes meiner Tochter und des Kindes die selben zukommenden Staaten nicht auf die Neapolitanische Familie reversible werden . . ."

[8] Hanns Leo Mikoletzky, Österreich. Das entscheidende 19. Jahrhundert. Wien 1972, S. 24 f.

[9] Ebd.

[10] Die Schreckensnacht auf den 1. März 1830, von Aloys Dworzak. Gedruckt bey den P. P. Mechitaristen, 1830. Siehe Kat. Nr. 2/4/6.

[11] Leopold II., Vater Franz' I., war der Bruder der Maria Caroline, Mutter der 2. Gemahlin Franz' I., Maria Theresia von Neapel-Sizilien. Maria Ludovica, Mutter Franz' I., war die Schwester Ferdinands I. beider Sizilien, Vater der 2. Gemahlin Franz' I., Maria Theresia von Neapel-Sizilien.

[12] Mikoletzky (zit. Anm. 8), S. 299.

[13] Die russische Zarin Alexandra Feodorowna, eine Tochter Friedrich Wilhelms III. von Preußen, die Ferdinand I. 1835 anläßlich der Zusammenkunft in Teplitz sah, vermerkte in ihrem Tagebuch: „Großer Gott, ich hörte viel von ihm, von seiner kleinen, häßlichen, vermückerten Gestalt und seinem großen Kopf ohne Ausdruck als den der Dähmlichkeit, aber die Wirklichkeit übersteigt alle Beschreibung." (Zit. nach Theodor Schiemann, Geschichte Rußlands unter Kaiser Nikolaus I., 3. Aufl., 1913, S. 271/A. 1.)

[14] Politisches Vermächtnis des Kaisers Franz I. für seinen Sohn und Thronfolger Ferdinand I., 1835, Februar 18, Wien, Original, Papier, 2 Folien, Wien, Österreichisches Staatsarchiv, Abteilung Haus-, Hof- und Staatsarchiv, Familienurkunden Nr. 2347 B, fol 1–2.

[15] Karl Tschuppik, Franz Joseph I. – Der Untergang eines Reiches. Hellesau bei Dresden, 1928, S. 30.

[16] Grillparzer schrieb sein Huldigungsgedicht an Radetzky, Johann Strauß Vater komponierte den Radetzkymarsch.

[17] Robert A. Kann, Geschichte des Habsburgerreiches 1526–1918. Wien – Köln – Graz, 1977, S. 280.

[18] Joseph Redlich, Kaiser Franz Joseph von Österreich. Berlin 1928, S. 39.

[19] Kann (zit. Anm. 17), S. 281.

# DIE K.K. ARMEE IM BIEDERMEIER

*Franz Kaindl*

Nachdem Europa durch mehr als zwei Dezennien – abgesehen von kurzfristigen Unterbrechungen – vom Kriegslärm erfüllt gewesen war und auf dem Wiener Kongreß die aus den Fugen geratenen politischen Zustände in der Form wieder zurechtgerückt worden waren, indem man die alte, etablierte Ordnung wiederhergestellt hatte, hielt man einen langen und durch nichts mehr zu erschütternden Friedenszustand für gesichert. Davon überzeugt und nicht minder von den Leistungen der Armee in den letzten Feldzügen beeinflußt, sah man in leitenden militärischen Kreisen zunächst keine Notwendigkeit, das von Erzherzog Carl begonnene Werk einer durchgreifenden Armeereform weiterzuführen. Lediglich auf dem Gebiet der Heeresergänzung erließ man infolge teilweiser territorialer Veränderungen im staatlichen Gefüge neue Vorschriften. Aber auch hier wich man von dem Weg, den Erzherzog Carl zwischen 1807 und 1809 eingeschlagen hatte, weitestgehend ab.

Diese Tendenz äußerte sich zunächst in den für Tirol und die neu erworbenen lombardo-venetianischen Provinzen erlassenen Anordnungen. So wurde Tirol schon 1815 in die allgemeine Konskription einbezogen und zur Stellung eines Jägerregiments verpflichtet, für das die aktive Dienstzeit jedoch nur acht Jahre mit einer sechsjährigen Verpflichtung zum „Zuzug" betrug. Im Bereich des lombardo-venetianischen Königreiches galt ebenfalls die achtjährige Dienstpflicht, jedoch ohne Landwehrjahre. Somit waren die Reorganisationspläne des Erzherzogs, die seit 1809 ohnehin nur noch auf dem Papier bestanden hatten, bedeutungslos geworden. Eine völlige Beseitigung derselben brachte schließlich die Rekrutierungsvorschrift vom 4. April 1827, die für die „altkonskribierten" Länder (alle Provinzen mit Ausnahme jener der Stephanskrone, Tirols und Lombardo-Venetiens) eine vierzehnjährige Dienstzeit vorsah. Verbunden mit dieser Vorschrift war auch die Aufhebung der Reserve, die zur Ergänzung des Friedens- auf den Kriegsstand diente und an deren Stelle nun eine mit dem 30. Lebensjahr einsetzende Landwehrpflicht trat. Zahlreiche Ausnahmen und Befreiungen, die den Adel, Beamte, freie akademische Berufe usw. betrafen, entfernten die Grundlage der Heeresergänzung immer weiter von dem Ziel, das Erzherzog Carl einst vorgeschwebt hatte, nämlich alle Kräfte zu einem Heer der allgemeinen Wehrpflicht zusammenzufassen. Berücksichtigt man, daß es neben der Konskription auch noch die „Rekrutierung von amtswegen" gab, mittels derer man sich bestimmter Elemente in den Gemeinden entledigen konnte, dann wird es nur allzu verständlich, daß sich eine solche Verschiedenheit in der Zusammensetzung der Armee hemmend auf die Verwaltung auswirken und nicht zuletzt einen merklichen Unterschied hinsichtlich des Geistes und der Ausbildung der Truppe bewirken mußte.

Das äußere Erscheinungsbild der Armee des Biedermeier, das von zahlreichen Malern dieser Periode, wie Carl Schindler, Johann Nepomuk Hoechle, Peter Fendi u. a., treffend festgehalten wurde, blieb – abgesehen von geringfügigen Änderungen im Jahr 1827 – über zwei Jahrzehnte lang unverändert. In der Uniformierung zeigt sich deutlich eine „Verbürgerlichung", was sich vor allem in der Kopfbedeckung äußerte, die in Größe und Form mit der „Angströhre" des wohlhabenden Bürgertums wetteiferte. Besonders arg betroffen vom Einfluß der zivilen Mode waren die Offiziere, die in einem schwarzen, bis unter das Knie reichenden zweireihigen Gehrock erschienen, der nur durch den Kragen in Aufschlagfarbe belebt wurde. Dazu trugen sie schwarze Pantalons und einen unförmigen Tschako. Erst die Adjustierungsvorschrift vom Jahr 1837 brachte wesentliche Änderungen insoferne, als für den Offizier jene sehr geschmackvolle schwarze Kappe eingeführt wurde, die bis 1938 – mit einer 13jährigen Unterbrechung im Bundesheer der Ersten Republik – ein Charakteristikum des österreichischen Offiziers blieb. Bei der Infanterie verschwand die weiße Kniehose mit den dazugehörigen Gamaschen und wurde durch lichtblaue Pantalons ersetzt. Nur die ungarische Infanterie und die Grenzer behielten die enge Hosenform, die „Gatya", ebenso die Husaren. Die deutsche Kavallerie dagegen erhielt an Stelle der hohen Stiefel lederbesetzte Pantalons, die sogenannten „Basanen". Eine Änderung im äußeren Erscheinungsbild erfuhr auch der Artillerierock, der statt der bisherigen rehbraunen Farbe das bis 1938 geltende dunkle Kaffeebraun erhielt.

Da es bis zum Jahr 1848 keine Distinktionsabzeichen gab und sich erst der Hauptmann vom Leutnant und Oberleutnant durch eine breitere Borte auf dem Tschako unterschied, während die Stabsoffiziere aller Rangstufen durch eine Gold- oder Silberborte am Ärmelaufschlag gekennzeichnet waren, war die Charge lediglich bei der persönlichen Vorstellung zu erfahren. Einzig und allein das gestickte Eichenlaub ermöglichte ein genaues Ansprechen des Feldmarschalls.

Der Friedensstand der k. k. Armee betrug unter der Regierung von Kaiser Franz I. 270.000, auf Kriegsfuß 400.000 Mann, wobei diese Zahl durch das Aufgebot von Landwehren und ungarischer Insurrektion um weitere 400.000 Mann vermehrt werden konnte.

Im einzelnen umfaßte die k. k. Armee 58 Linien-Infanterie-Regimenter, 17 Grenz-Infanterie-Regimenter, 1 Czaikisten-Bataillon, 20 Grenadier-Bataillone, 1 Jäger-Regiment, 12 Feldjäger-Bataillone, 8 Kürassier-, 6 Dragoner-, 7 Cheveauxlegers- und 12 Husaren- und 4 Ulanen-Regimenter, weiters 5 Feldartillerie-Regimenter, das Bombardier- und das Raketeur-Korps, schließlich das Ingenieur- wie das Pionier-Korps, das Pontonier-Bataillon und das Fuhrwesen-Korps.

Was die Zusammensetzung des Offizierskorps anbelangt, die in dieser Periode keine grundsätzliche Änderung erfahren hat – in erster Linie waren es Deutsche aus den Bundesstaaten, Engländer, Schotten und Schweizer –, so ist doch bemerkenswert, daß neben dem Adel schon Bürgerliche einen großen Teil des Offizierskorps stellten, so namentlich bei der Artillerie und den technischen Truppen. Für den Offizier der damaligen Zeit waren, wie meist in Zeiten der Stagnation, die Aufstiegschancen äußerst gering. Da die Zeit der großen Karrieren vorbei war und es auch mit der Besoldung nicht gerade zum besten stand, suchte man sein Glück vielfach als „Militärberater" in fremden Armeen. Von dieser Möglichkeit konnte jedoch die Mannschaft, deren Lage sich trotz seinerzeitiger Bemühungen Erzherzog Carls nicht merklich geändert hatte, nicht Gebrauch machen. Bei einer Dienstzeit von 14 Jahren, die erst ab 1845 einheitlich auf 8 Jahre festgelegt wurde, war und blieb sie niedrig besoldet.

Es mag unverständlich erscheinen, daß nach dem Jahr 1815 nicht jene Militärs in der Armee die Posten einnahmen, auf die sie kraft ihrer Fähigkeiten und Verdienste Anspruch gehabt hätten. So vermißt man vor allem Erzherzog Carl, der seit 1809 kein nennenswertes Kommando mehr erhielt und sich bis zu seinem Tod nur noch seinen militärwissenschaftlichen Tätigkeiten widmete. Ähnlich verhielt es sich auch mit Radetzky, der unbeugsam an den Ideen Erzherzog Carls festhielt und seine Pflicht gegenüber dem Staat und der Armee nicht mit der Tätigkeit als Soldat erschöpft sah. In einer Reihe von bedeutenden Denkschriften gab er seiner Meinung immer wieder darüber Ausdruck, daß die gegenwärtige politische Lage nur wenig Hoffnung auf einen ungestörten Frieden von längerer Dauer gebe, was man freilich als unangenehm empfand und auch nicht hören wollte. Ja, noch mehr, die von Radetzky aufgestellten Grundsätze hinsichtlich der Organisation der Armee wurden als phantastische Neuerungen hingestellt und belächelt. Radetzky ließ sich aber trotz größter Widerstände nicht beirren, unablässig an der Ausbildung der ihm unterstellten Truppen zu arbeiten, die sehr bald schon den Ruf von „Musterabteilungen" erhielten, worüber später noch zu berichten sein wird.

Nicht allzuviel änderte sich in dieser Periode auch auf dem Gebiet der Bewaffnung, sieht man davon ab, daß im Bereich der Artillerie, die in der Armee ein gewisses Eigenleben führte, die wichtigste Neuerung die Errichtung eines Raketeurkorps darstellte, dessen erster Kommandant der spätere Feldzeugmeister Vinzenz Baron Augustin war. Neben Augustin, dessen Ruf als eine der ersten Autoritäten im Artilleriewesen unbestritten war, wuchsen mit Oberstleutnant Frh. v. Vega, Feldmarschalleutnant Franz Frh. von Uchatius oder Feldzeugmeister Ritter von Hauslab ausgezeichnete jüngere Kräfte heran, die wesentlich dazu beitrugen, den wissenschaftlichen Ruf der österreichischen Artillerie zu erhalten. Indem man die technische Entwicklung im Ausland aufmerksam verfolgte, führte man selbst auch eigene Versuche auf dem Gebiet der Feuerwaffen durch und ging ab der zweiten Hälfte der dreißiger Jahre bei den Gewehren vom Batterieschloß auf die chemischen Schlösser über und bewaffnete ab 1841 die Infanterie mit dem Augustinischen Perkussionsgewehr.

Als eine besondere technische Erneuerung erwies sich das von Oberst Carl Frh. von Birago entwickelte Kriegsbrückengerät, das mehr als ein halbes Jahrhundert in Verwendung stand und weit über die Grenzen Österreichs hinaus auch allgemeine Anerkennung fand. Über Vorschlag Biragos vereinigte man 1843 das Pontonier- mit dem Pionierkorps, löste zugleich das Ober-Schiffamt in Wien auf und übertrug die Truppen- und Materialtransporte zu Wasser der Donau-Dampfschiffahrts-Gesellschaft.

Gegen Ende der Periode erkannte man aber auch bereits die Bedeutung der Eisenbahnen für militärische Zwecke, wie die 1841/42 auf der Nordbahn angestellten Versuche und Übungen mit Militärtransporten beweisen.

Aus den Reihen der größtenteils bürgerlichen Offiziere bei der Artillerie und den technischen Truppen ging auch der Gedanke einer Reichsbefestigung hervor, der seinen Ursprung zweifelsohne in den wiederholten Einfällen der Franzosen hatte. Bereits im Jahre 1797 trug sich Erzherzog Carl infolge des raschen Vordringens Napoleons bis Leoben mit dem Gedanken, die weitere Verteidigung auf die Donaulinie Ulm – Linz – Preßburg zu konzentrieren. Der rasch abgeschlossene Waffenstillstand ließ diesen Gedanken jedoch nicht ausreifen. Nun griff man wiederum auf ihn zurück, und ab 1829 ließ Erzherzog Maximilian d'Este in einem weiten Bogen auf den Höhen um Linz eine Befestigungsgruppe errichten („Maximilianische Türme"), die dem Gegner die Donaustraße sperren und der eigenen Armee als verschanztes Lager dienen sollte.

Die Planung erwies sich jedoch nicht als sehr glücklich, und infolge des raschen Fortschrittes auf artilleristischem Gebiet galt die Anlage bereits nach einem Jahrzehnt als überholt. Der Versuch, auch Wien in gleicher Weise zu befestigen, scheiterte an den fehlenden finanziellen Mitteln. Wesentlich erfolgreicher war Generalmajor Franz von Scholl, den man nicht zu Unrecht als den „österreichischen Vauban" bezeichnet, mit seinen fortifikatorischen Bauten in Tirol und Venetien. So entstand etwa zur gleichen Zeit wie die Anlage von Linz Franzensfeste als Talsperre zwischen Rienz- und Eisacktal. Scholl leitete auch die von Radetzky rastlos betriebene Neubefestigung von Verona, deren Wert man 1848/49 sehr wohl erkannte.

Dem technischen Fortschritt in dieser Periode trug man insoferne auch Rechnung, als man für die Militärakademie in Wiener Neustadt im Jahre 1837 ein neues, zeitgemäßes Organisationsschema hinsichtlich der Studienpläne erließ, das den technischen Fächern mehr Raum gab. Von besonderem Einfluß auf das wissenschaftliche Streben in der Armee war die Errichtung des Militärgeographischen Instituts in Wien, das aus dem noch unter französischer Herrschaft gegründeten Institut für Militärgeographie in Mailand hervorging, 1839 nach Wien verlegt und mit dem topographischen Büro des Generalquartiermeisters vereinigt wurde. Zu den vorzüglichsten Kartographen, die am Militärgeographischen Institut wirkten und deren vorbildliche kartographische Methoden ein weites Strahlungsfeld in Europa wie auch in Übersee besaßen, zählten vor allem Feldmarschalleutnant Ludwig de Traux und Generalmajor Carl Sonklar von Innstädten. Wenn auch Kaiser Franz I. – weitestgehend durch persönliche Einflüsse seiner unmittelbaren Umgebung bestimmt – von weitreichenden Reformplänen Abstand nahm, so ließ er es doch während seiner Regierungszeit nie an der Fürsorge der Armee gegenüber, deren Wert er in den schwersten Zeiten seiner Regierung kennengelernt hatte, fehlen. Als besonderer Beweis seiner Fürsorge ist vor allem die Verbesserung und Vermehrung der militärischen Erziehungs- und Bildungsanstalten anzusehen. So wurden bereits in den ersten Friedensjahren in Mailand ein Militär-Knaben-Erziehungshaus und in Olmütz eine „Cadetten-Compagnie" errichtet. Daneben gab es militärische Versorgungsanstalten für Invalide, für Witwen und Waisen von Offizieren und solche für mittellose Soldatenkinder.

Mit dem Wiedererwerb der Küstenländer im Bereich des Adriatischen Meeres und mit der Übernahme der Schiffsbestände der ehemaligen Republik Venedig richtete sich das Augenmerk von selbst auf die Kriegsflotte. Da es jedoch vielfach an nautisch ausgebildeten Offizieren fehlte, ging die weitere Entwicklung der Flotte vorerst nur sehr langsam vor sich. Erst ab dem Jahr 1825, als das Oberkommando über die Flotte dem Marchese Amilcare Paulucci, einem Seemann vom Fach, übertragen wurde, änderte sich die Situation schlagartig. So nahm ab nun nicht nur die Ausrüstung der Schiffe eine raschere Entwicklung, sondern man bemühte sich auch um den Nachwuchs an geschulten Marineoffizieren und gründete dazu das Marine-Cadetten-Institut in Venedig.

Die k. k. Kriegsmarine fand in dieser Periode auch mehrmals Gelegenheit, die Notwendigkeit ihres Bestehens unter Beweis zu stellen, so im Jahre 1829 gegen den „Barbareskenstaat" Marokko oder 1840 im Interventionskrieg der Quadrupelallianz England, Österreich, Preußen und Rußland gegen Mehmed Ali von Ägypten, in dem sich ein kleines österreichisches Expeditionskorps unter dem Kommando Erzherzog Friedrichs besonders auszeichnete. Unter Erzherzog Friedrich, der seit 1844 das Oberkommando über die Flotte innehatte, bahnte sich nicht nur eine Reihe wichtiger Reformen an, sondern er war es auch, der den Hafen Pola als zweiten Waffenplatz für die Marine auswählte, da er von der Unzulänglichkeit Venedigs als Kriegshafen überzeugt war.

Ähnlich wie für die Marine ergab sich auch für das Heer wiederholt die Notwendigkeit zu einem bewaffneten Einschreiten, da die im konservativen Lager der „Heiligen Allianz" zusammengefaßten Mächte nicht gewillt waren, sich ihre Friedensordnung durch revolutionäre Strömungen stören zu lassen; man war daher auch stets bereit, gleichgesinnten Regierungen jederzeit entsprechende militärische Hilfe angedeihen zu lassen. So sah man sich bereits im Jahr 1821 veranlaßt, in Neapel auf Grund von ausgebrochenen Unruhen militärisch einzuschreiten, und unmittelbar darauf intervenierte ein Korps unter Feldmarschallleutnant Graf Bubna in Piemont. 1831 mußte man den von Aufständischen erschütterten habsburgischen Kleinstaaten Modena, Parma-Piacenza militärisch zu Hilfe kommen, und schließlich sah man sich auch genötigt, in den nach dem Wiener Kongreß wiederhergestellten Kirchenstaat einzurücken und Teile davon zu besetzen. Im Sommer des Jahres 1836 erfolgte eine Strafexpedition nach Bosnien, von wo aus ein immer stärker werdendes Räuberunwesen die benachbarten kroatischen Landstriche derart beunruhigte, daß man es nicht mehr länger ignorieren konnte. Ernster und schwerwiegender waren jedoch die Ereignisse in Krakau, die ein militärisches Eingreifen Österreichs notwendig machten. Nach wechselvollen Kämpfen wurde Krakau schließlich zur Übergabe gezwungen und die alte Krönungsstadt dem österreichischen Kaiserstaat im Jahre 1846 einverleibt.

Die Vorgänge in Galizien stellten bereits ein deutliches Wetterleuchten der kommenden Gewitterstürme dar, die sich nun anbahnten und von jedermann auch erkannt wurden, auch von jenen Staatsmännern, die von der Richtigkeit und Vortrefflichkeit ihres Systems überzeugt waren. Die Militärs, die die Gefahr der politischen Lage realistischer einschätzten, sparten daher auch nicht mit ihren Warnungen, die freilich nicht immer ein entsprechendes Echo fanden.

Einer, der die Lage und die drohenden Verwicklungen, insbesondere in Italien, richtig einschätzte und voraussah und auch nicht müde wurde, immer wieder zu warnen, war Feldmarschall Graf Radetzky, der 1831 das Oberkommando über die österreichische Armee in Italien übernahm und sofort auch eine rastlose Tätigkeit entfaltete, die schließlich die Grundlage schuf, auf der später seine Erfolge aufbauten. Mit Unterstützung bewährter Kräfte – man denke in diesem Zusammenhang vor allem an seinen damaligen Generalstabschef Oberst Heinrich von Heß – arbeitete er eine Manövrierinstruktion für die Leitung größerer Truppenmassen aus und bemühte sich, die höheren Offiziere zum selbständigen Denken und Handeln zu erziehen, was sich später als sehr nützlich erweisen sollte. Erwähnt sei aber auch, daß Radetzky als erster das Prinzip der Einheitsinfanterie einführte, womit der Unterschied hinsichtlich der Ausbildung und Verwendung zwischen schwerer, Linien- und leichter Infanterie beseitigt wurde. An die Stelle des früher fast ausschließlich taktischen Exerzierens traten nun größere Felddienstübungen, und jeweils im Spätherbst fanden unter seiner persönlichen Leitung große Manöver statt, die bald zu einer Besonderheit in ganz Europa wurden und an denen Offiziere aus allen Militärstaaten Europas teilnahmen.

Radetzkys Verdienst lag ohne Zweifel darin, daß in den Jahren seiner Tätigkeit nicht nur „die Armee in Italien aufgeweckt und für den Krieg vorbereitet wurde", sondern daß sich aus ihr eine sehr selbstbewußte „italienische" Armee herausbildete, ohne die die Monarchie die Wirren von 1848 kaum hätte überstehen können.

# MÜNZWESEN UND GELDWIRTSCHAFT

*Adelbert Schusser*

Zur Zeit des Biedermeier und Vormärz gab es in der Habsburgermonarchie die unter Maria Theresia eingeführte „Konventionswährung“. (Daneben existierte ab 1812 die sogenannte „Wiener Währung“, eine Art Krisenwährung, deren Zahlungsmittel allmählich wieder durch das Konventionsgeld abgelöst wurde; siehe unten.)

Eine Verschlechterung der preußischen Münzen hatte Österreich im Jahre 1750 veranlaßt, die Prägung der Münzen nach einem neuen Münzfuß vorzunehmen. Als erster Partner der neuen Währung konnte 1753 Bayern (und später die meisten deutschen Staaten außer Preußen und den Hansestädten) gewonnen werden. Die zwischen Österreich und Bayern in Wien abgeschlossene Münzkonvention verlieh dem neuen Währungssystem alsbald den Namen Konventionswährung, die in Österreich bis 1858 in Geltung blieb.

Als Rechnungsmünze der aus Stückelungen in Silber bestehenden Währung (Kat. Nr. 3/3/2) fungierte der Gulden (fl) zu 60 Kreuzern (kr). Bereits ab dem Jahre 1760 wurden allerdings der Kreuzer und dessen Teilstücke nur mehr in Kupfer ausgegeben.

Seit 1762 gab es in Österreich auch Papiergeld in Form von „Bancozetteln“, unverzinslichen Zahlungspapieren, welche von dem seit dem Jahre 1705 bestehenden „Wiener Stadtbanko“ herausgegeben wurden. Die Geldscheine waren zunächst nicht unbeliebt.

Als jedoch der Staat ab dem Jahre 1796 zur Deckung der durch die Kriege mit Frankreich entstandenen Schulden die im Umlauf befindlichen Bankozettel einziehen und anstelle dessen wiederholt neue Geldscheine in einer offensichtlich viel größeren Menge als bisher üblich herausgeben ließ und wohl aus diesem Grund die Höhe der Emission des Papiergeldes der Öffentlichkeit verschwiegen wurde, erweckte dies größtes Mißtrauen der Bevölkerung, die ab nun Hartgeld in größerem Umfang zu horten begann. Der Kurswert des unbeliebt gewordenen Papiergeldes sank daher immer mehr. Infolge der hohen Kriegskosten wurden ab 1795 auch minderwertige Silbermünzen, die meist als „erbländische Scheidemünzen“ gekennzeichnet waren, sowie alsbald auch neue Kupfermünzen (in großer Zahl) herausgegeben, die meist nach kurzer Zeit teilweise entwertet wurden.

Die Staatsgehälter und Pensionen, die ab 1797 mehr und mehr in Papiergeld ausbezahlt wurden, enthielten ab 1808 nur Papiergeld und Scheidemünzen, jedoch keine Konventionsmünzen.

Sehr ungünstig wirkten sich auf das ohnehin schon zerrüttete österreichische Geldwesen die italienisch-französischen Papiergeld-Fälschungen aus, welche ab 1798 bis etwa 1814 von Italien und Frankreich her die Monarchie überschwemmten. In Verona, Brescia, Ancona gab es Druckereien, die unter dem Schutz der dortigen Behörden massenweise Banknoten nach Art des österreichischen Papiergeldes herstellten. Das Drängen Österreichs, die Fälscher zu verfolgen, wurde von den Gegnern des Habsburgerstaates ignoriert.

Als sich Österreich 1809 im Frieden von Schönbrunn verpflichten mußte, 85 Millionen Francs Kriegsentschädigung zu zahlen, sah man sich aufs neue gezwungen, die Banknotenpresse in Bewegung zu setzen. Zu einer zusätzlichen Belastung für Österreich kam es, als die Regierungen der 1809 von der Habsburgermonarchie abgetrennten Gebiete die dort befindlichen Bancozettel außer Kurs setzten, worauf ein massenhaftes Rückströmen dieses Papiergeldes nach Österreich erfolgte.

Diese Umstände führten zu einem schweren Kurssturz der Bancozettel: 100 Gulden Konventionsmünze erreichten im Verlauf des Jahres 1810 einen Wert von nahezu 1000 Gulden Bancozettel.

Die enorm hohe Umlaufzahl der zum großen Teil ungedeckten Bancozettel (Anfang 1811 nahezu 1061 Millionen fl), deren Einlösung nicht mehr möglich war, führte schließlich zum Staatsbankrott, der von der österreichischen Regierung nach langen Beratungen schließlich durch das berüchtigte „Februarpatent“ (datiert mit 20. Februar 1811) am 15. März 1811 gleichzeitig an allen Orten der Monarchie veröffentlicht wurde: Die Bancozettel mußten bis 31. Jänner 1812 im Verhältnis 5:1 in Einlösungsscheine umgewechselt werden. Dies bedeutete für die Besitzer der Bancozettel einen Geldverlust von 80%.

Ab 1. Februar 1812 sollten die Einlösungsscheine als „Wiener Währung“ das einzige Papiergeld für das Inland sein.

Die Kupfermünzen zu 30, 15, 3 und 1 Kreuzer wurden gleichfalls um 80% entwertet, die zu 6, ½ und ¼ Kreuzer hingegen überhaupt außer Kurs gesetzt.

Die im Staatsbankrott endende Finanzreform des Jahres 1811 war in erster Linie das Werk des damaligen Hofkammerpräsidenten Grafen Joseph Wallis, der sich mit seinen Maßnahmen so sehr den Haß der Bevölkerung zuzog, daß er sich bereits 1813 gezwungen sah, die Leitung der Finanzen zurückzulegen. Über die Aufnahme des Patents in der Öffentlichkeit liegen allerdings dank einer gut funktionierenden Zensur keine objektiven Meldungen vor.

Erst aus späterer Zeit existieren wahrheitsgetreue Berichte. Zitiert sei hier A. Tebeldi („Die Geldverhältnisse Österreichs“, Leipzig 1847): „Die Regierung hatte wiederholt versprochen, sie werde den Nennwerth der Bancozettel nicht herabsetzen. Das Volk vertraute ihr, es erwartete nicht weniger, als daß aus jedem Gulden-Bancozettel einmal ein Gulden werden würde, gleich dem Gulden Theresias und Josefs. Aus 100 Gulden waren nun 20 geworden . . . Alle . . . Hoffnungen waren dahin: Die Leute waren um ihre Lebensaussichten gekommen, sie verzweifelten. Die Donau verschlang da manchen Leichnam, und wer zählt die Kugeln, welche im März 1811 das Unrecht der Regierung ausglichen.“

Das Staatsbankrottpatent des Jahres 1811 hatte zwar zur Folge, daß es nun tatsächlich weniger Papiergeld gab (in Form von „Einlösungsscheinen“), doch blieben die Staatsschulden bestehen und auch ein Sinken der Preise war nicht bemerkbar.

Als Österreich 1812 an der Seite Napoleons am Krieg gegen Rußland teilnehmen mußte, sah es sich zu Steuererhöhungen und zur Schaffung neuer Steuern gezwungen. Im Jahre 1813 aber, als es für Österreich galt, im bevorstehenden „Befreiungskrieg“ gegen Frankreich eine führende Stellung einzunehmen, wurde zur Finanzierung dieses Unternehmens eine neuerliche große Ausgabe von Papiergeld erforderlich. Da aber das Bankrottpatent des Jahres 1811 die Verfügung enthielt, eine Vermehrung der Einlösungsscheine dürfe über einen bestimmten Betrag (212 Millionen Gulden) nicht hinausgehen, entschloß man sich mit Patent vom 16. April 1813 (unterzeichnet von Graf Ugarte, dem provisorischen Nachfolger des Grafen Wallis) zur Ausgabe von

„Anticipationsscheinen", welche durch die eingehenden Grundsteuern der deutschen, böhmischen und galizischen Provinzen ihre Deckung finden sollten.

Die „Anticipationsscheine", die also eine Vorwegnahme zukünftiger Staatseinnahmen darstellten, gehörten neben den „Einlösungsscheinen" zur „Wiener Währung" (W. W.), für die 1812 auch neue Kupfermünzen zu 3, 1, ½ und ¼ Kreuzer in Umlauf gesetzt wurden (Kat. Nr. 2/3/18).

Bis März 1816 wurden nun die bereits vorhandenen Einlösungsscheine (212 Millionen fl) um große Mengen an Anticipationsscheinen (470 Millionen fl) vermehrt, deren Höhe über Anraten Metternichs der Öffentlichkeit nicht bekanntgegeben wurde.

Trotz der glücklichen Kriegsereignisse des Jahres 1813 verbesserte sich die Finanzlage des Staates keineswegs. 1814 begann ein neuer Kurssturz des Papiergeldes, welcher dem des Jahres 1811 stark ähnelte. (Für jeden Papiergulden [60 kr] bekam man übrigens im Ausland nur 20 kr). Es gab also besonders zur Zeit des Wiener Kongresses in ganz Österreich eine ungeheure Inflation und Teuerung, die im Jahre 1817 nach vorangegangenen Mißernten (1816, 1817) ihren Gipfelpunkt erreichten. Ein Sinken der Lebenshaltung großer Bevölkerungsschichten war die Folge.

Erst ab 1818 trat eine Senkung der Preise ein, die – mit wenigen Ausnahmen – von den zwanziger Jahren an bis zur Mitte der vierziger Jahre einigermaßen konstant blieben.

Bereits zur Zeit des Wiener Kongresses aber, und auch schon zuvor, hatte sich in der österreichischen Regierung allmählich die Auffassung durchgesetzt, der Staat müsse aufhören, Banknoten auszugeben und diese Aufgabe, freilich unter Aufsicht des Staates, einer Privatbank überlassen. In Zusammenhang mit dieser Maßnahme sollte mit Hilfe französischer Kriegsentschädigungen und ausländischer Anleihen eine Stabilisierung der Währung erfolgen und eine Neuordnung des Steuerwesens durchgeführt werden.

Bald nach Abschluß des Zweiten Pariser Friedens (1815) gründete Kaiser Franz I. auf Betreiben des damaligen Finanzministers Johann Philipp Graf Stadion (1763–1824) mit den beiden Finanzpatenten vom 1. Juni 1816 die „Privilegirte Oesterreichische Nationalbank", eine vom Staat unabhängige „Zettelbank", der

Kat. Nr. 2/3/28 Banknote zu 25 Gulden, 1825

vor allem die Aufgabe zukam, Aktien und Banknoten in Konventionswährung herauszugeben und das alte Papiergeld – Einlösungsscheine und Anticipationsscheine – gegen die neuen Banknoten (siehe Kat. Nr. 2/3/37) und Konventionsmünzen (C. M.) einzutauschen, wobei 250 fl W. W. einen Wert von 100 fl C. M. darstellten. Die letztgenannte Aufgabe wurde von der Nationalbank in einem Zeitraum von etwa zwei Jahrzehnten bewältigt: von den nahezu 700 Millionen Gulden W. W. waren 1847 nur mehr 7½ Millionen fl. W. W. im Umlauf. (Das wenige noch vorhandene Geld „Wiener Währung" blieb dann noch bis zur Einführung der österreichischen Guldenwährung im Jahre 1857 gesetzliches Zahlungsmittel.) Die von der Bank ausgegebenen Banknoten wurden von Zeit zu Zeit durch neue ersetzt (1825, 1833, 1834, 1841, 1847 und 1848).

Gelang es der österreichischen Regierung auch, 1816 mit der Gründung der Oesterreichischen Nationalbank eine Stabilisierung der Währung in die Wege zu leiten, so blieb die Finanzlage der Monarchie doch wegen der großen Schuldenlast des Staatshaushaltes während der gesamten Ära Metternich kritisch.

Immerhin aber gelang es der österreichischen Regierung in zähen Verhandlungen mit England, die von diesem auf dem Wege zweier Anleihen erhaltenen Zahlungen (1795 und 1797 insgesamt 6,200.000 Pfund) und Subsidien (1800–1808 insgesamt 31 Millionen Gulden), die bis 1823 mit Zinsen und Zinseszins auf 17 Millionen Pfund aufgelaufene Schuld mit einer Abfindungssumme von lediglich 2½ Millionen Pfund zu begleichen.

Der Staat mußte sich aber auch in der Folgezeit immer wieder mit neuen Anleihen behelfen, die großteils durch Bankhäuser (so z. B. im Jahre 1831 durch die Bankhäuser Arnstein & Eskeles, Geymüller & Comp., M. A. Rothschild & Söhne sowie S. G. Sina) vermittelt wurden. Die Hauptgründe für die ungünstige finanzielle Lage des Staates lagen einerseits in den großen Militärausgaben, andererseits aber auch teilweise in einer unzureichenden Besteuerung. So waren beispielsweise Banken und Unternehmer fast steuerfrei, weil sie der Staat für sich gewinnen wollte. Die Unzufriedenheit großer Bevölkerungsschichten stieg bis 1848 immer mehr.

Wie andere Städter auch, beklagten sich die Wiener in der ersten Hälfte des 19. Jahrhunderts über die Preissteigerungen des Fleisches, der Butter, des Gemüses, des Obstes, des Brennholzes und der Mieten. Auch waren gewisse Grundnahrungsmittel in Wien (Kartoffeln, Gemüse, Obst) vergleichsweise teurer als in anderen Städten der Monarchie. Hingegen blieben die Getreidepreise relativ konstant. Die Billigkeit des Getreides war zu einem Teil dem Import aus Ungarn und dem Banat, und zwar per Schiff über die Donau, zu verdanken.

Hinsichtlich der Arbeitslöhne sei festgehalten, daß es zwar um die Wende zum 19. Jahrhundert einen wirtschaftlichen Aufschwung gab, der jedoch durch ungenügende Lohnerhöhungen, die ungeheure Teuerung und die große Arbeitslosigkeit im zweiten Jahrzehnt des 19. Jahrhunderts zu enormen Einkommensverschlechterungen großer Wiener Bevölkerungsteile führte. Erst gegen Ende des 2. Jahrzehnts kam es zu einer Anhebung der Kaufkraft der Löhne, deren Höhe bis gegen Ende der Ära Metternich in etwa konstant blieb. Ein spürbarer Rückgang des Lebensstandards war in Wien erst um 1847 zu verzeichnen, und zwar vor allem auf Grund der schlechten Ernteergebnisse des Jahres 1846 und der damit verbundenen Teuerung. Ein Blick auf einige Wiener Löhne und Preise (bis 1848) soll die Ausführungen zum Geldwechsel abrunden: Zunächst sei der niedrigste Taglohn eines Arbeiters den Roggenbrotpreisen sowie den Rind- und Schweinefleischpreisen gegenübergestellt. Die Angaben der Preise und Löhne erfolgen in Kreuzern der Konventionswährung (= kr C. M.; C. M. bedeutet Conventionsmünze), die Angaben der Gewichte in Pfund (= pf; 1 pf = 56 adg): (Birgit Ströbel, Die Ernährung der Unterschichten in Wien im Zeitraum 1820–1870, phil. Diss., Univ. Wien, 1979, S. 99).

| Jahr | Geringster Taglohn eines Arbeiters (kr) | Roggenbrot pro pf (kr) | Rindfleisch pro pf (kr) | Schweinefleisch pro pf (kr) |
|---|---|---|---|---|
| 1820 | | 2 | 5,6– 7,2 | 7,2–14,4 |
| 1825 | | 1,2 | 6 – 7 | 6 –14 |
| 1830 | 25 | 2 | 8 – 9 | 9 –17 |
| 1835 | 24 | 1,8 | 8 –10 | 11 –18 |
| 1840 | 25 | 2 | 8 –10 | 11 –17 |
| 1845 | 25 | 2,6 | 9 –11 | 9 –17 |
| 1847 | 25 | 3 | 9 –11 | 10 –19 |
| 1848 | 29 | 2,1 | 10 –12 | 12 –19 |

Kat. Nr. 2/3/2, 4, 6, 8, 10, 12 Silbermünzen der Konventionswährung, Vorderseite

Kat. Nr. 2/3/2, 4, 6, 8, 10, 12 Silbermünzen der Konventionswährung, Rückseite

Für die vierziger Jahre, in denen die Löhne ungefähr konstant blieben, seien noch weitere Taglöhne verschiedener Berufe genannt:

Ein Druckereiarbeiter verdiente täglich 16 bis 28 kr, ein Seidenzeugmacher 16 bis 30 kr, ein Leinweber 20 bis 24 kr, ein Seidenweber 20 kr bis 1 fl (= 1 Gulden), ein Baumwollspinner 54 kr, ein Spezialarbeiter 50 kr bis 1 fl 10 kr, ein Schneidergeselle 48 kr bis 1 fl. Während es gut verdienende Arbeiter in den vierziger Jahren auf ein Jahreseinkommen bis zu 500 fl brachten, bezogen untere Beamte ein Jahresgehalt von 400 bis 700 fl (nach zehn Dienstjahren) und höhere Beamte durchschnittlich 2000 bis 3000 fl (C. M.). Hingegen verdienten Trivialschullehrer zur gleichen Zeit nur etwa 130 bis 150 fl im Jahr (bei täglich 5 Stunden Unterricht und Sonntagsschule).

Die Löhne der Frauen waren zumeist niedriger als die der Männer und lagen zwischen 10 kr (Heimarbeiterin und Seidenweberin) und höchstens 50 kr (Handschuhmacherin) täglich.

Während man für die vierziger Jahre von einer Stagnation der Löhne sprechen kann, stiegen die Mieten nach oben. In der zweiten Hälfte der vierziger Jahre kam es außerdem zu großen Teuerungen einzelner Lebensmittel, vor allem von Brot, Butter, Fleisch und Kartoffeln.

Kostete ein niederösterreichischer Metzen Kartoffeln (= ca. 47 kg) 1840 53 kr C. M., so stieg der Preis 1846 auf 1 fl 12 kr und erreichte 1847 2 fl 8 kr.

Laut Ströbel (siehe oben) kam es übrigens im Zeitalter Metternichs zu einer Verminderung des Rindfleisch-, Eier-, Mehl- und vor allem des Hülsenfrüchtekonsums, während der Butter- und Schmalz- sowie der Kartoffelverbrauch stiegen.

Für interessierte Theaterbesucher seien zuletzt noch die Eintrittspreise des Jahres 1826 für das „k. k. Hoftheater nächst der Burg" genannt (C. M. = Konventionswährung, W. W. = Wiener Währung; das Verhältnis der C. M. zur W. W. betrug 1:2,5):

| | C. M. | W. W. |
|---|---|---|
| Eine Loge | 5 fl | 12 fl 30 kr |
| Eintritt ins 1. Parterre | 1 fl | 2 fl 30 kr |
| Eintritt in den 3. Stock | 36 kr | 1 fl 30 kr |
| Eintritt ins 2. Parterre | 30 kr | 1 fl 15 kr |
| Eintritt in den 4. Stock | 20 kr | 50 kr |

Ein Rückblick auf das österreichische Geldwesen der ersten Hälfte des 19. Jahrhunderts ergibt, daß dieses zu Beginn der Epoche infolge der Kriege Österreichs mit Frankreich vollkommen zerrüttet war und daß mit der Gründung der Nationalbank (1816) eine Ordnung der Geldverhältnisse in die Wege geleitet werden konnte. 1847 war also das wenig geschätzte Staatspapiergeld größtenteils durch das Geld der Konventionswährung ersetzt, als infolge der schlechten Ernteergebnisse des Jahres 1846 große Preissteigerungen einsetzten, die zu einem spürbaren Rückgang des Lebensstandards führten und zum Gelingen des Sturzes Metternichs im Jahre 1848 mit beitrugen.

Der Ausbruch der Revolution am 13. März dieses Jahres aber rief alsbald einen ungeheuren Silbermangel hervor, da sich das Volk massenweise bei den Einlösungskassen anstellte, um Banknoten gegen Münzen einzutauschen. Neben der Ausgabe verschlechterter Münzen und von Banknoten kam es daher in den Jahren 1848 und 1849 wiederum zu umfangreichen Emissionen an Staatsnoten, d. h. zu einem beachtlichen Teil ungedeckten Papiergeldes. Bei den vom Staat erzwungenen Einlösungen von Staatsnoten in Hartgeld ergaben sich große Wertminderungen gegenüber dem Silbergeld. Der Mangel an Hartgeld hatte bald nach Ausbruch der Revolution zu sonderbaren Maßnahmen in der Bevölkerung geführt: So wurden beispielsweise Banknoten zu 1 Gulden Konventionswährung in zwei Hälften und vier Viertel geteilt, und jeder Teil lief für sich als Note zu 30 Kreuzer oder 15 Kreuzer um. Daneben gab es Fabrikanten, Gewerbetreibende und Kaufleute, die Notgeld in

Kat. Nr. 2/3/37 1 Kreuzer (1848), Notmünze des Geschäftes P. Adler, Vorderseite

Kat. Nr. 2/3/37 1 Kreuzer (1848), Notmünze des Geschäftes P. Adler, Rückseite

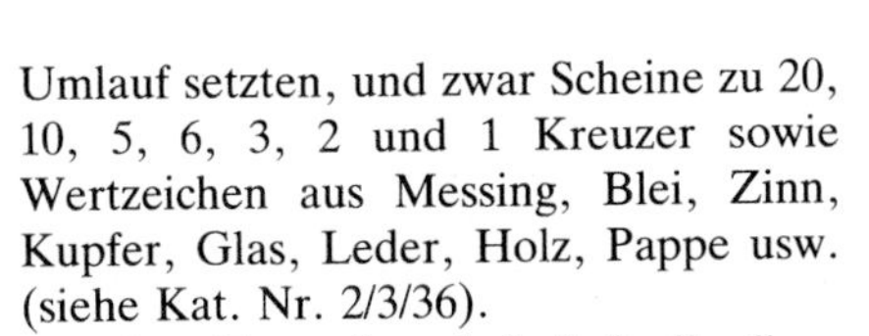

Umlauf setzten, und zwar Scheine zu 20, 10, 5, 6, 3, 2 und 1 Kreuzer sowie Wertzeichen aus Messing, Blei, Zinn, Kupfer, Glas, Leder, Holz, Pappe usw. (siehe Kat. Nr. 2/3/36).

Kaiser Franz Joseph I. ließ allerdings sofort nach seiner Thronbesteigung durch radikale Maßnahmen Ordnung schaffen: Der Umlauf von Privatwertzeichen (Notgeld) wurde verboten und anstelle dessen wurden ausreichende Mengen an Scheidemünzen in Umlauf gesetzt.

**Literatur:**

A. Brusatti, Wirtschaft und Wissenschaft in Österreich um 1814/15. In: Der Wiener Kongreß 1814/15 (Ausstellung, veranstaltet vom Bundesministerium für Unterricht gemeinsam mit dem Verein für Museumsfreunde), 1965, 441 ff.

E. Holzmair, Münz- und Geldwesen zur Zeit des Wiener Kongresses. In: Der Wiener Kongreß (siehe oben), 445.

E. Holzmair, Tausend Jahre Geldgeschehen in Österreich. In: Numismatische Zeitschrift, Bd. 86, Wien 1971, 7 ff.

H. Jungwirth, Der blaue Schein. Österreichs Papiergeld, Wien 1969.

B. Koch und H. Jungwirth, 2000 Jahre Geld in Österreich, Wien 1969.

F. M. Mayer, R. F. Kaindl, H. Pirchegger, Geschichte und Kulturleben Österreichs von 1792 bis zum Staatsvertrag von 1955. 5., verbesserte und ergänzte Auflage, bearbeitet von A. A. Klein, Wien – Stuttgart 1965, 78 ff.

J. K. Mayr, Wien im Zeitalter Napoleons. Staatsfinanzen, Lohnverhältnisse, Beamte und Militär, Wien 1940.

V. Miller zu Aichholz, A. Loehr, E. Holzmair, Österreichische Münzprägungen 1519–1938, Wien 1948.

„Johann Pezzl's Beschreibung von Wien", Wien 1826.

S. Preßburger, Das Österreichische Noteninstitut 1816–1966, 1. Band, Wien 1959.

G. Probszt, Österreichiche Münz- und Geldgeschichte. Von den Anfängen bis 1918, Wien – Köln – Graz 1973.

R. Sandgruber, Die Anfänge der Konsumgesellschaft. Konsumgüterverbrauch, Lebensstandard und Alltagskultur in Österreich im 18. und 19. Jahrhundert, Wien 1982.

A. Schusser, Münzwesen und Geldwirtschaft. In: Die Ära Metternich, Katalog der 90. Sonderausstellung des Historischen Museums der Stadt Wien, Wien 1984, 65 ff.

E. Zöllner, Geschichte Österreichs. Von den Anfängen bis zur Gegenwart, Wien 1966.

## 2 GEGEN NAPOLEON

13. März 1815: In feierlicher Erklärung verhängt der Wiener Kongreß über Napoleon die Acht:

„. . . *il s'est privé lui-même de la protection des lois, et a manifesté, à la face de l'universe, qu'il ne saurait y avoir ni paix ni trève avec lui . . . Les Puissances déclarent en conséquence que Napoleon Buonaparte s'est placé hors des relations civiles et sociales et que, comme ennemi et perturbateur des repos du monde, il s'est livré à la vindicte publique . . .*"

**2/1/1**
**Geschützrohr**

Wien, 1810
Sechspfünder
Ges. Länge: 158 cm, größter Dm.: 27 cm
Einfacher Bronzeguß. Zwischen den Delphinen die Inschrift: 7 C (Cennter) 6 lib (Pfund) Nr. 1. Große Inschrift am Kammerstück: FRANZ I./DEN BÜRGERN/DER STADT WIEN/FÜR ERPROBTE TREUE./ANHAENGLICHKEIT/UND BIEDERSINN/MDCCCX. Am Boden: UNTER DEM BÜRGERMEISTER/STEPHAN EDLEN VON WOHLLEBEN/DEN IV. OCTOBER MDCCCX/V. LETHENYEY MAIOR UND SK. GUSS DIRECTOR IN WIEN.
HM, Inv. Nr. 126.291
Abbildung

**2/1/2**
**Geschützrohr**

Wien, 1810
Sechspfünder
Ges. Länge: 158 cm, größter Dm.: 27 cm
Einfacher Bronzeguß. Zwischen den Delphinen die Inschrift: 7 C (Centner) 6 lib (Pfund) Nr. 3. Große Inschrift am Kammerstück: FRANZ I./DEN BÜRGERN/DER STADT WIEN/FÜR ERPROBTE TREUE./ANHAENGLICHKEIT/UND BIEDERSINN/MDCCCX. Am Boden: UNTER DEM BÜRGERMEISTER/STEPHAN EDLEN VON WOHLLEBEN/DEN IV. OCTOBER MDCCCX/V. LETHENYEY MAIOR UND SK. GUSS DIRECTOR IN WIEN.
HM, Inv. Nr. 126.293
Abbildung

**2/1/3**
**Geschützrohr**

Wien, 1810
Sechspfünder
Ges. Länge: 158 cm, größter Dm.: 27 cm
Einfacher Bronzeguß. Zwischen den Delphinen die Inschrift: 7 C (Centner) 6 lib (Pfund) Nr. 4. Große Inschrift am Kammerstück: FRANZ I./DEN BÜRGERN/DER STADT WIEN/FÜR ERPROBTE TREUE./ANHAENGLICHKEIT/UND BIEDERSINN/MDCCCX. Am Boden: UNTER DEM BÜRGERMEISTER/STEPHAN EDLEN VON WOHLLEBEN/DEN IV. OCTOBER MDCCCX/V. LETHENYEY MAIOR UND SK. GUSS DIRECTOR IN WIEN.
HM, Inv. Nr. 126.294

Kat. Nr. 2/1/1

Kat. Nr. 2/1/2

Kat. Nr. 2/1/7

**2/1/4**
**Geschützrohr**

Wien, 1810
Sechspfünder
Ges. Länge: 158 cm, größter Dm.: 27 cm
Einfacher Bronzeguß. Zwischen den Delphinen die Inschrift: 7 C (Centner) 6 lib (Pfund) Nr. 5. Große Inschrift am Kammerstück: FRANZ I./DEN BÜRGERN/DER STADT WIEN/FÜR ERPROBTE TREUE./ANHAENGLICHKEIT/UND BIEDERSINN/MDCCCX. Am Boden: UNTER DEM BÜRGERMEISTER/STEPHAN EDLEN VON WOHLLEBEN/DEN IV. OCTOBER MDCCCX/V. LETHENYEY MAIOR UND SK. GUSS DIRECTOR IN WIEN.
HM, Inv. Nr. 126.295

**2/1/5**
**50 Gewehre der Bürgerwehr, Modell 1798**

Österreich, um 1800
Runder, glatter Lauf, glattes Batterieschloß (Modell 1798) mit unterstützter unterer Hahnlippe. Schwarze bzw. braune Vollschäfte mit schlanken Kolben, zumeist mit Messingmontierung. Düllenbajonette mit dreikantiger Klinge aufgesetzt.
HM, Inv. Nr. 159.727–159.776

| Inv. Nr. | Gesamt-Länge |
|---|---|
| 159.727 | 137,5 cm |
| 159.728 | 138 cm |
| 159.729 | 138 cm |
| 159.730 | 138 cm |
| 159.731 | 138 cm |
| 159.732 | 150 cm |
| 159.733 | 150 cm |
| 159.734 | 149 cm |
| 159.735 | 137 cm |
| 159.736 | 137 cm |
| 159.737 | 138 cm |
| 159.738 | 135,3 cm |
| 159.739 | 137 cm |
| 159.740 | 137 cm |
| 159.741 | 137 cm |
| 159.742 | 150 cm |
| 159.743 | 149 cm |
| 159.744 | 149,5 cm |
| 159.745 | 135 cm |
| 159.746 | 149,5 cm |
| 159.747 | 150 cm |
| 159.748 | 137 cm |
| 159.749 | 137 cm |
| 159.750 | 137 cm |
| 159.751 | 139,5 cm |
| 159.752 | 150 cm |
| 159.753 | 150 cm |
| 159.754 | 138 cm |
| 159.755 | 135 cm |
| 159.756. | 135 cm |
| 159.757 | 137 cm |
| 159.758 | 138,5 cm |
| 159.759 | 137 cm |
| 159.760 | 149,5 cm |
| 159.761 | 137 cm |
| 159.762 | 137 cm |
| 159.763 | 139 cm |
| 159.764 | 137,5 cm |
| 159.765 | 136 cm |
| 159.766 | 139 cm |
| 159.767 | 150 cm |
| 159.768 | 137 cm |
| 159.769 | 137 cm |
| 159.770 | 138 cm |
| 159.771 | 137 cm |
| 159.772 | 137,5 cm |
| 159.773 | 137 cm |
| 159.774 | 138 cm |
| 159.775 | 137 cm |
| 159.776 | 138 cm |

Diese Gewehre, zumeist Armeegewehre, wurden offensichtlich teilweise für die Bürgerwehr umgearbeitet und waren anscheinend bis um 1840 in Gebrauch.
GD

**2/1/6**
**Zweispitz Napoleons, getragen auf St. Helena**

Leder u. Stoff, 60 × 40 × 40 cm
Paris, Musée de l'Armée

**2/1/7**
**Fahne des Wiener Bürgermilitärs**

Wien, 1806
Fahnenblatt, weiße Seide. Grün-gold-schwarz-rot geflammter Rand. Links: Mit der Reichskrone (Heiliges Römisches Reich) bekrönter Doppeladler mit aufgelegtem kleinen habsburgischen Wappen. Beschriftet und datiert: Maria Theresia/1806. Rechts: Zwei von der österreichischen Kaiserkrone bekrönte ovale Schilde über Lorbeerzweigen. Im linken Schild gekrönter Doppeladler, im rechten Schild Wappen von Wien.
Fahnenstange bemalt wie der geflammte Rand. Vergoldete Fahnenspitze mit Monogramm MT, gekrönt von der österreichischen Kaiserkrone, umgeben von einem Strahlenkranz. Stangenschuh aus glattem Messing, 172,5 × 124,5 cm
HM, Inv. Nr. 128.014

Als sich im Verlauf des Ersten Koalitionskrieges (1792–1797) bald Risse und Sprünge im Gefüge der im Kampf vereinigten Staaten zeigten und sich Preußens und Rußlands Sonderinteressen geltend machten, mußte Österreich, von seinen Verbündeten nach und nach verlassen, in Italien erstmals Napoleon entgegentreten. Die österreichischen Truppen wurden immer weiter zurückgedrängt, und man befürchtete einen Vorstoß der siegreichen Franzosen bis Wien. Es wurden Anstalten zur Verteidigung der Stadt getroffen: Ein Aufgebot aller waffenfähigen Bürger wurde beschlossen, die männlichen Einwohner Wiens kamen dieser Verpflichtung bereitwillig nach. Die Ereignisse bereiteten jedoch dem Unternehmen ein baldiges Ende: Napoleon drang bis Leoben vor, hier wurde der Vorfriede geschlossen, dem dann der endgültige Friede von Campo Formido bei Udine folgte.

Nach der Niederlage im Zweiten Koalitionskrieg (1798–1801/02) flammten 1805 die Feindseligkeiten (Dritter Koalitionskrieg) neuerlich auf. Man traf fieberhafte Vorbereitungen: War bereits 1800 zu der Nobeltruppe der ritterlich-bürgerlichen Scharfschützen ein Korps der Natorpschen ritterlich-bürgerlichen grauen Scharfschützen gekommen, so stellte man nun ein bürgerliches Kavalleriekorps und zudem ein Korps der nicht bürgerlichen Gewerbetreibenden auf. Ferner rief man die Landwehr zu den Waffen. Alle Bemühungen blieben aber erfolglos. Die sieggewohnten Truppen Napoleons stießen rasch über Linz vor und besetzten Wien kampflos. Österreich mußte im Frieden von Preßburg (26. Dezember 1805) drückende Friedensbedingungen akzeptieren. Nach Abschluß des Friedens bereitete man sich jedoch neuerlich auf den Kampf mit Napoleon vor. 1806 wurde das Korps der nicht bürgerlichen Gewerbetreibenden zu einem zweiten Bürgerregiment zusammengefaßt und jedem der Regimenter Grenadierabteilungen – damals Divisionen genannt – beigegeben. Maria Theresia, die zweite Gemahlin Kaiser Franz' I., übernahm die Patenschaft und stifete die Fahnen.
GD
Abbildung

Kat. Nr. 2/1/8

**2/1/8**
**Der Einmarsch der französischen Armee in Wien am 13. November 1805**

Pierre Adrien Le Beau (geb. 1748) nach Thomas Charles Naudet (1773–1810)
Radierung, koloriert, Pl.: 38,9 × 49,7 cm
Bl.: 44,4 × 57,8 cm.
Sign. li. u.: Naudet del. und re. u.: Le Beau Sculp. Bez. Mi. u.: Prise de Vienne par la Grande Armée Française/sous le Commandement de Napoléon le Grand Empereur des Français et Roi d'Italie, le 22 Brumaire an 14. 13 Novembre 1805./Prise de 2.000 Pieces de Canon, 100.000 Fusils des Equipages de Campagne pour Quatre Armées./A Paris chez Jean, rue Jean de Beauvais N°. 10.
HM, Inv. Nr. 87.186

Im Verlauf des von Napoleon zu Lande siegreich geführten Dritten Koalitionskrieges (in der Seeschlacht von Trafalgar am 21. Oktober 1805 sicherte sich England die Seeherrschaft!) wurde Wien nach der Kapitulation der österreichischen Armee bei Ulm von den französischen Truppen besetzt. Trotz des Aufrufes Kaiser Franz II. (I.) zum entscheidenden Widerstand hielt sich der Patriotismus der Wiener in Grenzen, sogar eine gewisse Sympathie für Napoleon war festzustellen, wie dieser selbst den Wienern bestätigte: „Ich habe mich Eurem Ehrgefühle, eurer Redlichkeit, eurer Aufrichtigkeit anvertraut; ihr habt meinem Zutrauen entsprochen . . . Bewohner Wiens, ich weiß, daß ihr alle den Krieg tadelnswürdig fandet, den an England verkaufte Minister auf dem festen Land angezettelt haben . . ."
(Napoleon an die Wiener, 1806 Jänner 4, Wien. Sammlung französischer Invasionsordnungen, Wiener Stadt- und Landesbibliothek, 79.700 B)
GD
Abbildung

**2/1/9**
**Stephan Edler von Wohlleben (1751–1823)**

Johann Baptist Lampi d. Ä. (1751–1830), um 1805
Öl auf Leinwand, 71 × 61,5 cm
HM, Inv. Nr. 31.064

Im Waisenhaus erzogen, im Baufach ausgebildet. Als Stabsoffizier des Bürgermeisters organisierte er die Waffenübungen der Wiener

Kat. Nr. 2/1/9

Kat. Nr. 2/1/12

Kat. Nr. 2/1/13

Bürger. 1784 Unterkämmerer. 1801 Oberkämmerer. Er sorgte für die Straßenpflasterung in der Stadt, die Verschönerung des Glacis, den Bau der Albertinischen Wasserleitung und die Verbesserung der Straßenbeleuchtung. 1804 wurde er zum Bürgermeister gewählt. Während seiner Amtszeit wurde Wien zweimal durch die Franzosen besetzt. In seiner Zeit stieg die Bevormundung der Stadt durch die Landesregierung.
WD
Abbildung

**2/1/10**
**Französische Beutefahne**

Trikolore, bez. (Filzbuchstaben): 4. B^r (igade) 1. B^A (taillon). Auf Fahnenstange nur mehr Reste der ehemals lichtblauen Bemalung erhalten. Auf der Fahnenstange die Inschrift (Tinte): Gemeiner Franz Eiselein des 1. Wiener Freiwilligenbataillon unter Oberstlieutenant von Küffel/erobert am 3^ten May 1809 zu Ebelsberg.
70 × 116 cm
HM, Inv. Nr. 128.038

In einer Reihe von Gefechten hatte Napoleon, der überraschend schnell auf dem süddeutschen Kriegsschauplatz eingetroffen war, die Österreicher im Raum von Regensburg zurückgeworfen. Die Franzosen rückten in Oberösterreich ein und erkämpften sich trotz schwerer Verluste, die ihnen General Johann Hiller bei Ebelsberg beibrachte, den weiteren Vormarschweg nach Wien, das sie nach kurzer Beschießung bereits am 13. Mai 1809 besetzten.
GD

Kat. Nr. 2/1/14

**2/1/11**
**Die Sieger von Aspern, 1820**

Johann Peter Krafft (1780–1856)
Öl auf Leinwand, 112 × 162
Sign. P Krafft pin. 1820
Slg. des regierenden Fürsten von Liechtenstein, Inv. Nr. 1.873
(Das Gemälde wurde durch Carl Rahl im Kupferstich reproduziert.)

„Aspern repräsentiert Österreichs Größe im Unglück", schrieb Joseph Freiherr von Hormayr 1821 über die Schlacht, die am 21. und 22. Mai 1809 vor den Toren Wiens zwischen den Armeen Frankreichs und Österreichs geschlagen worden war. Nicht allein, daß das österreichische Heer siegreich blieb, sondern daß es Österreich war, das Napoleon zum erstenmal in seiner bis dahin unaufhaltsamen Siegeslaufbahn niedergerungen hatte, trug zur Glorifizierung und zum Nachruhm der Schlacht von Aspern bei. 1811 schon war das Schlachtgeschehen in einem Panorama für die Wiener Bevölkerung nachgestellt worden, 1813 erhielt Johann Peter Krafft von den niederösterreichischen Landständen den Auftrag zu einer monumentalen Darstellung dieses Sieges, die zum Schmuck des Ehrensaales im Wiener Invalidenhaus bestimmt war. Das 1819

Kat. Nr. 2/1/15

Kat. Nr. 2/1/16

Kat. Nr. 2/1/18

Kat. Nr. 2/1/17

fertiggestellte Gemälde, das sich heute im Heeresgeschichtlichen Museum in Wien befindet, wiederholte Krafft im darauffolgenden Jahr in einer verkleinerten, eigenhändigen Fassung für den Fürsten Johannes I. von Liechtenstein. In der Gesamtanlage seiner Komposition folgte der Künstler der berühmten Darstellung „Napoleon auf dem Schlachtfeld von Eylau" von 1808, die Antoine-Jean Gros (1771–1835) geschaffen hatte und Krafft in einer seitenvertauschten Stichreproduktion zugänglich war. Der Ritt des siegreichen Feldherrn und seiner Generäle vorbei an Verwundeten und Gefallenen vor dem Ausblick auf das noch andauernde Schlachtgeschehen findet sich dort vorgebildet, wenngleich Krafft in der Schilderung des einfachen Soldaten bewußt bürgerlich-genrehafte Züge hervorhebt. So bezieht sich die Gruppe am linken Bildrand, die Erinnerungen an Raphaels „Grablegung Christi" wachruft, auf den schwerverwundeten Unterleutnant Johann Zadrazil vom k. k. 4. Feldartillerie-Regiment, dem stellvertretend für die vielen namenlosen Opfer der Schlacht die Fürsorge seiner Kameraden gilt. Den Heldenmut der österreichischen Soldaten verkörpert ein gefallener Dragoner, der über einer erbeuteten Adlerfahne Napoleons zusammengebrochen ist. Die Mitte der Komposition nimmt der Generalissimus der österreichischen Armee, Feldmarschall Erzherzog Carl, ein, unmittelbar gefolgt von Fürst Johannes I. von Liechtenstein. Der Fürst, der bei Aspern das Kavallerie-Reservekorps kommandiert hatte, trug entscheidend zu dem erfochtenen Sieg bei. In seinem Armeebefehl vom 24. Mai 1809 gedachte Erzherzog Carl seines Einsatzes: „Der Herr General der Cavallerie Fürst Johann Liechtenstein hat seinen Namen verewigt. Dieses Gefühl und meine warme Anhänglichkeit an seine Person verbürgt ihm die Dankbarkeit."
RKM
Abbildung

**2/1/12**
**Erzherzog Carl (1771–1847)**

Vinzenz Georg Kininger (1767–1851)
Tuschpinsel, weiß gehöht
62,6 × 49,1 cm
HM, Inv. Nr. 91.558

Erzherzog Carl Ludwig Johann, ein jüngerer Bruder von Kaiser Franz I., war das fünfte von sechzehn Kindern, die der Ehe Kaiser Leopolds II. mit der spanischen Infantin Maria Louise entstammten. Begann 1792 militärische Laufbahn in den Niederlanden, wurde 1793 nach seiner Adoption durch Herzog Albert von Sachsen-Teschen und Erzherzogin Marie Christine für kurze Zeit Generalstatthalter der Niederlande. 1796–1800 Feldherr der Rheinarmee. 1801 Feldmarschall und Präsident des Hofkriegsrats. 1805 Generalissimus und Kriegsminister. Nach Niederlage bei Wagram sämtliche militärischen Funktionen niedergelegt. Seit 1815 verheiratet mit der protestantischen Prinzessin Henriette von Nassau-Weilburg. In späteren Jahren war Metternich der Feind des Erzherzogs.
WD
Abbildung

**2/1/13**
**Betreuung verwundeter Franzosen auf der „Landstraße" nach der Schlacht von Aspern, 21. und 22. Mai 1809**

P. Gross (tätig 1800–1825) nach Jakob Gauermann (1773–1843)
Aquantintastich, koloriert
Pl.: 24,7 × 34,3 cm. Bl.: 35,5 × 52 cm
Sign. li. u.: Gauermann del., sign. re. u.: Gros sculp. Bez. Mi. u.: Les Habitans de Vienne distribuent des secours aux blessés Francois/qui reviennent par la Land-Strasse.
HM, Inv. Nr. 33.326

Die Darstellung (aus: Alexandre de Laborde, Voyage Pittoresque en Autriche, Tome III., Précis Historique de la Guerre, en 1809, Paris 1822, Tafel 10) findet ihre literarische Entsprechung bei Caroline Pichler (Denkwürdigkeiten aus meinem Leben, hrsg. von Emil Blümml, München 1914, 1 Bd., S. 347): „. . . Was uns aber noch mehr als der ununterbrochene Donner der Kanonen von der Wichtigkeit des Gefechts, welches in unserer Nähe vorging, und dessen Entscheidung so viel Einfluß auf unser Schicksal haben konnte, überzeugte, waren die ungeheure Anzahl blessierter Franzosen, welche in den beiden Schlachttagen 21. und 22. Mai und noch mehrere Tage nachher zu Fuß oder auf Wagen durch die St.-Marxer-Linie und bei der Leopoldstadt hereinkamen . . ."
GD
Abbildung

**2/1/14**
**Zechende Franzosen im Jahre 1809**

Josef Lanzedelli d. Ä. (1774–1832)
Tuschfederzeichnung, laviert
40,5 × 53,5 cm
Sign. re. u.: Lanzedeli
HM, Inv. Nr. 31.715

Im Gegensatz zu 1805, da man in Wien durchaus Sympathie für Napoleon empfand, lehnte man den Kaiser der Franzosen und Frankreich im Jahr 1809 in einem bis dahin unbekannt gewesenen patriotischen Selbstverständnis ab: „Wir hatten . . . unaufhörlich französische Einquartierung, die denn, wie das erstemal im Jahre 1805, mit uns wenigstens zu Mittag an einem Tische aß. Im ganzen durften wir uns nicht beschweren. Es waren meist artige, bescheidene Leute und manche darunter . . . mit denen man ganz angenehm hätte umgehen können, wenn der Gedanke, in welchen Verhältnissen sie zu uns standen, mich wenigstens nicht immer gewaltig von dem Franzosen, dem Feinde abgestoßen hätte.“ (Caroline Pichler, Denkwürdigkeiten aus meinem Leben, hrsg. von Emil Karl Blümmel, 2 Bde., München 1914, 2. Bd. S. 348).
GD
Abbildung

**2/1/15**
**Das gesprengte Vorwerk der Burg-Bastei, 1809**

Franz Jaschke (1775–1842)
Gouache, 17,5 × 27,5 cm. Auf braun laviertem Untersatzpapier (26,3 × 36 cm) montiert.
Beschriftet (Etikette) mit brauner Tinte: Die Burg à Vienne en 1809.
HM, Inv. Nr. 105.515

Aufgenommen vom Stadtgraben. Blick auf die gesprengte Burg-Bastei mit dem Spanier (Kavalier), dem verstärkten Bollwerk. Links das Burgtor, darüber der Leopoldinische Trakt. Im Hintergrund rechts die Karlskirche.

Das Vorwerk der Burg-Bastei wurde in vier Etappen gesprengt: Am 17. Oktober 1809 begann die Zerstörung, die das Bollwerk nur teilweise beschädigte. Am 20. Oktober erfolgte die Sprengung des Spaniers, dabei gerieten dort lagerndes Holz und Stroh in Brand, zwei Tage später (22. Oktober) minierte man die Brustwehren, am 4. November kam es schließlich zur Sprengung der Courtinen.
GD
Abbildung

**2/1/16**
**Das gesprengte Vorwerk der Burg-Bastei, 1809**

Franz Jaschke (1775–1842)
Gouache, 18,2 × 27,4 cm. Auf Untersatzpapier (26,4 × 36 cm) montiert, Goldrand.
Beschriftet (Etikette) mit brauner Tinte: Vienne en 1809 assiégée
HM, Inv. Nr. 105.516

Aufgenommen vom Stadtgraben. Blick über die Trümmer des Ravelins gegen den Leopoldinischen Trakt. Rechts im Bild das Münzkabinett (langgestrecktes Bauwerk), darüber der Garten (Glashäuser) der Kaiserin.
GD
Abbildung

Kat. Nr. 2/1/19

**2/1/17**
**Das gesprengte Vorwerk der Mölker-Bastei mit dem Palais Lubomirski, 1809**

Franz Jaschke (1775–1842)
Gouache, 18,3 × 27,5 cm. Auf braun laviertem Untersatzpapier (26 × 36 cm) montiert, Goldrand.
Beschriftet (Etikette) mit brauner Tinte: Le Palais Lubomirsky à Vienne en 1809.
HM, Inv. Nr. 105.518

Aufgenommen vom Stadtgraben. Blick über die zertrümmerten Reste der Mölker-Bastei (gesprengt in zwei Etappen, am 14. Oktober 1809) auf das Palais Lubomirsky.
GD
Abbildung

**2/1/18**
**Das gesprengte Vorwerk der Stubentor-Bastei, 1809**

Franz Jaschke (1775–1842)
Gouache, 17,5 × 27,4 cm. Auf braun laviertem Untersatzpapier (26,4 × 36 cm) montiert, Goldrand.
Beschriftet (Etikette) mit brauner Tinte: Le Stubenthor à Vienne en 1809.
HM, Inv. Nr. 105.519

Aufgenommen vom Stadtgraben. Blick auf die gesprengte Stubentor-Bastei. Die Situation ist teilweise verzeichnet. Der Turm der Kirche Maria am Gestade war vom Standpunkt des Malers nicht zu sehen.
GD
Abbildung

**2/1/19**
**Andreas Hofer (1767–1810)**

Jakob Placidus Altmutter (1780–1819)
Silberstift, 42,5 × 32,6 cm
Tiroler Landesmuseum Ferdinandeum, Innsbruck, Inv. Nr. Graph. Slg. T

Andreas Hofer, der „Sandwirt“ (Wirtshaus „Am Sand“, an der Jaufenstraße), war bereits 1796–1805 Schützenhauptmann im Kampf gegen Frankreich. Um Neujahr 1809 wurde er in Wien von Erzherzog Johann mit Josef Hormayrs Plänen einer Volkserhebung vertraut gemacht, die in Tirol tatsächlich am 9. 4. 1809 gegen die Herrschaft der Bayern und Franzosen losbrach. Bereits am 11. 4. 1809 schlug Hofer die feindlichen Truppen auf dem Sterzinger Moos, seither bezeichnete er sich als „einen vom Haus Österreich erwählten Kommandanten“. Nach der Niederlage der regulären österreichischen Truppen und dem Abzug der österreichischen Hauptmacht aus Tirol übernahm Hofer die Leitung der Tiroler Volkserhebung und Landesverteidigung: Bayern und Franzosen wurden in den beiden Schlachten am Berg-Isel (25. u. 29. 5. 1809) besiegt. Hofer glaubte zunächst nicht daran, daß Österreich die Bedingungen des Waffenstillstands von Znaim (12. 7. 1809) einhalten und Tirol und Vorarlberg räumen würde (Franz I. hatte versprochen, daß Tirol nie von Österreich getrennt werden sollte) und verhielt sich abwartend. Erst als General Franz Joseph Lefèbvre Tirol besetzte, rief er den Landsturm auf. Nach der dritten siegreichen Schlacht am Berg-Isel (13. 8. 1809) übernahm Hofer die Regentschaft des Landes. Als er die Bedingungen des Friedens von Schönbrunn (14. 10. 1809) nicht anerkannte und nach der neuerlichen Besetzung Tirols durch Frankreich und Bayern den Kampf wieder aufnahm, verlor er am 1. 11. 1809 die vierte Schlacht am Berg-Isel. Der Widerstand der Tiroler wurde gebrochen, Hofer mußte fliehen und wurde, von Franz Raffl verraten, am 28. 1. 1810 auf der Mähderhütte der Pfandleralm gefangen genommen. Auf Befehl Napoleons verurteilte ihn ein Kriegsgericht in Mantua zum Tode.
GD
Abbildung

**2/1/20**
**Die Schlacht am Berg-Isel am 29. Mai 1809**

Jakob Placidus Altmutter (1780–1819)
Feder, aquarelliert, 45 × 68 cm
Tiroler Landesmuseum Ferdinandeum, Innsbruck, Inv. Nr. Graph. Slg. T 2.619

Am Tag der Berg-Isel-Schlacht vom 29. Mai 1809 erklärte Kaiser Franz I. im „Wolkersdorfer Handbillett“, daß er keinen Frieden unterzeichnen würde, der nicht Tirols unauflösliche Verbindung mit der Monarchie einschlösse. Das absolute Vertrauen in diese kaiserliche Zusage (sie wurde durch den Frieden von Schönbrunn nicht eingehalten) erklärt den

Widerstand Andreas Hofers gegen Franzosen und Bayern.
GD

**2/1/21**
**Übergabe der Erzherzogin Maria Louise an die Franzosen, 16. 3. 1810**

Johann Baptist Hoechle (1754–1832)
Tuschpinsel (Sepia), 23,6 × 36,8 cm
HM, Inv. Nr. 96.899

Am 8. Juli 1809, zwei Tage nach der österreichischen Niederlage bei Wagram, ernannte Franz I. Metternich zum Staatsminister und übertrug ihm die Geschäfte der Staatskanzlei. Die Wiederherstellung des Staates war Metternichs Aufgabe. Von allem Anfang an verstand man den Weg nicht, den er dabei ging. Sein taktisch kluges Verhalten gegenüber Napoleon, seine Anlehnung an den Kaiser der Franzosen, trafen auf kein Verständnis. Hart war die Auseinandersetzung, als er die Heirat der Tochter seines Kaisers mit Napoleon vermittelte. Weder die kaiserliche Familie noch die Hocharistokratie und schon gar nicht die öffentliche Meinung erkannten, daß er mit dieser Heirat das Mitteleuropa bedrohende Bündnis Frankreichs mit Rußland einer schweren Belastung aussetzte. Er band seinen Staat persönlich an Paris, doch nicht an das Diktat Frankreichs und ließ sich durch Rußlands Vordringen auf dem Balkan nicht aus der Reserve locken, entschlossen, Österreich, „den eigentlichen, noch übrigen Repräsentanten einer alten, auf ewiges, unwandelbares Recht gebauten Ordnung der Dinge“ (Heinrich Ritter v. Srbik, Klemens Lothar Metternich. In: Große Österreicher. Neue Österreichische Biographie ab 1815, Bd. XI, Wien 1957, S. 12), nicht aktiv der Universalmonarchie zu verbinden, es sei denn unmöglich, anders zu handeln.
GD

**2/1/22**
**Übergabe der Erzherzogin Marie Louise als Braut des Kaisers Napoleon I. an die Franzosen am 16. März 1810**

Johann Baptist Hoechle (1754–1832)
Aquarell, 36,4 × 52 cm
Auf der Rückseite bez.: Österr. Übergabs-Commissär und Obersthofmeister Ferdinand Fürst Trauttmannsdorf – Französischer Übernahms-Commissär Fürst Neufchatel (zugleich französischer Großbotschafter)
Im Gefolge: Kaiser Franz und Hofstaat, der oesterreich. Ceremonienmeister Baron Löhrl, der französ. Ceremonienmeister Graf Seyssel; Erzherzog Anton und einige andere aus dem Gefolge der Königin von Neapel.
HM, Inv. Nr. 63.791

Die Übergabe der Erzherzogin Marie Louise erfolgte am 16. März 1810 nahe der österreichischen Grenze zwischen Altheim und Braunau am Inn in einem eigens errichteten hölzernen Gebäude.
GD
Abbildung

Kat. Nr. 2/1/22

Kat. Nr. 2/1/24

**2/1/23**
**Rückzug der Großen Armee aus Rußland 1812**

Heinrich Mansfeld (1785–1866) nach Johann Adam Klein (1792–1875)
Kupferstich und Radierung kombiniert,
Pl.: 42 × 52,5 cm, Bl.: 48,1 × 62,1 cm
Sign. li. u.: J. Klein del., sign. re. u.: Heinr. Mansfeld sc.
HM, Inv. Nr. 71.570/3
Blatt 3 der bei Artaria erschienenen Serie „Schlachten Ereigniße und andere militärische Vorstellungen der Jahre 1812, 1813, 1814, 1815“.

Napoleons Versuch, durch eine direkte militärische Aktion dem System von Tilsit (Aufteilung Europas in eine französische und russische Interessenssphäre) Geltung zu verschaffen, sein Rußlandfeldzug von 1812, endete in der vernichtenden Katastrophe der völlig zerschlagenen „Großen Armee“: Am 24. Juni 1812 hatten 450.000 Mann ohne Kriegserklärung

den Njemen überquert und waren bis nach Moskau vorgestoßen. Ende 1812 erreichten die Trümmer der Hauptarmee, 1000 Mann, 60 Pferde, 9 Geschütze, die preußische Grenze.
GD

**2/1/24**
**Die Völkerschlacht bei Leipzig, 16. bis 19. Oktober 1813**

Carl Rahl (1779–1843) nach Johann Adam Klein (1792–1875)
Kupferstich und Radierung kombiniert
Bez. Mi.: Grosse Völker = Schlacht bey Leipzig. Bataille de Leipzig, le 16. 18 et 19 Octobre 1813.
Sign. li. u.: J. A. Klein del. Sign. re. u.: C. Rahl sculpt.
HM, Inv. Nr. 71.570/7b
Blatt F der bei Artaria erschienenen Serie „Schlachten Ereigniße und andere militärische Vorstellungen der Jahre 1812, 1813, 1814, 1815."

Leipzig bedeutete das Ende der napoleonischen Unüberwindlichkeit. In der dreitägigen Entscheidungsschlacht löste sich das revolutionäre System der französischen Kaisermacht in Deutschland auf. Napoleon konnte sich auf keinen seiner Marschälle verlassen: Bernadotte stellte sich ihm sogar mit der schwedischen Armee entgegen, die verbündeten Mächte mit ihrem unter dem Oberbefehl Schwarzenbergs (Generalstabschef war Radetzky) stehenden Heer schlugen die französische Armee, die Truppen Napoleons zogen sich nach Frankreich zurück.
GD
Abbildung

**2/1/25**
**Triumph des Jahres 1813. Für Deutsche als Neujahrsgeschenke.**
**und**
**„Wahre Abbildung des Eroberers."**
**Satire auf Napoleons Niederlage 1813**

A. Berlin
Kupferstich (Porträt), koloriert
11,2 × 7,1 cm und Buchdruck (Textblatt)
10,3 × 7,6 cm
HM, Inv. Nr. 21.742/1 u. 2

Das Textblatt erklärt das Porträt:
„Wahre
Abbildung des Eroberers
Der Hut ist Preussens Adler, welcher mit seinen Krallen den grossen gepackt hat und ihn nicht mehr loslässt.
Das Gesicht bilden einige Leichen von dessen Hunderttausenden, welche seine Ruhmsucht opferte.
Der Kragen ist der große Blutstrom, welcher für seinen Ehrgeiz so lange fliessen mußte.
Der Rock ist ein Stück der Landcharte des aufgelössten Rheinbundes. An allen darauf zu lesenden Orten verlohr er Schlachten. Das rothe Bändchen bedürfte des erklärenden Ortes wol nicht mehr.
Der grosse Ehrenlegionsorden ist ein Spinnengewebe, dessen Fäden über den ganzen Rheinbund ausgespannt waren; allein in der Epaulette ist die mächtige Gotteshand ausgestreckt, welche das Gewebe zerreisst, womit Deutschland umgarnt war und die Kreuzspinne vernichtet, die da ihren Sitz hatte, wo ein Herz seyn sollte! –"
GD
Abbildung

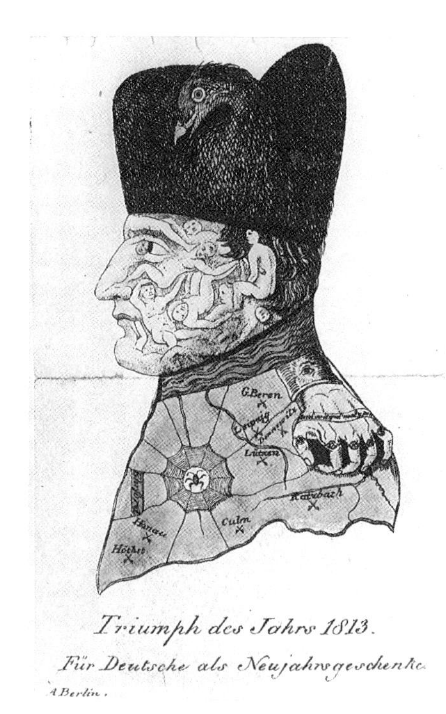


Kat. Nr. 2/1/25

**2/1/26**
**Quadrupelallianz Österreich – Englang – Rußland – Preußen 1814 März 1, Chaumont**

Preußische Ratifikation der Geheimartikel, 1814 Mai 1, Chaumont Papierlibell, 4 Folien, in roter Samthülle mit Goldstickerei, schwarzsilberne Siegelschnur, Wachssiegel in silberner Siegelschale, 25 × 37,5 cm, Dm.: (Siegelschale) 13,5 cm
Wien, Österr. Staatsarchiv, Abtl. Haus-, Hof- und Staatsarchiv, Allgemeine Urkundenreihe 1814 März 1

Die vertragschließenden Parteien einigen sich auf die Durchführung des Friedensprogramms und die Abwehr jeden Angriffs gegen die Neuordnung nach der Wiederherstellung des Friedens. Die gegenseitige Hilfeleistung für die Dauer des Krieges wird garantiert, die Gestellung von je 150.000 Mann (später auf 60.000 Mann reduziert) wird festgesetzt, man einigt sich darauf, mit Napoleon keinen Separatfrieden zu schließen. England zahlt für das Jahr 1814 an die anderen drei Mächte 5 Millionen Pfund Sterling Subsidien.

Das geheime Zusatzabkommen sieht vor:

1. Zurückweisung Frankreichs in seine alten Grenzen.

2. Forderung nach Unabhängigkeit Deutschlands, Italiens, Spaniens, Hollands und der Schweiz.

3. Das aus souveränen Staaten zusammengesetzte Deutschland soll föderativ geeint werden.

ChTh/GD

**2/1/27**
**Paris kapituliert, 31. März 1814**

Kupferstich und Radierung kombiniert
Pl.: 41,8 × 52,6 cm, Bl.: 48,5 × 60,6 cm
Bez. u.: Übergabe der Stadt Paris an die Verbündeten Monarchen. Capitulation de Paris, le 31 Mars 1814./Vienne chez Artarie et Comp.
HM, Inv. Nr. 71.570/13
Blatt 13 der bei Artaria erschienenen Serie „Schlachten Ereigniße und andere militärische Vorstellungen der Jahre 1812, 1813, 1814, 1815".
Abbildung

**2/1/28**
**Feierlicher Einzug der verbündeten Mächten in Paris den 31ten März 1814. Eine Musikalische Skizze für's Piano-Forte**

Maximilian Joseph Leidesdorf (1787–1840)
Erstdruck, Wien, bei Pietro Mechetti, PN 360 [1814], 25,5 × 36 cm
Wien, Archiv der Gesellschaft der Musikfreunde in Wien, VII 16296 (Q 13788)

Leidesdorf, einer angesehenen jüdischen Familie in Wien entstammend, war u. a. Schüler Albrechtsbergers und Salieris und seit 1803 als Komponist tätig, ohne jedoch vorerst einen musikalischen Beruf zu ergreifen. 1822 gründete er einen Musikverlag. Fünf Jahre später zog er nach Florenz, wo er zum Hof- und Kammervirtuosen des Großherzogs von Toskana ernannt wurde. Dieses Gelegenheitswerk verlangt ein Klavier mit einem Pedalzug „türkische Musik", d. i. eine Art Messingschelle, im Corpus untergebracht und mit dem Pedaltritt anzuschlagen, eventuell auch kombiniert mit einem Schlägel, der auf den Resonanzboden trommelt. Diese damals für derartige Programmusiken sehr beliebten Effekt-Accessoires wurden nur kurzzeitig gebaut bzw. später bei den Klavieren oft entfernt.
OBi

**2/1/29**
**Napoleon bevollmächtigt den Herzog von Vicenza, den Marschall Fürsten von Moskau und den Marschall Herzog von Tarent für die Verhandlungen über seine Abdankung**

1814 April 10, Fontainebleau
Orig., Perg., 2 Folien mit eigenhändiger Unterschrift und aufgedrücktem Siegel, 23 × 36,5 cm
Wien, Österr. Staatsarchiv, Abtl. Haus-, Hof- und Staatsarchiv, Allgemeine Urkundenreihe 1814 April 12

Der Vertrag umfaßt 21 Artikel und betraf die Modalitäten der Abdankung: „Da die verbündeten Mächte verkündet haben, der Kaiser Napoleon sei das ewige Hindernis zur Wiederherstellung des Friedens in Europa, so erklärt der Kaiser Napoleon, getreu seinem Eide, daß er für sich und seine Erben dem Thron

Frankreichs und Italiens entsagt, und daß es kein persönliches Opfer gibt, selbst das seines Lebens nicht, welches er nicht dem Wohle Frankreichs darzubringen bereit ist. Napoleon"

Napoleon behielt den Kaisertitel, erhielt Elba als Fürstentum zugewiesen und eine jährliche Revenue von 2 Millionen Francs zugesprochen. Verhältnismäßige Apanagen erhielten seine Geschwister; auch durften ihm 400 Mann seiner Garde als Freiwillige folgen.
ChTh/GD

**2/1/30**
**Ankunft Napoleons auf Elba**

Friedrich Philipp Reinhold (1779–1840)
Kupferstich und Radierung kombiniert,
Pl.: 41,6 × 51,5 cm, Bl.: 49,5 × 62,4 cm
Sign. li. u.: F. P. Reinhold del. Bez. Mi. u.: Ankunft des Kais: Napoleon auf der Insel Elba. Arrivée de l'Empereur Napoleon à l'Isle Elbe./Vienne chez Artaria et Comp.
HM, Inv. Nr. 71.570/17
Blatt 17 der bei Artaria erschienenen Serie „Schlachten Ereigniße und andere militärische Vorstellungen der Jahre 1812, 1813, 1814, 1815".

Nachdem der Senat Napoleon am 2. April 1814 abgesetzt und er selbst am 6. April abgedankt hatte, erhielt er zum Wohnsitz die Insel Elba als Souverän mit dem Kaisertitel.
GD
Abbildung

**2/1/31**
**Vortrag Metternichs an Kaiser Franz I. über alle Fragen hinsichtlich der Abdankung Napoleons**

1814 April 11, Paris
Orig., Papier, 2 Folien, komplett eigenhändig (Metternich) mit eigenhändigen Dankesworten des Kaisers, 20,5 × 32,5 cm
Wien, Österr. Staatsarchiv, Abtl. Haus-, Hof- und Staatsarchiv, Staatskanzlei Vorträge 195, fol. 19–20
ChTh

**2/1/32**
**Erster Friede von Paris**

1814 Mai 30, Paris
Druck, Papier, 12 Folien, 20,5 × 26 cm
Wien, Österr. Staatsarchiv, Abtl. Haus-, Hof- und Staatsarchiv, Allgemeine Urkundenreihe 1814 Mai 30
Bez.: TRAITÉ DE PAIX ET D'AMITIÉ ENTRE SA MAJESTÉ L'EMPEREUR D'AUTRICHE, ROI DE HONGRIE ET DE BOHÊME, ET SES ALLIÉS, D'UNE PART, ET SA MAJESTÉ LE ROI DE FRANCE ET DE NAVARRE, D'AUTRE PART, CONCLU ET SIGNÉ A PARIS LE 30. MAI 1814, ET RATIFIÉ LE JOUR SUIVANT.

Frankreich (König Ludwig XVIII., Fürst Talleyrand) einerseits und Österreich (Kaiser Franz I., Fürst Metternich, Graf Stadion), Preußen (König Friedrich Wilhelm III., Fürst Hardenberg, W. v. Humboldt), Rußland (Zar Alexander I., Graf Razumovsky, Graf Nesselrode), England (König Georg III., Lord Castlereagh, Graf Aberdeen, Lord Cathcart, Sir Ch. Steward) andererseits schließen den Frieden mit der Absicht,

„Der langen Aufregung Europas und dem Unglück der Völker durch einen dauerhaften Frieden, der auf eine gerechte Verteilung der Kräfte unter den Mächten gegründet ist, ein Ende zu machen."

Im Artikel 32 (der Vertrag enthält 33 Artikel) wurde festgehalten, daß alle Mächte, die am gegenwärtigen Krieg beteiligt waren, innerhalb zweier Monate Bevollmächtigte nach Wien senden würden, um auf einem allgemeinen Kongreß die Bestimmungen des Vertrages zu vervollständigen.
ChTh/GD

Kat. Nr. 2/1/27

Kat. Nr. 2/1/30

**2/1/33**
**Russischer Offiziersmantel (von Napoleon getragen)**

Sandfarbenes Tuch, mit lachsfarbiger Seide gefüttert
Wien, Heeresgeschichtliches Museum, Inv. Nr. 12.522

Der Mantel gehörte wahrscheinlich ursprünglich dem russischen General Paul Graf Schuwalow (1776–1825). Der österreichische FML Koller, der Kaiser Napoleon I. auf der Fahrt von Fontainebleau ins Exil nach Elba begleitete (20.–27. 4. 1814), gab diesem den Mantel, um von der vorwiegend royalistisch eingestellten Bevölkerung Südfrankreichs nicht erkannt zu werden. Schon in Lyon war es zu Rufen: „Nieder mit Napoleon“ gekommen, nach Avignon wurde der Wagen mit dem abgedankten Kaiser beinahe überfallen und bei Aix, das man umging, mit Steinen beworfen. Die Einschiffung erfolgte von Fréjus aus.

*Lit.: Katalog der Ausstellung 150 Jahre Wiener Kongreß, 1965, Nr. 2, S. 92.*
SK

Kat. Nr. 2/1/36

**2/1/34**
**Protokoll der Sitzung des Wiener Kongresses, 1815 März 12**

Kenntnisnahme der Flucht Napoleons und Ausarbeitung von Maßnahmen
Papier, 21 × 34,5 cm, 4 Folien mit den Unterschriften der Bevollmächtigten
Wien, Österr. Staatsarchiv, Abtlg. Haus-, Hof- und Staatsarchiv, Staatskanzlei Kongreßakten 2 (alt 3) fol. 99–102

Als in Wien die Kunde einlangte, Napoleon sei von Elba entwichen, entsann sich Charles Maurice Herzog von Talleyrand-Périgord, daß er drei Jahre lang Bischof von Autun gewesen war, ehe er sich der Revolution angeschlossen und 1791 vom Papst gebannt worden war. Und dabei erinnerte er sich offenbar auch der alten Machtmittel der Kirche und konnte am 13. März 1815 die Signatarmächte des ersten Pariser Friedens zur Achterklärung gegen Napoleon bewegen (Staatskanzlei Kongreßakten 2 [alt 3], fol. 103 ff.).

Das Dokument stellt fest, Napoleon hätte sich durch seinen bewaffneten Einfall in Frankreich als ein unverbesserlicher Feind der öffentlichen Ruhe erwiesen und daher hätte er fortan keinen Anspruch mehr auf den Schutz eines Vertrages oder Gesetzes:

„. . . il s'est privé lui – même de la protection des lois, et a manifesté, à la face de l'univers, qu'il ne saurait y avoir ni paix ni trêve avec lui . . .“

Als entscheidende Feststellung muß gewertet werden: „. . . Les Puissances déclarent en conséquence que Napoleon Buonaparte s'est placé hors des relations civiles et sociales et que, comme ennemi et perturbateur de repos du monde, il s'est livré à la vindicte publique . . .“

Da man in Wien meinte, für ein aktionsfähiges Frankreich gesprochen zu haben, blieb dieser Aufruf zunächst wirkungslos, Napoleons Abenteuer seiner „Herrschaft der 100 Tage“ war nicht zu verhindern.
ChTh/GD

**2/1/35**
**Arthur Herzog von Wellington (1769–1852) in österreichischer Feldmarschallsuniform**

John Lucas (1807–1874)
Öl auf Leinwand, 120 × 101 cm
Fürst Paul von Metternich-Winneburg.

Sir Arthur Wellesley, Herzog von Wellington, Fürst von Waterloo, leitete seit 1809 die militärischen Maßnahmen gegen Frankreich auf der Pyrenäenhalbinsel. Im Februar 1815 trat er beim Wiener Kongreß als britischer Bevollmächtigter an Castlereaghs Stelle. Übernahm nach Napoleons Rückkehr den Oberbefehl über die britischen, hannoveranischen, holländischen und braunschweigischen Truppen und errang zusammen mit Blücher am 18. Juni 1815 den Sieg von Waterloo.

Der Herzog von Wellington hatte den Rang eines kaiserlichen Feldmarschalls und war von 1818 bis 1851 Regimentsinhaber des Infanterieregimentes Nr. 42.
GD

**2/1/36**
**Die Schlacht von Waterloo am 18. Juni 1815**

Johann Lorenz Rugendas (1775–1826), 1816
Aquatinta, koloriert
Pl.: 47,4 × 49 cm, Bl.: 55 × 72 cm
Monogrammiert u. dat. Mi. u.: RL. (Ligatur) 1816.
Beschriftet deutsch und französisch: Napoleons Flucht in der Schlacht von Waterloo./den 18. Juni 1815./Alle Anstrengungen Napoleons und seines Heeres scheiterten in der entscheidenden Schlacht von Waterloo an der todttrotzenden Tapferkeit der Briten und Preussen. Schon war sein recht-/ter Flügel umgangen und von den letztern im Rücken angegriffen, als er es noch wagte, einen verzweifelten Angriff mit dem Kern seines Heeres, den alten Garden, worunter auch das ihm nach/Elba gefolgte Bataillon war, zu thun, und mit einer Feuerrede ihren gesunkenen Muth zu erhöhen. Entschlossen und ruhig wälzten sich diese alten Bataillone bergan den eindringenden Engländern ent-/gegen, und wankten nicht eher, als bis die eiserne Tapferkeit der Verbündeten ihnen den Sieg entriss.- Erschüttert suchten nun diese sonst so furchtbaren Garden Napoleons in der wildesten Eile und Auf-/lösung ihr Heil in der Flucht, und zerstäubt und auf immer vernichtet war nun die Herrschaft des Welteroberers und der Ruhm seiner Heere. Das durch Austriens Tapfere in Italien Begonene wurde/ in den Gefilden von Waterloo durch den Mut der anglo-preussischen Heere unter der Leitung ihrer unsterblichen Anführer Wellingtons und Blüchers, herrlich vollendet, und durch die Gesamtkraft/aller verbündeten Mächte der Menschheit der längst ersehnte Weltfriede endlich erkämpft und gesichert. Bez. Mi. u.: Gezeichnet u. gestochen von J. Lorenz Rugendas in Augsburg.
HM, Inv. Nr. 66.977

Noch am 16. Juni 1815 konnte Napoleon die Preußen bei Ligny schlagen, während zur gleichen Zeit Marschall Ney das englische Heer (es bestand nur zu einem Drittel aus Engländern, fast zur Hälfte aus Deutschen, daneben aus Holländern) unter Wellington bei Quatre-Bras band. Napoleon vermutete einen preußischen Rückzug nach dem Rhein und ließ Blücher von Marschall Grouchy verfolgen,

Kat. Nr. 2/1/37

während er sich selbst mit seiner Hauptmacht gegen Wellington wandte. Blüchers Generalstabchef Gneisenau jedoch lenkte den Rückzug der Preußen nordwärts nach Wavre, um von hier aus Wellington zu Hilfe zu kommen, während Grouchy ins Leere stieß. Im Vertrauen auf die Zusage der preußischen Unterstützung nahm Wellington am 18. Juni 1815 die Schlacht an. Sein Heer hielt dem frontalen Angriff Napoleons trotz ernstester Bedrängnis so lange stand, bis die Preußen auf dem Schlachtfeld eintrafen und die rechte Flanke der Franzosen eindrückten. Alle Versuche Napoleons, den Flankenstoß abzuwehren, scheiterten ebenso wie die bis zuletzt wiederholten Frontalangriffe von Kavallerie und Garden gegen Wellington. Die von Gneisenau befehligte Verfolgung vernichtete das letzte Heer Napoleons.
GD
Abbildung

**2/1/37**
**Die Insel St. Helena**

Aquatinta
Pl.: 42,1 × 52,1 cm, Bl.: 49,1 × 62,9 cm
Bez. u.: Nach der natur von einem Ingr. Offizier aufgenommen./ANSICHT DER INSEL ST. HELENA/von der Seite des einzigen Landungsplatzes in der Nähe des fort James./ :Man sieht die Stadt James Town in einiger Entfernung:/Wien bey Artaria und Comp.
HM, Inv. Nr. 71.570/23

Die 122 km² große britische Insel St. Helena (Hauptstadt: Jamestown) liegt im Südatlantik und wird zum überwiegenden Teil von Negern und Mischlingen bewohnt. Bis zur Eröffnung des Suezkanals war St. Helena Trinkwasserstation (später auch Kohlenstation) für die Indien- und Ostasien-Route. Am 5. Mai 1821 starb Napoleon auf St. Helena.
GD
Abbildung

**2/1/38**
**Zweiter Friede von Paris**

1815 November 20, Paris
Niederländische Ratifikation, 1819 Februar 8, Brüssel
Papierlibell, 4 Folien, in oranger Samthülle mit blauen Seidenbändern, schwarz-silber-gelbe Siegelschnur, aufgedrücktes Siegel, 22,5 × 33,5 cm
Wien, Österr. Staatsarchiv, Abtlg. Haus-, Hof- und Staatsarchiv, Allgemeine Urkundenreihe 1815 November 20

Der Friedensschluß beendete den letzten Napoleonischen Krieg und die „Herrschaft der 100 Tage"; im Sonderabkommen dazu erfolgte die Aufteilung der französischen Kriegsentschädigung unter den Verbündeten
ChTh/GD

**DAS INTERVENTIONSPRINZIP**

13. Mai 1821, Manifest von Laibach:
*„Europa kennt die Gründe, welche die verbündeten Souveräne zu dem Entschlusse vermocht haben, die Komplotte zu ersticken und den Unruhen ein Ende zu machen, wodurch das Bestehen des allgemeinen Friedens bedroht war, dessen Herstellung so viele Anstrengung, so viele Mühe gekostet hatte . . . Die Monarchen sind entschlossen, niemals von diesen Prinzipien abzuweichen, und alle Freunde des Guten werden in ihrem Vereine stets eine sichere Gewähr gegen die Versuche der Ruhestörer erblicken und finden."*

**2/2/1**
**Clemens Lothar Wenzel Fürst Metternich, um 1825**

Friedrich Lieder (1780–1859)
Pastellkreide, weiß gehöht, 31,9 × 24,2 cm
Sign. re. u.: Fr: Lieder fecit.
HM, Inv. Nr. 56.359

**2/2/2**
**Die Staatskanzlei**

Norbert Bittner (1786–1857)
Tusche, 14,8 × 19,4 cm
Sign. re. u.: N. Bittner f.
Bez. Mi. u.: Die Staatskanzley in Wien
HM, Inv. Nr. 13.966

Die Staatskanzlei war nicht nur die Zentrale der Politik Metternichs, hier hatte der Fürst auch seine Stadtwohnung.
GD
Abbildung

**2/2/3**
**Arbeitszimmer Metternichs in der Staatskanzlei, 1829**

Gouache, 20,2 × 29,3 cm
Handschriftlicher Vermerk: Cabinét de travail du Prince de Metternich/dessiné aus mois d'Août 1829.
HM, Inv. Nr. 56.396

Das Arbeitszimmer befand sich im Hauptgeschoß an der Löwelstraße. 1838 malte Anton Schindler eine zweite Ansicht mit dem lesenden Fürsten mit gleichem Mobiliar (Srbik, Band 2, Abb. nach S. 80, damals im Besitz von Sophie Öttingen Spielberg-Metternich; 1984 Kat. Nr. 17.12 in der Ausstellung „Das Zeitalter Kaiser Franz Josephs von der Revolution zur Gründerzeit" in Schloß Grafenegg).

An der Wand das Porträt der zweiten Gemahlin Metternichs, Maria Antonia, geb. Freiin von Leykam, von Thomas Ender. Das Bild wurde 1831 von Matthäus Kern lithographiert.
RKM

**2/2/4**
**„Kurze und wahrhaftige Beschreibung des großen Burschenfestes auf der Wartburg bei Eisenach am 18ten und 19ten des Siegesmonds 1817. (Nebst Reden und Liedern.) Gedruckt in diesem Jahr".**

Broschüre, Papier, 64 Seiten, 9,5 × 15,5 cm
Wien, Österr. Staatsarchiv, Abtlg. Haus-, Hof- und Staatsarchiv, Staatskanzlei Sächsische Häuser, Kart. 2, fol. 1–32
Aufgeschlagen S. 60 und 61: „Die Burschenfahrt nach der Wartburg,/am 18. October 1817./(Weise: Ein freies Leben führen wir.)"

Zum Gedenken an die Reformation und an die Völkerschlacht bei Leipzig lud die Jenaer Burschenschaft zum Fest auf der Wartburg.

Bei dieser Feier wurden erstmals die Farben Schwarz-Rot-Gold als Symbol deutscher Volkseinheit getragen (das Freikorps Lützow trug schwarze Uniformröcke mit roten Aufschlägen und goldenen Knöpfen), und erstmals traten die deutschen Burschenschaften auf. Im Verlauf des Festes wurden Bücher von 28 Autoren verbrannt, die nach Auffassung der Teilnehmer mit der allgemeinen Volksstimmung in Widerspruch standen, im Deutschen Bund setzten die „Demagogenverfolgungen" ein.
ChTh/GD

**2/2/5**
**Adresse an die am Kongreß von Aachen teilnehmenden Monarchen und Staatsmänner, den Sklavenhandel betreffend**

Aachen, 1818
Broschüre, Papier, 24 Seiten, 13 × 21 cm, aufgeschlagen S. 15
Wien, Österr. Staatsarchiv, Abtlg. Haus-, Hof- und Staatsarchiv, Staatskanzlei Kongreßakten, Kart. 18 (alt 31), fol. 2–13

Die „ADRESSE A LEURS MAJESTES . . ." ist eine Aufforderung, gegen den Sklavenhandel Spaniens und Portugals Stellung zu nehmen – „L'Espagne et le Portugal sont les deux seules puissances aux sujets desquelles il es maintenant légalement permis de continuer la trate des Negres (Seite 15) – und so der in die Schlußakte des Wiener Kongresses aufgenommenen feierlichen Erklärung der Hauptmächte gegen den Sklavenhandel vom 8. Februar 1815 zu entsprechen. Neben der Regelung der französischen Angelegenheiten (der Artikel 5 des 2. Pariser Friedens hatte eine Okkupationsdauer Frankreichs von 3 bis 5 Jahren festgesetzt) waren die für das konservative Prinzip gefährlichen revolutionären Regungen an den deutschen Universitäten das Hauptthema des Kongresses.
GD

**2/2/6**
**Protokoll der 22. Sitzung des Kongresses von Karlsbad**

Abfassung der Karlsbader Beschlüsse, 1819 August 31, Karlsbad
Papier, 6 Folien mit den Unterschriften der Bevollmächtigten, 21,5 × 35 cm
Wien, Österr. Staatsarchiv, Abtlg. Haus-, Hof- und Staatsarchiv, Staatskanzlei Kongreßakten 19 (alt 33), fol. 155–160

Die vom 6. bis 31. August 1819 tagenden Ministerkonferenzen (es tagten die Minister von Österreich, Preußen, Hannover, Sachsen, Mecklenburg, Bayern, Baden, Nassau und Württemberg) legten im Protokoll der 23. Sitzung ihre Beschlüsse über die Exekutionsordnung zur Überwachung der Vollziehung der Bundestagsbeschlüsse und der Universitäten, das Pressegesetz und die Einsetzung einer Zentralkommission in Mainz zur Untersuchung revolutionärer Umtriebe fest.

Die Ermordung des deutschen Schriftstellers und russischen Staatsrates August von Kotzebue durch den Studenten Karl Ludwig Sand am 23. März 1819 hatte die Einberufung der Ministerkonferenz nach Karlsbad zur Folge gehabt.
ChTh/GD

**2/2/7**
**Die Zirkularnote des Kongresses von Troppau 1820 Dezember 8, Troppau**

Konzept, Papier, 2 Folien, 22 × 34,5 cm
Wien, Österr. Staatsarchiv, Abtlg. Haus-, Hof- und Staatsarchiv, Staatskanzlei Kongreßakten, Kart. 21 (alt 39), fol. 290, 295
Aufgeschlagen: fol. 290: Dépêche circulaire

Metternich war durch die Erfolge der konstitutionellen Bestrebungen in Spanien und Portugal, insbesondere aber in Neapel, beunruhigt. Einerseits waren Auswirkungen auf das absolutistische monarchische System in Österreich nicht auszuschließen, andererseits mußte in den habsburgischen italienischen Besitzungen mit Unruhen gerechnet werden. Da der Vertrag mit Neapel vom 12. Juni 1813 Österreich berechtigte, die Einrichtung konstitutioneller Verfassungen in Italien zu verhindern, zog Österreich seine Armee zusammen, um in Italien einzurücken. Da Metternich es für notwendig erachtete, die anderen Großmächte beizuziehen, traf man sich auf dem Kongreß von Troppau.
ChTh/GD

**2/2/8**
**Deklaration von Laibach**

1821 Mai 12, Laibach
Lithographie, Papier, 2 Folien, 22 × 34,5 cm
Wien, Österr. Staatsarchiv, Abtlg. Haus-, Hof- und Staatsarchiv, Staatskanzlei Kongreßakten, Kart. 22 (alt 41), fol. 180–181

Die Unruhen in Neapel führten zum Kongreß von Laibach, als dessen Ergebnis sich Österreich, Rußland und Preußen zum Prinzip der bewaffneten Intervention bekannten, da

„L'Europa connait les motifs . . . et tant des sacrifices . . ."

„Europa kennt die Gründe, welche die verbündeten Souveräne zu dem Entschlusse gebracht haben, die Komplotte zu ersticken und den Unruhen ein Ende zu machen, wodurch das Bestreben des allgemeinen Friedens bedroht war, dessen Herstellung so viele Anstrengungen und so viele Opfer gekostet hatte . . ."
ChTh/GD

**2/2/9**
**Vortrag Metternichs, 1822 August 5 betreffend die Reise des russischen Zaren nach Verona**

Orig., Papier, 2 Folien, komplett eigenhändig (Metternich) mit Resolution des Kaisers von 1822 August 7, 20 × 31,5 cm
Wien, Österr. Staatsarchiv, Abtlg. Haus-, Hof- und Staatsarchiv, Staatskanzlei Vorträge 231, fol. 40–41 (liegt unter: 1822 August 22)

In Laibach hatten Österreich, Rußland und Preußen vereinbart, sich nach Ablauf eines Jahres in einer italienischen Stadt neuerlich zu einem Kongreß zu versammeln. Wegen des drohenden Ausbruchs eines Krieges zwischen Rußland und der Pforte beschleunigte Metternich diese Zusammenkunft, an der auch Vertreter Frankreichs und Englands teilnahmen. Wie schon auf dem Kongreß zuvor, lehnte England Interventionen jeglicher Art ab und anerkannte zudem die neuentstandenen südamerikanischen Republiken. In der orientalischen Frage kam es zum Zerwürfnis zwischen Österreich und Rußland, und nachdem sich schließlich auch Preußen vom Kongreß zurückzog, bedeutete Verona das Ende der Heiligen Allianz.
ChTh/GD

**2/2/10**
**Die Seeschlacht bei Navarino am 20. Oktober 1827**

Kreidelithographie, koloriert, auf laviertem Untersatzkarton montiert, 27,3 × 39,7 cm, Untersatzkarton: 40,4 × 54,5 cm
Bez. Mi. u.: Bataille navale de Navarin le 20. Octobre 1827
HM, Inv. Nr. 71.558/2

Dem Vertrag von London (6. Juli 1827) entsprechend, beabsichtigten England, Frankreich und Rußland durch eine friedliche Blockade des auf der Peloponnes hausenden ägyptischen Paschas Ibrahim den Waffenstillstand zwischen den aufständischen Griechen und den Türken zu vermitteln und zu sichern. Die Friedensmission fand jedoch ein abruptes Ende, als die türkisch-ägyptische Flotte im Hafen von Navarino durch ein englisch-französisch-russisches Geschwader vernichtet wurde. Sultan Mahmud II. rief den Heiligen Krieg aus, Rußland nahm die Herausforderung gerne an.
GD
Abbildung

**2/2/11**
**Das Hambacher Fest, 27. Mai 1832**

Kokarde und Schleife in schwarz-rot-gold
Stoff
Wien, Österr. Staatsarchiv, Abtlg. Haus-, Hof- und Staatsarchiv, Gesandtschaftsarchiv, Frankfurt, Bundespräsidialges. 96 (alt 29) fol. 11a

Der Bundestag reagierte auf die große Volksversammlung der demokratisch-republikanischen Bewegung in Süddeutschland (man begrüßte Frankreich und Polen, die ihre „Ketten gesprengt hatten") mit den Beschlüssen vom 28. Juni 1832, die die Presse- und Versammlungsfreiheit völlig unterdrückten. Jene Redner, die auf dem Hambacher Fest die Volkssouveränität, die Republik und die Einheit Deutschlands gefordert hatten, mußten fliehen oder wurden zu Gefängnisstrafen verurteilt.
ChTh/GD

**2/2/12**
**Vertrag Österreich-Rußland zur Sicherung des Bestandes des Osmanischen Reiches, 1833 September 18, Münchengrätz**

Unterhändlerinstrument der Separat- und Geheimartikel, 1833 September 18, Münchengrätz
Papierlibell, 4 Folien, mit den Unterschriften der Bevollmächtigten, fünf rote aufgedrückte Lacksiegel, 19,5 × 31 cm
Wien, Österr. Staatsarchiv, Abtlg. Haus-, Hof- und Staatsarchiv, Allgemeine Urkundenreihe 1833 September 18

Um die Unterstützung Rußlands im Kampf gegen europäische Revolutionen zu erlangen, begab sich Österreich in der orientalischen Frage in die Abhängigkeit Rußlands.
Ch Th/GD

**2/2/13**
**Quadrupelvertrag Österreich – Großbritannien – Preußen – Rußland, 1840 Juli 15, London**

Unterhändlerinstrument des ergänzenden Separatabkommens, 1840 Juli 15, London
Papierlibell, 4 Folien, mit den Unterschriften der Bevollmächtigten, vier rote und ein schwarzes aufgedrücktes Lacksiegel an schwarz-gelber Seidenschnur, 23,5 × 37 cm
Wien, Österr. Staatsarchiv, Abtlg. Haus-, Hof- und Staatsarchiv, Allgemeine Urkundenreihe 1840 Juli 15

Großbritannien, Preußen, Österreich, Rußland und die Türkei schlossen den Vertrag zum Schutz der Pforte gegen Mehmed Ali, Vizekönig von Ägypten.
Ch Th/GD

**2/2/14**
**Erster Donauschiffahrtsvertrag Österreich – Rußland, 1840 Juli 25, St. Petersburg**

Unterhändlerinstrument, Papierlibell, 10 Folien, mit den Unterschriften der Bevollmächtigten, drei rote aufgedrückte Lacksiegel an schwarz-gelber Siegelschnur, 21,5 × 33,5 cm
Wien, Österr. Staatsarchiv, Abtlg. Haus-, Hof- und Staatsarchiv, Allgemeine Urkundenreihe 1840 Juli 25

Nach diesem Vertrag sollte die Schiffahrt auf der Donau völlig frei und niemandem verwehrt sein.
Ch Th/GD

**2/2/15**
**Die Eroberung von Saida (Sidon) am 26. September 1840**

E. T. Friedrich
Kreidelithographie, koloriert, 44,5 × 59 cm
Sign. Mi. u.: E. H. FRIEDRICH/auf der Bresche von Saida am 26. September 1840. Bez. li. u.: Momente aus Österreichs Kriegsgeschichte No 8. Bez. re. u.: Herausgegeben von M. Trentsensky k.k. Oblt.
HM, Inv. Nr. 72.803

Die Expansionsbestrebungen des Paschas von Ägypten, Mehmed Ali, führten zur orientalischen Krise 1839–1841. Aus seiner Position der Statthalterschaft über Syrien heraus strebte er vermutlich das osmanische Sultanat für sich selbst an. Erst die Intervention Englands, Rußlands, Österreichs und Preußens zugunsten der Türkei wehrte den von Frankreich unterstützen Angriff des Ägypters (man nannte ihn „Moslem Napoleon") ab. Bei der Eroberung von Saida, einem wichtigen Stützpunkt in Syrien, kommandierte Erzherzog Friedrich Ferdinand Leopold (1821–1847), ein Sohn Erzherzog Carls, die Truppen beim erfolgreichen Sturm auf die Festung, Mehmed Ali mußte einlenken, als mit der Eroberung St. Jean d'Acres (Akkons) am 3. November 1840 – wieder war das österreichische Geschwader beteiligt – Syrien für ihn verlorenging.
GD
Abbildung

**2/3 Münzwesen und Geldwirtschaft**

**Münzen der Münzstätte Wien (Münzbuchstabe A)**

**Goldmünzen**

**2/3/1**
**Dukat 1812**

Vs.: Belorbeerter Kopf Franz I. nach rechts
Rs.: Wappen
Gold, Dm.: 21 mm
HM, Inv. Nr. 14.605

Wie schon in den Jahrhunderten vorher, wurde auch in der ersten Hälfte des 19. Jahrhunderts der für Österreich als Goldmünze charakteristische Dukat herausgebracht, und zwar in Form von einfachen und vierfachen Stücken. Diese Goldmünzen hatten Kurswert. Im Jahre 1820 erhielt man beispielsweise für einen Dukat 690 Kreuzer Wiener Währung bzw. 276 Kreuzer der Konventionswährung.
ASchu

**Silbermünzen der Konventionswährung**

(je Nominale zwei Stück)

**2/3/2**
**Taler 1835**

Vs.: Belorbeerter Kopf Franz I. nach rechts
Rs.: Wappen
Silber, Dm.: 40 mm
HM, Inv. Nr. 3.518

Der Taler, die Hauptmünze der „Konventionswährung", entsprach in Österreich dem Wert von 120 Kreuzern. Von 1813 bis 1848 gab es übrigens außer Wien noch folgende aktive österreichische Münzstätten (das Notgeld nicht berücksichtigt): Prag, Kremnitz, Nagybanya (bis 1828), Schmöllnitz (nur 1816), Oravicza (nur 1816), Karlsburg, Mailand (ab 1815), Venedig (ab 1815).
ASchu
Abbildung

**2/3/3**
**Taler 1836**

Vs.: Belorbeerter Kopf Ferdinands I. nach rechts
Rs.: Wappen
Silber, Dm.: 38 mm
HM, Inv. Nr. 3.522
Abbildung

**2/3/4**
**Gulden 1830**

Vs.: Belorbeerter Kopf Franz I. nach rechts
Rs.: Wappen
Silber, Dm.: 33,5 mm
HM, Inv. Nr. 3.515

Ab 1816 wurde der ½ Taler als Gulden bezeichnet. Der Gulden galt 60 Kreuzer.
ASchu
Abbildung

**2/3/5**
**Gulden 1835**

Vs.: Belorbeerter Kopf Ferdinands I. nach rechts
Rs.: Wappen
Silber, Dm.: 31 mm
HM, Inv. Nr. 3.521

Für einen Gulden erhielt man in Wien im Jahre 1835 etwa 4 kg Rindfleisch oder zirka 19 kg Schwarzbrot.

Ein Maurergeselle in Oberösterreich mußte damals etwa zwei Tage und ein Hilfsarbeiter etwas länger als drei Tage arbeiten (jeweils ohne Verpflegung), um einen Lohn von einem Gulden zu erhalten.

*Lit.: F. Scheichl, Ein Beitrag zur Geschichte des gemeinen Arbeitslohnes vom Jahre 1500 bis auf die Gegenwart. Eine culturgeschichtliche Studie im Anschluss an die Zimmerleut- und Maurerlöhnungen in Oberösterreich, Wien 1885, S. 24.*
ASchu
Abbildung

**2/3/6**
**20 Kreuzer 1818**

Vs.: Belorbeerter Kopf Franz I. nach rechts
Rs.: Wappen
Silber, Dm.: 28 mm
HM, Inv. Nr. 3.509

Von den Konventionsmünzen war der Zwanziger (20 kr), auch Kopfstück genannt, im alltäglichen Zahlungsverkehr des Biedermeier

Kat. Nr. 2/3/3, 5, 7, 9, 11, 13 VS

Kat. Nr. 2/3/3, 5, 7, 9, 11, 13 RS

das am häufigsten vorkommende Geldstück in der Habsburgermonarchie.
ASchu
Abbildung

**2/3/7**
**20 Kreuzer 1848**

Vs.: Belorbeerter Kopf Ferdinands I. nach rechts
Rs.: Wappen
Silber, Dm.: 26 mm
HM, Inv. Nr. 3.526
Abbildung

**2/3/8**
**10 Kreuzer 1826**

Vs.: Belorbeerter Kopf Franz I. nach rechts
Rs.: Wappen
Silber, Dm.: 24,5 mm
HM, Inv. Nr. 3.511

Im Jahre 1826 kostete in Wien ein Pfund Rindfleisch (= 56 dag) nur 6–7 kr. C.M. (= Kreuzer Konventionswährung), während man im Jahre 1846 bereits 9–11 kr. C.M. für die gleiche Menge Rindfleisch auslegen mußte.

*Lit.: Die Preissteigerung der Lebensbedürfnisse in Wien und im österreichischen Kaiserstaate, ihre Progression, Ursachen und Heilmittel. Mit 8 authentischen Quellen entnommenen Preis = und anderen Tabellen. Wien 1851. Bei J. F. Greß.*

*Bezüglich Lohn- und Preissteigerungen dieser Zeit siehe auch den Beitrag über das Münzenwesen von A. Schusser im vorliegenden Katalog.*
ASchu
Abbildung

**2/3/9**
**10 Kreuzer 1836**

Vs.: Belorbeerter Kopf Ferdinands I. nach rechts
Rs.: Wappen
Silber, Dm.: 23 mm
HM, Inv. Nr. 3.523
Abbildung

**2/3/10**
**5 Kreuzer 1820**

Vs.: Belorbeerter Kopf Franz I. nach rechts
Rs.: Wappen
Silber, Dm.: 21 mm
HM, Inv. Nr. 822

Für ein 5-Kreuzer-Stück bekam man in Wien im Jahre 1820 2½ Pfund Roggenbrot.
ASchu
Abbildung

**2/3/11**
**5 Kreuzer 1837**

Vs.: Belorbeerter Kopf Ferdinands I. nach links
Rs.: Wappen
Silber, Dm.: 20,5 mm
HM, Inv. Nr. 7.907
Abbildung

**2/3/12**
**3 Kreuzer 1832**

Vs.: Belorbeerter Kopf Franz I. nach rechts
Rs.: Wappen
Silber, Dm.: 18 mm
HM, Inv. Nr. 96

Das 3-Kreuzer-Stück wurde bis 1815 „Groschen“ genannt, nachher findet sich für diese Münze in Tabellen die Bezeichnung 3er.
ASchu
Abbildung

**2/3/13**
**3 Kreuzer 1835**

Vs.: Belorbeerter Kopf Ferdinands I. nach rechts
Rs.: Wappen
Silber, Dm.: 18 mm
HM, Inv. Nr. 57

**Kupfermünzen**

Kupfermünzen der Zeit um 1800

**2/3/14**
**3 Kreuzer 1799**

Vs.: Belorbeerter Kopf Franz (II.) I. nach rechts
Rs.: Wappen
Kupfer, Dm.: 31 mm
HM, Inv. Nr. 22.586

Wegen der hohen Kriegskosten im Verlauf der Kämpfe gegen Frankreich sah sich Kaiser Franz II. (I.) ab dem Jahre 1795 zur Ausgabe minderwertiger Silbermünzen gezwungen, die meist als „erbländische Scheidemünze“ gekennzeichnet waren. Da diese Münzen (zu 24, 12, 7 und 6 Kreuzern) vor der Zeit des Wiener Kongresses entweder wieder eingezogen, entwertet oder außer Kurs gesetzt wurden, werden sie hier nicht berücksichtigt. Um 1800 werden aber auch Kupfermünzen (zu 6, 3, 1, ½ und ¼ Kreuzern), geprägt nach einem leichteren Münzfuß, herausgegeben. Da die kupfernen 6, ½ und ¼ Kreuzer 1811 außer Kurs gesetzt wurden, werden sie hier gleichfalls nicht präsentiert.

Die hier gezeigten Stücke zu 3 Kreuzer und einem Kreuzer wurden 1811 auf ein Fünftel ihres Wertes herabgesetzt.
ASchu

**2/3/15**
**1 Kreuzer 1800**

Vs.: Belorbeerter Kopf Franz II. (I.) nach rechts
Rs.: Wappen
Kupfer, Dm.: 24 mm
HM, Inv. Nr. 22.583/2

**Bancozettel – Teilungsmünzen (1807)**

**2/3/16**
**30 Kreuzer 1807**

Vs.: Belorbeerter Kopf Franz I. nach rechts
Rs.: Wappen
Kupfer, Dm.: 38 mm
HM, Inv. Nr. 3.502

Als sich in Österreich ein Mangel an Scheidemünzen bemerkbar machte und die kleinen Geldscheine schon sehr abgenützt waren, wurden diese 1807 in Form von „Bancozettel-Teilungsmünzen" zu 30 und 15 Kreuzern herausgegeben.

Wie die Bancozettel fielen auch diese kupfernen Teilstücke rasch der Entwertung anheim. 1811 wurden sie auf ein Fünftel ihres Wertes herabgesetzt. Auch nach der Einführung der „Wiener Währung" (1812) stellte das Dreißigkreuzerstück lediglich einen Wert von 6 Kreuzern, das Fünfzehnkreuzerstück nur einen Wert von 3 Kreuzern Wiener Währung (W.W.) dar.
ASchu

Kat. Nr. 2/3/18–21 VS

**2/3/17**
**15 Kreuzer 1807**

Vs.: Belorbeerter Kopf Franz I. nach rechts
Rs.: Wappen
Kupfer, Dm.: 35 mm
HM, Inv. Nr. 167.389

Kat. Nr. 2/3/18–21 RS

**Kupfermünzen der „Wiener Währung" (1812)**

**2/3/18**
**3 Kreuzer 1812**

Vs.: Belorbeerter Kopf Franz I. nach rechts
Rs.: Wertangabe
Kupfer, Dm.: 33 mm
HM, Inv. Nr. 164.396

Im Jahre 1812 wurde in den österreichischen Ländern als eine Art Krisenwährung die „Wiener Währung" eingeführt, obgleich die Konventionswährung nicht außer Kraft gesetzt wurde. Von der „Wiener Währung" gab es nicht nur Geldscheine (siehe unten), sondern es wurden auch neue Kupfermünzen (zu 3, 1, ½ und ¼ Kreuzer) – vom Volk alsbald „Scheinkreuzer" genannt – in Umlauf gesetzt. Da ab 1816 wieder Geldscheine und Hartgeld in Konventionswährung in vollem Umfang herausgegeben wurden, gab es im Biedermeier in den österreichischen Ländern praktisch zwei Währungen nebeneinander: die bessere Konventionswährung sowie die „Wiener Währung", wobei 100 Gulden (fl) der Konventionswährung (C.M.) einen Wert von 250 Gulden der „Wiener Währung" (W.W.) darstellten.

Die Zahlungsmittel der Wiener Währung wurden allerdings ab 1816 nach und nach gegen solche der Konventionswährung umgetauscht.
ASchu
Abbildung

**2/3/19**
**1 Kreuzer 1812**

Vs.: Belorbeerter Kopf Franz I. nach rechts
Rs.: Wertangabe
Kupfer, Dm.: 25 mm
HM, Inv. Nr. 22.584
Abbildung

**2/3/20**
**½ Kreuzer 1812**

Vs.: Belorbeerter Kopf Franz I. nach rechts
Rs.: Wertangabe
Kupfer, Dm.: 21 mm
HM, Inv. Nr. 22.581/1
Abbildung

**2/3/21**
**¼ Kreuzer 1812**

Vs.: Belorbeerter Kopf Franz I. nach rechts
Rs.: Wertangabe
Kupfer, Dm.: 19 mm
HM, Inv. Nr. 22.578/1
Abbildung

Kat. Nr. 2/3/22–24 RS

Kat. Nr. 2/3/22–24 VS

**Kupfermünzen der Konventionswährung („K.K. OESTERREICHISCHE SCHEIDE-MÜNZE“)**

**2/3/22**
**1 Kreuzer 1816**

Vs.: Wappen
Rs.: Wertangabe
Kupfer, Dm.: 26 mm
HM, Inv. Nr. 22.585/2

Diese 1-, ½- und ¼-Kreuzer-Stücke wurden mit Jahreszahl 1816 bis zum Jahre 1856 geprägt.
ASchu
Abbildung

**2/3/23**
**½ Kreuzer 1816**

Vs.: Wappen
Rs.: Wertangabe
Kupfer, Dm.: 23 mm
HM, Inv. Nr. 22.582/2
Abbildung

**2/3/24**
**¼ Kreuzer 1816**

Vs.: Wappen
Rs.: Wertangabe
Kupfer, Dm.: 20 mm
HM, Inv. Nr. 22.579/2
Abbildung

**Papiergeld der „Wiener Währung“**

**2/3/25**
**Einlösungsschein zu 100 Gulden, 1. März 1811**

Ausgegeben von der „Pr.vereinigten Einlösungs und Tilgungs Deputation“ in Wien
Einseitiger Schwarzdruck, 94 × 142 mm
HM, Inv. Nr. 2.825

Die österreichische Regierung erließ mit Finanzpatent vom Februar 1810 die Verfügung, daß neues Papiergeld, sogenannte Einlösungsscheine (vom Volk alsbald „Scheingeld“ genannt), von einer eigenen Konstitutionellen Behörde, der Einlösungs- und Tilgungsdeputation, welche im ehemaligen Dominikanerkloster in Wien untergebracht wurde, ausgegeben werden sollte und die Mittel zur Deckung dieser Geldscheine aus einer neuen Steuer, der sogenannten Tilgungssteuer, zu beschaffen waren. Es war erst ein Teil der Einlösungsscheine gedruckt, als am 15. März 1811 das berüchtigte „Februarpatent“ (vom 20. Februar 1811) verkündet wurde, daß die Bancozettel, also das bisherige Papiergeld, bis 31. Jänner 1812 gegen neu auszugebende Einlösungsscheine mit einem Fünftel ihres Nominalwertes umgetauscht werden mußten. Die Einlösungsscheine – in einer Stückelung zu 1, 2, 5, 10, 20, 100 und 500 fl (ob tatsächlich auch 500-fl-Scheine gedruckt wurden, sei dahingestellt) – und die abgewerteten Bancozettel bildeten also bis 31. Jänner 1812 das einzig gültige Papiergeld für das Inland. Die Einlösungsscheine waren ab 1. Februar 1812 als „Wiener Währung“ das einzig gültige Papiergeld. Bereits ab 1813 gesellten sich zu diesen Scheinen die „Anticipations-Scheine“.
ASchu

**2/3/26**
**Anticipationsschein zu 20 Gulden, 16. April 1813**

Ausgegeben von der „Pr.vereinigten Einlösungs und Tilgungs Deputation“ in Wien
Einseitiger Schwarzdruck, 89 × 135 mm
HM, Inv. Nr. 2.829

Als sich Österreich 1813 angesichts des bevorstehenden „Befreiungskrieges“ gegen Frankreich gezwungen sah, zur Finanzierung dieses Unternehmens neues Papiergeld drucken zu lassen, die Zahl der Einlösungsscheine jedoch nicht vermehrt werden durfte (siehe oben), entschloß es sich mit Patent vom 16. April 1813 zur Ausgabe von „Anticipations-Scheinen“, die durch künftig eingehende Grundsteuern ihre Deckung finden sollten. Diese Scheine, in einer Stückelung zu 2, 5, 1 und 20 fl (= Gulden), wurden als neues, den Einlösungsscheinen ebenbürtiges Papiergeld jenen zur Seite gestellt. So wie zuvor die Einlösungsscheine wurden auch die Anticipations-Scheine in Rannersdorf hergestellt (der Druck der letzten Anticipations-Scheine erfolgte in der ersten Hälfte des Jahres 1816). Als Ausgabestelle der Anticipations-Scheine fungierte diejenige Behörde, welche auch die Einlösungsscheine herausgegeben hatte.

Die Einlösungsscheine und die „Anticipations-Scheine", die gemeinsam zur „Wiener Währung" gehörten, wurden ab 1816 allmählich durch Konventionsmünzen und die Banknoten (in Konventionsmünze) der „Privilegirten Oesterreichischen Nationalbank" ersetzt.
ASchu

**Konventionswährung**

**2/3/27**
**Banknote zu 10 Gulden, 1. Juli 1816**

Ausgegeben von der „Oesterreichischen National Zettel Bank" in Wien
Probedruck, 100 × 176 mm
HM, Inv. Nr. 2.838

Die „Privilegirte Oesterreichische Nationalbank", mit den Patenten vom 1. Juni 1816 als eine vom Staat unabhängige, auf Aktien gegründete Zettelbank errichtet, öffnete am 1. Juli 1816 ihre Schalter und begann sofort mit dem Umtausch des entwerteten Papiergeldes (also der Einlösungs- und Anticipations-Scheine) gegen Banknoten und Obligationsanweisungen sowie mit der Aktienzeichnung.

Die mit Datum 1. Juli 1816 herausgegebenen Banknoten des Instituts zu 5, 10, 25, 50, 100, 500 und 1000 Gulden trugen den Namen „Oesterreichische National Zettel Bank". Die Geldscheine der 2. Ausgabe (1825) hatten bereits die Bezeichnung „priv. oesterreichische National-Bank". 250 fl W.W. (Wiener Währung) galten 100 fl C.M. (Konventionsmünze).
ASchu

**2/3/28**
**Banknote zu 25 Gulden, 23. Juni 1825**

Ausgegeben von der „privilegirten oesterreichischen National-Bank" in Wien
Einseitiger Zweifarbendruck mit Guillochen, 99 × 140 mm
HM, Inv. Nr. 2.841

Die mit Datum 23. Juni 1825 herausgegebenen Banknoten des Instituts zu 5, 10, 25, 50, 100, 500 und 1000 Gulden trugen bereits den Namen „privilegirte oesterreichische National-Bank".
ASchu
Abbildung

**2/3/29**
**Banknote zu 5 Gulden, 9. Dezember 1833**

Ausgegeben von der „privilegirten oesterreichischen National-Bank" in Wien
Einseitiger Schwarzdruck, 91 × 127 mm
HM, Inv. Nr. 2.843

Von der Nationalbank wurden in den Jahren 1833 und 1834 gegen Einziehung der entsprechenden alten Geldscheine nur die Banknoten zu 5 Gulden (dat. 9. Dezember 1833) und zu 10 Gulden (dat. 8. Dezember 1834) neu herausgegeben.

Kat. Nr. 2/3/31

**2/3/30**
**Banknote zu 5 Gulden, 1. Jänner 1841**

Ausgegeben von der „privilegirten oesterreichischen National-Bank" in Wien
Einseitiger Schwarzdruck, 107 × 132 mm
HM, Inv. Nr. 2.844

Die Banknote zeigt oben den Kopf der Austria mit Emblemen der Schiffahrt und Landwirtschaft; unten das Staatswappen, links davon ein Kind mit einer Waage, rechts ein Kind mit einer Tafel. Das ausschließliche Recht der Nationalbank, in der österreichischen Monarchie Banknoten anzufertigen und auszugeben, wurde 1840 vom Staat bestätigt und erneuert. Daraufhin wurden von dem Institut neue Banknoten (dat. 1. Jänner 1841) zu 5, 10, 50, 100 und 1000 Gulden ausgegeben. (Die Entwürfe für die Zeichnungen dieser Banknotenauflage stammen übrigens von dem bekannten Maler Peter Fendi.)

Gleichzeitig wurde von der Nationalbank bekanntgegeben, daß die alten Noten zu 500 und 1000 Gulden bis Ende März 1842, die übrigen bis Ende Dezember 1842 eingezogen würden.
ASchu

**2/3/31**
**Banknote zu 5 Gulden, 1. Jänner 1847**

Ausgegeben von der „privilegirten oesterreichischen National-Bank" in Wien
Einseitiger Schwarzdruck, 108 × 135 mm
HM, Inv. Nr. 2.850

Die Banknote zeigt links zwei Männerköpfe, rechts den Kopf der Austria; unten das Staatswappen. Von der Nationalbank wurden im Jahre 1847 neue Banknoten zu 5, 10, 100 und 1000 Gulden (dat. 1. Jänner 1847) herausgegeben.
ASchu
Abbildung

**2/3/32**
**Banknote zu 1 Gulden, 1. Mai 1848**

Ausgegeben von der „privilegirten oesterreichischen National-Bank" in Wien
Einseitiger Druck, 96 × 124 mm
HM, Inv. Nr. 196

Nach dem Ausbruch der Revolution am 13. März 1848 kam es von seiten der Bevölkerung in Wien und in der Provinz zu großen Anstürmen auf die Einlösungskassen. Alle wollten ihre Banknoten gegen Münzen eintauschen. Die Nationalbank wurde daher vom Staat ermächtigt, zeitweise Beschränkungen der Noteneinlösung vorzunehmen.

Außerdem konnte das Institut Banknoten zu 1 und 2 Gulden (dat. 1. Mai 1848 bzw. 1. July 1848) ausgeben. Die herrschende Geldnot führte dazu, daß das Publikum diese Geldscheine in zwei oder vier Teile teilte, und jeder Teil galt als Note zu 30 bzw. 15 Kreuzer.
ASchu

**2/3/33**
**Banknote zu 1 Gulden, 1. Juli 1848**

Ausgegeben von der „privilegirten oesterreichischen National-Bank" in Wien
Einseitiger Schwarzdruck, 128 × 73 mm
HM, Inv. Nr. 2.956

Die Banknote zeigt oben den Kopf der Austria, unten das Staatswappen.
ASchu

**Scheidemünzen 1848**

**2/3/34**
**6 Kreuzer 1848**

Vs.: Wappen
Rs.: Wertangabe
Silber, Dm.: 20 mm
HM, Inv. Nr. 3.529/1

Um dem Mangel an Kleinmünzen nachzukommen, wurde mit kaiserlichem Erlaß vom 19. August 1848 die Prägung von silbernen Sechsern (mit geringem Silbergehalt) und kupfernen 2-Kreuzer-Stücken angeordnet.
ASchu

**2/3/35**
**2 Kreuzer 1848**

Vs.: Wappen
Rs.: Wertangabe
Kupfer, Dm.: 32 mm
HM, Inv. Nr. 22.592/1

**Notgeld der Revolution von 1848**

**2/3/36**
**2 Kreuzer**

Notmünze des Geschäfts P. Adler
Vs.: P. ADLER, im Mittelfeld Wertangabe: 2 x (= 2 Kreuzer). Mi. u.: C.M. (= Konventionsmünze)
Rs.: Blumen
Blei, Dm.: 22 mm
HM, Inv. Nr. 23.065/2

Zufolge der Revolution des Jahres 1848 kam es zu einem großen Hartgeldmangel. Viele Fabrikanten, Gewerbetreibende, Kaufleute usw. setzten daher eigenes Notgeld in Umlauf. Mit der vorliegenden Münze konnte man offensichtlich im Geschäft P. Adler in Wien Gemüse

Kat. Nr. 2/3/36 RS

Kat. Nr. 2/3/40 RS

Kat. Nr. 2/3/46 VS

kaufen (Blumen bedeutet Gemüse), und zwar im Wert von 2 Kreuzer.
Abbildung

**2/3/37**
**1 Kreuzer**

Notmünze des Geschäfts P. Adler
Vs.: P. ADLER, im Mittelfeld Wertangabe: 1 x (= 1 Kreuzer). Mi. u.: C.M. (= Konventionsmünze)
Rs.: Blumen
Blei, Dm.: 22 mm
HM, Inv. Nr. 23.065/1
Abbildung

**2/3/38**
**2 Kreuzer**

Notmünze des Geschäfts M. Pöhl
Vs.: VON M. PÖHL, Umschrift: WERDEN EINGELÖST FÜR B. NOTEN
Rs.: 2 KREUTZER C.M., Umschrift: MARKE GÜLTIG FÜR 2 KREUTZER C.M.
Blei, Dm.: 18 mm
HM, Inv. Nr. 23.063/2

**2/3/39**
**1 Kreuzer**

Notmünze des Geschäfts M. Pöhl
Vs.: VON M. PÖHL, Umschrift: WERDEN EINGELÖST FÜR B. NOTEN
Rs.: 1 KREUTZER C.M., Umschrift: MARKE GÜLTIG FÜR 1 KREUTZER C.M.
Blei, Dm.: 18 mm
HM, Inv. Nr. 23.064

**2/3/40**
**2 Kreuzer**

Notmünze des Geschäftes Carl Stadler
Vs.: CARL STADLER, im Mittelfeld Wertangabe: 2 (= 2 Kreuzer)
Rs.: Abbildung eines Ochsen
Blei, Dm.: 22 mm
HM, Inv. Nr. 23.066/1

Die Abbildung eines Ochsen auf der vorliegenden Notmünze bedeutet, daß diese von einem Fleischhauergeschäft (Carl Stadler) ausgegeben wurde.
ASchu
Abbildung

**2/3/41**
**2 Kreuzer**

Notmünze des Geschäftes Carl Stadler
Vs.: CARL STADLER, im Mittelfeld Wertangabe: 2 (= 2 Kreuzer)
Rs.: Abbildung eines Ochsen
Blei, Dm.: 22 mm
HM, Inv. Nr. 23.066/2

**2/3/42**
**Kaiserliches Patent über die Entwertung der Bancozettel um vier Fünftel**

Eigenhändig von Kaiser Franz I. unterschrieben. Wien, 20. Februar 1811
Druck, Papier, 6 Folien
Wien, Österr. Staatsarchiv, Hofkammerarchiv, Nachlaß Wallis, rote Nr. 1

Als die staatlichen Finanzen infolge der zahlreichen Kriege, die Österreich gegen Frankreich zu führen hatte, immer zerrütteter wurden, sah sich der Staat bereits ab den neunziger Jahren des 18. Jahrhunderts zur Ausgabe immer größerer Mengen großteils ungedeckten Papiergeldes gezwungen. Da aber diese Währungspolitik nur eine riesige Inflation des Geldes zur Folge hatte, wurde 1811 auf Anraten des Hofkammerpräsidenten Graf Joseph Wallis zu dem Radikalmittel gegriffen, das Papiergeld zu entwerten:

Das kaiserliche Patent vom 20. Februar 1811 (alsbald „Februarpatent" bzw. „Bankrottpatent" genannt), welches am 15. März 1811 in allen Orten der Monarchie veröffentlicht wurde, verfügte eine Herabsetzung der im Umlauf befindlichen Bancozettel auf ein Fünftel ihres Nominalwertes. Kupfergeldstücke wurden entweder in der gleichen Weise entwertet oder überhaupt außer Kurs gesetzt (siehe oben).

Da ab dem Zeitpunkt der Veröffentlichung dieses Dokumentes alle Steuern und Gebühren in Einlösungsscheinen (dem neu geschaffenen Papiergeld „Wiener Währung") oder im fünffachen Betrag in Bancozetteln zu entrichten waren, mußten sich jene Leute, die über nicht genügend Geld der Wiener Währung verfügten, um diese Leistungen zu erbringen, gezwungen sehen, das gehortete Silbergeld der Konventionswährung zu einem Fünftel seines Nominalwertes gegen Einlösungsscheine umzutauschen. Das Patent traf also die ärmere Bevölkerung in voller Stärke, während jene, die über genügend Papiergeld und Silbergeld verfügten, das Konventionsgeld weiterhin horten konnten und so den Geldverfall nicht so kraß zu spüren bekamen, da das Silber weiterhin seinen Wert behielt. Wie aus dem Text der ersten Seite des „Bankrottpatents" hervorgeht, versuchte der Kaiser die notwendig gewordene Maßnahme der Geldentwertung mit dem Hinweis zu entschuldigen, daß er im Jahre 1810 wiederholt „Patente" erließ, um „durch eine almählige Verminderung des Papiergeldes das Gleichgewicht zwischen demselben und dem Metallgelde nach und nach herzustellen", daß jedoch „die eingetretene Verkettung von Umständen" (Seite 2 des Dokuments) „eine allmählige Verbesserung bezeichneten Systems" nicht mehr zuließ.
ASchu

**2/3/43**
**Erstes Patent („Hauptpatent") Kaiser Franz I. über die Gründung der „privilegirten österreichischen Nationalbank". Wien, 1. Juni 1816**

Druck, Papier, 4 Blatt, 38,3 × 24,4 cm
Wien, Österr. Staatsarchiv, Abtlg. Haus-, Hof- und Staatsarchiv, Staatsrat-Patente, Kart. 119

Nach Beendigung der Napoleonischen Kriege begann die österreichische Regierung eine grundlegende Finanzreform in die Wege zu leiten. Man kam alsbald zur Auffassung, daß zwecks Ordnung des österreichischen Währungs- und Finanzwesens die Errichtung einer Privatbank unumgänglich notwendig sei. Johann Philipp Graf Stadion (1763–1824), der im Herbst 1814 die Leitung des Finanzwesens übernommen hatte, stellte in seinem Vortrag vom 31. Jänner 1816 an den Kaiser fest, daß kein Staatsgeld mehr ausgegeben werden dürfe und das projektierte Bankinstitut aus vier Abteilungen zu bestehen habe, die unabhängig voneinander in Wirksamkeit treten sollten, und zwar:

Kat. Nr. 2/3/46 RS

1.) die Zettelbank zur Herausgabe von Banknoten, 2.) die Eskomptebank für den An- und Verkauf von Wechseln, 3.) die Hypothekenbank für Darlehensgeschäfte sowie 4.) der Tilgungsfonds zur Verwaltung und Einlösung der durch diese Operationen neu entstehenden verzinslichen Staatsschuld.

Das erste Patent („Hauptpatent") und das zweite Patent („Bankpatent") – beide waren mit 1. Juni 1816 datiert – enthielten diese Neuregelungen.

Während das „Hauptpatent" die zur Herstellung der Ordnung im Geldwesen beschlossenen Maßregeln umfaßte, enthielt das „Bankpatent" die organisatorischen Bestimmungen bezüglich der Errichtung der Privilegierten Österreichischen Nationalbank.
ASchu

**2/3/44**
**Zweites Patent („Bankpatent") Kaiser Franz I. über die Gründung der „privilegirten österreichischen Nationalbank". Wien, 1. Juni 1816**

Druck, Papier, 6 Blatt, 38,3 × 24,6 cm
Wien, Österr. Staatsarchiv, Abtlg. Haus-, Hof- und Staatsarchiv, Staatsrat-Patente, Kart. 119

Im zweiten Patent vom 1. Juni 1816, dem eigentlichen Bankpatent (siehe Kat. Nr. 2/3/43), werden insbesondere die Papiergeldeinlösung sowie die Aktienausgabe genau festgelegt. Siehe auch Kat. Nr. 2/3/47.
ASchu

**2/3/45**
**„Interims Notta" des Hotel Garni zum „Römischen Kaiser", 14. September 1816**

26,6 × 20,6 cm
HM, Inv. Nr. 46.757

Das Hotel „Zum Römischen Kaiser" (das Gebäude wurde später demoliert, es stand an der Stelle des heutigen Hauses Wien 1, Renngasse 1) war eines der „vornehmsten Absteigequartiere von Kavalieren aus den österreichischen Provinzen" (F. Czeike, Das große Groner Wien-Lexikon, Wien – München – Zürich

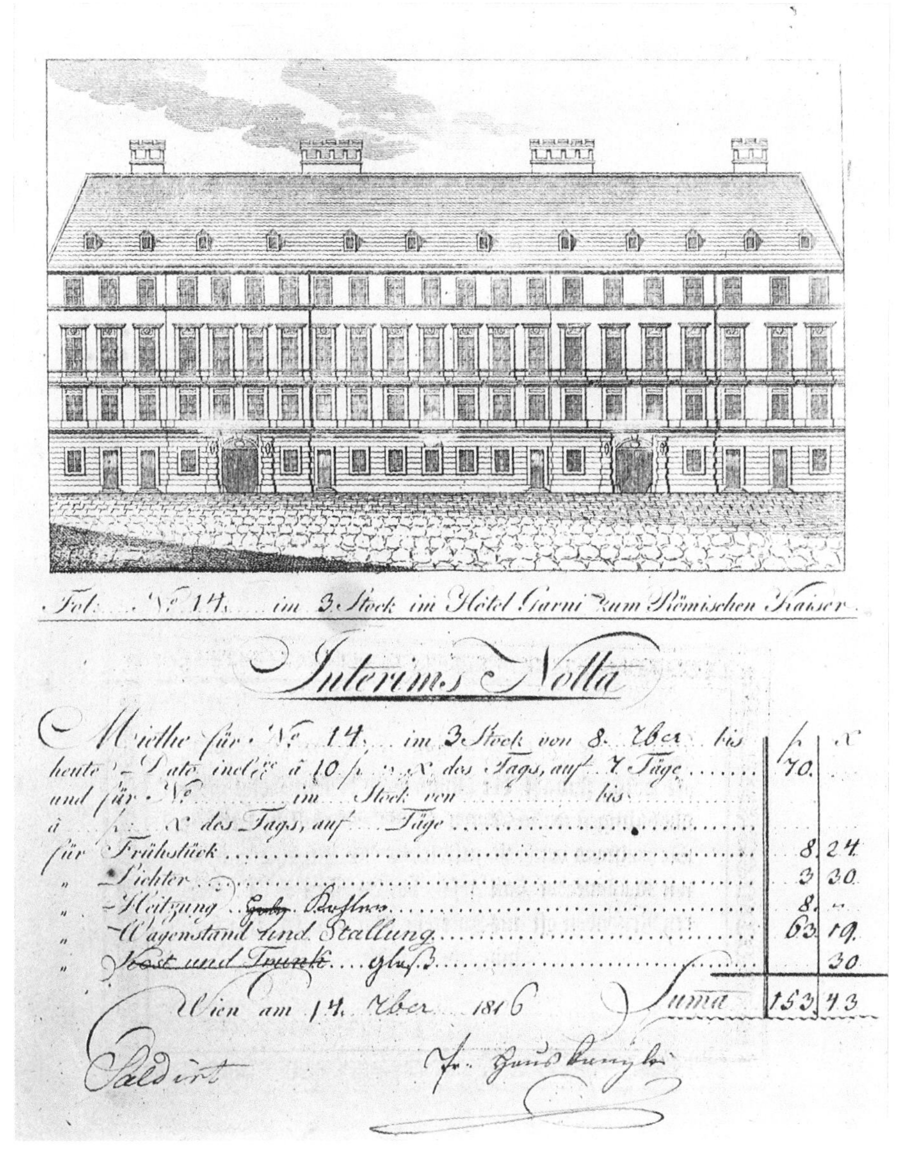
Fol. ... N° 14. ... im 3. Stock im Hôtel Garni zum Römischen Kaiser.

Interims Notta

| | f. | x |
|---|---|---|
| Miethe für N° 14. im 3. Stock von 8. 7ber bis heute Dato incl. à 10 f. ... x des Tags, auf 7 Täge | 70. | |
| und für N° ... im ... Stock von ... bis à ... f. ... x des Tags, auf ... Täge | | |
| für Frühstück | 8 | 24 |
| „ Lichter | 3 | 30 |
| „ Heitzung | 8 | – |
| „ Wagenstand und Stallung | 63 | 19 |
| „ | | 30 |
| Wien am 14. 7ber 1816 Suma | 153 | 43 |

Saldirt

Kat. Nr. 2/3/45

1974, S. 509). Wie aus der vorliegenden Rechnung („Interims Notta") hervorgeht, kosteten im September 1816 sieben Tage Nächtigung samt „Wagenstand und Stallung" (d. h. mit Pferd und Kutsche) in dem genannten Hotel 153 fl 43 kr Wiener Währung. Gerade weil die „Privilegirte Oesterreichische Nationalbank" erst seit Juli 1816 Banknoten in Konventionswährung herausgab und Münzen der Konventionswährung nur in sehr geringer Zahl in Umlauf waren, erfolgte der Zahlungsverkehr damals fast ausschließlich in Geld der Wiener Währung, welches 1816 in Hunderten Millionen fl vorhanden war und im Verlauf der nächsten Jahrzehnte allmählich durch das stabile Geld der Konventionswährung ersetzt wurde.

Da man für 250 fl Wiener Währung 100 fl der Konventionswährung bekam, stellt der Betrag von 153 fl 43 kr W.W. eine Summe von etwa 61 fl 25 kr C.M. dar.
ASchu
Abbildung

**2/3/46**
**Jeton auf die Teuerung der Lebensmittel, 1817**

Vs.: GIEB MIR BROD MICH HUNGERT
Säugende Mutter mit zwei Kindern
Im Abschnitt: IETTON
Rs.: VERZAGET NICHT GOTT – LEBET NOCH
Waage mit Bier- und Brotpreisen
über Anker mit Getreidegarbe
Im Abschnitt: 1816 u 1817
Silber, Dm.: 35 mm
HM, Inv. Nr. 22.037

Die zur Zeit des Wiener Kongresses in ganz Österreich vorhandene Inflation und Teuerung

Consign. No. 5392 790

Coupons-Bezug vom Jahre 1868 mit fl 135 geleistet

Geniefst die volle Dividende vom Jahre 1820 anzufangen.

Nro 6. Folio 3099

Mit Coupons No 28628 bis Ende 1830

Mit Coupons No 28628 bis Ende 1850

Mit Coupons No 28628 bis Ende 1860

Mit Coupons No 28628 bis Ende 1840

ACTIE

der privil. oesterreich. National-Bank.

Die privilegirte oesterreichische National-Bank erkläret hiermit, daſs Herr Ludwig van Beethoven. oder jeder rechtmäſsige Inhaber dieser Urkunde, in Folge der geleisteten statutenmäſsigen Einlage, auf welche nie eine Zuzahlung Statt haben kann, Eigenthümer der Actie 22 Fol. 3099. No 6. geworden ist, und daher an allen Rechten Theil zu nehmen hat, welche den Actionären der privilegirten oesterreichischen National-Bank, vermöge ihrer allerhöchst genehmigten Statuten und Privilegien, zustehen und zustehen werden.

Wien am 13. Juli 1819.

Neue Actie angesprochen

Privilegirte oesterreichische National-Bank

Kat. Nr. 2/3/47

**SPEISEN- UND GETRÆNKE-TARIF.**

*Daum's Gasthaus in der Stadt, am Kohlmarkt N° 260.*

Suppen. — Eingemachtes. — Compote. — Weine. — Rindfleisch. — Kalte Speisen. — Mehlspeisen. — Eierspeisen. — Confecte. — Fische. — Braten. — Salat. — Käse. — Kaffeh. — Gemüse. — Wermuthe und Ausbrüche. — Bier.

Kat. Nr. 2/3/49

der Lebensmittel zufolge der vorangegangenen Zerrüttung des Geldwesens erreichte nach einer Reihe von Mißernten im Jahre 1817 ihren Gipfelpunkt. Die Städter beklagten sich insbesondere über die hohen Preise des Fleisches, des Brotes, der Getränke und des Brennholzes. Gleichzeitig gab es eine tiefgreifende Stockung des Erwerbslebens. Erst 1818 trat eine Senkung der Preise ein.
ASchu
Abbildung

**2/3/47**
**Aktie der „privilegirten oesterreichischen National-Bank" für Ludwig van Beethoven, Wien, 13. Juli 1819**

Faksimile, 270 × 41 mm
Wien, Oesterreichische Nationalbank

Zu den Hauptaufgaben der 1816 gegründeten „Privilegirten Oesterreichischen Nationalbank" gehörte die Ausgabe von Aktien. Die Zahl der von diesem Institut zu vergebenden Aktien wurde im Jahre 1817 auf 100.000 Stück festgesetzt. Die Aktien waren Namensaktien und enthielten die Zusicherung, daß auf die geleistete statutenmäßige Einlage, deren Höhe in den Wertpapieren selbst nicht aufschien, „nie eine Zuzahlung Statt haben kann".

Zu den Aktionären der Nationalbank gehörte auch Ludwig van Beethoven.
ASchu
Abbildung

**2/3/48**
**Medaille zur Grundsteinlegung des Gebäudes der Oesterreichischen Nationalbank, 1821**

Johann Baptist Harnisch (1778–1826)
Vs.: Fassade des Bankgebäudes. Im Abschnitt: PRIVILEGIRTE ÖSTERREICHISCHE/ NATINOALBANK
Rs.: FRANZ/KAISER VON ÖSTERREICH/ LEGTE DEN GRUNDSTEIN/ZU DIESEM GEBÄUDE/MDCCCXXI.
Silber, Dm.: 36 mm
HM, Inv. Nr. 1.819

Die 1816 gegründete Nationalbank war zuerst im Bancogebäude in der Wiener Innenstadt (damals Hausnummer 886, Singerstraße) untergebracht worden. Da sich das Bancogebäude für die Nationalbank als zu klein erwies, wurde für das Institut alsbald ein Neubau in der Herrengasse (Wien 1) errichtet. Die vorliegende Medaille erinnert an die Grundsteinlegung des Gebäudes durch Kaiser Franz I., die am 25. Juli 1821 im Beisein aller in Wien anwesenden Mitglieder des Kaiserhauses erfolgte. Das Gebäude der Nationalbank (in der damaligen Herrengasse Nr. 32), ausgeführt von dem Architekten Raphael von Riegel nach Entwürfen Moreaus und Sprengers, war 1823 vollendet und zählte zu den schönsten Häusern Wiens. Da sich auch dieses Haus für das Institut alsbald als zu klein erwies, übersiedelte es 1860 in einen nach Plänen Heinrich von Ferstels geschaffenen Bau (Wien 1, Herrengasse 14 – Strauchgasse 2 – Freyung 1).

Die nach dem Zerfall der Monarchie im Jahre 1923 neu gegründete Oesterreichische Nationalbank befindet sich seit 1925 an der heutigen Adresse Wien 9, Otto-Wagner-Platz 3.
ASchu

**2/3/49**
**„Speisen- und Getränke-Tarif" des Gasthauses Daum, 1834**

38,7 × 48 cm
HM, Inv. Nr. 49.337/1

Die Preisliste von Daum's Gasthaus in der Stadt, am Kohlmarkt Nr. 260 in Wien (das Gebäude entspricht der heutigen Adresse Wien 1, Kohlmarkt 12) zeigt ein sehr reichhaltiges Angebot an Speisen und Getränken, die in fl und kr der Wiener Währung angegeben sind. So kostete eine Brotsuppe mit Ei 8 kr (= 3⅕ kr C.M.), ½ Huhn mit Sellerie 42 kr (= 16⅘ kr C.M.), ein Kalbsbraten 33 kr (= 13⅕ kr C.M.) und ein Kaffee (eine Melange) 18 kr (= 7⅕ kr C.M.). Ein Hilfsarbeiter in Wien hatte zur gleichen Zeit einen Tageslohn von etwa 24 kr C.M.
ASchu
Abbildung

**2/3/50**
**„Interims-Note" der Buchhandlung Mösle's Witwe und Braumüller, 18. Januar 1837**

13,3 × 21 cm
HM, Inv. Nr. 98.093

Wie aus der vorliegenden Rechnung („Interims-Note") der Buchhandlung Mösle's Witwe & Braumüller, Wien, Graben 1144 (Gebäude um 1910 demoliert, entspricht heute: 1., Graben 16 – Habsburgergasse 2) hervorgeht, mußte man im Jahre 1837 für das Buch mit dem Titel „Berlin wie es ißt" 24 Kreuzer C.M. (Konventionsmünze) ausgeben. In diesem Beleg sind allerdings auch Bücher um 1 fl 36 kr und 2 fl 30 kr angeführt.
ASchu

**2/3/51**
**Medaille zur Erbauung des Münzamtes, 1837**

Joseph Daniel Böhm (1794–1865) und Franz Zeichner (1778–1862)
Vs.: FRANCISCVS.I.FERDINANDVS.I. D.G.IMPERATORES.AVSTRIAE Köpfe von Ferdinand I. und Franz I., nach rechts
Sign. Mi. u.: I.D.BOEHM.F.
Rs.: AVRO.ARGENTO.AERI. FLANDO. FERIVNDO Das Münzamtsgebäude. Im Abschnitt: AEDES/DECRETAE. MDCCCXXXIV / ABSOLVTAE MDCCCXXXVII
Sign. am linken unteren Rand des Gebäudes: ZEICHNER.F.
Bronze, Dm.: 47 mm
HM, Inv. Nr. 3.718

Das k. k. Münzamtsgebäude (heute Hauptmünzamt, Wien 3, Am Heumarkt 1 – Rechte Bahngasse 2) wurde 1835 bis 1838 nach den Entwürfen von Paul Sprenger errichtet und gilt als Beispiel ärarischer Baukunst des Vormärz.

Kat. Nr. 2/4/3

Joseph Daniel Böhm, Bildhauer und Medailleur, erhielt seine Ausbildung an der Wiener Akademie und in Rom. In Wien widmete er sich hauptsächlich dem Medailleurfach. Böhm erhielt in Wien 1831 den Titel eines Kammermedailleurs. Von 1836 bis zu seinem Tod hatte er hier die Stelle des Direktors der Graveur-Akademie am k. k. Hauptmünzamt inne.

Zu den Schülern Joseph Daniel Böhms, von dem eine Neubelebung der österreichischen Medaille ihren Ausgang nahm, zählten die später in Wien äußerst erfolgreich wirkenden Medailleure Carl Radnitzky (1818–1901), Anton Scharff (1845–1903) und Josef Tautenhayn sen. (1837–1911).

Franz Zeichner wirkte als Münzschneider und Medailleur in Wien.
ASchu

**Der erste österreichische Kaiser**

*„Meine Liebe vermache ich meinen Untertanen. Ich hoffe, daß Ich für sie bei Gott werde beten können; . . ."*
Franz I. vor dem 2. März 1835

**2/4/1**
**Kaiser Franz I. (1768–1835), 1827**

Ferdinand Georg Waldmüller (1793–1865)
Öl auf Leinwand, 68 × 55 cm (oval)
Sign. u. dat. Mi. re.: Waldmüller 1827
HM, Inv. Nr. 12.292

Das Gemälde ist eine Kopie (nach Lampi?), dessen Original sich im Besitz von Kaiserin Carolina Augusta befand.

**2/4/2/1**
**Medaille auf Kaiser Franz I.**

Leopold Heuberger (1786–1839)
Einseitig: FRANZ I/KAISER-VON OESTERREICH. Brustbild des Kaisers nach rechts
Sign. re. u.: HEUBERGER
Bronze (Hohlprägung), Dm.: 55 mm
HM, Inv. Nr. 34.944/1

Leopold Heuberger wirkte ab 1801 als Medaillenscholar an der Wiener Münze. Er schuf zahlreiche Medaillen (meist Hohlprägungen) von Regenten, Staatsmännern und Feldherren seiner Zeit.
ASchu

**2/4/2/2**
**Medaille auf Kaiserin Maria Ludovika**

Leopold Heuberger (1786–1839)
Einseitig: MARIA LVDOVICA-KAI:V: ÖSTERREICH. Brustbild der Kaiserin nach links. Sign. re. u.: HEUBERGER
Bronze (Hohlprägung), Dm.: 55 mm
HM, Inv. Nr. 34.945

**2/4/3**
**„Militärisches Danckfest zur Genäsung S.M. des Kaisers den 4. April 1826."**

Balthasar Wigand (1770–1846)
Gouache, 15,1 × 24,7 cm
Sign. li. u.: Wigand
HM, Inv. Nr. 56.375

Anläßlich der Wiedergenesung des Kaisers, während der Krankheit hatte er bereits die Sterbesakramente erhalten, fand am 4. April 1826 ein Militärfest auf dem Äußeren Burgplatz (1819–1823 als Exerzierplatz vor der Hofburg angelegt) statt, dem am 13. April eine feierliche Feldmesse (vgl. Peter Fendi, Feldmesse auf dem Äußeren Burgplatz, 1826; Österreichische Galerie) folgte.

Das Ereignis (Peter Krafft bearbeitete das Thema als „Erste Ausfahrt des Monarchen" in seinen Hofburg-Bildern) und seine bildliche Rezension sollten an die seit den Franzosenkriegen schicksalshafte Verbindung von Kaiser und Armee erinnern. In einer weniger heroischen Epoche reduzierte sich die Erinnerung daran auf Anlässe privater Natur, die auch die Bürger als Zuschauer mit einbanden.

Kat. Nr. 2/4/7

Kat. Nr. 2/4/8

Wigand, der sich damals schon Bildthemen zugewandt hatte, die auf eine bürgerliche Käuferschicht zugeschnitten waren, schloß mit diesem Paradebild an eine ältere Bildtradition an, die in den festlichen Darstellungen zur Kongreßzeit ihren Höhepunkt erreicht hatte.

*Lit.: Katalog der 51. Sonderausstellung HM, 1977, Kat. Nr. 74*
RKM
Abbildung

**2/4/4**
**Medaille auf die Genesung von Franz I., 1826**

Leopold Heuberger (1786–1839)
Vs.: ANGELIS.MANDATUM.VT.CVSTODIANT.VITAM.SVAM. – L: HEUBERGER. F: Im Abschnitt: XIV. MART. MDCCCXXVI. Unter einem Baum ein kniender Engel, der mit einer Schale Wasser aus einer Felsenquelle schöpft.
Rs.: GRATIARVM ACTIO.PRO.SALVTE. OPTIMI.IMPERATORIS. Im Abschnitt: VINDOB.XVIII.MART./MDCCCXXVI.
Die Fassade der Wiener Stephanskirche
Silber, Dm.: 65 mm
HM, Inv. Nr. 4.701

**2/4/5**
**Familienbild des Kaiserhauses um den Herzog von Reichstadt, 1826**

Leopold Fertbauer (1802–1875)
Öl auf Leinwand, 63,5 × 79,2 cm
Bez. li. (am Baumstamm): Leopold Fertbauer pinx. den 12ten Juny/1826.
HM, Inv. Nr. 16.380

Um Napoleons Sohn, Franz Joseph Carl, Herzog von Reichstadt (1811–1832), gruppieren sich Kaiser Franz I. und seine vierte Gemahlin, Carolina Augusta (links), seine Mutter Marie Louise (1791–1847), die Erzherzoge Ferdinand, später Kaiser Ferdinand I., und Franz Carl mit Gattin Sophie, Eltern von Kaiser Franz Joseph I. (rechts).

Die im romantischen Gartenpavillon dargestellte Familienidylle entbehrt jeglichen repräsentativen Anspruchs, nur der Giebel dient als Hoheitsmotiv. Die Mitglieder der kaiserlichen Familie sind betont leger gruppiert. Der Kaiser ist vor allem als „pater familias“ wiedergegeben. Das bürgerliche Familienethos mutiert zur herrscherlichen Tugend. Gerade durch solche volkstümlichen Bilder gelang es, die Position des Kaisers gegenüber dem Bürgertum zu festigen.

*Lit.: R. Schoch, Das Herrscherbild in der Malerei des 19. Jahrhunderts, Studien zur Kunst des neunzehnten Jahrhunderts, Bd. 23 (Fritz Thyssen-Stiftung), München 1975, S. 105.*
RKM
Abbildung

**2/4/6**
**„Die Schreckensnacht auf den 1. März 1830“ Der Ertrag ist den durch die Überschwemmung Verunglückten gewidmet. Gedruckt bey den P. P. Mechitaristen, 1830.**

Von Aloys Dworzak
Einblattdruck, 23,7 × 37,4 cm
HM, Inv. Nr. 106.876

Die sentimental-pathetische Ballade auf die Katastrophennacht vom 1. März 1830 endet in einer Apotheose auf Franz I.
*„Verblichne! die ihr geendet,*
*Eilt friedlich eurem Schöpfer zu,*
*Den Gnadenblick zu euch gewendet,*
*Gibt neues Leben er und Ruh.*
*Verderben läßt die Vorsicht Keinen,*
*Freut euch bey Gott im hehren Glanz.*
*Ein Vater sorgt für eu're Kleinen,*
*Mann nennt ihn „Oestreichs Vater Franz“*
GD

**2/4/7**
**Kaiser Franz 1. erteilt eine allgemeine Audienz, 1831**

Alexander Clarot (1796–1842)
Tuschpinsel (Sepia), Weißhöhung, 15,2 × 22,2 cm; 23,1 × 32 cm (Untersatzkarton)
Sign. re. u.: A. Clarot
HM, Inv. Nr. 63.834

„. . . Gleich einem Vater unter Kindern schritt / Der Kaiser Franz durch seines Thronsaal's Mitt / Und hörte freundlich jeden an und litt / des ärmsten Menschen unverhol'ne Bitt . . ." – „Ganz Wien wußte, daß der verstorbene Kaiser jeden Mittwochvormittag jedermann, der ihn unmittelbar sehen und der ihn sprechen wollte, freien Eintritt gegönnt hat. ‚Nun, meine Kinder, was kann ich für Euch tun?' Und niemals endete eine dieser patriarchalischen Audienzen, ohne daß ihm von vielen Leuten gesagt wurde: ‚Wir sind nicht gekommen, um irgend etwas zu erbitten, sondern nur um der Freude willen, Eure Majestät zu sehen.'"

Ab 7 Uhr früh fanden sich zu diesen öffentlichen Audienzen in der Hofburg oft bis zu zweihundert Personen ein (Sickingen), um den Kaiser persönlich zu sehen. Schon sein Onkel Josef II. hatte auf dem sogenannten „Kontrollorgang" der Hofburg jedermann Zutritt gewährt. Mit solchen bewußt gepflegten populistischen Gewohnheiten, verankerte sich Franz I. im Gedächtnis seiner Untertanen als „Volkskaiser." Die bildliche Dokumentation seiner Volksnähe wurde, mittels anekdotisch-genrehaften Darstellungen, besonders von Kaiserin Carolina Augusta, der vierten Gemahlin von Franz I., gefördert. Clarots Vorlage wurde von Andreas Geiger gestochen. Auch Peter Krafft malte im Auftrag der Kaiserin ein Audienz-Bild.

*Lit.: Francisceen, Sammlung, hsg. v. C. F. Müller, Wien 1843, S 73 (Zitat 1). M. Frodl-Schneemann, J. P. Krafft, Werkverzeichnis Nr. 168, Zitat nach Frances Trollope (Zitat 2). F. X. v. Sickingen, S 10.*
RKM

**2/4/8**
**Kaiser Franz I. und Carolina Augusta besuchen die Arbeiter beim Bau des Cholerakanals, 1831**

Alexander Clarot (1796–1842)
Feder, Pinsel, Sepia, 14,9 × 21,9 cm
Sign. re. u.: A. Clarot del.
HM, Inv. Nr. 63.607

1830/31 wütete in Wien eine Cholera-Epidemie, von der besonders die Bewohner entlang des Wienflusses betroffen waren. Nachdem der kaiserliche Leibarzt, Freiherr von Stifft, Sofortmaßnahmen verabsäumt hatte, ging man nach dem Erlöschen der Cholera an die hygienische Sanierung des Wienflusses. Die kaiserlichen Wohnsitze, Schönbrunn und das Belvedere, wurden während der Epidemie zerniert, da man Unruhen seitens der Arbeiter nach Schließung der Fabriken fürchtete. Zur Entschärfung der Situation entschloß man sich zu einem Arbeitsbeschaffungsprogramm. Außer dem längst fälligen Abzugskanal entlang des rechten Wienufers, für dessen Bau rund 5.000 Arbeiter eingesetzt wurden, entstanden der Nußdorfer Damm und das Kriminalgerichtsgebäude.

Bildchronisten hielten die zahlreichen Besuche des Kaisers, meist in Begleitung von Carolina Augusta, fest. Der Nachweis der persönlichen Verantwortlichkeit des Kaiserhauses allen Bevölkerungsschichten gegenüber bei Negierung des Gefahrenmoments einer Ansteckung diente als politisches Propagandamittel. Hinter der bewußten Verbreitung all dieser Darstellungen ist vor allem Carolina Augusta als treibende Kraft zu sehen, die seit ihrer Eheschließung 1816 unentwegt solche Bildthemen in Auftrag gab.
RKM
Abbildung

Kat. Nr. 2/4/9

**2/4/9**
**„Familien-Vereinigung des österreichischen Kaiserhauses im Herbst 1834. Ihrer Majestät der Kaiserin Carolina Augusta – allerunterthänigst gewidmet von Johann Passini", 1834**

Johann Passini (1798–1854) nach Peter Fendi (1796–1842)
Radierung, koloriert, 49 × 61 cm (Pl), 54,7 × 69,7 cm (Bl)
Bez. li. u. im Druck: Nach der Natur gemalt von P. Fendi im November 1834
Bez. re. u. im Druck: Gestochen von Joh. Passini in Wien.
HM, Inv. Nr. 70.399

Dieses wenige Monate vor dem Tod von Kaiser Franz I. von Kaiserin Carolina Augusta in Auftrag gegebene Werk vereinigte 37 Mitglieder des Kaiserhauses. Am 21. Oktober versammelte man sich im Familien-Tafelzimmer (die Privat- und Repräsentationsräume befanden sich im 2. Stock des Schweizerhofes), wo die Gruppen arrangiert wurden. In Einzelsitzungen wurden zuerst die Kinder, dann die Erwachsenen porträtiert, wobei Fendi den Kaiser in die Mittelachse situierte.

Das Familienbild als eine Sparte des Gesellschaftsbildes der ersten Hälfte des 19. Jahrhunderts hat eine lange zurückreichende aus dem höfischen Bereich kommende Tradition. Die Bilder, die zum Beispiel Martin van Meytens im Auftrag von Kaiserin Maria Theresia von der kaiserlichen Familie vor der Kulisse des Schlosses Schönbrunn mit den Insignien kaiserlicher Macht gemalt hat, verleugnen den damit ausgesprochenen Herrschaftsanspruch nicht. Fendis „Familienvereinigung" in einem Stich verbreitet, verwendet subtilere und „modernere" Mittel zur propagandistischen Aussage und sollte in einer anderen Richtung wirken. Es galt nicht mehr, die von Gott eingesetzte Dynastie, den Herrscher seiner Untertanen darzustellen, sondern den Vater seiner Völker, als den Franz I. sich immer wieder apostrophieren ließ, in einem schlichten, bürgerlichen Ambiente. Die Vorbildwirkung einer großen, geeinten in Liebe verbundenen Familie sollte darüber hinaus beispielhaft für die Völkerfamilie des Habsburgerreiches stehen als sichtbares Gegengewicht gegenüber den auseinanderstrebenden Teilvölkern der Monarchie. Der Begriff des „Vaterlandes", in den Befreiungskriegen lebendig geworden, wird hier thematisch mit der alten Vorstellung von der „Casa d'Austria", dem „Hause Österreich", verbunden.
RKM/SK
Abbildung

**2/4/10**
**Politisches Vermächtnis des Kaisers Franz I. für seinen Sohn und Thronfolger Ferdinand I. 1835 Februar 28, Wien**

Original, Papier, 2 Folien mit eigenhändiger Unterschrift des Kaisers
Wien, Österr. Staatsarchiv, Abtlg. Haus-, Hof-

Kat. Nr. 2/4/13

und Staatsarchiv, Familienurkunden. 2347 B, fol. 1–2, Habsburg-Lothringisches Familienarchiv

Metternich war an der Textierung beteiligt, die den Thronfolger sehr nachdrücklich darauf verwies, beim Regieren nichts zu verändern und in allem den Staatskanzler zu Rate zu ziehen:

„. . . Verrückte nichts an den Grundlagen des Staatsgebäudes; regiere; und verändere nicht; stelle dich fest und unerschütterlich auf die Grundsätze, mittelst deren stetten Beachtung Ich die Monarchie nicht nur durch die Stürme harter Zeiten geführt, sondern denselben den ihr gebührenden hohen Standpunkt gesichert habe, den sie in der Welt einnimmt . . .

Uibertrage auf den Fürsten Metternich, Meinen treuesten Diener und Freund das Vertrauen, welches Ich ihm während einer so langen Reihe von Jahren gewidmet habe. Fasse über öffentliche Angelegenheiten, wie über Personen, keine Entschlüsse, ohne ihn darüber gehört zu haben . . ."
ChTh/GD

**2/4/11**
**Hauptmomente aus dem Leben Seiner Majestät Franz I Kaisers von Oesterreich, apostolisch: Königs." – „Franz I. nimmt segnend auf dem Sterbebette von Seiner erlauchten Familie Abschied, in der Nacht vom 1ten auf den 2ten Merz 1835"**

Franz Wolf (1795–1859)
nach Johann Hoechle (1790–1835)
Lithographie, 48,2 × 61 cm
Sign. li. u. im Druck: Höchle del. und re. u. im Druck: F. Wolf lith.
Bez. Mi. u. im Druck: gedr. bei J. Höfelich
HM, Inv. Nr. 95.867/1

„Dieses Bild hat der Hofmaler Hoechle dem Bischofe Michael Wagner, welcher Franzens Beichtvater und bey dem Sterbenden zugegen war, vorgelegt, um es zu verbessern . . . Als nämlich Franz wahrnahm, dass das Ende seines Lebens herannnahe, liess er bey Zeiten seine Kinder und Brüder und Bruderskinder zu sich rufen." Die Bildlegende zum Blatt Nr. 20 einer einundzwanzigteiligen Folge, die im Auftrag des Domherrn von Gran und des Abtes von Heiligenkreuz entstand, unterstreicht die Authentizität der Abschiedsszene. Wie schon bei der Familienvereinigung Fendis wird auch hier das vorbildliche Familienleben hervorgehoben, um es als politische Botschaft einzusetzen. Vor Zeugen legitimiert der Kaiser durch eine persönliche Geste seinen Sohn und Nachfolger, Ferdinand. Der dramatische Moment des Sterbens fordert die Anteilnahme des Betrachters (Untertans) ganz besonders heraus. Dieser fühlt sich in das Geschehen eingebunden. Das herausgeforderte Mitgefühl bestimmt jenseits dieses Blattes eine Gruppe von Darstellungen, die als Endpunkte der Ikonographie des „guten Kaisers Franz" und „pater familias" sehr aussagekräftig sind. So zeigte das Journal Pittoresque den Verschiedenen, wie er von einfachen Leuten betrauert wird, und Ender zeichnet den toten Kaiser, wenige Stunden nach seinem Hinscheiden. Dieser Vorlage wurde im Druck dem § 14 des kaiserlichen Testaments beigefügt: „Meine Liebe vermache ich meinen Unterthanen. Ich hoffe, daß Ich für sie bey Gott werde bethen können, und ich fordere sie auf zur Treue und Anhänglichkeit gegen Meinen legitimen Nachfolger, so wie sie mir dieselbe in guten und schlimmen Tagen bewiesen haben." Durch die Verbreitung des Testamentes und solche emotionell berührenden Bildszenen sollte der kritische Moment des Herrscherwechsels überbrückt werden und die Kontinuität des Herrschaftssystems gewährleistet sein.

Das kaiserliche Schlafgemach in der Hofburg (Schweizertrakt) und Sterbezimmer des Kaisers unterschied sich in nichts von einem gutbürgerlichen Interieur, sieht man vom Bettbaldachin, der gleichzeitig als Hoheitsmotiv eingesetzt ist, ab.
RKM
Abbildung

**2/4/12**
**Außerordentliche Beilage der Wiener Zeitung anläßlich des Todes von Kaiser Franz I., 2. März 1835**

Druck, 44 × 27 cm
HM, Inv. Nr. 133.114

Enthält u. a. eine Publikation des Schreibens von Kaiser Ferdinand an Metternich:

„Lieber Fürst Metternich!

Im Anschlusse theile Ich Ihnen eine Abschrift Meines so eben an den ersten Obersthofmeisters erlassenen Handschreibens mit.

Von dem unglücklichen Ereignisse, das Uns Alle mit Trauer, Mich aber insbesondere mit dem größten Schmerz erfüllt, noch zu heftig ergriffen, beschränke ich Mich in diesem Augenblicke darauf, Sie Meiner vollen Anerkennung Ihrer Verdienste um Meinen erhabenen Vater, Mein Haus und den Staat, so wie Meiner Huld und Gnade zu versichern, Sie zur gleichmäßigen Fortsetzung Ihrer Dienste aufzufordern . . ."
WD

**2/4/13**
**„Die kaiserlich koeniglich oesterreichische Familie das Bildnis des Höchstseligen Kaisers Franz I. betrachtend. / Den treuen Nationen des oesterreich. Kaiserreiches – Gewidmet von Th. Driendl." um 1836**

Thomas Driendl nach Johann Ender (1793–1854)
Lithographie, koloriert, 53 × 68,3 cm; 64,3 × 75,8 cm (Untersatzpapier)
Sign. li. u. im Druck: Componirt u. gez. v. Joh. Ender und re. u. im Druck: Auf Stein gez. u. herausgegeben v. Th. Driendl in München.
Bez. Mi. u. im Druck: Gedr. v. Th. Kammerer in der lith. Kunstanstalt v. Piloty u. Loehle
Mit Personenspiegel
HM, Inv. Nr. 74.774

Auch posthum entstanden kaiserliche Familienporträts, welche die Person von Franz I. ins Zentrum rückten, um die Kontinuität des Systems zu stärken. Drei Generationen versammeln sich vor dem Staatsporträt (Kunsthistorisches Museum, Schatzkammer), das

Kat. Nr. 2/4/14

Friedrich Amerling 1832 gemalt hatte. Im Hintergrund links die Darstellung vom „Einzug Franz I. in Wien nach dem Pariser Frieden 1814“ (nach Hoechle). Ender griff mit diesem Werk auf eine Bildtradition zurück, die bis zum Barock zurückgeht. Der Zeigegestus seiner Witwe, Carolina Augusta, gilt hier aber nicht dem Kaiser, sondern dem Gatten. Somit ist, bewußt intentiert, dieses Werk auf ein persönlich-emotionelles Verhältnis zum Betrachter hin angelegt.

*Lit.: R. Schoch, vgl. Kat. Nr. 2/4/5.*
RKM
Abbildung

**2/4/14**
**Zar Nikolaus I. am Sarg Kaiser Franz I. in der Kapuzinergruft, 1836**

Josef Ziegler (1785–1852)
Öl auf Holz, 78,5 × 67,5 cm
Sign. u. dat. re. u.: Ziegler / pinx. 836.
Klebezettel mit Bildlegende auf der Rückseite
HM, Inv. Nr. 75.555

*„. . . Da meldet eines Morgens ein Fremder rasch sich an, die schauerliche Pforte wird, rasselnd aufgetan. Der Fremde steigt hinunter, sein Blick ist ernst und mild. Sein Gang – der Schritt der Trauer – sein Aug der Wehmuth Bild. ‚Wo ist der Sarg?‘ – so fragt er und tritt ergriffen hin! Der Geist des frömmsten Rührens kommt sichtbar über ihn. Und aus dem Auge perlet ihm eine Träne klar. So weint am Sarg des Kaisers der Russen edler Zar! – Er hat mit treuer Freundschaft den Lebenden geehrt, er hat durch Seine Thräne, des Toten Sarg verklärt! . . .“*

Text und Bild sind symptomatisch für das Bestreben, durch die Erinnerung an den „guten Kaiser Franz“ den Weiterbestand der inneren und äußeren Ordnung zu gewährleisten. Die Episode spielte sich am 10. Oktober 1835, wenige Monate nach dem Tod des Kaisers, ab, wobei die Bildquellen – 1835 edierte das Journal Pittoresque bereits das Geschehen in der Kapuzinergruft – weitere Augenzeugen dieser Szene einschließen: Der Zar befindet sich in Begleitung des k. k. Generalmajors Carl Fürst von Liechtenstein, geführt vom Schatzmeister der Kapuziner, Pater Ferdinand, und dem Kirchendiener Peter.

Zar Nikolaus I., jüngerer Bruder Alexanders I., bestieg 1825 den Thron. Zur Erneuerung der Heiligen Allianz zwischen Österreich, Preußen und Rußland, kam es 1833 zu einer persönlichen Begegnung zwischen Nikolaus und Franz, der dem Zaren bei dieser Gelegenheit das 9. ungarische Husaren-Regiment übergab.

Noch zu Lebzeiten hatte Franz I. 1822–1824 durch den Hofarchitekten Johann Aman (1765–1834) die oktogonale Franzensgruft nördlich der Maria-Theresia-Gruft errichten lassen. Peter Nobile (1774–1854) entwarf den Sarkophag, einen pompejanischrot gefärbten, kupfernen Truhensarg auf hohem Sockel, auf dessen Deckelpolster Kaiserkrone, Zepter, Reichsapfel, Goldenes Vlies und Schwert ruhen.
SK/RKM
Abbildung

Kat. Nr. 2/4/15

**2/4/15**
**Die Enthüllung des Kaiser-Franz-Denkmales am 16. Juni 1846**

Kreidelithographie, koloriert, auf getöntem Untersatzkarton montiert
39,2 × 73,9 cm
Bez. Mi. u.: Der Franzensplatz in Wien, / nach der feyerlichen Enthüllung des Monumentes weil. Seiner Majestät des Kaisers Franz I. am 16. Juny 1846
HM, Inv. Nr. 53.071

Die Geschichte dieses Denkmales hat nicht nur künstlerische, sondern vor allem auch politische Aspekte. Schon unmittelbar nach dem Tod des Kaisers war durch Fürst Metternich als Kurator der Akademie der bildenden Künste an diese der Auftrag ergangen, eine Konkurrenzausschreibung zu diesem Zweck zu machen, die 20 Entwürfe einbrachte. Da man sich über eine Prämierung nicht einigen konnte, folgte 1838 eine zweite Ausschreibung, die auch kein Ergebnis brachte. Den Auftrag erhielt schließlich der Mailänder Bildhauer Pompeo Marchesi, der an den beiden Konkurrenzen gar nicht teilgenommen hatte, was zu einem der größten Kunstskandale im vormärzlichen Wien führte. Die verworrene Genese des Monuments zeigt, wie wichtig das Projekt für den kaiserlichen Hof war und in welcher Weise politische, außerkünstlerischen Forderungen eine Rolle spielten. Ein Beispiel dafür ist die Diskussion um den Aufstellungsort, der allgemein zugänglich und auch für die ankommenden Besucher der Stadt unmittelbar im Blickfeld sein sollte. Die endgültige Lösung ist ein Kompromiß, an Stelle des zuerst vorgesehenen äußeren Burgplatzes wurde der innere Burghof genommen und für die von Metternich eigentlich gewünschte Sitzfigur des Kaisers als „Gesetzgeber und Beglücker seiner Völker“ kam es zur Ausführung einer Standfigur nach dem im Klassizismus üblichen Typus. Der „modernere“ Typus der Sitzfigur war wenige Jahre vorher bei der Ausführung des Denkmals des bayerischen Königs Maximilian I. Joseph durch den Berliner Bildhauer Christian Daniel Rauch zur Anwendung gebracht worden. Die Herkunft der Sitzfigur von antiken Philosophenstatuen hätte sie wohl geeigneter zu der gewünschten Aussage des Monuments gemacht als die auf römische Imperatorenstatuen zurückgehende Standfigur. Deutlich wird die angestrebte Wirkung des Werkes durch die Sockelinschrift mit einem Zitat aus dem Testament von Kaiser Franz I.: „Meine Liebe meinen Völkern“. 1838–41 hatte Marchesi das Kaiser-Franz-Monument für Graz ausgeführt. Die Grundsteinlegung für das Wiener Denkmal fand am 18. 10. 1842 statt, dem Jahrestag der Völkerschlacht von Leipzig, und die Enthüllung am 16. 6. 1846, zur Erinnerung an die Rückkehr des Kaisers an diesem Tag 1814 aus Paris. Das ist einen Anspielung auf die Rolle von Franz I. als Retter des Vaterlandes, worauf auch ein Gedicht von Carl August Glaser „Das kaiserliche Geschenk“ anspielt: Ein Veteran, der ihn das letzte Mal bei der Völkerschlacht von Leipzig gesehen hat, wünscht hier nur eines, dem Kaiser, dem „österreichischen Trajan“, die Hand drücken zu dürfen. So hat letztlich der geänderte Darstellungsmodus des Denkmales auch neue Inhalte und Aussagen einfließen lassen. Die Wiedergabe des Ereignisses auf dem Blatt ist ungenau, da das Monument nicht schräg, sondern genau in der Achse des inneren Burghofes steht.

*Lit.: Anselm Weißenhofer, Die Wiener Akademie und das Kaiser-Franz-Denkmal. In: Monatsblatt des Vereines für Geschichte der Stadt Wien, Bd. I, 1. Jg., 1919, S 1 ff.; Francisceen, hrsg. von C. F. Müller, Wien 1843, S 188 ff.*
SK
Abbildung

Kat. Nr. 2/5/1

Kat. Nr. 2/5/2

Kat. Nr. 2/5/5

**Napoleons Sohn**

*„Mein Gott! Hätte ich nicht meinen Sohn, so wäre ich mit jeder Lösung zufrieden, die mir eine, wenn auch nicht glückliche, so doch wenigstens ruhige Zukunft bieten würde; aber für ihn will ich einen Staat; ich will nicht, daß er mir einmal vorwerfen kann, ich hätte mich um seine Interessen nicht gekümmert. Als Mutter schulde ich es ihm und ich werde nicht ruhen, bis er nicht Parma oder zumindest eine an Ausdehnung, Bevölkerung und Einkommen gleichwertige Entschädigung erhalten hat . . .“*
Marie Louise an die Herzogin von Montebello, 20. November 1814.

**2/5/1**
**Marie Louise von Parma (1791–1847)**

Johann Nepomuk Ender (1793–1854), 1826
Aquarell, 19,1 × 14,5 cm,
Sign. u. dat. re. (Rand): Joh. Ender 1826
HM, Inv. Nr. 56.360

Erzherzogin Marie Louise, die älteste Tochter von Kaiser Franz I., heiratete 1810 auf Metternichs Vorschlag Napoleon, dem sie 1811 Franz Joseph Carl, den späteren Herzog von Reichstadt, gebar. Während Napoleons Verbannung nach Elba begab sie sich nach Schönbrunn, 1816 übernahm sie die oberitalienischen Herzogtümer Parma, Piacenza und Guastalla, deren Regentschaft ihr im Vertrag von Fontainebleau zugesichert worden war. 1822 vermählte sie sich in morganatischer Ehe mit ihrem Hofmeister, dem Grafen Neipperg, ihr beider gemeinsamer Sohn, der Fürst von Montenuovo, war 1821 zur Welt gekommen. In dritter Ehe vermählte sich Marie Louise mit Graf Bombelles.

*Lit.: Ausstellungskatalog „Die Aera Metternich“, Historisches Museum der Stadt Wien 1984, Nr. 6/1*
SW/WD
Abbildung

**2/5/2**
**Franz Joseph Carl, Herzog von Reichstadt (1811–1832)**

Wiener Porzellanmanufaktur, 1834
Malerei auf Porzellan, Porträt 18,5 × 13,5 cm, Platte 22 × 18 cm
Bez. auf der Rückseite: Bindenschild, Jahresstempel 1834
HM, Inv. Nr. 56.411

Der einzige Sohn Napoleons aus der Ehe mit Marie Louise (geb. 20. März 1811 in den Tuilerien) erhielt bei seiner Geburt den Titel eines Königs von Rom. Bei Annäherung der verbündeten Heere 1814 wurde das kaiserliche Kind, dem Napoleon, ehe er in Fontainebleau die Abdankung unterzeichnete, vergebens die Thronfolge zu sichern suchte, nach Blois und dann nach Wien (Schönbrunn) gebracht. Als Napoleon 1815 von Elba zurückkehrte, forderte er Gattin und Kind von Franz I. zurück. Nachdem dies verweigert wurde, entwarf der Sohn der Gräfin Montesquiou – sie war die Erzieherin des Herzogs von Reichstadt – einen Plan zur Entführung des Prinzen. Der Plan wurde entdeckt und der Herzog nun nach Wien in die Hofburg unter die Obhut seines Großvaters gebracht. Marie Louise erhielt zwar am 29. Mai 1815 den Sohn zurück, als sie aber im März 1816 die Regierung von Parma übernahm, mußte der Prinz in Wien bleiben. Ein zwischen den verbündeten Mächten 1817 abgeschlossener Vertrag beraubte den Herzog seines Erbrechts auf Parma, wofür ihm Franz I. auf den Todesfall des Großherzogs von Toskana die Herrschaft Reichstadt in Böhmen zusicherte. Zugleich verlieh ihm der Großvater den Rang unmittelbar nach den Prinzen des österreichischen Hauses, das Prädikat „Durchlaucht“ und ein eigenes Wappen. An seinem zwölften Geburtstag erhielt der Prinz das Fähnrichspatent, 1828 wurde er Hauptmann und 1830 Major. Als 1829 dem Dichter Auguste Barthélemy nicht gestattet wurde, ihm das Gedicht „Napoléon en Egypte“ persönlich zu überreichen, knüpften sich daran Gerüchte von großen Einschränkungen der Freiheit des Prinzen, die besonders in Frankreich Glauben fanden. Insbesondere wurde behauptet, er sei über das Schicksal des Vaters nicht informiert worden. Dies erwies sich aber als unbegründet, der Herzog kannte dasselbe und erwies seinem Vater die leidenschaftlichste Verehrung. Im April 1832 zeigten sich die ersten Anzeichen von Lungentuberkulose, am 27. Juli 1832 starb der Herzog von Reichstadt in Schönbrunn.
GD
Abbildung

**2/5/3**
**Der Herzog von Reichstadt**

Johann Nepomuk Hoechle (1790–1835)
Sepia, Feder und Pinsel, 25,2 × 32,8 cm
Sign. re. u.: Höchle del.
HM, Inv. Nr. 65.740

Vorlage (mit Zensurvermerk, 13. 2. 1833) für die von Wolf und Weissenbach im „Journal Pittoresque“ erschienene Lithographie.
GD
Abbildung

**2/5/4**
**Malkasten des Herzogs von Reichstadt**

Wien, Heeresgeschichtliches Museum

**2/5/5**
**Anton Freiherr Prokesch von Osten (1795–1876)**

Josef Kriehuber (1800–1876), 1846
Aquarell, 25,7 × 20 cm, in Preßledermappe, 34,5 × 28,5 cm
Sign. u. dat. re. u.: Kriehuber, 1846
HM, Inv. Nr. 90.476

Anton Prokesch von Osten, Offizier in den Feldzügen gegen Frankreich 1813–1815, 1818 Adjutant des Fürsten Schwarzenberg, ab 1824 mehrfach Missionen im Vorderen Orient. 1827 als Generalstabschef des Admirals Dandolo im Mittelmeer energisch das Seeräuberunwesen bekämpft. Wurde 1830 geadelt („Ritter von Osten“). Vermittelte 1833 Frieden zwischen dem Sultan und dem Vizekönig von Ägypten. 1834 bis 1849 Gesandter in Athen. 1867 Botschafter in Konstantinopel. Seit 1871 Graf.

Prokesch war als erfolgreicher Militär, Diplomat, Gelehrter und Schriftsteller in ganz Europa geachtet.

Er genoß das volle Vertrauen des Herzogs von Reichstadt.

*Lit.: Ausstellungskatalog „Die Aera Metternich“, Historisches Museum der Stadt Wien 1984, Nr. 6/4.*
SW/WD
Abbildung

**2/5/6**
**Die Leiche des Herzogs von Reichstadt / wird den 23ten Juli 1832 Nachts von Schönbrunn nach der Stadt in die k. k. Hofkapelle gebracht.**

Franz Wolf (1795–1859)
Lithographie, koloriert, 30 × 45 cm
Bez. li. u.: Gez. v. J. Höchle, re. u.: Lyth. (sic!) v. F. Wolf.
HM, Inv. Nr. 185.605

Das Blatt erschien in dem von Wolf und Weissenbach herausgegebenen „Journal Pittoresque“, für das Johann Nepomuk Hoechle noch während seiner letzten Lebensjahre Vorzeichnungen lieferte. F. Wolf lithographierte oft nach Hoechles Vorlagen.
SW

Kat. Nr. 2/5/3

**Der gütige Kaiser**

*„Bin i Kaiser oder net?“*
Ferdinand I. lehnt den Schießbefehl auf die Aufständischen im Frühjahr 1848 ab.

**2/6/1**
**Der Kronprinz Erzherzog Ferdinand in der überschwemmten Roßau am 2. März 1830**

Eduard Gurk (1801–1841)
Sepiapinsel und Bleistift, 25,6 × 32,9 cm.
Bez. auf Rs.: Der Erzherzog Ferdinand (Kronprinz) nimmt nach der / Eisstoßüberschwemmung einen Knaben an, welchem die Aeltern ertrunken sind / der Richter von der Rossau übergiebt I:K: Hoheit denselben in Gegenwart / des Feldmarschalls G. Bellegarde u. Obrist Gr: Tisch (sic!). / Die Handlung den 3ten (sic!) März 1830. / Heute skizziert den 26ten März. / 1830.
HM, Inv. Nr. 20.901

Im überaus strengen Winter 1829/30 fror die Donau zu, und ein Eisstoß bildete sich. Plötzlich einsetzendes Tauwetter führte in der Nacht vom 28. Februar zum 1. März 1830 zur Katastrophe: In einem bis dahin nicht gekannten Ausmaß wurden die Vorstädte Leopoldstadt, Jägerzeile, Roßau, Thury, Liechtental, Althan, die Alservorstadt, die Landstraße, die Unteren Weißgerber, aber auch tiefer gelegene Teile der Inneren Stadt, so die Rotenturmstraße, Adlergasse, der Fischmarkt und der Salzgries überflutet. Eine erschreckend hohe Zahl an Menschenleben war zu beklagen, allein in der Roßau ertranken 20 Personen.

Bereits am 1. März ließ sich der Kronprinz in das Katastrophengebiet bringen, am 2. März (die oben zitierte Beschriftung nennt den folgenden Tag!) nahm er sich des zum Vollwaisen gewordenen elfjährigen Knaben Joseph Leykam aus dem Hause Roßau 105 (heute 9., Porzellangasse 13) an. Der Obersthofmeister Graf Bellegarde, der Dienstkämmerer Graf Tiege, der Regierungskommissär Taulow von Rosenthal und der Richter der Roßau, Paul Röger, begleiteten den kaiserlichen Prinzen. Siehe auch Kat. Nr. 2/4/6.
GD

**2/6/2**
**Der Kronprinz Erzherzog Ferdinand an der überschwemmten Leopoldstadt am 1. März 1830**

Eduard Gurk (1801–1841)
Aquatinta, koloriert, 44 × 62,1 cm
Sign. re. u.: Gez. u. gest. von Ed. Gurk
Bez. u.: LEOPOLDSTADT JÄGERZEILE AM 2. MÄRZ / DENKMAHL EDLER HOCHERZIGER GESINNUNGEN UND HANDLUNGEN / IN DEN TAGEN DER GEFAHRVOLLEN ÜBERSCHWEMMUNG VOM 1. MÄRZ 1830 IN WIEN.
HM, Inv. Nr. 21.603/2

Blick in die Jägerzeile (heute Praterstraße) gegen die Stadt. In der rechten Zille vorne der Kronprinz Ferdinand mit seiner Begleitung.
GD

**2/6/3**
**Die Krönung Ferdinands zum König von Ungarn am 28. September 1830**

Eduard Gurk (1801–1841)
Kreidelithographie, koloriert, 34,9 × 47,4 cm
Sign. re. u.: Gurk f. Bez. u.: Erinnerungs-Blätter an die Krönung S.K.H. des Erzherzogs Kronprinzen Ferdinand zum König von Ungarn in Preßburg d. 28. Sept. 1830 / FUNCTION AM KÖNIGSBERG. / Wien bey T. Mollo.
HM, Inv. Nr. 110.509

Die Krönung erfolgte vor dem in Preßburg versammelten Landtag. Das von den Ständen dargebrachte Ehrengeschenk von 50.000 Dukaten bestimmte Ferdinand einerseits zur Unterstützung der durch eine Mißernte betroffenen ungarischen Bevölkerung, andererseits zur Vermehrung des Fonds für die ungarische Akademie.
GD

**2/6/4**
**Trauung Erzherzog Ferdinands mit Prinzessin Maria Anna von Savoyen, 1831**

Leopold Bucher (1797–1877)
Öl auf Leinwand, 73,5 × 105,5 cm.
HM, Inv. Nr. 31.478

1830 wurden die Weichen für die Nachfolge gemäß dem Legitimitätsprinzip gestellt und Erzherzog Ferdinand zum König von Ungarn gekrönt. Wenige Monate später, am 27. Februar 1831, erfolgte Ferdinands Hochzeit in der Kammer-Kapelle (St.-Josefi-Kapelle) der Hofburg. Die Trauungszeremonie nahm in Anwesenheit von Kaiser Franz I. und Kaiserin Carolina Augusta und des Hofes Erzherzog Kardinal Rudolph vor. Diesem Ereignis waren ärztliche Gutachten über die Ehefähigkeit des damals 38jährigen Thronfolgers vorangegangen. Trotz der Kinderlosigkeit des Thronfolgerpaares war die Nachfolge bereits gesichert, da Erzherzogin Sophie, Gemahlin von Erzherzog Franz Carl, am 17. August 1830 einen Knaben, Franz Joseph (seit 1848 Kaiser Franz Joseph I.) geboren hatte.

Leopold Bucher, seit 1802 k. k. Hofkammermaler, war als Historienmaler tätig. Im ungarischen Krönungssaal von Laxenburg malte er zusammen mit Johann Hoechle d. Ä. Habsburgerbilder (Krönung Carolina Augustas in Preßburg, 1825; Krönungsritt von Kronprinz Ferdinand in Preßburg, 1830).
RKM

**2/6/5**
**Kaiser Ferdinand I. (1793–1875)**

Öl auf Lithographie, 33,5 × 27 cm.
HM, Inv. Nr. 104.374

**2/6/6**
**Maria Anna, Gemahlin von Kaiser Ferdinand I.**

Öl auf Lithographie, 33,5 × 27 cm.
HM, Inv. Nr. 104.375

Tochter König Viktor Emanuels I. v. Savoyen und der Erzherzogin Maria Theresia von Österreich-Este. An der Seite Ferdinands I. durch Jahrzehnte aufopfernde Gattin.
WD
Abbildung

**2/6/7**
**Amnestie unter Ferdinand I., 1835**

Josef Bauer (1820–1904) nach Sigmund Perger (1778–1841)
Kreidelithographie, 44,9 × 58,2 cm
Sign. li. u.: Gez. v. Ritter v. Perger
Bez. Mi. u.: Gedr. b. J. Höfelich
Bez. re. u.: Lith. von J. Bauer. Bez. Mi. u.: AMNESTIE ERTHEILT VON S:M: KAISER FERDINAND I. IM JAHRE 1835.
HM, Inv. Nr. 9.839

Üblicherweise wurde beim Regierungsantritt eines jeden Monarchen eine Amnestie erteilt. Die Darstellung bezieht sich auf die Freilassung von Häftlingen aus dem Staatsgefängnis Spielberg bei Brünn, einer der gefürchtetsten und berüchtigsten Haftanstalten in der Habsburgermonarchie. Auf den Spielberg kamen die wegen Hochverrates und Kreditpapierverfälschung sowie die zu mehr als zehn Jahren Kerker Verurteilten. Der Strafvollzug in dieser ehemaligen Festung zeichnete sich durch besondere Strenge aus.
WD

**2/7/1**
**Die Krone des Kaisertums Österreich**
**Funeralkrone für Franz I. nach Jan Vermeyen**
**Wien**

Seit 1424 wurden die Insignien und Kleinodien des Heiligen Römischen Reiches nur mehr bei der Kaiserkrönung verwendet. Kaiser Sigismund (1410–1437) hatte sie damals der Obhut der Stadt Nürnberg übergeben, von wo sie schließlich 1800, über Weisung von Kaiser Franz II. (I.), in die Wiener Schatzkammer übernommen wurden, um sie dem Zugriff der französischen Truppen zu entziehen.

Jeder Kaiser mußte sich nun seit 1424 für alle anderen Anlässe, bei denen er unter der Krone erscheinen sollte, eine Privatkrone anfertigen lassen. Als einzige dieser Privatkronen hat sich jene Kaiser Rudolfs II. (1576–1612) erhalten, die Kaiser Ferdinand II. (1619–1637) zur Hauskrone des Hauses Österreich erklärte. Diese Krone, die als Privatbesitz der Habsburger keine staatsrechtliche Funktion hatte, wählte Franz I. (II.) 1804 zur Krone des Kaisertums Österreich.

Rudolf Distelberger (Die Krone Kaiser Rudolfs II., später Krone des Kaisertums Österreich. In: Weltliche und Geistliche Schatzkammer, Führer durch das Kunsthistorische Museum Nr. 35, Wien 1987, S. 51 ff.) beginnt seinen bemerkenswerten Interpretationsversuch dieser Krone mit (S. 52):

„Die Krone besteht aus drei Hauptteilen mit hohem Sinngehalt: aus dem eigentlichen Kronreif mit Lilienaufsätzen, der für sich genommen eine Königskrone bildet . . ., aus dem kaiserlichen Hochbügel von der Stirn zum Nacken . . . und aus der Mitra, welche die dem Kaiser vorbehaltene geistliche Sonderstellung, sein hohepriesterliches Gottesgnadentum, symbolisiert."
GD

**Orden und Ehrenzeichen des Kaisertums Österreich**

Das Zeitalter der Aufklärung hatte in Ansätzen die Gleichheit (oder eher Gleichwertigkeit) sittlich handelnder Menschen gefordert. Strenge soziale Hierarchie blieb jedoch in den Monarchien Europas nach 1815 noch immer vorherrschend. In einer gewissen Weise drückte sich dies auch im Ordenswesen und in den Auszeichnungen zur Zeit des aufgeklärten Absolutismus im letzten Drittel des 18. Jahrhunderts aus. Zwar immer noch in eine Hierarchie eingebunden, war es nun zahlreichen Personen möglich, in einen weltlichen Orden aufgenommen zu werden, der seinen Mitgliedern nicht nur Regeln und Verpflichtungen vorschrieb, sondern auch Anerkennung und Belohnung für vollbrachten Taten darstellte.

Der bereits im Jahr 1430 von Herzog Philipp dem Guten in Burgund gestiftete Orden vom Goldenen Vlies gelangte im Jahr 1477 unter die Souveränität der Habsburgerdynastie. Der Orden behielt seinen religiös-kirchlichen Charakter wie auch den des Symbols der aristokratischen Gesellschaft. Kaiser Karl VI. von Österreich nahm bei seiner Abreise aus Spanien im Jahr 1711 die Ordensschatzkammer und das Ordensarchiv nach Wien mit; daraufhin wurde es aber wieder nach Brüssel überführt. Die Bedrohung durch die französischen Revolutionsheere führte im Jahr 1794 zur endgültigen Übersiedlung nach Wien. Die Bestimmung, daß der Orden nur an Katholiken verliehen werden konnte, wurde am Ende der Napoleonischen Kriege durchbrochen. Der spätere englische König Georg IV. wurde als Angehöriger der anglikanischen Kirche im Juni 1814 zum Ordensritter ernannt. Jedoch konnte der Orden des Goldenen Vlieses als souveräner Orden schließlich auch für die Verdienste um den Staat verliehen werden.

Einer der prominentesten österreichischen Offiziere, die diesen Orden erhielten, war Feldmarschall Graf Radetzky. Auch ein weiterer hoher Offizier, der zum Ende der Biedermeierzeit maßgeblich beitrug, Alfred Fürst Windisch-Graetz, wurde bereits 1830 Ordensritter.

Im militärischen Bereich kommt es um die Mitte des 18. Jahrhunderts, der Zeit der mit stehenden Heeren geführten „Kabinettskriege" zu einer steigenden Bedeutung des Ordens- und Auszeichnungswesens. Beim Militär-Maria-Theresien-Orden kommt dies sehr deutlich zum Ausdruck. Dieser Orden, am 18. Juni 1757 für die Offiziere der Kaiserin-Königin Maria Theresia gestiftet, machte Herkunft vom Adel und katholisches Religionsbekenntnis nicht mehr zur Bedingung für die Verleihung. Auch der, wenn auch noch nicht so häufig anzutreffende, aus dem bürgerlichen Stand hervorgegangene Offizier, konnte diesen Orden zuerkannt bekommen, wenn er eine Waffentat vollbracht hatte, „die ohne Verantwortung auch hätte unterlassen werden können". In den Napoleonischen Kriegen war die Zahl der verliehenen Militär-Maria-Theresien-Orden natürlich sehr hoch. Allein von 1801 bis 1816 wurden acht Großkreuze, 55 Kommandeurkreuze und 399 Ritterkreuze verliehen. Der Höchststand gleichzeitig lebender Ordensmitglieder war im Jahr 1815 mit 340 Inländern und 127 Ausländern erreicht. Nur hundert Jahre später, im Jahre 1914, gab es kein einziges inländisches Ordensmitglied mehr und nur mehr zwei Ausländer. Die relativ lange und nur von kleinen und kurzen Kriegen unterbrochene Friedenszeit zwischen 1816 und 1848 führte dazu, daß die Ordenspromotionen dadurch viel seltener geworden waren.

Der „Königlich-Ungarische Hohe Ritterorden vom heiligen Stephan, dem apostolischen König", wurde von Kaiser Maria Theresia anläßlich der Wahl ihres Sohnes Erzherzog

Joseph zum Römischen König am 5. Mai 1764 als höchster ziviler Verdienstorden der Monarchie gestiftet. Der Orden wurde von Anbeginn vorwiegend ungarischen Adeligen verliehen. Gegen Ende der Napoleonischen Kriege wurden auch zahlreiche Militärs mit dem Orden ausgezeichnet. Zwischen 1818 und 1848 waren die prominentesten ausländischen Ordensmitglieder Anton Graf Capo d'Istria als russischer Außenminister, Franz I. König beider Sizilien, der französische König Karl X. sowie der russische Zar Nikolaus I. und der bayerische Feldmarschall Karl Philipp Fürst Wrede.
Der erste hohe Orden, der sowohl militärische als auch zivile Verdienste ohne Rücksicht auf Herkunft und Stand des Auszuzeichnenden belohnen sollte, war der am 8. Jänner 1808 von Kaiser Franz I. (anläßlich seiner Verlobung mit Maria Ludovica, Herzogin von Modena) gestiftete „Österreichisch-kaiserliche Leopold-Orden". Er sollte an den Vater des Stifters, den 1792 verstorbenen Kaiser Leopold II. erinnern. Die drei Klassen des Ordens (Großkreuz, Kommandeur und Ritter) führten bei der jeweiligen Verleihung zur Ernennung zum Wirklichen Geheimen Rat, zum Freiherrn oder zum Ritter.

Der nach seiner Krönung zum König von Italien von Kaiser Napoleon am 5. Juni 1805 gestiftete Orden der Eisernen Krone wurde im Jahr 1815 vom Kaisertum Österreich, das nun seine Herrschaft über das Lombardo-Venetische Königreich wiedergewonnen hatte, übernommen und sollte eine Anerkennung sowohl für militärische wie auch für zivile Verdienste in Verwaltung, Kunst und Wissenschaft sein. Die drei Klassen des Ordens (I. bis III.) berechtigten den jeweiligen Besitzer zum Ansuchen um die Verleihung jener Titel, die auch für die entsprechenden Klassen des Leopold-Ordens galten.

Während des letzten großen Krieges gegen die Türkei stiftete Kaiser Joseph II. am 19. Juli 1789 die „Erinnerungs- und Ehrenmedaille", die ausschließlich für Mannschaften bestimmt war und zwanzig Jahre später als „Tapferkeitsmedaille" ihre wohlbekannte Bezeichnung erhielt. Bislang waren einfache Soldaten nur mit Belobigungen und Geldzuwendungen für ihre gezeigte Tapferkeit belohnt worden. Die Tapferkeitsmedaille existierte in einer goldenen und silbernen Ausführung und war am Avers mit dem Bildnis Kaiser Franz I. bzw. Kaiser Ferdinands I. versehen. Eine äußerst große Anzahl von Soldaten hatte die Medaille während der fast ein Vierteljahrhundert währenden Napoleonischen Kriege erhalten. Der Besitzer der Medaille wurde auch noch durch eine Zulage belohnt, die bei der Silbernen die Hälfte, bei der Goldenen Tapferkeitsmedaille das Doppelte eines Tagessoldes betrug. Bis in unsere Tage erhalten die Besitzer von Tapferkeitsmedaillen, die sie als Soldaten des Ersten Weltkrieges erhalten haben, eine Zulage, die vom Bundesministerium für Landesverteidigung der Zweiten Republik Österreich ausbezahlt wird.

Nach den Siegen über Napoleon und seine Armee im Frühjahr 1814 entschied Kaiser Franz I., bei seinem Einzug in Paris eine Auszeichnung zu stiften, die aus erbeuteten französischen Kanonen geprägt werden sollte. Diese Auszeichnung sollte für militärische Verdienste in den Befreiungskriegen 1813 und 1814 bestimmt sein und wurde offiziell „Metallenes Armeekreuz" genannt. In der Umgangssprache wurde es aber wegen des verwendeten Materials bei seinen zahllosen Besitzern unter dem Namen „Kanonenkreuz" wesentlich bekannter.

Am selben Tag der Stiftung des Armeekreuzes, am 13. Mai 1814, wurde auch das „Goldene" und Silberne Zivilehrenkreuz" für die Ereignisse der Jahre 1813/1814 gestiftet. Mit dieser Auszeichnung wurden vor allem Zivilisten dekoriert, die sich in diesen Jahren diplomatische, innenpolitische und wirtschaftliche Verdienste erworben hatten. Etwa 200 davon wurden von einer Hofkommission vergeben, wobei es aber fast 4.000 Bewerber für diese Auszeichnung gab.
WE

**2/8/1**
**Österreichischer Ritterorden vom Goldenen Vlies**

Am goldenen Ring beiderseits herabhängendes massives goldenes Widderfell mit nach rechts gewendetem Kopf und vier Beinen
100 × 67 mm
Wien, Heeresgeschichtliches Museum

**2/8/2**
**Kommandeurkreuz des Militär-Maria-Theresien-Ordens**

Goldenes, weiß emailliertes Tatzenkreuz
43 mm
Wien, Heeresgeschichtliches Museum

**2/8/3**
**Kleinkreuz des Königlich-Ungarischen Hohen Ritterordens vom heiligen Stephan**

Unter goldener St.-Stephans-Krone goldenes, dunkelgrün emailliertes Tatzenkreuz
57 × 32 mm
Wien, Heeresgeschichtliches Museum

**2/8/4**
**Ritterkreuz des Österreichisch-kaiserlichen Leopold-Ordens**

Unter österreichischer Kaiserkrone mit abfliegenden Bändern ein achtspitziges, goldenes, rot emailliertes Tatzenkreuz mit breiten, weißen Rändern
58 × 34 mm
Wien, Heeresgeschichtliches Museum

**2/8/5**
**Österreichisch-kaiserlicher Orden der Eisernen Krone 2. Klasse (Friedensdekoration) – Kleine Dekoration**

Gewölbter, goldener Kronreif der lombardischen Eisernen Krone mit doppelgekröntem goldenem Doppeladler unter der Kaiserkrone mit abfliegenden Bändern. Auf der Brust des Doppeladlers ein blau emaillierter Schild mit großem lateinischem „F"
45 × 26 mm
Wien, Heeresgeschichtliches Museum

**2/8/6**
**Silberne Tapferkeitsmedaille mit dem Bildnis Kaiser Franz I.**

37 mm
Wien, Heeresgeschichtliches Museum

**2/8/7**
**Metallenes Armeekreuz 1813/14, sogenanntes „Kanonenkreuz"**

Goldbronzenes Tatzenkreuz auf geschopptem rundem Lorbeerkranz, Arme dunkelgrün mattiert
27 mm
Wien, Heeresgeschichtliches Museum

**2/8/8**
**Silbernes Zivilehrenkreuz**

27 mm
Wien, Heeresgeschichtliches Museum

# KAPITEL 3

## MUSIK

Wien galt im Zeitalter des Biedermeier als Hauptstadt der musikalischen Welt. Bis heute ungezählt bleiben die zahlreichen Musik- und Tanzveranstaltungen der Zeit des Wiener Kongresses. Aber auch in der Zeit danach gab es hier eine musikdurchflutete Atmosphäre sondergleichen. In Wien wie übrigens auch anderswo machte sich in den ersten Jahrzehnten des 19. Jahrhunderts ein starker Wandel im Musikleben bemerkbar. Träger der Musikpflege war immer weniger der Adel, sondern wurde zunehmend der Bürgerstand. Zahlreiche Musikvereine wurden gegründet, die insbesondere eine rege Konzerttätigkeit entfalteten.

Die Musik wurde zunehmend ein wichtiger wirtschaftlicher Faktor. Davon zeugen unter anderem zahlreiche Musikverlage, Musikaliengeschäfte sowie das blühende Gewerbe des Instrumentenbaues.

Wien war ein Sammelpunkt der Komponisten und Virtuosen. Obgleich das Leben und Wirken eines Beethoven, Franz Schubert, Johann Strauß Vater und Josef Lanner besonders hervorgehoben wird, werden im Rahmen der Ausstellung auch noch zahlreiche weitere Künstler entsprechend gewürdigt. Besondere Bedeutung erlangte auch die Hausmusik, die dem öffentlichen Musikbetrieb kaum nachstand.

# MUSIK UND POLITIK

*Theophil Antonicek*

„Den Musikern kann doch die Censur nichts anhaben – wenn man wüßte, was Sie bei Ihrer Musik denken!“ Diese Eintragung Franz Grillparzers in Beethovens Konversationsheft läßt entscheidende Aspekte des Verhältnisses von Politik und künstlerischem Schaffen in der Biedermeierzeit anklingen. Die Bevormundungshaltung, zu deren Instrumentarium neben der Zensur auch noch ein weit verzweigtes Spitzel- und Nadererwesen trat, nahm dem geistig Tätigen von vorneherein die Möglichkeit, sich mit der hinter ihr stehenden Politik zu identifizieren, auch dann, wenn er ihre Ziele vielleicht bejahte. Freilich implizieren Grillparzers Worte noch überdies, daß letzteres weder bei ihm noch bei Beethoven der Fall war, und dasselbe kann wohl auch bei der überwiegenden Mehrheit der geistig Schaffenden angenommen werden. So verschieden im einzelnen die Art sein konnte, sich mit diesem Zustand abzufinden, so eingeschränkt waren die Möglichkeiten, seine Gesinnung nach außen hin nicht verleugnen zu müssen, geschweige in irgendeiner Form zur Geltung zur bringen. Dabei waren zwar die Komponisten tatsächlich gegenüber den Vertretern anderer Bereiche insoferne in einer besseren Lage, als die Musik für sich ja wirklich kaum Möglichkeit zu behördlichen Eingriffen bot. Allerdings hat sich Musik nie damit begnügt, „wahres Geplauder“ – wie es Metternich wollte – zu sein, und sie wurde auch zu allen Zeiten als Medium politischer Botschaften, von „unten“ wie von „oben“, eingesetzt. Gerade im Zuge der sich auch in der Musik auf mannigfache Weise manifestierenden Umwälzungen Ende des 18. Jahrhunderts hatte diese Funktion der Musik eine neue Aktualität erlangt. In den organisierten Meetings der Revolutionsepoche in Frankreich wurden eigens komponierte Massengesänge zum Zweck ideologischer Indoktrinierung eingesetzt, die englische Hymne, die Marseillaise und nicht zuletzt Haydns Kaiserlied wurden zu musikalisch-patriotischen Emblemen. Für Beethoven ist die Musik Trägerin der „poetischen Idee“, Verkünderin eines umfassenden (und durchaus auch politisch gemeinten) Humanismus, und der heftige ästhetische Streit des 19. Jahrhunderts um das „Programm“ in der Musik hat auch einen weltanschaulichen und politischen Aspekt.

Der Musik wie der Künste überhaupt als Mittel zur geistigen Mobilisierung eines Staates hatte sich in Österreich das Ministerium des Grafen Philipp Stadion im Sinne von dessen patriotischem Konzept bedient. Bedeutende künstlerische Persönlichkeiten und Leistungen wurden als Exponenten „vaterländischer“ Produktivität und Gesinnung in Schriften und durch wohlorganisierte Veranstaltungen propagiert. So haben die groß aufgezogenen Huldigungen für den bereits vom Tode gezeichneten Joseph Haydn auch diesen patriotisch-propagandistischen Zweck zum Hintergrund, ließen sich andere Musiker mit Beethoven an der Spitze vor denselben Wagen spannen, wurde schließlich mit den im Stil der französischen Massentreffen aufgeführten Landwehrliedern von Joseph Weigl und Ignaz Franz Castelli das Vorbild des Gegners nicht ohne Erfolg aufgenommen. Der Patriotismus als politische Leitlinie hatte allerdings mit der Niederlage von 1809 und endgültig mit Wiener Kongreß und Heiliger Allianz ausgespielt. Metternichs filigrane Politik des Gleichgewichtes der europäischen Mächte mußte aufs äußerste empfindlich sein gegen alles, was diesen ständig künstlich hochgehaltenen Zustand stören konnte. Dazu gehörte in erster Linie alles, was den Idealen der äußerlich besiegten Revolution entsprach, vor allem natürlich alle demokratischen und die mit ihnen zumeist verknüpften national-patriotischen Strömungen. So trat der paradoxe Zustand ein, daß auch Kundgebungen von loyalem Patriotismus von der Staatsführung ungern gesehen und nach Möglichkeit hintangehalten wurden (Nestroys Ausspruch von der Resignation als der edelsten aller Nationen gewinnt auf diesem Hintergrund eine über den Wortwitz hinausgehende Dimension). Die Zeit öffentlicher politischer Kundgebungen mit Musik war daher im Grunde mit dem Eintritt des Biedermeierzeitalters zu Ende. Es blieben, wie zu anderen Zeiten politischer Unterdrückung auch, Schleichwege, um zu den Ohren wenigstens der Hellhörigen zu gelangen. Hier konnte die den Aufsichtsorganen weniger zugängliche Musik manchmal einspringen, und es bestätigt zugleich Grillparzers eingangs zitierten Ausspruch, wenn sein „Ottokar“, eine Habsburger-Huldigung wie kaum eine, erst nach erheblichen Schwierigkeiten zur Darstellung gelangen konnte, während Ignaz von Mosel in seiner dafür geschriebenen Bühnenmusik die Haydn-Hymne verwenden konnte, was im Falle einer analogen Demonstration auf literarischem Gebiet zumindest auf Bedenken gestoßen wäre.

Nun konnte allerdings gegen Aufführungen oder Verwendung des Haydnschen „Volksliedes“ schwerlich direkt Einspruch erhoben werden. Kaum möglich wäre aber späterhin der Einsatz der Marseillaise oder des Marlborough-Liedes wie in Beethovens „Wellingtons Sieg“ gewesen. Nahegelegen wäre solches etwa in der beliebten und oft aufgeführten Ballade für (einstimmigen) Männerchor und Orchester „Die nächtliche Heerschau“ von Emil August Titl; hier verwundert allerdings, daß der Text von Zedlitz (er wurde auch in dessen „Gedichten“ veröffentlicht) passieren konnte, behandelt er doch eine Parade Napoleons im Geisterreich (möglicherweise hielt man den toten Napoleon für unbedenklich). Für den Komponisten wäre hier zweifellos ein Zitat der Marseillaise – wie dies Schumann in den stoffverwandten „Grenadieren“ tat – nahegelegen. Vermutlich weil ihm dies doch zu gefährlich erschien, behalf sich Titl, indem er statt dessen wenigstens französische Militärsignale einsetzte, von denen kaum anzunehmen war, daß sie der Zensurbeamte aus den Noten – wenn er sie überhaupt zu Gesicht bekam – erkennen würde.

Getarnte politische Aussage konnte auch im Text von Vokalkompositionen stattfinden, wenn sie sich hinter scheinbar neutralen Sujets versteckte. Dies dürfte der Fall bei Maximilian Stadlers Oratorium „Die Befreiung von Jerusalem“ sein. Die Dichtung, noch in der Zeit der patriotischen Welle unter Stadion von Heinrich von Collin begonnen und nach dessen frühem Tod von seinem Bruder Matthäus vollendet, ist sicherlich auf die damals erhoffte bzw. erreichte „Befreiung“ von der napoleonischen Vorherrschaft zu beziehen. Als das Werk 1816 als Musikfest der Gesellschaft der Musikfreunde uraufgeführt wurde, kostete dies die Initiatoren dieser Aktion, Moriz Graf Dietrichstein und Ignaz Mosel, ihre Stellung in der Gesellschaft. Mag eine Ursache dafür auch in dem zunächst wirklich nicht überragenden Erfolg des Werkes liegen, so dürfte der eigentliche Hintergrund wohl darin bestehen, daß patriotisch-künstlerische Manifestationen bei den maßgeblichen Stellen unerwünscht geworden waren, vielleicht sogar zu Konflikten mit diesen führen konnten.

Dietrichstein und Mosel sind Exponenten einer Richtung, die auf den Kreis um Gottfried van Swieten zurückgeht und die dessen Bestreben, dem künstlerischen Schaffen der jeweiligen Gegenwart Richtmaße in Gestalt von exemplarischen Werken der Vergangenheit vor Augen zu stellen, mit verstärkten „vaterländischen“ Akzenten versah. So sollten Gluck in der Oper und Händel und Haydn im Oratorium die „klassischen“ Vorbilder für das Fortschreiten auf diesen Gebieten darstellen. Auch Stadler mit seiner „Befreiung von Jerusalem“ auf diesen Schild zu erheben, wollte freilich nicht gelingen. Es ist ein menschlich berührendes Symptom des allmählichen Versickerns dieses patriotischen Kunstbekenntnisses, wenn Dietrichstein in einem gleichsam letzten Hochhalten noch 1864 als hochbetagter Greis eine Neuausgabe der Biographie Stadlers von Mosel veranlaßte, und wenn dieser selbst in seinen letzten Lebensjahren eine „deutsche“ Oper im Stile Glucks komponierte, von der er so gut wie sicher sein konnte, daß sie niemals eine Bühne erblicken werde.

Die Bedenken der Behörden richteten sich allerdings nicht nur gegen patriotische, sondern gegen politische, religiöse und weltanschauliche Inhalte überhaupt. Lag auch nur der Verdacht auf derartiges vor oder schien auch nur die Möglichkeit eines Verständnisses in solcher Richtung zu bestehen, so war unfehlbar mit oft drastischen Eingriffen der Kontrollbeamten zu rechnen, die in vielen Fällen mit der Unnachsichtigkeit des von seiner Instruktion beseelten Subalternen vorgingen. Der Beispiele sind von den Zeitgenossen genug überliefert, und wenn auch manches davon übertrieben sein mag, so zeigt gerade dies den tiefsitzenden Unmut der künstlerisch Schaffenden und ihr zweifellos bedrückendes Gefühl, geistloser Willkür ausgesetzt zu sein.

Diese Situation mußte sich lähmend auf die schöpferischen Kräfte auswirken, und sie bildet sicherlich zusammen mit anderen Faktoren – unter anderem der Konkurrenz der in ihrer Bedeutung stark gestiegenen Musikausübung (etwa im Virtuosenwesen), der großen Rolle des dilettantischen Musizierens, dazu der (über)mächtigen Vorgabe der „klassischen“ Kunst – eine der Ursachen für die Stagnation im musikalischen Schaffen insbesondere nach dem Tod von Beethoven und Schubert. Das die beträchtliche Masse der Musikproduktion der Zeit weithin kennzeichnende und für das Biedermeier als charakteristisch in Anspruch genommene Verharren in Bahnen, die man offensichtlich als die von den Wiener Klassikern geprägte Norm empfand, entspricht ja einer Einstellung, die, wenn sie auch auf dem Gebiete der Musik kaum behördlich überprüfbar war, jedenfalls dem staatlicherseits in allen Bereichen erwünschten Verhalten entsprach.

Auch am Schaffen Beethovens und Schuberts gingen diese Verhältnisse nicht spurlos vorbei. Beethoven, der sich zeitlebens mit Politik auseinandergesetzt hat und der auch in den späten Jahren aus seiner Gesinnung und seiner kritischen Einstellung gegenüber der Staatsführung kein Hehl machte (wohl einer der ganz wenigen, der dies ungestraft tun konnte), hatte schon in Bonn die beiden Kantaten auf den Tod Josephs II. und die Thronbesteigung Leopolds II. komponiert, wobei die Wiederaufnahme der „Humanitätsmelodie“ aus der ersteren im Finale des „Fidelio“ zeigt, daß es hier um die musikalische Manifestation eines Glaubensartikels ging. In der Zeit der Franzosenkriege hat er Kriegsgesänge und Märsche (WoO 18, 19, 121, 122) geschaffen, und während des Wiener Kongresses ist er mehrfach mit Huldigungs- und Gelegenheitswerken hervorgetreten: dem „Chor auf die verbündeten Fürsten“, WoO 95, der Ouverture „Zum Namenstag unsers Kaisers“ op. 115, der Kantate „Der glorreiche Augenblick“ op. 136. Bereits 1813 war die „Schlachtsymphonie“: „Wellingtons Sieg oder die Schlacht bei Vittoria“ op. 91 entstanden, ein Werk, an dem sich die Meinungen der Beurteiler seit jeher scheiden. Nimmt Beethoven hier einerseits die alte Tradition der „Battaglia“, der musikalischen Schlachtenschilderung, auf, so gilt das Werk andererseits (neben dem Pastorale-Gewitter) mit seinem Durchbrechen der klassischen Form als Vorgriff auf Webers Wolfsschluchtszene und die Romantik.

Nach 1815 gibt es Bezugnahmen auf aktuelle historische Ereignisse in Beethovens Werken nicht mehr. Auch dies hat gewiß mehrere Gründe (sicherlich allerdings nicht den, daß es keine geeigneten Anlässe gegeben hätte oder daß der Beethoven der letzten Schaffensperiode kein Interesse an Gelegenheitskompositionen gehabt hätte: man denke an die „Weihe des Hauses“ 1822). Man wird aber kaum mit der Behauptung gänzlich fehlgehen, daß Beethoven eine bekenntnishafte Identifizierung mit der Regierungspolitik nach dem Wiener Kongreß einfach nicht mehr möglich gewesen wäre.

Ähnliches gilt auch für Franz Schubert. Sicherlich war im Elternhaus die Verpflichtung des Lehrers zur patriotischen Erziehung der Kinder ernstgenommen worden, der Vater tat sich auch bei Gelegenheit einer Huldigung beim Einzug des Kaisers hervor. Auch der junge Franz Schubert trug der allgemeinen Begeisterung nach dem Sieg über Napoleon mit musikalischen Werken Rechnung. Noch im Konvikt entstanden die Lieder „Auf den Sieg der Deutschen" D 81 und „Die Befreier Europas in Paris" D 104, nach der Rückkehr des Kaisers aus Paris „Wer ist groß?" D 110 für Baß, Chor und Orchester. Auch bei Schubert hören nach 1815 derartige Kompositionen auf, bei ihm allerdings mit einer Ausnahme: „Am Geburtstage des Kaisers" D 748, im Jahre 1822 auf Veranlassung Leopold Sonnleithners komponiert und von diesem auch bei der ersten Aufführung dirigiert. Der letztere Umstand läßt vermuten, daß Komposition und Aufführung im Zusammenhang mit den Bemühungen Sonnleithners zu sehen sind, Schubert den Weg in die Öffentlichkeit zu bahnen (wobei Schubert gerade in dieser Zeit Sonnleithners Fürsorge als Bevormundung zu empfinden begann). Der Komponist erfüllte hier sicherlich zunächst einen Auftrag; ob er mehr damit verband, kann nicht festgestellt werden. Angesichts der bekannten Affaire im Jahr 1820, als Schubert, wenn auch nur am Rande, in eine polizeiliche Untersuchung gegen seine Freunde Bruchmann, Steinsberg und Senn hineingezogen wurde, muß man aber wohl eine eher distanzierte Einstellung zum Staat annehmen (was allerdings ein Bekenntnis zum Herrscherhaus nicht ausschließt). Zudem verkehrte Schubert bereits 1816 in einem um den Professor Heinrich Joseph Watteroth gescharten Kreis von jungen Leuten vor allem aus dem (den Behörden besonders suspekten) studentischen Milieu, und in dieser Umgebung war wohl so manches von der „scharfen Luft" zu spüren, welche in Josef Weinhebers Biedermeier-Gedicht den „spielerischen Tand" des „Trödelladens" – und freilich weit mehr als das – auf den Barrikaden verpuffen läßt.

Huldigungskompositionen ohne eigentliche inhaltliche, das heißt über die bloße Loyalitätsgeste hinausgehende Aussage waren offensichtlich die einzige zugelassene Form einer politischen Bezugnahme in der Musik. Gratulationen zu persönlichen oder dynastischen (kaum aber wirklich politischen) Anlässen am Kaiserhof wie die erwähnte von Schubert gibt es natürlich von verschiedenen Komponisten. Nicht zuletzt hat sich Johann Strauß mit derartigen Angebinden eingestellt: „Huldigungs-Walzer" op. 80 zur österreichischen Erbhuldigung für Kaiser Ferdinand 1835, „Krönungs-Walzer" op. 91 zur böhmischen Königskrönung 1837, „Jubel-Quadrille" op. 142 zum Namenstag der Kaiserin Maria Anna, „Haute Volee Quadrille" op. 142 und „Huldigungs-Quadrille" op. 233 zu den Namenstagen Ferdinands I. 1842 und 1847. Zur feierlichen Enthüllung des Denkmals für Kaiser Franz I. 1846 schrieben Strauß den „Oesterreichischen Festmarsch" op. 188 und der Vizehofkapellmeister Ignaz Aßmayr ein Te Deum. Sehr oft nahmen derartige musikalische Kundgebungen auf das „Gott erhalte" Bezug, wobei der häufige Gebrauch das Bekenntnis der Vaterlandsliebe mehr und mehr zum bloßen Markenzeichen degradierte. So wurde die Melodie als Grundlage für Improvisationen in Virtuosenkonzerten – unter anderem von Angelica Catalani und Niccolò Paganini – genommen, andere, wie Carl Czerny, haben Variationen über das Lied veröffentlicht. Häufig wurde es auch zu bestimmten Anlässen umtextiert, manchmal auch musikalisch bearbeitet; Proben derartiger Panegyrik enthält etwa das von Adolf Bäuerle unter dem Titel „Gott erhalte Franz, den Kaiser!" herausgegebene „Erinnerungsbuch der Unterthanenliebe an die unvergeßliche Epoche des Jahres 1826, wo eine gefährliche Krankheit bald das kostbare Leben des angebetheten Landes=Vaters entrissen hätte".

Das Jahr 1848 fand Musiker in beiden Lagern. Während Johann Strauß Vater sich mit Werken wie dem Radetzkymarsch op. 228 schließlich zu den konservativen Kräften bekannte (er starb über der Komposition eines Marsches zur Ankunft Radetzkys in Wien im September 1849), machte der Sohn sich mit Kompositionen wie „Freiheitslieder" op. 52, „Revolutionsmarsch" op. 54, „Liguorianer-Seufzer" op. 57 und anderen bemerkbar und sollte die Folgen dieses Verhaltens auch noch lange zu spüren bekommen. Ein bekannter Wiener Musiker, Leopold Jansa, Mitglied der k. k. Hofmusikkapelle, engagierte sich für die Revolution und teilte infolgedessen, allerdings aus dem entgegengesetzten Grund, das Schicksal Metternichs mit dem Exil in England. Der in Wien wirkende Komponist und Musikschriftsteller Alfred Julius Becher stellte seine Kunst angesichts der Ereignisse des Jahres 1848 völlig zurück, um sich – unter anderem durch die Gründung der Tageszeitung „Der Radikale" – ganz dem Dienst an der Revolution zu widmen, ein Verhalten, für das er schließlich zum Tode verurteilt und am 23. November 1848 im Stadtgraben erschossen wurde.

**Literatur:**

Musikgeschichte Österreichs, hrsg. von Rudolf Flotzinger und Gernot Gruber, Bd. 2, Graz – Wien – Köln 1979.

Georg Knepler, Musikgeschichte des 19. Jahrhunderts, Berlin 1961.

Ernst Hilmar, Franz Schubert und seine Zeit, Wien – Köln – Graz 1985.

Theophil Antonicek, „Vergangenheit muß unsere Zukunft bilden": Die patriotische Musikbewegung in Wien und ihr Vorkämpfer Ignaz von Mosel. In: Revue belge de musicologie 26–27 (Bruxelles 1972/73), S. 38 ff.

Alice M. Hanson, The social and economic context of music in Vienna from 1815 to 1830, Urbana, Ill., Univ. of Illinois, phil. Diss. 1980.

# MUSIKALISCHES BIEDERMEIER?

*Gernot Gruber*

Das Verhältnis zwischen Musik und Politik erwies sich im Beitrag von Theophil Antonicek als eines von Politik contra Musik. Auch zeigte sich, wie sehr ihre Begriffslosigkeit und damit gegebene Unbestimmtheit die Musik geeignet machte, sie dem Zugriff der Zensur zu entziehen. Zugleich lehnten auch die auf musikalischem Gebiet schöpferisch Tätigen, unabhängig von ihrer Weltanschauung im einzelnen, zumindest die Formen damaliger Politik weitgehend ab. Aus all dem ergibt sich nun die Frage, wo und in welcher Weise sich die Musik in dieser Situation zu entfalten vermochte.

Trotz des Argwohns von oben gegenüber allem in der Kunst, was als öffentliches Bekenntnis aufgefaßt werden konnte, führte die Musik doch kein Leben völlig abgelöst von der Öffentlichkeit. Komponisten und Musiker blieben abhängig einerseits von Förderung und Wohlwollen einflußreicher Kreise, andererseits von Geschmacksrichtungen und dem Wechselspiel von Angebot und Nachfrage innerhalb des sehr gestiegenen Musikmarktes. So selbstverständlich diese Bindungen noch ins scheinbar Private hineinwirkten, so unübersehbar breitete sich das Bestreben aus, eine eigene Welt der Musik und der Geselligkeit mit Musik besonders zu pflegen.

Für die Zeit vom Wiener Kongreß bis etwa zur Pariser Julirevolution 1830 waren die extremen Ereignisse im europäischen Musikleben wohl der rasche Ruhm Rossinis und das Spätwerk Beethovens. Das eine gleich einer Modewelle über Europa hinwegziehend, das andere dem Verständnis des Publikums entgleitend und als Rätsel mehr der Zukunft als der Gegenwart zur Lösung aufgegeben. Das Ereignis Beethoven hatte seinen Ort in Wien, aber auch das Ereignis Rossini hatte nachhaltige Wirkung auf das Musikleben in Österreich. Das Zurückweichen des Komponisten Beethoven vor aktuellen Bezügen nach 1815 ist sicher nicht bloß auf eine Enttäuschung über politische Zustände zu reduzieren, sondern komplizierter zu sehen; dennoch setzte er ein Zeichen, sowohl in hochpathetischer Weise durch das humanitäre und religiöse

Kat. Nr. 3/7/12 Ludwig van Beethoven

Bekenntnis der 9. Sinfonie und der Missa solemnis wie durch die Ungreifbarkeit beunruhigend in den späten Streichquartetten. Der Solipsismus, zu dem der Moralist Beethoven sich immer mehr gezwungen sah, löste seine Welt der Kunst von Funktion und Geschichte zu einer für sich bestehenden künstlerischen Verdichtung von all dem. Fern vom Alltäglichen und tiefreichend in der Anspannung, diese Merkmale von Beethovens Spätwerk empfinden wir noch heute als etwas, das unser vertrautes Bild von Klassik und klassischer Balance zu unterminieren droht.

Was hat Rossinis Musik zum „Barbier von Sevilla" damit noch zu tun? So gut wie

Josef Teltscher, Franz Schubert

nichts. Unser heutiger, vermutlich einen Höhepunkt erreichender Pluralismus des „anything goes" in der musikalischen Komposition kündigt sich im Nebeneinander von Beethoven und Rossini im frühen 19. Jahrhundert bereits an. Was war es, das die Begeisterung für Rossini in der aristokratischen und bürgerlichen Gesellschaft auslöste: Esprit, Verve der Musik, die Freude am Unverfänglichen, die sich bis hin zum Frenetischen austoben möchte und dabei doch im klar disponierten Rahmen bleibt? Die ausgesprochene Vorliebe Fürst Metternichs für Rossini betont die Unverfänglichkeit dieser Musik, betont ein Verständnis von Musik als geistvolle Unterhaltung sozusagen neben dem Leben, und doch ohne allzu großer Gefahr, sich bei ihr in eine Flucht vor dem Leben zu verlieren. Bezeichnend dafür ist die Parallelität in der Begeisterung für Rossini mit der allgemeinen fürs Theater im Europa der zwanziger Jahre. Man faszinierte sich selbst am Chaos, aber nur als gelegentlicher Theatereffekt, der von vornherein so angelegt ist, daß der Schein der Bedrohung verpufft, als wäre nichts gewesen, so wie in der berühmten Verleumdungsarie des Basilio im „Barbier". Diese Art Bedrohung ließe sich aber nur in einer gewaltsamen geschichtskritischen Deutung mit dem „Brüchigen" beim späten Beethoven (das Adorno in der Missa solemnis aufzeigte) in Verbindung bringen.

Von den Extremen her ist also die Eigenart der musikgeschichtlichen Epoche des Vormärz kaum ausreichend zu charakterisieren. Griffiger wird sie, sobald die Polemiken innerhalb der Rezeption Rossinis wie des späten Beethoven mitberücksichtigt werden. Als 1821/22 auch in Wien die Rossini-Begeisterung kulminierte, traten warnende Gegenstimmen auf. Georg Ludwig Peter Sievers wagte 1821 in der „Wiener Zeitschrift für Kunst, Literatur, Theater und Mode" die Prophezeiung: „Rossini wird nur der Komponist von heute und morgen seyn; Rossini wird selbst in Italien nur noch eine kurze Zeit Epoche machen." – Dabei gesteht Sievers Rossini durchaus Talent, „materielle Erfindung" und „natürlichen Instinkt" zu; seine Musik diene aber nur dem „Zeitvertreib". Sievers bangt darum, daß die „Klassizität" der Musik eines Mozart nur „geachtet" und nicht mehr „geliebt" wie die Rossinis werden könnte. Verteidigt wurde diese Klassizität aber auch gegen Beethoven. Parteinahmen für bestimmte Kunstrichtungen – vielleicht als Erbe der Pariser Salons des 18. Jahrhunderts – waren im frühen 19. Jahrhundert auch in der Musikszene Deutschlands und Österreichs zur Mode geworden. Der Streit der Beethovener gegen die Mozartianer war zum Gesellschaftsspiel geworden, das sich auch in der Literatur niederschlug. Es findet sich sowohl in Dichtungen vom Range der „Feldblumen“ (1841) von Adalbert Stifter wie in der Trivialliteratur, etwa in Friedrich Dornaus Erzählung „Mozart und Beethoven“ (1843): also erst zu einer Zeit, als das Bekenntnis zum späten Beethoven als ein Bekenntnis zum musikalischen Fortschritt schlechthin aufgefaßt wurde. Diese Bedeutsamkeit äußert sich sowohl in den Pilgerfahrten nach Wien von Musikern wie Berlioz und Schumann oder in Richard Wagners Novelle „Eine Pilgerfahrt zu Beethoven“ wie auch in den Lebensschicksalen fortschrittlich gesinnter verkannter Genies wie Friedrich August Kanne, Peter Lindpaintner und Alfred Julius Becher. Bei Letzterem wird auch ein politischer Gehalt dieser Kunstparteiung offenkundig. Becher hatte sich mit seinen Freunden als Vorkämpfer für die Werke von Mendelssohn, Schumann, Berlioz und dem späten Beethoven hervorgetan. Als er 1848 zu einem Rädelsführer der Revolution in Wien wurde, verhöhnte ihn die „Neue Zeitschrift für Musik“, er habe nun „dem Beethoven-Radikalismus gänzlich abgeschworen“ und sei gleich „demokratischer Radikaler“ geworden. So ist aus einem Gesellschaftsspiel schließlich blutiger Ernst geworden.

Überraschend sind die Gemeinsamkeiten in der Rezeption Beethovens und Rossinis. Beider Anhänger wurden von Traditionalisten beargwöhnt. Von Sievers wie von den „Mozartistinnen“ in Stifters „Feldblumen“ wurde eben Mozart sowohl Rossini wie Beethoven entgegengestellt. Dabei blieb die traditionelle Position durchaus die dominierende. Welch hohes Niveau sie erreichte, wird in Franz Grillparzers Musikanschauung deutlich. Auch er beargwöhnte sehr vieles von jenen musikalischen Neuerungen, die er über Jahrzehnte hin miterlebte. Sogar an Beethoven, dem er doch eine berühmt gewordene Totenrede gehalten hatte, kritisierte er „etwas Bizarres“, das aus dem „Streben originell zu sein“ und aus des Komponisten „allbekannten traurigen Lebensumständen“ resultierte. Was er all dem

Friedrich August Kanne

positiv entgegenhielt, formulierte er prägnant in seinem Gedicht „Zu Mozarts Feier“ für das Salzburger Fest zur Denkmalsenthüllung 1842. Dort heißt es über Mozart: „Nennt ihr ihn groß? er war es durch die Grenze. / Was er getan und was er sich versagt, / Wiegt gleich schwer in der Schale seines Ruhms.“ – und danach über das Wesen der Kunst: „Das Reich der Kunst ist eine zweite Welt, / Doch wesenhaft und wirklich wie die erste, / Und alles Wirkliche gehorcht dem Maß. / Des sei gedenk, und mahne dieser Tag / Die Zeit, die Größres will und Kleinres nur vermag.“ Grillparzer resignierte also nicht vor einer Welt, die in schönes Ideal und schnöde Realität zerbricht, sondern forderte deren Einheit. Der Zusammenhang von Kunst- und Weltanschauung wird offenkundig und entzieht sich zugleich einer simplen gesellschaftskritischen Entschlüsselung. Ein so gearteter Traditionalismus ist nicht gleichbedeutend mit einer Verteidigung des herrschenden politischen Zustands, hat doch gerade Grillparzer seine Vaterlandsliebe mehr erlitten als opportunistisch betrieben.

Diese Weltsicht ist als, zumindest latente, Grundhaltung auch dem zugute zu halten, was im Musikschrifttum meist in abschätzigem Ton als Biedermeier bezeichnet wird. Nach all den Kriegen, wirtschaftlichen Erschütterungen und tiefreichenden Bedrohungen der Jahrzehnte vor dem Wiener Kongreß war es eine natürliche Reaktion breiter Schichten, nach Stabilität, Ruhe und auch Zufriedenheit mit dem Gegebenen zu trachten. Hierbei vermochte die Musik in vielfältiger Weise hilfreich zu sein. Par distance betrachtet ist sicherlich vieles von dem, was damals in großen Mengen komponiert wurde, epigonal. Die Partituren lassen oft wenig Originalität oder hochgespannte Ansprüche erkennen. Ein voreiliges negatives Urteil über sie unterschlägt aber den Umstand, daß der vorgebliche Mangel nicht einem Scheitern vor einem künstlerischen Ziel, sondern einer positiv gemeinten Ansicht entspringt. Wie die Mozart-Verehrung der Vergewisserung einer Tradition, so diente die kompositorische Klassik-Nachfolge in ihrer vereinfachenden Weise der Entfaltung jener vorhin angesprochenen Zufriedenheit mit dem Gegebenen.

In der Musik verhielt sich manches ähnlich wie in der bildenden Kunst, nur ist unsere heutige Einschätzung eine andere. Biedermeier-Möbel oder die österreichische Malerei aus dieser Zeit werden hoch geschätzt; die damals hierzulande komponierte Musik wird, von der Schuberts abgesehen, weitgehend ignoriert. An die hervorragende Rolle der Musik erinnern uns oft nur Bildinhalte oder das Interieur von Biedermeier-Wohnungen, zu deren Mobiliar unverzichtbar auch ein Flügel gehörte. Ausgenommen die Tanzmusik von Joseph Lanner und Johann Strauß Vater, deren Mischung aus Brio und diskretem Charme heute wieder Liebhaber findet und die uns die Atmosphäre in Wiener Ballsälen, Restaurants, bei Freiluftkonzerten usw. spüren läßt (s. den Beitrag von R. Witzmann). Gemeinsam hat die bildende Kunst mit der Musik weithin das Fehlen des Monumentalen und eines kompromißlosen Originalitätsstrebens. Dennoch wirkt die Malerei origineller als die Musik der Zeit: aus dem einfachen Grund, weil sie kein mit der Wiener Klassik der Musik vergleichbares sowohl aktuelles wie voll befriedigendes Vorbild besaß. Gemeinsam ist den beiden Künsten wiederum der Zug zum Idyllischen, Volkstümlichen, Innigen. Wenn überhaupt von einer stilistischen Besonderheit der Biedermeier-Musik gesprochen werden kann, so ist sie hier zu finden. Wohl äußert sich dieser Zug zum Idyllischen in einer Vereinfachung des klassischen Vorbildes auf allen Ebenen der Musik, allerdings am deutlichsten in der Melodik kleiner Formen; ist doch in ihr die Nähe zum Volkslied am leichtesten und natürlichsten zu erreichen.

Alles deutet aber darauf hin, daß das Wesen vieler der damaligen Kompositionen weniger in den Partituren für sich als in ihrem Gebrauch und Verständnis und damit in der Übereinstimmung der Werke mit dem Musikleben liegt. Einen bedeutsamen Anteil an ihm hatte auch die Kirchenmusik. Aber wer kennt noch die Namen oder gar geistliche Kompositionen von Ignaz Aßmayr, Joseph Drechsler, Joseph Eybler, Gottfried Preyer oder Benedikt Randhartinger? Aus ihrer Musik spricht ein inniger Glaube an einen hellen Himmel, eine Naivität, die seit dem Cäcilianismus als oberflächlich, süßlich und abgeschmackt abgelehnt worden ist (wenngleich sie auf Wegen fern der hohen Kunst Nachfolge bis in unser Jahrhundert fand).

In ein ähnliches Dilemma zwischen ästhetischer Reserve und historischem Verstehen bringt uns die zeitübliche Praxis, alte wie neue Kompositionen in verschiedener Weise zu bearbeiten. Sie war überall üblich, besonders beliebt freilich beim häuslichen Musizieren, das seit dem späten 18. Jahrhundert einen großen Aufschwung genommen hatte. Die Wechselbezüge zur gleichzeitigen Zunahme des Angebots an gedruckten Noten und an Instrumenten sind offenkundig und unter dem Stichwort des Aufstiegs der bürgerlichen Musikkultur zu subsumieren.

Der als nächster Schritt naheliegende Verdacht einer Trivialisierung der Kunstmusik durch Bearbeitungen ist aber zumindest historisch ungerecht. Er verkennt den Unterschied zwischen unserem Zeitalter der technischen Medien und dem des Biedermeier. Es mag schon sein, daß durch die Bearbeitungspraxis Kunst- und Unterhaltungsmusik nivelliert wurden. Doch nicht darum, sondern um den geselligen Faktor der Musik ging es primär. Und wer dies begriffen hatte, wollte nicht Zuschauer bleiben, sondern sich selbst betätigen. Daher bestand im Wien des Biedermeier eine lebendige, d. h. in selbstverständlicher Weise zum Leben gehörende, Pflege der Musik, auf die wehmütig zurückzublicken wir uns längst angewöhnt haben. Sicher, manches an Bearbeitungen, vor allem die oft skurril anmutenden Besetzungen befremden, erscheinen als bloße Modetorheiten – und waren doch mehr. Eines der besonders beliebten, in Dichtungen verklärten, ebenso gewöhnlichen wie ‚geheimnisvollen' Instrumente war die Flöte. Was Wunder, wenn alles Mögliche und Unmögliche für eine und mehrere Flöten be-

Kat. Nr. 3/5/12 Ignaz Aßmayr

arbeitet und viel gespielt wurde: auch von Leuten, die Musik sehr ernst nahmen. Der Philosoph Arthur Schopenhauer gibt dafür ein treffendes Beispiel. Obgleich für sein Denken das Phänomen der Musik von hoher Bedeutung war, er vielleicht der radikalste Vertreter der absoluten Musik ist, fand er nichts Absonderliches, Triviales oder gar ästhetisch Verwerfliches daran, sich tagtäglich am Spiel von Flötenbearbeitungen der Opern Mozarts und Rossinis zu delektieren.

Dessen ungeachtet ist für das häusliche Musizieren auch viel neu komponiert worden. In der Kammermusik (von Joseph Eybler, Franz Krommer u. a.) war das Vorbild der Klassik bestimmend, wenngleich die Wege, die Beethoven beschritten hatte, kaum weiterverfolgt wurden. Stärker kam das Biedermeierliche in der Liedkomposition zum Tragen. Bei der überragenden Bedeutung Franz Schuberts wird leicht übersehen, daß es vor, neben und nach ihm eine beachtliche Liedtradition gab, für die die Namen von Moritz Graf Dietrichstein, Robert Fischhof, Nikolaus von Krufft und Heinrich Proch stehen mögen. Sicherlich wird man in deren Lieder kaum etwas mit Schuberts „Winterreise" oder seinen Heine-Liedern Vergleichbares finden, viel eher dominiert der Zug zum Geselligen und Idyllischen, doch reflektiert auf dieser Ebene auch das Liedschaffen der Kleinmeister jene literarische Situation Österreichs im Vormärz, die mit der Romantik in Nord- und Mitteldeutschland keinesfalls gleichzusetzen ist.

Bezeichnend für die Eigenart der damaligen Musikszene sind nicht zuletzt die Kompositionen fürs Theater. Trotz aller Beliebtheit haben weder Rossini und die italienische Oper der Zeit, noch der aus Paris stammende Opern-Klassizismus des Empire besonders wirksame Impulse gezeitigt, vielmehr blieb die alte Gluck-Tradition bestehen, für die der Hofkapellmeister und angesehene Lehrer Antonio Salieri einstand. Doch das spezifisch Wienerische findet sich stärker in einer anderen Tradition, die sich von den Singspielen der Vorstadttheater herleitet. Conradin Kreutzers merkwürdig undramatische Oper „Das Nachtlager von Granada" ist wiederholt als typische Biedermeier-Oper bezeichnet worden. Doch auch Singspiele und Schauspiele mit Musikeinlagen – bevorzugt in der Komposition von Adolph und Wenzel Müller – lassen eine Vorliebe für unpathetische, unaufdringliche Theatermusik erkennen (was besonders in den Parodien ernster Opern zum Ausdruck kommt). Dem widerspricht nicht, daß etwa Joseph Weigl auch eines anderen stilistischen Tons fähig war und für das damals österreichische Mailand italienische Opern schrieb. Alles in allem erwartete man von der Musik eher das Auskosten idyllischer Szenen, die Unterstützung theatralischer Effekte, Parodie, prägnante Einzelnummern, und weniger eine dramatische Anspannung. Die alte Frage, warum Schuberts Werke fürs Theater so lieblich und blaß bleiben, obwohl er doch in Liedern sein musikdramatisches Genie bewiesen habe, beantwortet sich mit einem Blick auf die Umgebung, in der sie entstanden, in hohem Maße von selbst. Schubert blieb auf diesem Gebiet eben eher konventionell.

Vielfach aber brach Schubert mit Konventionen in einer Weise, die sich kaum einheitlich definieren läßt. So wurde er als Romantiker, Klassiker, auch als Biedermeier-Komponist bezeichnet, zum Teil zu Recht, insgesamt sehr zu Unrecht. Wenngleich die gängigen Epochenbegriffe bei Schubert geradezu eklatant ins Gleiten geraten, ist er doch kein Einzelfall. Jeder große Künstler stellt einen Sonderfall in seiner Zeit dar. Das Besondere profiliert sich in der Auseinandersetzung mit dem, was vorgegeben ist. Dieses Besondere liegt bei Schubert nicht nur in den Abgründen mancher Lieder, Klaviersonaten oder Kammermusikwerke, sondern auch in seinem Traditionalismus. Nehmen wir als Beispiel seine Mozart-Verehrung, eine an sich sehr konventionelle

Sigismund Thalberg

Erscheinung der Zeit. Schon sehr früh spannt sie Schubert in einer ausgesprochen romantischen Weise an. Nach einem Konzerterlebnis formulierte er am 16. Juni 1816 in seinem Tagebuch seine musikalischen Eindrücke u. a. so: „Sie zeigen uns in den Finsternissen dieses Lebens eine lichte, helle, schöne Ferne, worauf wir mit Zuversicht hoffen. O Mozart, unsterblicher Mozart, wie viele o wie unendlich viele solche wohltätige Abdrücke eines lichtern bessern Lebens hast du in unsere Seelen geprägt." Doch dieses romantische Reich in Worten, diese „schöne Ferne" der „Zaubertöne von Mozarts Musik" steht für eine Hoffnung, die Schubert in seinem eigenen Komponieren durchaus zu verwirklichen suchte. Etwa zur gleichen Zeit wie diese Tagebucheintragung entstanden die B-Dur-Sinfonie, das E-Dur-Streichquartett – beides Werke mit Bezugnahmen auf Mozarts g-moll-Sinfonie – und die drei Sonaten für Klavier und Violine. Damit näherte sich Schubert (dem ein Jahr zuvor im „Gretchen am Spinnrad" der Durchbruch zu einem neuartigen Ausdruckslied gelungen war), zumindest in der äußeren Stilhaltung, Konventionen der Zeit. Freilich ist das darin enthaltene Besondere Schuberts schwer zu charakterisieren: als Ähnliches auf einer höheren Windung der Spirale künstlerischer Reflexion oder als pointiert sentimentalisch im Unterschied zu der ihn umgebenden eher naiven Kunst?

Kehren wir zum Überblick über die allgemeine Entwicklung zurück, so fällt auf, daß nach Beethovens und Schuberts Tod führende Persönlichkeiten über Jahrzehnte hin fehlen. Auch ausländische fortschrittliche Größen der Musik wie Berlioz, Mendelssohn und Schumann vermochten sich in Österreich nicht wirklich durchzusetzen. Außerdem nahm der Druck der politischen Zensur zu. So mußte sich das an sich florierende Musikleben in seinem Traditionalismus verhärten. Trotz aller Pilgerfahrten zu den Stätten der Klassiker büßte Wien gegenüber Paris an Faszination für junge Musiker vorübergehend ein. Symptomatisch ist der Weg von Franz Liszt. Wien hatte seit Mozarts Zeiten eine große Pianistentradition. Mozart waren Johann Nepomuk Hummel, Ignaz Moscheles und schließlich Carl Czerny gefolgt. Czerny hatte als Lehrer und durch seine Lehrwerke für die Befestigung dieser beherrschenden Position gesorgt. Sie ließ sich aber doch nicht halten. Der Czerny-Schüler Liszt ging nach Paris und hat dort seine entscheidende künstlerische und weltanschauliche Prägung erhalten. Als Liszt 1838 wieder in Wien auftrat, feierte er ähnlich wie Sigismund Thalberg Triumphe; das Spiel Hummels und Moscheles' war schon längst als antiquiert empfunden worden. Das Virtuosentum des Geigers Niccolò Paganini oder das von Liszt übte eine Faszination aus, die die für Rossini ablöste. Wien und Österreich war voll von dieser Welle der Virtuosen-Begeisterung erfaßt worden, ohne jedoch bestimmend in sie eingreifen zu können.

In den vierziger Jahren mehrten sich darüber hinaus die Zeichen einer noch tiefer greifenden Veränderung. Dazu einige Beispiele: Seit 1834 wurden in der kaiserlichen Winterreitschule regelmäßig (zuvor sporadisch) „Musikfeste" aufgeführt, wie überhaupt die Zahl von Konzerten mit großen Chor-Orchester-Werken zunahm. Damit wurde die politische Reserve gegenüber allem Bekenntnishaften in den Künsten herausgefordert. Die traditionell enge Verknüpfung von Gesellschaftsleben und musikalischer Selbstbetätigung von Laien wurde durch eine Professionalisierung des Konzertbetriebes zurückgedrängt. In Wien wurden die Bestrebungen immer stärker, das beherrschende, sogenannte „Dilettantentriumvirat" (Eduard von Lannoy, Ludwig Titze, Carl Holz) aufzulösen. Die neugeschaffenen „Philharmonischen Konzerte" dienten dem Ziel, durch Vereinigungen von Berufsmusikern das Niveau der Aufführungen zu heben. 1838 versuchten Schumann und Lindpaintner in Wien vergeblich, eine kulturpolitische Durchbruchsschlacht zu schlagen. Im November 1847 aber sollte Mendelssohn sein neues Oratorium „Elias" in einem Musikfest der Gesellschaft der Musikfreunde dirigieren. Er starb kurz davor; die zur Trauerfeier umgestaltete Aufführung wurde dann zu einem tatsächlichen Durchbruch des musikalischen Fortschritts. Das in den vierziger Jahren aufblühende Männerchorwesen – das in Michael Haydns Salzburger Männerquartett-Kompositionen einen seiner Vorläufer hatte – wurde von Sedlnitzkys Zensur scharf beargwöhnt. Metternich soll den Befehl an Sedlnitzky gegeben haben: „Halten Sie mir dieses Gift aus Deutschland nieder." Offensichtlich ist dem zunächst als unverfänglich aufgefaßten, geselligen Singen eine unverhohlen politische Bedeutsamkeit zugewachsen.

In diesen Beispielen kündigt sich viel von jenen Zielvorstellungen an, die nach der Revolution mehr und mehr das Musikleben bestimmen sollten – und die in vielfacher Weise eine Abkehr von der Musik- und Gesellschaftsszene des Biedermeier brachten.

# DIE MUSIKALISCHE FOLKLORE IM WIENER BIEDERMEIER
## Komposition und Musizierpraxis im Wechselspiel von Gesellschaft und Kunst

*Walter Deutsch*

Kat. Nr. 4/14 Harfenist im Gasthaus, 1812

Auch wenn diese prächtige Charakterisierung eines gesellschaftlichen Verhaltens durch die Wirkung der Musik aus dem Jahre 1808 stammt, kennzeichnet sie dennoch jenen subtilen musisch geprägten Zustand, der für die ganze Zeit des Wiener Vormärz bzw. des Biedermeier gültig und wesensgemäß war. Wie in einer Allegorie ersteht vor uns das Bild eines Notenpultes und die rundherum versammelten Vertreter verschiedener Bevölkerungsschichten. Es ist ein sonderbares Sinnbild eines städtischen Musiklebens, das trotz seiner Verankerung in einem sozial ungünstigen Spannungsfeld auch eine musikalische Symbiose zwischen Stadt und Land ermöglichte. Unmittelbar wurde in dieser Zeit das Typische aus den ländlichen Musiktraditionen zum Humus, zu einer fruchtbaren geistigen Grundlage einer stilgeschichtlich überaus reizvollen Epoche.

Es war nicht allein die Entwicklung des oft beschriebenen und bewunderten Wiener Walzers, dessen rauschhafter Aufstieg zur Großform sich aus ländlerischen Achttaktern vollzog, auch war es nicht allein das melodische Genie der österreichischen Musik, Franz Schubert, der in der Literatur zum Symbol der romantisch geprägten Seite biedermeierlicher Musikkultur gestempelt wurde. Wohl wirken in seinem Werk die Grundelemente der österreichischen Volksmusik, doch sind diese durch seine unvorstellbar reiche musikalische Fantasie in stilistische Höhen geführt worden, die alles zurückdrängen, was an Ähnlichem in seiner Zeit geschaffen wurde. Seine wenigen populär gewordenen Weisen – wie z. B. „Der Lindenbaum", „Die Forelle", das Seitenthema im ersten Satz der „Unvollendeten", der „Sehnsuchtswalzer" und die „Deutsche Messe" – haben sein Bild in unserer Vorstellung über Größe und Genie in der Musik verharmlost. Trotz seiner menschlichen Abhängigkeit von Zeit und Raum, steht Franz Schuberts Werk über der Zeit. Dennoch gilt für das Verständnis seines Schaffens jene kluge Erkenntnis Franz Grillparzers: „Wahrlich! man kann die Berühmten nicht verstehen, wenn man die Obskuren nicht durchgefühlt hat!" Bezogen auf die Musik ist das „Obskure" jenes „Anonyme", das in der musikalischen Folklore ein wesentlicher Zustand ihrer regionalen Wirksamkeit ist.

Franz Schuberts eigene Einstufung zu seiner Zeit ist am deutlichsten aus seiner wunderbaren Stellungnahme zum Schöpferischen ablesbar:

> *„29. März 1824*
> *O Phantasie! Du höchstes Kleinod des Menschen, du unerschöpflicher Quell, aus dem sowohl Künstler als Gelehrte trinken! O bleibe noch bey uns, wenn auch von Wenigen nur anerkannt und verehrt, um uns von jener sogenannten Aufklärung, jenem häßlichen Gerippe ohne Fleisch und Blut, zu bewahren!"*

Die „Gefesselte Fantasie" von Ferdinand Raimund trug dagegen höchst zeitgemäße Züge, die u. a. jene Volkstümlichkeit beanspruchten, die die Gestalt des Harfenisten Nachtigall zum theaterwirksamen Abbild der Volkstypen formte:

> *„Nichts Schöner's auf der ganzen Welt*
> *als wie ein Harfenist,*
> *wenn er nur seinen Gästen g'fällt*
> *und all'weil lustig ist . . ."*
>
> *(1828)*

Hier wird ein Ton angeschlagen, der schon im Singspiel des 18. Jahrhunderts zum festen Bestandteil des publikumsnahen Theaters gehörte. Die damals sich entwickelnde „Deutsche Komödie" mit ihren Arien wird zum Schauplatz musikalischer Typen besonderer Art, deren volkstümliche Ausformung sich höhepunktartig in der Biedermeierzeit vollzieht. Diesen Höhepunkt brachten zwei Meister der wortprägenden Volkstümlichkeit hervor: Ferdinand Raimund (1790–1836) und Johann Nestroy (1801–1862). Die Kostbarkeiten ihres individuell geschliffenen Witzes und der menschliche und tiefe Humor ist von dem des Volkes als deren Quelle nicht zu trennen. Ebenso müssen wir die Melodik ihrer Lieder als ein von der Volksweise abhängiges, stilistisch berührendes und formal nachahmendes tonales Entfalten begreifen. Standen den Dichtern doch tüchtige Musikpraktiker zur Seite, deren musikalische Ideen sich an traditionellen Melodietypen orientierten. Damit schufen sie Unvergleichliches und Unvergängliches im Bereich eines nachvollziehbaren Theaterliedes: Wenzel Müller (1767 bis 1835), Conradin Kreutzer (1780 bis 1849), Joseph Drechsler (1782 bis 1852) und Adolf Müller (1801 bis 1886).

Der Zusammenklang von musikalischem Volksleben und gestaltender Bühnenwirksamkeit hat das Entstehen einer Fülle von kleinen und großen Formen bewirkt, deren ansprechende Einfalt als Spiegel des „kleinen Lebens" verstanden wurde. Der „nieder Stand" und die ihm innewohnende Aura des Besonderen wurde für die Bühne entdeckt und im Volksstück, in der Lokalposse, im Sing- und Zauberspiel zum Abbild und zur Metapher des Erstrebenswerten umgeformt. Da begegnen wir den stilisierten, modifizierten und manchesmal auch den realistischen Gestalten aus dem Volksleben, die als Hausmeister, Blasbalgmacher, Bauer, Schuster, Schneider, Tischler und Aschenmann, als Dienstmädchen, Fratschlerin oder Obstweib auch mit dem entsprechenden Lied bedacht wurden. Die Bühne erwarb sich die Funktion einer poetisch-musikalischen Brücke zwischen Volksleben und Kunst.

In der für uns unvorstellbaren Theaterbegeisterung des Wieners in der Biedermeierzeit waren alle sozialen Schichten einig im gemeinsamen Applaus für Ferdinand Raimunds „Der Bauer als Millionär" (1826) oder Johann Nestroys „Der gefühlvolle Kerkermeister" (1832) oder Josef Schicks „Die beiden Rauchfangkehrer" (1841). Man war ebenso einig in der Empfindung für Poesie und Musik, einig auch im Geist einer lokalpatriotischen Romantik, in der der Mann von der Straße, eine Gestalt des Marktes oder eine Figur des familiären Alltagslebens jene Identität förderte, die im Sinnbild des „glücklichen Biedermeier" die Realität des kleinen Lebens zum sympathischen Spiegelbild einer glaubwürdigen Theaterwelt verwandelte.

Eine kaum überschaubare Produktivität beflügelte die zahlreichen Stückeschreiber zu Themen, die einerseits zwischen „unverklärter Wirklichkeit" und „poetischem Idealismus" schwanken, wo aber andererseits in jedem Rollenlied, in jeder Arie und in jedem Duett die Anlehnung oder Annäherung an schon bekannte volkstümliche Formen hörbar wird. Als spezielle Charakterisierung tritt die Mundart hinzu, die ihrerseits ein eigenes Identifikationsfeld hervorruft.

Auch tauchen bereits literarisch und musikalisch fixierte Lieder als Theaterlieder auf, die von den Autoren aus dem Volksgesang übernommen wurden, noch ehe ein „Volksmusiksammler" derartige Lieder aufgezeichnet hatte. Es gab auch tatsächlich schon eine Quelle, Volkslieder für die Bühne auszuwählen: die „Oesterreichischen Volkslieder mit ihren Singeweisen, gesammelt und herausgegeben durch Franz Ziska und Julius Max Schottky", gedruckt in Pesth 1819. Nicht nur Ludwig van Beethoven und Franz Schubert haben diese für die damalige Zeit sensationelle Volksliedersammlung beachtet und in Auswahl auch verwendet; auch Anton Diabelli, der fruchtbare Musikverleger, Komponist und Pädagoge (1781–1858), nahm diese Sammlung als Vorlage für seine „24 Original Ländler für das Pianoforte, nach den beliebtesten Oesterreichischen Volksliedern bearbeitet" und hat sie allen damaligen pianistischen Musikliebhabern als unterhaltsame Hausmusik angeboten.

Besonders bemerkenswert ist, wenn in Ferdinand Raimunds Zauberspiel „Adler, Fisch und Bär" die Gestalt des „Wohlauf" – verkörpert durch den Dichter selbst – auftritt, und mit leichter Veränderung des Textes das Lied vom „Bettelweibel" anstimmt, das als Nr. 52 in der Volksliedersammlung des Jahres 1819 aufscheint, aber als Komposition des „Kapellmeisters Wenzel Müller" verbreitet wird. Hervorzuheben ist, daß mit dem Begriff „Oesterreichische Volkslieder" Weisen aus Niederösterreich gemeint sind.

Es war also schon damals üblich – so wie heute –, das frei verfügbare aufgezeichnete Volkslied in einer mehr oder weniger stilgerechten Bearbeitung als eigenes Werk herauszugeben. Einen derartigen Umgang mit dem Volkslied hat nicht nur der beste unter den Theaterkapellmeistern seiner Zeit, Wenzel Müller, gepflogen, sondern auch andere bekannt gewordene Kapellmeister haben manchesmal die Volksweise der eigenen melodischen Erfindung vorgezogen.

Die Liste der erfolgreich benützten Volkslieder in den Szenen der Wiener Singspiele, der Possen, Komödien und Zauberstücken ist lang. Hier sei nur auf eine Auswahl derjenigen Lieder verwiesen, die unabhängig von der Verbreitung durch Bühne und Druck in der mündlichen Überlieferung des Landvolkes rund um Wien bis in unsere Tage fortleben:

*„Stieglitz, Stieglitz, 's Zeiserl ist krank . . ."*
*„Wann i zu mein Diandl fensterln geh . . ."*
*„Mei Schatz is a Schneider . . ."*
*„Vom Wald san ma füra . . ."*
*„Wann i in der Fruah aufsteh . . ."*
*„Bin i net a schöner Kohlnbauernbua . . ."*
*„Wann i amal a Geld hab, muaß i a Weib a habn . . ."*

*u. a.*

Die ländliche Prägung der Vorstädte hat auch das musikalische Leben begünstigt, das bekanntlich eine wesentliche Voraussetzung für die allgemeine Musikkultur war. Franz Ziska und Julius Max Schottky, die Sammler und Herausgeber der erwähnten „Oesterreichischen Volkslieder . . .", sind nämlich die Kronzeugen für dieses Singen und Sagen im Volk des biedermeierlichen Wien:

*„. . . Die Wienerische Volksmundart hat unendliche Weichheit und ist, gleich den meisten südlicheren Sprachen, gar sehr für den Gesang geeignet; weshalb auch das Volk hier außerordentlich liederreich erscheint. Überall schallet dem Wanderer froher Sang in Stadt und Flur entgegen, vorzüglich aber in den herrlichen Weingebirgen und Waldungen des mit Naturschönheiten reich erfüllten Landes. In den meisten dieser Lieder spricht sich schalkhafter Frohsinn, reiner Witz, die größte Lebendigkeit, viel Handlung und innige Kindlichkeit des Gemütes aus. Sie sind nicht gefertigt von besoldeten Dichtern. Es sind nicht kalte Reimverse, nein, sie stammen aus dem Volke selbst, dem sie das dringende Bedürfnis sind, der Ausdruck seines Sinnes . . ."*

Diesem musikalischen Volksleben begegnen wir auch in den Bildern der Zeit. Aus einer bildnerischen Hingabe, aus einem menschlichen Interesse am Leben und an den Ereignissen im Leben des Volkes entsteht das biedermeierliche Genrebild. „Volk" im Sinne jener Schicht der Gesamtbevölkerung, die in der Stadt das „niedrige" genannt wurde, das aber Träger einer eigenen musikalischen Kultur war. Aus der Fülle der Bilder großer Maler möge hier ein ausgewähltes Gemälde die Beziehung von Leben und Musik in einigen Punkten erhellen. Michael Neder (1807–1883) malte im Jahre 1847 eine Szene in einem Vorstadt-Wirtshaus in einer typisch „biedermeierlichen" Atmosphäre". Eindringlicher und überzeugender hat kein Maler die Spielpraxis und deren sich wandelnde Möglichkeiten dokumentiert wie Neder. Zwei sitzende Geiger in gleicher Spielhaltung musizieren für ein begeistert zuhörendes Liebespaar, umgeben von einer stehenden und einer sitzenden Männergruppe. Erhobene Fäuste und ausgestreckte Hände deuten auf rhythmische Bewegungen hin, die in der Wiener Musik von Sängern wie Zuhörern als ein aktives Unterstreichen des dargebotenen musikalischen Inhalts gewertet werden. Von den Geigern darf man annehmen, daß sie eine zweistimmige Ländlerweise oder eine Liedweise spielen, jedenfalls eine zweistimmige Melodie! Das Bild beweist die Vorherrschaft

Kat. Nr. 16/14 Michael Neder, Im Gasthaus

der Geige auch im musikalischen Volksleben. Denn seit 1800 drang sie in immer stärker werdendem Maße in die volkstümliche Spielpraxis ein und trug wesentlich zur Entwicklung des ländlerischen „Wiener Tanzes" bei. Dieses Vorspielstück soll besonders durch die oberösterreichische „Landlageiger" beeinflußt worden sein, die als „Linzergeiger" dem Musikleben in den Vorstädten und an den Donauländen wichtige Impulse gaben. Bevor es zur Ausprägung des Sammelnamens „Weana Tanz" kam, trugen diese Stücke die Bezeichnung „Linzer Tänze".

Und Johann Strauß Vater schrieb als Opus 3 seine „Wiener-Carneval-Walzer" ganz im Sinne der übernommenen Spielpraxis, nämlich für „Zwey Violinen und Baß".

Das Bild Michael Neders zeigt uns aber auch zwei Drehleiern und eine Zither, die an der Wand im Gewölbe des Vorstadtwirtshauses hängen. Die Drehleier war vor allem Begleitinstrument für Balladen- und Moritatensänger und zählte um 1830 schon zu jenen Instrumenten, die nur mehr in der Hand der Bettler zu finden waren. Immerhin ist es erstaunlich, daß ein anscheinend unversehrtes Instrumentenpaar die Wand eines Wirtshauses ziert. Mag sein, daß sie jener ausklingenden Spielpraxis zuzurechnen sind, die mit der „Leirer-Nanni" um 1840 für die Geschichte der volkstümlichen Musik in Wien im Zusammenhang steht.

Aber auch die Zither auf Neders Gemälde kann über die volkstümliche Musik der Biedermeierzeit einiges aussagen. Ein solches Instrument stand in einem Wein- oder Bierlokal jedem Gast zur Verfügung, der fähig war, es zu spielen, ähnlich der in dieser Zeit aufkommenden Gitarre, die zuerst in Bürgerkreisen zum beliebten Liedbegleitinstrument aufstieg und schließlich überall in den Lokalen das musikalische Umfeld repräsentierte.

Die Zither auf Neders Bild war noch ein einfaches Instrument, ohne chromatisch angeordnete Begleit- und Baßsaiten. Sie ist jenem „bordunierenden" Musizieren zuzuordnen, dem auch die Drehleiern angehören. Aber zu jener Zeit gab es schon eine Entwicklung zur Konzertzither, an der der Wiener Zithervirtuose Johann Petzmayer (1803–1884) wesentlich beteiligt war. Er machte vor allem die stimmungsvolle zarte Klangfarbe des Zitherspiels hoffähig und erweckte damit eine große Begeisterung für dieses Instrument. Johann Petzmayer, der spätere Kammervirtuose beim bayerischen Herzog Max, wurde nicht nur der vielbedankte Zitherspieler in der Wiener Hofburg, sondern auch für eine kurze Zeit der musikalische Begleiter der überaus erfolgreichen und bejubelten Tänzerin Fanny Elßler. Die Empfindsamkeit des Biedermeier hat der Zither eine hohe Stellung eingeräumt, was deshalb überrascht, weil sich eine ähnliche Situation in den nachfolgenden Epochen nicht wiederholte. Auf dem Boden dieser Begeisterung für die Zither erwuchs dem Wiener Bürgertum in Alexander Baumann (1814–1857) ein Zitherspieler und Dialektdichter, der als Vorbildfigur für das „Schnaderhüpfl"-Singen bei Zitherbegleitung viele Nachfolger fand.

Dieses Hinneigen zum Ländlichen in der Musik in Adel und Bürgertum hat sein Gegenstück in den geistig-politischen Bestrebungen, durch „Statistische Erhebungen" Näheres über die Kultur des Landvolkes zu erfahren. Erzherzog Johann von Österreich (1782–1859) hat in den Jahren 1811 bis 1840 durch eine Fragebogen-Aktion ein für die Geschichte der Volkskultur der Steiermark unschätzbares Material zustande gebracht. Im Strom dieses Interesses für volkskulturelle Formen und Gestalten initiierte der Mitbegründer und erste Sekretär der „Gesellschaft der Musikfreunde in Wien" – Joseph von Sonnleithner (1766–1835) – im Jahr 1819 ein Projekt zur Sammlung der „profanen Volksgesänge . . ., der Melodien der Nationaltänze . . . und Kirchenlieder . . ." in allen Kronländern des damaligen Kaiserreiches; ein beispielloses Unternehmen, das innerhalb weniger Monate mehrere tausend Einsendungen zeitigte.

Parallel zu dieser Befassung mit der musikalischen Folklore blühten die Reisebeschreibungen auf. Vor allem hat die Bergwelt Tirols und des Salzkammergutes sowie die Bewohner dieser Landschaften das ethnische und geographische Interesse der Leser angeregt. Das „wanderbare Österreich" war nun für den Bürger des biedermeierlichen Wien aufzuschlagen und lesend nachzuvollziehen. Manche Gestalten aus diesen erwanderten Berichten begegneten ihm auf der Bühne des geliebten Vorstadttheaters. Nennen wir stellvertretend für viele „folkloristische" Stücke Josef Nikolas „Eine Alpenblume, oder „Das Dorf im Gebirge" (1847) oder Alexander Baumanns „Versprechen hinterm Herd" (1848), so finden wir auch hier wie im Volksstück am Ende des 18. Jahrhunderts in einem verstärkten Maße „das Wiener Volks- und Gassenlied als entscheidendes Zugmittel anerkannt.

Das Theaterlied saugt sich mit aller Macht am Empfinden und am Humor des Wiener Musikbodens voll" (R. Haas).

Es wurde zur Mode, populär gewordene Lieder in einer besonderen Bearbeitung den musikalischen Dilettanten anzubieten. Die klavierspielenden jungen Damen und Herren „delektierten" sich an einer Reihe von Variationswerken, aus denen drei Titel hervorragen:

*„A Schüsserl und a Reinderl",*
*„O du lieber Augustin"*
*und*
*„Kommt ein Vogerl geflogen".*

Die Verbreitung solcher Lieder durch Übernahme in die Sphäre der städtischen Hausmusik wird durch jene unbekümmerte Art der Aneignung ergänzt, die in allen Bevölkerungskreisen angewandt wird, wenn es sich um spontan nachvollziehbare Inhalte und Versformen handelt. So erging es zum Beispiel dem heute jedem Wiener geläufigen Kehrreim

*„Mir is's ålles ans, mir is's ålles ans*
*ob i a Geld håb oda kans."*

Er stellt eine Umwandlung eines Liedes dar, das 1818 in der im Leopoldstädter Theater aufgeführten Parodie „Die Büchse der Pandora" zum erstenmal gesungen wurde. In veränderter Form finden wir es in den Folgejahren in anderen Theaterstücken, und zitatartig wandert es durch die Generationen, bis es sich zu jenem Lied festigt, das nunmehr in unseren Schulliederbüchern aufscheint.

Ähnlich erging es einem Raimund-Lied, das 1828 vom Schauspieler Wenzel Scholz in seinem Benefizstück „Der schwarze Mann" vorgetragen wurde. Die ersten zwei Langzeilen

*„Båld tramt mir wås Gut's und båld tramt mir wås Schlecht's,*
*und mir tramt ållemål wås, åber niemåls wås rechts . . ."*

haben sich im Prozeß des Nach- und Umsingens gewandelt, scheinen auf einem Flugblatt aus Wiener Neustadt auf und werden am Anfang unseres Jahrhunderts als Schnaderhüpfl in Kärnten aufgezeichnet. Dieses Wechselspiel von Theaterkunst und Volksgesang scheint wohl ein hervorstechendes Merkmal der Biedermeierzeit zu sein.

Bei all dem Reichtum an musikalischen Formen und Ereignissen sollte für die biedermeierliche Welt die Musik auf den Straßen nicht vergessen werden. Es gibt zahlreiche Zeugnisse über die „Lieder der Straße", die im handelsintensiven Wien ein Bestandteil des merkantilen Lebens waren. Nicht nur die „Liederweiber", mit ihren gesungenen Anpreisungen der neuesten Liederblätter, sorgten für eine melodische Durchdringung des Straßenlärms, sondern vor allem waren es die Straßenhändler mit ihren Kaufrufen, die ja schon im 18. Jahrhundert von der bildenden Kunst und Literatur dokumentiert wurden. Hier finden wir jene Typen in realer Gestalt, die dann idealisiert in den Volksstücken der Vorstadttheater auftreten. Ihre elementaren Kaufrufe erweitern sich im Theater zu Liedern, zu Arietten. Berühmt wurde der Ruf des Aschensammlers: „An Aschn" oder „Kein Aschn?", der als Refrainzeile die Strophen des Aschenliedes in Ferdinand Raimunds Original-Zaubermärchen „Das Mädchen aus der Feenwelt oder der Bauer als Millionär" (1826) wirkungsvoll beschließt. Auf seinem Weg zur Volkstümlichkeit ist dieses Lied nicht nur mehrfach parodiert und auf fliegenden Blättern verbreitet worden, sondern es erhielt auch die Bedeutung eines Zeitliedes, als am Ende des Biedermeier dessen scheinbar glückhafte Welt von der Wirklichkeit des unterdrückten Geistes überrollt wurde:

*„Die Welt war einst gewiß*
*ein reines Paradies,*
*man hat von Nix was g'wußt,*
*als nur von Freud' und Lust;*
*doch was i sag' – is wahr;*
*durch's Achtunvierz'ger Jahr*
*is viel auf uns-rer Erd'*
*an Menschen und an Werth – in Aschen! – an Aschen! – "*

Auch ist die Militärmusik zu erwähnen, als wichtiges Element der Musik auf der Straße. Noch zeigte sie sich in einer eigenartigen Vielfalt von unterschiedlichen Formationen, die als „Harmoniemusik" oder „Türkische Musik" nach dem jeweiligen Geschmack und „Portefeuille" des Regimentsinhabers entsprechend aufgestellt wurden.

Die österreichische Militärmusik, deren spätere große Volkstümlichkeit durch die genialen Märsche der k. u. k. Militärkapellmeister geprägt wurde, hatte im Vormärz ein ziviles Gegenstück in den paramilitärischen Gruppen der Bürgerwehren bzw. Bürgerkorps. Obwohl Wien als Residenz- und Garnisonstadt mehrere Militärmusikkapellen besaß, gab es auch im Bürgerkorpswesen einige Harmonie-Musiken, davon jene des „II. löblichen Wiener Bürger-Regiments", die für einige Jahre von Joseph Lanner geleitet wurde. Für das Repertoire dieser Regimentsmusik schrieb Lanner 6 Märsche mit den stilgeschichtlich bezeichnenden Namen „Defilir-, Parade-, Reise- und Festmärsche". Fast scheint es ein konkurrenzierendes Komponieren gewesen zu sein, als Johann Strauß Vater – ebenfalls Militärmusikkapellmeister, aber beim I. Wiener Bürgerregiment – 6 „Wiener Bürgermärsche" ab 1832 in loser Folge veröffentlichte. Wenn zwei so geniale Tanzkomponisten vorbildhafte Werke auch im Bereich der Militärmusik schaffen, dann kann nur hier der Grund für die tänzerische Wirkung der österreichischen k. u. k. Militärmärsche liegen. Es war also kein Zufall, daß die großartigste Schöpfung in Marschform von Johann Strauß Vater, der „Radetzky-Marsch" (1848), am Ende des Biedermeiers als unwidersprochenes Hauptwerk österreichisch-militärischer Marschmusik anerkannt wird. Dies mag wohl auch an der melodisch-rhythmischen Gestaltung liegen, die trotz ihrer individuellen Ausprägung die Bindung an die musikalische Folklore in jedem Abschnitt ahnen, spüren und hören läßt.

Die Straßen Wiens werden aber zur gleichen Zeit von einem gesungenen Protest erfüllt. In der „Neuen Geschichte von einem alten Herrn" wird der Refrain: „O Metternich, o Metternich, erschlage doch das Wetter dich!" zum Ventil eines sozialen Zorns, und der Lärm der usurpatorischen „Katzenmusik" verdeckt für einige Augenblicke der Geschichte die naive Musikwelt der Harfenisten und Sänger im Wirtshaus genauso wie auf der Bühne.

Politik und Wirtschaft und die nur oberflächlich geänderten Verhältnisse in Gesellschaft und Kunstleben hatten keine Einwirkung auf die spezielle musikalische Entwicklung der Tanzmusik. Vom Walzer braucht hier nicht wiederholt zu werden, was in zahllosen Büchern schon abgehandelt wurde. Es sollte nur noch einmal an Zeitzeugen erinnert werden, um das Wechselspiel von Kunst, Theater und Volkstum im Biedermeier exemplarisch vorzustellen.

Neben dem Walzer und seiner europaweiten Verbreitung erwachte der volkhafte hüpfende Zweitschritt-Tanz unter dem Namen „Polka" zu einer Hauptform des

Gesellschaftstanzes. Die bisher veröffentlichten legendenhaften Ausschmückungen seiner Entstehung sollten durch den Bericht von Philipp Fahrbach sen. (1815–1885) eine realistische Korrektur erhalten. Immerhin war Philipp Fahrbach Schüler von Johann Strauß Vater und Mitglied in dessen Kapelle. Er machte sich aber mit 20 Jahren schon selbständig, und gleich nach der Eröffnung der Nordbahn (17. November 1837) fuhr er mit seinem Orchester nach Brünn. Jahre danach schreibt er: „Die rasche und ermüdende Galoppe mußte der gemütlichen Polka weichen. Die erste Polka, die in jener Zeit in Wien, im Reiche eines österreichischen Musikdirektors auf den Annoncen prangte, war die ‚Brünner Polka', die ich bei meiner Anwesenheit in Brünn improvisierend instrumentierte und sogleich beim Balle aufgeführt hatte. Nach meiner Rückreise führte ich selbe zum erstenmal im k. k. Volksgarten auf. Dann schrieb Strauß seine unvergleichliche ‚Sperl-Polka' (1839). Man wird sich noch recht gut an die noch nicht gar lange gestillte Polkawut erinnern, die fast die ganze Welt ergriffen hatte." Und Wenzel Müller sei auch nochmals in der Charakterisierung durch den Philologen und Kulturforscher Wilhelm Heinrich Riehl (1823–1897) als ein wichtiger musikalischer Repräsentant des Biedermeier genannt: „Er hat den Keim des Poetischen, die Kraft des Volksthums auch im Gesange der Jahrmarktsrhapsoden erkannt und das Volkslied in seiner zärtlichen Rohheit auf die Bühne gebracht. Er war ein echter Österreicher, voll frischer Laune und gutmütiger Lustigkeit, dem ein Ländler, welchen er vielleicht einem fahrenden blinden Geiger abgehorcht, über alle italienischen Arienschnörkel gieng . . ."

Ein Großteil der Kultursphäre des Biedermeier war fraglos von der Volkskunst als Grundelement bestimmt. So entstanden musikalische Werke, die eine Breitenwirkung erfahren haben, in welcher Kunst und Folklore wie verschwisterte musische Elemente die Gesamtheit der Gesellschaft begeisterten.

**Benützte Literatur:**


Kurt Adel, Geist und Wirklichkeit. Vom Werden der österreichischen Dichtung, Wien 1967.

Emil Karl Blümml, Das Aschenlied von Ferdinand Raimund. In: Altwienerisches, Bilder und Gestalten von E. K. Blümml und G. Gugitz, Wien 1920, S. 143 ff.

Josef Brandlmeier, Handbuch der Zither. Die Geschichte des Instrumentes und der Kunst des Zitherspiels, München 1963.

Walter Deutsch – Gerlinde Hofer, Die Volksmusiksammlung der Gesellschaft der Musikfreunde in Wien/Sonnleithner-Sammlung (= Schriften zur Volksmusik Bd. 2), mit einem Beitrag von Leopold Schmidt, Wien 1969.

Franz Eibner, Die musikalische Geburt des Wiener Walzers. In: Katalog zur 58. Sonderausstellung des Historischen Museums der Stadt Wien – Fasching in Wien. Der Wiener Walzer 1750–1850, Wien 1978, S. 10 ff.

Rupert Feuchtmüller – Wilhelm Mrazek, Biedermeier in Österreich, Wien 1963.

Rupert Feuchtmüller – Hermann Steininger, Katalog zur Ausstellung „Alltag und Festbrauch im Biedermeier, Wien o. J.

Rudolf Flotzinger – Gernot Gruber, Musikgeschichte Österreichs, Band II. Vom Barock zur Gegenwart, Graz 1979.

Blanka Glossy – Robert Haas, Wiener Comödienlieder aus drei Jahrhunderten, Wien 1924.

Gustav Gugitz, Lieder der Straße. Die Bänkelsänger im josephinischen Wien, Wien 1954.

Robert Haas, Die Musik in der Wiener deutschen Stegreifkomödie (= Studien zur Musikwissenschaft Heft 12), Wien 1925.

Franz Hadamowsky, Literatur, Musik und Theater im Österreichischen Biedermeier. In: Katalog zur Biedermeierausstellung – Friedrich Gauermann und seine Zeit – in Gutenstein und Miesenbach, Wien 1962, S. 31 ff.

Ernst Hilmar, Die Musik – Beethoven und Schubert, Lanner und Strauß. In: Wien 1815–1848. Bürgersinn und Aufbegehren. Die Zeit des Biedermeier und Vormärz, Hrsg. Robert Waissenberger, Wien 1986, S. 253 ff.

Hubert Kaut, Lied und Volksmusik in Wien, Katalog zur 25. Sonderausstellung des Historischen Museums der Stadt Wien, Wien 1968.

Karl M. Klier, Volkstümliche Musikinstrumente in den Alpen, Kassel 1956.

Ders., Wiener Kaufrufe. In: Österreichische Musikzeitschrift, 18. Jg., Wien 1963, Heft 2, S. 56 ff.

Eduard Kremser, Josef Lanner's Werke. Neue Gesamtausgabe nach den Originalen herausgegeben, Leipzig 1889.

Ders., Wiener Lieder und Tänze, Band 1 und 2, Wien 1911/1913.

Gert Last, Die Zither im Rahmen des Wiener Musiklebens. Hausarbeit aus „Europäische Volksmusik"/Institut für Volksmusikforschung – Hochschule für Musik und darstellende Kunst in Wien, Wien 1985.

Franz Lipp, Linz und die Oberösterreichische Volkskultur – Linzer Tracht, Linzer Möbel, Linzer Geiger. In: Historisches Jahrbuch der Stadt Linz 1955, S. 359 ff.

I. W. Nagl – J. Zeidler – E. Castle, Deutsch-österreichische Literaturgeschichte, Zweiter Band/Erste Abteilung, Wien 1914.

Franz Rebiczek, Der Wiener Volks- und Bänkelgesang in den Jahren von 1800 bis 1848, Wien o. J.

Leopold Schmidt, Uns ist's alles eins. Ein Theaterlied im Volksmund. In: Das deutsche Volkslied, 38 Jg., Wien 1936, S. 154 f.

Ders., Die Stellung der Wiener Biedermeierdichtung zu Volkstum und Volkskultur. In: Germanisch-romanische Monatsschrift XXVI, 1938, Heft 7/8, S. 278 ff.

Ders., Zu „A Schüsserl und a Reindl". In: Das deutsche Volkslied, 41. Jg., Wien 1939, S. 43 f.

Ders., Wiener Schwänke und Witze der Biedermeierzeit (= Kaleidoskop Bd. 33), Wien 1946.

Ders., Das Volkslied im alten Wien (= Bellaria-Bücherei Bd. 11), Wien 1947.

Ders., Kunst und Volkstum im Wiener Vormärz. In: Österreichische Volkskultur. Forschungen zur Volkskunde Bd. 1, Wien 1947, S. 7 ff.

Ders., Zwischen 1819 und 1889. Die Volkstümlichkeit des Volksliedes im 19. Jahrhundert. In: Österreichische Musikzeitschrift, 24. Jg., Wien 1969, Heft 9, S. 526 ff.

Otto Schneider, Tanzlexikon (unter Mitarbeit von Riki Raab), Wien 1985.

Max Schönherr, Lanner – Strauß – Ziehrer. Synoptisches Handbuch der Tänze und Märsche, Wien 1982.

Max Singer – Philipp Fahrbach, Alt-Wiener Erinnerungen, Wien 1935.

Richard Smekal, Altwiener Theaterlieder. Vom Hanswurst bis Nestroy, Wien 1920.

Alexander Weinmann, Werkverzeichnis Joseph Lanner (Beiträge zur Geschichte des Alt-Wiener Musikverlages, Reihe 1/Folge 1), Wien 1948.

Ders., Werkverzeichnis Johann Strauß Vater und Sohn (Beiträge zur Geschichte des Alt-Wiener Musikverlages, Reihe 1/Folge 2), Wien 1956.

Reingard Witzmann, Von der Tanzekstase zum Walzertraum. In: Wien 1815–1848. Bürgersinn und Aufbegehren. Die Zeit des Biedermeier und Vormärz, Hrsg. Robert Waissenberger, Wien 1986, S. 93 ff.

Rudolf Wolkan, Wiener Volkslieder aus fünf Jahrhunderten, Wien 1926.

Johann Ziegler, Altwiener Tanzmusik in Originalausgabe. Katalog zur 199. Wechselausstellung der Wiener Stadt- und Landesbibliothek, Wien 1983.

Franz Ziska – Julius Max Schottky, Oesterreichische Volkslieder mit ihren Singeweisen, Pesth 1819.

Elisabeth Zoder, Vom Tanz im alten Wien. In: Österreichische Musik-Zeitschrift, 23. Jg., Wien 1968, Heft 9, S. 479 ff.

Raimund Zoder, Der Radetzky-Marsch. In: Volkslied – Volkstanz – Volksmusik, 48. Jg., Wien 1947, S. 21 ff.

## 3 MUSIK

*„Die Tonkunst wirkt hier täglich das Wunder, das man sonst nur der Liebe zuschrieb: Sie macht alle Stände gleich. Adeliche und Bürgerliche, Fürsten und ihre Vasallen, Vorgesetzte und ihre Untergebenen sitzen an einem Pulte beysammen, und vergessen über der Harmonie der Töne die Disharmonie ihres Standes.“*
(Ignaz v. Mosel, Übersicht des gegenwärtigen Zustandes der Tonkunst in Wien. In: Vaterländische Blätter für den österreichischen Kaiserstaat 1, Wien 1808, S. 39).

### 3/1 Musikvereine

**3/1/1**
**Antonio Salieri (1750–1825)**

Scuola di Canto
Autograph, 14 + 142 S. 24,5 × 31 cm
Wien, Archiv der Gesellschaft der Musikfreunde in Wien, 915/Sch (A 532)

Der Hofkapellmeister Antonio Salieri schrieb dieses Unterrichtswerk 1816 für das Konservatorium der Gesellschaft der Musikfreunde in Wien. Er war Gründungsmitglied der Gesellschaft (1812) und nahm besonders am Aufbau des Konservatoriums, der ersten öffentlichen Musiklehranstalt Wiens, regen Anteil. Die allgemeine Musizierfreude hat, trotz der reichen Möglichkeiten zum privaten Musikunterricht, eine solche Lehranstalt für Wien dringend notwendig gemacht. Überdies erforderte das im frühen 19. Jahrhundert entstehende neue Berufsbild des Berufsmusikers (bzw. Sängers) eine einheitliche, in der Organisation überschaubare Ausbildung.
OBi
Abbildung

**3/1/2**
**Joseph von Sonnleithner (1766–1835)**

Öl auf Leinwand, 56 × 44 cm
Wien, Sammlungen der Gesellschaft der Musikfreunde in Wien

Joseph von Sonnleithner ist als Librettist von Beethovens „Fidelio“ in die Musikgeschichte eingegangen. Darüber sollte man aber nicht vergessen, wie vielseitig der Beamte des Geheimen Kabinetts (1787–1804) und Hoftheater-Sekretär (1804–1814) für die Musik tätig war: als eifriger und erfolgreicher Librettist, als Gründer der Gesellschaft der Musikfreunde (1812) und deren Sekretär bis zu seinem Tode, als Sammler von Musikerportraits und von Materialien zur Geschichte der Musik, die er in 41 handschriftlichen Bänden hinterließ. Dieses Interesse an der Dokumentation und der Geschichte (Sonnleithner wollte auch eine Beispielsammlung zur „alten Musik“ veröffentlichen), das sich bei ihm mit einer aktiven künstlerischen Tätigkeit verband, ist signifikant für jene Zeit, in der immer noch das Neue auf das interessierte Publikum die größte Anziehungskraft hatte, in der aber auch die Wurzeln des Historismus zu finden sind.
OBi
Abbildung

Kat. Nr. 3/1/1

**3/1/3**
**Ignaz Franz von Mosel (1772–1844)**

Öl auf Leinwand, 55 × 43,5 cm
Wien, Sammlungen der Gesellschaft der Musikfreunde in Wien

Ignaz Franz von Mosel, Musikschriftsteller, Klaviervirtuose, Komponist, Dirigent und Beamter, gehörte ab 1808 zu den führenden Persönlichkeiten des Wiener Musiklebens. Bereits 1808 bis 1811 warb er als Schriftsteller in der Öffentlichkeit für die Errichtung eines Konservatoriums in Wien. Von 1812 bis 1816 dirigierte Mosel die jährlichen Feste der Gesellschaft der Musikfreunde. 1826 wurde er Leiter der Hoftheater, 1829 Erster Kustos der Wiener Hofbibliothek. Als Komponist schuf er mit seinen Variationen über den „Alexander-Marsch“ („Grandes Variations Sur la Marche favorite de l'Empereur Alexander I., pour le Piano forte“ op. 32) ein Probestück an Virtuosität, das er ebenso meisterhaft vorzutragen verstand.
ASchu
Abbildung

**3/1/4**
**Wiener allgemeine musikalische Zeitung 1813 Druck, Wien, bei Tendler**

25 × 20,5 cm
Wien, Bibliothek der Gesellschaft der Musikfreunde in Wien, 1.126/Z 33

Seit 1803 lassen sich Versuche feststellen, in Österreich eine eigene musikalische Fachzeitschrift zu gründen, die der 1798 in Leipzig gegründeten „Allgemeinen musikalischen Zeitung“ etwas Bodenständiges gegenüberstellen, aber auch eine deutliche Abgrenzung zur italienischen und französischen Musik setzen sollte, ein ebenso künstlerisches wie patriotisches Anliegen. Alle diese Projekte scheiterten an organisatorischen und finanziellen Schwierigkeiten. Die „Wiener allgemeine musikalische Zeitung“, in deren erster Nummer vom 2. Jänner 1813 auf Seite 1 ein Bericht über das Gründungskonzert der Gesellschaft der Musikfreunde am 29. November 1812 gebracht wird, erschien nur in einem Jahrgang. Ein neuerlicher Versuch im Jahre 1817 – mit dem Titel „Allgemeine musikalische Zeitung mit besonderer Rücksicht auf den österreichischen Kaiserstaat“ – brachte es auf acht Jahrgänge.
OBi

**3/1/5**
**Orchester der „Concerts spirituels“ in Wien, um 1825/30**

Kupferstich, 20,7 × 25,5 cm
Wien, Sammlungen der Gesellschaft der Musikfreunde in Wien, BI 1.217 A

Das 1819 von Franz Xaver Gebauer (1784–1822) begründete Konzertunternehmen in Wien veranstaltete seine Konzerte im Landhaussaal in der Herrengasse (heute Nr. 13). Da viel geistliche Chormusik auf dem Programm stand, mußte im Saal für die Konzerte auch eine Orgel aufgestellt werden. Die auf diesem Blatt festgehaltene Aufstellung von Chor und Orchester zeigt – wie damals

Kat. Nr. 3/1/2

Kat. Nr. 3/1/3

Kat. Nr. 3/1/6

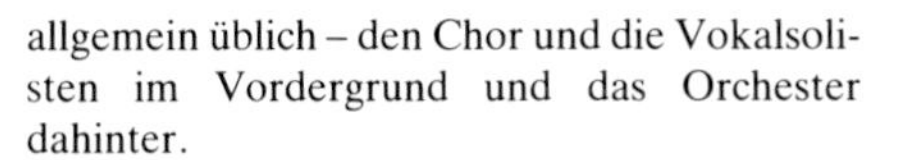

allgemein üblich – den Chor und die Vokalsolisten im Vordergrund und das Orchester dahinter.

Die „Concerts spirituels" wurden nach Gebauers Tod von mehreren Dirigenten bis 1848 fortgesetzt. In den vierziger Jahren befanden sie sich unter der gemeinschaftlichen Direktion des Eduard Freiherrn von Lannoy (1787–1853), des Sängers Ludwig Titze (1798–1850) sowie des Amateurmusikers Carl Holz (geb. 1798 in Wien).
OBi/ASchu

**3/1/6**
**Joseph Czerny (1785–1842)**

Der Wiener Klavier Lehrer oder: Theoretisch-practische Anweisung das Pianoforte nach einer neuen erleichternden Methode in kurzer Zeit richtig, gewandt und schön spielen zu lernen, op. 51
Druck, Wien, bei Anton Strauß, 1826
Wien, Archiv der Gesellschaft der Musikfreunde in Wien

Die Begeisterung für das aktive Musizieren im häuslichen Kreis ließ das Klavierspiel im frühen 19. Jahrhundert zu einem Teil des Bildungsprogrammes für Kinder werden. Der Klavierlehrer wurde geradezu zu einem Berufsstand, zumindest aber der Klavierunterricht zum Lebensunterhalt für viele. Das ergab aber auch einen großen Bedarf an Klavierschulen und anderen musikalischen Unterrichtswerken. Der Verfasser dieser damals sehr stark verbreiteten Klavierschule, Joseph Czerny, war Komponist und Musikverleger in Wien; er ist nicht zu verwechseln mit dem Komponisten Carl Czerny, dessen technisch-didaktische Werke auch heute noch im Klavierunterricht Verwendung finden. Die Titelvignette von J. Langer nach Mathias Loder zeigt einen Knaben und ein Mädchen beim vierhändigen Klavierspiel an einem Flügel von Conrad Graf (1782–1851), der in den zwanziger und dreißiger Jahren des 19. Jahrhunderts der wohl berühmteste Klavierbauer Wiens war.
OBi
Abbildung

**3/1/7**
**Dr. August Schmidt (1808–1891), 1847**

Carl Rahl (1812–1865)
Öl auf Leinwand, 88 × 75 cm
Sign. u. dat. re.: C Rahl 1847
Wien, Wiener Männergesang-Verein

Dr. August Schmidt war 1842 mit Otto Nicolai maßgeblich bei der Gründung der Philharmonischen Konzerte tätig und gündete auch am 6. Oktober 1843 den Wiener Männergesang-Verein. Schmidt war aktiv als Sänger, Kritiker, Journalist und Beamter. 1841 begann er mit der Veröffentlichung des Fachblattes „Die Allgemeine Wiener Musikzeitung". Er war auch von 1843 bis 1845 Vorstand des Männergesang-Vereins.
JW

**3/1/8**
**Ankündigungszettel des Gründungskonzertes der Wiener Philharmoniker am 28. März 1842**

Einblattdruck, 37 × 23 cm
Wien, Archiv der Gesellschaft der Musikfreunde in Wien, Programmsammlung

In einer Zeit, da es wohl Theater-, aber noch kein Konzertorchester gab, lassen sich seit den sechziger Jahren des 18. Jahrhunderts immer wieder Hinweise darauf finden, daß Theaterorchester an spielfreien Tagen Konzerte gaben bzw. in Konzerten mitwirkten. Es fehlte auch nicht an Versuchen, diese Konzerttätigkeit für Mitglieder des Hofopernorchesters zu institutionalisieren. Aber erst mit diesem Konzert – vom „Orchester-Personal des k. k. Hof-Operntheaters im k. k. großen Redouten-Saale" unter der Leitung von Otto Nicolai veranstaltet – begann eine Kontinuität, ermöglicht von einer effektiven Organisation. Bereits das zweite, am 27. November 1842 veranstaltete Konzert wurde „Philharmonisches Concert" genannt. Die Wiener Philharmoniker, ein vereinsmäßig organisierter Kreis von Musikern aus dem k. k. Hofopernorchester, waren damit gegründet.
OBi

**3/1/9**
**Der erste Wiener Männergesang-Verein, 1846**

Rudolf Gaupmann (1815–1877)
Lithographie, m. R., 51 × 74 cm
Sig. re. u. Gaupmann (1815–1877)
Wien, Wiener Männergesang-Verein

Der 1843 von Dr. August Schmidt (vgl. Kat. Nr. 3/1/7) gegründete Männergesang-Verein wurde trotz dauernder Schikanen durch die Polizei, die den Männerchor als gefährliche Sammlung von Freidenkern und Radikalen betrachtete, bald zu einer musikalischen Macht in Wien. Schon 1845 gehörten über 120 Sänger, darunter viele Opernsänger, Musiklehrer und Chorleiter, zum Verein. Die Metternichschen Prinzen mit ihrem Erzieher Moriz Becker besuchten einige Male die Proben des Vereins in den Sträußel-Sälen in der Josefstadt und erzählten zu Hause von dem prächtigen Klang des Chores, mit dem Erfolg, daß Vorstand Dr. August Schmidt zur Fürstin Melanie Metternich am Rennweg zitiert wurde und, zu seinem Staunen, von dieser gebeten wurde, mit dem Männerchor an einem Fest für die

Herzogin von Kent, der Mutter Königin Viktorias, teilzunehmen. Das Fest fand im Palais Metternich am 12. Juli 1845 in Anwesenheit des Hofes und vieler Würdenträger statt und etablierte den Wiener Männergesang-Verein als arrivierte Institution. Die Schikanen der Polizei ließen etwas nach.

Rudolf Gaupmann war Zeichenlehrer der Söhne Metternichs und schuf 1846 diese Lithographie von einigen Sängern des Chors: Am Klavier lehnend Chorleiter Gustav Barth; dritter von rechts in der hinteren Reihe, stehend, in der Uniform der Studentengarde, Karl Olschbaur, der 1872–1895 Vorstand des Vereins war.
JW

**3/2 Instrumentenbauer**

**3/2/1**
**Mathias Müller (1770–1844)**

Anzeige über die Erfindung neuartiger Klavierinstrumente, Wien, um 1803
Einblattdruck, 26 × 19,2 cm
Wien, Sammlungen der Gesellschaft der Musikfreunde in Wien, BI 1.064 A

Der ungemein rührige und experimentierfreudige Klavier- und Orgelmacher Mathias Müller zeigt hier in französischer und deutscher Sprache vier von ihm erfundene bzw. erstmals konstruierte Instrumente an, darunter eines namens „Ditanaklasis", eine frühe Art des Pianino. Die Experimentierfreude der Instrumentenbauer war nie so groß wie in den Jahren um und bald nach 1800, was die Entwicklung des Musikinstrumentenbaues ungeheuer vorantrieb.
OBi

**3/2/2**
**Joseph Wachtl**

Anzeige von ihm erzeugter aufrecht stehender Pianoforte verschiedener Bauart, Wien, um 1817
Einblattdruck, koloriert, 29,3 × 21 cm
Wien, Sammlungen der Gesellschaft der Musikfreunde in Wien, BI 1.188 A

Neben Martin Seuffert war der Orgel- und Instrumentenmacher Joseph Wachtl der Erfinder des 1811 erstmals in Wien gebauten aufrechten Pianoforte, das er bald in verschiedenen Formen baute. Diese platzsparenden Instrumente waren in einer Zeit, da das Klavier zu einem Modeinstrument und das Klavierspiel geradezu zu einem Bildungsideal geworden war, sehr beliebt.
OBi
Abbildung

**3/2/3**
**Johann Andreas Streicher (1761–1833), um 1820**

Johann Nepomuk Ender (1793–1854)
Öl auf Holz, 17,5 × 14,2 cm
Bez. a. d. Rs.: J. Ender pinx.
HM, Inv. Nr. 102.356

Die Klavierfabrik Streicher, seit 1802 im Haus mit der heutigen Adresse Wien 3, Ungargasse Nr. 46 (das damalige Gebäude wurde später demoliert), wurde 1837 von Streichers Sohn Baptist in den „Neuen Streicherhof" (das damalige Gebäude wurde gleichfalls später durch einen Neubau ersetzt; heute Ungargasse Nr. 27) übertragen, in dem die Fabrik bis 1896 Bestand hatte.

Es sei noch erwähnt, daß Johann Andreas Streicher 1812 einen Saal (später demoliert) erbauen ließ (wahrscheinlich im Hoftrakt des heutigen Hauses Ungargasse 46), der bald zu einem der beliebtesten Konzertsäle und zu einem Zentrum des Wiener Musiklebens im Vormärz wurde. Zu Johann Andreas Streicher siehe auch Kat. Nr. 3/12/8.
ASchu

**3/2/4**
**Conrad Graf (1782–1851), 1840**

Josef Danhauser (1805–1845)
Öl auf Holz, 82 × 63 cm
Wien, Österreichische Galerie

Conrad Graf, ein gebürtiger Schwabe, lernte zunächst bei dem Wiener Klavierbauer Jakob Schelke und richtete sich in Wien 1804 eine eigene Werkstatt ein. Um 1825 wandelte Graf als „kaiserlich königlicher Hof- und Fortepianomacher" das nahe der Karlskirche gelegene Mondscheinhaus (Haus Nummer 102, später demoliert, heute Wien 4, Technikerstraße 1) in eine Klavierfabrik um, die er bis 1841 leitete. Die Klaviere Grafs, eines der berühmtesten Klavierbauer Wiens, wurden auch von Beethoven und Franz Schubert besonders geschätzt (Graf hatte Beethoven einen Hammerflügel zur Benutzung überlassen; Schubert hatte 1814 von seinem Vater ein Graf-Klavier als Geschenk erhalten).

An den Graf-Instrumenten wurde vor allem der weiche, schwebende Klang geschätzt. Der Instrumentenbau erlangte übrigens in Wien zur Zeit des Biedermeier eine besondere Blüte. So sind für die Jahre 1815 bis 1833 nicht weniger als 572 Instrumentenbauer bekannt, davon 387 für Klavier, 52 für Saiten- und 44 für Blasinstrumente.

Es sei auch hervorgehoben, daß die Wiener Instrumentenbauer besonders experimentierfreudig waren (siehe Kat. Nr. 3/2/1).

*Lit.: Musikgeschichte Österreichs, Band 2, Vom Barock zur Gegenwart. Im Auftrag der österreichischen Gesellschaft für Musikwissenschaft hrsg. von R. Flotzinger und G. Gruber, Graz – Wien – Köln 1979, S. 265.*
ASchu

**3/2/5**
**Ignaz Bösendorfer (1796–1859)**

Öl auf Leinen, 78,5 × 63 cm
Wien, Sammlungen der Gesellschaft der Musikfreunde in Wien

Der Klavierbauer Ignaz Bösendorfer, Sohn eines Tischlermeisters, lernte sein Handwerk beim Klavierbauer Joseph Brodmann, bei dem er bis 1828 arbeitete. Nach Erlangung des „Klaviermachergewerbes samt Bürger- und Meisterrecht" übernahm er den Betrieb Brodmanns in der Josefstadt Nr. 43 (Wien 7, Lenaugasse 10) und führte ihn als eigenes Unternehmen weiter. Bösendorfer, der widerstandsfähige und tonstarke Instrumente herstellte, wurden zahlreiche Ehrungen zuteil. 1836 erhielt er den Titel „k. k. Hof- und Kammerklavierfertiger", bei den Wiener Gewerbsproduktenausstellungen von 1839 und 1845 errang er mit seinen Klavieren jeweils erste Preise. Da die Betriebsstätte in den fünfziger Jahren nicht mehr ausreichte, ließ Ignaz Bösendorfer eine vor dem Schottentor (Neu-Wien 377, heute Wien 9, Türkenstraße Nr. 9) erbauen, deren Fertigstellung er jedoch nicht mehr erlebte.

Den überregionalen, ja internationalen Ruf dieser auch heute noch bestehenden Firma (heutige Adresse: Wien 1, Bösendorferstraße Nr. 12) begründete Ignaz Bösendorfers Sohn Ludwig Bösendorfer (1835–1919), der technische Verbesserungen in den Klavierbau einbrachte, stark expandierte und den Kontakt mit den Künstlern seiner Zeit suchte und fand.
OBi/ASchu
Abbildung

**3/3 Musikinstrumente**

**3/3/1**
**Orphica, Wien, um 1800**

Carl Leopold Röllig (um 1754–1804)
L: 121 cm, B (rechts): 36 cm, H: 10 cm,
Tonumfang: C–f$^{2}$ (eine Quart höher gestimmt),
Stichmaß: 44 cm, einfache Besaitung
Wien, Gesellschaft der Musikfreunde in Wien, Musikinstrumentensammlung, I. N. 21

Die Orphica zählt zu jenen vielen kurzlebigen Erfindungen neuer Instrumente, die für das Musikleben um 1800 bzw. im frühen 19. Jahrhundert charakteristisch waren. Sie ist ein an einem Band um die Schulter tragbares Miniaturklavier. Sie wurde erstmals 1795 von ihrem Erfinder – und soweit wir wissen, einzigen Erzeuger – Carl Leopold Röllig gebaut. Röllig stammte aus Hamburg, war dort Musikdirektor, machte dann als Glasharmonika-Virtuose Reisen und lebte seit 1792 in Wien. Seinen Lebensunterhalt verdiente er hier als Beamter der Hofbibliothek, nebstbei beschäftigte er sich mit der Musik, im besonderen mit der Entwicklung und dem Bau dieses Instrumentes.
OBi
Abbildung

Kat. Nr. 3/2/2

Kat. Nr. 3/2/5

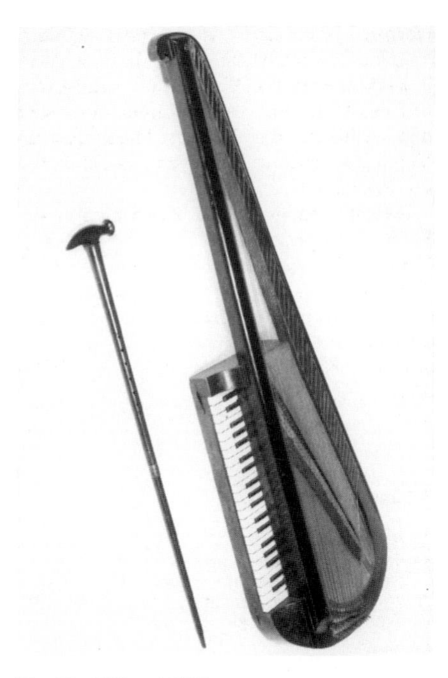

Kat. Nr. 3/3/1 und 3/3/3

**3/3/2**
**Lyra-Guitarre, Paris, um 1800**

Jacques-Pierre Michelot
L: 81 cm, B (oben): 37 cm, B (unten): 35 cm, H der Zargen oben 2 cm, unten 10 cm, auf dem Hals 12 Bünde, flach gewölbter Boden, in der Decke zwei Schallöcher, 6 Saiten
Wien, Gesellschaft der Musikfreunde in Wien, Musikinstrumentensammlung, I. N. 64

In der um 1800 sehr beliebt gewordenen Lyra-Guitarre verbindet sich ein klassizistisches Ideal mit der angenehmen Spiel- und Verwendbarkeit eines modernen Instrumentes, wie es die Gitarre damals war. Das Instrument stammt aus dem Besitz von Johann Michael Vogl, der von 1794 bis 1821 Mitglied des Hofopernensembles war.
OBi
Abbildung

**3/3/3**
**Stockflöte (Czakan) in A, Wien um 1820**

Anton Schultz
L (gesamt): 82 cm, L (Flöte): 46 cm, 8 Grifflöcher, im abnehmbaren Griff zwei Löcher zum Anblasen durch den Griff
Wien, Gesellschaft der Musikfreunde in Wien, Musikinstrumentensammlung, I. N. 113

Ein im Biedermeier kurzfristig sehr beliebtes Musikinstrument war der Czakan, der der ungarischen Hirtenflöte nachgeahmt war und, der Blockflöte verwandt, in einen Spazierstock eingebaut war. Er wurde nicht als Spielerei, sondern als ernsthaftes Musikinstrument betrachtet, für das sich Liebhaber, Virtuosen und vor allem auch Komponisten fanden.
OBi
Abbildung

**3/3/4**
**Violine, 1821**

Bernhard Stoss (um 1784–1854)
L: 61 cm, B (unten): 20,5 cm, H (Zargen): 3 cm
Wien, Gesellschaft der Musikfreunde in Wien, Musikinstrumentensammlung, I. N. 27

Selbst bei so traditionellen und bewährten Instrumenten wie die Violine zeigten die experimentierfreudigen Musikinstrumentenbauer des Biedermeier Ambitionen zu Veränderungen. Bernhard Stoss hat bei diesem Instrument das Corpus der Violine ähnlich jenem der Gitarre gestaltet. Die Saiten sind an der Decke selbst in kleinen, von Ebenholzplättchen gestützten Löchern befestigt. Der Wirbelkasten endet nicht in einer Schnecke, sondern in ein vierblättriges Kleeblatt. Solche Experimente hatten an sich keine Zukunft, belebten und aktivierten aber den Musikinstrumentenbau und sind Zeugnisse für die in diese Zeit fallende rasante Weiterentwicklung dieses Kunsthandwerks, an der auch Komponisten und Interpreten interessierten Anteil genommen haben; sie hatte ihre künstlerische wie sozialgeschichtliche Bedeutung. Mit seinen nach klassischen Traditionen gebauten Instrumenten war Bernhard Stoss einer der bedeutendsten Wiener Meister seiner Zeit.
OBi

**3/3/5**
**Arpeggione, um 1825**

Kopie eines Wiener Instrumentes um 1825, Markneukirchen, um 1900
L: 98 cm, B (unten): 29 cm, H (Zargen): 6,5 cm, 12 Bünde, 6 Saiten, Decke aus Fichtenholz, Zargen und Boden aus Ahornholz
Wien, Gesellschaft der Musikfreunde in Wien, Musikinstrumentensammlung, I. N. 347

Eine der vielen Erfindungen und Neukonstruktionen von Wiener Musikinstrumentenbauern im Biedermeier und Vormärz war das 1823 von Johann Georg Stauffer erstmals gebaute Arpeggione, ein der Gambe verwandtes Streichinstrument. Es konnte sich nicht durchsetzen, ist aber bekannt geblieben durch die 1824 von Franz Schubert für dieses Instrument komponierte Sonate („Arpeggione-Sonate", D 821).
OBi

**3/4 Verleger**

**3/4/1**
**Domenico Artaria (1775–1842), 1836**

Heinrich Wilhelm Schlesinger (1814–1893)
Öl auf Leinwand, 78 × 64 cm
Sign. u. dat. Mi. u.: Schlesinger 1836
HM, Inv. Nr. 58.324

Domenico Artaria, einer der bedeutendsten Musikverleger Wiens, übernahm im Jahre 1802 von seinem Onkel Carlo Artaria (1747–1808) die Firma „Artaria u. Comp." (diese befand sich seit 1789 im Haus „Zum englischen Gruß", 1181–1219–1151; das Gebäude wurde in den Jahren 1900/01 durch einen Neubau ersetzt: Wien 1, Kohlmarkt 9. Die Geschäftsräume dieser Kunsthandlung befinden sich heute im Mezzanin dieses Hauses).

Nach dem Tod Domenico Artarias ging die Firma im Jahre 1842 in den Besitz von dessen Sohn August Artaria (1807–1893) über.

*Lit.: F. Slezak, Beethovens Wiener Originalverleger, Wien 1987.*
ASchu
Abbildung

**3/4/2**
**„Ansicht des Kohlmarkt in Wien"**

Leopold Beyer (1784–1870)
Kolorierter Kupferstich und Radierung komb.
Pl.: 32,8 × 44 cm, Bl.: 39,8 × 51,6 cm
Im Druck bez. li. u.: Nach der Natur gezeichnet/ANSICHT des KOHLMARKT in WIEN – VUE du KOHLMARKT rûe principale de VIENNE, Mi. u.: Wien bey Artaria et Comp:
HM, Inv. Nr. 68.215

Die Ansicht zeigt rechts (das zweite Gebäude) die „Kunsthandlung Artaria & Compagnie" (heutige Adresse: Wien 1, Kohlmarkt 9). Siehe Kat. Nr. 3/4/1.
ASchu

Kat. Nr. 3/4/1

Kat. Nr. 3/4/4

**3/4/3**
**Zensurbuch des Verlags Artaria, 1812–1848**

Handschrift, gebunden, 96 Seiten
Erste Seite gedruckt mit handschriftl. Bez.: Censurbuch von Artaria Compag
22,4 × 18,2 cm
Wien, Wiener Stadt- und Landesbibliothek, Ja 85.963

Wie alle Veröffentlichungen mußten auch Musikalien der Zensurbehörde vorgelegt werden. Während sich der Notentext im allgemeinen dem Beurteilungsvermögen der Beamten entzog, kamen bei Titelblättern und Texten durchaus Eingriffe vor.
TA

**3/4/4**
**Anton Diabelli (1781–1858), 1841**

Joseph Kriehuber (1800–1876)
Kreidelithographie, 55,6 × 40 cm
Im Druck sign. u. dat. li. u.: Kriehuber/841, bez. re. u.: Gedr. bei Joh. Höfelich./Mi. u. faksimilierte Unterschrift: Ant. Diabelli
HM, Inv. Nr. 103.569

Der erfolgreiche Komponist Anton Diabelli begründete 1818 mit Peter Cappi den Verlag „Cappi und Diabelli" in Cappis Haus am Kohlmarkt (137–266–255). Als Cappi 1824 seinen Anteil an der Firma zurücklegte, schloß Diabelli im selben Jahr mit Dr. jur. Anton Spina (1790–1857) einen Gesellschaftsvertrag, dem zufolge der Verlag als „A. Diabelli & Comp." firmierte. Diabelli, der zu den letzten Besuchern Beethovens zählte, war einer der wichtigsten Verleger Schuberts. Erst 1851 legte Diabelli seine Befugnis an der Firma zurück. Zum Hauptschaffensgebiet des Komponisten Diabelli zählte die geistliche Musik, er schrieb aber auch eine große Anzahl Klaviermusik.
ASchu
Abbildung

Kat. Nr. 3/4/6

**3/4/5**
**Tobias Haslinger (1787–1842), 1832**

Joseph Kriehuber (1800–1876)
Aquarell, 22,2 × 16,2 cm
Sign. u. dat. re. u.: Kriehuber/832
HM, Inv. Nr. 103.481

Tobias Haslinger war seit 1814 Kompagnon des Musikalienverlegers Sigmund Anton Steiner (1773–1838), von dem er 1826 die Firma (im Haus 585–612–572; um 1835 demoliert; heute Wien 1, Graben 21) zur Gänze erwarb. 1835 übersiedelte Haslinger seine Firma in den Trattnerhof (Graben 591–659–618; 1911 wurde das Gebäude durch einen Neubau ersetzt: Wien 1, Graben 29–29 a). Bereits 1832 hatte Haslinger auch den Verlag T. Mollo erworben.

Haslinger gehörte als Unternehmer zu den führenden Vertretern seines Faches in Österreich (1830 erhielt er den Titel „k. k. Hof-, Kunst- und Musikalienhändler") und repräsentierte seinen Stand darüber hinaus als Freund und Förderer hervorragender Musiker. Als Komponist war Haslinger mit Kirchen- und Klaviermusik besonders erfolgreich.
ASchu

**3/4/6**
**Innenansicht der Musikalienhandlung Tobias Haslinger**

Aquarell (Kopie nach verschollenem Original), 24,7 × 31,4 cm
HM, Inv. Nr. 76.615/286

Das Bild zeigt Tobias Haslingers Musikalienhandlung im damaligen Haus N° 572 (siehe Kat. Nr. 3/4/5) der Wiener Innenstadt, und zwar im sogenannten Paternostergassel.
ASchu
Abbildung

**3/4/7**
**Maximilian Joseph Leidesdorf (1787–1840), 1829**

Joseph Kriehuber (1800–1876)
Kreidelithographie, Bl.: 33,8 × 24,5 cm
Im Druck sign. u. dat.: Kriehuber/1829, bez. re. u.: gedr. bey J. Jebmayer in Wien, Mi. u: M. J. LEIDESDORF/Virtuoso di camera e di corte di S.A.J. il grand Duca/di Toscana.
HM, Inv. Nr. 103.572

Der Komponist Maximilian Joseph Leidesdorf, dessen Kammer- und Kirchenmusik besonders geschätzt wird, begründete 1822 mit Ignaz Sauer den Verlag Sauer & Leidesdorf, den er in der Kärntnerstraße (960–999–941) ab diesem Jahr allein führte.

Als Sauer 1826 die Konzession zurücklegte, wurde 1827 die neue Firma „Max. Jos. Leidesdorf" gegründet, die bis 1833 Bestand hatte. Von Leidesdorf wurden unter anderem Werke Beethovens und Schuberts verlegt.
ASchu
Abbildung

## 3/5 Komponisten

**3/5/1**
**Adalbert Gyrowetz (1763–1850)**

Joseph Willibrod Mähler (1778–1860)
Öl auf Leinwand, 56 × 44 cm
Wien, Sammlungen der Gesellschaft der Musikfreunde in Wien, Portraitgalerie

Adalbert Gyrowetz ist ein wichtiger Repräsentant jener Komponisten, die stilistisch an sich „Klassiker" waren und in der ersten Hälfte des 19. Jahrhunderts miterleben mußten, wie sie sich künstlerisch selbst überlebten. Von Mozart gefördert und von Haydn unterstützt, war er tatsächlich ein niveauvoller und für das Ende des 18. Jahrhunderts ein wichtiger Komponist. Von 1804 bis 1831 war er – neben Joseph Weigl und unter Antonio Salieri – Kapellmeister und Kompositeur der k. k. Hoftheater, also des Opernensembles. Seine größten Erfolge, die er in ganz Europa hat erringen können, waren damals aber bereits Geschichte.
OBi

**3/5/2**
**Adalbert Gyrowetz**

Gyrowetz' eigenhändiges Werkverzeichnis
Titelblatt beschriftet von Gyrowetz' eigener Hand: Verzeichnis der meisten musikalischen Werke des A. Gyrowetz
18,3 × 12,4 cm, aufgeschlagen: 18,3 × 24 cm
Wien, Wiener Stadt- und Landesbibliothek, H.I.N. 40.536

Im Zuge des verstärkten Interesses an der Geschichte der Musik war man auch bestrebt,

Kat. Nr. 3/4/7

Kat. Nr. 3/5/5

die Kenntnis über die musikalischen Zeitgenossen festzuhalten und der Nachwelt zu überliefern. So schrieben Musiker immer häufiger teilweise aus eigenem Antrieb, teilweise von Interessenten dazu aufgefordert, Lebenserinnerungen, Werkverzeichnisse u. ä. nieder.
TA

**3/5/3**
**Joseph Weigl (1766–1846)**

Joseph Willibrod Mähler (1778–1860)
Öl auf Leinen, 56 × 44 cm
Wien, Sammlungen der Gesellschaft der Musikfreunde in Wien, Portraitgalerie

Joseph Weigl, Patenkind Joseph Haydns und Kapellmeister und Kompositeur der k. k. Hoftheater, kommt stilistisch aus der Klassik. Mit dem Singspiel „Das Waisenhaus" (1808) und der lyrischen Oper „Die Schweizerfamilie" (1809) schuf der erfahrene und fleißige Bühnenkomponist zwei Erfolgswerke des Biedermeier, bei denen Libretto wie Musik Lebensmaximen und künstlerischen Idealvorstellungen dieser Epoche entsprechen.
OBi

**3/5/4**
**Joseph Weigl**

Eigenhändiger Brief an „Euer Hochwohlgeboren", Wien, 24. Dezember 1826
Wien, Wiener Stadt- und Landesbibliothek, H.I.N. 5.436

Der sechzigjährige Komponist Joseph Weigl war gerade mit der Komposition einer großen Messe beschäftigt, als ihn der damalige Hofmusikgraf in Wien ersuchte, die Stelle eines „Hof Vicekapellmeisters" zu übernehmen. In dem vorliegenden Schreiben vom 24. Dezember 1826 bezeugt Weigl diesbezüglich seine Bereitwilligkeit, und so wurde er bereits am 26. Jänner 1827 Vizehofkapellmeister. Weigl zog sich erst 1839 von seiner musikalischen Tätigkeit zurück.
ASchu

**3/5/5**
**Ignaz von Seyfried (1776–1841), 1829**

Joseph Kriehuber (1800–1876)
Kreidelithographie, 35,4 × 25 cm
Im Druck sign. u. dat. li. u.: Kriehuber/829, bez. re. u.: Ged. im lith. Inst. in Wien, Mi. u. faksimilierte Unterschrift: Seyfried/Wien bei Tobias Haslinger.
HM, Inv. Nr. 95.255

Ignaz von Seyfried war ein Schüler von Johann Georg Albrechtsberger (1736–1809). Er wurde von diesem als sein talentvollster Schüler bezeichnet.

Seyfried wurde 1797 Kapellmeister am Freihaustheater in Wien und später (bis 1827) Kapellmeister am Theater an der Wien. Während seiner Kapellmeisterzeit schuf Seyfried eine Vielzahl hervorragender Bühnenkompositionen aller Art.

In den letzten Jahren seines Lebens wurde allerdings qualitätvolle Kirchenmusik sein Hauptschaffensgebiet. Seyfried war auch ein sehr fruchtbarer musikalischer Schriftsteller.
ASchu
Abbildung

**3/5/6**
**Ignaz von Seyfried**

„Canone a 4 tro Voci", 1830
Autograph, 24,3 × 17 cm
Wien, Wiener Stadt- und Landesbibliothek, MH 3.813/c

Der Kanon als eine Form geselliger Mitteilung oder als musikalische Einkleidung aphoristischer Weisheiten hat in Österreich eine lange Tradition, zu der auch die Wiener Klassiker eine Reihe bekannter Beiträge, zu einem guten Teil heiter-ironischer Art, lieferten.
TA

**3/5/7**
**Nikolaus Freiherr von Krufft (1779–1818)**

Sammlung deutscher Lieder mit Begleitung des Claviers . . .
Erstdruck, Wien, bei Anton Strauß, 1812, 24 × 34 cm
Wien, Archiv der Gesellschaft der Musikfreunde in Wien, VI 3.752 (Q 6.406)

Nikolaus Freiherr von Krufft, Beamter der Geheimen Hof- und Staatskanzlei, repräsentiert aufs beste jenen Musikdilettanten, der für das biedermeierliche Musikleben ebenso typisch wie wichtig war: Ein Musikdilettant war im damaligen Sprachgebrauch ein voll ausgebildeter Musiker oder Komponist, der sein Fach auf hohem Niveau beherrschte, allerdings nur zur persönlichen Freude und nicht als Brotberuf ausübte. Kruffts Liedschaffen ist für die Entwicklung des Kunstliedes von großer Bedeutung, sein Einfluß auf Schubert unverkennbar. Bemerkenswert und damals nicht absolut selbstverständlich ist seine kritische Auswahl der Texte. „Was die musikalische Behandlung dieser Texte betrifft", schreibt er im Vorwort dieser Sammlung, „ so hatte ich dabey einen dreyfachen Zweck vor Augen: Richtige Declamation in dem Geiste der Gedichte und mit Beziehung auf alle Strophen; möglichste Klarheit und Abründung der Melodie; unabhängige Clavier-Begleitung, so viel sich dieß mit der erforderlichen Unterstützung der Stimme vereinigen ließ."
OBi

**3/5/8**
**Joseph Drechsler (1782–1852), 1844**

Winter
Lithographie, Pl.: 20,2 × 15,7 cm; Bl.: 45,5 × 30 cm
Im Druck sign. u. dat. li. u.: Winter/844, bez. re. u.: Ged. b. Horegschj., Mi. u.: JOSEPH DRECHSLER/Professor und Kapellmeister.
HM, Inv. Nr. 82.871

Joseph Drechsler war ein hervorragender Kirchen- und Theaterkapellmeister. Für diese Tätigkeiten entstanden zahlreiche Kompositionen (etwa 60 Singspiele, Opern, Messen, Lieder usw.). In Wien wirkte Drechsler ab 1823 als Kapellmeister an der Universitätskirche und zugleich 1822–1830 als Kapellmeister am Leopoldstädter Theater. Zuletzt war Drechsler Kapellmeister zu St. Stephan in Wien (1844–1852). Zum Zweck öffentlicher Vorlesungen an der Normalschule von St. Anna in Wien hatte er bereits 1816 seine „Harmonie- und Generalbaßlehre" niedergeschrieben.

In diesen Fächern unterrichtete Drechsler um 1844 auch Johann Strauß Sohn.

Aus Drechslers Unterrichtstätigkeit sind in der Wiener Stadt- und Landesbibliothek Übungen in der Harmonielehre in Verwahrung, welche die ältesten erhalten gebliebenen Noten von der Hand des jungen Strauß darstellen.
ASchu

**3/5/9**
**Joseph Drechsler**

Musikstück aus Ferdinand Raimunds „Diamant des Geisterkönigs"
Autograph, 24,5 × 32 cm
Wien, Wiener Stadt- und Landesbibliothek, MH 1.850/c

Kat. Nr. 3/5/10

Kat. Nr. 3/5/14

Aus dem umfangreichen Repertoire an Theatermusik sind die Kompositionen zu den Stücken von Nestroy und Raimund bis heute bekannt und in Gebrauch geblieben.
TA

**3/5/10**
**Simon Sechter (1788–1867), 1840**

Joseph Kriehuber (1800–1876)
Kreidelithographie, Bl.: 48,7 × 35,1 cm
Im Druck sign. u. dat. li. u.: Kriehuber/840, bez. re. u.: Gedr. bei Joh. Höfelich, Mi. u. faksimilierte Unterschrift: Simon Sechter/Dem verehrten Meister seine Schüler.
HM, Inv. Nr. 11.725

Simon Sechter wurde von seinen Zeitgenossen als Fugen-Improvisator und Lehrer des Kontrapunktes sehr geschätzt. Als Komponist schuf er vor allem kirchenmusikalische Werke (Messen, Gradualien, Offertorien usw.), aber auch Oratorien, Fugen, Streichquartette und Klaviervariationen.

Als Nachfolger Johann Hugo Wořzischeks (1791–1825) wurde Sechter im Jahre 1825 in Wien zum ersten Hoforganisten ernannt.
ASchu
Abbildung

**3/5/11**
**Franz Schubert und Simon Sechter**
**Kontrapunktübungen, 1828**

Autograph, 25 × 62,6 cm (aufgeschlagen)
Wien, Wiener Männergesang-Verein

Simon Sechter war bis zu seinem Lebensende ein geschätzter Lehrer des Kontrapunkts, der Kunst, mehrere Stimmen in einer Komposition selbständig zu führen. Auch Franz Schubert kam vor seiner letzten Erkrankung zu Sechter, um den Kontrapunkt und die Fuge zu studieren. Die vorliegenden Kontrapunktübungen in der Handschrift Schuberts und Simon Sechters stammen wahrscheinlich von der (einzigen) Unterrichtsstunde am 4. November 1828.
ASchu

**3/5/12**
**Ignaz Aßmayr (1790–1862), 1841**

Joseph Kriehuber (1800–1876)
Kreidelithographie, 45,5 × 31,2 cm
Im Druck sign. u. dat.: Kriehuber/841, bez. re. u.: Gedr. bei Joh. Höfelich., Mi. u. faksimilierte Unterschrift: Ign. Aßmayr/Eigenthum und Verlag der k. k. Hof- und priv. Kunst und Musikalienhandlung/des Tobias Haslinger in Wien.
HM, Inv. Nr. 10.682

Ignaz Aßmayr, ein Schüler Michael Haydns, kam 1815 nach Wien, wo er auch Unterricht bei Joseph Leopold Eybler (1765–1846), dem späteren Hofkapellmeister (ab 1824), nahm. Aßmayr wurde in Wien 1824 Kapellmeister am Schottenstift, 1825 Hoforganist und 1846 Zweiter Hofkapellmeister. Als Komponist widmete sich Aßmayr hauptsächlich der Kirchenmusik. Neben seinen zahlreichen Messen, Offertorien und Gradualien seien seine Oratorien („Das Gelübde", „Saul und David" und „Sauls Tod") als beliebte Tondichtungen hervorgehoben.
ASchu
Abbildung

**3/5/13**
**Ignaz Aßmayr**

Das deutsche/Segen und Messlied/. . . für die Orgel/. . . 47 tes Werk
Erstdruck, Wien, bei Haslinger
Orgelstimme mit unterlegten Texten
Wien, Wiener Stadt- und Landesbibliothek, M 15.096/c

Aßmayr stammte aus Salzburg, wo er als Kirchenmusiker ausgebildet worden war und als Organist in St. Peter wirkte. Er zog nach 1815 nach Wien, wurde Schüler von Salieri und

Freund Franz Schuberts. 1823 kam Aßmayr an die kaiserliche Hofkapelle, wo er die Sängerknaben unterrichtete, aber erst 1846 eine definitive Anstellung als Kapellmeister erhielt. Als späteres Ehrenmitglied der Gesellschaft der Musikfreunde, Träger hoher Auszeichnungen und Vorstand mehrerer Kirchenmusikvereine gehörte er zu den wichtigsten Persönlichkeiten Wiens im Bereich der Kirchen- und Chormusik in der ersten Hälfte des 19. Jahrhunderts.

Aßmayr veröffentlichte viele, zum praktischen Kirchengebrauch eingerichtete Kompositionen für die Meßliturgie. Er galt als Haupt des Traditionalismus.
OB

**3/5/14**
**Carl Czerny (1791–1857)**

Öl auf Leinen, 56 × 44 cm
Wien, Sammlungen der Gesellschaft der Musikfreunde in Wien, Portraitgalerie

Jedem Klavierschüler ist auch heute der Name Carl Czerny ein Begriff. Mit den musikalisch-technischen Übungen, die für den Klavierunterricht unentbehrlich geblieben sind, wird man diesem Schüler Beethovens aber nicht gerecht. Er hat mehr und für das Musikleben im Biedermeier und Vormärz Wichtigeres geleistet: Seine Kompositionen – Klavier-, Kammer- und Kirchenmusik, Konzerte und Orchesterwerke – sind meist sehr niveauvoll. Seine Bearbeitungen für Klavier zu zwei und vier Händen haben viele wichtige Werke des damaligen Repertoires in einer Zeit, da es noch keine technischen Möglichkeiten zur Musikrezeption gab, Eingang in die Hausmusikpflege finden lassen.
OBi
Abbildung

**3/5/15**
**Untertasse aus Porzellan mit einer Komposition von Carl Czerny**

Wien, 1822
Dm.: 14,8 cm
In der Mitte bez. in Goldschrift: C. Czerny, umgeben von zwei konzentrischen Notenkreisen in Schwarz
Unterseite: glasurblauer Bindenschild, eingepreßt 27, Jahresstempel 822
Graz, Steiermärkisches Landesmuseum Joanneum, Abteilung für Kunstgewerbe
Inv. Nr. 0342

Zu dieser Untertasse, einem Wiener Erzeugnis, gehört eine Schokoladetasse (mit der Beschriftung: „Dankbarkeit/opfert Ihnen/stets/mein Herz."), die jedoch hier nicht ausgestellt ist. Zu Carl Czerny siehe Kat. Nr. 3/5/14.
ASchu
Abbildung

Kat. Nr. 3/5/15

Kat. Nr. 3/5/18

**3/5/16**
**Ferdinand Schubert (1794–1859)**

Ferdinand Schubert (1824–1853)
Unvollendetes Ölgemälde auf Leinwand, 47,5 × 38,2 cm
HM, Inv. Nr. 32.384

Franz Schuberts Bruder Ferdinand Schubert war hauptberuflich Lehrer, wirkte nebenbei als Komponist und Schulbuchautor und war zeitlebens bei verschiedenen musikalischen Vereinigungen als Chorregent, Sänger, Organist und Organisator tätig.

Er unterrichtete zunächst an diversen Wiener Vorstadtschulen und wurde 1824 Lehrer an der k. k. Normalhauptschule zu St. Anna (in der Wiener Innenstadt), einer Ausbildungsstätte für angehende Lehrer. 1851 erfolgte seine Ernennung zum Direktor dieser Schule. Ferdinand Schubert schrieb nicht nur Lieder, Meßgesänge und Singspiele für den Schulgebrauch, sondern auch sehr qualitätvolle Werke der Kirchenmusik (Gesamtzahl der Kompositionen: ca. 40). Die von ihm veröffentlichten und oft in mehreren Auflagen erschienenen Schulbücher fanden große Verbreitung.

Stets setzte sich Ferdinand Schubert für die Verbreitung und Würdigung seines Bruders Franz ein (siehe E. Hilmar, „Ferdinand Schuberts Skizze zu einer Autobiographie", in: „Schubert-Studien, Festgabe der Österreichischen Akademie der Wissenschaften zum Schubert-Jahr 1978 im Rahmen der Veröffentlichungen der Kommission für Musikforschung, herausgegeben von Franz Grasberger, Heft 19).

Der Maler des Bildes ist ein Neffe des Dargestellten.
ASchu

**3/5/17**
**Ferdinand Schubert**

Weihnachtsgeschenk für die musikalische Jugend. Die kleine Ährenleserinn. Singspiel in einem Aufzuge . . . (mit Clavier-Begleitung) . . .
Partitur, Autograph, dat. Wien, 4. Oktober 1831, 20 Blatt, 25,5 × 32 cm
Wien, Archiv der Gesellschaft der Musikfreunde in Wien, IV 47.224

Ein kleines Singspiel für Kinder, das mit Klavierbegleitung ohne größeren Aufwand in jedem musikalisch ambitionierten Haushalt aufgeführt werden konnte. Das Musizieren der Kinder an Festtagen, Kindertheater und Haustheater waren wichtige Ausdrucksformen des privaten, familiären oder häuslichen Kulturlebens im Biedermeier und Vormärz.
OBi

**3/5/18**
**Heinrich Proch (1809–1878)**

Joseph Kriehuber (1800–1876)
Lithographie, 52 × 35,5 cm
Im Druck sign. li. u.: Kriehuber, bez. re. u.: Gedr. bei Joh. Höfelich., Mi. u. faksimilierte Unterschrift: Heinrich Proch/Mitglied der k. k. Hofkapelle/und Kapellmeister am k. k. Hofoperntheater nächst dem Kärntnerthore./Eigenthum der Verleger/Wien, bei Ant: Diabelli & Comp:/Graben N° 1.133.
HM, Inv. Nr. 11.371

Heinrich Proch, Violonist, Kapellmeister und Komponist, war 1834–1867 Mitglied der Wiener Hofkapelle und daneben 1837–1840 Kapellmeister am Josefstädter Theater in Wien. Ab 1840 bis zu seiner Pensionierung (1870) wirkte er auch als Erster Kapellmeister am Kärntnertortheater. Proch erwarb sich große Verdienste als Liederkomponist und Gesangspädagoge. Aus der Vielzahl seiner Kompositionen seien seine ca. 200 Lieder hervorgehoben.
ASchu
Abbildung

**3/5/19**
**Heinrich Proch**

Im Thale. Lied für eine Singstimme mit Begleitung des Pianoforte, in Musik gesetzt und seinem Freunde Herrn Arcadius Klein . . . gewidmet . . . Op. 16
Erstdruck, Wien, bei A. Berka & Co.
Wien, Wiener Stadt- und Landesbibliothek, M 11.968/c

Das Lied spielte im häuslichen Musizieren des Biedermeier eine große Rolle, wobei die Ansprüche, die an derartige Kompositionen gestellt wurden, diese stark der Salonmusik der zweiten Jahrhunderthälfte annäherten. Heinrich Proch war einer der beliebtesten Liedkomponisten, dessen Ruhm dem Schuberts – dessen Bedeutung man gelegentlich auf die eines Komponisten „gemüthvoller Lieder" reduzierte – mindestens gleich war.
TA

**3/6 Virtuosen**

**3/6/1**
**Ignaz Schuppanzigh (1776–1830)**

Pastell, 48,5 × 37 cm
Wien, Sammlungen der Gesellschaft der Musikfreunde in Wien, BI 1.136 B

Schuppanzigh betrieb das Violinspiel ursprünglich als Dilettant, machte es aber nach und nach zu seinem Beruf. Seit 1794 war er Primarius von Streichquartetten in adeligen Diensten, daneben aber auch in verschiedenen privaten Orchesterformationen tätig, u. a. im Orchester der Augartenkonzerte, die er eine Zeitlang auch organisatorisch leitete. 1823 gründete er ein selbständiges, in keinerlei Diensten stehendes Streichquartett-Ensemble, das selbst öffentliche Konzerte veranstaltete. Wohl um eine finanzielle Sicherheit zu haben, wurde er neben seiner solistischen und kammermusikalischen Tätigkeit Orchesterdirektor im Hofopernorchester und Mitglied der Hofmusikkapelle. In die Musikgeschichte ist Schuppanzigh vor allem wegen seiner engen Kontakte zu Beethoven eingegangen. Sein Name ist aber auch dann an erster Stelle zu nennen, wenn man von der Emanzipation des Musikerstandes am Ende des 18. und im frühen 19. Jahrhundert spricht.
OBi

**3/6/2**
**Programm zum Abonnementkonzert des Schuppanzigh-Quartetts am 16. April 1827**

Druck, 22,4 × 18 cm
Wien, Archiv der Gesellschaft der Musikfreunde in Wien, Programmsammlung

Ignaz Schuppanzigh, der „Haydn's und Mozart's Ideen so trefflich wiederzugeben verstand, eignete sich in fast noch höherem Grade für den Vortrag der Beethovenschen Compositionen. Der geniale Tonsetzer erkannte dies bald, und wählte ihn zu seinem Lieblingsdollmetscher." (Ignaz von Mosel, Die Tonkunst in Wien während der letzten fünf Dezennien. Allgemeine Wiener Musik-Zeitung 3, Wien 1843, S. 142.)

Schuppanzigh setzte sich auch für Franz Schuberts Werke ein, wie aus dem Programm zu ersehen ist: Bei der Komposition „Neues großes Octett für 5 Saiten= und 3 Blas=Instrumente" handelt es sich um das Oktett in F (D 803), welches im Rahmen dieses Konzerts zum ersten Mal öffentlich aufgeführt wurde.
ASchu
Abbildung

Ostermontag den 16. April 1827
wird
das letzte
Abonnement = Quartett
des
Ignaz Schuppanzigh,
unter den Tuchlauben, zum rothen Igel (im kleinen Verein=Saale) Nachmittags von halb 5 bis halb 7 Uhr, Statt haben.

Vorkommende Stücke:

1. Neues großes Octett für 5 Saiten= und 3 Blas=Instrumente, von Herrn Schubert.
2. An die ferne Geliebte. Ein Liederkreis für eine Singstimme und Clavier=Begleitung, von Beethoven.
3. Großes Clavier=Concert (aus Es dur), von Louis van Beethoven, arrangirt für zwey Pianoforte und Quartett=Begleitung, gefälligst vorgetragen von Herrn Carl Czerni und Herrn von Pfaller.

Eintrittskarten sind auf dem Graben, in der Kunsthandlung des Herrn T. Haslinger (vormahls Steiner & Comp.) zu haben.

Kat. Nr. 3/6/2

Kat. Nr. 3/6/5

Kat. Nr. 3/6/11

**3/6/3**
**Mauro Giuliani (1781–1829)**

Jügel nach Philipp Stubenrauch (1784–1848)
Punktierstich, Pl.: 25,5 × 18,5 cm;
Bl.: 63 × 45 cm
Im Druck sign. li. u.: Stubenrauch pinx., bez. re. u.: Jügel sculp., Mi. u.: MAURO GIULIANI/Dedié au m̃eme par Dom≗Artaria./Publiée à Vienne chez Artaria & Comp.
HM, Inv. Nr. 32.068

Mauro Giuliani, ein gebürtiger Italiener, kam um 1808 nach Wien, wo er die Gitarre zu einem beliebten Konzertinstrument machte. Gemeinsam mit Johann Nepomuk Hummel, Joseph Mayseder und Ignaz Moscheles wirkte er in den folgenden Jahren in Wien bei musikalischen Akademien mit, die gut besucht waren. Um 1819 ging er auf Konzertreisen und ließ sich schließlich in Neapel nieder.
ASchu

**3/6/4**
**Werkverzeichnis von Mauro Giuliani mit Angaben des Verlegers und des Verkaufspreises („Les Oevres de Mauro Giuliani")**

Handschrift, 39,5 × 24 cm
Wien, Wiener Stadt- und Landesbibliothek, H.I.N. 95.455

Von Mauro Giuliani stammen mehr als 200 Werke, die er entweder für Gitarre allein oder in Kombination mit anderen Instrumenten schrieb.
ASchu

**3/6/5**
**Niccolò Paganini (1782–1840), 1828**

Joseph Kriehuber (1800–1876)
Kreidelithographie, 44,2 × 32,2 cm
Im Druck sign. li. u.: Kriehuber/1828, bez. re. u.: Stamp. Mansfeld & C^ie^, Mi. u. faksimilierte Unterschrift: Nicolò Paganini/Virtuoso di camera di S. M. Francesco I. Imperatore d'Austria./Vienna presso Artaria & Compag., re. u. handschriftl.: Excudatur/. . ./Wien am 7. Juli 1828/Sartomi
HM, Inv. Nr. 73.912

Niccolò Paganini, gebürtig aus Genua, war ein Wunderkind im Violinspiel, das er autodidaktisch lernte. Ab 1808 trat er höchst erfolgreich in verschiedenen Konzertsälen Europas auf. Im Jahre 1828 trat er zu ersten Mal in Wien am 29. März im Redoutensaal auf. In Wien drängte sich bald alles so sehr um den Virtuosen, daß dieser seinen Wien-Aufenthalt bis zu vier Monaten verlängerte, in welchem

Zeitraum er im ganzen 14 Konzerte gab. Aufgrund dieser Erfolge erhielt Paganini 1828 in Wien den Titel eines kaiserlichen Kammervirtuosen. Der Paganini-Kult machte damals sogar Mode: man trug in Wien „Paganini-Hüte" und „Paganini-Handschuhe". Die Fünf-Gulden-Banknote, Eintrittspreis für ein Konzert, hieß alsbald „Paganinerl". Von seinen Werken ist zu seinen Lebzeiten nur sein Opus 1 „24 Capricen für Solovioline" in Druck erschienen. Von seinen Kompositionen sind heute das Violinkonzert Nr. 1 in D-Dur (op. 6), das Violinkonzert Nr. 2 in h-Moll (op. 7) und die Variationen über „Il Carnevale di Venezia" (op. 10) am bekanntesten.
ASchu
Abbildung

**3/6/6**
**„Paganinis Hexentanz"**

Johann Peter Lyser (1803–1870)
Kolorierte Lithographie, 15,6 × 23 cm
Sign. li. u.: Joh. Peter Lyser dell.
Wien, Sammlungen der Gesellschaft der Musikfreunde in Wien

Paganinis Auftritte wurden von vielen Malern seiner Zeit im Bild festgehalten. Johann Peter Lyser, Schriftsteller, Dichter und Illustrator, in seinen Karikaturen besonders erfindungsreich, stellt in diesem Blatt Paganini als Geiger in Diensten des Teufels dar, weil er der Überzeugung war, daß kein Mensch so erschütternde Töne hervorbringen könne. (F. Hirth, Johann Peter Lyser, München und Leipzig 1911.) Ludwig Rellstab (1799–1860), Schriftsteller und Dichter, der Paganini in Berlin hörte, schrieb über dessen Auftritt unter anderem: „Der Totaleindruck, den er, sein Erscheinen mit eingerechnet, auf mich gemacht hat, ist kein wohltuender. Es läßt sich ein dämonischer Eindruck ahnen; Goethes Mephisto könnte so Violine spielen . . ." (J. Kapp, Niccolò Paganini, Tutzing [15] 1969).
ASchu

**3/6/7**
**Joseph Böhm (1795–1876), 1830**

Joseph Kriehuber (1800–1876)
Kreidelithographie, 33,8 × 24,3 cm
Im Druck sign. u. dat. li. u.: Kriehuber/830.,
bez. re. u.: Ged. im lith. Inst. in Wien, Mi. u. faksimilierte Unterschrift: Joseph Böhm/ WIEN/Verlag der k. k. Hof-Kunst und Musikalienhandlung/des Tobias Haslinger.
HM, Inv. Nr. 2.129

Der Geiger Joseph Böhm begründete nach erfolgreichen Auftritten in Wien und auf Konzertreisen ab 1819 in Wien als Lehrer am Konservatorium der Gesellschaft der Musikfreunde den Ruhm der „Wiener Geigerschule" des 19. Jahrhunderts. Nahezu alle bedeutenden Violinisten der Stadt wie beispielsweise Georg Hellmesberger (1800–1873) und Joseph Joachim (1831–1907) wurden seine Schüler. Von 1821 bis 1868 war Böhm auch Mitglied der Hofkapelle in Wien. Böhm, der auch Leiter eines Streichquartetts war, schrieb eine Reihe von Violinstücken.
ASchu

**3/6/8**
**Joseph Eybler (1765–1846)**

Eigenhändiger Brief an einen Freund in Paris
Wien, 8. August 1823
Wien, Wiener Stadt- und Landesbibliothek, H.I.N. 6.407

Joseph Eybler, seit 1793 Regenschori des Wiener Schottenstiftes und ab 1804 Vizehofkapellmeister, empfiehlt in diesem an einen Freund in Paris gerichteten Schreiben den Virtuosen Joseph Böhm (siehe Kat. Nr. 3/6/7) dessen „Freundschaft und Protection". Gleichzeitig bittet er den Freund, ihm (= Böhm) „gütigst in einem für ihn ganz fremden Lande an die Hand gehen" zu wollen.

Joseph Böhm unternahm 1823 eine Konzertreise nach Deutschland und Frankreich.

Von den zahlreichen Kompositionen Eyblers, der 1824 bis 1833 als Nachfolger Salieris das Hofkapellmeisteramt in Wien innehatte, werden heute die Werke der Kirchen- und Kammermusik besonders geschätzt.
ASchu

**3/6/9**
**Marie Leopoldine Blahetka (1810–1885), 1825**

Ludwig Emil Grimm (1790–1863)
Bleistiftzeichnung, 26,1 × 25,5 cm
Handschriftl. bez. li. o.: den 12ten Januar 1825, re. u.: Dll Leopoldine Blahetka aus Wien / Virtuosin auf dem Pianoforte
HM, Inv. Nr. 102.906

Marie Leopoldine Blahetka, von tüchtigen Meistern (wie beispielsweise Joseph Czerny und Ignaz Moscheles) zur Pianistin ausgebildet, trat zunächst in Wien vor allem in musikalischen Privatunterhaltungen auf, ehe sie ab 1829 Konzertreisen durch Mittel- und Westeuropa unternahm. Sie lebte von 1834 bis 1840 wieder in Wien und ab 1840 in Boulogne sur mer (Frankreich).

Blahetka, die von Simon Sechter in Kompositionslehre unterrichtet wurde, komponierte Klavierstücke für den eigenen Konzertgebrauch.

Die vorliegende Zeichnung von L. E. Grimm, einem Bruder von Wilhelm und Jakob Grimm, entstand wahrscheinlich bei einem Konzert Blahetkas in Deutschland. Ähnliche Erfolge als Pianistin hatte auch Clara Wieck (ab 1840 Gattin von Robert Schumann) in Wien (1837 und 1846/47). Siehe auch Kat. Nr. 3/7/18.
ASchu

**3/6/10**
**Stammbuch von Leopoldine Blahetka**

97 Blatt mit Eintragungen, 1825–1831
Roter Lederband mit Stahlbeschlägen und Schließe, 13 × 13 cm
HM, Inv. Nr. 111.211/1–97

Das Stammbuch zeigt auf Blatt 5 ein Aquarell von A. Cleeves (1825), das Leopoldine Blahetka darstellt.
ASchu

**3/6/11**
**Franz Liszt (1811–1886), 1839**

Joseph Kriehuber (1800–1876)
Kreidelithographie, 50 × 35,3 cm
Im Druck sign. u. dat. li. u.: Kriehuber/839,
bez. re. u.: Gedr. bei Joh. Höfelich, Mi. u. faksimilierte Unterschrift: Liszt Ferency.
HM, Inv. Nr. 10.982

Franz Liszt aus Doborjan in Ungarn (heute Raiding, Burgenland), Komponist, Pianist, Dirigent und Lehrer, trat bereits 1819 als Pianist in Baden bei Wien erstmals öffentlich auf. Um 1820 erhielt Liszt in Wien Klavierunterricht von Carl Czerny und Unterweisung in Musiktheorie durch Antonio Salieri. Sein erstes dokumentiertes Konzert in Wien gab Liszt am 1. Dezember 1822 im Landesfürstlichen Saal. Nach weiteren, höchst erfolgreichen Konzertauftritten in Wien und Budapest übersiedelte er 1823 für einige Zeit (bis 1837) nach Paris. Im Verlauf der nächsten Jahre und Jahrzehnte machte Liszt Konzerttourneen quer durch Europa. Auch bei Konzerten in Wien in den Jahren 1838 und 1839 erlebte er als Klaviervirtuose triumphale Erfolge, die denen des Violinvirtuosen Niccolò Paganini glichen. Nicht weniger berühmt war Liszt als Komponist, doch stammen seine bedeutendsten Werke (mit Ausnahme der Ungarischen Rhapsodien) erst aus der 2. Hälfte des 19. Jahrhunderts.
ASchu
Abbildung

**3/6/12**
**Franz Schubert**
**Die Stadt. Übertragung des Liedes für Klavier zu zwei Händen von Franz Liszt, 1838/39**

Autograph
Wien, Wiener Stadt- und Landesbibliothek, MH 10.087

Das Auftreten des jungen Franz Liszt in Wien Anfang der vierziger Jahre des 19. Jahrhunderts war eine Sensation, die nur mit jener bei den Konzerten Paganinis mehr als zehn Jahre zuvor oder mit den Produktionen der Rossini-Opern nach 1817 zu vergleichen ist. Die Kritiken und die zeitgenössischen Berichte sprechen von einem wahren Liszt-Taumel, von einer stupenden Technik des Pianisten und von neuen und ungehörten Formen der romantischen Interpretation.

Von Interesse ist aber, daß Liszt größtenteils Bearbeitungen von Schubert-Liedern in seinen Konzerten gab; ja, man kann sogar feststellen,

Kat. Nr. 3/7/1

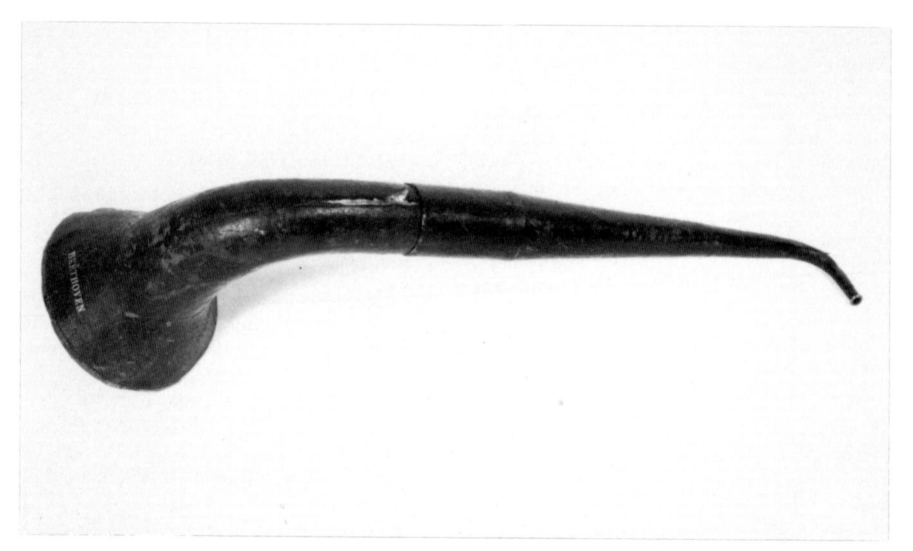

Kat. Nr. 3/7/2

daß Schuberts Musik gerade durch Liszt in Wien erst jenen Stellenwert bekam, den sie dann jahrzehntelang bis zur totalen Verkitschung und Vermarktung ab der Wende zum 20. Jahrhundert beibehielt.

Liszt schrieb die Transkriptionen der Lieder aus dem sogenannten „Schwanengesang", zu welchem auch „Die Stadt" zählt, 1838/39.
OB

**3/7 Ludwig van Beethoven**

**3/7/1**
**Ludwig van Beethoven (1770–1827), um 1812**

Franz Klein (1777–1840)
Büste, Gips, bronziert, H: 73 cm
HM, Inv. Nr. 60.888

Der Klavierfabrikant Johann Andreas Streicher ließ 1812 in seinem Haus in der Ungargasse (siehe Kat. Nr. 3/2/3) einen Klaviersalon einbauen, dessen Wände mit Büsten bekannter Komponisten, Musiker und Musikfreunde ausgestattet wurden. Beethoven konzertierte hier oft.

Als Streicher für seinen Salon eine Beethoven-Büste bei Klein bestellte, nahm dieser von dem Komponisten eine Gesichtsmaske ab. Der Überlieferung nach mußte dieser Vorgang wiederholt werden, da Beethoven zu ersticken glaubte. Zum Atmen wurden Röhrchen in beide Nasenlöcher eingeführt. Auch Streicher selbst wurde von Klein für den Klaviersalon auf diese Art portraitiert, die dem Künstler in Wien den Spitznamen „Kopfabschneider" eintrug. Die Beethovenbüste, wahrscheinlich das getreueste Portrait des Komponisten, wurde sehr oft wiederholt.

Die hier gezeigte Büste stammt mit höchster Wahrscheinlichkeit aus Streichers Klaviersalon.

Ludwig van Beethoven, von flämisch-niederfränkischer Herkunft, kam in Bonn zur Welt. Er war bereits als Komponist weitgehend an Wolfgang Amadeus Mozart und Joseph Haydn orientiert, als die Musikstadt Wien 1792 seine zweite Heimat wurde. Da Mozart bereits tot war, nahm Beethoven in Wien Unterricht bei Haydn, aber auch bei Johann Baptist Schenk, Johann Georg Albrechtsberger und Antonio Salieri. Obgleich Haydns musikalische Denkweise vor allem in den ersten Werken Beethovens merkbare Spuren hinterließ, ging dieser in seinem musikalischen Wirken sehr bald neue Wege. Beethoven fand in Wien als Pianist und Komponist sehr rasch Anschluß an die Aristokratie, in deren Händen damals zum größeren Teil die Musikpflege lag. Zu Beethovens Bewunderern und Förderern zählten vor allem die Familien Lichnowsky, Razumovsky, Erdödy, Kinsky sowie Erzherzog Rudolph, der jüngste Bruder von Kaiser Franz II. (I.) Beethoven war einer der ersten freischaffenden Komponisten seiner Zeit, ein Großteil seiner Arbeiten waren Widmungs- und Auftragswerke.

Es seien von seinen Instrumentalwerken vor allem die 9 Symphonien genannt. Neben Kammermusik und zahlreichen Klavierwerken schrieb Beethoven auch eine Reihe von Ouvertüren (darunter Leonore Nr. 1, 2, 3, Coriolan, Egmont) und Vokalwerken (so die „Missa solemnis", D-Dur, op. 124). Die Beethoven kennzeichnende, ausgesprochen ethische Kunstauffassung wird in seiner einzigen Oper „Fidelio" deutlich sichtbar.

Beethoven arbeitete übrigens sehr gerne in der freien Natur. Die 6. Symphonie, die „Pastorale" (welche die Natur und das Landleben schildert), gibt Zeugnis von der Naturverbundenheit des Komponisten. Die letzten Jahre seines Lebens verbrachte Beethoven in völliger Taubheit. In dieser Zeit entstand seine 9. Symphonie (D-Moll mit dem Schlußchor über Schillers Ode „An die Freude", op. 125, 1823).

Nach langer Krankheit – wahrscheinlich den Folgen einer Leberzirrhose – starb Beethoven am 26. März 1827 in Wien. Eine große Menschenmenge folgte dem Sarg. Einer der Fackelträger des Begräbnisses war Franz Schubert, der nur ein Jahr später im Währinger Ostfriedhof in der Nähe Beethovens seine Ruhestätte fand.
ASchu/SK
Abbildung

**3/7/2**
**Ein Hörrohr Beethovens**

51 × 16,5 × 12 cm
Wien, Sammlungen der Gesellschaft der Musikfreunde in Wien

Bereits in den neunziger Jahren des 18. Jahrhunderts begann Beethovens Hörleiden. Die fortschreitende Taubheit machte ihn wider Willen zum Misanthropen. Nach 1818 war ein normales Gespräch mit Beethoven nicht mehr möglich. Alle Fragen oder Antworten mußten aufgeschrieben werden. Ein großer Teil dieser Aufzeichnungen ist in den sogenannten „Konversationsheften" erhalten geblieben.

Für den schwerhörigen Meister fertigte der Mechaniker Johann Nepomuk Mälzel (siehe Kat. Nr. 3/7/3) mehrere Hörrohre an, die jedoch ab 1818 nichts mehr nützten.
ASchu
Abbildung

Kat. Nr. 3/7/3

Kat. Nr. 3/7/5

**3/7/3**
**Ludwig van Beethoven**
**Wellingtons Sieg oder**
**Die Schlacht bey Vittoria**

91tes Werk, Originalausgabe für das Piano-Forte, Wien, bei S. A. Steiner und Comp. (1816)
Wien, Wiener Stadt- und Landesbibliothek, M 1.248

Im sogenannten „Peninsularkrieg" (1808–1814) fügte Lord Arthur Wellesley Wellington als Oberbefehlshaber der englischen Truppen den Franzosen bei Vittoria in Nordspanien eine entscheidende Niederlage bei (21. Juli 1813). Rasch drang die Kunde davon auch nach Wien, und der aus Regensburg stammende „kaiserliche Hofkammermaschinist" Joh. Nep. Mälzel (1772–1838), der durch seine Versuche mit einem musikalischen Chronometer (Mälzels „Metronom") auch mit Beethoven in Kontakt gekommen war, gab nun dem geschätzten Komponisten die Anregung, dieses historische Ereignis durch ein großes Tongemälde zu verherrlichen.

Ursprünglich für Mälzels großes Orchestrion „Panharmonikon" konzipiert, wurde diese „Schlachtsymphonie" von Beethoven schließlich für großes Orchester eingerichtet. In dieser Gestalt wurde das effektvoll instrumentierte Stück in zwei von Mälzel und Beethoven veranstalteten Wohltätigkeitsakademien im Universitätssaale (heute: Dr.-Ignaz-Seipel-Platz 2) zu Wien erstmals zur Aufführung gebracht (8. und 12. Dezember 1813). Viele namhafte Musiker der damaligen Zeit hatten sich in patriotischer Solidarität als Mitwirkende zur Verfügung gestellt – so überwachte Salieri die Kanonade, Hummel bediente das Schlagzeug und Meyerbeer ließ die große Donnermaschine lärmen.

Das von einem unbekannten Künstler meisterhaft gestochene Titelblatt der Erstausgabe des von Beethoven selbst eingerichteten Klavierauszuges stellt eine eindrucksvolle Kampfszene – mit dem siegreichen Feldherrn hoch zu Roß – dar.
JZ
Abbildung

**3/7/4**
**Ludwig van Beethoven, 1815**

Josef Willibrod Mähler (1778–1860)
Öl auf Leinwand, 55,5 × 44 cm
Wien, Sammlungen der Gesellschaft der Musikfreunde in Wien

Mähler, selbst Angehöriger des Liebhaberorchesters der Gesellschaft der Musikfreunde (gegründet 1812), malte um 1815 für diese eine Reihe von Bildnissen lebender Komponisten, darunter auch das von Beethoven, welches er in drei fast identischen Fassungen ausführte (die dritte Fassung als die beste für die Gesellschaft). In diesem Portrait merkt man zum ersten Mal die beginnenden Altersanzeichen des erst 45jährigen und die in den früheren Bildnissen noch nicht so deutliche Verschlossenheit.
HSchö

**3/7/5**
**Johan Nepomuk Mälzel (1772–1838)**
**Metronom**

Sign. u. dat. 1815, H.: 31,5 cm
Wien, Gesellschaft der Musikfreunde in Wien, Musikinstrumentensammlung, I.N. 498

Auf ältere Versuche, das Tempo eines Musikstückes nicht nur relativ, sondern absolut meßbar angeben zu können, aufbauend, hat Johann Nepomuk Mälzel in Wien sein Metronom konstruiert, das er 1815 in Paris patentieren ließ. Daher trägt dieses Metronom – eines der ältesten erhaltenen Exemplare – auf dem Signaturschild den Hinweis: „Par brevet d'invention 1815 Metronome de Maelzel: Paris, Londres, Vienne." Die zeitgenössischen Komponisten – allen voran Beethoven, der dem Ticken des Metronoms im 2. Satz seiner 8. Symphonie ein Denkmal gesetzt hat – haben Mälzels Erfindung dankbar an- und aufgenommen. Es ist charakteristisch für diese Zeit, in der sich Technik und Musik immer wieder berührten, daß Mälzel auch verschiedene Musikautomaten konstruiert hat.
OBi
Abbildung

**3/7/6**
**Die Spinnerin am Kreuz mit Aussicht gegen das Mödlinger Gebirge, 1831**

Franz Scheyerer (1762–1839)
Öl auf Leinwand, 62 × 95 cm
HM, Inv. Nr. 55.582

Beethoven war ein leidenschaftlicher Bewunderer der Umgebung Wiens, vor allem der Wienerwaldhänge von Nußdorf bis Baden. Er

Kat. Nr. 3/7/7

liebte es daher, die Sommermonate in den Wiener Vororten und kleinen Nachbarstädten (Mödling, Baden) zu verbringen. Zu Beethovens Sommeraufenthalten in Mödling 1818–1820 (vielleicht auch schon früher) siehe Kat. Nr. 3/7/7.

Beethoven ist also wiederholt zu Fuß oder per Wagen von Wien nach Mödling gereist. Auf dem Bild ist übrigens die von Wien Richtung Mödling führende Straße deutlich sichtbar. Von der „Spinnerin am Kreuz", dem gotischen Wegkreuz auf der Höhe des Wienerberges, hatte man damals eine herrliche Aussicht: Richtung Süden auf die Berge rund um Mödling, nach Norden auf Wien und seine hügelige Umgebung.
ASchu

**3/7/7**
**Aus einem Taschenskizzenheft Beethovens aus dem Jahre 1818**
**„Ein kleines Hauß allda . . ."**

Autograph, Blatt 25 (Vorderseite), 23,7 × 31 cm
Wien, Archiv der Gesellschaft der Musikfreunde in Wien

Auf der Vorder- und Rückseite des Blattes 25 von Beethovens Taschenskizzenheft des Jahres 1818 finden sich zwischen Entwürfen zum Scherzo („2tes Stück geschwind . . .") der Klaviersonate op. 106 Notizen, die Beethovens Wunschtraum zum Ausdruck bringen: „Ein kleines Hauß allda/so klein, daß man/allein nur ein wenig raum hat/nur einige/Täge in dieser göttl./Briel/Sehnsucht oder ver-/langen Befrej-/ung o. Erfüllung"

Beethovens Traum, ein eigenes Haus zu besitzen, blieb unerfüllt. Briel ist die sogenannte Brühl, das Tal des Mödling-Baches. Der wanderfreudige und naturverbundene Komponist, der die Sommer 1818–1820 in Mödling verbrachte, durchstreifte oft die romantische Umgebung dieses Städtchens. Von diesen Aufenthalten zeugen Beethovens biedermeierliche „11 Mödlinger Tänze".
ASchu
Abbildung

**3/7/8**
**Ludwig van Beethoven**
**„Seiner kaiserlichen Hoheit . . . alles Gute, alles Schöne!" WoO 179**

Vierstimmiger Kanon als Neujahrsgeschenk für Erzherzog Rudolph, geschrieben Ende Dezember 1819
Autograph, 26,7 × 37,6 cm
Wien, Archiv der Gesellschaft der Musikfreunde in Wien, V 61.404

Beethoven fand in Wien sehr rasch Zutritt zu Kreisen des Adels, mit denen er wie mit seinesgleichen verkehrte und von denen er sehr gefördert wurde.

Zu seinem engeren Freundeskreis gehörte vor allem sein Schüler und Gönner Erzherzog Rudolph (1788–1831), der jüngste Sohn Kaiser Leopolds II. Beethoven widmete Erzherzog Rudolph, der 1819 zum Erzbischof von Olmütz ernannt wurde, 9 Kompositionen (unter anderen die Missa solemnis).
ASchu

**3/7/9**
**Hammerflügel aus der Klavierfabrik von Nanette Streicher, geborene von Stein, 1821**

H: 89,5 cm, L: 248 cm, B: 128 cm
Sign. auf dem Resonanzboden: Nro 1601/ Nanette Streicher née Stein/Vienne 1821
HM, Inv. Nr. 158.521

Es gibt zwar keine Beweise, daß dieser Flügel von Beethoven gespielt wurde, doch stammt er aus der besten Bauzeit der berühmten Klavierbauerin Nanette Streicher geb. Stein (1769–1833), die ab 1793 mit dem Klavierfabrikanten, Pianisten und Komponisten Johann Andreas Streicher (siehe Kat. Nr. 3/2/3) verheiratet war. An den Sitz der damaligen Klavierfabrik erinnert heute eine Gedenktafel für Andreas Streicher am Haus Wien 3, Ungargasse 46. Das Ehepaar Streicher erlangte hier mit der Produktion eines Hammerklaviers (Wiener Mechanik) Weltruf.

Da Beethoven an den Fortschritten der Streicherschen Klavierbauwerkstätte stets regen Anteil nahm, wäre es durchaus denkbar, daß er auf dem Flügel in Streichers Werkräumen spielte.

Beethoven hielt in einem Brief fest, er habe die Streicherschen Klaviere „immer besonders vorgezogen seit 1809".
ASchu
Abbildung

**3/7/10**
**Ludwig van Beethoven**
**„Veränderungen über einen Walzer für das Piano-Forte", sogenannte „Diabelli"-Variationen, op. 120**

Erstdruck, Wien, bei Cappi und Diabelli (1823)
Wien, Archiv der Gesellschaft der Musikfreunde in Wien

Beethoven widmete seine 33 Variationen (über einen Walzer von Diabelli), an denen er vier Jahre gearbeitet hatte, Antonia von Brentano, geb. von Birkenstock (1780–1869). Beethovens „Diabelli"-Variationen waren „verwandt und ebenbürtig" seinen letzten Klaviersonaten (J. Schmidt-Görg und H. Schmidt, Ludwig van Beethoven, Braunschweig 1969, 188).
ASchu

**3/7/11**
**Ludwig van Beethoven**
**„Die Weihe des Hauses", Ouvertüre C-Dur, op. 124**

Eigenhändige Partitur, 24,7 × 32 cm
Wien, Wiener Stadt- und Landesbibliothek, MH 1.869/c

Karl Friedrich Hensler (1761–1825), früher Theaterdirektor in Preßburg und Baden und von dort her mit Beethoven bekannt, unternahm es 1821, dem seit 1788 bespielten, ziemlich herabgekommenen Theater in der Josefstadt zu neuem Ansehen zu verhelfen. Das alte Haus wurde durch Josef Kornhäusel völlig umgebaut und sollte am 3. Oktober 1822, „am Vorabend des glorreichen Namensfestes Seiner Majestät des Kaisers", mit einer glanzvollen Festvorstellung neu eröffnet werden. Von den beiden dazu ausersehenen Festspielen „Die Weihe des Hauses" und „Das Bild des Fürsten" von Carl Meisl war das erste eine freie Umarbeitung des zu ähnlicher Gelegenheit 1812 in Pesth aufgeführten Nachspiels „Die Ruinen von Athen". Beethoven erklärte sich bereit, jene Musik für den neuen Zweck zu adaptieren, wobei die damalige Ouvertüre durch eine neue, anspruchsvollere „im strengen, und zwar ausdrücklich im Händelschen Stile" ersetzt wurde. Die autographe Partitur trägt in Beethovens schwer leserlicher Handschrift den Zusatz: „Ouverture geschrieben von L. v. Beethoven zur Eröffnung des Josephstädter Theaters zu Ende September, aufgeführt am 3ten Oktober 1822."
OB
Abbildung

**3/7/12**
**Ludwig van Beethoven, 1824**

Johann Stephan Decker (1783–1844)
Kreidezeichnung, 19 × 15,7 cm
Sign. re. u.: St. Decker
HM, Inv. Nr. 61.086

Deckers Beethoven-Portrait, das den Komponisten bereits mit leicht eingefallenen Wangen zeigt, entstand im Mai 1824. Im selben Monat – am 7. Mai 1824 – erklang erstmals im Kärntnertortheater Beethovens Neunte Symphonie.

Das naturgetreue Bildnis wurde zum Vorbild zahlreicher späterer Beethoven-Portraits.
ASchu
Abbildung

**3/7/13**
**Ludwig van Beethoven**

Eigenhändiger Brief an Dr. Anton Braunhofer
Baden, 11. Mai 1825
Wien, Bibliothek der Gesellschaft der Musikfreunde in Wien

Obgleich Beethoven schon sehr krank war, zeugt der in diesem Schreiben an seinen damaligen Hausarzt Dr. Anton Braunhofer übermittelte Kanon von seinem Humor und seiner Vorliebe für Wortspiele: „Doktor sperrt das Thor dem Todt, Note hilft auch aus der Noth . . ."
ASchu

**3/7/14**
**Ludwig van Beethoven**

Johann Peter Lyser (1803–1870)
Lithographie (nach einer Federzeichnung) auf blaugrünem Papier, 17 × 10,6 cm; Im Druck sign. re. u.: Lyser
HM, Inv. Nr. 34.358

Lysers Beethoven-Bildnis (eine Federzeichnung) erschien erstmals 1833 in der Zeitschrift „Cäcilia" in Hamburg mit folgendem Kommentar: „Treu nach der Natur gezeichnet, wie er in den letzten Jahren seines Lebens durch die Straßen mehr sprang und lief als ging."

Lyser, Schriftsteller, Dichter und Illustrator, schuf eine größere Anzahl humorvoller Karikaturen.
ASchu

**3/7/15**
**Studienblatt mit einem Porträt Beethovens (Kopf im Profil nach links)**

Moritz von Schwind (1804–1871)
Federzeichnung, 22,2 × 13,9 cm, auf Untersatzblatt aus Karton: 27,5 × 20,2 cm
Studienblatt handschriftlich bez. re. o.: Beethoven; Untersatzblatt handschriftlich bez. Mi. u.: 27/37, li. u.: Moritz von Schwind, re. u. Stempel: Handzeichnung von Moritz von Schwi/(Aus dem Familiennachlass).
HM, Inv. Nr. 18.334

Kat. Nr. 3/7/9

Kat. Nr. 3/7/11

Kat. Nr. 3/7/15

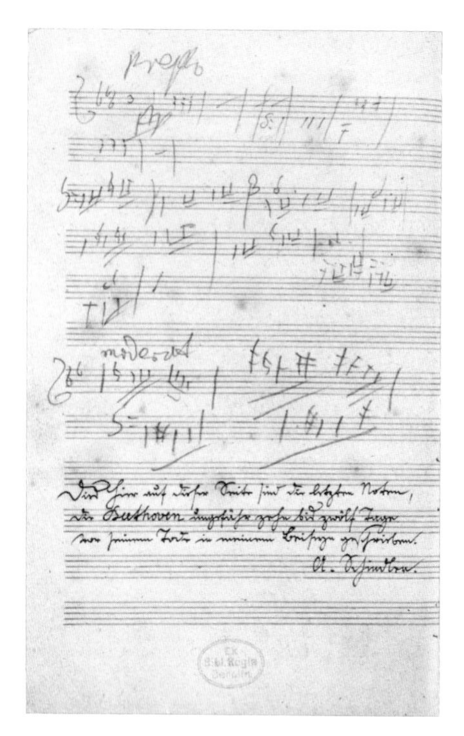

Kat. Nr. 3/7/16

Kat. Nr. 3/7/17

Das bisher unveröffentlichte Studienblatt Schwinds, vom Historischen Museum der Stadt Wien in einer Auktion vom 31. Oktober 1900 vom Auktionshaus R. Lepke in Berlin käuflich erworben, stammt aus dem Nachlaß des Künstlers. Schwind, der zum Freundeskreis Franz Schuberts zählte, stand auch in persönlicher Beziehung zu Beethoven. Der Komponist hatte beispielsweise Schwinds Zyklus „Die Hochzeit des Figaro“ (30 Federzeichnungen, gebunden in einem Heft, welches sich heute unter den Inv. Nrn. 60.372–60.401 im Besitz des Historischen Museums der Stadt Wien befindet) in seiner letzten Krankheit bei sich. Es konnte jedoch nicht eruiert werden, aus welchem Anlaß das vorliegende Studienblatt Schwinds entstanden sein könnte.
ASchu
Abbildung

**3/7/16**
**Ludwig van Beethoven**
**Skizzen zur 10. Symphonie, 1827**

Beethovens letzte Notenhandschrift,
25,2 × 33 cm (aufgeschlagen)
Von Anton Schindlers Hand, mit Tinte: Dies hier auf dieser Seite sind die letzten Noten/ die Beethoven ungefähr zehn bis zwölf Tage vor seinem Tode in meinem Beiseyn geschrieben./ A. Schindler.
Berlin (West), Staatsbibliothek Preußischer Kulturbesitz, Musikabteilung, Mus.ms.autogr. Beethoven 10

Nach Anton Schindlers Zeugnis arbeitete Beethoven bis in seine letzten Tage an einer Symphonie, von der der Komponist auch selbst noch kurz vor seinem Tod in einem Brief schreibt, daß sie „schon skizziert in meinem Pulte liegt“.
TA
Abbildung

**3/7/17**
**Beethovens Studierzimmer im Schwarzspanierhaus, 1827**

Johann Nepomuk Hoechle (1790–1835)
Tuschpinsel, 25,9 × 21,1 cm
HM, Inv. Nr. 15.828

Es handelt sich hier um Beethovens Studier- und Schlafzimmer, in dem Beethoven am 26. März 1827 starb. Zu Lebzeiten des Komponisten standen in dem Raum zwei Klaviere: ein Broadwood-Flügel (den Beethoven aus London zum Geschenk erhalten hatte, er befindet sich nun in Budapest) und ein Flügel von Conrad Graf (er befindet sich heute im Beethoven-Haus in Bonn).

Um Platz zu gewinnen, wurde der Broadwood-Flügel nach dem Tod Beethovens in das Arbeitskabinett nebenan gebracht.

Das Bild zeigt das Klavier des Klavierbauers Conrad Graf. Beethovens Sterbehaus („Schwarzspanierhaus“) wurde 1903 demoliert (heute Wien 9, Schwarzspanierstraße 15).
ASchu
Abbildung

**3/7/18**
**Franz Grillparzer**

Gedicht auf Beethoven und Clara Wieck
Autograph, 24,5 × 19,5 cm
Wien, Wiener Stadt- und Landesbibliothek, H. I. N. 81.798

Offensichtlich bezieht sich Grillparzer auf das dritte Wiener Konzert Clara Wiecks, in welchem sie unter anderem Beethovens „Appassionata“ spielte, wobei nicht alle Beurteiler Grillparzers enthusiastisches Urteil über ihre Interpretation teilten.
TA

**3/8 Franz Schubert**

**3/8/1**
**Franz Schubert (1797–1828)**
**Abschrift (die ersten drei Systeme) von Joseph Preindls Offertorium in C-Dur (Clamavi ad te) op. 16, Soprano Concerto-Stimme, November 1813 (?)**

Wien, Wiener Stadt- und Landesbibliothek, MH 124/c

Die Kirchenmusik kann neben der Kammermusik als eine der eigentlichen Domänen des Biedermeier bezeichnet werden. Zwischen den Kirchenchören fand ein lebhafter Austausch auf dem Wege von Abschriften statt.

Franz Schubert kam am 31. Januar 1797 in Wien als Sohn eines kinderreichen Schullehrers zur Welt. 1808 wurde er Stipendiat im Wiener Stadtkonvikt als k. k. Hofsängerknabe und Schüler des in der Nähe gelegenen Akademischen Gymnasiums. Im Herbst 1813 kehrte er nicht mehr ins Konvikt zurück, sondern trat in die einjährige Lehrerbildungsanstalt für Schulgehilfen in der Annagasse in der Inneren Stadt ein. Im Jahre 1814, dem Jahr des Wiener Kongresses, bestand Schubert das Lehrerexamen und wurde Schulgehilfe seines Vaters. Mit Hilfe von Freunden machte sich Schubert in den folgenden Jahren selbständig, um sein Leben ganz der Musik zu widmen.

Da Schubert von Natur heiter, liebenswürdig und gesellig war, scharte sich um ihn alsbald eine größere Anzahl von Freunden und Bewunderern, die sich zu musikalischen Abendunterhaltungen, sogenannten Schubertiaden, zusammenfanden, bei denen vor allem Musik Schuberts gespielt wurde.

Schubert war in seinen letzten Lebensjahren wiederholt krank und starb am 19. November 1828 in Wien an Bauchtyphus.

Im Mittelpunkt seines musikalischen Schaffens steht das Lied, das er aus der Dichtung seiner Zeit schöpfte. In seinen etwa 600 Liedern umspannt Schubert alle Gefühlsäußerungen vom schlicht Volkstümlichen bis zum Tragischen und Phantastischen. Jedes der bedeutenden Schubertlieder zeigt eine charakteristische musikalische Gestaltungsweise. Ihr untergeordnet ist die Anlage des Liedes als Strophenlied (z. B. „Heideröslein“), als durchkomponiertes („Erlkönig“) oder variiertes Lied („Der Lindenbaum“). Die Liederzyklen

„Die schöne Müllerin" und „Die Winterreise" sowie viele seiner anderen Lieder gehören zu den bedeutendsten Werken der europäischen Musikgeschichte. Von seinen 9 Symphonien sei „Die Unvollendete" in h-Moll (komponiert 1822) hervorgehoben, die eine neue, der klassischen Stilepoche völlig entwachsene Tonsprache zeigt. Aus seiner Kammermusik ist wohl das „Streichquintett in C-Dur" (1828) als bedeutendstes Instrumentalwerk zu nennen.

Von Schuberts zahlreichen Klavierwerken kann man die 12 vollendeten Klaviersonaten, seine Tänze (Walzer, Ländler, Märsche, Ecossaisen usw.), aber auch die kurzen Einzelstükke (Impromptus, Moments musicaux usw.) hervorheben. Die Verfeinerung des Wiener Walzers gehört zu den besonderen Verdiensten Schuberts.

Unter der Kirchenmusik stehen die Messen in As-Dur (1819/22) und in Es-Dur an erster Stelle.

Mit seinen Opern (wie „Alfonso und Estrella", 1822, „Fierrabras", 1823) und Singspielen (wie „Die Freunde von Salamanka", 1815, und „Der häusliche Krieg", 1823) konnte sich Schubert nicht so erfolgreich durchsetzen.

Schuberts Lieder erklangen in zahlreichen „Musikalischen Salons" von Wien (die für Schubert wichtigsten davon waren der Ignaz Sonnleithners und der Otto Hatwigs), aber auch im Palais Metternichs.
TA/ASchu

**3/8/2**
**Franz Schubert**
**Erlkönig. Ballade von Goethe, in Musik gesetzt und Seiner Excellenz dem hochgebohrnen Herrn . . . Moritz Grafen von Dietrichstein . . . gewidmet . . . 1tes Werk**

Druck Wien, bei Cappi & Diabelli, in Kommission
Wien, Archiv der Gesellschaft der Musikfreunde in Wien, Schubert-Sammlung Leopold von Sonnleithner, Bd. 1

Leopold Sonnleithner berichtet glaubwürdig, daß mehreren Wiener Verlegern die Publikation dieses Werkes wirtschaftlich zu riskant erschien und sie daher die Verlegung ablehnten. Daher wurde es auf Kosten Schubertscher Freunde publiziert (vgl. Kat. Nr. 3/8/14). Schuberts „Erlkönig" D 328 – freilich nicht sein erstes Werk, doch die erste seiner Kompositionen, die in einer Einzelausgabe auf den Markt gekommen ist – wurde aber bald zu einem Schlager. Nur wenige Monate nach ihrem ersten Erscheinen hat Anselm Hüttenbrenner einen Erlkönig-Walzer veröffentlicht: Man tanzte sogar nach Motiven aus diesem bis heute wohl populärsten Werk Schuberts.
OBi

**3/8/3**
**Franz Schubert**
**Walzer, Ländler und Ecossoisen für das Piano-Forte . . . 18tes Werk**

Druck Wien, bei Cappi & Diabelli, VN 1216–1217 [1823], 24,5 × 33 cm
Wien, Archiv der Gesellschaft der Musikfreunde in Wien, Sammlung Spaun-Witteczek, Bd. 43

Schubert hat für diese Sammlung damals beliebter Tanztypen Werke aus den Jahren 1815 bis 1821 zusammengestellt, die in zwei Heften erschienen: Im ersten sind Walzer und Ecossaisen enthalten, im zweiten Ländler und Ecossaisen. Die Kompositionen wirken manchmal stilisiert, doch wurde nachweislich nach derartigen Klaviertänzen bei Hausbällen und ähnlichen Gelegenheiten getanzt.
OBi

**3/8/4**
**Franz Schuberts Brille**

Stahlfassung (darauf Spuren von blauer Anlaßfarbe) mit runden Gläsern, die in der Mitte gesprungen sind. Der Nasensteg hat X-Form, mit Verstärkung in der Mitte
Dm: 3,5 cm; L: 11 cm; B: 11,5 cm
HM, Inv. Nr. 49.294

Die Brille stammt aus dem Besitz von Josef Hüttenbrenner (1796–1882), Anselms Bruder und in den zwanziger Jahren Schuberts Faktotum. Schubert trug von seiner Knabenzeit an Augengläser und legte sie oft nicht einmal während des Schlafens ab, weil er gewohnt war, beim Aufwachen Noten zu schreiben. Die Dioptrien dieser Brille, die vielleicht aus der Zeit um 1820 stammt, sind –3,75 spärisch. (Die Außenseite der Gläser mißt –1,25, die Innenseite –2,5; gemessen mit einem Sphärometer.)
ASchu
Abbildung

**3/8/5**
**Tafelklavier, um 1820/25**

Werkstätte: Walter und Sohn, Wien
Inschrift auf dem Vorsatzbrett: „Walter & Sohn/Wien."
Einfaches, auf vier Beinen ruhendes Gehäuse. Klaviatur eingebaut: Umfang $F_1$ bis $f^4$ (sechs Oktaven), UT Elfenbein, OT Ebenholz.
Besaitung: $E_1$ bis $H_1$ einfacher, bis h zweichöriger, von c an dreichöriger Bezug.
Wiener Mechanik. Registerzüge: Zwei Pedale: Dämpfung, Piano (Einschieben eines Lederstreifens).
B: 166 cm; T: 76,5 cm; H: 86 cm
Wien, Musikinstrumentensammlung der Gesellschaft der Musikfreunde in Wien (als Leihgabe in der Sammlung alter Musikinstrumente des Kunsthistorischen Museums, Wien)

Die Witwe des Malers August Rieder (1796–1880), Frau Theresia Rieder, brachte, als sie dieses Tafelklavier im Jänner 1897 Ludwig Bösendorfer (1835–1919) überließ, folgende Zeilen zu Papier: „Der vollen Wahrheit gemäß kann ich angeben, daß mein Mann, Wilhelm August Rieder, welcher von 1818 bis 1828 als junger, lediger Künstler (Maler), Wiedner Hauptstraße, eine geräumige Wohnung innehatte, mit Franz Schubert intim befreundet war, ebenso mit Kupelwieser, Schwind und anderen. Schubert äußerte zu Rieder, daß er bedauere, daß letzterer kein Klavier besitze, da er bei ihm componieren könnte. Mein Mann miethete dem Freunde zuliebe dieses Klavier, welches von Schubert oft benützt wurde. Er nahm sich einen Band Goethe oder Schiller aus Rieders Bibliothek, componierte fleißig, während letzterer im Atelier beschäftigt war. Nach dem Tode Schuberts wollte sich Rieder von dem Instrument nicht trennen, kaufte es, um es als theures Andenken zu besitzen. Auch wurden daselbst Schubertiaden abgehalten, wo sich viele beiderseitige Freunde einfanden, wo auch der berühmte Sänger Vogl zum Entzücken aller die herrlichen Lieder Schuberts vortrug, wobei letzterer am Klavier begleitete . . . Ich selbst, eine jetzt 86jährige Frau, habe oft als junges Mädchen Schubert bei Rieder gesehen, und bleibt dies eine meiner schönsten Jugenderinnerungen . . ."

Der Klavierbauer Ludwig Bösendorfer wußte dieses Instrument so sehr zu schätzen, daß er Frau Theresia Rieder als Ersatz für das

Kat. Nr. 3/8/4

Kat. Nr. 3/8/5 und 3/3/2

Schubert-Klavier einen seiner eigenen Flügel übergab. Das Schubert-Klavier kam 1919, zusammen mit dem übrigen Nachlaß Ludwig Bösendorfers, in den Besitz der Gesellschaft der Musikfreunde.

Zu Rieders Schubert-Porträt aus dem Jahre 1825 siehe Kat. Nr. 3/8/13. Im Jahre 1875 schuf Rieder ein Ölgemälde, das Franz Schubert in der Nähe dieses Klaviers zeigt (das Gemälde ist derzeit im Schubert-Museum, Wien 9, Nußdorfer Straße 54, ausgestellt; HM Inv. Nr. 49.293).

Anton Walter (1752–1826) gehörte in der Zeit um 1800 zu den hervorragendsten Klavierbauern Wiens. Seit er – vermutlich um 1815 – seinen Stiefsohn Joseph Schöffstoss (1767–1824) als Teilhaber in seine Firma aufnahm, bezeichnete er seine Instrumente mit „Walter & Sohn/Wien".

*Lit.: F. J. Hirt, Meisterwerke des Klavierbaus, Zürich 1981; Katalog von O. Biba, Franz Schubert und seine Zeit, Wien 1978; V. Luithlen, Ein Schubert-Klavier erzählt. In: Wiener Kurier am Sonntag, Zeitungsartikel ohne Datumsangabe im Besitz des Historischen Museums der Stadt Wien.*

ASchu

Abbildung

**3/8/6**

**Gitarre aus dem Besitz von Franz Schubert**

Werkstätte: Bernard Enzensperger, Wien (undatiert). Im Inneren des Instruments Etikett: „Bernard Enzensperger, bürg Guitarren u. Geigenmacher/IN WIEN/hat sein Gewölbe in der oberen Bäckerstraße von der k. k. Universität gegenüber, N° 760."
93,6 × 29,6 × 9 cm
HM, Inv. Nr. 163.800

Schubert soll diese Gitarre dem Amateursänger Johann Karl Umlauff (1796–1861), der sich als angehender Jurist (später Präsident des Oberlandesgerichtes in Preßburg und zum Ritter von Frankwell ernannt) von 1816 bis 1821 in Wien aufhielt und in dieser Zeit – wie auch späterhin – Werke von Schubert vortrug, geschenkt haben. Die Gitarre wurde in den zwanziger Jahren des 19. Jahrhunderts von dem „Guitarren und Geigenmacher in Wien" Bernard Enzensperger (1788 bis um 1855) geschaffen und 1980 von Frau Hedwig von Umlauff dem Historischen Museum gewidmet. Noch im selben Jahr wurde das Instrument von der Firma Gerhard Neubauer, Wien, restauriert und dabei der Gitarre jenes Aussehen verliehen, das sie zur Zeit Franz Schuberts gehabt haben dürfte.

ASchu

Abbildung

**3/8/7**

**Landpartie der Schubertianer von Atzenbrugg nach Aumühl, 1820**

Leopold Kupelwieser (1796–1862)
Aquarell, 23,5 × 38,8 cm
Sign. u. dat. re. u.: Kupelwieser/1820
HM, Inv. Nr. 18.751

Kat. Nr. 3/8/6

Kat. Nr. 3/8/9

Dieses Bild – wie auch sein Gegenstück „Das Gesellschaftsspiel", Kat. Nr. 3/8/8 – wurde auf Bestellung Franz von Schobers gemalt. Der Onkel von Schober, Joseph Derffel, war Justitiar des Stiftes Klosterneuburg und Verwalter des Schlosses Atzenbrugg, das damals dem Stift Klosterneuburg gehörte und zwischen Tulln und Traismauer an der Perschling, etwa 35 km von Wien entfernt, liegt. Er bot den Schubertianern um 1820 jährlich im Sommer für einige Tage Gastfreundschaft in Atzenbrugg.

In den von 1817 bis 1822 reichenden Listen der Runde, zu der Schobers Freunde und ihre Schwestern und Bräute zählten, scheint der Name Franz Schubert zum ersten Mal 1820 auf.

Links im Hintergrund des Bildes ist Atzenbrugg, rechts im Hintergrund die Aumühle, ein nahe gelegenes Gut, zu erkennen.

Kupelwieser und Schubert gehen links hinter dem Wagen. Auf dem Kutschbock ist links Franz Derffel, ein Neffe des Verwalters, und, mit dem Zügeln in der Hand, Josef von Gahy (ein hervorragender Klavierspieler) dargestellt. Bei dem Herrn, der seinem überfahrenen Zylinder nachsieht, dürfte es sich um Josef von Spaun handeln. Franz Schober ist wahrscheinlich der Herr rechts in der Gruppe der hinten stehenden drei Männer. Die sechs Damen im Wagen sind nicht zu bestimmen; einige aber dürften dieselben gewesen sein, die Kupelwieser 1821 auf dem Aquarell „Gesellschaftsspiel" abgebildet hat.

ASchu

**3/8/8**

**Gesellschaftsspiel der Schubertianer in Atzenbrugg, 1821**

Leopold Kupelwieser (1796–1862)
Aquarell, 35,2 × 45,4 cm
Sign. u. dat. re. u.: L. Kupelwieser 1821
HM, Inv. Nr. 18.752

Siehe Kat. Nr. 3/8/7 – In einem Brief, den Franz Schober am 14. Februar 1876 an den Schwind-Biographen Hyazinth Holland geschrieben hat, ist dieses Bild so gedeutet:

„Das Atzenbruggerbild stellt vor, wie die eine Hälfte der Gesellschaft die zweite Silbe des Wortes ‚Rheinfall', nämlich ‚Fall' durch den Fall des ersten Menschen darstellt, nachdem sie die erste Silbe ‚Rhein' dadurch bezeichnet hatte, daß sie sich in den auf den Wänden des Zimmers abgemalten Teichen und Wasserfällen gewaschen und sich selbstgefällig ‚rein' zu sein, gegenseitig pantomimisch versichert hatte. Auf dem Ofen steht der Hofsekretär Gahy, der außerordentliche Klavierspieler der Schubertischen Tänze, der niemals ermüdete, unserer Gesellschaft dieselben nächtelang zu unseren Tänzen mit seiner Meisterschaft vorzuspielen. Er stellt hier Gottvater vor und gibt, mit seinem Besen als Himmelsszepter, das Zeichen zu allen Vorgängen in seiner Schöpfung. Unten ist Kupelwieser als Baum der Erkenntnis; vor ihm stehen Adam und Eva, die eben den Apfel von der Schlange (Schober) empfangen und davon gegessen haben. Aber schon öffnet sich auch die Türe des Paradieses, und der Engel mit dem feurigen Schwert tritt herein, um die Sünder aus demselben zu verjagen. Die andere Hälfte der Gesellschaft, zu der auch Schubert gehört, sitzt herum und sucht die dargestellte Charade zu erraten."

Nach Überlieferungen, die Kupelwiesers jüngster Sohn, Max, gesammelt hatte, und der Familienchronik Franz v. Hartmanns sind außer den von Schober genannten Personen dargestellt: beim Klavier, neben Schubert,

Kupelwiesers Hund Drago; dahinter sitzend der Philosoph Philipp Carl Hartmann. In der linken Gruppe der Ratenden steht Ludwig Mohn mit einer nicht identifizierten Dame. Adam und Eva sind durch die Geschwister Franz und Therese Derffel dargestellt, deren Vater Bruder des Verwalters war. Der Cherub ist Louise Johanna (genannt Jeanette) Cuny de Pierron, die früh verstorbene Braut Anton v. Doblhoffs. Unter den Ratenden rechts steht hinten Elise Stöger, vor der ihre Schwester Emilie sitzt. Hinter zwei nicht mit Sicherheit bestimmbaren Damen steht ein kleiner Mann, daneben Doblhoff. Vorne sitzt Josef v. Spaun, Schuberts bester Freund, mit Schobers Schwester Sophie. (O. E. Deutsch, Kupelwiesers Atzenbrugger Aquarelle, in: Schubert-Museum, Gedenkschrift für Besucher des Museums, 1964, 21–26.)
ASchu
Abbildung

Kat. Nr. 3/8/8

**3/8/9**
**Franz Schubert, 1821**

Leopold Kupelwieser (1796–1862)
Bleistiftzeichnung, 28,8 × 15,9 cm
Von Franz Schubert sign. u. dat. Mi. u.: Franz Schubertmpia/den 10. July 1821
Tutzing, Dr. Hans Schneider
(Dem Historischen Museum der Stadt Wien gelang es nach jahrelangen Bemühungen im Jahre 1987, den Ankauf des von Leopold Kupelwieser geschaffenen Schubert-Porträts in die Wege zu leiten, welches im Jahre 1989 endgültig in den Besitz des Museums übergehen wird.)

Leopold Kupelwieser (1796 Oberpiesting in Niederösterreich – 1862 Wien) galt bereits als hervorragender Porträtist, so hatte er beispielsweise bereits repräsentative Bildnisse von Kaiser Franz I. geschaffen, als er um 1820 mit dem Schubert-Kreis in Berührung kam. Als eifriger Teilnehmer an sogenannten Schubertiaden porträtierte er unter anderem Johann Michael Vogl (1821), Moritz von Schwind (1822) und Franz von Bruchmann (1822). Ab 1820 gehörte neben Franz Schubert auch Kupelwieser zu den Gästen der in den Sommermonaten für etwa drei Tage auf Schloß Atzenbrugg in Niederösterreich anberaumten Feste, die Josef Derffel der Ältere, der Verwalter dieses Gutes, veranstaltete. Von diesen Aufenthalten in Atzenbrugg zeugen die beiden seit 1901 im Besitz des Historischen Museums der Stadt Wien befindlichen Aquarelle, von denen das erste eine Landpartie der Schubertianer von Atzenbrugg nach Aumühl darstellt (siehe Kat. Nr. 3/8/7), das zweite aber ein Gesellschaftsspiel der Schubertianer in Atzenbrugg zum Inhalt hat (siehe Kat. Nr. 3/8/8).

Neben diesen beiden realistischen bildlichen Schilderungen von Szenen des Schubert-Kreises aus den Jahren 1820 bzw. 1821 entstanden im Juli 1821 in Atzenbrugg von der Hand Kupelwiesers nicht nur das vorliegende Schubert-Bildnis, sondern auch ein Einzelporträt von Franz Schober (gleichfalls eine Bleistiftzeichnung, datiert 12. Juli 1821).

Ein Vergleich des hier besprochenen Schubert-Porträts mit dem gleichfalls im Besitz des Historischen Museums der Stadt Wien befindlichen Schubert-Bildnis von Wilhelm August Rieder von Jahre 1825 (siehe Kat. Nr. 3/8/13) läßt den Schluß zu, daß es Kupelwieser mit seiner Bleistiftskizze hervorragend gelungen sein dürfte, nicht nur die äußere Ähnlichkeit, sondern auch die Persönlichkeit Schuberts treffend zu charakterisieren. Zur gleichen Zeit schuf Kupelwieser auch Illustrationen zu Liedern Schuberts: für das Lied „Der Schiffer" (D 536) malte er ein Aquarell, und 1821 entstanden eine Zeichnung für „Der Wanderer" (D 649) sowie die Vorlage für das Titelblatt zu Schuberts „Am Grabe Anselmos" (D 504). Obgleich Kupelwieser 1823 bis 1825 in Italien weilte, blieb er weiterhin mit Schubert befreundet. Als Kupelwieser am 17. September 1826 im Wiener Stephansdom Johanna Luz heiratete, spielte Schubert dem Ehepaar Kupelwieser bei der anschließenden Hochzeitsfeier zum Tanze auf. Von da an widmete sich Kupelwieser voll und ganz der religiösen Malerei, als deren Hauptvertreter er mit Josef von Führich gilt.

Das Jahr 1821, in welchem das besprochene Schubert-Bildnis entstand, war für Schubert insofern von einiger Bedeutung, als in diesem Jahr seine ersten gedruckten Liederhefte in der Öffentlichkeit erschienen. Als Schubert im Juli 1821 in Atzenbrugg weilte, schrieb er drei Walzer unter dem Titel „Atzenbrucker Deutsche" (D 145). Im Herbst desselben Jahres arbeitete Schubert gemeinsam mit seinem Freund Franz von Schober an der Oper „Alfonso und Estrella". In diesem Jahr schuf Schubert unter anderem auch 22 Lieder (darunter das bekannte Lied „Sei mir gegrüßt", D 741). Es spricht für den Bekanntheitsgrad des Komponisten in der Öffentlichkeit, daß er 1821 auch in das „Verzeichnis der in und um Wien lebenden Tonkünstler" aufgenommen wurde.

Das vorliegende, durch Schuberts Unterschrift authentifizierte Porträt blieb nach dem Tode Leopold Kupelwiesers bis etwa 1926 im Besitz der Familie Kupelwieser. Aus der Sammlung van Hoboken (Schweiz) gelangte das Bildnis in den achtziger Jahren in den persönlichen Besitz des Musikantiquars und Verlegers Dr. Hans Schneider (in Tutzing bei München), der das Bild bis zum endgültigen Ankauf durch das Historische Museum der Stadt Wien als Leihgabe zur Verfügung gestellt hat.
ASchu
Abbildung

**3/8/10**
**Die Familie Schubert**

Carl Schubert (1795–1855)
Bleistift, 9,7 × 13,8 cm
Handschriftl. bez. li. u.: Familie Schubert d. J./ Mein Vater, Mutter, d. kleine Ferdinand, Margarethl.
Privatbesitz

Bei dem Zeichner des Bildnisses, Carl Schubert, handelt es sich um einen Bruder Franz

Schuberts. Er war ein hervorragender und sehr produktiver Landschaftsmaler, aber auch Radierer, Lithograph und Schreiblehrer. Das Bild zeigt Vater Franz Theodor Schubert (1763–1830) sitzend, dahinter dessen zweite Gattin und Stiefmutter Schuberts Anna Schubert (geb. Kleyenbock; 1783–1860) mit Carl Schuberts Sohn, Heinrich Carl, und rechts außen die Magd „Margarethl"; links Franz Schubert und dessen Bruder Ignaz (dahinter).

*Lit.: E. Hilmar und O. Brusatti, Franz Schubert. (Ausstellungskatalog der Wiener Stadt- und Landesbibliothek zum 150. Todestag des Komponisten, Wien 1978, 66.)*
*ASchu*

**3/8/11**
**Kaffeetasse mit Bild Franz Schuberts, 1824**

Bez. auf der Unterseite: 1824
H: 6 cm
Wien, Privatbesitz

Für die einzige derzeit bekannte, zeitgenössische Kaffeetasse mit einem Bildnis Franz Schuberts diente die Bleistiftzeichnung von Leopold Kupelwieser aus dem Jahre 1821 (siehe Kat. Nr. 3/8/9) als Vorlage.
ASchu

**3/8/12**
**Franz Schubert**
**Oktett in F-Dur, D 803**

Autograph, 24,4 × 31 cm
Wien, Wiener Stadt- und Landesbibliothek, MH 131/c

Das 1824 für den klarinettespielenden Grafen Ferdinand Troyer komponierte und in dessen Wohnung (Spielmannsches Haus, heute Wien 1, Graben 13) erstmals im privaten Kreis aufgeführte Werk ist ein Repräsentant der hochstehenden Kammermusikpflege der Wiener Gesellschaft der Biedermeierzeit.
TA
Abbildung

**3/8/13**
**Franz Schubert, 1825**

Wilhelm August Rieder (1796–1880)
Aquarell über Bleistift auf Karton, 19,8 × 24,7 cm
Sign. u. dat. li. u.: W Rieder May 825 (und, wahrscheinlich nach dem Tod Schuberts, von Rieder selbst hinzugefügt:) Nach der Natur / von Wilh. Aug. Rieder / 1825.
Re. u. eigenhändige Unterschrift des Komponisten: Franz Schubert (und von Rieder selbst Schuberts Sterbetag hinzugesetzt:) gestorben den 19. November / 1828.
HM, Inv. Nr. 104.170

Wie aus einem Brief Moritz von Schwinds aus dem Jahre 1865 an den Wiener Männergesang-Verein hervorgeht, wurde das Riedersche Aquarell, darstellend Franz Schubert im Jahre 1825, von Schuberts Freunden „immer für das beste Portrait gehalten".

Das Bildnis soll durch einen Zufall entstanden sein: Rieder, der damals in der Wiedner Hauptstraße, unweit der Karlskriche, wohnte, nahm, unterwegs von einem Regenguß überrascht, bei Franz Schubert in dem neben der Karlskriche befindlichen Fruhwirthaus (Alte Wieden Nr. 100; später demoliert, heute Wien 4, Technikerstraße 9) Zuflucht. Bei dieser Gelegenheit machte Rieder von seinem Freund Schubert eine Skizze, die er dann in mehreren Sitzungen ausführte.

Rieders Aquarell wurde die Grundlage für die meisten posthumen Schubert-Porträts.
ASchu
Abbildung

Kat. Nr. 3/8/13

**3/8/14**
**Franz Schubert, 1827**

Öl auf Leinwand, 56 × 44 cm
Wien, Sammlungen der Gesellschaft der Musikfreunde in Wien, Porträtgalerie

Das Bild stammt aus dem im Jahre 1827 von Joseph Sonnleithner in den Besitz der Gesellschaft übergegangenen Porträtgalerie berühmter Komponisten. Schubert, der Mitglied des Repräsentantenkörpers (eines Direktionsorgans) der Gesellschaft war, war – typisch für einen ambitionierten Komponisten seiner Zeit – in loser und vereinsmäßiger Form im gesellschaftlichen Leben eingebunden, im Repertoire bedeutender Künstler (wie Johann Michael Vogl oder Ignaz Schuppanzigh) vertreten und auf dem Markt in zahlreichen Drucken und in handschriftlichen Kopien präsent. Er war also alles andere denn ein verkanntes Genie oder allzu schüchtern; er war auch nicht von den Verlegern schlecht bezahlt. Als einziger Komponist seiner Zeit hatte er völlig freischaffend als Künstler – und nicht in der festen Anstellung eines Kapellmeisters o. dgl. – gelebt und damit ein romantisches Künstlerideal verwirklicht. Daß er manchmal in finanziellen Schwierigkeiten war, lag nicht an seiner Umwelt (die diese von Schubert vertretene neue Form des absoluten Künstlertums eines Komponisten akzeptiert hat), sondern an seinem Unvermögen, mit Geld umzugehen.
OBi

**3/8/15**
**Ein Schubert-Abend bei Josef von Spaun, 1868**

Moritz von Schwind (1804–1871)
Feder und Bleistift, 58,6 × 95,2 cm
HM, Inv. Nr. 30.525

„Schuberts Leben, so kurz es war und so wenig von materiellen Erfolgen begleitet, ist im wesentlichen glücklich gewesen. Quellen dieses Glücks waren seine Bescheidenheit, verbunden mit einem gesunden Selbstbewußtsein, seine Schaffenslust und -kraft sowie die Freunde, die sein Leben und seine Arbeit begleiteten. Kaum einem anderen Meister der Künste waren so zahlreiche und treue Freunde beschieden wie Schubert, von seiner Knabenzeit bis zum frühen Ende. Es gab keine ernstlichen Entfremdungen zwischen ihm und diesen Freunden, wenn sie auch manchmal untereinander uneinig wurden. Da waren Beamte aller Art, mit künstlerischen Interessen, manche darunter gute Dilettanten; dann Schriftsteller

Kat. Nr. 3/8/15

und Dichter, Maler und Bildhauer, Musiker und (meist unbedeutende) Komponisten." (O. E. Deutsch, Schubert-Museum der Stadt Wien. In Schuberts Geburtshaus, IX., Nußdorfer Straße 54, Wien 1964, 28).

Schwind lernte Schubert 1821 kennen. Der später berühmte Maler und Zeichner, der sehr musikalisch war, bewahrte Schubert zeit seines Lebens ein treues Gedenken. Schubert und andere Freunde dienten oft als Modelle für seine Bilder. Sein Plan (ab 1835), in Wien ein „Schubert-Zimmer" mit Bildern (zu Schubert-Liedern) auszumalen, machte – bis auf einige Bleistift- und Pinselzeichnungen – keine Fortschritte. Schubert wurde später hauptsächlich in seiner großen Sepiazeichnung „Ein Schubert-Abend bei Josef von Spaun" verherrlicht, dessen Ausführung in Öl leider nicht über eine Skizze hinauskam (heute im Besitz des Wiener Schubertbundes, ausgestellt im Schubert-Museum in Schuberts Geburtshaus, Wien 9, Nußdorfer Straße 54).

1868 nannte Schwind das vorliegende Bild „Schubert am Klavier, der alte Vogel singend und die ganze Gesellschaft, Männlein und Weiblein, drum herum", bald darauf nannte er es seine „Schubertiade".

Der Spiegel zu diesem Bild (Kat. Nr. 3/8/16) gibt die Namen der dargestellten Persönlichkeiten an.

ASchu
Abbildung

**3/8/16**
**Spiegel zum „Schubert-Abend bei Josef von Spaun"**

Rudolf Schmidt
Feder, 24,6 × 49,8 cm
HM, Inv. Nr. 32.313

Franz Schubert und seine Freunde trafen sich des öfteren zu geselligen Zusammenkünften, die meist in der Wohnung eines der Freunde stattfanden und alsbald „Schubertiaden" genannt wurden.

Den Teilnehmern solcher Veranstaltungen wurden vor allem Schuberts Kompositionen zu Gehör gebracht, darüber hinaus gab es aber auch Vorlesungen literarischer Werke sowie unter anderem Theater- und Tanzdarbietungen. Schwind erinnert mit seinem „Schubertabend" (Kat. Nr. 3/8/15) an eine Schubertiade bei Josef von Spaun (1788–1865), der um 1827 in den Klepperstallungen (später demoliert, heute Wien 1, Teinfaltstraße 8) wohnte.

Spaun und Schubert hatten in ihrer Jugendzeit gemeinsam als Sängerknaben im k. k. Stadtkonvikt am Universitätsplatz Nr. 796 (heute Wien 1, Dr.-Ignaz-Seipel-Platz 1) gewohnt. Es ist bekannt, daß Spaun damals wiederholt seinem Freund Schubert Notenpapier für dessen kompositorisches Wirken zur Verfügung stellte.

Aus dem großen Freundeskreis des „Schubert-Abends" seien hier nur einige wenige hervorgehoben (am Beginn die jeweilige Ziffer des Spiegels):

3. Franz Lachner (1803–1890), Komponist, 1826 bis 1830 Kapellmeister am Kärntnertortheater.

10. Karl Freiherr von Schönstein (1797–1876), Staatsbeamter, einer der ersten Interpreten von Schuberts Liedern.

11. Benedikt Randhartinger (1802–1893), Mitschüler Schuberts im k. k. Stadtkonvikt, Komponist, später k. k. Hofkapellmeister.

14. Johann Michael Vogl (1768–1840), Hofopernsänger, bedeutendster Schubert-Sänger.

16. Anton Freiherr von Doblhoff-Dier (1800–1872), später Handelsminister, Minister des Inneren und für Unterricht.

17. Franz Schubert

18. Josef von Spaun (siehe oben), später Hofrat und Lottodirektor.

27. Moritz von Schwind (1804–1871), Maler.

29. Wilhelm August Rieder (1796–1880), Maler.

30. Leopold Kupelwieser (1796–1862), Maler.

32. Anton Dietrich (1799–1872), Bildhauer.

33. Franz von Schober (1798–1882), Schriftsteller; gewährte Schubert wiederholt Gastfreundschaft.

36. Franz Grillparzer (1791–1872), Dichter.

37. Justine von Bruchmann, verehelichte Smetana (gest. 1829), war ursprünglich mit Franz von Schober verlobt.

38. Eduard von Bauernfeld (1802–1890), Dichter.

41. Johann Mayrhofer (1787–1836), Dichter, Schriftsteller und k. k.Zensor. Schubert vertonte etwa 50 seiner Gedichte und 2 Libretti.

42. Ignaz Franz Castelli (1781–1862), Schriftsteller, Verfasser des Textbuches der Oper „Der häusliche Krieg".

Das an der Wand befindliche Porträt ist ein von Josef Teltscher gemaltes Bildnis der Komtesse Karoline Esterházy. Die Landschaften an der Wand dürften Atzenbrugg und den Traunsee darstellen, wo sich Schubert oft aufhielt.

*Lit.: H. Reuther, Schubert im Kreise seiner Freunde. Sepiazeichnung von Moritz von Schwind, Sonderdruck im Verlag von C. Angerer & Göschl, Wien. H. Kretschmer, Franz-Schubert-Zeitgenossen und Freundeskreis, Wiener Geschichtsblätter, hrsg. vom Verein für Geschichte der Stadt Wien, 33. Jg., 1978, Heft 2.*

ASchu

Kat. Nr. 3/8/17

Kat. Nr. 3/8/19

Kat. Nr. 3/8/20

**3/8/17**
**Franz Schubert musiziert mit Josephine Fröhlich und Johann Michael Vogl, 1827**

Ferdinand Georg Waldmüller (1793–1865)
Bleistift, 18,1 × 12,2 cm
Blatt 45 des Skizzenbuches mit 49 Blättern
Wien, Graphische Sammlung Albertina,
I. N. 25.946

Die vorliegende Bleistiftskizze vermittelt offensichtlich eine Schubertiade in einem bürgerlichen Salon. Am Klavier sitzen Franz Schubert und Josephine Fröhlich (1803–1878), eine Konzertsängerin und Gesangslehrerin. Hinter den beiden steht Johann Michael Vogl (1768–1840). Im Bild links als Zuhörer ist wahrscheinlich Franz Lachner (1803–1890), damals Vize-Kapellmeister am Kärntnertortheater, dargestellt. Bei den Personen im Vordergrund handelt es sich wahrscheinlich um den Maler und Geiger Ludwig Kraissl und um Franz Grillparzer (1791–1872; mit dem Rücken zum Betrachter).
ASchu
Abbildung

**3/8/18**
**Franz Schubert**
**Klavierskizze zu einer Symphonie in D-Dur, Frühjahr–Sommer 1828 (?), D 936 A (1. Satz)**

Autograph, 24,7 × 32 cm
Wien, Wiener Stadt- und Landesbibliothek, MH 14275/c

Auf Grund genauer philologischer Untersuchungen konnte Ernst Hilmar nachweisen, daß sich in einem Notenkonvolut von der Hand Schuberts drei Symphonien befinden, von denen eine in D-Dur (D 936 A) nach der großen C-Dur-Symphonie im Jahre 1828 in Arbeit gewesen sein muß. Somit stellen diese Skizzen – es sind solche zu drei Sätzen, geschrieben auf zwei Notensystemen mit Notizen zur Instrumentation – Schuberts letzte Beschäftigung mit der Symphonie dar.
TA

**3/8/19**
**Franz Schubert**
**Messe in Es-Dur, D 950 (Sanctus), (Erste Konzeption in Auszugsform)**

Autograph, 24,5 × 31,5 cm
Wien, Wiener Stadt- und Landesbibliothek, MH 174/c

Im Frühjahr 1828, seinem Todesjahr, begann Schubert mit der Konzeption einer Messe, welche die Ausmaße seines bisherigen kirchenmusikalischen Schaffens weit übertreffen und sich kaum noch in den Rahmen der Liturgie fügen sollte. Schubert ging bei der Komposition allerdings nicht immer in der inhaltlich bedingten Reihenfolge vor. Berichten aus dem Freundeskreis ist zu entnehmen, daß er auch aus pekuniären Erwägungen die Arbeit rasch vorantrieb. Bemerkenswert ist ferner, daß dem Chorauszug noch Vorstudien vorausgingen, welche in erster Linie die stark kontrapunktischen Teile der Messe betreffen. Schubert beschäftigte sich in seinen letzten Monaten dann noch ausführlich mit musiktheoretischen Problemen, er nahm sogar (nachdem er schon über tausend Werke komponiert hatte) noch bei Simon Sechter Unterricht.

Die Messe wurde posthum uraufgeführt. Ferdinand Schubert leitete am 4. 10. 1829 in der Pfarrkirche der Alservorstadt die Produktion im Kirchenmusikverein. Es wird von einer großen Ergriffenheit der Gemeinde berichtet, allerdings auch von vielen Unzulänglichkeiten bei der Ausführung, die nicht zuletzt wegen der hohen gesangs- und instrumentaltechnischen Anforderungen in diesem Werk entstanden sein dürften.
OB
Abbildung

**3/8/20**
**Franz Schubert**

Josef Alois Dialer (1797–1846)
Büste aus Gußeisen, galvanisch bronziert
H: 65 cm; B: 34,7 cm; T: 23,3 cm
Wien, Wiener Männergesang-Verein

Als Franz Schubert am 19. November 1828 im 32. Lebensjahr starb, wurde er auf dem Währinger Ortsfriedhof nahe von Beethovens Grab beigesetzt. Schuberts Freunde sorgten dafür, daß sein Ruheort mit einem Grabmal geschmückt wurde, dessen Schubert-Büste von dem Tiroler Josef Alois Dialer geschaffen wurde.

Die Büste ist aus Gußeisen und wurde erst später galvanisch verbronzt. Sie befand sich beim Grabmal des Komponisten bis zur Überführung seines Leichnams auf den Zentralfriedhof 1888.
ASchu
Abbildung

**3/9 Joseph Lanner**

**3/9/1**
**Joseph Lanner (1801–1843)**

Aquarell, 17,7 × 12,2 cm
HM, Inv. Nr. 182.050

Joseph Lanner, Sohn eines Handschuhmachers, bildete sich autodidaktisch in Violine, Generalbaß und Instrumentation aus und spielte ab 1813 in der Kapelle des Michael Pamer (1782–1827), dem wohl interessantesten Kapellmeister der Wiener Kongreßzeit.

1818 verließ Lanner die Kapelle Pamers und gründete mit den Brüdern Drahanek ein eigenes Trio, bestehend aus 2 Violinen und Gitarre (Carl Drahanek, geb. 1798 in Dobersberg, Bezirk Waidhofen a. d. Thaya in Niederösterreich, verließ schon vor dem Jahre 1836 Lanners Orchester und wanderte in die USA aus; Johann Alois Drahanek, geb. am 26. 11. 1800 in Dobersberg, verließ die Kapelle Lanners im Jahre 1836 und gründete ein eigenes Orchester, er starb am 30. 3. 1876 in Wien 5, Rüdigergasse 11). Dem Trio schloß sich 1819 Johann Strauß (Vater) als Bratschist an, wodurch das Ensemble zum Quartett erweitert wurde. 1824 war Lanners Kapelle bereits zum Streichorchester angewachsen, das nicht nur in Gast- und Kaffeehäusern, sondern erstmals auch im Freien (Wiener Prater) spielte. 1825 (oder 1827?) trat Strauß aus dem Lannerschen Orchester aus, um eine eigene Kapelle zu gründen. Als Konkurrenten versuchten nun Strauß und Lanner fortan, die Gunst des Publikums für sich zu gewinnen. Bei vielen vornehmen Bällen in Wien hatten sie die Tanzmusik zu besorgen. Nach zahlreichen Konzertreisen erhielt Lanner 1829 den Titel „Musikdirektor der Redoutensäle". Im Jahre 1840 leitete er erstmals die Kammerballmusik bei Hof. Das Gesamtwerk Lanners umfaßt etwa 240 Kompositionen. Sein berühmtester Walzer „Die Schönbrunner" (op. 200) entstand erst kurz vor seinem Tod. Lanners Verdienst ist es vor allem, als erster die formale Gliederung des Walzers festgelegt zu haben. Er brachte aber auch die Melodie, dank seiner meisterhaften Beherrschung der Violine, zur vollen Entfaltung.
ASchu/HCS
Abbildung

**3/9/2**
**Zwei Pauken aus dem Orchester Joseph Lanners**

Kupferkessel, mit gegerbten Kalbfellen bespannt
Sign.: J. L.
a) die große Pauke, D: 60 cm; H: 43 cm
b) die kleine Pauke, D: 56 cm; H: 43 cm
HM, Inv. Nr. 57.429/1, 2

Wie dem Gedenkbuch (auf Seite 44) der Pfarre Gaaden (bei Mödling) zu entnehmen ist, gehörten die beiden Pauken zu den im Orchester Joseph Lanners verwendeten Instrumenten. Die von dem Pfarramt Gaaden im Jahre 1850 von dem Geigenmacher Anton Hoffman käuflich erworbenen Instrumente wurden schließlich im Jahre 1936 von Hofrat Dr. Hermann von Trenkwald und Theresia von Trenkwald dem Historischen Museum der Stadt Wien als Geschenk überlassen.
ASchu
Abbildung

Kat. Nr. 3/9/2

Kat. Nr. 3/9/3

**3/9/3**
**Taktstock von Joseph Lanner**

Schwarz poliertes Holz, auf umwundenem Silberband graviert: Unserem lieben Meister Joseph Lanner. Auf Krücke und Knaufzwinge Namen von je acht Damen und Herren. An Knauf und Zwinge punziert.
L: 35,5 cm
HM, Inv. Nr. 56.105
Abbildung

**3/9/4**
**„Außerordentliches Fest,/Im gräfl. Palffyschen Garten in Hernals unter dem Titel/der Sommernachts-Traum/Veranstaltet von Jos. Lanner am 31ten August 1834"**

Franz Wolf
Kolorierte Kreidelithographie
35,6 × 49,3 cm
Sign. li. u.: N. d. nat. gez. u. lith. v. Fr. Wolf
Aus: „Journal pittoresque"
HM, Inv. Nr. 108.999

Im Wettbewerb mit Johann Strauß um die Gunst des Publikums veranstaltete Lanner am 31. August 1834 im damaligen Palffyschen Palais und seinem Garten in Hernals (an dieser Stelle befinden sich die heutigen Häuser Wien 17, Hernalser Hauptstraße 21–25) ein Gartenfest mit Einsatz von Musik, Feuerwerk, Wasserkünsten und Fackelzügen.

Kat. Nr. 3/9/5

Kat. Nr. 3/9/6

Für die rund 6.000 Gäste dieses Festes erstrahlten das Palais und sein Garten mit den steinernen Genien, Kobolden, Nixen und Feen in den buntesten Farben.
ReWi/ASchu

**3/9/5**
**Giraffenklavier, um 1839**

Aus dem Besitz von Joseph Lanner
Firma Josef Anton Knam, Wien
Sign.: auf der Klaviaturleiste in Messing intarsiertes Signaturschild mit der Bezeichnung: JOS: ANT: KNAM / IN WIEN / SILBERNE MEDAILLE / AUSSTELLUNG 1839.
Klavier mit aufgestelltem Saitenkasten, in der äußeren Form der Verkürzung der Saiten angepaßt, mit nach links ausladender Schweifung am oberen Ende. Gehäuse mit Nußholz-Furnier, hellbraun.
Rahmenkonstruktion mit grünem gefälteltem Baumwollstoff bezogen. Klaviatur: Kontra F–$g^4$, Stichmaß: 100. Besaitung: dreichörig, Baßbezug zweichörig. Mechanik: „Wiener Mechanik".
Registerzüge: 5 Pedale, davon 2 kombiniert, daher drei Pedalfunktionen: Dämpfung, Moderator, Verschiebung. Maße: Gesamthöhe 233 cm, davon Oberkasten 151 cm; Gesamtbreite 140 cm, davon Schweifung oben 15,5 cm; T: 61 cm, am Sockel 62,5 cm; Zargenhöhe 32 cm
HM, Inv. Nr. 34.040

Giraffenklaviere, die zur Gattung der Hammerklaviere gehören, wurden in Wien von 1804 bis etwa 1850 gebaut. Josef Anton Knam (geb. 1790), ab 1822 selbständiger Klaviermacher, war 1837 Obervorsteher der bürgerlichen Klaviermacher Wiens. Die Adresse seiner Wohnung und seiner Werkstatt lautete: Laimgrube Nr. 132, Obere Gestättengasse. Knam stellte bei der „zweiten Industrie-Ausstellung der österreichischen Monarchie", die 1839 in Wien stattfand, eine Auswahl seiner Erzeugnisse der Öffentlichkeit vor und erhielt aufgrund seiner Verdienste um den Instrumentenbau die Silberne Medaille verliehen. Von der Auszeichnung zeugt denn auch das Signaturschild dieses Klaviers (siehe oben).

Nicht zuletzt infolge dieser Auszeichnung fanden Knams Klaviere auch in der Folgezeit sowohl im In- als auch im Ausland einen großen Absatz.
ASchu
Abbildung

**3/9/6**
**Joseph Lanner dirigiert die Hans-Jörgel-Polka (op. 194), 1842**

Kolorierte Lithographie, 19,7 × 12,3 cm
Aus der Wiener Dialektzeitschrift „Hans Jörgel", Jg. 1842
HM, Inv. Nr. 97.116/32

Das Bildnis zeigt einen Auftritt Lanners (innerhalb der Kapelle zweiter von links) mit seinem Streichorchester.
ASchu
Abbildung

**3/9/7**
**Joseph Lanner**
**Die Schönbrunner, Walzer op. 200**

Eigenhändige Partitur
Wien, Wiener Stadt- und Landesbibliothek, MH 6418/c

„Lanner hat seiner Muse etwas Muße gegeben, dafür aber überflügelt das jüngste Kind seiner Laune alle seine früheren Producte." So schrieb die Kritik über das im März 1843 erschienene neue Werk Lanners, das wie viele andere im Lokal Dommayer uraufgeführt wurde und angeblich gleich einundzwanzig Mal wiederholt werden mußte.

„Die Schönbrunner" wurden für den kränkelnden und mit vielen privaten Problemen behafteten Lanner allerdings fast so etwas wie sein Schwanengesang. Eine Lungenentzündung und eine Typhus-Erkrankung führten nach den Faschingsproduktionen von 1843 zu seinem Tod am Karfreitag desselben Jahres. In den Wiener Zeitungen finden sich noch bis zum Fasching 1844 eine Reihe von zumeist recht melodramatischen und rührseligen Nekrologen, oft in Gedichtform, aber mit deutlichen Hinweisen darauf, daß Lanner als ein Fortsetzender der besonderen Art in der Linie Mozart–Haydn–Beethoven–italienische Oper angesehen wurde.
OB

## 3/10 Johann Strauß (Vater)

**3/10/1**
**Johann Strauß (Vater) (1804–1849), 1837**

Heinrich Wilhelm Schlesinger (1814–1893)
Aquarell, 21,3 × 14,8 cm
Sign. u. dat. re. u.: H. Schlesinger 1837.
(Darunter von fremder Hand:) Johann Strauß/ Regiments-Musik Direktor.
HM, Inv. Nr. 47.948

Johann Baptist Strauß – so lautete sein voller Name – kam am 14. März 1804 in der Leopoldstadt (heute Wien 2) zur Welt und starb unerwartet am 25. September 1849 an Scharlach in der Wiener Innenstadt. Sein Vater war der Bierwirt Franz Borgias Strauß (1764–1816), seine Mutter Barbara Strauß (geb. Dollmann; 1770–1811) war die Tochter eines Wiener Kutschers. Da Strauß seine Eltern bereits in jungen Jahren verlor, schickte ihn sein Vormund, der bürgerliche Kleidermacher Anton Müller, zu einem Buchbinder in die Lehre. Sein erlerntes Handwerk übte Strauß später nie aus. Er erhielt Musikunterricht und wurde – wie schon vor ihm Joseph Lanner – Mitglied der Kapelle des Musikdirektors Michael Pamer.

Später schloß sich Strauß der Kapelle Lanners an und bildete schließlich – nach dem Bruch mit Lanner (siehe Kat. Nr. 3/9/1) ein eigenes Orchester, als dessen Dirigent er rasch die Gunst des Publikums eroberte. 1826 trat Strauß mit eigenen Kompositionen an die Öffentlichkeit. Als gefeierter Interpret seiner eigenen Werke veranstaltete er viele Festivitäten. Wie sein Konkurrent Lanner hatte auch Strauß bei vielen vornehmen Bällen, vor allem zur Faschingszeit, die Tanzmusik zu besorgen.

Strauß war als Komponist und Dirigent bereits weit über die Grenzen seiner Heimat berühmt, als er begann (1833), große Konzertreisen durch ganz Europa zu unternehmen.

Im Jahre 1834 wurde Strauß zum Kapellmeister des 1. Bürgerregiments ernannt, 1835 wurde ihm die Leitung der Musik bei den Hofbällen übertragen, und 1846 wurde für ihn sogar der Titel eines „k. k. Hofballmusikdirektors“ geschaffen.
Strauß schrieb mehr als 250 Kompositionen, darunter 152 Walzer, 32 Quadrillen, 24 Galoppe, 18 Märsche und 13 Polkas.

Er reformierte nicht nur den Wiener Walzer, sondern machte sich auch um die Weiterentwicklung der französischen „Quadrille“ verdient. Strauß' gefährlichster Konkurrent als Komponist und Dirigent wurde 1844 sein eigener Sohn Johann.

An der Entwicklung und Veredelung der Wiener Tanzmusik und besonders des Walzers kam Lanner und Strauß (Vater) ein annähernd gleicher Anteil zu.
ASchu
Abbildung

**3/10/2**
**Violine, Wien 1820**

Franz Geissenhof
Originaler Druckzettel: Franciscus Geissenhof fecit/Viennae Anno 1820.
Corpuslänge 35,6 cm
Wien, Kunsthistorisches Museum, Sammlung alter Musikinstrumente, I. N. 576

Johann Strauß (Vater) spielte eine ähnliche Geige aus dem Jahre 1803. Dieses zuletzt im Besitz des Historischen Museums der Stadt Wien befindliche Instrument (aus derselben Werkstatt) ging jedoch in den Kriegswirren 1945 verloren.
GSt

**3/10/3**
**Taktstock von Johann Strauß (Vater)**

Aus Ebenholz mit Elfenbeinkugel und vergoldeter Lyra
L: 40 cm
HM, Inv. Nr.56.104

Im Gegensatz zu Lanner, der kaum über die Grenzen Österreichs hinauskam, unternahm Strauß zahlreiche und oft auch mühsame Konzertreisen durch ganz Europa, die er mit dem Einsatz seiner ganzen Persönlichkeit zu einem Triumphzug der Wiener Musik gestaltete.

*Lit.: J. Ziegler, Zur Geschichte der Wiener Tanzmusik in Originalausgaben, Wien 1983.*
JZ
Abbildung

**3/10/4**
**Johann Strauß (Vater)**
**Kettenbrücke-Walzer, op. 4**

Strauß' eigenhändige Partitur, 17 × 47 cm (aufgeschlagen)
Wien, Wiener Stadt- und Landesbibliothek, MH 12.240/c

Dieses Werk war der erste große kompositorische Erfolg, ein „wienerischer“ Walzer, losgelöst vom Vorbild der Deutschen Tänze, des Ländlers, der italienischen Opernmelodien und der volkstümlichen Singspiele. Strauß schrieb seinen „Kettenbrücke-Walzer“ für den Fasching des Jahres 1828, das Werk hat noch keine Introduktion, besteht aber aus sechs Nummern und einer Coda, wobei einzelne Teile sich melodisch und harmonisch weit über die Schemata der gängigen Tanzmusik hinausbewegen.

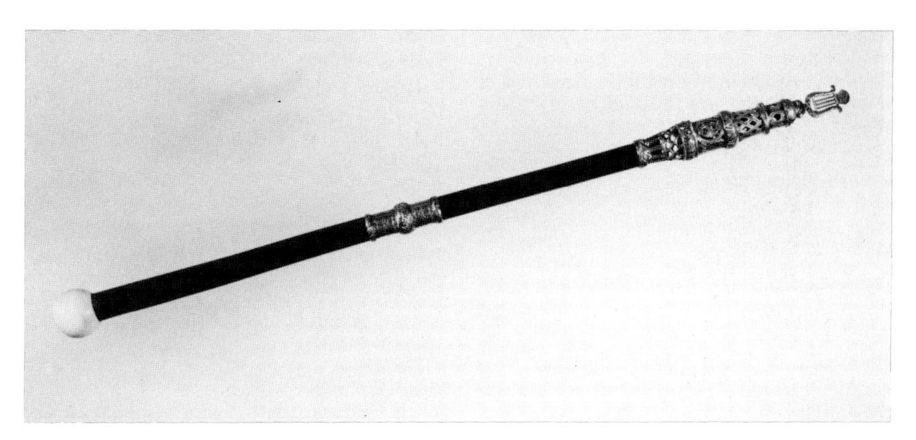

Kat. Nr. 3/10/3

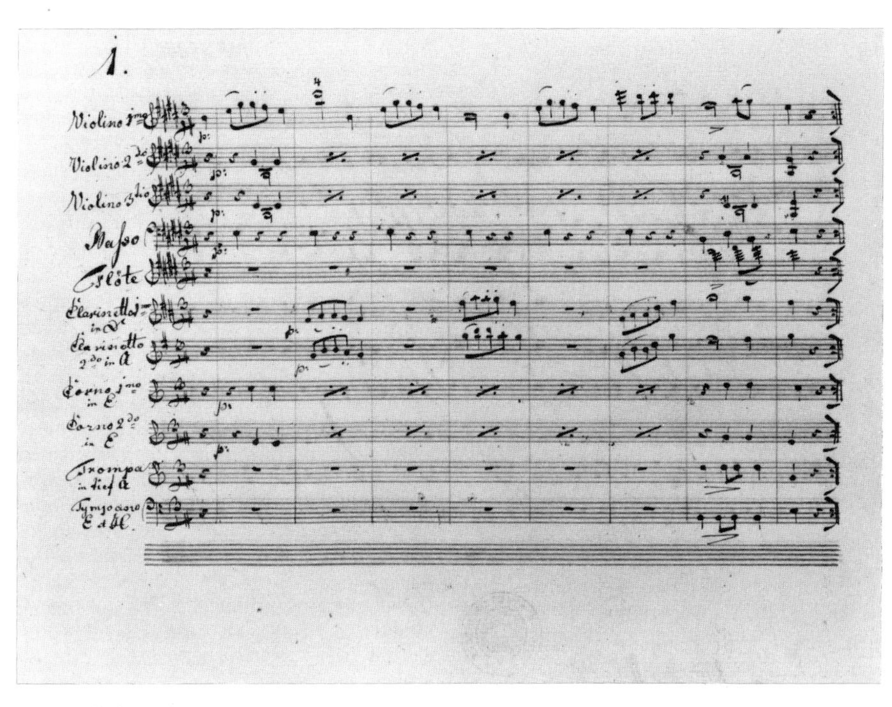

Kat. Nr. 3/10/4

Aber auch die Verleger witterten die Zugkraft des neuen Stils. Waren die ersten Kompositionen von Strauß noch bei Diabelli & Co. erschienen, so gelang es dem Konkurrenten Haslinger, eine Reihe von neuen Tänzen auch für sein Haus zu erwerben. Beide Verleger nützten dabei die Gunst der Stunde und des Publikums. Der „Kettenbrücke-Walzer“ wurde beispielsweise schon am 31. Januar 1828, also wenige Tage nach seiner Erstaufführung, als neuer Musikdruck in der Wiener Zeitung annonciert.

Strauß war mit seiner Kapelle schon im November 1827 in den neuen Saal „Zur Kettenbrücke“ eingezogen (neben dem Dianabad in der Donaustraße 4, am Platz des späteren Schöllerhofes).
OB
Abbildung

**3/10/5**
**„Eine Nacht in Venedig"**
**Großes Assemblée in dem k. k. Augarten in Wien, veranstaltet von J. Strauß den 31ten July 1834"**

Franz Wolf
Kreidelithographie, koloriert,
34,6 × 48,2 cm
Aus: „Journal pittoresque"
HM, Inv. Nr. 108.958

Die von Johann Strauß veranstalteten Feste im Prater und im k. k. Augarten (in letzterem beispielsweise am Abend des 29. Juli 1833 und am 31. Juli 1834 jeweils unter dem Titel: „Eine Nacht in Venedig") wurden vor allem auch wegen ihrer phantasievollen Beleuchtung und ihrer bunten Feuerwerke zu den spektakulärsten Veranstaltungen Wiens gezählt.
ReWi/ASchu
Abbildung

**3/10/6**
**Soiree im Volksgarten**

Anton Zampis (1820–1883)
Kreidelithographie, koloriert,
45,3 × 62,5 cm
Sign. re. u. im Stein: A. Zampis
HM, Inv. Nr. 13.441

Seit 1840 waren die sommerlichen Soireen von Johann Strauß (Vater) im Zweiten Cortischen Kaffehaus im Volksgarten eine ständige Einrichtung. Das Bild zeigt den Musikpavillon des Cafés, in dem der geigende Strauß (links im Hintergrund) mit dem Rücken zu seiner Kapelle stehend präsentiert wird. Ringsum sitzen und stehen viele Zuhörer: Laut Katalog „Anton Zampis" (hg. von Ch. M. Nebehay, Wien 1972, Kat. Nr. 87) sind im Vordergrund folgende Personen dargestellt: Zampis (Selbstporträt); Bierbrauer Hänfling aus dem 3. Bezirk mit seinen beiden Töchtern; Hainisch (keine Daten feststellbar); Adolph B. Bäuerle, Schriftsteller, Herausgeber der „Wiener Theaterzeitung" (1786–1859); der satirische Schriftsteller Moriz G. Saphir (1795–1858); Fritsch (keine Daten feststellbar); Lori und Mimi Keil (keine Daten feststellbar); Graf Palffy; Graf Nikolaus Esterházy; Graf Moriz Sandor, bekannter Pferdesportler, „der Stallmeister des Teufels" (geboren 1805); Edi Biedermann (keine Daten feststellbar) und der Fleischhauer Bernauer (bekannter Schnellfahrer).
ASchu
Abbildung

**3/10/7**
**„Skizze aus dem k. k. Volksgarten in Wien", 1853**

Franz Kaliwoda (1820–1859)
Lithographie mit Tonplatte, 22,9 × 25 cm
In der Platte sign. u. dat. li. u.: F. Kaliwoda/53
HM, Inv. Nr. 11.851

Johann Strauß (Sohn) (1825–1899) gründete 1844 gegen den Willen seines Vaters ein eigenes Orchester, mit dem er am 15. Oktober 1844 im damaligen Kasino Dommayer in Hietzing höchst erfolgreich debutierte. Als Dirigent konnte er sich in Wien allerdings erst nach dem Tode seines Vaters (1849) durchsetzen. Die Darstellung zeigt, wie Johann Strauß Sohn 1851 im Volksgarten seinen Walzer „Idyllen" dirigiert.
ASchu
Abbildung

**3/10/8**
**Radetzky-Marsch, op. 228**

Johann Strauß (Vater)
Coda-Entwurf von Philipp Fahrbach (1815–1885)
Autograph, 26 × 33 cm
Wien, Wiener Stadt- und Landesbibliothek, MH 15.478/c

Der „Marsch aller Märsche" wurde am Wasser-Glacis am 31. August 1848 beim „Siegesfest zu Ehren der tapferen Armee in Italien und zur Unterstützung der verwundeten Krieger" uraufgeführt. Strauß hatte den Radetzky-Marsch „zu Ehren des großen Feldherrn" komponiert, gewidmet ist er allerdings „Der k. k. Armee".

Nun gab es allerdings schon im 19. Jahrhundert Zweifel daran, daß die Komposition, welche ursprünglich auch „Paradeisgartl-Marsch" hätte heißen sollen, wirklich von Strauß selbst sei. Philipp Fahrbach, sein Mitarbeiter, Arrangeur und selbst ein Komponist von Graden, dürfte an der Partitur und an der Instrumentierung beteiligt gewesen sein. Dies beweist auch die vorliegende Notenhandschrift einer heute weitgehend unbekannten Coda-Fassung zu diesem Marsch. Es ist allerdings nicht zu eruieren, ob Fahrbach diesen Teil schon während der Komposition verfertigt hat (und dann später mit Wissen von Strauß wieder ausschied), oder ob Fahrbach später den Coda-Teil als Alternativ-Schluß hinzufügte.

Philipp Fahrbach war um 1825 von Johann Strauß in dessen Kapelle als Flötist aufgenommen worden. 1835 verließ er die Strauß-Kapelle und gründete seine 1. Zivilkapelle. Mit seinen Kompositionen (Walzer, Galoppe, Polonaisen, Musikarrangements, Märsche) und seiner beschwingt-melodiös spielenden Kapelle begründete er seinen ausgezeichneten Ruf. 1838 wurde er als „Hofballmusikdirektor" Leiter der Hof- und Kammerbälle. Diese Ehre wurde Fahrbach nochmals von 1850–1856 zuteil, alternierend mit Johann Strauß (Sohn).
OB/HCS

## 3/11 Populäre Notendrucke

**3/11/1**
**Carneval 1823**

Sammlung original deutscher Tänze für das Piano-Forte
Erstdruck, Wien, bei Sauer & Leidesdorf (1823)
Wien, Wiener Stadt- und Landesbibliothek, Mc 1930

Infolge der zahlreichen Tanzveranstaltungen und Bälle im biedermeierlichen Wien – nach Saphir gab es öffentliche Bälle, Redouten, Gesellschaftsbälle, Hausbälle und Piqueniques (wobei jeder Gast seinen Teil zur Tafel beistellen mußte) – sahen sich die Musikverleger genötigt, jährlich interessante Novitäten herauszubringen. Diese Tanz-Sammlungen aus der Zeit des Vormärz – „Carneval 1823", „Halt's enk zsamm", „Krähwinkler Tänze", „Ernst und Tändeley ", „Terpsichore" u. a. – zählen heute zu geschätzten Raritäten auf dem Gebiet der Alt-Wiener Tanzmusik.

In den beiden Heften des „Carneval 1823" wurden neben Tanz-Novitäten von Czerny, Horzalka, Leidesdorf, Pamer, Pensel, Pixis und Worzischek auch erstmals drei „Deutsche" von Franz Schubert (D 971) veröffentlicht.
JZ

**3/11/2**
**Halt's enk zsamm**

Sammlung Original Oesterreichischer Ländler für das / Piano-Forte, 1824
2. Heft
Erstdruck, Wien, bei Sauer & Leidesdorf
Titelvignette, Radierung von Moritz von Schwind
HM, Inv. Nr. 66.285

In drei Heften brachte der Verlag Sauer & Leidesdorf Anfang des Jahres 1824 (21. 2.) beziehungsweise 1825 die Tänze verschiedener Komponisten heraus. Zwei Tänze Schuberts (D 366/6 und D 146/2) sind im zweiten Heft enthalten; u. a. befinden sich auch Kompositionen von Maximilian Joseph Leidesdorf und Leopold Czapek darunter. Moritz von Schwind schrieb über seine Zeichnung in einem Brief vom 13. 12. 1823 an Schober: „Für Leidesdorf habe ich tanzende Paare radiert so wie in einem Tanzsaal . . . Auf der Vignette der Schubertschen Walzer . . . erscheint Huber oben auf dem Orchester, die Trompete blasend." (O. E. Deutsch, Schubert. Dokumente seines Lebens. Kassel – Basel – Paris – London – New York 1964, 180). – Der junge Zeichner Schwind stellte symbolisch die Übernahme des bäuerlichen Tanzstils (Paar in der Mitte) durch den Tanzlehrer und die städtische Gesellschaft dar.
ReWi
Abbildung

**3/11/3**
**Joseph Lanner**
**Neue Wiener Ländler mit Coda in G, Op. 1**

Erstdruck, Wien, bei A. Diabelli & Comp. (1825)
Wien, Wiener Stadt- und Landesbibliothek, Mc 51.525

Bereits als 14jähriger Knabe spielte Lanner die zweite Violine in der Kapelle von Michael Pamer (1782–1827), der zur Kongreßzeit zu den populärsten Unterhaltungsmusikern Wiens zählte und damals Tanzmusikdirektor im k. k. Kleinen Redoutensaal und im neueröffneten Saale „Zum Sperl" (Leopoldstadt) war. In seinem „ersten" editierten Werk hat der 24jährige Lanner noch Pamers Ländler-Stil nachzuahmen versucht, denn Pamers sog. „Bierhäusler" oder „Neueste Linzer Tänze" erfreuten sich damals so großer Beliebtheit, daß sie um 1821 sogar auf die mechanische Spieluhr übertragen und im Gasthof Seitzerhof tagtäglich abgespielt wurden. Die historische Bedeutung Pamers ist vorzugsweise darin zu erblicken, daß er als einer der berühmtesten Tanzgeiger und Kapellmeister seiner Zeit für die beiden Begründer des Wiener Walzers, Lanner und Strauß, zum Vorbild wurde.

Die Erstausgabe der „Neuen Wiener Ländler mit Coda" von J. Lanner (noch ohne Opus-Zahl!) wurde von A. Diabelli am 6. 7. 1825 in der „Wiener Zeitung" angekündigt.
JZ

**3/11/4**
**Kraehwinkler-Tänze**
**für das Piano-Forte**

Erstdruck, Wien, bei Sauer & Leidesdorf (1825)
Wien, Wiener Stadt- und Landesbibliothek, Mc 24.784

Die burleske Titelgraphik (eine handkolorierte Kreidelithographie) dieser seltenen Tänze-Sammlung aus dem Jahre 1825 illustriert treffend das doppelsinnige Motto: „Die Krähwinkler sind auf einem großen Ball versammelt und hauen tüchtig auf." Krähwinkler waren die Bewohner einer imaginären Kleinstadt (wie Abdera oder Schilda), deren Albernheiten in solchen Scherzen verspottet wurden. Graphische Darstellungen von „Krähwinkeliaden" erfreuten sich im Biedermeier großer Beliebtheit. Die Komponisten der 12 Walzer dieses Notenheftes blieben ungenannt – vermutlich dürften einige vom Verleger selbst – Maximilian Joseph Leidesdorf (siehe Kat. Nr. 3/4/7) – geschrieben worden sein. Leidesdorf war mit seinen „Schablone"-Walzern in allen Tanzsammlungen seines Verlages vertreten.
JZ

**3/11/5**
**Moderne Liebes-Walzer**
**für das Piano-Forte**

Erstdruck, Wien, bei Sauer & Leidesdorf (1826)
Wien, Wiener Stadt- und Landesbibliothek, Mc 3.769

„Gar leicht sind mir Herz und Hand vermählt, wenn Väterchen die Thaler zählt" – das scherzhafte Motto dieser „modernen" Liebes-Walzer aus dem Jahre 1826 wurde auch in einer illuminierten Titelvignette bildlich dargestellt. Die handkolorierte Zeichnung stellt angeblich Franz Schubert in einer zeitgenössischen Karikatur dar – das volle, sich natürlich kräuselnde Haar und die Augengläser lassen eine große Ähnlichkeit mit seinen Porträts erkennen. Auch diese Tanzsammlung enthält als erste Nummer einen Schubert-Walzer, dessen Autograph verschollen ist (Walzer in G, D 979).
JZ
Abbildung

Kat. Nr. 3/11/2

**3/11/6**
**Neue Krähwinkler-Tänze**
**für das Piano-Forte**

Erstdruck, Wien, bei Sauer & Leidesdorf (1826)
Wien, Wiener Stadt- und Landesbibliothek, Mc 20.800

Diese reizende Sammlung von 12 Tänzen beinhaltet neben Kompositionen von Leidesdorf, Fischhof, Lachner und Randhartinger auch den Erstdruck zweier Klavier-Walzer (in G und h) von Franz Schubert (D 980).
Die Titelvignette („Eine Krähwinkler Dame eröffnet den Ball mit einem Deutschen") zeigt die gelungene, doppelsinnige Darstellung einer sog. „Krähwinkeliade".
JZ

**3/11/7**
**Ferdinand Raimund/Joseph Drechsler**
**Das Aschenlied aus dem Singspiele „Der Bauer als Millionär" oder „Das Feenmädchen"**

Erstdruck, Wien, bei Jos. Fr. Kaiser (1827)
Wien, Wiener Stadt- und Landesbibliothek, M 39.223

Mit den Märchendramen Raimunds erlebte das Wiener Volksstück seinen dichterischen Höhepunkt und wurde zum Inbegriff der bürgerlichen Biedermeier-Kultur am Theatersektor. Nach einigen Melodieangaben Raimunds schrieb Joseph Drechsler (siehe Kat. Nr. 3/5/8) die Musik zu Raimunds Original-Zaubermärchen mit Gesang „Das Mädchen aus der Feenwelt oder Der Bauer als Millionär" (Uraufführung am 10. November 1826 im Leopoldstädter Theater). Der Dichter selbst spielte den „Fortunatus Wurzel" – Therese Krones war die erste Darstellerin der „Jugend". Das „Aschenlied", das Duett „Brüderlein fein" und die Szenen mit Jugend und Alter zählen noch heute zu den populärsten Melodien aus jener Zeit.

Der lithographierte Druck des „beliebten" Aschenliedes (mit neun Zusatzstrophen) erschien unmittelbar nach der Erstaufführung – Raimund wurde auf der Titelseite jedoch nicht genannt!
JZ

**3/11/8**
**Joseph Lanner**
**Trennungs-Walzer, 19tes Werk**

Erstdruck, Wien, bei Tobias Haslinger (1828)
Wien, Wiener Stadt- und Landesbibliothek, Mc 5.245

Die rührseligen Begebenheiten rund um den berühmten „Trennungs-Walzer" müssen heute nach den neuesten Forschungsergebnissen (N. Linke, 1987) in das Reich der Legende verwiesen werden. Der „publikumswirksame" Titel, der den „Bruch" zwischen Strauß (Vater) und Lanner musikalisch illustrieren sollte, stammt nämlich – wie so oft – vom geschäftstüchtigen Verleger Haslinger. Mit „Trennung oder Bock's Klage" überschrieb Lanner ursprünglich nur die Coda dieser humorvollen Walzer-Kette, die er als Musikdirektor im „Schwarzen Bock" (Wieden) zum Ausklang des Karnevals 1828 komponiert hatte. Strauß

Kat. Nr. 3/11/11

konnte sich gar nicht im September 1825 – wie in der umfangreichen Literatur seit Rebay/Kellers Lannerbiographie (1901) immer wieder nachzulesen ist – von seinem älteren Freund Lanner getrennt haben, denn auch nach seiner Verheiratung mit Maria Anna Streim (11. Juli 1825) spielte Strauß als Bratscher in der Kapelle Lanners (bis Sommer 1827). Erst nach seinem Debüt als „Musikdirektor" bei den „Zwey Tauben" (nach Ostern 1827) kam es zu einer „Trennung" zwischen Lanner und Strauß.
JZ

**3/11/9**
**Neueste Sammlung beliebter Galoppe für das Pianoforte, 1. u. 2. Heft**

Erstdruck, Wien, bei Anton Diabelli & Comp. (1828)
Wien, Wiener Stadt- und Landesbibliothek, Mc 442

Der Galopp ist ein rascher Rundtanz im ²⁄₄-Takt, der um 1825 in Deutschland (Vogtland/Thüringen) aufkam und der – seines schnellen Tempos wegen – zum wohl anstrengendsten und „gesundheitsschädigendsten" Tanz des 19. Jahrhunderts werden sollte.

Am 15. 12. 1828 kündigte Diabelli seine „Neueste Sammlung beliebter Galoppe" in der „Wiener Zeitung" an – kurz darauf galt der Galopp in Wien als „le dernier cri". Johann Strauß eröffnete den Tanzreigen mit seinem „Alpenkönig-Galopp" (op. 7) – nach Motiven der Musik von Wenzel Müller zu Raimunds romantischem Zauberspiel „Der Alpenkönig und der Menschenfeind" (Uraufführung am 17. Oktober 1828 im Theater in der Leopoldstadt). Bis September 1831 sind in Diabellis Reihe an die 50 „Galoppe" von Strauß, W. u. A. Müller, Moscheles, Czerny, Faistenberger, Morelly, Auber u. a. m. erschienen – darunter auch kuriose Bearbeitungen wie „Erlkönig-" und „Wanderer"-Galoppe von Franz Schubert.
JZ

**3/11/10**
**Johann Strauß (Vater)**
**Täuberln-Walzer, Erstes Werk (!)**

Erstdruck, Wien, bei Ant. Diabelli & Comp. (1829)
Wien, Wiener Stadt- und Landesbibliothek, Mc 19.722

Jedes Werksverzeichnis und Buch über die „Strauß-Dynastie" führt bis heute den „Täuberln-Walzer" – mit dem Strauß seine große Begabung auf Anhieb unter Beweis gestellt haben soll – als „Opus 1" an, obwohl es erst im Jahre 1829 bei Diabelli in einer gedruckten Klavierausgabe (mit der Miniatur-Vignette zweier Tauben) erschienen ist. In den neuesten Strauß-Forschungen (N. Linke, 1987) konnte jedoch nachgewiesen werden, daß bereits am 21. November 1825 die „Sieben Walzer in F" – die bislang als verschollen galten – bei Diabelli als erstes ediertes Werk von Strauß (also das eigentliche „Opus 1") herausgekommen sind. Diese Walzer sind am 11. Februar 1829 – also nach mehr als drei Jahren – unter dem Titel „Die beliebten Trompeten-Walzer" als 13tes Werk auch bei Haslinger erschienen. Haslinger kaufte später Diabelli alle Strauß-Rechte ab, doch auch in seiner „Zweyten rechtmäßigen Ausgabe sämmtlicher Compositionen von Johann Strauß" (1836) blieb der „Täuberln-Walzer" – der „reklameträchtige" Titel wurde wohl nach dem Gasthaus „Zu den zwey Tauben" (III. Bezirk, heute Ungargasse) gewählt, in dem Strauß nach Ostern 1827 als 23jähriger „Musikdirektor" mit eigener Kapelle debütierte – das „Erste Werk" des „Musikers von Gottes Gnaden" (Sohn Schani im Nachruf).
JZ

**3/11/11**
**Johann Strauß (Vater)**
**Wiener Tagesbelustigung, Op. 37**

Erstdruck, Wien, bei Tobias Haslinger (1830)
Wien, Wiener Stadt- und Landesbibliothek, Mc 5.589

„Potpourris" oder „Musikalische Ragouts" erfreuten sich im biedermeierlichen Wien großer Beliebtheit – Tobias Haslinger beauftragte daher auch Strauß mit einer Zusammenstellung damals populärer Melodien. Das Potpourri enthält Nummern von Rossini, Auber, Bellini, Adolph Müller und Strauß selbst – an unterhaltenden Effekten beinhaltet es auch ein virtuoses „Flötensolo", „Schalmay und Kuhhorn", „Schlittage mit Schellenkranz", „Leyermann" und eine „Schlacht-Coda".

Das aufwendig gestaltete Titelblatt (zweifarbig gedruckt und von Hand illuminiert) wurde mit kulturhistorisch interessanten Miniaturen ausgeschmückt (Jahrmarktstheater mit Wurstel, Zirkusreiter, Hundegespann, Postkutsche, Altwiener Tanzkapelle, Tanzpaare, geselliges Diner, Harfenist und Drehleierspieler).
JZ
Abbildung

**3/11/12**
**Johann Strauß (Vater)**
**Souvenir de Baden, 38tes Werk**

Erstdruck, Wien, bei Tobias Haslinger (1830)
Wien, Wiener Stadt- und Landesbibliothek, Mc 58.083

Topographische Titelillustrationen mit Gesellschaftsszenen erfreuten sich im Biedermeier großer Beliebtheit. Das Titelblatt zum Badener „Souvenir-Walzer" mit einer Lithographie von Franz Wolf zeigt die reizende Ansicht der Haus- oder Kaffeewiese im Helenental (zwischen der Ruine Rauhenstein und der Weilburg). Im Vordergrund inmitten reicher Personenstaffage konzertiert Strauß mit seinem Orchester. Dieser bekannte Sommer-Rendezvousplatz und Festveranstaltungsort bei Baden

erfreute sich sowohl bei der vornehmen Badener Gesellschaft als auch bei den Mitgliedern des „allerhöchsten regierenden Kaiserhauses" größter Beliebtheit.
JZ

**3/11/13**
**Johann Strauß (Vater)**
**Wiener Damen-Toilette-Walzer, 40tes Werk**

Erstdruck, Wien, bei Tobias Haslinger (1830)
Wien, Wiener Stadt- und Landesbibliothek, Mc 565

Strauß komponierte diesen Walzer – in der Introduktion „verwendete" er das erste Andante aus der Rossinischen Tell-Ouverture – für den Katharinen-Ball des Jahres 1830 beim „Sperl". An die Ballbesucherinnen ließ er damals 200 Vorzugsexemplare als „Damenspende" verteilen. Die reizende, zweifarbig gestochene Titelvignette (von A. Dworzak nach einer Zeichnung von Franz Weigl gestochen) zeigt eine sich im Spiegel betrachtende junge Wienerin im Biedermeier-Ambiente.
JZ

**3/11/14**
**Johann Strauß (Vater)**
**Der Raub der Sabinerinnen, 43tes Werk**

Charakteristisches Tongemälde (Einzugs-Marsch, Entführungs-Galopp und Versöhnungs-Walzer)
Erstdruck, Wien, bei Tobias Haslinger (1831)
Wien, Wiener Stadt- und Landesbibliothek, Mc 5.331

Strauß, dessen Wesen von Unrast und Leidenschaft erfüllt war, gestaltete alles in seinem Genre völlig neu, und dazu gehört auch, daß er jedem seiner Werke einen einprägsamen, auf das Tonstück passenden Namen gab. Der Titel dieses Tanzquodlibets, das er am 8. Februar 1831 im „Sperl" zur Erstaufführung brachte, erregte aber den Unmut der Kritik. Ambros schrieb zu diesem Werk spöttisch: „Strauß ist gar in die Programm-Musik hineingeraten – man sieht, daß er den Livius gelesen."

Die große Titellithographie von Franz Wolf zeigt das lustige Treiben im Tanzsaal „Zur goldenen Birn" auf der Landstraße. Im Vormärz wurden hier die berühmten Tanzfeste zum Namenstag der „Annen" abgehalten (daher auch die Bezeichnung „Wiener Annentempel"). Michael Pamer, Joseph Lanner und Strauß (dessen Kapelle auf der Galerie zu sehen ist) spielten hier oft einem tanzbegeisterten Publikum auf.
JZ

**3/11/15**
**Johann Strauß (Vater)**
**Musikalisches Ragout, 46tes Werk**

Erstdruck, Wien, bei Tobias Haslinger (1831)
Wien, Wiener Stadt- und Landesbibliothek, Mc 6.096

Die Form der Potpourris oder Quodlibets zählte schon um 1800 zu einem gewinnbringenden musikalischen Erwerbszweig, der sich vor allem die serienmäßige „Ausbeutung" populärer Opern-, Singspiel- und Tanzmelodien zum Ziel setzte. In seinem musikalischen „Ragout", dessen Erstaufführung beim „Sperl" am 6. März 1831 stattfand, vermischte Strauß bekannte Opernmelodien von Rossini, Boieldieu, Auber und Mozart mit eigenen Tanzkompositionen (Charmant-Walzer, Tivoli-Rutsch-Walzer) und ließ zum Abschluß dieses ungewöhnlichen Potpourris auch einen Männerchor singen: „Des heutigen Tages höh're Stunde lasset uns feiern durch den Gesang!"
JZ

**3/11/16**
**Joseph Lanner**
**Paradiesgarten-Musik, 1stes Heft**
**mit Paradies-Soirée-Walzer, 52stes Werk**

Erstdruck, Wien, bei Pietro Mechetti (1831)
Wien, Wiener Stadt- und Landesbibliothek, Mc 1.239

Das nach der Kongreßzeit als Treffpunkt des Bürgertums und der Aristokratie berühmt gewordene „Paradeisgartl" grenzte an den k. k. Volksgarten. Im Gartenpavillon dieser damals beliebten Vergnügungs- und Erholungsstätte konzertierte des öfteren auch Joseph Lanner mit seiner Kapelle. Das „Paradeisgartl" fiel 1874 dem Neubau des Hofburgtheaters zum Opfer.

Lanner widmete seinen „Paradies-Soirée-Walzer der Gräfin Eleonore Fuchs geb. v. Gallenberg und brachte ihn am 13. Juni 1831 im „Goldenen Engel" zur Erstaufführung.
JZ

**3/11/17**
**Johann Heinrich Walch (1775–1855)**
**24 Neue Tänze**
**für das Piano-Forte**

Erstdruck, Wien, bei C. F. Peters, Leipzig 1833
Wien, Wiener Stadt- und Landesbibliothek, Mc 38.845

Johann Heinrich Walch komponierte neben patriotischen Musikwerken („Pariser Einzugsmarsch 1814", „Trauermarsch des Fürsten Karl v. Schwarzenberg") auch zahlreiche Tänze, die u. a. auch im renommierten „Bureau de Musique von C. F. Peters" (diese Verlagsbezeichnung kreierte der Buchhändler Carl Friedrich Peters bereits im Jahre 1814) in Leipzig erschienen sind.

Als „Blickfang" für die „Neuen Tänze" von Walch wählte der Titelillustrator eine mitreißende „Galoppade", die sich damals bei den jungen Tanzpaaren größter Beliebtheit erfreute.
JZ

**3/11/18**
**Joseph Lanner**
**Jubel-Walzer für das Pianoforte**
**Österreichs Völker-Kranze zur Gedächtnisfeier an den 14ten Juni 1835, op. 100**

Erstdruck, Wien, bei Pietro Mechetti qm Carlo
Wien, Archiv der Gesellschaft der Musikfreunde in Wien, XV 18363 (Q 19449)

Die Erbhuldigung des Erzherzogtums Österreich unter der Enns für Kaiser Ferdinand I. (am 14. Juni 1835) nahmen auch Komponisten zum Anlaß, dem neuen Herrscher ihre Aufwartung zu machen. Während Johann Strauß (Vater) für diesen Anlaß seinen „Huldigungs-Walzer" (op. 80) schrieb, komponierte Lanner den „Jubel-Walzer" (op. 100).
ASchu

**3/11/19**
**Johann Strauß (Vater)**
**Huldigungs-Walzer, 80tes Werk**

Erstdruck, Wien, bei Tobias Haslinger (1835)
Wien, Wiener Stadt- und Landesbibliothek, Mc 5.337

Zur Thronbesteigung von Kaiser Ferdinand I. komponierte Strauß seinen „Huldigungs-Walzer", den er zur Eröffnung des neuen Prachtsaales in der „Goldenen Birn" auf der Landstraße erstmalig zu Gehör brachte (15. Juni 1835).

Kaiser Ferdinand I. schätzte die Walzer von Strauß und ernannte den inzwischen zum populärsten „Musikdirektor" Wiens gewordenen Tanzkomponisten zum „k. k. Hofball-musik-Direktor" (1845).
JZ

**3/11/20**
**Joseph Lanner**
**Dampf-Walzer / für das Pianoforte / seinem Freunde Herrn August Corti / gewidmet, op. 94**

Druck, Wien, bei Pietro Mechetti qm. Carlo (1835)
HM, Inv. Nr. 114.434

Die Titelvignette zeigt eine Darstellung von drei Tanzpaaren und einer zehnköpfigen Musikantengruppe im Hintergrund.
ReWi

**3/11/21**
**Adolph Müller (sen.) (1801–1886)**
**Carl-Tänze**

Erstdruck, Wien, bei A. Diabelli & Comp. (1837)
Wien, Wiener Stadt- und Landesbibliothek, Mc 20.836

Im Jahre 1837 feierte das traditionsreiche – durch Mozart und Beethoven geadelte – „Theater an der Wien" (das ehemalige „k. k. priv. Theater im fürstlich Starhembergischen Freihaus") sein 50jähriges Bestandsjubiläum. Ein Zufall wollte es, daß Carl Carl (der damalige Pächter und Direktor des Theaters) in diesem Jubiläumsjahr ebenfalls seinen 50. Geburtstag feierte.

Kat. Nr. 3/12/1

Kat. Nr. 3/12/2

Adolph Müller (sen.) – seit 1828 Hauskomponist und Kapellmeister am „Theater an der Wien“ – stellte sich zu diesem besonderen Anlaß mit den „Carl-Tänzen“ ein und widmete sie auch seinem Direktor.

Die Architektur-Titelgraphik zeigt die Frontseite (zur heutigen Millöckergasse) des nach einem Entwurf von Franz Jäger erbauten Theaters (1797–1801) mit dem Papageno-Portal. Bis zur Eröffnung der Hofoper (1869) galt das „Theater an der Wien“ als größtes und schönstes Theater Wiens.
JZ

**3/11/22**
**Joseph Lanner**
**Der Kinder-Ball (12. Heft)**

Album der beliebtesten Walzer etc. für das Piano-Forte im leichten Style . . . für die Jugend.
Erstdruck, Wien, bei Pietro Mechetti (1840)
Wien, Wiener Stadt- und Landesbibliothek, Mc 10.750

Notenausgaben für Kinder – „im leichten Style mit Hinweglassung der Octaven“ – basieren auf alter Tradition. Schon 1839 erschien bei Haslinger – unter dem Titel „Die junge Tänzerin“ – eine erleichterte Walzer-Sammlung von Strauß. Als Fortsetzung der von Carl Czerny herausgegebenen „Walzer-Bouquets“ folgte dann 1840 bei Mechetti die neue Reihe „für die Jugend“ von Joseph Lanner: „Der Kinder-Ball“ (insgesamt 20 Hefte).

Während der Regentschaft des tanzliebenden Kaisers Ferdinand I. wurden für die Prinzen und Prinzessinen der kaiserlichen Familie sogenannte „Kammerbälle“ veranstaltet – mit der Leitung der Hof- und Kammerballmusik wurden abwechselnd Joseph Lanner, Johann Strauß (Vater) und Philipp Fahrbach (sen.) betraut.
JZ

**3/11/23**
**Joseph Lanner**
**Wiener Bürger-Fest-Parade, $174^{\text{tes}}$ Werk**

Erstdruck, Wien, bei Tobias Haslinger (1841)
Wien, Wiener Stadt- und Landesbibliothek, Mc 33.093

Die minuziös ausgearbeitete und meisterhaft gestochene Titelvignette von A. Dwořák nach F. Weigl zeigt eine ausschließlich repräsentative Parade eines Wiener Bürgerregiments vor dem Zeughaus am Hof. Joseph Lanner bekleidete damals die ehrenamtliche Stelle eines Kapellmeisters im Zweiten Wiener Bürgerregiment. An Lanners Tätigkeit als Korpskapellmeister erinnern auch die „3 Märsche für das löbliche $2^{\text{te}}$ Wiener Bürgerregiment“ aus den Jahren 1838 und 1840 (op. 130/op. 157).

Dieses Potpourri, das Lanner Ignaz Czapka (Wiener Bürgermeister von 1838 bis 1848) widmete, bildet einen Querschnitt durch die Märsche der verschiedenen Bürgermilizen von Wien (1. u. 2. Bürgerregiment, Grenadier-Division, Artillerie, Scharfschützen-Corps, Akademisches Corps, Bürgerliche Cavallerie).
JZ

**3/11/24**
**Johann Strauß (Sohn) (1825–1899)**
**Sängerfahrten. Walzer für Pianoforte, componirt u. dem löbl. Männergesangsverein in Wien achtungsvoll gewidmet . . ., op. 41**

Erstdruck, Wien, bei H. F. Müller
Wien, Wiener Stadt- und Landesbibliothek

Die am 9. Juni 1847 dem 1843 gegründeten Wiener Männergesangverein gewidmete Komposition nimmt Bezug auf den Brauch von Gemeinschaftsausflügen bzw. gegenseitigen Besuchen der Sängerschaften, die musikalische Darbietungen, aber auch entsprechende Vergnügungen mit einschlossen. Der Wiener Männergesangverein hatte am 30. Mai 1847 eine derartige Sängerfahrt auf den Kahlenberg durchgeführt.
TA

**3/11/25**
**Philipp Fahrbach (sen.) (1815–1885)**
**Falkenschwingen**

Walzer, Op. 65
Erstdruck, Wien, bei A. O. Witzendorf (1848)
Wien, Wiener Stadt- und Landesbibliothek, Mc 7.486

Philipp Fahrbach zeigte schon in seiner frühesten Jugend viel Talent zum ausübenden Musiker und Kompositeur. Bereits als Zehnjähriger war er in der Kapelle von Johann Strauß (Vater) tätig und gründete im Jahre 1835 ein eigenes Orchester. Als überaus fruchtbarer Tanzkomponist sollte er bald zum Konkurrenten von Strauß und Lanner werden und dirigierte bereits 1838 erstmals die Hofballmusik.

Für den Karneval 1848 komponierte er diesen schwungvollen „Falkenschwingen-Walzer“ und widmete ihn den „Herren Zöglingen der k. k. Forstlehr-Anstalt zu Mariabrunn“.

Das kunstvoll gestaltete Titelblatt (handkolorierte Vignetten, grüne Ornamentierung) zeigt auf anschauliche Weise die Benutzung des Falken zur „Beizjagd“. Die Abrichtung der Jagdfalken erfolgte durch Falkner, die ihre mit „Falkenhauben“ bedeckten Vögel auf einem hölzernen Rahmen trugen (Titelblatt links). Die Erlegung des Fischreihers mittels gezähmter Falken galt damals als höchstes Jagdvergnügen (Titelblatt oben).
JZ

**3/12 Harmonie- und bürgerliche Hausmusik**

**3/12/1**
**Musikensemble, 1803**

Georg Emanuel Opiz (1775–1841)
Deckfarben auf Papier, sign. u. dat.: G. Opiz p. Vienna 1803, 69 × 50,8 cm
Wien, Sammlungen der Gesellschaft der Musikfreunde in Wien, BI 1138 B

Zwei Geiger und je ein Violonist, Flötist und Hornist proben unter der Leitung eines Kapellmeisters. Livree und Perücke weisen sie als in adeligen Diensten stehend aus. Orchester und Musikensembles in Adelsdiensten waren am Beginn des 19. Jahrhunderts bereits weitgehend aufgelöst bzw. in Auflösung begriffen. Daß es sich bei diesem Ensemble eigentlich um ein Relikt aus früherer Zeit handelt, zeigt Opiz mit leiser Ironie an vielen Details, nicht zuletzt am schlechten baulichen Zustand des Raumes.
OBi
Abbildung

Kat. Nr. 3/12/5 Gitarre

Kat. Nr. 3/12/7

**3/12/2**
**Harmoniemusik-Ensemble**

a) Flöte
Franz Schöllnast, Preßburg um 1820
L.: 60 cm, 6 Grifflöcher, 1 Klappe
Wien, Gesellschaft der Musikfreunde in Wien, Musikinstrumentensammlung, I. N. 540
b) Oboe
Wolfgang Küss, Wien um 1830
L.: 53,8 cm, 6 Grifflöcher (das dritte doppelt), 11 Klappen
Wien, Gesellschaft der Musikfreunde in Wien, Musikinstrumentensammlung, I. N. 147
c) Klarinette in B
Stephan Koch, Wien um 1825
L.: 64 cm, 7 Grifflöcher, 16 Klappen
Wien, Gesellschaft der Musikfreunde in Wien, Musikinstrumentensammlung, I. N. 124
d) Horn (Naturhorn), 1. H. des 19. Jhs.
Dreiwindig, D (Stürze): 28,5 cm
Wien, Gesellschaft der Musikfreunde in Wien, Musikinstrumentensammlung, I. N. 421
e) Fagott, frühes 19. Jh.
H.: 126 cm, L. (Bohrung): 215 cm, Schallöffnung mit Hornring, 7 Grifflöcher, 12 Klappen
Wien, Gesellschaft der Musikfreunde in Wien, Musikinstrumentensammlung, I. N. 164

Eine beliebte Besetzung für Freiluftmusiken – vom anspruchsvollsten künstlerischen Niveau bis zur Wirtshausmusik – war im Biedermeier die sogenannte „Harmoniemusik". Das war in der Regel eine Besetzung von fünf bis acht Blasinstrumenten, ausgewählt bzw. paarweise zusammengestellt aus Flöte, Oboe, Klarinette, Horn und Fagott. Harmoniemusik-Ensembles spielten einschlägige Literatur und Arrangements – letztere von Symphonien, Oratorien und Opern bis zur Tanzmusik.
OBi
Abbildungen

**3/12/3**
**Programm der „Musikalischen Übung" am 1. Dezember 1820 bei Ignaz Sonnleithner**

Handschrift, Tinte auf Papier, 18 × 23,5 cm
Bibliothek der Gesellschaft der Musikfreunde in Wien, I. N. 10.520/133

Der Musikalische Salon von Ignaz Sonnleithner zählte zu den niveauvollsten und berühmtesten unter den regelmäßigen Hauskonzerten im biedermeierlichen Wien. Die Darbietungen waren halböffentlich, d. h. für Freunde bestimmt, doch konnten diese selbst wieder Gäste einführen. An diesem 1. Dezember 1820 sang hier August Ritter von Gymnich Schuberts „Erlkönig". Der große Erfolg veranlaßte Leopold Sonnleithner, den Sohn Ignaz Sonnleithners, die zuvor von keinem Verlag angenommene Ballade Schuberts gemeinsam mit zwei Freunden auf eigene Kosten in Kommission des Verlagshauses Cappi & Diabelli herauszugeben.
OBi

**3/12/4**
**Einladungskarte Raphael Georg Kiesewetters an Franz Grillparzer zu einem Konzert geistlicher alter Musik am 9. November 1823**

Druck mit handschriftlichen Eintragungen, 8,5 × 13,5 cm
Im Druck bez.: Der Unterzeichnete gibt sich die Ehre / (handschriftl.:) Herrn v. Grillparzer / (gedr.:) zu einem Concert (handschriftl.:) geistl. alter (gedr.:) Musik einzuladen, / welches durch die Gefälligkeit einer auserlesenen Gesellschaft von Kunstfreunden in der Wohnung / des Unterzeichneten a (handschriftl.:) m 9. Nov. Mitt. um 12 Uhr (gedr.:) aufgeführet (handschriftl.:) wird. / (gedr.:) Hofrath Kiesewetter. / Am Salzgries N° 184 in 2ten Stock.
Wien, Wiener Stadt- und Landesbibliothek, H. I. N. 80.390/2

Am Programm der von Raphael Georg Kiesewetter (1773–1850), einem Beamten des Hofkriegsrates, von etwa 1817–1838 in seinem Salon („Am Salzgries N° 184 in 2ten Stock") veranstalteten musikalischen Akademien standen ausschließlich Werke von Komponisten des 16. bis 18. Jahrhunderts.

*Lit.: O. Biba, Franz Schubert und seine Zeit, Ausstellungskatalog der Gesellschaft der Musikfreunde in Wien, 1978, Kat. Nr. 62.*
ASchu

**3/12/5**
**Gitarre, angeblich aus dem Besitz von Franz Schubert**

Johann Georg Staufer, Wien
Etikett: Nach dem Modell / des Luigi Legnani / von Johann Georg Staufer / in Wien
L.: 94 cm
Wien, Wiener Schubertbund

Im Inneren des Instruments befindet sich ein aufgeklebter handschriftlicher Text: „Diese Gitarre bekam ich im / Jahre 1858 von meinem Musiklehrer Ferdinand Schubert / als ein Vermächtnis von seinem / Bruder Franz / Wien im Juni 1870 / Anton Schmid."

Johann Georg Staufer (1778–1853), einer der besten Wiener Gitarre-Bauer, erzeugte ein neues Instrument, genannt „Arpeggione", für welches Franz Schubert 1824 die sogenannte Arpeggione-Sonate (D 821) komponierte.
ASchu
Abbildung

**3/12/6**
**Johann Vesque von Püttlingen (J. Hoven) (1803–1883)**
**Zigeunerlied, 1826**

Eigenhändige Chorpartitur
Wien, Wiener Stadt- und Landesbibliothek, MH 4.068/c

Vesque von Püttlingen war ein typischer Vertreter der künstlerisch tätigen österreichischen Beamten im Vormärz. 1803 in Polen geboren, Vorfahren aus französisch-holländischem Adel, seit 1838 im diplomatischen Dienst, Verfasser des ersten grundlegenden Werkes über das Autorenrecht, einflußreiche Persönlichkeit im Wiener Musikleben mit eigenem Salon, im Alter Herrenhausmitglied, 1877 nach geistiger Umnachtung gestorben.

Vesque von Püttlingen, der sich wegen seiner Verehrung für Beethoven dessen halben Namen („Hoven") als Komponistenpseudonym zugelegt hatte, komponierte mehr als 50 Lieder, in welchen gelegentlich auch der Einfluß Schuberts hörbar wird, Chöre, Kammermusik und fünf Opern, die in Wien und auch in Weimar aufgeführt wurden.
OBi

**3/12/7**
**Musikalische Soiree bei Baron Denis Eskeles, um 1830**

Nikolaus Moreau (1803–1834)
Öl auf Leinwand, 39 × 49,5 cm
HM, Inv. Nr. 54.967

In der Zeit zwischen dem Wiener Kongreß und dem Revolutionsjahr 1848 erreichte die Pflege der Hausmusik in Wien einen großen Umfang. In zahlreichen Wiener Bürger- und Adelshäusern gab es häufig Hauskonzerte, so auch bei Baron Denis Eskeles, dem damaligen dänischen Konsul in Wien. Die Darstellung, die anläßlich einer musikalischen Soiree bei diesem entstanden sein dürfte, gruppiert um zwei Cellisten, Joseph Merk (1795–1852) und Denis Baron Eskeles (1803–1876), von links nach rechts den Maler des Bildes Nikolaus Moreau, Dr. N. Herz, den Geiger Joseph Mayseder (1789–1863), Franz von Brentano (ein angeheirateter Verwandter von Baron Eskeles). Letzterer war seit 1831 mit Emilie, einer geborenen Freiin Brentano-Cimarolli und Tochter des Wiener Großhändlers Karl von Brentano verheiratet), und einen Baron Arnstein. Joseph Mayseder (er wurde 1816 Violinist der Hofmusikkapelle, 1835 Kammervirtuose und 1836 Leiter der Violinen der Hofkapelle) wie auch Joseph Böhm (siehe Kat. Nr. 3/6/7) zählten zu den großen Meistern der Wiener Geigerschule.
SW/ASchu
Abbildung

Kat. Nr. 3/13/1/2

Kat. Nr. 3/13/1/4

Kat. Nr. 3/13/6

**3/12/8**
**Einladungskarte „zu einer musikalischen Unterhaltung" am 4. November 1832 um 12 Uhr Mittag bei Andreas Streicher**

Druck, 7,4 × 9,9 cm
HM, Inv. Nr. 96.825

Das Datum des Konzerts ist auf der gedruckten Karte handschriftlich eingesetzt. Die Karte enthält als Orientierungshilfe einen Ausschnitt der damaligen Wiener Vorstadt Landstraße unter Hervorhebung des Hauses Nr. 143, die handschriftliche Bezeichnung „No. 106" (auf der Karte links oben) läßt vermuten, daß mehr als 100 Besucher zu diesem Konzert eingeladen wurden. Zu Streichers Salon (damals Ungargasse 143) siehe Kat. Nr. 3/2/3.
ASchu

**3/13 Die Musik und das Kaiserhaus**

**3/13/1**
**Streichquartettinstrumente Kaiser Franz' I.**

**3/13/1/1**
**Violine**

Italienischer Meister um 1700
Etikette (nicht original): Nicolaus Amatus Cremon. Hieronymi/Fil. ac Antonii Nepos/ Fecit 1664.
Holz, L.: 59 cm (Korpus einschließlich Blättchen: 37 cm), Unterbreite: 16,8 cm, Oberbreite: 16,8 cm, Zargen: 3 cm (außen: 3,9 cm)
Innsbruck, Tiroler Landesmuseum Ferdinandeum, Inv. 1

**3/13/1/2**
**Violine**

Michael Ignaz Stadlmann
Etikette: Michael Ignatius Stadlmann / Hof Lauten und Geigen / macher in Wien 1794.
Holz, L.: 60 cm (Korpus mit Blättchen: 37,5 cm), Unterbreite: 20,5 cm, Oberbreite: 17 cm, Zargen: 2,9 cm (außen: 3,9 cm)
Innsbruck, Tiroler Landesmuseum Ferdinandeum, Inv. 2
Abbildung

**3/13/1/3**
**Viola**

Meister der Wiener Schule aus der zweiten Hälfte des 18. Jahrhunderts
Holz, L.: 64 cm (Korpus einschließlich Blättchen: 40 cm), Unterbreite: 22,9 cm, Oberbreite: 18,6 cm, Zargen: 3,6 cm (außen: 4,5 cm)
Innsbruck, Tiroler Landesmuseum Ferdinandeum, Inv. 3

**3/13/1/4**
**Violoncello**

Italienischer Meister (aus der Werkstatt des Nicolo Amati?) aus der zweiten Hälfte des 17. Jahrhunderts
Etikette (nicht original): Antonius Hieronymus Fr. Amati Cremon. Andree Filii 1620
Holz, L.: 121,5 cm (Korpus einschließlich

Blättchen: 76,5 cm), Unterbreite: 43,4 cm, Oberbreite: 34,3 cm, Zargen: 11,4 × 11,8 cm (außen: 12,5–13 cm)
Innsbruck, Tiroler Landesmuseum Ferdinandeum, Inv. 4

Die ausgestellten Instrumente fanden bei der persönlichen Musikausübung des Kaisers Franz I. Verwendung. Bei den regelmäßig auf Schloß Persenbeug stattfindenden Streichquartetten spielten Kaiser Franz, Graf Rudolph Wrbna, Feldmarschalleutnant Johann Freiherr von Kutschera und Hofkapellmeister Joseph Eybler. Bei den privaten Streichquartettabenden des Kaisers in der Wiener Hofburg soll außer Eybler und Kutschera auch der Geigenvirtuose Joseph Mayseder (siehe Kat. Nr. 3/12/7) mitgewirkt haben. Gespielt wurden vor allem Kompositionen des 18. und beginnenden 19. Jahrhunderts, die der Kaiser in Form von Autographen und Drucken gesammelt hatte. Siehe auch Kat. Nr. 3/13/2.

*Lit.: „Der Wiener Kongreß. 1. September 1814 bis 9. Juni 1815". Ausstellung, veranstaltet vom Bundesministerium für Unterricht gemeinsam mit dem Verein für Museumsfreunde, Katalog, Wien 1965, 324 ff.*
ASchu
Abbildung

**3/13/2**
**Joseph Haydn (1732–1809)**
**Streichquartett F-Dur, Hob. III:82**

Stimmen, Handschrift, 15 Blatt, 30,5 × 21,2 cm
Wien, Archiv der Gesellschaft der Musikfreunde in Wien, IX 32530/79

Das letzte vollendete Streichquartett Joseph Haydns, komponiert 1799, in einer Stimmenabschrift, die 1803 für die Musikaliensammlung von Kaiser Franz II. angefertigt wurde. Dessen zweite Gattin, Marie Therese, war eine ausgezeichnete Sängerin.
OBi

**3/13/3**
**Notenständer**

Nuß, intarsiert
H.: 100 cm, B.: 50 cm, T.: 50 cm
Wien, Bundesmobiliendepot

Der Notenständer stand wahrscheinlich in Verwendung von Franz I. Streichquartett.

**3/13/4**
**Carl Czerny (1791–1857)**
**Gott erhalte Franz den Kaiser! Große Variationen über J. Haydns Nationalgesang, für das Piano-Forte mit Begleitung des Orchesters, op. 73, Solostimme**

Erstdruck, Wien, bei Pietro Mechetti, VN 1568 (1824), 35 × 27 cm
Wien, Archiv der Gesellschaft der Musikfreunde in Wien, VII 13168

Die Melodie von Joseph Haydns sogenanntem Kaiserlied – 1797 in politisch-patriotischem Konnex entstanden – hat nicht nur Haydn selbst, sondern nach ihm noch viele Komponisten zu Variationswerken angeregt. Ohne Zweifel hatten derartige Variationen, die die Landeshymne im Konzertsaal, im Musikalischen Salon und im privaten Musizieren präsent machten, in Biedermeier und Vormärz auch eine politisch-patriotische oder nationale Komponente, wenn dies auch nicht immer vom Komponisten primär beabsichtigt war.
OBi

**3/13/5**
**Johann Nepomuk Hummel (1778–1837)**
**„Die Rückkehr des Kaisers", op. 69**

Autograph
Wien, Wiener Stadt- und Landesbibliothek, MH 2.067/c

Viele in Wien wirkende Komponisten nahmen die Siegesfeierlichkeiten des Jahres 1814 zum Anlaß, hiezu musikalisch Stellung zu nehmen, wie beispielsweise Johann Nepomuk Hummel, der die Rückkehr Kaiser Franz' I. aus Paris im Juni 1814 mit der einaktigen Oper „Die Rückkehr des Kaisers" verherrlichte.

Hummel, Klaviervirtuose, Improvisator und Komponist, nahm bereits im Alter von etwa acht Jahren Klavierunterricht bei Wolfgang Amadeus Mozart, später setzte er seine Studien bei Johann Georg Albrechtsberger, Antonio Salieri und Joseph Haydn fort. Im Jahre 1804 wurde er als Nachfolger Joseph Haydns Kapellmeister bei Fürsten Esterházy in Eisenstadt (und Wien), ab 1811 lebte er als Musiklehrer in Wien, ab 1816 wirkte er als Hofkapellmeister in Stuttgart und ab 1819 in Weimar.

Hummels Klaviermusik, die den Schwerpunkt seines kompositorischen Schaffens einnahm, basiert auf der von Mozart herkommenden Klaviertradition. Als Klaviervirtuose erlangte er ähnliche Bedeutung wie beispielsweise Ignaz Moscheles (1794–1870), Carl Czerny (siehe Kat. Nr. 3/5/14) oder Ludwig van Beethoven.
ASchu

**3/13/6**
**Kaiser Franz I. und Kaiserin Carolina Augusta in der Theaterloge**

Joseph Kriehuber (1800–1876) nach Johann Ender (1793–1854)
Kreidelithographie, 73 × 51 cm
Sign. li. u.: Joh.: Ender pinx., re. u.: Kriehuber Lith:; Blatt im Druck bez. Mi. u.: J.J.M.M. der Kaiser FRANZ I. und die Kaiserinn / CAROLINA AUGUSTA VON OESTERREICH &&& / IN DER THEATER LOGE. / Ihrer Kaiserl. Hoheit der Frau Erzherzoginn / SOPHIE FRIEDERIKE / in tiefster Ehrfurcht gewidmet / VON / Joh. Ender / Professor der Malerey.
HM, Inv. Nr. 18.274
Abbildung

**3/13/7**
**Conradin Kreutzer (1780–1849)**
**Festhymne zur allerhöchsten Geburtstagsfeyer Sr. Majestät unseres allergnädigsten Kaisers und Königs Ferdinand I. von Oesterreich. Dichtung von Andraes Schuhmacher.**

Privatdruck („Zum Vortheil der troppauer Kleinkinderbewahr Anstalt"), 24 × 32 cm
Wien, Archiv der Gesellschaft der Musikfreunde in Wien, VI 18747 (Q 6380)

Ein Beispiel für „patriotische Musik", wie sie in den Befreiungskriegen besonders populär war, aber auch nach dem Wiener Kongreß noch weiterhin gepflegt wurde: nun allerdings ohne jede politische Tendenz, sondern ausschließlich der Identifikation mit dem Kaiserhaus dienend. Dieser vierstimmige Chor mit Klavierbegleitung entstand wohl vor 1840, als Kreutzer als Kapellmeister in Wien wirkte, wo er 1834 sein Hauptwerk („Das Nachtlager von Granada") zur Uraufführung gebracht hatte. Erinnert sei in diesem Zusammenhang auch an Franz Schuberts „Am Geburtstage des Kaisers" (D 748), schon 1822 entstanden und für Kaiser Franz I. bestimmt.
OBi

# KAPITEL 4

## WIENER WALZER

Der Modetanz des Biedermeier war der Wiener Walzer, der zu Recht den Beinamen „Wiener" trägt, erfuhr er doch seine besondere Ausformung in dieser Stadt. Schon in der zweiten Hälfte des 18. Jahrhunderts war der aus dem bäuerlichen Bereich stammende Ländler – auch „Walzerischer" oder „Deutscher Tanz" genannt – von der städtischen Gesellschaft übernommen und auch im Wiener Singspiel eingeführt worden. Als ein neues tänzerisches Symbol für das Lebensgefühl „Zurück zur Natur", „Zurück zur Ursprünglichkeit" erreichte der Walzer Ende des 18. Jahrhunderts große Beliebtheit und verdrängte das gekünstelte Menuett.

Innerhalb breiter Bevölkerungsschichten setzte eine Tanzfaszination ein, der Tanz bildete einen Freiraum, der im Rausch der Bewegung ausgenützt wurde. In der großen Spielzeit des Faschings gingen die Menschen in der stürmischen Aktivität des Tanzes auf, ließen sich vom Tanz fortreißen – ein Akt der Selbstbefreiung, um das eigene Wesen zu erweitern. Im Ballsaal dominierte die Leidenschaft, nicht die Resignation oder Zurückgezogenheit der Wiener.

Die spezielle Geigentechnik in Wien und der kompliziert-eigentümliche Rhythmus des Ländlers prägten die musikalische Gestalt des frühen Walzers, doch im Biedermeier wurde durch Joseph Lanner und Johann Strauß (Vater) die Walzermusik mit ihrer elektrisierenden Wirkung zu einer Kunstform erhoben.

Gleichzeitig änderte sich um 1830 in der Walzerchoreographie der stürmische Bewegungsstil: Statt des ursprünglichen Springens setzte sich nun immer mehr ein Schwebeschritt durch. Der Tanz bot nur das äußere Spiegelbild der durch die zunehmende Industrialisierung sich verändernden Gesellschaft. Der Walzer verlor im späten Biedermeier seine existentielle Aussagekraft und bot vor allem für das reiche, neue Publikum ein „seliges Schweben" in einer Scheinwelt. Der erste Schritt zum Walzertraum der späteren Operetten war gesetzt.

# DIE WALZER DES BIEDERMEIER

*Franz Mailer*

**„Nach dem Weggehen der Souveräne“**

Der Wiener Kongreß war mit seinen vielen glanzvollen Festen und Tanzveranstaltungen der Nährboden für den internationalen „Triumphzug“ des Wiener Walzers, der zum beliebtesten Tanz dieser Zeit wurde. Um genau zu sein: während des offiziellen Teiles der Feiern, z. B. in den Sälen der Wiener Hofburg oder im riesigen „Apollo-Saal“ in der Vorstadt Schottenfeld, erklangen zumeist Polonaisen oder Menuette; die meisten der am Wiener Kongreß teilnehmenden Regenten und Staatsmänner waren nicht mehr jung genug, um Freude am anstrengenden Walzertanzen zu haben und bevorzugten daher das würdevolle Schreiten bei den Polonaisen oder das Figurenspiel bei den Menuetten. Aber, wie Graf de la Garde in seinem Bericht über den Verlauf des Wiener Kongresse schreibt:

„Nach dem Weggehen der Souveräne begannen die Orchester Walzer zu spielen. Alsbald schien sich eine elektrische Bewegung der ganzen zahllosen Versammlung mitzuteilen. Man muß es in Wien mitansehen, wie beim Walzer der Herr seine Dame nach dem Takt unterstützt und im wirbelnden Laufe hebt, und diese dem süßen Zauber sich hingibt und ein Anflug von Schwindel ihrem Blick einen unbestimmten Ausdruck verleiht, der ihre Schönheit vermehrt. Man kann aber auch die Macht begreifen, die der Walzer ausübt. Sobald die ersten Takte sich hören lassen, klären sich die Mienen auf, die Augen beleben sich, ein Wonnebeben durchrieselt alle. Die anmutigen Kreisel bilden sich, setzen sich in Bewegung, kreuzen sich, überholen sich. Man muß diese hinreißend schönen Frauen gesehen haben, ganz von Blumen und Diamanten strahlend, durch diese unwiderstehliche Musik fortgezogen, in den Arm ihrer Tänzer sich schmiegend und glänzenden Meteoren gleich. Die Lust endete erst mit der Nacht, erst die Strahlen der aufgehenden Sonne schienen dieser belebten, blendenden Gesellschaft ein Ziel setzen zu können.“

Der Eintritt des „Wiener Tanzes“, des Walzers, in die Geschichte hätte nicht wirkungsvoller gestaltet werden können: „ganz Europa“ hatte ja seine Repräsentanten in der Kaiserstadt! Die Kunde von der Macht des Walzers gelangte durch zahllose Berichte über den Kongreß in die Metropolen des Kontinents und darüber hinaus bis in den Orient und bis nach Amerika.

**Zwölf Walzer mit Coda**

Wie aber sah er nun aus, dieser Wiener Tanz, der die Welt zu faszinieren und in seinen Bann zu ziehen begann? Der damalige Musikdirektor in den k. k. Redoutensälen der Hofburg, Joseph Wilde, hat dem einzigen Regenten, der sich nicht zurückzog, wenn das allgemeine Walzertanzen begann, sondern der gerade dann in einer fast unfaßbaren Lebensgier schier unermüdlich mithielt und auch sonst kein Vergnügen ausließ, dem russischen Zaren Alexander I., ein Werk unter dem Titel: „Alexander's favorit Taenze“ gewidmet, das im Herbst 1814 im Verlag S. A. Steiner erschienen ist. Auf dem Titelblatt dieser Ausgabe ist ausdrücklich vermerkt, dieses Opus sei „bey den Kaiserlichen Hof-Bällen sowohl, als bey Sr. Durchlaucht Herrn Fürsten v. Metternich während der Anwesenheit der hohen und höchsten Monarchen“ aufgeführt worden. Joseph Wilde hat diese Tänze zeitlebens als eines seiner Hauptwerke angesehen. Man kann sie als jene Walzer bezeichnen, nach denen die Teilnehmer am Wiener Kongreß tatsächlich getanzt haben. Die Komposition Joseph Wildes besteht aus „Zwölf Walzern mit Coda“, jeder Walzer ist zweiteilig und jeder Teil umfaßt acht Takte und wird wiederholt; er ist vom nächsten Walzer durch die Numerierung (z. B. „№ 2“) deutlich abgesetzt; auf den Walzer Nr. 12 folgt eine Coda von 64 Takten (jeweils unterteilt in Walzer zu 8 Takten mit Wiederholung) und 8 Schlußtakten. Den „zwölf Walzern“ ist in der Ausgabe bei S. A. Steiner (der auch Beethoven-Verleger gewesen ist) eine „Deutsche Quadrille“ im ²⁄₄-Takt (dreimal 8 Takte mit Wiederholung) mit einem Ausklang (Überleitung?) im ³⁄₈-Takt zu 8 Takten (ohne Wiederholung) vorangestellt. Beigegeben ist der Ausgabe ferner eine Gruppe von „Sechs Walzern“ von Joseph Wilde ohne Coda. Eine Introduktion ist weder bei den zwölf noch bei den sechs Walzern vorhanden. Wichtig ist, daß die Begleitung der kurzen Walzermotive aus einem durch den Baß betonten ersten Viertel und zumeist aus zwei scheinbar schlampigen, weil unmerklich in der Ausführung „nachschlagenden“ Vierteln der zweiten und dritten Geigen (bzw. Bratschen) besteht.

**„Die Walzer“**

Joseph Wilde schrieb also „Walzerketten“ und spielte diese bei den Bällen auch in dieser Form auf. Man sprach damals – und zwar bis gegen Ende der sechziger Jahre des 19. Jahrhunderts, also während des gesamten „Biedermeier“ – stets von „den Walzern“, wenn man ein Werk bezeichnete. Noch der Kritiker und Musikschriftsteller Eduard Hanslick lobte die „Donauwalzer“ von Johann Strauß Sohn und meinte damit das Opus 314: „An der schönen blauen Donau“, das erst viel später nicht mehr als Kette von fünf Walzern samt Introduktion und Coda, sondern endlich als Einheit empfunden wurde und daher „der Donauwalzer“ genannt wurde. (Andere Beispiele dafür, daß man allgemein „die Walzer“ sagte, ließen sich zahlreich anführen; so nannte Joseph Strauß sein Opus 1: „Die Ersten und Letzten“ und sein Opus 12: „Die Ersten nach den Letzten“ usw.)

Noch während des Wiener Kongresses begann sich die „Walzerpartie“ nach zwei Richtungen hin weiter zu entwickeln: die eine Richtung führte in den Tanzsaal, die andere in den Salon und in weiterer Folge in den Konzertsaal. Die Musikdirektoren, die an der Spitze ihrer Kapellen bei den Bällen zum Tanz aufspielten oder sogenannte „Conversationen“ (zur Winterszeit in verschiedenen Etablissements, im Sommer vor allem in Gärten und Parks) abhielten, erkannten die Notwendigkeit, daß die Zahl der Glieder einer Walzerkette begrenzt werden müsse, um die Tänzer nicht allzusehr zu ermüden bzw. eine optimale Wirkung auf das Publikum zu erzielen. Der Konkurrent Joseph Wildes um die Gunst der Wiener, der fröhliche, aber – vielleicht als Folge seiner übermäßigen Neigung für den Alkohol – zuletzt arg launenhafte Musikdirektor Michael Pamer begrenzte seine „Parthien“ auf 5, höchstens 6 Walzer, die er ohne Coda aufspielte („Walzer in D, es regnete, o weh!“). Franz Schubert hingegen, der im Freundeskreis Deutsche und Walzer (aber auch Ecosaisen und andere Modetänze des frühen Biedermeier) improvisierte und schließlich auch für die Verleger aufschrieb, blieb bei der Walzerkette.

Kat. Nr. 3/11/5 Moderne Liebes-Walzer

Er spielte ja nicht in einem öffentlichen Saal zum Tanz auf, sondern unterhielt eine private Gesellschaft mit seinen Tänzen. Daß bei diesen Geselligkeiten, die manchmal als „Schubertiaden" bezeichnet worden sind, keineswegs im Walzerschritt getanzt worden ist, bezeugt die Schilderung des Dichters Eduard von Bauernfeld, der dem Freundeskreis um Schubert angehört hat. Er schreibt in seinen Erinnerungen „Aus Alt- und Neu-Wien":

„Dann kamen wohl wieder Schubertabende, sogenannte „Schubertiaden" mit munteren und frischen Gesellen, wo der Wein in Strömen floß, der treffliche [Sänger Johann Michael] Vogl alle die herrlichen Lieder zum besten gab und der arme Schubert Franz akkompagnieren mußte, daß ihm die kurzen und dicken Finger kaum mehr gehorchen wollten. Noch schlimmer erging es ihm bei unseren Hausunterhaltungen – nur „Würstelbälle" in jener einfachen Zeit –, wobei es an anmutigen Frauen und Mädchen durchaus nicht fehlte. Da mußte nun unser „Bertel", wie er im Schmeichelton bisweilen genannt wurde, seine neuesten Walzer spielen und wieder spielen, bis ein endloser Kotillon sich abgewickelt hatte . . ."

Interessant an dieser Schilderung Bauernfelds sind nicht zuletzt die Worte: „bis ein endloser Kotillon sich abgewickelt hatte"; zu Franz Schuberts Improvisationen oder Vorträgen wurde also nicht „im Wirbel gedrehet", wie es gleich über den allerersten Walzer anno 1791 geheißen hatte, sondern man zog, sich an den Händen haltend, in einer Art Reigen durch die Zimmer, womöglich durch das ganze Haus. Dazu paßte eine Walzerkette in der Art Schuberts vortrefflich. Auch für Konzerte im Salon war sie wohl geeignet. Robert Schumann hat übrigens für Franz Schuberts Walzer ein prächtiges Gleichnis gefunden: „Kleine Genien, die ihr nicht höher über der Erde schwebt, als etwa die Höhe einer Blume ist." Das also waren die Walzer Franz Schuberts in seiner Zeit: man bewunderte ihre Grazie und ihre Anmut, aber man genoß auch den sinnlichen Reiz dieser Musik. Man wollte dazu nicht nur tanzen, sondern auch lustig sein, lachen und – lieben! Man scherzte, plauderte, amüsierte sich und sah einander tief in die Augen: Schubert machte – wechselvoll, wie es der Vielfalt der Stimmungen entsprach – die Musik dazu. Von diesen Walzern Schuberts ging die Entwicklung ganz selbstverständlich weiter zu den „Salon- (und schließlich ‚Konzert-')Walzern" Frédéric Chopins und seiner Nachfolger, aber auch zu den (wenigen) Walzern von Johannes Brahms.

**Im Wettstreit mit der Opernmusik**

Schwerer als Franz Schubert hatten es die Musikdirektoren der Kongreßzeit und der darauffolgenden Jahre: die Tanzlust der Wiener, die sich seit Beginn des 19. Jahrhunderts – den Napoleonischen Kriegen zum Trotz! – stetig gesteigert hatte, sorgte zwar für ein „blühendes Walzergeschäft", aber es kostete immer größere Anstrengungen, um die Menge der Tänzerinnen und Tänzer in den zahlreichen neuen, modern eingerichteten (und selbstverständlich mit einem möglichst spiegelglatten Parkettboden ausgestatteten) Etablissements zufriedenzustellen. Die zunächst kleinen, kaum jemals mehr als ein Dutzend Musiker vereinenden Tanzkapellen mußten nicht nur für die Bälle im „Apollo-Saal", sondern auch für die Veranstaltungen zum Beispiel im „Annentempel" auf der Landstraße, beim „Sperl" in der Leopoldstadt oder beim „Bock" auf der Neuen Wieden und für die zahlreichen Konzerte unter freiem Himmel (die bisher eine Domäne der „Türkischen Bandas", also der Blasmusikkapellen, und der Militärmusik gewesen waren, nun aber auch von Zivilkapellen bestritten wurden) laufend vergrößert werden. Vor allem die Konzertprogramme, die nun auch „piecen" aus Opern und Konzertstücken enthielten, mußten eingeübt und sorgfältig ausgearbeitet werden. Und mit diesen Werken mußten die Walzerkompositionen gleichsam Schritt halten, mußten neben ihnen bestehen können!

Im Orchester Michael Pamers wirkten nacheinander zwei blutjunge Musikanten mit, die bei Pamer das Walzergeschäft erlernten: der Handschuhmachersohn Joseph Lanner trat im Alter von 14 Jahren in die Kapelle ein, der Gastwirtssohn Johann Strauß wirkte wenig später neben seiner Lehre als Buchbinder zeitweilig (vielleicht auch regelmäßig) bei Pamer mit.

Da er es bei dem launenhaften Pamer einfach nicht aushielt, gründete Lanner – ein „geborener Geiger" – im Jahr 1819 zusammen mit den Brüdern Drahanek ein Terzett, das gleich bei seinen ersten Konzerten vom Publikum mit Jubel begrüßt und als „Spezialität" anerkannt wurde. Im Repertoire des Ensembles muß die österreichische Volksmusik eine große Rolle gespielt haben, denn Joseph Lanner ging in seinen ersten Kompositionen nicht von den Walzerketten Joseph Wildes oder von den fünf- bis sechsteiligen Kompositionen Pamers, sondern von den Landerer und Landlern aus, also von den Tanzweisen aus dem „Landl", Ober- und Niederösterreich, oder aus dem Wiener Umland. Seinem Opus 1, das im Jahre 1825 im Druck erschienen ist, gab Lanner den Titel: „Neue Wiener Ländler".

**Erneuerung durch Lanner und Strauß**

Die Popularität des „Lanner-Trios" erlaubte, ja erzwang geradezu eine rasche Erweiterung des Ensembles. Als vierter Musiker stieß der junge Johann Strauß zu Lanner, den er bereits – von Pamer her? – kannte und mit dem ihn bald eine fröhliche Kameradschaft verband. Er trat als 3. Geiger (Bratschist) ins Ensemble ein; da sich dieses aber rasch weiter vergrößerte, spielte er bald neben Lanner „zweite Geige" und vertrat Lanner schließlich auch als Musikdirektor, wenn das Ensemble geteilt wurde, um an zwei Orten gleichzeitig die Tanzmusik besorgen zu können. Auch seine ersten (nicht im Druck erschienenen) Kompositionen schrieb Johann Strauß für Lanner. Im Jahr 1827 kam es dann zur Trennung der beiden Musiker: Strauß begründete seine eigene Kapelle. Er verheiratete sich mit Anna Streim, die im Oktober 1825 ihren ersten Sohn, Johann, zur Welt brachte. Johann Strauß Vater ging in seinen Walzern von Michael Pamer aus: sein Opus 1, dem er den Titel „Täuberln" gab, ist eine schlichte fünfteilige Walzerkette ohne Introduktion, aber auch ohne Coda. Das Werk ist im Jahre 1827, dem Geburtsjahr des zweiten Strauß-Sohnes, Joseph, im Druck erschienen.

Zu einem sehr fruchtbaren Intermezzo in der Geschichte des Walzers war es im Jahre 1819 gekommen: Carl Maria von Weber, der damals Kapellmeister der Dresdner Oper war, aber von seinen Wanderjahren her den Wiener Tanz, den Walzer, sehr wohl kannte, schrieb am 28. Juli ein „Rondo brillante“ mit dem Titel „Aufforderung zum Tanz“ (op. 65). In diesem Werk werden zwei markante Tanzweisen mit einem breit angelegten Vorspiel vorbereitet und mit einem elegischen Nachspiel gleichsam wieder „entlassen“. Joseph Lanner hat dieses Werk sofort nach dem Erscheinen der Druckausgabe in Wien aufgegriffen und die Tanzweise Webers als Walzer Nr. 1 seines Opus 7 zitiert: [die heiteren Walzer hat Lanner hinzugefügt] das Werk erhielt den Titel „Aufforderung zum Tanze“ und vom Komponisten erstmals die Bezeichnung „Walzer mit Trio und Coda“. Das Beispiel Webers, der Walzerpartie eine Introduktion voranzustellen, ahmt das Opus 7 von Joseph Lanner allerdings nicht nach. Ein direkter Einfluß Webers auf die Walzerform Lanners ist also nicht zu behaupten.

**Der Wunsch des Kaisers**

Es war eher die zunehmende Zahl der Konzerte der Kapellen der Musikdirektoren Joseph Lanner und Johann Strauß – sie übertraf bereits im Jahre 1827 die Zahl der im Jahresablauf zu spielenden Ballvergnügen beträchtlich! – die zumindest einen Anreiz bot, der die Walzerpartie abschließenden Coda auch eine Einleitung gegenüberzustellen, eine „Introduction“. Für die endgültige Walzerform wurde auch wichtig, daß der älteste Sohn Kaiser Franz I., Ferdinand, sich nicht nur um das von ihm geliebte und häufig besuchte Hof-Operntheater nächst dem Kärntnerthor kümmerte, sondern auch um den Walzer. Ferdinand ordnete an, daß bei den Hofbällen der Vortrag einer Walzerpartie acht Minuten zu dauern habe. Damit war ein Maß gegeben, an das sich auch Joseph Lanner und Johann Strauß bereitwillig hielten, zumal Joseph Lanner im Jahre 1828 zum neuen Leiter der Tanzmusik in den k. k. Redoutensälen bestimmt wurde und Johann Strauß

Kat. Nr. 3/9/1 Joseph Lanner

sich Chancen ausrechnete, nach dem Tod Joseph Wildes mit der Leitung der Musik bei den Bällen am „allerhöchsten Kaiserhof“ betraut zu werden. Tatsächlich dauert eine fünfteilige Walzerpartie samt Introduktion und Coda (evtl. auch ohne Introduktion bei entsprechenden Wiederholungen der einzelnen Walzer) etwa acht Minuten.

Die erste Walzerpartie mit Introduktion und Coda hat Joseph Lanner im Jahre 1827 geschrieben: das Werk, das mit der Opuszahl 12 im Druck erschienen ist, erhielt den Titel „Terpischore-Walzer“. Fast zur gleichen Zeit veröffentlichte Johann Strauß seine „Gesellschafts-Walzer“ (op. 5), die eine „Aufforderung“, also eine vieraktige Einleitung, enthalten. Beim Katharinenball im Etablissement „Zum weißen Schwan“ (Wien, Roßau) bekräftigte Johann Strauß die neue Walzerform bei der Uraufführung seiner „Wiener Launen-Walzer“ (op. 6). Damit war jener „Wiener Tanz“ in seiner endgültigen Gestalt präsent, der – nicht zuletzt dank der Genialität der Komponisten Joseph Lanner und Johann Strauß Vater sowie ihrer Zeitgenossen Franz Morelly und Philipp Fahrbach (der Ältere, der aus dem Orchester Strauß hervorging) – die Welt erobern und überall die Menschen für die wienerische Musik begeistern sollte. In der Folge wurden die Introduktionen bei Bedarf zu mitunter recht umfangreichen Vorspielen erweitert, bei der Gestaltung der Coda wurden mehrere besonders wirksame Walzer (= Teile der Walzerkette!) wiederholt, in Ausnahmefällen sogar „verarbeitet“ (variiert). Damit wurde der Weg zum „Konzertwalzer“, ja sogar zum „symphonischen Walzer“ bereits von Anfang an gewiesen.

**Walzer-Export**

Um das Jahr 1830 hatte dank Lanner und Strauß die Walzerpartie ihre führende Position unter den Gesellschaftstänzen wieder zurückgewonnen. Und nun begann sogleich der Export des „Wiener Tanzes“ in die Zentren Europas. Der Anfang dieses Unternehmens war vergleichsweise bescheiden: Johann Strauß besuchte mit seiner Kapelle Pesth. Aber schon im November 1834 griff der unternehmungsfreudige Johann Strauß weiter aus: diesmal ging die Reise nach Berlin; auf der Rückreise wurde in Leipzig, Dresden und Prag Station gemacht. In allen diesen Städten, vor allem aber in Berlin, erregte die Wiener Kapelle größtes Aufsehen und schuf durch ihre beschwingte Art des Musizierens eine stabile Basis für die Beliebtheit der heimischen Musik im norddeutschen Raum; die Ausstrahlung ihrer Konzerte reichte bis weit hinein nach Skandinavien. Jüngst aufgefundene zeitgenössische Berichte und Dokumente legen dafür Zeugnis ab.

Wieder ein Jahr später besuchte Johann Strauß mit seiner Kapelle den süddeutschen Raum (München, Stuttgart, Ulm, Heilbronn, Karlsruhe usw. bis hinauf nach Mannheim und Frankfurt am Main), auf der Rückreise wurde u. a. in Würzburg, Nürnberg, Regensburg, Passau und schließlich in Linz Station gemacht. Die Reise des Jahres 1836 führte über Prag und Bremen nach Hamburg, Amsterdam und Köln, weiter über Aachen nach Brüssel und endlich über Bonn und Koblenz zurück nach Wien. In den Jahren 1837 und 1838 setzte Strauß seine Fahrten über München und Straßburg nach Paris und weiter über Antwerpen nach London und in eine Reihe weiterer Städte in England fort. Die Nachwirkung vor allem dieser Reise hält bis auf den heutigen Tag an; die wienerische Musik ist in England und Frankreich für breite Schichten der Bevölkerung nach wie vor ein bekannter und vertrauter Begriff und ein immer aufs neue willkommenes Erlebnis.

Lanner war weniger reisefreudig als sein Rivale Johann Strauß. Aber auch er hat der wienerischen Musik sowohl in

Pesth/Ofen sowie auf seiner Reise nach Mailand (zur Krönung Ferdinands zum König der Lombardei im Jahre 1838) viele Freunde gewonnen.

Um das Jahr 1840 hatte die wienerische Tanz- und Unterhaltungsmusik das Stadium der Vollendung und zugleich ihrer größten Wirksamkeit im Leben der k. k. Reichs-, Haupt- und Residenzstadt Wien erreicht. Die Walzerform – Introduktion, fünf Walzer und Coda mit Themenwiederholungen – wurde mit genial erfundenen, sorgfältig aufeinander abgestimmten Motiven (Melodien) erfüllt. Das Tanzrepertoire wurde durch die traditionellen Galoppaden (die freilich wegen ihrer Gefährlichkeit für die Gesundheit der Tanzenden allmählich verfemt und abgeschafft wurden), die von Johann Strauß auf Grund seiner Pariser Erfahrungen auf neue Art wieder belebte „Quadrille“ und die aus Prag nach Wien importierte Polka ergänzt und hielt sich künstlerisch in unmittelbarer Nähe der Opernkunst jener Zeit (manche Coda einer Walzerpartie Lanners klingt wie ein italienisches Opernfinale) und der symphonischen Musik (Johann Strauß formte z. B. aus dem „Grand Galop Chromatique“ Franz Liszts seinen „Furioso-Galopp“, op. 114). Andererseits wurden in den Programmen der Kapellen Lanner und Strauß für die Nachmittagskonzerte und Serenaden (auch in den Vorstädten!) regelmäßig Opernouvertüren (bis zu den Leonoren-Ouvertüren Ludwig van Beethovens und – im Jahre 1846 – zur Ouvertüre „Carneval romaine“, die Berlioz selbst den Wiener Musikdirektoren zur Aufführung überreichte!) und Potpourris mit Beispielen symphonischer Musik aufgeführt. Die Walzer erhielten schließlich z. B. mit den Partien „Die Schönbrunner“ von Joseph Lanner (op. 200 aus dem Jahre 1842) und „Loreley-Rheinklänge“ von Johann Strauß Vater (op. 154 aus 1843) ihre künstlerische Perfektion. Das hat übrigens auch Johann Strauß Sohn, der im Oktober 1844 als Musikdirektor und Komponist debütierte, gegen Ende seines Lebens anerkannt, als er beim Festbankett zu seinem 50jährigen Künstlerjubiläum sagte:

„Die Auszeichnung, die mir zuteil geworden, verdanke ich wohl zunächst meinen Vorgängern, vor allem meinem Vater. Sie haben mir angedeutet, auf welche Weise ein Fortschritt möglich ist: er war nur möglich durch die Erweiterung der Form, und das ist mein schwaches

Kat. Nr. 3/10/1 Johann Strauß (Vater)

Verdienst. Man tut mir zuviel Ehre an.“ Der Sohn hatte recht: er fand bei seinem Debüt (bei dem er ja u. a. auch die Walzerpartie „Loreley-Rheinklänge“ seines Vaters vortrug) den wienerischen Tanz vollendet vor. Wie populär die Walzer damals waren, geht allein schon aus den Verkaufsziffern der Verlage und aus dem Umstand hervor, daß neue Walzerpartien wie Theaterpremieren angekündigt und in den Journalen (auch in der musikalischen Fachpresse) wenn schon nicht „rezensiert“, so doch angekündigt und charakterisiert wurden. Daß diese Darstellungen, z. B. in der „Theaterzeitung“, wie bezahlte Beiträge gestaltet waren, soll freilich nicht übersehen werden. Aber die neuen Walzer waren eben ein „Thema“, das die breite Öffentlichkeit interessierte. Schon in den dreißiger Jahren waren zwei Gruppen von

Kat. Nr. 3/10/7 „Skizze aus dem k. k. Volksgarten“

Parteigängern in Wien deutlich zu unterscheiden: die „Lanneristen“ und die Anhänger Johann Strauß’, des Vaters. Die einen lobten die Poesie der Lannerschen Weisen, die anderen verwiesen auf die Energie, mit der der feurige Musikdirektor Strauß das Publikum zum Tanzen (und auch zu betonter Lebensfreude) animierte. Schließlich wurden beide, Lanner wie Strauß, in den Rang von „Walzer-Königen“ erhoben. Übrigens hat noch vor dem Ende der Ära des Biedermeier, und zwar im Jahre 1846, der Kaiserhof selbst Johann Strauß (Vater) dadurch ausgezeichnet, daß er ihm den eigens für ihn geschaffenen Ehrentitel eines „Hofball-Musikdirektors“ zuerkannte. Franz Whist berichtet über das Debüt des jungen Strauß am 15. Oktober 1844 bei Dommayer:

„Es freut mich, die Wiener bei Dommayer ebenso wiedergefunden zu haben, wie sie vor zehn Jahren bei Dommayer waren. Ein neuer Walzerspieler – ein Stück Weltgeschichte, ein neuer Walzer – ein Ereignis . . .“

Das Auftreten des jungen Strauß änderte nichts an der grundsätzlichen Begeisterung der Wiener für die eigenständige Tanzmusik, vor allem für die Walzer. Für das Gros des Publikums blieb der Sohn zunächst tief im Schatten des Vaters, andere Wiener meinten, er werde irgendwann in der Zukunft den im Jahre 1843 verstorbenen Joseph Lanner ersetzen. Als im September 1849 Johann Strauß (Vater), erst 45 Jahre alt, unerwartet starb, glaubten viele, daß die Zeit des Walzers vorbei sei. In den Nachrufen auf den „Walzerkönig Strauß“ wurde ganz allgemein über das „Ende einer Epoche“ geklagt. Eduard von Bauernfeld schrieb damals in einem langen Gedicht „Das Leben ein Tanz“ u. a.

*„Armes Wien! Die Götter haben*
*Dich nicht lieb mehr, einen sie nahmen*
*Dir Dein Liebstes – Deinen Strauß,*
*Deinen letzten Trost und Ruhm.*
*Was da singt und klingt und springt:*
*Alles harmlos: freud’ge Lust,*
*Heute fördern wir’s zur Ruhe,*
*heut’ wird das alte Wien begraben.“*

Und im Nachruf der „Ost-Deutschen Post“ heißt es:

„Es wird unseren Nachkommen schwer sein, aus all den tausend Broschüren und Touristenbüchern, aus all den kränklich ästhetisierenden Wiener Blättern sich ein

Bild ihrer weltunbefangenen Vorfahren vorzustellen und einen Begriff zu bekommen vom Wiener Humor, von der drallen Lustigkeit, von dem poetischen Gemüthsleben der Kaiserstadt.

Ein Walzer, eine Galoppade von Strauß werden ihnen von dem tollen, lustigen Brausen in dem europa-berühmten „Sperl" (Anm.: dem Etablissement, in dem Strauß ab 1836 spielte) vor den üppigen gedankenlosen (Anm.: = sorglosen) Wiener Gästen einen vollen klaren Begriff verschaffen. Sie werden, wenn die Mode längst andere Tänze geboten haben wird, nur einen dieser Walzer durchschwelgen, eine dieser Galoppaden durchrasen dürfen, um sich die Vergangenheit zu verlebendigen.

Temperament ist die Seele der Straußschen Musik, das südlich bewegte, sinnliche Temperament des Wienertums. Strauß übersetzt es in Musik: aus ihr wird jeder künftige Geiger es heraufbeschwören können, wenn es längst zur schönen Mythe geworden ist."

# WIENER WALZER UND WIENER BALLKULTUR

## Von der Tanzekstase zum Walzertraum

*Reingard Witzmann*

„Der Kongreß tanzt". Dieser Ausspruch aus den Tagen der Wiener Friedensverhandlungen 1814/15 ist bereits legendär geworden. Die Vernetzung von Wiener Ballkultur und Politik ist bis in die Gegenwart ein alljährlich wiederkehrendes Phänomen[1], das auch die Bedeutung des Tanzes als großes Gesellschaftspiel aufzeigt.

Allerdings wird die Redewendung „Der Kongreß tanzt" meist nur mehr bruchstückhaft zitiert. Denn Jacob Grimm schrieb am 23. November 1814 – also ziemlich am Beginn des Wiener Kongresses – an seinen Bruder Wilhelm: „Wie dieser Tage der Prince de Ligne sagte: Le Congrès danse beaucoup, mais il ne marche pas"[2]. Im Umlauf kam dieses spöttische Bonmot des österreichischen Feldmarschalls Karl Josef Fürst von Ligne in der Übersetzung „Der Wiener Kongreß tanzt wohl, aber er schreitet nicht vorwärts". In diesen Worten lag unüberhörbare Kritik: Die Repräsentanten Europas nahmen nicht unverzüglich die Neuordnung des Kontinents in Angriff, sondern sie widmeten sich vielmehr den festlichen Eröffnungsveranstaltungen in den Ballsälen. Der Feldmarschall hätte einen zügigeren Kongreßverlauf bevorzugt.

Und es jagte wirklich eine rauschende Ballnacht die andere. So gab z. B. Clemens Lothar Wenzel Fürst Metternich, der den Wiener Kongreß leitete, am Tag des großen Militärfestes im Prater anläßlich der Erinnerung an die Völkerschlacht zu Leipzig am 18. Oktober 1814 in seiner Villa[3] einen großzügigen Ball mit dem Titel „Fest des Friedens", zu dem die geladenen Damen in weißen und blaßblauen Kleidern erschienen. Der Garten wurde aufs herrlichste bengalisch beleuchtet[4], ein Ballon stieg als besondere Attraktion auf, es gab ein Feuerwerk und Ballett. Der Ball begann mit einer Polonaise; zu Ehren des anwesenden Zaren Alexander I. wurden russische Tänze aufgeführt, doch unumschränkte Faszination und einen wahren Tanzrausch löste bei all diesen Veranstaltungen immer wieder der neue „Modetanz" aus: der Wiener Walzer.

Zum Zeitpunkt des Wiener Kongresses war die choreographische Tanzgestalt des Walzers ziemlich ausgeformt. Bereits Jahre vor dem Auftreten von Joseph Lanner und Johann Strauß (Vater) wurde mit einer unwahrscheinlichen Leidenschaft, um nicht zu sagen Besessenheit, Walzer in rasanten choreographischen Varianten in den Gasthäusern, Tanzsälen und Vergnügungsstätten in und um Wien getanzt.

So notierte zum Beispiel 1802 J. Gerning, ein Besucher der Donaumetropole, fassungslos über die Tanzwut der Wiener in sein Tagebuch: „Windig und giftig ist Wien, sagt das Sprichwort, den häufigen Staub des Kiesel-Bodens kann manche schwachte Brust nicht ertragen; Lungenentzündungen sind hier nicht selten, doch nicht sehr gefährlich, aber unter 10 bis 11.000 Menschen, die jährlich hier sterben, ist gewöhnlich der 4. Theil mit Brustkrankheiten zu Grabe gegangen, woran auch das unmäßige Walzen die Schuld trägt"[5].

Solche Schilderungen lassen sich beliebig vermehren, und zahlreiche Zeitgenossen sahen die Folgen des wilden Walzertanzens im „Finale des Lebens".

Sicherlich ist nicht alles so wörtlich zu nehmen, wie es niedergeschrieben wurde, doch zeigen solche Berichte den eminenten Stellenwert des ekstatischen Tanzes. Die Tänzer und Tänzerinnen nahmen dabei höchste körperliche Anstrengungen auf sich, denn der frühe Walzer besaß einen schwierigen, gesprungenen Schritt und verlangte von den Ausführenden fließende und gekonnte Bewegungen. Durch die ununterbrochene Wiederholung der Drehfigur trat eine Verselbständigung des Körpers ein, die – psychologisch gesehen – immer mit einem gewissen Maß an „Ich-Aufgabe" verbunden ist und somit auch den Einstieg in einen Trancezustand bietet. Der rauschhafte Effekt des Walzertanzens blieb nicht aus. Sicherlich konnten dabei die Paare ihre Sorgen des Alltags, die grauen Bedingungen und Begrenzungen des Lebens vergessen.

Doch die Körpersprache und ihre Botschaft bedeutet einen vielschichtigen Komplex, der zwar noch kaum aufgeschlüsselt ist, aber durch seine Unmittelbarkeit einen hohen Aussagewert über eine Zeitepoche besitzt. Es wäre also einen Versuch wert, den Wiener Walzer „geistig" aufzuschließen und die einzel-

Kat. Nr. 4/2 Eintrittssaal im Apollosaal, 1811

nen Erscheinungen in ihrem lebendigen Zusammenhang mit dem Gesamtgefüge der geschichtlichen Lebensordnung zu sehen und zu begreifen. Die Beschäftigung mit dem Tanz als ein gesellschaftliches Spiel, dessen Regeln tief im Kulturleben verankert sind, eröffnet einen gewissen Zugang zu Lebensform und Lebensgefühl vergangener Zeiten. Aufschluß über die vergangenen Epochen liefern nicht nur der Tanzstil, sondern auch die Tanzformationen der Personen: ob der Tanz in der Gruppe, paarweise oder einzeln vollzogen wird, ist jeweils von kulturgeschichtlicher Bedeutung. Es ist in der Tanzgeschichte auffallend, daß besonders in den Zeiten nach schweren Kriegen oder Unruhen eine „Tanzwut" auftritt, und es scheint, als ob die kollektive Spannung und Angst durch rhythmische Bewegung gelöst werden kann, um neue spirituelle Kräfte zu erlangen. Der Tanz kann den Menschen in Ekstase zu einem Einklang mit den größeren Dimensionen des Universums verhelfen; aber der Tanzende kann auch in Disharmonie verfallen und bleibt somit verloren in den Tiefen der Verwirrung und Verstörung.

Die Tanzekstase in Wien fiel – allerdings mit einigen Abwandlungen – in eine Epoche des gesellschaftlichen Wandels und Umbruchs. Zwar beherrschte der Wiener Walzer das gesamte 19. Jahrhundert, doch die tanzschöpferische Phase, in der er choreographisch und musikalisch seine charakteristische Ausprägung als Gesellschaftstanz erfuhr, ist zwischen den europäischen Revolutionen des 18. und 19. Jahrhunderts anzusetzen. Arbeitsbedingungen, Alltagsverhalten, Sitte und Brauch bildeten in jener Zeit keine statischen Grundfigurationen. Parallel zur sozio-ökonomischen Entwicklung nahm auch der Gesellschaftstanz jeweils seine besondere Ausformung an.

## Der Deutsche Tanz

Tanzgeschichtlich gesehen löste der Wiener Walzer Ende des 18. Jahrhunderts das gekünstelte höfische Menuett als Modetanz ab. Die Komponisten kamen dem Publikumsgeschmack mit neuen Tonstücken entgegen, die allerdings vorerst noch nicht Walzer genannt, sondern mit „Deutscher Tanz" oder „Deutscher" überschrieben wurden. Das klassische Dreigestirn Haydn, Mozart und Beethoven komponierte unter anderem als Auftragswerke zahlreiche Deutsche Tänze.

Der meist für ein Orchester gesetzte „Deutsche" der Wiener Klassik ging dann fast nahtlos in die Walzerform über. Die Bezeichnung „Walzer" für ein Musikstück kam nur allmählich in Gebrauch. Joseph Lanner nannte seine Tänze erst seit dem op. 7 Walzer, vorher noch Deutsche Tänze oder Ländler.

Die spezielle Geigentechnik in Wien und der kompliziert-eigentümliche Rhythmus des Ländlers prägten die musikalische Gestalt des frühen Walzers. Die Einwirkung der Musizierpraxis der Linzer Geiger und niederösterreichischer Musikanten, die in den Wiener Wirts- und Kaffeehäusern aufspielten, war ebenso maßgeblich mitbeteiligt wie Wiener Komponisten, von denen vor allem Johann Nepomuk Hummel oder Michael Pamer erwähnt werden müssen. Im Biedermeier wurde dann durch Joseph Lanner und Johann Strauß (Vater) die Walzermusik mit ihrer reichen Melodielinie und rhythmischen Differenzierung zu einer Kunstform erhoben.

Unter die Erforschung der musikalischen Entwicklung des Wiener Walzers ist noch kein Schlußstrich gezogen. Choreographisch stellte die Bezeichnung Deutscher Tanz für den frühen Walzer einen Oberbegriff dar. Einerseits sollte damit „die deutsche Art zu tanzen" – alle Paare sind in einer Kreisform angeordnet – zum Ausdruck kommen, andererseits bedeutete im damaligen Sprachgebrauch „deutsch„ auch soviel wie „gemein, gewöhnlich" und zeigte somit seine Herkunft aus den ländlichen und unteren Bevölkerungsschichten an.

Mozart verwendete 1787 sinnbildhaft in seiner Oper „Don Giovanni" den bäuerlichen Deutschen Tanz als soziale Abstufung zum höfischen Menuett in dem berühmten Finale des ersten Aktes, in dem das Bauernmädchen Zerline von Don Giovanni verführt wird. Genial ließ Mozart die Bühnenmusik in verschiedenem Takt gegen und miteinander spielen.

Obwohl der „Deutsche" als besonders wilder und nicht gesellschaftsfähiger Tanz von Kritikern und Moralisten jener Zeit getadelt wurde – oder vielleicht gerade deshalb –, war er weitaus beliebter als alle anderen Gesellschaftstänze jener Zeit, wie das schon erwähnte Menuett, die sogenannten „englischen Tänze" wie Anglaise und Ecossaise sowie verschiedene Krontratänze. Auch in anderen Städten wurde der „Deutsche" getanzt, doch „dagegen übertrifft der Wiener Walzer alles an wilder Raschheit", schrieb 1797 das „Journal des Luxus und der Moden"[6].

## Vom „Walzerischen" zum Wiener Walzer

Dieses „schädliche, rasende Toben" beim Walzertanzen, das "die Leidenschaften in Flammen bläst"[7], war von Beginn an eine wienerische Besonderheit. Auch lokale Ursachen waren allerdings mitbestimmend für die Ausbildung der Wiener Tanz- und Ballkultur und damit auch zur Ausformung des Wiener Walzers.

Die Entwicklung der Choreographie des Wiener Walzers – nicht der Drehfigur an sich – beginnt im 18. Jahrhundert. Ein früher Beleg für den Tanznamen „Walzer" findet sich in der Wiener Komödie „Der aufs neue begeisterte und belebte Bernadon" des Schauspielers Felix Joseph von Kurz aus dem Jahre 1754. In einer Arie heißt es: „Bald spielen, bald tanzen, bald steirisch, bald schwäbisch, hankisch, schlowakisch . . . bald walzen umadum mit heißa-rum-rum"[8].

Der Weg zum Wiener Walzer war in einen komplizierten Prozeß eingebettet, der mit der spezifischen Situation in Wien und auch mit dem Fasching zusammenhängt.

Wer immer vom Fasching in Wien spricht, meint eigentlich den Wiener Walzer und mit ihm die charakteristische Ballkultur dieser Stadt, in der öffentliches Faschingstreiben auf der Straße und großzügige Maskenumzüge auch heute kaum die Geltung erreichen, die ihnen in anderen Städten zukommt.

Kat. Nr. 4/18 Harfenist in einem Wiener Wirtshaus, um 1820

Das liegt nicht, wie früher vielfach vermutet, in der Mentalität der Bewohner, sondern bei den strengen behördlichen Verboten des 18. Jahrhunderts, vor allem aus der Zeit der Landesfürstin Maria Theresia. Bei den Faschingsrummeln war es oftmals zu zügellosen Ausschweifungen gekommen; Schlägereien und selbst Morde unter dem Schutz der Maske waren beinahe an der Tagesordnung gewesen. Das Maskenwesen konnte vom Wiener Hof allein schon vom Standpunkt der politischen Räson aus nicht geduldet werden. Allen Ständen, auch dem Adel, wurde unter Androhung der strengsten Strafen das Tragen der Larve vor dem Gesicht auf der Straße untersagt; dadurch sollte die Sicherheit der Stadt gewährleistet und eine Konspiration gegen den Hof oder politische Persönlichkeiten im Keim erstickt werden.

Für den Wiener Hof und den Adel wurden die prächtig eingerichteten eigenen vier Wände – vor allem die Säle in der Hofburg – zur Faschingsarena, und nicht die Straße. Zu diesen geschlossenen Bällen mußte sich jeder Maskierte beim Eintritt ausweisen können. Diese Situation änderte sich unter der Mitregentschaft Joseph II., der den ursprünglich nur für den Adel inszenierten Ball in den k. k. Redoutensälen der Burg allen Ständen öffnete. Joseph II. begünstigte die öffentlichen Unterhaltungen und sah in ihnen ein Mittel, das zur Annäherung der Stände und zur Bildung eines einheitlichen Untertanenvolkes beitragen sollte. Solche Verordnungen gehörten zu seinem politischen Programm. Jede Person ohne Rangunterschied konnte an diesem Ball teilnehmen.

In den Maskenverboten ist einer der Ansatzpunkte für die Entwicklung des spezifischen Ballwesens in Wien zu suchen. Während das Maskenwesen von behördlicher Seite zurückgedrängt wurde – lediglich in den Redoutensälen blieb die Kostümierungsmöglichkeit bestehen –, füllten sich die allen Bevölkerungsschichten zugänglichen Tanzsäle. Der Großteil der Bevölkerung suchte die Gasthäuser in den Vorstädten und Vororten auf, da mit dem Schankrecht auch die Bewilligung verbunden war, Tanz und Musik zu veranstalten.

Damit begann der Rückzug von der Straße in den Ballsaal. Der Tanz war für die Wiener der einzige große Freiraum, wo sie im Kräftefeld zwischen Ausgelassenheit und Entrückung aus dem Alltagsbereich in die Sphäre des Spiels wechseln konnten. Der Ballsaal wurde zum gesellschaftlichen Mittelpunkt, Tanzschulen und Tanzsäle schossen aus dem Boden und überboten sich in ihrem Wetteifer um die Gunst des Publikums. Die Wiener sahen im Tanz ihr Hauptvergnügen, ihre Möglichkeit, „außer sich zu geraten".

In der großen Spielzeit des Faschings gingen die Menschen in der stürmischen Aktivität des Tanzes auf, ließen sich vom Tanz fortreißen – ein Akt der Selbstbefreiung, um das eigene Wesen zu erweitern. Im Ballsaal dominierte die Leidenschaft, nicht die Resignation.

Viele Schilderungen berichten anschaulich das wilde Treiben, bei denen allerdings die Terminologie oft von Deutscher Tanz und Walzer innerhalb eines Berichtes wechselt. So seufzt zum Beispiel ein Liebhaber, der nicht „Deutsch" tanzen konnte, eine humoristische Klage, die auch einige wertvolle choreographische Hinweise liefert: „In der Stunde, wo das Deutschtanzen beginnt, bin ich meinem Mädchen stets eine unerträgliche Last, die sie abwälzen muß. Da muß ich nur stehen, und zusehen wie ein anderer, ein hirnloser Springer, sie umschlingt, und seine Augen auf ihrem Busen weidet; wie sie hüpft und springt, daß das Blut ihr an die Stirne tritt und die Pulse ihres Halses zu bersten drohen; wie sie herumgestoßen und getreten wird, und wie ihr all' dieses Ungemach doch lieber ist, als meine Gesellschaft. Sie gestand und betheuerte mir ihre Liebe; aber mitten in der Betheuerung brach sie ab, und hüpfte davon, weil man anfing, Deutsch zu geigen – Warum hat mir doch die Natur und Erziehung die Fähigkeit versagt, gleich einem Bock herumzuspringen. Was gilt's, wenn die Deutschdudeley zu Ende ist, wenn sie sich müde und matt getobt hat, dann wird sie wieder kommen, und mich, ihren Einzigen (wie sie sagt) beym Arm fassen, um im Erfrischungszimmer sich auf meine Kosten abzukühlen"[9].

Faßt man alle Wiener Nachrichten aus der zweiten Hälfte des 18. Jahrhunderts zusammen, so ergibt sich, daß der Walzer als Deutscher Tanz einen gesprungenen Schritt besaß und vorerst einer bestimmten Raumform folgt. Die Menschen hatten damals mehr Beziehungen zu imaginären Bodenlinien als heute. So war der Tanzablauf des Menuetts auf eine S-

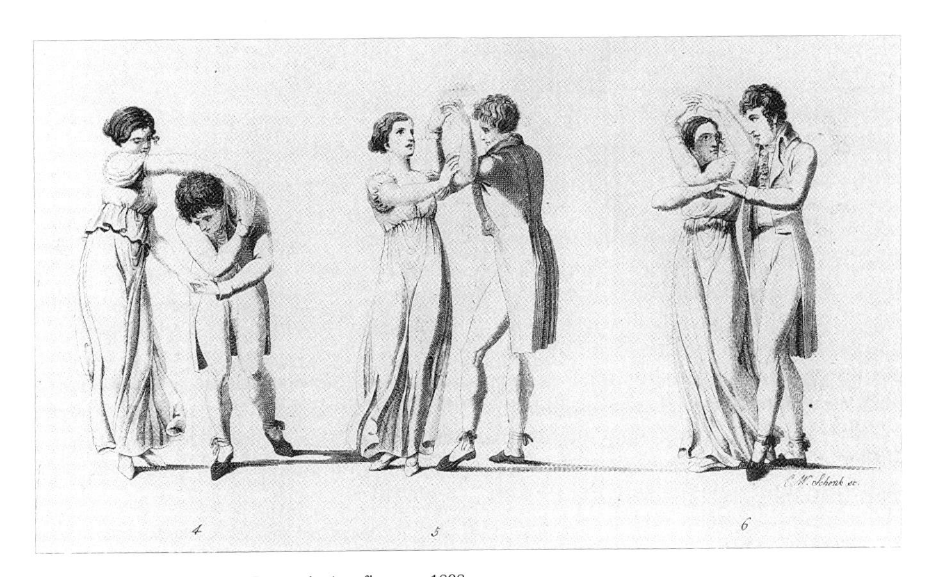


Kat. Nr. 4/22 Deutscher Tanz mit Armfiguren, 1808

und Z-Form projiziert, die Courante auf ein Oval, Viereck und Dreieck, während der Deutsche Tanz den Kreis als typische Raumgestalt einhielt.

In dieser strengen Form bestand der „Deutsche“ im höfischen Bereich ebenso wie im bürgerlichen Tanzsaal. Caroline Pichler liefert in ihren Erinnerungen aus der Zeit um 1780 eine Beschreibung über das Deutschtanzen in dem inzwischen bürgerlich gewordenen Redoutensaal; danach formierten sich die Paare im Rundtanz zu „mehreren einzelnen Kreisen“, und selbst Vortänzer werden erwähnt[10].

Im Inneren dieses von den Deutschtanzenden gebildetenen Tanzkreises wurde Ende des 18. Jahrhunderts auch besonders von jungen Tanzpaaren gleichzeitig eine Spielart der Allemande, der sogenannte Straßburger Tanz („Strasbourgeoise“), ausgeführt. Caroline Pichler erinnert sich in ihren Memoiren an diesen Figurentanz, der „bloß in anmutigen Verschlingungen der Arme und in zierlichen Stellungen des Körpers bestand“[11].

Doch das „Walzen in der Runde, oft von zwanzig und mehreren Paaren hintereinander“[12], die ständig „richtig in der Peripherie des Kreises“ blieben, war als ein großes Gesellschaftsspiel bald nicht mehr durchführbar. Die Tanzsäle waren mit Paaren überfüllt, die im Gedränge kaum von den Zuschauern unterschieden werden konnten. Auch für aufwendige Armfiguren blieb kein Platz mehr.

Die Entstehung vieler großer Lokale am Anfang des 19. Jahrhunderts, welche dem Bedarf entsprechend aber auch aus Spekulation erbaut worden waren, führte zu einer größeren und öfteren Zusammenführung von Tanzpaaren, als dies in früheren Zeiten je geschehen war. In diesem öffentlichen Treiben und Trubel blieb aber nur wenig Raum für die Ausführung von komplizierten Figuren eines Gesellschaftstanzes oder für bestimmte Anordnungen der Paare im Raum.

Der Langaus-Tanz, eine neue Variante des „Deutschen“, durchbrach die bisher geschlossene Formation der Tänzer. Jedes Paar durchmaß nun individuell mit großen gesprungenen Geh- und Drehschritten den Raum, während die anderen warteten und mit Abstand folgten. Der Dichter und Zeitungsherausgeber Adolf Bäuerle erinnert sich: „Der Langaus erfordert die größte Bravour. Dieser schändliche Tanz stellte dem Tänzer die Aufgabe, sich mit seiner Tänzerin im rasenden Walzer von einer Ecke des Saales nach der entgegengesetzten zu drehen, bis etwa ein Lungenflügel gelähmt wurde oder ein Blutschlag eintrat. Wenn es bei einer Tour geblieben wäre! Aber sechs–achtmal mußte der Kreis, ohne zu rasten, beschrieben werden. Dabei gab es Menschen, die sich anheischig machten, zwölfmal in einem Atem die Langaustour auszuführen“[13].

Bäuerle beschreibt unter einer Langaustour eindeutig eine Runde Walzer auf einer Kreisbahn, die aber von einer Ecke zur anderen gezogen wurde, so daß ein Langkreis beziehungsweise ein Oval im Raum entstand. Vom „Deutschen“ hingegen berichtet Caroline Pichler, daß mehrere Kreise im Saal gebildet wurden. Beim Langaus „eroberte“ sich nun das Paar den Raum[14], die bisher festgefügte Anordnung der Paare wurde damit aufgelöst. Dem einzelnen Paar war somit ein größerer Spielraum zur freien Gestaltung seines Tanzes gegeben.

In der Choreographie dieses bewegten Langaus-Walzers kündigte sich im Ballsaal die Gleichheit aller Tänzer an; in einem riesigen Spiel – und der Tanz ist durchaus als eine gesellschaftliche Spielform anzusehen – wurden die Menschenmassen fortgerissen. Während des Tanzes verwischten sich die sonst genormten Standesunterschiede.

In jener Zeit begann auch die Entwicklung des öffentlichen städtischen Tanz-

Kat. Nr. 4/11 Johann Christian Schoeller, Der große Galopp von Johann Strauß, 1839

schulwesens. Der Tanzlehrer war nun kein Angestellter eines Adeligen mehr, sondern erteilte in seiner Schule selbständig allen Interessenten Unterricht. In der „Sammlung über Geschichte und Rechtswissenschaft“ wird berichtet: „Diese Schullen sind erst durch einige Jahre in Wien bekannt – hier kommt das junge Volk von Stubenmädchen bis zur Kucheldirn mit ihren Liebhabern Sonn- und Feiertag zusammen, ein sogenannter Tanzmeister lehrt ihnen die Mode, Anstand und Grimassen, die Schritte, den Menuett und den Langaus auf zwey dreymall“[15]. Diese Einrichtungen waren dazu geschaffen, einem breiteren Publikum die neuesten Tänze in kürzester Zeit beizubringen.

Am Anfang des 19. Jahrhunderts war der Langaus – auch durch behördliche Verbote – aus den Tanzsälen verschwunden. Doch seine Betonung des Individuellen blieb erhalten; jedes Paar tanzte weiterhin seine Touren im Raum, ohne sich an die anderen anpassen zu müssen; die gesamte Tanzfläche stand nun allen Tanzenden zur Verfügung. Diese Entwicklung und Ausformung erfolgte auf Wiener Boden. Aus der Zeit des Wiener Kongresses berichtete Graf August de la Garde: „Die anmutigsten Kreise bilden sich, setzen sich in Bewegung, kreuzen sich, überholen sich“[16].

Bei Hausbällen und Gesellschaften im kleinen Kreis von Verwandten und Freunden blieb – wie schon erwähnt – der Deutsche Tanz als Gruppentanz bestehen. Schubert komponierte für die berühmten „Würstelbälle“ bei seinem Freund Schober Walzer, aber auch noch Deutsche Tänze, die aus den öffentlichen Ballsälen bereits verschwunden waren.

### Der Ballsaal als Vergnügungsarena

Viele der bis in die Gegenwart literarisch bezeugten Tanzsäle gingen aus alten Einkehrwirtshäusern hervor. Wie schon erwähnt, war nämlich mit dem Schankrecht auch die Bewilligung verbunden, Tanzmusik abzuhalten. Dem großen Zustrom des Publikums entsprechend, entstanden durch Zubauten neue Tanzsäle, die sich im Biedermeier je nach den aufspielenden Musikanten zu magnetischen Anziehungspunkten entwickelten.

Diese bürgerlichen Tanzsäle befanden sich vor allem in den Vorstädten. Der „Sperl“ – von den Zeitgenossen neben dem Apollosaal als vornehmstes Lokal Wiens gerühmt – war aus einem alten Einkehrwirtshaus, das sein Schankrecht 1701 erhalten hat und ursprünglich „Zum Sperlbauer“ hieß, hervorgegangen. 1807 erfolgte eine besonders großzügige Umgestaltung, bei der als neue Sensation die Tanzfläche mit Parketten ausgestattet wurde. In dieses sehr begehrte Etablissement zog 1829 Johann Strauß (Vater) als Musikdirektor mit seinem vierzehnköpfigen Orchester ein.

Ebenfalls aus dem frühen 18. Jahrhundert datiert das Schankrecht des Gasthofes „Zum schwarzen Bock“ auf der Wieden, in dem 1825 Joseph Lanner nach dem Tod von Michael Pamer seine Karriere begann. Auch die „Goldene Birne“ auf der Landstraße gehörte zu den vorstädtischen Einkehrwirtshäusern, die sich im Biedermeier zu einer noblen Anlaufstelle entwickelten.

Diesen Wandel vom einfachen Wirtshaus zum städtischen Tanzsaal umreißt sehr klar eine Verordnung der Polizeidirektion vom 30. August 1820: „. . . wie sehr die Zeitumstände seit 40 Jahren sich änderten und um wieviel die Schankhäuser sich vermehrten, von welchen die meisten in den Vorstädten Tanzmusik hatten, so scheint es nicht mehr räthlich zu seyn, die Tanzmusikerlaubnis als ein der Schankgerechtigkeit anklebendes Recht gelten zu lassen, weil so die Tanzorte, und mit diesen die Gelegenheiten zu Unordnungen und Excessen zum Nachtheile der nächtlichen Ruhe und Sicherheit auf eine unverhältnismäßige Weise vervielfältigt werden“[17].

Die Behörde versuchte das wilde Wachsen der Tanzsäle mit einem „Tanzsaalprivilegium“ in den Griff zu bekommen, das die Rechte der Lokalbesitzer neu formulierte, aber unter anderem auch Musik, Beleuchtung und „Anständigkeit der Kleidung“ bei den Bällen regelte.

Die Ballveranstalter verlangten nun festgelegte Eintrittspreise und verpflichteten eine Kapelle, die zum Tanz aufspielte. Damit konnte sich ein reges Musikwesen entwickeln, das zu den musikalischen Höhepunkten der Tanzmusik in Wien führte.

Nach 1830 zeichnete sich in der Ball- und Tanzkultur in Wien eine Wende ab. Hatte mit der neuen Modewelle der rasanten Galoppaden nochmals ein effektvolles Aufflackern der Tanzekstase die Ballsäle überrollt, so blieben doch die Exzesse aus. Das Publikum erhob vielmehr hohe Ansprüche an die Ballsaalgestaltung und an die Tanzmusik. Zeremoniellere Tänze wie z. B. der Cotillon und dann die Quadrille wurden nun abwechselnd mit Walzern getanzt und brachten eine Beruhigung und Ordnung in die Tanzenden und in den Ballsaal.

Kat. Nr. 4/10 Anton Elfinger (Cajetan), Beim Tanzmeister, 1844

Nur Gasthäuser, die große Umbauten vornehmen konnten, blieben bestehen, wie z. B. die schon erwähnte „Goldene Birne", die 1833 den „Annentempel" erhielt oder der „Sperl", der 1839 mit seinem „Fortuna-Saal" erweitert wurde. Der Besitzer vom „Goldenen Strauß" neben dem Josefstädter Theater installierte 1834 in seinen Sträußelsälen als Attraktion sogar eine Gasbeleuchtung, die damals „feenartig" anmutete. Andere Tanzsäle wie z. B. im „Schwarzen Bock" verschwanden.

Diese große Neuerungswelle des Luxus und der Vergnügungssucht brachte eine räumliche Ausdehnung der Tanzstätten. Es entstanden nun auch außerhalb des Linienwalls neue Lokale. So stellte Ferdinand Dommayer 1833 in Hietzing seine eleganten Säle dem Publikum vor; hier arrangierten die Tanzmeister Schwott und Rabensteiner Millefleursbälle, „Täuberlbälle" und Rosenfeste sowie verschiedene Reunionen. Walzeraufführungen wie die „Loreleyklänge" von Johann Strauß (Vater) oder die „Schönbrunner" von Joseph Lanner fanden hier statt. Am 15. Oktober 1844 debütierte Johann Strauß (Sohn) mit seiner neu zusammengestellten Kapelle beim Dommayer.

Nach 1830 erlebten auch drei „Universalunterhaltungsorte" eine besondere Publikumsgunst: das Tivoli am Grünen Berg (heute Wien 12), das Landgut (heute Wien 10) und das Kolosseum in der Brigittenau (heute Wien 20). Kaffeehaus, Restauration, Aussichtsturm, Tanzsaal und eigener Musikpavillon gehörten zur Mindestausstattung. Das Tivoli hatte eine viergleisige Rutschbahn als besondere Attraktion; ab 1832 spielte Johann Strauß (Vater) mit einem Orchester von 21 Musikern unter anderem im Tivoli auf.

Joseph Lanner erkor sich hingegen das Landgut und das Kolosseum zur Wirkungsstätte. Das Kolosseum war ein riesiger Vergnügungspark mit Tanzsälen und Schaukeln, russischen Schleudern, englischen Karussellen, Bootsfahrten, Bühnen für „gymnastische Künste", einem Orakel und der riesenhaften Nachbildung eines Elefanten, in dessen Inneren sich verschwiegene Chambres séparées befanden. Von 1840 bis 1842 führte sogar eine Pferdeeisenbahn von der Augartenbrücke zum Kolosseum.

Eine solche „Zauberwelt" baute auch der Kaffeesieder Josef Daum in den unterirdischen Kellern des St. Anna-Gebäudes mitten in der Stadt auf. In diesem „Neuen Elysium", 1840 eröffnet, gab es neben den Tanzsälen diverse Schaustellungen, Eisenbahnfahrten, Künstler- und Musikproduktionen. Eine eigene Schrift mit dem euphorischen Titel „Die Zeit der Wunder mit ihren Freuden" kam heraus.

Diese Verbindungen von Tanz, Schaustellungen und Saalinszenierungen gab es am Beginn des 19. Jahrhunderts bereits bei den adeligen Veranstaltungen, wie z. B. bei dem schon erwähnten Ball bei Metternich 1814. Auch der berühmte Apollosaal in der Vorstadt Schottenfeld, der am Vermählungstag von Kaiser Franz I. mit seiner dritten Gemahlin Maria Ludovika 1808 eröffnet wurde, war vor allem für ein adeliges Publikum konzipiert. Aus eigenen dazu erschienenen Broschüren erfährt man von der Pracht: „Nichts kommt dem überraschend großen Anblick gleich, den man beym Fortschreiten gegen den Rand dieses Saales erhält. Eine ungeheure Ausdehnung liegt zu unseren Füßen; der Blick gleitet mitten im Winter über lebendige Haine, über einen Tanzsaal und über tausenderley Gegenstände hinweg und wird in weiter Ferne durch eine Felsenmasse beschränkt. Man weiß nicht, tritt man in die hesperischen Gärten, oder in Tasso's bezauberte Gärten Armideus oder in die Feenwelt der orientalischen Mährchen ein"[18].

Der Tanzsaal glich eigentlich einem Tanzhain. Das Vergnügungsetablissement war mit 5000 Wachskerzen beleuchtet, jeder Raum hatte seinen besonderen Namen und war architektonisch anders gestaltet und dekoriert. Es gab künstliche Teiche, Grotten, Wasserfälle und als Attraktion fliegende Adler. Die Einrichtung war überaus romantisch, eine Art Gegenstück zur Laxenburger Ritteranlage des Kaisers. In diesem „Feenpalast vom Brillantengrund" spielte ein Orchester von 57 Musikern auf. Der Apollosaal erlebte von 1817 bis 1830 seinen Höhepunkt, und als er durch die Konkurrenz ähnlicher Vergnügungsstätten seine Einzigartigkeit einbüßte, verfiel er und wurde danach in eine Kerzenfabrik umgewandelt.

Die Dimensionen der Tanzsäle vergrößerten sich ständig. Ein wirtschaftlicher Zug machte sich mit den funktionellen Mehrzweckhallen wie z. B. dem Dianabad bemerkbar. Durch die Architekten Etzel und Förster wurde 1842 eine neue gedeckte Schwimmhalle gebaut, die im Winter zu einem Ballsaal adaptiert wurde. In diesem Sinne erfolgte auch 1846 die Umgestaltung des heute noch bestehenden Sophienbadsaales. Diese Ballsäle bildeten dann vor allem in der Ringstraßenzeit die festlichen Anlaufpunkte für die Bürger.

Kat. Nr. 4/1 Apollo-Saal

Der größte neuerbaute Tanzsaal im Biedermeier, der 1845 fertiggestellte Odeonsaal in der Leopoldstadt[19], faßte angeblich bis zu 8000 Personen, ein achtzigköpfiges Orchester spielte auf. Während der Revolution 1848 – also drei Jahre nach der Eröffnung – brannte in den Oktoberkämpfen das Odeon vollständig ab und wurde nicht mehr aufgebaut. Durch den Zeitpunkt seiner Zerstörung besitzt der Odeonsaal in der Wiener Tanzgeschichte einen gewissen symbolischen Wert: Zu den Veranstaltungen der neuen Luxusetablissements des späten Biedermeier war keine gemischte Gesellschaft aller Stände mehr zusammengekommen. Zwar war niemandem der Zutritt verwehrt, doch der Großteil der Wiener Bevölkerung konnte sich solche Vergnügen nicht – beziehungsweise nicht mehr – leisten.

Die immer aufwendiger werdenden Ballveranstaltungen standen in krassem Widerspruch zu den sozialen Verhältnissen. 1830 taucht in der zeitgenössischen Literatur Wiens zum ersten Mal der Begriff „Pauperismus" auf. Gleichzeitig wurde Klage geführt, daß „die Aufreibung der unteren Klassen und des Mittelstandes" fortschreitet[20].

Ökonomen formulierten bereits Befürchtungen über eine Zweiklassengesellschaft, und der Wandel von der Manufakturwirtschaft zur Industrie forcierte Arbeitslosigkeit und in der Folge Massenarmut und steigende Kinderarbeit.

Die herrschende Mode ab 1830 bevorzugte aber besonderen Luxus bei Möbel und Kleidung. Die reiche Frau ließ wieder ihren Körper in ein Korsett pressen, und im Tanzsaal gewannen Repräsentation und Dekoration immer mehr an Wert. Kritische Stimmen meldeten sich zu dieser Scheinwelt. So schwören am Ende von Eduard von Bauernfelds Lustspiel „Bürgerlich und romantisch" die Akteure „nur ja keine Spießbürger zu werden"[21].

Und über die Walzermode stellte der Schriftsteller Glaßbrenner ironisch fest: „O wäre ich ein Despot! Tonnen Goldes spendete ich den Straußen und Lannern, daß sie mir die Köpfe meiner Unterthanen wiegten, und alle öffentlichen Gespräche stocken machten!"[22]

Die Melodie des Lebens stand in jener Zeit wirklich im Dreivierteltakt. Selbst in den tanzlosen Zeiten fanden zahlreiche musikalische Unterhaltungen – „Konversationsmusiken" – in den sommerlichen Gast- und Kaffeehausgärten mit einladenden Titeln wie z. B. „Im Zauberreich der Musik" statt. Joseph Lanner, aber vor allem Johann Strauß (Vater) waren nicht nur Komponisten, Musiker, Dirigenten, sondern auch Musikdirektoren und Arrangeure. Ihre Verleger bedienten sich moderner Werbemaßnahmen, indem sie mit spritzigen Titeln, Sprüchen und einer Flut von Plakaten das Publikum umgarnten.

**„Die Welt in Walzern"**

Unter diesem Titel kündigte 1839 die „Goldene Birne" ein Tanzfest an. Allein eine Analyse der Walzerbezeichnungen wie auch der Festtitel ergeben ein sehr lebendiges Bild der Lebensvorstellungen der Bürger des Biedermeier und zeigen auch den Wandel auf.

Die dynamische Spannkraft des Walzers hat sich seit den Anfängen geändert: Waren um 1800 die Walzerformationen ein leidenschaftliches Rasen, so hat sich der Bewegungsstil im späten Biedermeier in ein „Dahin-Schweben" verwandelt. Die Walzerchoreographie hat damit eine komplizierte Entwicklung durchgemacht. Zur Wiener Ringstraßenzeit eroberte sich der Walzer ein neues Metier: Er feierte nicht nur Triumphe im Ballsaal, sondern auch in der Traumwelt der Wiener Operette.

Innerhalb eines Jahrhunderts hatte sich nicht nur die äußere Tanzgestalt, sondern auch der Inhalt des Wiener Walzers geändert. Am Ende des 18. Jahrhunderts war aus einer inneren Bewegtheit der Wiener Walzer als städtischer Gesellschaftstanz geformt worden. Ursprünglich war der Wiener Walzer ein revolutionärer, leidenschaftlicher Tanz, der durch seine komplizierte Choreographie etwas ewig Gültiges an sich hat: Die Paare vollzogen und vollziehen heute noch den Planeten ähnlich eine doppelte Spiralenbahn. Während sich das Paar ständig um seine eigene Achse dreht, bewegt es sich gleichzeitig auf einer großzügigen Kreisbahn.

In jener Zeitenwende um 1800 war der Walzer als Gesellschaftstanz keine Flucht vor der Wirklichkeit, sondern als deren Umwertung und Neuordnung von therapeutischem Nutzen: Er belebte, gab wieder Kraft zur Entwicklung einer neuen Spiritualität. Die Stilisierung der Drehung entschärfte die explosive Kraft. Die alte feudale Gesellschaftsordnung und das früher bestehende Gleichgewicht wurden aufgelöst, eine neue Ordnung vorbereitet. Der Tanz schuf die Verbindung.

Doch die Aufbruchstimmung konnte nicht lange anhalten, die neuen, sich anbahnenden Kräfte konnten sich nicht durchsetzen. Das politische System Metternich zementierte im Biedermeier die alte Ordnung ohne Rücksicht auf soziale

Kat. Nr. 4/6 Franz Wolf, Das alte Elysium, 1833

Kat. Nr. 3/10/5 Franz Wolf, Eine Nacht in Venedig, 1834

und wirtschaftliche Veränderungen wieder ein. Der gesprungene, stürmische Bewegungsstil des Wiener Walzers verwandelte sich im Biedermeier in ein Gleiten und Schweben, das von der Musik nun rhythmischere und stärkere Impulse verlangte. Die magisch-zauberhaften Walzerklänge von Joseph Lanner und Johann Strauß (Vater) beflügelten das Publikum und rissen es in einen seligen Taumel fort. Im Biedermeier begann der Walzertraum.

**Anmerkungen:**

[1] Gemeint ist der Opernball, der alljährlich am letzten Donnerstag des Faschings in der Staatsoper stattfindet.

[2] Karl Josef Fürst von Ligne, 1725 in Brüssel geboren, trat 1752 in die österreichische Armee ein. Neben seinen militärischen Funktionen wurde er auch mit wichtigen diplomatischen Missionen betraut. Er stand mit Voltaire, Rousseau und Friedrich dem Großen im Briefwechsel und war schon zu Lebzeiten wegen seines Geistes und Witzes berühmt. Ligne starb am 13. Dezember 1814 in Wien.

[3] Heute Wien 3, Rennweg.

[4] Bengalisch: gedämpft-bunt.

[5] J. Gerning, Reise durch Österreich und Italien, Frankfurt /Main 1802, 1. Teil, S. 30.

[6] Journal des Luxus und der Moden, Weimar 1797, S. 290.

[7] Reingard Witzmann, Der Ländler in Wien. Ein Beitrag zur Entwicklungsgeschichte des Wiener Walzers bis in die Zeit des Wiener Kongresses, Wien 1976.; Reingard Witzmann, Fasching in Wien. In: Fasching in Wien – Der Wiener Walzer 1750–1850, Katalog zur 58. Sonderausstellung des Historischen Museums der Stadt Wien, Wien 1978.

[8] Felix Joseph von Kurz, Der aufs neue begeisterte und belebte Bernadon, 1754. Zitiert nach Reingard Witzmann, Der Ländler in Wien (Anmerkung 7), S. 47.

[9] Arnold (Pseudonym für Johann Rautenstrauch), Schwachheiten der Wiener. Aus dem Manuskript eines Reisenden, drei Sammlungen in einem Band, Wien – Leipzig 1784, 3. Sammlung, S. 39.

[10] Zitiert nach Reingard Witzmann, Der Ländler in Wien (Anmerkung 7), S. 47.

[11] Caroline Pichler, Zeitbilder aus Wien 1770–1780. (Deutsche Hausbücherei Nr. 112–115), Wien 1924, S. 88.

[12] Johann Rautenstrauch, Grillen- und Seufzerbuch, Wien 1784, S. 40.

[13] Josef Bindtner, Alt-Wiener Kulturbilder aus Adolf Bäuerle's Memoiren, Wien 1926, S. 57.

[14] Siehe Caroline Pichler, Zeitbilder (Anmerkung 11), S. 88.

[15] Sammlung über Geschichte und Rechtswissenschaft, Österreichische Nationalbibliothek, Handschriftensammlung, cod. 13.920.

[16] August de la Garde, Gemälde des Wiener Kongresses (Memoiren Bibliothek, V. Serie, Bd. 4, Hrsg. von Friedrich Freksa). Stuttgart, S. 36.

[17] Siehe Reingard Witzmann, Der Ländler in Wien (Anmerkung 7), S. 104. Verordnung vom 30. August 1830.

[18] Reise der Göttin der Tanzkunst in den Apollo-Saal und zu den übrigen Faschingsfestbarkeiten in Wien, Wien 1808, S. 8.

[19] Heute Wien 2, Odeongasse 2–10.

[20] Heinrich Reschauer, Geschichte des Kampfes der Handwerkerzünfte und der Kaufmannsgremien mit der österreichischen Bürokratie. Vom Ende des 17. Jahrhunderts bis zum Jahre 1860, Wien 1882, S. 108; siehe auch Wolfgang Häusler, Von der Massenarmut zur Arbeiterbewegung, Wien – München 1979; und Die Ära Metternich, Katalog zur 90. Sonderausstellung des Historischen Museums der Stadt Wien, Wien 1984.

[21] Eduard von Bauernfeld, Bürgerlich und romantisch, Lustspiel in vier Aufzügen, Uraufführung Wien, 7. September 1835.

[22] Adolf Glaßbrenner, Bilder und Träume aus Wien, Leipzig 1836, Band 1, S. 70.

## 4 WIENER WALZER

**4/1**
**Apollo-Saal**

Radierung, koloriert, 7,8 × 10,8 cm (beschnitten)
Wien, Verlag Maria Geissler
HM, Inv. Nr. 15.677

Das großartige Vergnügungsetablissement befand sich am Schottenfeld, Zieglergasse 15. Die Eröffnung fand am 10. Jänner 1808 zur Vermählung von Kaiser Franz I. mit Maria Ludovika statt. Der Erbauer, Sigmund Wolfssohn, kündigte ein „Riesenorchester" von 60 Musikern an und beleuchtete den „Feenpalast vom Brillantengrund" mit mehr als 5.000 Wachskerzen. Jeder Raum hatte seinen besonderen Namen, jeder war architektonisch anders gestaltet und dekoriert; auch gab es künstliche Teiche, Grotten und Wasserfälle. Die Einrichtung war überaus romantisch, eine Art Gegenstück zur Laxenburger Ritterburg. Haine, Baumstämme, fliegende Adler, Engel mit Beleuchtungskörpern bildeten die Requisiten.

1839 wurde der Apollo-Saal an eine Gesellschaft von Seifensiedern verkauft, die eine Kerzenfabrik in den Räumen installierte. (siehe auch Kat. Nr. 15/28/1–3).
ReWi
Abbildung

**4/2**
**„Der große Apollo-Saal mit Ansicht des Eintrittssaales"**

Radierung, Pl. 10 × 16,7 cm,
Bl. 10,4 × 18,1 cm
HM, Inv. Nr. 28.472

„Drey Triumphbögen auf marmorierte Säulen sich stützend, schlossen im ersten Jahre diese Treppe. Durch den mittleren Triumphbogen ward man in den großen Saal eingeführt, durch die beiden anderen in Promenadealleen." (Ansichten vom Apollo-Saale, Wien 1811, S. 8.) Die „Marmorpostamente" waren meistens geschickt getarnte Öfen.
ReWi
Abbildung

**4/3**
**Apollo-Saal, 1812**

Franz Dirnbacher nach K. Hermann
Radierung 18,3 × 21,4 cm
Sign. li. u.: K. Hermann del.; re. u.: Fr. Dirnbacher s. c. Bez.: Ansicht des Tanzhains
Aus: Ansichten vom Apollo-Saale im Karnevale, 1812 (Bildbeilage)
HM, Inv. Nr. 57.632/1

„. . . die in drey Theile getheilte Stiege führt in den 32 Klafter langen und 9 Klafter 4 Schuh breiten Tanzhain. Vier aus 48 jungen Fichten bestehende Reihen bildeten die Promenadealleen und die Mitte derselben den Tanzplatz . . . Auf 48 Marmorpostamenten zwischen den Bäumen . . . prangen idealische (sic!) Gypsfiguren mythologischer Verwandtschaft." (S. 9f.) Diese Figuren trugen ursprünglich die Beleuchtung, doch übte das Publikum heftige Kritik an dieser Verbindung von Ästhetischem und Nützlichem, so daß dann die Luster von der Decke herabgezogen wurden: . . . mit einem Mahle waren Wolken gezaubert, Engel verschrieben und siehe da Luster, wie sie an öffentlichen Orten noch nie gesehen wurden wetteifernd mit jeder andern verschwenderischen Pracht beleuchten aus Wolken herab die Wonne der Tänzer." (S. 10f.)
ReWi

**4/4**
**„Ein Ball auf dem neuen Garten-Saal zur Kettenbrücke in Wien", 1827**

Johann Wenzel Zinke (1797–1858) nach Johann Christian Schoeller (1782–1851)
Radierung, Pl. 21,5 × 27,8 cm,
Bl. 22 × 28 cm
Sign. li. u.: Schoeller del; re. u.: Zinke sc.
Besondere Bildbeilage zur Wiener Theaterzeitung, Nr. 71 vom 14. 6. 1827
HM, Inv. Nr. 76.615/198

Kat. Nr. 4/12

Kat. Nr. 4/4

Das sehr seltene Blatt zeigt den damals vor kurzem renovierten prächtigen Tanzsaal neben dem Dianabad in der Donaustraße 4, in dem Johann Strauß (Vater) im Fasching 1828 mit seiner Komposition „Kettenbrücke-Walzer" (op. 4) der erste entscheidende Durchbruch gelang. – Der Wirt des Saales, Adam Dömling, war mit der Namensgebung den Tatsachen etwas vorausgeeilt. Kettenbrücken waren der letzte Schrei der Technik, und bereits am 18. September 1824 war die „Sophienbrücke" dem Verkehr freigegeben worden, nun sollte eine zweite über den Donauarm (den heutigen Donaukanal) errichtet werden, deren Fertigstellung bis zum 1. Mai 1828 geplant war. Dömling hat mit seinem Tanzsaal „Zur Kettenbrücke" nicht nur einen schlagkräftigen Titel gefunden, sondern sich auch mit Johann Strauß einen zugkräftigen Dirigenten engagiert. Hier fanden sich die „Straußianer" ein, während Joseph Lanner in jener Zeit hauptsächlich im „Schwarzen Bock" aufspielte.
ReWi
Abbildung

Kat. Nr. 4/5

Kat. Nr. 4/7

**4/5**
**Der Odeon-Saal in Wien**

Vinzenz Reim (1796–1858)
Kupferstich, koloriert, 13 × 18,5 cm (beschnitten)
Sign. re. u.: Reim
HM, Inv. Nr. 19.891

Die „Ballarena" faßte bis zu 8.000 Personen. Die „Illustrierte Zeitung" gibt einen Bericht, der zu dieser Darstellung vollkommen paßt: „Eine der neuesten Compositionen des unerschöpflichen Strauß, die ‚Vier-Haimonskinderquadrille' lockt zum Tanzplatz hin. Dazu ist der 26 Klafter lange mittlere Raum des Riesensaales, die Stätte, wo König Strauß an der Spitze eines gewaltigen – 80köpfigen – Musikcorps als Allein- und Selbstbeherrscher waltet, bestimmt. Von einem Throne aus Gußeisen und Holzschnitzwerk herab lenkt er mit mächtigem Scepter die zur freiwilligen Unterwerfung herbeiströmenden Scharen, und Hunderte entzückter Paare gehorchen huldigend den rhythmische Gesetze vorschreibenden Schwingungen seines Zauberstabes." (Nr. 97, S. 297)

In den Reihen ist auch der Tanzmeister zu erkennen, der, gegenüber von Strauß stehend, seine Kommandos gibt.

Der Saal war unter großem Andrang des Publikums am 8. Jänner 1845 eröffnet worden. Zu dieser Zeit war der berühmte Apollo-Saal bereits in eine Kerzenfabrik umgewandelt worden. Das Odeon war nicht nur das größte, sondern in den vierziger Jahren des vorigen Jahrhunderts auch das vornehmste Etablissement. Am 18. Oktober 1848 wurde im Verlauf der Straßenkämpfe das Odeon durch Brand vollständig zerstört und nicht mehr aufgebaut. Heute erinnert die Odeongasse in Wien 2 noch an das Gebäude.
ReWi
Abbildung

**4/6**
**Das alte Elysium, 1833**

Franz Wolf (1795–1859)
Kreidelithographie, koloriert, 31 × 44,4 cm.
Sign. re. u.: F. Wolf del. et. lyth.
Aus: Journal pittoresque, 5. Heft, Blatt 3
HM, Inv. Nr. 179.479

Der Kaffeesieder Josef Daum betrieb in den mächtigen Kellern des Seitzerhofes in der Seitzergasse (Tuchlauben) in der Inneren Stadt in der Zeit von 1833 bis 1838 eines der berühmtesten und beliebtesten Vergnügungslokale Wiens. Von 1840 bis 1863 wurde dieses dann als „Neues Elysium" in die Kellergewölbe des St.-Anna-Gebäudes in der Johannesgasse verlegt (siehe Kat. Nr. 4/8).
ReWi
Abbildung

**4/7**
**Das alte Elysium, 1834**

Franz Wolf
Kreidelithographie, koloriert, 31,5 × 41,5 cm
Sign. li. u.: Nach der Natur gez. und lith. v. F. Wolf.
Bez.: Die Reunion im Wasser und Feuerreich / Faschingsspaß in den Kellern des Seitzerhofes genannt / Elisium in Wien am 1sten Febr. 1834.
HM, Inv. Nr. 54.479

Daum hatte die ausgedehnten unterirdischen Räumlichkeiten mit großem Luxus ausgestattet und bot seinem Publikum zahlreiche Sehenswürdigkeiten an: Schaustellungen, Pantomimen, Eisenbahnfahrten, ein Serail, Künstler- und Musikproduktionen, Theater usw. Auch Maskenbälle, unter der Bezeichnung „Schwarze Redouten", fanden hier statt. Am 18. März 1838 hatte der Seitzerkeller zum letzten Mal seine gastlichen Pforten geöffnet, da das Gebäude einem Umbau unterzogen wurde.
ReWi
Abbildung

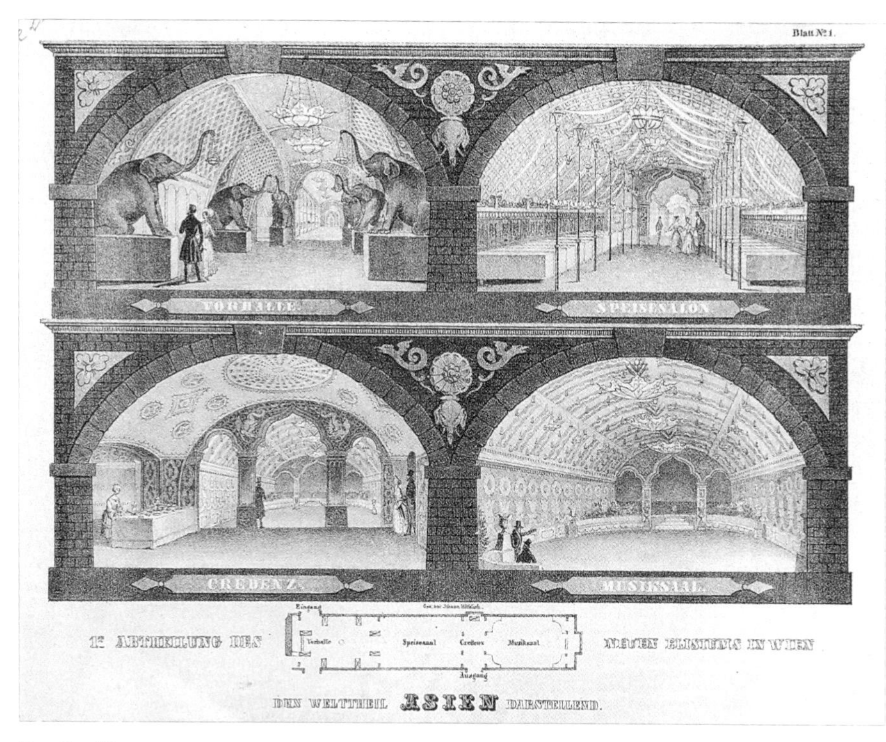


Kat. Nr. 4/8

Kat. Nr. 4/9

**4/8**
**„Das neue Elisium 1' Abtheilung des Neuen Elisium in Wien den Weltheil Asien darstellend", 1840**

Franz Wolf
Kreidelithographie, koloriert, 28,8 × 44,5 cm.
Sign. re. u.: FW.; Mi. u.: Ged. bei Johann Höfelich
Dargestellt sind: Vorhalle, Speisesalon, Credenz, Musiksaal.
HM, Inv. Nr. 70.202

Am 1. März 1840 eröffnete Josef Daum das „Neue Elysium" in den Kellern des St.-Anna-Gebäudes in der Johannesgasse 4 in der Innenstadt.
ReWi
Abbildung

**4/9**
**„Das neue Elisium in Wien, oder unterirdische Reise um die Welt / Abteilung Amerika"**

Franz Wolf
Kreidelithographie, 30,5 × 41,5 cm
Sign. li. u.: Wolf fec.; re. u.: Gedr. bei Joh. Höfelich.
Aus: Journal pittoresque
HM, Inv. Nr. 54.478

Am Ende des Biedermeier nahm die üppige Ausstattung der Tanzsäle zu. Dem Publikum wurden zahlreiche Sehenswürdigkeiten und Schaustellungen zusätzlich geboten, eine niedliche Traum- und Zauberwelt entstand: der biedermeierliche Vorfahre des heutigen Disneyland. Josef Daum hatte mit seinem Tanzetablissement einen großen geschäftlichen Erfolg, geriet dann in finanzielle Schwierigkeiten. Als er am 12. Dezember 1854 an der Cholera starb, führte ein Sohn das Unternehmen weiter, mußte es aber 1864 schließen.
ReWi
Abbildung

**4/10**
**„Die unterbrochene Lektion beim Tanzmeister", 1844**

Johann Wenzel Zinke (1797–1858) nach Cajetan (Anton Elfinger) (1821–1864)
Radierung, koloriert, Pl. 21,2 × 28,2 cm, Bl. 24,3 × 31 cm
Sign. re. u.: J. W. Zinke sc.; li. u.: Cajetan del.
Bildbeilage zur Wiener Theaterzeitung, Satirische Bilder Nr. 37
HM, Inv. Nr. 96.842/37

Seit Ende des 18. Jahrhunderts lassen sich in Wien Tanzmeister und Tanzschulen nachweisen, die nicht mehr nur Adeligen, sondern öffentlich allen Interessenten Tanzunterricht erteilen. Diese Einrichtungen waren dazu geschaffen, einem breiteren Publikum die neuesten Tänze in kürzester Zeit beizubringen.

Der Tanzunterricht erhielt im Biedermeier einen völlig neuen, öffentlichen Charakter: In den großen Tanzstätten leitete neben der Musikkapelle ein Tanzmeister die Bewegung im Saal, indem er die Paare ordnete, gruppierte und dirigierte. Die Tanzlehrer wurden dabei so bekannt, daß sie in den Ballankündigungen neben dem Kapellmeister genannt wurden.

Tanzmeister wie Rabel, Corvin und Rabensteiner waren im tanzseligen Wien berühmte Leute. Doch gab es daneben viele kleine Tanzmeister, wie vorliegende Karikatur es beweist, die in ihren Wohnungen billigst Lektionen erteilten.
ReWi
Abbildung

**4/11**
**„Der große Galopp von Joh. Strauß", 1839**

Andreas Geiger (1765–1856) nach Johann Christian Schoeller (1782–1851)
Kolorierter Kupferstich, Pl. 21,8 × 25,8 cm, Bl. 23,6 × 29,7 cm
Sign. li. u.: Schoeller; re. u.: And. Geiger sc.
Bildbeilage zur Wiener Theaterzeitung, Wiener Scene Nr. 28 vom 27. 6. 1839
HM, Inv. Nr. 28.461/6

Dazu heißt es in der Theaterzeitung: „Das heutige Bild bedarf keiner Erklärung. Es erhält eine Erinnerung an die Beliebtheit des Walzerkomponisten Strauß" (S. 924). – Im Fasching 1839 dirigierte Johann Strauß (Vater), oft am selben Abend, beim Sperl, im Casino Zögernitz, in dem neu hergerichteten Casino Munsch auf dem Neuen Markt, ganz so, als ob er voller Gesundheit wäre. An drei, vier Orten spielten Teile seiner Kapelle, er selbst raste mit dem Fiaker von dem einen Lokal in das andere und kam er erst am Morgen heim. Bei Tag entwarf und organisierte er die Durchführung dieser Feste, arrangierte und komponierte. 1839 schuf Strauß neben einigen Walzern auch den „Versailler Galopp" (op. 107), „Gitana-Galopp" (op. 108) und „Indianer-Galopp" (op. 111).

Bei dieser Karikatur wird die Choreographie sehr deutlich: Die beherrschende Raumform war der Kreis, in der Mitte befand sich die sogenannte Herreninsel.
ReWi
Abbildung

**4/12**
**„Der moderne Galopp / oder Der Tanz in die Ewigkeit", 1838**

Radierung, koloriert, Pl. 17,1 × 10,8 cm, Bl. 19,1 × 11,2 cm
Aus: Hans Jörgl, Jg. 1838, Heft 3
HM, Inv. Nr. 97.116/21

Im gesamten Biedermeier zeichnete dynamische Intensität den Gesellschaftstanz aus. Der ursprünglich leidenschaftliche Bewegungsstil des Wiener Walzers verwandelte sich allmählich in ein Gleiten. Die Mode des Rasens im Galopp ab 1830 war in ihrer Ausführung einfacher und effektvoller als der Walzertanz.
ReWi
Abbildung

Kat. Nr. 4/13

Kat. Nr. 4/15

**4/13**
**„Tanzsaal im Gasthause bey der Birne auf der Landstraße", um 1840**

Alexander Ritter von Bensa (1820–1902)
Kreidelithographie, 28,3 × 45,2 cm
Sign. li. u.: A. R. v. Bensa del.;
re. u.: gedr. b. J. Höfelich;
Mi. u.: Eigenthum Verlag A. Paterno in Wien
HM, Inv. Nr. 31.431

Das Haus zählte zu den beliebtesten Einkehrwirtshäusern in der Vorstadt (Wien 3, Landstraßer Hauptstraße 31). Das Gasthaus bestand bereits seit 1701, in den Jahren 1797 und 1825 erfolgten Umbauten; 1833 wurde das Haus neu hergerichtet. In der Gassenfassade blieb der Charakter des Gasthofes erhalten, zusätzlich wurden in das Nachbarhaus ein Gartensalon und ein prächtiger Tanzsaal – der legendäre „Wiener Annentempel" – hineingebaut. Tanzfeste zum Namenstag der Wiener „Annen" haben ihm diesen Namen gegeben. Seine Blüte erreichte der Tanzsaal im Biedermeier: Michael Pamer, Joseph Lanner und Johann Strauß (Vater) spielten hier auf.

Auch lokalgeschichtlich ist der Gasthof von großem Interesse, logierten doch hier berühmte Gäste: Im Hinterhaus wohnte Adalbert Stifter; am 1. August 1828 starb hier der griechische Freiheitsheld Alexander Fürst Ypsilanti (siehe auch Kat. Nr. 7/7/5).
ReWi
Abbildung

Kat. Nr. 4/16

**4/14**
**Tanz im Gasthaus, 1817**

Radierung, Pl. 12,8 × 16,3 cm,
Bl. 14,2 × 20,4 cm
Bildbeilage zu „Briefe eines Eipeldauers an seinen Herren Vetter in Kakran“, Jg. 1817, Heft 2, S. 38
HM, Inv. Nr. 96.552/53

Der Text dazu lautet: „Hietzt iß auf einmahl per Ungfehr an Harpfenist daher kummen, und da seyn dö Herrn hald allsammt so lusti word'n . . .“ Zwei Paare springen lebhaft in Rundtanzfassung zu der Musik eines Harfenisten und eines Geigers.
ReWi

**4/15**
**Ländlicher Tanz im Gasthaus, 1818**

Radierung, Pl. 12,8 × 17 cm,
Bl. 14,2 × 21,1 cm.
Bildbeilage zu „Briefe eines Eipeldauers an seinen Herren Vetter in Kakran“, Jg. 1818, Heft 2, Nr. 66, S. 16
HM, Inv. Nr. 96.532/66

Der Text dazu lautet: „– es war für die andern so hart dort einz'tred'n, als bei ein'n wirklich'n Picknid von nobl'n Leud'n in ein'n Hotl garni a Billed z'krieg'n –“. Auf den ländlichen Tanzfesten blieb der improvisierte Einzeltanz mit Armfiguren weiter erhalten. Aus solchen Gasthausgesellschaften entwickelten sich später die Wiener Wäschermädl- und Fiakerbälle.
ReWi
Abbildung

**4/16**
**„Wien vor dem k. k. Ziegelofen in der Favoriten Linie“, um 1835**

Balthasar Wigand (1771–1846)
Gouache, 10,8 × 17,4 cm
Sign. re. u.: Wigand
HM, Inv. Nr. 114.945

Für die Beurteilung der Tanzgestalt des Wiener Walzers ist die Raumform der Tänzer von großer Bedeutung. Die alte Raumform im Gebiet von Wien war der Kreisreigen, der typische Tanz der bäuerlichen Bevölkerung. Um einen imaginären Mittelpunkt tanzte der Mensch in seiner Welt, ohne Beziehung zu einem Zuschauer.
ReWi
Abbildung

**4/17**
**„Wien zu sehen von der Brigittenau zur Zeit der Kirchenweihe“, um 1820**

Balthasar Wigand (1771–1846)
Gouache, 12,5 × 19,5 cm
Sign. li. u. Wigand p.
HM, Inv. Nr. 97.422

Von den Kirchtagen der ehemaligen dörflichen Gemeinden der Wiener Vororte hatte der Brigittakirchtag eine weit über das Lokale hinausgehende Bedeutung erlangt. An diesem Volksfest nahmen alle Bevölkerungsschichten von Wien teil: Die Besucher kamen mit eigener Kutsche, Zeiselwagen (Bildmitte) oder zu Fuß, wie sie sich es leisten konnten. Getanzt wurde in Tanzhütten oder auch auf dem unebenen Boden im Freien, wie hier um den Kirtagsbaum. Dazu spielte eine Tanzmusik in der Besetzung von zwei Geigen und einem Baß.
ReWi

**4/18**
**Harfenist in einem Wiener Wirtshaus, um 1820**

Federzeichnung, aquarelliert, 12,5 × 16,5 cm
HM, Inv. Nr. 47.995

„Im Wiener Volksleben spielten die Harfenisten eine sehr bedeutende Rolle und ihrer Beliebtheit mag es zuzuschreiben sein, daß sich ihre Zahl vermehrt, wie der Sand am Meer. Dem gemeinen Mann ist der Harfenist Ersatz für Oper, Tragödie, Lustspiel und Posse; bei dem Harfenisten findet er Unterhaltung, Zerstreuung, Rührung und Belehrung“ schrieb 1842 ein Zeitgenosse im Sammelband „Wien und die Wiener“, den Adalbert Stifter herausgab. – Zur Harfenbegleitung dreht sich ein Paar in Rundtanzhaltung mit wiegenden Walzerschritten. Auf dem glatten Parkett der bürgerlichen Tanzsäle wurde hingegen der Walzer bedeutend rascher geschliffen.
ReWi
Abbildung

**4/19**
**Auf dem Brigittakirchtag, um 1820**

Johann Nepomuk Schürer von Waldheim
Tuschfeder, aquarelliert, 16,5 × 20,6 cm
Sign. re. u.: J. N. Schürer v. Waldheim;
Bez. li. u.: nach der Natur gezeichnet, Mi. u.: Brigitten Kirchtag
HM, Inv. Nr. 32.472

Von den Kirchtagen der ehemaligen dörflichen Gemeinden der Wiener Vororte hatte der Brigittakirchtag eine weit über das Lokale hinausgehende Bedeutung erlangt. Er entwikkelte sich zu einem Wiener Kirchtag, der von allen Ständen aufgesucht und als riesiges Volksfest gefeiert wurde. 1847, ein Jahr vor der Revolution, wird der letzte Kirchtag abgehalten. Die klassische Schilderung eines der letzten Feste gab Franz Grillparzer in seiner 1848 erschienenen Erzählung „Der arme Spielmann“.
ReWi
Abbildung

**4/20**
**Tanzschuhe, um 1835**

Seidensatin, Leder, Chiffon, Bandverschluß, Leder und Chiffonfutter.
Länge 24 cm
HM, Inv. Nr. 1.281

**4/21**
**Gesichtslarve**

Wien, um 1830
Leinen, 13,5 × 15,5 × 6,5 cm.
Wien, Technisches Museum
HM, Inv. Nr. 30.135
G.M.

**4/22**
**Figuren des sogenannten „Straßburgers“ (Allemande), 1808**

Kupferstich, 35 × 55 cm. Folge von 6 Figuren auf 2 Tafeln, in: Viertes Toiletten-Geschenk für Damen 1808, Leipzig bei Georg Voss
HM, Inv. Nr. M 6.897/F

Kat. Nr. 4/19

Aus alten Tanzalmanachen können Tanzfassungen und Tanzschritte rekonstruiert werden. Schon der Deutsche Tanz („Allemande“) – eine Vorform des Wiener Walzers – wurde mit raschen Schritten ausgeführt; auch beinhaltet er eine Rundtanzfigur des Paares, doch gehörten zu seiner Choreographie noch charakteristische Armfiguren. Die Tanzlehrer betitelten die verschiedenen Variationen dieses Tanzes, u. a. gehörte der „Straßburger“ zu dieser Tanzgattung. In den überfüllten Tanzsälen des 19. Jahrhunderts waren die komplizierten Armfiguren unmöglich geworden, jedes Paar begann individuell nur die Rundtanzfigur zu tanzen.
ReWi
Abbildung

**4/23**
**Damenspende vom Juristenball, 1834**

Fächer mit Tanzordnung aus Papier (kreisförmig aufzuklappen)
Länge: 18 cm
HM, Inv. Nr. 17.113/114

**4/24**
**Tanzordnung, 1842**

H. Engel
Mit Spitzenrand aus Seidenrips, 10,3 × 5,7 cm
Sign.: H. Engel
HM, Inv. Nr. 76.621/91

**4/25**
**Souvenier vom 16. Februar 1843**
**Damenspende mit Tanzordnung und einem „Situations-Plan sämtlicher Ball-Localitäten in und nächst Wien“**

H. Engel
Federlithographie, 12,5 × 12,1 cm
HM, Inv. Nr. 38.648

**4/26**
**„Sophienbad-Sal“ (sic!), 1848**
**Damenspende mit Tanzordnung**

F. Kollarž (1825–1894)
Lithographie, Bl. 14,3 × 19,2 cm
Sign. re. u.: Gez. u. Lith. v. F. Kollarz
HM, Inv. Nr. 38.644

Diese prächtige Damenspende erschien zum Eröffnungs-Festball am 12. Jänner 1848 im Sophienbad-Saal. Der Erlös des Balles wurde dem St.-Josephs Kinderspital weitergeleitet. Wie angekündigt, brachte Johann Strauß (Vater) „seine neuesten Compositionen“ zur Aufführung. Walzer und Quadrillen wurden abwechselnd getanzt, ein Cotillon und eine Mazur durften nicht fehlen. In den Sommermonaten fand der Saal als Schwimmhalle Verwendung. Der Saal wurde von den Architekten van der Nüll und Sicardsburg vollendet, er besteht heute noch in Wien 3, Marxergasse 7.
ReWi
Abbildung

**4/27**
**„Wiener Faschings-Lust“, 1854**

Albrecht
Lithographie, 52 × 34 cm
Sign. li. u.: Lith. v. Albrecht
Bildbeilage zur Wiener Tageszeitung: Satirische Bilder Nr. 40, vom 19. 2. 1854
HM, Inv. Nr. 98.153

Der Bilderbogen karikiert die verschiedenen Tanzmöglichkeiten der Wiener in sozial absteigender Stufenform: „Redoute, Sofienbadsaal, Domeyer Casino, Elisium, Kasern Ball, Haus Ball.“
ReWi
Abbildung

**Plakate und Programme**

**4/28**
**„Dienstag, den 26. Dezember 1809 wird in den k. k. Redouten Sälen ein maskirter Ball . . . abgehalten werden“**

Druck, 33 × 19,5 cm
Wien, Wiener Stadt- und Landesbibliothek
C 129.406

Ursprünglich war nur im Redoutensaal der kaiserlichen Hofburg das Tragen von Masken erlaubt (siehe Kat. Nr. 1/13). Allerdings gerieten im Biedermeier die strengen Verbote und Verordnungen aus dem 18. Jahrhundert in

Kat. Nr. 4/26 a

Ruhestunde.

Quadrille.

Mazur.

Walzer.

Quadrille.

Walzer u. Polka.

Quadrille.

Walzer.

Reihenfolge der Tänze.

Eröffnungs-Festball

am 12. Jänner 1848

im

Sophienbad-Sale

zum Besten des St. Josephs Kinderspitales.

Herr

Johann Strauſs

k.k. Hofball-Musikdirector und Capellmeister,

bringt seine neuesten Compositionen

zur Aufführung.

Polonaise.

Walzer.

Quadrille.

Walzer.

Quadrille.

Walzer.

Quadrille.

Walzer u. Polka.

Cotillon.

Walzer.

Kat. Nr. 4/26 b

Kat. Nr. 4/27

Vergessenheit, so daß auch in anderen Tanzsälen vereinzelt Bälle mit Masken veranstaltet wurden.
ReWi

**4/29**
**„Morgen ist großer Ball im Apollo-Saal, Maria Hilf, Ziglergasse", um 1818**

Druck, 35 × 25 cm
Wien, Wiener Stadt- und Landesbibliothek
C 77.751

Das Plakat ist von Sigmund Wolffsohn unterzeichnet, dem ersten Besitzer des Apollo-Saales. Im Jahre 1819 übernahm Johann Baptist Höflmayr den Saal. Aus den Berichten der Zeitgenossen geht hervor, daß die Besitzer des Apollo-Saales die prächtigsten Plakate drucken ließen; so stellt das vorliegende Plakat nur eine kleine Ausgabe dar. Andere Ankündigungszettel erreichten oft die vierfache Größe.
ReWi

**4/30**
**„Einladung zu einem zweiten großen Gesellschaftsballe, im Casino, am neuen Markte Nr. 1045. Mittwoch, den 25. Februar 1835."**

Druck, 22,5 × 17 cm
HM, Inv. Nr. 76.276/36

**4/31**
**„Bälle im Sperl. Carneval, 1841"**

Programm vom 9. Jänner bis 23. Februar 1841
F. Weiß
Federlithographie, 22,1 × 27,7 cm
Sign. li. u.: Fr. Weiß lith.; re. u.: Artist, Anstalt d. Lud. Förster
HM, Inv. Nr. 34.776

Der Tanzsaal „Zum Sperl" war besonders zur Kongreßzeit sehr populär. Am 9. September 1807 hatte Johann Scherzer sein großes Tanzlokal in der Leopoldstadt eröffnet (heute Wien 2, Kleine Sperlgasse 2 c). Der Name Sperl stammte von der Straße, die ihrerseits nach dem „Kaiserlichen Jäger und Bürger Johann Georg Sperlbauer", der hier bis zum Beginn des 18. Jahrhunderts ein Wirtshaus besessen hatte, benannt war.

Das Programm zeigt humoristische Darstellungen des Faschingstreibens. Auf einer Geige werden verschiedene Bälle angekündigt; daraus geht hervor, daß diese nicht immer öffentlich waren, sondern daß die Häuser und Tanzstätten auch von geschlossenen Gesellschaften gemietet wurden. Es gab auch Bälle, deren Erlös zugunsten einer Vereinigung oder einer Person bestimmt war, so am Dienstag, dem 26. Jänner, der „Armenb. f. die Leopoldstadt", oder am Mittwoch, dem 17. Februar, der Ball zu „Ben. d. H. Strauss". Immerhin leitete Johann Strauß (Vater) die Bälle im Sperl, während die Tänze von dem berühmten Tanzmeister F. Rabensteiner geleitet wurden. Beiden wurde in der Saison je eine Veranstaltung gewidmet, wobei ihnen der Erlös des Balles zukam.

Die Zahl der Bälle wird auf dem Plakat festgehalten: „Im oberen Saale 37 Bälle, im untern 15, zus. 52 Bälle."

*Lit.: Fasching in Wien. Der Wiener Walzer 1750–1850. Ausstellungskatalog des Historischen Museums der Stadt Wien, Wien 1978/79.*
ReWi
Abbildung

Kat. Nr. 4/40

**4/32**
**Sperl's Carnevals Calender, 1845**

Federlithographie 20,2 × 14,5 cm
HM, Inv. Nr. 123.065

**4/33**
**„Montag, den 28. Jänner 1850 ist der große Gesellschafts-Ball, zum Besten des Armenversorgungshauses der Leopoldstadt und Jägerzeile in den Sälen zum Sperl."**

Druck, 22,5 × 18 cm
HM, Inv. Nr. 76.276/37

Um Mitternacht wurde als Einlage eine Pantomime mit dem Titel „Arlequin als Koch" gespielt, in der tanzende Köche und Köchinnen, Bauern und Bäuerinnen auftraten. Die Ballmusik dirigierte Johann Strauß (Sohn), während Tanzmeister Rabensteiner die Tänze leitete.
ReWi

**4/34**
**„Ball zur Eintheilung für dem Carneval 1842 in den Sälen / Zur goldenen Birne / auf der Landstraße"**

H. Engel
Programm v. 9. Jänner bis 8. Februar 1842
Federlithographie, 23,1 × 31 cm
Sign. Mi. u.: Steindr. v. H. Engel in Wien
HM, Inv. Nr. 50.634/2

In fünf kleinen Nebenfeldern des Anschlagzettels kommen folgende Szenen zur Darstellung: Tanzstunde, Ballvorbereitung, Tanzsaal, Verliebtes Paar und Hochzeit. Vom Ballveranstalter Carl Hoer ist damit die Bedeutung des Tanzsaales als Ort des gegenseitigen Kennenlernens und der Kommunikation besonders hervorgehoben. Als Kapellmeister und Musikdirektor wird Joseph Lanner angekündigt, während als „Tanz-Arangeur Hr. v. Weberfeld" auf dem Programm steht (siehe auch Kat. Nr. 4/3).
ReWi

**4/35**
**Tanz-Ordnung / im Apollo-Saale, 1836**

Damenspende
Druck, 20,7 × 12,7 cm
HM, Inv. Nr. 34.765/1

**4/36**
**„Großes Ballfest unter der Benennung: Eine Welt in Walzern"**

Ballankündigung für den 5. Februar 1839
Druck, 42 × 29 cm
Wien, Wiener Stadt- und Landesarchiv,
P. 6.915
Der Komponist und Kapellmeister Philipp Fahrbach hatte die musikalische Leitung dieses Tanzabends, der in den Lokalitäten „Zur goldenen Birne" in der heutigen Landstraßer Hauptstraße stattfand.
BD

**4/37**
**„Einladung zu einem mit besonderen Productionen verbundenen Ballfest"**

Ballankündigung für den 13. Februar 1832
Druck, 74 × 81 cm
Wien, Wiener Stadt- und Landesarchiv,
P 9.613

Der Ball, der in den „Sälen zum Schaf" am Schottenfeld stattfand, bot neben der üblichen Tanzunterhaltung auch einige optische Attraktionen, wie etwa ein „mechanisches Feuerwerk". Dazu gab es Musikbegleitung auf dem „neuerfundenen und privilegirten Instrumente Accordeon genannt". Die Leitung des Ballorchesters hatte L. Morelly.
BD

**4/38**
**„Außerordentliche Fest-Soirée und Ball"**

Ballankündigung für den 25. November 1840
Druck, 38 × 22 cm
Wien, Wiener Stadt- und Landesarchiv,
P 9.616

Die Veranstaltung fand in dem Tanzetablissement „Zum Sperl" in der Leopoldstadt statt. Das 1807 eröffnete Lokal war in der Zeit des Vormärz besonders populär. Der Abend stand unter der Leitung von Johann Strauß (Vater), der aus diesem Anlaß seinen neu komponierten Walzer „Elektrische Funken" erstmals spielte.
BD

**4/39**
**„Einladung zu einem großen Gesellschaftsballe, welcher heute Dienstag, den 28. Februar im Saale zum Sperl in der Leopoldstadt Statt finden wird", 1832**

Druck, 37 × 24 cm (gefaltet)
HM, Inv. Nr. 76.276/16

**4/40**
**„Sofienbad-Saal, Montag, den 1. Februar 1847, zu Ehren aller in Wien anwesenden Kunst-Notabilitäten einer außerordentliche Ball-Festivität."**

Druck, 23 × 19,6 cm
HM, Inv. Nr. 76.276/43

Die Musik leitete Johann Strauß (Vater), die Tänze standen unter der Aufsicht der beiden Tanzmeister Gorsky und Rabensteiner.
ReWi
Abbildung

Kat. Nr. 4/31

## KAPITEL 5

# BILDENDE KUNST

Der Malerei und Graphik kommt im Biedermeier besondere Bedeutung zu, da in diesen Techniken wegen der damaligen Themenwahl nicht nur die künstlerischen Bestrebungen der Zeit, sondern auch wertvolle Information über die Lebensumstände geboten werden. Vor allem Werke von Peter Fendi und Josef Danhauser zeigen die (von der Tagespolitik abgewandte) Entscheidung für den Alltag des Familienlebens als Hauptthema, während Maler wie Ferdinand Georg Waldmüller, Franz Steinfeld sowie die Brüder Rudolf und Franz Alt auch in der Stadtansicht und der Landschaft das Idyllische und Intime aufsuchten. In der neuen Technik der Lithographie wurde es nun möglich, in einer weichen, subtilen Formensprache und einer raschen, billigeren Arbeitsweise die künstlerischen Vorstellungen der Zeit durch Vervielfältigung zu popularisieren.

# DAS MORALISIERENDE ELEMENT IM WIENER SITTENBILD

*Michael Krapf*

„Dem einzelnen bliebe die Freiheit, sich mit dem zu beschäftigen, was ihn anzieht, was ihm Freude macht, was ihm nützlich deucht; aber das eigentliche Studium der Menschheit ist der Mensch", so kommentierte Goethe aus „Ottiliens Tagebuch" das, womit sich in Wien in der nachnapoleonischen Zeit nach 1815 vorzugsweise bis fanatisch eine Reihe von Malern beschäftigen sollte. Was Goethe in den Erzeugnissen der Wiener Maler als „zu viel Willkürliches, zu wenig strenge Beobachtung der Regeln, Vernachlässigung des Wissenschaftlichen" sah, macht die Wiener Malerei seit dem endenden 18. Jahrhundert so eigentlich facettenreicher, abgründiger und schwerer begreifbar, weil der Verarbeitungsprozeß nicht wie in Deutschland durch Regeln, die das Einlassen der „Wirklichkeit" störten oder zumindest behinderten, verstellt war. Dieses Eindringen sogenannter Wirklichkeit, die, wie durch ein Sieb gepreßt, im Bild allmählich Gestalt gewann, ist auch tatsächlich genaugenommen ein äußerst komplizierter Komplex, der in Wien seit den Genrebildern des späten Maulbertsch und Kremser Schmidt keineswegs geradlinig verlief, sondern mehrfach gebrochen. Johann Peter Krafft[1] nimmt in diesem Konnex eine eigenartige Zwitterstellung ein: Einerseits reflektiert er – retrospektiv die Franzosen, vor allem David fortsetzend – die klassizistische Monumentalmalerei, andererseits jedoch sikkern gerade über die Schaustellungsstaffage diese wirklichkeitsnahen Szenen ein (man beachte, wie in der „Rückkehr des Kaisers Franz I. aus Preßburg" im November 1809 [gearbeitet 1828–1832] veranlaßt durch das Scheuen eines Pferdes eine „gestörte Idylle" bestehend aus den zwei dem Betrachter zugewandten Frauen und den verängstigten Kindern konstruiert wurde). Gerade die späten Hofburg-Bilder zeigen das sehr deutlich, daß die Staffage des Herrschers, das Volk, vermenschlicht wurde – verglichen mit den pathosstarken Franzosen –, ebenso jedoch schon das bedeutende Frühwerk „Erzherzog Karl mit der Fahne des Regiments Zach in der Schlacht bei Aspern" (1812). Die dem Erzherzog nachfolgenden Soldaten – er selbst ist in anfeuernder Siegespose in der Art des „Napoleon auf dem St.-Bernhard-Paß" erfaßt – weisen intensive individuelle Gemütsregungen auf: Entschlossenheit, Kampfeswille, verbissenen Ernst. Karl hatte die Fahne gerade in dem Augenblick ergriffen, als die Truppen ins Wanken geraten waren: Ein erster entscheidender Sieg über Napoleon wurde erkämpft. Interessant ist, wie Krafft die Truppen im Hintergrund Automaten gleich marschieren läßt und wie im Vordergrund eine heftige Gemütsregung – nämlich Napoleon zu besiegen – über die Formelhaftigkeit der Siegespose hinauswächst zu einer einfühlsamen Charakterstudie. Der gemeine Mann aus dem Volk, der weiß, wofür er kämpft, wird zu einem Reflektor kaiserlichen Willens. Die „Heimkehr des Landwehrmannes" (1817)[2] ist ein ebensolches berührendes Beispiel einer empfundenen Menschlichkeit, wie die Frau sich an den Landwehrmann schmiegt, Kinder und Hund den Angekommenen begrüßen bzw. beschnuppern, die Katze aus der Scheune zusieht. Hier vermischen sich nazarenische Naivität Schlegelscher Prägung mit dem Einsickern naturnaher Gehalte nach dem Ende der Abwehrkämpfe gegen Napoleon. Daß sich das zweite Paar noch nicht gefunden hat, ist ein besonders schönes und sprechendes Motiv, das an gestellte „lebende Bilder" erinnern mag. Das begeisterte Ausstrecken der Arme, das den Hintergrund förmlich zu einer Folie des Sich-Treffens dieser zwei Menschen macht, mutet wie eine Paraphrase des Erzherzog Karlschen Siegesmotives an. Daß in der zweiten Fassung von 1820 im Wiener Heeresgeschichtlichen Museum der erste Wiedersehenstaumel vorbei ist und der Landwehrmann dem Vater die Hand reicht, während die Frau schon wieder Begleiterin dieses ist (und nicht mehr in einer Art Rückblende die erste scheu eingestandene Liebe), macht das zweite, größere Bild weit zuständlicher, schildernder. So fehlt dieser Fassung die Dramatik, der erste Impetus: Auch das sich umfangen haltende Paar des Hintergrundes hat sich gefunden und muß daher ohne die elektrisierende Spannung auskommen, ohne die echt verstandene Genre-Malerei nicht lebensfähig ist. „Der Abschied des Landwehrmannes", bereits 1813 entstanden, ist noch zwiegesichtiger, unbestimmter und versucht, wie Rudolf v. Eitelberger gut beobachtet hat „... modernes Leben im Geiste eines Historienmalers anzuschauen"[3]. Das Bild ist auch noch nicht Genremalerei im eigentlichen Sinn, sondern historisierende Monumentalmalerei dem Anspruch nach, wobei der Einzelne für das Ganze, den Staat,

Kat. Nr. 5/1/24 Johann P. Krafft, Die Heimkehr des Landwehrmannes, 1820

Kat. Nr. 5/1/6 Josef Danhauser, Der Prasser, 1836

seine Pflicht zu erfüllen hat. Der Mensch als Staffage für den Herrscher, der einzelne als Rad im System, das sind grundsätzliche Vorstellungen, die erst überwunden, pauperisiert werden mußten, bevor es zu einer geläuterten Genremalerei kommen konnte. Doch eines ist spürbar: In der Abfolge „Abschied" und „Heimkehr" kündigt sich nun nicht mehr retrospektiv, sondern in Verbindung mit dem genannten „modernen Leben" ein Zyklus-Gedanke an, der eindeutig das moralische Element impliziert. Der Mensch als Dulder habe sich treu zu bleiben, auch wenn es widrige Umstände – wie etwa der Krieg – nicht so haben wollen.

In diesem Zusammenhang der Verquikkung von scheinbar antiquiertem religiösem Hintergrund und realistischer gegenwartsbezogener Darstellung nimmt eine Bilderfolge, nämlich Josef Danhausers „Prasser" (1836) und die danach entstandene und bezüglich gemeinte „Klostersuppe" (1838)[4] einen besonderen Stellenwert ein. Nicht ohne Erfolg hatte Danhauser an der Wiener Akademie als Schüler Peter Kraffts studiert. Der moralisierende Ton beruht im Sinne der Auflösung des Themas noch auf Prämissen der Aufklärung, während die durchaus moderne Salon-Verpflichtetheit und Ortsgebundenheit das Packende und Neuartige der Szenen geworden ist. In der von Adolf Bäuerle herausgegebenen Theaterzeitung wurde am 31. März 1836 über Danhausers Gemälde „Der Prasser" berichtet: „Der Künstler hat die evangelische Parabel von dem reichen Prasser und dem armen Lazarus mit dem Modernen verschwistert", weiters daß das Bild die Szene „in unsere Mitte versetzen solle", wodurch die Parabel ein größeres Interesse erhielte[5]. Deutlich wurde darauf aufmerksam gemacht, daß Danhauser damit operierte, vom religiösen Kultbild weg und zur moralisierenden Gesellschaftskritik vorzustoßen. Immer wieder finden sich darin Parallelen zu Ferdinand Raimund[6], dessen knapp zuvor entstandener „Verschwender" (1833) ebenso behäbig am reichgedeckten Tisch sitzt. Auch Danhauser bereicherte durch „Tafelfreunde", von denen Rosa im „Verschwender" sagt, sie seien Freunde der Tafel, und nicht von dem, der die Tafel gebe. In dieses Idyll tritt nun unvermittelt, wie sich aus der schutzsuchenden Geste der Freundin des Prassers erschließen läßt, als Störenfried einer „verkehrten Welt" der Bettler ein, der Müßiggang und Völlerei für kurze Zeit unterbricht, indem er mit aufgehobenem Hut um eine milde Gabe bittet. Der Bettler als „Bild des selbstgeschaffenen Jammers", wie ihn Raimund nennt, appelliert wie Waldmüllers und Fendis bettelnde Kinder an einen höheren Sinn von Gerechtigkeit. Hoffart und Stolz werden angeprangert, wenn der Bettler bei Raimund zu Wort kommt: „Oh, laßt mich nicht vergebens klagen / Seid nicht zu stolz auf eure Pracht! / Ich sprach wie ihr in goldnen Tagen / Drum straft mich jetzt des Kummers Nacht." Auch für Danhauser wird der Bettler zum Mahner für die noch mögliche Umkehr, bevor es in der „Klostersuppe" aus den wesentlichen immanenten moralischen Gründen aus der Läuterung heraus zum Rollentausch kommen mußte. Eybls, Waldmüllers, Fendis und Neders Bettler- und Hausierergestalten erfüllen stets dieselbe Funktion. In Verbindung mit dem Hund, der auf das kreatürliche Element umlenkt, soll er dem Menschen ein „Wehe, es geschieht dir wie mir" zurufen. So spielt der Hund nicht nur im Prasser-Bild eine tragende Rolle als menschenbezogene Instanz, sondern auch bei Carl Schindler, Waldmüller, Ranftl oder in der zeitgleichen Literatur. Der „Klostersuppe" bei Danhauser entspricht bei Raimund in leicht modifizierter Form die Aufnahme des „Verschwenders" durch Valentin. Die Kritik bemerkte auch sofort treffsicher, daß Danhauser mit seiner Parabel einen „Roman in Bildern" schaffen wollte, der zudem kurz und auf das Wesentliche konzentriert sei[7]. Derselbe Prasser von einst sitzt verarmt in der Vorhalle eines Klosters (begleitet von seinem Hund) und wird vom Bettler und seinem ehemaligen Bedienten, dem Mohren, erkannt, während seine einstige Freundin angeekelt flieht. Die Moral von der Geschichte[8] ist überdeutlich greifbar: Wer die von Gott gesetzten Grenzen überschreitet, wird Schiffbruch erleiden. Das Sprichwort weiß es: Hochmut kommt vor den Fall. Wie in den „Totengräberliedern" der Zeit die Vertreter der Stände, wie Fürsten, Bettler und Grafen alle gleich behandelt werden, so schwindet jede Größe, wenn ein übermächtiges Gesetz zur Ordnung ruft. Gegeben wird nur dem, der sich bemüht hat, wie etwa der „Frommen Spinnerin", deren Arbeit nach der Pflege der fieberkranken Mutter die Muttergottes beendet[9], oder demjenigen, der sich rechtzeitig bescheidet, wie das der Verschwender im Hause Valentins tut. Bei Danhauser aufgehoben im kirchlichen Bereich, bei Raimund am Land bei guten Menschen vollzieht sich die Läuterung. Indem Valentin Flottwell zum Essen einlädt, die Kinder vorführt und ihn in seine Welt aufnimmt, wird diese wieder in einem doppelten Salto als in Ordnung befindlich begriffen. Daß es zu dieser letzten Stufe der Versöhnung bei Danhauser nicht kam, hat ihn bezeichnenderweise auch die Sympathien des Publikums gekostet, das das gute Ende vermißt hat. Seine malenden Kollegen, Akademiker und Romantiker, wie es heißt, eröffneten gegen den „Naturalisten" einen Feldzug und warfen ihm „Ungeschminktheit" und „Moralpaukerei" vor, was Danhauser letztlich vom moralisierenden Fortsetzungs-Roman im Sinne Hogarthscher Gesellschaftskritik abgebracht hat[10]. Waldmüller hatte den Wert dieser moralisierenden Malerei für die Entwicklung des Genrebildes in Wien durchaus begriffen, als er über Danhauser schrieb: „Danhausers Wirken in der Kunst wird stets ein ehrenvolles für alle Zeiten seyn, besonders wenn man in Erwägung zieht, daß er zu jener Zeit mit allen Vorurtheilen zu kämpfen hatte, daß er als einer der Ersten diesen ungebahnten Weg betrat . . ."[11].

Anregungen boten in England der genannte Hogarth, vor allem durch seinen Zyklus „The Rake's Progress", sowie die englische Druckgraphik im allgemeinen, wie das die Nachlässe der Künstler, vor allem jener Ranftls im Wiener Künstlerhaus beweisen[12]. Auch die Tatsache, daß dort Genre- und Sittenszenen häufig nach Romanen und Theaterstücken gearbeitet wurden, erklärt ihre weite Verbreitung, namentlich in Wien während des Wiener Kongresses, was auch die Porträtmalerei etwa eines Friedrich Amerling unter Beweis stellt[13]. Neben Hogarths „Sittenromanen" in gemalter Form waren es David Wilkies Themen, wie die „Dorfpolitiker" und die „Zeitungsleser", die für Wien relevant wurden. Seine „Testamentseröffnung" (Neue Pinakothek in München) ist wie jene Danhausers danach gegen die Hartherzigkeit der Reichen gerichtet gewesen. Nicht ohne Einfluß dürften neben den „Narrative Pictures" die „Conversation Pieces" gewesen sein, deren „Künstler-Klubs" und „Musikalische Unterhaltungen" schon wie Vorwegnahmen von Danhausers „Salonbildern" wirken.

Der Weg vom Belehrenden der Aufklärung zum Moralisierenden wurde auch in Frankreich zwingend eingehalten. Als Vorläufer innerhalb des Metiers der Literatur müssen die bürgerlichen Rührstücke im 18. Jahrhundert angesehen werden, die ihren Höhepunkt in den moralisierenden Werken Diderots fanden: Stücke wie „Der natürliche Sohn" (1757) oder „Der Hausvater" (1758) verweisen auf eine neue Thematik, die über die „Besserungsstücke" in das Inhaltliche biedermeierlicher Moralverpflichtetheit einsickern konnte[14]. Der Weg vom aufklärerischen starr-mechanistischen Weltbild zu einem eher organisch-dynamischen Element war beschritten, wodurch das Aufstieg-Sturz-Modell letztlich auch des „Prassers" und der „Klostersuppe" bei Danhauser vorbereitet wurde. Bevor allerdings in Wien dieses „lebensertüchtigende Modell" relevant werden konnte, bedurfte es vorerst noch einer Umsetzung in die Malerei, was von Diderots Freund Jean Baptiste Greuze besorgt wurde, der mit Bildern wie „Der zerbrochene Krug", „Des Sohnes Strafe", „Das Morgengebet", „Die Dorfbraut" ab der Mitte des 18. Jahrhunderts das sentimentalische Element einführte, wobei er wie seine Nachfolger zu Beginn des 19. Jahrhunderts weder vor melodramatischen Effekten zurückschreckte noch vor scheinheiliger Naivität, die sich vor allem in den lasziven Mädchenbildnissen kundtut. Auch die Verpflanzung der tugendhaften Geschichte auf das Land, wie sie später für Raimund in der Literatur und für Waldmüller und Eybl eine so überragende Rolle spielen sollte, wird hier ohne Zweifel grundgelegt.

Daß die alten Holländer wie etwa van Berchem, Wouwerman, Steen und Terborch von der präzisen Malweise her beeinflussend wirken mußten, liegt auf der Hand, bedenkt man die Vorbildfunktion, die dadurch ausgeübt wurde, daß diese Bilder in den adeligen Sammlungen ebenso wie in der kaiserlichen in Wien studiert werden konnten[15]. Diese niederländischen Vorlagen eines Teniers, van der Neer oder Gerard Dou waren vor allem für Danhauser wichtig, der mit dem Kunstsammler Rudolf v. Arthaber nach Belgien und Holland gereist war, wo er flämische und holländische Kunst kennenlernen konnte[16]. Vor allem Jan Steens „Lustige Gesellschaften" dürften Danhausers Prasser-Genese mitgeformt haben: das satirische Element, demzufolge bei Steen eine Frau ein Hündchen füttert, während der arme Mann daneben vergeblich um einen Bissen bittet, war für Wien von Danhauser allerdings entschärft worden, wie letztlich auch die Aggressivität der Engländer.

Der seltsame Kitzel, der sich aus dem Widerspruch zwischen scheinbarer Aufrichtigkeit und kleinbürgerlicher Verlogenheit ergab, ist das eigentlich klitternde Elixier, aus dem heraus die „Moral von der Geschichte" entwickelt werden konnte. Die Vorstellung, daß Verhaltensmuster wie „Am Lande lebt es sich besser", „Ehrlich währt am längsten", „Hochmut kommt vor dem Fall" doch letzten Endes zum Ziel innerhalb eines „rechten Lebens" führen mußten, ist hinter einer oft marionettenhaften Betulichkeit stets gegenwärtig. Allerdings handelt es sich bei der rhetorisch bestimmten äußerlichen Betriebsamkeit des Diderot-Kreises im

Hinblick auf den Wiener Kulturkreis lediglich um eine Initialzündung. Erst in Wien war nach einer langen Strecke des Weges – mitgeprägt durch die Kosmologie der barocken Volksfrömmigkeit – das Besserungsstück an seinem Ziel angekommen, ja eigentlich schon wieder aufgehoben worden, wenn man an die Weltweisheitsformeln bei Raimund denkt[17]. Das „Umkippen“ von positiver Welttüchtigkeit zur melancholischen Weltbeschau war in der Literatur unbestritten Raimunds Domäne, der erstmals „Ursache“ und „Wirkung“ des Leidens an der Welt in seine Rechnung einbezog. So sagt beispielsweise der Bettler im „Verschwender“, daß der Gram ihn begleite, worauf Flottwell äußert: „Er (der Gram) ist nur Wirkung, heb' die Ursach auf“. Darauf in einer Schlüsselstelle der Bettler, woran die bildende Kunst der Zeit im „Tiefgang“ selten anzuschließen imstande war: „Vermögen Sie die Ursach Ihrer Lieb zu tilgen“. Neben Raimund beschäftigte diese Spannung zwischen Oben und Unten im sozialen Gefälle, zwischen der Vorstellung des Sich-Zurechtfindens in der Welt und der Gewißheit „daß man eh' nichts ändern kann“ vor allem Johann Nestroy, der mit „Zu ebener Erde und erster Stock“ (1838) einsetzt und die alte Thematik eines „doppelten Weltmodells“ wieder aufgriff, wie das zehn Jahre vorher Raimund initiiert hatte. „Der Bauer als Millionär“ (1826) war allerdings noch ein Feenstück gewesen, das harte soziale Gegensätze durch eine Deus-ex-machina-Taktik in Harmonie auszugleichen pflegte.

In diese ohne Zweifel vorhandene Lücke zwischen Besserungsstück und beginnendem Realismus gehören die ersten zukunftsweisenden Äußerungen des Genrebildes in Wien. Sie bestehen aus denselben Elementen, wie sie den moralisierenden Stücken der Zeit zwischen 1820 und 1830 zur Verfügung standen: Die Versatzstücke des werdenden Genrebildes des Biedermeier sind demzufolge immer wieder dieselben, wie sie bei Waldmüller, Fendi, Eybl, Schindler, Danhauser, Ranftl und Reiter zur Verwendung kamen. Bindend war dabei ohne Zweifel das unumstößliche patriarchalische Prinzip, das in der kaiserlichen Pantokrator-Gestalt seine wirkungsvolle Sanktionierung hatte. In dieser hatte die soziale Pyramide im Großen wie im Kleinen zu gipfeln. Das kam ebenso in Gedichten wie „Lebe hoch mein Österreich“ zum Ausdruck, wo „der gute Kaiser Franz herrschend in der Milde Glanz“ gezeichnet wurde[18], wie im bindenden Alltagsverständnis. Für ein langes Leben der kaiserlichen Vaterfigur wird ebenso gebetet wie für das Wohlergehen des Völkervaters, der den Staat lenkt wie in der kleinbürgerlichen Welt der Meister seine Gesellen (vgl. etwa Neders und Eybls Werkstattbilder)[19]. Die Erziehung der Kinder aller Stände wird zum Anliegen Johann H. Pestalozzis, der nach pädagogischen Grundsätzen am Genfer See eine neuartige Erziehungsanstalt verwirklichte. Seine Schrift „Wie Gertrud ihre Kinder lehrt, ein Versuch, den Müttern Anleitung zu geben, ihre Kinder selbst zu unterrichten“ zeitigte direkte Auswirkungen nicht nur in den Bilderbögen der Zeit, deren Distribution ungeheuer war[20], sondern auch in den Bildern Waldmüllers und vor allem Fendis. Die sorgende Frau und Mutter spielt die zentrale Rolle im „Fronleichnamsmorgen“, im „Familienbildnis Eltz“, in Amerlings Arthaber-Bild, in Fendis „Abendgebet“, „Kindliche Andacht“ usw. Die Vorstellung „Lasset uns wie die Kinder werden“ und jene vom kindlich reinen Gemüt findet über die Religion Eingang in die Bildwelt, woraus letztlich das Thema der „Mutterliebe“ bei Danhauser ebenso entwickelt wurde wie jenes der Bestrafung bei Nicht-Einhaltung der Ordnung (allerdings wird diese negative Seite meist nur in ihren Auswirkungen etwa in den Gesichtern der Betroffenen spürbar). Natürlich gibt es auch den Widerspruch gegen den Allmachtsanspruch dieses Modells vom „rechten Leben“, wie ein solcher etwa durch Bettina v. Arnims kühne Schrift „Dies Buch gehört dem König“ (1834) laut wurde[21]. Es überwog jedoch in der Regel der kalmierende Effekt des Vertuschens der Brisanz der mit der Jugendverelendung zusammenhängenden „sozialen Frage“, wie sie sich in den Bettel- und Hausiererkinder-Bildern zeigt. Auch die Großvater-Mutter und Kind-Thematik erscheint biblisch im Rührstück des Wiener Sittenbildes abgeleitet (vgl. Waldmüllers Fronleichnamsmorgen, Christbescherung, Großvaters Geburtstag). Die Rückbesinnung auf den „bäuerlichen Ursprung“ spielt eine bemerkenswerte Rolle für den Beginn des Genrebildes (wie aus Neders „Bauernbildern“ ersichtlich), wie die Schlichtheit des Lebens- und Menschentums im allgemeinen, durch die vielen Rudolf-von-Habsburg-Legenden und Kaiser-Maximilian-Vorbildstücke aus dem nazarenischen Bereich in das Genrebild hineingetragen[22].

Kat. Nr. 5/1/47 Ferdinand G. Waldmüller, Großvaters Geburtstag, 1845

Dem Kreislauf des Lebens-Gedankens zufolge kam neben „des Lebens Mitte“ mit Liebe und Abschied dem „hohen Alter“ als scheinbare Vollendung des

Erdenlebens besondere Bedeutung zu. Meyerheim malte „Großvaters Liebling", Waldmüller „Großvaters Geburtstag", Richter verherrlichte das Alter im Holzschnitt („Der Abend, das Beste"), Jacob Grimm hielt eine Rede „Über das Alter"[23]. In diesem Zusammenhang des Vergegenwärtigens des Abnehmens der Vitalkraft erscheinen Typen wie „Der Aschenmann" bei Raimund, in denen Hochmut und Stolz ad absurdum geführt werden, in der bildenden Kunst etwa „Der Invalide" bei Waldmüller, der sich „Der Unschuld", ausgedrückt durch das Kind, zuneigt.

Als dessen Antipode tritt, wie eingangs erwähnt, als Vertreter einer bis dahin gemiedenen Randgruppe der Bettler auf, der – so sah es die Gesellschaft – selbstverschuldet in diese Situation gekommen sei, wie Flottwell im „Verschwender" meint, wenn er zum Bettler sagt: „Was willst du hier von mir, du grauenhaftes Bild des selbstgeschaffnen Jammers". Wir kennen ihn in der Folge in vielerlei Gestalt, wobei meist weichherziges Mitgefühl ihm das Kainsmal des Ausgestoßenen zu nehmen sucht: Franz Eybl kennt ihn als alten Mann mit abgeklärt-geistigem Gesicht in romantischer Alpenlandschaft aufgehoben. Waldmüller kleidet dieses Thema ein: „Christtagmorgen" (1844), „Der blinde Bettler" (1850) lassen den Bezug zu „Abraham und die drei Engel" ebenso deutlich werden wie das Bibelwort, daß die Hungernden gespeist werden sollten. Das Betteln-Gehen wird in alle Bereiche des Lebens ausgeweitet, auf Jugend und Vaterland bezogen, was Gedichte wie „Der Bettelknabe von Luzern"[24] ebenso belegen können wie Nikolaus Lenaus Vision vom bettelnden Vaterland: „Ein weinender Bettler, stand am Weg/ Das arme Vaterland/ Und flehte dich an um milde Pflege/ Mit aufgehobner Hand"[25]. Gedichte wie „Dienstlos", wo ein „bleicher Mann" sich anbietet, sich für andere sterben zu legen, oder die noch weit erschütternderen Chamissos führen eindeutig schon das Problem der Verelendung vor, das der Industrialisierung folgte, die dem kleinen Handwerk den Boden entzog. Durch Gründung von Armenhäusern versuchte man der sozialen Lage Herr zu werden, ohne allerdings mit der rasanten kapitalistischen Industrialisierung Schritt halten zu können. Waldmüllers Bilder zeigen auch diesen Schritt der vorindustriellen Entwicklung nach 1830:

Kat. Nr. 5/1/49 Ferdinand G. Waldmüller, Die Pfändung, 1847

Ferdinand G. Waldmüller, Die Kinder armer Eltern werden von der Gemeinde Spittelberg am Michaelitag mit Winterkleidern beteilt, 1857

vgl. etwa die „Pfändung“ (1847) auf der einen Seite, oder „Die Kinder armer Eltern werden von der Gemeinde Spittelberg am Michaelitag mit Winterkleidern beteilt“ (1857). Sogar in der Erbauungsliteratur der Zeit werden Reden zur Gründung von Armenhäusern gehalten, die das soziale Elend diskutieren, veröffentlichen und dadurch lindern sollten[26]. All das mündet über Begriffsbilder aus „Liebe“, der oft heilende und so klitternde Funktion zukommt, und „Abschied“ (man denke an Peter Kraffts Initialzündung, den „Abschied des Landwehrmannes“ von 1813) in der Bilderbuchromantik der Restaurationsideologie. Fendis „Albumblatt“[27] führt den kleinen Kreis des Lebens mustergültig vor: das Normal-Leben erschöpft sich in Geburt, Kindheit, Ausbildung (in Form von Schule und Militärdienst), Liebe, Ehe, Alter und Tod. Selbstredend wurden diese Gestaltungen der Begriffe integrierend entwikkelt, d. h., daß sie in der bildenden Kunst nebeneinander etwa gleichzeitig zwischen 1820 und 1830 auftraten und ab dieser Zeit den immer wiederkehrenden Haushalt des Genrestückes in Wien ausmachen.

In diesem Zeitraum hielt sich Sozialkritik und moralisches Engagement in Grenzen: Die Erarbeitung neuer szenischer Zusammenhänge (vgl. Kraffts „Heimkehrenden Landwehrmann“, 1820) und neuer Typen[28] (vor allem auch durch Waldmüller: vgl. seinen „Pfeifenrauchenden Mann mit Knaben“, 1822, als Taglöhner dargestellt, seinen „Invaliden mit Kindern“, 1827) brachte vorerst Probleme der Bewältigung des Bildganzen mit sich. So sind in dieser Frühzeit des sogenannten Konversationsstückes noch Mischungen mit dem Kultbild an der Tagesordnung. Waldmüller verwendet in „Die Ruine“ (1823) den sakralisierenden Rundbogen wie Ferdinand Olivier, Scheffer v. Leonhardshoff und Schwind[29] oder das weinlaubumfangene Fenster in einem „Mädchenbildnis“ (1821), das überdeutlich an Overbecks „Bildnis Franz Pforr“ gemahnt.

Erst in der zweiten Hälfte der zwanziger Jahre wird das soziale Mitempfinden deutlicher, wenn in der „Szene nach dem Brand von Mariazell“ (1827) das Elend nur mehr mühsam durch Folkloristik überspielt erscheint. Demselben Genre des „Katastrophenbildes“ gehört Fendis „Überschwemmung in Wien“ (1830), als Nachzügler die „Überschwemmung in Pest“ (1838) von Ranftl an, wo durch Berichterstattung deutlich wurde, wie das Grauen über das erbarmungslos steigende Wasser vor allem in der Leopoldstadt um sich griff[30]. Jedoch kann im Bild Fendis noch immer dem Schicksal die Schuld angelastet werden, nicht der Gesellschaft, die ebenfalls – als mitbetroffene – um das Leben ringt oder hilfreich einspringt, was den Quellen glaubwürdig entnommen werden kann[31].

Kat. Nr. 5/1/15 Peter Fendi, Der frierende Brezelbub vor der Dominikanerbastei, 1828

Jedoch sollte ab diesem Zeitpunkt die Verschuldensfrage die entscheidende werden: Fendi trat noch 1828 mit seinem „Frierenden Bretzelbub bei der Dominikanerbastei“ an die Öffentlichkeit, gefolgt von Waldmüller mit dem „Bettelknaben auf der Hohen Brücke in Wien“ (1830). Der sozialkritische Gehalt der beiden Bilder ist unverkennbar, jedoch tritt das moralisierende Element insofern durch die Hintertüre ein, als der Rezipient des Bildes angehalten werden sollte, den Randgruppen durch Mildtätigkeit entgegenzukommen. Der eigentliche sozialkritische Bereich tritt in den Jahren von 1830 bis 1840 noch einmal in den Hintergrund: Das moralisierende Element überwiegt, wie aufgezeigt, bei Danhauser, der zu Beginn der dreißiger Jahre vom religiösen Genre zum Sittenbild vorstieß. Mit dem „Reichen Prasser“ (1836) und der „Klostersuppe“ (1838) wird der Weg der Parabel – wie in der Literatur der Zeit – gangbar, bevor nach heftiger Kritik am Inhalt das „Daseins-

Carl Schindler, Der letzte Abend eines zum Tode verurteilten Soldaten, 1840

bild"[32] als Ausweg aus dem aufgezeigten Dilemma gewählt wurde.

Allein Waldmüller und Carl Schindler (bis zu einem gewissen Grad Neder)[33] gehen den Weg des Engagements von 1840 bis 1850 weiter, bevor Ranftl und der Linzer Johann Baptist Reiter[34] neue Töne anschlugen und die Grenzen des althergebrachten Genrebildes aufzeigten. Waldmüller berührte die „soziale Frage" schon 1834 im „Christtagmorgen", indem er noch an die Mildtätigkeit appellierte, schon später in der „Pfändung" (1849), wo die Ungerechtigkeit des Schicksals aufgezeigt wird und das Sich-Wehren-Können des einzelnen gegenüber der Maschinerie des Anonymen der Gerichte an einen Grenzwert gelangt. Im „Letzten Abend eines zum Tode verurteilten Soldaten" (1840) Schindlers tritt noch einmal das moralisierende Element mit ganzer Deutlichkeit in den Handlungsvordergrund, wenn dem Abgeurteilten Eltern, Braut und Kapuzinermönch letzten Beistand leisten. Die pathetische Dreieckskomposition in der in das Monumentale gesteigerten Bauernstube schließt an das akademische Erbgut der Kreuzigung an, worauf schon Haberditzl und Schwarz[35] aufmerksam gemacht haben.

Nach der Revolution von 1848 gehört die mitleiderregende Wirkung des Vormärz der Vergangenheit an[36], was heißt, daß das moralisierende, bessernde Element als nicht mehr tragfähig empfunden wurde. Ranftls Kunst muß als die aggressivste in diesem Zusammenhang gewertet werden. Seine „Zwei Kinder mit Schwefelhölzern hantierend" (1852) und die „Bettelnden Kinder auf dem Glacis" (1853) sind neben Waldmüllers „Klostersuppe" (1858), neben dem „Bettelnden Knaben vom Magdalenengrund" (1863) und Reiters „Arbeiterbildnissen" (1848) die letzten Äußerungen einer im Grunde schon unglaubwürdig gewordenen Beschönigung des Lebens in seiner als nackt empfundenen Tatsächlichkeit.

Bezieht man in diese Betrachtung die formale Rechnung ein, ist auffallend, daß ein offensichtlicher Widerspruch zwischen dem moralisierenden Charakter der Bilder[37] und der penibel-exakten und „bunten" Malweise besteht, die allerdings wiederum, vor allem bei Waldmüller, kritisiert wurde. Das verwundert nicht weiter, bedenkt man, daß anfangs das gehobene Bürgertum (und bald auch der Adel) die bestimmende Abnehmerschicht dieser Bilder gewesen ist, welche auf handwerklich-gediegene Ausführung allergrößten Wert legte[38]. So lesen wir noch in einer späten Kritik bei Hevesi (1903)[39], daß Danhauser die „biedermännische Moral seiner Szenen geschadet" habe, „während seine malerische Vortrefflichkeit nicht hinreichend begriffen" wurde. Daß allerdings gerade in Wien diese „malerische Vortrefflichkeit" die unbedingte Voraussetzung für jeden Erfolg gebildet hat, beweisen die angestellten Vergleiche mit der besonders anspruchsvollen Kabinettstückmalerei (die sich der Adel gewünscht und aufgehängt hat) und die Schwierigkeiten, mit denen Neder zu kämpfen hatte, der zugunsten neuer Effekte den Bereich des Bravourösen verlassen wollte und dafür nicht nur von Waldmüller auf das schärfste kritisiert wurde[40].

Die gewisse Vordergründigkeit in der Theatralik hat schon bei den Zeitgenossen das Problem der Glaubwürdigkeit solcher Darstellungen, die letzten Endes doch wohltemperiert das Schicksal des Menschen aufzeigen, auf den Plan gerufen. Der Kritik bis in neueste Zeit blieb dieser latent vorhandene Widerspruch nicht verborgen, auch wenn immer wieder verschiedene Gründe angeführt wurden, weshalb diese Bilder „unwahr" wirken würden. So fand innerhalb der neuesten Phase der Wiederentdeckung des Genrestücks Willi Geismeier (1979)[41], daß die Künstler eine Kunstwirklichkeit geschaffen hätten, die der eigentlichen Lebenswirklichkeit entrückt sei bzw. daß die letztlich angestrebte Unverbindlichkeit dem Geschmack der aristokratischen und bürgerlichen Schichten entsprach, die wohl Belehrung, jedoch nicht Kritik an den herrschenden Verhältnissen angebracht fanden. Auch Ute Immel (1980)[42] glaubte eine versuchte Synthese aus Detailrealismus und gefühlvollem Verklären der eigenen Umwelt feststellen zu können. In allen Fällen der Kritik müßte jedoch in Rechnung gezogen werden, daß das Realismusverständnis im heute gültigen Sinn (geprägt vor allem durch die französische Kunst mit Courbet seit der Mitte des 19. Jahrhunderts) erst schrittweise erarbeitet werden mußte. Letztlich heißt das, daß das durch die Entwicklung geschärfte Realismusverständnis im nachhinein auf die Entwicklung des Realismus in Österreich projiziert worden ist, wobei die milde Form des Beispielgebens und Mahnens etwa in den Bildern von Danhauser als schwache und vor allem süßliche Form einer frühen Sozialkritik angesehen werden konnte. Aus Waldmüllers lobenden Worten über Danhausers Rolle bei der Installierung des Genrebildes in Wien geht jedoch hervor, wie sehr er die moralisierende Tendenz im Genrebild als durchaus neue Kraft für den Menschen ansah: „Überall ist es die Moral, die bessernd veredelnd wirken soll. Das ist zuförderst die Aufgabe der Kunst, ohne diese Lösung ist sie unnützer Tand, ja auch von schädlichem Einflusse“[43]. Das szenische Theater des Händeringens, Weinens und Lamentierens wurde ebenso als Naturwahrheit empfunden, nicht etwa als Gefühlsduselei (als was sie ein puristisch-nackter Realismusbegriff verstehen könnte) wie etwa die Szenen der „Pfändung“, der „Bettelnden Kinder“ als Bilder sozialer Härten, bevor es zu einer angeblich echteren Sozialkritik nach der Revolution etwa bei Ranftl kommen konnte. Ging die Spannung der sozialen Gegensätze zu weit, wich man vor 1848 aus und bediente sich der Form der Satire (vgl. Danhausers „Hundekomödie“, 1841, oder Ranftls Illustration zur „Republik der Tiere“, 1848)[44]. Bevor es zum ungeschminkten „Existenzbild“ und damit zur reinen sozialen Anklage nach der Jahrhundertmitte kommen konnte, war und blieb es das menschliche Mitgefühl in all seinen Facetten, mit Hilfe dessen die Welt in Ordnung begriffen werden sollte, wie zu Beginn dieses Zeitraums eine menschlichere Kunst – und damit ein menschlicheres Leben – von der katholischen Kirche erwartet worden war.

**Anmerkungen:**

[1] M. Frodl-Schneemann, Johann Peter Krafft, Wien – München 1984.

[2] Frodl, Tafel 22, Kat. 80.

[3] Rudolf v. Eitelberger, zit. n. Frodl, Kat. 56.

[4] Zu Danhauser vgl. die Arbeiten von A. Roessler. Josef Danhauser, Wien – Leipzig o. J., S. 25 und ders.: Josef Danhauser, Wien 1946, S. 40, 52 und E. Friedmann, Josef Danhauser, o. J., S. 17 (mit interessanten Exzerpten zum gegenständlichen Problem im Anhang). Zusammenfassend abgehandelt bei V. Birke, Josef Danhauser, 284. Ausst. der Albertina Wien, März bis Mai 1983, Kat. 28, 31.

[5] Rössler, zit. Anm. 4, S. 25.

[6] Ferdinand Raimund im lit. Kontext: K. Eibl, Vom Feenzauber zur Diskursfigur. In „Aurora“, Jb. der Eichendorff-Gesellschaft, 1979, S. 176; auch: E. Seybold, Das Genrebild in der deutschen Literatur, Studien zur Poetik und Geschichte der Lit., Bd. 3, Stuttgart 1967, S. 122, 220.

[7] Rössler, zit. Anm. 4, S. 25. Ein Wiener Chronist meldet eine rührselige Geschichte „aus dem Leben“, die sich im Leibenfrostischen Kaffeehaus in der Plankengasse abgespielt haben soll: „Der eine Spielhausgast, früher wohlhabend, starb als Bettler, der andere, vormals ein Bettler, starb als reicher Mann. – Der erstere hatte den Kern seines Vermögens dort verspielt und sank und sank. Der andere hatte keinen Heller besessen, dort aber Taler und Dukaten zugeworfen bekommen, gesammelt, gewirtschaftet und stieg und stieg. Nichts ist alltäglicher; es ist wahr“.

[8] Besonders im Theater wurde aus volksverbessernden Gründen auf diese Moral Wert gelegt: vgl. F. Hadamowsky, Das Theater in der Wiener Leopoldstadt 1781–1869, Wien 1934, S. 275, wo ein Stück erwähnt wird, das direkt Danhauser nachgestellt ist, was auch auf die Zugkraft der Bilder zurückdeutet: „Vergeltung oder Der Prasser und die Klostersuppe. Genre Gemälde nach 2 Bildern von Danhauser von Benedict Freiherrn von Püchler“. Das Stück kann als verwässerter „Verschwender“ angesehen werden, zeigt jedoch treuer als dort den „Speise-Salon/ganz nach dem Gemälde Danhausers“ und im 2. Bild einen „Saal im Hospital 2 Coulissen tief nach dem Gemälde Danhausers“.

[9] In „Der Sammler“ 1831, S. 55.

[10] Vgl. seinen weiteren Weg mit „Romanlektüre“, „Liszt am Klavier“, „Mutterliebe“.

[11] Zum Genrebild in Wien: E. H. Zimmermann, Das Alt-Wiener Sittenbild, Wien 1923; B. Grimschitz, Die österreichische Zeichnung im 19. Jahrhundert, Wien 1927; Kat. der Genossenschaft der bild. Künstler Wiens, Ausst. „Das Wiener Sittenbild des 19. Jahrhunderts“, Wien 1931; W. Buchowiecki, Das Sittenstück. – Die Sittenstückmaler, in: Geschichte der Stadt Wien, Hg. v. Verein f. Gesch. der Stadt Wien, N. R. Bd. VII, Wien 1955, S. 130, 173; im speziellen: H. Kaut, Das österreichische Sittenbild, in: Kat. der Ausst. Romantik und Realismus in Österreich, Schloß Laxenburg 1968, S. 64.

[12] Zum englischen Einfluß vgl. G. F. Hartlaub, Die großen englischen Maler der Blütezeit 1730–1840, München 1948, S. 163; als neuere Arbeiten: S. Sitwell, Narrative Picture (A Survey of English Genre and its Painters), London – New York 1969; und ders.: Conversation Pieces, London – New York 1969. Im Zuge der Aufarbeitung und Katalogisierung des Graphikbestandes des Wr. Künstlerhauses fanden sich v. a. im Ranftl-Nachlaß eine Reihe von Theaterszenen englischer Provenienz, die Ranftl offensichtlich aus England zu Studienzwecken mitnahm. Für diesbezügliche Mitteilungen bin ich meiner Frau Dr. Almut Krapf-Weiler sehr zu Dank verpflichtet.

[13] G. Probszt, F. v. Amerling, Wien 1927.

[14] L. Hourticq, Geschichte der Kunst in Frankreich, Stuttgart 1912, S. 275, Abb. 539–542; auch W. Graf Kalnein und M. Levey, Art and Architecture of the 18th Century in France, 1972.

[15] Vgl. M. Poch-Kalous, Niederländischer Barock und Wiener Biedermeier. Bemerkungen zu J. Danhauser, in: Mitt. der Österr. Galerie 1966, Jg. 10, Nr. 54, S. 27. Zur Vorbildfunktion der Niederländer: H. Kretschmer, Biedermeier, Heyne Stilkunde München 1980, S. 32. Bei Raimund wird über die Niederländer bzw. -Mode gewitzelt. Dumont trifft eine Bettlerin und sagt: „Sie sein so mahlerisch verlumpt“. Die Runzeln gefallen ihm und er sagt: „Du sein wahrhaft aus der niederländischen Schule“.

[16] Vgl. das Skizzenbuch in der Albertina, Inv. Nr. 26559.

[17] Man denke etwa an: „Am End weiß keiner nix“. Zur Wandlung der Frömmigkeitsvorstellung vor allem H. Aurenhammer, Lexikon der christlichen Ikonographie, Bd. I, Wien 1959 ff., S. 632.

[18] „Der Sammler“, 1833, S. 473; 1834, S. 475.

[19] Man denke an Neders „Schusterwerkstatt“ und Eybls „Schmiede“ in der Österreichischen Galerie in Wien.

[20] G. Böhmer, Die Welt des Biedermeier, München 1968, S. 71.

[21] Zit. nach W. Geismeier, Biedermeier, Leipzig 1979, S. 44.

[22] Man denke an die Entwicklung des Rudolf-Themas etwa bei Pforr, Karl Russ, Schnorr, Führich und Krafft, um nur einige Beispiele zu nennen.

[23] Böhmer, zit. Anm. 20, S. 72.

[24] „Der Sammler“ 1834, S. 316.

[25] Aus dem Gedicht „Am Grab eines Ministers“.

[26] „Der Sammler“ 1834, S. 173, 164.

[27] Albertina, Inv. Nr. 28.409. Vgl. H. Adolph, Kat. P. Fendi, Österreichische Galerie 1963.

[28] Besonders gut in der volkskundlichen Graphik nachweisbar: Man denke an Brands Kaufruf-Darstellungen, an die Typen Jacob Gauermanns für „Voyage pittoresque en Autriche“ (ab 1809) und an jene Josef Lanzedellys für den städtischen Bereich ab 1818. Vgl. R. Waissenberger, Vienne. L'époque du Biedermeier, Fribourg 1985.

[29] Vgl. Oliviers Salzburger Landschaften, etwa Schwinds „Brotschneider“ in der Österreichischen Galerie.

[30] Vgl. H. Tietze, Das vormärzliche Wien, Wien 1925, Abb. 53.

[31] Tietze, S. 68 (Franz Sartori). Auch M. Krapf, F. G. Waldmüller und seine Genrebilder, Wiss. Zeitsch. d. E. M. Arndt-Univ. Greifswald 34 (1985) 1–2, S. 65.

[32] Zu diesem Aspekt bei Waldmüller vgl. Krapf, zit. Anm.31.

[33] Vgl. K. Hareiter, Michael Neder, Wien 1948.

[34] A. Strobl, Johann Baptist Reiter, Wien – München 1963.

[35] F. M. Haberditzl u. H. Schwarz, Carl Schindler, Wien 1930, S. 14.

[36] Vgl. Kaut, zit. Anm. 11, für Waldmüller M. Buchsbaum, Ferdinand Georg Waldmüller, Salzburg 1976.

[37] Vgl. Böhmer, zit. Anm. 20, der besonders die Druckgraphik in diesem Zusammenhang betonte, die auf weite Bevölkerungsschichten einwirkte.

[38] Sogar bei Waldmüller wird bisweilen festgestellt, daß es an „Harmonie bzw. Einheit des Effektes“ mangle, die bei Teniers oder Ostade gegeben wären. Vgl. R. Eitelberger, Die Reform des Kunstunterrichtes und Prof. Waldmüllers Lehrmethode, Wien 1848, S. 52.

[39] L. Hevesi, Österreichische Kunst im 19. Jahrhundert, 1. Teil 1800–1848, Leipzig 1903, S. 64.

[40] Bezeichnend ist folgende Stelle: „Zu dieser Zeit habe ich [Neder] in der Lambergischen Galerie den Zeitungsleser von Ostade kopiert, wo mich der Prof. Waldmüller schon im Anfang gepeinigt hat und es war ihm nicht recht, daß ich die Kontur mit Bleistift und nicht mit Kohle gezeichnet habe, auch sagte er, wenn das Bild nicht wie das Original würde, müßte es ruiniert werden, ich sagte ihm, daß keine Kopie wie das Original würde und wenn es der Meister selbst kopieren würde (zit. nach Hareiter, S. 16).

[41] Geismeier, zit. Anm. 21, S. 184.

[42] U. Ricke-Immel, Die Düsseldorfer Genremalerei, in Kat. der Ausst. Die Düsseldorfer Malerschule, Kunstmuseum Düsseldorf, 1979, S. 149.

[43] Buchsbaum, zit. Anm. 36, S. 127.

[44] A. Krapf, Johann Matthias Ranftl als Illustrator von Eduard v. Bauernfelds „Republik der Thiere“, Wiss. Zeitsch. der E. M. Arndt-Universität Greifswald 34 (1985), 1–2.

# LANDSCHAFTS-MALEREI

*Gerbert Frodl*

Die Landschaftsmalerei gehört zu jenen Teilbereichen der bildenden Kunst, die im Wien des 19. Jahrhunderts zeitweise eine eigenständige und im Zusammenklang der europäischen Strömungen unabhängige Rolle spielen konnte. Dies gilt vor allem für die Jahre um 1830, als sich das seit der zweiten Hälfte des 18. Jahrhunderts entwickelnde Interesse für die Darstellung der Natur in einem ersten Höhepunkt eindrucksvoll konzentriert zeigte. Der Weg führte nicht in einer linearen Entwicklung dahin, sondern erreichte sein Ziel aus verschiedenen Quellen und Voraussetzungen, die nicht immer in gleicher Weise zum Vorschein kamen. Es würde in diesem Rahmen zu weit führen, die Grundlagen allesamt zu verfolgen und aufzuzählen. Die neue Hinwendung zur Landschaft und ihrer Darstellung, die um 1800 intensiv einsetzende Beschäftigung mit der Natur ging zweifellos von Frankreich aus, wo die Schriften von Jean Jacques Rousseau (1712–1778), die u. a. die Veherrlichung der unberührten Natur im Gegensatz zum Leben in den verderbten Großstädten predigten, die Basis für eine Entwicklung bildeten, die bald die meisten europäischen Zentren ergriff. Einerseits wurde dadurch die romantische Sehnsucht nach einem Paradies auf Erden genährt (verschiedene Maler verliehen dieser Sehnsucht Ausdruck, zum Beispiel Joseph Anton Koch, 1768–1839), andererseits wurden jene Gedanken forciert, die auf eine individuelle Auseinandersetzung mit der Natur hinzielten. Besonders in der Landschaftsmalerei schuf sich Wien eine Sonderstellung im Rahmen der europäischen Kunst. Dies hing mit verschiedenen Gegebenheiten, vor allem mit der Leistung eines einzelnen Künstlers, nämlich Johann Christian Brands (1722–1795), zusammen, dessen Werk und dessen Lehrtätigkeit an der Wiener Akademie den Weg bis weit ins nächste Jahrhundert hinein wiesen. Wiens bedeutende Rolle auf diesem Gebiet hing wohl auch mit der besonderen Affinität zusammen, die das hiesige Publikum zur Landschaft, zur Natur rings um die Stadt entwickelte.

Beschränkt man sich auf die Darstellung der Wiener Verhältnisse – diese Beschränkung fällt nicht schwer, da Wien in der ersten Jahrhunderthälfte das Zentrum war, das alle bedeutenderen künstlerischen Kräfte an sich zog –, muß Brand als Ausgangspunkt der lokalen Entwicklung zum späteren realistischen Landschaftsbild gesehen werden. Topographisch genaue Wiedergabe von vertrauten Landschaftsformationen der Umgebung Wiens war neu im Gegensatz zu den mehr oder weniger phantasievollen Kulissenlandschaften, die bisher dominiert hatten und die, wenn auch am Rande, bis weit ins 19. Jahrhundert weiterlebten. Neu im Werk Brands war aber auch die Andeutung atmosphärischer Verhältnisse, von Licht und Wetter. In einzelnen kleinformatigen Bildern (Abb. S. 157) bestimmen diese sogar die Bildkomposition. Sie wurden in einem weit höheren Maß richtungsweisend als die zum Teil künstlerisch hochstehenden Ansichtenwerke, die seit dem späten 18. Jahrhundert zunehmend in der Gunst des Publikums standen und in deren Rahmen bedeutende Künstler wie Johann Ziegler, Carl Schütz, Laurenz Janscha, Jakob Gauermann und Jakob Alt beschäftigt wurden.

Die reife Biedermeierlandschaft ist jedoch nicht eine bloße – wenn auch noch so virtuos erscheinende – Ansammlung von Fakten, sondern die individuelle künstlerische Auseinandersetzung des Malers mit dem von ihm gewählten Motiv. Sie ist der Ausdruck einer Einstellung zur Natur, zur Umwelt, zum eigenen Leben. Diese Landschaften sind auch Ausdruck eines Lebensgefühls, das sich in ihnen niederschlägt. Dieses Lebensgefühl wird von mehreren Komponenten getragen: einerseits von einem neuen Selbstverständnis des Individuums, ausgehend von den durch die von der Französischen Revolution gegebenen Anstößen, andererseits durch das bereits angesprochene neue Verhältnis zur Natur und durch das im Wandel begriffene Verhältnis des einzelnen Menschen zum Staat. Das biedermeierliche Lebensgefühl bedeutete nicht nur das sich Hineinfinden in die von der Obrigkeit verfügten, zum Teil sehr einschneidenden Maßnahmen wie Zensur, Bespitzelung oder Abschneiden von Informationen aus dem Ausland, sondern es bedeutete auch etwas Positives: Selbstbewußtsein, die Freude an der Tatsache, daß die lange allgemeine und persönliche Bedrohung durch den Krieg ein Ende

J. Chr. Brand, Blick auf Wien vom Bisamberg, um 1790 (Österreichische Galerie)

F. Loos, Der Mönchsberg in Salzburg mit dem Pulverturm, 1826 (Österreichische Galerie)

gefunden hatte, die Suche nach neu zu formulierenden Idealen und auf der anderen Seite die direkte Konfrontation mit der Natur. In der Literatur äußert sich das ebenso vielfältig wie in der bildenden Kunst. Überspitzt könnte man konstatieren, daß die Kunst der Biedermeierzeit nicht von einem Stil bestimmt wurde, sondern von diesem Lebensgefühl (das eben unvollkommen zu charakterisieren versucht wurde). Von Brand ausgehend, dessen kleine Studien einen Vorgriff auf die Stimmungsmalerei einer späteren Zeit bedeuteten, entstand in Wien eine Tradition der Landschaftsauffassung, die bis zu den flimmernden Wiesenbildern Gustav Klimts reicht. Brand war allerdings nur einer, wenn auch ein entscheidender unter verschiedenen Ansatzpunkten. Dazu gehörten die erwähnten Maler topographischer Ansichten, deren bedeutendster Laurenz Janscha (1749–1812) war. Er und andere bildeten die Brücke von der barocken Vedute zu den lebensvollen und lichtdurchtränkten Ansichten von Vater und Sohn Alt und zu den Landschaften Thomas Enders (1793–1875). Der Weg zur realistischen Landschaft des Wiener Biedermeier führte auch über die „Nazarener", jene Gruppe von jungen, meist in Deutschland geborenen Malern, die vor 1810 an der Wiener Akademie studierten, sehr bald mit den herrschenden Verhältnissen – sowohl pädagogischer, künstlerischer als auch politischer Natur – nicht einverstanden waren und 1809 eine Künstlergemeinschaft, den „Lukas-Bund", gründeten, mit dem Ziel, eine Erneuerung der Malerei durch die Abkehr von festgefahrenen traditionellen Formen anzustreben. Erst später, nachdem die Mehrzahl dieser Künstler sich in Rom niedergelassen hatte, konzentrierten sie ihr Streben auf die Erneuerung der religiösen Malerei, wobei vor allem Malerwerke der Hochrenaissance als Vorbilder dienten. Die Erneuerungsbestrebungen in Wien bezogen sich jedoch auch auf die Erfassung der Landschaft, der Natur als dem vollkommenen Werk Gottes. In dieser kurz gefaßten Beschreibung des Entstehungsprozesses sind die sogenannten Kammermaler des Erzherzogs Johann nicht zu vergessen. Sie haben im Auftrag dieses Bruders von Kaiser Franz I. (II.) das Land Steiermark nach verschiedenen Gesichtspunkten auf geradezu wissenschaftliche Weise aufgenommen, wobei Genauigkeit und Naturtreue oberstes Gebot waren. Sie beschäftigten sich seit etwa 1810 mit der Darstellung der steirischen Menschen und ihrer Arbeit (was zum Beispiel zur ersten Wiedergabe der Arbeit an einem Hochofen führte), der Alpenflora und der charakteristischesten Landschaften.

Das sind nun lauter Voraussetzungen für die eigentliche Biedermeierlandschaft, deren Anspruch es war, die Wirklichkeit darzustellen. Nicht nur die sichtbare, sondern auch die gefühlte Wirklichkeit. Jede dieser sogenannten Voraussetzungen führte auf dieses Ziel hin, jede behielt aber auch ihr Eigenleben, um sich schließlich in den verschiedensten Mutationen gegen Ende des 19. Jahrhunderts oder sogar noch später totzulaufen.

Die Darstellung der Wirklichkeit im Landschaftsbild ist die große und zukunftsweisende Leistung einer nicht allzu großen Zahl von Malern, die in den zehn Jahren zwischen 1825 und 1835 Landschaftsbilder schufen, die in sich alle oben beschriebenen Ansätze zu einer neuen Naturdarstellung – ob in rein handwerklicher oder in spiritueller Hinsicht – vereinigten.

Kat. Nr. 5/1/36 F. Steinfeld, Der Hallstätter See, 1824

F. Gauermann, Landschaft bei Miesenbach, um 1830 (Österreichische Galerie)

Es muß vermerkt werden, daß sich die Entstehung der Wiener Biedermeierlandschaft zu einem guten Teil nicht in Wien selbst vollzog. Die erwähnten Nazarener entdeckten die Landschaft für ihre Malerei nämlich in Salzburg, in dessen eindrucksvoll romantischer Umgebung und im Salzkammergut. Ihre Wiener Kollegen folgten erst einige Jahre später. Zunächst war Salzburg nur ein gern besuchter Durchgangsort für deutsche Maler auf ihrem Weg nach Rom. Bald wurde es jedoch um seiner selbst willen aufgesucht, und seit der Mitte der zwanziger Jahre war fast jeder Wiener Landschaftsmaler sommersüber in Salzburg und im Salzkammergut zu finden (damals begann der Aufstieg Bad Ischls als Kurort). Das, was die Maler in der großartig-malerischen Gebirgswelt für sich entdeckten, fanden sie wenig später auch in der nahen Umgebung Wiens: im südlichen Wienerwald und in den Donau-Auen. Sie hatten gelernt, die Entdeckerfreude des Malers vor den sich ihm eröffnenden Schönheiten der Natur auch auf die stillere, poetische Landschaft des Voralpenlandes und der Ebene zu übertragen, die Abhängigkeit von eindrucksvollen Motiven wurde geringer. Die durchwegs kleinformatigen Bilder und Studien der späten zwanziger Jahre sind konsequent in der Erfassung der Wirklichkeit – einer Wirklichkeit, die über das rein Sichtbare weit hinausgeht. Das ist die Stärke in einer offen sich dokumentierenden Begeisterung und Entdeckerfreude entstandener Bilder, die direkt vor der Natur gemalt wurden und dadurch als Studien galten und nicht als komponierte, fertige Bilder.

In einem kurzen Überblick wie diesem ist es weder möglich noch notwendig, auch nur annähernd jene große Zahl von Künstlernamen zu nennen, die mit der Landschaftsmalerei der Biedermeierzeit in Wien in einem Zusammenhang stehen. Die Zahl der Landschaftsmaler war tatsächlich sehr groß und übertraf die der Porträt-, Genre-, Blumen- oder gar der Historienmaler bei weitem. Nur die wichtigsten sollen Erwähnung finden; das sind jene Künstler, in deren Schaffen sich der bereits angesprochene Höhepunkt realistischer Landschaftsdarstellung manifestiert. Franz Steinfeld, Friedrich Loos, Friedrich Gauermann und Ferdinand Georg Waldmüller sind die Maler, deren Werk das typische und unverwechselbare Erscheinungsbild der Wiener Biedermeierlandschaft prägen. Jeder dieser Maler jedoch entwickelte seine Eigenart, die ihn vom anderen abhob und unterschied.

Vieles ist in der Biedermeierzeit aus dem Dualismus „Wirklichkeit – Ideal" zu erklären, vom Lebensstil angefangen über die Einstellung der Menschen zu ihrer Umwelt, Theater, Prosa, zur bildenden Kunst, vor allem der Malerei. Die durchwegs kleinformatigen Bilder der späten zwanziger Jahre sind wesentlich konsequenter in der Darstellung der Wirklichkeit als die im Format größer werdenden Leinwände und Tafeln der folgenden Jahre. Dieser Wandel – quasi von der ersten Begeisterung und Entdeckerfreude zur Verklärung, ja zur Heroisierung des extremen Realismus – vollzog sich innerhalb weniger Jahre. Bei Steinfeld und Waldmüller sogar innerhalb des eigenen Œuvres.

Friedrich Gauermann und Friedrich Loos schufen zwischen 1825 und 1830 eine Anzahl von kleinen Bildern, die eine Art Startschuß sind. Neben vielen Gemeinsamkeiten gibt es auch Unterschiede: Gauermann schuf Studien und Skizzen – allerdings zum Teil weit ausgeführt – vor der Natur, die als Teil einer Motivsammlung gedacht waren, die später in den großen Tier- und Genrestücken (Kat. Nr. 5/1/22) verwendet wurden. Die Landschaften von Loos – meist aus der unmittelbaren Umgebung Salzburgs – sind jedoch eher Nachkommen der traditionellen Panorama-Malerei, wenn auch versteckt hinter einer virtuosen Behandlung der Naturdetails abseits von jedem Schematismus (Abb. S. 157).

Die voll entwickelte Biedermeierlandschaft – der Begriff „Klassische Biedermeierlandschaft" wurde geprägt – wird durch das reife Werk Franz Steinfelds und Ferdinand Georg Waldmüllers repräsentiert. Sind Steinfelds frühe Naturstudien einerseits noch von der Tradition der barocken Zeichnung berührt (zum Beispiel ist die Lichtführung ganz unrealistisch), andererseits vom Streben nach extremer Naturtreue, so sind die Ölbilder der dreißiger Jahre eine Verherrlichung des Realismus in Form perfekter, geradezu altmeisterlicher Lasurtechnik, eines Realismus, der über das, was uns die Natur zu bieten imstande ist, weit hinaus geht (vgl. Kat. Nr. 5/1/36). Das Wasser ist edelsteinhaft dargestellt, die Berge kaum merklich übersteigert. Steinfeld verdichtet die großartig-bizarre Landschaft zu einem Konzentrat, zum Ideal dessen, was ein überscharfes Auge zu sehen vermag und der Pinsel des Malers wiederzugeben.

Kat. Nr. 5/1/39 Ferdinand G. Waldmüller, „Parthie aus dem Prater", 1831

Ferdinand Georg Waldmüller war mehr als ein Wegbereiter der realistischen Landschaftswiedergabe, er war die Verkörperung der engagierten und kompromißlosen Auseinandersetzung mit der sichtbaren Wirklichkeit. Ein Detailrealismus, wie ihn Steinfeld pflegte, lag ihm fern, vielmehr bot ihm die möglichst genaue Darstellung des natürlichen Lichts – mit Vorliebe des hellen Sonnenscheins – den Weg, die Wirklichkeit festzuhalten. 1830 und 1831 malte Waldmüller im Salzkammergut und in der Au- und Wiesenlandschaft des Wiener Praters kleinformatige Ölbilder vor der Natur (Kat. Nr. 5/1/39), deren Ambitionen woanders lagen als bei jedem anderen Landschaftsmaler seiner Zeit. „Der Kunst ist die Wahrheit oberstes Gesetz" schrieb Waldmüller, was bedeutete, daß er jede Art von Stimmungsdarstellung, geschweige persönliche Interpretationen ablehnte. Die Wiedergabe eines Landschaftsausschnittes war für Waldmüller wie das Porträtieren eines Menschenantlitzes. Zehn Jahre vorher hatte er in seinen Bildnissen bereits einen ähnlich konsequenten Weg beschritten. Er betrachtete sein Modell ganz aus der Nähe, um jede Einzelheit besser erfassen zu können. Auch die nahsichtigen Landschaftsausschnitte um 1830 sind so zu verstehen, als Porträts, die ohne Ablenkung durch Äußerlichkeiten für sich wirken. Wenige Jahre später änderte Waldmüller seine Sehweise. Er wählte größere Ausschnitte (Kat. Nr. 5/1/40) aus der weiten Landschaft, und damit kamen automatisch von der Sonne durchleuchtete Dunstschleier, ferne farbige Schatten und ähnliches ins Bild, Dinge, die „Stimmung" erzeugen und damit dem Beschauer einen Eindruck vermitteln, der möglicherweise über die reine Erfassung der gegebenen Fakten hinausgeht. Der künstlerische Weg Waldmüllers führte, vor allem als er sich mehr und mehr mit der Darstellung von bäuerlichen Szenen beschäftigte, in diese Richtung. Freilich ging er nie soweit wie etwa Ignaz Raffalt (Kat. Nr. 5/1/32), der mit regenverhangenen Gewitterlandschaften und dramatischen Nebelgebilden Effekte erzielte, die ein Eingehen auf kleinere Details gar nicht wünschenswert erscheinen ließen. Auf die Wiedergabe der Details verzichtete Waldmüller nie, sie waren die unendlich vielen Teile des Ganzen, das für ihn die Wahrheit war.

Kein anderer Künstler des Wiener Biedermeier hat wie Waldmüller die Grenzen der zur Verfügung stehenden Möglichkeiten klar gezeigt. Es war ihm nicht vergönnt, diese Grenzen zu überschreiten, vor allem in bezug auf die Lichtmalerei muß er sie selbst schmerzlich gespürt haben. Auf der anderen Seite aber war kein anderer Maler so vielseitig in der Wahl der Themen, so konsequent in der Verfolgung eines Ziels.

Die Landschaftsmalerei des Biedermeier ist eine realistische Kunst, sie hat dies mit der Porträt- und mit der Genremalerei gemeinsam. In der Zeit zwischen 1815 und 1848 sind jedoch nicht nur Werke der Malerei entstanden, die als „realistisch" anzusehen sind, sondern auch solche, die den landläufigen Vorstellungen von „Biedermeier" nicht entsprechen. Mit „Biedermeier" verbinden wir bestimmte Werte, die an anderer Stelle ausführlich beschrieben werden. Zugleich ist es aber wichtig zu konstatieren, daß in diesen Jahren in der Malerei zum Beispiel eine starke nachbarocke Strömung existiert hat, die sich in der Landschaftsmalerei ebenso auswirkte (Johann Nepomuk Schödlberger, 1779–1853) wie etwa in der Historienmalerei (Anton Petter, 1781 bis 1858). Diese und andere Traditionen sind vor allem von der Wiener Akademie gepflegt worden. Es gab also ein Nebeneinander von Traditionellem und Neuem, was nicht unbedingt gleichzusetzen ist mit Alt und Jung und auch nicht übertragbar ist auf die Interpretation der Klischees, die eine unvoreingenommene Betrachtung der bildenden Kunst dieser Zeit nach wie vor erschweren.

Kat. Nr. 5/1/40 Ferdinand G. Waldmüller, Die Alpenhütte auf der Hoisenradalm bei Ischl, 1834

# EINFÜHRUNG IN DAS WERK VON PETER FENDI

*Hans Bisanz*

Die wohlbekannten Genreszenen Fendis seit den dreißiger Jahren des 19. Jahrhunderts lassen in ihrer Lebensnähe die ausgesprochen klassizistische Herkunft dieses Malers allzu leicht vergessen. Die ausschließliche Beschäftigung mit den Lebensumständen des Mittelstandes und der „kleinen Leute" in diesen Bildern kann auch zur Annahme einer völligen künstlerischen und persönlichen Loslösung vom Mäzenatentum des Hofes und der Aristokratie führen.

Die biographische Wirklichkeit Fendis zeigt aber, daß er trotz der Neuartigkeit seiner „volkstümlichen" Szenen zeitlebens gesellschaftlich Übergeordneten verpflichtet blieb. Seine akademische Ausbildung empfing er von den Klassizisten Johann Martin Fischer, Hubert Maurer und Johann Baptist Lampi d. Ä. Hier schon begann eine Kette von Weiterempfehlungen, die Fendi fast immer neue Möglichkeiten der Beschäftigung mit der Antike eintrugen: Er zeichnete nach Objekten der Sammlung des Augenarztes Joseph Barth und bald auch nach Antiken (vor allem Vasen) des Grafen Anton Lamberg-Sprinzenstein.

Schließlich wurde er dem Direktor des k. k. Münz- und Antikenkabinetts, Abbé Franz Neumann, als Zeichner und Kupferstecher empfohlen. Er begann hier 1816 zu arbeiten und wurde durch den Nachfolger Neumanns, Anton von Steinbüchel, 1818 definitiv angestellt, wodurch er finanzieller Sorgen enthoben war.

Das Münz- und Antikenkabinett wäre noch kurz zuvor, in der Blütezeit des Klassizismus, für einen dort Arbeitenden eine unschätzbare Quelle der Inspiration gewesen. In einer Zeit der allmählichen Abwendung von antiken Vorbildern und des zunehmenden Interesses an der eigenen Gegenwart mußte die Arbeit Fendis für diese Institution bald hinter seinen persönlichen künstlerischen Interessen zurückbleiben und zuletzt zum reinen Broterwerb herabsinken.

Als entscheidendes Ereignis, das Fendi zum persönlichen Durchbruch verhalf, wird in der Literatur immer wieder seine Reise nach Venedig – als Begleiter seines Direktors Steinbüchel (1821) – angegeben. Es ist sicherlich richtig, daß das „Sfumato" der venezianischen Meister ihn von der so besonders zeichnerisch orientierten Kunst seiner Akademieprofessoren und seiner eigenen Arbeit für das Münz- und Antikenkabinett abbrachte und zu einer Entfaltung zunehmend malerischer Ausdrucksmittel anregte. Der Hinweis auf Venedig betrifft jedoch in erster Linie das Stilistische. Es fällt dabei auf, daß Fendi in Skizzenbuchblättern venezianische Straßenszenen festgehalten hat und sich nicht nur für Tizian, Tintoretto oder die Bellinis, sondern auch für den „volkstümlichen" Carpaccio interessiert hat. Hier ist die Richtung angegeben, die für die Ausbildung seiner Genre-Thematik ausschlaggebend wurde.

Kat. Nr. 5/3/7 Peter Fendi nach Adriaen van Ostade, Der lesende Bauer, um 1818–1820

Ähnliches läßt sich über eine Reise nach Salzburg berichten, die er – wiederum als Begleiter Steinbüchels – im gleichen Jahr unternahm. Er mußte dort den 1817 aufgefundenen Mosaikboden mit Darstellungen aus der Theseus- und Ariadnesage zeichnen. Diesmal kann man ihn selbst zu Wort kommen lassen: „Die Formen der Eiskletscher und alten Triften studirte ich so viel wie möglich in diesen wenigen mir günstigen Tagen, was aber für mich ganz ungeheuer intreßant war, daß waren die Menschen, die darauf lebten, ihre Sitten und Gebräuche."[1]

Sein Interesse an der Darstellung des Menschen in der jeweils eigenen Gegenwart war schon früher geweckt worden: durch das Studium der Niederländer des 17. Jahrhunderts in der Sammlung des Grafen Lamberg-Sprinzenstein. Schon hier ist der nicht zu unterschätzende Anstoß für die späteren Genreszenen zu suchen.

Vor und nach 1820 machte Fendi nach Vorbildern von Ostade, Teniers oder Brouwer Zeichnungen, Radierungen und Lithographien. In diesen – teils skizzenhaften, teils sorgsam ausgeführten – Arbeiten nach den zumeist dem bäuerlichen Milieu entnommenen niederländischen Vorbildern studierte Fendi offenbar schon das, was ihn später so intensiv beschäftigte: die ungezwungene Körperhaltung und zwanglose Gruppierung der Dargestellten. Die durch dieses Kopieren angestrebte Lebensnähe der Vorbilder beweist schon ein Abrücken von den repräsentativen Kunstforderungen des Klassizismus, gegen dessen aristokratische Eleganz sich auch die Entscheidung für die bäuerliche Thematik richtet.

Die Genreszenen Fendis wurden so zu eigenständigen Übertragungen dieses vergangenen Bäuerlichen ins Bürgerliche seiner eigenen Gegenwart. Den Lebensumständen des Bürgertums galt in dieser Zeit nach dem Wiener Kongreß ein weitreichendes allgemeines Interesse, das, zumindest äußerlich, auch den Hof und die Aristokratie erfaßte und dazu führte, daß sich der Kaiser samt Familie bürgerlich kleidete und – wie etwa im Gruppenbildnis von Leopold Fertbauer (1826) – so auch porträtieren ließ. Andere Monarchen der Zeit verhielten sich ähnlich, und der Adel folgte ihrem Beispiel.

Es ist schwierig, hier ehrliche private Neigungen von politischer Propaganda zu trennen. Allzuviel Gutgläubigkeit wird wohl fehlgehen, wie etwa die positive Aufnahme durch Joseph August Lux, der es als „interessante und wichtige Tatsache" ansieht, „daß die Räume aller Stände, vom Kaiser und dem Ersten Minister herab, dieselben Merkmale tragen"[2]. Hans Tietze wiederum sieht gerade in dieser Gleichartigkeit die Schattenseiten der Zeit symbolisiert: Des Kaisers „auf bürgerliche Einfachheit posierende Erscheinung wird zum Vorbild für Adel und Gesellschaft, aber auch – da jedes Abweichen von den maßgebenden Schichten verdächtig macht – für die ganze Bevölkerung. Die Uniformierung ins Zivil (. . .) gilt auch fürs Geistige: hoch und niedrig trägt sich bürgerlich, pedantisch und wohlgesinnt."[3]

Kat. Nr. 5/1/16 Peter Fendi, Mädchen vor einem Lotterie-Gewölbe, 1829

Auch im Werk Fendis finden sich Niederschläge dieses „Posierens" in der Ausführung höfischer und adeliger Aufträge, die er seit 1833 vor allem durch Vermittlung seines neuen Vorgesetzten, des Grafen Moritz Dietrichstein, erhalten hatte. Besonders die Kaiserin Carolina Augusta und die Erzherzogin Sophie (Gattin von Franz Carl, Mutter von Franz Joseph) bestellten bei ihm zumeist kleine, intime Aquarelle, die ihn schließlich zum damals beliebtesten Kindermaler der Wiener Aristokratie machten. (Diese auf Bestellung erfolgten Aquarelle sind im Œuvre Fendis Parallelerscheinungen zu seiner Hauptbeschäftigung, dem bürgerlichen und kleinbürgerlichen Genrebild.)

Auf Veranlassung der Erzherzogin Sophie hat er auch Illustrationen zu Gedichten von Schiller geschaffen. Diese Aquarelle stehen innerhalb seines Œuvres ebenfalls in der Randzone, wobei man auch hier Brücken zur dominierenden Genremalerei vorfindet: die nach Möglichkeit erfolgte Übertragung der Schauplätze und der Kleidung in die eigene Zeit.

Fendi hat außerdem Schubert-Lieder illustriert, so den „Kreuzzug" nach Karl Gottfried Leitner oder den „Wanderer" nach Georg Philipp Schmidt (genannt von Lübeck). In einem Illustrationsentwurf für letzteren ist der Wanderbursche dargestellt, der mit seinem Stab die Worte in die Erde schreibt: „Dort wo du nicht bist, dort ist das Glück."

Solche Exkurse ins Romantische, auch wenn in ihnen Worte des „Fernwehs" zitiert werden, genügen nicht, in Fendi einen „malenden Schubert" zu sehen, wie dies ein Zeitgenosse getan hat[4].

Eine solche Gleichsetzung kann nur zum Mißverstehen beider führen: Schubert (der eben nicht nur die biedermeierhaften „Deutschen Tänze" komponiert hat) reicht in seinen Arbeiten in ungleich weitere Dimensionen des Seelischen – ins Dramatische und Religiöse – hinüber und umfaßt die Romantik und auch die Spätphase der Wiener Klassik in seinem Œuvre völlig.

Demgegenüber hat Fendi mit der durchaus musikalischen Anmut seiner Pinselführung zum Großteil ausgesprochen Konträres angestrebt: die Manifestation der eigenen Zeit und des Daseins der eigenen Gesellschaftsschichte. Dies geschah im Kerngebiet seines Œuvres, der Genreszene, unter bewußtem Verzicht auf Monumentalität und Dramatik. Er unterstrich die Aussagen seiner Werke lediglich durch eine unaufdringliche, sanftmütige Idealisierung.

Das unterscheidet ihn auch von Waldmüller, dessen Genreszenen viel bühnenhafter wirken[5] und der in der Nachfolge des Klassizismus der Kunst weiterhin pädagogische Pflichten auferlegte: „Überall ist es die Moral, die bessernd, veredelnd wirken soll. Das ist zuvörderst die Aufgabe der Kunst, ohne diese Lösung ist sie unnützer Tand, ja von schädlichem Einflusse."[6]

Auch bei Josef Danhauser wirkt das Pathos des klassizistischen Historienbildes noch länger nach, wenn man seine großen Gesellschaftsszenen, etwas das Bild „Der Prasser" (1836), betrachtet. Erst seit der Geburt seines Sohnes (1839) gelangte Danhauser zu Genreszenen, die sich in ihrer Ungezwungenheit, ihrem Verzicht auf belehrende Aussagen mit erhobenem Zeigefinger mit denen Fendis vergleichen lassen.

Fendi hatte sein erstes vollentwickeltes Genrebild, das „Mädchen vor einem Lotterie-Gewölbe", schon 1829 gemalt. Schon hier gelang ihm die Entfaltung einer Aussage über das Leben der einfachen Menschen mit den sparsamsten

Kat. Nr. 5/2/23 Peter Fendi, Kindliche Andacht, um 1840

Mitteln durch die Wahl eines Motivs aus der Wirklichkeit und durch die unaufdringlich angedeutete und deshalb kaum nachweisbare Übertragbarkeit aus dem Augenblick ins Zeitlose, Allegorische.

Hier leitet Fendi zugleich die charakteristische Gruppe biedermeierlicher „Mitleidsbilder" ein, die bei ihm in zarten Molltönen auf Tragisches mitten im Alltagsleben hinweisen, wie „Das Milchmädchen", „Die Witwe", „Traurige Botschaft" oder „Die Pfändung". Auch hier wurde auf Redseligkeit und Pathos verzichtet. Es geht auch nicht um Sozialkritik, sondern um ein stummes Hinweisen. „Fendi setzt in seinen frühen Genrebildern das Mitleid nicht etwa anklagend oder aufrüttelnd ein, die Soldatenwitwe wird zum sentimental-poetischen Gleichnis eines unverschuldet unglücklichen Lebens."[7]

Die Darstellung des menschlichen Lebens geschieht überhaupt unter Auswahl der wichtigsten Stationen: „Taufgang", „Spielende Kinder", „Kindliche Andacht", „Brautsegen", „Begräbnis der Mutter". Diese Auswahl führt zu Berührungen mit dem Religiösen, das jedoch, im Rahmen des grundsätzlich diesseitsgerichteten Biedermeier, sich nur auf eine rahmende Wirkung zu beschränken scheint. Im Dialog, etwa im Bild „Kindliche Andacht" (1842), wird die „irdische" Mutter mit ihrem Kind durch spiegelbildhafte Angleichung an die Muttergottes mit dem Jesusknaben „erhöht", die „himmlische" Mutter jedoch umgekehrt in den Alltag integriert.

Die Aquarellskizze zu diesem Bild zeigt die inoffizielle, impulsive Malweise Fendis, seine Befähigung zur freien Entfaltung eines Farben- und Formenreichtums, der das ausgeführte Ölbild daneben konventionell wirken läßt. Bruno Grimschitz hat die Wiener Biedermeiermaler in eine zeichnerische und eine malerische Komponente aufgeteilt[8]. Zur ersteren Gruppe zählte er die formal eher noch dem Klassizismus folgenden Künstler wie Danhauser oder Ranftl, zur malerischen, „barockisierenden" Fendi und seinen Kreis (Carl Schindler, Albert Schindler, Friedrich Treml u. a.).

Das Überleben barocker Formen im Wiener Klassizismus – mehr in der Zeichnung und da vor allem in deren grauer oder brauner Lavierung – hat bei Fendi, neben den venezianischen und niederländischen Ermutigungen, zu einer malerischen Größe im Kleinen geführt, zu einer durch eigenes Suchen wiedergefundenen und neuformulierten Ausdruckssteigerung im selbstgewählten, streng begrenzten Rahmen. So konnte Fritz Novotny[9] schreiben, daß „man sich vor diesen Blättern oft an den Farbenklang von barocken Deckenbildern und Skizzen erinnert fühlt".

**Anmerkungen:**

1 Zitiert nach: Kat. Peter Fendi. Wien (Österreichische Galerie) 1963, S. 9 f. Dort wurde auch die betreffende biographische Angabe entnommen.

2 J. A. Lux, Biedermeier als Erzieher. In: Hohe Warte 1904/05, S. 145.

3 H. Tietze, Wien, Wien – Leipzig 1931, S. 313.

4 Kat. Unvergängliches Österreich, Essen (Villa Hügel) 1960, S. 46.

5 M. Buchsbaum, Ferdinand Georg Waldmüller, Salzburg 1976, S. 132, 136 f.

6 Zitiert nach: M. Buchsbaum, a. a. O., S. 132.

7 M. Immel, Zitiert nach: A. Lorenz, Das deutsche Familienbild des 19. Jahrhunderts, Darmstadt 1987.

8 B. Grimschitz, Die österreichische Zeichnung im 19. Jahrhundert, Zürich – Wien – Leipzig 1928.

9 F. Novotny: In: Kat. Peter Fendi, Wien (Österreichische Galerie) 1963, S. 4.

# FERDINAND GEORG WALDMÜLLER – EIN REBELL IM BÜRGERROCK

*Maria Buchsbaum*

Kat. Nr. 5/1/38 Ferdinand G. Waldmüller, Selbstporträt, 1828

Die Rezeptionsgeschichte von Waldmüllers Werk sowohl zu dessen Lebzeiten als auch nachher und bis heute würde und wird in besonderem Maß vom sogenannten Zeitgeist geprägt, um einen vielstrapazierten Begriff als zusammenfassendes Synonym für künstlerische, stilistische und gesellschaftsspezifische Phänomene zu verwenden. Zum Höhepunkt seiner Anerkennung durch die Zeitgenossen führte die Porträtkunst Waldmüllers, welche dem Repräsentationsbedürfnis ebenso wie dem Realitätssinn des in seiner Selbstverwirklichung begriffenen aufstrebenden Bürgertums entgegenkam; naturgemäß aber auch jene Sittenbilder, in denen sich die zu neuem Selbstbewußtsein gelangte bürgerliche Gesellschaftsschichte wiedererkannte. Umso weniger vermochte diese dem Maler dann zu folgen, als seine Radikalität ihre gemütvolle Beschränkung sprengte. Ferdinand Georg Waldmüller starb vergessen und in großer Armut.

Für seine Lichtmalerei, die zu seinen Lebzeiten auf Unverständnis stieß, wurde er zu gegebener Zeit, aber fälschlich, als ein Wegbereiter des Impressionismus gefeiert, später wurde die Poesie seiner naiven Bildgeschichten geschätzt und – gründlich mißverstanden – von der Blut-und-Boden-Ideologie der nationalsozialistischen Kunstpropaganda einvernommen. Die Schatten, die davon ausgehend auf Waldmüllers Werk fielen, waren lang und dauerhaft. Erst der Pendelschlag von der Herrschaft des Abstrakten in eine realitätsbezogene Kunstauffassung machte es wieder diskussionsfähig. Eine gesellschaftsgeschichtlich orientierte Kunstwissenschaft mußte einfach Waldmüllers soziales Engagement entdecken, während für breite Publikumsschichten die scheinbar heile Welt des Biedermeiermalers entscheidend und nostalgisch verklärt wurde.

Für die Thematik der Ausstellung hier und jetzt bedeutet Waldmüllers Leben und Werk eine Inkarnation schlechthin; was aber eine Durchleuchtung des Menschen Waldmüller nicht weniger erfordert als diejenige des Künstlers. Wie ein roter Faden ziehen sich durch beide Bereiche bürgerliches Reputationsstreben und Aggressionslust, Bewahrung von Traditionen und revolutionäre Gesinnung in Theorie und Praxis.

Früh schon unternahm der aus engen Verhältnissen Aufstrebende soziale Retouchen bei Angaben über die Stellung seines Vaters[1]. Das Kolorieren von Zukkerbäckerbonbons als dürftiger Broterwerb für den mittellosen Akademieschüler, dilettantische Versuche in der Miniaturmalerei, eine Stellung als Zeichenlehrer und Theaterdekorationsmaler haben wohl ebenso wenig dazu beigetragen, sein Selbstwertgefühl zu stärken wie die den Anfänger frustrierenden Lehrmethoden an der Wiener Akademie der bildenden Künste, auf die Waldmüller in seinen nachgelassenen Schriften immer wieder zu sprechen kam[2]. Daraus resultierende Aggressionen fanden ein erstes Ventil in Waldmüllers Ehe mit der erfolgreichen Sängerin Katharina Weidner, welche 1814 geschlossen, die „pekuniäre Misere" beseitigte, aber bald schon zu „Disharmonien" und schließlich 1822 zur Scheidung führte[3]. Die amtlichen Akten über die danach erfolgten Repressionen Waldmüllers hinsichtlich der Erziehung der Kinder bis hin zur Einschaltung der Polizei

Ferdinand G. Waldmüller, Mutter des Hauptmanns von Stierle-Holzmeister, um 1819 (Berlin, Nationalgalerie)

könnten einer Tragikomödie entnommen sein[4]. Hier manifestiert sich ein Persönlichkeitsbild unter dem Einfluß einer gesellschaftlich labilen Position. Aber auch die spätere Wiedervereinigung der Eheleute im Jahre 1833 scheiterte kurz darauf abermals, weil Waldmüller – wie Katharina Weidner es in ihrer Eingabe formulierte – „sein jähzorniges Temperament auch in seinem reiferen Alter noch nicht zu zügeln gelernt habe" und er sich als ein „wahrer Tyrann" aufführte. Das sind nur einzelne Mosaiksteine eines Charakterporträts, dem die archivalischen Quellen zahlreiche ähnliche hinzufügen. Zeitlebens fühlte sich Waldmüller persönlich und beruflich zu niedrig eingeschätzt.

Seit seiner Bestellung zum ersten Kustos an der Gräflich Lambergischen Gemäldegalerie der k. k. Akademie der bildenden Künste zu Wien im Jahre 1829 zeigt sich in Eingaben und Berichten sein ausgeprägtes Geltungsstreben; zumal ihm in der neuen akademischen Umgebung seine fehlende Bildung schmerzlich zum Bewußtsein kam und er außerdem offiziell als Porträt- und Landschaftsmaler weit unter den damals führenden Historienmalern rangierte. Waldmüllers kämpferisches Aufbegehren findet in seinen gedruckten Broschüren wie auch in den umfangreichen nachgelassenen Schriften[5] einen deutlicheren Ausdruck als in seiner Malerei – und dies trotz deren zukunftsweisender Aspekte. Darauf wird noch zurückzukommen sein.

Für den jungen Maler scheint seine persönliche Entdeckung der Natur psychologisch und künstlerisch entscheidend gewesen zu sein. Noch in seiner Jahrzehnte später verfaßten Selbstbiographie beschrieb er nahezu hymnisch, wie „der erste Strahl jenes Lichtes vor mir aufdämmerte, in dessen Glanz ich – leider erst so spät – die Wahrheit erkennen lernen sollte" und meinte damit seine Naturstudien für die Landschaftshintergründe seiner Kopien alter Meister[6].

Bald erfolgte dazu eine zweite und „entscheidende" Anregung. 1819 erhielt Waldmüller den Auftrag für das Bildnis der Mutter des Hauptmannes J. C. von Stierle-Holzmeister, welche er „genau so wie sie ist" malen sollte. Wie er rückblikkend in seiner Lebensbeschreibung bekannte, hatte sich ihm damit „der einzig rechte Weg, der ewige, unerschöpfliche Born aller Kunst: Anschauung, Auffassung und Verständniß der Natur" aufgetan und in ihm den Vorsatz erweckt, „ihn von nun an nie mehr zu verlassen".

Neben damals entstandenen, noch recht idealistisch verklärten Porträts junger Frauen offenbaren gerade die Bildnisse von Greisinnen, wie etwa auch das der Rosina Wiser von 1820, Waldmüllers Wirklichkeitsfanatismus im Erfassen des Physiognomischen und in der blendenden Wiedergabe des Stofflichen. Mit dem Fortschreiten seines Könnens erweiterte sich der Kreis der Auftraggeber über den gehobenen Bürgerstand hinaus bis zu gräflichen und fürstlichen Auftraggebern. Wobei festzustellen ist, daß immer dann, wenn solche Bestellungen dem Ehrgeiz des Malers besonders schmeichelten, dieser zu Zugeständnissen an den klassizistisch-romantischen Zeitgeschmack bereit war – mit üppigen Draperien und ähnlichen Versatzstücken oder idealisierenden Landschaftsausblicken.

So schwankte er mit wechselnder Intensität zwischen Natur und Ideal, aber auch zwischen Repräsentation und genrehafter Intimität, wofür einerseits das von Erzherzogin Sophie in Auftrag gegebene Porträt des Kaisers Franz I. (1827), andererseits das reizvolle Bildnis Franz Josephs als Kind (1832) beispielhaft sind. Spezifische Altwiener Atmosphäre verströmen vor allem die Porträts von

Kat. Nr. 5/1/43 Ferdinand G. Waldmüller, Familie Gierster, 1838

Schauspielern, darunter jenes von Elise Höfer (1827), zu dem es sogar – eine Seltenheit im Werk Waldmüllers – eine Vorstudie in einem ebenso seltenen lokkeren Duktus der Bleistiftführung gibt[7]. Damals entstanden auch mehrere Selbstporträts, darunter jenes in der Österreichischen Galerie, wo der Maler in bewußt modischer Aufmachung um einen entsprechenden „Auftritt" bemüht erscheint, wo aber auch die Wienerwaldlandschaft mit dem Cobenzl im Hintergrund in einer neuen harmonischen Verbindung mit dem Abgebildeten steht.

Im weiteren Verlauf der Entwicklung werden die Porträts von Ferdinand Georg Waldmüller mehr und mehr zu Spiegelbildern ihrer Zeit, dies vor allem in den familiären Gruppenbildnissen. So verkörpert etwa die Familie Eltz mit ihrem natürlichen Hineingestelltsein in die Ischler Landschaft den Genuß des einfachen Lebens, die gemütvolle Vereinigung von Eltern und Kindern, aber auch die Arriviertheit des Bürgertums – also wesentliche Lebensumstände des biedermeierlichen Menschen. Die neue bürgerliche Geistigkeit zeigt sich in den Bildnissen des Ministerialbeamten Josef Mayerhofer oder des Graveurs und Kupferstechers François Haury. Herausgewachsen aus kleinbürgerlicher Enge, in freier, selbstbewußter Haltung tritt in Waldmüllers Porträts ein städtisches Bürgertum hervor, das auch als neuer Wirtschaftsfaktor in einem in Umwandlung vom Agrar- zum Industriestaat begriffenen Land Bedeutung gewann. Das Bildnis der Josefine Schaumburg ist dafür ein Beispiel unter vielen.

Die hohe Wohnkultur dieser Zeit erkennt man im Porträt einer jungen Dame bei der Toilette. Darin kommt die neue Phase bürgerlicher Kultur zum Ausdruck, ein durch die Metternichsche Zensur bedingter Rückzug in die private Sphäre. Aber so wie die anonyme oder unter Decknamen im Ausland veröffentlichte „verbotene Literatur" hinter dem äußeren Schein der Ruhe als erster Bürgerpflicht eine Revolution vorbereiten half, so verbergen diese Bilder einer (scheinbar) heilen Welt den revolutionären Kunsttheoretiker Waldmüller.

Neben der Porträtkunst Waldmüllers ist es seine Landschaftsmalerei, die dem „Zeitgeist" entgegenkommt: dem realen Bürgersinn und einem neuen Verhältnis zur Natur. Schon die Skizzenbücher der Albertina aus dem Anfang der dreißiger Jahre verraten die leidenschaftlich gesuchte Konfrontation des Künstlers mit der „Naturwahrheit", das Streben nach einer präzisen und sachlichen Nahaufnahme von Detailwinzigkeiten. Sie werden in den gemalten Landschaften zu jener Dichte zusammengeschlossen, welche Vergleiche mit dem modernen Fotorealismus zuläßt. Schon lange vor dessen Ausformung stellte Hermann Beenken fest, daß Waldmüllers Landschaftsbilder in schwarzweißer Wiedergabe „wie eine Naturphotographie" wirken und führte dies auf ein die Oberfläche „atomisierendes", die Natur „entseelendes photographisches Sehen" zurück[8].

Schritt für Schritt erarbeitete sich Waldmüller seinen Landschaftsrealismus. 1830 entstand die wahrscheinlich früheste Praterlandschaft, die sich ehemals in der Berliner Nationalgalerie befand und 1945 verbrannte. Darin lebten noch die klassizistische Formentradition und die Idealisierung der vorangegangenen Epoche weiter; in der sachlichen Naturwiedergabe der Bäume und Wiesen war aber bereits der neue Geist spürbar[9]. Ein Jahr später bereits überraschen Motive aus der Gegend bei Ischl, darunter die „Ahornbäume", durch eine mit objektiver Sehschärfe wiedergegebene Naturwirklichkeit, welche unmittelbar darauf in den Wildwassergemälden – z. B. des Hohenzollern-Wasserfalls – durch Ausleuchtung des Vordergrundes mitsamt allen nahsichtigen Details zu größter Unmittelbarkeit gesteigert wird. Nach und nach verlagert sich der Blick in die Tiefe und Breite zu einem mächtig erweiterten Naturausschnitt, um sich mit der „Ansicht des

Dachsteins von der Hütteneckalpe" (1838) und den darin wie zufällig eingefügten Staffagefiguren zu einer beeindruckenden Naturszenerie zu entfalten. Die Landschaft wird so zu einem wirkungsvollen Bühnenrahmen.

Im Genrebild erfolgte eine weitere Steigerung der szenischen Regieführung mit theaterhaften Auftritten des gesamten „Chores" bei vielfigurigen Kompositionen. Durch eine solche Auffassung erwies sich der Maler Waldmüller als Vorläufer historistischer Bildarrangeure, liefert aber gleichzeitig auch wieder Material für die Strukturanalyse seines Persönlichkeitsbildes: dem akademischen Rat und Professor war ebenso wie dem vielschreibenden Kunstreformer der Hang zum großen Auftritt immanent. Was für ein Gegensatz zum minuziösen Schilderer der von Stifters „sanftem Gesetz" geprägten kleinen und unscheinbaren Dinge in der Natur!

Gerade in den Genrebildern steigerte Waldmüller auch die Effekte des Sonnenlichts zu greller Licht-Schatten-Wirkung. Während die Landschaft durch seine Lichtmalerei an „Wahrheit" gewann, verloren die Sittenstücke durch die Lichtführung an Glaubwürdigkeit: wie mit Scheinwerfern ausgeleuchtet, assoziieren sie Theaterszenen. Zu einem solchen Eindruck tragen zusätzlich die sentimental übersteigerte Mimik und Gestik, ein Agieren der Personen gleichsam über die Rampe hinweg, die kulissenartigen Versatzstücke und die gekonnte Figurenführung in großen Szenen bei; so etwa in der „Niederösterreichischen Bauernhochzeit", in der „Verehrung des hl. Johannes", in der „Klostersuppe" usw.

Ein Einfluß der „Bühnenwirklichkeit", die im Biedermeier als „wahr" empfunden wurde, ist auf Waldmüller, den Theaterdekorateur, den Ehemann einer Sängerin und Freund zahlreicher Schauspieler, evident. In einem seiner Skizzenbücher gibt es sogar naturgetreue Szenen aus dem Zuschauerraum und vor dem Theatereingang[10]. Das Gemälde „Nach der Pfändung" hat Josef Nadler mit Lied und Szene „So leb' denn wohl, du stilles Haus" aus Raimunds „Der Alpenkönig und der Menschenfeind" in Zusammenhang gebracht[11]. Sentiment und Moral im Sinn des Biedermeier fanden hier Eingang. „Überall ist es die Moral, die bessernd, veredelnd wirken soll. Das ist zuvörderst die Aufgabe der Kunst, ohne diese Lösung ist sie unnützer Tand, ja

Kat. Nr. 5/1/45 Ferdinand G. Waldmüller, Junge Dame bei der Toilette, 1840

auch von schädlichem Einflusse", schrieb Waldmüller in einem seiner Aufsätze[12].

In solchem Licht müssen auch Waldmüllers Gemälde gesehen werden, in denen soziale Notlagen abgehandelt werden, wie Delogierung, Pfändung, Notverkauf u. ä. Die moralische „Wahrheit" suchte er im unverfälschten Bauernleben, womit er in seiner Zeit durchaus nicht allein dastand. Als einer der ersten entdeckte er zudem den vierten Stand, die dienende Klasse, das damals entstehende städtische Proletariat der Bauarbeiter und die völlig rechtlosen Landarbeiter. Aber der sozialkritische Aspekt, der bei dem aus kleinsten Verhältnissen stammenden Künstler zweifellos vorhanden war, wird durch äußerlich rührende Motive gemildert, durch eine szenisch-theatralische Regieführung auf Distanz gebracht: wenn Bautaglöhner ihr Frühstück erhalten, Kinder armer Eltern mit Winterkleidern beteilt werden oder die Klostersuppe ausgeteilt wird. Der Hang zur gefühlvollen Pose, zum Rührstück aus der Sicht genießerischer Versenkung in Bildgeschichten ist nicht nur ein Tribut an den Zeitgeist, er gehört zu Waldmüllers Persönlichkeitsstruktur.

Dazu im Gegensatz steht sein Aufbegehren gegenüber dem Kunstestablishment. In Druckschriften sowie in handschriftlichen Konzepten für Aufsätze und Briefe, die in der Handschriftensammlung der Wiener Stadt- und Landesbibliothek aufbewahrt werden, erweist sich der Schriftsteller Waldmüller – als der er auch geschätzt zu werden beanspruchte[13] – ungleich radikaler als der Maler, obgleich auch dieser durch die konsequente Ver-

Kat. Nr. 5/1/41 Ferdinand G. Waldmüller, Die Traun bei Ischl, 1835

Kat. Nr. 5/1/48 Ferdinand G. Waldmüller, Die Ernte, 1846

fechtung seiner Wirklichkeitsschilderungen und Sonnenlichtmalerei seine Käufer verlor[14] und hohnvolle Ablehnung bei der Kritik und Kollegenschaft erfuhr[15], so daß er schließlich der Einsamkeit und dem Vergessen anheimfiel.

Als weitblickender sozial engagierter Kulturpolitiker trat Waldmüller gegen den Kunstprotektionismus auf[16] und führte dem Staat die Verpflichtung zu einem fortschrittlichen Mäzenatentum immer wieder mit eindringlichen Worten vor Augen[17]. Als Eiferer gegen bürokratisches Kunstbeamtentum und erstarrte Unterrichtsmethoden kam schließlich der Staatsbeamte Waldmüller zu Fall, weil er das eigene Institut, die k. k. Akademie der bildenden Künste in Wien, öffentlich in Mißkredit brachte. Bereits im März 1845 überreichte er schriftlich seine „Ideen zu einem Entwurf einer berichtigenden umfassenden Anleitung in der bildenden Kunst“[18], aus denen kurz darauf das Konzept für „Das Bedürfnis eines zweckmäßigeren Unterrichtes in der Malerei und plastischen Kunst“[19] hervorging.

Im Mittelpunkt stand darin – und wie könnte es bei Waldmüller auch anders sein – das Studium nach der Natur. Besondere Beachtung verdient aber auch das Kapitel über Talent und Berufung, worin Waldmüller mit wachem sozialen Gewissen vor der Gefahr eines „Kunstproletariates“ durch fehlende Auslese warnt. 1848 veröffentlichte der Kunsthistoriker Rudolf von Eitelberger eine vernichtende Kritik der Lehrmethoden Waldmüllers[20]. Umso erstaunlicher ist es, daß der vielfach gemaßregelte Künstler doch in die Kommission für die nach der Revolution in Angriff genommene Reform der Akademie berufen wurde; es erfolgte aber auch bald eine Korrektur: ein anderer Ausschuß arbeitete die endgültigen Bestimmungen aus[21].

Nicht zuletzt deshalb veröffentlichte der streitbare Kunstrebell seine „Vorschläge zur Reform der Österreichisch-kaiserlichen Akademie der bildenden Kunst“[22], worin eine Menge Zündstoff lag, da sie auf die Entbehrlichkeit so mancher wohldotierter Posten zielte. Aber es ging ihm auch um die soziale Sicherstellung der Künstler. Hier erwies er sich als wahrer Revolutionär, der vielfach auch heute noch Gültigkeit beanspruchen kann; so zum Thema Kunstverein[23], mit Überlegungen „für den Schutz des geistigen Eigentums“[24] oder mit Forderungen nach staatlicher Kunstförderung, um „Freiheit der Bewegung“ und „Selbständigkeit“ zu ermöglichen, ohne die die Kunst niemals „auf alle Classen der Gesellschaft“, „nie auf das Volk“, sondern höchstens „als dienende Magd gewöhnlicher Bilderliebhaberey der Reichen“ wirken könne. Denn wenn man schon für Armee, Eisenbahnen, Justizwesen so namhafte, von der Notwendigkeit gebotene Summen ausgäbe, sollte man dann nicht, so fragt er, „diese Notwendigkeit im Unterrichtswesen alleine verkennen, in diesem wichtigen Zweige der Neugeburt des Staates?“[25]

1857 erschien die Broschüre „Andeutungen zur Belebung der vaterländischen bildenden Kunst“[26]. Da Waldmüller in dem gesamten Apparat der Akademie ein „absolut zeit- und geisttödtendes Verfahren“ sah, war es seine „tief begründete Überzeugung, dass die gänzliche Aufhebung der sämmtlichen Akademien der erste und nöthigste Schritt zur Schaffung eines neuen Zustandes der vaterländischen Kunst sei“. Der Staat könnte, so die Folgerung, die bisher dafür aufgewendeten Mittel zum Ankauf „aller echten Kunstwerke, welche in Österreich entstehen“ verwenden. Mit dem Aufhören des akademischen Unterrichtes würde nach Waldmüllers Ansicht auch die „sogenannte Akademie-Galerie“ überflüssig . . .

Ein solches „ordnungswidriges“ Verhalten des ersten Kustos dieser Sammlung endete naturgemäß mit der Zwangspensionierung[27] – zeitlebens für Waldmüller eine bleibende Wunde, trotz allen Rebellentums. Aber unbeugsam verteidigte er seine Ansichten weiterhin in zahlreichen Schriften. So schonungslos wie er sich selbst gegenüber seine theoretischen Ideen verfocht, so verhielt er sich auch in der Praxis seiner künstlerischen Auffassung. Verarmt durch die Unverkäuflichkeit seiner in Stil und Thematik nicht mehr gefragten Bilder, ging er den einmal eingeschlagenen Weg konsequent zu Ende; ja er hatte sogar die Kraft zu einem neuerlichen künstlerischen Höhepunkt in seinem Alterswerk. Er fand darin zu einer neuen Synthese von Landschaft und Mensch sowie zu einer berührenden Monumentalisierung der Natur, wie dies in den späten Wienerwaldlandschaften zum Ausdruck kommt. Gleichzeitig wich die frühere Oberflächenglätte der Bilder einer flockigen Faktur und ungewohnten Spontaneität im Farbauftrag, wofür vor allem der „alte Kasten“ in der Österreichischen Galerie beispielhaft ist. Es kam zu einer zunehmenden atmosphärischen Auflockerung und damit zu Ansätzen für eine Wandlung, wenn Waldmüller mit gedämpfteren Valeurs und träumerischer Stille „an die Grenzen dessen gelangt, was wir das Biedermeierliche zu nennen gewohnt sind“[28].

**Anmerkungen:**

1 Archiv der Akademie der bildenden Künste, Wien, „Protokoll der die k. k. Akademie der bildenden Künste in Wien frequentirenden Schüler vom Jahr 1797 bis 1850“ (7) fol. 111. Waldmüller gibt 1807 als Beruf seines verstorbenen Vaters „Haußhofmeister“ an. In der „Todten-Fall-Aufnahme“ vom 9. Juli 1806 wird dieser als „gewesener Bierwirth“ bezeichnet. (Archiv der Stadt Wien, HA-Akten, Persönlichkeiten 51/26. Sperrs-Relation 2–5886/1806).

2 Dies vor allem in seiner Selbstbiographie, abgedruckt bei Arthur Roessler und Gustav Pisko, Ferdinand Georg Waldmüller, sein Leben, sein Werk und seine Schriften, Wien o. J. (1907).

3 Marion von Kendler, Neues Wiener Tagblatt vom 9. März 1908. Nach A. Roessler war die Autorin eine Enkelin F. G. Waldmüllers.

4 Archiv der Stadt Wien, HA-Akten, Persönlichkeiten 51/24, Mag. Fasc. 11–44/1822.

5 Die gedruckten Broschüren sind bei Roessler-Pisko, a. a. O. abgedruckt ebenso wie die meisten, damals im Besitz von Dr. Theodor Blau befindlichen Originalhandschriften, von denen jetzt fast alle in der Handschriftensammlung der Wiener Stadt- und Landesbibliothek aufbewahrt werden.
Hinweise auf handschriftliche undatierte Konzepte für Aufsätze und Briefe Waldmüllers sowie Regesten von Urkunden und Archiven finden sich im Anhang der Monographie Ferdinand Georg Waldmüller von Maria Buchsbaum, Salzburg 1976, S. 219 ff.

6 Hier schaltete sich zweifellos auch der revolutionäre Reformator des akademischen Unterrichts ein.

7 In: Skizzenbuch mit 30 Blättern aus den Jahren um 1827, Blatt 5, Graph. Slg. Albertina, Wien, Inv. Nr. 25948.

8 Hermann Beenken, Das 19. Jahrhundert in der deutschen Kunst, München 1944, S. 140.

9 siehe Bruno Grimschitz, Ferdinand Georg Waldmüller, Salzburg 1957, Œuvreverzeichnis Nr. 269.

10 Albertina-Skizzenbuch, Inv. Nr. 25948, Bl. 16 und 17.

11 Josef Nadler, Literaturgeschichte des deutschen Volkes, Bd. 3, Berlin 1938, pag. 344.

12 Aufsatz über die zeitgenössische französische Malerei und die künstlerische Situation in Österreich, Handschriftensammlung der Wiener Stadt- und Landesbibliothek, Inv. Nr. 4646.

13 Arthur Roessler, Ferdinand Georg Waldmüller und Josef Danhauser, in: Bildende Künstler, Wien 1911, Heft 10, pag. 49 ff.

14 Konzept eines Gesuchs Waldmüllers an die k. k. Steueradministration um Nachlaß der Erwerbssteuer, weil er seit mehreren Jahren von ihm vollendete Gemälde „weder an Private noch an den Kunstverein“ verkaufen könne. (Aus dem Jahre 1855) Handschriftensammlung Wiener Stadt- und Landesbibliothek, Inv. Nr. 4631.

15 Anton Ritter von Perger, „Über Waldmüllers Lehrmethode“ vom 15. Mai 1845. Archiv der Akademie der bildenden Künste Wien, Miscellanea.

16 Aufsatzkonzept gegen die Protektion talentloser akademischer Lehrer: „Es unterliegt keinem Zweifel . . .“ Handschriftensammlung der Wiener Stadt- und Landesbibliothek, Inv. Nr. 4665.

17 Aufsatzkonzept über Reform und Mäzenatentum: „Die Theilnahme des Staates an der bildenden Kunst . . .“ Handschriftensammlung der Wiener Stadt- und Landesbibliothek, Inv. Nr. 4638.

18 Archiv der Akademie der bildenden Künste Wien, Verwaltungsakten 1845, E. Nr. 132½.

19 Handschriftensammlung der Wiener Stadt- und Landesbibliothek, Inv. Nr. 4664.

20 Rudolf Eitelberger von Edelberg, Die Reform des Kunstunterrichtes und Professor Waldmüllers Lehrmethode, Wien 1848.

21 Archiv der Akademie der bildenden Künste Wien, Verwaltungsakten 1851, E. Nr. 24.

22 „in Commission“ bei C. Gerold, Wien 1849 (abgedruckt bei Roessler-Pisko, a. a. O., S. 37 ff.).

23 Entwurf zu Statuten des Kunstvereins. Handschriftensammlung der Wiener Stadt- und Landesbibliothek, Inv. Nr. 4642.

24 Ebendort, Inv. Nr. 4643.

25 Ebendort, Inv. Nr. 4644.

26 Erschienen bei Carl Gerolds Erben, Wien 1857 (abgedruckt bei Roessler-Pisko, a. a. O., S. 53 ff.).

27 Archiv der Akademie der bildenden Künste Wien, Verwaltungsakten 1857, E. Nr. 260. Die fehlenden, im Index jedoch vereinnahmten E.-Nummern 196–198 sind unter Z 1123/CUM/857 im Verwaltungsarchiv abgelegt.

28 Fritz Novotny im Katalog zur Ausstellung F. G. Waldmüller, Höldrichsmühle, Hinterbrühl 1965, S. 19.

# DIE KÜNSTLERFAMILIE ALT IN BIEDERMEIER UND VORMÄRZ

*Walter Koschatzky*

Die Motive waren sehr unterschiedlich, denen um das Jahr 1800 so zahlreiche junge Deutsche folgten, wenn sie nach Wien gingen. Da war noch immer der Nachklang der josephinischen Hauptstadt mit ihrer aufgeklärten Toleranz, den literarischen und religiösen Freiheiten; dann aber galt für viele der Kaisersitz als Mittelpunkt der nationalen Kräfte gegen die französische Bedrohung und Überfremdung; schließlich war Wien doch als Residenz zudem eine Stadt von Glanz und Reichtum, Zentrum eines großen Reiches, schön und lebhaft, in dem Adel und reiches Bürgertum eine kulturell ambitiöse und kaufkräftige Schichte bildeten. Mehr vielleicht aber noch als das alles wirkte für Künstler der Ruf der Akademie, den sie doch vor allem einem Deutschen, Heinrich Friedrich Füger, dankte, wozu noch des Herzogs Albert von Sachsen-Teschen legendäre Kunstneigung und Förderung junger Künstler nicht zuletzt ein übriges tat. Viele solcher Hoffnungen allerdings endeten mit Enttäuschung. Rasch hatte sich der Josephinismus unter Franz II. (I.) – dramatisiert in wachsender Kriegsbedrängnis – zu einer konservativen Gegenkraft wider die Ideen von Revolution und Volksherrschaft verwandelt. Der Liberalismus schwand. Die nationalen Ideale entarteten zu schwärmerischem Sektieren oder religiöser Träumerei. Die Auftraggeber schließlich – von sehr wenigen Mäzenen abgesehen, die allerdings zumeist ihre eigenen Hofmaler beschäftigten – boten auch kaum Möglichkeiten zu Erfolg und Aufstieg. Fügers Akademie war auch längst erstarrt in Pathos, Spätklassizismus und der Abwandlung mythologischer oder biblischer Programme. So wenig daran erfreulich war, so waren es gerade die an allen diesen Widerständen sich entfaltenden Kräfte, indem sie gegen Traditionen und Konventionen aufkamen, wie nach dem Neuen und dem Verändern suchten, die zur eigentlichen Stärke dieser Stadt wurden. Wien war so zu einem der künstlerisch interessantesten Zentren geworden, als Kriegsende und Kongreß eine neue, euphorisch aufstrebende Ära, die wir Biedermeier nennen, einleiteten. Auf zwei Gebiete scheint sich dies konzentriert zu haben: in eine (zweifellos von Fügers Vorbild ausgehende) Bildniskunst und die sich rasch in zwei Wege trennende Landschaftskunst, in eine zunächst noch klassizistisch komponierende (im Sinne von componere = Zusammensetzen gewählter schöner Einzelheiten) und eine die Wirklichkeit als unteilbares Ganzes in einer Vedute (sei dies ein Bauwerk, ein Stadtbild, eine Ansicht oder ein Naturausschnitt) erfassende. Kunst war also sowohl ein Mittel geworden, die Welt zu zeigen, wie sie sein sollte – als Idealismus – oder sie zu zeigen, wie sie ist – als Realismus. Die im folgenden kurz überschaute Lebensleistung der Künstlerfamilie Alt, des Jakob (1821–1872) wie seiner Söhne Rudolf (1812–1905) und Franz (1821–1914), vermag wie kaum ein anderer Aspekt österreichischer Kunst, die aus solchen Ansätzen erwachsenden Auseinandersetzungen, ihre Höhepunkte und schließliche Überwindung darzustellen.

Wir wissen so gut wie nichts über die Motive, die den jungen Kunststudenten Jakob Alt im Jahr 1810 aus seiner Frankfurter Heimatstadt nach Wien führten. Im späten Alter hat Rudolf einmal erwähnt, daß sein Vater, als er in Wien ankam, eigentlich am Anfang einer Studienreise gestanden wäre, die ihn nach Italien hätte führen sollen. Jedenfalls hatte er hier in der Alservorstadt Unterkunft gefunden, als er sich in seine junge, nach kaum einjähriger Ehe verwitwete Quartiergeberin verliebte, die er bald – am 12. November 1811 – heiratete. Am 28. August des folgenden Jahres kam das erste von insgesamt sieben Kindern zur Welt, ein Sohn, der den Namen Rudolf erhielt. Als er bereits ganz früh ungewöhnliche Begabung zeigt, wächst er von Kind auf in die Tätigkeit des Vaters hinein, und das bedeutete: zeichnerisches Erfassen eines malerischen Sehbilds, dessen Umsetzung in eine graphische Technik (vor allem die Lithographie) und zuletzt und im besonderen das Kolorieren in Wasserfarben. Solches Rüstzeug wurde unschätzbar.

Jakob, nun mit Verantwortung für seine Familie belastet, konnte an eine Fortsetzung der Studien keineswegs denken, sondern mußte mit seinem erworbenen Können jede sich bietende Gelegenheit suchen. Nun standen in Wien jedem die Erfolge der Gruppe der Wiener Vedutenstecher Karl Schütz, Johann Ziegler und Laurenz Janscha vor Augen, deren Ansichten der Haupt- und Residenzstadt noch vor 1800 bei Artaria einen wahren Durchbruch erzielt hatten. Die Verleger drängten nach Fortsetzung und Erweiterung solcher Bildfolgen. Vater

Kat. Nr. 12/1/5 Jakob Alt, Minoritenkirche, 1814

Kat. Nr. 5/2/2 Rudolf von Alt, Sonnenfinsternis über Wien am 8. Juli 1842

Alts Versuche, sich zunächst mit mythologischen Stimmungsbildern durchzusetzen, mit dicht gemalten Gouachen ferner Ideale eines Claude Lorrain, von Sonnenuntergängen und träumenden Schäfern, gelangen nicht. Doch genau das zwang ihn, eine andere, eine neue Wirklichkeitssicht zu suchen. August Schaeffer (1833–1916) hat dies im Nachlaßkatalog von Franz Alt so formuliert: „Vater Jakob, der biedere Meister seines Faches, ist noch in seiner ersten Zeit von der akademisch-gefesselten Ideallandschaft beeinflußt, nimmt sich aber alsbald die Binde von den Augen und versucht, nun die Natur ohne Floskeln und Zierat wiederzugeben; er kann daher immerhin als eine Art Eroberer seiner terra incognita bezeichnet werden –“ Es wäre aber ein grundsätzlicher Irrtum, zu glauben, ein so schwerwiegender Prozeß sei wie von selbst abgelaufen. Wohl setzte die Wendung zur Wirklichkeit an allen Ecken und Enden an, es bedurfte wie zu allen Zeiten jedoch der Initialzündung.

Eine dieser ging von Erzherzog Johann von Österreich aus, dessen vielfältige Aufträge seinen neu gefaßten Zielen entsprachen. Sie waren von mehreren Absichten bestimmt: von einer Mobilisierung österreichischen Selbstbewußtseins, Motivierung der Heimat zum Widerstand, von der Vorstellung eines reineren, freieren Menschen in der Natur, dann aber nicht minder von physiokratischer Gesinnung, die den Aufstieg der Menschheit durch Erfassen aller Realitäten und ihrer Nutzung vor sich sah, und zuletzt von einer (wenn man so will) ganz romantischen, tiefgehenden Liebe zur Schönheit der Natur. Alles das sollte sich in der Kunst ohne weltfremde Schwärmerei, nämlich als „Bestandsaufnahme“ manifestieren. Johann Kniep, einer der ersten von ihm beschäftigten Maler, ein von Armut bedrängter Akademieschüler, der im Schütz-Ziegler-Kreis einige Arbeit gefunden hatte, starb mitten im Kriegsjahr 1809. Österreichs Niederlage ließ Johann 1810 – eben im Jahr von Alts Ankunft – seine Ziele erst recht von neuem in Angriff nehmen. Jakob Gauermann nahm zwar bald die Stellung Knieps als Landschaftsmaler ein, und dem Karl Russ wurde die Aufnahme steirischer Trachten zur Aufgabe gemacht, aber darüber hinaus begann der Erzherzog Folgen von Ansichten der Alpenländer zu fördern. Hier setzte der Aufstieg der Lithographie in Wien so recht ein. War Alois Senefelder auch noch so bemüht gewesen, seine Erfindung in Wien zum Erfolg zu bringen, so standen dem zunächst allzuviele verzögernde Schwierigkeiten entgegen. Erst mit dem gleichfalls aus Deutschland zugewanderten Adolf Kunike (er wird Alts Nachbar in der Alservorstadt!) bahnen sich Erfolge an. Kunike beginnt mit einem Lehrbuch der

Zeichenkunst: Alt liefert die Vorlagen. Andere Verleger werden plötzlich hellwach mit der Idee, die Wiener Veduten in diesem Verfahren auf die schönsten Gebiete Österreichs auszudehnen.

Die Lithographie erweist rasch ihre Vorzüge gegenüber der bisherigen Radiertechnik. Zwar ist es nicht der Ort, hier diesen vielfältigen und fesselnden Vorgängen im einzelnen zu folgen, aber eben damit haben wir die Basis des Schaffens von Jakob Alt erreicht.

Ein Blatt in der Folge von Ansichten des Karl L. Viehbeck mag für ihn den Anfang gemacht haben, Versuche, einzelne Wiener Ansichten herzustellen, folgen; wir kennen erste Aquarellvorlagen dazu von 1813 an, doch das entscheidende Jahr war dann 1817 gekommen. Alt wendet sich von allem Akademismus ab – das Blatt Traunsee der Albertina verdeutlicht es ebenso wie der Blick über den Wienfluß des Historischen Museums –, und als Kunike das große Unternehmen in Angriff nimmt, von ihm das Werk „Donau-Ansichten vom Ursprung bis zum Ausfluß ins Meer" schaffen zu lassen – es sollte schließlich 264 Blätter umfassen –, hatte ein Durchbruch begonnen. Die Arbeit nahm Jahre in Anspruch, wurde künstlerisches und existenzielles Fundament Vater Alts und auch seines Sohnes Rudolf. Bereits mit sechs Jahren begleitete dieser den Vater auf Wanderungen, er kopierte dessen Bilder, besuchte dann zwar die Akademie, doch ohne dort recht beeinflußt zu werden. Statt dessen versucht er sich selbst in der Aquarellmalerei „nach seinen Anschauungen der Natur" (wie er später schreibt), in der er bald – gewiß nicht ohne Vorbilder in Joseph Rebell und Thomas Ender zu finden – ganz Neues entdeckt: die Möglichkeiten transparenter Wasserfarben und lasierender Malweisen. Hatte eben der Vater noch mit Deckweiß gemischt und sogar (wie es so recht akademischer Tradition entsprach) vom Dunklen zum Hellen gemalt, so eröffnete der umgekehrte Weg mit seinem Aufleuchten und Schweben der Farben, mit dem hellen Untermalen eine neue Welt. Der Vater erfaßt es zwar ebenso rasch, doch wird immer deutlicher, wie nun schon der Sohn die Fortschritte bestimmt und ihm der Vater folgt. Eine bislang kaum bekannte Brillanz erreichen beide auf ihren großen Reisen nach dem Süden, zuerst 1833 nach Oberitalien und noch mehr 1835 in Rom und Neapel. Das war genau der Zeitpunkt,

Kat. Nr. 12/1/3 Rudolf von Alt, St. Stephan, 1843

den man aus einer Fülle von Kriterien als Wendung von Biedermeier zu Vormärz verstehen kann und zu dem Alt einen höchst bedeutungsvollen Auftrag des Kaiserhauses erlangen konnte; Kronprinz Ferdinand, Kaiser seit 1835, hatte einen Guckkasten erhalten, in dem eingeschobene und beleuchtete Bilder mittels eines Hohlspiegels zu panoramaartiger Wirkung gelangten. Mehrere Künstler hatten solche Bilder mit Ansichten aus der Monarchie und darüber hinaus herzustellen; den größten Teil aber zu dieser bis 1848 fortgesetzten Sammlung trugen Vater und Sohn Alt bei. In ihrer sachlichen und doch so malerischen Schilderung einer Ganzheit, einer „ungeteilten" Wirklichkeit, die keine Staffage mehr kennt, sondern allein mehr Bildszenen, können sie als Inbegriff der Epoche gelten. Was auf anderem Gebiet die Genrekunst zu leisten vermochte, nämlich in einem Ganzen, das „mehr ist als die Summe seiner Teile", die eigentliche Wirklichkeit des Ungreifbaren und doch so Konkreten einer erlebnishaften Stimmung zum künstlerischen Gegenstand zu machen, das gelingt in Vedute und Landschaft, nun allerdings weit über das Werk seines Vaters hinausgreifend, nur dem Sohn. Rudolf Alt wird zum Ende der dreißiger Jahre, selbst im Rahmen der Weltkunst gesehen, zu einem der größten Aquarellisten aller Zeiten. Es war ohne Zweifel völlig zutreffend, wenn Otto Benesch im Katalog der Albertina 1955 eben von diesem Werk sagte, die Blätter seien Proben einer künstlerischen Vollendung schlechthin, seit Dürer habe kaum ein Künstler in Aquarellen die Welt so festgehalten, und der Vergleich mit den bedeutendsten Meistern Englands und Frankreichs, einem Turner, Bonington oder Delacroix, sei durchaus angemessen. Es mag an dieser Stelle passen, einmal mehr mit Nachdruck zu wiederholen, daß Rudolf Alt kein guter Dienst erwiesen wurde (und wird), ihn als den liebenswerten Vedutenmaler gemütlicher Wiener Stadtansichten zu preisen. Es muß ganz klar sein: Alt war ungleich mehr.

Die vierziger Jahre der Wiener Aquarellkunst kann man überhaupt rundweg als ein goldenes Jahrzehnt bezeichnen, das, merkwürdig genug, in einem verwirrenden Gegensatz zu der sich bedrückend rasch und emotional dramatisierenden Verschlimmerung der politischen Verhältnisse stand. Rudolf Alt nimmt in diesem Jahrzehnt mit seinen Stadtlandschaften die gleiche Sonderstellung ein, wie sie einem Carl Schindler im Genre zukommt. Während dieser aber – todkrank an Tuberkulose – nur wenig über zwanzig Jahre alt wurde, also höchstens vier oder fünf Arbeitsjahre erlebte, sollte Rudolf schließlich ein ungewöhnlich langer Lebensbogen mit mehr als acht vollen Jahrzehnten intensivster und unaufhörlicher Arbeit beschieden sein. Sein persönliches Leid, der furchtbare Schmerz um Hermine, die geliebte junge Frau, die am 21. November 1843 im Kindbett stirbt, mag sogar in seinem verzweifelten Aufgehen in künstlerischer Arbeit und in einem Versenken, das Werke von Transparenz und Überwirklichkeit ohnegleichen entstehen ließ, diesen ersten großen Höhepunkt seines malerischen Schaffens noch vertieft, noch verdichtet haben. Die visitenkartengroßen Wiener Ansichten, die er 1843/44 im Auftrag des russischen Diplomaten Graf Barjatinsky schuf (sie sind erst kürzlich wieder aufgetaucht), kann man darin als einen ebensolchen Glanzpunkt verstehen wie den großformatigen Blick auf Wien von der Spinnerin am Kreuz von 1843 oder gar die Sonnenfinsternis über Wien vom 8. Juli 1842 (beide Historisches Museum der Stadt Wien). Es folgen die Jahre, in denen der eben zur Herrschaft gelangte Fürst Alois II. von Liechtenstein Alt entdeckt und zu einigen der meisterhaftesten Werke mit Darstellungen aus seinen Besitzungen heranzieht. Damit war eine ganz ungewöhnliche Seite der Aquarellkunst Rudolf Alts eingeleitet worden, nämlich malerisch Interieurs von einer Detailliertheit, strahlenden Leuchtkraft und künstlerischen Schönheit zu schaffen, wie sie kaum ihresgleichen kennen. Nur allzu rasch folgen andere adelige Auftraggeber, um ebensolche Ansichten ihrer Schlösser und Paläste zu erhalten. Alt verzweifelt fast daran, muß aber glücklich über jeden Auftrag sein. Die materielle Lage seines Lebens sollte sich erst weit später bessern. Aus seinen Briefen geht immer wieder die geradezu erschütternde Existenzangst hervor; unablässig muß er versuchen, Käufer zu finden, attraktive Motive zu entdecken, und durch größten Fleiß sich und seine Familie (er hatte bald wieder geheiratet) zu erhalten. Man zahlte elende Beträge; 25 fl. pro Blatt, zu einer Zeit, wo Erzherzog Johann seinen Kammermalern schon längst 100 fl. pro Blatt zuerkannte. Dazu war Alt ein Leben lang gedrückt von fast schüchterner Bescheidenheit und übermäßiger Selbstkritik: „In Wahrheit ist mein Leben nur eine Kette von Resultatlosigkeiten“, schreibt er später einmal resignierend, und er meinte damit auch den Gegensatz zu seienem jüngeren Bruder Franz. Dieser, gleichfalls hochbegabt, war schon unter ganz anderen Lebensumständen aufgewachsen, auch er hatte sich, darin dem Bruder ähnlich, an der Arbeit des Vaters orientiert, war dabei dessen Vedutenstil vielleicht etwas näher geblieben und hatte, von Persönlichkeit und Charakter weit umgänglicher, gesellschaftlicher als der sich immer mehr in die engste Familie zurückziehende und einsame Rudolf, weit mehr Kontakte, Erfolge und Aufgaben in Adelskreisen. Franz Alt stand mit seinen Auftraggebern stets in fast freundschaftlicher Beziehung, blieb als Gast, Hauslehrer und Reisebegleiter oft monatelang auf Schlössern und in fernen Ländern, was ihm auch durch seine unabhängige Lebensweise (er hatte niemals geheiratet und lebte mit seiner Schwester in Wien) eben auch möglich war. Man tut Franz Alt ohne Zweifel grob Unrecht, ihn immer wieder im Vergleich mit seinem Bruder zu sehen und ihm so einen sekundären Platz zuzuordnen. Er mag in Qualitäten mehr schwanken und auch manche flüchtige Gleichgültigkeit (wie etwa übermalte Photographien) hergestellt haben. In seinen Hauptwerken aber, von denen immer mehr bekannt werden, ist er zu den Besten der Zeit zu zählen, bedenkt man gar, daß seine künstlerischen Absichten durchaus andere waren als die seines Bruders. Was heute endlich ein Ende haben sollte, das ist das Abwägen und Vergleichen der drei Alt untereinander, und, wie längst die Bearbeitungen erwiesen haben, ist es nur zu berechtigt, jedem in seiner Art einen hohen Rang zuzuordnen. Das Zerwürfnis der Brüder, das zwar niemals offen zutage trat, hatte mehrere Ursachen; eine davon war, daß die Mutter dem Franz ungleich näher stand, der auch die Eltern stets finanziell unterstützte. Das belastete offenbar Rudolf, der durch die eigene Familie dazu nicht in der Lage war. Franz wiederum klagte, daß er allzusehr im Schatten Rudolfs stand (vor allem in den späten Jahrzehnten des Jahrhunderts), Rudolf demgegenüber, daß sich der andere im Leben viel leichter tat. Kurzum Eifersucht und auch Konkurrenz hatten sie entfremdet. Auch hatte Rudolf anfänglich gehofft, Franz werde sich dem Porträtfach zuwenden, doch spätestens 1844 – Franz hatte die Akademie absolviert – erwies sich, daß er Vater und Bruder in der Vedute nachzufolgen begann. Seine Glücksstunde war, Bekanntschaft mit Casimir Graf Esterházy zu finden (1846), dessen Aufträge und spätere Freundschaft zur Basis seines Lebens wesentlich beitrugen. Auf weiten Reisen, vor allem in Italien, Ungarn und Rußland, erfüllte sich wie in Salzburg und Wien ein im gesamten ruhiger, harmonischer Lebensbogen. Das Jahr 1848 – Ende von Biedermeier und Vormärz – bedeutete für alle eine schwerwiegende Zäsur, nach der eigentlich Rudolf am schwersten einen neuen Anfang fand. Er geriet in krisenhafte künstlerische Perioden und vor allem unter den Druck einer bis zur Selbstzerstörung gehenden Überbelastung, die ihn durch die erwähnten Aufträge, Schloßinterieurs in Serie zu malen, erfaßte. Rudolfs Aufstieg setzte erst kurz nach 1860 ein, erreichte 1863 auf der Krim neue Dimensionen und erfüllte sich in mehreren Höhepunkten – 1867 in Sizilien, 1869 Salzburg, 1872/73 Rom, 1876 Teplitz – ein faszinierendes Reifen und Bewältigen, das ihm auch endlich Ansehen, Bewunderung und hohe Anerkennung (bis zur Verleihung des Adelsprädikates durch den Kaiser) einbrachte. Schließlich in seinem Spätwerk wurde er vollends zu dem, als den ihn die junge Avantgarde der Secessionisten verehrte und zu ihrem Ehrenpräsidenten machte, ein Künstler, von dem Ludwig Hevesi um 1900 sagte, er sei der modernste Maler dieses Jahrhunderts gewesen. Weit war Alt über das getreue Erfassen und die liebevolle Schilderung der sichtbaren Wirklichkeit hinausgetreten, längst nicht mehr der Vedutist schöner Bildchen, sondern ein schöpferisch gestaltender Mensch, der nach einem langen durchkämpften Leben wußte, daß Kunst Suchen heißt, um die Welt immer wieder neu zu entdecken und zu vertiefen. Wenn Hevesi im Eröffnungsheft der Zeitschrift Ver Sacrum sagte: „Daß Rudolf Alt nicht längst die internationale Größe ist, die er einst ohne Zweifel wird, ist eine der seltsamsten Thatsachen des modernen Kunstlebens“, so können wir uns, bald ein Jahrhundert später, dem nur anschließen. Zwar nicht mehr mit voller Berechtigung, denn schon zählt Alt heute etwas in aller Welt. Allerdings ist das Selbstbewußtsein und eine festfundierte Überzeugung von der eigenen Kraft und Fähigkeit nicht die Stärke des Österreichers, und es mag ihn dies vielleicht sogar vorteilhaft von manchen anderen unterscheiden. Es gibt aber Bereiche, wo dies allzu abträglich ist; im Ansehen der eigenen Künstler etwa. So sollte das Lebenswerk der drei Alt noch weit stärker als bisher geachtet und geschätzt sein.

**Literatur:**

Ludwig Hevesi, Rudolf von Alt. In: Ver Sacrum I (1898), 1. H., 14 ff.
Ludwig Hevesi, Rudolf Alt, sein Leben und sein Werk, Wien 1911.
Ludwig Münz, Rudolf von Alt, 24 Aquarelle, Wien 1954.
Walter Koschatzky, Rudolf von Alt, 1812–1905, Salzburg 1975.
Hans Bisanz, Werke von Jakob, Rudolf und Franz Alt im Besitz des Historischen Museums der Stadt Wien, 1976 (Ausstellungskatalog).
Marie Luise Schuppanz, Franz Alt (1821–1914), phil. Diss. (ungedr.), Wien 1980.

# DIE ÖSTERREICHISCHE LITHOGRAPHIE ZUR ZEIT DES BIEDERMEIER

*Elisabeth Herrmann-Fichtenau*

Die 1797 von Alois Senefelder erfundene Lithographie basiert nicht wie der Holzschnitt und der Kupferstich auf einem mechanischen, sondern auf einem chemischen Verfahren: Mit einem fetthaltigen Zeichenmittel – Tusche oder Kreide – wird in der Regel direkt auf den präparierten Stein (in der Frühzeit meist Solnhofener Schiefer) gezeichnet, danach erfolgt das Fixieren der Darstellung mit einer Lösung aus Gummi arabicum und Salpetersäure. Beim darauffolgenden Einfärben des Steins nehmen nach dem Prinzip der Abstoßung von Wasser und Fett nur die Stellen die Druckfarbe an, auf denen zuvor gezeichnet wurde; nach dem Druck erscheint die Darstellung seitenverkehrt auf dem Papier. Während des ganzen Verfahrens bleibt der Litho-Stein flach, wird nicht wie beim Hoch- oder Tiefdruck an den Stellen der Zeichnung erhöht bzw. vertieft. Die Bezeichnung der Technik leitet sich von den griechischen Wörtern „lithos" (Stein) und „graphein" (zeichnen) ab. Schon früh begann man mit dem Handkolorieren der Blätter und stellte Versuche mit einer oder mehreren Tonplatten an, die in den Chromolithographien Lanzedellis gipfelten. Diese Drucke von mehreren verschieden eingefärbten Steinen wurden sehr berühmt und stellen in dieser frühen Zeit der Technik bedeutende Leistungen dar. Mit Hilfe des Umdruckverfahrens gelang es ferner, Zeichnungen seitenrichtig auf den Stein zu übertragen und von dort zu drucken; Metallplatten, mit denen immer wieder experimentiert wurde, ersetzten zum Teil den schwer zu handhabenden Solnhofener Schiefer. Das Prinzip des chemischen Flachdrucks, allerdings nicht auf Stein, sondern auf Gummi, ist auch heute noch im Offset-Verfahren sehr lebendig.

Die Lithographie diente nach ihrer Einführung in Wien durch Alois Senefelder (ab 1801) zunächst vor allem praktischen Zwecken, der Herstellung von Musikalien, Landkarten, bedruckten Baumwollstoffen usw. und etablierte sich erst ab etwa 1815/16 als eigenständige

Kat. Nr. 5/3/13 Joseph Lanzedelli, Die Einführung der Lithographie bei den Künsten durch Minerva, 1818

künstlerische Technik[1]. Zu den bedeutendsten lithographischen Anstalten der Frühzeit zählt die Chemische Druckerei, die 1803 von Senefelder gegründet und ab 1805 von Sigmund Anton Steiner und Rochus Krasnitzky weitergeführt wurde. Ferner sind die Druckereien des Joseph Georg Mansfeld (gegründet 1816) und des Carl Gerold (ab 1816) zu erwähnen – aus letzterer entwickelte sich das Lithographische Institut, die wohl produktivste Anstalt in der Frühzeit der neuen Technik. Auf der Landstraße besaß Philipp von Phillisdorf ab 1816 eine eigene Steindrukkerei; 1819 wurde das Lithographische Comptoir des Adolph Kunike eröffnet. Nach dem Ende der Inkunabelperiode, das mit 1821 angesetzt wird, entstanden zahlreiche weitere lithographische Anstalten bzw. Verlage[2].

Die große Bedeutung der neuen Technik basierte vor allem auf der enormen Breitenwirkung der Lithographie, weniger auf einer hohen künstlerischen Qualität der meisten Blätter. Selbst der „kleine Mann" konnte sich Lithographien leisten, die er in einfachen Rahmen als Wandschmuck für seine Wohnung verwendete; man ließ sich und die Familie im Steindruck porträtieren, weil Ölgemälde vielfach unerschwinglich gewesen wären. Große Kunst wurde in kleinen billigen Reproduktionen in das biedermeierliche Ambiente geholt, und es entstand eine Fülle von Werken der Gebrauchsgraphik, von Neujahrswunschkarten, Billets, Kalenderillustrationen usw., die uns heute als wertvolle Quellen für die Kenntnis des Alltags jener Epoche dienen. In diesem Zusammenhang ist vor allem die Produktion des 1819 gegründeten Wiener Verlages Trentsensky zu nennen, die sich aus den verschiedenartigsten Erzeugnissen zusammensetzte: Die Spanne reichte von Kanzleipapier bis zu Illustrationen der um 1825 entstandenen Shakespeare-Übersetzung, von Zugbildern bis zu eigenständigen Kunstwerken, unter anderem von so bekannten Meistern wie Moritz von Schwind und Joseph Kriehuber[3]. Die Damenwelt ergötzte sich an den Modebildern Trentsenskys und an Almanachillustrationen; die Bildung des Publikums wurde unter anderem durch die Herausgabe von Steinbüchels „Antiquarischem Atlas" gefördert. Sehr beliebt waren die „Mandlbogen", die es schwarz oder bereits koloriert zu kaufen gab, aus denen man dann zumeist selbst die Figuren ausschnitt und zu Gruppen zusammenstellte. So entstanden Serien von Wanderhändlern und von Militärdarstellungen, die eine ganz ähnliche Funktion wie die Zinnsoldaten hatten; ganze Theaterstükke wurden zu Hause nachgespielt, mit lithographierten Imitationen der Bühnendekorationen und mit Figurinen, die sehr oft die Züge beliebter Schauspieler trugen. Die Mandlbogen kamen natürlich in erster Linie dem Spieltrieb des zumeist jugendlichen Publikums entgegen, hatten zugleich aber durchaus auch didaktisch-moralisierende Funktionen zu erfüllen und entsprachen jedenfalls in idealer Weise der immer wieder zitierten Vorliebe des Biedermeier für das Kleine, Überschaubare, für eine kulturelle Betätigung im häuslichen Bereich. Selbst die eher elitäre romantische Kunst fand in den – meist in sehr kleinem Format gehaltenen – lithographischen Reproduktionen des Verlages Trentsensky Eingang in das biedermeierliche Heim. Der Neigung zur Hausmusik entsprach im Bereich der bildenden Kunst das Dilettieren in der Graphik, das durch die Herausgabe von zahlreichen lithographierten Zeichenschulen noch gefördert wurde. So entstand schon kurz nach der Einführung des Steindrucks in Wien, zum Teil noch unter der Leitung Senefelders, ab 1804/05 eine lithographierte Kopie der Preißlerischen Zeichnungs-Lehre; in den zwanziger Jahren schuf u. a. Johann Schindler mehrere Hefte mit Anleitungen zum Figurenzeichnen, einige Folgen von Landschaftszeichenschulen usw. Gerade weil die neue Drucktechnik verhältnismäßig leicht erlernbar ist, zog sie Dilettanten an, vor allem Angehörige der Aristokratie, aber auch Geistliche und Bürgerliche[4].

Eine wichtige Rolle spielte die Lithographie im Zusammenhang mit patriotischen Tendenzen während der Franzosenkämpfe und in der Zeit danach. Dies zeigen unter anderem die Illustrationen zu Hormayrs „Archiv für die vaterländische Geschichte" und zahlreiche Militärfolgen, von Heinrich Papin, Johann Schindler und anderen. In diesen Serien werden Einzelheiten von Uniformen und Ausrüstung getreu und ausführlich geschildert, wie dies auch bereits Carl Müllers „Vollständige bildliche Darstellung der gesammten löblichen uniformirten Bürgerschaft der K. auch K. K. Haupt- u. Residenz-Stadt Wien . . ." aus dem Jahre 1806 tut; diese Folge zählt zu den frühesten lithographischen Werken Wiener Provenienz. Die Soldatenszenen der Biedermeierzeit sind vor dem Jahre 1848 in der Druckgraphik ebenso wie in der Malerei zumeist anekdotisch aufgefaßt, seltener karikierend, nie anklagend oder gegen den Krieg argumentierend; nur manchmal wird die, dann freilich heldenhaft ertragene Trauer, die durch den Tod oder die schwere Verwundung eines Kriegsteilnehmers hervorgerufen wird, geschildert. Erst August von Pettenkofen wird 1848 und in den Jahren danach auch Kriegsgreuel darstellen, ohne diese zu verharmlosen.

Insgesamt waren die Lithographien zur Zeit des Biedermeier entweder völlig unpolitisch oder zeigten eine positive Einstellung gegenüber dem System, ja sie dienten manchmal erklärtermaßen zur Verherrlichung und Popularisierung des Kaiserhauses, wie die Blätter von Johann Baptist Hoechle (d. Ä.), „Hauptmomente aus dem Leben des Kaisers Franz", lithographiert von Franz Wolf, oder der „Krönungszug Ihrer Majestät der Kaiserinn Carolina Augusta von Oesterreich als Koeniginn von Ungarn . . . 1825" von Joseph Kriehuber nach dem jüngeren Hoechle. Berühmt wurden auch Lanzedellis lithographische Kopien nach dem zu Beginn des 19. Jahrhunderts von Ambras nach Wien verbrachten „Stammbaum des Hauses Habsburg-Österreich", die 1820–1822 entstanden. Andererseits erschien 1826 in Prag die bereits sehr national eingestellte Folge „Geschichte Böhmens . . .", die von Anton Machek herausgegeben wurde. Die sozialen Mißstände, die zur Zeit des Biedermeier durchaus vorhanden waren und die schließlich unter anderem zum Ausbruch der Revolution von 1848 führten, werden hingegen in der Lithographie entweder gar nicht oder verharmlosend geschildert, manchmal auch zum Anlaß für Karikaturen genommen, die menschliche Schwächen und Torheiten wiedergeben[5]. Etwa ab den dreißiger Jahren des 19. Jahrhunderts entstanden auch Serien, die Tätigkeiten von Arbeitern beschreiben, sowie Peter Johann Nepomuk Geigers Folge „Der Mensch und sein Beruf", aber ohne daß dadurch das Ziel verfolgt wurde, die soziale Stellung der Dargestellten zu verbessern. Diese neutrale, politischen und sozialen Problemen gegenüber unkritische Haltung der österreichischen Lithographen, die sich so sehr von derjenigen der direkt in das tägliche politische Leben eingreifenden französischen Künstler unterscheidet, korrespondiert mit der stets als Charakteristikum der Biedermeierzeit genannten unpolitischen Haltung des Bürgertums, die sicherlich zu einem großen Teil durch äußere Zwänge bedingt war. So unterlagen auch die Steindruckereien seit dem Beginn der Einführung der neuen Technik äußerst strengen Bestimmungen, jedes einzelne Blatt mußte von der Zensur begutachtet werden. Zwar gelang es in einzelnen Fällen, diese zu überlisten, doch war es erst mit der Aufhebung der Zensur 1848 möglich, in größerem Umfang auch Kritisches zu publizieren. Im Jahr der Revolution stellten sich die Lithographen zum Teil ganz offen auf die Seite der Aufständischen und brachten ihre Genugtuung über die Vertreibung Metternichs zum Ausdruck; sie zeigten heldenhafte Freiheitskämpfer und Frauen, die Pflastersteine für die Errichtung von Barrikaden herbeischleppten. Andererseits benützte auch die Regierung die Lithographie als Propagandamittel und ließ Darstellungen von tapfer für die Erhaltung der alten Ordnung Kämpfenden verbreiten. Der junge Kaiser Franz Joseph ist mehrfach in Steinzeichnungen porträtiert worden.

Zahlenmäßig den größten Anteil an der lithographischen Produktion der Zeit besitzen sicherlich die Porträts; sie hatten damals einerseits die Funktion, Lebende abzubilden, etwa nach Art der heutigen Photographie, und erschienen andererseits in umfangreichen Folgen, nach inhaltlichen Gesichtspunkten geordnet, um bedeutende Persönlichkeiten aus der Geschichte und den Wissenschaften wiederaufleben zu lassen. So gab Friedrich Adolph Kunike die Folge „Naturkündiger der Aeltern und Neuern Zeit" heraus sowie das „Pantheon, eine Sammlung von Bildnissen berühmter Männer aus den Regionen des Wissens, der Kunst und des Lebens", die um 1830 erschien. Ab 1820 entstand die „Gallerie der Tonsetzer und Tonkünstler älterer und neuerer Zeit", lithographiert und herausgegeben ebenfalls von Kunike; Joseph Lanzedelli schuf die „Sammlung von Bildnissen berühmter Personen in lithographischen Zeichnungen", um 1819 bis nach 1822. Die frühesten im Steindruck geschaffenen Porträts stammen mit einer Ausnahme aus dem zweiten Jahrzehnt des 19. Jahrhunderts; sie sind zumeist noch etwas schwerfällig und steif, auf jeden Fall wenig elegant, und bevorzugen die feste Umrahmung, meist in ovalem Format. Ab den zwanziger Jahren überwiegt dann der freistehende Typus, die Darstellungen werden anmutiger, „leichter", ja erwecken manchmal fast den Eindruck des Schwebens. Vielfach werden Vorlagen der Miniaturmalerei kopiert bzw. deren Kompositionsmuster übernommen, und es fließen Elemente der spätbarocken Porträtmalerei ein, deren Traditionen in Wien lange weiter fortbestanden bzw. in den Werken von J. B. Isabey und Th. Lawrence, die beide eine Zeitlang in der Hauptstadt waren, erneut lebendig wurden. Daneben waren auch klassizistische Porträtformen im Gebrauch, und es entstand das „realistische" Bildnis, das aus den Gemälden von Waldmüller, Eybl und Joseph Ender so wohlbekannt ist. Diese verschiedenen Ausprägungen existierten nebeneinander und sind in ihrer Vielfalt charakteristisch für die Zeit – ein Biedermeier*stil* als solcher existierte ja nicht. Der bedeutendste Künstler auf dem Gebiete des Porträts war ohne Zweifel Joseph Kriehuber, der vom Hof, dem Adel und dem Bürgertum gleichermaßen mit Aufträgen überhäuft wurde und so über dreitausend Blätter schuf; unter seinen Schülern sind Josef Bauer, Johann Stadler, August Strixner und Adolf Dauthage zu nennen[6].

Kat. Nr. 5/3/1 Verlag Kunike nach Jakob Alt, Donau-Ansichten, 1826, Blatt CXVII (Wien)

In der Landschaftslithographie rangieren die Veduten zahlenmäßig an erster Stelle[7]. Sie kamen, meist zu Folgen zusammengefaßt, dem Interesse des Publikums an der heimischen Landschaft und an fernen Ländern entgegen, die damals durch Reisen nicht allzuleicht erreicht werden konnten. Parallel dazu entstanden zahlreiche zum Teil mit Lithographien illustrierte Reiseberichte. Berühmt wurden vor allem die von Friedrich Adolph Kunike herausgegebenen 264 Donau-Ansichten, die 1826 vollendet vorlagen und an denen Jakob Alt maßgeblich beteiligt war; die Blätter dieser Folge schildern den Verlauf des Stromes und markante Gegenden an seinen Ufern vom Ursprung bis zu seiner Einmündung ins Schwarze Meer. Auch Jakobs Sohn Rudolf Alt schuf zahlreiche lithographierte Vedutenfolgen[8]. Von hoher künstlerischer Qualität sind die „Sieben Gegenden aus Salzburg und Berchtesgaden" von Ferdinand Olivier, erschienen 1823. Zugleich mit einer realistischen Detailschilderung wird hier eine romantische, auf religiöser Grundlage ruhende Stimmung vermittelt, die die Folge weit über den Anspruch von Veduten hinaushebt. – Die lithographierten Einzelblätter zeigen, in welch erstaunlich hohem Maße spätbarocke Traditionen in der ersten Hälfte des 19. Jahrhunderts noch lebendig waren, wie altbekannte Schemata, die vielfach auf holländischen Vorlagen basieren, immer und immer wieder variiert wurden. In diesem Zusammenhang ist vor allem der auch an der Wiener Akademie tätige Johann Schindler zu nennen, dessen Zeichenschulen bereits erwähnt wurden. Der Klassizismus ist hingegen an der österreichischen Landschaftslithographie nahezu spurlos vorübergegangen; die Romantik spielt, sieht man von den Werken des Antonio Depian einmal ab, nur eine verhältnismäßig geringe Rolle. Wichtig sind realistische Tendenzen, die sich etwa in den Zeichnungen von Franz Steinfeld und Joseph Mössmer manifestieren, in Studien von Baumgruppen, Felsen und Gewässern in der näheren Umgebung Wiens, von unscheinbaren Details, die in einer freien, lockeren Manier wiedergegeben werden.

Für die Historie und das Genrebild war die Lithographie vor allem als Mittel der Reproduktion von Bedeutung, wenngleich auf diesen Gebieten auch selbständige Steinzeichnungen in großer Zahl entstanden sind. Das höchste künstlerische Niveau erreichten hier wohl die Blätter von Ludwig Ferdinand Schnorr von Carolsfeld, Johann Evangelist Scheffer von Leonhardshoff und Joseph Führich. Die Vertreter des Klassizismus, vor allem Friedrich Heinrich Füger, standen der neuen Technik zunächst reserviert gegenüber; später schuf dann Vincenz Georg Kininger gerade nach Vorlagen des Akademiedirektors etliche Steinzeichnungen, etwa eine Serie von Medaillenentwürfen mit Allegorien „ . . . bey Gelegenheit der Rückkehr Ihro Majestaet des Kaisers von Oesterreich in Allerhöchst Dessen Staaten", um 1821[9]. Peter Johann Nepomuk Geiger entnahm fast alle Themen seiner Darstellungen der Sage und Geschichte. Sehr bekannt wurden die 1840 entstandenen „Memorabilien", eine Folge von Abenteuern, Heldentaten und Episoden aus der Weltgeschichte, die in buntem Durcheinander aneinandergefügt sind. Mit den Ereignissen ihrer eigenen Zeit beschäftigten sich die Lithographen Albrecht Adam, August von Pettenkofen, Anton Straßgschwandtner, Joseph Heicke, Eduard Weixlgärtner, Anton Zampis und viele andere. Die bekannteste Persönlichkeit auf dem Gebiet des lithographierten Genrebildes ist ohne Zweifel Joseph Lanzedelli. Seine lebendigen, anschaulichen Schilderungen von Szenen des Wiener Alltagslebens sind „nach der Natur" entstanden, ohne daß in der Manier des Spätbarock niederländische Vorlagen zwischen der sichtbaren Wirklichkeit und deren künstlerischer Umsetzung vermittelten. Auch einige der berühmten Genremaler des Biedermeier haben selbst lithographiert, unter ihnen Peter Fendi, J. Mathias Ranftl, Josef Danhauser und Johann Ender[10].

Das lithographierte Tierbild steht vor allem unter dem Eindruck der romantischen, mit barocken Elementen vermischten Kunst von Géricault und Vernet; der Hauptmeister auf diesem Gebiet, Joseph Ignace Duvivier, war vor seinem Aufenthalt in Wien Schüler von Francesco Casanova in Paris. Daneben sind realistische Tendenzen zu erkennen, die sich im Werk des scherzhaft und ein wenig despektierlich als „Hunde-Raffael" bezeichneten J. Mathias Ranftl wiederum mit barocken Zügen verbinden. Die Nachahmung der Natur konnte einerseits über Vermittlung von holländischen Vorbildern, etwa des Paulus Potter, und andererseits direkt erfolgen, wovon die in einer sehr nüchternen, trockenen Art gezeichneten Tierporträts des Sigmund von Perger Zeugnis geben. – Lithographierte Stilleben wurden vor allem von Dilettanten wie dem Hauptmann Kohl geschaffen; sie sind, ganz im Gegensatz zur gleichzeitigen Blumenmalerei, nur von untergeordneter Bedeutung.

Die industrielle Massenproduktion der zweiten Hälfte des 19. Jahrhunderts hat dazu geführt, daß die Lithographie in Verruf geriet und lange Zeit nur wenig Beachtung fand. Erst in jüngerer Zeit hat man dann wiederum erkannt, daß lithographische Produkte als interessante Zeugen einer vergangenen Zeit durchaus Beachtung verdienen und daß der Steindruck neben den traditionellen druckgraphischen Möglichkeiten sehr wohl als eigenständige künstlerische Technik bestehen kann.

Kat. Nr. 5/3/4 Peter Fendi, Mirsa Abul Hassan Chan, 1820

**Anmerkungen:**

[1] Senefelder war bereits ab dem Sommer 1801 in Wien, erhielt das für die Ausübung des Steindrucks notwendige Privilegium aber erst zu Beginn des Jahres 1803. – Zur Geschichte der Lithographie in Österreich in der ersten Hälfte des 19. Jahrhunderts vgl. Josef Meder, Österreich-Ungarn, in: Die Lithographie (Die vervielfältigende Kunst der Gegenwart Bd. IV), Wien 1903, S. 47 ff. – Ausstellungskatalog Die kleine Welt des Bilderbogens. Der Wiener Verlag Trentsensky, Wien, Historisches Museum der Stadt Wien, 1977. – Heinrich Schwarz, Die Anfänge der Lithographie in Österreich, neu bearbeitet von Elisabeth Herrmann-Fichtenau, erscheint voraussichtlich 1987 in Wien, mit zahlreichen weiteren Literaturangaben.

[2] Sie gehörten u. a. Faust Herr, Johann Höfelich, L. T. Neumann und Alois Leykum.

[3] Vgl. A. Koll, Trentsensky: Papiertheater und Lithographie, phil. Diss. Wien 1971.

[4] Kulturhistorisch interessant ist die um 1812 entstandene „Beschreibung des Ritterlichen Wildensteiner Bankets so . . . in der uralten Ritterburg ob Sebenstein zur Feier des Höchsten Namensfestes . . . (von) Franz I. gehalten worden . . ."; dabei handelt es sich um das erste gänzlich in lithographischer Technik hergestellte und illustrierte Buch.

[5] Vgl. etwa Matthäus Loders Serie „Zerrbilder menschlicher Thorheiten und Schwächen".

[6] Neben Kriehuber arbeiteten als Porträtisten Robert Theer, Franz Eybl, Faust Herr, Ferdinand Dewehrt, Franz Lieder, Rudolf Gaupmann, Joseph Teltscher und viele andere.

[7] Vgl. Ingo Nebehay – Renate Wagner, Bibliographie altösterreichischer Ansichtenwerke aus fünf Jahrhunderten . . . Beschreibendes Verzeichnis der Ansichtenwerke, Bd. I–III, Nachtrag, Graz 1981–1984.

[8] Sehr produktiv waren auf diesem Gebiet ferner Franz Xaver Sandmann, Franz Wolf, Gottfried Libay und viele andere.

[9] Vgl. Karl Garzarolli-Thurnlackh, Medaillenentwürfe Friedrich Heinrich Fügers, in: Belvedere, Bd. V, 1925, H. 5, S. 115 ff.

[10] In einer langen Tradition stehen die (lithographierten) Kaufrufdarstellungen von Ferdinand Cosandier; sie sind vor allem kulturhistorisch interessant. (Vgl. Hubert Kaut, Kaufrufe aus Wien. Volkstypen und Straßenszenen in der Wiener Graphik von 1775 bis 1914, Wien – München 1970.)

## 5/1 MALEREI

Kat. Nr. 5/1/2

Kat. Nr. 5/1/3

**5/1/1**
**Franz Aichholzer (1814–1841)**

Anton Günther (1783–1863), 1836
Öl auf Holz, 36,5 × 30 cm
Sign. u. dat. li. u.: F. Aichholzer/1836
HM, Inv. Nr. 95.065

Der aus Nordböhmen stammende Religionsphilosoph und Theologe lebte seit 1810 in Wien, wo er in regelmäßig abgehaltenen „christlichen und sokratischen Symposien" einen Kreis von Anhängern um sich scharte, die sich für die Freiheit des Denkens und des Glaubens engagierten. Dem 1828/29 verfaßten Werk „Vorschule zur spekulativen Theologie" folgten mehrere andere, welche einerseits begeisterte Zustimmung fanden, andererseits heftig kritisiert wurden: Letztlich scheiterte der Versuch dieses als „Wiener Philosoph" international bekannt gewordenen Mannes, dem Zwiespalt zwischen Wissen und Glauben erfolgreich beizukommen. 1857 verurteilte Rom seine Lehre und setzte seine Schriften auf den Index.

*Lit.: Tausend Jahre Österreich. Eine biographische Chronik, hrsg. v. W. Pollak, Bd. 2, Wien – München 1973, S. 26 ff.*
SW

**5/1/2**
**Friedrich Amerling (1803–1887)**

Henriette von Pereira-Arnstein mit Tochter Flora, 1833
Öl auf Leinwand, 150 × 120 cm
Wien, Österreichische Galerie, Inv. Nr. 2.593

Henriette (1780–1859), die musikalisch ungemein begabte Tochter der berühmten Fanny von Arnstein, unterhielt nach ihrer Eheschließung mit Heinrich Freiherrn von Pereira einen eigenen Salon. 1814 kam das letzte ihrer Kinder, Flora (Florentine) auf die Welt, welche sich 1836 mit Graf Moritz (junior) Fries vermählte. Aus dieser Verbindung gingen Ludwig Graf Fries (geb. 1839) und Emma Gräfin Fries (geb. 1837) hervor. Florentine Gräfin Fries starb 1882.

*Lit.: H. Spiel, Fanny von Arnstein oder Die Emanzipation. Ein Frauenleben an der Zeitenwende 1758–1818, Frankfurt/Main 1962; L. A. Frankl, Friedrich von Amerling. Ein Lebensbild, Wien – Pest – Leipzig 1889, S. 170; G. Probszt, Friedrich von Amerling. Der Altmeister der Wiener Porträtmalerei, Zürich – Leipzig – Wien 1927, Nr. 285.*
SW
Abbildung

**5/1/3**
**Friedrich Amerling**

August Ferdinand Graf Breunner-Enckevoith mit Gattin Marie und den Söhnen August und Joseph, 1834
Öl auf Leinwand, 228 × 153 cm
Sign. u. dat. re. (auf dem Tisch): Fr. Amerling / 1834
Privatbesitz

Amerling war Schüler der Wiener (bei Maurer) und Prager Akademie. 1827 in London bei Thomas Lawrence, 1828 in Paris bei Horace Vernet, Rückkehr nach Wien. In Wien wird er

Kat. Nr. 5/1/4

zum gefeierten Porträtmaler. Seine Auftraggeber sind das Kaiserhaus, der Adel und das Großbürgertum, die seine virtuose Malweise und eleganten Arrangements für Bildnisse reich in Anspruch nehmen. Als Folge seiner Bekanntschaft mit dem kunstsinnigen Grafen Breunner-Enckevoith (1796–1877) und Rudolf von Arthaber entstehen 1834 und 1837 zwei Familienporträts, die Höhepunkte dieser Bildgattung sind. Graf Breunner-Enckevoith, der auch Amerlings pathoshafte Genrebilder schätzte, setzte sich als Bauherr des romantischen Schloßbaues Grafenegg (seit 1843 von Leopold Ernst ausgeführt) ein architektonisches Denkmal.
RKM
Abbildung

**5/1/4**
**Friedrich Amerling**

Rudolf von Arthaber mit seinen Kindern, 1837
Öl auf Leinwand, 221 × 165 cm
Sign. u. dat. li. u.: Fr. Amerling 1837
Wien, Österreichische Galerie, Inv. Nr. 2.245

Rudolf von Arthaber (1795–1867), Großindustrieller („Wiener Schals"), Handelsherr, Politiker und Kunstsammler, spielte im öffentlichen Leben des Wiener Vormärz und auch danach eine hervorragende Rolle. 1834/35 ließ er vom Architekten Alois Pichl eine Landvilla auf der Hohen Warte (später Villa Wertheimstein) erbauen, an die sich ein großer Landschaftspark anschloß. Die bedeutende Bildersammlung Wiener und internationaler Provenienz, die hier untergebracht war, umfaßte zuletzt 112 Werke. Amerling war mit 14 Bildern vertreten.

Arthaber ist – seine erste Frau Caroline, geb. von Scheidlin starb 1833 – nur mit seinen Kindern (Johann, 1828–1899; Emilie 1830–1842; Gustav 1832–1857) dargestellt. An die Verstorbene wird durch ein Bildchen, auf das der Vater und die beiden Söhne blicken, erinnert. Wie schon beim Familienbild des Grafen Breunner-Enckevoith ist das Ambiente eine Mischung aus intimer Wohnkultur des Wiener Biedermeier mit den Pathosformeln des traditionellen Gesellschaftsporträts. Die stofflichen Qualitäten sind in Art der Niederländer (Vermeer) erfaßt.
RKM
Abbildung

**5/1/5**
**Josef Danhauser (1805–1845)**

Komische Szene in einem Maleratelier, 1829
Öl auf Leinwand, 36,5 × 49,5 cm
Sign. li. u.: Danhauser
Wien, Österreichische Galerie, Inv. Nr. 2.552

Dieses „Unfugbild" des 24jährigen Künstlers sowie das gleichzeitige Gegenstück „Das Scholarenzimmer des Malers" dürften unter englischem Einfluß – am ehesten wird man hier an Rowlandson denken – entstanden sein. Humorvolle Gefahrensituationen im Malerberuf

Kat. Nr. 5/1/7

kehren dann bei Danhauser in den vierziger Jahren wieder, wobei wiederum Hunde oder Kinder als Bedrohungen auftreten.
HB

**5/1/6**
**Josef Danhauser**

Der Prasser, 1836
Öl auf Leinwand, 85,5 × 133 cm
Sign. u. dat. re. u.: Danhauser Wien 1836
Wien, Österreichische Galerie, Inv. Nr. 2.087

Die frühen Gesellschaftsszenen Danhausers stehen noch unter Einwirkung antikisierender und religiöser Historienmalerei. Die hier noch dem Klassizismus entstammende bühnenhafte Komposition wie auch das Pathos finden in dem 3 Jahre später ausgeführten, ebenfalls belehrenden Bild „Der Pfennig der Witwe" (Kat. Nr. 5/2/8) ihre Abwandlung ins Alltäglichere und dadurch, im Sinne der Anforderungen des Biedermeier, ins Glaubwürdigere.
HB
Abbildung

**5/1/7**
**Josef Danhauser**

Der Augenarzt, 1837
Öl auf Leinwand, 94 × 125 cm
Sign. u. dat. li. u.: Pepi Danhauser 1837.
HM, Inv. Nr. 48.679

Die Szene zeigt als Mittelpunkt den Augenarzt Dr. Friedrich Jäger von Jaxtthal (1784–1871), welcher als bedeutender Operateur dem Extraktionsverfahren des Grauen Stars und dem Linearschnitt die ihm heute noch zukommende Bedeutung verschaffte. Das bürgerliche Ambiente, die Darstellung der Familie, besonders der Kinder, bringen die im Sinne des Biedermeier erwünschte intime Note in das an sich dramatische Geschehen (dem Patienten wurde gerade die Binde von den Augen genommen, jetzt erweist es sich, daß er wieder sehen kann).

*Lit.: Josef Danhauser, Ausstellungskatalog Graphische Sammlung Albertina 1983, Nr. 30.*
SW
Abbildung

Kat. Nr. 5/1/8

Kat. Nr. 5/1/9

**5/1/8**
**Josef Danhauser**

Das Ehepaar Littrow, 1841
Öl auf Karton, 50 × 38 cm
Sign. u. dat. li. u.: Jos. Danhauser 1841.
HM, Inv. Nr. 77.753

Die Dargestellten sind Auguste, geb. Bischoff von Altenstern und ihr Gatte Karl Ludwig von Littrow (1811–1877). Dieser war ebenso wie sein Vater Josef Johann von Littrow Astronom und dessen Nachfolger als Direktor der Wiener Sternwarte.

*Lit.: Josef Danhauser, Ausstellungskatalog Graphische Sammlung Albertina 1983, Nr. 50.*
SW
Abbildung

**5/1/9**
**Josef Danhauser**

Das Kind auf der Trommel, 1841
Öl auf Holz, 56 × 71 cm
Sign. u. dat. re. u.: Jos. Danhauser/1841.
Wien, Privatbesitz

In diesem Jahr malte Danhauser auch das mit ähnlichen antiquarischen Versatzstücken ausstaffierte Bild „Die Romanlektüre" (München, Galerie Grünwald). Dort wird die dem Alltag entfremdete romantische Weltverlorenheit eines lesenden Paares durch die Requisiten attributhaft unterstrichen. In dieses Arrangement hat sich im „Kind auf der Trommel" das Kind unbekümmert eingenistet. Ein Jahr später entsteht dann das programmatische, völlig auf das Kindliche konzentrierte Bild „Das Kind und seine Welt".
HB
Abbildung

**5/1/10**
**Josef Danhauser**

Das Kind und seine Welt, 1842
Öl auf Holz, 22,6 × 29 cm
Monogr. u. dat. (auf der Spielzeugschachtel): J. D. 842.
HM, Inv. Nr. 16.640

Die Komposition, von der mehrere Fassungen existierten, zeigt im Gegensatz zu dem thematisch verwandten „Kind auf der Trommel" eine Klärung und Verdichtung der Aussage bis ins Allegorische. Zwanglos, mit sparsamen Mitteln, mit Versatzstücken aus der Welt der Erwachsenen sowie mit „naturalistisch" angeordneten Spielsachen und dem Hund wird hier das Kind als Zentrum einer eigenen, den Künstler immer wieder beschäftigenden Welt hervorgehoben.
HB
Abbildung

Kat. Nr. 5/1/10

**5/1/11**
**Josef Danhauser**

Das A-B-C, 1843
Öl auf Holz, 38,5 × 35,5 cm
Sign. u. dat. li. u.: Jos. Danhauser/1843.
HM, Inv. Nr. 30.846

Eine Ölskizze zu diesem Bild, das auch den Titel „Die Großmutter, ihren Enkel das Lesen lehrend" trägt, war im Besitz von Rudolf von Arthaber und ist verschollen. V. Birke (Katalog J. D., Albertina 1983) weist auf den hier besonders sichtbaren Einfluß der holländischen Genremalerei des 17. Jahrhunderts hin.
HB
Abbildung

**5/1/12**
**Josef Danhauser**

Der Antiquitätenliebhaber (Bildnis des Sammlers Franz Goldhann), 1843
Öl auf Holz, 43 × 47 cm
Sign. u. dat. re. u.: Jos. Danhauser/1843.
Brünn, Mährische Galerei, Inv. Nr. 1.019

Der Wiener Kunst- und Antiquitätenhändler Franz Goldhann wurde 1829 von Kriehuber porträtiert. Ein weiteres Familienmitglied (Sohn?), Dr. Ludwig Goldhann (1823–1893), war Adjunkt der Finanzprokuratur in Brünn. Die durch das Bildthema gerechtfertigte Anhäufung von Sammlergut kehrt bei Danhauser immer wieder (vgl. „Die Romanlektüre"). Die verteilten Kunstgegenstände unterstreichen den Rückzug des Dargestellten aus einer alltäglichen Welt in seine persönliche Interessenssphäre. Obwohl kaum als gesellschaftskritisches Werk konzipiert, versinnbildlicht das Bild die Situation des Bürgertums während des Vormärz.
RKM
Abbildung

**5/1/13**
**Thomas Ender (1793–1875)**

Ruine Rauhenstein bei Baden, um 1825
Öl auf Holz, 18 × 25 cm
HM, Inv. Nr. 61.075

Ender studierte an der Akademie bei Mößmer und Janscha. Er machte ausgedehnte Reisen (vgl. Kat. Nr. 11/7). 1824 wurde er Mitglied, 1836 Korrektor, 1837 Professor für Landschaftsmalerei der Akademie. Für die Landschaftsmaler war Baden und das malerische Helenental mit den Burgruinen Rauheneck, Rauhenstein und der Weilburg am Talausgang ein künstlerisch besonders lohnendes Motiv.
RKM
Abbildung

**5/1/14**
**Franz Eybl (1806–1880)**

Therese Burger-Bischof, um 1830
Öl auf Leinwand, 26,5 × 21 cm
Sign. re. u.: Eybl.
HM, Inv. Nr. 102.026

Studium 1816 bis 1828 an der Akademie u. a. bei Mößmer und P. Krafft. Erfolgreicher Porträt- und Genremaler und Lithograph. In seiner akribischen Stoffmalerei zeigt dieses kleinformatige Frauenbild den Einfluß von Waldmüller, der, noch stärker als beim Porträt, künstlerisch und thematisch bei Eybls Genremalerei wirksam ist.
RKM

**5/1/15**
**Peter Fendi (1796–1842)**

Der frierende Brezelbub vor der Dominikanerbastei, 1828
Öl auf Holz, 19 × 26 cm
Sign. u. dat. li. u.: Fendi 1828
HM, Inv. Nr. 59.894

Das Historische Museum der Stadt Wien besitzt auch eine aquarellierte Bleistiftskizze zu dieser Darstellung, deren Intimität schon in größter Nähe zu der von Fendi eingeleiteten Wiener Genremalerei steht. Das an das Mitleid des Betrachters gerichtete Thema tritt bei Johann Mathias Ranftl in einem offenbar als Gegenstück gemalten Bild (vgl. Kat. Nr. 5/3/16) auf.
HB
Abbildung

**5/1/16**
**Peter Fendi**

Mädchen vor einem Lotterie-Gewölbe, 1829
Öl auf Leinwand, 63 × 50 cm
Sign. u. dat. li. u.: Fendi P./1829
Wien, Österreichische Galerie
Inv. Nr. 2.177

Das Bild wurde 1830 in der Ausstellung der Akademie (damals Wien 1, Annagasse) gezeigt und zugleich mit einem anderen Bild von Fendi („Kaiser Karl V. als Mönch in seiner Zelle") von Kaiser Franz I. erworben. Das „Mädchen vor einem Lotterie-Gewölbe" wird in der Literatur als erste Genreszene im Wiener Biedermeier bezeichnet. Eine Vorstudie (Aquarell) zeigt noch einen größeren Bildausschnitt mit dem ganzen Lotterieportal, während das ausgeführte Ölbild (Replik in Privatbesitz) auf die Einzelgestalt konzentriert ist und trotzdem den ganzen Umfang der traurigen Begebenheit erfaßt.
HB
Abbildung

**5/1/17**
**Peter Fendi**

Das Milchmädchen, 1830
Öl auf Holz, 21,6 × 29 cm
HM, Inv. Nr. 13.275
Widmung Fürst Johann II. von und zu Liechtenstein, 1894

Noch stärker als im thematisch verwandten „Mädchen vor einem Lotterie-Gewölbe" wird im „Milchmädchen" die menschliche Einzelgestalt zu einer dem Alltag entnommenen Allegorie der Einsamkeit. Das Aufzeigen des Alleinseins im Unglück wird nun, draußen in der Landschaft – ohne „bergende" Mauern – noch verdeutlicht. Die Stadt (Wien) mit ihren vielen Menschen liegt im fernsten Hintergrund.
HB
Abbildung

Kat. Nr. 5/1/11

**5/1/18**
**Peter Fendi**

Schlechte Zeiten (Vor dem Leihhaus), 1831
Öl auf Holz, 34 × 29,2 cm
Sign. u. dat. re. u.: Fendi f. 1831
HM, Inv. Nr. 60.851

**5/1/19**
**Peter Fendi**

Traurige Botschaft, 1838
Öl auf Holz, 36,8 × 30 cm
Sign. u. dat. re. u.: Fendi. 1838
HM, Inv. Nr. 10.144
Widmung Fürst Johann II. von und zu Liechtenstein, 1894

Der Infanterist in voller Uniform, der kurz zuvor die bescheidene Stube betreten hat, hält Säbel, Tschako, Feldbinde und Uniform des gefallenen Offiziers in seinen Händen und beugt sich dabei zu der jungen Frau herab. Diese sitzt zusammengesunken, mit ihrem schlafenden Säugling am Schoß, und verhüllt mit beiden Händen ihr Gesicht, die Haare fallen dabei vornüber. Neben dem Säugling liegt ein geöffneter Brief, wohl die letzten Zeilen ihres gefallenen Mannes. Hinter der ihre Trauer nicht verbergenden Offizierswitwe steht ihr kleiner Sohn und blickt fasziniert auf die Uniform des Besuchers. Offensichtlich möchte auch er Soldat werden und könnte somit enden wie der Vater. In einer Aquarellstudie (Albertina, Inv. Nr. 25.468) ist dieses Element noch nicht vorhanden, der Bub steht dort schluchzend hinter der Mutter. Eine weitere Aquarellfassung befand sich ehem. in der fürstlichen Liechtensteinschen Gemäldegalerie. Das Ölbild wurde von Faust Herr lithographiert.

Ein Sujet aus dem Soldatengenre bildet im Œuvre Fendis eher die Ausnahme; reine Soldatenszenen, wie bei seinem Schüler und Freund Carl Schindler, sind außer in dem Aquarell „Französisches Biwak" (Albertina) kaum zu finden. Im gegebenen Fall oder auch in dem Bild „Die arme Offizierswitwe" (Österreichische Galerie) handelt es sich eher um Schilderung der Kehrseiten des farbenprächtigen Soldatentums, um Darstellung der schlechten sozialen Lage der hinterbliebenen Familien. Maßstäbe des Realismus mit kritischem Anklagen, historisch erst später einsetzend, dürfen dabei nicht gesetzt werden; das Thematisieren allein bedeutet Stellungnahme. Eine inhaltliche Parallele und möglicherweise auch Anregung stellt ein 1799 in London herausgegebener Punktierstich nach einer Arbeit von Henry Singleton (1766–1839) dar: „The absent father or the sorrows of war" (Ein Soldat liest seiner Frau mit 2 kleinen Kindern die Nachricht ihres Mannes vor).

*Lit.: Ausstellungskatalog 1963, Österreichische Galerie, P. Fendi, Nr. 48.*
SKB
Abbildung

**5/1/20**
**Peter Fendi**

Kindliche Andacht, 1842
Öl auf Holz, 39,1 × 31 cm
Sign. u. dat. re. u.: Fendi/1842
HM, Inv. Nr. 10.145
Widmung Fürst Johann II. von und zu Liechtenstein, 1894.

Spiegelbildhaft wird in dem Bild „Kindliche Andacht" Diesseitiges dem Jenseitigen gegenübergestellt, wobei es zu weitgehenden Entsprechungen und Angleichungen kommt: Die Muttergottes mit dem Jesusknaben auf dem Arm wird in das bürgerliche Familienprogramm einbezogen – ähnlich wie etwa in Stücken Raimunds die Geister- und Feengestalten mit bürgerlichen Zügen ausgestattet werden. Umgekehrt erhält die „irdische Mutter" mit ihrem Kind durch die bis zur Ähnlichkeit in den Gesichtszügen reichende Anpassung an die Madonna eine sakrale Bedeutungssteigerung.
HB
Abbildung

Kat. Nr. 5/1/12

Kat. Nr. 5/1/13

Kat. Nr. 5/1/19

**5/1/21**
**Friedrich Gauermann (1807–1862)**

Ein Alpenschiff im Sturm, 1834
Öl auf Leinwand, 74 × 94,8 cm
Sign. u. dat. li. u.: F. Gauermann/1834.
HM, Inv. Nr. 18.748
1901 Widmung der Witwe Nikolaus Dumbas, Marie.

1834 notiert Gauermann in seinem Einnahmebuch den Großindustriellen und Kunstmäzen Rudolf von Arthaber als Käufer seines neuen Bildes. Ein Bericht über die Ausstellung dieses Werkes 1835 in der Akademie veranschaulicht, was das Publikum an Gauermanns virtuosen, alpinen Genrestücken so entzückte:

„Der Sturm auf dem Gebirgssee ist von einer unbeschreiblichen Wirkung und bezauberte Jedermann.

Die Windsbraut treibt die wild aufgeregten Wogen himmelan, und dunkle Wetterwolken scheinen sich mit ihnen zum Untergang eines Schiffes, mit Thieren beladen, zu verbinden, das von fester Hand geleitet dem sichern Hafen zueilt.

Das scheue Roß, von einem Blitze geschreckt, sucht dem engen Raume zu entspringen; furchtlos blickt das Kalb in die empörten Wogen gleich als ob es die Gefahr nicht ahnte, und trotzig steht der Stier, seine Wildheit bekämpfend, wo ein sicherer Untergang droht.

Der Ausdruck bey diesen Thieren verräth tiefes, man kann sagen, psychologisches Studium, und das Ganze ist mit einer Wahrheit aufgefaßt und wiedergegeben, die zur Bewunderung hinreißt.

Die glatte glänzende Behandlung der Thiere, die vom Regen genäßt, und vom Blitzstrahl beleuchtet erscheinen, beweist, daß der Künstler nichts vergaß, uns ein treues Bild des Lebens zu liefern."

Gauermanns Arbeitsmethode unterschied sich wesentlich von der Waldmüllers, der direkt vor der Natur malte, während Gauermann auf seinen Reisen in die Alpenländer nur Feder- und Ölskizzen anfertigte. Dieser Motivfundus wurde erst im Atelier zu den effektvollen Schaustücken kompiliert.

*Lit.: Wiener Chronik für Kunst, Literatur, Statistik und Tagesereignisse. In: F. Pietznigg, Mittheilungen aus Wien, 1835, Juni-Heft, S 197 f. (Zitat). R. Feuchtmüller, F. Gauermann, Rosenheim 1987.*
RKM
Abbildung

Kat. Nr. 5/1/21

**5/1/22**
**Friedrich Gauermann**

Eber, von Wölfen angefallen, 1846
Öl auf Holz, 79 × 62,5 cm
Sign. li. u.: F. Gauermann.
HM, Inv. Nr. 43.464

In seinen Tierkampfbildern schließt Gauermann an die seit dem 17. Jahrhundert fortwirkende Tradition dieses Genres an. Seiner Arbeitstechnik entsprechend, gehen Landschaftsskizzen und Tierstudien dem fertigen Bild voran. Diese Skizzen befinden sich größtenteils im Kupferstichkabinett der Akademie der bildenden Künste in Wien, das dem Thema Skizze und Ausführung im Œuvre Gauermanns 1987 eine Ausstellung widmete.

*Lit.: U. Jenni, F. Gauermann, Ölskizzen und Zeichnungen im Kupferstichkabinett – Zur Arbeitsmethode des Malers, Wien 1987.*
RKM
Abbildung

**5/1/23**
**Johann Anton Haala**

Wiener Bürger mit Hauskappe (Selbstporträt?), 1837
Öl auf Holz, 24 × 19 cm
Sign. u. dat. Mi. re.: Ant Haala/1837.
HM, Inv. Nr. 90.749

Haala ist in der 1. H. des 19. Jahrhunderts in Wien als Porträt-Lithograph nachweisbar.

**5/1/24**
**Johann Peter Krafft (1780–1856)**

Die Heimkehr des Landwehrmannes, 1820
Öl auf Leinwand, 280 × 360 cm
Sign. u. dat. li. u.: P. Krafft/Wien 1820
Wien, Österreichische Galerie,
Inv. Nr. 2.243

Der aus Hanau stammende Künstler kam 1799 nach Wien. Er studierte in Paris bei Jaques-Louis David, unternahm eine Italienreise und trat mit dem Gegenstück zum vorliegenden Bild, dem Abschied des Landwehrmannes (1813), zum ersten Mal vor die Wiener Öffentlichkeit. 1823 wurde er Akademieprofessor, 1828 Galeriedirektor und Schloßhauptmann im Belvedere. Die „Heimkehr des Landwehrmannes" zeigt im Vergleich zur kleineren Fassung von 1817 ein Fortschreiten zur Familienszene des Biedermeier hin: Gleichzeitig mit einer Abkehr vom Repräsentativen und Staatspolitischen wurden durch eine Auflockerung der Figurenanordnung und eine Bereicherung des Erzählerischen die privaten Aspekte der Begrüßungsszene hervorgehoben.

*Lit.: M. Frodl-Schneemann, J. P. Krafft. Wien – München 1984, Werkkatalog Nr. 98.*
HB
Abbildung

Kat. Nr. 5/1/22

**5/1/25**
**Johann Peter Krafft**

Marie Krafft am Schreibtisch, um 1830
Öl auf Leinwand, 27 × 21 cm
Wien, Österreichische Galerie,
Inv. Nr. 4.224

Dargestellt ist die älteste Tochter (1812–1885) Kraffts. Ebenso wie ihre beiden Geschwister Julie und Albrecht war sie künstlerisch begabt und malte vor allem Aquarelle und Miniaturen.

*Lit.: s. Kat. Nr. 5/24, Werkkatalog Nr. 154.*
HB
Abbildung

**5/1/26**
**Michael Neder (1807–1882)**

Die Heimkehr vom Felde, 1829
Öl auf Leinwand, 42,5 × 52,5 cm
Monogr. u. dat. (unter dem Torbogen): MN. 29
HM, Inv. Nr. 47.929

Michael Neder war Sohn eines Wiener Schuhmachers und begann fast gleichzeitig die Schuhmacherlehre und das Akademiestudium bei Carl Gsellhofer. Als Vorbilder dienten ihm niederländische (Ostade, Teniers, Steen) und Wiener Genremaler (Waldmüller, Ranftl, Danhauser, Gauermann). Er lebte unter schwierigen materiellen Umständen. Lange Zeit als „Dilettant“ angesehen, wurde er erst im 20. Jahrhundert als Maler von Volksszenen von größter Ehrlichkeit und Unmittelbarkeit entdeckt.
HB
Abbildung

**5/1/27**
**Michael Neder**

Männergespräch, 1849
Öl auf Holz, 23,5 × 29 cm
Sign. u. dat. li. u.: Neder 1849. Beschriftet auf der Rückseite: der linkssitzende Mann ist das Porträt Neders.
Schweinfurt, Sammlung Georg Schäfer,
Inv. Nr. 2.010

**5/1/28**
**Michael Neder**

Sonntag auf dem Lande, 1851
Öl auf Holz, 30 × 39 cm
Sign. u. dat. re. seitl.: Neder 1851
Schweinfurt, Sammlung Georg Schäfer,
Inv. Nr. 2.643

Abbildung

**5/1/29**
**Johann Nepomuk Passini (1798–1854)**

Aufmarsch der Künstler am Cobenzl, 1842
Öl auf Holz, 27,5 × 33,3 cm
Auf der Rückseite Hinweise zum Aufmarsch
Wien, Privatbesitz

Zu Ehren von Dürers Geburtstag veranstalteten die Wiener Künstler seit 1841 jährlich einen Ausflug, der von Grinzing über den Cobenzl, Hermannskogel auf den Kahlenberg führte. Diese vormärzlichen Künstlergesellschaften bildeten die Keimzellen der zahlreichen Vereinsgründungen nach 1850.
Passini, der Schwager Joseph Kriehubers, war ein anerkannter Reproduktionsstecher (besonders erfolgreich war sein Stich nach Fendis „Kaiserliche Familien-Vereinigung“), -radierer und -lithograph. Sein bedeutendes Werk entstand nicht nur in Wien, 1848 ging er nach Triest und lebte schließlich in Graz. Zu seinem Wiener Freundeskreis zählten Moritz von Schwind, Jakob und Rudolf Alt, letzteren verewigte er beim Aufmarsch auf einem Schimmel reitend.

*Lit.: Katalog Johann Nepomuk Passini, Graz 1983, Kat. Nr. 161*
RKM
Abbildung

Kat. Nr. 5/1/25

Johann P. Krafft, Der Sieger von Aspern

Kat. Nr. 5/1/28

Kat. Nr. 5/1/26

Kat. Nr. 5/1/29

Kat. Nr. 5/1/30

**5/1/30**
**Anton von Perger (1809–1876)**

Die Künstler- und Gelehrtengesellschaft „Concordia", 1842
Öl auf Leinwand, 96 × 127 cm
Monogrammiert u. dat. li. u.: Seinen lieben Freunden zur Erinnerung fertigte diese Skizze: A. R. v. P. 1842.
HM, Inv. Nr. 93.688

Das bislang unpublizierte Gemälde wurde lange Zeit als Gruppenporträt der Vereinigung „Die grüne Insel" angesehen, und erst vor kurzer Zeit hat sich die Auffassung durchgesetzt, es mit der Ende 1840 gegründeten älteren „Concordia" (nicht zu verwechseln mit dem späteren Journalisten- und Schriftstellerverein gleichen Namens) in Verbindung zu bringen. Der Gründer der Gesellschaft war Friedrich Kaiser (1814–1874), welcher als Dichter von Volksstücken eine gewisse Popularität erlangt hatte. Er ist auf dem Bild neben der Goethe-Büste, diese anblickend, dargestellt, auf der anderen Seite der Skulptur steht Eduard von Bauernfeld. Neben Kaiser ist der Lyriker Karl Ziegler (1812–1877) auszumachen (Profilansicht), er war Pergers Schwager. Im Vordergrund erkennt man im Mann mit Mütze und Pfeife Amerling, Grillparzer ist schreibend dargestellt, er sitzt vor der Mozart-Büste. Die übrigen Personen sind noch nicht mit Sicherheit zu identifizieren, bei dem bebrillten Herrn in der Reihe der Stehenden (vierter von links) handelt es sich wahrscheinlich um Ignaz Franz Castelli. – Das Ambiente zeigt die Atelierwohnung des Malers und Akademieprofessors A. Ritter von Perger, der sich zu den erstmals 1845 vorgebrachten Verbesserungsvorschlägen für den Akademieunterricht seines Kollegen Waldmüller kritisch äußern sollte.
SW/RKM
Abbildung

**5/1/31**
**Franz Xaver und Theodor Petter**

Katharina Petter, 1849
Öl auf Karton, 25,9 × 20,7 cm
Sign. u. dat. li. u.: 1849/Theodor; re. u.: Franz Xav. Petter
HM, Inv. Nr. 47.871

Das Bild ist ein Gedächtnisporträt der verstorbenen Gattin und Mutter. Der Blumenschmuck stammt von Franz Theodor Petter (1791–1866), der 1835–1851 Leiter der Manufakturschule der Akademie war; das Porträt stammt von seinem Sohn Theodor (1822–1872), der beim Vater und bei Friedrich Amerling studiert hatte.
HB
Abbildung

Kat. Nr. 5/1/31

**5/1/32**
**Ignaz Raffalt (1800–1875)**

Sommerliche Landschaft nach dem Regen, 1848
Öl auf Leinwand, 42,5 × 52,5 cm
Sign. u. dat. li. u.: Raffalt/1848.
HM, Inv. Nr. 30.662

Ausbildung zwischen 1820 und 1825 an der Wiener Akademie. Lebte in Kärnten und Steiermark. Seit 1839 in Wien. Raffalts Spezialität waren Regenlandschaften.
Abbildung

**5/1/33**
**Johann Mathias Ranftl (1805–1854)**

Im Kornfeld, 1845
Öl auf Leinwand, 46,8 × 58,5 cm
Sign. u. dat. li. u.: Ranftl 845.
Schweinfurt, Sammlung Georg Schäfer, Inv. Nr. 1.930

Nach dem Studium an der Wiener Akademie bei Peter Krafft reiste Ranftl nach Rußland (Moskau, St. Petersburg), Ungarn, Kroatien; seit 1831 war er in Wien tätig. Wechsel vom Historien- zum Genrebild. 1838 in Paris und London. Erhielt wegen seiner zahlreichen Hundedarstellungen den Spitznamen „Hunde-Raffael".
Ranftls motivisches Repertoire rekrutierte sich, wie bei Waldmüller, aus dem Leben der bäuerlichen Bevölkerung der näheren und weiteren Umgebung Wiens. Sein zur Erntezeit entstandenes Bild verzichtet auf die Figurenstaffage. Nur ein Hund bewacht den stillebenhaft mit den Utensilien des Malers und seiner Begleiterin arrangierten Rastplatz. Nach 1848 verliert sich der idyllische Charakter in Ranftls Bildern zugunsten einer kritischeren Haltung (vgl. Hausierende Kinder auf dem Glacis, 1852).
RKM
Abbildung

**5/1/34**
**Wilhelm August Rieder (1796–1880)**

Dr. Raphael Hussian, 1821
Öl auf Holz, 23 × 18 cm
Sign. u. dat. Mi. re.: W. A. Rieder p./1821.
HM, Inv. Nr. 12.380

Hussian (1801–1869) war einer der gesuchtesten Geburtshelfer Wiens, er erwarb sich eine große Klientel in den Kreisen des Hofes, der Aristokratie und des gehobenen Bürgerstands. Die bedeutende Galerie von Gemälden alter Meister, welche er sich zugelegt hatte, wurde nach seinem Tode – er starb ungeachtet seiner Kunstsammlung in Not und Elend – versteigert.

*Lit.: W. v. Wurzbach, Josef Kriehuber und die Wiener Gesellschaft seiner Zeit, Band 2, Wien – Zürich 1957, 988 f.*
SW

Kat. Nr. 5/1/32

Kat. Nr. 5/1/33

**5/1/35**
**Carl Schindler (1821–1842)**

Dragoner-Vorposten (Die Ausstellung der Vedetten. Offizier und Dragoner des Dragoner-Regiments Nr. 2), 1842
Öl auf Holz, 28 × 34 cm
Sign. li. u.: Carl Schindler. Auf der Rückseite im Holz geritzt: Carl Schindler 842
HM, Inv. Nr. 10.143
Widmung des Fürsten Johann II. von und zu Liechtenstein, 1894.

Carl Schindler, 1821 in Wien als Sohn des Malers und Zeichenlehrers Johann Josef Schindler geboren, führte das militärische Genre, das in Österreich durch J. N. Hoechle und J. P. Krafft aktuelle Bedeutung erhalten hatte, zu einem künstlerischen Höhepunkt. Das Interesse für soldatische Sujets wurde zunächst durch die Arbeiten des Vaters geweckt. Vielfältige Anschauungsmöglichkeiten boten dem frühreifen Künstler die Exerzierübungen der Soldaten auf dem Glacis (auf dem Weg zur Akademie oder zur Wohnung seines Freundes und Lehrers Peter Fendi in der Vorstadt Landstraße), das Beobachten der Geschehnisse in den vielen Kasernen in der Nachbarschaft seines Elternhauses und der soldatische Alltag in der Garnisonsstadt St. Pölten, die er öfter besuchte. Zusätzliche Anregungen boten einschlägige Lithographien aus Frankreich, auch Druckgraphik aus England und Werke niederländischer Künstler. Selbst hat er nie kriegerische Handlungen miterlebt. Trotz seines frühen Todes 1842 durch Lungenschwindsucht hinterließ er ein – auch zahlenmäßig – reiches Œuvre (neue Forschungen erhöhten die Anzahl der faßbaren Werke auf ungefähr 50 Ölbilder, etwa 190 Aquarelle und 150 Zeichnungen).

Das Bild „Dragoner-Vorposten" zeigt in der Mitte den wachehaltenden Dragoner, der den Instruktionen des Offiziers lauscht, der mit dem Säbel in jene Richtung weist, aus der wohl das Herannahen des Feindes zu erwarten ist. Nur an wenigen Stellen ist der Farbauftrag pastos (Pflanzen links vorne, Mauer), sonst eher dünn und lasierend, was ebenso wie das Kratzen mit dem Pinselstiel in der feuchten Farbe (rechts am Wasser) der Aquarelltechnik entlehnt ist. Das Gemälde war 1843 in der Akademie-Ausstellung zu sehen und erntete in den zeitgenössischen Medien, wie fast alle in den Jahren 1839–1844 ausgestellten Bilder Schindlers, besonders positive Kritiken. Die Popularität seiner Sujets findet auch in der Herstellung von Lithographien nach seinen Bildern durch verschiedene Lithographen ihren Ausdruck. Das ausgestellte Gemälde wurde von Josef Lanzedelli lithographiert.

*Lit.: Franz Martin Haberditzl/Heinrich Schwarz, Carl Schindler, Sein Leben und sein Werk, Wien, 1930, Nr. 25. Sabine Kehl-Baierle, Carl Schindler (Arbeitstitel), phil. Diss. Wien 1987/88 (in Arbeit).*
SKB
Abbildung

Kat. Nr. 5/1/35

**5/1/36**
**Franz Steinfeld (1787–1868)**

Der Hallstätter See in Oberösterreich, 1824
Öl auf Holz, 59,5 × 84 cm
Sign. u. dat. li. u.: Steinfeld 1824.
Wien, Niederösterreichisches Landesmuseum, Inv. Nr. 5.826

Steinfeld studierte an der Akademie bei Janscha und Dies. Weiterbildung auf Reisen in die Niederlande, Alpenländer, nach Deutschland, Frankreich und Italien. 1815 wurde Steinfeld Kammermaler des Hoch- und Deutschmeisters Erzherzog Anton Victor, 1824 Mitglied der Akademie.

1826 präsentierte Steinfeld seine Ansicht des Hallstätter Sees in der Akademie und erregte mit dieser bahnbrechenden Leistung der Landschaftskunst größtes Aufsehen.

„Eine eigentümliche Morgenfrische liegt über diesem Bild, mit dem eine neuartige Landschaftsform, die Biedermeierlandschaft, wie von ungefähr entstanden ist. Hier ist nichts Heterogenes mehr zusammengefügt oder eingefügt, die neue Formensprache ist zur homogenen Darstellung einer verhältnismäßig weiträumigen Landschaft, nicht bloß eines engen Landschaftsausschnittes verwendet worden. Es ist ein Ausschnitt aus der Wirklichkeit, wie sie der Maler von seinem Standpunkt wahrgenommen hat, ohne merkbare ‚kompositionelle' Veränderung. Der Maler hat nur einen seinen Absichten vollkommen entsprechenden Standpunkt gewählt."

*Lit.: P. Pötschner, Wien und die Wiener Landschaft, Salzburg 1978, 82 (Zitat).*
RKM
Abbildung

**5/1/37**
**Ferdinand Georg Waldmüller (1793–1865)**

Elise Höfer, 1827
Öl auf Holz (Mahagoni), 67,5 × 52 cm
Sign. u. dat. li. u.: Waldmüller 1827.
HM, Inv. Nr. 33.051

Elise Höfer war Schauspielerin am Theater an der Wien und Tante des Schauspielers Ludwig Martinelli.
Abbildung

**5/1/38**
**Ferdinand Georg Waldmüller**

Selbstporträt, 1828
Öl auf Leinwand, 95 × 75,5 cm
Sign. u. dat. li. u.: Waldmüller/1928/Aet. 35
Wien, Österreichische Galerie, Inv. Nr. 2.121

Das „Portrait des Mahlers G. F. Waldmüller von ihm selbst gemalt" (Akademie-Ausstellung 1828) zeigt den fünfunddreißigjährigen Künstler in selbstbewußter Pose und ausgesucht modischer Kleidung. Im Hintergrund der Wienerwald mit Cobenzl. Seit dem Bildnis der Mutter des Hauptmannes Stierle-Holzmeister (Berlin, Nationalgalerie) verfolgte Waldmüller im Porträtfach leidenschaftlich die wahrheitsgetreue Darstellung der Natur, in Verbindung mit einer subtilen Wiedergabe stofflicher Valeurs. Ende der zwanziger Jahre war Waldmüller als Porträtmaler etabliert. 1829 stellte sich ein weiterer beruflicher Erfolg ein. Er erhielt Rang und Titel eines akademischen Professors und übernahm die Kustodenstelle der Gemäldegalerie der Akademie.
RKM
Abbildung

**5/1/39**
**Ferdinand Georg Waldmüller**

„Parthie aus dem Prater", 1831
Öl auf Holz, 31 × 26 cm
Sign. u. dat. li. u.: Waldmüller 1831.
Hamburg, Kunsthalle, Inv. Nr. 1.349

„Waldmüller hat für das ihm Gegebene den reinsten und reichsten bildkünstlerischen Ausdruck in seiner Landschaftsmalerei gefunden. In ihr sind die von ihm selbst ausgesprochenen Forderungen eines malerischen Realismus konsequenter erfüllt als in seinen Genrestükken, Bildnissen und Stilleben . . . So steht bei einer Beurteilung der geschichtlichen Bedeutung dieses Malers für den frühen Realismus des 19. Jahrhunderts seine Landschaftskunst an erster Stelle, trotz der wichtigen Rolle, die jeder der anderen Bildgattungen im Ganzen seines Werkes, innerhalb seines Strebens nach einem umfassenden Realismus zukommt" (Novotny). Die frühesten, ganz in diesem Sinne gemalten Landschaften entstanden ab 1830. Zwei Motive dominieren: der Prater, die urwüchsige Naturlandschaft vor den Toren Wiens, und das bei allen Künstlern beliebte Salzkammergut.

*Lit.: F. Novotny, Zur Landschaftsmalerei Waldmüllers. In: Katalog der Waldmüller-Ausstellung, Hinterbrühl 1965, S. 17 (Zitat).*
RKM
Abbildung

**5/1/40**
**Ferdinand Georg Waldmüller**

Die Alpenhütte auf der Hoisenradalm bei Ischl gegen den Schönberg, 1834
Öl auf Holz, 31,3 × 26 cm
Sign. u. dat. Mi. re.: Waldmüller 1834.
HM, Inv. Nr. 10.130
Widmung Fürst Johann II. von und zu Liechtenstein, 1894.
Abbildung

**5/1/41**
**Ferdinand Georg Waldmüller**

Die Traun bei Ischl, 1835
Öl auf Holz, 31,3 × 26,3 cm
Sign. u. dat. re. u.: Waldmüller/1835.
HM, Inv. Nr. 8.152
Widmung Fürst Johann II. von und zu Liechtenstein, 1894.

Waldmüller verbrachte viele Sommer in Bad Ischl, um diese großartige Landschaft zu malen. Im Gefolge der Künstler, die zu Beginn des 19. Jahrhunderts das Salzkammergut als Szenerie entdeckt hatten, zog es damals auch

Kat. Nr. 5/1/37

die Wiener Gesellschaft vermehrt nach Ischl. Schließlich schenkte 1854 Erzherzogin Sophie Kaiser Franz Joseph I. die Villa des Wiener Notars Dr. Josef August Eltz, dessen Familie Waldmüller 1835 vor der Ischler Landschaft porträtiert hatte, und machte diesen Ort zur bekanntesten Sommerfrische der Monarchie
RKM
Abbidlung

**5/1/42**
**Ferdinand Georg Waldmüller**

Josefine Schwartz von Mohrenstern, 1837
Öl auf Holz, 30,8 ×25,2 cm
Sign. u. dat. re. (auf der Sessel-Rücklehne): Waldmüller/1837.
HM, Inv. Nr. 43.466

Die Dargestellte, eine geborene Vicomtesse Goupy de Quabeck, war mit Johann Jakob Schwartz von Mohrenstern (1765–1848) verheiratet, welcher sich gleichfalls von Waldmüller porträtieren ließ (HM, Inv. Nr. 43.465).
SW

**5/1/43**
**Ferdinand Georg Waldmüller**

Familie Gierster, 1838
Öl auf Leinwand, 174 × 143 cm
Sign. u. dat. li. u.: Waldmüller/1838
HM, Inv. Nr. 73.050

Josef Leopold Gierster (1800–1863) war Bürger und Hausinhaber in Wien, Brauhaus- und Landwirtschaftsbesitzer und außerdem k. k. Hofbrauer, Ortsschulaufseher in Gaudenzdorf (heute zum 12. Wiener Gemeindebezirk gehörend), Mitglied vieler Kunst- und humanitärer Vereine und 1848 Hauptmann der Nationalgarde in Gaudenzdorf. Der Schwerpunkt seiner Tätigkeit fällt allerdings erst in die Jahre 1850 bis 1861, als er als erster Bürgermeister von Gaudenzdorf wirkte. – Waldmüllers qualitätvolles, bislang noch wenig bekanntes Familienbild zeigt Gierster gemeinsam mit seiner Frau Katharina (geb. 1798) und den Söhnen August (1828–1865) und Josef (geb. 1834), weiters mit den Töchtern Karoline (1836–1877), Katharina und Elisabeth. Nachträglich ließ Gierster auf seiner Uniform einen von Kaiser Franz Joseph I. gestifteten Orden mit dessen Wahlspruch „Viribus Unitis" malen.

*Lit.: Meidling. Der 12. Wiener Gemeindebezirk in Vergangenheit und Gegenwart, Wien 1930, S. 252 f.*
SW/RKM
Abbildung

**5/1/44**
**Ferdinand Georg Waldmüller**

Der Dachstein mit dem Hallstätter See von der Hütteneckalpe bei Ischl, 1838
Öl auf Holz, 45,5 × 57,5 cm
Sign. u. dat. Mi. u.: Waldmüller 1838.
HM, Inv. Nr. 8.151
Widmung Fürst Johann II. von und zu Liechtenstein, 1894.

Die Romantiker entdeckten die alpine Bildwelt, besonders das Salzkammergut, als Bildthema, blieben in ihren Darstellungen aber subjektiv und idealistisch. Waldmüller hingegen, der ab 1830 bis in die vierziger Jahre regelmäßig nach Ischl kam, ging es um die objektive Naturwiedergabe. Im Vergleich zum Porträt und dem Genrebild kam sein Realismus im Landschaftsbild am reinsten zur Geltung. Hinsichtlich Ausgewogenheit des Bildausschnittes und Oberflächenschmelz steht dieses Werk gleichbedeutend neben Steinfelds Hallstätter See (Kat. Nr. 5/1/36) und ist damit ein Hauptwerk der biedermeierlichen Landschaftskunst.
RKM
Abbildung

Kat. Nr. 5/1/44

**5/1/45**
**Ferdinand Georg Waldmüller**

Junge Dame am Toilettetisch, 1840
Öl auf Holz, 39,5 × 30,9 cm
Sign. u. dat. Mi. re. (am Sockel der Statuette): Waldmüller 1840.
HM, Inv. Nr. 10.126
Widmung Fürst Johann II. von und zu Liechtenstein, 1894.

Waldmüller tendierte bei seinen Porträts junger Frauen zu einer besonders pointierten Erfassung modischer Details, wie Frisur, Schmuck, Kleidung. Die materiellen Oberflächenreize ergaben sich schon aus der Herkunft der Dargestellten aus Adel und Großbürgertum. So sind der Tisch, das reichgerahmte Damenporträt, die Silbervase oder die klassizistische Marmorgruppe, eine „Apotheose Homers" darstellend, typische Versatzstücke gehobener Wohnkultur.
RKM
Abbildung

**5/1/46**
**Ferdinand Georg Waldmüller**

Emanuel Ritter von Neuwall (1813–1879), 1841
Öl auf Holz, 37 × 30,1 cm
Sign. u. dat. re. u.: Waldmüller/1841.
HM, Inv. Nr. 24.771
Widmung Josefine Baumann 1902.

Emanuel Ritter von Neuwall entstammte der 1817 mit dem Prädikat „Neuwall" geadelten Familie Leidesdorfer, die Erhebung in den Ritterstand (mit Weglassung des Namens Leidesdorfer) erfolgte 1824. Durch Einheirat bestanden Verwandtschaftsverhältnisse zu den gleichfalls sehr begüterten Familien Arnstein und Herz. Der Privatier Emanuel R. v. Neuwall galt als den schönen Künsten zugeneigt, außerdem war er mit Grillparzer befreundet.

*Lit.: H. Jäger-Sunstenau, Die geadelten Judenfamilien im vormärzlichen Wien, phil. Diss (ungedruckt), Universität Wien 1950, 146.*
SW
Abbildung

**5/1/47**
**Ferdinand Georg Waldmüller**

Die Gratulation zu Großvaters Geburtstag, 1845
Öl auf Holz, 58,5 × 79,5 cm
Sign. u. dat. re. u.: Waldmüller 1845.
HM, Inv. Nr. 28.555

In diesem klassisch komponierten Genrebild erscheinen drei Generationen im friedlichen Nebeneinander. Hauptpersonen des vielfigurigen Bildes sind das gratulierende Kind und der Großvater, Sinnbild eines erfüllten Lebens. Dieses Thema spielte auch in der zeitgenössischen Literatur eine wichtige Rolle. Mittels naturalistischer Mittel suchte Waldmüller eine wahrheitsgetreue Darstellung des Bildthemas. Im unverfälschten Bauernleben enthüllte sich für ihn eine moralische Kraft, die „verbessernd und veredelnd" wirken sollte. Somit verlor er in diesem Genre weitgehend jene Objektivität, die seine Porträts und Landschaften kennzeichnet.

*Lit.: M. Buchsbaum, F. G. Waldmüller, Salzburg 1976, S. 127 ff.*
RKM
Abbildung

**5/1/48**
**Ferdinand Georg Waldmüller**

Die Ernte, 1846
Öl auf Holz, 58 × 72,5 cm
Sign. u. dat. Mi. u.: Waldmüller 1846.
Schweinfurt, Sammlung Georg Schäfer, Inv. Nr. 563

Kompositorisch und durch Blickrichtung sind die Figuren auf das am Boden liegende Kind ausgerichtet. Der klassische Dreiecksaufbau gipfelt im Kruzifix. Die Sichel neben dem Kind, das Kreuz, wie Zahl und Anordnung der Figuren machen die Personengruppe zur Heiligen Familie, einer Allegorie von Leben und Tod.

Der Hintergrundlandschaft, Brunn am Gebirge und der Föhrenberg bei Perchtoldsdorf, ging eine Ölskizze (Grimschitz Nr. 682) voraus.

*Lit.: Ferdinand Georg Waldmüller, Katalog einer Ausstellung der Sammlung Georg Schäfer, Schweinfurt, 1978/79, Nr. 28.*
RKM
Abbildung

**5/1/49**
**Ferdinand Georg Waldmüller**

Die Pfändung, 1847
Öl auf Holz, 73,3 × 92,2 cm
Sign. u. dat. li. u.: Waldmüller/1847.
HM, Inv. Nr. 10.139
Widmung Fürst Johann II. von und zu Liechtenstein, 1894.

Nach anfänglich kleinformatigen Genrebildern (Taglöhner mit seinem Sohn, 1823, Österreichische Galerie) steigerte sich in den vierziger Jahren bei Waldmüller dieses Genre zum vielfigurigen Szenarium. Durch das Einfließen moralisierender Elemente reduzierte sich, trotz naturalistischer Malweise, die stets postulierte Objektivität. Die „Pfändung" entstand in einer Phase, als Einflüsse des zeitgenössischen Theaters auf Waldmüller einwirkten: die Figurenanordnung, Mimik und Gebärde entsprechen einer theatralischen Inszenierung, die ins Freie verlegt wurde. Darüber hinaus war der Hinweis auf soziale Mißstände unter diesem Berufsstand sicher auch ein Anliegen des Künstlers.

*Lit.: M. Buchsbaum, Kat. Nr. 5/1/47. M. Krapf, Ferdinand Georg Waldmüller und seine Genrebilder. In: Wiss. Z. Ernst-Moritz-Arndt-Universität Greifswald, Ges. wiss. Reihe, 34 (1985), S 65 ff.*
RKM
Abbildung

Kat. Nr. 5/1/46

## 5/2 AQUARELL und ZEICHNUNG

**5/2/1**
**Rudolf Alt (1812–1905)**

Hallstätter Friedhof, 1824
Aquarell, 18,8 × 24,1 cm
Sign. u. dat. re. u. (wahrscheinlich nachträglich): R. Alt 1824
HM, Inv. Nr. 116.761/24

Das Blatt, eine Kopie nach Rudolfs Vater Jakob, ist das erste Aquarell des Künstlers.
HB

**5/2/2**
**Rudolf Alt**

Sonnenfinsternis über Wien am 8. Juli 1842
Aquarell, 30,7 × 44 cm
Sign. u. dat. li. u.: Wien am 8t Juli 1842/R. Alt
HM, Inv. Nr. 105.390

Der Standpunkt des Künstlers muß sich in der Gegend des Türkenschanzparks befunden haben. Die Sonnenfinsternis vom 8. Juli 1842 war ein Ereignis von so nachhaltiger Wirkung, daß eine Reihe von Künstlern, teils Maler, teils Dichter (Jakob Alt, Adalbert Stifter), das Thema zum Gegenstand ihrer Darstellungen machten. Das Ölbild von Jakob Alt befindet sich in der Sammlung Schäfer, Schweinfurt.
*Lit.: Kat. Romantik und Realismus in Österreich, Laxenburg 1968, T. 3.*
HB
Abbildung

**5/2/3**
**Moritz Michael Daffinger (1790–1849)**

Marie von Smolenitz, 1827
Schwarze und rote Kreide, 33,2 × 25,6 cm
HM, Inv. Nr. 104.187

Die Dargestellte, Tochter eines griechischen Kaufmanns und Jugendfreundin Grillparzers, wurde in diesem Jahr die Gattin Daffingers. Das Blatt wurde dem Historischen Museum der Stadt Wien zusammen mit anderen Porträts von Mitgliedern der Familie Smolenitz 1958 von Sophie Gräfin Berchtold gewidmet.
HB
Abbildung

**5/2/4**
**Moritz Michael Daffinger**

Selbstbildnis, 1836
Aquarell, 22 × 16,3 cm
Sign. u. dat. re. u.: Daffinger 1836
HM, Inv. Nr. 133.451
Abbildung

**5/2/5**
**Moritz Michael Daffinger**

Nubier
Aquarell, 17,7 × 12,3 cm
Sign. auf Unterlage: Daffinger, beschr. re. u.: Nubier
HM, Inv. Nr. 101.980

Kat. Nr. 5/2/3

Kat. Nr. 5/2/4

Kat. Nr. 5/2/6

**5/2/6**
**Moritz Michael Daffinger**

Kantabrische Winde (Convolvulus Cantabrica L.)
Aquarell, 43 × 29,4 cm
Beschr. re. u.: Convulvulus Cantabrica L. (korrigiert auf Cantabricus); am Blattrand re. u.: Baden
Wien, Kupferstichkabinett der Akademie der bildenden Künste, Inv. Nr. 7.576

Die Blumenaquarelle Daffingers entstanden seit den dreißiger Jahren bis zum Tod des Künstlers (1849).
*Lit.: Kat. Die Blumenaquarelle des Moritz Michael Daffinger. Wien (Kupferstichkabinett der Akademie der bildenden Künste) 1986.*
HB
Abbildung

**5/2/7**
**Moritz Michael Daffinger**

Leberblümchen (Varianten von Hepatica triloba D. C.)
Aquarell, 42,2 × 29,3 cm
Beschr. re. u.: var. hepatica triloba D. C.
Wien, Kupferstichkabinett der Akademie der bildenden Künste, Inv. Nr. 7673
S. auch Kat. Nr. 5/2/6.

**5/2/8**
**Josef Danhauser (1805–1845)**

Der Pfennig der Witwe, 1836
Bleistift, aquarelliert, 12,6 × 17,1 cm
Sign. u. dat. li. u.: Danhauser 1836
HM, Inv. Nr. 18.439

Entwurf zu dem 1839 datierten Ölbild (Wien, Privatbesitz). Der Bildtitel stammt, wie die Beschriftung unter einer anderen Vorzeichnung zum selben Thema zeigt, von Danhauser selbst. Im Entwicklungsgang der Zeichnungen wird die Tendenz sichtbar, das belehrende Thema (Geiz des reichen Paares im Vordergrund – Bescheidenheit der mildtätigen Witwe im Hintergrund) durch eine zwanglose Figurengruppierung möglichst wirklichkeitsnahe und überzeugend vorzutragen.
HB
Abbildung

Kat. Nr. 5/2/8

Kat. Nr. 5/2/10

**5/2/9**
**Josef Danhauser**

Figurenstudie zu dem Ölbild „Der Prasser", 1836
Bleistift, 18,4 × 14,2 cm
HM, Inv. Nr. 97.446

Im Vergleich zu einem Kompositionsentwurf im Besitz der Albertina steht diese Studie für die vor dem eintretenden Bettler zurückschreckende Dame am Tisch des „Prassers" dem ausgeführten Bild (Kat. Nr. 5/1/6) schon viel näher.
HB

**5/2/10**
**Josef Danhauser**

Die Schachpartie, 1839
Feder und Bleistift, aquarelliert und weiß gehöht, 25,6 × 33,4 cm
Sign. u. dat. re. u.: Jos. Danhauser/1839, beschr. u.: Jos. Danhauser, Profeßor an d. k. k. Akademie in Wien
HM, Inv. Nr. 168.489

Das Blatt, in dem Danhauser sich schon dem ausgeführten Bild nähert, ist im Ausstellungskatalog der Albertina (J. D., Gemälde und Zeichnungen, bearbeitet von Veronika Birke, 1983) abgebildet und als verschollen angegeben, da es zu jenem Zeitpunkt dem Besitzer (Historisches Museum der Stadt Wien) nicht zur Verfügung stand.
HB
Abbildung

**5/2/11**
**Josef Danhauser**

Schlafender Maler
Bleistift, 18,6 × 19,3 cm
Sign. re. u.: Jos. Danh . . . (Ecke fehlt)
HM, Inv. Nr. 115.968

Kompositionsskizze zu der 1841 gemalten 1. Fassung des Themas. Indem Danhauser hier (durch seine eigenen Kinder inspiriert) zwei Kinder am Bild des eingeschlafenen Malers „weiterarbeiten" läßt, kehrt er zu den humorvollen, den Malerberuf ironisierenden frühen „Unfugbildern" zurück (vgl. Kat. Nr. 5/1/5). – Bei einer Restaurierung der Zeichnung (Ablösung von alter Unterlage) kam eine Vorzeichnung für eine mehrfigurige Gesellschaftsszene (Bleistift) zutage.
HB
Abbildung

**5/2/12**
**Josef Danhauser**

Der Sohn des Künstlers, um 1841
Bleistift mit Weißhöhung auf grauem Papier, 26,8 × 13,4 cm
HM, Inv. Nr. 63.461

Der auf den Namen Josef getaufte Sohn wurde 1839 geboren – auf ihn folgten 1841 und 1843 die Töchter Marie und Julie. Die Kinder im Hause Danhausers bereicherten entscheidend dessen Themenwahl, da sie nun als Inspiratio-

nen und Modelle für eine ganze Reihe häuslicher Szenen und Phantasiekompositionen herangezogen wurden.
HB
Abbildung

**5/2/13**
**Josef Danhauser**

Kleines Mädchen, um 1843
Bleistift und Pinsel mit Weißhöhung auf blauem Papier, 23,4 × 16,5 cm
Sign. re. u.: Danha . . .
HM, Inv. Nr. 116.411

Vorzeichnung für die Lithographie „Das erste Konzert" und das Ölbild „Die kleinen Virtuosen" (Österreichische Galerie, 1843). Im ersten Fall handelt es sich um das – notenblatthaltende – Mädchen allein, im zweiten um eine durch die Gestalt des Bruders vermehrte Komposition. Wie bei anderen nach 1839 ausgeführten ähnlichen Themen sind hier Danhausers eigene Kinder dargestellt.
HB
Abbildung

**5/2/14**
**Johann Nepomuk Ender (1793–1854)**

Erzherzogin Henriette mit ihrer Tochter Maria Karoline, um 1828
Aquarell auf Karton, 36,1 × 27,5 cm
Sign. li. u.: Joh. Ender
HM, Inv. Nr. 132.877

Henriette von Nassau-Weilburg heiratete 1815 Erzherzog Carl (1771–1843), Maria Karoline wurde 1825 geboren. Den zunächst im protestantischen deutschen Raum beheimateten Brauch, das Weihnachtsfest mit einem Lichterbaum zu begehen, machte Erzherzogin Henriette in Österreich populär.
SW
Abbildung

**5/2/15**
**Thomas Ender (1793–1875)**

Landschaft mit Pappelrosen
Aquarell, 16,6 × 11,7 cm
Sign. li. u.: Ender
HM, Inv. Nr. 13.322

Der in Wien geborene Künstler, Zwillingsbruder von Johann Nepomuk Ender, studierte an der Akademie bei Mößmer und Steinfeld, außerdem nahm er sich die Landschaftsmalerei von Claude Lorrain und Jakob van Ruisdael zum Vorbild. 1817 nahm er an der österreichischen Brasilien-Expedition – im Gefolge der Erzherzogin Leopoldine anläßlich ihrer Hochzeit mit Dom Pedro – teil. 1819 begleitete er Metternich nach Rom. Weitere Reisen führte er vor allem im Gefolge von Erzherzog Johann aus. 1836 wurde Thomas Ender Professor an der Wiener Akademie.
HB

Kat. Nr. 5/2/11

Kat. Nr. 5/2/13

Kat. Nr. 5/2/12

**5/2/16**
**Thomas Ender**

Das Gasthaus bei der Krainerhütte im Helenental, um 1825
Aquarell, 18,4 × 24,9 cm
Wien, Niederösterreichisches Landesmuseum, Inv. Nr. A 140/81
Vorlage für die von Artaria herausgegebene Radierung Nr. 42
HB

**5/2/17**
**Thomas Ender**

Unterer und Oberer Sulzbacher Venediger, 1829
Aquarell, 27 × 38 cm
Privatbesitz
Abbildung

**5/2/18**
**Peter Fendi (1796–1842)**

Kind in hohem Sessel, um 1830
Aquarell, 10,7 × 7,6 cm
HM, Inv. Nr. 61.124

**5/2/19**
**Peter Fendi**

Spielende Kinder
Aquarell, 9,5 × 8 cm
HM, Inv. Nr. 97.120

**5/2/20**
**Peter Fendi**

Trauernde, aus einer Kutsche steigend
Aquarell, 11,3 × 14,7 cm
Sign. li. u.: P. Fendi
HM, Inv. Nr. 101.093
Abbildung

**5/2/21**
**Peter Fendi**

Die Marketenderin
Aquarell, 10,1 × 12,5 cm
Sign. re. u.: Fendi
Privatbesitz
Abbildung

Kat. Nr. 5/2/14

Kat. Nr. 5/2/17

Kat. Nr. 5/2/20

Kat. Nr. 5/2/22

Kat. Nr. 5/2/21

**5/2/22**
**Peter Fendi**

Häusergruppe in Dornbach, 1838
Aquarell, 12 × 16,8 cm
Sign. u. dat. re. u.: Fendi 1838
HM, Inv. Nr. 100.758

Das Blatt, ein besonders charakteristisches Beispiel für die in großer malerischer Freiheit erfaßte Wirklichkeit bei Fendi, befand sich ursprünglich in der Sammlung des Staatskanzlers Fürst Metternich.
HB
Abbildung

**5/2/23**
**Peter Fendi**

Kindliche Andacht, um 1840
Aquarell, 9,8 × 8,5 cm
Sign. li. u.: Fendi
HM, Inv. Nr. 101.721

Studie zu dem Ölbild gleichen Titels im Historischen Museum der Stadt Wien (Kat. Nr. 5/1/20). Beim Vergleich mit dem ausgeführten Bild erweist sich die malerische Dynamik und Flexibilität der Aquarellskizze. Diese ist durch reichstrukturierte farbige Flächen gekennzeichnet, die dann im Ölbild im Sinne konventioneller Übersichtlichkeit weitgehend geglättet wurden.
HB
Abbildung

**5/2/24**
**Friedrich Gauermann (1807–1862)**

Eber, von Wölfen angefallen
Feder, braun laviert, 31 × 29,7 cm
HM, Inv. Nr. 64.603
Abbildung

**5/2/25**
**Friedrich Gauermann**

Adler mit ihrer Beute
Bleistift, Pinsel in Braun, Weißhöhung, 17,3 × 23,5 cm
HM, Inv. Nr. 64.612

Kat. Nr. 5/2/24

Kat. Nr. 5/2/26

Kat. Nr. 5/2/30

Kat. Nr. 5/2/27

Kat. Nr. 5/2/29

**5/2/26**
**Alois Mink (1800–1874)**

Karl Haffner (1804–1876), 1842
Aquarell, ca. 43 × 24 cm (unregelmäßig beschnitten)
Sign. u. dat. re. u.: A. Mink 1842
HM, Inv. Nr. 13.920

Der Schauspieler und Autor von Bühnenstükken Karl Haffner (eig. Schlachter) schrieb seit 1841 eine Reihe von romantisch-komischen Volksstücken, welche zunächst vom Theater an der Wien, später vom Theater in der Josefstadt aufgeführt wurden; sein erster großer Erfolg in Wien war ihm mit dem Märchen in Dramenform „Marmorherz" beschieden gewesen.
HB/SW
Abbildung

**5/2/27**
**August von Pettenkofen (1822–1889)**

Der Spaziergang, 1841
Bleistift, aquarelliert, 23,4 × 21 cm
Dat. re. o.: 31ten August 841, beschr. o.: 11 Uhr morgens; u.: Im 4ten Stock übersieht der Teufel ganz Wien.
HM, Inv. Nr. 101.488

August (Ritter von) Pettenkofen studierte zunächst an der Wiener Akademie bei Leopold Kupelwieser. Dann wurde er Schüler von Franz Eybl; entscheidend für seine weitere Entwicklung wurde jedoch die Begegnung mit der Kunst von Carl Schindler und Peter Fendi, deren Einfluß in der vorliegenden frühen Zeichnung sichtbar wird.
HB
Abbildung

**5/2/28**
**Eduard Ritter (1808–1853)**

Motiv aus Seewiesen, 1838
Aquarell, 15,2 × 14 cm
Sign. u. dat. li. u.: Ritter 838 Seewiesen
HM, Inv. Nr. 114.860

**5/2/29**
**Ignaz (oder Anton?) Rungaldier**

Emma Gräfin Fries (geb. 1837), um 1840
Aquarell, 23,7 × 19,3 cm
Sign. re. u.: Rungaldier
HM, Inv. Nr. 56.318

Sowohl Ignaz (1799–1876) als auch Anton Rungaldier (geb. 1814) kamen von Graz an die Wiener Akademie und wurden Porträtisten von Angehörigen des Adels. Lediglich mit dem Familiennamen signierte Arbeiten sind hier zuweilen schwer zuzuordnen. – Das dargestellte Mädchen war eine Tochter von Henriette Pereira-Arnstein, verehelichte Gräfin Fries, und somit eine Enkelin der Fanny von Arnstein (siehe dazu das Gemälde von Amerling, Kat. Nr. 5/1/2).
HB/SW
Abbildung

Kat. Nr. 5/2/31

**5/2/30**
**Albert Schindler (1805–1861)**

Heimkehr (Schiller, Das Lied von der Glocke)
Aquarell, 22 × 30,2 cm
Sign. li. u.: A. Schindler fec.
HM, Inv. Nr. 116.796

Albert Schindler wurde von Peter Fendi als Talent entdeckt und studierte bei diesem sowie an der Wiener Akademie. 1842 wurde er als Nachfolger Fendis zum Zeichner und Kupferstecher am k. k. Münz- und Antikenkabinett ernannt. – Das Aquarell „Heimkehr" (zur Textstelle Schillers: „Fremd kehrt er heim in's Vaterhaus . . .") entstand nach einer der Aquarellskizzen Fendis (1831–1832) zur Dichtung Schillers und diente als Vorlage für die Serie von 6 Lithographien von Friedrich Leybold. Letzten Endes steht hinter der Darstellung das Bild „Heimkehr des Landwehrmannes" von Johann Peter Krafft (1820, Kat. Nr. 5/1/24) als Vorbild. Siehe auch Kat. Nr. 5/3/11.
HB
Abbildung

**5/2/31**
**Albert Schindler**

Spielende Kinder
(„Der kleine Gernegroß")
Aquarell
HM, Inv. Nr. 34.698

Dem Museum 1911 vom Regierenden Fürsten Johann von und zu Liechtenstein geschenkt. – Das für die Biedermeiermalerei besonders wichtige Thema des Kindes erfährt hier die Vertiefung ins völlig Unbekümmerte und Spielerische. Ähnlich wie in manchen Werken Danhausers werden Requisiten aus der Welt der Erwachsenen verwendet, die selbst jedoch – hier die Mutter hinter der Türe – „ausgeschlossen" bleiben.
HB
Abbildung

**5/2/32**
**Carl Schindler (1821–1842)**

Räuberüberfall bei Terracina, um 1840
Aquarell über Bleistift, 22,5 × 28 cm
HM, Inv. Nr. 119.147

Das Aquarell ist die Studie zu dem mit 1840 datierten Ölbild. Im wesentlichen ist die Komposition schon hier festgehalten. Besonders das Weglassen des Felsens, der im Aquarell durch seine Form und impulsive Aquarellierung die Dynamik der heftigen Bewegungen und die Dramatik des Geschehens abrundet und unterstützt, bewirkt im ausgeführten Ölbild einen Verlust an Lebendigkeit; Gesten und Bewegungen wirken in ihrer oft nur angedeuteten Form spontaner und glaubwürdiger. Im Zentrum steht die Familie, der Vater schießt und stützt seine in Ohnmacht sinkende Frau, an die sich das Kind drückt; die leuchtende, helle Fläche ihres Kleides bildet das Zentrum der die Familie rahmenden Gruppe der Banditen. Die Gegend der italienischen Hafenstadt Terracina (im südlichen Latium) kannte Schindler nicht aus eigener Anschauung, da er nie im Ausland war. Johann Nepomuk Schödlberger hatte um 1840 ein Aquarell „Gegend bei Terracina" geschaffen, das Schindler vielleicht anregte. Eine wichtige Quelle waren sicher die Bilder der italianisierenden Niederländer in der Gemäldegalerie der Akademie und anderen Wiener Sammlungen (Jan Asselijn, Jan van Hughtenburgh, Philip Wouwerman), wo in südlicher Landschaft, oft mit Ruinenarchitektur-Kulisse, auch Szenen wie Räuberüberfälle dargestellt sind.

Carl Schindlers künstlerisches Temperament, das in seiner Intensität oft an barocke Gestaltungen erinnert, äußerte sich am besten im Medium des Aquarells, das für ihn einerseits – wie im vorliegenden Fall – Studie für ein weiteres Werk war, und andererseits und hauptsächlich autonome Schöpfung bedeutete.

*Lit.: Franz Martin Haberditzl, Heinrich Schwarz, Carl Schindler. Sein Leben und sein Werk. Wien 1930, Nr. 97. Sabine Kehl-Baierle, Carl Schindler (Arbeitstitel), phil. Diss. Wien 1987/88 (in Arbeit).*
SKB
Abbildung

**5/2/33**
**Franz Stecher (1814–1853)**

Mann mit Pfeife, 1834
Aquarell, 22,3 × 18,2 cm
Sign. u. dat. re. u. (auf Tischbein): Franz Stecher 1834
HM, Inv. Nr. 29.057
Abbildung

Kat. Nr. 5/2/32

Kat. Nr. 5/2/33

**5/2/34**
**Friedrich Treml (1816–1852)**

Mädchen in Tracht, 1845
Aquarell, 22,8 × 16,7 cm
Dat. re. u.: July 1845 Treml
HM, Inv. Nr. 101.401

(Johann) Friedrich Treml war Schüler und Freund von Peter Fendi, dessen Nichte und Adoptivtochter er 1842 heiratete. Er setzte in seinen Arbeiten die Genrethematik Fendis wie auch dessen freie, skizzenhafte Aquarelltechnik fort.
HB
Abbildung

**5/2/35**
**Unbekannter Porträtist**

Damenbildnis, um 1840
Aquarell über Bleistift (unvollendet), 21,4 × 17,4 cm
HM, Inv. Nr. 24.904

Die traditionelle Zuschreibung an Fendi kann hier nicht aufrechterhalten werden.
HB

Kat. Nr. 5/2/34

## 5/3 LITHOGRAPHIE

*Lit.: H. Schwarz, Die Anfänge der Lithographie in Österreich, neu bearbeitet von E. Herrmann-Fichtenau (im Druck).*

### 5/3/1
### Jakob Alt (1789–1872)

„Donau-Ansichten vom Ursprunge bis zum Ausflusse ins Meer"
Serie von 264 Kreide-(teils Feder-)lithographien, herausgegeben von Adolph Friedrich Kunike, gedruckt bei Leopold Grund
HM, Inv. Nr. 105.081

Im Auftrag des Verlegers reiste Alt 1820 von Donaueschingen bis Wien und 1821 weiter bis Belgrad. Dann weigerte er sich, die gefahrvolle Reise in die Türkei fortzusetzen, was daraufhin Kunikes Schwager Ludwig Erminy tat. Dementsprechend verhält es sich mit der Autorenschaft der Vorzeichnungen; lithographiert wurden diese anfangs vorwiegend durch Alt selbst, dann zunehmend durch Mitarbeiter des Verlags.
HB/EHF

Abbildung (Blatt CXVII – Wien)

### 5/3/2
### Josef Danhauser (1805–1845)

Vier Blätter aus der Serie „Verlegenheiten", 1827–1828
1. Blatt 9: „Ach meine Damen das geht herrl . . . / Faites attention mes dames, avec quelle promptitude je m'en vais."
2. Blatt 10: „Mein Hut! mein Hut! so nehmen Sie ihn doch. / Arrachez lui donc mon chapeau, je vous en prie."
3. Blatt 11: „Himmel! ich bin auf den ersten Deutschen engagiert – Ich auch! / Nous voilà bien arrangés pour faire la première Valse."
4. Blatt 16: „Der verdammte Heuwagen, gerade hier! / Me voila à la bonne rencontre!"
Kreidelithographien, Plattengrößen: 1. ca. 18,6 × 23 cm; 2. ca. 20 × 22,5 cm; 3. ca. 17,3 × 21,5 cm; 4. ca. 18 × 22 cm; Blattränder unregelmäßig
Im Druck sign.: Danhauser
HM, Inv. Nr. 186.136/9, 10, 12, 13

Zu den „Verlegenheiten" lieferte Danhauser 6, Moritz von Schwind 11 Beiträge.
HB
Abbildung

Kat. Nr. 5/3/2

**5/3/3**
**Eduard Cramolini (1807–1881) nach Josef Danhauser**

„Das erste Concert"
Kreidelithographie, koloriert
Pl.: 22,9 × 19 cm, Bl.: 39,8 × 33 cm
Verlag L. T. Neumann
HM, Inv. Nr. 114.904

Nach dem Ölbild „Die kleinen Virtuosen" (1843, Wien, Österreichische Galerie). S. auch die Vorzeichnung Danhausers Kat. Nr. 5/2/13.
HB

**5/3/4**
**Peter Fendi (1796–1842)**

„S. E. Mirsa Abul Hassan Chan/Botschafter von Persien", 1820
Farblithographie (von 8 Platten), 52,3 × 36,5 cm
Fendi del. – Versuch eines Stein Farben Druckes
HM, Inv. Nr. 179.400

Fendi, der sich seit etwa 1818 mit der Lithographie beschäftigte, machte sich durch seine Experimente auch um die Entwicklung der Farblithographie verdient.
HB
Abbildung

**5/3/5**
**Peter Fendi**

Gebet am Friedhof, 1820
Federlithographie, 15,6 × 23,1 cm
Im Druck li. u.: P. Fendi del. 1820, oben: 2ter Versuch eines Papierumdrucks
HM, Inv. Nr. 101.725

**5/3/6**
**Peter Fendi nach Adriaen Brouwer**

Der schlafende Bauer, um 1818–1820
Kreidelithographie mit Tonplatte
Pl.: 14 × 18,6 cm; Bl.: 31,4 × 45,2 cm
A. Brouwer p. – Umdruck/Lith. Institut – P. Fendi del.
HM, Inv. Nr. 159.148

**5/3/7**
**Peter Fendi „nach Adriaen Brouwer"**

Musikanten („Adrian Brouwer und Rembrandt) van Ryn"), um 1818–1820
Kreidelithographie mit Tonplatte
Bl. (beschn.): 36,1 × 51 cm
Adrian Brouwer pinx. – Lith. Inst. in Wien – P. Fendi fec.
HM, Inv. Nr. 99.095

Traditionell (und völlig unwahrscheinlich) eine Darstellung von Brouwer und Rembrandt, die im Atelier musizieren. Das als Vorlage dienende Gemälde (damals Sammlung Graf Lamberg-Sprinzenstein, heute Gemäldegalerie der Akademie der bildenden Künste, Inv. Nr. 696) wurde später Cornelis Saftleben zugeschrieben.
EHF

Kat. Nr. 5/3/18

Kat. Nr. 5/3/19

**5/3/8**
**Peter Fendi nach Adriaen van Ostade**

Der lesende Bauer, um 1818–1820
Kreidelithographie mit 2 Tonplatten
Pl.: 33,5 × 26 cm; Bl.: 51,1 × 40 cm
Peint par A. Ostade – P. Fendi del.
HM, Inv. Nr. 114.804
Abbildung

**5/3/9**
**Peter Fendi nach Franz Kadlik (1786–1841)**

Maria mit dem Kind, Johannes und einem Engel
Kreidelithographie mit Tonplatte
Pl.: 32,2 × 27,1 cm, Bl.: (beschn.) 35,5 × 33,3 cm
Im Druck unten: nach Kadliks Originalgemälde – lithographirt von Peter Fendi
HM, Inv. Nr. 99.529/1

Franz Kadlik (richtig: Tkadlik) war vor allem in Prag tätig.
HB

**5/3/10**
**W. Rolling nach Peter Fendi**

Mädchen vor einem Lotterie-Gewölbe
Kreidelithographie
Pl.: 33,5 × 26,5 cm; Bl.: 46,2 × 34,2 cm
HM, Inv. Nr. 43.557

Entstanden nach dem Ölbild gleichen Titels in der Österreichischen Galerie, Wien (Kat. Nr. 5/1/16).
HB

**5/3/11**
**Friedrich Leybold (1798–1880) nach Peter Fendi**

Taufgang (Schiller, Das Lied von der Glocke)
Farblithographie
Pl.: 22 × 29,7 cm; Bl.: 44,5 × 61,7 cm
Nach Skizzen von P. Fendi ausgeführt v. A. Schindler – Lithogr. v. F. Leybold. Gedr. b. Rauh/Wien, bei L. T. Neumann
HM, Inv. Nr. 99.085/1

Aus einer Serie von 6 Blättern. Nach ursprünglichen Skizzen Fendis (1831–1832), die von Albert Schindler für Aquarelle verwendet wurden (s. auch Kat. Nr. 5/2/30).
HB

**5/3/12**
**Josef Fischer (1769–1822)**

Allegorien der Malerei und Musik, 1803
Federlithographie, 28,4 × 40,8 cm
Im Druck re. u.: J. Fischer 1803/London
HM, Inv. Nr. 114.755

Das stilistisch noch ganz dem Klassizismus zugehörige Blatt wird hier als besonders frühes Beispiel der Lithographie eines Wiener Künstlers gezeigt. – Josef Fischer befand sich 1803 in London als Begleiter des Fürsten Nikolaus Esterházy.
HB/EHF

**5/3/13**
**Vinzenz Georg Kininger (1767–1851)**

Kinder, ein Lamm fütternd, 1825
Kreidelithographie
Pl.: 26,6 × 32,7 cm; Bl.: 34,1 × 40,1 cm
Beschr. re. u.: Vinz. Georg Kininger 1825–
Im Druck Mi. u.: Kininger del.
HM, Inv. Nr. 100.385

Der Maler, Graphiker und Illustrator Kininger war in erster Linie Kupferstecher (Schabkünstler). 1807 wurde er Professor der Schabkunst; mit der Lithographie beschäftigte er sich ab etwa 1818.
HB

**5/3/14**
**Adolph Friedrich Kunike (1776–1838)**

Zwei Familienszenen, um 1821
Kreidelithographien
Pl.: 1. 30,1 × 37,6 cm; 2. 29,9 × 37,2; Blattränder unregelmäßig
Im Druck unten: Componirt, lithographirt und gedruckt von Kunike
HM, Inv. Nr. 97.416/1, 2

Der aus Greifswald in Pommern stammende Adolf Friedrich Kunike arbeitete seit 1816 als Lithograph in Wien und wurde hier zu einem wichtigen Protagonisten dieser Technik. Er gab u. a. die „Donauansichten" heraus (Kat. Nr. 5/3/1). Die beiden Familienszenen erschienen innerhalb der Serie „Sittengemälde des Familien Lebens".
HB/EHF

**5/3/15**
**Josef Lanzedelli (1774–1832)**

Die Einführung der Lithographie bei den Künsten durch Minerva, 1818
Kreidelithographie mit Tonplatte
Pl.: 36,6 × 45,6 cm; Bl.: 39,6 × 47,6 cm
HM, Inv. Nr. 62.006

Der aus Ampezzo stammende Künstler trat mit 32 Jahren in die Wiener Akademie ein. Seine Lithographien – er war der produktivste Wiener Frühlithograph – erschienen zuerst bei Kunike, dann im Lithographischen Institut. – Die vorliegende Allegorie wurde später von anderer Hand mit Rötelstift überzogen.
HB
Abbildung

**5/3/16**
**Heinrich Stohl (1826–1889)**
**nach Johann Mathias Ranftl (1805–1854)**

„Die Waisen in der Stadt"
Farblithographie, 53,8 × 40,3 cm
Unter dem Titel wurde ein thematisch entsprechendes Gedicht von Johann Gabriel Seidl abgedruckt.
HM, Inv. Nr. 49.416

Heinrich Stohl studierte in Wien und München und war vor allem als Tiermaler und Porträtist tätig.
HB

**5/3/17**
**Carl Schindler (1821–1842)**

Lagerszene
Kreidelithographie, 10,9 × 12,5 cm
HM, Inv. Nr. 116.509/5

Wie die folgende Katalognummer ein Probedruck aus einer bisher unveröffentlichten Serie von Militärszenen.
SKB/HB

**5/3/18**
**Carl Schindler**

Artilleristen am Geschütz
Kreidelithographie, 9,7 × 18,1 cm
HM, Inv. Nr. 116.509/2

Abbildung

**5/3/19**
**Franz Steinfeld (1787–1868)**

„Eine Parthie auf dem Weege von Baaden nach Heil:Kreutz in NiederOesterreich"
Kreidelithographie, 27,7 × 33,2 cm
Beschr. re. u.: Steinfeld
HM, Inv. Nr. 95.508

Abbildung

**5/4**
**MINIATUR, KÜNSTLERPORTRÄT, DOKUMENTATION**

**5/4/1**
**Moritz Michael Daffinger (1790–1849)**

Selbstbildnis, um 1828
Ölmalerei auf Elfenbein, 10,7 × 8,5 cm
Rahmen 19,7 × 17,7 cm
HM, Inv. Nr. 104.186

**5/4/2**
**Malkasten von Moritz Michael Daffinger**

Schatulle mit Lederüberzug, 12,5 × 7 cm
Bibliothek der Akademie der bildenden Künste, Wien

Aus dem Nachlaß des Daffinger-Biographen Dr. Leo Grünstein 1947 gewidmet.
SW

**5/4/3**
**Moritz Michael Daffinger**

Johann Nepomuk Raimann (1780–1847), um 1820
Aquarell, 7,5 × 5,6 cm, Rahmen 8 × 6,2 cm
Sign. li. (Rand): Daffinger
HM, Inv. Nr. 34.393

Raimann war kaiserlicher Leibarzt und Universitätsprofessor, 1826 wurde er geadelt, 1840 in den Ritterstand erhoben.
SW
Abbildung

**5/4/4**
**Moritz Michael Daffinger**

Flora Fürstin Palm-Gundelfingen
Aquarell auf Elfenbein, 7,6 × 6,2 cm, Rahmen 8,1 × 6,7 cm
Sign. li. u.: Daffinger
HM, Inv. Nr. 43.473

**5/4/5**
**Josef Danhauser (1805–1845)**

Fotografie, 11,9 × 9,2 cm (23,1 × 17,7 cm)
Beschriftet re. u.: Joseph Danhauser/Photographie nach einem/Selbstporträt des Künstlers
HM, Inv. Nr. 2.270

**5/4/6**
**Josef Danhauser**

Kassette mit Skizzenbuch
Samt, Bleistiftzeichnungen, Kassette 13,3 × 15 cm, Buch 13,7 × 11,3 cm
HM, Inv. Nr. 55.986

Die mit schwarzem Samt überzogene Kassette trägt die Aufschrift „Souvenir", den Inhalt bilden Danhausersche Entwürfe zu verschiedenen Themen.
SW

Kat. Nr. 5/4/7

Kat. Nr. 5/4/13

Kat. Nr. 5/4/16

**5/4/7**
**Johann Nepomuk Ender (1793–1854)**

Selbstbildnis mit Braut, 1817
Aquarell, 13,5 × 10,5 cm, Rahmen 13,7 × 10,8 cm
Sign. u. dat. Mi. re.: Joh. Ender/pix. (sic!)/1817
HM, Inv. Nr. 138.321

J. N. Ender war ein wichtiger Porträtist seiner Zeit für Hochadel und Großbürgertum. Diese in der Auffassung sehr private und intime Darstellung zeigt ihn mit seiner Verlobten Elisabeth Rosalia Stöber.
SW
Abbildung

**5/4/8**
**Franz Stöber (1795–1858) nach Josef Danhauser**

Peter Fendi, 1834
Kupferstich, 31,3 × 24,6 cm
Sign. li. u.: Jos. Danhauser del., re. u.: Fr. Stöber. sc., darüber: Pet. Fendi 1834.
HM, Inv. Nr. 179.237/1

Für dieses Fendi-Porträt von Stöber bildete eine Zeichnung von Danhauser die Vorlage.
SW

**5/4/9/1**
**Rotfigurige Kanne (Oinochoe)**

Kampanisch, Mitte 4. Jh. v. Chr.
Ton, mit roter, weißer und gelber Deckfarbe, Höhe 38,5 cm
Fundort unbekannt; aus der Sammlung Lamberg
Wien, Kunsthistorisches Museum, Antikensammlung, Inv. Nr. IV 1.035

Io, Argos und Hermes zwischen Jünglingen, Frauen, Satyrn und Eroten. – Die figurenreiche Darstellung zeigt eine Szene aus dem Mythos von der in eine Kuh verwandelten Königstochter Io, der Geliebten des Zeus, die von Hermes aus der Gewalt ihres Wächters Argos befreit wurde. Die auf einem Felsen sitzende weibliche Gestalt mit einem Zweig in der Linken ist durch die Kuhhörner an der Stirne als Io gekennzeichnet.
Alfred Bernhard-Walcher

**5/4/9/2**
**Peter Fendi**

Kopie der rotfigurigen Kanne, Kat. Nr. X/1, 1818
a) Gesamtansicht: Hinterseite mit Henkelornament.
   Gouache; bez. „1/3".
b) Gesamtansicht: Profil.
   Tuschzeichnung; bez. „1/3".
c) Abgerollte Figurenzone.
   Gouache; Originalgröße; bez. „Pet. Fendi f. 1818".

Papier, 44,7 × 71 cm, auf Unterkarton 57 × 75,5 cm
Wien, Kunsthistorisches Museum, Antikensammlung, Inv. Nr. XIV 79 Bl. 32

Am 14. Juni 1818 ernannte Kaiser Franz I. Peter Fendi zum Zeichner und Kupferstecher am k. k. Münz- und Antikenkabinett, dessen umfangreiche Kunstbestände dem Künstler als Vorlagen für seine mit außerordentlicher Treue und seltenem Fachverständnis durchgeführten Zeichnungen dienten. Unter den zahlreichen Kopien nach Antiken – insgesamt werden heute fast 2000 Zeichnungen, Kupferstiche und Ölgemälde Fendis in der Antikensammlung des Kunsthistorischen Museums verwahrt – sind vor allem die zartlinigen, klassizistischen Umrißkopien der antiken Vasenbilder von Bedeutung. Über seine Tätigkeit und Stellung in der kaiserlichen Sammlung, insbesondere sein gestörtes Verhältnis zu seinem früheren Förderer und Vorgesetzten A. Steinbüchel von Rheinwall, berichtet Fendi, der sich mehrfach vergeblich bemüht hatte, vom Kopisten zum Kustos der Gemäldegalerie aufzusteigen, in einem ausführlichen Schreiben an den mit der Oberleitung des Kabinetts betrauten Hofpräfekten Moriz Grafen Dietrichstein:

„Eure Excellenz!

Da der gehorsamst Unterzeichnete von Euer Excellenz aufgefordert wurde eine treue und gewißenhafte Darstellung seiner Leistungen sowohl in Beziehung auf seinen Dienst im k. k. Kabinette, wie auch die Art der Verwendung in demselben pünctlich anzuzeigen, so beginnt in Ehrfurcht der gehorsamst Unterzeichnete mit seinem Eintrittsjahre.

Derselbe wurde im Jahre 1812 von dem damaligen Director Neumann (1798–1816) als Zeichner und Kupferstecher im k. k. Kabinette zum copiren der Altgrichischen Vasengemälde, Münzen, und andrer antiken Monumente durch 6 volle Jahre verwendet, und von den Verlagsgeldern bezahlt. Der gehorsamst Unterzeichnete genoß das volle Zutrauen des hochverehrten und ihm unvergeßlichen Directors Neumann . . . Nach dem Tode des Kabinets Bildhauers Thaler wurde der gehorsamst Unterzeichnete als Kabinets Zeichner und Kupferstecher mit dem Gehalt von 500 fl und 30 fl Quartirgeld angestellt. Derselbe mußte täglich von 9 bis 2 Uhr und sehr oft Nachmittags auf Befehl des Directors Steinbüchl (1819–1840) amtieren, für welchen er bloß allein nach seiner Angabe zu arbeiten hatte, und auch alle seine Arbeiten demselben zur Einsicht und Correctur vorlegen mußte, und ohngeachtet der gehorsamst Unterzeichnete alle seine Zeichnungen stets genau und geschmackvoll vorzutragen sich bemühte, mußte er oft gegen seine Überzeugung Änderungen vornehmen, und so seine eigenen Arbeiten verderben, oder ganz vernichten. Wenn derselbe eine Gegenvorstellung wagte, mußte er auf die empfindlichste Weise fühlen, daß er nichts zu sagen habe . . . Der gehorsamst Unterzeichnete ließ sich unter solch höchst drückenden und ungünstigen Verhältnißen dennoch nicht entmuthigen seine Arbeiten im k. k. Kabinette sowohl als auch außer demselben mit unermüdtem Fleiße und Studium fortzusetzen um in seinem Fache als Künstler und Beamte ehrenvoll bestehen zu können. Das was der Gefertigte als Künstler geleistet überläßt derselbe der kenntnißreichen Einsicht und gütigen Beurtheilung Euer Excellenz selbst; was derselbe aber im k. k. Kabinette geleistet, kann der Gefertigte seine Arbeiten als besten und treuesten Beleg anführen.

Die kostbare grichische Vasen Samlung bis auf kleine und wenig bedeutende in Waßerfarben in natürlicher Größe copirt. – Die ganze Samlung von antiken Bronzefiguren, Lampen, Dreyfüße, Bronzegefäße, Geräthschaften, römisch und grichische Helme u.d.gl. Antikaglien, – mehrere Bronzefiguren aus der Ambraßer Samlung. – Fast alle Marmormonumente, Büsten, Figuren, Basreliefs, Mosaiken, zum Theil auch kolorirt. – Die Marmormonumente in den Katacomben. Den großen grichischen Sarg mit der Schlacht der Amazonen in Öhl in derselben Größe ausgeführt . . . Ein Theil der römischen Terracotta, Glas, Elfenbein, Antikaglien von Gold, Silber und Edelsteinen, Onixgefäße, Gold und Silber Gefäße, goldene Ketten, römischer Damenschmuck – alles was das k. k. Kabinet von Gold und Silber . . . besitzt . . . sind gezeichnet auf 21 Platten in Kupfer gestochen . . . Im Jahre 1832 wurden den 11. May von Seite des k. k. Oberstkämeramtes dem gehorsamst Unterzeichneten alle Zeichnungen, Kupferstiche, Lithographien, Kupferblatten unter Verantwortung und Schlüßelverwahrung übergeben, und daher der Gefertigte in dieselben Verhältniße eines Custoden gestellt, allein der Gehalt blieb derselbe . . ., und doch wurde von demselben seit 15 Jahren genau die Amtstunde zu halten gefordert, und dadurch die Gelegenheit genohmen sich neben bey etwas verdienen zu können. Der Gefertigte ist daher nach angeführten Gründen stets beeinträchtigt worden, sowohl von Seite des Directors als auch von Seite der willkürlichen Verwendung des Herrn Directors, nachdem nie beachtet worden, daß der Gefertigte Künstler und Beamte zugleich ist, und sein geringer Gehalt mit den Forderungen und Leistungen in gar keinem Verhältniße steht. Bey länger fortdauernden obigen Verhältnißen und Forderungen würde der Gefertigte aufhören Künstler zu sein, da ihm gar keine Zeit bleibt in der eigentlichen höheren Kunst etwas leisten zu können . . .
Wien den 15 May 1833

*Der gehorsamst Unterzeichnete*
*Peter Fendi des k. k. Münz und Antiken*
*Kabinets Zeichner und Kupferstecher“*

*Alfred Bernhard-Walcher*

**5/4/10**
**Karl Hummel (um 1769–1840)**

Damenbildnis, 1820
Aquarell auf Elfenbein, 6,8 × 5,4 cm, Rahmen 8,2 × 6,8 cm
Sign. u. dat. re. (Rand): Hummel/1820
HM, Inv. Nr. 102.404

Der aus Bern gebürtige Künstler war ein in Wien oft beschäftigter Porträtmaler und Lithograph.
SW
Abbildung

**5/4/11**
**Patrizius Kittner (1809–1900)**

Cajetan Felder (1814–1894), 1838
Aquarell auf Elfenbein, ca. 8,5 × 7 cm, Enveloppe (Preßleder) aufgeklappt 32,8 × 19 cm
Sign. u. dat. li. (Rand): pt. Kittner 1838
HM, Inv. Nr. 96.421

Der Dargestellte promovierte 1841 zum Dr. jur., arbeitete später u. a. als Gerichtsdolmetsch, wurde im Oktober 1848 in den Wiener Gemeinderat gewählt und bekleidete 1868–1878 das Amt des Bürgermeisters der Haupt- und Residenzstadt. Seine Erhebung in den Freiherrnstand erfolgte 1878. – P. Kittner stammte aus Brünn, er übersiedelte erst in seinen späteren Lebensjahren nach Wien.
SW

**5/4/12**
**Patrizius Kittner (?)**

Josefine Sowa (1814–1879), um 1838
Aquarell auf Elfenbein, ca. 8,5 × 7,5 cm, Enveloppe (Preßleder) aufgeklappt 34 × 20,4 cm
HM, Inv. Nr. 96.422

Die unsignierte Miniatur zeigt die Braut von Cajetan Felder (siehe Kat. Nr. 5/4/11), die Eheschließung erfolgte am 15. Mai 1841.
SW

**5/4/13**
**Josef Krafft (1787–1828)**

Julie Krafft (1821–1903), um 1826
Aquarell, Dm. 9 cm, Rahmen 9,6 cm
Beschriftet auf der Rückseite: Josef Kraft gemalt
HM, Inv. Nr. 94.460

Josef Krafft, der Bruder des Historienmalers Johann Peter K. (1780–1856), porträtierte hier seine etwa fünfjährige Nichte Julie, welche sich später ebenfalls als Malerin betätigte und 1842 den Historiker und Archivar Johann Paul Kaltenbaeck (1804–1861) heiratete.

*Lit.: Ausstellungskatalog „Wien 1800–1850. Empire und Biedermeier“, Historisches Museum der Stadt Wien 1969, Nr. 489 (mit falsch angegebener Inventarnummer).*
SW
Abbildung

**5/4/14**
**Wilhelm August Rieder (1796–1880)**

Damenbildnis, 1822
Aquarell, 12,7 × 9,8 cm,
Rahmen 13,5 × 10,5 cm
Sign. (Monogramm in Ligatur) u. dat. re. u.: WAR./822.
HM, Inv. Nr. 104.663

**5/4/15**
**Karl von Saar (1797–1853)**

Alfred von Franck (1808–1884), um 1835
Aquarell auf Elfenbein, 10,3 × 8,4 cm, Rahmen 13,1 × 11 cm
Sign. li. u.: v. Saar
HM, Inv. Nr. 186.330

Saar betätigte sich nicht nur als Porträtist, sondern auch als Historien- und Blumenmaler. Alfred Ritter v. Franck war gleichfalls Maler, außerdem profilierte er sich als einer der ersten Altertumssammler Österreichs: Ihm verdankt das Historische Museum einen bedeutenden Bestand an Antiken, volkskundlichen und kunstgewerblichen Gegenständen. Franck war mit einer Tocher des Komikers Wenzel Scholz verheiratet, sein Bruder Gustav Ritter von Franck (geb. 1808) brachte es als Schriftsteller zu einer gewissen Bekanntheit.
SW

**5/4/16**
**Johann Heinrich Schramm (1809–1865)**

Dame mit Pelzstola, 1834
Aquarell, 11,4 × 7,8 cm, Rahmen 24 × 19 cm.
Sign. u. dat. re. (Rand): J. H. Schram̄. 1834
HM, Inv. Nr. 145.929

Schramm war einer der vielen tüchtigen Porträtisten, welche Wien während des Vormärz aufzuweisen hatte, er betätigte sich vorwiegend in Musiker- und Theaterkreisen.
SW
Abbildung

**5/4/17**
**Josef Teltscher (1801–1837)**

Faustus Pachler (1819–1891), um 1830
Aquarell, 11,6 × 8 cm, Rahmen 13,8 × 10,2 cm
Sign. Mi. re.: Teltscher
HM, Inv. Nr. 104.532

Pachler, der hier im Alter von etwa zehn Jahren dargestellt ist, stammte aus einer musisch talentierten und interessierten Familie, seine Mutter Maria Leopoldine Pachler geb. Koschak (1794–1855) pflegte mit Beethoven und Schubert freundschaftlichen Umgang. Der Sohn arbeitete seit 1843 an der Wiener Hofbibliothek, an deren Rettung während des Brandes von 1848 er maßgeblich beteiligt war. Außerdem trat Pachler als Übersetzer (aus dem Ungarischen) und Schriftsteller hervor. – Josef Teltscher, aus Brünn gebürtig und seit etwa 1820 in Wien ansässig, schuf eine der bekanntesten Darstellungen Beethovens auf dem Totenbett, ebenso wie der Tonkünstler gehörte auch er dem Pachler-Kreis an.
SW

Kat. Nr. 5/4/10 Kat. Nr. 5/4/3

Kat. Nr. 5/4/18 Kat. Nr. 5/4/22

**5/4/18**
**Robert Theer (1808–1863)**

Marie Daffinger, 1850
Aquarell auf Elfenbein, 9,3 × 7,9 cm, Rahmen 10 × 8,3 cm
Sign. u. dat. li. (Rand): Robert Theer Wien 1850.
HM, Inv. Nr. 34.394

Über die Dargestellte siehe Kat. Nr. 5/2/3.
Abbildung

**5/4/19**
**Ferdinand Georg Waldmüller (1793–1865)**

Selbstbildnis, 1828
Aquarell, 15,5 × 11,5 cm,
Rahmen 15,5 × 12 cm
HM, Inv. Nr. 56.223

Die kaum bekannte Miniatur ist eine Variante (Vorstudie?) des 1828 entstandenen Selbstbildnisses, welches sich in der Österreichischen Galerie befindet.
SW
Abbildung

Kat. Nr. 5/4/19

**5/4/20**
**Entlassungsdekret für Ferdinand Georg Waldmüller 1857**

Kalligraphie, 33,5 × 21,8 cm
Bez. li. o.: Blindstempel des Ministeriums für Cultus und Unterricht, dat. Mi. u.: 17. Juli 1857
Wien, Akademie der bildenden Künste, Archiv

Das an das „Direktorat der k. k. Akademie der bildenden Künste in Wien" gerichtete Schreiben setzt fest, daß der „1. Kustos der Gemäldegallerie Professor Waldmüller wegen seines ordnungswidrigen Verhaltens vorläufig . . . vom Amte und Gehalte" zu suspendieren ist. Diesem rigiden Schritt waren langdauernde Querelen wegen der Veröffentlichungen des Malers vorangegangen, insbesondere hatten seine „Andeutungen zur Belebung der vaterländischen bildenden Kunst" (1857) das Mißfallen der Kollegenschaft hervorgerufen. Dazu Waldmüller auf Seite 4 des zitierten Werkes:

„Ich theilte im Jahre 1845 meinen damaligen Herren Rathscollegen an der Akademie meine Ideen über die Reform des Kunstunterrichtes mit, in dessen völlig unstatthafter Einrichtung ich eine der Hauptquellen aller Uebel erkannt hatte, an denen die vaterländische Kunst kränkelte, und unmöglich zu irgend einer entsprechenden Entwicklung gelangen konnte; mein Entwurf zur Verbesserung ward mit vornehmer Miene belächelt und ad acta gelegt, wobei es auch an spöttischen Bemerkungen nicht fehlte, wie ein Künstler, der nicht Stylistiker, sondern nur Naturalist sei, sich anmassen könne, solche Belehrungen zu erlassen. Die Benennung Naturalist wurde mir damals spottweise ertheilt, und die Herren ahnten gar nicht, dass sie mir dadurch eben wider ihren Willen die höchste Auszeichnung erwiesen. Alles diess hielt mich auch nicht ab, meine Ideen im Jahre 1846 in einer Broschüre, unter dem Titel: „Das Bedürfniss eines zweckmässigeren Unterrichtes in der Malerei und plastischen Kunst" (Wien bei Carl Gerold), durch den Druck zu veröffentlichen. Das Werkchen fand im Publikum sehr regen Antheil, so dass bald eine zweite Auflage davon nöthig ward. In gewissen Kreisen der Kunstwelt, welche sich durch die Freimüthigkeit jener Mittheilungen gar unsanft berührt fühlten, herrschte natürlich grosse Erregung über dieselben, und sie riefen heftige Entgegnungen hervor. Es wurde sehr viel geschimpft, aber durchaus nichts widerlegt von dem, was ich gesagt, und somit verstummten diese Debatten wieder, um so mehr, als ich sehr bald Gelegenheit fand, meine Theorie über den Kunstunterricht durch praktische Resultate, gegen welche kein fernerer Widerspruch mehr statt finden konnte, zu rechtfertigen."
SW

**5/4/21**
**Jakob Xeller**

Damenbildnis, 1840
Aquarell auf Elfenbein, ca. 10 × 8,5 cm, Enveloppe (Preßleder) aufgeklappt 33,3 × 20 cm
Sign. u. dat. re. u. (Rand): J Xeller 1840
HM, Inv. Nr. 134.182

Über den Künstler, einen Schüler der Wiener Akademie, ist wenig bekannt, für die Jahre 1827 und 1845 ist seine Tätigkeit in Biberach nachweisbar.
SW

**5/4/22**
**Josef Zumsande (1806–1865)**

Herrenbildnis, 1843
Aquarell auf Elfenbein, 9 × 7,2 cm, Rahmen 9,3 × 7,6 cm
Sign. u. dat. li. u.: Zumsande $\overline{843}$
HM, Inv. Nr. 102.057

Möglicherweise Selbstbildnis des aus Böhmen stammenden Künstlers, der auch in Wien und Paris tätig war.
SW
Abbildung

# KAPITEL 6

## KUNSTHANDWERK

Das Wiener Kunstgewerbe zwischen 1815 und 1848 besticht durch seine außerordentliche Qualität. Glas-, Porzellan- und Silberobjekte werden als Höhepunkte bürgerlicher Geschmackskultur in der Ausstellung präsentiert.

Hervorgehoben wird eine Wiener Besonderheit: die Geschenkgläser Anton Kothgassers; berühmt wegen der besonders feinen Transparentmalerei, zeigen sie vor allem Blumen, Wiener Veduten und Genreszenen. Hier verdeutlicht sich der Souvenirkult dieser Epoche besonders stark. Daneben wird vor allem Glaskunst in ihrer technischen und handwerklichen Vielfalt gezeigt.

Die genannten Themenkreise Blumen, Veduten, Genreszenen wiederholen sich bei den für die Zeitspanne besonders typischen Schokoladetassen aus Porzellan. Speziell auf dem Gebiet der Blumenmalerei kam es im Biedermeier zu ganz hervorragenden Leistungen. Als Beispiel dafür werden in der Ausstellung die Arbeiten von Joseph Nigg zu sehen sein.

Das Wiener Silber gehört schließlich zu den qualitätvollsten Produkten dieser Periode, wobei eine starke Stilpluralität gegeben ist. Neben sehr strengen, einfachen Formen, die später von der Wiener Werkstätte rezipiert wurden, herrscht das Wiener „Rosensilber“ vor, benannt nach dem am häufigsten verwendeten Schmuckmotiv. Die Spätzeit ist von der Formensprache des Zweiten Rokoko und des beginnenden Historismus geprägt, aber auch in den vierziger Jahren zeigen sich strenge, fast geometrische Formen. Anhand von zahlreichen Silberobjekten (Samoware, Leuchter, Kannen, Becher, Schalen, Dosen, Bestecke usw.) wird diese Stilentwicklung dokumentiert.

Schließlich runden Schmuckstücke, Gegenstände aus Perlmutt (Schreibzeug, Lichtschirm usw.), Handarbeits- und Schreibkassetten – vorwiegend mit den Veduten Balthasar Wigands geschmückt – die Präsentation des Wiener Kunstgewerbes ab.

# DAS GLAS IM BIEDERMEIER

*Walter Spiegl*

In der Biedermeierzeit entfaltete sich das Glasveredelungshandwerk zu einer unerwarteten Blüte, deren Vielfalt danach nicht mehr erreicht wurde. Auch keine der vorangegangenen Epochen konnte ihr in ähnlichem Umfang annähernd Vergleichbares entgegenstellen.

Die Ausgangslage für die österreichisch-böhmische Glasfabrikation und die von ihr abhängigen Veredelungswerkstätten war alles andere als vielversprechend. Zu den gravierendsten Schwierigkeiten, die überwunden werden mußten, gehörten unter anderem die Konkurrenz des englisch-irischen, belgischen und französischen geschliffenen Kristallglases von hervorragender Werkstoffqualität und einem Formenreichtum, dem man vorerst nichts Gleichwertiges entgegenzusetzen hatte. Hinzu kamen der Rückstand der heimischen Erzeugungsstätten auf geschmacklichem und technischem Gebiet, Napoleons Feldzüge und Kontinentalsperre mit einschneidenden Auswirkungen auf den Glashandel sowie Österreichs Staatsbankrott von 1811 mit allen seinen Folgeerscheinungen. Nichts deutete darauf hin, daß ein Aufschwung der Glasfabrikation im Bereich des Möglichen liegen könnte.

Die Gründe, warum er sich dennoch und in verhältnismäßig kurzer Zeit einstellte, erst sporadisch, dann, in den dreißiger Jahren, auf alle Bereiche und Regionen übergreifend, sind vielschichtig. Es lag sicher mit daran, daß man sich auf alte Traditionen und über Generationen vererbte, vorübergehend brachliegende Erfahrungen besann, die modernen Formen und Dekors der ausländischen Konkurrenz teilweise übernahm, vor allem aber weiterentwickelte, perfektionierte, mit eigenen Ideen anreicherte und anstelle des fehlenden Kapitals Talent und Fleiß, handwerkliches Können, Experimentierfreudigkeit und zähe Beharrlichkeit bei der Überwindung ökonomischer und technischer Nachteile setzte.

Es erscheint in der Rückschau so, als sei damals ein Damm gebrochen und habe aufgestaute Energien freigesetzt, die zwar nach der Jahrhundertmitte verbraucht waren, aber ein eindrucksvolles Gesamtwerk hinterließen, von dem die Ausstellung einen Ausschnitt bietet. Allerdings mußte über ein halbes Jahrhundert vergehen, bevor diese Leistungen anerkannt und gewürdigt wurden. 1922 zeigte das damalige Österreichische Museum für Kunst und Industrie rund 1020 hervorragende Gläser der Empire- und Biedermeierzeit aus öffentlichem und privatem Besitz, von denen einige auch in dieser Ausstellung zu sehen sind. Hermann Trenkwalds Katalog mit Tafelwerk gilt heute als unverzichtbare Informationsquelle[1].

Als Johann Josef Mildner (1765 bis 1808), der bedeutendste Repräsentant des österreichischen Kunstglases an der Wende des 18. zum 19. Jahrhundert, im niederösterreichischen Gutenbrunn starb, hinterließ er mit einigen hundert Gläsern eine Art Vermächtnis, das zwar nicht stil-, aber geschmacksprägende Wirkung hatte und hohe Qualitätsmaßstäbe setzte. Der anspruchsvolle und reiche Dekor des Glases, seit Jahrzehnten vernachlässigt, galt wieder und während der ganzen Biedermeierzeit als seine vornehmste Eigenschaft, und dieses Streben nach dekorativer wie auch handwerklich-technischer Vollkommenheit brachte in der Folge überraschende Ergebnisse und Effekte hervor.

Mildners Kunst hatte in ihrer individuellen Ausprägung keine Nachfolger, aber nach seinem Prinzip arbeiteten die meisten Handwerker, denen die Veredelung des Glases durch Schliff und Gravur, Malerei und Vergoldung anvertraut war, in allen Landesteilen der Monarchie. Unterstützt wurden sie dabei von den Hüttenmeistern, die Glasmaterial von immer größerer Reinheit sowie gefärbte und farbig überfangene Gläser in einer reichhaltigen Palette von Farbtönen entwickelten.

In der Residenzstadt Wien, die als Veredelungszentrum im Vergleich zu Nordböhmen eine eher untergeordnete Rolle spielte, aber – neben Prag – mit Gewerbsprodukten-Ausstellungen 1835 und 1845[2] dem Glasschaffen ein repräsentatives Schaufenster bot, tat sich schon zur Zeit des Wiener Kongresses auf dem Gebiet des bemalten Glases Erstaunliches, zumal die Voraussetzungen hierfür dank einer Porzellanmanufaktur von Weltruf gegeben waren.

Der Anstoß dazu kam zwar aus Sachsen, auch das technische Wissen, aber die Möglichkeiten, die sich hier für die Entfaltung dieses Zweiges der Kleinkunst boten, waren so günstig wie nirgendwo anders. 1811 verließ Gottlob Mohn (1789–1825) die Werkstatt seines Vaters Samuel in Dresden, für den er zunächst Porzellan, dann auch Trinkgläser mit lichtdurchlässigen, sogenannten Transparentfarben bemalt hatte, und kam nach Wien. Zum einen wollte er sich an der Akademie weiterbilden, zum anderen scheint er sich in Wien bessere Chancen für sein berufliches Weiterkommen ausgerechnet zu haben. Mit bemalten Gläsern, an deren Ausführung er frühere Mitarbeiter seines Vaters beteiligte, die ihm nach Wien gefolgt waren, bestritt er seinen Lebensunterhalt. Vieles spricht dafür, daß der Auftrag, ab 1813 Fenster für die Franzensburg in Laxenburg zu malen, nicht dem Künstler, sondern dem Farbentechniker Mohn erteilt wurde, der die richtige Anwendung leuchtender, lichtdurchlässiger Farben auf Glas beherrschte, was noch nicht einmal in der Porzellanmanufaktur der Fall gewesen sein dürfte.

Mohn hatte unter anderem das schon im Mittelalter bei der Kirchenfenstermalerei angewendete, inzwischen in Vergessenheit geratene Rezept der Gelbfärbung des Glases mittels Oberflächenbehandlung mit nach Wien gebracht. Auch in der Porzellanmanufaktur wurde „diese gelbe Farbe“ seit 1813 erzeugt und von den Malern auf Gläsern angewendet, die „sowohl in den meisten Galanteriehandlungen Wiens, als auch in den Magazinen der k. k. Porzellan-Manufaktur“ ausgestellt und verkauft wurden[3].

Am Verkauf in den Galanteriehandlungen war Anton Kothgasser (1769–1851) unmittelbar beteiligt. Der oft prämiierte Dessinmaler der Manufaktur hat seine Malernummer 96 auf vielen Stücken Wiener Porzellans hinterlassen, deren ornamentaler, teilweise in Reliefgold ausgeführter Dekor mit zum Besten zählt, was die Manufaktur damals hervorbrachte. Welches die Gründe waren, die Kothgasser bewogen haben, sich stärker als bisher der Glasmalerei zuzuwenden, als er am 20. Mai 1816 die Erlaubnis erhielt, „bey seiner Glasmahlerey zu Hause zu arbeiten. Auf einige Monathe.“[4], kann nur vermutet werden.

Aus im Nachlaß Kothgassers erhalten gebliebenen Kommissionsabrechnungen über Gläser[5] geht nicht hervor, ob es sich dabei um seine eigenen oder auch um Arbeiten anderer Manufakturmaler handelt, von denen einige nachweislich in

Kat. Nr. 6/1/50 Anton Kothgasser, Becher „Abschied des österreichischen Landwehrmanns . . .“, 1813

Kat. Nr. 6/1/38 Anton Kothgasser, Ranftbecher mit Putto, um 1820

Kat. Nr. 6/1/47 Anton Kothgasser, Becher mit Porträt Zar Alexanders I., um 1814/15

nicht unerheblichem Umfang Anteil an der Bemalung Wiener Transparentmalereigläser hatten. Hier ist in erster Linie Jakob Schufried zu nennen und der in den Personallisten der Manufaktur nicht geführte, 1815 aus Wittingau in Böhmen zugewanderte Josef Hawliezek[6].

Stilistische Kriterien können für die Zuschreibung von Gläsern an Kothgasser wichtiger sein als sein Monogramm A. K., weil dieses, so wie die Malernummer 96, nur für die Ausführung des ornamentalen Dekors auf Porzellan steht, in vielen Fällen ebenfalls nur eine Teilarbeit bezeichnet. Dies gilt vor allem für Arbeiten im figuralen Fach, in dem Kothgasser es „zu keiner Zeit weit gebracht hat“[7]. Als Beispiel sei der A. K. monogrammierte zylindrische Becher mit „Abschied des oesterreichischen Landwehrman̄s . . . 1813“ (Kat. Nr. 6/1/50) angeführt, der mit großer Sicherheit von Kothgasser allein bemalt worden sein dürfte, ebenso wie der 1830 entstandene Huldigungspokal für das Kaiserhaus. Das patriotische Motiv scheint ihn auch deshalb interessiert zu haben, weil er 1808 zu jenen Manufakturmitarbeitern gehört hatte, die sich „freywillig zur Vertheidigung, und Anschließung an die allerhöchste Bürgerschaft erbothen haben“[8]. Dem Glas kommt noch weiterreichende Bedeutung zu, weil der Duktus der sehr ausführlichen Beischrift für Schriftvergleiche mit anderen Arbeiten herangezogen werden kann.

Aufschlußreich ist, soweit es die figürliche Malerei angeht, ein Vergleich des Landwehrmännerglases mit dem Porträtbecher Alexanders I. (Kat. Nr. 6/1/47). Auch diese frühe Arbeit ist A. K. monogrammiert, aber für die Ausführung des Zarenporträts bedurfte es eines ganz anderen Talents, als es sich in der Figurengruppe mit den Landwehrmännern offenbart.

Die Ausstellung zeigt einen Ausschnitt aus der umfangreichen Produktion Wiener Transparentmalereigläser und läßt die Motivvielfalt erahnen. Städtebauliche Sehenswürdigkeiten, auch außerhalb der Grenzen der Monarchie, haben daran einen großen Anteil. Daneben sind es vor allem gefühlvolle Stimmungsbilder aus dem biedermeierlichen Alltag, die immer und in Varianten wiederkehren. Die Beschwörung menschlicher Tugenden in allegorischem Gewand sowie Wünsche fürs Wohlergehen überwiegen. Selbst dem Amor im Käfig, „Toujours égalément tranquille“ (Kat. Nr. 6/1/38), scheint die Ruhe als erste Bürgerpflicht zu gelten, obwohl wir ihn auch in einem anderen Gemütszustand kennen, wenn er mit Händen und Füßen versucht, aus seinem Gefängnis auszubrechen.

Die Wiener Transparentmalerei blieb nicht ohne Auswirkungen auf die Bemalung von Gläsern in Nordböhmen, zum Beispiel in Friedrich Egermanns Glasmalereiwerkstatt in Blottendorf. Egermann war – wie Mohn – ein experimentierfreudiger Techniker und geschickter Kaufmann, ständig auf der Suche nach neuen Dekorvarianten, um als Anbieter veredelter Gläser eine führende Stellung zu gewinnen und zu behaupten. Die beiden Schliffbecher-Gegenstücke mit den transparentgemalten Brustbildern Franz' I. und seiner vierten Gemahlin Carolina Augusta sind die einzigen, deren Herkunft aus Egermanns Werkstatt verbürgt ist. Aber viele der sehr sauber und in leuchtenden Farben gemalten Gläser, vor allem solche mit Genrefiguren, Schmetterlingen und Insekten, lassen sich mit einiger Berechtigung seinem Atelier zuschreiben. Hierher gehören auch Schliffgläser mit Flächendekor in sogenannten Lasurfarben (Hellrot, Rotviolett, Lila, Blau und Grün), die den Fond für zusätzliche geschnittene Dekors liefern. Egermann besaß keine eigene Hütte, war aber einer der ersten, die „farbige“ Gläser anbieten konnten, zuerst mit Silbergelb zitronenfarben bis bernsteinfarben gebeizte und schließlich die rubinierten, die nur das geübte Auge von den in der Masse gefärbten Rubin- und Rubinüberfanggläsern unterscheiden kann.

In derselben Technik – flächiges Auftragen von Silbergelb oder der von Egermann erfundenen Rotätze – entstanden die verblüffenden Farbeffekte der opaken, transparenten und überfangenen Lithyalingläser (Kat. Nr. 6/1/108–117). Ihr Zustandekommen verblüfft selbst Glastechniker noch heute, obwohl – oder gerade weil – das Rezept sehr einfach ist[9]. Bezeichnenderweise waren es die gräflich Harrachsche Hütte in Neuwelt (Riesengebirge) und die Buquoyschen Hütten auf der Herrschaft Gratzen (Südböhmen), von denen Egermann die für die Lithyalinerzeugung benötigten Rohgläser in bereits geschliffenem Zustand bezog und die folglich auch die Zusammensetzung des Glases kannten, die als erste hinter sein „Geheimnis" kamen und selbst Lithyalin auf den Markt brachten, ohne jedoch die Farbenpracht Egermannscher Arbeiten zu erreichen.

Schon zu Beginn der dreißiger Jahre zeichnete sich ab, daß dem farbigen Biedermeierglas die Zukunft gehören würde. Im Zusammenhang mit den farbigen und farbig überfangenen Gläsern der Harrachschen Hütte, die auf der Prager Gewerbeausstellung von 1831 zu sehen waren, hieß es im Bericht der „Beurtheilungs-Commission", daß damit eine „neue Epoche in der böhmischen Glasindustrie" begonnen habe[10].

Das farblose geschliffene Glas, das zu den edelsten Erzeugnissen der Biedermeierzeit gerechnet werden kann, weil sein Dekor nicht nur der materialgerechteste ist, sondern eine kaum noch steigerungsfähige kunsthandwerkliche Vollendung im Geschmack der Zeit erreicht hatte, behauptete nach wie vor seine Stellung vor allem auf dem Gebiet des Luxus-Gebrauchsglases. Den Wunsch der Bürger, an den Farben der Natur sich auch daheim zu erfreuen, konnte es jedoch nicht erfüllen, so daß nun Zier- und Dekorationsgegenstände, Souvenir- und Repräsentationsgläser und vielerlei andere Dinge, in denen sich verfeinerte Wohnkultur ausdrückte, vorwiegend aus gefärbten Gläsern hergestellt wurden. Als überholt und nicht mehr zeitgemäß galten inzwischen die dem Stilempfinden des Empire entsprechenden schwarzen Gläser aus sogenanntem Hyalith mit ihren geschmackvoll-feinen Golddekors, mit denen die Buquoyschen Hütten um 1818 die Entwicklung des farbigen Glases eingeleitet hatten. Gefärbte Gläser mußten bunt sein, eine Forderung, der nachzukommen den Hütten keine Mühe bereitete. Man kannte die Rezepte zur Herstellung farbigen „Compositionsglases", das schon im 18. Jahrhundert für unechten Schmuck in kleinen Mengen geschmolzen worden war. Die Vorschriften zur Zusammensetzung des Gemenges brauchten also nur modifiziert und den für die

Kat. Nr. 6/1/110 Opakes Lithyalinglas

hüttenmäßige Erzeugung von Hohlgläsern entsprechenden Bedingungen angepaßt zu werden. Nach einer kurzen Zeit des Experimentierens waren diese Voraussetzungen geschaffen.

Die Palette des farbigen Biedermeierglases umfaßt nahezu alle Farben des Spektrums wie auch eine ganze Reihe neuer Kompositionen, und es wurde ausgiebig von ihnen Gebrauch gemacht. Es gab besonders beliebte Modefarben wie zu Beginn der vierziger Jahre das mit Uranoxid gefärbte sogenannte Annagelb, das bei bestimmten Lichtverhältnissen einen fluoreszierenden Schimmer zeigt, und die in vielen Nuancen erzeugten pastellfarbigen Alabastergläser im Geschmack des zweiten Rokoko. Technisch fortschrittliche Hütten entwickelten Spezialfärbungen, die auf den Ausstellungen lobende Erwähnung fanden, zum Beispiel eine „Chrysoprascomposition" und eine „Isabell" genannte Farbe der Harrachschen Hütte oder die 1835 auf der Wiener Ausstellung erstmals gezeigten, teils in komplizierten Überfangtechniken erzeugten Agatin- und Opalgläser der Buquoyschen Hütten, die wegen ihres „gefladerten" Aussehens gern mit Egermanns marmorierten Lithyalinen verwechselt werden.

Ein Farbglas, das vor allem der Weiterentwicklung der Feinmalerei und ihrer Annäherung an die Porzellanmalerei zugute kam, war das auch in dünner Schicht völlig lichtundurchlässige weiße Kristallemail, das ausschließlich für den Überfang herangezogen wurde.

Die fortgeschrittene Anwendung der Überfangtechnik bereicherte das farbige Glas um eine Fülle von Kombinationsmöglichkeiten. Aus einer bis zu drei verschiedenen Farbtönen geschichteten Glaswandung zauberten die Kugler eine Farbenpracht hervor, die, mit zusätzlicher Bemalung und Vergoldung, nur noch von exotischen Blumen übertroffen wurde.

Zum vornehmsten und thematisch vielseitigsten Dekor des Glases entwickelte sich auch im Biedermeier der Glasschnitt, der sich allerdings erst von einer über ein Vierteljahrhundert andauernden Rezession erholen mußte.

In den siebziger Jahren des 18. Jahrhunderts hatten sich beim Glasschnitt, der etwa ab 1750 den Übergang zum Rokoko noch virtuos mitgemacht und es dabei zu einer kaum noch zu überbietenden Perfektion gebracht hatte, deutliche Verfallserscheinungen bemerkbar gemacht. Schuld daran waren ein unter dem Einfluß klassizistischer Ideen sich verändernder Geschmack, der alles Barocke als ausgelebt ablehnte, und als Folge davon ein spürbarer Rückgang des Interesses an künstlerisch veredeltem Glas. Die eher volkstümliche Malerei trat wieder stärker in den Vordergrund, in bunten Flachfarben auf Milchglasgegenständen, in Gold, vereinzelt auch in Silber und Schwarzlot auf farblosen Gläsern von schlichten, strengen Formen. Nur auf dem Umweg über den Kameen- und Siegelsteinschnitt lebten die Prinzipien der künstlerisch wie auch handwerklich anspruchsvollen Gravur an vereinzelten, von den Umständen und Zufälligkeiten begünstigten Orten weiter, bis sich um 1800 eine allmähliche Wende zum Besseren einstellte, zunächst zaghaft, nach Beendigung der Napoleonischen Kriege mit wachsender Dynamik.

Bezeichnenderweise lagen die besten Leistungen in dieser Anfangsphase auf dem Gebiet der vom Louis-Seize-Stil beeinflußten Ornamentik, während der figurale Schnitt fast ausnahmslos rudimentär blieb. Zu den kostbarsten Arbeiten dieser Zeit gehören die sogenannten Kuglergraveurarbeiten mit ihrem Dekor aus erhabenen, stark stilisierten Hochschliff-Motiven und dem ergänzenden, zart geschnittenen ornamentalen Beiwerk (Kat. Nr. 6/1/72). Die am häufigsten für den Glasschnitt herangezogenen Gläser waren zylindrische, dünnwandige Becher mit glatter Wandung, auf der das meist breit angelegte geschnittene Motiv umlief. Bald gesellten sich zu den antikisierenden Frauengestalten, mythologischen Figuren, Liebesaltären, Freundschaftstempeln und Säulenpostamenten romantisierende Genremotive, Heiligenbilder, Jagd- und Pferdedarstellungen sowie Blumen. Gläser mit Architekturszenen wie Bäderansichten, Veduten und Landschaften wurden mit Vorliebe in den Bädern der Monarchie und des benachbarten Auslandes sowie von Reisenden als Souvenirs und Geschenke gekauft.

Die zwanziger Jahre brachten einen wachsenden Formenreichtum an Gläsern und die verstärkte Anwendung des ornamentalen Glasschliffs, der die Gestaltungsmöglichkeiten der Graveure auf in der Schliffdekoration ausgesparte Medaillons und Bildfelder festlegte. Zusätzliche optische Effekte lieferten die Überfänge mit Farbglas und die Anwendung farbiger Oberflächenfärbungen mit Gelbbeize, blauer, rosa und violetter Lasur und die Rubinsätze, von deren kontrastierendem Umfeld sich die tiefgeschnittenen, matt kristallhellen Motive wirkungsvoll abheben.

Trotz aller technischen Neuerungen, die den Stil des Biedermeierglases weitgehend bestimmten, blieb der Intaglioschnitt seiner alten, in der Bergkristalldekoration wurzelnden Tradition treu und brachte es dabei zu zwar kleinmeisterlichen, aber handwerklich präzisen, bewunderungswürdigen Leistungen. Andererseits geben viele flüchtig und schematisch ausgeführte Gravuren zu erkennen, daß hier allein kommerzielle Überlegungen und die Billigkeit im Vordergrund standen.

Um die Mitte der vierziger Jahre entwickelte sich, angeregt von den farbigen Überfängen, eine neuartige Schnitttechnik, auf die die Bezeichnung Überfang-Reliefgravur am ehesten zutrifft. Durch Schneiden, vor allem durch behutsames partielles Abtragen beziehungsweise Abschaben der kaum einen Millimeter starken blauen oder roten Farbglasschicht entstanden fein modellierte Glasbilder in malerischen Tonwerten.

Obwohl eine beachtliche Anzahl von vor allem nordböhmischen Glasgraveuren der Biedermeierzeit namentlich bekannt ist, gibt es nur wenige signierte Stücke; denn fast alle Glasschneider waren für Hütten und Glashändler tätig, nicht selten für mehrere gleichzeitig, und

Kat. Nr. 6/1/70 Becher mit Freundschaftsaltar, Böhmen oder Schlesien, 1816

Kat. Nr. 6/1/60 Franz Gottstein, Becher mit Leda und Schwan, um 1818

führten deren Aufträge aus. Daraus erklärt sich, warum zum Beispiel die von dem Teplitzer Händler A. M. Bienert an das ehemalige 'National-Fabriksproduktenkabinett eingesandten Pokale wie der mit dem Porträt Franz' I. keine Künstlerbezeichnungen tragen, obwohl es sich um Meisterleistungen des biedermeierlichen Glasschnitts handelt.

Zu den wenigen Ausnahmen zählt der Ranftbecher mit dem Diana-und-Kallisto-Motiv und der Beischrift „Fr. Gottstein fec. Gutenbrunn 1830" (Kat. Nr. 6/1/63). Von Franz Gottstein wissen wir nur, daß er ein „sehr geschickter Glasschneider" war, der jedoch nicht auf eigene Rechnung arbeitete[11]. Dank dieser bezeichneten Arbeit lassen sich Franz Gottstein mehrere andere qualitätvolle Arbeiten im figürlichen Fach zuschreiben. Ähnliches gilt für den in Wiener Neustadt tätigen privilegierten Glasschneider Joseph Haberl.

Die meisten bezeichneten geschnittenen Gläser kennen wir von Dominik Biemann, der seit 1825, während der Sommersaison, im nordwestböhmischen Franzensbad eine kleine Werkstatt mit Verkaufsstand in den hölzernen Kolonnaden betrieb. Hier entstanden viele seiner meisterhaften Porträtschnitte nach eigenen Vorzeichnungen, für die ihm die Auftraggeber Modell saßen. Aber auch Biemann hat in großem Umfang für Händler und die Harrachsche Hütte in Neuwelt gearbeitet, so daß der größte Teil seines Œuvres, wie auch das seiner Kollegen, anonym geblieben ist.

**Anmerkungen:**

1 Hermann Trenkwald, Ausstellung von Gläsern des Klassizismus, der Empire- und Biedermeierzeit. Beschreibender Katalog, Wien 1922. – Ders., Gläser der Spätzeit (um 1790–1850), Wien 1923.

2 Bericht über die erste allgemeine österreichische Gewerbsprodukten-Ausstellung im Jahre 1835, Wien o. J. – Bericht über die Allgemeine österreichische Gewerbsprodukten-Ausstellung, Wien 1845.

3 Waltraud Neuwirth, Anmerkungen zur Kothgasserforschung, in: Keramos 6/1979, S. 81.

4 Ebenda, S. 80.

5 Rudolf von Strasser, Die Einschreibebüchlein des Wiener Glas- und Porzellanmalers Anton Kothgasser (1769–1851), Karlsruhe o. J.

6 Walter Spiegl, Kothgasser, Mohn und die Wiener Porzellanmanufaktur, in: Weltkunst 9/1983, S. 1244.

7 Ebenda, S. 1243.

8 Neuwirth, a. a. O., S. 78.

9 Walter Spiegl, Das Geheimnis des Lithyalinglases, in: Weltkunst 12, 13/1981, S. 1796f. und 1968f.

10 Bericht der Beurteilungs-Commission über die Ausstellung der Industrie-Erzeugnisse Böhmens im Jahr 1831, Prag 1833.

11 Stephan Edler von Keeß, Darstellung des Fabriks- und Gewerbewesens im österreichischen Kaiserstaate, II, Wien 1823, S. 870.

# DAS WIENER PORZELLAN DER BIEDERMEIERZEIT

*Wilhelm Mrazek*

Aus der Serie „Der Mensch und sein Beruf"

## Vom Kunstwerk zur Ware

Der Gebrauch des Porzellans war im 18. Jahrhundert auf die wohlhabenden Kreise beschränkt; erst im 19. Jahrhundert war er allgemein geworden. Die dauerhaften, feinen und schönen Erzeugnisse der Porzellankunst fanden jetzt Eingang in die Geschirrkästen und Vitrinen der bürgerlichen Haushalte. Sie waren der Stolz jeder Hausfrau, und vor allem in Wien wurde besonderer Wert darauf gelegt, hatte sich doch durch den Einfluß der schon 1718 gegründeten „k. k. Porcellain-Fabrique" in der Rossau eine Tischkultur entfaltet, für die der festliche Glanz des Porzellans unentbehrlich war.

Zu Beginn des 19. Jahrhunderts erreichte die Wiener Porzellanmanufaktur unter der Direktion Konrad Sörgels von Sorgenthal (1784–1805) ihren wirtschaftlichen und künstlerischen Höhepunkt. Als Sorgenthal 1805 starb, hinterließ er seinem Nachfolger ein wohlorganisiertes, finanziell und künstlerisch aktives Unternehmen. Sorgenthal, der sich schon mehrfach als Retter abgewirtschafteter Betriebe erwiesen hatte, erfüllte in hervorragender Weise die auf ihn gesetzten Hoffnungen. Seine Verbesserungen brachten nicht nur für das Stammhaus in Wien eine Ausweitung des Betriebes, sondern führten im Jahre 1800 zur Errichtung eines Hilfswerkes in Engelhartszell bei Passau. In seinem Todesjahr verfügte man in der Wiener Fabrik über 35 Brennöfen, zählte man rund 500 Angestellte, unter ihnen mehr als 150 Maler, die in Klassen eingeteilt waren. In der Filialfabrik von Engelhartszell, in der die Schlemmung der Passauer Porzellanerde und die Erzeugung des „gemeinen Geschirrs" betrieben wurden, standen 9 weitere Brennöfen, machte man täglich einen Starkbrand und beschäftigte 60 Arbeiter.

Sorgenthals Nachfolger war der seit 1771 in der Fabrik tätige Matthäus Niedermayr (Niedermayer), der sich über alle hierarchischen Stufen der Sorgenthalschen Verwaltung bis zum Regierungsrat und Adjunkt (1803) emporgedient hatte. Seine Agenden umfaßten Leitung und Überwachung des Verschleißes, Besorgung der Bestellungen, Aufsicht über das Personal und das Material sowie die Manipulation. Er war mit dem Betrieb aufs beste vertraut und erwies sich auf Grund seiner französischen Sprachkenntnisse als ungemein nützlich in den Besatzungsjahren 1805 und 1809 durch die Franzosen. Offiziere und Diplomaten, die die Manufaktur besichtigten, darunter auch der Minister Talleyrand und der Generalintendant des französischen Hofes, Daru, fanden in Niedermayr einen verständigen Gesprächspartner und Führer durch das Unternehmen. Vor allem Daru, dem die Manufaktur in Sèvres unterstand, regte einen Erfahrungsaustausch zwischen den beiden Porzellanfabriken an.

Das kluge Verhalten Niedermayrs hatte die Manufaktur zunächst vor Schaden bewahrt. So konnte in den folgenden Jahren der Absatz stetig gesteigert und die Zahlungsbilanz verbessert werden. Im Jahre 1807 gab es den höchsten Reingewinn, den die Fabrik bisher erzielt hatte. Erst die zweite Besatzung im Jahre 1809 wirkte sich katastrophal für Wien aus. Die Franzosen waren diesmal rigoroser, beschlagnahmten die Kasse und alle Einkünfte und veranlaßten eine Inventur des Lagers. Der im Jahre 1809 geschlossene Wiener Frieden brachte zusätzlich großen Schaden. Durch die Gebietsabtrennung eines Teiles von Oberösterreich (Hausruckviertel) an Bayern gingen das Hilfswerk Engelhartszell und die Passauer Kaolingruben verloren. In Wien war man jetzt gezwungen, sich nach neuen Rohstofflagern umzusehen – ein schwerer Schlag für die Fabrik!

Trotz dieser widrigen Ereignisse konnte man in der Wiener Fabrik das künstlerische Niveau der Erzeugnisse halten. Ja, zur Zeit des Wiener Kongresses 1814 bis 1815 erlebte die Wiener Manufaktur ihre glänzendsten äußeren Erfolge. Sie wurde zum Treffpunkt der vornehmen Gesellschaft, die sich damals in Wien aufhielt. Mehrere Monarchen, Fürsten, Diplomaten und vornehme Damen erwiesen der Fabrik die Ehre ihres Besuches; das Interesse daran und das Wiener Porzellan waren hoch aktuell und allgemein verbreitet worden. Die prächtigen Erzeugnisse eigneten sich vorzüglich für Souvenirs und als Geschenke, so daß der Reingewinn in Höhe von 84.896 Gulden den von 1807 überstieg. Innerhalb der letzten Jahre konnte die Wiener Fabrik dem Staate einen baren Gewinn von anderthalb Millionen Gulden einbringen.

In den folgenden Jahren wurden die Erträgnisse immer weniger. Schuld daran war vor allem der Druck der böhmischen Porzellanerzeugnisse, der durch die Porzellanfabriken in Schlaggenwald, Elbo-

Die Porzellanfabrik in der Roßau, um 1800

gen, Klösterle, Gieshübel und Pirkenhammer ausgelöst worden war. Zum ersten Male tauchten von seiten dieser Konkurrenz Zweifel an der Bedeutung und an dem nationalökonomischen Wert des Wiener Unternehmens auf. Eine Verbesserung der Wiener Verhältnisse meinte man durch Sparen und durch Förderung der wissenschaftlich-technischen Methoden der Produktion erreichen zu können.

Als Niedermayr im Jahre 1827 nach 56 Dienstjahren und hochbetagt in Pension ging, wurde zu seinem Nachfolger der Professor der allgemein-technischen Chemie am Polytechnischen Institut Benjamin von Scholz bestellt. Dieser hatte sich durch seine naturwissenschaftlichen Arbeiten und durch die Publikation „Über Porzellan und Porzellanerden, vorzüglich in den österreichischen Staaten" (1819) hierfür empfohlen. Scholz' Neuerungen betrafen in erster Linie den technischen Betrieb; so stellte er z. B. die erste Dampfmaschine auf. Um Fälschungen hintan zu halten, wurde der Bindenschild ab 1827 nicht mehr mit Unterglasur auf das Porzellan gemalt, sondern vom Dreher mit einem Stempel in die Porzellanmasse eingedrückt.

Scholz übernahm 1827 eine Fabrik, deren Personalstand auf 257 Personen gesunken war. Das Defizit der Bilanz versuchte man zunächst durch Minderung der Ausgaben für das Personal zu begleichen. Der Personalstand von 1830 machte diese Schwierigkeiten besonders deutlich. Die Fabrik beschäftigte zu diesem Zeitpunkt nur noch 151 Angestellte, und in den Malerklassen waren 50 Maler, darunter 6 Blaumaler, tätig.

Als Scholz 1833 starb, folgte ihm in der Leitung Andreas Baumgartner, Professor für Physik an der Wiener Universität. Baumgartner war ein nüchterner Mann und sah das Heil für die Fabrik nur in der Einführung von technisch-physikalischen Verbesserungen. Baumgartners Konzept bestand im wesentlichen in der Produktion von billigem und praktischem Porzellan, von „Ware" also. So gab es Jahre mit kleinen Erfolgen, aber auch solche mit großen Defiziten. Als er die Fabrik im Jahre 1842 verließ – er wechselte zur k. k. Tabakfabrik –, wurde die frei gewordene Stelle mit dem Direktor der k. k. Salmiak-Vitriolöl- und chemischen Fabrik Franz Freiherrn von Leithner besetzt. Leithner, der bis zum Jahre 1855 die Geschicke der Fabrik lenkte, konnte jedoch den Verfall nicht mehr aufhalten. Bereits 1846 hatte er mit folgendem Memorandum eine Wendung versucht, daß „ . . . die Anstalten zu Sèvres, Meißen, München, Berlin und Petersburg sich hohen Schutzes, kräftiger Unterstützung erfreuen, während hier die Mutteranstalt bloß wegen Mangels an solcher bald zur gemeinen Geschirrfabrik absinken muß". Zwar nahm man noch an der Londoner Weltausstellung von 1851 und an der Münchner Industrie-Ausstellung 1854 teil, konnte sich aber gegen die übermächtige Konkurrenz der böhmischen Privatunternehmen nicht mehr behaupten.

Im Jahre 1856 übernahm der General-, Land- und Hauptmünzprobierer Alexander Löwe die Direktionsgeschäfte. In diesen Jahren waren unter dem Personal keine künstlerischen Kräfte aus der Ära Sorgenthals mehr vorhanden. Da man keine Sorgfalt auf den künstlerischen Nachwuchs gelegt hatte, mußte man sich jetzt ganz der technischen Massenproduktion zuwenden. Dies ging so weit, daß man der Manufaktur eine Ziegelfabrik anschloß.

Für die letzten Jahre von 1862 bis 1864 wurde Alois Auer Ritter von Welsbach, der Direktor der Staatsdruckerei, mit den zusätzlichen Agenden eines Direktors der Porzellanfabrik betraut. Diese administrative Maßnahme war nur noch eine bürokratische Verlegenheitslösung, denn seit 1862 diskutierte man im Abgeordnetenhaus den Antrag, die Porzellanfabrik aufzulassen, da sie dem Staat nur Unkosten verursache und wegen ihrer ungünstigen Lage hinsichtlich der Rohstoffe und der Brennholzbeschaffung mit den privaten Fabriken Böhmens auf keinen Fall mehr konkurrieren könne. Im Herrenhaus wurde dieser Antrag zurückgewiesen und die Umwandlung des Unternehmens in ein reines Kunstinstitut, in eine Musteranstalt, befürwortet. Im Jahre 1864, als diese Angelegenheit nochmals zur Sprache kam, fand sich kein Fürsprecher mehr, und die Entscheidung über die Auflösung der Fabrik wurde der Regierung überlassen. Diese verfügte mit einer kaiserlichen Entschließung vom 21. August 1864 die Auflösung. Nach 146 Jahren wurde dieses mit der künstlerischen Tradition der Stadt Wien auf engste verwachsene Unternehmen liquidiert.

## Die künstlerische Entwicklung – Formen und Farben

In der Blütezeit zwischen 1784 und 1827, in der Konrad Sörgel von Sorgenthal und Matthäus Niedermayr die Wiener Porzellanmanufaktur führten, stellten die Künstler die größte Gruppe des Personals, und die Maler dominierten über das „Weiße Corps", das verhältnismäßig klein war. Zu Sorgenthals Zeiten gehörten zu letzteren ein Modellmeister, zwei Modellierer, 20 Bossierer, Weißdreher, Former, Brenner, Einsetzer, Kapseldreher, Tachetschneider (Tonschneider) und Stoßer dazu, die mit dem Entwurf der Geschirrformen, der Statuetten und Gruppen befaßt waren. Die ungleich größere Gruppe der Maler gliederte sich hierarchisch in mehrere Klassen wie Figuren- und Historienmaler, Landschafts- und Architekturmaler, Golddessinmaler, Blaumaler und Blumenmaler. Ihre Ausbildung erhielten diese Spezialisten nach ihrem Studium an der Akademie der bildenden Künste in der Fabrik selbst, wo man Kurse dafür eingerichtet hatte, so z. B. unter Sorgenthal eine „Dessins- und Verzierungsschule" zur Ausbildung der Ornamentalisten, oder seit 1835 die „Samstag-Akademie" für die Blumenmaler.

Der Personalstand der Malerklassen umfaßte im Jahre 1805 5 Obermaler, 11 Figuren-, 24 Blumen- und 17 Blaumaler, drei Landschafter, 80 Vergolder und Ornamentisten, 24 Graveure und Goldpolierer. Wie daraus zu ersehen, lag der Schwerpunkt der Malerei bei den Blumenmalern und bei den Ornamentisten, die ja vorwiegend die Dekorierung des Tafelgeschirrs und des Tafelgerätes besorgten.

Die Geschirrproduktion der Biedermeierzeit umfaßte das Tafel-, Kaffee- und Teeservice sowie kleinere Geräte. Die Service hatten verschieden großen Umfang. Sehr beliebt waren die kleinen Déjeuners wie das Solitär, ein Frühstücks-Service für eine Person, und das Tête-à-Tête für zwei Personen. Sie setzen sich aus einer Anbietplatte, zwei Kännchen, einer Zuckerdose und einer oder zwei Schalen zusammen. Alle diese Porzellane bevorzugten die klassizistischen Formen der Periode Sorgenthals. Das Biedermeier und das Zweite Rokoko (ab 1840) fügten zu diesem Hauptbestand an Formen nur wenig neues hinzu. So wurde nach 1820 die leichte und elegante Linie bei einigen Gefäßtypen bauchiger und dadurch gemütlich und schwerfälliger.

Gegen 1840 machte sich im Dekor der Schalen und Vasen der Einfluß des Zweiten Rokoko geltend, jedoch ohne nachhaltige Wirkung und ohne die Beliebtheit des Formenschatzes aus der Sorgenthal-Zeit zu beeinträchtigen. Man blieb konservativ und behielt auch weiterhin die Formensprache und Dekorationsweise bei, in der zur künstlerischen Blütezeit zu Beginn des Jahrhunderts so vielfältige und prachtvolle Porzellane hergestellt worden waren. Auch der malerische Dekor, die Ornamente, die Bunt- und Blaumalereien erfuhren kaum bemerkenswerte Veränderungen. Die meisten Maler der Biedermeierzeit hatten unter Sorgenthal ihre künstlerische Ausbildung erhalten. Sein Tod hatte sich aber nicht auf die künstlerische Leistungsfähigkeit der Fabrik ausgewirkt. Die zahlreichen Künstler, die unter seiner Direktion in die Fabrik gekommen waren und hier eine sorgfältige Ausbildung genossen

Kat. Nr. 6/2/75 Deckelterrine, um 1822

hatten, blieben zumeist vierzig oder mehr Jahre im Betrieb. So konnte die Wiener Manufaktur bis gegen 1840 noch über einzelne Künstler von besonderem Rang verfügen.

Der Reichtum an Geschirrvarianten kam in erster Linie durch die verschiedenen Dekorationsweisen zutande. Oft zählte man z. B. bei einem und demselben Tafel- und Kaffee-Service bis zu elf verschiedene Dessins, diese waren:

„1. mit ordinärem blauen Rande,
2. mit ordinärem Dessin oder mit ordinären Bouquets,
3. mit Farbenrand und gestreuten Blumen oder auch mit Blumenbouquets,
4. mit leichtem Dessin und gestreuten Blättern,
5. farbig ohne Gold,
6. mit Kornblumen und mit Goldrand,
7. mit breitem Goldreif und mit bunten Partien und Goldrand oder mit gestreuten Goldblättern,
8. farbig mit Goldrand,
9. farbig mit Golddessin,
10. mit goldener Weinlaubbordüre und Goldstreif,
11. mit grünen Weinlaubbordüren und Goldstreif oder mit Golddessin."

Neben der Geschirrproduktion bildete die Herstellung großer Prozellangemälde eine besondere Gruppe. Diese, zumeist vom Hof in Auftrag gegeben, wurden als kostbare Repräsentationsgeschenke hoch geschätzt. Sie erfreuten sich beim Hochadel und dem wohlhabenden Bürgertum der allergrößten Wertschätzung. In der Biedermeierwohnung nahmen sie immer den Ehrenplatz über dem Sofa des Empfangszimmers ein. Außerdem gab es die Platten, Vasen und Dessertteller, deren Oberflächen einen geeigneten Malgrund für die Themen der Figuren-, Blumen- und Landschaftsmaler hergaben. Zumeist waren es Kopien nach Originalen aus der kaiserlichen Gemäldegalerie, die man hierfür verwendete. Bei den Desserttellern, die von gewöhnlicher Größe waren und die man ausschließlich für Speisen benützte, bei denen Messer und Gabel nicht gebraucht wurden, waren Spiegel und Fahne mit Miniaturmalereien aus Mythologie und Geschichte oder – wie bei den sogenannten Panorama-Tellern – mit Ansichten von Wien, seiner Umgebung, aus den Ländern der Monarchie, aus der Schweiz und Italien bemalt.

Um 1800 hatten sich in der Wiener Porzellanmanufaktur die neuen griechisch-antiken Formen bei den Gebrauchsporzellanen durchgesetzt. Dies bedeutete, daß man hauptsächlich zylindrische und konische Formen für Tassen, Kannen und Vasen bevorzugte, dazu kam noch, daß ein ornamentaler Relief-Golddekor – oft aus antikisierenden Ranken gebildet – sowie streng rechtwinkelige, schlanke hochgezogene Henkel verwen-

Kat. Nr. 6/2/60 Dejeuner, um 1818

det wurden. Diese Gestaltungsweise der Formen und Ornamente war noch ganz dem Empire verpflichtet. Mit nur geringen Abweichungen hielt sich dieser Formenkanon bis rund um 1850. Varianten davon, verbunden mit einer Wiederkehr von gotischen und später von Rokoko-Formen setzen bereits um 1830 ein, währten aber nur kurze Zeit und konnten den Klassizismus der Vergangenheit nicht gänzlich überwinden.

Der so beliebte und für die Wiener Manufaktur so berühmte Relief-Golddekor war eine von Sèvres übernommene Technik, die in Wien ihre höchste Vollendung erreichte. Sie wurde von den Ornamentisten ausgeführt, deren hohe Schulung auf die Sorgenthal-Zeit des Unternehmens zurückging. Aus den Listen des Personalstandes sind eine Reihe von Dessinmalern namentlich bekannt: Der Obermaler Johann Hirsch, der die Malernummer 14 besaß und von 1785 bis 1826 dieses Amt inne hatte, wird als ein besonders qualifizierter Arbeiter beschrieben. Weiterhin sind bekannt Karl Herzer (1790–1849), der die Malernummer 11 hatte, und Josef Geyer (1802–1836) mit der Malernummer 37, die sich beide als Erfinder neuer Muster auszeichneten. Josef Megerle, mit der Nummer 18 zu identifizieren, Thomas Limmer, Malernummer 35 und 121, Franz Janscha, Malernummer 116 und 25, und Johann Carmanioly mit der Malernummer 56 waren verdiente Künstler, die zwischen 1800 und 1850 tätig gewesen sind.

Im Jahre 1806 übernahm Friedrich Reinhold nach dem Tode von Georg Perl die Leitung der Vergolderklasse. Er war vielseitig begabt und erhielt für seine Leistung Anerkennungen und Belohnungen. Schließlich wurde er im Jahre 1828 Obermaler der Figurenklasse und gleichzeitig auch Malerei-Vorsteher. Er starb 1847.

Die herausragendste Persönlichkeit war Anton Kothgasser (1769–1851), der 1784 in die Fabrik eingetreten war und bis 1840 dort arbeitete. Häufiger als alle anderen ist seine Malernummer 96, die oft mit Gold gemalt ist, auf mit größter Subtilität dekorierten Schalen, Tellern und Bechern zu finden. Kothgasser, der sich auch als Glasmaler betätigte, war einer der hervorragendsten Kunsthandwerker seiner Zeit. Seine dekorierten Porzellane erreichen eine seltene Vollkommenheit und zählen gegenwärtig zu den begehrtesten Sammlerstücken.

Neben dem Wiener Golddekor spielten neu erfundene Farben, die besonders für Fonds angewendet wurden, eine Rolle. Hierfür zuständig war der Arcanist und Vorsteher der Malerei Josef Leithner gewesen, der 59 Jahre lang im Dienste der Fabrik gestanden hatte und 1829 ausschied. Er widmete sich vorwiegend den technischen Farbexperimenten und erfand 1792 das sogenannte „Leithner-Blau", ein besonders leuchtendes Kobalt-Blau, und das „Leithner-Gold".

Der Formenschatz für Gefäße und Dekore beruhte auf einer umfangreichen Sammlung von Vorlagen und Musterbüchern und Mustertellern, die die Voraussetzung für die Tradierung und gleichzeitig für die Qualität des gesamten Formengutes der Manufaktur darstellten.

**Figuren- und Historienmaler**

Die vornehmste Gruppe der Maler waren die sogenannten Figuren- und Historienmaler, deren Arbeiten in den Einschreibebüchern verzeichnet wurden und über die in den Personalverzeichnissen und Konduitenlisten berichtet wird. Alle Maler waren verpflichtet, durch eine aufgemalte Nummer auf der Rück- oder Unterseite der Porzellane diese zu kennzeichnen. In dem Zeitraum zwischen 1784 und 1864 wurden 155 Malernummern (Folnesisc) vergeben. Besonders vornehme Figurenmaler signierten oft mit ihrem vollen Namen oder gar nicht.

Der Obermaler in der Klasse der Figurenmaler, dessen Arbeiten zum besonderen Ruhm der Wiener Porzellanmalerei beigetragen haben, war Johann Weichselbaum (Weixelbaum) (1772 bis 1841), der die Malernummer 8 hatte. Er gehörte 58 Jahre der Fabrik an und war von 1794 bis 1840 als Obermaler eingesetzt. Berühmt waren seine historischen und mythologischen Szenen, die er nach Kupferstichen oder nach den Originalen der kaiserlichen Gemäldegalerie kopierte. Neben dieser nachschaffenden Tätig-

Kat. Nr. 6/2/17 Schale mit Untertasse, nach 1827

keit, die ihm höchste Anerkennung eintrug, war er phantasievoll im Erfinden neuer Dekors für die beliebten Déjeuners und Schalen mit Untertassen. Auch als Miniaturporträtist zeichnete sich Weichselbaum aus; er malte wiederholt die Mitglieder der kaiserlichen Familie auf Porzellan.

Ältester Figurenmaler unter Weichselbaums Leitung war Georg Lamprecht (gest. 1828, Wien), der die Malernummern 1 und 29 hatte. Die Arbeiten aus seiner Glanzzeit von 1800 bis 1815 zeigen eine zarte und korrekte Malweise, die das Entzücken aller Kenner hervorrief. Er ging im Jahre 1825 in Pension.

Einer der prominentesten Figurenmaler von thematisch erstaunlicher Vielseitigkeit und Qualität seiner Leistungen war Claudius Herr (geb. 1775, Wien). Schon sein Vater war Porzellanmaler an der Wiener Fabrik gewesen, da er aber ein wilder Trinker gewesen sein soll, wurde ihm der Sohn abgenommen und auf Kosten der Fabrik bei einem Kunstmaler in Pflege gegeben. Mit 16 Jahren kam er nach einer akademischen Ausbildung als Malerlehrling in die Fabrik. Bis zum Jahre 1832 entfaltete er eine ungemein fruchtbare Tätigkeit, und seine signierten Tafelbilder und seine mit der Nummer 72 bezeichneten Platten, Déjeuners, die er mit Kopien nach alten Meistern bemalt hatte, waren hoch begehrt.

Lorenz Herr, der jüngere Bruder des Claudius, wurde im Jahre 1804 in die Fabrik aufgenommen. Bis 1833 malte auch er Historienbilder, Porträts und Landschaften, deren „besonders gute Ausführung" allseits gerühmt wurde. Zusammen mit seinem Bruder war er im Jahre 1820 an der malerischen Ausschmückung des im allerhöchsten Auftrage ausgeführten Tafelservices für den Herzog von Wellington tätig. Die Einkühlvasen bemalten sie mit Bildern der berühmtesten Regenten, Feldherren, Gelehrten, griechischen und römischen Heroen in der Art geschnittener Onyxe. Die fünf großen Vasen des Mittelaufsatzes bemalte Lorenz Herr allein mit den Porträts der Kaiser von Österreich und Rußland, der Könige von Bayern, Württemberg, England und Preußen sowie der Fürsten Metternich, Schwarzenberg und Blücher und Lord Castlereaghs. Als im Jahre 1821/22 ein „gotisches" Tafelservice für die kaiserliche Hofhaltung in Schloß Laxenburg bestellt wurde, erhielt Lorenz Herr den ehrenvollen Auftrag, die Bildnisse des Stammbaumes der Habsburger hierfür zu malen. Seine Arbeiten tragen die Malernummer 10.

Im Jahre 1800 wurde der akademische Maler Leopold Lieb (1771–1836) in der Fabrik angestellt, der die Malernummer 81 erhielt. Er erwies sich als ein „sehr geschickter, praktischer Historienmaler", der auch „zu Infenzionen zu gebrauchen" war. Bis 1834 bemalte er Déjeuners, Schalen und Untertassen, Platten und Vasen mit Darstellungen von Ereignissen seiner Zeit. Er war „in jeder Hinsicht ein brauchbares Individuum" und seine Arbeiten – vor allem die Porträts berühmter Zeitgenossen – wurden sehr geschätzt. Seine Hauptleistung waren die Kopien nach dem Rubens-Zyklus zu Decius Mus in der Liechtenstein-Galerie, die er auf drei große Vasen mit Schlangenhenkeln malte und die von Lord Steward 1820 gekauft wurden.

Weitere Figurenmaler, die nach dem Tode Sorgenthals eingetreten waren, verdienen noch genannt zu werden: Leopold Hölbling kam 1812 an die Fabrik und arbeitete bis 1828. Er zeichnete sich durch feine Wappenmalereien aus. Michael Köhler, der mit der Malernummer 8 signierte, wurde 1814 angestellt und verblieb bis zur Auflösung der Fabrik 1864; er malte Genreszenen, Wappen, Embleme und Allegorien sowie Heiligenbilder und widmete sich eine Zeitlang der Tier- und Vogelmalerei.

Anton Schwendt, 1828 eingestellt, verblieb bis zum Jahre 1864 an der Fabrik. Seine mit der Nummer 1 gezeichneten Arbeiten umfassen vor allem Porträts prominenter Naturwissenschaftler, Regenten und Mitglieder des Kaiserhauses sowie Prominenz aus Politik, Oper, Literatur und Theater. Lorenz Fuchs, Malernummer 17, von 1828 bis 1863, sowie Franz Parutka mit der Malernummer 28, tätig von 1830 bis 1855, der Genrebilder, Heilige, Porträts und Sujets nach zeitgenössischen Malern lieferte. Parutka, der 1830 zur „Landschaftsmalerei aufgenommen" wurde, kopierte seine berühmten Zeitgenossen Ranftl, Fendi, Waldmüller, Kupelwieser, Ender und Caucig.

### Landschafts- und Architekturmaler

In der Gruppe der Landschaftsmaler zeichneten sich Franz Sartory und Jakob Schufried aus. Letzterer war zwar 1798 als Figurenmaler in die Fabrik eingetreten, wechselte aber 1805 zu den Landschaftsmalern hinüber. Das Einschreibebuch verzeichnet bis zum Jahre 1844 seine zahlreichen Arbeiten, die er mit der Nummer 40 signierte.

Franz Sartory war 1799 eingetreten und hatte die Nummer 34 erhalten; er ging 1841 in Pension. Seine bekanntesten Arbeiten sind die Ansichten berühmter österreichischer Ruinen, mit denen er z. B. die Teller des Laxenburger Tafelservices schmückte.

Obwohl Sartory wie alle Landschaftsmaler nach Stichvorlagen arbeitete, so finden sich trotzdem bei ihm hin und wieder Bilder nach der Natur. Beliebtester Schmuck waren die Ansichten von Wien und Umgebung. Hierfür wurden die älteren Architekturprospekte des Salomon Kleiner und Jacob Pfeffel sowie die nach Janscha und Ziegler gestochenen Veduten des Karl Schütz aus der josefinischen Zeit herangezogen.

Für die übrigen österreichischen und europäischen Stadt- und Landschaftsansichten aber benutzte man die „Voyages pittoresques", deren fünfbändige Ausgabe schon 1792 von der Fabrik als Vorlagewerk angekauft worden war.

### Blumenmaler

Die Blumenmalerei auf Wiener Porzellan kann sich einer alten und langen Tradition rühmen. Seit den „deutschen Blumen" der Manufaktur DuPaquiers 1718–1744 erfreute sich der Blumendekor zu allen folgenden Zeiten der größten Beliebtheit. Zu Beginn des 19. Jahrhunderts verfügte die Wiener Porzellanfabrik über zahlreiche Blumenmaler; mehr als 50 Maler waren damit beschäftigt, die Erzeugnisse der Wiener Fabrik mit Blumen zu schmücken. Unter ihnen befanden sich einige, deren Leistungen schon von den Zeitgenossen als überragend angesehen wurden; dazu gehörten Josef Nigg (1782–1863), 1800 bis 1843 an der Manufaktur, Eduard Pollak, 1825 bis 1864 tätig, und Josef Fischer, 1802 bis 1843 (?) angestellt. Der berühmteste Blumenmaler, Josef Nigg, arbeitete zunächst unter der Aufsicht des Obermalers Leopold Parmann, der selber ein vorzüglicher Blumenmaler war. Niggs Arbeiten – signiert mit der Malernummer 107 – wurden 1804 und 1806 prämiert; ab dem Jahre 1808 erhielt Nigg ein festes Monatsgehalt von 60 Gulden, das nach drei Jahren auf 100 Gulden erhöht wurde. Nach dem Tode Parmanns 1816 wurde

Kat. Nr. 6/2/90 Blumenbild, 1818

ihm die Aufsicht über die gesamte Blumenmalerei anvertraut.

Kaum ein zweiter Künstler war ein „für die Fabrik sich so rühmlich verhaltender Künstler wie Josef Nigg“. Wie die im Malerbuch der Wiener Manufaktur verzeichneten Leistungen Josef Niggs bekunden, fallen seine entscheidenden Arbeiten, was Umfang und Qualität betrifft, in die Jahre von 1820 bis 1840. Er bemalte prächtige Vasen, Teller und große Porzellanplatten mit eigenen Kompositionen oder nach Blumenstücken alter Meister wie Jan van Huysum und Rachel Ruysch; mitunter mischte Nigg Früchte unter die Blumen oder malte auch ein oder das andere Tierstück, ein Häschen oder ein Meerschweinchen inmitten von Gräsern und Blumen. Seine ganze Liebe und Kraft gehörte jedoch dem Blumenstilleben. Der Hof und der Adel und das wohlhabende Bürgertum schätzten seine Werke, die zwischen 100 und 150 Gulden kosteten. Bei den Mitgliedern des Kaiserhauses erfreuten sich seine Bilder der größten Beliebtheit, und viele gingen als Geschenke an ausländische Höfe und Potentaten nach England, Persien, Rußland und Ägypten. Museen, öffentliche und private Sammlungen bemühten sich um seine Werke.

Zeitgenossen Niggs und heutige Sammler und Kunstfreunde begeisterte neben der reichen Palette und der feurigen Wirkung seiner Farben die außerordentliche Zartheit seines Farbauftrages. Nigg verstand es mit einer bravourösen, subtilen Technik den Naturalismus so zu steigern, daß der Betrachter über den optischen Wahrnehmungsprozeß hinaus den Duft der Blüten, das Saftige eines Pfirsichs, das Wäßrige der Trauben empfinden konnte.

Neben Josef Nigg gab es zahlreiche weitere ausgezeichnete Blumenmaler, deren Werke von erster Qualität sind. Hiezu gehören der schon erwähnte etwas jüngere Josef Fischer, weiterhin Josef Claas (1806–1867), der die in der Biedermeierzeit so beliebten Blumen-Akrostichons malte, und Eduard Pollak (1825–1864), der von 1834 bis zu seinem Ausscheiden 1864 der letzte Obermaler der Blumenklasse gewesen ist. Alle diese Künstler waren unter Josef Nigg herangebildet, unterwiesen und beaufsichtigt worden. In dem gleichbleibenden Glanz und der strahlenden Wirkung ihrer Werke, die alle sinnlich-ästhetischen Qualitäten vereinigen, kulminierte die in Wien so beliebte Blumenmalerei. In ihr offenbart sich eine der liebenswürdigsten Seiten des Wienerischen, das den Zauber des Gartens und die Stille der geliebten Natur auch in seiner Häuslichkeit nicht vermissen wollte.

**Die figurale Porzellanplastik**

Im 18. Jahrhundert und da vor allem im Zeitalter Maria Theresias zwischen 1750 und 1780, hatte die Porzellanplastik mit ihren anmutigen, heiteren, mitunter kekken und eleganten Modellen einen Höhepunkt erreicht, der gegenüber der Geschirrproduktion dominierte, so daß es gerechtfertigt erscheint, von einer plastischen Epoche zu sprechen. Diese Vorliebe für das Plastische hatte sich bis in die Anfänge der Ära Sorgenthals hinein gehalten. Dies verdankte sie vor allem dem im Jahre 1784 eingesetzten Modellmeister Anton Grassi, einem Schüler Franz Xaver Messerschmidts und Friedrich Wilhelm Beyers. Im Jahre 1755 in Wien geboren, bezog er 1767 die Akademie der bildenden Künste und wurde 1778 als Adjunkt dem alten Modellmeister Johann Josef Niedermayr beigegeben. Zu einer Zeit, da sich in den anderen Prozellanfabriken bereits eine Erschöpfung der künstlerisch-plastischen Fähigkeiten bemerkbar machte, besaß Wien in Anton Grassi seinen größten Porzellan-Plastiker. Bis zu seinem Tode im Jahre 1807, und auch noch weit darüber hinaus, bestimmten seine Modelle die gesamte plastische Produktion. In der verfeinerten Übergangsepoche zwischen dem Rokoko und dem Klassizismus verfertigte er zahlreiche Gruppen und Statuetten, die das Elegante, aber auch das Seelen- und Gemüthafte dieser verklingenden Zeit darstellen. Nach seiner Italien-Reise im Jahre 1772 jedoch wandte er sich ganz der Antike zu und schuf nur mehr Gruppen im klassischen Genre, die zumeist in der kalten, marmorähnlichen Biskuitmasse ausgeführt wurden. Daneben versuchte er sich auch als Porträtplastiker, ein Spezialgebiet, das von seinen Schülern Johann Nepomuk Schaller und Elias Hütter weiterentwickelt wurde. Mit kleinen und großen marmorähnlichen Biskuitbüsten befriedigte die Wiener Porzellanfabrik die Verehrungssucht der Empire-Zeit für vergangene und zeitgenössische Heroen auf eine verhältnismäßig billige und für jeden erschwingliche Weise. Die beiden Künstler gestalteten die Porträtbüsten zumeist in der Art antiker Imperatorenköpfe. Hütter schuf mehrere Büsten von Erzherzögen und Schaller gestaltete ein umfangreiches Programm von Imperatoren, Philosophen und Dichtern für die kaiserliche Hofbibliothek.

Die Biedermeierzeit selbst brachte wenig originelle Modelle hervor. Man begnügte sich mit dem Vorhandenen. Erst das Zweite Rokoko nach 1840 griff wieder die alten und beliebten Rokoko-Sujets auf, die musizierenden Kinder, tanzenden Paare und Kavaliere. Die besten Leistungen waren jene Gruppen, die den Bildern der zeitgenössischen Genremaler entnommen waren. Um 1850 waren es dann die Zeitereignisse, die die Themen für die Modelle lieferten: Typen der Revolution von 1848, Soldaten und Offiziere der verschiedenen österreichischen Regimenter und das gemeine Volk von Wien. Größter Beliebtheit erfreuten sich jedoch die Büsten, Gruppen und Statuetten der kaiserlichen Familie, die bunt, weiß und in Biskuit ausgeformt wurden. Sie zeigten den Kaiser und die Kaiserin zu Pferde, im trauten Familienkreis, auf der Jagd in Ischler Tracht sowie als glückliches Elternpaar mit ihren neugeborenen Kindern. Ohne jede erhöhende Absicht waren in diesen Modellen die kaiserliche Familie und die Ereignisse aus ihrem Leben dargestellt. In dieser menschlich und bürgerlich nahen Wiedergabe triumphierte nochmals der Geist der Biedermeierzeit, dessen letzter und tragischer Repräsentant Kaiser Franz Joseph I. gewesen ist.

**Literatur:**

Scholz, Benjamin von, Über Porzellan und Porzellanerden, vorzüglich in den österreichischen Staaten. In Jahrbücher des k. k. polytechnischen Instituts in Wien. Jg. 1. 1819 – 2. Aufl. 1824.

Falke, Jacob von, Die K. K. Wiener Prozellanfabrik, ihre Geschichte und die Sammlungen ihrer Arbeiten im K. K. Österreich. Museum. Wien, 1887.

Folnesics, Josef, Ausstellung von Alt-Wiener Porzellan. Katalog und Einleitung. Wien, Verlag des k. k. Österr. Museums für Kunst und Industrie, 1904.

Folnesics, Josef, und Braun, Edmund Wilhelm, Geschichte der k. k. Wiener Porzellanmanufaktur. Wien 1907.

Ernst, Richard, Wiener Porzellan des Klassizismus. Die Sammlung Bloch-Bauer. Wien, 1925.

Wiener-Porzellan-Sammlung Karl Mayer. Versteigerungskatalog der Fa. Auktionshaus für Altertümer Glückselig, Wien, November 1928. Vorwort von Otto von Falke.
Mrazek, Wilhelm, Josef Nigg, ein Wiener Blumenmaler. In: Alte und moderne Kunst, Jg. 1, 1956, Nr. 3, S. 2ff. mit 6 Abb.
Mrazek, Wilhelm, Anton Grassi, Modellmeister der k. k. Porzellanfabrik in Wien. In: Alte und moderne Kunst, Jg. 1, 1956, Nr. 4, S. 15ff. mit 5 Abb.
Mrazek, Wilhelm, Wiener Blumenbilder. In: Keramik-Freunde der Schweiz. Mitteilungsblatt Nr. 35, 1956, S. 29f.
Mrazek, Wilhelm, Wiener Porzellan. In: Feuchtmüller, Rupert, und Mrazek, Wilhelm, Biedermeier in Österreich. Wien, 1963, S. 80ff., 2 Farbtaf., 8 Taf.
Der Wiener Kongreß. 150 Jahre Wiener Kongreß. Ausstellung, Wien-Hofburg 1965. Darin: Mrazek, Wilhelm, Porzellan, Steingut und Glas der Kongreßzeit. S. 410ff.
Mrazek, Wilhelm, Das große Service für den Herzog von Wellington aus der Wiener Porzellanmanufaktur. In: Alte und moderne Kunst. Jg. 10, 1965, Nr. 10, S. 22ff., 8 Abb.
Mrazek, Wilhelm, und Neuwirth, Waltraud, Wiener Porzellan. 1718–1864. Wien, 1970. Österreichisches Museum für angewandte Kunst, Wien. Ausstellungskatalog (Kataloge N. F. 3).
Neuwirth, Waltraud, Porzellan aus Wien. Von du Paquier zur Manufaktur im Augarten. Wien 1974.
Neuwirth, Waltraud, Porzellanmaler-Lexikon 1840–1914. Braunschweig, 1977, 2 Bde. (Bibliothek für Kunst und Antiquitätenfreunde, 49).
Neuwirth, Waltraud, Wiener Porzellan. Malernummern . . . Wien, 1978 (Markenlexikon für Kunstgewerbe, 4).

# PORZELLAN AM WIENER KAISERHOF IN DER ERSTEN HÄLFTE DES 19. JAHRHUNDERTS

*Peter Parenzan*

Bei Durchsicht der im Bestand der ehem. Hofsilber- und Tafelkammer befindlichen Porzellanobjekte aus der ersten Hälfte des 19. Jahrhunderts, fällt auf, daß in stilistischer Hinsicht das Bild einheitlich vom Empire geprägt ist.
Die Regierungszeiten von Kaiser Franz I. (1792–1835) und Kaiser Ferdinand I. (1835–1848), die wir uns als Beobachtungszeitraum gesetzt haben, zeigen also, daß der Kaiserhof vor allem die klassizistischen Komponenten des Biedermeier bevorzugte.

Erst gegen 1848 tauchen die ersten Anklänge historistischer Formen auf.

Ebenso ist bemerkenswert, daß alle großen Serviceserien bei der Wiener Porzellanmanufaktur in Auftrag gegeben wurden. Dies war zunächst ein ökonomischer Faktor, da die genannte Manufaktur ein Staatsbetrieb war und Kaiser Franz stets darauf achtete, daß Ankäufe für den Hofgebrauch in solchen Betrieben zu erfolgen hatten.

Die heutigen Bestände der Hofsilber- und Tafelkammer können in folgende Gruppen eingeteilt werden:

1. Service für den persönlichen Gebrauch des Kaisers und seiner Familie
1.1. Speiseservice für offizielle Repräsentationen
1.2. Speiseservice für die einzelnen Schlösser (Schönbrunn, Laxenburg, Baden u. a.)
1.3. Speiseservice für einzelne Personen
1.4. Besonders künstlerisch ausgeführte Dessertservice
1.4.1. Panoramateller
1.4.2. Bildteller
1.4.3. botanische Teller
1.4.4. Laxenburger Service
2. Sanitärporzellan
2.1. Für den persönlichen Gebrauch der kaiserlichen Familie
2.2. Für den Gebrauch des Hofpersonals

Tafelaufsatz aus dem Laxenburger Service

## Die Porzellanmanufaktur

Wie schon erwähnt, hat das Kaiserhaus vor allem bei der im ärarischen Besitz befindlichen Firma „Wiener Porzellanmanufaktur" bestellt.

Kaiser Franz wurde nicht müde, in immer neuen Handbilletten das Hofmeisteramt darauf hinzuweisen, wenn möglich nur bei ärarischen Betrieben zu kaufen.

Die Manufaktur befand sich noch in der unmittelbaren Nachfolge von Direktor Sorgenthal (Direktorat 1784–1805) auf einem künstlerischen Höhepunkt ohnegleichen. Der Bildhauer Anton Grassi (1755–1807) schuf die modernen klassizistischen Formen. Joseph Leithners Erfolge bei der Erfindung immer neuer Muffelfarben und Vergoldungstechniken machte Wien zum Vorbild für alle anderen Manufakturen dieser Zeit. Die hervorragenden Werke der 5 Malereiklassen (Blaumaler, Ornamentisten, Design-, Blumen-, Historien- und Landschaftsmaler) wurden vom Hof gerne gekauft und dokumentieren heute in der Hofsilber- und Tafelkammer in erstaunlicher Anzahl die hohe Qualität der k. k. Porzellanmanufaktur.

Sanitärporzellane wurden zum Teil auch bei der böhmischen Fa. Elbogen besorgt. Elbogen war jedoch ein Tochterbetrieb der Wiener Staatsmanufaktur. Nach Auffindung von Kaolinlagern in dieser Gegend wurde 1815 dieses Zweigwerk gegründet. In Wien geschultes Personal erzeugte vor allem nach Vorbildern der Mutterfirma hervorragende Weißware. Zur Bemalung wurden die Stücke nach Wien geschickt.

Aus der Mitte des Jahrhunderts finden sich auch Objekte der Werke Schlaggenwald, Pirkenhammer und vor allem Thun-Klösterle in der Hofsilber- und Tafelkammer.

Einmal bestellte Service standen jahrzehntelang in Verwendung und wurden daher laufend ergänzt. Noch unter Kaiser Franz I. eingekaufte Garnituren wurden unter Kaiser Franz Joseph I. verwendet und weiterhin nachgeschafft. Nach dem Ende der Wiener Porzellanmanufaktur 1864 wurde gezwungenermaßen die Firma gewechselt, jedoch werden Formen und Dekor nicht verändert.

**Kaiser Franz (II.) I.**
**Die Gebrauchsservice**

Sämtliche Service der ersten Hälfte des 19. Jahrhunderts die vom Wiener Kaiserhof verwendet wurden, sind in den klassischen Empireformen gestaltet. Der für die Biedermeierzeit sehr beliebte Variationsreichtum – wie wir ihn von der Möbelgestaltung her kennen – zeigt sich vor allem bei Form und Dekor der Sammeltassen, die ja als Einzelobjekte erstanden wurden.

Die großen Service verwenden vor allem konische Kalatos und Campanerformen sowie zylindrische Tassen und eiförmige Kyathoi (A. Faÿ-Halle und B. Mund).

Die Stärke der Wiener Manufaktur zeigte sich bei Dekor und Malerei. Von einer Grundform ausgehend wurde die hierarchische Ordnung der Service – je nach Rang des Gastes und der Zeremonie – durch aufwendiges Dekor ausgedrückt.

1. Das Goldservice (1814–1815)
   Es ist dies das prunkvollste aller erhaltenen Porzellanserien. Die Gesamtvergoldung erhält durch radierte und polierte Binnenzeichnung ein zusätzliche Raffinement.
   Das Service wurde zur Zeit des Wiener Kongresses angekauft und diente vor allem für kleinere Diners, zu denen nur Souveräne geladen waren.
2. Weiß-Gold-Service mit Palmettenfries ohne Wappen, Wiener Manufaktur (1817–1820).
3. Weiß-Gold-Service, kleines Weinlaub (1810) mit Ergänzungen aus den vierziger Jahren.
4. Weiß-Gold-Service, mit einfachem Goldrand (1819–1836).
5. Service mit Streumuster (1807–1814).
6. Service mit Streumuster, Vergißmeinnicht (1827–1851). Dieses wurde für die Residenz in Salzburg hergestellt. Das klassische Vergißmeinnichtmuster wird durch den schwarzen Doppeladler, der etwas unsensibel aufgetragen wurde, als zum kaiserlichen Haushalt gehörend deklariert.
7. Weiß-Gold-Service mit Goldadler (1823–1853)

Sowohl bei der Wiener Manufaktur als auch bei Elbogen und Schlaggenwald bestellt. Gegen Ende dieser Periode wechseln die reinen Empireformen schon zu dezenten barocken Linien über.

**Die Dessertservice**

Wenn sich die Gebrauchsservice mit zwar kostbaren, doch im Prinzip einfachen Dekoren begnügen, schöpfen die Dessertservice aus dem Bereich, für den die Wiener Manufaktur ihre Spitzenleistung anbieten konnte: die Porzellanmalerei.

Die Bemalung der erhaltenen Service haben alle einen edukativen Charakter. Sie wurden unter Kaiser Franz I. in Auftrag gegeben und dokumentieren die persönlichen Vorlieben des Herrschers.

*Panoramateller*

Die 24 Dessertteller tragen die Jahresstempel von 1804–1807. Auf der Fahne glatter weißer Teller sind jeweils 3 Veduten gemalt, welche durch aufwendige Reliefgoldbordüren voneinander abgesetzt werden. Auf den Tellern verteilen sich die Motivauswahl der Landschaftsveduten folgendermaßen:

9 Teller mit jeweils 3 Motiven aus Wien und Umgebung,
12 Teller mit jeweils 3 Motiven aus der Schweiz,
3 Teller mit jeweils 3 Motiven aus Italien

Als Vorbilder für die Wiener Ansichten dienten die 1792 bei Artaria erschienenen Schütz-Ziegler-Ansichten der Residenzstadt Wien. Die Schweizer Ansichten stammen aus dem 1786–1788 in Paris erschienene topographischen Werk von Baron Zurlauben.

Die italienischen Ansichten sind aus dem 1792–1796 in London erschienenen Stickwerk von T. Chapman, Select views in Italy etc.

Diese Vorlagewerke befinden sich alle in der von Kaiser Franz zusammengestellten Fideikommißbibliothek.

Die sonst üblichen Künstlerkennziffern der Manufaktur wurden hier leider nicht in Anwendung gebracht, lediglich die Vergoldernummer Kothgassers taucht einmal auf. Die technisch sehr komplizierte und kostbare Goldbordüre (reliefartig sowohl in glänzendem als auch mattem Gold) kann daher diesem Künstler zugeschrieben werden.

*Bildteller*

89 Teller in der bekannt sorgfältigen Ausführung der überall geschätzten und ihrer Herkunft nach auch „Wiener Teller“ genannten Stücke aus den ersten drei Jahrzehnten des 19. Jahrhunderts zeigen im Sujet das vielfältige Angebot dieser beliebten Sammelobjekte:

Kopien nach bekannten Gemälden, antike Szenen, Genrebilder und Zyklen (z. B. Monatsbilder). Sämtliche renommierte Künstler der Manufaktur sind vertreten (Weichselbaum, Berger, Daffinger, Ferstler, Claudius Herr, Mohaupt usw.).

*Schokoladebecher*

18 Schokoladebecher mit Untersatz, in Empireform mit Jahresstempel 1825–1826 passen stilistisch zu den Bildtellern, dieselben Künstler arbeiteten an der sorgfältigen Vergoldung und verwendeten die gleichen Bildmotive.

Eine weitere Serie von Schokoladebechern in gleicher Form wie oben ist nur Weiß-Gold gehalten. Goldrand und Krone mit Lorbeerzweig weisen auf den eher offiziellen Charakter dieses Service hin.

*Botanische Teller*

Die Vorliebe Kaiser Franz' I. für Botanik und Gartenkunst ist bekannt, und so verwundert es nicht, daß aus seinem Besitz über 200 Zierteller mit botanischen Motiven erhalten sind.

Die nach wissenschaftlichen Vorlagen präzise und naturgetreu gemalten Blumen gibt es sowohl auf weißem, schwarzen als auch olivgrauem Grund.

Auf der Rückseite ist jeweils der lateinische Name der dargestellten Pflanze vermerkt. Auch hier sind alle renommierten Blumenmalernamen wie Josef

Goldservice, 1814/15

Aus dem Service mit einfachem Goldrand

Service mit Streumuster (Vergißmeinnicht)

Geyer, Anton Döring, Hautzenberger u. a. vertreten.

*Laxenburger Dessertservice*

Eine Sonderstellung nimmt das gotisierende Laxenburger Dessertservice mit dazugehörigem Tafelaufsatz ein.

Als Kaiser Franz II. 1806 auf die deutsch-römische Kaiserkrone verzichtete und seither nur mehr als Kaiser der österreichischen Erblande fungierte (daher Franz I.), forcierte er – zur Bestätigung seiner Legitimität – einen Ahnenkult, zu dessen originellsten und liebenswürdigsten Hervorbringungen dieses Service gezählt werden kann.

Ein dreiteiliger Tafelaufsatz in den architektonischen Formen der romantischen Gotik verpflichtet, zeigt auf vergoldeten Porzellanfliesen Bildnisse des Stammes Habsburg.

So u. a. Rudolf I., Albrecht I., Friedrich III., Karl V., Rudolf II. und Maximilian I.

Auch auf den vasenartigen Kühl- und Eisgefäßen sind in der Art mittelalterlicher Miniaturen Habsburger mit den jeweiligen Ehefrauen abgebildet. So z. B. Erzherzog Ferdinand mit Philippine Welser und Anna Katharina von Mantua, wie der darunter gesetzten Beschriftung zu entnehmen ist.

Zu diesem umfangreichen Service gehören auch 60 Teller, auf die von Franz Sartory (1770–1846, Landschaftsmaler, in der Manufaktur von 1799–1841 tätig) Burgen und Ruinen vor allem aus Niederösterreich in Sepia gemalt wurden.

Das Service war zusammen mit einem ebenfalls in gotisierendem Stil gehaltenen Silberbesteck für die Franzensburg in Laxenburg bestimmt.

**Sanitärporzellan**

Das Sanitärporzellan gibt es in zwei Ausführungen: eine Serie in einfachem Weiß mit Goldrand und dem goldenen Doppeladler zum Gebrauch für die kaiserliche Familie und eine zweite Serie ohne Vergoldung für den allgemeinen Gebrauch bei Hof bestimmt.

Die Stücke wurden sowohl bei der Wiener Manufaktur als auch bei der Tochterfirma Elbogen hergestellt.

In der zweiten Hälfte des 19. Jahrhunderts unter Kaiser Franz Joseph I. wurden beide Typen dann von Schlaggenwald und Pirkenhammer weitergeführt.

**Kaiser Ferdinand I.** (1835–1848)

Kaiser Ferdinand ließ eine große Anzahl neuer Service in Auftrag geben.

Ein umfangreiches Weiß-Gold-Service mit üppigem Weinlaubdekor (Wr. Manufaktur 1842–1848) zeigt bereits eine Abkehr von den reinen Empireformen. Die Objekte werden bauchiger und runder. Der schwarze Doppeladler ist an der Unterseite angebracht.

Eine reizvolle Becherserie – Wiener Manufaktur 1834–1839 – wurde je nach

Botanischer Teller

Farbe der aufgemalten Krone auf folgende drei Schlösser aufgeteilt: Gold oder Gelb für das Kaiserhaus in Baden, Grün für das Lustschloß Schönbrunn und Rot für das k. k. Lustschloß Laxenburg.

Das einzige Porzellanservice im heutigen Bestand der Hofsilberkammer mit einem Monogramm „FI" und einer grünen Krone auf weißem Grund wurde in der Wiener Manufaktur (1837–1847) angefertigt. 1839 bestellte Erzherzogin Sophie bei der Wiener Manufaktur ein Speiseservice in schlichtem Weiß-Gold mit ihrem Monogramm „S" und Krone.

Für die „Kammer I. M. der regierenden Kaiserin Maria Anna", der Gemahlin des abgedankten Ferdinand, wurde 1852 bei der Wiener Manufaktur ein Service hergestellt, welches auf dem Alterssitz des Paares in Prag verwendet wurde.

Ein goldener Blätterrand umläuft die Fahne, und ein rot geränderter goldener Doppeladler weist darauf hin, daß Maria Anna, trotz Abdankung, immer noch die regierende Kaiserin war, wie ein Schriftzug auf der Unterseite wissen läßt.

Der Überblick der Porzellanobjekte aus der ersten Hälfte des 19. Jahrhunderts zeigt, daß der Kaiserhof im großen Umfang und konsequent seine Service bei der Wiener Porzellanmanufaktur in Auftrag gab. Den persönlichen Ansprüchen des Kaisers und des Zeremoniells wurde Rechnung getragen; stilistisch und künstlerisch konnte die Manufaktur diese Wünsche durchaus im Rahmen ihres üblichen Programms befriedigen. Die Qualität der Arbeiten war so hoch, daß für die imperialen Serien keine besonderen Anstrengungen notwendig waren. – Diesem glücklichen Umstand verdankt die Hofsilber- und Tafelkammer einen reichen Querschnitt durch die exemplarische Produktion der Wiener Porzellanmanufaktur.

**Literatur:**

A. Faÿ-Halle, B. Mundt, Europäisches Porzellan vom Klassizismus bis zum Jugendstil, Office du Livre 1983.

R. Ernst, Wr. Porzellan des Klassizismus. „Die Sammlung B. = B.", Wien 1925.

W. Mrazek, W. Neuwirth, Wiener Porzellan 1718–1864, Wien 1970.

W. Baer und H. W. Lack, Pflanzen auf Porzellan, Berlin, Schloß Charlottenburg, 1979.

# WIENER SILBER UND SCHMUCK DES BIEDERMEIER

*Elisabeth Schmuttermeier*

Es benötigte die zeitliche Distanz bis zum Beginn des 20. Jahrhunderts, um die Jahrzehnte zwischen 1815 und 1848 einer positiven Wertung zuzuführen. Die nach dem Revolutionsjahr verstärkt einsetzende Periode des technisch-wissenschaftlichen, industriellen Aufschwungs hatte nur Verachtung für die „gute alte Zeit" der Väter und deren Lebensbewältigung übrig. Erst als um die Jahrhundertwende die materielle Existenz des einzelnen wieder bedroht war, ihm die Gefahren des technischen Fortschritts langsam bewußt wurden, setzte er bestimmte erstrebenswerte Qualitätskriterien für die Biedermeierzeit fest.

Auch die kunsthandwerkliche Entwicklung um 1900 sah ihre Wurzeln – den dazwischenliegenden Historismus negierend – in der letzten eigenständigen Kunstrichtung, dem Biedermeier. Ob das Biedermeier zu Recht als eigene Stilrichtung bestehen kann, wird derzeit in Ausstellungen im In- und Ausland diskutiert.

Als die stärkste Komponente im Biedermeier muß die bürgerliche Kultur und Lebensauffassung angesehen werden. Mit dieser Lebensweise identifizierte sich auch der Adel und das Kaiserhaus, das in den privaten Wohnräumen auf Behaglichkeit, Gemütlichkeit und Bewohnbarkeit größten Wert legte. Demgemäß wurden auch die Gebrauchsgegenstände nach diesen Kriterien geschaffen, deren formale Grundlinie mit Schlichtheit, Sachlichkeit, Zweckmäßigkeit und Brauchbarkeit definiert werden.

All diese Schlagworte treffen natürlich auch auf die silbernen Tafelgeräte, Toilettegegenstände, Leuchter und dergleichen zu, sofern diese sich bis in die heutige Zeit erhalten haben. Finanzielle Schwierigkeiten des Staates, die die Zerstörung einer Unzahl von Edelmetallobjekten zur Folge hatten, lassen uns heute die Formenvielfalt und Breite der Produktion in der 1. Hälfte des 19. Jahrhunderts nur mehr erahnen. Trotzdem ist es möglich, anhand der noch vorhandenen Gegenstände eine Stil- und Ornamententwicklung aufzuzeigen.

Schwerwiegende Folgen für den Bestand an silbernen und goldenen Geräten hatte das am 20. August 1806 von Kaiser Franz I. erlassene Manifest, laut dem „auf sämmtliches Gold- und Silbergeräthe, das bekanntlich sich unter allen Classen ungewöhnlich stark angehäuft hat . . . in Unsern gesammten deutschen Erbländern eine neue Punzierung vornehmen zu lassen und selbe mit einer eigenen Taxe zu belegen"[1]. Die Taxe für die Repunzierung betrug für 1 Lot Silber 12 Kreuzer Konventionsmünze und für eine Dukatenschwere Gold 20 Kreuzer Konventionsmünze, unabhängig vom Feingehalt. Diese Maßnahme sollte dazu dienen, das aufgrund der Napoleonischen Kriege stark verringerte Staatsvermögen wieder aufzufüllen. Die staatliche Aktion bezog sich jedoch nicht nur auf die Gold- und Silberschmiede und die Händler, sondern auch auf die Privatpersonen, die Edelmetallgegenstände „ungewöhnlich stark angehäuft" hatten.

Da der papierene Bancozettel zur Bezahlung nicht herangezogen werden durfte – erst ab März 1807 wurde er angenommen – und es an Konventionsgeld mangelte, lag die einzige Konsequenz im Einschmelzen der Gold- und Silbergeräte. Wurde die Steuer jedoch bezahlt, so kennzeichnete man den besteuerten Gegenstand durch das Einschlagen eines eigenen Repunzierungszeichens. Nach dem 1. August 1807 wurde keine Repunzierungstaxe mehr eingehoben. In die neu geschaffenen Objekte wurde jedoch von nun an neben dem Feingehaltszeichen auch die Repunze eingestempelt, da sie ansonsten konfisziert worden wären.

Durch diese Bestimmung wurden die Silberschmiede besonders hart getroffen, die daher an den Kaiser das Gesuch richteten, die Repunzierungsgebühr für ihre Erzeugnisse erst beim abgeschlossenen Verkauf bezahlen zu müssen. Ihr Ansinnen wurde als berechtigt angesehen und in der Folge ein Vorratsstempel eingeführt, der in alle inventurmäßig erfaßten Waren eingeschlagen wurde.

Die abgelieferten Taxen und der eingeschmolzene Edelmetallwert reichten jedoch nicht aus, die Staatsverschuldung weitestgehend zu verringern. Daher wurde am 19. Dezember 1808 das Silbereinlieferungspatent erlassen, demzufolge mit Ausnahme von Löffeln (Eßbesteck), Uhrgehäusen, Siegelstöcken und sonstigen Kleinigkeiten sämtliche Silbergeräte beschlagnahmt wurden, es sei denn der Eigentümer konnte den gesamten Metallwert in Konventionsmünze bezahlen. Die freigekauften Silbergegenstände wurden dann mit der Befreiungspunze versehen.

Von dieser staatlichen Maßnahme war auch das kirchliche Silber betroffen, das mit Ausnahme der Cuppa der Kelche und Ciborien, Patenen, Salbgefäßen und der Lunula von Monstranzen entweder abgeliefert und eingeschmolzen oder bezahlt werden mußte. Da die unter dem Namen „Repunzierungstaxe" eingehobene Luxussteuer weiterhin bestand, verwendete man als neues Zeichen anstelle der Repunze und Befreiungspunze ab 1810 den Taxfreistempel[2].

Die im Wiener Kongreß (1814/15) ausgehandelten Beschlüsse und der Friedensschluß von 1815 ermöglichten einen stetigen wirtschaftlichen Aufschwung und in Zusammenhang damit die Gesundung des Staatshaushaltes. Daher erklärte das von Kaiser Franz I. am 1. April 1824 erlassene Punzierungsgesetz alle vorausgegangenen Patente für ungültig und setzte die Punzierungsgebühr auf die Hälfte herab.

Durch die zu Beginn des Jahrhunderts eingesetzte neue Punzierungsordnung wurde ein Gewerbezweig in Mitleidenschaft gezogen, dessen Erzeugnisse nicht unwesentlich zum guten Ruf Wiens bezüglich der hohen handwerklichen Qualität und Findung eigenständiger Formen im 19. Jahrhundert beigetragen hatte. 1823 waren in der k. k. Haupt- und Residenzstadt 167 bürgerliche Gold- und Silberschmiede und ca. 203 Befugte tätig. Außerdem gab es noch vier Galanteriewarenfabriken[3]. 1830 arbeiteten bereits 206 Meister in Wien. Am 8. Oktober 1775 war die Handwerksordnung der Wiener bürgerlichen Gold- und Silberschmiede, die eine sechsjährige Lehrzeit absolvieren mußten, erneuert worden. „Jeder Gold- und Silberarbeiter, der ein Meisterrecht oder Befugnis erhalten hat, ist hier nicht bloß zur Verfertigung der Gold- und Silbergefäße, sondern auch der Galantoriearbeiten befugt, welche letztere keiner besonderen Erwerbsclasse zugewiesen sind. Die Befugnisse hierzu dürfen aber nur solchen Individuen ertheilt werden, welche bey dem Hauptmünzamte Prüfung gemacht, bey der Graveur-Akademie im Zeichnen und Bossieren Proben ihrer Fähigkeit abgelegt, und endlich die eigentliche Arbeits- oder Meisterprobe verfertigt haben. Diese Meisterstücke

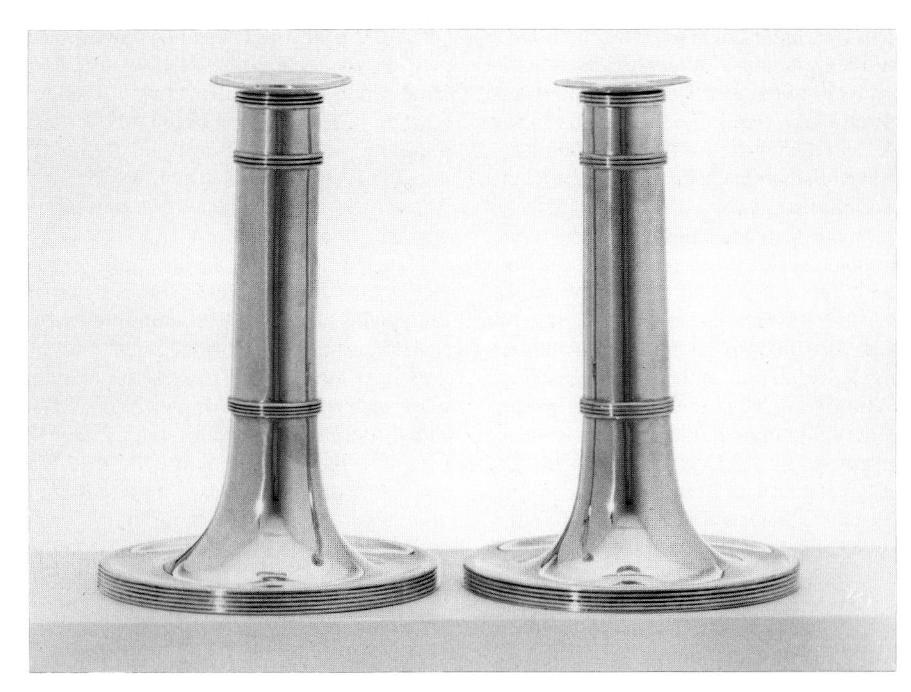

Kat. Nr. 6/3/3

Kat. Nr. 6/3/12

sind nach der Innungsordnung: bey den Silberarbeitergesellen ein getriebener und vergoldeter Kelch, oder ein anderes verkäufliches Stück, . . . bey den Goldarbeitergesellen ein mit echten Steinen gefaßtes Schmuckstück, z. B. ein Kamm, Ohrgehänge . . .; bey den Galanteriearbeitergesellen eine gravierte und ciselierte goldene Dose oder ein anderes zum Beweise der erforderlichen Fähigkeit wohl ausgearbeitetes Stück"[4].

Folgeerscheinung der Punzierungsgesetze von 1806 und 1809 war in dem Falle, daß die Steuer nicht erlegt werden konnte, das Einschmelzen unzähliger historisch und künstlerisch wertvoller Edelmetallgegenstände.

Es finden sich jedoch immer wieder Geräte, die keine der oben erwähnten Steuerpunzen aufweisen. Dies bedeutet – von Fälschungen abgesehen –, daß diese Silberwaren den Behörden nicht bekannt waren, weil man die Objekte vor ihnen verheimlicht hatte.

Erforscht man in öffentlichen und privaten Sammlungen deren Bestände an Wiener Biedermeiersilber, so findet man hauptsächlich für damalige Begriffe notwendige Objektgruppen erhalten, wie Leuchter, Kannen, Dosen oder Tafelgeräte des täglichen Gebrauchs. Unnötiges, nämlich reine Dekorationsgegenstände, sind kaum mehr vorhanden.

Die formale Entwicklung des Wiener Silbers erfolgte nach den allgemein gültigen Geschmackstendenzen. Ebenso wie in den anderen kunsthandwerklichen Sparten, lassen sich beim Metall gewisse Phasen aufzeigen. So wurden zwischen 1815 und 1825 vielfach die Grundformen des Klassizismus beibehalten, doch statt pathetischer Monumentalität prägten bereits Sachlichkeit, Zweckmäßigkeit und verspielte Leichtigkeit die größtenteils noch händisch ausgeführten Erzeugnisse.

Die vielfach an englischen und französischen Vorbildern orientierten Werke zeigen jedoch bereits eine unverwechselbare wienerische Note, da die Formen eben nicht vollkommen übernommen, sondern abgewandelt wiedergegeben wurden. Die geschlossene Umrißlinie herrscht vor und verleiht den formal schlichten Objekten, von wenigen Ausnahmen abgesehen, eine ausgeprägte Eleganz. So verstärken beispielsweise die hochgezogenen, auf unterschiedlichste Weise gebogenen und geknickten Henkel aus Metall oder Holz noch diese Wirkung bei den in die Höhe strebenden, ovalen oder zylindrischen Ausschenkkannen. Die als Relikte aus dem 18. Jahrhundert entnommenen Deckelbekrönungen in Form von Ästen mit Früchten und Samen oder Blüten stören diesen Gesamteindruck keineswegs.

Der vertikal langgestreckte Leuchtertyp mit trompetenförmigem Fuß und abgesetzter Tülle und seiner waagrechten Ornamentik ist noch ganz dem Klassizismus verhaftet. Der an den Gegenständen in verschiedener Dicke angebrachte, friesartige Dekor besteht vielfach aus Palmettenmotiven, Perl- und Wellenstab, Weinlaub, Blumen-, Frucht- und Lorbeerranken. Diese zurückhaltende, feine Ornamentik verstärkt ebenfalls noch die elegante Wirkung der Silbergeräte.

Diesen vorwiegend handgearbeiteten Objekten ist überdies eine ausgezeichnete handwerkliche Fertigung gemeinsam. Denselben Qualitätskriterien unterliegen auch die Arbeiten aus Vermeil. Die Technik der Feuervergoldung von Silber wurde in Frankreich perfektioniert, aber auch von den Wiener Silberschmieden auf das Vollkommenste beherrscht. Bei einem Vergleich von Pariser und Wiener Vermeilgegenständen ist hinsichtlich der technischen Bearbeitung, ausgenommen lokaler Besonderheiten, kein Unterschied im handwerklichen Niveau zu bemerken.

„Die Silberarbeiten theilen sich vornehmlich in die Hammerarbeit, die getriebene, die Punzarbeit und die Filigranarbeit, daher es in den Werkstätten der Silberarbeiter auch mehrerley Gesellen gibt, z. B. Hammerarbeiter, welche das Silber zu Gefäßen ausschlagen (treiben), und Punzarbeiter (Ciselirer), welche mit Punzen die verschiedenen Verzierungen machen u.s.w.“[5].

Da die manuelle Anfertigung eines Gegenstandes arbeitsintensiv und daher kostspielig sein mußte, bemühte man sich, Bearbeitungsmethoden und Materialien zu finden, die eine raschere und billigere Produktion ermöglichten. 1823 wurde dem Silberarbeiter und Plattierwarenfabrikanten Stephan Mayerhofer ein Patent ausgestellt, das ihm gestattete, „Silberwaren jeder Gattung und Form mittels Maschine zu erzeugen“[6]. Im Jahre 1824 erhielt Alois Johann Würth ein Privileg für die „Verbesserung verschiedener Gattungen und Waaren aus 13-löthigem Wiener Probesilber auf weit schnellere, schönere und höchsten Grad der Vollkommenheit bezweckende Art“ zu erzeugen[7].

Die hier angesprochenen Erzeugnisse wurden zumeist aus plattierten Metallen, „und zwar sowohl nach teutscher, als nach englischer Manier“[8], verfertigt. Dabei wurde eine dünne Gold- oder Silberschichte auf eine Kupfer-, Messing-, Tombak- oder Eisenunterlage aufgebracht. Unter Hitzeeinwirkung wurden die einzelnen Schichten aneinandergeschmolzen und anschließend ausgewalzt, um als ‚Blech‘ weiterverarbeitet zu werden. Dieses Verfahren, das Matthäus Rosthorn um 1765 von England nach Wien gebracht hatte[9], wurde vorwiegend bei Tee- oder Kaffeeservicen, Teller, Tassen, Leuchter, Gürtelschnallen und Knöpfen angewandt. Die unter geringen Kosten und rasch hergestellten Ersatzprodukte erlaubten den Konsumenten das Gefühl, mit ähnlichen Einrichtungs- bzw. Gebrauchsgegenständen wie die von ihnen imitierten vermögenden Schichten zu leben und sich eine Scheinwelt aufzubauen. Da die Qualität der maschinell verfertigten Produkte eher gering war, vermied man unnötige Verzierungen, weil durch die oftmalige Reinigung das nur in dünner Schicht vorhandene Silber leicht abgerieben wurde und die jeweilige Metallunterlage zum Vorschein kam.

In der zweiten geschmacksbildenden Phase von 1825 bis 1840 wurden die handgearbeiteten Erzeugnisse zwar weiterhin bevorzugt, die Ersatzprodukte aber wegen ihrer geringen Anschaffungskosten immer beliebter.

Zwischen 1825 und 1830 änderte sich bei den hochstrebenden, eleganten Geräten nach und nach der formale Ausdruck. Die Gegenstände wurden in der Höhe gedrückt und bildeten bauchige Formen aus. Als Ornament wurden Rosenbordüren eingeführt, die beispielsweise über dem Fuß und unter der Tülle von Leuchtern, bei Kannen in der Schulter- und Halsregion angebracht wurden. Die Henkel verkürzten sich und erhielten breitere Rundungen. Außerdem wurde um 1840 begonnen, die Füße von Rechauds, Aufsätzen oder Salzschalen vielfach in floralen Motiven auszuführen, die zumeist nicht getrieben, sondern gepreßt waren.

Ab 1835 erscheinen wieder Formen und Ornamente des 18. Jahrhunderts, die unter dem Stilbegriff „zweites Rokoko“ einzuordnen sind. Dabei wurden die Gefäße immer gedrungener gestaltet, Buckel und Wülste aus dem Silberblech herausgetrieben oder gepreßt. Eingezogene oder kantig nach außen tretende Rippen, die zu richtigen Zacken ausgeformt sein konnten, bildeten die Wandungen der Gefäße. Manche Gegenstände waren derartig übertrieben verzerrt gestaltet, daß ihr Gebrauchszweck bei flüchtiger Betrachtung kaum zu erraten war. Einzelne Blüten, Buketts oder Blattwerk, speziell aber Rosenmotive, wurden als Dekor eingesetzt. Die Ornamente wurden zumeist so hoch aus dem Metall herausgehoben, daß sie vollplastisch wirkten und so die Bewegung in den Objekten noch verstärkten. Im Sinne der floralen Motivik wurden die Füße der verschiedensten Geräte in Akanthuslaub ausgeführt.

Gerade diese fast wild zu nennenden Gefäße wurden vorwiegend maschinell hergestellt, da das manuelle Herausarbeiten der den ganzen Gegenstand überziehenden Dekore zu zeitaufwendig und daher zu kostspielig geworden wäre.

Vergleicht man die Erzeugnisse der ersten und dritten Stilphase miteinander, dann gewinnt man den Eindruck, daß sich der Geschmack der Konsumenten diametral auseinander bewegt hatte. War um 1815 der Klassizismus noch formgebender Stil, der elegante, sparsam dekorierte Gebilde entstehen ließ, so weisen die Geräte ab 1835 in ihrem formalen Ausdruck bereits auf den Historismus hin. Für den gesamten Zeitraum von 1815 bis 1848 muß jedoch die Eigenständigkeit der

Kat. Nr. 6/3/29

Kat. Nr. 6/3/36

Kat. Nr. 6/3/60

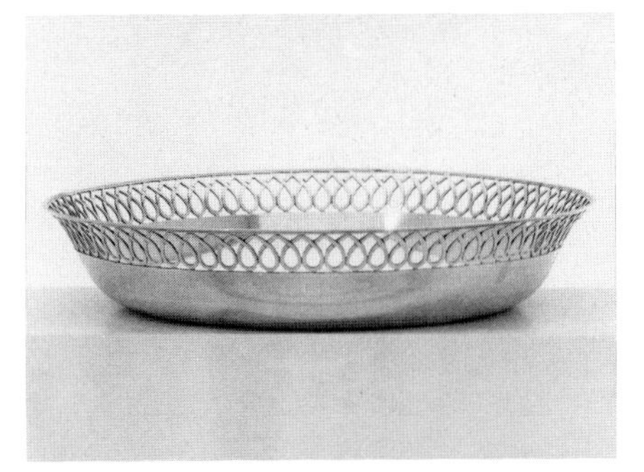

Kat. Nr. 6/3/66

Kat. Nr. 6/3/72

Kat. Nr. 6/3/73

Kat. Nr. 6/3/74

Kat. Nr. 6/3/47

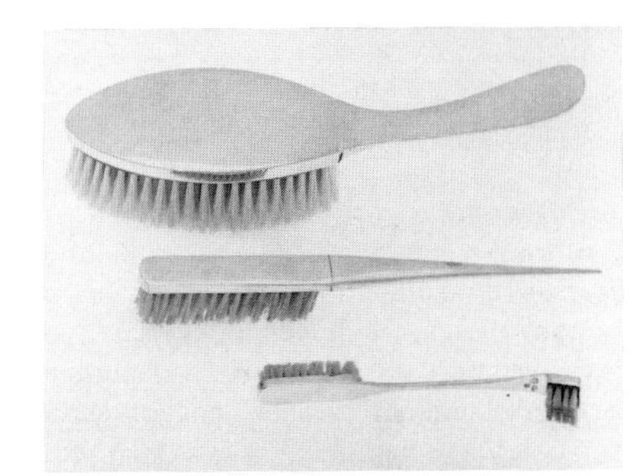

Kat. Nr. 6/3/76

Kat. Nr. 6/3/30

Kat. Nr. 6/3/75

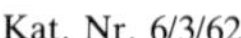

Kat. Nr. 6/3/62

Kat. Nr. 6/3/42

Formen und Dekore und das hohe handwerkliche Niveau der Wiener Silberschmiede als gleichbleibend angesehen werden.

„Erst seit dem Jahre 1800 hat man in Wien angefangen, die Fabrication der Bijouteriewaren mit mehr Geschmack und nach den Forderungen der wechselnden Mode zu betreiben, und man hat es in diesem kurzen Zeitraume hierhin so weit gebracht, daß Wien hinter wenigen Städten des Auslandes zurücksteht[10]. Kleinere Artikel, die als Schmuck oder Putz getragen werden, verfertiget im Inlande der Goldarbeiter, im Auslande aber gibt es eigene Bijouteriefabriken, worin dergleichen Schmuckwaaren (Bijouterien), wie z. B. Ringe, Ohrgehänge, Uhrketten und Uhrgehänge, Halsketten, Kreuze, Schieber, Armbänder, Vorstecknadeln, Petschafte, Kämme, Knöpfe, Schnallen, Dosen, Degengefäße, Etuis, Augenglasfassungen u.s.w. aus Gold und Silber, zuweilen auch aus unedlem Metalle, verfertigt werden. Manche Schmuckwaaren oder einzelne Theile derselben, wie Ketten, Ringe, Arme und Griffe der Petschafte, Ohrgehänge werden aus Golddraht, stärkere, wie Dosen, Medaillons aus Goldplatten und Goldblech verfertigt, welches der Bijouteriefabrikant, so wie den Draht, gewöhnlich selbst macht“[11].

Ebenso wie die bereits besprochenen Gebrauchsgegenstände aus edlen Metallen war der Schmuck in der ersten Hälfte des 19. Jahrhunderts einer formalen Veränderung unterworfen. Bis ca. 1830 war der Klassizismus der geschmacksbildende Stil, der sich aber hauptsächlich in der Ornamentik und Motivik ausdrückte. Die äußere Form der Schmuckstücke wurde vielfach der Kleidermode angepaßt. Wie diese sollten sie möglichst eng dem Körper anliegen und, aus feingliedrigen Teilen bestehend, die Zartheit der Gesamterscheinung noch unterstreichen.

Die Dekore wurden der Antike entlehnt. Palmetten, Mäander, Perlstab, Rosetten, Füllhörner und Akanthus zierten die Kleinodien, die in verschiedenfärbigem Gold und bevorzugt auch Email ausgeführt wurden. Die antiken Ornamente wurden jedoch weiterentwickelt und dem veränderten Zeitgeist entsprechend neu interpretiert.

In der Biedermeierzeit trat diesbezüglich eine Änderung ein, als keine Stileinheit von Kleidung und Schmuck mehr angestrebt wurde. Man bemühte sich schließlich nicht einmal mehr um eine Übereinstimmung der Ornamente. Auf Schmuckstücken wurden Motive des Mittelalters, der Renaissance, des Barocks und des Rokokos gleichzeitig verwendet und miteinander kombiniert.

Das aufstrebende, an Einfluß gewinnende Bürgertum sah seine Wurzeln im Mittelalter, das in seiner Vorstellung mit dem wirtschaftlichen und politischen Aufschwung der Städte und einer gewissen Unabhängigkeit der darin Lebenden verbunden war. Von den Romantikern wurde in den Journalen des ersten Viertels des 19. Jahrhunderts eine an der Dürer-Zeit inspirierte Mode angepriesen, zu der auch der passende Schmuck entwickelt wurde. Architektonische Elemente der Gotik wie Spitzbogen und Maßwerk wurden für die Schmuckgestaltung herangezogen, während man die inhaltlichen Motive in der Geschichte des Rittertums fand. Diese Anregungen wurden zuerst im Eisenschmuck verwirklicht, wobei, beginnend um 1810, gotische Architekturformen zu Ketten, Broschen, Ohrgehängen und Armbändern zusammengesetzt wurden.

Daneben erfuhr die Renaissance eine Wiederbelebung in den neu aufgenommenen Rollwerkornamenten des späten 16. Jahrhunderts. Ab 1830 traten wieder Formen und Dekore des 18. Jahrhunderts – zuerst auf höfischen Paruren und davon ausgehend auch auf von Bürgern getragenen Schmuckstücken – auf. In der Zeit zwischen 1830 und 1850 wurden schließlich die Ornamente immer voluminöser und die ehemals nüchternen und eleganten Formen rundlich und gefällig. Dabei erwies sich die neu entwickelte Preßtechnik als vorteilhaft. Sie ermöglichte es, die füllig erscheinenden Formen kostengünstig aus hauchdünnem Goldblech, dem sogenannten Schaumgold, herzustellen,

Kat. Nr. 6/3/41

Kat. Nr. 6/3/49

während das Kleinod in früheren Jahrhunderten aus edlem Metall in ausreichender Stärke gegossen und getrieben war. Anhänger und Broschen aus Schaumgold wurden gelegentlich mit einer kittartigen Masse ausgegossen, die – ebenso wie eine Goldverbödung – dem Gegenstand eine zusätzliche Festigkeit geben sollte.

Das Voluminöser- und Ausladender-Werden der weiblichen Kleidung bewirkte eine Vergrößerung der Schmuckstücke und Zierelemente. „Durch die Größe, ihre mehrfache Wiederholung auf Collier, Brosche und Ohrgehängen und durch die zusätzlichen Anhängeglieder entfalteten die einzelnen Ornamente – meist Kartuschen oder Rocaillen – eine lebhafte und prächtige Wirkung, die durch das Anhängen kleiner, sehr beweglicher Kettchen mit Bommeln und Quasten noch gesteigert wurde. Diese Anhängekettchen kamen Mitte der vierziger Jahre auf, als im Zusammenhang mit den französischen Algerienkriegen Elemente der arabischen Kleidung in die Mode Eingang fanden und auch auf den Schmuck übertragen wurden"[12].

Die Tendenz zur Vergrößerung der Ornamente machte sich auch im Brillantschmuck bemerkbar. Stephan Edler von Keeß berichtete, daß „gefaßte Edelsteinne ein Lieblingsschmuck des Adels der österr. Staaten sind. Es werden daher sehr viele kostbare Steine theils in mattem Golde und Email in vielerley Farben nach agyptischem Geschmacke, theils auch mit Brillanten carmusiert, gefaßt, und eben darum sind jetzt die kostbaren Steine, wie Smaragden, Rubinen, Saphire, Opale schon selten und theuer"[13].

Der biedermeierliche Schmuck wurde sehr farbenfroh gestaltet. Das Email war häufig in kräftiger Kolorierung gehalten, auf Ketten, Armbändern und Broschen wurden Steine in verschiedenen Farben kombiniert und in bunter Abfolge gefaßt. Auch Gold wurde oft in mehreren Färbungen – abhängig vom jeweiligen Zusatz – gelblich, grünlich, rötlich verarbeitet. Außerdem erzielte man durch unterschiedliche Behandlung der Metalloberfläche abweichende Ergebnisse und Wirkungen. So wurden immer wieder glänzend polierte Flächen matt gepunzten gegenübergestellt.

Neben dem heute noch erhaltenen Schmuck werden hauptsächlich Porträts aus der Zeit als Quellen für die verschiedenen Geschmeidetypen herangezogen. Auf diesen kann man ersehen, daß Gliederketten im Stil der Renaissance, aber auch solche aus „gestricktem Gold" ab 1820 getragen wurden. Dazu Keeß: „Die Venetianer Ketten sind in Wien fast ganz aus der Mode gekommen, und von den neuen dicken Ketten aus gewalztem und aus gaufrirtem Drahte verdrängt worden . . . Die Wiener Juwelierarbeiten gehören zu den vorzüglicheren in Europa,

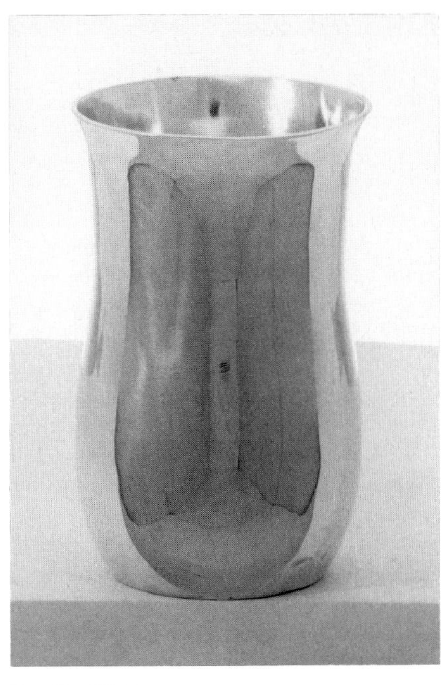

Kat. Nr. 6/3/46

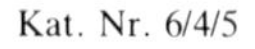
Kat. Nr. 6/4/5

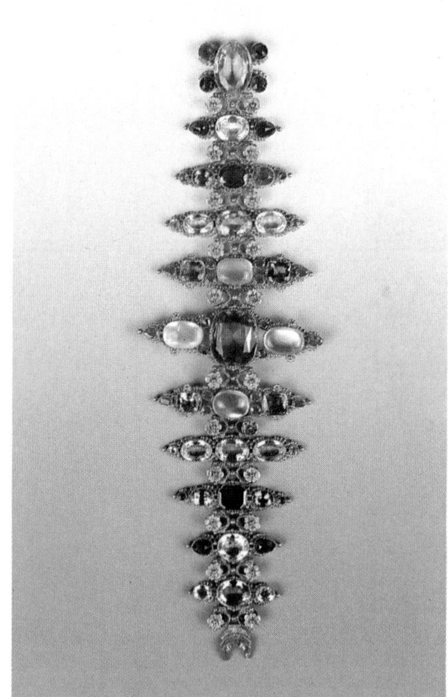

Kat. Nr. 6/4/22

Kat. Nr. 6/4/7

selbst in Rosettenarbeit, worin bisher St. Petersburg einen großen Vorzug vor anderen Städten behauptete, wird gegenwärtig jede Aufgabe gelöst“[14].

Symbolhafte Elemente, wie verschlungene Hände als Zeichen ehelicher Verbundenheit, wurden in Form von Ringen, aber auch als Verschlüsse von Armbändern und Ketten wiedergegeben. Zu dem Gedenkschmuck sind auch die unterschiedlichsten Kreationen aus Haar zu zählen. Wurden keine Hauben getragen, so bildeten Ohrgehänge häufig den einzigen Schmuck. Sie konnten eine Länge bis zu 8 cm aufweisen.

Der Schmuck aus der Zeit zwischen 1835 und 1850 sollte optisch die Illusion erwecken, wertvoller und kostbarer zu sein, als dies der Realität entsprach. Die Volumen vortäuschenden, ausladenden Ornamente waren, wie bereits erwähnt, aus dünnem Goldblech gefertigt, und Halbedelsteine oder gar Glassteine wurden anstelle von Edelsteinen als Farbakzente eingesetzt. Zahlreiche Motive wurden den vergangenen Stilepochen entnommen und abgewandelt zu neuen Kombinationen zusammengestellt, da man nicht imitieren, sondern nur einen annähernd ähnlichen Eindruck erwecken wollte.

Es ist dies ein Faktor, daß das Interesse an der Biedermeierepoche in der Gegenwart verstärkt eingesetzt hat. Dies liegt sicherlich nicht nur in dem Umstand, daß man die Erzeugnisse dieser Geschmacksperiode wieder zu schätzen weiß, sondern auch in der Tatsache, daß es als ein Paradigma für Gemütlichkeit, Beschaulichkeit und freundschaftlichen und familiären Zusammenhalt gegenüber den als negativ empfundenen Einflüssen von außen angesehen wird.

**Anmerkungen:**

[1] Karl Knies, Die Punzierung in Österreich. Wien 1896, S. 24.
[2] Alfred Rohrwasser, Österreichs Punzen. Edelmetall-Punzierung in Österreich von 1524 bis 1984. Perchtoldsdorf 1983, S. 13.
[3] Darstellung des Fabriks- und Gewerbewesens im österreichischen Kaiserstaate. Vorzüglich in technischer Beziehung. Hrsg. von Stephan Edlem von Keeß. Wien 1823, 2. Bd., S. 449.
[4] Keeß, a. a. O., S. 437.
[5] Keeß, a. a. O., S. 438.
[6] Wilhelm Mrazek, Das Kunstgewerbe. In: R. Feuchtmüller / W. Mrazek: Biedermeier in Österreich. Wien – Hannover – Bern 1963, S. 106.
[7] Mrazek, a. a. O., S. 106.
[8] Keeß, a. a. O., S. 526.
[9] Keeß, a. a. O., S. 526.
[10] Keeß, a. a. O., S. 449.
[11] Keeß, a. a. O., S. 442.
[12] Brigitte Marquardt, Schmuck. Klassizismus und Biedermeier 1780–1850. Deutschland, Österreich, Schweiz. München 1983, S. 115.
[13] Keeß, a. a. O., S. 450.
[14] Keeß, a. a. O., S. 450.

# 6 KUNSTHANDWERK

## 6/1 Glas

### Gläser von Mohn und Kothgasser: Ansichten von Wien und Umgebung

**6/1/1**
**Anton Kothgasser (1769–1851)**
**Ranftbecher, Wien, um 1830**

Farbloses Glas, geschliffen, Gelbbeize, Transparent- und Goldmalerei
H.: 11,1 cm
Wandung und Fußwulst außen und innen vergoldet, auf der Wandung Darstellung des Stephansdomes
Geschliffener Bodenstern
HM, Inv. Nr. 116.513
Abbildung

**6/1/2**
**Anton Kothgasser**
**Ranftbecher, Wien, um 1830**

Farbloses Glas, geschliffen, Gelbbeize, Schwarzlotmalerei
H.: 11,1 cm

Auf der Vorderseite der Wandung in Schwarzlotmalerei auf rosa Grund Darstellung der Stephanskirche. Darunter Beschriftung: „Domkirche zu St. Stephan/Wien". Auf der Rückseite rosa und grüne Ornamentmalerei, in der Mitte silbergelb gebeizte Kreise mit Rosetten in Schwarzlotmalerei. Geschliffener, silbergelb gebeizter Bodenstern.
HM, Inv. Nr. 65.843
*Lit.: Ausstellung von Gläsern, Wien 1922, Kat. Nr. 160.*
Abbildung

**6/1/3**
**Anton Kothgasser**
**Deckelpokal, Wien, um 1815/20**

Farbloses Glas, Gelbbeize, Transparent- und Goldmalerei. In einer Holzmodel geblasener und achtseitig geschliffener Fuß
H.: 19 cm
Sign.: A. K. auf der Innenseite des Fußes. Auf der Vorderseite der Wandung querrechteckiges Bildfeld mit der bunten Ansicht des Reichskanzleitraktes der Wiener Hofburg. Darunter Beschriftung: „Place de la Cour Imp.: le et Roy le à Vienne".
Privatbesitz
Abbildung

**6/1/4**
**Anton Kothgasser**
**Ranftbecher, Wien, um 1820/1825**

Farbloses Glas, Emailmalerei
H.: 12,1 cm
Auf der Vorderseite der Wandung bunte Darstellung des Reichskanzleitraktes der Hofburg. Darunter Beschriftung: „Place de la Cour Imp. le et Roy le à Vienne". Auf der Rückseite der Wandung später eingeätzt: „Domladisch János 1900 Fiume"
HM, Inv. Nr. 56.249
Abbildung

Kat. Nr. 6/1/2

Kat. Nr. 6/1/3

Kat. Nr. 6/1/4

Kat. Nr. 6/1/6

Kat. Nr. 6/1/9

Kat. Nr. 6/1/55

Kat. Nr. 6/1/11

Kat. Nr. 6/1/15

Kat. Nr. 6/1/14

Kat. Nr. 6/1/12

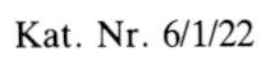
Kat. Nr. 6/1/22

Kat. Nr. 6/1/7

Kat. Nr. 6/1/21

Kat. Nr. 6/1/44

Kat. Nr. 6/1/1

Kat. Nr. 6/1/27

**6/1/5**
**Anton Kothgasser**
**Ranftbecher, Wien, um 1820/30**

Farbloses Glas, Transparentmalerei, vergoldet
H.: 11,8 cm
Auf der Vorderseite der Wandung bunte Ansicht des Platzes Am Hof. Darunter Beschriftung: „Vue de la Chancellerie Imp. et Roy. de Guerre et de l'église sur le Hof à Vienne"
HM, Inv. Nr. 56.252

**6/1/6**
**Anton Kothgasser**
**Ranftbecher, Wien, um 1825**

Farbloses Glas, Transparentmalerei, vergoldet
H.: 12,2 cm
Auf der Vorderseite der Wandung Darstellung des Kohlmarktes in ornamentaler Umrahmung. Darunter Beschriftung: „Vue du Kohlmarkt à Vienne".
HM, Inv. Nr. 116.518
Abbildung

**6/1/7**
**Anton Kothgasser**
**Ranftbecher, Wien, um 1830/35**

Farbloses Glas, Email- und Goldmalerei
H.: 12,1 cm
Wandung innen und außen vergoldet, auf der Vorderseite der Wandung bunte Darstellung des Josephsplatzes und der Hofbibliothek. Darunter Beschriftung: „Place de la Bibliotheque I et R et la Statue/de Joseph II. à Vienne"
HM, Inv. Nr. 56.251
Abbildung

**6/1/8**
**Anton Kothgasser**
**Ranftbecher, Wien, um 1835**

Farbloses Glas, Email-, Silber- und Goldmalerei
H.: 12 cm
Wandung und Fußwulst versilbert, innen vergoldet, auf der Vorderseite der Wandung Darstellung des Neuen Marktes. Darunter Beschriftung: „Vue de la Place de Neuen Markt à Vienne". Geschliffener Bodenstern
HM, Inv. Nr. 56.248
*Lit.: Ausstellung von Gläsern, Wien 1922, Kat. Nr. 161.*

**6/1/9**
**Gottlob Samuel Mohn (1789–1825)**
**Becher, Wien, 1816**

Farbloses Glas, Transparentmalerei
H.: 10 cm
Sign. re. u.: „G. Mohn f. 1816"
Zylindrischer Glasbecher, auf der Wandung querrechteckiges Bildfeld mit bunter Darstellung der Karlskirche. Auf der Rückseite die Beschriftung: „Die Caroluskirche in Wien".
HM, Inv. Nr. 116.443
Abbildung

**6/1/10**
**Anton Kothgasser**
**Ranftbecher, Wien, um 1820/25**

Farbloses Glas, Gelbbeize, Transparentmalerei
H.: 12 cm
An der Vorderseite der Wandung querrechteckiges Bildfeld mit Darstellung des Karlsplatzes. Darunter Beschriftung: „L'institut polytechnique et l'eglise de St. Charles à Vienne"
HM, Inv. Nr. 116.517
Abbildung

**6/1/11**
**Anton Kothgasser**
**Ranftbecher, Wien, um 1840**

Farbloses Glas, Emailmalerei, vergoldet
H.: 12,5 cm
Wandung und Fußwulst außen und innen vergoldet, auf der Vorderseite der Wandung querrechteckiges Bildfeld mit bunter Darstellung von Schloß Schönbrunn, darunter Beschriftung: „Entrée au Château de Schoenbrunn".
HM, Inv. Nr. 116.512
Abbildung

**6/1/12**
**Gottlob Samuel Mohn**
**Pokal der Wildensteiner Ritterschaft, Wien, 1816**

Farbloses Glas, Gelbbeize, transparente und opake Malerei, Vergoldung
H.: 19,8 cm
Sign. re. unter dem Bild: „Mohn 1816"
Ansicht der Burg Kranichberg mit transparenten Farben gemalt. Rückseitig Beschriftung „Kranichberg"
Wien, Glasgalerie Michael Kovacek

„Die Wildensteiner Ritterschaft zu blauer Erde" war eine Vereinigung teils hochstehender Persönlichkeiten (Erzherzog Johann war Mitglied) mit dem Ziel, das Deutschtum des Mittelalters wieder zu beleben. In der Literatur sind bis jetzt insgesamt 9 Pokale – alle von Gottlob Samuel Mohn, mit verschiedenen Burgansichten bemalt – erwähnt.
MK
Abbildung

**6/1/13**
**Anton Kothgasser**
**Ranftbecher, Wien, um 1830**

Farbloses Glas, Transparent- und Goldmalerei
H.: 11 cm
Auf der Vorderseite der Wandung in querrechteckigem Bildfeld bunte Landschaft mit Leopoldsberg, im Vordergrund das Kahlenberger Dörfl
Darunter Beschriftung: „Das Kahlenberger Dörfchen u. der Leopoldsberg"
Prag, Kunstgewerbemuseum, Inv. Nr. 24.694
*Lit.: Pazaurcek/Philippovich, Gläser der Empire- und Biedermeierzeit, Leipzig 1923, Abb. 176.*

**6/1/14**
**Anton Kothgasser**
**Ranftbecher, Wien, um 1825/30**

Farbloses Glas, Gelbbeize, Transparent- und Goldmalerei
H.: 12,2 cm
Auf der Vorderseite der Wandung querrechteckiges Bildfeld mit Darstellung des Josefsbades in Baden bei Wien. Darunter Beschriftung: „Vue du bain de Joseph devant le Frauenthor à Baden"
Wien, Glasgalerie Michael Kovacek
Abbildung

**6/1/15**
**Anton Kothgasser**
**Ranftbecher, Wien, um 1830**

Farbloses Glas, Emailmalerei
H.: 12 cm
Wandung und Fußwulst innen und außen vergoldet, auf der Vorderseite der Wandung querrechteckiges Bildfeld mit bunter Darstellung der Weilburg bei Baden. Darunter Beschriftung: „Vue du château de Weilburg près de Baden"
HM, Inv. Nr. 116.516
Abbildung

**6/1/16**
**Anton Kothgasser**
**Ranftbecher in Originaletui, Wien, 1817**

Farbloses Glas, Gelbbeize, Transparent- und Goldmalerei
H.: 11,4 cm
Sign.: A. K.
Auf der Vorderseite der Wandung querrechteckiges Bildfeld mit bunter Darstellung von Stift Melk, darunter Beschriftung: „Ansicht der Benediktiner Abtey Melk". Rückseitig Beschriftung: „Anton Reyberger". Auf der Unterseite des Bodens Wappen des Abtes Anton Reyberger. Im Wappen Datierung 1817. Das originale rote Lederetui ist mit geprägten Goldornamenten verziert und mit blauer Seide ausgefüttert. Monogramm „J T" auf der Oberseite des Etuis.
Wien, Glasgalerie Michael Kovacek
Abbildung

**6/1/17**
**Anton Kothgasser**
**Lichtschirm mit Ansicht des Michaelerplatzes**

Wien, um 1820
Bombierte Glasplatte, Transparentmalerei, 12 × 15,5 cm
Mit Fassung aus vergoldeter Bronze, 44,5 × 17 cm
Lichtschirm beschr. Mi. u.: „Der Michaeler Platz"
Privatbesitz
*Lit.: Feuchtmüller/Mrazek, T. 109; Heintschel/Dawid, Lampen – Leuchter – Laternen, Innsbruck und Frankfurt 1975, T. S. 144.*
Abbildung

Kat. Nr. 6/1/17

Kat. Nr. 6/1/16

**6/1/18**
**Anton Kothgasser**
**Lichtschirm mit Ansicht der Franzensburg**

Wien, 1815/25
Transparent bemaltes Glasbild, Granitsockel, vergoldete Messingmontierung
H.: 33,3 cm, Glasbildgröße 8,8 × 6,6 cm
Wien, Glasgalerie Michael Kovacek

Der verstellbare Lichtschirm, getragen von zwei gewundenen, vergoldeten Schlangen, zeigt auf einer mit transparenten Farben bemalten Glasplatte die Ansicht der Franzensburg im Schloßpark von Laxenburg.
MK

## Gläser von Mohn und Kothgasser: Blumen

Blumengläser gehörten wie die Wiener Vedutengläser zu den beliebtesten Geschenkartikeln. Sie waren teilweise recht billig und schon für 12 bis 18 fl. zu haben. Die darauf dargestellten Blumen besaßen der Herstellungszeit entsprechend eine verbindliche Aussagekraft.

Neben einfachen, schlichten Rosen wurden vor allem die schon wegen des Namens so beliebten Vergißmeinnicht symbolisch eingesetzt.

Häufig finden sich auch Stiefmütterchen, die jedoch auch im täglichen deutschen Sprachgebrauch den französischen Namen Pensées (= Gedanken) trugen. In Kombination mit diesen wurden oftmals sogenannte „Immortellen", die ewige Liebe und Freundschaft beschwören, dargestellt.
Sylvia Wurm

**6/1/19**
**Gottlob Samuel Mohn**
**Becher, Wien, 1813**

Farbloses Glas, Transparentmalerei
H.: 13 cm
Sign.: Mohn f.
Um den Lippenrand Bordüre aus bunten Blumen. Die Vorderseite der Wandung zeigt Initialen „E. H.", die aus Vergißmeinnicht gebildet sind. An der Rückseite Widmung: „Am 19ten Nov. 1813". Kleine schwarz gemalte Insekten
HM, Inv. Nr. 116.481

Beispiel für ein auf private Bestellung gearbeitetes Glas. Solche Gläser sind Einzelstücke und entsprechend selten erhalten.
SWu

**6/1/20**
**Gottlob Samuel Mohn**
**Becher, Wien, 1814**

Farbloses Glas, Gelbbeize, Transparentmalerei
H.: 9,4 cm
Sign. u. dat.: G. Mohn, 1814 Wien
Blumenbouquet in schwarz gerahmtem Feld
Wien, Österreichisches Museum für angewandte Kunst, Inv. Nr. Gl 3118
Abbildung

**6/1/21**
**Anton Kothgasser**
**Becher, Wien, um 1815**

Farbloses Glas, Transparentmalerei
H.: 9,8 cm
Sign.: A. K.
Beschriftung: „Ehret die Männer! Sie sorgen und heben, jedes Bedürfnis im häuslichen Leben".
Verziert mit Goldrand und Blumengirlanden sowie Sonnenblumen, Vergißmeinnicht, Efeuranken und goldenen Pfeilen
HM, Inv. Nr. 116.472
Abbildung

Kat. Nr. 6/1/20

Kat. Nr. 6/1/28

**6/1/22**
**Anton Kothgasser**
**Ranftbecher, Wien, um 1820**

Farbloses Glas, Transparentmalerei
H.: 11 cm
Um den Mundrand breite Bordüren aus Rosen, Vergißmeinnicht sowie goldenen Pfeilen dazwischen. Darunter die Aufschrift auf silbergelbem Fond: „Ehret die Frauen! Sie flechten und weben, himmlische Rosen ins irdische Leben".
HM, Inv. Nr. 116.444

*„Ehret die Frauen! Sie flechten und weben,*
*himmlische Rosen ins irdische Leben,*
*flechten der Liebe beglückendes Band,*
*und in der Grazie züchtigem Schleier,*
*nähren sie wachsam das ewige Feuer*
*schöner Gefühle mit heiliger Hand."*

Dieses bereits 1795 entstandene und durch theoretische Schriften Alexander von Humboldts angeregte Gedicht Friedrich Schillers erfreute sich in der Zeit nach 1800 größter Beliebtheit und wurde – so wie auf Glas – unzählige Male zitiert. Dieses Glas ist in mehrfachen Varianten erhalten.

*Lit.: Biedermeiers Glück und Ende . . . die gestörte Idylle 1815–1848, Ausstellungskat. Münchener Stadtmuseum, S. 573.*
SWu
Abbildung

**6/1/23**
**Anton Kothgasser**
**Ranftbecher, Wien, um 1820**

Farbloses Glas, Transparentmalerei
H.: 10,5 cm
Bordüre aus Stiefmütterchen, eingefaßt von silbergelb geätzten Streifen mit Goldmalerei. Im unteren Teil Schriftband: „Mes pensées Vous suivent, Et leur souvenir me reste."
HM, Inv. Nr. 163.801

**6/1/24**
**Anton Kothgasser**
**Ranftbecher, Wien, um 1820**

Farbloses Glas, Fußwulst in Steinelschliff, Transparentmalerei
H.: 9,7 cm
Sign. auf der Unterseite: A. K.
Bordüre aus fünf ineinandergreifenden Blumenkränzen (Rosen, Vergißmeinnicht, Stiefmütterchen, Efeu, Immortellen), in der Mitte jeweils silbergelb gebeizte Rosetten, im Blumenkranz an der Vorderseite Aufschrift: „Souvenir de Baden"
HM, Inv. Nr. 116.537

**6/1/25**
**Anton Kothgasser**
**Ranftbecher, Wien, um 1820**

Farbloses Glas, Transparentmalerei
H.: 10,9 cm
Sign.: A. K.
Auf der Vorderseite der Wandung vierblättriges Kleeblatt. Auf den Blättern: „Gesundheit / verlängere / dein / Leben."
HM, Inv. Nr. 48.515

Das Glas ist durch seine Schlichtheit besonders reizvoll. Es gehörte zu den billigsten Erzeugnissen und kostete zwischen 10 und 12 fl. Derartige Gläser blieben daher in der Regel unsigniert.

*Lit.: Pazaurek/Philippovich, Gläser, S. 208.*
SWu

**6/1/26**
**Anton Kothgasser**
**Ranftbecher, Wien, um 1825**

Farbloses Glas, geschliffen, teilweise gesteinelt, Gelbbeize, Transparent- und Goldmalerei
H.: 9,5 cm
Unter dem Mundrand Bordüre aus Stiefmütterchen.
Sammlung Ronald und Joe Carol Lauder

**6/1/27**
**Anton Kothgasser**
**Ranftbecher, Wien, 1828**

Farbloses Glas, Gelbbeize, Transparent- und Goldmalerei
H.: 12,4 cm
An der Wandung Blumenstrauß aus Rosen, Vergißmeinnicht, Immortellen usw.
Wien, Österreichisches Museum für angewandte Kunst, Inv. Nr. Gl 2363

Im Glaskatalog 1922 ist noch der alte Zettelvermerk aus dem Nationalfabriksproduktenkabinett: „Gemaltes Trinkglas von Maler Ant. Kothgaßner in Wien, 1828" vermerkt.

*Lit.: Ausstellung von Gläsern, Wien 1922, Kat. Nr. 261*
SWu
Abbildung

**6/1/28**
**Anton Kothgasser**
**Ranftbecher, Wien, um 1825/30**

Farbloses Glas, geschliffen, Gelbbeize, Transparent- und Goldmalerei
H.: 11 cm
An der Wandung umlaufendes Blumenband und fliegende Schmetterlinge.
Prag, Kunstgewerbemuseum, Inv. Nr. 30.532
Abbildung

**6/1/29**
**Anton Kothgasser**
**Becher, Wien, um 1830**

Farbloses Glas, geschliffen, Gelbbeize, Transparent- und Goldmalerei
H.: 11 cm
Auf der Wandung quer Walzenschliff mit Kugelungen, im oberen Teil farbiges Blumenband.
Prag, Kunstgewerbemuseum, Inv. Nr. 15.520

Kat. Nr. 6/1/30

Kat. Nr. 6/1/31

Kat. Nr. 6/1/32

## Gläser von Kothgasser: Tiermotive

Neben der Sprache der Blumen waren auch die Tiere mit eindeutiger Symbolsprache besetzt. Neben dem treuen Hund überwiegen Darstellungen von Tauben und Schmetterlingen.

**6/1/30**
**Anton Kothgasser**
**Becher, Wien, 1815/20**

Farbloses Glas, Gelbbeize, Transparent- und Goldmalerei
H.: 8,1 cm
Sign. u.: A. K.
Zylindrischer Becher mit Darstellung der Kreuzspinne und Fliege.
Wien, Glasgalerie Michael Kovacek
Abbildung

**6/1/31**
**Anton Kothgasser**
**Becher, Wien, um 1815**

Farbloses Glas, Transparentmalerei
H.: 9,9 cm
Sign.: A. K.
Zylindrischer Becher mit ovalem Bildfeld, Rahmung Schlange als Ewigkeitssymbol. Darin zwei im Mondlicht schnäbelnde Tauben. Unterhalb des Mundrandes Aufschrift: „Nur bey Dir, und mit Dir", unter dem Bildfeld: „Unzertrennlich"
HM, Inv. Nr. 116.480

Die Darstellung zweier schnäbelnder Tauben war besonders beliebt (siehe Kat. Nr. 6/1/32), wobei die Symbolik der Sanftheit und Zärtlichkeit durch Sprüche wie „Nur bey Dir, und mit Dir" noch unterstrichen wird.

*Lit.: Pazaurek/Philippovich, Gläser, S. 201.*
SWu
Abbildung

**6/1/32**
**Anton Kothgasser**
**Ranftbecher, Wien, um 1815/20**

Farbloses Glas, Transparentmalerei
H.: 10,9 cm
Goldinschrift: „Nur bey und mit Dir".
Zwei schnäbelnde Tauben in Landschaft, auf der Rückseite Eierstabborte auf silbergelb gebeiztem Grund, Goldrand.
HM, Inv. Nr. 56.244
Abbildung

**6/1/33**
**Anton Kothgasser**
**Ranftbecher, Wien**

Farbloses Glas, geschliffen, Gelbbeize, Transparent- und Goldmalerei
H.: 10,7 cm
Sign. u. am Fuß: A. K.
Auf der Wand Darstellung eines Käfigs mit 2 Vögeln, darunter Aufschrift: „Le Desir"
Prag, Kunstgewerbemuseum, Inv. Nr. 79.909

Glückwunschkarten dieser Zeit geben ebenfalls das Motiv des gezähmten Vogels im Käfig, der vom freien Vogel, der auch gerne zugunsten des kleinen irdischen Glücks auf seine Freiheit verzichten würde, umschwärmt wird, eindeutig wieder.

*Lit.: Reingard Witzmann, Freundschafts- und Glückwunschkarten aus dem Wiener Biedermeier, Dortmund 1979, S. 144f.*
SWu
Abbildung

**6/1/34**
**Anton Kothgasser**
**Ranftbecher, Wien, um 1820**

Farbloses Glas, geschliffen, Gelbbeize, Transparent- und Goldmalerei
H.: 10,7 cm
Darstellung eines Schmetterlings, darunter die Beschriftung: „So bin ich nicht".
Prag, Kunstgewerbemuseum, Inv. Nr. 21.616

Das Symbol des Schmetterlings wird in der Biedermeierzeit oftmals als Beispiel des Wankelmutes dargestellt, welches durch den Zusatz „So bin ich nicht" ins Gegenteil verkehrt wird.

*Lit.: Pazaurek/Philippovich, Gläser, S. 201.*
SWu
Abbildung

**6/1/35**
**Anton Kothgasser**
**Ranftbecher, Wien, um 1820**

Farbloses Glas, Transparentmalerei
H.: 10,9 cm
Mundrand vergoldet, an der Wandung Darstellung eines einzelnen Goldfisches.
HM, Inv. Nr. 65.844

Der einzelne Goldfisch ist wohl als Symbol der Einsamkeit verwendet.

*Lit.: Pazaurek/Philippovich, Gläser, S. 201*
SWu

**6/1/36**
**Anton Kothgasser**
**Ranftbecher, Wien, um 1820/25**

Farbloses Glas, geschliffen, Gelbbeize
Transparent- und Goldmalerei
H.: 11 cm
An der Wandung in querrechteckigem Bildfeld Darstellung eines Hundes mit einem Brief im Maul und Ball.
Beschriftung: „Kann er auch nicht den Zweck erzielen, so zeigt er doch den guten Willen".
Prag, Kunstgewerbemuseum, Inv. Nr. 30.694
Abbildung

## Gläser von Mohn und Kothgasser: Allegorien und mythologische Szenen

**6/1/37**
**Gottlob Samuel Mohn**
**Ranftbecher, Wien, 1817**

Farbloses Glas mit Transparentmalerei
H.: 11,1 cm
Sign. u. dat.: VB 1817
Auf der Vorderseite der Wandung bunte Darstellung auf weißem Grund: Schwebender Amor in Landschaft. Darunter in schwarzer Schrift: „Zum Andenken des 18ten Aprils 1817 von deinem Dich liebenden Vater". Rückseite mit Wappendarstellungen. Fußwulst, oberer Rand und Bildumrahmung silbergelb gebeizt
HM, Inv. Nr. 116.479
Abbildung

**6/1/38**
**Anton Kothgasser**
**Ranftbecher, Wien, um 1820**

Farbloses Glas, Transparentmalerei
H.: 11,8 cm
Sign. (unterhalb der Kanneluren): A. K.
An der Wandung Darstellung eines flötenspielenden Knaben im Käfig in Landschaft. Darunter Aufschrift: „Toujours également tranquille"
HM, Inv. Nr. 56.238

Amor erscheint hier gefangen und seiner Attribute beraubt, trotzdem Flöte spielend. Ob Darstellung und Wahlspruch „Immer gleich ruhig" als Anspielung auf die politischen Umstände der Ära Metternich gemeint war bzw. auch verstanden werden sollten, bleibt unklar und eher unwahrscheinlich.
*Lit.: Pazaurek/Philippovich, Gläser, S. 194.*
SWu
Abbildung

**6/1/39**
**Anton Kothgasser**
**Ranftbecher, Wien, um 1820**

Farbloses Glas mit Transparent- und Goldmalerei
H.: 10,4 cm
Auf der Vorderseite der Wandung Darstellung zweier verschlungener Hände, eingefaßt vom Symbol der Ewigkeitsschlange und gelben Strahlen, Beschriftung: „L'amitié éternelle."
Das von Sonnenstrahlen umgebene Freundschaftssymbol der verschlungenen Hände erscheint am äußeren Blickfeld von dunklen Wolken umgeben.
HM, Inv. Nr. 27.096

**6/1/40**
**Anton Kothgasser**
**Ranftbecher, Wien, um 1825**

Farbloses Glas, geschliffen, Gelbbeize, Transparent- und Goldmalerei
H.: 11,1 cm
Auf der Wandung querrechteckiges Feld mit allegorischer Darstellung. Äskulap in Landschaft, mit Attributen Schlangenstab und Hahn. Darunter Aufschrift: „Gesundheit verlängere Dein Leben / Und Freude verkürze die Zeit"
HM, Inv. Nr. 56.240
Abbildung

Kat. Nr. 6/1/33

Kat. Nr. 6/1/34

Kat. Nr. 6/1/36

Kat. Nr. 6/1/37

Kat. Nr. 6/1/40

Kat. Nr. 6/1/41

Kat. Nr. 6/1/45

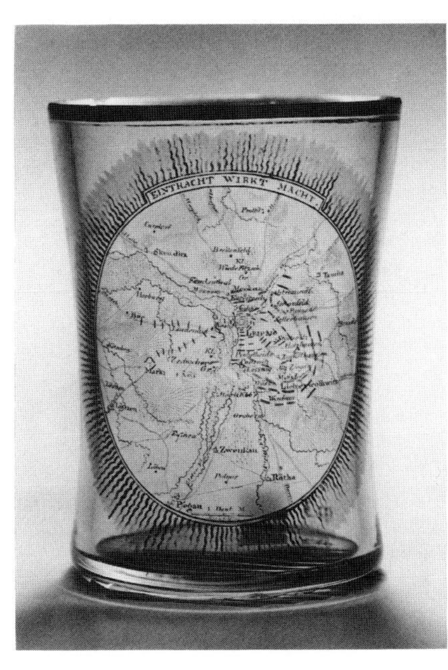


Kat. Nr. 6/1/46

**6/1/41**
**Anton Kothgasser**
**Ranftbecher, Wien, 1830/35**

Farbloses Glas, geschliffen, Gelbbeize, Transparentmalerei
H.: 11,4 cm
In ovalem, mit der Ewigkeitsschlange gerahmten Bildmedaillon, Darstellung von Jupiter und Io
HM, Inv. Nr. 116.519

Dieses Glas steht als Beispiel für zeittypische Begeisterung, mit der Porzellan- und Glasmaler alte Muster – in diesem Fall das Gemälde von Correggio im Wiener Kunsthistorischen Museum – kopierten.
SWu
Abbildung

**6/1/42**
**Gottlob Samuel Mohn**
**Becher, Wien, 1819**

Farbloses Glas, Gelbbeize, Transparentmalerei
H.: 10 cm
Sign.: G. Mohn in Wien
An der Wand querrechteckiges Feld mit Jahreskalender, Lippenrand vergoldet
Beschriftung: „Almanach für das Jahr 1819“
Prag, Kunstgewerbemuseum, Inv. Nr. 79.919

## Gläser von Kothgasser: Spielkarten

**6/1/43**
**Anton Kothgasser**
**Ranftbecher, Wien, um 1820/30**

Farbloses Glas, schwarz bemalt
H.: 12 cm
Das Glas zeigt Mond und Sternenhimmel.
Privatbesitz
*Lit.: Pazaurek/Philippovich, Gläser, S. 213f., Abb. 198 und 199.*
Abbildung

**6/1/44**
**Anton Kothgasser**
**Ranftbecher, Wien, um 1830**

Farbloses Glas, geschliffen, Gelbbeize, Email- und Goldmalerei
H.: 11 cm
Auf der Wand drei Tarockkarten – Sküs, Mond und Pagat.
Beschriftung: „Leur union est notre force“
Prag, Kunstgewerbemuseum, Inv. Nr. 14.978

Die meisten erhaltenen Kartengläser zeigen das Motiv der „Trull“, wobei auf dem Mond (Karte XXI), Erzherzog Carl zu Pferd zu sehen ist.
*Lit.: Spiegel, Weltkunst 1983, S. 881.*
SWu
Abbildung

**6/1/45**
**Anton Kothgasser**
**Ranftbecher, Wien, 1830**

Farbloses Glas, geschliffen, Gelbbeize, farbige Emailmalerei und Vergoldung
H.: 12 cm
Sign. u. dat. (auf einer Spielkarte): Anton Kothg. in Wien 1830
Die gesamte Wandung mit 34 Spielkarten auf schwarzem Grund bedeckt.
Prag, Kunstgewerbemuseum, Inv. Nr. 17.701/1932

Das Glas ist – was sonst bei Kothgasser sehr selten war – datiert.
*Lit.: Pazaurek/Philippovich, Gläser, S. 214.*
SWu
Abbildung

## Gläser von Mohn und Kothgasser: Porträts und politische Ereignisse

**6/1/46**
**Gottlob Samuel Mohn**
**Becher, Wien, nach 1813**

Farbloses Glas, geschliffen, Gelbbeize, Transparent- und Goldmalerei
H.: 10,2 cm
Sign. (im Ovalmedaillon unten): Mohn f. Wien
Auf der Wandung in strahlengerahmtem Ovalmedaillon Plan der Völkerschlacht bei Leipzig, darüber Beschriftung: „EINTRACHT WIRKT MACHT".
Auf der Rückseite Beschriftung: „Plan der Schlachten bei Leipzig am 18. u. 19. Oct. 1813"
Prag, Kunstgewerbemuseum, Inv. Nr. 17.713/1932
*Lit.: Pazaurek/Philippovich, Gläser, Abb. 149.*
Abbildung

**6/1/47**
**Anton Kothgasser**
**Glasbecher mit Porträt Alexanders I., Wien, um 1814/15**

Farbloses Glas, Gelbbeize, Transparentmalerei
H.: 9,3 cm
Sign.: A. K.
An der Wandung ovales, von zwei Lorbeerzweigen umrahmtes Medaillon mit dem Brustbild Zar Alexanders I. von Rußland. Auf der Rückseite Inschrift: „Wer wird nicht Alexander hier mit Lorbeern gern umwinden? Hilft er nicht auch mit Thätigkeit den Frieden uns zu gründen?"
Becher unten gesteindelt.
HM, Inv. Nr. 116.639
Abbildung

**6/1/48**
**Anton Kothgasser**
**Ranftbecher, Wien, 1832/33**

Farbloses Glas, Transparentmalerei
H.: 11,2 cm
In ovalem Medaillon Brustbild des Herzogs von Reichstadt, von der Sonne beschienen, er selbst von Wolken umgeben. Ornamentstreifen abwechselnd auf blauem und rosafarbenem Grund.
HM, Inv. Nr. 56.241

**6/1/49**
**Anton Kothgasser**
**Ranftbecher, Wien, um 1830**

Farbloses Glas, Gelbbeize, Transparentmalerei, Mundrand u. Fußwulst vergoldet
H.: 12,3 cm
Auf der Vorderseite der Wandung mit Eierstabornament gerahmtes Ovalmedaillon mit dem Brustbildnis Erzherzog Johanns. Die Wandung sonst mit Blätter- und Rankenwerk überzogen. 13teiliger Bodenstern.
HM, Inv. Nr. 56.243
*Lit.: Ausstellung von Gläsern, Wien 1922, Kat. Nr. 173.*
Abbildung

**6/1/50**
**Anton Kothgasser**
**Becher, Wien, um 1814**

Farbloses Glas, Gelbbeize, Transparentmalerei
H.: 9,6 cm
An der Wandung Bildfeld mit der Darstellung „Abschied des Landwehrmanes".
Darunter Beschriftung: „Abschied des Oesterreichischen Land- / wehrmanns bei dem Ausmarsch ins / Feld 1813 . . ."
HM, Inv. Nr. 116.437

Die Szenerie „Abschied des Landwehrmannes" wurde durch das Gemälde von Peter Krafft allseits beliebtes Motiv.
Vgl. Kat. Nr. 6/2/102.
SWu
Abbildung

**6/1/51**
**Gottlob Samuel Mohn**
**Ranftbecher, Wien, 1814**

Glas, Transparentmalerei
H.: 11 cm
Sign. u. dat.: Mohn fec. 1814
An der Vorderseite der Wandung Darstellung in rechteckigem Feld: Kosake mit Pferd in einer Landschaft. Darunter Aufschrift: „Zum Andenken des 18ten Febr. 1814 von deinem dich liebenden Vater".
HM, Inv. Nr. 116.511

Der Becher ist in einer Reihe von Bechern mit politischer Thematik (vgl. Kat. Nr. 6/1/51–53) – vor allem zum Ende der Napoleonischen Ära – zu sehen.
SWu

**6/1/52**
**Gottlob Samuel Mohn**
**Becher, Wien, 1815**

Farbloses Glas, Transparentmalerei
H.: 10,4 cm
Sign. u. dat.: G. Mohn f. Wien 1815
An der Wandung querrechteckiges Bildfeld mit der Darstellung der Insel St. Helena, im Vordergrund die im Hafen liegende Flotte. Darunter Beschriftung: „Die Insel St. Helena"
HM, Inv. Nr. 56.250

Am 15. Oktober 1815 kam Napoleon auf der im Südatlantik gelegenen Insel St. Helena an und starb hier in der Verbannung am 5. 5. 1821.
SWu
Abbildung

**6/1/53**
**Anton Kothgasser**
**Ranftbecher, Wien, vor 1824**

Farbloses Glas, vergoldet, opake Emailmalerei
H.: 11 cm
Auf der Wandung Offizier des 4. Husarenregimentes zu Pferd.
Wien, Glasgalerie Michael Kovacek
Abbildung

**6/1/54**
**Anton Kothgasser**
**Deckelpokal auf die Geburt von Franz Joseph I., Wien, 1830**

Farbloses Glas, geschliffen, Opak-, Transparent- und Goldmalerei
H.: 34 cm
Auf der Wandung allegorische Szene
Wien, Österreichisches Museum für angewandte Kunst
Abbildung

**6/1/55**
**Anton Kothgasser**
**Ranftbecher, Wien, 1835**

Farbloses Glas, Gelbbeize, Opak- und Goldmalerei
H.: 11,1 cm
An der Wandung allegorische Figur, vor einem Grabdenkmal sitzend, darunter Beschriftung: „Immorior Fideliter"
Wien, Glasgalerie Michael Kovacek
Abbildung

**6/1/56**
**Anton Kothgasser**
**Glückwunschkarte, Wien, 1820/30**

Farbloses Glas, Gelbbeize, Transparent- und Goldmalerei
8,2 × 7 cm
Schmetterling von Weinlaubkränzen gerahmt.
Aufschrift: „Ti bramo costante".
Wien, Glasgalerie Michael Kovacek
Ehemals im Besitz der Enkel Kothgassers
*Lit.: Ausstellung von Gläsern, Wien 1922, Kat. Nr. 231; H. Trenkwald, Gläser der Spätzeit, 1923, Abb. Seite III.*
Abbildung

**6/1/57**
**Anton Kothgasser**
**Musterplättchen (17 Stück)**

Wien, um 1820
Farbloses Glas, Gelbbeize, Transparentmalerei, zw. 1 × 1 cm und 2 × 2 cm
Engelskopf, schwebender Engel, Rosen, Stiefmütterchen, Vergißmeinnicht und Immortellen
Wien, Glasgalerie Michael Kovacek
Ehemals Besitz der Enkel Kothgassers
Abbildung

Kat. Nr. 6/1/49

Kat. Nr. 6/1/53

Kat. Nr. 6/1/54

Kat. Nr. 6/1/52

Kat. Nr. 6/1/10

## Farbloses Glas: Schliffgläser und geschnittene Gläser

**6/1/58**
**Dominik Bimann (1800–1857)**
**Becher**

Neuwelt, Franzensbad, um 1830
Farbloses Glas, geschliffen und geschnitten
H.: 12 cm.
Auf der Vorderseite der Wandung Kaiser Franz I., dargestellt als römischer Imperator
Rückseitig verschlungenes Blumenmonogramm „AL"
Wien, Glasgalerie Michael Kovacek

„Bedeutendster Glasschneider, den Böhmen in der Biedermeierzeit besitzt", ist insbesondere durch seine zahlreichen Glasschnittporträts bekannt, die er ab 1826 schnitt.

Ab 1825 ging er regelmäßig über den Sommer nach Franzensbad, wo er schließlich ganz seßhaft wurde und sein eigenes Geschäft besaß, das er erst 1850 aufgeben mußte.

*Lit.: Pazaurek/Philippovich, Gläser, S. 97ff.*
SWu
Abbildung

**6/1/59**
**Dominik Bimann**
**Becher**

Farbloses Glas, geschliffen und geschnitten
H.: 13,5 cm
Sign.: D. BIMAN
An der Vorderseite Ovalmedaillon Brustbild im Profil nach links einer jungen Frau in zeitgenössischem Kleid und entsprechender Frisur. Lippenrand abgesetzt
Wien, Österreichisches Museum für angewandte Kunst, Inv. Nr. GI 2.125

*Lit.: Ausstellung von Gläsern, Wien 1922, Kat. Nr. 540. H. Trenkwald, Gläser der Spätzeit, T. 30.*
Abbildung

**6/1/60**
**Franz Gottstein (1770–1840)**
**Becher**

Stráni, Mähren oder Gutenbrunn (NÖ), um 1818
Farbloses Glas, geschliffen, matter und polierter Schnitt
H.: 12 cm
Auf der Wandung Leda mit Schwan im Ovalmedaillon
Prag, Kunstgewerbemuseum, Inv. Nr. 24.702

Franz Gottstein ist den bedeutendsten Glasschneidern der Biedermeierzeit zuzurechnen. In dieser Ausstellung ist er mit 4 Bechern vertreten: Zwei stammen aus der Zeit um 1818, als Gottstein kurzfristig in der Stráníer Glasfabrik (Mähren, Bezirk Ungarisch-Bad) arbeitete. Er dürfte ziemlich bald nach 1818 von Stráni zur Gutenbrunner Glashütte in Niederösterreich abgewandert sein, die durch Joseph Mildner berühmt geworden und im Besitze Kaiser Franz I. war.

*Lit.: Brožová, J., České sklo 1800–1860, Prag 1976, K. Nr. 29; Hejdová, D. – Drahotová, O. – Adlerová, A., Czechoslovakian Glass 1350–1980, Corning 1981, K. Nr. 32.*
SWu
Abbildung

Kat. Nr. 6/1/56

Kat. Nr. 6/1/57

Kat. Nr. 6/1/58

**6/1/61**
**Franz Gottstein**
**Becher mit Minervakopf**

Strání in Mähren, 1818
Farbloses Glas, geschnitten
H.: 11,9 cm, Dm.: 8 cm
Auf der Wandung Ovalmedaillon mit Eierstabeinfassung, darin Profilbildnis der Minerva nach links, darunter Beschriftung: „Durch Kunstfleiß der Stranier Glasfabrick / Fr. Gottstein Fc"
Zettelvermerk des Fabriksproduktenkabinetts: „Stranier Glasfabrik / Fr. Gottstein Fe"
Wien, Technisches Museum, Inv. Nr. 7.616

*Lit.: Ausstellung von Gläsern, Wien 1922, Kat. Nr. 503. H. Trenkwald, Gläser der Spätzeit, T. 29.*

**6/1/62**
**Pokal mit Jäger**

Steinschönau oder Meistersdorf, Nordböhmen, 1838
Farbloses Glas, geschliffen, geschnitten
H.: 18 cm
Niedriger Fuß, konische Kuppa mit Keilschliff und einem Jäger mit Pferd und Hunden.
Beschriftung: „Fahnenweiheschiessen 1838"
Prag, Kunstgewerbemuseum, Inv. Nr. 17.597

**6/1/63**
**Franz Gottstein**
**Ranftbecher**

Gutenbrunn (NÖ), 1830
Farbloses Glas, geschliffen und geschnitten
H.: 13,3 cm
Sign. (auf der Rückseite): Fr. Gottstein fec: Gutenbrunn 1830
Auf der Vorderseite der Wandung vielfigurige Darstellung der Diana und Kallistoszene
Wien, Österreichisches Museum für angewandte Kunst, Inv. Nr. Gl 2160

*Lit.: Pazaurek/Philippovich, Gläser, S. 125 u. Abb. 114; Ausstellung von Gläsern, Wien, 1922, Kat. Nr. 506.*
Abbildung

**6/1/64**
**Hieronymus Hackel (1784–1844)**
**Becher**

Cilli, um 1815/25
Farbloses Glas, geschnitten
H.: 9,6 cm, Dm.: 7,4 cm
Auf der Vorderseite der Wandung Darstellung der heiligen Anna mit Kind. Darunter gravierte Inschrift: „S. ANNA".
Rückseitig Monogramm G.A.
Wien, Glasgalerie Michael Kovacek

Das Glas mit der Darstellung der heiligen Anna steht stellvertretend für das Œuvre Hieronymus Hackels, der vorwiegend Heiligenfiguren schnitt. Signifikant bei seinen Gläsern ist die Einfassung des Motivs mit halbmondförmig aufsteigenden Ähren bzw. Gräsern, die Behandlung der Gloriole sowie die aufgeblähten Falten, die die Figuren jeweils umschweben.

*Lit.: Pazaurek/Philippovich, Gläser, S. 128f.*
SWu
Abbildung

**6/1/65**
**Franz Gottstein**
**Becher**

Gutenbrunn, um 1825
Farbloses Glas, geschnitten und geschliffen; Auf der Vorderseite der Wandung Darstellung einer Hirtenszene flankiert von Bäumen und Büschen.
Wien, Sammlung J. &. L. Lobmeyr

**6/1/66**
**Anton Simm (1799–1873)**
**Fußbecher**

Gablonz, Nordböhmen, um 1825/30
Farbloses Glas, geschliffen und geschnitten
H.: 14,5 cm
Auf der Vorderseite Szenendarstellung aus der Oper „Der Freischütz“.
Rückseitig gravierte Inschrift: „Hier im ird' schen Jam̃ertal, / Wär' doch nichts als Plag' und Qual, / Trüg' der Stock nicht Trauben. / Darum bis zum letzten Hauch / Setz' ich auf Gott Bachus auch, / Meinen festen Glauben. /
Wien, Glasgalerie Michael Kovacek

Laut Pazaurek „der fruchtbarste und gewandteste Glasschneider des Isergebirges“, schnitt ein besonders umfangreiches Repertoire an Motiven, worüber sein Rechnungsbuch aus der Zeit zwischen 1837 und 1847 Aufschluß gibt. Vertreten ist es hier mit zwei Bechern; Lebensalterbecher sowie Vaterunser-Gläser zählten zu den bekanntesten Arbeiten.
*Lit.: Pazaurek/Philippovich, Gläser, S. 76 ff.*
SWu
Abbildung

**6/1/67**
**Anton Simm (?)**
**„Lebensalter“-Becher**

Gablonz, Nordböhmen, um 1830
Farbloses Glas, geschliffen und geschnitten, Fußwulst mit Keil- und Steinelschliff
H.: 12,5 cm
Auf der konischen Wandung umlaufend im Matt- und Blankschnitt Darstellung der zwölf Lebensalter mit den zugehörigen Inschriften. Unter Segmentbogen mit Taufkutsche und geöffnetem Grab
Beschriftung: „Die Stufenjahre des Menschen“, „Zur Taufe“, „Zum Grabe“.
Prag, Kunstgewerbemuseum, Inv. Nr. 17.399
*Lit.: Pazaurek/Philippovich, Gläser, S. 78 – Brožová, J., České sklo 1800–1860, Prag 1976, Kat. Nr. 36 – Brožková, H., Böhmisches Glas des 19. Jahrhunderts aus dem Kunstgewerbemuseum Prag, Berlin-Köpenick 1983, Kat. Nr. 34.*

**6/1/68**
**Becher (Vexiersilhouettenbecher)**

Böhmen, um 1820
Farbloses Glas, geschnitten
H.: 12 cm
Auf der Vorderseite der Wandung Medaillon mit Meeres- und Baumlandschaft und des Grabmals von Napoleon. Im Baum Figurensilhouette Napoleons. Auf der Rückseite eingravierte Inschrift: „Napoleons Grabmal“.
Brünn, Mährische Galerie

Bei dem Becher handelt es sich vermutlich um eine Paraphrase eines Anton Simm zugeschriebenen Bechers, der ebenfalls am Baum eine Silhouette der Figur Napoleons zeigt.
*Lit.: Pazaurek/Philippovich, Abb. 73–75, Ausstellung Klasicismus, empir, biedermeier, Brno 1983.*
SWu

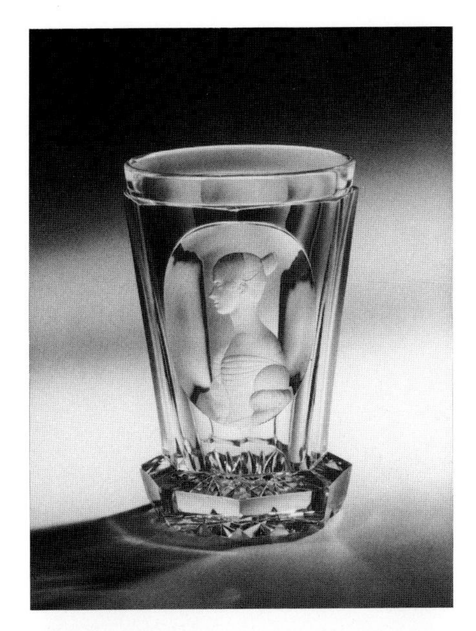

Kat. Nr. 6/1/59

Kat. Nr. 6/1/63

Kat. Nr. 6/1/64

Kat. Nr. 6/1/66

**6/1/69**
**Hochzeitsbecher**

Meistersdorf, Nordböhmen, um 1810
Farbloses Glas, geschnitten. Auf der Wandung geschnittene Allegorie der Liebe
H.: 11,5 cm
Beschriftung: „Unzertränlich sey das Band / Das treue Liebe um uns wand“; und Monogramm „FK“
Prag, Kunstgewerbemuseum, Inv. Nr. 27.304
*Lit.: Brožová, J., České sklo 1800–1860, Prag 1976, K. Nr. 29.*

**6/1/70**
**Becher mit Silberzwanziger**

Böhmen oder Schlesien, 1816
Farbloses Glas, geschnitten
H.: 12,1 cm
Im Boden eingeschmolzener, beweglicher Silberzwanziger Franz I. Auf der Wandung Freundschaftsaltar und allegorische Frauenfigur
HM, Inv. Nr. 114.931
Abbildung

**6/1/71**
**Becher**

Nordböhmen, um 1820
Farbloses Glas, geschnitten, geschliffen
H.: 12,5 cm
Auf der Vorderseite der Wandung ovales Medaillon mit dem Brustbild der Kaiserin Carolina Augusta. Darunter gravierte Beschriftung: „Caroline Auguste Kaiserin von Österreich etc.“. Auf der Rückseite geschliffener Strahlenstern
Privatbesitz

Das Bildnis von Carolina Augusta entstand nach einer Vorlage des Münchner Hofmalers Joseph Stieler (1814).

*Lit.: S. Baumgärtner, Porträtgläser, 1981, Abb. 98.*

**6/1/72**
**Becher**

Haida, Nordböhmen, um 1820
Farbloses Glas, geschliffen, geschnitten
H.: 11,3 cm
Auf der Wandung drei große Ovale mit männlichem Porträt, mit Wappen des Grafen Kinsky, sowie mit der Inschrift: „Sr. Exc. Graf Philipp von Chinitz et Tettan“. Dazwischen kleinere und schmälere Ovale; Boden mit Prismenstern, abgesetzter Lippenrand
Wien, Sammlung J. & L. Lobmeyr

*Lit.: Ausstellung von Gläsern, Wien 1922, Kat. Nr. 487, Abb. 22.*

**6/1/73**
**Becher**

Farbloses Glas, graviert, um 1815/20
H.: 12,6 cm
Apotheose auf den Feldherrn Radetzky anläßlich des Sieges in der Völkerschlacht bei Leipzig. Rechts von Radetzky österreichischer Dragoneroffizier zu Pferd, links von Radetzky österreichischer General zu Pferd, im Vordergrund liegend ein gefallener Husarenoffizier. Rückseitig Stadtsilhouette, Inschriften: „Der Sieg fürs Vaterland“, „Vivat es lebe der Feldherr Radetzky“
Wien, Glasgalerie Michael Kovacek

**6/1/74**
**Ranftbecher**

Böhmen (?), 1824
Farbloses Glas, geschliffen, geschnitten
H.: 10,8 cm
Auf der Wandung fliegender Amor mit Rosenkorb auf dem Kopf, von Blumen umgeben. Geriefelte Sockelplatte, eingeätzte Schrift „Zum Namensfest 1824“, Initialen „AG“.
HM, Inv. Nr. 93.183

**6/1/75**
**Ranftbecher**

Böhmen (?), 1830
Farbloses Glas, geschnitten, geschliffen
H.: 10,3 cm
Auf der Vorderseite der Wandung Darstellung des Lusthauses im Prater. Darunter gravierte Beschriftung: „Das Lusthaus im Prater“.
HM, Inv. Nr. 116.541

Kat. Nr. 6/1/78

**6/1/76**
**Becher**

Harmanschlag, Niederösterreich, 1837
Farbloses Glas, geschliffen und geschnitten
H.: 10,8 cm
Auf dem unteren Teil erhabene herausgeschliffene Spitzblätter, dazwischen geschnittene Blüten- und Fruchtzweige; unter dem Lippenrand erhaben geschliffener Fries mit der Aufschrift: „Ferdinand“ in Reliefbuchstaben auf mattiertem Grund.
Wien, Technisches Museum, Inv. Nr. 20.572

*Lit.: Ausstellung von Gläsern, Wien 1922, Kat. Nr. 496. H. Trenkwald, Gläser der Spätzeit, T. 21.*

**6/1/77**
**M. A. Bienert**
**Jagdpokal (ohne Deckel)**

Glashandlung in Windisch-Kamnitz, Böhmen, 1837
Farbloses Glas, geschliffen, geschnitten
H.: 18,3 cm
Auf der Wandung vier Reiter und ein von Hunden gestellter Hirsch in Landschaft.
Alter Zettelvermerk des Fabriksproduktenkabinetts: „Geschnittener Pokal von M. A. Bienert in Windisch-Kamnitz im Leitmeritzerkreise“.
Wien, Technisches Museum, Inv. Nr. 7.602

*Lit.: Ausstellung von Gläsern, Wien 1922, Kat. Nr. 560.*

**6/1/78**
**Deckelpokal**

Böhmisch, um 1830
Farbloses, geschliffenes Glas
H.: 19,5 cm
Wien, Österreichisches Museum für angewandte Kunst, Inv. Nr. Gl. 2.309
Abbildung

**6/1/79**
**Deckelpokal**

Gräfl. Harrachsche Glashütte Neuwelt im Riesengebirge, 1824
H.: 21,2 cm
Farbloses Glas, geschliffen und geschnitten, eingeglaste Paste (Frauenporträt im Profil nach links) im Deckelknopf
Im oberen Rand eingeschnittene Szene: Diogenes mit der Laterne vor einem Weinfaß, gegenüber erhabene Weintraube.
Wien, Technisches Museum, Inv. Nr. 20.629/1, 2

Franz Ernst Graf Harrach (1799–1864), Ritter des Goldenen Vlieses, kaiserlicher Geheimrat und Kämmerer, besaß auf der Herrschaft Starkenbach in der Hütte Neuwelt im Riesengebirge „die ausgezeichnetste Glasfabrik in den kaiserlichen Staaten“.

Die im „neuen Walde“ gelegene und zunächst verpachtete Hütte dürfte im 17. Jh. gegründet worden sein und wird im Jahre 1712 als gut bekannter und prosperierender Betrieb schriftlich erwähnt. „Sie begann mit der Produktion von Beinglas, schmolz und schliff als erste in Böhmen Bleiglas, erzeugte Goldrubin-, Kobalt- und Uranglas, schwarzes und rotes Hyalith- und Lithyalinglas“ (vgl. Kat. Nr. 6/1/112).

In der Mitte der zwanziger Jahre wird die hier gezeigte Inkrustationstechnik – die Einschließung porzellanartiger Reliefs in Kristallglas –, die von Frankreich ihren Ausgang nahm, auch im böhmischen Gebiet heimisch, wobei die Harrachsche Fabrik das Primat unter den Herstellern von Glas mit eingeglasten Pasten besaß. Mit einer Glasinkrustation erhielt die Harrachsche Fabrik bei der Industrieausstellung 1929 die goldene Medaille, ebenso in Wien 1825, Prag 1836, Berlin 1844, Wien 1845.

*Lit.: Pazaurek/Philippovich, Gläser, S. 289.*
AB/SWu

**6/1/80**
**Postament mit Kaiser Franz I.**

Gräfl. Harrachsche Glashütte Neuwelt im Riesengebirge, 1831
H.: 26,5 cm
Farbloses Glas, geschliffen, Gelbbeize, eingeglaste Paste, Vergoldung. Zweiteiliges Postament mit Walzen-, Keil- und Steinelschliff
Prag, Kunstgewerbemuseum, Inv. Nr. 17.935

Dieses patriotische Schaustück wurde bei der Prager Industrieausstellung 1831 präsentiert: „Säule mit eingeglastem Brustbild Sr. Majestät des Kaisers nebst Untersatzplatte und Glassturz um 8 fl. 25 Kr.“

*Lit.: Pazaurek/Philippovich, Gläser, Abb. 272; Brožová, J.: České sklo 1800–1860, Prag 1976, K. Nr. 19.*
Abbildung

Kat. Nr. 6/1/80

## Gläser mit Perlenstickerei

**6/1/81**
**Becher mit Glasperlenband**

Böhmen, um 1825
Farbloses Glas, geschliffen
H.: 9,7 cm
Brünn, Mährische Galerie, Inv. Nr. 25.360

**6/1/82**
**Becher mit Glasperlenband**

Böhmen, um 1825
Farbloses Glas, geschliffen und gesteinelt
H.: 9,7 cm
Brünn, Mährische Galerie, Inv. Nr. 25.355

**6/1/83**
**Becher mit Glasperlenband**

Böhmen, 1836
Farbloses Glas, geschliffen
H.: 11,2 cm
Aus Glasperlen geformtes Blumenband und Schriftzug: „1836 Ewig Deine Freunde".
Brünn, Mährische Galerie, Inv. Nr. 25.347
*Lit.: Klasicismus, empir, biedermeier, Brno 1983, Katalog zur Ausstellung, S. 114.*
Abbildung

## Bemalte Gläser

**6/1/84**
**Becher**

Böhmen, 1834
Farbloses Glas, geschliffen, Bemalung mit Email- und Goldfarben
H.: 11,6 cm

Kat. Nr. 6/1/83

**6/1/85**
**M. A. Bienert**
**Hoher Deckelpokal**

Glashandlung in Windisch-Kamnitz, Böhmen, 1837
Farbloses Glas, geschliffen mit Brillantschliff, Facetten teilweise rot bemalt
Pokal: H.: 27,4 cm
Wien, Technisches Museum, Inv. Nr. 19.356/1,2

**6/1/86**
**Friedrich Egermann (1777–1864)**
**Käseglocke**

Werkstätte Blottendorf oder Haida, Böhmen, um 1830/40
Farbloses Glas, geschliffen, Gelbbeize, Transparentmalerei
H.: 19,5 cm
Tellerrand wie Käseglocke sind mit insgesamt 13 verschiedenen Chinesenfiguren und Ornamenten in transparenter Emailmalerei dekoriert.
Wien, Glasgalerie Michael Kovacek
Abbildung

**6/1/87**
**Deckelpokal**

Böhmen, um 1830
Farbloses Glas, geschliffen, Transparentmalerei
H.: 18 (24) cm
Kuppa abwechselnd mit roten, blauen und gesteinelten Feldern.
Privatbesitz

**6/1/88**
**Becher mit Silberdeckel**

Böhmen, um 1830
Glas, geschliffen, gesteinelt, Transparentmalerei
H.: 17,5 cm
Silberdeckel (mit bekrönendem Vogelnest)
Privatbesitz

Kat. Nr. 6/1/86

**6/1/89**
**Wulstbecher**

Gräfl. Harrachsche Glashütte, Neuwelt im Riesengebirge, um 1835/40
Farbloses Glas, geschliffen, innen und außen vergoldet.
H.: 12,2 cm
Die Facetten der Wandung unterbrochen durch drei geschliffene Reihen umlaufender Bögen
Prag, Kunstgewerbemuseum, Inv. Nr. 90.101
*Lit.: Brožková, H., Böhmisches Glas des 19. Jahrhunderts aus dem Kunstgewerbemuseum Prag, Berlin-Köpenick 1983, K. Nr. 150.*

**6/1/90**
**Becher mit opaker Lackmalerei**

Wien, Glasgalerie Michael Kovacek
Abbildung

## Farbengläser

(In der Masse gefärbter Überfang mit Gelbbeize)

**6/1/91**
**Rubinglas**

Böhmen
Silber: Wien, 1821
Glas, gesteinelt, mit silbervergoldeter Montierung (Feingehaltspunze 1821, Vorratstempel, Taxfreistempel)
H.: 17 cm
Privatbesitz
*Lit.: Feuchtmüller-Mrazek, Biedermeier in Österreich, Abb. XIX.*
Abbildung

Kat. Nr. 6/1/90

Kat. Nr. 6/1/91

Kat. Nr. 6/1/98

**6/1/92**
**Deckelpokal**

Böhmen, um 1830/40
Farbloses Glas, geschliffen, teilweise gelb gebeizt und graviert
H.: 32,3 cm
Auf der Vorderseite hochgeschliffenes Medaillon mit gravierter Darstellung der verschiedenen Lebensalter in Stufenform. Inschrift: „5 Jahr ein Kind / 10 Jahr ein Knabe, / 20 Jahr ein Jüngerling, / 30 Jahr ein Mann, / 40 Jahr Wohlgethan, / 50 Jahr Stillestand, / 60 Jahr gehts Alter an, / 70 Jahr ein Greis, / 80 Jahr Schneeweiß, / 90 Jahr Kinderspott, / 100 Jahr Gnad Gott. /“
Wien, Glasgalerie Michael Kovacek

**6/1/93**
**Fußbecher**

Gräfl. Harrachsche Glashütte? Neuwelt im Riesengebirge, um 1835
Beinglas, mit Goldrubin und einer dünnen Beinglasschichte, überfangen, geschliffen, florale Emailmalerei, Vergoldung
H.: 9,5 cm
Wien, Glasgalerie Michael Kovacek

**6/1/94**
**Sockelbecher**

Böhmen um 1835/45
Farbloses Glas, blau überfangen, geschliffen, teilweise gelb gebeizt, Goldmalerei
H.: 12 cm
Inschrift in den Linsen des Sockels: „Souvenir“.
Wien, Glasgalerie Michael Kovacek

**6/1/95**
**Johann Cassel**
**Zündmaschine**

Wien, 1843
Farbloses Glas, geschliffen und geschnitten, innen hellgoldrubinrot überfangen, Messing
H.: 17,4 cm
Darstellung eines Schlosses.
Beschriftung: Auf der Vorderseite geschnittene „Ansicht des Sommerschlößchens Seiner Ex. Gr. von Kolowrat in Ischl“.
Wien, Technisches Museum, Inv. Nr. 7591/1, 2
*Lit.: Ausstellung von Gläsern, Kat. 1922, Kat. Nr. 750.*

**6/1/96**
**Becher**

Johann Meyr's Adolfshütte, Herrschaft Winterberg, Südböhmen. Benannt nach dem damaligen Besitzer: Fürst Johann Adolf von Schwarzenberg, um 1835/40
Farbloses Glas, Goldrubin und lila überfangen. Geschliffen und teilweise gelb gebeizt
H.: 10,9 cm
Wien, Glasgalerie Michael Kovacek

**6/1/97**
**Karl Pfohl (1826–1894)**
**Sockelbecher**

Steinschönau, Nordböhmen um 1850

Farbloses Glas, blau überfangen, geschliffen, Tiefschnitt und Hochschnitt
H.: 13 cm
Brustbild Kaiser Franz Joseph I. Seitlich Eichenlaub, rückseitig sieben Verkleinerungslinsen.
Wien, Glasgalerie Michael Kovacek

## Hyalith und Metallgläser

Zu Beginn des 19. Jhs. erfreut sich das farblose Kristallglas besonderer Beliebtheit. Noch stark vom Louis-Seize-Stil beeinflußt, sind die Becher überwiegend zylindrisch geformt und weisen glatte Wandungen mit Schliff und Schnitt auf. Dann setzt sich – unter dem Einfluß des englischen Kristallglases – auch in Böhmen der Keil- und Brillantschliff durch, und es werden auch kompliziertere Formen gefertigt. So wird bis in die dreißiger Jahre das farblose, bereits in allen möglichen Varianten gekugelte und geschliffene Glas einen erheblichen Teil der böhmischen Produktion ausmachen.

Doch bereits im auslaufenden Empire ändert sich der Geschmack, und dem ästhetischen Empfinden entspricht vor allem opakes, Halbedelsteine nachahmendes Glas.

Es ist Georg de Longueval Graf von Buquoy (1781–1851), k. k. Kämmerer in Prag, Schriftsteller, Nationalökonom, großer Förderer des Polytechnischen Institutes in Prag, der – durchdrungen vom klassizistischen Geist – frühzeitig diesen Geschmackswandel fühlt. Er publizierte viel und besaß mehrere Glashütten auf seiner Herrschaft in Gratzen in Südböhmen, wo eine lange Tradition in der Glaserzeugung bestand. So läßt er, vom keramischen Vorbild von Wedgewoods „black basaltes“ angeregt, dem Glas die Durchsichtigkeit nehmen und ein im polierten Zustand wie schwarzer Lack glänzendes entwickeln, das er Hyalith nennen wird.

Man kann sich – wie ein tschechischer Glasforscher es ausdrückte – kaum ein Glas vorstellen, welches dem Geschmack der Zeit besser entspräche als Hyalith. Es nimmt daher nicht wunder, daß es in den zwanziger Jahren ein gesuchtes Souvenir und ein besonders beliebter Geschenkartikel wird. Noch 1847 wird die „Prager Zeitung" über Buquoy schreiben: „Ihm gebührt der Ruhm, der Erfinder des einst so berühmten schwarzen (Hyalith) Glases zu sein."

Wie eine Zuckerschale im Technischen Museum in Wien beweist, ahmt die Harrachsche Glasfabrik in Neuwelt (Nový Svêt) bereits 1820 schwarzes Glas nach, und 1823 erfindet dann Joseph Zich im niederösterreichischen Schwarzau ein undurchsichtiges schwarzes Glas, welches er sich unter der Bezeichnung „Metallglas" privilegieren (patentieren) läßt. Die Motive der Golddekors sind denen auf Buquoyschem Glas sehr ähnlich.

Während in Frankreich nach 1820 zart farbiges, nebst weißem Opalglas, „opaline" genannt, rasch an Beliebtheit gewinnt, sind die böhmischen Glasmacher fieberhaft bemüht, neue Farben und Farbeffekte zu entwickeln. So ist auch Friedrich Egermann im nordböhmischen Blottendorf (Polevsko) bereits seit Jahren mit „mineralischen Farbenversuchen" beschäftigt. Spätestens 1828 finden diese ihre Krönung in der Aufnahme der fabriksmäßigen Herstellung von Edelstein- oder Mineralglas (Lithyalin) mit seinen „hundert Farbenspielungen".

1832 bringt Joseph Zich das von ihm erfundene, in der Masse gefärbte „Steinglas" heraus, das in seiner Hütte in Joachimsthal hergestellt wird. Auch er erhält auf seine Erfindung ein Patent.

Nun ist wiederum Buquoy an der Reihe, der auf der Wiener Gewerbeausstellung 1835 ein neuartiges opalisierendes Glas, Agatin-Opal genannt, dem Publikum vorführt.

In den Quellen der Zeit sind als Hersteller von Hyalith bzw. Lithyalin verschiedene andere Hütten genannt, darunter – allerdings erst um die Mitte des 19. Jhs. – die bedeutende Firma Josef Riedel in Polaun. Zuschreibungen scheinen jedoch bisher nicht möglich zu sein.

Dieses Genre der Farbengläser bleibt bis etwa 1840 in Mode, abgesehen vom schwarzen Hyalith, dessen große Zeit bereits Mitte der dreißiger Jahre abgeklungen war.

Selbst derjenige, der neben der Literatur viele öffentliche und private Sammlungen kennt, wird immer wieder auf Farbgebungen, Formen und Kombinationstechniken der Veredelung stoßen, die ihm bisher unbekannt waren. Das macht auch einen Teil des besonderen Reizes dieser Farbengläser aus, die heute wie zuvor die Glassammler in ihren Bann ziehen.

Kat. Nr. 6/1/99

Kat. Nr. 6/1/100

Kat. Nr. 6/1/101

## Hyalith

Auf der Gräflich Buquoyschen Glashütte Georgenthal (Jiříkovo Údolí) in Südböhmen gegen Ende des Jahres 1816 gemachte Erfindung, welche im Wesentlichen darin besteht: Erzeugung einer glänzend schwarzen, gänzlich undurchsichtigen, besonders harten, dauerhaften, haltbaren und einen höheren Hitzegrad aushaltenden, mit dem Namen **Hyalith** belegten Masse; und Verfertigung aller Gefäße und Gegenstände aus derselben, welche aus Glas und Porzellan erzeugt werden können".

Schliff, oft mit qualitativ hervorragenden zarten geometrischen Gravuren verbunden, kennzeichnet frühe Arbeiten. Später kommen Vergoldungen auf.

Ab 1819 wurde zusätzlich undurchsichtig **rotes** Hyalith hergestellt, wobei eher hellere bis mittlere siegellackrote Tönungen angestrebt wurden. Anfangs war es nur rot, ab 1822 auch gemasert oder marmoriert („schmelziert"). Die Dekors bestanden aus Kugelung und Schliff, später weiters in Vergoldung.

Die Vergoldung erfolgte in Nordböhmen durch die dort ansässigen Spezialisten.

## Metallglas

1823 erhält Joseph Zich, Schwarzau (Nö.) ein Privileg (Patent) auf seine „Erfindung, welche im Wesentlichen darin besteht, ein völlig undurchsichtiges schwarzes Glas mittels Desoxydierung des Glassatzes, unter der Benennung Metallglas zu erzeugen, welches wegen seiner Bestandteile zäher zum Verarbeiten, leichter zum Abkühlen, und weicher zum Schleifen, als nach dem bekannten Verfahren mit Eisenschlacken oder anderen tieffärbenden Metall-Oxyden bereitete Glas sey". (Wiener Zeitung, Nr. 194 vom 23. August 1823)

Das Metallglas aus der Glashütte Schwarzau bei Harmanschlag trat somit in Wettbewerb zum schwarzen Hyalith.
Arnold Busson

**6/1/98**
**Becher**

Gräfl. Buquoysche Glashütte, Georgenthal oder Silberberg, um 1820/25
Schwarzes Hyalith, geschliffen, Mattschliff und Gravur
H.: 10,8 cm
Zwischen zwei Steinelfriesen vier umlaufende Walzen. Vorne ein Medaillon mit graviertem Monogramm „E.S“.
Privatbesitz
*Lit.: Ausstellung von Gläsern, Wien 1922, Kat. Nr. 897.*
Abbildung

**6/1/99**
**Becher**

Gräfl. Buquoysche Glashütte, Georgenthal, um 1830
Schwarzes Hyalith, geschliffen, Gravur und Goldmalerei
H.: 11,5 cm
Die Wandung in der Mitte eingezogen, mit zwölf gravierten, aufrechtstehenden, längsovalen Feldern, mattiert, die Gravierung vergoldet, darinnen kleinere, gravierte, aufrechtstehende, längsovale Felder, poliert, vergoldet.
Privatbesitz
*Lit.: Ausstellung von Gläsern, Wien 1922, Kat. Nr. 887, Abb. u. a. bei I. Schlosser, Das alte Glas, S. 289, Abb. 189.*
Abbildung

**6/1/100**
**Dose**

Gräfl. Buquoysche Glashütte, Silberberg, um 1820/30
Schwarzes Hyalith, Goldmalerei mit Radierung, vergoldete Bronzemontierung
10,5 × 7,3 × 5 cm
Wien, Glasgalerie Michael Kovacek
Abbildung

**6/1/101**
**Zündmaschine**

Gräfl. Buquoysche Glashütte oder Zichsche Glashütte Schwarzau in Niederösterreich, Malerei Schribajn, Nordböhmen, um 1835
Schwarzes Hyalith, Goldmalerei, vergoldete Bronze- und Messingfassung
H.: 18,7 cm
Auf der bauchigen Wandung Chinoisserien.
Prag, Kunstgewerbemuseum, Inv. Nr. 28.098
Abbildung

**6/1/102**
**Schale mit Untertasse**

Josef Zichsche Glashütte Schwarzau in Niederösterreich, 1823
Metallglas, Goldmalerei
Schale: H.: 5,8 cm, Dm.: 7,1 cm; Untertasse: Dm.: 16,5 cm
Schale und Untertasse mit geometrischer Musterung in Gold
Alter Zettelvermerk des Nationalfabriksproduktenkabinetts „Metallglaskaffeeschale aus Jos. Zich's Glasf. zu Schwarzau in Österreich, Priv. 1823“
Wien, Technisches Museum, Inv. Nr. 20.436

Kat. Nr. 6/1/112

Nach A. Busson reicht der Stand der Glasforschung nicht aus, zwischen Metallglas, Hyalith und dem schwarzen Glas anderer Hütten genau zu unterscheiden. Vgl. dazu die Zuschreibungen bei den Kat. Nrn. 6/1/103–106.
*Lit.: A. Busson, Die Waldviertler Glashütten zu Joachimsthal und Schwarzau in der 1. Hälfte des 19. Jahrhunderts. In: Weltkunst 1978, Hl. 10 u. 11.*
SWu

**6/1/103**
**Tintenzeug**

Gräfl. Buquoysche Glashütte Georgenthal oder Silberberg oder Zichsche Glashütte in Niederösterreich, um 1830/35
Schwarzes Hyalith, geschliffen, Goldmalerei.
Ovale Schale, Tinten- und Streusandgefäß mit Blumen und Insekten in chinesischer Art bemalt
Schale: Dm.: 19 cm, Tintengefäß: H.: 7 cm, Streusandgefäß: H.: 8 cm
Prag, Kunstgewerbemuseum, Inv. Nr. 33.740 a, b, c

**6/1/104**
**Briefbeschwererflakon**

Gräfl. Harrachsche Glashütte Neuwelt oder Buquoysche Glashütte Georgenthal, um 1832
Schwarzes Hyalith, geschliffen, Goldnadelmalerei mit Arabesken und Efeuranken
H.: 5,8 cm
Prag, Kunstgewerbemuseum, Inv. Nr. 14.585

**6/1/105**
**Teekanne**

Gräfl. Buquoysche Glashütte, vermutlich Silberberg
Hyalith
Wien, Technisches Museum, Inv. Nr. 11.225

**6/1/106**
**Becher**

Gräfl. Buquoysche Glashütte, vermutlich Georgenthal, um 1825/30
Rotes Hyalith, geschliffen, Goldmalerei
H.: 10 cm
Die Wandung geschweift, in der Mitte und nach unten eingezogen, hellsiegellackrot, rot, zart marmoriert.
Privatbesitz

## Lithyalin

Von Friedrich Egermann (1777–1864), Blottendorf (Polevsko), Nordböhmen, gemachte „Erfindung, welche im Wesentlichen darin besteht: durch Imprägnirung Kunst-Edelsteinglas zu erzeugen, auch einige Farben mit einem Metall-Spiegel zu überziehen, dem Kristallglas eine einseitige kolorierte Glaslasur zu geben, und die Malerey innerhalb des Glases hervorzubringen“.

1829 erhielt Egermann das Privileg (Patent) auf Lithyalin (auch „Mineralglas“; „Kunst-Edelsteinglas“ und „Sanitäts-Lithyalin“ genannt.)

Lithyalin ist durchscheinend oder opak, einfarbig, verschiedenfarbig, gefleckt, gesprenkelt oder marmoriert, bei auffallendem und bei durchfallendem Licht andersfarbig („Chamäleon“-Glas) oder auch irisierend (schillernd). Lithyalin kommt nicht als Ergebnis der Schmelze aus dem Glasofen, sondern entsteht durch Veredelung (Raffinierung) eines bestimmten Grundglases durch ein oder mehrmaliges Aufbringen und Einbrennen von färbenden Metallsalzen (Beizen), mitunter auch durch zusätzliches direktes Aufdampfen von Metallverbindungen (Schiller, Lüster, Iris).

Er verwendete für die Lithyalinveredelung ganz bestimmte Glassorten, die er von den Hütten kaufte, so aus Neuwelt, Georgenthal und Silberberg (Stříbrný Vrch), vermutlich auch aus Kreibitz (Chřibská).

Ohne die durch das Beizen ins Glas „eingelagerten“ winzigen Metallteilchen (Ionen) liegt kein Lithyalin im Sinne der Erfindung Egermanns vor. Angewendet wurde die Gelb- oder Rotbeize oder eine Verbindung von beiden.

Bevor sein im Juni 1828 eingereichtes Ansuchen um Erteilung eines Privilegs positiv erledigt wird, nämlich im Oktober desselben Jahres, ahmt man in Neuwelt bereits Lithyalin unter Verwendung von Silberbeize nach.

Die Rotbeize war – entgegen der allgemeinen Ansicht – Bestandteil des

Kat. Nr. 6/1/43

Kat. Nr. 6/1/110

Kat. Nr. 6/1/109

Patents. Jedoch nicht deswegen, sondern weil die Nachahmer erst um 1840 mit ihr umgehen konnten, sind alle Lithyalingläser mit Rotbeize durchwegs Egermann zuzuweisen.
Arnold Busson

**6/1/107**
**Friedrich Egermann**
**Becher**

Blottendorf in Nordböhmen, um 1830
Opakes Lithyalinglas, geschliffen, Farbbeize
H.: 11,5 cm
13teilig geschält, mittels Farbbeize hell- und dunkelblau, grün, orange und violett feinst marmoriert
Privatbesitz

**6/1/108**
**Friedrich Egermann**
**Becher**

Blottendorf in Nordböhmen, um 1830
Opakes Lithyalinglas, geschliffen, Farbbeize, Goldmalerei
H.: 10,9 cm
13teilig geschält, mittels Farbbeize blaugrünlich und violett feinst marmoriert
Privatbesitz
*Lit.: Ausstellungskatalog, Altes und neues Glas, Graz, Kunstgewerbemuseum 1935; Pazaurek/Philippovich, Gläser, T. XIV, links.*
Abbildung

Kat. Nr. 6/1/115

**6/1/109**
**Friedrich Egermann**
**Becher**

Blottendorf in Nordböhmen, um 1830
Opakes Lithyalinglas, geschliffen, Farbbeize, Goldmalerei
H.: 11,2 cm
Die Wandung zweifach abgetreppt eingezogen, 12teilig geschält, mittels Farbbeize, dunkelbraun, hellbraun und grün marmoriert, an den Fäden unter der zweiten Abtreppung (original) rot.
Privatbesitz
*Lit.: Pazaurek/Philippovich, Gläser, Abb. 256.*
Abbildung

**6/1/110**
**Friedrich Egermann**
**Becher**

Blottendorf oder Haida, Nordböhmen, um 1831/37
Lithyalinglas, Überfangbecher, geschliffen, Farbbeize, Goldmalerei
H.: 10,4 cm
Die Wandung aus farblosem Kristallglas mit Kupferrubinüberfang, 12teilig geschält, der stehengebliebene Überfang mittels Farbbeize blau, gelbgrün marmoriert, das Kristallglas dadurch silbergelb, an den Randzonen und unter dem Überfang weinrot durchscheinend
Privatbesitz
*Lit.: Ausstellungskatalog, Altes und neues Glas, 1935.*
Abbildung

**6/1/111**
**Friedrich Egermann**
**Becher**

Haida, Nordböhmen, 1834, Glas: Gräflich Harrachsche Glasfabrik, Neuwelt, 1834
Lithyalinglas, geschliffen, Farbbeize, Goldmalerei
H.: 11 cm
Die Wandung aus dunkelgrünem Glas, außen durch Überfang (oder übersättigte Farbbeize) écrue, 6teilig geschält, mittels Farbbeize flekkig gelb, im oberen Teil sechs ockerfarbige, ovale Hochfelder, darauf dunkelgrün ausgekugelte „Knöpfe" mit goldenem Zackenfries, zarten Linien, im durchfallenden Licht grün und gelbgrün durchscheinend. Auf den Schälern Zweige und Maiglöckchen in Gold, in den „Knöpfen" je ein gravierter Buchstabe, die zusammen den Namen „Rotter" ergeben. Am Boden gravierte Widmung: "den 14t-May 1834 Betty".
Privatbesitz
*Lit.: Pazaurek/Philippovich, Gläser, S. 261, Abb. 254.*
Abbildung

**6/1/112**
**Friedrich Egermann**
**Becher**

Haida, Nordböhmen, um 1835
Lithyalinglas auf transparentem dunkelgrünem Glas, Gelbbeize, geschliffen, Goldmalerei
H.: 10,5 cm
Auf der Wandung vier Medaillons, auf der Vorderseite Ansicht des Stephansdomes, dazwischen Schmetterlinge und Streublumen in chinesischer Art
Prag, Kunstgewerbemuseum, Inv. Nr. 18.113
*Lit.: Pazaurek/Philippovich, Gläser, S. 275, Abb. 248 – Brožová, J., České sklo 1800–1860, Prag 1976, Kat. Nr. 95 – Hejdová, D. – Drahzová, O. – Adlerová, A., Czechoslovakian Glass 1350–1980, Corning 1981, Kat. Nr. 41 – Brožková, H., Böhmisches Glas des 19. Jahrhunderts aus dem Kunstgewerbemuseum Prag, Berlin-Köpenick 1983, Kat. Nr. 74.*
Abbildung

**6/1/113**
**Friedrich Egermann**
**Becher**

Haida, Nordböhmen, um 1835
Lithyalinglas, auf transparentem dunkelgrünen Glas, Gelbbeize, geschliffen. Goldmalerei
H.: 11,2 cm
Glockenförmige achtkantige Wandung, mit Streublumen und Insekten nach „chinesischer Art"
Beschriftung: „Souvenir"
Prag, Kunstgewerbemuseum, Inv. Nr. B-I-595
*Lit.: Brožová, J., České sklo 1800–1860, Prag 1976, K. Nr. 94.*

**6/1/114**
**Friedrich Egermann**
**Becher, 1835**

Lithyalinglas, auf transparentem dunkelgrünem Glas, Gelbbeize, Goldmalerei
H.: 12,5 cm
Wandung grün durchscheinend, herausgeschliffene Spitzovalfelder mit gotisierenden Ornamenten, am Fußwulst rautenförmige Scheinsterne
Wien, Technisches Museum, Inv. Nr. 20.435

Derartige gotisierende Dekore sind aus der Werkstatt Friedrich Egermann sehr selten erhalten.

*Lit.: Ausstellung von Gläsern, Wien 1922, Kat. Nr. 827; Pazaurek//Philippovich, Abb. 260.*
SWu

**6/1/115**
**Friedrich Egermann**
**Pokal**

Haida, Nordböhmen, 1835/40
Lithyalinglas auf farblosem Glas mit rubinroten Adern, mittels Rotbeize weinrot marmorisiert, mit Schliff geschliffen, Goldmalerei
H.: 12,4 cm
Glockenförmige Kuppa, 11teilig geschält; auf der Wandung und am Fuß Blatt- und Blütenzweige sowie Insekten in chinesischer Art.
Privatbesitz
Abbildung

**6/1/116**
**Fußbecher**

Gräfl. Buquoysche Glashütte, Silberberg in Südböhmen, um 1837
Lithyalinglas, geschliffen, Gelbbeize, Goldmalerei
H.: 10,9 cm
Die Wandung aus rotem Hyalith, in der Mitte und nach unten eingezogen, in den unteren drei Vierteln 12teilig geschält, mittels Farbbeize braun, weinrot, im oberen Teil gemasert und wurzelholzartig gefleckt, auf den Schälern marmoriert
Privatbesitz
*Lit.: Ausstellungen von Gläsern, Wien 1922, Kat. Nr. 871 – J. Brožová, České sklo 1800–1860, Prag 1976, Kat. Nr. 84 mit Abb.*

## Steinglas

Von Joseph Zich (1789–1834) in Joachimsthal bei Harmanschlag, Niederösterreich, im Jahre 1832 gemachte „Erfindung, mittels Desoxydation des Glassatzes eine neue Glasart, Steinglas genannt, zu erzeugen, welches 1tens von allen Farben und fast auf die gleiche Art wie das früher erfundene schwarze Metallglas gemacht, verschmolzen und verarbeitet werde; 2tens undurchsichtig, oder aber nach Verlangen mehr oder weniger durchscheinend; 3tens sehr hart und daher einer hohen Politur fähig; 4tens endlich auf dem Bruche bunt, geadert, gestreift und geflammt sey, deshalb kommen durch das Schleifen verschiedene, gleichsam künstlich gemachte Mahlereyen, mit den schönsten Farben-Nüancen, zum Vorscheine, weshalb dasselbe auch zur Nachahmung des Jaspis, Achats, Lasurs, Carneols, Malachits, Marmors usw. vortrefflich diene . . ."
(„Wiener Zeitung" Nr. 122 vom 25. 5. 1832)

Steinglasbecher sind verhältnismäßig hoch – eine Höhe von 12 bis 14 cm ist durchaus üblich – dickwandig und die Formen schwer, bisweilen plump. Meistens sind sie: grau, graublau, graubraun, graugelb, graugrün, graurot, grauschwarz, steinbraun, steingrün und schwarzbraun.

Auch Steinglas wurde als Grundglas zur Lithyalinveredelung verwendet. Sie erfolgte wohl in Nordböhmen; nachgewiesen ist sie durch Archivforschung für die Harrachsche Glasfabrik Neuwelt im Riesengebirge.

*Arnold Busson*

**6/1/117**
**Joseph Zich**
**Becher**

Joachimsthal in Niederösterreich, um 1832–35
Steinglas, geschliffen
H.: 12 cm
Die Wandung 8teilig geschält, altrosa und weißblau gemasert, über je 2 Schäler runde Hochschliffelder, achtstrahliger Bodenstern.
Privatbesitz
*Lit.: Weltkunst 1978, 4, II, Abb. 1.*

**6/1/118**
**Joseph Zich**
**Becher**

Joachimsthal, Niederösterreich, um 1835
Steinglas, geschliffen, mit Goldmalerei, Nordböhmen
H.: 12,3 cm
8teilig geschält, auf den Schälern in der Mitte erhaben geschliffene, rechteckige Ornamentfelder, abwechselnd Walzen mit Wurmlinien und Platten mit Blütenrosetten
Privatbesitz

*Lit.: Ausstellung von Gläsern, Wien 1922, Kat. Nr. 964. H. Trenkwald, Gläser und Spätzeit, T. 44.*

**6/1/119**
**Joseph Zich**
**Becher**

Joachimsthal, Niederösterreich, 1832
Steinglas geschliffen
H.: 11,2 cm
Graublau, Wandung mehrfach geschält, herausgeschliffene Ornamentfelder. Alter Zettelvermerk: „Joseph Zich, Joachimsthal Österr. 1832"
Wien, Technisches Museum, Inv. Nr. 20.643

**6/1/120**
**Joseph Zich**
**Drei Flakons**

Joachimsthal, Niederösterreich, um 1830
Wien, Technisches Museum, Inv. Nr. 12.181 bis 12.183

**6/1/121**
**Becher**

Böhmen oder Niederösterreich, um 1840
Steinglas, geschliffen
H.: 11,5 cm
Türkisfarbige Glasmasse mit gekämmten gelben, rosa und blauen Fäden. Auf der Wandung Walzen und Keilschliff
Prag, Kunstgewerbemuseum, Inv. Nr. 18.155

**6/1/122**
**Becher**

Böhmen oder Niederösterreich, um 1840
Steinglas, geschliffen
H.: 11,5 cm
Gelbe Glasmasse mit gekämmten roten und grünen Fäden. Auf der Wandung Keilschliff
Prag, Kunstgewerbemuseum, Inv. Nr. 18.086

**6/1/123**
**Fußbecher**

Gräfl. Buquoysche Glashütte Silberberg oder Georgenthal in Südböhmen, um 1835/45
Agatin-Opalglas, geschliffen, mit Goldmalerei
H.: 12,5 cm
Rotviolett durchscheinend, wasserblau-violett „gefladert", die leicht bebauchte Kuppa oben 10teilig geschält, über je 2 Schäler fünf erhaben geschliffene Ovalfelder, darin gekugelte Spitzovale. Blattartige und herzförmige Ornamente in Gold
Privatbesitz

Opalartiges Glas, das unter der Bezeichnung „Agatin" in den Farben „rosé, opal, opalmargaritte" von den Buquoyschen Glashütten in Südböhmen als Neuheit auf den Gewerbeausstellungen in Wien 1835 und Prag 1836 gezeigt wurde.
Meistens sind sie: zart hellgrau, perlgrau, hell-, mittel-, dunkelblau, blau- oder (seltener) rotviolett, graugrün, blaugrün gewölkt, im durchfallenden Licht rötlich opalisierend bzw. einen ins Gold gehenden Ton annehmend, oder sie verfärben sich rauchartig bräunlich.

Es scheint so, als ob das amethyst- oder veilchenartig gefärbtes Agatin Opalglas das beliebteste war, da diese Färbungen am häufigsten vorkommen.

*Lit.: Ausstellung von Gläsern, Wien 1922, Kat. Nr. 976 – J. Brožová, České Sklo 1800–1860, Prag 1976, Kat. Nr. 99.*
AB

Kat. Nr. 6/1/111

### „Fadengläser" (Beispiele für venezianisierende Tendenzen)

**6/1/124**
**Becher**

Gräfl. Schaffgottsche Josephinenhütte bei Schreiberhau, Schlesien, um 1840/50
Mehrschichtiges Fadenglas
H.: 13 cm
Privatbesitz
Abbildung

**6/1/125**
**Becher**

Gräfl. Schaffgottsche Josephinenhütte bei Schreiberhau, Schlesien, um 1840/50
Mehrschichtiges Fadenglas
H.: 11,5 cm
Rot, blau und weiße Glasfäden zu einem Netzmuster verschmolzen.
Privatbesitz
Abbildung

Kat. Nr. 6/1/125

**6/1/126**
**Becher**

Gräfl. Schaffgottsche Josephinenhütte bei Schreiberhau, Schlesien, um 1840/50
Mehrschichtiges Fadenglas
H.: 12 cm
Rosa, blau und weiße Glasfäden mit farblosem Glas zu einem Netzmuster (Textilmuster) verschmolzen.
Wien, Glasgalerie Michael Kovacek

**6/1/127**
**Becher**

Böhmen, um 1835
Weißes Opalglas, blau überfangen, geschnitten, bunte Emailmalerei und Gold
H.: 13,4 cm
Privatbesitz

**6/1/128**
**Becher**

Böhmen, um 1835
Weißes und rosa Opalglas, blau überfangen, geschnitten, bunte Emailmalerei und Gold
H.: 13,1 cm
Privatbesitz

**6/1/129**
**Becher**

Böhmen, um 1830
Rosa Opalglas, weiß und grün überfangen, geschnitten, bunte Emailmalerei, schwarz geätztes Silber, Gold
H.: 12 cm
Privatbesitz

**6/1/130**
**Karl Pfohl**
**Becher**

Steinschönau, Böhmen, um 1850
Farbloses Glas, blau überfangen, geschliffen, Tief- und Hochschnitt, Medaillon mattiert, Rückseite mit Linsenschliff
H.: 13,5 cm
Privatbesitz

**6/1/131**
**Friedrich Egermann**
**Becher**

Haida, Nordböhmen, um 1830
Honiggelb-grünes Glas mit geschliffenen Tierdarstellungen
H.: 11,5 cm
Privatbesitz

**6/1/132**
**Friedrich Egermann**
**Flakon mit Stöpsel**

Haida, Nordböhmen, um 1830
Siegellackglas
H.: 15,2 cm
Privatbesitz

**6/1/133**
**Friedrich Egermann**
**Flakon mit Stöpsel**

Haida, Nordböhmen, um 1835
Lithyalinglas, türkis, Goldmalerei
H.: 12,5 cm
Privatbesitz

**6/1/134**
**Lichtschirm**

Wien, um 1830
Glas, Transparentmalerei, Silber
39,7 × 21,3 × 13,4 cm
Bez.: Wiener Silberpunze 1830, Meisterzeichen: K (= vermutlich Josef Kern, tätig von 1812–1832)
Gotisch-romantische Ornamentik, Bemalung: Zwei Putten im Vogelnest im Garten. Glas in Silberrahmen mit verstellbarem Silberständer.
HM, Inv. Nr. 69.506

## 6/2
## Porzellan der Wiener Porzellanmanufaktur

### Schalen mit Untertassen: Ansichten von Wien und Umgebung

**6/2/1**
**Schale mit Untertasse**

Wiener Porzellanmanufaktur, 1820
Porzellan, bemalt, teilweise vergoldet
Schale: H.: 9,3 cm, Untertasse: Dm.: 15,3 cm
Unterglasurblauer Bindenschild, Jahresstempel 820
Schale und Untertasse mit Veduten der Wiener Umgebung
Brünn, Mährische Galerie, Inv. Nr. 1.455
Abbildung

**6/2/2**
**Schale mit Untertasse**

Wiener Porzellanmanufaktur, 1822
Porzellan, bemalt, Goldmalerei
Schale: H.: 7,5 cm, Dm.: 9 cm, Untertasse: Dm.: 15,6 cm
Auf der Schale buntes Bildfeld mit Ansicht des Grabens in Wien. Auf der Unterseite der Schale Beschriftung: „Vue de la Place dite Am Graben à Vienne“
HM, Inv. Nr. 114.944

Vorlage der Ansicht: Artaria „Collection de vues“ Nr. 18
Abbildung

**6/2/3**
**Schale mit Untertasse**

Wiener Porzellanmanufaktur, 1826
Porzellan, bemalt
Schale: H.: 8 cm, Dm.: 9 cm, Untertasse: Dm.: 15,5 cm
Unterglasurblauer Bindenschild, Jahresstempel 826, eingepreßt: 7.
Schale außen und innen vergoldet, Efeukränzleindekoration, auf der Vorderseite Ansicht des Neuen Burgtores.
Auf der Unterseite der Schale Beschriftung: „Ansicht des neuen / Burgthores (von der / Vorstadtseite) zu Wien“.
Wien, Ehemalige Hofsilber- und Tafelkammer, Inv. Nr. MD 180.526/001

**6/2/4**
**Schale mit Untertasse**

Wiener Porzellanmanufaktur, 1826
Porzellan, bemalt
Schale: H.: 7,5 cm, Dm.: 9 cm, Untertasse: Dm.: 15 cm
Unterglasurblauer Bindenschild, Jahresstempel 826, eingepreßt 210.
Schale außen und innen vergoldet, Efeukränzleindekor, auf der Vorderseite Ansicht des Inneren Burghofes.
Auf der Unterseite der Schale Beschriftung: „Vue de la place de / la cour I.R. à Vienne“
Wien, Ehemalige Hofsilber- und Tafelkammer, Inv. Nr. MD 180.526/001

**6/2/5**
**Schale mit Untertasse**

Wiener Porzellanmanufaktur,
Porzellan, bemalt, teilweise vergoldet
Schale: H.: 8,9 cm, Untertasse: Dm.: 15,2 cm
Bindenschild. Schale mit Ansicht von Schloß Schönbrunn
HM, Inv. Nr. 146.505/1–2
Abbildung

**6/2/6**
**Schale mit Untertasse**

Wiener Porzellanmanufaktur, 1838
Porzellan, bemalt, teilweise vergoldet
Schale: H.: 10,1 cm, Untertasse: Dm.: 15,3 cm
Weißer Bindenschild, Jahresstempel 838
Schale und Untertasse mit Ansicht des Michaelerplatzes in Wien.
HM, Inv. Nr. 23.782

**6/2/7**
**Schale mit Untertasse**

Jakob Schufried (1785–1857)
Wiener Porzellanmanufaktur, 1843
Porzellan, bemalt
Schale: H.: 7,5 cm, Dm.: 8,5 cm
Unterglasurblauer Bindenschild, Jahresstempel 847
Auf der Schale Ansicht des Wiener Stephansdomes, auf der Untertasse Blick auf Wien vom Oberen Belvedere.
Privatbesitz

### Schalen mit Untertassen: Blumen

**6/2/8**
**Schale mit Untertasse**

Joseph Claas (1806–1867)
Wiener Porzellanmanufaktur, um 1813
Porzellan, bemalt
Schale: H.: 7,3 cm, Dm.: 8,5 cm, Untertasse: Dm.: 15,1 cm
Unterglasurblauer Bindenschild, Jahresstempel 813, Maler-Nr. 138 (= Josef Claas).
Schale innen vergoldet, mit Aufschrift: „L'été / et / l'hiver / Amitié (dasselbe Wort noch einmal in Spiegelschrift) / de près et de loin.“
Auf der Untertasse: „à / la mort / et à / la vie“
Schale und Untertasse mit antikisierendem Golddekor und floralen Motiven.
HM, Inv. Nr. 116.548

**6/2/9**
**Schale mit Untertasse**

Johann Marenzeller (1807–1846)
Wiener Porzellanmanufaktur, 1815
Porzellan, bemalt
Schale: H.: 7,3 cm, Dm.: 7,1 cm, Untertasse: Dm: 13,8 cm
Unterglasurblauer Bindenschild, Jahresstempel 815, Maler-Nr. 54 (= Johann Marenzeller).
Schale außen und innen vergoldet, bemalt mit Stiefmütterchen und Maiglöckchen
HM, Inv. Nr. 116.546

**6/2/10**
**Schale mit Untertasse**

Wiener Porzellanmanufaktur, 1815
Porzellan, bemalt
Schale: H.: 6,3 cm, Dm.: 8 cm; Untertasse: Dm.: 14 cm
Unterglasurblauer Bindenschild, Jahresstempel 815
Schale und Untertasse zur Gänze vergoldet, Zyklamenblütendekor
Wien, Ehemalige Hofsilber- und Tafelkammer, Inv. Nr. MD 180.568/001 und 002

Kat. Nr. 6/2/1

Kat. Nr. 6/2/2

Kat. Nr. 6/2/12

**6/2/11**
**Schale mit Untertasse**

Johann Wollein
Wiener Porzellanmanufaktur, 1815/16
Porzellan, bemalt
Schale: H.: 10,9 cm, Dm.: 9,2 cm, Untertasse: Dm.: 15,2 cm
Unterglasurblauer Bindenschild, Jahresstempel 815, auf der Unterseite der Untertasse beschriftet: „Joh. Wollein. 1816“
Schale und Untertasse mit Wiesenblumen bemalt, auf der Vorderseite Medaillon mit Blumenbouquet aus Rosen, Vergißmeinnicht, Stiefmütterchen, Erdbeerfrüchten, usw.
HM, Inv. Nr. 56.260

Johann Wollein jun. war in der Zeit von 1798–1817 an der Wiener Porzellanmanufaktur als Buntmaler tätig (Maler-Nr. 52).

*Lit.: Waltraud Neuwirth, Malenlexikon für Kunstgewerbe 4, Wien 1978, S. 72.*
SWu
Abbildung

**6/2/12**
**Schale mit Untertasse**

Joseph Megerle
Wiener Porzellanmanufaktur, 1816
Porzellan, bemalt
Schale: H.: 10,5 cm, Untertasse: Dm.: 16 cm
Unterglasurblauer Bindenschild, Jahresstempel 816, Maler-Nr. 18 (= Joseph Megerle)
Auf der Vorderseite der Schale in rechteckigem Bild Früchtestilleben
Prag, Kunstgewerbemuseum, Inv. Nr. 23.855 a, b
Abbildung

**6/2/13**
**Schale mit Untertasse**

Franz Solnek (tätig 1799–1824)/Jakob Sternreiter
Wiener Porzellanmanufaktur, 1817
Porzellan, bemalt
Schale: H.: 7,1 cm, Dm.: 8,5 cm, Untertasse: Dm.: 16 cm
Unterglasurblauer Bindenschild, Jahresstempel 817, Maler-Nr. 87 (= Blumenmaler Franz Solnek), sign.: J. S. (= Dessinmaler Jakob Sternreiter), eingepreßte Zahl: 57
Grauer Fond, reicher antikisierender Dekor in Gold und Blau, in Vasen Rosenbouquets
HM, Inv. Nr. 116.540
Abbildung

**6/2/14**
**Schale mit Untertasse**

Wiener Porzellanmanufaktur, 1822
Porzellan, bemalt
Schale: H.: 8,9 cm, Dm.: 10,6 cm, Untertasse: Dm.: 18,2 cm
Unterglasurblauer Bindenschild, Jahresstempel 822
Auf Schale und Untertasse antikisierender Dekor, in Goldmalerei – auf graublauem Fond auf der Vorderseite der Schale Blumenbouquet aus Rosen, Vergißmeinnicht, Stiefmütterchen
Wien, Technisches Museum, Inv. Nr. 19.288

**6/2/15**
**Schale mit Untertasse**

Wiener Porzellanmanufaktur, 1824
Porzellan, bemalt
Schale: H.: 9,5 cm, Untertasse: Dm.: 14,3 cm
Unterglasurblauer Bindenschild, Jahresstempel 824, eingepreßt: 824
Im Medaillon Darstellung eines Blumenstillebens im Mittelpunkt eine Tulpe, dunkler Fond.
Graz, Abteilung für Kunstgewerbe am Landesmuseum Joanneum Graz, Inv. Nr. 5.734

**6/2/16**
**Schale (mit Kleeblattdekor)**

Anton Döring (?)
Wiener Porzellanmanufaktur, 1826
Porzellan, bemalt
H.: 8,5 cm
Unterglasurblauer Bindenschild, Jahresstempel 826, Maler-Nr.: 135 (?)
Privatbesitz

**6/2/17**
**Schale mit Untertasse**

Joseph Geyer (1802–1836)
Wiener Porzellanmanufaktur, nach 1827
Porzellan, bemalt
Schale: H.: 6,3 cm
Eingestempelter Bindenschild, Jahresstempel unleserlich, Maler-Nr.: 137 (= Joseph Geyer), Weißdreher-Nr.: vermutl. 4, Form-Nr.: 338
Geschälte Wandung mit reichem Blumendekor und Schmetterlingen
Wien, Österreichisches Museum für angewandte Kunst, Inv. Nr. Ke 6.172
Abbildung

**6/2/18**
**Schale mit Untertasse**

Wiener Porzellanmanufaktur, 1827
Porzellan, bemalt
Schale: H.: 7,8 cm, Dm.: 9 cm, Untertasse: Dm.: 15,8 cm
Unterglasurblauer Bindenschild, Jahresstempel 827, eingepreßt: 7
An der Wandung Darstellung eines Blumenarrangements in einem Korb
Wien, Ehemalige Hofsilber- und Tafelkammer, Inv. Nr. MD 180.526/2

**6/2/19**
**Schale mit Untertasse**

Wiener Porzellanmanufaktur, 1829
Porzellan, bemalt
Schale: H.: 8,3 cm, Dm.: 11 cm, Untertasse: Dm.: 19 cm
Unterglasurblauer Bindenschild, Jahresstempel 829
Auf Schale Blumen-Früchte-Stilleben, auf der Untertasse Blumenstilleben
Linz, Oberösterreichisches Landesmuseum im Linzer Schloß, Inv. Nr. P 118
Abbildung

**6/2/20**
**Schale mit Untertasse**

Johann Teufel
Wiener Porzellanmanufaktur, 1830
Porzellan, bemalt
Bindenschild, Jahresstempel 830, auf Untertasse Maler-Nr.: 114, eingepreßt 12, 209
Auf Schale und Untertasse Blumen- und Früchtestilleben
Wien, Österreichisches Museum für angewandte Kunst, Inv. Nr. Ke 6.362

Kat. Nr. 6/2/13

Kat. Nr. 6/2/19

Kat. Nr. 6/2/21

**6/2/21**
**Schale mit Untertasse**

Wiener Porzellanmanufaktur, 1832
Porzellan, bemalt
Schale: H.: 9,3 cm
Eingepreßter Bindenschild, Jahresstempel 832, eingepreßt 286,4
Grünes Weinlaub auf dunklem Fond. Auf der Vorderseite der Wandung Aufschrift in ungarischer Sprache
Graz, Abteilung für Kunstgewerbe am Landesmuseum Joanneum in Graz, Inv. Nr. 15.877
Abbildung

**6/2/22**
**Schale mit Untertasse**

Franz Janscha
Wiener Porzellanmanufaktur, 1834
Porzellan, bemalt
Schale: 8,5 cm, Untertasse: Dm.: 15,2 cm
Unterglasurblauer Bindenschild, Jahresstempel 834, Maler-Nr. 25 (= Franz Janscha), eingepreßt Nr. 55, 38.
Blumendekoration auf weißem Grund.
Privatbesitz
Abbildung

### Schalen mit Untertassen: Tiermotive

**6/2/23**
**Schale mit Untertasse**

Ignaz Schmitt (tätig 1801–1833)
Wiener Porzellanmanufaktur, 1818
Porzellan, bemalt
Schale: H.: 9,2 cm, Untertasse: Dm.: 15,6 cm
Unterglasurblauer Bindenschild, Jahresstempel 818, Maler-Nr. 20 (= Ignaz Schmitt), eingepreßt Weißdreher-Nr. 30
Auf der Wandung der Schale Darstellung eines Gemüsestillebens mit Kater, totem Hahn und Ente
Auf der Unterseite der Tasse: „felis catus hispanicus"
Prag, Kunstgewerbemuseum, Inv. Nr. Z-265/3 a, b

**6/2/24**
**Schale mit Untertasse**

Wiener Porzellanmanufaktur, um 1817
Porzellan, bemalt
Schale: H.: 8,1 cm, Untertasse: Dm.: 14,5 cm
Unterglasurblauer Bindenschild, Jahresstempel 817, eingepreßte Weißdreher-Nr.: 19
Auf der Wandung der Schale Darstellung von Schwänen mit buntem Vogel
Prag, Kunstgewerbemuseum, Inv. Nr. 5.118 a, b

### Schalen mit Untertassen: Genreszenen

**6/2/25**
**Schale mit Untertasse**

Anton Fischer
Wiener Porzellanmanufaktur, 1817
Porzellan, bemalt
Schale: H.: 8,3 cm, Untertasse: Dm.: 14,5 cm
Unterglasurblauer Bindenschild, Jahresstempel 817, Maler-Nr. 146, eingepreßt Nr. 57
Auf der Wandung der Schale Darstellung eines Kindes mit Hund
Prag, Kunstgewerbemuseum, Inv. Nr. 30.488 a, b

**6/2/26**
**Schale mit Untertasse**

Wiener Porzellanmanufaktur, 1820
Porzellan, bemalt
Schale: H.: 12,7 cm, Untertasse: Dm.: 17,8 cm
Unterglasurblauer Bindenschild, Jahresstempel 820, eingepreßt: 70
Auf der Wandung der Schale Bildfeld mit der Darstellung eines die Laute spielenden Mädchens vor einem Tisch mit Musikinstrumenten und Notenschriften
Privatbesitz
Abbildung

**6/2/27**
**Schale mit Untertasse**

Johann Fiala
Wiener Porzellanmanufaktur, 1821
Porzellan, bemalt
Schale: H.: 10,4 cm, Dm.: 9,1 cm, Untertasse: Dm.: 16,3 cm
Unterglasurblauer Bindenschild, Jahresstempel 821, Maler-Nr. 21 (= Johann Fiala)
Hellgraublauer Fond, Golddekor, an der Wandung Bildfeld mit der Darstellung spielender Kinder
HM, Inv. Nr. 143.740
Abbildung

**6/2/28**
**Schale mit Untertasse**

Wiener Porzellanmanufaktur, 1825
Porzellan, bemalt
Schale: H.: 7,3 cm, Dm.: 8,5 cm, Untertasse: Dm.: 15,5 cm
Unterglasurblauer Bindenschild, Jahresstempel 825, eingepreßt Nr. 27
Auf der Wandung der Schale Darstellung eines Kindes, vor einem Kanarienvogelkäfig sitzend.
Wien, Ehemalige Hofsilber- und Tafelkammer, Inv. Nr. MD 180.526/001 und 003

**6/2/29**
**Schale mit Untertasse**

Wiener Porzellanmanufaktur, 1826
Porzellan, bemalt
Schale: H.: 7,8 cm, Dm.: 9 cm, Untertasse: Dm.: 15,5 cm
Unterglasurblauer Bindenschild, Jahresstempel 826.
Auf der Schale Bildfeld mit Darstellung einer Genreszene: Liebesbeweis der Fischhhändlerin.
Wien, Ehemalige Hofsilber- und Tafelkammer, Inv. Nr. MD 180.526/001 und 003

**6/2/30**
**Schale mit Untertasse**

Wiener Porzellanmanufaktur, 1826
Porzellan, bemalt
Schale: H.: 7,3 cm, Dm.: 8 cm, Untertasse: Dm.: 16 cm
Unterglasurblauer Bindenschild, Jahresstempel 826, eingepreßt 27, 245
Auf der Wandung der Schale Familienszene beim Kartenschlagen
Wien, Ehemalige Hofsilber- und Tafelkammer, Inv. Nr. MD 180.527/003

Kat. Nr. 6/2/22

**6/2/31**
**Schale mit Untertasse**

Georg Gmendt
Wiener Porzellanmanufaktur, 1826
Porzellan, bemalt
Schale: H.: 7,5 cm, Dm.: 8,5 cm, Untertasse: Dm.: 15,5 cm
Unterglasurblauer Bindenschild, Jahresstempel 826, Maler-Nr. 77 (= Georg Gmendt), eingepreßt Nr. 12, 178
Auf der Wandung Darstellung eines auf einem Hund reitenden Knaben. An der Unterseite der Schale Aufschrift: „le chien de l'hospice"
Wien, Ehemalige Hofsilber- und Tafelkammer, Inv. Nr. MD 180.527/004 und 005

**6/2/32**
**Schale mit Untertasse**

Wiener Porzellanmanufaktur, 1827
Porzellan, bemalt
Schale: H.: 8 cm, Dm.: 9 cm
Unterglasurblauer Bindenschild, Jahresstempel 827, eingepreßt 7, 233
Auf der Wandung der Schale Darstellung eines angelnden Knaben
Wien, Ehemalige Hofsilber- und Tafelkammer, Inv. Nr. MD 180.527/002 und 005

**6/2/33**
**Schale mit Untertasse**

Laurenz Herr (geb. 1787)
Wiener Porzellanmanufaktur, 1827
Porzellan, bemalt
Schale: H.: 7,8 cm, Dm.: 8,7 cm, Untertasse: Dm.: 15,5 cm
Unterglasurblauer Bindenschild, Jahresstempel 826, Maler-Nr. 10 (= Laurenz Herr)
Auf der Wandung Darstellung einer ländlichen Szene: Hirtin mit Hund und Schafherde
Wien, Ehemalige Hofsilber- und Tafelkammer

Kat. Nr. 6/2/26

## Schalen mit Untertassen: Allegorische und mythologische Szenen

**6/2/34**
**Schale mit Untertasse**

Josef Kürner/Leopold Buchecker (?)
Wiener Porzellanmanufaktur, 1823
Unterglasurblauer Bindenschild, Jahresstempel 823, Maler-Nr. 14 (= Leopold Buchecker) und 155 (= Josef Kürner)
Auf der Wandung der Schale Darstellung der allegorischen Szene Danae mit Goldregen (nach Tizian)
Prag, Kunstgewerbemuseum, Inv. Nr. 61.778

**6/2/35**
**Schale mit Untertasse**

Johann Ferstler (geb. 1776)
Wiener Porzellanmanufaktur, 1815
Porzellan, bemalt
Schale: H.: 7,2 cm, Dm.: 8,8 cm, Untertasse: Dm.: 15,1 cm
Unterglasurblauer Bindenschild, Jahresstempel 815, Miniaturbild sign.: J. Ferstler
Schale und Untertasse verziert mit Goldplättchendekor auf weißem Grund. Auf der Wandung der Schale Darstellung der Danae mit Goldregen (nach Tizian). Überhöhter, vergoldeter Schlangenhenkel
HM, Inv. Nr. 60.185
Abbildung

**6/2/36**
**Schale mit Untertasse**

Wiener Porzellanmanufaktur, 1825
Porzellan, bemalt
Schale: H.: 9,5 cm, Untertasse: Dm.: 15,8 cm
Unterglasurblauer Bindenschild, Jahresstempel 825 (undeutlich). Bossiererbuchstabe O und Weißdreher-Nr. 13
Auf der Wandung der Tasse Darstellung des den Bogen schnitzenden Amor (nach Parmigianino)
Prag, Kunstgewerbemuseum, Inv. Nr. 52.527 a, b
Abbildung

## Schalen mit Untertassen: Porträts

**6/2/37**
**Schale mit Untertasse**

Laurenz Herr
Wiener Porzellanmanufaktur, 1812/14
Porzellan, bemalt
Schale: H.: 13 cm, Untertasse: Dm.: 17 cm
Unterglasurblauer Bindenschild, Jahresstempel 812
Sign. u. dat.: L. Herr 814
Auf der Wandung Porträt Kaiser Franz' I., leithnerblauer Fond, reicher Golddekor
Wien, Österreichisches Museum für angewandte Kunst, Inv. Nr. Ke 4.032

**6/2/38**
**Schale mit Untertasse**

Wiener Porzellanmanufaktur, 1832
Porzellan, bemalt
Schale: H.: 10,3 cm, Untertasse: Dm.: 16,2 cm
Beschriftung im Boden der Tasse: „Franc. Ios. Charles / Duc de Reichstadt; / né le 20. mars 1811, / mort le 22. juillet, 1832."
Bindenschild (undeutlich), Jahresstempel 832, Weißdreher-Nr. 12
Auf der Wandung Porträt des Herzogs von Reichstadt
Prag, Kunstgewerbemuseum, Inv. Nr. 86.082 a, b
Abbildung

Kat. Nr. 6/2/35

Kat. Nr. 6/2/36

Kat. Nr. 6/2/38

Kat. Nr. 6/2/41

**6/2/39**
**Schale mit Untertasse**

Wiener Porzellanmanufaktur, 1836
Porzellan, bemalt
Schale: H.: 7,5 cm, Dm.: 8,9 cm, Untertasse: Dm.: 15,1 cm
Bindenschild, Jahresstempel 836 (?), eingepreßt 12, 216
Auf der Wandung Porträt Kaiser Ferdinand I., blauer Fond, Golddekor
HM, Inv. Nr. 27.097

**6/2/40**
**Schale mit Untertasse**

Wiener Porzellanmanufaktur, 1837
Porzellan, bemalt
Schale: H.: 7,8 cm, Dm.: 8,9 cm, Untertasse: Dm.: 15,5 cm
Bindenschild, Jahresstempel 837, Ritzzeichen C. I. Große rote Zahl: 6
Medaillon mit Porträt Erzherzog Josefs (Palatin von Ungarn), Schale und Untertasse vergoldet, Efeurankendekor
HM, Inv. Nr. 116.545

**6/2/41**
**Schale mit Untertasse**

Wiener Porzellanmanufaktur, 1849
Porzellan, bemalt
Schale: H.: 10 cm, Dm.: 9,1 cm, Untertasse: Dm.: 15,3 cm
Bindenschild, Jahresstempel 849, eingepreßt Nr. 12, Ritzzeichen: 4
Auf der Wandung Medaillon mit Porträt des jungen Kaiser Franz Joseph I., grüner Fond, Golddekor
Wien, Österreichisches Museum für angewandte Kunst, Ke 4070
Abbildung

**6/2/42**
**Schale mit Untertasse**

Wiener Porzellanmanufaktur, 1826/27
Porzellan, bemalt
Schale: H.: 10,5 cm, Untertasse: Dm.: 9,3 cm
Bindenschild, Jahresstempel
Auf der Wandung der Schale Darstellung Rudolf von Habsburgs. Schale und Untertasse vergoldet
HM, Inv. Nr. 27.098/1,2

## Schalen mit Untertassen: Mit Widmungen

**6/2/43**
**Schale mit Untertasse**

Anton Döring
Wiener Porzellanmanufaktur, 1820
Porzellan, bemalt
Schale: H.: 8,5 cm, Dm.: 8 cm, Untertasse: Dm.: 15 cm
Unterglasurblauer Bindenschild, Jahresstempel 820, Maler-Nr. 135, Vergolder 155
Schale mit Aufschrift: „Glück, Gesundheit und Zufriedenheit bekränzen ihre ganze Lebenszeit"
Wien, Ehemalige Hofsilber- und Tafelkammer, MD 180.570/001 und 002

Kat. Nr. 6/2/11

Kat. Nr. 6/2/5

Kat. Nr. 6/2/27

Kat. Nr. 6/2/47

**6/2/44**
**Schale mit Untertasse**

Wiener Porzellanmanufaktur, 1820
Porzellan, bemalt
Schale: H.: 6 cm, Dm.: 6,5 cm, Untertasse: Dm.: 13,3 cm
Unterglasurblauer Bindenschild, Jahresstempel 820.
Schale und Untertasse mit Aufschrift:
Schale: „Zum freundschaftlichen Andenken"
Untertasse: „Schuldlos, herzlich wie aus blauen Augen die Freude lächelt, wenn vergangener Zeiten holder Zauber den Geist umschwebt, spricht dieß zu Dir: Vergiß mein nicht".
Wien, Ehemalige Hofsilber- und Tafelkammer, Inv. Nr. 180.569/001 und 002

**6/2/45**
**Geschenktasse mit Originaletui**

Wiener Porzellanmanufaktur, um 1828
Porzellan, bemalt
Schale: H.: 6,1 cm, Untertasse: Dm.: 13,3 cm
Bindenschild, Jahresstempel 828 (Untertasse: Jahresstempel 827), eingepreßt Nr. 9
Weißer Fond mit einfachem Goldranddekor, auf der Schale in Medaillon Monogramm: „E", auf der Untertasse: „J"
Graz, Abteilung für Kunstgewerbe am Landesmuseum Joanneum, Inv. Nr. 12.832/33
Abbildung

**6/2/46**
**Schale mit Untertasse**

Wiener Porzellanmanufaktur, 1837
Porzellan, bemalt
Schale: H.: 9,8 cm, Dm.: 7,5 cm, Untertasse: Dm.: 14,2 cm
Bindenschild, Jahresstempel 837.
Schwarz bemalte Schale mit Darstellung eines Totenschädels, goldener Mundrand, auf der Untertasse die Aufschrift: „Erinnere dich / dass du / sterblich bist"
Brünn, Mährische Galerie, Inv. Nr. 21.194
Abbildung

**6/2/47**
**Schale mit Untertasse (Geburtstagsschale)**

Wiener Porzellanmanufaktur, 1841
Porzellan, bemalt
Schale: H.: 6,5 cm, Untertasse: Dm.: 14,5 cm
Bindenschild, Jahresstempel 841, eingepreßt 2, 19
Kobaltblauer Fond mit Goldrand, bemalter Flügel als Henkel
Dekor: Zifferblatt einer Uhr, Uhrzeit: $11^{45}$
Auf der Untertasse Aufschrift: Aprilis 25. 1841
HM, Inv. Nr. 65.707
Abbildung

Kat. Nr. 6/2/45

Kat. Nr. 6/2/46

Kat. Nr. 6/2/48

## Schalen mit Untertassen: Mit besonderen Dekoren

**6/2/48**
**Schale mit Untertasse**

Karl Bittner
Wiener Porzellanmanufaktur, 1817/18
Porzellan, bemalt
Unterglasurblauer Bindenschild, Jahresstempel 817 (Untertasse: 818), Maler-Nr. 65, eingepreßt 36, 117, 64
Weißer Fond, Blau-Gold-Dekor, Henkel in Form von zwei besonders angefertigten doppelten Schlangen
Wien, Österreichisches Museum für angewandte Kunst
Abbildung

**6/2/49**
**Schale mit Untertasse**

Joseph Geyer (1802–1836)
Wiener Porzellanmanufaktur, 1826
Porzellan, bemalt
Unterglasurblauer Bindenschild, Jahresstempel 826, Maler-Nr. 127 (= Joseph Geyer) eingepreßt 27, 31, 50
Weiß, rot, blauer Streifendekor.
Wien, Österreichisches Museum für angewandte Kunst, Inv. Nr. Ke 6.489

**6/2/50**
**Schale mit Untertasse**

Wiener Porzellanmanufaktur, 1833/34
Porzellan, bemalt
Schale: H.: 7 cm, Dm.: 7,9 cm, Untertasse: Dm.: 14,4 cm
Eingepreßter Bindenschild, Jahresstempel 833 u. 834
Weiße und grüne Felder, erstere mit Goldornamentik, wechseln einander ab
HM, Inv. Nr. 29.066

**6/2/51**
**Schale mit Untertasse**

Wiener Porzellanmanufaktur, 1837
Porzellan, bemalt
Schale: H.: 7 cm, Dm.: 7,4 cm, Untertasse: 15,6 cm
Unterglasurblauer Bindenschild, Jahresstempel 837
Schale und Untertasse weiß-grün, Schale mit durchbrochener Wandung in gotisierenden Formen, darin Untersatz mit grünem Fond stehend
Wien, Technisches Museum, Inv. Nr. 19.287/ 1, 2, 3

**6/2/52**
**Vier Tassen**

Wiener Porzellanmanufaktur, 1834–1839
Porzellan mit aufgemalter heraldischer Kaiserkrone
Unterglasurblauer Bindenschild, Jahresstempel 834–839
Wien, Ehemalige Hofsilber- und Tafelkammer, Inv. Nr. MD 180.064–067

Die verschiedenfärbigen Kronen auf den Tassen stehen für die verschiedenen Benutzungsorte. Die Tassen mit goldener und gelber Krone waren in Baden in Gebrauch, mit grüner Krone wurden sie im k. k. Lustschloß Schönbrunn, mit roter im k. k. Lustschloß Laxenburg benutzt.
PP
Abbildung

## Schokoladentassen der Porzellanmanufaktur Elbogen, Schlaggenwald, Dallowitz

**6/2/53**
**Schale mit Untertasse**

Elbogen, Besitzer: Gebrüder Haidruger, um 1833
Porzellan, bemalt, Vergoldung, zinnoberroter, Dekor
Schale: H.: 11,2 cm, Untertasse: Dm.: 15,2 cm
Im Boden eingestempelter Arm mit Schwert, Jahresstempel 833, eingepreßte Nr. 27 (Schale), 15 (Untertasse)
Prag, Kunstgewerbemuseum, Inv. Nr. 80.876 a, b
Abbildung

**6/2/54**
**Schale mit Untertasse**

Elbogen, Besitzer: Gebrüder Haidruger, um 1833
Porzellan, bemalt, mit bunten Edelsteinimitationen
Schale: H.: 13 cm, Untertasse: Dm.: 16 cm
Im Boden jeweils eingestempelter Arm mit Schwert, Jahresstempel 833, im Boden der Untertasse eingepreßte Nr. 15
Prag, Kunstgewerbemuseum, Inv. Nr. 73.430 a, b
Abbildung

**6/2/55**
**Schale mit Untertasse**

Schlaggenwald: Besitzer: Lippert & Haas, um 1828
Porzellan, bemalt, grün-schwarzer Dekor länglicher Blätter
Schale: H.: 6,7 cm, Untertasse: Dm.: 15 cm
Im Boden jeweils unterglasurblaue S-Marke, Jahresstempel 828, eingepreßte Nr. 2
Prag, Kunstgewerbemuseum, Inv. Nr. 78.538 a, b

Kat. Nr. 6/2/52

Kat. Nr. 6/2/53

Kat. Nr. 6/2/54

Kat. Nr. 6/2/58

**6/2/56**
**Schale mit Untertasse**

Schlaggenwald: Besitzer: Lippert & Haas, um 1837
Porzellan, bemalt, Goldmalerei, grün-blauer, rot-schwarzer Dekor
Schale: H.: 10,2 cm, Untertasse: Dm.: 15 cm
Im Boden der Schale eingestempelte S-Marke, am Boden der Untertasse Schlaggenwald L & H-Marke und Jahresstempel 837
Prag, Kunstgewerbemuseum, Inv. Nr. 61.628 a, b

**6/2/57**
**Schale mit Untertasse**

Dallowitz, Besitzer: Vilém Václar Lorenz, um 1840
Porzellan, bemalt, schwarz-grüne Dekoration
Schale: H.: 6,2 cm, Untertasse: Dm.: 14,7 cm
Im Boden der Untertasse eingestempelte DD-Marke, im Boden der Untertasse D-Marke.
Prag, Kunstgewerbemuseum, Inv. Nr. 76.731 a, b

**6/2/58**
**Schale mit Untertasse (in Form einer Rose)**

Schlaggenwald, Besitzer: Lippert & Haas, um 1835
Porzellan, bemalt
Schale: H.: 5,5 cm, Untertasse: Dm.: 14 cm
Prag, Kunstgewerbemuseum, Inv. Nr. 71.723 a, b
Abbildung

## Service

**6/2/59**
**Dejeuner**

Wiener Porzellanmanufaktur, um 1817
Porzellan, bemalt
Teekanne: H.: 8,1 cm, Dm.: 11,2 cm, Milchkanne: H.: 6,4 cm, L.: 13,8 cm, Zuckerdose: H.: 7,7 cm, Dm.: 9,5 cm, Schalen: H.: 5,4 cm, Dm.: 7,7 cm, Untertasse: Dm.: 13,7 cm
Unterglasurblauer Bindenschild, Jahresstempel 817, eingepreßt 26, 27 (Untertassen), 40 (Schale), Q (Zuckerdose und Kanne)

Niedere Teekanne und Zuckerdose in abgeflachter Form, achteckig, Wandung der Milchkanne achteckig, zwei Schalen und Untertasse; Objekte mit grünem Fond, Henkel, Ausgüsse, Ränder, Griffe glanzvergoldet
Wien, Österreichisches Museum für angewandte Kust, Inv. Nr. KHL 270
*Lit.: Mrazek-Neuwirth, Wiener Porzellan 1718–1864, S. 178, Kat. Nr. 695.*

**6/2/60**
**Dejeuner**

Karl Herzer (1790–1840)/
Jakob Schufried (1785–1857)
Wiener Porzellanmanufaktur, um 1818
Porzellan, bemalt mit Veduten
Anbietplatte: H.: 3,3 cm, L.: 33,42 cm, Zukkerschiffchen: H.: 10,9 cm, Schalen: H.: 9,5 cm, Dm.: 7,6 cm, Untertasse: Dm.: 14,5 cm, Kaffeekanne: H.: 22 cm, Dm.: 9,3 cm, Milchkanne: H.: 18,8 cm, Dm.: 8,2 cm
Unterglasurblauer Bindenschild (außer Anbietplatte), eingepreßt P (Anbietplatte), O (Zuckerschiffchen), 25 (Kaffee- und Milchkanne), 26 (Ober- und Untertassen), Ritzzeichen (Anbietplatte), 1 (Ober- und Untertassen), Jahresstempel 817 (Anbietplatte, Kaffe- u. Milchkanne, Zuckerschiffchen), 818 (alle übrigen Objekte), goldene Malernummer 11 (auf allen außer Anbietplatte).
Ovale Anbietplatte; zwei konische Kannen mit abgesetztem Fuß, geweiteter Lippe und hohem Henkel; zwei runde Untertassen; ein Zuckerschiffchen auf niederer Plinthe, hoher Schaft mit Schaftring, eiförmiger Körper und einwärts gebogene Volutengriffe; hochschulterige Kaffee- und Milchkanne über großem, niederem Fuß, geschwungener Ausguß und geschwungener Deckel mit Knauf. Ränder, Henkel, Ausgüsse, Füße vergoldet. Reiche Goldreliefbordüren mit Löwenköpfen; Ranken auf der Randzone der Anbietplatte, der Untertassen und auf der Wandung des Zuckerschiffchens. Auf der inneren Wandung unterm Mundsaum von Obertassen und Zuckerschiffchen aneinandergereihte goldene Einzelmotive, bestehend aus schrägem Streifen mit Blatt, vor weißem Grund. Der Kannendekor besonders reich; über dem Schaftring goldener Blattkelch und glanzvergoldete Wandung auf der Schulter die Bordüre aus Löwenköpfen und Ranken. Um den Hals laufendes blaues Rautenband vor weißem Grund. Auf allen Objekten mit Ausnahme des Zuckerschiffchens bunte, aus dem vergoldeten Fond ausgesparte Veduten, die durch Inschriften auf den Unterseiten bezeichnet sind:
Anbietplatte: „Vue de la ville de Vienne, de ses fauxbourgs et environs, prise du château du Belvédère".
Signiert „Schufrid 1818".
Obertassen: „Vue de la Gloriette au jardin J. D. de Schoenbrunn" bzw. „Vue du château gothique, dans le jardin I. R. Laxembourg".
Untertassen: „Entrée au château I. R. de Schoenbrunn" bzw. „Le château de plaisance I. R. à Laxembourg".
Kaffeekanne: „Vue du château I. R. de Schlosshof, du côté du jardin, en Hongrie".
Milchkanne: „Vue du château de plaisance I. R. à Hetzendorf".
Wien, Österreichisches Museum für angewandte Kunst, Inv. Nr. KHL 267
Abbildung

Kat. Nr. 6/2/63

Kat. Nr. 6/2/63

Kat. Nr. 6/2/63

**6/2/61**
**Dejeuner in Originalkassette**

Ignaz Obenbiegler/Stephan Mayerhofer
Wiener Porzellanmanufaktur, um 1834 und Silber, 1834
Porzellan, bemalt
2 Schalen, 2 Untertassen
Bindenschild, Jahresstempel 834, Maler-Nr. 154 (= Ignaz Obenbiegler).
Feingehaltspunze, 1834, Mz.: STM
Blumenmalerei auf Goldgrund, frühes Rosensilber
Privatbesitz

**6/2/62**
**Teile eines Kaffee- und Teeservices**

Wiener Porzellanmanufaktur, um 1822
Porzellan, bemalt mit Streublumen und Blätterkranz
Kaffeekanne, Teekanne, Oberskännchen, Milchkanne, 2 Schalen, 2 Untertassen
Bindenschild, Jahresstempel 822
Privatbesitz

**6/2/63**
**Teile eines Kaffeeservices**

Karl Herzer/Franz Schulz/Joseph Claas
Wiener Porzellanmanufaktur, 1826,
Porzellan, bemalt
Kaffeekanne: H.: 25 cm, Milchkanne: H.: 23 cm, Zuckerdose: H.: 34 cm, Schalen: H.: 8,3 cm, Dm.: 11 cm, Untertassen: Dm.: 19 cm
Bindenschild, Jahresstempel 826, Maler-Nr. 11 (= Karl Herzer), 93 (= Franz Schulz) und 138 (= Joseph Claas)
Auf den Wandungen der einzelnen Gefäße in Medaillons reich gestaltete Blumenbouquets.
Linz, Oberösterreichisches Landesmuseum im Linzer Schloß, Inv. Nr. P 183.197
Abbildungen

**6/2/64**
**Teile eines Kaffeeservices**

Franz Hautzenberger (1804–1857)
Wiener Porzellanmanufaktur, um 1830
Porzellan, Goldbemalung, Streifendekor
Kaffeekanne: H.: 20,8 cm, Dm.: 11,5 cm, Milchkanne: H.: 18,8 cm, Dm.: 10,5 cm, Zuckerdose: H.: 16,5 cm, Dm.: 9,9 cm, Schalen: H.: 7,3 cm, Dm.: 7,1 cm; Untertassen: Dm.: 13 cm
Eingepreßter Bindenschild, Jahresstempel 829 und 830
HM, Inv. Nr. 67.578

Das Service zeigt die noch in den späten zwanziger und frühen dreißiger Jahren vorhandenen klassizistischen Tendenzen sowohl in der Formensprache wie auch im Dekor.
SWu

**6/2/65**
**Teile des „Laxenburger Service“**
**Pokal mit 2 „Ruinentellern“**

Franz Sartory (1770–1846)/Georg Gmendt
Wiener Porzellanmanufaktur, 1821–24
Porzellan, bemalt
Pokal: H.: 27 cm, Dm.: 18 cm, Teller: Dm.: 24,3 cm
Unterglasurblauer Bindenschild, Jahresstempel 822 (Pokal), 821 (Teller), Maler-Nr. 77 (= Georg Gmendt) auf einem Teller.
Pokal mit Darstellung der Herrscherpaare „Leopold / die Zierde der Ritter / Catharina / v. Savoyen“ u. „Rudolph der Sanftmüthige / Blanka / v. Frankreich. / Elisabeth v. Böhmen“
Ruinenteller mit „Schloß Liechtenstein / in / NIEDER=ÖSTERREICH“
Ruinenteller mit „Schloß Greifenstein / in / NIEDER=ÖSTERREICH“
Wien, Ehemalige Hofsilber- und Tafelkammer, Inv. Nr. 180.024/002

An diesem für den Hof bestimmten Service arbeitete vor allem Franz Sartory zwischen 1821 und 1824. Das Ruinenservice, einfach auch das „gotische“ genannt, wurde in Bister ausgeführt und zeigt die „schönsten“ Ruinenschlösser Österreichs in gotischer Dekorationsrahmung. Die Pokale und Tafelaufsätze sind mit Herrscherporträts geschmückt.

*Lit.: Folnesics-Braun, Geschichte, S. 119 u. 151.*
SWu
Abbildungen

Kat. Nr. 6/2/65

Kat. Nr. 6/2/65

## Teller: Blumen

In den zwanziger Jahren des 19. Jhs., in der Spätphase der „goldenen Zeit“ der Manufaktur, erlangte die in Wien besonders gepflegte Blumenmalerei auch in der Manufaktur größere Bedeutung. Neben den traditionellen „Alt-Wiener Blumenstücken“, wie sie als Nachklang niederländischer und flämischer Blumenstilleben des 17. Jhs. durch Johann Baptist Drechsler (1791–1886), Franz Xaver Petter (1791–1866), Johann Knapp (1778–1833) und Joseph Nigg, der von 1800 bis 1843 auch für die Manufaktur arbeitete, Berühmtheit erlangten, entstanden, wenn auch in begrenztem Umfang, wissenschaftlich exakte Pflanzendarstellungen. Der umfangreichste Bestand an botanisch dekorierten Porzellanen befindet sich heute in der ehem. Hofsilber- und Tafelkammer der Wiener Hofburg; mehr als 200 Teller aus fünf unterschiedlichen Serien haben sich dort erhalten und sind, den Jahresstempeln nach, im Zeitraum zwischen 1803 und 1820/30 entstanden.

Mit der Bemalung dieser Tellerserien waren mindestens 21 der insgesamt 40 Blumenmaler beschäftigt, der weitaus stärksten Sparte unter den verschiedenen Dekormalern. Die vielfach außerordentlichen Qualitäten dieser „Pflanzenporträts“ sind ein Beweis für den enorm hohen Standard dieser Malergruppe. Der Malstil der meist in den späteren zwanziger und dreißiger Jahren entstandenen Pflanzendarstellungen setzt sich deutlich von der mehr graphischen Malweise früherer Vergleichsstücke ab, bei denen die Konturen schärfer zutage treten. Die mehr malerische Wiedergabe beruht einmal auf einer Geschmackswandlung, die für die verschiedensten Dekore auch bei anderen Manufakturen während des Biedermeier einsetzte, zum anderen und wesentlichen aber auf der Tatsache, daß die Pflanzen fast ausschließlich auf Grund von Studien nach lebenden Pflanzen gemalt wurden.

Die im folgenden gezeigten Pflanzendarstellungen auf Porzellan lassen sich zum überwiegenden Teil auf kleinformatige Wasserfarbenmalereien zurückführen, die nie in irgendeiner Form vervielfältigt worden sind. Die Blätter befanden sich im Besitz der k. k. Porzellanmanufaktur in Wien und werden heute im Österreichischen Museum für angewandte Kunst aufbewahrt.

Von diesen Wasserfarbenmalereien ist nur ein einziges Stück signiert und datiert („Joseph WUNDSAM den 22ten May 1819“); bei allen anderen, zum Teil stark beschnittenen Blättern fehlen heute nähere Angaben über den Künstler und die Entstehungszeit.

Es kann als sicher gelten, daß die Wasserfarbenmalereien zu Beginn des 19. Jhs. speziell für die Zwecke der k. k. Porzellanmanufaktur in Wien – und zwar wahrscheinlich ausschließlich nach lebenden Pflanzen – hergestellt wurden. Über die Herkunft der dargestellten Pflanzen ist leider nichts bekannt, doch kann angenommen werden, daß sie zum größten Teil aus Gärten stammten. Da einige der dargestellten Pflanzen in der Umgebung Wiens heimisch sind (z. B. Geranium sanguineum L., Papaver rhoeas L., Anemone hepatica L.) wird vermutet, daß einzelne Blätter nach in freier Natur gesammelten Exemplaren hergestellt worden sein könnten.

Die persönliche Beziehung des Kaiserhauses zur Botanik wird durch einige Teller belegt, deren exotische Pflanzen Gattungsnamen nach Mitgliedern des Hauses Habsburg-Lothringen tragen. (Winfried Baer, Botanische Dekore nach der Natur. In: Katalog Pflanzen auf Porzellan, Berlin-Charlottenburg.)

*Lit.: Führer durch die ehem. Hofsilber- und Tafelkammer. Hrsg. vom Österr. Museum f. Kunst und Industrie in Wien (o. J.), p. 9. J. Folnesics und E. W. Braun, Geschichte der k. k. Wiener Porzellan-Manufaktur 1718–1864, Wien (1907).*
PP

**6/2/66**
**Teller mit purpurfarbener Magnolie**

Joseph Wundsam
Wiener Porzellanmanufaktur, um 1821
Porzellan, bemalt
Dm.: 24,4 cm
Unterglasurblauer Bindenschild, Jahresstempel 821, Maler-Nr. 38 (= Joseph Wundsam), eingepreßte Nr. 43, Ritzzeichen: 3.
Auf der Unterseite beschriftet: Magnolia purpurea Curt. (Magnoliaceae/Magnoliengewächse), China.
Wien, Ehemalige Hofsilber- und Tafelkammer, Inv. Nr. MD 180.076/000

**6/2/67**
**Teller mit „Tradescantia virginica.“**

Anton Döring
Wiener Porzellanmanufaktur, um 1825
Porzellan, bemalt
Dm.: 24,4 cm
Unterglasurblauer Bindenschild, Jahresstempel 825, Maler-Nr. 135 (= Anton Döring), eingepreßte Nr. 48
Auf der Unterseite beschriftet: Tradescantia virginica L. (Cominelinaceae); Nordamerika
Wien, Ehemalige Hofsilber- und Tafelkammer, Inv. Nr. MD 180.076/000

**6/2/68**
**Teller mit Kamelie**

Anton Döring
Wiener Porzellanmanufaktur, 1827
Porzellan, bemalt
Dm.: 24,4 cm
Unterglasurblauer Bindenschild, Jahresstempel 827, Maler-Nr. 135 (=Anton Döring), eingepreßte Nr. 39, Ritzzeichen: I.
Auf der Unterseite beschriftet: Camellia japonica. petalei plicatis
Wien, Ehemalige Hofsilber- und Tafelkammer, Inv. Nr. MD 180.075/000

**6/2/69**
**Teller mit Wandelröschen**

Anton Blaha
Wiener Porzellanmanufaktur, 1830
Porzellan, bemalt
Dm.: 24,4 cm
Eingepreßter Bindenschild, Jahresstempel 830, Maler-Nr. 13 (= Anton Blaha) eingepreßte Nr. D 13
Auf der Unterseite beschriftet: „Lantana aculeata“
Wien, Ehemalige Hofsilber- und Tafelkammer, Inv. Nr. MD 180.075/000

**6/2/70**
**Teller mit Blumendarstellung „Ferdinandia speciosa POHL“**

Wiener Porzellanmanufaktur, um 1830
Porzellan, bemalt
Dm.: 24,4 cm
Eingepreßter Bindenschild, Jahresstempel 830.
Auf der Unterseite beschriftet: „Ferdinandia speciosa“
Wien, Ehemalige Hofsilber- und Tafelkammer, Inv. Nr. MD 180.075/000

Das Phänomen eines „vegetabilischen Ehren-Denkmals“ taucht in der Reihe von Tellern aus der ehem. Hofsilber- und Tafelkammer der Wiener Hofburg auf. Diese Teller der Wiener Porzellanmanufaktur zeigen Pflanzen, deren Gattungsnamen sich auf Mitglieder des Hauses Habsburg-Lothringen beziehen – auf Kaiser Franz I., auf dessen vierte Gemahlin Carolina Augusta von Bayern (1792–1873) und auf Erzherzog Ferdinand. Gerade Kaiser Franz I. war in der langen Reihe seiner vielfach für botanische Fragen interessierten Vorfahren für eine solche Ehre prädestiniert; er war nicht nur selbst passionierter Gärtner, sondern hatte auch 1817 eine naturwissenschaftliche Bereisung des Kaiserreichs Brasilien veranlaßt. Über dieses Unternehmen schreibt F. Trattinick 1829 in überschwenglichen Worten: „Da die Expedition nach Brasilien, die Allerhöchst Seine Majestät der Kaiser im Jahre 1818 anzuordnen geruhte, für die gesammte Naturkunde so überaus fruchtbar und erfolgreich gewesen ist, so mußte sich wohl der Herr Doctor Pohl von allen Seiten gedrungen fühlen, nicht nur seine eigene, sondern auch die Dankbarkeit aller Naturforscher und insbesondere die innigste Verehrung aller Botaniker der Welt an den Tag zu legen und zu versichern . . . Herr Doctor Pohl war daher vollkommen berechtigt, eine neue Pflanzengattung einzuführen, und dieser einen nach den Grundsätzen der Philosophia botanica gerechtfertigten neuen Nahmen beyzulegen. Er erwählte dazu den in jeder Hinsicht ehrwürdigen Nahmen Allerhöchst Seiner Majestät Franz I. Kaiser von Österreich.“ (nach Winfried Baer, a. a. O.)

*Lit.: L. F. Trattinick, Der Kaiserkranz zum 12. Februar 1829 geweiht. In: Neues Archiv für Geschichte, Staatenkunde, Literatur und Kunst, vol. 1 (20 als Fortsetzung) m 9. 2. 1829, p. 89–92.*
PP

Kat. Nr. 6/2/74

**6/2/71**
**Teller mit Blumendarstellung Augusta lanceolata POHL**

Anton Friedl
Wiener Porzellanmanufaktur, nach 1830
Porzellan, bemalt
Dm.: 24,4 cm
Eingepreßter Bindenschild, Maler-Nr. 6 (= Anton Friedl), eingepreßte Nr. D 39.
Auf der Unterseite beschriftet: „Augustea lanceolata“
Wien, Ehemalige Hofsilber- und Tafelkammer, Inv. Nr. 180.075/000

**6/2/72**
**Teller**

Wiener Porzellanmanufaktur, um 1826
Porzellan, bemalt, Streublumenmuster
Dm.: 24,5 cm
Bindenschild, Jahresstempel 826, eingepreßte Nr. 31
Dkfm. Dr. O. Kadlecek, Wiener Porzellanmanufaktur, Augarten Ges.m.b.H.

**6/2/73**
**Tablett**

Johann Quast
Wien, 1813, Bemalung 1835/40
Porzellan, bemalt, 37 × 28,2 cm
Sign.: Joh. Quast. Bez.: P „Wiener Marke“
Privatbesitz

## Terrinen

**6/2/74**
**Deckelterrine**

Wiener Porzellanmanufaktur, um 1816
Porzellan, unbemalt, weiß glasiert
L.: 28 cm
Unterglasurblauer Bindenschild, Jahresstempel 816
Wien, Österreichisches Museum für angewandte Kunst, Inv. Nr. Ke 6.526
Abbildung

**6/2/75**
**Deckelterrine aus dem „englischen“ Service**

Wiener Porzellanmanufaktur, um 1822
Porzellan, bemalt
Terrine: H.: 16 cm, Dm.: 24,5 cm
Unterglasurblauer Bindenschild, Jahresstempel 822
Runde Deckelterrine, nach oben abgeflachter Deckel, plastischer Knauf mit überfallenden Kelchblättern; nur die gerollten, horizontalen Henkel plastische Blumenflakons. Wandung mit Blumensträußen bemalt, Streifen in Gold, Hellbraun und Weiß.

*Lit.: Mrazek-Neuwirth, Wiener Porzellan, S. 180, Tafel 95.*
Privatbesitz

Die Deckelterrine gehörte zu einem großen Tafelservice, welches zwischen 1821 und 1824 für den englischen König Georg IV. angefertigt worden ist. Das Service bestand aus 316 Stück (darunter 120 Speiseteller, 36 Suppenteller usw.).

Der Blumenschmuck der Terrine zeigt wie die anderen Stücke auch heraldische Pflanzen:

Kat. Nr. 6/2/80

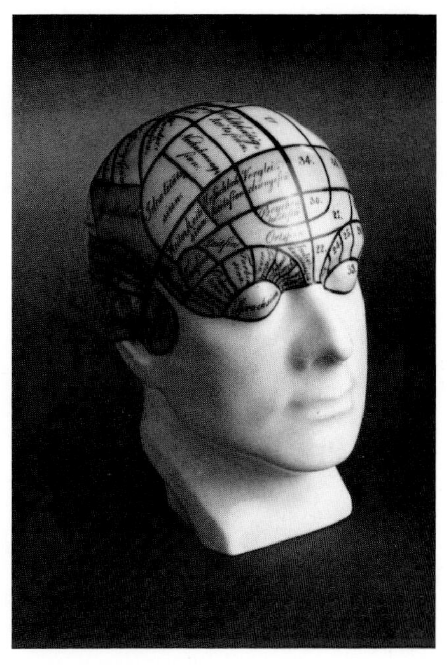

Kat. Nr. 6/2/82

Kat. Nr. 6/2/81

Distel, Rose und Kleeblatt in grauen Medaillons.

(Einige Teile dieses Services befinden sich im Österreichischen Museum für angewandte Kunst, z. B. Inv. Nr. Ke 916.)

*Lit.: Folnesics-Braun, Geschichte der k. k. Wiener Porzellanmanufaktur, S. 151, Abb. S. 150.*
SWu
Abbildung

**6/2/76**
**Kleine Deckelterrine**

Wiener Porzellanmanufaktur, 1825
Porzellan, bemalt mit Streublumenmuster
H.: 15,5 cm, Dm.: 22 cm
Bindenschild, Jahresstempel 825, eingepreßt Nr. 55
Dkfm. Dr. O. Kadlecek, Wiener Porzellanmanufaktur, Augarten Ges.m.b.H.

**6/2/77**
**Schüssel**

Wiener Porzellanmanufaktur, um 1830
Porzellan, weiß, mit Goldrand
Dm.: 27 cm
Unterglasurblauer Bindenschild, Jahresstempel 830, eingepreßt 25
Wien, Ehemalige Hofsilber- und Tafelkammer, Inv. Nr. 180.058/025

Bei dem Objekt handelt es sich um einen Teil eines Porzellanservices, welches für das österreichische Kaiserhaus angefertigt worden ist. Die Schüssel besticht durch ihre Form und Einfachheit.
SWu

## Diverses

**6/2/78**
**Zuckerschale mit Deckel**

Wiener Porzellanmanufaktur, um 1822
Porzellan, unbemalt, weiß glasiert
H.: 10,5 cm
Unterglasurblauer Bindenschild, Jahresstempel 822
Privatbesitz

**6/2/79**
**Schale mit Untertasse**

Wiener Porzellanmanufaktur, 1822
Porzellan, unbemalt, weiß glasiert
H.: 8,2 cm
Unterglasurblauer Bindenschild, Jahresstempel 822
Privatbesitz

**6/2/80**
**Kaffeemaschine**

Wiener Porzellanmanufaktur, um 1821
Porzellan, weiß mit Golddekor bemalt
H.: 40 cm, Dm.: 9,9 cm
Unterglasurblauer Bindenschild, Jahresstempel 821, eingepreßte Nr. 53, Ritzzeichen; zylindrischer Untersatz, Öffnung für Wärmelämpchen, Kanne mit überhöhtem Henkel, Siebaufsatz mit zwei Volutenhenkeln.
HM, Inv. Nr. 49.993
Abbildung

**6/2/81**
**Tintenfaß**

Wiener Porzellanmanufaktur, 1822
Porzellan, bemalt
H.: 9,8 cm, B.: 14,5 cm
Bindenschild, Jahresstempel 822
Brünn, Mährische Galerie,
Inv. Nr. 15.403
*Lit.: Klaçicismus, empir, biedermeier, Katalog, Brno 1983, S. 134.*
Abbildung

**6/2/82**
**Kopf mit eingezeichneten phrenologischen Zonen**

Wiener Porzellanmanufaktur, 1844
Porzellan, bemalt
H.: 11 cm
Bindenschild, Jahresstempel 844, eingepreßt: N
Privatbesitz
Seit 1795 versuchte in Wien der Arzt Dr. Josef Gall (1758–1828), durch Studien zuerst an Tieren und dann auch am menschlichen Schädel den Sitz der verschiedenen Eigenschaften zu bestimmen und begründete damit die Lehre von der Phrenologie. Neben einer Sammlung von Schädeln besaß er zu Studierzwecken Abgüsse von Köpfen lebender und toter Zeitgenossen, die er von dem Bildhauer Franz

Kat. Nr. 6/2/84

Kat. Nr. 6/2/83

Klein hatte anfertigen lassen. 1805 mußte Gall Wien verlassen, die von ihm hinterlassene Sammlung an Büsten und Schädeln befindet sich heute im Badener Rollett-Museum. Gall starb in Paris, wo er seit 1807 arbeitete.
Privatbesitz

*Lit.: Archiv für Geschichte der Medizin, hrsg. von der Puschmann-Stiftung an der Univ. Leipzig, Bd. 12, Leipzig 1920, S. 50ff.; Bernhard Holländer, Gall's collection of skulls casts of heads in the town Museum at Baden near Vienna. In: The Phrenological Record, London 1893, Nr. 6, S. 3f.*
SK
Abbildung

**6/2/83**
**Rechaud**

Wiener Porzellanmanufaktur, um 1825
Porzellan, bemalt
H.: 22,4 cm, Dm.: 12,8 cm
Unterglasurblauer Bindenschild, Jahresstempel 825, eingepreßte Nr. 53 (auf Untersatz und Kännchen), Maler-Nr. 18 (auf der Unterseite des Kännchens)
Wien, Österreichisches Museum für angewandte Kunst, Inv. Nr. Ke 6.160

Dreiteiliger Rechaud aus niederem, rundem Untersatz, konischer Turmform mit Zinnenkranz und vierpaßförmigen Öffnungen sowie hoher Einsatzkanne mit flachem Deckel. Die gemauerten Steine braun, mit grünem Blatt- und Rankenwerk, die Einsatzkanne weiß, Ausguß und Henkel sowie Deckelknauf vergoldet, Deckel und der sichtbare Teil der Kanne mit Goldornament auf weißem Grund überzogen, der vorspringende Zinnenkranz des Turms auf der Innenseite ebenfalls vergoldet.

*Lit.: Mrazek-Neuwirth, Wiener Porzellan, S. 181.*
Abbildung

Kat. Nr. 6/2/85

**6/2/84**
**Tintenzeug**

Jakob Schufried (1785–1857)
Wiener Porzellanmanufaktur, 1828
Porzellan, bemalt
Platte: H.: 4,2, 22,1 × 29,9 cm, Behälter: H.: 7,7 cm
Jahresstempel 826 (auf allen Objekten), eingepreßt L (Platte), W (Behälter), Ritzzeichen 3 (Platte).
Wien, Österreichisches Museum für angewandte Kunst, Inv. Nr. Ke 6.937

Querrechteckige Platte mit steilem, etwas abgeschrägtem Rand; würfelförmige Streusand- und Tintenbehälter. Ränder, Kanten und Deckel mit Knauf sowie die obere Fläche des Streusandbehälters vergoldet. Die Wandungen der Behälter mit Einzeldarstellungen von Giraffen, die ganze Fläche der Platte mit Giraffendarstellungen im Zoo in bunter Malerei dekoriert. Umlaufender Fries in der Kehlung der Platte bzw. am oberen Rand der Behälter, an deren oberen Kanten goldene Palmetten. Die Malerei der Platte signiert „Schufried 828".
Abbildung

**6/2/85**
**Briefbeschwerer**
**in Form einer liegenden Löwin**

Wiener Porzellanmanufaktur, um 1840
Porzellan, bemalt, 5,7 × 10,5 × 6,5 cm
Bindenschild, Jahresstempel 840, eingepreßt: A
Privatbesitz
Abbildung

## Vasen

**6/2/86**
**Vase in Amphorenform mit Blumenmalerei**

Josef Nigg (1782–1863)
Wiener Porzellanmanufaktur, 1817
Porzellan, bemalt
H.: 44 cm
Unterglasurblauer Bindenschild, Jahresstempel 817
Auf Holzpostament mit Metallornamentik.
HM, Inv. Nr. 115.013
Abbildung

**6/2/87**
**Breite Ziervase mit Blumenmalerei**

Josef Nigg
Wiener Porzellanmanufaktur, um 1825
Porzellan, bemalt
H.: 56 cm
Vase: Unterglasurblauer Bindenschild, Jahresstempel 822, eingepreßte Nr. 25, Postament: W eingepreßt u. eingeritzt
Wien, Österreichisches Museum für angewandte Kunst, Inv. Nr. Ke 916

Auf quadratischem Postament kraterförmige Vase mit quadratischer Sockelplatte, hohem

Kat. Nr. 6/2/86

Kat. Nr. 6/2/91

Kat. Nr. 6/2/88

Kat. Nr. 6/2/89

Fuß und niederer, einschwingender Wandung mit bunter Blumenmalerei sowie stark ausschwingendem Mundrand. Zu beiden Seiten geschwungene Henkel, deren spiralige Blattformen am Mundrand ansetzen. Bunte Blumenmalerei auf der Wandung, matter und polierter Golddekor über der ganzen Oberfläche. Auf der Vorderseite des Postaments das englische Wappen mit Einhorn und Löwen.

*Lit.: Mrazek-Neuwirth, Wiener Porzellan, S. 182.*

**6/2/88**
**Kleine Vase mit Blumenmalerei**

Josef Nigg
Wiener Porzellanmanufaktur, um 1826
Porzellan, bemalt
H.: 14,5 cm
Bindenschild, Jahresstempel 826
Brünn, Mährische Galerie, Inv. Nr. 9.230
Abbildung

**Blumenstilleben auf Porzellan**

**6/2/89**
**Blumenbild**

Josef Nigg
Wiener Porzellanmanufaktur, um 1827
Porzellan, bemalt
17,4 × 21,7 cm
Sign. u. dat. li. u.: Jos. Nigg 827, Rw eingepreßt: „P"
Privatbesitz
Abbildung

**6/2/90**
**Blumenbild**

Josef Nigg
Wiener Porzellanmanufaktur, 1818
Porzellan, bemalt
64,2 × 47,2 cm
Sign. u. dat.: Joseph Nigg in Wien 1818
Bez. auf der Rückseite: „Nach Van Huysum aus der Gallerie des Herrn Fürsten von und zu Liechtenstein, in Wien"

Kat. Nr. 6/2/95

Kat. Nr. 6/2/94

Kat. Nr. 6/2/93

Kat. Nr. 6/2/97

Kat. Nr. 6/2/98

Kat. Nr. 6/2/101

Kat. Nr. 6/2/99

Vor einer Nische buntes Blumenstilleben in einer Vase, auf Steinplatte davor Pfirsiche und Weintrauben
Wien, Österreichisches Museum für angewandte Kunst, Inv. Nr. Ke 384
*Lit.: Mrazek-Neuwirth, Wiener Porzellan, S. 182, Kat. Nr. 720.*
Abbildung

**6/2/91**
**Blumenbild**

Josef Nigg
Wiener Porzellanmanufaktur, 1840
Porzellan, bemalt
68,5 × 51,7 cm
Sign. u. dat.: Jos=Nigg 840 in Wien
Buntes Blumenstilleben in einer Vase auf Marmorsockel
Wien, Österreichisches Museum für angewandte Kunst, Inv. Nr. Ke 1.130
*Lit.: Mrazek-Neuwirth, Wiener Porzellan, S. 183, Kat. Nr. 723, Abbildung.*
Abbildung

## Blumen- und Früchteaquarelle

**6/2/92**
**Franz Xaver Gruber (1801–1862)**
**Birnen, Weintrauben und Stachelbeeren**

Aquarell, 32,3 × 21,4 cm
Sign. re. u. F. Xav. Gruber
HM, Inv. Nr. 100.640

Franz Xaver Gruber studierte seit 1827 an der Akademie und besuchte 1831–1832 die Vorlesungen des Botanikers Joseph Jacquin (Sohn von Nikolaus J.) an der Universität. 1843 wurde er Korrektor an der Abteilung für Blumen- und Früchtemalerei an der Akademie, 1835 Professor an der Manufakturschule der Akademie (bis zur Aufhebung dieser Klasse 1850).
HB

**6/2/93**
**Joseph Knapp (1810–1867)**
**Scharlachfarbener Ziest (Eselsohr), 1840**

Aquarell, 36,4 × 25,1 cm
Sign. u. dat. li. u.: Josef Knapp 1840, beschr. re. u.: Stachys coccinea.
HM, Inv. Nr. 101.080

Joseph Knapp war der Sohn des Blumenmalers Johann Knapp. Er lernte an der Akademie und bei seinem Vater; 1833 wurde er dessen Nachfolger als Kammermaler von Erzherzog Johann.
HB
Abbildung

**6/2/94**
**Gefranste Tulpe**

Aquarell, 29,8 × 22,5 cm
Beschr. re. u. fälschlich: Daffinger
HM, Inv. Nr. 100.666/1
Abbildung

**6/2/95**
**Josef Nigg (1782–1863)**
**Großes Blumenstück**

Aquarell, 50,9 × 35,8 cm
HM, Inv. Nr. 116.020

Die Komposition ist eine freie Zusammenstellung der nicht zu gleicher Zeit blühenden Pfingstrose, Edelrose, Mohnblume, Primel, Hyazinthe, Rittersporn, Gartennelke und Purpurwinde.

Josef Nigg war Schüler von Johann Baptist Drechsler. Er wurde ständiger Mitarbeiter der Porzellanmanufaktur und dortiger Lehrer für Blumenmalerei für die Manufaktureleven.
HB
Abbildung

**6/2/96**
**Sebastian Wegmayr (1776–1857)**
**Tulpenblüte, um 1817**

Aquarell, 26,6 × 18,5 cm
HM, Inv. Nr. 46.944/4

Sebastian Wegmayr studierte 1797–1805 an der Wiener Akademie. 1807 wurde er Korrektor an der Manufakturschule, 1812 bis 1815 Professor der Blumenmalerei. Die Darstellung ist ebenso wie die folgenden Katalognummern von Wegmayr aus einer Serie von 48 Aquarellen für die Wiener Porzellanmanufaktur.
HB

**6/2/97**
**Sebastian Wegmayr**
**Gartenanemone, 1817**

Aquarell, 33,4 × 22,1 cm
Dat. re. u.: 1817
HM, Inv. Nr. 46.944/9
Abbildung

**6/2/98**
**Sebastian Wegmayr**
**Gefüllte, blühende Tulpe, um 1817**

Aquarell, 35,4 × 24,8 cm
HM, Inv. Nr. 46.944/22
Abbildung

**6/2/99**
**Sebastian Wegmayr**
**Rosenstudie, um 1817**

Aquarell, 33,4 × 23,4 cm
HM, Inv. Nr. 46.944/25
Abbildung

**6/2/100**
**Sebastian Wegmayr**
**Gefüllte, blühende Hyazinthe, um 1817**
Aquarell, 31,9 × 32,3 cm
HM, Inv. Nr. 46.944/32

**6/2/101**
**Sebastian Wegmayr**
**Kirschen, um 1817**

Aquarell, 35,5 × 24 cm
HM, Inv. Nr. 46.944/37
Abbildung

**6/2/102**
**Leopold Zinnögger (1811–1872)**
**Gefüllte, blühende Pfingstrose, 1843**

Aquarell, 30,8 × 21,7 cm
Sign. u. dat. re. u.: Leopold Zinnögger 5/843
HM, Inv. Nr. 116.333

Zinnögger studierte seit 1830 an der Wiener Akademie. 1849–1862 war er Zeichenlehrer am k. k. Staatsobergymnasium in Linz.
HB

**6/2/103**
**Abschied des Landwehrmannes**
(nach einem Gemälde von Peter Krafft)

Wiener Porzellanmanufaktur, 1840
Lithographie, Biskuitporzellan, 16,2 × 21,4 cm
Bindenschild, Jahresstempel 840, eingepreßt: 7
Sign.: Weiss
Privatbesitz

**6/3**
**Edelmetalle**

**6/3/1**
**1 Paar Steckkerzenleuchter**

Franz Weissenböck (?)
Wien, 1814
Silber, getrieben
H.: 18,3 cm und 10,7 cm, Dm.: 8,3 cm;
Gewicht: 371 g
Feingehaltspunze, MZ: FW, Taxfreistempel
Privatbesitz
*Lit.: Reitzner, 1121 a.*
Abbildung

**6/3/2**
**Handkerzenleuchter mit Dochttöter**

Meister T. A.
Wien, 1816
Silber, getrieben
H.: 7,5 cm, B.: 10 cm, T.: 7,7 cm; Gewicht: 161 g
Feingehaltspunze, MZ: T. A., Vorratsstempel
Privatbesitz
Abbildung

**6/3/3**
**1 Paar Kerzenleuchter**

Benedikt Raminger (?)
Wien, 1816
Silber, getrieben
H.: 15,1 cm, Dm.: 10,5 cm; Gewicht: 418 g
Feingehaltspunze, MZ: BR, Vorratsstempel, Taxfreistempel
Privatbesitz
*Lit.: Knies, S. 27.*
Abbildung

**6/3/4**
**Dreiarmiger Leuchter**

Meister AK
Wien, 1817
Silber, Feingehaltspunze MZ: AK
Privatsammlung Jenö Eisenberger

**6/3/5**
**1 Paar Kerzenleuchter**

Ignaz Krautauer
Wien, 1819
Silber 15lötig, gegossen, gedreht
H.: 28,5 cm, Dm.: 12,6 cm; Gewicht 675 g (ein Leuchter)
Feingehaltspunze, MZ: Krautauer, Taxfreistempel, 15 LÖTHIG
Wien, Österreichisches Museum für angewandte Kunst, Inv. Nr. Go 1.835 a, b
Abbildung

**6/3/6**
**Leuchter**

Meister FW
Wien, 1819
Silber getrieben
H.: 22,2 cm, Dm.: 11,4 cm; Gewicht 296 g
Feingehaltspunze, MZ: FW, Taxfreistempel u. Vorratsstempel
Privatbesitz

**6/3/7**
**Leuchterpaar**

Meister TW
Wien, 1821
Silber getrieben
H.: 25 cm, Dm.: 11,5 cm
Feingehaltspunze, MZ: TW, Vorratsstempel
Privatbesitz
Abbildung

**6/3/8**
**Leuchterpaar**

Meister BJB
Wien, 1821
Silber getrieben
H.: 28,5 cm; Gewicht je 330 g
Feingehaltspunze, MZ: BJB, Taxfreistempel
Privatbesitz

**6/3/9**
**Zweiarmiger Kerzenleuchter**

Stefan Mayerhofer (tätig 1822–1837)
Wien, um 1825
Kupfer, versilbert, H.: 48 cm
Feingehaltspunze, MZ: Mayerhofer u. Doppeladler
Privatbesitz
Abbildung

Kat. Nr. 6/3/1

Kat. Nr. 6/3/2

Kat. Nr. 6/3/5

Kat. Nr. 6/3/7

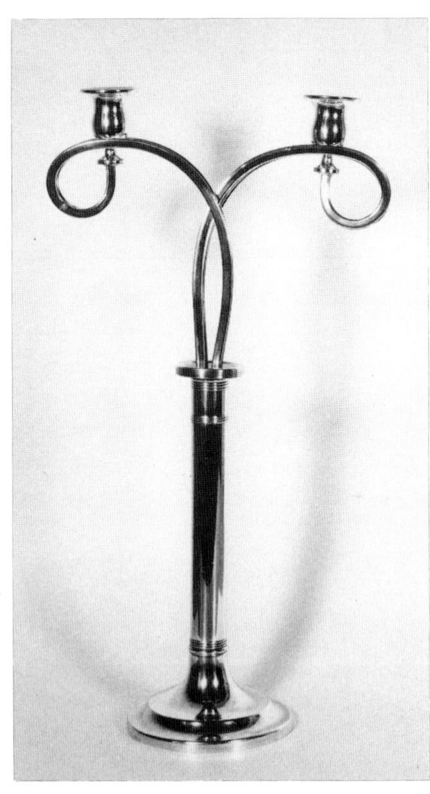

Kat. Nr. 6/3/9

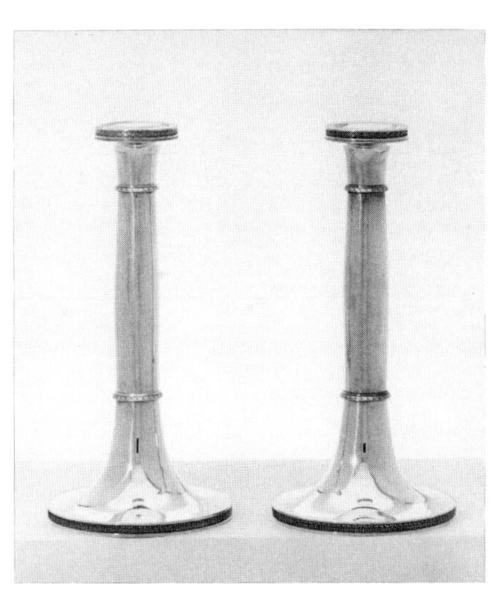

Kat. Nr. 6/3/10

**6/3/10**
**1 Paar Kerzenleuchter**

Meister IK
Wien, 1826
Silber, H.: 25,5 cm, Dm.: 12,3 cm; Gewicht 725 g
Feingehaltspunze, MZ: I*K
Privatbesitz
Abbildung

**6/3/11**
**1 Paar Kerzenleuchter**

Stefan Mayerhofer
Wien, 1828
Silber gedreht
H.: 39,5 cm, Dm.: 12 cm; Gewicht 1088 g
Feingehaltspunze, MZ: M, 13, 16
Privatbesitz
Abbildung

**6/3/12**
**1 Paar Kerzenleuchter**

Karl Wallnöfer
Wien, 1828
Silber getrieben, teilweise gegossen
H.: 27 cm, D.: 12,8 cm; Gewicht 260 g (ein Leuchter)
Feingehaltspunze, MZ: Wallnöfer
Wien, Österreichisches Museum für angewandte Kunst, Inv. Nr. Go 2.077

Dieses Leuchterpaar gilt allgemein als der Typus des Biedermeierleuchters. Die etwas gedrungene Form und die Rosenbordüren werden in der Öffentlichkeit mit dem „gemütlichen, lieblichen“ Biedermeier in Verbindung gebracht.
*Lit.: Reitzner, Nr. 1193.*
ESch
Abbildung

**6/3/13**
**1 Paar Kerzenleuchter (zum Ausziehen)**

Karl Wallnöfer
Wien, 1828
Silber, getrieben
H.: 18,5 cm (ausgezogen: 24,5 cm), Dm.: 9.8 cm; Gewicht 600 g (das Paar)
Feingehaltspunze, MZ: Wallnöfer
Privatbesitz
Abbildung

**6/3/14**
**Leuchter mit Hütchen**

Michael Fabritius (?)
Wien, 1832
Silber gepreßt, gegossen
H.: 10 cm, B.: 11,2 cm, L.: 10 cm; Gewicht 190 g
Feingehaltspunze, MZ: M. F.; am Hütchen Feingehaltspunze von 1864, MZ: T. D
Wien, Österreichisches Museum für angewandte Kunst, Inv. Nr. Go 1.784
*Lit.: Reitzner, Nr. 1207.*
Abbildung

**6/3/15**
**2 Handleuchter**

Meister AH u. WM
Wien, 1832
Silber, getrieben, teilweise gegossen
H.: 6,4 cm, 12 × 7,8 cm
Feingehaltspunze, MZ: AH u. WM
HM, Inv. Nr. 71.089
Abbildung

**6/3/16**
**Leuchterpaar**

Wien, 1835
Silber
H.: 23 cm, Dm.: 12 cm
Privatbesitz
Abbildung

**6/3/17**
**Leuchter**

Karl Wallnöfer
Wien, 1844/45
Silber, getrieben, H.: 25 cm
Feingehaltspunze, MZ: Wallnöfer
Brünn, Mährische Galerie, Inv. Nr. 12.487/1, 2
*Lit.: Klasicismus, empir, biedermeier, Brno 1983, Katalog S. 91.*
Abbildung

**6/3/18**
**Samowar**

Franz Wallnöfer
Wien, 1814
Silber, getrieben, teilweise gegossen, Ebenholzknäufe
B.: 27,5 cm, H.: 28 cm, T.: 34 cm; Gewicht 2677 g
Feingehaltspunze, MZ: FW, Taxfreistempel
Privatbesitz
*Lit.: Reitzner, Nr. 1045.*
Abbildung

**6/3/19**
**Heißwasserkessel**

Josef Kern
Wien, 1820
Silber getrieben, teilweise gegossen, gesägt, Elfenbein
31 × 21,8 cm, Dm.: 15,1 cm; Gewicht 1650 g
Feingehaltspunze, MZ: K, Taxfreistempel, Vorratsstempel
Wien, Österreichisches Museum für angewandte Kunst, Inv. Nr. Go 1.333
*Lit.: Knies, S. 13; Reitzner, Nr. 1126.*
Abbildung

Kat. Nr. 6/3/11

Kat. Nr. 6/3/13

Kat. Nr. 6/3/14

Kat. Nr. 6/3/15

Kat. Nr. 6/3/16

Kat. Nr. 6/3/18

Kat. Nr. 6/3/20

Kat. Nr. 6/3/24

Kat. Nr. 6/3/19

Kat. Nr. 6/3/17

Kat. Nr. 6/3/23

Kat. Nr. 6/3/26

Kat. Nr. 6/3/28

Kat. Nr. 6/3/31

Kat. Nr. 6/3/25

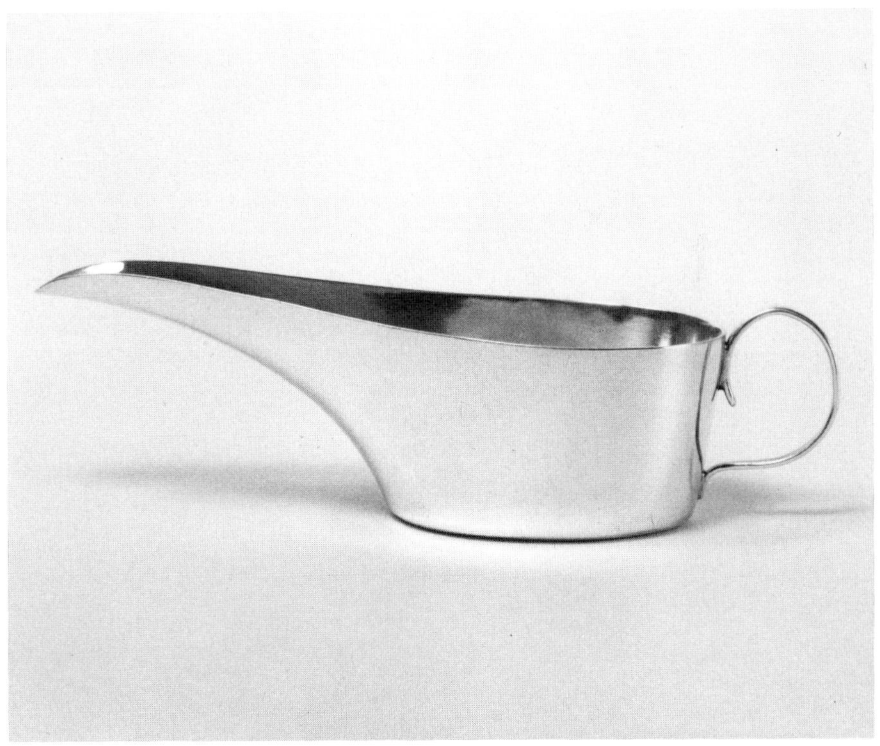

Kat. Nr. 6/3/27

Kat. Nr. 6/3/32

Kat. Nr. 6/3/33

Kat. Nr. 6/3/35

Kat. Nr. 6/3/37

**6/3/20**
**Kaffeemaschine**

Franz Köll
Wien, 1818
Silber, getrieben, schwarzgebeizter Holzknauf, H.: 29,5 cm, B.: 16 cm; Gewicht 647 g
Feingehaltspunze, MZ: FK, Vorratspunze, Taxfreistempel
Privatbesitz
*Lit.: Reitzner, 1118; Knies, S. 14.*
Abbildung

**6/3/21**
**Kaffeemaschine**

Josef Kern
Wien, 1821
Silber, Holzgriffe, H.: 22 cm
Feingehaltspunze, MZ.: K
Privatbesitz

**6/3/22**
**2 Kännchen**

Leopold Wienninger
Wien, 1810
Silber
H.: 11,2 und 12,2 cm
Feingehaltspunze LW
Privatbesitz

**6/3/23**
**Kanne mit Steckdeckel**

Meister B. H.
Wien, 1815
Silber, handgetrieben
H.: 15 cm, B.: 16 cm, Dm.: 10,4 cm
Feingehaltspunze, MZ: BH, Taxfreistempel
Privatbesitz
Abbildung

**6/3/24**
**Kännchen mit Steckdeckel**

Anton Kreißl
Wien, 1817
Silber, getrieben, H.: 13 cm, B.: 10,5 cm, Dm.: 7,5 cm; Gewicht 214 g
Feingehaltspunze, MZ: AK, Taxfreistempel
Privatbesitz
Abbildung

**6/3/25**
**1 Paar Silberkännchen**

Franz Frissek
Wien, 1818
Silber, getrieben, H.: 11,5 u. 10,5 cm, B.: 13 u. 11,1 cm; Gewicht 185 g, 181 g
Feingehaltspunze, MZ: FF, Taxfreistempel
Privatbesitz
Abbildung

**6/3/26**
**Kanne**

Benedikt Ranninger
Wien, 1820
Silber getrieben
H.: 16,5 cm, B.: 8,5 cm, L.: 16 cm; Gewicht 325 g
Feingehaltspunze, MZ: BNR, Taxfreistempel
Wien, Österreichisches Museum für angewandte Kunst, Inv. Nr. Go 1.199
Abbildung

**6/3/27**
**Kännchen**

Carl Dörfler
Wien, 1821
Silber, getrieben
L.: 14 cm, H.: 4 cm; Gewicht 66 g
Feingehaltspunze MZD, Taxfreistempel
Privatbesitz
Abbildung

**6/3/28**
**Kanne**

Stefan Mayerhofer (tätig 1822–1837)
Wien, 1825
Silber getrieben, Ebenholzgriff
H.: 22,5 cm, B.: 19 cm; Gewicht 380 g
Feingehaltspunze, MZ: ST.M, Doppeladler
Wien, Österreichisches Museum für angewandte Kunst, Inv. Nr. 1.190
*Lit.: Knies, S. 26.*
Abbildung

**6/3/29**
**Kännchen**

Franz Klug
Wien, 1840
Silber, getrieben, innen vergoldet, Elfenbeingriff
H.: 10,2 cm, L.: 18,5 cm, T.: 13,7 cm
Gewicht 307 g
Feingehaltspunze, MZ: FK
Privatbesitz
*Lit.: Knies, S. 24; Reitzner, Nr. 1297.*
Abbildung

**6/3/30**
**Kanne mit Steckdeckel**

Franz Köll
Wien, 18.4
Silber getrieben, H.: 14,7 cm, B.: 16 cm, Gewicht: 368 g
Feingehaltspunze, MZ: FK, Taxfreistempel und Vorratsstempel
Privatbesitz
Abbildung

**6/3/31**
**Oberskännchen**

Stefan Mayerhofer
Wien, 1825
Silber getrieben, H.: 5,2 cm, Dm.: 8,5 cm
Feingehaltspunze, MZ: STM, Doppeladler
Privatbesitz
Abbildung

**6/3/32**
**Teekanne**

Wien, 1816
Silber getrieben, H.: 9,5 cm, Dm.: 22 cm
Feingehaltspunze, MZ: (verschlagen)
Privatbesitz
Abbildung

**6/3/33**
**Teekanne**

Meister „LH"
Wien, 1831
Silber, dunkelgebeizter Holzgriff
H.: 8,5 cm, Dm.: 21 cm
Feingehaltspunze, MZ: LH, Vorrats- und Taxfreistempel
Privatbesitz
Abbildung

**6/3/34**
**Kakaokanne**

Meister E. W.
Wien, 1834
Silber getrieben, H.: 15 cm, Dm.: 8 cm
Feingehaltspunze, MZ: EW
Wien, Ehem. k. k. Hoftafelkammer, Inv. Nr. MD 180.364/004

**6/3/35**
**Kaffeekanne**

Mayerhofer u. Klinkosch
Wien, 1847
Silber getrieben u. gedrückt, teilweise gegossen, Elfenbeingriff
H.: 23 cm, B.: 22,5 cm, Dm.: 15,5 cm
Gewicht 734 g
Feingehaltspunze, MZ: M & K
Privatbesitz
Abbildung

**6/3/36**
**Zuckerdose**

Meister IS
Wien, 1819
Silber getrieben, innen vergoldet
H.: 7 cm, B.: 14,6 cm, T.: 8,5 cm
Gewicht 584 g
Feingehaltspunze 15 lötig, MZ.: 15
Privatbesitz
Abbildung

**6/3/37**
**Zuckerdose**

Michael Silk
Wien, 1834
Silber getrieben
H.: 7 cm, B.: 13,6 cm, T.: 9 cm; Gewicht 509 g
Feingehaltspunze, MZ: MS
Privatbesitz
Abbildung

**6/3/38**
**Zuckerdose**

Wien, 183.
Silber getrieben
H.: 10 cm, B.: 12,5 cm, T.: 9,3 cm
Gewicht 423 g
Feingehaltspunze, MZ: unleserlich
Sammlung Ronald und Jo Carol Lauder
Abbildung

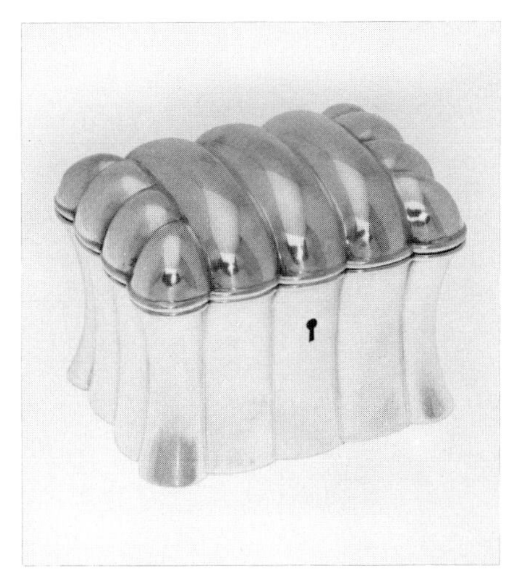

Kat. Nr. 6/3/38

**6/3/39**
**Gedeckelte Zuckerdose**

Alexander Benkovits
Wien, 1846
Silber getrieben, innen vergoldet
H.: 13,5 cm, 14,5 × 10,5 cm
Feingehaltspunze, MZ: AB
Auf dem Schloß eingraviertes Monogramm: „D. F."
HM, Inv. Nr. 96.417

**6/3/40**
**Zuckerdose**

Ferdinand Reichelt
Wien, 1847
Silber getrieben, innen vergoldet
H.: 7,3 cm, B.: 12,8 cm, T.: 8,4 cm;
Gewicht: 330 g
Feingehaltspunze, MZ: FR
Privatbesitz
*Lit.: Knies, S. 27.*

**6/3/41**
**Teeservice**

Meister FK und Meister IW
Wien, 1840
Silber getrieben, teilweise gegossen, Elfenbein; Zuckerdose innen vergoldet
Samowar:
H.: 31 cm, B.: 21,5 cm, L.: 23 cm;
Gewicht: 1600 g
Teekanne:
H.: 15 cm, B.: 22 cm, L.: 32,5 cm;
Gewicht: 800 g
Milchkanne:
H.: 11,4 cm, B.: 19 cm, L.: 13,5 cm;
Gewicht: 250 g
Zuckerdose:
H.: 14 cm, B.: 14,5 cm, L.: 18 cm;
Gewicht: 970 g
Feingehaltspunze, MZ: I. W und FK
Wien, Österreichisches Museum für angewandte Kunst, Inv. Nr. Go 1.421

Obwohl im Inventar als zusammengehörendes Service ausgegeben, paßt die Zuckerdose nach formalen Gesichtspunkten nicht zu den übrigen Teilen. Zuckerdosen sind häufig mit Schlössern versehen, da einige Zeit der Zuckerpreis sehr hoch war und ein Mißbrauch durch Verschließen des Gefäßes verhindert werden sollte. Dieses Merkmal wurde weiterhin beibehalten, auch als es aus ökonomischen Gründen nicht mehr notwendig gewesen wäre.
ESch
Abbildung

**6/3/42**
**Teile eines Teeservices**

Mayerhofer & Klinkosch
Wien, 1845
Silber, teilweise innen vergoldet, mit gegossenem zieseliertem u. gekörntem Dekor, Elfenbeingriff
Milchkanne: H.: 18,3 cm, Dm.: 12,8 cm
Zuckerdose: H.: 11,3 cm, Dm.: 16,2 cm
Feingehaltspunze, MZ: M & K
HM, Inv. Nr. 118.001
Abbildung

**6/3/43**
**Teile eines Kaffee- und Teeservices (mit Wappen)**

F. Schiffer
Wien, 1849
Silber getrieben, Elfenbeingriffe und -knäufe
Kaffeekanne, Oberskanne, Zuckerschale, Rechaud
Feingehaltspunze, MZ: Schiffer
Brünn, Mährische Galerie, Inv. Nr. 27.059 bis 27.065
Abbildung

**6/3/44**
**Schokoladetasse**

Wien, 1838
Silber getrieben und gedreht, teilweise gegossen, H.: 12,2 cm, Dm.: 16,4 cm;
Gewicht: 288 g
Feingehaltspunze, MZ: JD
Privatbesitz
Abbildung

**6/3/45**
**Becher**

Meister CS
Wien, um 1825
Silber gepreßt, innen vergoldet
H.: 8,5 cm, Dm.: 7 cm
Feingehaltspunze, MZ: CS
HM, Inv. Nr. 71.468

**6/3/46**
**Becher**

Karl Blasius
Wien, 1827
Silber getrieben
H.: 11,7 cm, Dm.: 7,8 cm; Gewicht 214 g
Feingehaltspunze, MZ: CB
Sammlung Ronald und Jo Carol Lauder
*Lit.: Knies, S. 12; Reitner, Nr. 1084.*
Abbildung

Kat. Nr. 6/3/43

**6/3/47**
**Pokal**

Meister IK, Wien, 1838
Silber getrieben, gegossen, gepunzt, innen vergoldet
H.: 28 cm, B.: 24 cm, Dm.: 16,5 cm
Gewicht 1693 g
Feingehaltspunze, MZ: IK
Wien, Österreichisches Museum für angewandte Kunst, Inv. Nr. Go 2.089
Abbildung

**6/3/48**
**Zuckerstreuer**

Meister T. A.
Wien, 1817
Silber getrieben
H.:14,5 cm, Dm.: 5,5 cm; Gewicht 180 g
Feingehaltspunze, MZ: T. A., Vorratsstempel u. Taxfreistempel
Privatbesitz
Abbildung

**6/3/49**
**Zuckerstreuer**

Meister VL
Wien, 1818
Silber getrieben, gedrückt, gegossen, gesägt
H.: 15,5 cm, Dm.: 5,5 cm; Gewicht 220 g
Feingehaltspunze, MZ: VL, Taxfreistempel, Vorratsstempel
Wien, Österreichisches Museum für angewandte Kunst, Inv. Nr. Go 2.039

Aus der ersten Hälfte des 19. Jahrhunderts sind uns Streugefäße in den verschiedenen Größen überliefert. Kleine Streugefäße wurden im wesentlichen als Bestandteile von Schreibgarnituren – als Behältnisse für Streusand verwendet, während größere zur Aufnahme von pulverisiertem Zucker vorgesehen waren. Die Zuordnung zu der jeweiligen Verwendungsgruppe ist häufig schwierig und erfolgt nach Gefühlskriterien.

*Lit.: Carl Hernmarck: Die Kunst der europäischen Gold- und Silberschmiede von 1450 bis 1830. München 1978, S. 182 ff.*
ESch
Abbildung

Kat. Nr. 6/3/44

Kat. Nr. 6/3/48

**6/3/50**
**Streugefäß mit Deckel**

Meister BNR od. BWR
Wien, 1824
Silber getrieben
H.: 10,3 cm, Dm.: 4,6 cm; Gewicht 143 g
Feingehaltspunze 15lötig
MZ.: BNR od. BWR
Privatbesitz
Abbildung

**6/3/51**
**Salz- und Pfeffergarnitur**

Meister FK
Wien, 1816/17
Silber mit trassiertem und gegossenem Dekor,
H.: 9,8 bzw. 9,9 cm, Dm.: 6,5 bzw. 6,9 cm
Feingehaltspunze, Meisterzeichen FK, Taxfreistempel, Vorratsstempel
HM, Inv. Nr. 71.469–71.470
Abbildung

**6/3/52**
**Salz- und Pfeffergefäß (mit 4 Füßen)**

Meister A
Wien 1817
Silber
H.: 2,4 × 6,1 × 4,6 cm; Gewicht 90 g
Feingehaltspunze, MZ: A
Privatbesitz

**6/3/53**
**Zwei Salzgefäßchen (mit Wappen)**

Stefan Mayerhofer (tätig 1822–1837)
Wien, 1831
Silber getrieben, farbloses Glas
H.: 6,5 cm, Dm.: 7,5 cm
Feingehaltspunze, Meisterzeichen: STM
Privatbesitz
Abbildung

**6/3/54**
**Salz- und Pfefferschälchen**

Theuer
Wien, 18..
Silber getrieben
H.: 2,5 × 8 × 8 cm; Gewicht 105 g
Feingehaltspunze, MZ: Theuer, Hofjuwelenwappen
Privatbesitz
Abbildung

**6/3/55**
**2 Salzgefäße**

Wien, 1845
Silber getrieben
H.: 6,3 cm, B.: 7,7 cm, L.: 9,2 cm;
Gewicht: 85 g
Feingehaltspunze, Meisterzeichen unleserlich
Wien, Österreichisches Museum für angewandte Kunst, Inv. Nr. Go 1.474
Abbildung

**6/3/56**
**Deckelterrine**

J. Krautauer
Wien, 1813
Silber getrieben, H.: 10 cm, Dm.: 21,6 cm
Feingehaltspunze, MZ: K, Vorratsstempel, Taxfreistempel
Privatbesitz
*Lit.: Knies, S. 13.*

**6/3/57**
**Deckelterrine**

Karl Wallnöfer
Wien, 1821
Silber getrieben, Ebenholzgriffe und Knauf
H.: 10 cm, B.: 22 cm, Dm.: 17,6 cm
Gewicht 661 g
Feingehaltspunze, MZ: Wallnöfer, Vorratsstempel
Privatbesitz
Abbildung

**6/3/58**
**Deckelterrine**

Heinrich Kern
Wien, 1828
Silber getrieben, innen vergoldet, Ebenholzgriffe
H.: 10,4 cm, B.: 15,5 cm, Dm.: 11,5 cm
Gewicht 395 g
Feingehaltspunze, MZ: K.
Privatbesitz
*Lit.: Knies, S. 18.*
Abbildung

**6/3/59**
**Deckelschüssel**

Stefan Mayerhofer (tätig 1822–1837)
Wien, 1833
Silber getrieben, Ebenholzknauf
H.: 13 cm, Dm.: 19,8 cm; Gewicht 851 g
Feingehaltspunze, MZ: STM
Privatbesitz
*Lit.: Knies, S. 26.*
Abbildung

**6/3/60**
**Terrine mit zweifach aufklappbarem Deckel**

Wien, 1838
Silber gedrückt, teilweise gegossen, Elfenbeinringerl, H.: 11 cm, B.: 21,5 cm, Dm.: 12 cm; Gewicht 364 g
Feingehaltspunze 15lötig, MZ: STM/CK
Privatbesitz
Abbildung

**6/3/61**
**Besteck**

K. Sedlmayer
Wien, 1817
Silber gedrückt
Löffel: L.: 21,4cm
Speisegabel: L.: 22 cm
Speisemesser: L.: 24,6 cm
Dessertgabel: L.: 17,5 cm
Dessertmesser: L.: 18,3 cm
Feingehaltspunze, MZ: K. S., Taxfreistempel, Vorratsstempel
Privatbesitz
Abbildung

Kat. Nr. 6/1/53

Kat. Nr. 6/3/50

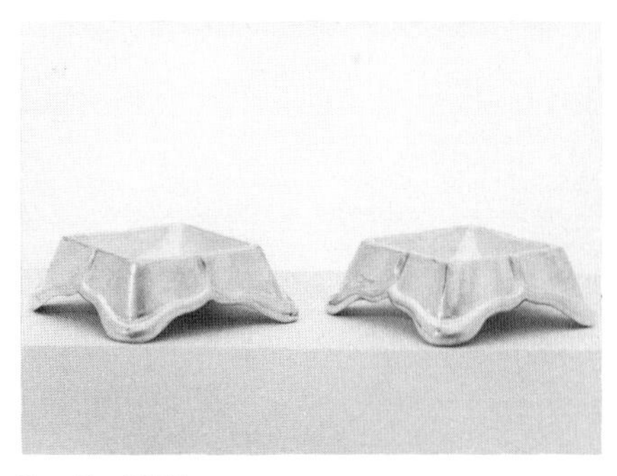

Kat. Nr. 6/3/54

Kat. Nr. 6/3/51

Kat. Nr. 6/3/55

Kat. Nr. 6/3/57

Kat. Nr. 6/3/61

**6/3/62**
**Besteck**

Stefan Mayerhofer
Wien, 1833 (?)
Silber mit gepreßtem Dekor
Privatbesitz
Abbildung

**6/3/63**
**Besteck**

Meister AR
Wien, 1848
Silber mit gepreßtem Dekor
Gr. Löffel: L.: 21,5 cm
Kl. Löffel: L.: 15,5 cm
Messer: L.: 25,5 cm
Gabel: 21,3 cm
Feingehaltspunze, MZ.: AR
HM, Inv. Nr. 49.832

Vierteilige Bestecke für eine Person wurden um die Mitte des 19. Jh. in Wien gerne als Taufgeschenk gegeben.
SWu

**6/3/64**
**Schälchen**

Meister MJC
Wien, 1817
Silber gedreht und geschlagen, Dm.: 6,5 cm; Gewicht 81 g
Feingehaltspunze, MZ: MJC, Taxfreistempel
Privatbesitz
Abbildung

Kat. Nr. 6/3/58

Kat. Nr. 6/3/59

**6/3/65**
**Schälchen**

M. Klama
Wien, 1817
Silber gedreht
H.: 2,3 cm, Dm.: 13,1 cm; Gewicht 172 g
Feingehaltspunze, MZ: MK
Privatbesitz
Abbildung

**6/3/66**
**Schüssel**

Wien, 1819
Silber getrieben und gesägt
H.: 4 cm, Dm.: 21,4 cm; Gewicht 413 g
Feingehaltspunze 15-lötig, MZ unleserlich, Vorratsstempel, Taxfreistempel
Privatbesitz
Abbildung

**6/3/67**
**Schale (mit Krone)**

Meister BNR
Wien, 1820
Silber getrieben
H.: 5,1 cm, B.: 24,8 cm, T.: 15,7 cm
Gewicht 292 g
Feingehaltspunze, MZ: BNR, Vorratsstempel
Privatbesitz

**6/3/68**
**Rasierbecken**

Franz Wallnöfer
Wien, 1821
Silber getrieben
5,2 × 23,7 × 17,7 cm
Feingehaltspunze
MZ: Wallnöfer Vorratsstempel
HM, Inv. Nr. 49.702

**6/3/69**
**Konfektschale mit Deckel**

Mayerhofer & Klinkosch
Wien, 1840
Silber getrieben, teilweise vergoldet, Milchglas bemalt
H.: 12,5 cm, B.: 20,6 cm, T.: 15 cm
Gewicht 357 g (ohne Glas)
Feingehaltspunze, MZ: M & K
Privatbesitz
Abbildung

**6/3/70**
**Korb**

Alois Würth
Wien, 1818
Silber getrieben und gesägt
H.: 4,9 cm (mit aufgestelltem Henkel: 17 cm), B.: 23 cm, T.: 19,1 cm; Gewicht 428 g
Feingehaltspunze, MZ: AW, Taxfreistempel
Privatbesitz
*Lit.: Reitzner, Nr. 1079; Knies, S. 16.*

**6/3/71**
**Korb**

Karl Wallnöfer
Wien, 1834
Silber getrieben und teilweise gegossen
H.: 18,5 cm, B.: 21,4 cm, Dm.: 16,6 cm
Feingehaltspunze, MZ: Wallnöfer
Privatbesitz
Abbildung

**6/3/72**
**Körbchen**

Andreas Weichesmüller
Wien, 1840
Silber getrieben und gegossen
H.: 10,6 cm, Dm.: 16 cm; Gewicht 399 g
Feingehaltspunze, MZ: AW
Privatbesitz
*Lit.: Knies, S. 29.*
Abbildung

**6/3/73**
**Korb**

Wien, 1846
Silber gepreßt, teilweise gegossen
H.: 8,7 cm, B.: 23,6 cm, L.: 33 cm;
Gewicht: 370 g
Feingehaltspunze Meisterzeichen unleserlich
Wien, Österreichisches Museum für angewandte Kunst, Inv. Nr. Go 2.084
Abbildung

**6/3/74**
**Korb**

Wien, 1847
Silber gepreßt, H.: 8,7 cm
Feingehaltspunze
Privatsammlung Jenö Eisenberger
Abbildung

Kat. Nr. 6/3/65

Kat. Nr. 6/3/71

Kat. Nr. 6/3/69

**6/3/75**
**Aufsatz**

Josef Reiner
Wien, 2. Drittel 19. Jahrhundert
Silber gepreßt, getrieben
H.: 17,7 cm, Dm.: 24 cm; Gewicht 325 g
Feingehaltspunze unleserlich
MZ.: J. REINER
Wien, Österreichisches Museum für angewandte Kunst, Inv. Nr. Go 2.083
Abbildung

**6/3/76**
**Teile einer Toilettegarnitur**

Ludwig Bock
Wien, 1821
Silber geschlagen
Zahnbürste: L.: 13,3 cm
Haarbürste: L.: 22,7 cm, B.: 6,5 cm; Gewicht: 167 g
Bartbürste: L.: 20 cm; Gewicht 38 g
Feingehaltspunze, MZ: LB. Taxfreistempel
Privatbesitz
Abbildung

Kat. Nr. 6/3/84

Kat. Nr. 6/3/78

Kat. Nr. 6/3/81

Kat. Nr. 6/3/82

**6/3/77**
**Deckeldosen**

Stefan Mayerhofer (tätig 1822–1837)
Wien, 1830
Silber gedrückt, H.: 5,3 cm, Dm.: 8,1 cm
Gewicht 170 g
Feingehaltspunze, MZ: STM
Privatbesitz

**6/3/78**
**Deckeldose**

Stefan Mayerhofer
Wien, 1834
Silber gedrückt, H.: 7,4 cm, Dm.: 8,6 cm
Gewicht 198 g
Feingehaltspunze, MZ: STM
Privatbesitz
Abbildung

**6/3/79**
**Deckeldose**

Meister I. W.
Wien, 1836
Silber gedrückt, H.: 5,4 cm, Dm.: 6,9 cm
Feingehaltspunze, MZ.: IW
Privatbesitz

**6/3/80**
**Deckeldose**

Meister IS
Wien, 1839
Silber gedrückt, H.: 5 cm, Dm.: 6,3 cm
Feingehaltspunze, MZ: IS
Privatbesitz

**6/3/81**
**Döschen mir 3teiligem Deckel**

Wien, 1840
Silber getrieben, innen vergoldet
H.: 1,6 cm, B.: 7,5 cm, T.: 3,9 cm
Gewicht 90 g
Feingehaltspunze, MZ: Hofjuwelierwappen (verschliffen)
Privatbesitz
Abbildung

**6/3/82**
**Döschen mit zwei Deckeln**

Mayerhofer u. Klinkosch
Wien, 1846
Silber, innen vergoldet
H.: 1,5 cm, B.: 5,1 cm, T.: 3,5 cm
Gewicht 57 g
Feingehaltspunze, MZ: M & K
Privatbesitz
Abbildung

**6/3/83**
**Dose**

Wien, 1846
Silber getrieben, H.: 7 cm, Dm.: 8,8 cm
Feingehaltspunze, MZ: verschlagen
Privatbesitz

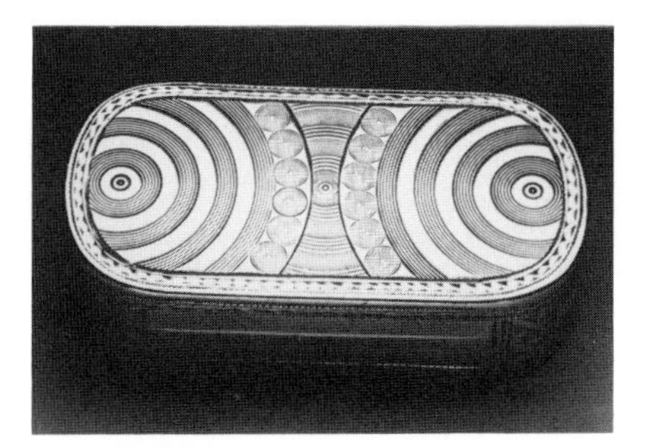

Kat. Nr. 6/3/85

Kat. Nr. 6/3/90

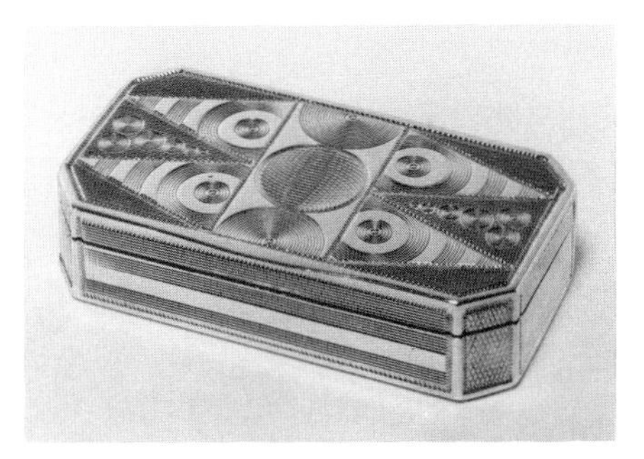

Kat. Nr. 6/3/86

Kat. Nr. 6/3/92

Kat. Nr. 6/3/87

Kat. Nr. 6/3/93

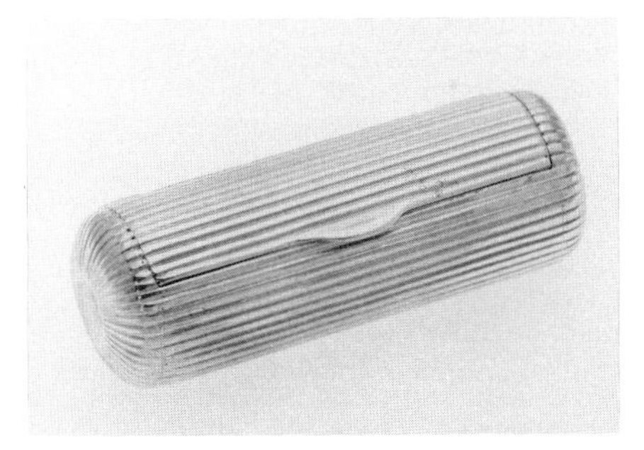

Kat. Nr. 6/3/89

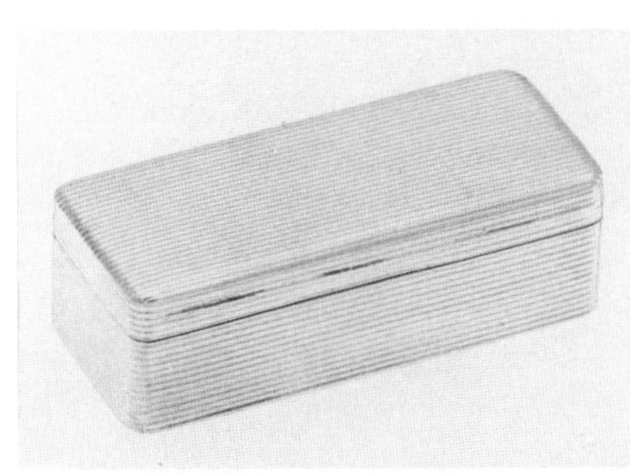

Kat. Nr. 6/3/97

**6/3/84**
**Dose**

Wien, um 1845
Silber
H.: 3,5 cm, Dm.: 4 cm
Meisterzeichen unleserlich
Privatbesitz
Abbildung

**6/3/85**
**Schnupftabakdose**

Meister A. K.
Wien, 1810
Silber
H.: 2,6 cm, Gewicht: 107,5 g
Feingehaltspunze, MZ: A. K.
Privatbesitz
Abbildung

**6/3/86**
**Schnupftabakdose**

Anton Oberhauser
Wien, 1813
Silber getrieben, innen vergoldet
H.: 2 cm, B.: 9 cm, T.: 5,1 cm
Feingehaltspunze, MZ: AO, Taxfreistempel
Privatbesitz
Abbildung

**6/3/87**
**Schnupftabakdose**

Wien, 1816
Silber, innen vergoldet
H.: 2 cm, Gewicht: 139 g
Feingehaltspunze, MZ: WB (?)
Privatbesitz
Abbildung

**6/3/88**
**Schnupftabakdose**

Meister WS oder SM
Wien, 1818
Silber
H.: 1,7 cm; Gewicht 117,5 g
Feingehaltspunze
Privatbesitz

**6/3/89**
**Schnupftabakdose**

Wien, 1818
Silber getrieben
Dm.: 3 cm, B.: 8,7 cm; Gewicht 85 g
Feingehaltspunze 15lötig, Taxfreistempel
Privatbesitz
Abbildung

**6/3/90**
**Schnupftabakdose**

Wien, 1819
Silber, 4,3 × 6,9 × 3,9 cm
Feingehaltspunze
Privatbesitz
Abbildung

**6/3/91**
**Schnupftabakdose**

Wien, 1819
Silber, innen Spuren von Vergoldung
1,4 × 5,9 × 3,8 cm; Gewicht 54,5 g
Feingehaltspunze, MZ: unleserlich
Privatbesitz

Kat. Nr. 6/3/94

Kat. Nr. 6/3/102

**6/3/92**
**Runde Schnupftabakdose**

Wien, 1828
Runde Schnupftabakdose (Deckel, beidseitig zu öffnen)
Silber, innen vergoldet
H.: 2,1 cm, Dm.: 8 cm; Gewicht 99,5 g
Feingehaltspunze, MZ unleserlich, auf dem Deckel Aufschrift: Ochsenhausen
Privatbesitz
Abbildung

**6/3/93**
**Schnupftabakdose**

Wien, 1832
Silber, innen vergoldet
1,3 × 8,5 × 5,7 cm; Gewicht 105,5 g
Feingehaltspunze, Meisterzeichen unleserlich
Privatbesitz
Abbildung

**6/3/94**
**Schnupftabakdose, innen vergoldet**

Michael Fabritius
Wien, 1835
Silber getrieben, innen vergoldet
2 × 6,9 × 4,5 cm; Gewicht 98 g
Feingehaltspunze, MZ: MF
Privatbesitz
Abbildung

**6/3/95**
**Schnupftabakdose**

Meister AM
Wien, 1840
Silber, innen vergoldet
1,8 × 8 × 5,4 cm; Gewicht 93,5 g
Feingehaltspunze, MZ: AM
Privatbesitz

**6/3/96**
**Schnupftabakdose**

Meister MS
Wien, 1840
Silber, innen vergoldet
2,2 × 8,4 × 4,2 cm; Gewicht 85,5 g
Feingehaltspunze, MZ: MS
Privatbesitz

**6/3/97**
**Schnupftabakdose**

Heinrich Voigt
Wien, 1840
Silber getrieben
2,6 × 8,7 × 3,7 cm; Gewicht 79 g
Feingehaltspunze, MZ: HV
Privatbesitz
*Lit: Knies, S. 29.*
Abbildung

**6/3/98**
**Schnupftabakdose**

Wien, 1847
Silber, innen vergoldet
2,9 × 9,3 × 4,1 cm; Gewicht 92,5 g
Feingehaltspunze
Privatbesitz

**6/3/99**
**Schnupftabakdose**

Meister AD
Wien, 1857
Silber getrieben, teilweise gegossen, innen vergoldet
1,8 × 8,2 × 5,3 cm; Gewicht 105 g
Feingehaltspunze, MZ: AD
Privatbesitz

**6/3/100**
**Reiterdose**

Anton Oberhauser
Wien, 1817 od. 1819
Silber, innen vergoldet
2,3 × 8,4 × 4,7 cm; Gewicht: 104,5 g
Feingehaltspunze, MZ: AO
Privatbesitz

**6/3/101**
**Reiterdose**

Meister HI
Wien, 1816
Silber, innen vergoldet
2 × 8,5 × 5 cm; Gewicht: 100 g
Feingehaltspunze, MZ: HI
Monogramm: JK
Privatbesitz

**6/3/102**
**Dose**

Stephan Eder Storckloff (Meister 1815–1844)
Wien, 1816
Silber, innen vergoldet
2,5 × 8,8 × 5,5 cm; Gewicht: 135 g
Feingehaltspunze, MZ: SES
Mit Monogramm
Privatbesitz
Abbildung

**6/3/103**
**Reiterdose**

Wenzel Massapost (?) (tätig 1792–1824)
Wien, 1817
Silber, innen vergoldet
1,6 × 8,5 cm; Gewicht: 105 g
Feingehaltspunze, MZ: WM (?)
Privatbesitz
Abbildung

**6/3/104**
**Kombinierte Schnupftabaks-Spieldose**

Meister OV
Wien, 1819
Silber, innen vergoldet
3,4 × 9 × 5,4 cm; Gewicht: 345 g
Feingehaltspunze, MZ: OV, Taxfreistempel
Privatbesitz
Abbildung

**6/3/105**
**Dose**

Meister SES (?)
Wien, 1819
Silber, innen Reste der Vergoldung
1,5 × 7,8 × 4,8 cm; Gewicht: 80 g
Feingehaltspunze, MZ: SES
Privatbesitz

Kat. Nr. 6/3/103

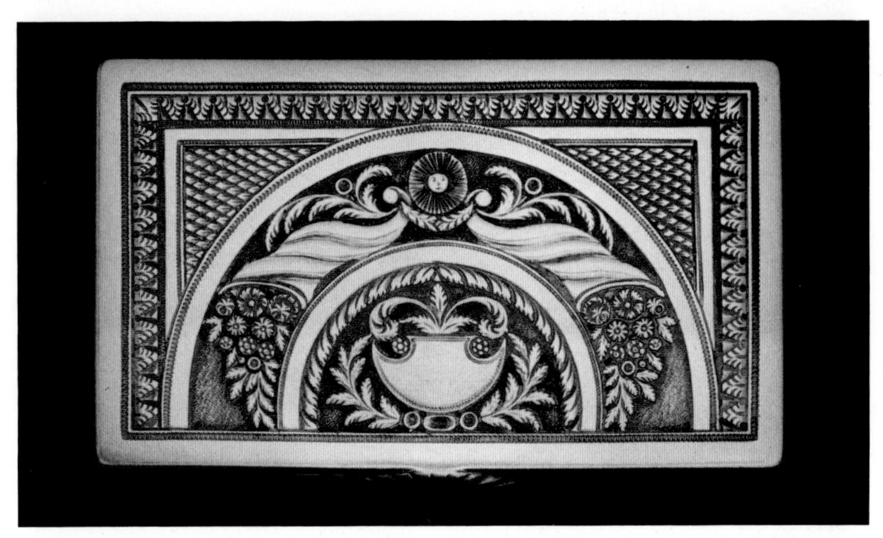

Kat. Nr. 6/3/104

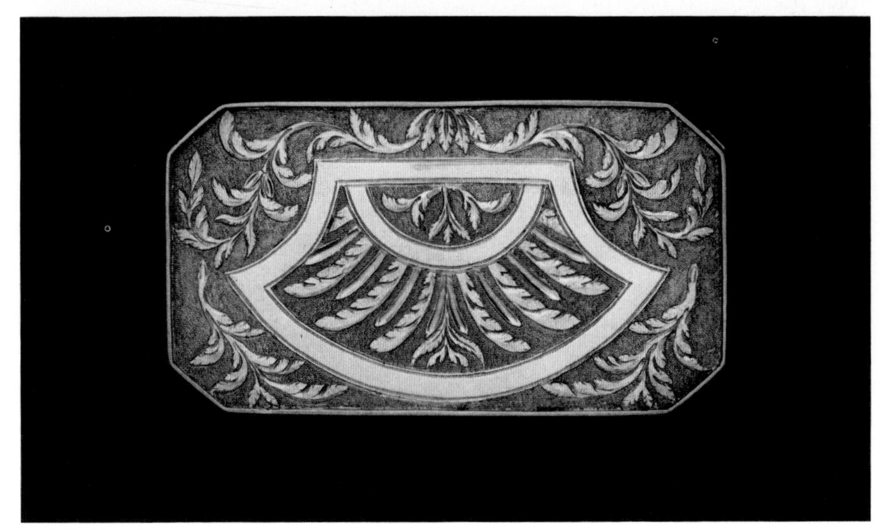

Kat. Nr. 6/3/106

**6/3/106**
**Dose**

Wien, 1810/1824
Silber, innen vergoldet
1,8 × 9 × 4,8 cm; Gewicht: 135 g
Feingehaltspunze
Privatbesitz
Abbildung

**6/3/107**
**Dose mit Ansicht des Stephansdomes**

Meister SO (?)
Wien, 1829
Silber
1,6 × 8,5 × 5,2 cm; Gewicht: 115 g
Privatbesitz
Abbildung

**6/3/108**
**Dose mit Darstellung eines Reiterpaares**

Meister: SLS (?)
Wien, 1830
Silber, innen vergoldet
1,7 × 8,5 cm; Gewicht: 110 g
Feingehaltspunze, MZ: SLS
Privatbesitz

**6/3/109**
**Dose mit Darstellung des Kaiser Franz-Denkmals**

Wien, 1846
Silber, innen vergoldet
1,5 × 8 × 5 cm; Gewicht: 110 g
Feingehaltspunze
Abbildung

**6/3/110**
**Schnupftabakdose**

Meister HH (?)
Wien, 1845
Silber, innen vergoldet
1,5 × 8,5 × 5,2 cm; Gewicht: 130 g
Feingehaltspunze, MZ: HH (?)
Privatbesitz

**6/3/111**
**Zuckerdose**

Wien, 1845
13,5 × 18 × 13 cm
Meisterzeichen AW
Sammlung Dkfm. Otto Geiecker
Abbildung

**6/3/112**
**Tablett**

Wien, 1840
Silber
51 × 30,3 cm
Meisterzeichen FT
Sammlung Dkfm. Otto Geiecker

**6/3/113**
**Reisebesteck**

Wien, 1847
Silber
MZ: FS
Bestehend aus: Löffel, Gabel, Messer, kleinem Löffel, Salz- und Pfeffergefäß
Privatbesitz
Abbildung

Kat. Nr. 6/3/107

Kat. Nr. 6/3/109

Kat. Nr. 6/3/111

Kat. Nr. 6/3/113

**6/4**
**Schmuck**

## Schmuckgarnituren

**6/4/1**
**Brosche und Ohrgehänge**

Österreich, um 1820
Silber, vergoldet, Flußperlen, Porzellan
Brosche: L.: 2,8 cm
Ohrgehänge: L.: 5,4 cm
Graz, Abteilung für Kunstgewerbe am Landesmuseum Joanneum

**6/4/2**
**2 Haarnadeln, Ohrringe, Brosche, nach 1824**

Alexander Kittner
Wien, nach 1824
Bunte Edelsteine im Gold montiert
Stahlnadeln: In Lederetui (23,5 × 11,5 cm)
Haarnadeln: 16,2 cm
Ohrringe: 8,1 cm
Brosche: 7,8 × 4,9 cm
Prag, Kunstgewerbemuseum,
Inv. Nr. 61.807–61.809 a, b

**6/4/3**
**Schmuckgarnitur, 1824**

Ferdinand Tschebutz
Wien, 1824
Zehnteilig, aus Nußkernmaterial geschnitten, im Gold montiert. Am Halsschmuck Inschrift: „Zum ersten Jänner 1824 Ihrer Beyden Allerhöchsten Majestäten Kaiser Franz dem Ersten und der Kaiserin Caroline Auguste zum Wohl von Vereinten Völker Oesterreich". In Lederetui: 47,6 × 10,2 cm
Prag, Kunstgewerbemuseum,
Inv. Nr. 61.885–61.894

**6/4/4**
**Parure**

Horowitz, 1829
Eisenguß
Kette: 500 mm
Ohrringe: H.: 60 mm
Schnalle: H.: 77 mm, B.: 28 mm
HM, Modesammlung, Inv. Nr. K 48 L 50

**6/4/5**
**Kreuz, Ohrgehänge und Rosette**

Österreich, 1830/40
Silber vergoldet, Türkise, Perlen
Kreuz: L.: 7,5 cm
Ohrgehänge: L.: 5,5 cm
Rosette: H.: 1,6 cm
Wien, Österreichisches Museum für angewandte Kunst, Inv. Nr. Bi 1.473
*Lit.: Gerhard Egger, Bürgerlicher Schmuck, 15.–20. Jahrhundert, München 1984, S. 71, Nr. 78*
Abbildung

**6/4/6**
**Collier, Ohrgehänge, Brosche**

Böhmen, um 1840
Gold, Granaten, Perlen
Kette: L.: 41 cm
Brosche: B.: 5 cm
Ohrgehänge: L.: 5,3 cm
Graz, Abteilung für Kunstgewerbe am Joanneum, Inv. Nr. 7.373–7.376
*Lit.: Schmuck, Joanneum, S. 62.*

**6/4/7**
**Collier und Ohrgehänge**

Wien, um 1845
Gold, Email, Glassteine
Kette: L.: 39,7 cm
Ohrgehänge: L.: 5,5 cm
Wien, Österreichisches Museum für angewandte Kunst, Inv. Nr. Bi 1.403
*Lit.: Brigitte Marquardt, Eisen, Gold und bunte Steine. Bürgerlicher Schmuck zur Zeit des Klassizismus und des Biedermeier, Deutschland, Österreich, Schweiz, Ausstellungskatalog, Berlin 1984, Nr. 184.*
Abbildung

**6/4/8**
**Collier und Ohrgehänge**

Österreich, um 1840/45
Gold, Türkise und Perlen
Wien, Galerie am Graben

## Ketten und Colliers

**6/4/9**
**Kette**

Österreich 1820–1830
Golddraht, Gold, Email
L.: 80 cm
Wiener Goldpunze
Wien, Österreichisches Museum für angewandte Kunst, Inv. Nr. Bi 1.565

„Eine neue Erscheinung im Gebiete der Kleinigkeiten des Anzugs sind silberne und goldene Ketten, welche sich unsere Damen selbst verfertigen. Sie nehmen dazu gespulten Gold- oder Silberdraht, und machen daraus eine Kette, in der Art wie die eisernen, aus lauter kleinen, in einander greifenden Ringen bestehend . . . Nicht immer sticken, auch manchmal stricken." (Journal des Luxus und der Moden, 30. Bd., Weimar 1815, S. 252.)

Ketten aus „gestricktem" Gold wurden trotz dieser Aufforderung zur Handarbeit vorwiegend in Handwerksbetrieben oder fabriksmäßig hergestellt.
ESch

**6/4/10**
**Halskette mit Kreuzanhänger**

Österreich, um 1830
Haar, L.: 44 cm
Graz, Abteilung für Kunstgewerbe am Landesmuseum Joanneum, Inv. Nr. 21.282

Für die Herstellung solcher Ketten und Schmuckstücke gab es gedruckte Anleitungen (vgl. Kat. Nr. 6/4/9)
*Lit.: Schmuck, Joanneum, S. 52.*

**6/4/11**
**Kette**

Österreich, um 1830/35
Amethyste und Perlen, Goldfassung
Wien, Galerie am Graben

## Anhänger

**6/4/12**
**Anhänger in Dosenform**

Österreich, um 1810/15
Amethyst, Silber, vergoldet
Privatbesitz

**6/4/13**
**Medaillon mit Miniatur**

Wien, um 1825
Gold, Ölmalerei auf Elfenbein, 4 × 3,4 cm
Privatbesitz

Der Rahmen besteht aus einem in Hohlarbeit durch Säuren gefärbten matten Gold, darin ein Herrenporträt. Porträtmedaillons gehörten bereits seit langer Zeit zu den sentimentalen Schmuckstücken, die der Adel getragen hat. Dieser Usus wurde im 19. Jh. vom Bürgertum übernommen.
IHK
Abbildung

**6/4/14**
**Anhänger in Form eines Kreuzes**

Emanuel Pioté (1781–1863) und Köchert (1790–1868)
Wien, 1825
Filigranarbeit, Gold, Turmalin, schwarzes Email, 5,2 × 3,9 cm
Familienbesitz

Das Filigrankreuz aus Krulen, Goldperlen und Drahtarbeit zeigt auf der Vorderseite ein Turmalinkreuz mit Scharnieren zum Öffnen (für Haare) und auf der Rückseite ein gerades Goldkreuz, das auf schwarzem Emailfond goldenes Dessin hat. Ähnliche Arbeiten gibt es bei französischen Golddosen vor 1800.
Das Kreuz ist ein Erzeugnis im Hofstil, und kann Pioté und Köchert zugeschrieben werden, da eine Vorzeichnung für ein ganz ähnliches Kreuz erhalten ist.
IHK
Siehe Text S. 300.

**6/4/15**
**Anhänger**
**in Form eines Medaillons, innen mit Haargeflecht**

Österreich, um 1835/40
Gold, dunkelblaues Email, Perlen
Wien, Galerie am Graben

**6/4/16**
**Anhänger**

Österreich, um 1845/50
Gold, Email, Türkise, Perlen
Privatbesitz

Kat. Nr. 6/4/19

## Armbänder

**6/4/17**
**Armband mit Cameo**

Meister F. P.
Wien, 1820
Ziseliertes und emailliertes Gold, Rubine, Cameo mit Frauenkopf im Karneolachat geschnitten, 6,5 × 5 cm, B.: 2 cm
Meistermarke: FP, Wiener Punzierung für 18 K Gold
Graviertes Monogramm: S. G. M. 1820
Prag, Kunstgewerbemuseum, Inv. Nr. 55.968
Abbildung

**6/4/18**
**Armband mit Kinderporträts in Medaillon**

Meister GM & Franz Pieter, Wien, 1825/30
Ziseliertes Gold, Türkise, Miniaturmalereien der Kinder des Königs Ludwig I. von Bayern und seiner Gemahlin Therese Charlotte von Sachsen-Hildburghausen
L.: 18,4 cm
Meistermarke: GM (im Oval)
Prag, Kunstgewerbemuseum, Inv. Nr. 61.911

**6/4/19**
**Gliederarmband**

Wien, vor 1830
Gold, Topas, vier altgeschliffene Brillanten, 4,3 × 2,6 cm (Mittelteil), Armbandbreite: 1,4 cm
Privatbesitz
Abbildung

Kat. Nr. 6/4/13

Kat. Nr. 6/4/17

Kat. Nr. 6/4/23

Kat. Nr. 6/4/26

Kat. Nr. 6/4/24

Goldenes Armband, der Mittelteil – auf einen sehr massiven Unterbau aufgesetzt – mit handgetriebenem und ziseliertem schwungvollem Akanthuslaubwerk.
Der Topas und vier Altschliffbrillanten in Weißgold à jour gefaßt.
Armband aus kunstvoll zusammengesteckten beweglichen Gliedern. Der massive Unterbau spricht für Arbeit im Hofstil.
IHK

**6/4/20**
**Armband**

Wien, um 1830
Messing, Samt, Glassteine, L.: 19,4 cm
Schwarzes Samtband mit Schließe in Form zweier ineinandergelegter Hände.
Graz, Abteilung für Kunstgewerbe am Landesmuseum Joanneum, Inv. Nr. 20.240
*Lit.: Schmuck, Joanneum, S. 54.*

**6/4/21**
**Armband**

Emanuel Pioté (1781–1863) und Bernhard Richter, Wien, um 1830
Gold, Email, Chrysolith, Amethyst, Aquamarin, Weintopas, Saphir
L.: 21 cm, B.: 6,6 cm
Wiener Goldpunze, MZ.: BR
Wien, Österreichisches Museum für angewandte Kunst, Inv. Nr. Bi 1.413

Das Armband besteht aus drei parallellaufenden dreiteiligen Erbsketten, die seitlich von zwei mit Schnappschlössern versehenen Endgliedern gehalten werden. Das fünfteilige Mittelstück ist somit abnehmbar. Es konnte daher auch als Mittelglied einer Halskette verwendet werden oder in Kombination mit einem anderen Armband, beispielsweise einem aus geflochtenen Haaren getragen werden.
*Lit.: Gerhart Egger: Bürgerlicher Schmuck, 15.–20. Jahrhundert, München 1984, S. 140, Nr. 247.*
ESch

**6/4/22**
**Armband**

Österreich, um 1830
Gold, Hyazinth, Amethyst, Topas, Aquamarin, Mondstein, Granat, Smaragd, Weintopas, Glassteine
L.: 19,5 cm, B.: 6 cm
Wien, Österreichisches Museum für angewandte Kunst, Inv. Nr. BI 1.412

Es entsprach dem biedermeierlichen Geschmack, Schmuck sehr farbig zu gestalten. Die Farbkontraste erhielt man durch Verwendung von verschiedenfarbigem Gold und durch die Kombination unterschiedlicher Farbsteine auf einem Schmuckstück.
*Lit.: Brigitte Marquardt: Schmuck, Klassizismus und Biedermeier 1780–1850, Deutschland, Österreich, Schweiz, München 1983, S. 204, Nr. 164.*
ESch
Abbildung

**6/4/23**
**Armreif mit einer Porträt-Miniatur Franz Josephs I. als Kind**

Robert Theer (1808–1863)
Wien, 1832
Gold, Malerei auf Elfenbein, H.: 5 cm
Brünn, Mährische Galerie, Inv. Nr. 18.670
Abbildung

**6/4/24**
**Armband**

Österreich, um 1830/35
(mit Kette, Medaillon auch als Anhänger tragbar, Armband nachträglich erneuert)
Gold, Emailmalerei
Wien, Galerie am Graben
Abbildung

**6/4/25**
**Armreifen, beweglich**

Österreich, um 1830/40
Gold, blaues Email, Rubine
Wien, Galerie am Graben

**6/4/26**
**Armband**

Österreich-Ungarn, um 1830/40
Gold mit blauem Email, Diamanten
Wien, Galerie am Graben
Abbildung

**6/4/27**
**Armband in Form einer Schlange (beweglich)**

Österreich, um 1835/40
Gold, weißes Email, Rubine
Privatbesitz
Abbildung

**6/4/28**
**Armband**

Österreich, um 1835/40
Gold, schwarzes Email, Diamanten
Wien, Galerie am Graben

**6/4/29**
**Armband**

Österreich, um 1840
weißes und dunkelblaues Email, ein Alandin
Wien, Galerie am Graben

**6/4/30**
**Armband**

Österreich, um 1845/50
Silber vergoldet, Email, Amethyst, Perlen
L.: 19 cm, B.: 2,5 cm
Wien, Österreichisches Museum für angewandte Kunst, Inv. Nr. Bi 1.450

Das Armband ist mittels eines Gummizuges leicht dehnbar.
*Lit.: Brigitte Marquardt: Eisen, Gold und bunte Steine, Bürgerlicher Schmuck zur Zeit des Klassizismus und des Biedermeier, Deutschland, Österreich, Schweiz, Ausstellungskatalog, Berlin 1984, Nr. 165.*
ESch

## Broschen

**6/4/31**
**Runde Mosaikbrosche**

um 1810/15
Glasmosaik, 2,5 × 2,5 cm
Privatbesitz

Glasmosaike mit Palmetten und Engelköpfen und Kugeln in römischer Art wurden auch in Wien von Italienern hergestellt.
IHK

**6/4/32**
**Brosche aus Lava**

Wien, um 1815
Gold, Lava, 2,8 × 2,2 cm
Privatbesitz

In Gold gefaßter Frauenkopf aus Lava geschnitten. Fassung mit tordiertem Draht umgeben. Aus Lava geschnittene Gemmen wurden zu ganzen Paruren zusammengestellt und als Trauerschmuck am Wiener Hof getragen.
IHK
Abbildung

**6/4/33**
**Brosche in Form eines Ballsträußchens**

Wien, um 1820
Gold, Perlen, Schmucksteine, 6 × 4 cm
Privatbesitz

Das feine Goldblech ist ziseliert mit aufgesetzten folierten Edelsteinen, mit Feingoldfarbe vergoldet. Das dekorative Stück zeigt feine Handarbeit.
IHK
Abbildung

**6/4/34**
**Kleine Goldbrosche mit ovalem Türkis**

Wien, um 1825
Gold, Türkis, 2,3 × 1,9 cm
Privatbesitz

Kleine goldene handgetriebene Brosche mit einem durch vier Goldperlen gefaßten Türkis. Die Wirkung des Schmuckes besteht im Kontrast zwischen glatten C-Schwüngen und dem matt punzierten Grund.

Auf der Rückseite der Brosche Glasdeckel, darunter geflochtene, braune Haare.
IHK

**6/4/35**
**Große goldene Schnalle mit 5 rosa Topasen (Brosche)**

Wien, um 1830
Gold, Topase, 5,9 × 4,9 cm
Privatbesitz

Auf einer sehr plastisch gestalteten Brosche sitzen in hochplastischen Krappenfassungen fünf rosa Topase in à jour gefaßt. Der Kontrast zwischen matt gefärbtem Akanthuslaubwerk und glatten Goldkugeln sowie Goldstegen belebt das Schmuckstück im Hofstil.
Französische Einfuhrpunze.
IHK
Abbildung

**6/4/36**
**Goldbrosche mit Glasmosaik**

Wien, um 1830
Gold, Glasmosaik, Rückseite mit Perlmutter abgedeckt
3,4 × 2,5 cm
Familienbesitz

Ein goldener Rand in Hohlarbeit – fein ziseliert – umgibt ein Glasmosaik mit der Darstellung des Faustina-Tempels in Rom. Vorlagen für die Gestaltung des Broschenrandes gibt es bei der Firma A. E. Köchert. Ob das Mosaik ein römisches oder Wiener Erzeugnis ist, kann nicht nachgewiesen werden, da Italiener seit 1810 in Wien arbeiten.
IHK

**6/4/37**
**Sévigné-Brosche**

Wien, um 1830
Gold (mehrfarbig), Email, Topase, Amethyste
H.: 5,8 cm, B.: 5,6 cm
Graz, Abteilung für Kunstgewerbe am Joanneum, Inv. Nr. 11.445

**6/4/38**
**Schließe**
**(zu Brosche umgearbeitet)**

Wien, um 1830
Gold mehrfarbig, Diamant, Saphir, Amethyst, Citrin
H.: 3,3 cm, B.: 4,6 cm
Wien, Österreichisches Museum für angewandte Kunst, Inv. Nr. Bi 1569

Diese nachträglich zu einer Brosche umgearbeitete Schließe war ursprünglich Mittelteil eines Armbandes oder eines Colliers. Es wäre denkbar, daß zu diesem Zweck ein Haargeflecht verwendet wurde, das jedoch im Laufe der Zeit zerstört wurde.
ESch

**6/4/39**
**Anstecknadel in Ährenform**

Wien, um 1835
Altschliffbrillanten in Silber gefaßt, mit Gold verbödet
9,6 × 1,3 cm
Privatbesitz

Brillanten sind in à jour gefaßt. Die Nadel ist wohl Teil eines Diadems oder einer großen Brosche, wie sie am Wiener Hof oft getragen worden ist.
IHK
Abbildung

**6/4/40**
**Gedenk- oder Trauerbrosche**

Österreich, um 1840
Gold, Email, Elfenbein, Haar, Glas
H.: 3,7 cm, B.: 4,4 cm
Der Blumenstrauß besteht aus aufgeklebten Haarsträhnen.
Graz, Abteilung für Kunstgewerbe am Joanneum, Inv. Nr. 9.138

Kat. Nr. 6/4/27

Kat. Nr. 6/4/32

Kat. Nr. 6/4/33

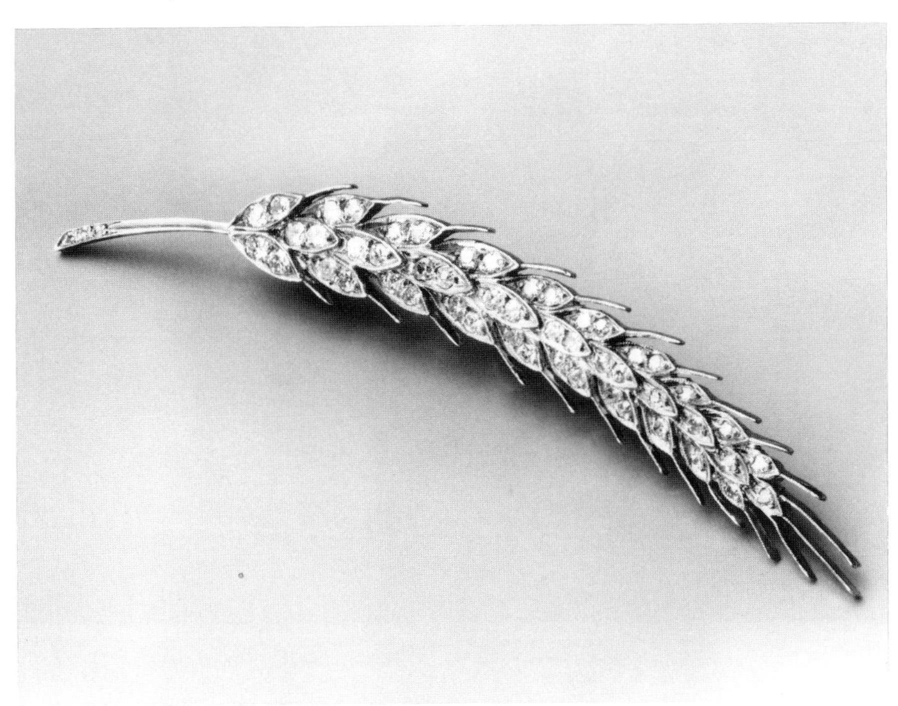

Kat. Nr. 6/4/39

Kat. Nr. 6/4/41

Kat. Nr. 6/4/49

Kat. Nr. 6/4/47

Kat. Nr. 6/4/48

**6/4/41**
**Diamantbrosche**

um 1835/40
Diamanten
Wien, Galerie am Graben
Abbildung

**6/4/42**
**Kleine Brillantenbrosche**

Wien, um 1840
Gold, Altschliffbrillanten, Jade, 2,6 × 1,7 cm
Privatbesitz

Zwei kleine Weinlaubblätter aus plastisch in à jour gefaßten Brillanten mit zwei Jadekugeln sind durch Golddraht montiert.
IHK

**6/4/43**
**Brustschmuck**

um 1845
hellblaues Email, Brillanten, Aquamarin
Wien, Galerie am Graben

**6/4/44**
**Ring**

Gold, Silber, Diamanten
Privatbesitz

**6/4/45**
**Ring**

um 1830
Silber, Gold, Rubin, Diamanten
Privatbesitz

**6/4/46**
**Ohrgehänge**

Österreich, um 1840/45
Gold, Email, Diamanten
Privatbesitz

**6/4/47**
**Golddose im Hofstil**

Emanuel Pioté (1781–1863)
Wien, um 1825
Feingold, 7,8 × 5,1 cm
Sign.: E. PIOTÉ a Vienne Nr. 728
Punzierungsstempel: A. B. für Feingold von 18 Karat und 8 GRÄN
Namensstempel: E. P. (= Emanuel Pioté)
Privatbesitz

Die feinziselierte Golddose mit Akanthuslaubwerk, Blüten, zartem Lorbeer und Weinlaub verziert. Der Grund ist matt punziert.

In Österreich waren Golddosen noch im 19. Jh. kaiserliche Geschenke und Sammelobjekte des Adels.

Die Arbeit ist dem Hofstil verpflichtet. Die Ornamentik leitet sich von den in der Renaissance wiederbelebten römischen Dekorationsmotiven der Arapacis ab und wirkt durch den Einfluß der Akademie der bildenden Künste auf das klassische Wiener Biedermeierkunsthandwerk.
IHK
Abbildung

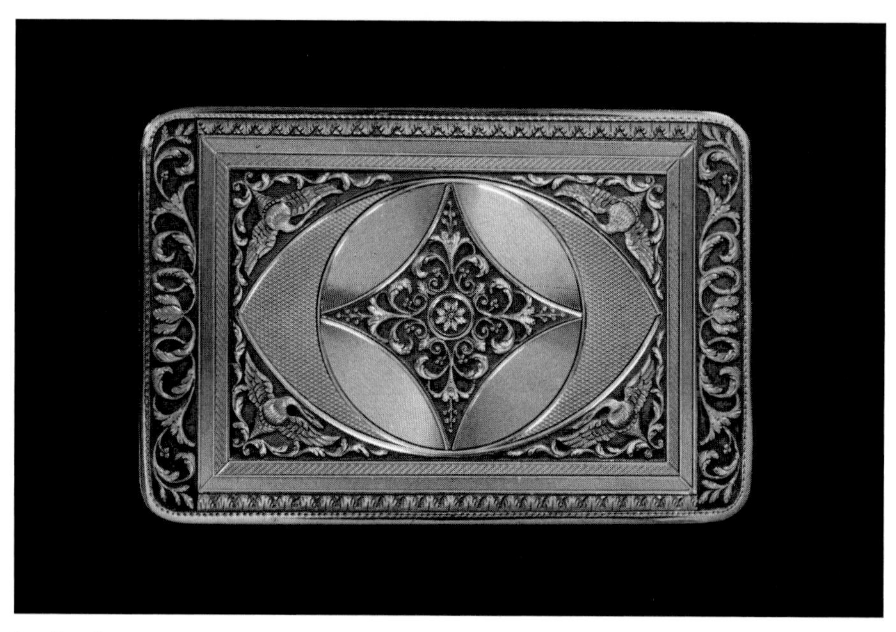

Kat. Nr. 6/4/50

**6/4/48**
**Golddose**

Wien, Anfang 19. Jahrhundert
Matt-, Glanz-, Rot- und Gelbgold, geschnitten, ziseliert
1,3 × 5,5 × 8,3 cm
Gewicht 90 g
Meistermarke, Stadtpunze, Repunzierungsstempel
Privatbesitz
Abbildung

**6/4/49**
**Gold-Heliotrop-Dose**

Karl Reitzner (1755–1830)
Wien
Gold, Heliotrop, 3 × 5,5 × 4,5 cm
Privatbesitz
Abbildung

**6/4/50**
**Golddose**

Emanuel Münzberg (1807–1833)
Wien
Gold, 1,5 × 9 × 6 cm
Goldpunze, MZ.: EM
Privatbesitz
Abbildung

## 6/5
## Perlmutterarbeiten

**6/5/1**
**Miniaturtoilettetischchen**

Wien, um 1815/20
Perlmutter, feinziselierte und feuervergoldete Verzierungen aus Messing, Holzcorpus
9,5 × 7,8 × 4,2 cm
Gouache: 5,8 × 4,3 cm von Christoph Mahlknecht (1787–1851)
Beschr. Mi. u.: Wien von Heiligenstadt
Privatbesitz
Siehe dazu Kat. Nr. 6/5/2.
Abbildung

**6/5/2**
**Lichtschirm mit Dochtschere**

Wien, um 1825
Messing, Perlmutter, bemalt, Schirm (mit Fuß)
H.: 38 cm, Br.: 31 cm
Tasse: 19,3 × 16,5 × 3,2 cm
Schere: L.: 16,1 cm
Bemalung bez.: Mahlknecht
Lichtschirm aus Perlmutter mit der Darstellung: „Das neue Burgthor . . .“ und „Spinnerin am Kreuz“. 2 Kerzenleuchter aus Messing, Tasse mit Perlmutterplatten belegt, darauf Dochtschere
HM, Inv. Nr. 159.465

**6/5/3**
**Schreibsekretär-Garnitur**

Wien, 1825/30
Holz, Perlmutter, Bronze, bestehend aus: Tasse für: Tintenfaß, Streusanddose mit Schaufel (beide in schaffartigen Untersätzen), Tischglocke, Leuchter mit abnehmbarer Bronzebüste des Sokrates, Parfümfläschchen im Schaft, kleine Schublade im Fußsockel, Lineal, Falzmesser, 2 Radiermesser, Tintenwischer in grüner Kassette
14,5 × 43,5 × 28,2 cm
HM, Inv. Nr. 47.667
Abbildung

Kat. Nr. 6/6/3

Kat. Nr. 6/6/6

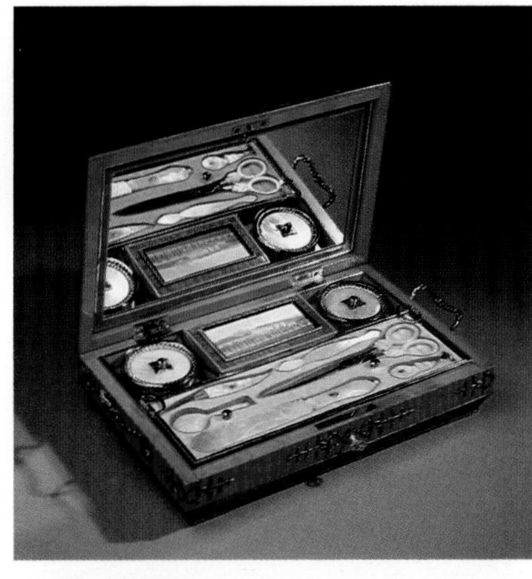

Kat. Nr. 6/6/3

Kat. Nr. 6/6/8

Kat. Nr. 6/6/13

**6/5/4**
**Kommodenstanduhr**

A. Olbrich
Wien, um 1835/40
Holz, Perlmutter, Glas, Blech
34 × 24,6 × 24 cm
Bez.: „A. Olbrich/in Wien"
Darstellung der Alt-Wiener Vergnügungsstätte Tivoli aus Holz mit Perlmutterplatten belegt. Auf viereckigem Sockel Aufbau in drei Abteilungen: Rundbahn mit zwei Wägelchen mit Unterfahrt des Gebäudes, Aufgang mit Gasttischen, Säulenhalle und Dachterrasse mit Uhr. Figuren aus Blech.
HM, Inv. Nr. 56.452

## 6/6 Kassetten aus Perlmutter oder Holz mit Veduten von Balthasar Wigand (1770–1846)

**6/6/1**
**Näh- und Schreibkassette**

Wien, um 1815
Blumenesche massiv und furniert, Nußholz (Rahmen), Weichholzcorpus, außen: Stahlverzierungen, auf dem Deckel fünf Medaillons in Glasmosaiktechnik, innen dreiteilig gearbeitet: 1. Etage mit aus Bein gedrechselten Handarbeitsgeräten und anderem Zubehör, 2. Etage Schreibutensilien, 3. Etage: Brieffach.
31,1 × 37,7 × 25,2 cm
HM, Inv. Nr. 116.483
Vgl. dazu Kat. Nr. 6/6/2.

**6/6/2**
**Notizbuch aus Näh- und Schreibkassette**

Balthasar Wigand (1770–1846)
Wien, um 1815
Leder, Stahlrahmen, Glas
Notizbuch: 7,1 × 10,8 cm
Gouachen: 5,7 × 8,1 cm
HM, Inv. Nr. 116.483/2–4

Das in rotes Leder gebundene Notizbuch gehört in eine Näh- und Schreibkassette (Kat. Nr. 6/6/1); es ist auf der Vorderseite mit einer Gouache von Balthasar Wigand ausgestattet, welche das 1801 errichtete Panorama im Wiener Prater, im Hintergrund das Gallitzinische Sommerhaus, zeigt.

Die auf der Notizbuchrückseite angebrachte Gouache stellt die landschaftliche Situation bei der heutigen Floridsdorfer Brücke dar, die man früher ebenso wie das Gebiet um die Schweidlgasse (2. Bezirk) mit „Am Tabor" bezeichnete.

*Lit.: Katalog Balthasar Wigand, S. 15, Kat. Nr. 11.*

**6/6/3**
**Schreibkassette**

Balthasar Wigand
Wien, um 1820
Zitronen- und Kirschholz, politiert, Stahlbeschläge, Perlmutter
7,5 × 34 × 20,2 cm
Zwei Gouachen als Deckelverzierung in ovalen Feldern: 6,7 × 9,6 cm
Eine Gouache auf einer im Einsatz befindlichen Dose: 4,4 × 9,4 cm

Die Gouachen beschr. Mi. u.: „Carls Kirch und Polytechnische Schule“, „von Heiligenstadt nach Wien“, „Schönbrunn“
Sign. Mi. bzw. re. u.: Wigand
Im Inneren zwei herausnehmbare Einsätze, die Innenausstattung ist größtenteils erhalten.
Privatbesitz
Bei der Kassette handelt es sich offensichtlich um ein von einem Auftraggeber bestelltes Andenkenstück an die kaiserliche Metropole.
*Lit.: Katalog Balthasar Wigand, S. 37, Kat. Nr. 37.*
FCh
Zwei Abbildungen

**6/6/4**
**Briefbeschwerer (Briefkassette)**

Balthasar Wigand
Wien, um 1825
Holz, Leder, Stahl, Glas
2,2 × 18,3 × 11,9 cm
Eine Gouache: 5,1 × 9,7 cm
Die Gouache beschr. Mi. u.: „Wien von Dornbach zu sehen . . .“
HM, Inv. Nr. 110.430
Wien Panoramen „von Dornbach zu sehen“ gehörten zu den oftmalig wiederholten Ansichten Balthasar Wigands.
*Lit.: Katalog Balthasar Wigand, S. 22, Kat. Nr. 52.*

**6/6/5**
**Necessaire**

Balthasar Wigand
Wien, um 1825
Holz mit Lederüberzug, Stahl- und Perlmuttermontierung, Moiréseide
7 × 32 × 23 cm
Zwei Gouachen: 10,3 × 19,9 cm (als Deckelverzierung), 5,6 × 10,9 cm (im Einsatz)
Die Gouachen beschr. Mi. u.: „der Weg von Dornbach nach Wien“ „St. Helena bey Baden“.
Sign. re. u.: Wigand
HM, Inv. Nr. 163.803
Zur Ausstattung der besonders kostbar ausgeführten Kassette gehört ein auf der Deckelinnenseite angebrachter Steckkalender, die übrige Einrichtung mit Nähutensilien ist unvollständig.
*Lit.: Katalog Balthasar Wigand, S. 22, Kat. Nr. 53.*
Abbildung

**6/6/6**
**Album**

Balthasar Wigand
Wien, um 1825
Ledereinband, Schildplattauflage, feuervergoldete Messingleisten und Beschläge, Rücken mit Goldprägung
3,2 × 31 × 22,8 cm
Gouache: 11,5 × 18 cm
Gouache beschr.: Die Ferdinandsbrücke in Wien
Im Inneren des Albums 85 unbeschriebene Blätter, beigefarbig, jedes 6. Blatt mittelbraun.
Privatbesitz
Der Einband ist mit neugotischer Ornamentik versehen. Die darauf befindliche Gouache von Balthasar Wigand ist von besonderer Qualität; sie zeigt die anstelle der 1819 abgetragenen

Kat. Nr. 6/6/5

Kat. Nr. 6/6/10

Kat. Nr. 6/6/7

Schlagbrücke neu erbaute Ferdinandsbrücke über den Donaukanal.
*Lit.: Katalog Balthasar Wigand, S. 22, Kat. Nr. 56.*
SWu
Abbildung

**6/6/7**
**Briefkassette**

Balthasar Wigand
Wien, um 1825
Perlmutter auf Holz, Leder (Balgen und Falttasche an der Innenseite), Seidenfutter
4,7 × 33,5 × 22,3 cm
Vier Gouachen, ca. 13 × 9 cm, 5 × 21 cm
Die Gouachen beschr. Mi. u.: „Vienne du côté d'Heiligenstadt", „Vue de Schönbrun", re. u.: „Vienne de Spinnerin am Kreutz", li. u.: „St. Helene près de Baden"
HM, Inv. Nr. 114.701
*Lit.: Katalog Balthasar Wigand, S. 21, Kat. Nr. 50.*
Abbildung

**6/6/8**
**Toilettespiegel**

Balthasar Wigand
Wien, um 1830
Glas, Stahl, Marmor
21 × 13,5 × 7,2 cm
Zwei Gouachen: 4,5 × 8,5 cm
Die Gouachen beschr. Mi. u.: „Die Karlskirche", „Spinnerin am Kreuz"
Privatbesitz
Der Spiegel ist ein interessantes Beispiel der romantisch-gotisierenden Mode dieser Zeit. Die Veduten Balthasar Wigands sind beidseitig in spitzbogige Lünetten oberhalb des Spiegels eingelegt.
*Lit.: Katalog Balthasar Wigand, S. 24f., Kat. Nr. 82.*
Abbildung

**6/6/9**
**Schreibkassette**

Balthasar Wigand
Wien, um 1825
Holz, weiß, mattlackiert, Stahl
4 × 36 × 27,5 cm
Gouachen im Inneren:
St. Stephan: 1,5 cm; 6 × 10,3 cm
Das neue äußere Burgtor: 15,8 × 24,7 cm
Privatbesitz
Die sehr repräsentative Schreib-Mappe trägt am Deckel ein aus Stahlperlen geformtes Monogramm „JM" mit Adelskrone darüber. Das Objekt könnte für einen französischen Adeligen als Andenken oder Erinnerungsgeschenk angefertigt worden sein.
FCh
Abbildung

**6/6/10**
**Briefbeschwerer**

Balthasar Wigand
Wien, um 1840
Ahorn, schwarz gebeizt, Stahlbeschläge
3,3 × 17,4 × 13,2 cm
Gouache: 8,8 × 12,8 cm
Sign. li. u.: Wigand
HM, Inv. Nr. 18.569
Die Vedute Wigands zeigt eine Ansicht des Gallitzinschen Landhauses auf dem Predigtstuhl (16. Bez.)
*Lit.: Katalog Balthasar Wigand, S. 27, Kat. Nr. 14.103.*
Abbildung

**6/6/11**
**Schmuckschatulle**

Balthasar Wigand
Wien, 1842
Perlmutter, Holzcorpus, innen ebenfalls mit Perlmutter ausgelegt
3,8 × 13 × 10 cm
Gouache: 5,6 × 8,6 cm
Privatbesitz
Die Gouache Balthasar Wigands zeigt das Neue Burgtor 1842. Die Kassette ist nicht nur außen – wie sonst allgemein üblich –, sondern auch innen mit Perlmutterplättchen ausgelegt.
FCh

**6/6/12**
**Schmuckschatulle**

Balthasar Wigand
Wien
Perlmutter, Holzcorpus, feuervergoldete Messingleisten und -beschläge
8,7 × 14 × 4,3 cm
Gouache: 5,6 × 10,7 cm
Beschr. u. Mi.: Wien
Privatbesitz
Die Perlmutterkassette zeigt eine Gouache Balthasar Wigands mit einem Blick von der Rampe des Gartenpalais Schwarzenberg.
FCh

**6/6/13**
**Schmuckschatulle**

Balthasar Wigand
Wien
Perlmutter, Kirschenholzcorpus, feuervergoldete Messingleisten und -beschläge
5,5 × 12,2 × 17,3 cm
Gouache: 8,2 × 13,2 cm
Sign. re. u.: Wigand (?)
Privatbesitz
Die Gouache Balthasar Wigands zeigt die von Wigand eher selten verfaßte Ansicht der Weilburg in Baden.
FCh
Abbildung

## DIE HOFJUWELIERE PIOTÉ ET KÖCHERT 1807–1848

Der Wiener Goldschmuck des Empire zeigt klare, schlichte, oft geometrische Formen. Andererseits kam, von England ausgehend, die romantische Neogotik, die in Wien bei der Gestaltung von Laxenburg einen Höhepunkt hatte. Im Schmuck waren zarte Filigranarbeiten mit Metallperlen, Paillons und Drahtarbeit oft in Silber und Gold „als altgotische Arbeiten" sehr beliebt, da wenig Material verbraucht wurde. Einen weiteren Einfluß hatte auf das Wiener Handwerk der traditionelle Zeichenunterricht für Kunstprofessionisten an der Akademie der bildenden Künste. Dort lehrte bis 1810 Prof. J. Hagenauer nach eigenen Vorlagen im Stile des Louis Seize, aber auch nach älteren Stichen (vor 1700), wie eine Nachzeichnung eines mit Akanthuslaubwerk ausgefüllten Hundes von Bemmel zeigt, die noch heute im Besitz der Fa. A. E. Köchert ist.

Diese Situation fand der Franzose Emanuel Pioté (1781–1863), der Gründer des noch heute bestehenden Juwelier- und Goldschmiedeateliers A. E. Köchert, als er 1807 nach Wien kam.

Er entstammte einer alten Goldschmiedfamilie aus Limôges, das seit dem frühen Mittelalter berühmt für seine mit Email verzierte Metallgegenstände war. Seine Lehrzeit als Emailleur und Goldschmied wurde durch die Napoleonischen Kriege unterbrochen. Er mußte einrücken, kam verwundet nach Pforzheim – ein schon damals bekannter Ort der Uhren- und Schmuckherstellung –, heiratete eine gelernte Steinschleiferin, Wilhelmine Graf, und zog mit ihr nach Wien. Hier hatte Kaiser Franz II. (I.) gerade die französischen und niederländischen Flüchtlinge den ortsansässigen Handwerkern gleichgestellt. In den ersten Jahren arbeitete Pioté als abhängiger Goldarbeiter, da die strenge Zunftregel den Zugewanderten selbständige Betätigung erst nach sechs Jahren erlaubte. Aber schon 1811 kommt eine erneute Erleichterung des Kaisers, um das Gewerbe zu fördern und die Macht der Zünfte zu schwächen. So konnte Pioté nach einer Zeichnungsprüfung an der Akademie eine eigene Werkstatt mit Lehrlingen gründen. An der Akademie war nach Hagenauers Tod (1810) ein Wandel eingetreten. Georg Pein (1773–1834) wurde Professor, und seine geschweiften, naturalistischen, aber auch antikisierenden Ornamentvorlagen bildeten eine wichtige Grundlage des Wiener klassischen Biedermeierstils. Durch Kriegszeiten, wo Gold und Silber abgegeben werden mußte, gab es in Wien Bijouterie aus den verschiedensten Materialien: wie Halbedelsteine, Straß, Stahl, Eisen, Elfenbein, Schildpatt, Porzellan, römisches und Florentiner Mosaik, Lava, Miniaturen, Haare, Stein- und Muschelgemmen, falsche neben echten Fluß- und Orientperlen, Filigranarbeiten (Schwäbisch-Gmünder Arbeiten) aus den verschiedensten Legierungen, wie Pinchbeck und Similor als Schmuck für die unteren Stände und als Halbschmuck für den Hofadel, da anfänglich im 18. Jahrhundert außer den bei Hof zugelassenen Personen niemand Edelsteine tragen durfte. Die Hofgesellschaft der kaiserlichen Residenz hingegen stellte höchste Ansprüche an Qualität, so daß es parallel dazu zu einer Ausbildung eines Wiener Hofstiles kommt.

In der Werkstatt herrschte zu Beginn eiserne Sparsamkeit. Doch aus den genauen Geschäftsbüchern von 1814 bis 1849 ist ersichtlich, daß zur Zeit des Wiener Kongresses Pioté's Arbeiten mit durchsichtigem und opakem Email von den höchsten Kreisen gekauft wurden, wie der ersten Kundin, der Fürstin Bangration, der elegantesten Lebedame des Wiener Kongresses. Seine Arbeiten lieferte er an Kunden in die ganze österreichische Monarchie, aber auch nach München (Hofjuwelier Marx), Berlin und viele deutsche Fürstenhöfe. Durch die vielen Aufträge mußte Pioté auch bei anderen Werkstätten arbeiten lassen, wie er auch weitere Goldarbeiter aufnimmt.

So kommt der ausgelernte Goldarbeiter Jakob Heinrich Köchert (1790–1868) aus Riga in Lettland in seine Werkstatt. Dieser hatte nach seiner beendeten Lehrzeit zwei Jahre in St. Petersburg seine Kenntnisse in Edelsteinen und Edelsteinfassungen vertieft und war bei seiner Wanderschaft 1819 nach Wien gekommen. Hier sollte er noch sechs Jahre arbeiten, zeichnen lernen und eine Prüfung im Hauptmünzamt über das Legieren von Gold und Silber ablegen, bevor er das Juweliergewerbe ausüben konnte.

Zeichnen wurde zu der Zeit auch nach den Stichen des Mailänder Architekten und Professors Giacondo Albertolli (1742–1825) gelehrt. Dessen Vorlagen verbinden antik-römische Motive mit Renaissanceornamentik und klassizistischen Vorbildern. Die Fa. Köchert besitzt heute noch ein Exemplar, das vorbildlich für Golddosen war. Bald heiratet Jakob Heinrich Köchert die Schwägerin seines Lehrherrn, Dorothea Graf aus Pforzheim, und tritt 1825 als Kompagnon in die Werkstatt ein, die jetzt „Pioté et Köchert" heißt. So verbindet sich französische Emailtechnik mit russischer Steinfaßkunst und Wiener Handwerkstradition. Das bringt weiteren Aufschwung, noch dazu, da 1824 die Notpunzierung von Gold und Silber aufgehoben wurde. Die Blüte des klassischen Wiener Biedermeier bricht an. Wichtig ist, daß die Arbeiten jetzt wie die meisten im Hofstil aus 18karätigem Gold und nur ein Zehntel aus 14karätigem Gold hergestellt werden und jedes Schmuckstück nur einmal angefertigt wurde. Dies brachte einen ständigen modischen Wandel des Hofstiles, dessen Entwicklung den entstehenden Stiltendenzen folgt. So ist der Unterschied zwischen klassischem Biedermeier (1810–1835) und romantischem Historismus (1835–1860) genau abzulesen.

So groß die Vielfalt an Gegenständen, so groß die Auswahl an Formen und Materialien. In den Büchern finden sich Bestellungen von Schmuckstücken nach arabischer, gotischer, römischer, herkulanischer, ägyptischer, chaldäischer, antiker und „hetruskischer" Art. Bei Braceletten z. B. gibt es eine Vielzahl von Variationen, Pyramidenbraceletten (1823) mit Haaren und Emailschließe (1815), mit gotischen Buchstaben (1823), aus 27 verschiedenen Steinen (1823), Goldkugeln (1825), bunt emaillierte Bracelette mit Monatssteinen, mit Namenssteinen, Haarkugeln, mit Kronen, Schlangen, Käfern, mit Portraits, mit Goldband, Hängeschloß, Korallenkopf, Noten, Lavaköpfen, Cameen, Muschelschalen, Girlanden, aus filigran gedrehten Goldstäben und Mohrenköpfe. Die Spezialität waren Schmuckstücke mit einem Talisman (Halbedelsteine mit arabischer Devise). Auch eine Vielzahl von Materialien wurde verwendet. Achat, Amethyst, Aquamarin, Beryll, Citrin, Chrysopras, Granate, Chrysolyth, Carneol, Opal, Granat, Hyazinth, Heliothrop, Jaspis, Katzenauge, Labrador, Mondstein, Malachit, Onyx, Opal, Rauchtopas, Rosenquarz, Turmalin, Türkis, Lapislazuli, Dalmatin, Chalceton, neben den Edelsteinen Diamant, Rubin, Smaragd, Saphir, aber auch Hirschgrandeln.

Waren die Schmuckstücke anfänglich zart und flach, aus Draht und handgetriebenen ziselierten Motiven, so beginnen sie um 1825 größer und plastischer zu werden. Das leichte zarte Akanthus-Laubwerk wird voller und größer. Waren die Ornamente auf der Fläche meist erst nur aufgesetzt, sind sie jetzt flächenfüllend, doch bleibt die klare Gestaltung erhalten. Die Schmuckstücke haben oft eine schöne rötlich-warme Goldfarbe. Es kommt aber auch Weiß, Grün, Gelb, Mattgold wie das seltene Platin vor. Die Linie verändert sich, waren erst überlange hochgezogene Formen beliebt, werden jetzt natürliche Proportionen und gerundete Formen angestrebt, die bis zum Ende der dreißiger Jahre immer breiter, runder, größer und schwerer wurden. Kugeln und Palmetten sind beliebte Schmuckdetails.

Um 1830 werden Pioté und Köchert Meister und Bürger von Wien, im Jahr darauf k. k. Hofjuweliere. Jetzt wird weniger Goldschmuck als kunstvolle Brillantarbeiten gefertigt. Ab 1831 kommt es zum völligen Verschwinden zarter, filigraner Formen. Die großen Edelsteine werden mit fantasievollen Krappen gefaßt, was als gotisch bezeichnet wird und wohl auf den Einfluß der 1826 eröffneten kaiserlichen Schatzkammer zurückzuführen ist. Die dargestellten Blumen und Blätter werden immer größer und erreichen fast Lebensgröße. Die duftige Farbigkeit nimmt ab, vor allem der Türkis wird Favorit. Daneben gibt es oft mandelförmig geschliffene Amethyste und Topase, kostbare Perlen und Smaragde ersetzen oft die kunstvolle Gestaltung der Brillanten. Die Damen schmücken ihre Haare mit vielerlei Motiven, wie Blumen, Vögel, Ähren, aber auch goldenen Kugeln.

1835 stirbt Kaiser Franz I. Für die Krönung seines Sohnes Ferdinand in Mailand wird eine Kronenvergrößerung bestellt, die der Maler Peter Fendi in bunten Wasserfarben und Goldfarbe entwirft, die Silberschmiede Mayerhofer und Klinkosch ausführen und Pioté und Köchert das Email und den Steinbesatz anbringen. Hier sieht man einen Stilwandel. Es tritt verschlungenes Bandwerk auf, dessen spitze Endungen mehr orientalischen Formen entsprechen. Andere Entwürfe zeigen jetzt Spätrenaissance-Anklänge (Rollwerk) wie auch Rokokoschnörksel.

Bei Entwürfen für Goldarbeiten tritt eine manieristische Formenvielfalt auf. Im Schmuck des Wiener Hofstiles ist jetzt das Ende des klassischen Biedermeier und der Beginn des romantischen Historismus. Die vom Klassizismus verachtete Perückenzeit des Rokoko lebt in Mode und Kunsthandwerk wieder auf. Es kommen Schmuckstücke des 18. Jahrhunderts wieder, z. B. die große „Devant de Corsage" (für die Tochter des Erzherzogs Carl), die Bouquets, Federn und die zahlreichen Maschen, die die spitze Taille und die Vertikale betonen. Das Patzel, ein längliches Schmuckstück, als Brosche, aber auch am Collier zu tragen, ist das Modernste und betont auch die Tendenz der vertikalen Linie. Ein neuer Brillantkopfschmuck, die Coiffure, ist ein schmales Bandeaux mit zwei Seitenbouquets, sie unterstreicht das romantische schmale Gesicht und das langgezogene Profil. Die Edelsteine sind oft herausragend frei gefaßt. In dieser Zeit ist österreichische Juwelierarbeit vorbildlich für Frankreich (Vever Bijouterie Français au XIX siècle, S. 163).

1841 erscheint in Paris ein Dekorationswerk von Etienne Julienne, „L'Ornamentiste", das die Schwäger als Anregung für Schmuck ankaufen. Da werden vielerlei historische Motive bunt gemischt und mit verstärkter Naturalistik verbunden (verschlungene Äste und Blattwerk). Diese Merkmale tragen die Schmuckstücke auch nach 1848 bis in die sechziger Jahre.

Erst die englischen Einflüsse drängen sie langsam zurück. So entfällt der Schmuck von 1815 bis 1848 auf zwei verschiedene Epochen, die auch bei Möbeln und im Silber festzustellen sind:

1. das klassische Biedermeier 1810–1835,
2. der romantische Historismus mit seinem Stilpluralismus 1835–1860.

1849 wird Jakob H. Köchert k. k. Kammerjuwelier. Die Firma besteht – als eine der wenigen aus dem Anfang des 19. Jahrhunderts – auch heute noch in Familienbesitz unter A. E. Köchert, Wien 1, Neuer Markt 15.

Irmgard Hauser (Köchert)

# KAPITEL 7

## BÜRGERSINN UND STADTKULTUR

Auf einem Platz soll es möglich werden, den „Bürgersinn“ zu erleben. Der Bogen spannt sich vom nun anders interpretierten Gewicht der Familie über die neuen Formen von Freizeit (Kaffeehaus, Salons, Musik) und Konsum (Fabriksprodukte) zur stetig raumgewinnenden Kraft der „Presse“. Eine Diskussion der Mode vereint die, trotz aller Divergenz, konvergierenden Bestrebungen des Bürgers, Metternich überschattet die bürgerliche Emanzipation.

# BIEDERMEIER UND VORMÄRZ – SINNESART EINER ZEITSPANNE

*Robert Waissenberger †*

## Die Bewohner Wiens

Wir sagen „Biedermeier“ und wir sagen „Vormärz“: Beide Begriffe sind im Sprachgebrauch lebendig, beide werden miteinander vermischt, beide bezeichnen einen Zeitabschnitt, der ein- und derselbe ist. Man meint einesteils eine kulturell geprägte, anderenteils eine durch eine bestimmte politische Situation charakterisierte Lebenshaltung.

In der Zeitspanne zwischen 1815 und 1848 bildete sich in besonderem Maße etwas aus, das man als das Wesen Wiens und des Wieners versteht. Für diese Behauptung wären Beweise zu liefern: Es sind vor allem Reaktionen auf gewisse Erscheinungen, deren Wiederkehr zu beobachten man die Gelegenheit hat. Es sind Gewohnheiten der Bevölkerung, die sich durch eineinhalb Jahrhunderte erhalten haben, ohne daß man sie als nicht mehr gemäß empfinden würde oder empfunden hätte. Die Zeit des Biedermeier und des Vormärz war in vieler Beziehung Ausgangspunkt und Wiege jenes Wien, das in der zweiten Jahrhunderthälfte Weltstadtformat erlangte. Jetzt wurden die Anfangsgründe geliefert. Hier war 1815 am Wiener Kongreß Weltpolitik gemacht worden: Ein Ereignis, welches das Ansehen Wiens steigerte, weniger im Bewußtsein der Bevölkerung, auf die freilich die Gewohnheiten und Allüren der hochgestellten Persönlichkeiten nicht ohne Einfluß blieben, als im internationalen Ansehen. Dieses bewirkte, daß man sich für Wien interessierte und viele Menschen nach Wien reisten – was allerdings, entsprechend gewissen äußeren Umständen, den Behinderungen durch das schwerfällige, engmaschige Behördennetz, nicht immer leicht war. Über Wien wurde in verschiedenen Büchern berichtet. Freilich vermag man sich bei dieser oder jener Beschreibung des Gedankens nicht zu erwehren, daß sie der Propaganda, gleichsam des Fremdenverkehrs wegen entstanden war, um dem Reisenden Appetit zu einem Besuch der Stadt an der Donau zu machen.

Kat. Nr. 7/3/7 L. T. Weller, Griechen in einem Wiener Kaffeehaus, 1824

Man rühmte die Wiener als gutmütiges, biederes und gastfreies Volk, das einen großen Hang zum Wohlleben hatte. Es war als konsumfreudig bekannt – „was seine Ursache im natürlichen Reichtum des Landes hatte“ –, wenngleich nach 1840, bei zunehmender Verarmung breiter Bevölkerungsschichten, die Menge des Konsums zurückging. Immerhin – was zwar nichts wesentliches besagt – verzehrten die Wiener in den vierziger Jahren jährlich 90.000 Ochsen, 125.000 Kälber, 260.000 Hühner, Gänse und anderes Geflügel, 20.000 Zentner Getreide, 90.000 Zentner Mehl und Brot, 600.000 Eimer Bier, 70.000 Schweine, 350.000 Zentner Gemüse und 42 Millionen Eier. Diese Lebensmittel kamen sowohl aus den umliegenden Gegenden als auch aus ferner gelegenen Provinzen des Kaisertums.

1824 wohnten in Wien 289.598 Menschen, innerhalb der Stadtmauern 49.550. Entsprechend der Lage Wiens war für die Stadt die Fülle der Nationen auffällig, die hier anzutreffen war. Man fand in Wien Ungarn, Polen, Serben, Kroaten, Griechen, Türken usw. Sie sprachen untereinander ihre Sprachen, doch diente dem allgemeinen Gebrauch natürlich Deutsch. Französisch und italienisch wurde in den gehobenen Kreisen gesprochen, weniger englisch, wenngleich diese Sprache immer mehr in Mode kam. Auch der Kaiser und die kaiserlichen Prinzen bedienten sich des Deutschen (mit einer gewissen Färbung durch den Wiener Dialekt), und so erwartete man das auch von den Fremden, die nach Wien kamen.

Man rühmte den freundlichen, höflichen Umgangston, dessen sich die Bevölkerung befleißigte. Man hielt in Wien viel von Titel und Würden, nach denen man bereit war, den Wert eines Menschen einzuschätzen. Jeder gebildete oder wohlhabende Mann wurde „Herr von" genannt, auch wenn er dem Adelsstand gar nicht angehörte. Die jeweils dazugehörende Gattin wurde dementsprechend „Frau von" genannt, die einem höheren Stand angehörende Frau erhielt die Anrede „gnädige Frau" oder sogar „Euer Gnaden". Die Tochter eines Hauses sprach man mit „Fräulein" oder „gnädiges Fräulein" an, den hohen Beamten gab man jeweils die Titel, die ihnen verliehen worden waren. Wie immer in diesen Fällen, gaben die oberen Schichten der Gesellschaft den Ton an bzw. waren sie Vorbilder. Allen voran waren dies der Kaiser, der „gute Kaiser Franz", und seine Familie. Auch hier war es eine gewisse behagliche Bürgerlichkeit, die im Vordergrund stand. Er machte immer verständlich, daß ihm die Wahrung des äußeren und inneren Friedens das höchste Anliegen war, eine Haltung, die sein Volk mit ihm teilte. Der Kaiser zeigte sich also nicht anders als seine Untertanen, und diese verhielten sich wohl nicht anders als sie meinten, daß der Kaiser es tat. Schon vom Kaiser ging aller Konservatismus, alle Furcht vor dem Neuen aus, die in irgendeiner Weise für die Zeit des Biedermeier charakteristisch ist.

In den Vorstellungen des Auslands galten mitunter die Wiener und das österreichische Volk schlechthin als von Natur aus leichtherzig und sorglos, denn es hänge allem nach, was nach Unterhaltung aussieht[1].

Schon in der zeitgenössischen Literatur wird ausführlich von charakteristischen Wiener Typisierungen berichtet. Sie alle an dieser Stelle aufzuführen wäre falsch, doch sollten einige der „Wiener Typen", um einen gewissen Hinweis auf das Kolorit zu geben, aufgezählt werden: Eine Besonderheit lag in der Art des Warenangebotes. Die Zeit des Vormärz bildete hier lokale Besonderheiten aus, die bis zur Gegenwart immer noch Bedeutung haben. Eine solche waren die „Greißler", die Inhaber eines Ladens, in dem ursprünglich nur Grieß und Hülsenfrüchte verkauft worden waren, wo in rascher Entwicklung alsbald aber alle nur möglichen Gebrauchsartikel bis zur Stiefelwichse angeboten wurden. Die Bedeutung dieser Läden lag allerdings nicht nur im Warenangebot, sondern allmählich auch darin, daß sie sich gewissermaßen zu gesellschaftlichen Mittelpunkten entwikkelten, zu Umschlagplätzen für allen Tratsch und die neuesten Nachrichten[2].

Einen anderen Typ bildeten Hausierer und Lumpensammler. Sie übten ihre Tätigkeit im Umherziehen aus. „Der Hausierer scheut nicht Sturm und Unwetter, nicht Regen und Schnee, nicht Frost und Hitze. Mit unverdrossener Ausdauer wandelt er in alle Gasthaus- und Bierstuben, und wird nicht müde seine Waren zu preisen und zu deren Ankaufe zu ermuntern"[3].

Und über die Lumpensammler heißt es: „Ein eigener Erwerbszweig für alte Weiber aus der gemeinsten Volksklasse, wenn sie anders noch gesunde Lungen und Beine, und so viel Ehrgefühl habe, daß sie den geringsten Verdienst dem Betteln vorziehen, ist das Einsammeln von Lumpen, Abfällen von Leinzeug, von altem Eisen, Messing, Blei, Glasscherben, Kölnerflaschen und Champagner-Bouteillen. Es steht dies noch um eine Stufe höher, als das Auflesen der Knochen, „Banlstieren" genannt, was unter allen ehrlichen Nahrungszweigen der letzte ist"[4].

Im Grunde genommen sind Erscheinungen wie die genannten nicht unbekannt geblieben, vor allem durch die bis zur Gegenwart lebendigen Theaterstücke von Johann Nestroy, in denen sie sozusagen das anschaulichste Inventar darstellen. Weiters sei eine zeitgenössische Stelle der Literatur über den „Schusterbuben" zitiert, die wohl ein bezeichnendes Licht wirft. „Er ist ein Amalgama aus Bosheit, List, Verschlagenheit, Schadenfreude, Mutwille, Keckheit, Witz, Ironie, Humor und Schelmerei; er hat das Talent zu allen losen Streichen, die er auch – wenn ihm das nötige Selbstvertrauen nicht fehlt – täglich ausübt; um die Gelegenheit dazu ist ihm nicht bange."

Aus der Serie „Wien und die Wiener": Haderlumpweib, 1844

Insbesondere für den auswärtigen Besucher war der Kellner verständlicherweise von großer Bedeutung. Freilich, „die Kellner" zu sagen ist eine im Grunde genommen unzulässige Verallgemeinerung, denn „vom plumpen Weinträger und flinken Kellnerbuben bis zum galanten Zimmer- und rechnenden Oberkellner sind noch so manche Zwischen-Stationen"[5].

Die Kellner mußten bei einem „Wein- oder Biermittel" eingeschrieben sein, wo sie dann die nötige Aufnahmskarte erhielten. Wenn sie sich Zeugnisse ausstellen ließen, mußten diese vom „Mittel" und vom Dienstherrn unterschrieben sein. In der Regel – von der es naturgemäß Ausnahmen gab – verschafften die „Mittel" die Arbeitsplätze. Wer diesen Beruf ausübte, stand voll im Einsatz: Die Arbeitszeit der Kellner begann um neun oder zehn Uhr vormittags und endete keinesfalls vor Mitternacht. Alle zwei oder drei Wochen erhielten sie einen freien Nachmittag. Wenn sie dann doch einmal ihre freien Stunden hatten, ging ihnen der Ruf voraus, daß sie all das Geld, das sie verdient hatten, leichten Herzens wieder ausgaben.

Die Geselligkeit war groß, wenngleich ihr auch von seiten der Obrigkeit gewisse Grenzen gesetzt waren. Die Gast- und Kaffeehäuser hielten bis Mitternacht offen, im Fasching, wenn die großen Bälle stattfanden, war es möglich, auch Ausnahmen zu machen. Die Haustore mußten um 10 Uhr abends geschlossen werden, in den Vorstädten im Winter sogar um 9 Uhr, erst um 6 Uhr früh wurden sie wieder geöffnet. Das war die große Zeit des „Hausmeisters", der für die Einhaltung dieser Stunden verantwortlich und auch berechtigt war, in der Nacht, wenn er das Haustor einem Spätkommenden aufschließen mußte, „Sperrgeld" einzuheben.

Der Hausmeister war im übrigen „im wahren Sinne des Wortes der Flegel des Hausherrn, mit dem er den Weizen ‚Miethzins' aus der Streu ‚Parteien' klopft, wenn er nicht selbst herausfallen will; der Büttel, den er binnen acht Tagen zwanzig Mal zur Partei schickt, die ihre Miethe aus was immer für Ursachen nicht zur gehörigen Zeit bezahlen kann; er ist der Spion desselben, der schon früher, als eine Familie einzieht ihre ganzen Verhältnisse nach Innen und Außen seinem Prinzipale referiert; der ihm täglich den Rapport abstattet, wenn irgend ein Dienstbote Wasser auf die Treppe gegossen, oder ein loser Lehrbube durch sein ausgelassenes Stiegenherabtrappen die Grundfesten des Hauses erschüttert, oder eine verliebte Köchin im Zwielichte ihre Herzens-Affairen unter dem Hausthore zu lange betreibt, und dadurch den guten Ruf des Hauses schmälert; der Inspektor des Hofes, der Stiegen und aller jener geheimen Gemächer, die Jedermann nur einzeln und in der Noth besucht"[6].

Wenn man sich beeilte, hatte man allerdings unter Umständen die Möglichkeit, auf die Dienste des Hausmeisters zu verzichten. Die Theater, die mit ihren Vorstellungen spätestens um 7 Uhr begannen, beendeten diese meist um 10 Uhr. So war die Regel. Deshalb gab es große Aufregung und Ärgernis, die sogar die Kritik ausdrückte, als der extravagante Franz Liszt 1839 und abermals 1846 mit seinen Konzerten erst um 10 Uhr abends begann. Die Konzerte dauerten dann bis Mitternacht, das Publikum war trotzdem begeistert, so daß einige andere Konzertvirtuosen dieser Zeit die gleiche Sitte übten[7].

Doch in der Regel begann von 10 Uhr an das Leben in der Stadt rasch zu erlahmen. Es gab keine Bordelle, und lobend wurde vermerkt, daß „Wien vielleicht die einzige Residenz sei, in welcher man abends in den Straßen nicht den Zudringlichkeiten der Unglücklichen ausgesetzt ist, deren Zahl durch jene Häuser eben vermindert werden sollte"[8].

Trotzdem gab es um 1827 angeblich 20.000 Frauen, die von der Prostitution lebten, obwohl sie „kein Patent darauf hatten". Wenn sie infolge der Tätigkeit, die sie ausübten, erkrankten, wurden sie in ein dafür eingerichtetes Krankenhaus gebracht, wo ihnen ein junger Jesuit am Krankenbett Sittenpredigten hielt. So wurden Versuche unternommen, sie in die Gesellschaft zurückzugliedern, offensichtlich allerdings nur mit geringem Erfolg, denn jede zweite der eingelieferten Prostituierten wurde bald rückfällig. Welche Kreise der Bevölkerung hier mit einbezogen waren, konnte niemand mit Bestimmtheit sagen, denn es gab unter den Prostituierten „auch außerordentliche Dilettanten und Gefeierte, wobei auch Gräfinnen darunter waren"[9].

Es gab natürlich Orte und Treffpunkte, wo sich die Damen des leichten Gewerbes einfanden und ihre „Beute" machten. Ein Beispiel dafür war der immer wiederkehrende „Ball auf der Mehlgrube", der von solchen Mädchen besucht wurde, „die ihre Netze nach fremden und unerfahrenen Herren auswarfen", weshalb man diesen Ball als eine Art Lusttempel betrachtete, den die vielen tausend Hetären geringen Standes mit Neid ansahen[10].

Zeitgenössische Berichte und Kommentare zur Prostitution gehen allerdings etwas verständnislos mit diesem Thema um. Als die Arbeitslosigkeit in den vierziger Jahren immer größer wurde, stieg auch die Zahl der Prostituierten. Und ebenso gab es, verursacht durch die Verschärfung der sozialen Situation, immer mehr Gauner und Diebe: Taschendiebe vor allem, in Theatern, in Kirchen, auf Maskenbällen und in Konzerten. Sie waren allerdings insofern vorsichtig, als sie vielfach ihre Beute gleich wieder ins Ausland verkauften und man ihnen dadurch nur wenig beweisen konnte.

Wie schon aus mehreren Zusammenhängen ersichtlich, war die soziale Situation kritisch. Und es gab keine Hoffnung, daß sie sich besserte. In den dreißiger und vierziger Jahren verschärfte sie sich immer mehr. Mit der Abreitslosigkeit und der Not nahm nicht nur die Prostitution, sondern auch das Bettlertum zu. Und auch dazu herrschte eine verständnislose Einstellung, indem man meinte, die Bettler seien alle arbeitsscheu, faul, liederlich. List, Frechheit und Heuchelei seien ihre hervorstechenden Charaktereigenschaften: „Ein Bettler schätzt Bier und Wein, aber Branntwein ist sein Lieblingsgetränk" heißt es in einer zeitgenössischen Schrift. Und ihr Gewerbe sei einträglicher, als man gemeinhin annimmt[11].

Offenbar erfaßte kaum jemand die gesellschaftliche Wirklichkeit. Die immer prekärer werdende soziale Situation konnte zwar nicht unbeachtet bleiben, doch faßte man das Übel nicht an der Wurzel, sondern begnügte sich damit, sie als lästig zu empfinden. Man unterschied nicht zwischen einer Armut, von der die Außenseiter der Gesellschaft betroffen waren, und Menschen ohne Arbeit, die in ihre Situation unverschuldet gekommen waren. In Wahrheit war wie immer die Lage von Menschen, die ständig um ihre Arbeitsplätze zittern mußten, verzweifelt. In zunehmendem Maße kam es zu Lebensmittelkrawallen, in Anbetracht der ständigen Teuerung, aber schon auch zu Fällen von Maschinensturm, da die Arbeiterschaft zu der Erkenntnis gelangte, daß die rasche Industrialisierung und Technisierung der Betriebe, die vom Staat auch noch gefördert wurden, die eigentliche Ursache ihres Ruins war. Und schließlich wimmelten sehr bald auch ganze Vorstädte von heruntergekommenen, zerlumpten Arbeitern, ein Umstand, der natürlich auch nicht ohne Einfluß auf die öffentliche Sicherheit blieb.

Die wenigen Versuche, der gesellschaftlichen Mißstände Herr zu werden, entsprachen nicht einmal andeutungsweise den heutigen Vorstellungen. Das einzige, das man sich einfallen ließ, waren caritative oder obrigkeitsstaatliche Zwangsmaßnahmen. So gab es beispielsweise eine „Zwangsarbeit- und Besserungsanstalt" auf der Laimgrube, wo „Müßiggänger, Bettler, arbeitsscheue Menschen, herrenlose Dienstboten, auf Abwege geratene Jünglinge und Mädchen unter zweckmäßiger Beschäftigung so lange zurückgehalten wurden, bis ihre Besserung erreicht war." So war die Einstellung[12].

Doch in Wirklichkeit wurde jemandem, der unter dem Druck der Umstände seine Arbeit verloren hatte und in Not geraten war, keine Hilfe zuteil. Es gab keine Unterstützung und keine Versicherung, lediglich Versuche in bescheidenen Ansätzen: So bildete sich ein „Buchdrukker- und Schriftgießer-Unterstützungsverein", gleichsam ein erstes Anzeichen einer gewerkschaftlichen Organisation. Ein „allgemeiner Hilfsverein" wurde gegründet, der den Armen eine billige Suppe verabreichte (Rumford-Suppe). Die eine oder die andere private Vereinigung wurde zum Zweck der Bekämpfung der Armut auch noch ins Leben gerufen. Doch „ein ausgefeiltes Hofkanzleidekret machte die Gründung faktisch aller Arten von Vereinigungen fortan von einem genauen Prüfungs- und Genehmigungsverfahren abhängig", so daß die Wohltätigkeitsvereine des vormärzlichen Wien einer ständigen Finanzkontrolle unterworfen waren. Und dann achtete man noch in erster Linie darauf, daß auf diese Weise die religiös-sittliche Integrität gewahrt blieb. Alles in allem ist jedenfalls zu sagen, daß die wenigen caritativen Maßnahmen, die gesetzt wurden, kaum wahrnehmbar und eigentlich nicht vorhanden waren.

Neben der Umstellung, der Technisierung usw. gab es natürlich auch noch andere äußere Einflüsse, die man als vorhanden hinnehmen mußte: Gemeint sind außenpolitische Ereignisse, wie Wirren im Orient, eine um 1840 entstandene Kriegsgefahr, aber auch Mißernten, die in dieser Zeit noch gewaltigen Einfluß übten. Nicht zuletzt führt man die Gründe für die Revolution 1848 neben der wachsenden Verelendung der breiten Massen auch auf die Auswirkungen der Notjahre 1845 bis 1847 zurück, in denen die Nahrungsmittelpreise anstiegen. Hier gab es wieder verschiedene Ursachen: Neben schlechten landwirtschaftlichen Erträgen politische Unruhen in Galizien, Viehseuchen in Rußland. Die Bäcker verschlechterten das Brot, indem sie ihm Mais beimengten: 1846 gab es in Ungarn eine geringe Kornernte und in Österreich eine Kartoffelfäule[13].

Mit dem Anwachsen der Bevölkerungszahl verschlimmerte sich auch das Wohnungsproblem. Hinter den Basteimauern in der Stadt gab es die besseren Wohnungen. Sie waren verhältnismäßig groß, sie hatten zahlreiche Nebenräume: Sie wurden von wohlhabenden Bürgern bewohnt, die großen Wert auf Behaglichkeit legten.

Für die Höhe der Mietzinse war entscheidend, ob die Wohnung näher oder entfernter von der Stadt lag. Aber auch sonst bildeten sich Unterschiede heraus. Das Image der Gegenden wurde differenziert bewertet. Das waren Auffassungen, die bis weit in das 20. Jahrhundert erhalten blieben. Die Belagsdichte der Wohnungen, die schon seit dem ausgehenden 18. Jahrhundert hoch gewesen war, veränderte sich im Laufe der Zeit kaum. In den dreißiger Jahren verringerte sie sich allerdings ein wenig, ohne daß sich die Qualität des Wohnens verbesserte. In den Vorstädten, wo vorwiegend eine finanziell schwache Bevölkerung wohnte und es viele Arbeiterwohnungen gab, waren elende, kleine, niedrig gebaute Zimmer, in denen sich alles Leben einer Familie abspielte, die Regel. Charakteristisch waren hier die „Pawlatschenhäuser", niedrig gebaute Wohnobjekte mit aus Holz gebauten Umgängen. Viel an dem Wohnungsübel hatte seine Ursache im Spekulantentum. Die kleinen Häuser, in denen man sich die Wohnungen noch hatte leisten können, begannen zu verfallen und wurden durch Großbauten ersetzt, deren Höhe der Zinse den kleinen Einkommen keineswegs mehr entsprach. Offensichtlich waren die Spekulanten also bemüht, den vorhandenen Wohnraum zu verknappen, um ihn teuer anbieten zu können. In den vierziger Jahren trug diese Haltung zusätzlich zur Verschärfung der sozialen Situation bei. Im Zuge der zunehmenden Industrialisierung verringerte sich die Zahl der Arbeitsplätze, die Einkommen sanken ab, die Verelendung der breiten Schichten der Bevölkerung nahm zu. Der Anteil der Höhe der Miete im Arbeiterhaushalt betrug ein Viertel bis ein Drittel des Einkommens. Obdachlose, von einer zur anderen Wohnung ziehende Familien, zählten sehr bald zum gewohnten Bild. Die letzten Jahre vor der Revolution 1848 waren ganz besonders vom Elend vieler Menschen gekennzeichnet.

Dieser Notstand hatte viele Folgen. Eine davon war die hohe Sterberate. Und diese war vornehmlich durch das Überhandnehmen der Volksseuche der Tuberkulose, aber auch der Lues bedingt. In vieler Hinsicht machte man sich allerdings kein richtiges Bild über die Ursachen. Anderenteils rühmte man – wohl im Vergleich mit ausländischen Beispielen –, daß Wien „in Beziehung auf Sanitäts- und Wohltätigkeitsanstalten unübertroffen" dastünde[14].

Da war das Wiener Allgemeine Krankenhaus, das je ein Irren-, Gebär- und ein Findelhaus besaß, eine Klinik, das Militärspital und sechs Privat-Hospitäler. Ein eigenes kaiserliches Armen-Institut bildete die Hauptgrundlage der Armenpflege. Alle diese Institute standen den Armen unentgeltlich zur Verfügung. Man kann diese Einrichtungen allerdings nicht ohne Vorbehalt als für das Biedermeier typisch bezeichnen, denn sie gingen ja auf die Vorstellungen und Reformen Kaiser Josephs II. zurück. Ein Gebärhaus nahm jede der Entbindung nahe Frau auf, ohne nach ihrem Tauf- und Familiennamen zu fragen. So konnte die Geburt eines Kindes auch völlig anonym geschehen. Man gab einen versiegelten Zettel ab, den der Geburtshelfer nur im Falle des Todes öffnete. Das Neugeborene konnte man mitnehmen oder es auch der Anstalt überlassen, die ohnedies mit dem Findelhaus eng zusammenarbeitete[15]. Ferner gab es in der Währinger Straße ein Waisenhaus, das unter der Leitung des bekannten Pädagogen, Humanisten und Schulmannes Franz Michael Vierthaler stand. Seine humanitären Leistungen überschritten übrigens weit das bis dahin bekannte Maß. Die Kinder erhielten in dieser Anstalt Unterricht, und wenn sie besonders talentiert waren, konnten sie auch die Lateinschulen oder die Akademie der bildenden Künste besuchen. Hier wurden Waisenkinder, aber auch Kinder aus desolaten Familienverhältnissen aufgenommen[16].

Trotz aller Maßnahmen und Einrichtungen dieser Art ließ der öffentliche Sanitätszustand zu wünschen übrig. Fast noch ein Jahrhundert sollte es dauern, bis man die Bekämpfung der Tuberkulose einigermaßen in den Griff bekam. Der Hauptgrund für die verheerende Wirkung dieser Seuche lag vorwiegend in den schlechten sanitären Verhältnissen. Doch diese bildeten die Ursache auch für andere schwere Erkrankungen oder Epidemien. Auch ihnen, deren Ursachen auf verseuchtes Wasser zurückgehen, also vor allem Ruhr, Typhus, allenfalls auch Cholera – da es immer wieder Epidemien gab –, war die Bevölkerung ausgeliefert. Überschwemmungskatastrophen an der Donau, aber auch am Wienfluß, die immer wieder auftraten, förderten oder bewirkten Epidemien. Selbst der Ausbau von Wasserleitungen, mit denen gesundes Wasser nach Wien gebracht wurde, nützte da nicht sehr viel, weil es ja nicht ausreichte und die Bevölkerung immer wieder auf den Gebrauch der Hausbrunnen angewiesen war. Die Anlage der Kaiser-Ferdinands-Wasserleitung, die aus Saugkanälen im Grunde genommen Donauwasser in die Röhren pumpte, erwies sich insofern als problematisch. als dieses eben zeitweise verseucht war.

Die Maßnahmen, welche die Regierung im Falle einer Epidemie setzte, waren zumeist unzureichend und erbitterten die Bevölkerung viel mehr, als daß sie dieser die Überzeugung gaben, es seien die besten Maßnahmen getroffen worden. Durch das Verhalten der Regierung während einer Cholera-Epidemie der Jahre 1830/31 verärgerte man sich die Leute, indem sich der Hof in Schönbrunn vollkommen absperrte, während für die Rettung der Bevölkerung vor Ansteckung nichts geschah.

Im Laufe der Jahre und Jahrzehnte schuf man sich vielfach ein Bild der Biedermeierzeit, das von Idylle, Beschaulichkeit, geradezu von Wohlhabenheit und Friedfertigkeit geprägt ist. Die bildende Kunst, die Malerei vor allem, liefert da kein objektives Bild. Sie schuf das Porträt einer gesunden Welt, in der es keine Spannungen gibt. Doch gerade diese Spannungen waren es, die sich immer mehr verschärften, und man sollte nicht den Fehler begehen und sich von einer schönen Oberfläche täuschen lassen. Die Biedermeierkunst ist der Ausdruck einer Flucht in die schönere Welt.

**Vergnügungen: Die Lust am Leben**

Weil man also mit vielen schwierigen Dingen zu kämpfen hatte, die keinen Anlaß zur Freude gaben, ist besonders die Frage berechtigt, was nun doch die Vergnügungen waren, welche die Menschen suchten. Zunächst ist zu sagen, daß sie im allgemeinen nur über ein geringes Maß an Freizeit verfügten. Und so war das gewöhnliche Vergnügen des kleinen Mannes an Sonn- und Feiertagen die Besuche in den Wirtshäusern mit ihren Wirtshausgärten, von denen es in der Stadt, den Vorstädten und vor der Linie eine stattliche Anzahl gab.

In Wien waren Graben und Kohlmarkt die belebtesten Straßenzüge; zwischen zwölf und zwei Uhr fand dort die große Promenade statt, insbesondere an Sonn- und Feiertagen. Auch spazierte man gerne auf der Bastei, vor allem in der Gegend der Burg- und Löwelbastei, weil man von dort einen schönen Blick in die Ferne hatte. Gerne unterbrach man im sogenannten „Paradeisgartl", um Kaffee zu trinken. In der Gegend des Karolinentores befand sich eine Mineralwasser-Trinkanstalt, die sich ebenfalls großen Zulaufs erfreute. Doch auch im Hofgarten, im Volksgarten und im Liechtensteingarten ging man gerne spazieren[17].

Zwei Bereiche gab es, die für die Unterhaltung oder auch die Erbauung des Publikums im Biedermeier von besonderer Bedeutung waren: Das Theater und die Musik. Letztere war die eigentliche „Würze des öffentlichen und häuslichen Lebens". Zunächst wurde viel Hausmusik betrieben, was der Beliebtheit der häuslichen Zirkel in jeder Beziehung entsprach. Natürlich gab es große Unterschiede im Niveau der Kunstausübung, jeweils dem entsprechend, welche Ansprüche man erhob. Die einfachste Form der Musikverbreitung geschah durch die Drehorgelspieler, die „Werkelmänner", wie man sie in Wien nannte, die „in zahlloser Menge von Haus zu Haus ziehen, an den Thoren der Stadt, auf den Spaziergängen, die beliebtesten Melodien der Volksbühnen und der Oper herableiern", bis endlich die Schusterbuben und manche mit Virtuosität die „Arie" nachpfeifen. Auch die „Harfenisten", die ebenso wie die „Werkelmänner" herumwanderten, spielten eine Rolle. Der Harfenist bot „Ersatz für Oper, Tragödie, Lustspiel und Presse"[18].

Die Harfenisten fand man nicht nur im Prater, auch in den Höfen der Häuser und auf offener Straße. Darüber hinaus gab es ganze Harfenistentruppen, die in Bierschenken und Praterhütten ihre Bühnen aufschlugen. Sie unterhielten das Publikum mit allerlei Späßen. Solche Gesellschaften bestanden im allgemeinen aus einem komischen Alten, einem Liebhaber, einem Komiker und auch aus zwei Liebhaberinnen. Das Publikum dieser Truppen war zumeist nicht das allerfeinste, zumal auch die Späße, die dort betrieben wurden, eher aus grobem Stoff gewebt waren.

Es gab aber auch Sänger, die auf diese Weise, indem sie herumzogen, die Lieder von Schubert, Beethoven, Conradin Kreuzer u. a. in Umlauf brachten. Nicht zuletzt griffen Bänkelsänger mitunter die politischen Zustände ihrer Zeit verspottend an. Die vielleicht künstlerisch wesentlichste Form der Musikausübung dieser Zeit war allerdings die Hausmusik, mit der man es tatsächlich zu beachtlicher Höhe brachte. Darüber hinaus begann sich nach der Jahrhundertwende die Situation völlig zu verändern. Die tragende Rolle in der Musikpflege war allmählich vom adeligen Mäzenatentum auf ein gebildetes und wohlhabendes bürgerliches übergegangen. Erforderlich wurde deshalb die Schaffung neuer Konzertsäle in öffentlichen Gebäuden, Hotels und Gaststätten. Das wichtigste Lokal dieser Art war das der 1812 gegründeten Gesellschaft der Musikfreunde auf der Tuchlauben: Hier wurde 1831 ein geräumiger Konzertsaal eröffnet, der rund 700 Personen faßte. Neben großen Veranstaltungsorten wie im Redoutensaal und in der alten Universität blieb dieser Vereinssaal bis zur Errichtung des großen Musikvereinssaales am Karlsplatz der wichtigste Konzertsaal in Wien. Die intensive Musikpflege gehörte zum Charakteristischsten dieser Zeit des Biedermeier – und wie vieles gehört auch die Musikpflege zu jenen Dingen, die in typischer Weise eine Tradition entwickelte, die lange anhielt.

Ebenso wie die Musik, die vor allem in der Nachwirkung der Wiener Klassik, der „ersten Wiener Schule" auf den besten Fundamenten ruhte und die in ihrer Art zutiefst auch populär geworden war, hatte das Theater größte Bedeutung für das geistige Leben, wie auch für die einfache Unterhaltung. Eine gegenseitige Wirkung vom Theater auf das Publikum wie vom Publikum auf das Theater bewies im besonderen Maß, wie fest verankert es im Leben der Stadt war; und gleichgültig, ob es sich dabei um die Volksbühne oder das Hoftheater handelte, das eigentliche Wesen Wiens kam hier zum Ausdruck. Gleichsam zwei Magier beherrschten das Theaterleben Wiens im besonderen Maß, Ferdinand Raimund im Leopoldstädter Theater und Carl Carl im Theater an der Wien.

Raimunds Werk stand da in besonderer Weise in der Wiener Tradition, die weit in das achtzehnte Jahrhundert hineinreichte und vor allem in Mozarts und Schikaneders „Zauberflöte" Ausdruck gewonnen hatte und Vorbild geworden war; Verbindung von Sprache und Musik, derber und poesievoller, erhabener und heiterer Begebenheiten kennzeichneten einen Theaterstil, der vom Publikum mit größtem Interesse aufgenommen wurde.

Schließlich entdeckte man in dieser Zeit vor allem aber die Natur. In jeder freien Stunde begab man sich ins Grüne, um seine Tage zu genießen. Sowohl die nähere als auch die fernere Umgebung Wiens gewann zunehmend an Bedeutung für die Leute. Das erkennt man deutlich in der Malerei, die ihre Motive an Hand der Landschaften um Wien fand: im Wienerwald, der Gegend von Rax und Schneeberg und vor allem im Salzkammergut. In Wien spielte der Prater die wichtigste Rolle als „Erholungslandschaft" für die Wiener Bevölkerung, wie man heute sagen würde.

Kaiser Joseph II. hatte entsprechend seiner Weltanschauung den Prater, die weitläufige Aulandschaft an der Donau, dem allgemeinen Publikum geöffnet. An schönen Tagen ergossen sich wahre Menschenströme in den Prater über die „Jägerzeile", die gleich nach der Brücke

Erasmus von Engert, Wiener Hausgarten, 1828–1838, Berlin, Nationalgalerie

über den Donaukanal ihren Anfang nahm. Der Menschenstrom setzte sich in der Hauptallee fort, wo sich viele Lokale befanden. Man traf im Prater alle Schichten der Bevölkerung, und es konnte sein, daß man als Spaziergänger durch den Prater auch dem Kaiserpaar begegnen konnte. Das Wichtigste für die Spaziergänger im Prater waren jedenfalls aber die Gast- und Kaffeehäuser, von denen es 1846 nicht weniger als 54 gab. Einige dieser Lokale erfreuten sich der besonderen Zuneigung des Publikums. Das Wirtshaus „Zum grünen Paperl" (Papagei) zum Beispiel, das sich im „Wurstelprater" (dem eigentlichen Zentrum einer Fülle von Vergnügungsstätten) befand, war ein richtiges „Backhendlparadies", denn damals schon gehörte das in einer „Panier" herausgebackene Junghuhn zu den Lieblingsspeisen der Wiener.

Sehr beliebt waren auch die „Drei Kaffeehäuser" in der Hauptallee des Praters. Hier hielt sich in erster Linie die „noble Welt" auf. Das „Erste Kaffeehaus" entwickelte sich zu einem Etablissement mit Konzertveranstaltungen. 1819 spielte zum ersten Mal Joseph Lanner hier, 1824 auch Johann Strauß (Vater). Auch der „Circus gymnasticus" war ein Anziehungspunkt der Gesellschaft. Kein Geringerer als der wichtigste Architekt des Wiener Biedermeier, Josef Kornhäusel, hatte diesen Bau errichtet. Dieses Gebäude diente in erster Linie den Kunstreitern zur Vorführung ihrer Fertigkeiten.

Zu den entscheidendsten und wichtigsten kirchlichen Feierlichkeiten gehörten jene der Karwoche, an denen buchstäblich die gesamte Bewohnerschaft der Stadt teilnahm, vom Hochadel angefangen bis zum ärmsten der jüngsten Bürger der Stadt. Die Auferstehungsfeiern fanden in allen Kirchen Wiens statt, so daß man den Eindruck gewinnen konnte, die ganze Stadt sei in Bewegung. Jedermann war bemüht, diesem hohen kirchlichen Fest die Reverenz zu erweisen. Stifter beschreibt das so: „Da sieht man ganze Familien, ehrbar angezogen, über die Gasse schreiten; Menschen, die das ganze Jahr nicht in die Stadt hereinkommen, verlassen ihre Wohnung in der entfernten Vorstadt, um ein oder das andere heilige Grab in der Stadt zu besuchen, zu dem sie schon von Alters her eine besondere Andacht hegen"[19]. Vor allem war es Sitte, daß man „im höchsten Putze" über den Kohlmarkt, Graben und Stephansplatz spazieren ging.

Die Kirchen, allen voran der Stephansdom, waren im Inneren schwarz verhangen, jede von ihnen hatte ihr „heiliges Grab", das anzuschauen natürlich auch ein Vergnügen der Besucher war. Der Karsamstag war der belebteste Tag des Jahres. Das Osterfest wurde überall mit größter Pracht gefeiert. Die Auferstehungsfeier, an der auch die kaiserliche Familie teilnahm, fand im Inneren Burghof statt, zu dem allerdings nur ein ausgesuchtes Publikum Zugang hatte. Dementsprechend und nichtsdestoweniger waren die Ein- und Zugänge der Hofburg von der schaulustigen Bevölkerung umlagert. Die Fortsetzung dieser Feier fand dann im Stephansdom selbst statt, wo auch die Bürgergarde aufgestellt war und die Vertreter der Stadtbehörden anwesend waren.

Nach dieser Feier im Stephansdom fand dann nicht nur eine große Promenade durch die Straßen statt, in den diversen Geschäften und Buden begann man einzukaufen, um sich für den nachfolgenden Tag, an dem gewohnterweise alle Geschäfte geschlossen waren, mit Waren zu versorgen, denn der Ostersonntag galt als besonders hoher Festtag, an dem kein Laden offengehalten werden durfte. Die Warenauslagen und Ankündigungen entfalteten hier im Laufe der Zeit eine immer größere Pracht, eine besondere Fülle bot sich am Stephansplatz, am Stock-im-Eisen-Platz, am Graben, am Kohlmarkt, in der Rotenturmstraße und in der Kärntnerstraße, was Adalbert Stifter zu der Bemerkung inspirierte: „So natürlich, so unschuldig die Auslagen sind: so sehr, glaube ich, reizen und verführen sie gerade die unteren Klassen vorzüglich des weiblichen Geschlechts, zur Begierde nach Luxus und Hoffahrt, und natürlich auch zu den Wegen dahin“[20].

Zu den besonderen Vergnügungen zählten die Feuerwerke: Vier- bis sechsmal im Jahr fanden solche auf eigens dafür gewidmeten Wiesen im Prater statt, und zwar im Mai und im Sommer und am 26. Juli – dem Annentag – jedenfalls. Jedes dieser Feuerwerke bestand aus 6–8 Fronten, die in kleinen Zwischenräumen eine nach der anderen abgebrannt wurden. Der Durchführende war der berühmte „Kunst- und Luftfeuerwerker“ Anton Stuwer. Wenn dieser „seine Fantasien abbrennt“, schrieb Adalbert Stifter, steht am Feuerwerksplatz im Prater „eine Menge, Mann an Mann, als wäre der Raum mit Köpfen gepflastert, und alle schauen in die Nachtluft, die von Raketen, wie von gellenden Tönen durchschritten wird, oder in die er plötzlich einen Stern heftet, der jetzt rot, jetzt grün, jetzt blau, jetzt golden am finsteren Himmel schwebt, und von den Lüften getragen, langsam nieder und seitwärts steigt oder der Stern platzt, und wirft eine Handvoll farbiger Feuerblumen durch die Nachtluft – oder plötzlich steht eine durchbrochene, brennende Stadt vor dir, und lodert ruhig prasselnd aus, dem feinern Auge öfters die sinnigsten Feuerdichtungen vorführend“[21].

Zu den Festen der Wiener gehörte auch der Brigittakirtag, der ebenfalls im Sommer in der Brigittenau stattfand. Es handelte sich dabei um „das eigentliche Volksfest der Wiener“. Es fand an zwei aufeinanderfolgenden Tagen statt, und jeweils 40.000 bis 80.000 Besucher nahmen daran teil. Franz Grillparzer leitet seine Novelle „Der arme Spielmann“ mit einer Schilderung dieses Festes ein:

„In Wien ist der Sonntag nach dem Vollmonde im Monat Juli jedes Jahres samt dem darauffolgenden Tage ein eigentliches Volksfest, wenn je ein Fest diesen Namen verdient hat. Das Volk besucht es und gibt es selbst; und wenn Vornehmere dabei erscheinen, so können sie es nur in ihrer Eigenschaft als Glieder des Volks. Da ist keine Möglichkeit der Absonderung; wenigstens vor einigen Jahren noch war keine. An diesem Tage feiert die mit dem Augarten, der Leopoldstadt, dem Prater in ununterbrochener Lustreihe zusammenhängende Brigittenau ihre Kirchweihe. Von Brigittenkirchtag zu Brigittenkirchtag zählt seine guten Tage das arbeitende Volk. Lange erwartet, erscheint endlich das saturnalische Fest. Da entsteht Aufruhr in der gutmütigen ruhigen Stadt. Eine wogende Menge erfüllt die Straßen. Geräusch von Fußtritten, Gemurmel von Sprechenden, das hie und da ein lauter Ausruf durchzuckt. Der Unterschied der Stände ist verschwunden; Bürger und Soldat teilt die Bewegung“[22].

Ein weiteres kirchlich bestimmtes Fest, an dem die Wiener gerne teilnahmen, fand in Mariabrunn statt. Es gab dort ein verehrtes Marienbild, zu dem am 8. September gewallfahrtet wurde. Die Festlichkeiten begannen mit einer Meßfeier, sehr bald füllten sich aber auch die umliegenden Gasthäuser, und es bevölkerten sich die Wiesen der Umgebung, wo ganze Familien lagerten und das mitgebrachte Essen verzehrten. Es nahmen aber auch die benachbarten Orte Besucher auf, und manche Wallfahrt endete schon im Brauhaus in Hütteldorf, wo der Wallfahrer den Tag verbrachte.

Wenn die Zeit des Biedermeier so recht eigentlich in Wien als die „Backhendlzeit“ bezeichnet wird, so hat das schon auch seine Begründung. Die Kunst der biedermeierlichen, wohlschmeckenden Küche mit ihren überaus üppigen und phantasiereichen Suppen und den kunstvoll zubereiteten Fleischspeisen sowie die wunderbaren Mehlspeisen, die freilich ihre Herkunft aus den böhmischen Ländern nicht verleugnen konnten, war kaum zu übertreffen. Man hatte gutes Bier und trank Weine, die aus Ungarn kamen, mit besonderer Hingabe auch jenen, der aus den Wiener Reben gekeltert war und aus Grinzing oder vom Nußberg stammte.

Das gute Essen und das gute Trinken war schon auch recht eigentlich der zentrale Mittelpunkt der Wiener Lebensfreude. Und so drückte der „Ausflug als Umweg zum Wirtshaus“ tatsächlich das aus, was eine große Gruppe der Bevölkerung als erstrebenswert und ideal empfand. Lerchenfeld oder eigentlich Neulerchenfeld, ein großes Dorf jenseits der „Linie“, war ein im Westen gelegener Vorort mit etwa 4500 Einwohnern und 200 Häusern, in denen sich allerdings nicht weniger als 80 Bier- und Weinschenken befanden[23].

Diese Schenken besaßen große Gärten, die schattig und angenehm waren, und das Speise- und Getränkeangebot war so günstig, daß Neulerchenfeld vor allem zum Ausflugsziel der weniger Begüterten wurde. Die Bewohner des Dorfes lebten geradezu von diesen Angeboten und waren jedenfalls um ihre Gäste sehr bemüht, weshalb auch in ständiger Folge hier Nachmittags- und Abendunterhaltungen, Soireen, Musikfeste und Gartenfeste veranstaltet wurden.

Im Sommer bürgerte es sich ein, „auf das Land zu ziehen“ – eine Sitte, die für das Biedermeier, das vielfach „die Natur“ entdeckte, geradezu typisch ist. Deshalb nahmen auch die näher oder ferner liegenden Orte den Charakter eines „kleineren Wien“ an. Wer viel Geld besaß und es sich deshalb leisten konnte, benutzte das Nobelfahrzeug, den „Fiaker“, der etwa dem entsprach, was späterhin dann das Taxi ist. Der „Fiaker“ galt allgemein als „eine originelle Figur, ein Compositum mixtum von Gutmütigkeit, Witz, Grobheit, Verschmitztheit, Satyre, heitere Laune und Übermuth“[24].

Wer sich aber den Fiaker nicht leisten wollte oder konnte, benützte einen der Gesellschaftswägen, die mehrmals am Tage, insbesondere im Sommer, von Wien abgingen. Auch „Tragsessel“ standen noch lange in Verwendung, allerdings war die Anzahl, die es davon gab, sehr gering. Das wichtigste Fahrzeug, das auch der Masse der Bevölkerung diente und mit dem man in die Umgebung von Wien gelangen konnte, war der „Zeiselwagen“. Es handelte sich dabei um ein leicht gebautes Fahrzeug, dem meist ein, nur selten zwei Pferde vorgespannt waren und wo im Normalfall nicht mehr als zwölf Fahrgäste Platz nehmen konnten. Man war dem schlechten Wetter ausgesetzt, als Schutz dienten lederne Vorhänge, die heruntergerollt werden konnten.

Die eigentliche Ausflugszeit war natürlich das Frühjahr, der Sommer und der Herbst. Ziele waren die Orte vor der „Linie“, die Brigittenau, die Heurigendörfer im Westen der Stadt, beispielsweise aber auch die Lobau, wo man vor allem das Schlachtfeld von 1809 besuchte. Die elegante Welt zog in der schönen Jahreszeit nach Hietzing, Penzing, Hütteldorf und natürlich in die Nähe des kaiserlichen Schlosses Schönbrunn. Dort entstanden in zunehmendem Maß Villen. Schließlich, vor allem nach dem Bau der „Raaber Bahn", dehnte sich diese Sommerfrischegegend auch nach dem Süden aus. Kalksburg, Rodaun, Kaltenleutgeben usw. waren beliebte Orte. Doch dehnte sich dieses Interesse nach neuen Zielen immer weiter aus bis nach Liesing, Mödling, die Hinterbrühl, sogar Wiener Neustadt, vor allem aber zum „Idol der Wiener", der Kurstadt Baden, die in dieser Zeit vor allem auch ihre architektonische Prägung erhielt. Dabei kamen andere Orte, die lange das eigentliche Ziel als Sommerfrische gewesen waren, aus der Mode, wie Heiligenstadt, Pötzleinsdorf oder Dornbach.

**Der Staat in der Defensive**

Die Erkenntnis, daß Aufruhr und Revolution, Umsturz und selbst jeder Versuch einer Reform etwas Schreckliches seien, das man vermeiden müsse, charakterisiert die Mentalität der Regierenden des Vormärz. In dieser Beziehung unterschieden sich ihre prinzipiell von jenen Anschauungen, die wenige Jahrzehnte vorher Kaiser Joseph II. entwickelt hatte und die offensiven Charakter gehabt, eben „aufklärerisch" gewirkt hatten. Der Staat des Vormärz, das „System Metternich" überhaupt, manövrierte von Anfang an ausschließlich in Abwehrmaßnahmen und wies jedes Ansinnen an ein Überdenken der Situation, das nur annähernd etwas mit „Reform" zu tun haben könnte, weit von sich. Keinen anderen Einfall hatte man, als einen totalen Polizeistaat einzurichten, der alles beobachten und jedes geringe Vergehen ahnden ließ und den deshalb auch jeder einzelne Bewohner als seinen Gegner erkennen mußte.

Eines der wichtigsten Machtmittel, das man einsetzte, war die Zensur, die freilich keine Erfindung des Vormärz-Regimes war. Benützt wurde das „Prinzip Zensur" auch in der Zeit Kaiser Josephs II., wenn auch mit einem anderen Ziel: um das Volk zu erziehen und „aufklärend" zu wirken. Dem Vormärz-Regime ging es nur darum, alles zu erfahren, um sich lückenlos Erkenntnisse über alle Vorgänge im Lande zu verschaffen oder um überhaupt schon im Keim jeden Gedanken zu ersticken, der vielleicht einmal dem Regime gefährlich werden konnte.

Man kann wohl die grundsätzliche Vorgangsweise der Behörden im Vormärz als den Versuch einer allgemeinen Entmündigung des Volkes verstehen. Allerdings bezweifelten manche Autoren, daß ein politischer Geist in die österreichische Nation überhaupt vorgedrungen sei. Die Bevölkerung zeigte gegenüber den Ereignissen in der Welt große Gleichgültigkeit. Eine allgemein erhobene Forderung nach einer „konstitutionellen Verfassung" wurde hier zunächst kaum erhoben[25]. Noch zu Kaiser Josephs II. Zeiten hatte man die Menschen zu einem selbständigen Urteil zu erziehen versucht. Nun dachte anstelle des Bürgers der Staat über alles nach.

Entscheidend waren die Vorgänge der Französischen Revolution gewesen, unter deren Eindruck man in ganz Europa stand. Am 22. Februar 1795 wurden alle bis dahin bestehenden Zensurbestimmungen zu einer „General-Zensur-Verordnung" zusammengefaßt und 1801 ihre Exekution der „Polizeihofstelle" übertragen. Es war nicht das Ziel der Zensur, Gedanken, die in Form von Literatur an die Öffentlichkeit gelangen sollten, zu unterdrücken, man wollte ihnen vielmehr eine Form geben, die dem Staat nützen sollte. Das war sozusagen eine Modifikation der Ansichten aus der Zeit Kaiser Josephs II. mit einer gewissermaßen perfiden Verfremdung.

Man darf sich allerdings niemals darüber täuschen, daß es ja sehr entscheidend ist, wer nun Einrichtungen des Staates wie die Zensur exekutiert. Da und dort mögen durchaus sogar auch sinnvolle Absichten hinter einer Sache stehen, doch entarten sie dann zu einem Exerzierfeld der Mittelmäßigkeit und Unzulänglichkeit, des Kleinlichen, der Ängstlichkeit und dem Bemühen, auf gar keinen Fall Verantwortung auf sich nehmen zu müssen. Das Beamtenheer, das mit den Zensuraufgaben befaßt war, wuchs immer mehr an. Man wußte, daß der Staat für das Polizeiwesen gewaltige Summen Geldes ausgab. Man bescheinigte der Polizei, daß sie zwar gut, wenn auch lästig war, weil sie sich um alles kümmerte. Allein das Reisen nach Wien, um ein anderes Beispiel zur Zensur (besonderes Verhalten des Systems) zu nennen, war eine mühevolle Sache. Natürlich mußte jeder Reisende, der die Grenzen der Monarchie überschritt, einen Paß besitzen, der von einem österreichischen Botschafter, Konsul oder Geschäftsträger ausgestellt war. An den „Linien" der Stadt wurde ihm dieses Ausweispapier abgenommen, und dann mußte er sich binnen 24 Stunden beim „k k Paß-, Conskriptions- und Anzeige-Amt" melden, um eine erforderliche „Aufenthaltskarte" zu erwirken. Wollte man in der Stadt bleiben, um eine Arbeit anzunehmen, mußte man zunächst diese haben, dann erst war der Arbeitgeber bereit, mit einem weiter zu verhandeln. Diese Karte war aber oftmals gar nicht leicht zu bekommen. Manche Reisende berichteten, „schlechthin sollten wir uns noch bei einem ansehnlichen Bürger Wiens, an den wir adressiert seien, verbürgen lassen"[26]. Es war aber auch möglich, daß man auf der Polizei erfuhr, „der Aufenthalt in der Stadt könne nur gestattet werden, wenn man sich über die Mittel des Erwerbes und eine anständige Beschäftigung hinlänglich ausweisen könne".

Reiste man in Wien mit Büchern an, mußte man diese auf jeden Fall zunächst einmal in einem eigens dafür installierten Amt vorlegen: Entsprachen die Druckwerke den österreichischen Zensurvorschriften nicht, mußten sie abgegeben und deponiert werden. Erst wenn der Reisende Wien verließ, erhielt er seine Bücher wieder zurück.

Die Zensurvorschriften waren nicht nur auf Literatur, Theater und graphische Darstellungen anzuwenden, sondern auch auf Geschäftsschilder und Grabinschriften. Alle Druckwerke, wobei es sich dabei nicht nur um Bücher, sondern auch um Landkarten, Risse von Städten usw. handelte, mußten vor der Drucklegung dem „Revisionsamt" vorgelegt werden, um eine Genehmigung zu erwirken.

Jemand, von dem bekannt ist, daß er unter der Zensur besonders zu leiden hatte, weil er sich in seinen Schriften, vor allem in seiner Selbstbiographie viel darüber beklagt, war Franz Grillparzer. Hier kamen zwei Umstände zum Tragen, der eine, daß der Dichter der Zensur durch sein 1819 geschriebenes Gedicht „Campo Vacchino" über das christliche Kreuz im Kolosseum in Rom negativ aufgefallen und das Mißfallen der Kirche erregt hatte, und natürlich auch, daß er Staatsbeamter war und man auf ihn deshalb ein besonders wachsames Auge warf.

Die Art und Weise, wie die Zensur gehandhabt wurde, behinderte naturgemäß den geistigen Fortschritt: Denn ausländische Bücher, aus denen einigermaßen die Entwicklung des Denkens abgelesen werden konnte, erreichten den

Leser kaum. Doch anderenteils – es wäre nicht Österreich, wo sich solche Grotesken abspielten – gab es dann wieder Möglichkeiten: Es bildeten sich „Lesegesellschaften“ und „Lesekabinette“, wo es möglich war, doch an das eine oder das andere Buch heranzukommen. Die wichtigste Vereinigung dieser Art war der „Juridisch-politische Leseverein“, der 1840/1841 gegründet wurde und der sich offen zur Teilnahme an den „geistigen Fortschritten des Zeitalters“ bekannte. Dort waren sehr offene Diskussionen möglich, und es lag auch Literatur auf, die sonst in Österreich verboten war[27].

Eine andere Stätte, wo gelegentlich kritisch über die politische Situation gesprochen werden konnte, war das Theater – natürlich auch nicht unbehindert, und also ein Lieblingsgebiet der Zensur, weil von der Bühne herab die Gedanken der Autoren eben allzu unmittelbar ins Publikum dringen konnten. Es gab für die Autoren allerdings auch Möglichkeiten, fallweise die Zensur zu überlisten, um zur angestrebten Wirkung zu gelangen. Manche Autoren kamen allerdings mit der staatlichen Gewalt erst gar nicht in Konflikt, weil ihre Anschauung mit dieser im Prinzip konform ging, nicht aus Gründen des Opportunismus, sondern weil es eben ihr Ziel war, eine „harmonische Ordnung“ zu schaffen, wie das beispielsweise Ferdinand Raimund tat. Auch mit biedermeierlicher Resignation hatte das nichts zu tun[28]. Seine Stücke waren vielmehr „Gleichnisse über die Heilung der Welt vom Bösen“[29].

Da gab es dann auch keine Kollisionen mit der staatlichen Gewalt: Freilich lag das auch an der Zeit, in der diese Stücke gespielt wurden. Raimunds Werke kamen auf die Bühne, als sich die politische Situation des Landes, vor allem die soziale Lage, noch nicht so sehr verschärft hatte, wie dies später der Fall war: Eine Dramatisierung trat in dieser Beziehung erst in den dreißiger Jahren ein. Deshalb kamen auch jene Autoren, die dann aktuell waren, mit der staatlichen Ordnung stärker in Konflikt. Und da ist vor allem das Beispiel Nestroy zu nennen, dessen Theaterstücke besonders gefährdet waren. Er versäumte es zwar nicht, alle seine Komödien den Zensurbeamten vorzulegen, tat dies allerdings in einer Form, in der nichts vorkam, das Anstoß erregen konnte. Da er in seinen Stücken jedoch selbst auftrat, konnte er extemporieren, und so brachte er doch eine ganze Reihe seiner Bemerkungen, die ihm am Herzen lagen, an den Mann.

All das hing auch mit den Fragen einer persönlichen Einstellung, auch des Mutes zusammen: Autoren, die alles schwer nahmen, wie etwa Grillparzer, empfanden solches als ein Schicksal, über das sie sich zu beklagen hatten. Schriftsteller wie Stifter gingen hingegen den Schwierigkeiten lieber aus dem Weg. Sie übten gleich einmal „Selbstzensur“: Und das war eine Haltung, die der Regierung am angenehmsten war, denn damit war unauffällig das erreicht, was man wollte. Johann Nestroy, der als Satiriker es als sein Metier ansah, mit der Obrigkeit Händel anzufangen, weil sein Publikum von ihm scharfe Äußerungen gegen das System erwartete, nahm die Sache mit Humor, und so spielte es ihm auch keine Rolle, einmal eine Strafe zahlen zu müssen oder auch eingesperrt zu werden. Letzten Endes steigerte das seine Popularität.

Das Begehren der Betroffenen nach Lockerung oder Abschaffung der Zensur wurde im Laufe der Jahre immer heftiger, ebenso wie der Wunsch nach einer Reform des Regimes. Überall in den anderen Staaten Europas war man in dieser Beziehung schon etwas vorangekommen, in Österreich nicht. Solange Kaiser Franz I. lebte, waren die Bewohner einigermaßen mit dem Staat zufrieden. Die sozialen Probleme traten zu seiner Zeit noch nicht so hart hervor, so daß von der übergroßen Armut der vierziger Jahre noch nichts zu spüren war. So verstand es auch ein gewisser Teil der Intellektuellen, sich in irgendeiner Weise mit dem Regime zu identifizieren. Als 1826 Kaiser Franz I. lebensgefährlich erkrankte, nahm die Bevölkerung am Befinden des Monarchen noch herzlichen Anteil. Mit dem Tod des Kaisers ein Jahrzehnt später wurde der Unmut über das Regime allerdings bereits offenkundig. Man erachtete die Zeit für entscheidende Veränderungen gekommen und hoffte nun auch darauf, denn mit Kaiser Franz „war ein entscheidendes Bollwerk der alten Gewalten gefallen“[30].

1842 wurde eine Beschwerdeschrift der Zeitungsredakteure eingereicht. 1845 unterschrieben 99 österreichische Schriftsteller und Gelehrte eine an den Staats- und Konferenzminister Anton Graf Kolowrat gerichtete Denkschrift, mit der sie gegen die Zensur protestierten. Auch ein Antrag der Buchhändler auf Aufhebung der Zensur wurde eingereicht. Alles blieb aber ohne Erfolg. Umso verständlicher ist es, daß eine der wichtigsten Forderungen bei Ausbruch der Revolution 1848 der Abschaffung der Zensur galt. Ihr wurde vorerst am zweiten Tag der Revolution stattgegeben. Am 14. März 1848 zogen die Wiener vor das Denkmal Kaiser Josephs II., um es mit Blumen und Kränzen zu schmücken und damit zum Ausdruck zu bringen, welchen Herrscher und welche Regierungsauffassung sich das Volk wünschte. Doch die Zensur wurde man letzten Endes nicht los. Nach dem kurzen Rausch der Revolution wurde sie wieder eingeführt und bestand dann noch sehr lange.

**Der Mensch unter Kontrolle**

Nochmals sei ein Blick auf Ferdinand Raimund geworfen, der auf der Bühne wohl besonders gut das darstellte, was man als „Mentalität des Biedermeier“ bezeichnen kann. Auch die Tendenz der Aufklärung ist hier noch erkennbar, endet beispielsweise doch „Der Alpenkönig und der Menschenfeind“ im „Tempel der Erkenntnis“:

*„Der Mensch soll vor allem sich selber erkennen,*
*Ein Satz, den die ältesten Weisen schon nennen,*
*Drum forsche ein jeder im eigenen Sinn,*
*Ich hab mich erkannt heut, ich weiß, wer ich bin.“*

Daß die Selbsterkenntnis das Maß und der Urgrund aller Erkenntnis ist, wird also besonders betont. Eine besondere Mentalität, auch in sozialer Hinsicht, setzt Spannungen voraus. Der Gegensatz zum Staat, zur „gottgewollten“ Ordnung entsteht aber nur aus der Erstarkung des Bewußtseins, das sich aus der Selbsterkenntnis herleitet. Nicht zu vergessen wäre, daß im Selbstporträt Raimunds – das der „Rappelkopf“ ist, auch ein Wesenszug des Österreichers liegt. Aus dem hervortretenden Liberalismus entwickelte sich der extreme Individualismus. Die Spannung im Biedermeier bestand zwischen den Kräften des Fortschritts – den Forderungen der Zeit gleichsam – und der Haltung der Reaktion, die von der staatlichen Gewalt eingenommen wurde. Die „Kultur des Biedermeier“, von der zu sprechen gerechtfertigt ist, erwuchs recht eigentlich aber aus einem solchen Spannungsfeld: Da der Staat der Stärkere war, stützte sich die Kultur des Biedermeier auf eine Haltung, welche sich der Öffentlichkeit entzog. Frei war der Bürger nur in seinen vier Wänden, denn schon, wenn er ins Gasthaus ging, war es nicht ausgeschlossen, daß er bereits von der Polizei überwacht wurde. Man mußte sich genau überlegen, was man sprach, denn es konnte sein, daß jemand zuhörte, dessen Geschäft darin bestand, nachzuerzählen, was er vernommen hatte, um hernach aus Gründen der Staatssicherheit die Polizei ins Bild zu setzen: Zu den blühendsten Gewerben der Zeit gehörte eben das Konfidentenwesen. Das war eine der Ursachen dafür, warum man in zunehmendem Maß geneigt war, sich in beschränkte Bereiche unpolitischer, dem Staat indifferent gegenüberstehende Konventikel zurückzuziehen. Doch das war es gerade, was man wollte, und jedermann, der so handelte, diente der Staatsraison. Die Regierung war an einem politisch engagierten Bürger nicht interessiert.

Also steht es außer Zweifel, daß es richtig ist, wenn man das Wesen und die Mentalität, die das Biedermeier charakterisiert, in einem Zusammenhang mit der politischen Situation des Landes sieht. Sie war die eigentliche Ursache für die besondere Haltung der Bewohner des Landes, die sie an den Tag legten. Man setzt den Beginn des Biedermeier mit den Tagen des Wiener Kongresses an: Zu Recht, denn mit ihnen begann eine neue Ära. Immer noch stand man unter Eindrücken, die das Zeitalter Napoleons vermittelt hatte. Das waren Zeiten des Krieges und gesellschaftlicher Erschütterungen gewesen. Man fühlte sich einem „Schicksal" unterworfen – nicht zufällig ist auch das „Schicksalsdrama" ein Produkt dieser Zeit –, das einem hold oder unhold war. Auf das Schicksal vertraute man, wenn man in die „Lotterie" setzte, natürlich auf die richtigen „Nummern", die einem träumten – also ganz so, wie das in Nestroys „Lumpazivagabundus" vorgeführt wird. Oder man besuchte das „Agnesbrünnl" am Hermannskogel, wo man die schicksalhaft geoffenbarten Nummern aus dem Schlamm lesen konnte. Das waren sozusagen allerdings die heiteren Seiten. In Wirklichkeit war Angst gewissermaßen ein alles bestimmendes Element. Man lebte auch in Zeiten der Unsicherheit, man bangte vor dem Morgen und war einem von Furcht und Unsicherheit geprägten Lebensgefühl unterworfen. Vorbild und Beginn einer ganzen Reihe von „Schicksalsdramen" war der „Vierundzwanzigste Februar" von Zacharias Werner, ein Einakter, von dem Egon Friedell sagt, daß es sich dabei seiner Meinung nach um eines „der stärksten und suggestivsten" Beispiele dieses Genres der Weltliteratur handle[31]. Das eiserne Schicksal bewirkt, durch einen Fluch herausgefordert, die Ausrottung einer ganzen Familie. Ein Sohn, der selbst den Tod eines Menschen verschuldet hat, kehrt unerkannt in sein Elternhaus zurück und wird in Raubabsicht vom eigenen Vater ermordet – an einem bestimmten Datum, das im Geschick der Familie immer wieder eine Rolle spielt und mit einem Messer, mit dem auch alle anderen Untaten, von denen der Zuschauer erfährt, verübt werden.

Grillparzers bis heute bekannteres und auch bis heute fallweise gespieltes Stück „Die Ahnfrau" bezeichnet Josef Nadler als Dichtung der „Angst als Lebensgefühl" – und das eben als unmittelbaren Ausdruck einer allgemein spürbaren Stimmung[32].

Damit ist ausgesprochen, warum es sich bei diesem Genre der Dramendichtung handelte. Grillparzers Stück folgte der Mode. Was es anderen Beispielen des zeitgenössischen Theaters überlegen macht, ist sein Atem der Sprache und die Dichte der Atmosphäre, die darin vermittelt wird. Auch in diesem Stück muß man an das über einen „verhängte Schicksal" glauben. Durch den Dolch, mit dem die ehebrecherische Ahnfrau ermordet worden war – und die so lange geistern muß, bis ihr Geschlecht ausstirbt – stirbt auch der letzte Borotin, der Vater Jaromirs, des Sohnes, der bei den Räubern aufgewachsen ist. Unwissend, weil erst eine späte Begegnung Aufklärung darüber bringt, versucht Jaromir in Bertha, die seine Schwester ist, eine Geliebte zu haben. Und erst nach dem Tode Jaromirs an der Bahre Berthas „kehrt die Ahnfrau nach Hause".

Die Philosophie also auch dieses Stükkes ist es, daß man dem Schicksal ausgeliefert ist, gegen das sich aufzulehnen es keine Möglichkeit gibt. Das entsprach entschieden einer gewissermaßen allgemeinen fatalistischen Stimmung. Man sieht vielfach die „Romantik" als die Triebkraft. Doch war das Erlebnis der Gegenwart sicher entscheidender als eine künstlerische Zeitströmung. Die Lebensangst war allgemein und prägte sich deutlich in die herrschende Mentalität.

*„Da wird einem halt angst und bang,*
*Die Welt steht auf kein' Fall mehr lang"* –

Dieser Vers Nestroys im „Kometenlied" aus dem „Lumpazivagabundus" schließt wohl unmittelbar an diese Mentalität der Weltangst an, es steht nur eine später, aus späterer Zeit kommende Begründung, realistisch, gleichsam dahinter. Doch mögen wir den Kometen, der da angeblich die Welt bedroht, als Synonym verstehen. Die Angehörigen der adeligen Stände hatten intensiver die Schicksale der in der Französischen Revolution zu Schaden gekommenen Angehörigen des privilegierten Standes erlebt. Von ihrem Standpunkt aus war es notwendig, alles zu unternehmen, um den Ausbruch von Revolutionen, aber auch alles Streben nach gesellschaftlicher Veränderung schlechthin zu verhindern. Wie immer in solchen Fällen glaubte man im uneingeschränkten Gebrauch der Staatsgewalt, dem Einsatz von Polizei, das einzig wirksame Gegenmittel gefunden zu haben. Niemand befaßte sich – wie das übrigens nie geschieht – damit, das Übel an der Wurzel zu fassen, zu bessern, zu ändern, wo die Zustände nach Besserung und Änderung verlangten, sondern man regierte mit der Vorstellung, daß man ohnedies die beste aller Welten in Besitz hatte.

Es wurde auch bereits viel darüber nachgedacht, was das Ende des Biedermeier sei – der Tod des Kaisers Franz I. etwa – eine Überlegung, die, betrachtet man alles nur in allem, natürlich müßig ist. Elemente dessen, was man als „Biedermeier" bezeichnet, reichen weit zurück und sind auch weit nach der Jahrhundertmitte noch wirksam.

Biedermeier ist eine Geisteshaltung – da möge man etwa an Stifters „Nachsommer" denken, das durchaus in der Biedermeiermentalität verhaftete Werk des Dichters –, das weit nach der Revolution von 1848 entstand. Alle Ursachen mögen tatsächlich in der politischen Situation zu finden sein. Es waren zuerst bei den Menschen große Hoffnungen erweckt worden, die dann keine Entsprechung fanden. Es gab eine Grundstimmung, die zunächst schlechthin wohl auch einer Wiener Veranlagung entsprach, dem Weltschmerz und der Melancholie, die sich einerseits zum Schwärmertum, andererseits aber auch bis zu Lebensüberdruß und Todessehnsucht zu steigern vermochte. Die einfachste Form solcher Mentalität äußerte sich in der berühmten

„Tränenseligkeit", die freilich eine Art Modeangelegenheit war. Doch von ihr kann man schon bei Goethes „Werther" nachlesen: Daß die Leute eben bei jeder Gelegenheit in Tränen ausbrechen, ob sie sich freuen oder ob sie Schmerz empfinden.

Am entscheidensten war immer das unübersteigbare „Schicksal", der feste Glauben daran, daß man es mit vorgegebenen Instanzen zu tun hatte. Auch in Franz Grillparzers Novelle „Der arme Spielmann" ist dieses Unübersteigbare des Herkömmlichen, die „Sitte", der Schatten der Konvention das Thema. Der „Spielmann", ein Geiger, der am „Brigittenkirchtag" musiziert, scheitert, weil er die Aufgaben, die ihm das Leben stellt, nicht zu bewältigen vermag. Die Liebe des in großer Zurückgezogenheit Lebenden wird nicht erfüllt, weil die lebenstüchtige Greißlerstochter Barbara diesem Mann zwar zugetan ist, jedoch nicht zu glauben vermag, daß er je in der Lage wäre, Entscheidungen zu treffen und den Anforderungen des Lebens standzuhalten. Deshalb kann sie sich nicht entschließen, sich mit einem Untüchtigen für das Leben zu verbinden. Im Grunde genommen schildert der Dichter diesen Spielmann als Opfer von Standesdünkel und falscher Erziehung, welche die Ursache sind für seine Lebensangst, die ihm ein erfülltes Leben vorenthielten. Ein mittelmäßig begabter junger Mann, der nur ein Handwerk erlernen wollte, wurde vom eigenen Vater, der große Hoffnungen in ihn setzte, verstoßen. Er verliert sein Selbstvertrauen, doch gerade um sich in seiner Umwelt, die ihn scheinbar ablehnt, behaupten zu können, baut er sich eine eigene, nur ihm gehörende Welt auf, die objektiv wenig bedeutet, ihn subjektiv aber voll erfüllt. Am Ende seines Lebens setzt er allerdings eine Tat für die Gesellschaft, indem er bei einer Überschwemmungskatastrophe Menschen rettet, sich selbst aber eine Krankheit holt und dabei zu Tode kommt. Es ist Sache von Vermutungen, wie weit Grillparzer mit dieser Novelle sich selbst als Opfer von Konvention und falscher Erziehung zeichnete; als Mensch seiner Zeit gestaltete er seine Figuren entschieden nicht ohne die Erfahrungen des eigenen Lebens.

Der Mensch des Biedermeier erscheint nicht als Kämpfer, sondern als Dulder. Das ist der Grundton, der ihn einstimmt. Immer ist er auf Ausgleich und Kompromiß gerichtet, der zwischen dem Ideal und

Kat. Nr. 5/1/17 Peter Fendi, Das Milchmädchen

dem Tatsächlichen gefunden werden muß. Auf einen Kampf um die Verwirklichung des Ideals wurde aber gleichsam schon von vornherein verzichtet.

Im Vordergrund stand stets die Selbstbescheidung, die von einem verlangte, daß man das Laute, Dämonische und den Zug zur Größe im Grunde genommen scheute. Spürbar war eine „Heiterkeit auf dem Grunde der Schwermut", wobei Melancholie, Sehnsüchte und unerfüllte Wünsche für die biedermeierliche Mentalität kennzeichnend sind. In der Musik und natürlich auch in der Literatur kam dies immer wieder deutlich zum Ausdruck. Die Leidenschaften waren etwas, das gebändigt werden mußte, starke Naturnähe und ein hohes sittliches Ideal sollten die Kunst der Zeit in erster Linie kennzeichnen. Das hat alles den Anschein einer funktionierenden, aber auch einer poetisch verklärten Welt. Besonders charakteristisch für das Thema waren das Stammbuch und das Tagebuch, mit denen man sich sozusagen Rechenschaft über das eigene Leben gab. Die Biedermeieridylle lebte sich freilich vorwiegend in der Literatur aus, die darauf ausgerichtet war, bei einem nur wenig anspruchsvollen Publikum Verbreitung zu finden. Sie machte sich deutlich in einer sichtbaren Vorliebe der Herausgeber, Verlage und des breiten Lesepublikums zu Almanachen, Taschen- und Stammbüchern, Haus, Familien- und Intelligenzblättern.

Ernsthafter zur Beurteilung der herrschenden Mentalität wird man immer wieder die der ihre Zeit überragenden Persönlichkeiten heranziehen müssen, wie etwa die Ferdinand Raimunds. Als Beispiel erinnere man sich an seinen „Verschwender". Nach allen Wirren erhält der leichtlebige Herr von Flottwell den Reichtum, den er durch seinen Leichtsinn verloren hat, wenn auch in geringerer Form wieder zurück. Es wird ihm zurückgegeben, was er an mildtätigen Gaben an seine Mitmenschen verschenkt hat. Eine wesentliche Facette der Beibehaltung der Weltordnung stellt sich allerdings im Grunde genommen durch die bedingungslose Treue eines Bediensteten dar. Entscheidend ist die Basis der höheren Menschlichkeit. Anders gedeutet versuchte Raimund auf solche Weise, in seinen Stücken eine harmonische Ordnung zu schaffen, die durch ihre unwahrscheinliche, märchenhafte Form kritisch wirkt[33].

Es wäre aber falsch zu glauben, daß alles, was zu einem guten Ende, zur Übereinstimmung mit sich selbst führte, einer nur oberflächlichen Einschätzung der Wirklichkeit entsprochen hätte. Wenn Valentin in Ferdinand Raimunds „Original Zaubermärchen in drei Aufzü-

Andreas Geiger nach Johann C. Schoeller, Raimund, Szene aus Raimunds „Verschwender“

gen“ „Der Verschwender“ singt „das Schicksal setzt den Hobel an und hobelt alle gleich“, dann ist das ein Ausdruck philosophischer Gelassenheit dem Leben gegenüber, zu dem man als Ergebnis eines Reifezustands gelangt. Doch gerade Raimund, dessen Leben voll bitterer Erkenntnisse gewesen ist, kam nicht auf geraden Wegen zu solcher Einsicht. Der in seinen Werken zum Ausdruck gekommenen Mentalität, mit der man Tugenden wie Treue, Maßhalten, Redlichkeit, Disziplin und den ständigen Versuch, das Böse zu überwinden als allgemein entscheidend für das Leben hochhielt, durfte von einem Dramatiker, der für ein breites Publikum schrieb, nicht widersprochen werden, wenn er wollte, daß sein Werk verstanden würde.

Das sagt aber wieder nicht, daß sich nicht tatsächlich gleichsam als Grundzug eine Wandlung vollzog, die von der Biedermeieridylle weg wirkte. Einfach an den Beispielen Raimund und Nestroy läßt sich die Veränderung der Ansichten erkennen, die vor sich ging. Mit der Aufführung von Nestroys „Lumpazivagabundus“ – einer solchen wohnte Ferdinand Raimund 1836 bei, kam diesem auch die Erkenntnis, daß im Grunde genommen seine Zeit vorüber sei und sich auf der Bühne eine neue Mentalität, die dem „aktuellen Denken“ folgte, breitmachte. Wie weit diese Erkenntnis den Lebenspessimismus Raimunds steigerte, ist fraglich. Bei Raimund, der an das Gute und die Besserungsfähigkeit der Menschen glaubte, greifen die hohen Mächte ein, sie verändern den Menschen und führen ihn auf den rechten Weg zurück. Bei Nestroys „Lumpazivagabundus“ ist das Wirken der „Fortuna“ nicht sehr überzeugend: Die Hinwendung Knieriems zum Leben in der bürgerlichen Familie wirkt aufgesetzt, läßt wenig Hoffnung für die Zukunft zu, und erfolgt sozusagen nur, um dem Stück eine bessere Wende zu geben: Eigentlich ist der Schuster eine tragische Figur ohne Hoffnung, die früher oder später ohnedies an der Trunksucht zugrunde gehen muß.

Raimund glaubte noch an die festgefügten Gewalten, die bei Nestroy bereits in Frage gestellt werden. In Entsprechung der im „Lumpazivagabundus“ entwickelten Philosophie schrieb Nestroy sein Revolutionsstück „Freiheit in Krähwinkel“: Denn er glaubte nicht an den Erfolg der Revolution, und zwar deshalb nicht, weil sie auch nur von der gleichen Spezies „Mensch“ gemacht wurde, die vordem schon am Werk gewesen ist. Und der Mensch ändert sich nicht.

Das ist die eine Seite. Habgier, Ungerechtigkeit, Bösartigkeit sind für viele charakteristisch. Andere, in der Erkenntnis dessen, ziehen sich zurück.

„Groß im Entsagen und Erdulden“, ist das Wort, das nicht nur für die Zeit des Biedermeier charakteristisch ist, sondern sich in einem gewissen Maß auf das Wesen des Wieners überhaupt übertragen läßt, das in dieser Zeit seine eigentliche Ausbildung erfahren hat. Das brachte Nachteile mit sich: Die Bereitschaft, Entscheidungen zu treffen, war hier nie allzu groß.

Vorhanden war immer die Bereitschaft zu einer inneren Emigration gewisser Bevölkerungskreise, die im zunehmenden Maß festzustellen war. Man nahm das herrschende System, das man als das „System Metternich“ bezeichnete, als gegeben hin, zumal vor allem das Bürgertum das Verlangen der Regierung nach ständig anhaltender politischer Ruhe letzten Endes mit dieser teilte. Auch der Bürger schreckte lange genug vor dem Umsturz zurück. Er strebte danach, seinen bescheidenen, aber gemütlich stimmenden Wohlstand zu haben und allenfalls auf alle mehr oder weniger utopisch angesehenen Forderungen liberaler Natur zu verzichten. Man schob Probleme lieber auf, denn im Grunde bestand die Frage, ob sie überhaupt zu lösen waren. Als die Revolution ausbrach, machte man sich freilich darüber so genau keine Gedanken. Solches kommt letzten Endes wie ein Naturereignis und reißt mit. Auch gibt es genug Phasen, wo man die Ereignisse nur als einen gewaltigen Spaß versteht. Zum Blutvergießen kommt es erst später. Und schließlich kehrt man ohnehin zunächst zum Ausgangspunkt wieder zurück.

**Anmerkungen:**

[1] Frances Trollope, Briefe aus der Kaiserstadt, Stuttgart 1966, S. 142 f.
[2] Wien und die Wiener, in Bildern aus dem Leben, Pesth 1844, S. 68.
[3] Ebenda, S. 149.
[4] Ebenda, S. 63 f.
[5] Ebenda, S. 175 f.
[6] Ebenda, S. 293.
[7] Hermann Ulrich, Aus vormärzlichen Konzertsälen Wiens, in: Jahrbuch des Vereins für Geschichte der Stadt Wien 1972, S. 122.
[8] Eduard Forstmann, Wien wie es ist, aus dem Französischen übersetzt, 1827, S. 23.
[9] Ebenda, S. 97 f.
[10] Wien und dessen Umgebungen, beschr. v. Kgl. Bibliothekar Jäck zu Bamberg, Weimar 1823, S. 284.
[11] Wien und die Wiener, a. a. O.
[12] Wien und dessen Umgebungen, a. a. O., S. 274.
[13] Julius Marx, Die Teuerung der Jahre 1846 und 1847, in: Jahrbuch des Vereines für Geschichte der Stadt Wien, 1. Bd. 1939, S. 103 ff.
[14] Wien und die Wiener, a. a. O., S. 23.
[15] Wien und dessen Umgebungen, a. a. O., S. 250 f.
[16] Ebenda, S. 252 ff.
[17] Der Fremde in Wien v. Hebenstreit, Wien 1836.
[18] Wien und die Wiener, a. a. O., S. 165.
[19] Ebenda, S. 249.
[20] Ebenda, S. 268.
[21] Ebenda.
[22] Franz Grillparzer in seiner Novelle „Der arme Spielmann".
[23] Wien und die Wiener, a. a. O., S. 23.
[24] Ebenda, S. 15.
[25] Wien und dessen Umgebungen, a. a. O.
[26] Ebenda, S. 234.
[27] Friedrich Walter, Die Geschichte einer deutschen Großstadt an der Grenze, Bd. III, Wien 1943, S. 89.
[28] Reinhard Urbach, Die Wiener Komödie und ihr Publikum, S. 102.
[29] Ebenda, S. 107.
[30] Friedrich Walter, Bd. III. a. a. O., S. 89.
[31] Egon Friedell, Kulturgesch. d. Stadt, S. 988.
[32] Josef Nadler, Literaturgeschichte Österreichs, Salzburg 1957, S. 32.
[33] Urbach, a. a. O., S. 102.
[34] Ebenda, S. 124.

# DER „ZWEITE ADEL" KULTUR UND GESELLSCHAFT VOR 1848

*Susanne Walther*

Die wachsende Aufgeschlossenheit des Wiener Bürgertums in kulturellen und politischen Belangen war von jüdischen Kreisen maßgeblich mitbestimmt. Das hatte seinen Grund im nicht geringen Anteil der Intellektuellen an dieser Bevölkerungsgruppe, weiters in den geschäftlichen und familiären Beziehungen finanziell einflußreicher Persönlichkeiten zum Ausland. Bei den Bankiers und Großhändlern war die Pflege des Sozialprestiges hauptsächlich Angelegenheit der Frauen, deren es nicht wenige gab, die sich durch überdurchschnittliche Bildung und geistige Originalität auszeichneten. Dadurch gelang es ihnen, ihre sogenannten Salons nicht nur zum Treff der Reichen zu machen, sondern alles, was Rang und Namen hatte, hier zu versammeln.

Nathan Adam Freiherr von Arnstein (1749–1838), der vertrauenswürdige Bankier und kompetente Berater der Stadt Wien, verdankte sein Ansehen bei Hochadel und Kunstwelt ganz wesentlich seiner Gemahlin Fanny (1758–1818), einer Tochter des Berliner Hoffaktors Daniel Itzig. Da sie außer Geld auch noch Stil und Geschmack besaß, war sie den Damen der ersten Gesellschaft während der Kongreßzeit als Gastgeberin durchaus ebenbürtig. „Ein Raffinement des Luxus" nannte der Graf de la Garde eine ihrer Veranstaltungen, bei der dem Konzert ein Ball und ein Souper folgten – das alles in pompös dekorierten Räumen, wo es den Besuchern möglich war, von mit Früchten beladenen Bäumen „mitten im Winter wie in einem Garten der Provence Kirschen, Pfirsiche und Aprikosen" zu pflükken. Eine ähnliche Attraktion stellte der Lichterbaum dar, welcher, wahrscheinlich erstmals in Wien, am Heiligen Abend des Jahres 1814 bei den Arnsteins erstrahlte. Über diesen im protestantischen Norddeutschland beheimateten Brauch berichtete die Geheimpolizei am 26. Dezember: „Bei Arnstein war vorgestern nach berliner Sitte ein sehr zahlreiches Weihbaum- oder Christbaumfest . . .

Fanny von Arnstein, Lithographie von Louis von Pereira-Arnstein, 1819

Alle gebetenen, eingeladenen Personen . . . erhielten Geschenke oder Souvenirs vom Christbaum. Es wurden nach berliner Sitte komische Lieder gesungen . . . Es wurde durch alle Zimmer ein Umgang gehalten mit den zugeteilten, vom Weihnachtsbaum abgenommenen Gegenständen." Gewissermaßen hoffähig und damit auch für das katholische Österreich akzeptabel machte den Christbaum allerdings erst Henriette von Nassau-Weilburg, die Gemahlin von Erzherzog Carl.

Daniel Itzigs fünfte Tochter Cäcilia (1760–1836) hatte in zweiter Ehe Bernhard von Eskeles (1753–1839, seit 1822 Freiherr) geheiratet, dieser war als Firmenteilhaber von „Arnstein & Eskeles" der Geschäftspartner seines Schwagers, außerdem Mitbegründer, Direktor und Vizegouverneur der Österreichischen Nationalbank. Seine Frau bemühte sich, es ihrer Schwester gleichzutun, auch bei ihr verkehrten während des Wiener Kongresses zahlreiche Gäste aus dem In- und Ausland. Als Persönlichkeit dürfte Bernhard mindestens ebenso bemerkenswert gewesen sein wie Cäcilia, einmal schrieb die intelligente und kritische Beobachterin Rahel Varnhagen von Ense über ihn, „er amüsiert mich in gewissem Sinn hier besser als alle andern Leute; weil er ganz altväterisch geblieben ist, mit geistigen Gaben, und ein reiches Leben über ihn weggegangen ist, welches er ganz nach seiner Art bearbeitet hat, und lauter Originales davon ausgibt, mit der Aisance des gelebtesten Menschen auf gut alttestamentliche Weise." Freilich: Traditionalismus war die eine Seite der Medaille, das

Bernhard von Eskeles, Lithographie von J. Kriehuber nach F. Amerling, um 1832

zutiefst menschliche Bestreben, sich eine gesellschaftliche Position zu erarbeiten und diese nach Möglichkeit auszubauen, die andere. Somit erachteten es die Eskeles keineswegs als Sakrileg, daß die Tochter Marianne (oder: Maria Anna Cäcilie Henriette) 1825 Franz Graf Wimpffen ehelichte. (Derartige Verbindungen kamen häufiger vor, als man vielleicht annehmen würde; beispielsweise hatte sich schon 1779 die Hofagententochter Maria Josefa Königsberger, eine intime Freundin der Fanny Arnstein, taufen lassen, um wenig später die Frau von Feldmarschalleutnant Karl Philipp Freiherr von Sebottendorf zu werden.)

Bei den Arnsteins galt es zunächst als standesgemäß, nur in ihrer Abstammung und ihrem Glauben nach jüdische Familien einzuheiraten. Dazu zählten die auch als Fabrikanten angesehenen Gomperz, Biedermann und Wertheimer, außerdem die im Bankwesen und als Großhändler tätigen von Herz. (Die Firma „Arnstein & Eskeles" leistete seit den vierziger Jahren einen wesentlichen Beitrag zum österreichischen Unternehmertum, einerseits durch eine in Lochowitz angesiedelte Baumwollspinnerei, andererseits durch ihre Grazer Zuckerfabrik.) Mit der 1802 erfolgten Eheschließung nahm Henriette, die einzige Tochter der Fanny (auch: Franziska) von Arnstein, den sowohl innerhalb der Religionsgemeinschaft als auch im Geschäftsleben geachteten portugiesisch-jüdischen (also: sephardischen) Namen Pereira an: In diesem Fall kam der Bräutigam von besonders weit her, nämlich aus Holland. Im Bankhaus seines Schwiegervaters beschäftigt, wurde Aaron bzw. Heinrich (de?) Pereira (geb. 1773 oder 1774, gest. 1835) noch zu dessen Lebzeiten sein Nachfolger und Erbe, überdies durfte er sich seit 1810 Freiherr nennen: Dafür war freilich seine deutlich bekundete Absicht, sich in Hinkunft gemeinsam mit seinen Angehörigen zum Christentum bekennen zu wollen, ausschlaggebend gewesen. Seine gleichfalls 1810 konvertierte Gemahlin, Henriette von Pereira-Arnstein (1780–1859), unterhielt seit damals einen eigenen Salon – in der Sprechweise jener Jahre „Bureau d'Esprit" geheißen –, ihrer Mutter glich sie sowohl in der außergewöhnlichen musikalischen Begabung als auch im Talent zu taktvollem und diplomatischem Vorgehen. (Dieses war, als der Kongreß tagte, gleichsam eine Conditio sine qua non für gesellschaftliches Avancement; die vornehme Welt zeigte sich bei Neu-Aristokratie und liberalem Großbürgertum nicht zuletzt deshalb, weil sich hier politische Gespräche möglichst ungestört führen ließen und galante Abenteuer angebahnt werden konnten.)

Henriettes Cousin, der Bankier und dänische Konsul Denis (auch: Daniel) Freiherr von Eskeles (1803–1876), war gleichfalls überaus interessiert in kulturellen Belangen. Hatte sein Vater Bernhard vornehmlich die Wissenschaften und – als Förderer von Joseph Schreyvogel – das Theater unterstützt, so widmete sich sein Sohn hauptsächlich der Bildenden Kunst. Daffinger, Danhauser und Kriehuber verdankten ihm sowohl Aufträge als auch Anregungen. Seine schöne Gemahlin Emilie, eine geborene Freiin Brentano-Cimarolli (1809–1880), wurde als neue Fanny Arnstein gefeiert, er selbst musizierte mit Talent und Enthusiasmus in seinem Hietzinger Domizil gemeinsam mit namhaften Instrumentalisten.

Das Fest-Szenarium des Biedermeier belebten die damals geadelten, ihrer Herkunft nach jüdischen Liebenberg, Löwenthal und Neuwall (ursprünglich: Leidesdorfer), deren gehobener sozialer Status sich in beachtlichem Grund- und Hausbesitz manifestierte. Dazu war, ebenso wie früher, die christliche Religion die Voraussetzung; wenn von dieser Norm abgegangen wurde, fiel das zahlenmäßig kaum ins Gewicht. Auch die Enkel der legendären Fanny machten die Erfahrung, daß der Taufschein nach Heinrich Heines berühmtem Ausspruch das „Entréebillett zur europäischen Kultur" darstellte, 1836 heiratete Flora (auch:

Emilie von Eskeles, Lithographie von J. Kriehuber, 1846

Florentine) von Pereira-Arnstein (1814–1882) einen zunächst evangelischen, später dann (seit 1850) katholischen Grafen Fries, 1844 vermählte sich ihr Bruder Ludwig mit der Katholikin Henriette Gräfin Larisch-Mönich. Für die vielfältigen Beziehungen zu Kunst und Wissenschaft möge hier stellvertretend die Familie Joelson beziehungsweise Jolsdorf stehen, außerdem wird an deren Beispiel die Bedeutung der Taufe für die Aufstiegschancen in bürgerlichen Berufen erkennbar. So promovierte Karl Raphael Joelson (1763–1827, Erhebung in den Ritterstand 1817) zwar als erster österreichischer Jurist jüdischen Glaubens, er hielt es später aber doch für zweckmäßig, zu konvertieren. Der Religionswechsel ermöglichte es seinem Bruder Ludwig Jolsdorf (1762–1853), dem Wiener bürgerlichen Handelsstand gleichberechtigt anzugehören und Mitglied des Äußeren Rates zu werden. Ein weiterer Bruder, Dr. jur. Felix Joelson (1776–1856, auch: Joel), war mit dem Theaterwesen dieser Jahre nicht nur als Konsulent in Finanzfragen eng verbunden, er setzte auch künstlerische Impulse; von Grillparzer selbst wissen wir, daß er ihn während eines Praterspaziergangs auf die Idee brachte, die „Sappho" zu verfassen. (Der oben genannte Bankier Ludwig bzw. Louis Freiherr von Pereira-Arnstein versuchte sich übrigens als Maler und Bildhauer, seine Werke wurden fallweise ausgestellt. Ebenso sei auf den Komponisten Maximilian Josef Leidesdorf hingewiesen, der uns einerseits in Schubert-Biographien begegnet, andererseits als Vater des nachmals weithin bekannten

Psychiaters Maximilian Leidesdorf ein Begriff ist.)

Bei den Rittern von Henikstein handelte es sich um ursprünglich der jüdischen Religionsgemeinschaft angehörende Großhändler und Bankiers, welche aber bereits in der zweiten katholischen Generation völlig assimiliert und in der Folge mehr und mehr dem alteingesessenen Adel integriert waren; in der Ahnenliste begegnen uns so klangvolle Namen wie Thurn-Valsassina, Ledochowski und O'Donell, woraus zu ersehen ist, daß eheliche Verbindungen mit einer von Anfang an christlichen Aristokratie hier keineswegs die Ausnahme von der Regel darstellten. Damit im Einklang stand die militärische Karriere des Alfred Ritter von Henikstein (1810–1882, seit 1859 Freiherr), welcher der dritten katholischen Generation entstammte. Während der zwanziger Jahre konnte seine Familie ihren Reichtum noch vermehren, in ihrem zu Beginn des 19. Jahrhunderts erbauten Landhaus in Döbling – es beherbergte später die speziell durch den Aufenthalt Lenaus bekannt gewordene Irrenanstalt – fanden vor einem erlesenen Publikum von erstklassigen Kräften bestrittene musikalische Soireen statt. Die Hochzeit von Caroline von Henikstein und Joseph Freiherr von Hammer-Purgstall, dem berühmten Wissenschaftler evangelischen Bekenntnisses, mag als weiterer Beweis für die führende Rolle gelten, die das im Geschäftsleben anerkannte Geschlecht auch in der Kulturwelt spielte.

Dazu diametral entgegengesetzt verhielten sich die Rothschilds, welche, um gesellschaftsfähig zu sein, keinen Taufschein benötigten; in diesem Fall bildete der Konnex von märchenhaftem Reichtum und erstaunlichem Geschick im Taktieren die geradezu ideale Voraussetzung für Macht und Einfluß. Dementsprechend verstand Salomon von Rothschild (1774–1855, seit 1822 Freiherr), der Chef der Wiener Niederlassung, seine Diners nicht als L'art pour l'art, sondern als „Geschäftsessen" im modernen Sinn des Wortes. Zur einheimischen Konkurrenz blieb er auf Distanz, berufliche oder verwandtschaftliche Liierungen kamen nicht zustande. Dadurch – und auch wegen seiner Art, Höflichkeitsfloskeln beiseite zu lassen und die Dinge ungeschminkt beim Namen zu nennen – machte er sich keine Freunde. Wer sich um Objektivität bemühte, mußte allerdings zugeben, daß der Bankier zwar kein

Johann Heinrich (Falkner) von Geymüller, Foto nach einer Lithographie von F. Lieder, 1828

Grandseigneur der alten Schule war, nichtsdestoweniger aber doch ein großzügiger, sozialen Anliegen gegenüber aufgeschlossener Charakter. (Auch hierin erwies sich Rothschild als traditionell eingestellt, gehörte doch die Wohltätigkeit der Reichen seit jeher zu den „gut jüdischen" Tugenden.) In seinem Palais in der Renngasse sprach man über Börse, Finanz und Politik, junge Künstler wurden gefördert, humanitäre Einrichtungen gegründet oder unterstützt. Damit war manches von dem vorgegeben, was damals das Wesen eines Salons ausmachte; um bevorzugter Treffpunkt der geistigen Elite zu sein, bedurfte es freilich größerer Anstrengungen. Es ermangelte aber einer Frau, die ein kultiviertes Ambiente, eine künstlerisch inspirierte und inspirierende Atmosphäre hätte schaffen können; die Dame des Hauses hatte sich, von Wien enttäuscht, zusammen mit ihrer Tochter ins Ausland zurückgezogen, der Freiherr selbst zeigte keinerlei kulturelle oder wissenschaftliche Ambitionen. Umso mehr konnte er sich glücklich schätzen, in Leopold von Wertheimstein (1801–1883, Erhebung in den Ritterstand 1862) nicht nur einen überaus tüchtigen ersten Prokuristen zu besitzen, sondern auch einen Mann, der darin brillierte, die Honneurs zu machen. Bei der Aufgabe, die Rothschildschen Feste so zu gestalten, daß sie die Würde und den Glanz des Hauses repräsentierten, half ihm seit 1843 seine charmante und literarisch begabte Ehefrau Josefine, eine geborene Gomperz (gest. 1894). Das gerade erst getraute Paar besaß weder eine Villa noch ein Palais, es wohnte in gemieteten Räumen im „Deutschen Haus" am Stephansplatz. Dennoch gelang es ihm binnen kurzer Zeit, zum Mittelpunkt eines für die Vertreter von Wirtschafts- und Kulturwelt gleichermaßen attraktiven Zirkels zu werden. (Leopold von Wertheimsteins musisches Interesse konzentrierte sich übrigens auf Theater und Musik, er selbst spielte ausgezeichnet Cello.) Ergänzend bleibt zu sagen, daß der Name Wertheimstein drei Zweigen der weiter oben erwähnten Wertheimer eignete, welche damit bereits zu Ende des 18. Jahrhunderts – und zwar als Wertheimer von Wertheimstein – geadelt worden waren. Zu einem der Onkel Leopolds hatte Marie von Smolenitz, die schöne Gattin Daffingers und Grillparzers Vorbild für seine Jüdin von Toledo, eine enge Beziehung; dieser Sigmund von Wertheimstein (1796–1854) war einerseits Industrieller und Inhaber des Großhandelshauses „Hermann v. Wertheimstein's Söhne", andererseits fungierte er als Direktor der Österreichischen Nationalbank und spanischer Konsul.

Durch die Vermählung von Sophie, der jüngeren Schwester von Josefine von Wertheimstein, mit dem 1861 geadelten Bankier Eduard Todesco (1814–1887) bestand seit 1845 eine verwandtschaftliche Verbindung mit den Trägern dieses Namens, welche – das als genealogisch interessantes Detail am Rande – mit der schon genannten Familie Biedermann stammesgleich waren. Eduard galt ebenso wie sein Vater Hermann (geb. 1791 oder 1792, gest. 1844) als überaus generöser Financier sozialer Unternehmungen, und ebenso trat seine Schwester Amalie als Wohltäterin hervor. Sie hatte 1840 den aus Ansbach in Bayern gebürtigen Max Springer (1807–1885, Erhebung in den Ritterstand 1869) geheiratet, der damals nach einem längeren Paris-Aufenthalt auf Dauer nach Wien übersiedelt war. Im Springerschen Zirkel verkehrten nicht nur Geschäftsfreunde des im Handels-, Fabriks- und Geldwesen gleichermaßen erfolgreichen Hausherrn, sondern auch Künstler; zu den gerne und häufig gesehenen Gästen zählte beispielsweise der beliebte Schauspieler und Sänger Karl La Roche.

Für das Gesellschaftsleben ihrer Zeit von großer Bedeutung waren die nichtjüdischen Geymüller, welche aus der Schweiz stammten und sich in Wien vor allem während der Napoleonischen Kriege bewährt hatten. Aus Dankbarkeit für ihren Anteil am Zustandebringen einer Kriegskontribution in der Höhe von mehreren Millionen Gulden wurden sie 1810 nobilitiert, die Erhebung in den Freiherrnstand erfolgte 1824. Über die als überaus solide und reell bezeichnete Firma „Geymüller & Co." ließ sich Beethoven die von auswärts kommenden Honorare anweisen, und Grillparzer brachte einmal, in seinem Gedicht „Abschied von der Hofbibliothek", folgende launige Zeilen zu Papier: „Trotz der Handschrift, die für teuer/ Jener Schrein uns gibt,/ Dünkt ein Wechsel mir, beim Geyer,/ Bess'res Manuskript." So verstand es sich eigentlich von selbst, daß das aufwendig und mit erlesenem Geschmack eingerichtete „Geyer"-Palais in der Wallnerstraße (zuvor: Palais Caprara) auf Leute der Kunst, Wissenschaft und Politik eine besondere Anziehungskraft ausübte: Damit gab es in Wien einen weiteren prominenten Salon, hier war es auch, wo Grillparzer während der Wintersaison 1820/21 die Bekanntschaft der Schwestern Fröhlich machte.

Unmittelbar nach seiner Aufnahme in den Hochadel starb der ältere der beiden Brüder Geymüller, Johann Heinrich (1754–1824), der jüngere, Johann Jakob (1760–1834), hatte sich schon seit einigen Jahren ins Privatleben zurückgezogen. Nunmehr war ihr Neffe, Johann Heinrich Freiherr von Geymüller (1781–1848), die wichtigste Persönlichkeit des Unternehmens; er hatte zunächst ebenso wie sein Vater Falkner geheißen, später war er von seinen Onkeln adoptiert und als Associé beschäftigt worden. Als Hausherr des ehemaligen Engelskirchnerpalais auf der Wieden veranstaltete er Feste, die an Üppigkeit alles in den Schatten stellten, was die Stadt auf diesem Sektor bisher geboten hatte, die sensibleren Zeitgenossen hielten sie allerdings für etwas zu protzig und großspurig, um wirklich vornehm zu sein. Trotz erheblicher finanzieller Einbußen, welche schließlich, 1841, den völligen Bankrott der Firma verursachten, erwies er sich als immer opulenterer Gastgeber. Darin unterstützte ihn nach Kräften seine Gemahlin Rosalie, eine Tochter des bayerischen Justizrates Deahna, die zuvor beim Grafen Fries als Gouvernante tätig gewesen war. Den geradezu unvorstellbaren Luxus, den sie

Simon Georg von Sina, Lithographie von J. Kriehuber, 1845

dort kennengelernt hatte, wollte sie nach ihrer Eheschließung nach Möglichkeit noch übertrumpfen, zu ihrem Glück blieb es ihr erspart, den Ruin von „Geymüller & Co." miterleben zu müssen; sie starb, noch nicht Fünfzig, im Jahre 1834. Rosalie, nach den Worten des Theaterdichters Ignaz Franz Castelli „ein wahres Kompositum von Launen aller Art", trug viel dazu bei, daß es bei den berühmt reichhaltigen Soupers oft alles andere als gemütlich herging. Sonst ein wohlmeinender Freund des Freiherrn, urteilte Castelli aber auch über ihn recht kritisch: „Es ist eine alte schlimme Geschichte, daß sich Kaufleute bei erlittenen bedeutenden Verlusten nicht einschränken wollen, ja um ihre Lage zu verbergen, eigentlich noch mehr Aufwand machen als früher."

Ähnlich erging es Moriz (senior) Reichsgrafen Fries (1777–1826), dem wahrscheinlich prominentesten Mitglied der schon mehrmals erwähnten Familie schweizerischer Herkunft, auch bei ihm führten verschwenderische Lebensführung und mangelhafte Geschäftsgebarung zum Sturz aus schwindelerregender Höhe. Im „Hôtel du Comte de Fries", dem späteren Palais Pallavicini auf dem Josefsplatz, gaben sich insbesondere zur Kongreßzeit Adel, Diplomatie und Kunstwelt ein Stelldichein, in den geheimen Polizeiberichten dieser Jahre heißt es darüber: „Alle bedeutende Fremde soupieren fast täglich bei Graf Fries. Sie sagen, Graf Fries sei gegenwärtig das Haus wo man am besten weiß, was in der Politik vorgeht." Mit solchen prunkvoll inszenierten Gelagen verausgabte sich der bis dahin als vermögendster Mann Österreichs geltende Unternehmer und Bankier völlig, das Großhandelshaus „Fries & Co.", seit 1815 passiv, ging allmählich in fremde Hände über. Als Kunstsachverständiger und Mäzen um ein Vielfaches versierter als in finanziellen Belangen, mußte er dennoch mit ansehen, wie seine bedeutenden Sammlungen in mehreren Auktionen den Eigentümer wechselten; 1824 aus dem Bankgeschäft entfernt, übersiedelte er unmittelbar danach nach Paris, den Selbstmord seines Associés Parish überlebte er nur um einige Monate.

Wenig später gelangte das Fries-Palais in den Besitz der aus dem heutigen Albanien stammenden griechisch-orthodoxen Familie Sina; ihr Stern war gerade erst im Begriffe, aufzugehen. 1818 in den ungarischen Adelsstand erhoben, beteiligte sich Georg Simon von Sina (1782–1856, seit 1832 Freiherr von Hodos und Kisdia) in der Folge neben Rothschild an allen Staatsanleihen und Emissionen, außerdem spielte er eine maßgebliche Rolle als Unternehmer. Von ihm hatte sein Sohn Simon Georg von Sina (1810–1876, Freiherr seit 1832) die Begabung für Geschäftsangelegenheiten geerbt, im Gegensatz zu seinem Vater lag ihm aber viel daran, innerhalb der Gesellschaft eine seinem Reichtum angemessene Stellung zu erhalten; also wählte auch er das damals probateste Mittel, der Patina eines alt-aristokratischen Namens wirksam zu begegnen, und er erwies sich in seiner Gönnerschaft von Wissenschaft und Kunst als überaus splendid. (Darüber kursierte im Wien jener Tage ein geflügeltes Wort, dem ein Ausspruch des älteren Sina zugrunde liegen soll: „Mein Sohn kann's tun, denn er hat einen reichen Vater.") Ein musikalisch ungemein talentierter Verwandter, nämlich Jean bzw. Johann Sina (geb. 1778) – er dürfte mit dem in der einschlägigen Literatur gleichfalls genannten Louis Sina identisch sein – konzertierte gemeinsam mit dem berühmten Geiger Ignaz Schuppanzigh als Besetzung für die zweite Violine.

Anders als die bisher erwähnten Familien waren die Arthaber bodenständige Wiener. Rudolf von Arthaber (1795–1867, Erhebung in den Adelsstand 1841) zeichnete sich einerseits als Textilfabrikant und Pionier des österreichischen Exports aus, andererseits als Liebhaber der schönen Künste; in seinem Döblinger Haus, der späteren Villa Wertheimstein (seit 1870), entstand eine sowohl in qualitativer als auch in quantitativer Hinsicht bemerkenswerte Bildergalerie, welche Werke der angesehensten zeitgenössischen Maler aus dem In- und Ausland enthielt. Dieser Mäzen sammelte sicherlich nicht allein des Prestiges wegen, sondern um seine sonst brachliegenden Energien nutzbringend einzusetzen, denn infolge seiner angegriffenen Gesundheit mußte er die Geschäfte mehr und mehr seinen Mitarbeitern überlassen.

Ein vergleichsweise bescheidenes Ambiente wurde bei Karoline Pichler (1769–1843) geboten, der früher über ihre engere Heimat hinaus bekannten Schriftstellerin. In ihrem Salon in der Alservorstadt setzte sie fort, was ihr Vater, der gleichfalls literarisch tätige Hofrat Franz von Greiner, begonnen hatte, auch ihm war nämlich sehr daran gelegen gewesen, bei sich möglichst viele aufgeschlossene und anregende Gesprächspartner zu empfangen. Zum Kreis der Pichler zählten nicht nur einheimische Größen wie Füger, Grillparzer, Freiherr von Hormayr, sondern auch Besucher von jenseits der Landesgrenzen, darunter Clemens Brentano und Ludwig Tieck. Sie alle schätzten die offene und vorurteilsfreie Atmosphäre des Hauses, welches darin dem Bureau d' Esprit einer Fanny von Arnstein durchaus vergleichbar, darüber hinaus aber von unverwechselbarer Eigenart war; hier ging es wahrhaft biedermeierlich zu, also anheimelnd, gemütvoll, wohl auch etwas hausbacken. Diese bürgerliche Idylle galt bereits 1830 als anachronistisch, Karoline Pichler hatte sich selbst überlebt, und es wurde still um sie; damit traf sie ein Schicksal, mit dem alle, die einen Salon führten,

Rudolf von Arthaber, Öl auf Karton von F. Eybl, 1845

rechnen mußten, denn mehr noch als in anderen Bereichen diktierte die jeweils herrschende Mode, wer wann wo wem begegnen wollte. (Viel seltener als zuvor versammelte man sich um 1840 im privaten Rahmen, stattdessen gab man literarischen Kaffeehäusern oder Vereinen den Vorzug – aber nur wenige Jahre später leiteten die vorhin genannten ungetauft-jüdischen Familien Wertheimstein und Springer-Todesco eine Renaissance des Wiener Salons ein, welcher dann lange en vogue blieb.)

**Literatur:**

Begegnung der Völker in Österreich, in: Notring-Jahrbuch 1972, hg. vom Notring der wissenschaftlichen Gesellschaften Österreichs, Wien 1971.

Emil Karl Blümml, Gustav Gugitz, Von Leuten und Zeiten im alten Wien, Wien – Leipzig 1922.

Ignaz Franz Castelli, Memoiren meines Lebens. Gefundenes und Empfundenes, Erlebtes und Erstrebtes, 2 Bde., in: Denkwürdigkeiten aus Alt-Österreich, Bd. 9/10, München o. J.

Felix Czeike, Das große Groner Wien Lexikon, Wien – München – Zürich 1974.

Otto Erich Deutsch, Schubert. Die Dokumente seines Lebens, Kassel – Basel – Paris – London – New York 1964.

Döbling. Eine Heimatkunde des XIX. Wiener Bezirkes, 3 Bde., Wien 1922.

Evangelisch in Wien. 200 Jahre Evangelische Gemeinden. Katalog der 76. Sonderausstellung des Historischen Museums der Stadt Wien, Wien 1982.

R. Granichstaedten-Cerva, J. Mentschl, G. Otruba, Altösterreichische Unternehmer. 110 Lebensbilder, in: Österreich-Reihe, Bd. 365/367, Wien 1969.

Leo Grünstein, Das Alt-Wiener Antlitz. Bildnisse und Menschen aus der ersten Hälfte des XIX. Jahrhunderts, 2 Bde., Wien 1931.

Rudolf Holzer, Villa Wertheimstein. Haus der Genien und Dämonen, in: Österreich-Reihe, Bd. 118/120, Wien 1960.

Hanns Jäger-Sunstenau, Die geadelten Judenfamilien im vormärzlichen Wien, phil. Diss. (ungedruckt), Wien 1950.

Walter Kleindl, Österreich. Daten zur Geschichte und Kultur, Wien – Heidelberg 1978.

Auguste Graf de La Garde, Gemälde des Wiener Kongresses 1814–1815. Erinnerungen, Feste, Sittenschilderungen, Anekdoten, hg. von Gustav Gugitz, 2 Bde., München 1914.

Gustav Otruba, Die Wiener Rothschilds. Aufstieg und Untergang einer Familie, in: Wiener Geschichtsblätter, Jg. 41, Heft 4, Wien 1986.

Max D. Peyfuss, Voskopoja und Wien. Österreichisch-albanische Beziehungen um 1800, in: Referate der Tagung „Albanien. Mit besonderer Berücksichtigung der Volkskunde, Geschichte und Sozialgeschichte“ (Albanien-Symposion 1984), hg. von Klaus Beitl u. a., Kittsee 1986.

Caroline Pichler, Denkwürdigkeiten aus meinem Leben, 2 Bde., in: Denkwürdigkeiten aus Altösterreich, Bd. V/VI, München 1914.

Joseph Schmidt-Görg, Hans Schmidt, Ludwig van Beethoven, Hamburg 1969.

Godehard Schwarz, Tullner Hof – Villa Wertheimstein – Döblinger Bezirksmuseum. Geschichte eines Döblinger Hauses, in: Bezirkskulturführer, Heft 25, Wien – München 1979.

Hilde Spiel, Fanny von Arnstein oder Die Emanzipation. Ein Frauenleben an der Zeitenwende 1758–1818, Frankfurt am Main 1962 (Taschenbuch-Ausgabe von 1981).

Constant von Wurzbach, Biographisches Lexikon des Kaiserthums Österreich, 60 Bde., Wien 1856 ff.

# DIE ENTWICKLUNG DES VEREINSWESENS IM VORMÄRZ

*Irmgard Helperstorfer*

## Allgemeiner Überblick über die Zeit des Vormärz

Berthold Georg Niebuhr, reformerisch gesinnter Staatsbeamter und Historiker, prägte 1829 für seine Gegenwart den Begriff des „Revolutionszeitalters“[1]. Jacob Burckhardt beschrieb 1871/72 die Geschichte des vergangenen Jahrhunderts als „lauter Revolutionszeitalter“, als eine „Bewegung . . ., die im Gegensatz zu aller bekannten Vergangenheit unseres Globus steht“, die „scheinbar ruhigen Dezennien von 1815 bis 1848“ erschienen ihm dabei im Blick auf die großen Brüche und Katastrophen 1789–1815, 1848/49 und 1864–1871 als „Zwischenakt in dem großen Drama“[2]. Tatsächlich vollzogen sich in diesem Zeitraum tiefgreifende Wandlungen. Die Revolution von 1848/49 ist nicht aus dem Nichts entsprungen. Sie bereitete sich seit 1815 vor, die Restauration gehört ebenso zu ihrer Vorgeschichte wie die Zeitspanne unmittelbar vor den Märzereignissen.

Das 18. Jahrhundert ist das Zeitalter der Sozietäten, Gesellschaften und Vereinigungen. Es entstehen wissenschaftliche Akademien und gelehrte Gesellschaften, gegründet werden gemeinnützige Vereinigungen, solche zu speziellen Zwecken, wie in ganz großer Zahl die landwirtschaftlichen Gesellschaften, dann patriotische Klubs und vor allem auch Lesegesellschaften. Ihnen allen ist gemeinsam, daß die mannigfaltigen, von ihnen angepeilten Zwecke durch Einrichtungen der altständischen Gesellschaft, nämlich durch Institutionen des Landesfürsten, der Stände und der Kirche, wie beispielsweise die Universitäten, adeligen und kirchlichen Schulen samt ihren Bibliotheken nicht mehr effizient erfüllt werden können, daß neue Aufgaben nach neuen Formen verlangen.

Der Vormärz setzte die Entwicklung fort, die seit etwa 1750 mit der Gründung von über 500 Lesegesellschaften, gelehrten, landwirtschaftlichen, patriotischen Sozietäten begonnen hatte[3]. Das Vereinsrecht zog allerdings eine scharfe Grenze gegenüber jeglicher politischer Betätigung. Daher vermehrten sich zunächst vor allem die unpolitischen Vereine, die landwirtschaftlichen und die Gewerbe- und polytechnischen Vereine. Seit etwa 1820 nahm auch die Zahl der Wohltätigkeits- und Unterstützungsvereine stark zu[4]. Bis 1848 hatte sich die Organisation in Vereinen zu einer großen Bewegung ausgedehnt, die den größten Teil der Oberschicht in Stadt und Land, weite Kreise des städtischen Gewerbebürgertums, aber in Ansätzen auch schon die Unterschicht erfaßt hatte.

Die Tätigkeitsfelder der Vereine differenzierten sich mit der zunehmenden Spezialisierung im Arbeits- und Kulturleben. Das Bildungsideal um 1800 hatte die Vielseitigkeit des einzelnen gegenüber den Beschränkungen der ständisch-partikularen Welt angestrebt. Der Erkenntnis- und Betätigungsdrang des Bürgers ergriff selbständig Besitz von allen nur denkbaren Bereichen geistiger Tätigkeit. Der Erfahrungs- und Handlungsspielraum des einzelnen erweiterte sich, naturkundliche und Geschichtsvereine, Kunst-, Musik-, und Gesangvereine trugen die Umorientierung von der primär höfisch-aristokratischen und kirchlich geprägten Kultur zur bürgerlichen, wobei die Übergänge natürlich gleitend waren.

Der „Verein“, die „Association“ war in der öffentlichen Meinung des Vormärz zur umfassenden Formel für selbstbestimmtes, aber kooperatives Handeln aufgestiegen, zur Pathosformel für die Erwartung einer freien Gesellschaft.

## Der Begriff Verein in dieser Zeit

Ein Verein im Sinne der österreichischen vereinsrechtlichen Vorschriften ist eine freiwillige, für die Dauer bestimmte organisierte Verbindung mehrerer Personen zur Verfolgung eines bestimmten freigewählten Zweckes durch fortgesetzte gemeinsame Tätigkeit[5].

Der Begriff des Vereins war zur Zeit des Vormärz weiter gefaßt als heute. Ein aus dem Jahre 1845 stammendes Verzeichnis der in Wien bestehenden Vereine gibt näheren Aufschluß[6].

Danach unterscheidet man vier verschiedene Gruppen:

1) Aktien – Gesellschaften,

2) Vereine zur Förderung der Wissenschaften und Künste, der Landwirtschaft, des Gewerbefleißes und anderer öffentlicher Interessen,

3) Versorgungs- und Versicherungsanstalten von allgemeinem Umfange größerer Bedeutung, Rentenanstalten und Sparkassen,

4) Humanitätsvereine von minderem Belange, Kranken- Unterstützungs- und Leichenvereine.

Der Verein kann dauernde oder periodisch wiederkehrende Zusammenkünfte oder auch vorübergehende gesellschaftliche Tätigkeit bezwecken, er kann geheim oder nicht geheim, zu bloßem Privatzwecke oder auf andere Menschen zu wirken, gebildet werden. Zu den beiden letzten Fällen kann sich seine Wirkung entweder auf privatrechtliche oder auf die dem öffentlichen Recht angehörenden Verhältnisse beziehen. Er kann geschlossen, d. h. Mitgliederaufnahme unter bestimmten Bedingungen, oder für alle zugänglich sein.

Mit dem Ausdruck „Vereinsrecht“ bezeichnet man gewöhnlich das objektive öffentliche Vereinsrecht. Dies ist der Inbegriff der Normen über die Grenzen, innerhalb welcher Bildung oder zumindest die Tätigkeit von Vereinen sowie die Teilnahme der einzelnen an dieser Bildung und Tätigkeit vor sich gehen kann; ferner über die rechtlichen Mittel zur Sicherung dieser Grenzen gegen Überschreitungen durch die behördlichen Organe und durch die einzelnen[7].

## Die Entwicklung des Vereinsrechtes

Die Relevanz des Rechts für die Bildung und Entfaltungsmöglichkeiten von Assoziationen ist unmittelbar einsichtig. Die staatliche Normsetzung zieht den Rahmen für das Vereinswesen. Nur der mit dieser Grenzabsteckung eingeräumte Spielraum kann – von Ausnahmefällen abgesehen – ausgefüllt werden. Das Rechtssystem kann hemmend oder fördernd wirken. Assoziationen können gänzlich untersagt sein, von der Rechtsordnung geduldet werden oder sogar rechtliche Unterstützung erfahren. Das Ausmaß des den Vereinen zur Verfügung gestellten Spielraums ist im 19. Jahrhundert durchwegs abhängig vom Gegenstand der vereinsmäßigen Betätigung. Im Gegensatz zu den Vereinen, die sich ausschließlich im gesellschaftlichen Rahmen bewegen, sehen sich solche, die im weiteren Sinne politische Ambitionen hegen, mannigfachen Restriktionen ausgesetzt.

Abgesehen von einigen Ausnahmen hat das konstante Abwehrbemühen der Regierungen gegenüber den auf Teilhabe am Staat zielenden Personenzusammenschlüssen seinen Grund darin, daß die Staaten danach trachten, sich von gesellschaftlicher Herrschaftskonkurrenz frei zu halten, die sie in solchen Assoziationen erblickten. Der staatlicherseits definierte Bereich des Öffentlichen wird daher von vornherein als sicherheitsempfindlich eingestuft. Das Vereinsrecht wird so einerseits von individueller Freiheit und andererseits von staatlichem Sekuritätsverlangen bestimmt.

Die ältesten Vorschriften auf diesem Gebiet zielten darauf ab, das Entstehen geheimer Verbindungen zu verhindern, welche „sich schon durch die Form ihrer Vereinigung als gefahrdrohend darstellen"[8].

So wird mit dem Erlaß vom 23. August 1764[9] die Errichtung jeder Gesellschaft von der Genehmigung des Landesfürsten abhängig gemacht. Der Erlaß vom 8. November 1766[10] zielte darauf hin, die Gesellschaft der Freimaurer und den Orden der Rosenkreuzer gänzlich auszuschalten, da der Beitritt zu diesen Vereinigungen allgemein untersagt wurde. Später gestattete man zwar die Bildung von Freimaurerlogen, sie wurden jedoch durch das kaiserliche Handbillett vom 11. Dezember 1785 Beschränkungen unterworfen[11]. Die Außerachtlassung dieser Anordnung wurde durch ein Hofdekret vom 16. Dezember 1785 mit einer Strafe von 300 Dukaten belegt[12].

Noch als Reaktion auf die Französische Revolution wurden die Behörden 1791 zunächst angewiesen, „bedenkliche und gefährliche Zusammenkünfte, Klubs, oder wie solche Winkelgesellschaften und sich geheim haltende Innungen ihre Konventikeln immer nennen mögen"[13], strengstens zu überwachen. 1801 werden Geheimgesellschaften überhaupt verboten[14].

Im Jahr 1817 läßt sich wegen der Kriegsfolgen und der schlechten wirtschaftlichen Lage ein Einstellungswandel gegenüber privaten Vereinen feststellen, soweit diese nämlich gewisse, dem Staat obliegende Aufgaben übernehmen, die dieser aufgrund seiner ungünstigen finanziellen Situation nicht leisten konnte. Diese Änderung bezog sich allerdings nur auf Vereine, die „erlaubte und gemeinnützige" Zwecke verfolgten. In dem entsprechenden Hofdekret heißt es, „daß die Kräfte des Staates durch vieljährige außerordentliche Auslagen geschwächt worden seien, daß indessen so manche nützliche Anstalt der Unterstützung bedürfe, manche neue zum großen Vortheil des Staates zu errichten wäre, die inländische Industrie im weitesten Verstande Ermunterung erwarte, der Kunstfleiß im Fabriks- und Gewerbewesen und im Landbaue zu beleben sei, nützliche Erfindungen aller Art aufzumuntern kämen und den Wissenschaften wie den Künsten hilfreiche Hand geboten werden müsse; daß es daher ein hohes Verdienst um das Vaterland sei, wenn Private, wenigstens zum Theile und allmälig leisten, was der Staat jetzt zu leisten nicht vermag"[15]. Bemerkenswert daran ist, daß der Staat gezwungen war, von seinen geltenden Prinzipien abzuweichen und Private zur Lösung von gewissen sozialen und ökonomischen Problemen heranziehen mußte. Die strenge staatliche Aufsicht über bestimmte Vereine und die Bewilligungspraxis zeigen allerdings, wie sehr der Staat bemüht war, die möglichen schädlichen politischen Folgen einer umfangreichen Vereinstätigkeit abzufangen. Eine Aussage Metternichs zeigt das Unbehagen der Verwaltung, die einerseits unter dem Druck stand, die Nützlichkeit der Vereine anzuerkennen, andererseits jedoch die fast unausweichlichen Nebenwirkungen der Vereinstätigkeit fürchtete: Anläßlich der Gründung des niederösterreichischen Gewerbevereines motivierte Metternich seine Abneigung gegen Vereine damit, daß „man Vereine wohl ins Leben rufen, sie aber nicht wieder in ihren geistigen Folgen auflösen könne"[16]. Die in Wien besonders große Zahl[17] von Vereinen stellt allerdings die Überwachungstätigkeit der Polizei vor schwierige Aufgaben, wie aus einem Bericht des Polizeidirektors Amberg an den Polizeiminister Sedlnitzky hervorgeht. Dieser zeigt, daß auch die den größten Prozentanteil stellenden Wohlfahrtsvereine die Verwaltung wegen möglicher politischer Folgen beunruhigten. Im Bericht heißt es unter anderem: „Das Bestehen dieser Vereine könne der Polizeibehörde um so weniger gleichgültig sein, da sie eine bedeutende Teilnahme gerade in den unteren Schichten des Volkes genießen und häufig Versammlungen gleichgestellter und gleichgesinnter Personen veranstalteten"[18].

Die erste umfassende Vorschrift über alle einen näheren Einfluß auf die öffentlichen Interessen nehmenden Privatvereine enthielten das Hofkanzleidekret vom 6. August 1840[19] und vor allem jenes vom 5. November 1843[20]. Diese beiden Vorschriften sind im wesentlichen auch die Grundlage des Vereinsgesetzes von 1852. Das Gesetz von 1840 regelte vor allem das Verhalten der Staatsverwaltung bei der Gründung von Vereinen. Es beinhaltet einen Gesetzesvorbehalt, der es Spezialgesetzen ermöglichte, bestimmte Vereine von vornherein zu untersagen.

Zum Dekret von 1843 wurden zunächst die einzelnen Polizeidirektoren aufgefordert, eine Stellungnahme an die Polizeihofstelle abzugeben. So befürchtet zum Beispiel der Polizeipräsident von Innsbruck, Martinez, bei jenen Unternehmungen, die auf Förderung der Kunst und Wissenschaft, auf Volksbildung gerichtet sind, bei religiösen Gesellschaften sowie Vereinen zu Wohltätigkeitszwecken, daß sie „durch ihre Zusammensetzung durch die leitenden Personen und die Form ihres Wirkens und ihre Zusammenkünfte die Einführung in politischer oder in religiössittlicher Hinsicht gefährlicher Grundsätze und Lehren fördern, geheime dießfällige Verbindungen im In- oder mit dem Ausland vorbereiten, und wohl gar in geheime Gesellschaften übergehen könnten"[21].

Polizeioberdirektor Amberg hatte ebenfalls den Auftrag zu einer Stellungnahme erhalten. Er meint in seinem Bericht vom 4. August 1844 an Sedlnitzky, „daß man aus den Grundzügen des Gesetzes über Privatvereine und ihr Verhältnis zur Staatsverwaltung die Absicht deutlich erkenne, die Errichtung von Privatgesellschaften und Vereinen den Beteiligten zu überlassen; nur wenn aus der formellen Beschaffenheit solcher Institute ein ‚aus öffentlichen, strafrechtlichen oder polizeilichen Rücksichten' sich ergebender Mißbrauch zu befürchten sei, solle diese von besonderen Konzessionen abhängig gemacht werden"[22]. Die Reaktionen und Diskussionen um diese Verordnung dauerten noch bis 1845, und so kam es bis zum Ende des Vormärz zu keiner endgültigen Regelung bestimmter Paragraphen des 1843 erlassenen Dekrets. Erst das kaiserliche Patent vom 26. November 1852 brachte neuerdings generelle Richtlinien für das Vereinswesen.

**Zu den Vereinen im Besonderen**

„Vereine sind die deutsche Pest." Diesen Ausspruch soll Metternich getan haben[23]. Die damals herrschende politische Auffassung, das stark entwickelte „Polizei- und Bevormundungssystem" machen die grundsätzliche Abneigung der Behörden gegen jegliche Vereinsorganisation verständlich[24]. Dem Bedürfnis nach „gesteigerter Wechselwirkung" und „Gemeinschaft" mußte aber Rechnung getragen werden. Andererseits zielten die Maßnahmen und Verfügungen darauf hin, das Vereinswesen ganz unter Kontrolle zu halten, was natürlich nicht immer gelang.

Im Verhältnis zu anderen Arten von Vereinen stellten die Wohltätigkeitsvereine und Humanitätsvereine den größten Prozentsatz dar. Dies hängt, wie bereits erwähnt, damit zusammen, daß der Staat diese Vereinigungen förderte, nahmen sie ihm doch bedeutende Aufgaben auf sozialem Gebiet ab. Nach Obrovski und Stubenrauch weist das Land Niederösterreich im Jahre 1848 158 Vereine auf, davon wurden 28 im Jahre 1844 nach den neuen Direktiven gegründet. 1845 kamen 51 Vereine hinzu, meistens „Leichen- und Krankenunterstützungsvereine".

In einem Hofkanzleidekret vom 3. Jänner 1817 erklärte die Regierung, „daß die Kräfte des Staates durch vieljährige außerordentliche Auslagen geschwächt worden seien, daß indessen so manche nützliche Anstalt der Unterstützung bedürfe, manche neue zum großen Vortheile des Staates zu errichten wäre, die inländische Industrie im weitesten Verstande Ermunterung erwarte, der Kunstfleiss im Fabriks- und Gewerbewesen und im Landbaue zu beleben sei, nützliche Erfindungen aller Art aufzumuntern kämen und den Wissenschaften wie den Künsten hilfreiche Hand geboten werden müsse; daß es daher ein hohes Verdienst um das Vaterland sei, wenn Private wenigstens zum Theile und allmälig leisten, was der Staat jetzt zu leisten nicht vermag"[25].

Metternich selbst stellte sich nach Vorlage eines am 12. Februar 1817 dem Monarchen erstatteten Berichtes an die Spitze eines Vereines zur *Unterstützung der Nothleidenden Wiens.* Kaiser Franz I. übernahm das Protektorat und eröffnete sofort die Subskription[26]. Es wurde gleich Arbeit im Stadtgraben geschaffen, wofür jeder Beteiligte einen Gulden Taglohn erhielt, während den bedürftigen Arbeitsunfähigen eine Unterstützung von täglich dreißig Kreuzern angewiesen wurde[27]. Die Arbeit geriet allerdings bald ins Stocken und der Verein mußte seine Tätigkeit einstellen.

Aus nahezu denselben Beweggründen, wie aus denen des eben erwähnten Hofkanzleidekrets vom 3. Jänner 1817 wurde auch schon früher, 1812, eine kaiserliche Resolution erlassen, welche für die Behörden die Weisung erhielt, die Bildung von Privatvereinen zu begünstigen[28].

Ein weiterer wichtiger Verein auf dem Gebiet der Wohltätigkeit ist der bereits 1810 gegründete Verein *„Die Gesellschaft adeliger Frauen zur Beförderung des Guten und Nützlichen".* Seit ihrer Gründung war sie von der Regierung anerkannt und gefördert worden, die Polizeihofstelle erhielt bereits im Gründungsjahr Befehl, diese Gesellschaft zu schützen, „und in allem, was zu ihrem Gedeihen beytragen kann, den thunlichsten Vorschub zu leisten"[29]. Seine Majestät hatte es sich vorbehalten, sie in „unmittelbaren Schutz" zu nehmen[30]. Zu dieser Haltung des Kaisers trug sicherlich bei, daß die Mitglieder Personen des Adels, zum Teil aus der höchsten Aristokratie, waren. Der Verdacht auf staatsgefährdende Umtriebe unter der Maske einer wohltätigen Gesellschaft war somit gewiß gegenstandslos. Die Tätigkeiten dieser Gesellschaft waren unter anderem die Unterstützung der durch die Überschwemmung im Jahre 1830 in Not geratenen durch Geldunterstützungen zu helfen.

Mittellosen angehenden Ärzten und Hebammen bezahlte die Gesellschaft die Prüfungsgebühren; Voraussetzung war der Nachweis vorzüglicher Studienzeugnisse. Am 22. August 1831 findet sich ein Aufruf in der „Wiener Zeitung", in welchem um Geld- und Sachspenden gebeten wird, um gegen die drohende Cholera gerüstet zu sein. Viele andere Wohltätigkeits- und Humanitätsvereine existierten im Vormärz, alle mit ähnlichen Inhalten und Tätigkeiten[31].

Neben den Wohltätigkeitsvereinen gab es im Vormärz noch eine Menge von Krankenunterstützungs- und vor allem Leichenvereinen. Diese waren reine Selbsthilfeorganisationen, ihre Tätigkeit bestand darin, bei Versterben eines der Mitglieder dessen Angehörigen einen gewissen Geldbetrag für die Bestreitung der Begräbniskosten, für die Lesung der Totenmesse und andere Ausgaben bereitzustellen. Diese frühen Leichenvereine, die ersten existierten bereits Ende des 18. Jhs., erklärt Sauer als Ausdruck des seit Joseph II. auch in den kirchlichen Bereich eingedrungenen Interesses an den sozialen Fragen[32].

Was die Vereinsgründung auf dem Gebiet der Industrie und des Gewerbes, der Wirtschaft im allgemeinen betraf, hob man staatlicherseits auch hier die „gemeinnützige Tendenz" als Positivum hervor.

Der wirklich bedeutendste Verein in dieser Gruppe war der *Niederösterreichische Gewerbeverein,* dessen Gründung in die Anfänge der industriellen Entwicklung fällt.

Nach der Überwindung der wirtschaftlichen Depression setzte in Österreich eine neue Phase der wirtschaftlichen Expansion ein. Der Einsatz der Dampfmaschine bestimmte in zunehmendem Maße den Industrialisierungsprozeß, die Entstehung von Großbetrieben und die Entwicklung neuer Produktionszweige. Eine Selbstorganisation dieser neuen, auf kapitalistischer Grundlage produzierenden Großbetriebe und ihrer Interessen lag daher auf der Hand: 1839 trat der Niederösterreichische Gewerbeverein ins Leben, der für die wirtschaftliche und soziale Entwicklung Wiens bedeutsam war[33]. Die Industrie war mündig geworden, ihre Vereinigungen „bildeten bald den Mittelpunkt der Vertreter der Großindustrie"[34]. Letzter Anlaß für die Gründung eines niederösterreichischen Gewerbevereins war die Abhaltung der ersten „Allgemeinen oder Central-Gewerbsproducten-Ausstellung" in Wien im Jahr 1835. Besonders den der veranstaltenden Kommission angehörenden Fabrikanten und Großhändlern war deutlich vor Augen geführt worden, welcher Abstand die inländische Industrie noch von den industriell forschrittlichen Ländern trennte. In den Statuten wird der Zweck des Vereines wie folgt festgelegt: „Aufmunterung, Beförderung und Vervollkommnung der Gewerbe, durch jene Mittel, welch die vereinigte Tätigkeit einer großen Anzahl mit den mannigfaltigsten theoretischen und praktischen Kenntnissen ausgerüsteter Männer darzubieten vermag"[35].

Gegenüber wissenschaftlichen Vereinen nahmen die Behörden eine tolerantere Haltung ein, da eine politische Betätigung eher unwahrscheinlich war. „Nicht aus Willkür und Freude an dem dazumal wahrlich noch unentwickelten Vereinswesen haben sich vor 52 Jahren Männer zusammengetan, um den ersten und ältesten ärztlichen, überhaupt den ersten wissenschaftlich thätigen Verein Wiens zu gründen, sondern der Noth und dem Drange der Zeit folgend . . ."[36].

Zu Beginn der dreißiger Jahre war es die Cholera, die Wiener Ärzte zur Linderung der Not vereinigte. Am 27. März 1837 wurde von einigen Ärzten ein Hofgesuch um die Genehmigung der Statuten für die zu gründende *Ärztliche Gesellschaft in Wien* und der gewählten ordentlichen Mitglieder derselben eingereicht[37].

Am 14. November 1837 wurde durch a. h. Entschließung die Bildung des Vereines „unter den von der vereinigten Hofkanzlei und der Polizeihofstelle angetragenen Modificationen" genehmigt[38].

Im § 1 ist neben dem Zweck auch der Anlaß zur Gründung der Gesellschaft festgehalten: „Das Bedürfnis, den mächtigen Regungen, die sich sowohl in dem Wissen als auch in der Kunst des Heilens überall ankünden, die gedeihliche Richtung mitzutheilen, die wohlthätigen Ergebnisse überall sichtbarer Umgestaltung, allseitig zu verbreiten und zur fruchtbaren Entwicklung zu überliefern, riefen auch in den Aerzten Wiens die Idee eines gemeinsamen Landes und einer Gesellschaft von Ärzten ins Daseyn, und rechtfertigen die den Zeitverhältnissen entsprechende Verwirklichung derselben"[39].

Eine besondere Stellung unter den wissenschaftlichen Vereinen nahm der *Juridisch-Politische Leseverein* ein. 1840 reichten 40 angesehene Wiener Juristen bei der Polizeihofstelle ein Gesuch um Gründung eines juridischen Lesevereins ein, am 19. Juni 1841 wurde die Vereinsgründung genehmigt[40].

In den Anfangsjahren seines Bestehens versuchte der Verein über den in den Statuten definierten Zweck hinauszugehen und mit einer gezielten, organisierten Vortragstätigkeit nach außen zu wirken. Thematischer Ausgangspunkt waren hier das österreichische Strafrecht und seine kritische Betrachtung. Diese Aktivitäten wurden jedoch systematisch verboten, so daß Versuche des Vereins, in „umfassender Weise" zu wirken, bis zur Revolution keinen Erfolg zeitigten[41]. Daher blieb zumindest nach außen und offiziell der Charakter als Leseverein erhalten, so daß „in den Akten . . . die Vereinsgeschichte fast nur zur Geschichte seiner Lektüre wird und auch bei ihm bedeutet das: zum Bericht über den Kleinkrieg mit der Zensur"[42]. Dieser begleitet den Verein

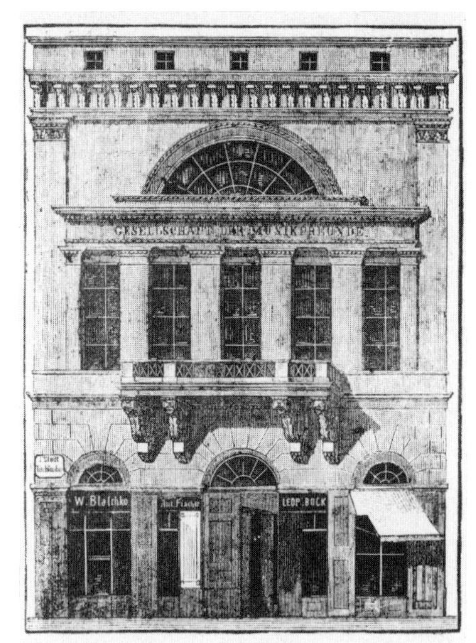


Das Gebäude der Gesellschaft der Musikfreunde

durch die Jahre seiner Existenz. Immerhin kann der Leseverein seinen Mitgliedern alle gemäßigt liberalen Organe Deutschlands und Frankreichs anbieten[43]. Die gemäßigt liberale Ausrichtung der Zeitschriften deckte sich auch mit der politischen Überzeugung der großen Mehrzahl der Mitglieder, deren politische Debatten aus Angst vor der Polizeiüberwachung in informellen kleinen Gruppen stattfand. „Daß solche Erörterungen im Vereine vielfach und mit großer Vorliebe gepflogen werden, war nur den Eingeweihten bekannt, dennoch war es ein öffentliches Geheimnis, daß die weitaus überwiegende Mehrheit der Lesevereinsmitglieder den constitutionellen Grundsätzen huldigt und sich nach einem constitutionellen Österreich sehnt"[44].

Die gesellschaftliche Zusammensetzung der Vereinsmitglieder bestand zum größten Teil aus Staatsbeamten[45]. Auch fast alle in Wien zugelassenen Advokaten, unter ihnen auch einige spätere Bürgermeister, wie Seiller und Zelinka, hatten sich dem Verein angeschlossen. Kaum weniger stark repräsentiert als die Advokaten waren die Universitätsprofessoren und Assistenten aller Fakultäten. Das Großbürgertum war ebenso im Verein präsent wie Vertreter des Adels und Geistliche. Von einigen Ausnahmen abgesehen, blieben nur die Schriftsteller, die in der Concordia ihren eigenen Treffpunkt hatten, dem Verein fern. Staatsbeamte, Intelligenz, Großbürgertum, Adel, Geistlichkeit suchten also im Leseverein gesellschaftliche Kontakte. Die wachsende Mitgliederzahl, die Ausweitung der Zahl der aufgelegten Zeitschriften und die Stimmung unter den jüngeren Mitgliedern veranlaßten die Staatsverwaltung, den Verein, der als „eine Pflanzschule für die Zwecke der Propaganda" angesehen wurde[46], ein Jahr vor der Revolution wieder einmal einer genaueren Untersuchung zu unterziehen. Der daraufhin verfaßte Polizeibericht stellt fest, daß der Verein zwar oppositionelle Tendenzen verfolge, irgendwelche gefährlichen Demonstrationen konnten ihm aber nicht vorgeworfen werden[47]. Nach Ansicht Frankls waren die Anziehungspunkte des Vereins „neugieriger Drang, Ehrgeiz, einem Vereine anzugehören, welcher den Mut hatte, der allgemein sich regenden Unzufriedenheit, wenn noch so vorsichtig, Ausdruck zu geben"[48].

Vereine, die sich die Förderung der Künste zur Aufgabe stellten, wurden im allgemeinen nicht beargwöhnt: „. . . die Harmloseren unter den schönen Künsten wurden in ähnlicher Weise (wie die gewerblichen Vereine) begnadigt . . ."[49].

Die Gesangsvereine galten schon als nicht mehr so harmlos – das war auch der Grund, warum der *Wiener Männergesang-Verein* große Hindernisse bei seiner Gründung, welche 1831 erfolgte, zu überwinden hatte. Sein unleugbar politisch-nationaler Charakter war den staatlichen Behörden ein Dorn im Auge. Dr. August Schmidt, der Gründer dieses Vereines, charakterisiert die Gesangsvereine folgendermaßen: „Die Liedertafeln, welche die Liebe zum Gesang in vielen deutschen Städten ins Leben gerufen und gefördert, sind als ein Merkmal des inneren Geisteslebens aus dem allmälig erwachten nationalen Bewußtsein des Volkes hervorgegangen, in welchem sich, je empfindlicher der Druck von Oben fühlbar wurde, um desto unabweislicher der Assoziationsdrang, das Streben nach Vereinigung des Gleichartigen zu einer festgegliederten Körperschaft, nach Errichtung von Vereinen für materielle und geistige Zwecke geltend machte, und gleichsam aus dem Triebe der Selbsterhaltung, aus der in der Brust eines jeden schlummernden Sehnsucht nach Freiheit entkeimt, zum charakteristischen Zug der Zeit wurde"[50]. Die Mitglieder dieses Vereines setzten sich aus Männern „des Volkes" zusammen: Schriftstellern, Lehrern, Studenten,

Dichtern, Komponisten, Handwerkern und Arbeitern[51]. Er pflegte nicht nur den Kunstgesang, sondern veranstaltete auch Liederabende und Konzerte zu Wohltätigkeitszwecken[52].

Eine der wenigen Gesellschaften, die auch heute noch bestehen, ist die *Gesellschaft der Musikfreunde,* welche als „Gesellschaft der Musikfreunde des österreichischen Kaiserstaates“ bereits 1812 gegründet wurde.

Sie hatte bei ihrer Gründung kaum mit Schwierigkeiten zu kämpfen. In den „Vaterländischen Blättern“ von 1814 heißt es, daß noch in keinem Lande Europas ein Verein der Freunde der Musik gegründet worden sei, von welchem sich die Kunst mehr Gewinn, das Vaterland mehr „Vorteil und Ruhm“ zu versprechen hätten[53]. Als Hauptzweck wird in den Statuten „die Emporbringung der Musik in allen ihren Zweigen“ betrachtet; „Selbstbetrieb und „Selbstgenuß“ sind nur untergeordnete Zwecke[54]. Die Gesellschaft der Musikfreunde hatte von Anfang an regen Zulauf, wurde von allen Seiten gefördert und, fern von aller Zensur, geschätzt.

Andere Vereinigungen hingegen, welche genauso harmlos waren, wurden in der damaligen Zeit in Wien nicht geduldet. Das wohl berühmteste Beispiel hiefür ist die sogenannte *„Ludlamsgesellschaft“,* die 1818 gegründet, aber bereits 1826 wieder aufgelöst wurde. „Es hat nie und nirgends eine fröhlichere, lebenslustigere und dabei doch auch harmlosere Gesellschaft gegeben, als die sogenannte Ludlamsgesellschaft in Wien.“ So Ignaz Franz Castelli, der sich in dieser Vereinigung besonders hervortat[55]. Der Gesellschaft gehörten in erster Linie Schriftsteller, bildende Künstler, Musiker und Schauspieler an, die sich zur Pflege der Geselligkeit zusammenfanden. Die Mitglieder der Ludlamshöhle, zu ihnen zählten in Wien überaus geachtete Persönlichkeiten, wurden eines Tages durch eine großangelegte Polizeiaktion zu Verschwörern gestempelt[56]. Mit Empörung oder Genugtuung, weil man damals fand, so führe sich das System selbst ad absurdum, äußerten sich alle, die betroffen waren, über diesen Vorfall. J. F. Castelli berichtet darüber folgendermaßen: „Die Wiener Polizei hat nie einen ärgeren Mißgriff getan, als durch die Wichtigkeit, womit sie unter ihrem Chef, Hofrat Persa, die Auflösung der Ludlamsgesellschaft bewerkstelligte; und alles was ich von den Späßen in der

Kat. Nr. 5/1/30, Anton von Perger, Die Künstlervereinigung Concordia

Ludlam erzählt habe, war nicht mit dem Spaße zu vergleichen, welchen uns die Prozedur bei unserer Auflösung verursachte . . .“[57]. Grillparzer, ebenfalls Mitglied, reagierte sehr empört auf die Auflösung: „. . . Untersuchung, Verhör, Hausarrest bis abends. Gerade weil sie nichts Verdächtiges gefunden, werden sie genötigt sein, ihre eigene Dummheit zu bemänteln, etwas herauszusuchen“[58]. Der Grund für die Auflösung dieses Vereins soll darin gelegen sein, daß bei einer in Rußland entdeckten Verschwörung bei einem Schauspieler ein Ludlamspaß gefunden wurde, welcher von der dortigen Polizei an die Wiener Polizei gesandt wurde[59].

Ein weiterer Verein, welchem hauptsächlich Schauspieler und Künstler angehörten und der in der Zeit seines Bestehens starken Verfolgungen ausgesetzt war, ist die *Concordia.* Auf Anregung des Schriftstellers Friedrich Kaiser gründeten einige „schöngeistige Genossen, Schauspieler und bildende Künstler“ im Herbst 1840 die Concordia[60].

Sehr bald zählte der Verein führende Persönlichkeiten und Künstler des Vormärz zu seinen Mitgliedern: Amerling, Bauernfeld, Castelli, Danhauser, Ender, Feuchtersleben, Grillparzer, Hammer-Purgstall, Kriehuber, Kaiser, Ranftl, Steinfeld, Vesque v. Püttlingen. Noch vor Beginn der Unruhen des März 1848 wurde dieser Verein allerdings aufgelöst.

Einen Teil der vormärzlichen Vereinsgeschichte bilden die Bemühungen zur Gründung einer *„Kaiserlichen Akademie der Wissenschaften“.* Zur eigentlichen Gründung dieser Akademie kam es allerdings erst nach dem Vormärz.

Ebenfalls starken Verfolgungen ausgesetzt waren ehemalige Mitglieder der Freimaurerlogen. Die Gesellschaft der Freimaurer, die sich der Humanität und dem liberalen Gedankengut verschrieben hatte, hatte in den Anfängen der Aufklärung des 18. Jahrhunderts in Österreich ihren Höhepunkt. Persönlichkeiten, welche in den höchsten Regierungsstellen saßen, wie Kaunitz, van Swieten, Angehörige des Hochadels wie Salm-Reifferscheid, Starhemberg, Trauttmansdorff, Schwarzenberg und Windisch-Graetz, gehörten zum Bund der Freimaurer[61]. Durch eine Verordnung aus dem Jahre 1801 wurden allerdings alle Staatsbeamten gezwungen, einen Eid abzulegen, indem sie bekundeten, keinen geheimen Gesellschaften anzugehören, noch einer solchen beizutreten. Die Verfolgung durch das Metternichsche Polizeisystem beschränkte sich nicht nur auf Personen, Versammlungen, sondern auch auf Geschriebenes und geheime Zeichen. Während dieser Zeit gab es in Wien keine Logenarbeit im eigentlichen Sinne. Daß es trotz aller Verfolgung zu geheimen maurerischen Zusammenkünften kam, ist anzunehmen, auch gab es höchstwahrscheinlich Kontakte von Wiener Freimaurern zu anderen Logen im deutschen Reich. Nach der Thronbesteigung Ferdinands I. 1835 versuchten einige ausländische Brüder in Wien im Jahre 1841 eine Loge einzurichten, doch das Metternichsche System griff hart durch, die Ausländer wurden des Landes verwiesen, die einheimischen Beamten, welche sich den Freimaurern anschließen wollten, in Provinzhauptstädte versetzt[62].

Auch den studentischen Vereinigungen war rigoros jede Tätigkeit untersagt. Die Karlsbader Beschlüsse, welche die Vereinigungen von Studenten an den Universitäten, im besonderen jegliche Art burschenschaftlichen Lebens verboten hatten, brachten beinahe das gesamte Studentenleben Wiens zum Erliegen. In der Zeit von 1820 bis 1844 gab es kaum studentische Verbindungen, Orden oder Zirkel in Wien, so schwer lastete das Metternichsche System auf den Studenten. 1844 kommt es zur Gründung von zwei Burschenschaften[63], welche allerdings nicht lange Bestand hatten. Erst das Jahr 1848 brachte Veränderungen, die Studenten, beseelt vom Geist der Freiheit, schlossen sich zur akademischen Legion zusammen, die gegen Absolutismus und Reaktion kämpfte.

## Zusammenfassung

Ganz im Sinne der Aufrechterhaltung des gesellschaftlichen Status quo und des Prinzips des absolutistisch regierten Staates, Politik ohne Mitwirkung des Volkes zu machen, waren das Presse- und Publikationswesen, das Vereinswesen, die Wissenschaft harten Einschränkungen unterworfen. Alles was die Ruhe der bestehenden Machtverhältnisse beeinträchtigen konnte, was „Irrungen, Uneinigkeit und Spaltungen“[64] hervorzubringen schien, wurde als bedenklich angesehen. Der Entwicklung autonomer politischer Organisationen, der Herausbildung einer öffentlichen Meinung waren daher im vormärzlichen Wien enge Grenzen gesetzt. Alle das System gefährdenden Ideen sollten im Keim erstickt werden.

Trotzdem lassen sich in Wien seit den dreißiger Jahren des 19. Jahrhunderts Ansätze zu einer oppositionellen Meinungsbildung erkennen. Unter dem Eindruck der französischen Juli-Revolution, der Verfassungsentwicklung in Belgien und einigen süddeutschen Staaten, der Unzufriedenheit mit den inneren Verhältnissen im Kaisertum Österreich wurde der Rückzug ins Private, der nach 1815 für die innere Situation in Österreich charakteristisch ist, zwar nicht aufgehoben, eine gewisse Politisierung ist allerdings feststellbar[65].

Der Verein als soziale Organisationsform hat sich mit der Ausbildung der bürgerlichen Struktur im deutschsprachigen Raum entwickelt. Die Ausbildung des modernen Individualismus und die Ausbildung des modernen, bis zu jedem einzelnen Bürger durchgreifenden Staates im frühen 19. Jahrhundert werden von dem Aufschwung des freien Assoziationswesens begleitet. Dieses Vereinswesen und seine Entwicklung haben für die Struktur der Gesellschaft, des Gemeinwesens und des Lebens große Bedeutung gehabt.

**Anmerkungen:**

[1] W. Hardtwig, Vormärz. Der monarchische Staat und das Bürgertum. München 1985, S. 7.
[2] J. Burckhardt, Weltgeschichtliche Betrachtungen, herausgegeben von Rudolf Marx, 1966.
[3] W. Hardtwig, Vormärz. Der monarchische Staat und das Bürgertum, München 1985, S. 120.
[4] ebda.
[5] Mayrhofer-Pace, Handbuch für den politischen Verwaltungsdienst, 5. Aufl, Wien 1895 ff., S. 296 Anm. 1.
[6] AVA PH 1845/1611.
[7] Texner, Versammlungsrecht. In: Mischler – Ulbrich, Österreichisches Staatswörterbuch, 2. Aufl, Wien 1909, S. 748 ff.
[8] M. v. Stubenrauch, Statistische Darstellung des Vereinswesens im Kaiserthume Österreich, Wien 1857, S. 2.
[9] ebda.
[10] ebda.
[11] J. Kropatschek, Handbuch aller unter der Regierung des Kaisers Joseph II . . . ergangenen Verordnungen und Gesetze, Bd. 8, Wien 1787, Nr. 47.
[12] ebda.
[13] Kropatschek, Sammlung der Gesetze, welche unter der glorreichen Regierung des Kaisers Leopold II. . . . erschienen sind, Bd. 4, Wien 1791, Nr. 890.
[14] Kropatschek, Sammlung der Gesetze, welche unter der glorreichen Regierung des Kaisers Franz II. erlassen wurden, Bd. 15, Wien 1801, Nr. 4618.
[15] Stubenrauch, Statistische Darstellung des Vereinswesens, S. 2.
[16] L. A. Frankl, Erinnerungen, Prag 1910, S. 293.
[17] H. Obrovski, Die Entwicklung des Vereinswesens im Vormärz, Diss. Wien 1970, S. 23.
[18] Obrovski, a. a. O., S. 33.
[19] HfD vom 6. 8. 1840. In: JGS Nr. 462.
[20] HfD vom 5. 11. 1843. In: JGS Nr. 763.
[21] Obrovski, a. a. O., S. 15.
[22] Obrovski, a. a. O., S. 17.
[23] L. A. Frankl, Erinnerungen, S. 292.
[24] J. Slokar, Geschichte der österreichischen Industrie und ihrer Förderung unter Kaiser Franz I., Wien 1914, S. 210.
[25] Wien. 1848–1888. Denkschrift zum 2. December 1888, herausgegeben vom Gemeinderathe der Stadt Wien, 1. Bd., Wien 1888, S. 328 f.
[26] ebda., S. 329. Das Protektorat war eine besondere Einrichtung des vormärzlichen Vereinswesens. Die Protektoren sollten dem Verein Schutz und Unterstützung bieten, waren aber andererseits zugleich ein Kontrollorgan.
[27] Wien. 1848–1888. S. 329.
[28] ebda.
[29] Obrovski, a. a. O., S. 41.
[30] ebda.
[31] Obrovski, a. a. O., S. 48.

[32] W. Sauer, Katholisches Vereinswesen in Wien, Salzburg 1980, S. 22.
[33] M. Seliger – K. Ucakar, Wien. Politische Geschichte 1740–1934. Teil I: 1740–1895, Wien 1985, S. 118.
[34] Slokar, a. a. O., S. 106.
[35] Seliger-Ucakar, a. a. O., S. 121.
[36] S. Hajek, Geschichte der k. k. Gesellschaft der Aerzte in Wien von 1837 bis 1888, Wien 1889, S. 1.
[37] HHStA MKA 1837/347.
[38] HHStA StR 1837/3595.
[39] Obrovski, a. a. O., S. 122.
[40] F. Engel-Janosi, Der Wiener juridisch-politische Leseverein. Seine Geschichte bis zur Märzrevolution. In: Mitt. d. Vereins f. Geschichte d. Stadt Wien IV, Wien 1923, S. 58 ff.
[41] ebda. S. 62.
[42] ebda.
[43] Unter anderem die Leipziger Allgemeine Zeitung sowie die beiden großen liberalen Zeitungen Frankreichs, den Constitutionel und den Siècle.
[44] H. Reschauer, Der Wiener juridisch-politische Leseverein, S. 9.
[45] ebda. S. 3 ff.
[46] Engel-Janosi, a. a. O., S. 64.
[47] ebda. S. 66.
[48] Frankl, Erinnerungen, S. 280.
[49] Die Grenzboten. Eine deutsche Revue für Politik, Literatur und öffentliches Leben, redigiert von J. Kuranda, Jg. 4, Leipzig 1845, S. 335.
[50] A. Schmidt, Der Wiener Männer Gesang-Verein. Geschichtliche Darstellung seines Entstehens und Wirkens zur Feier seines fünfundzwanzigjährigen Jubiläums. Wien 1868, S. 1.
[51] Frankl, Erinnerungen, S. 303 f.
[52] Obrovski, Vereinswesen, S. 140.
[53] Vaterländische Blätter, Jg. 1814, S. 92.
[54] Statuten der Gesellschaft der Musikfreunde des österreichischen Kaiserstaates, Wien 1814.
[55] I. F. Castelli, Aus dem Leben eines Wiener Phäaken. Memoiren des I. F. Castelli, 1781–1862. Herausgegeben von Adolf Saager, Stuttgart 1918, S. 293.
[56] F. Endler, Wien im Biedermeier. Wien 1978, S. 95.
[57] ebda.
[58] ebda. S. 96.
[59] ebda.
[60] Frankl, Erinnerungen, S. 265.
[61] Kuess-Scheichelbauer, 200 Jahre Freimaurerei in Österreich, Wien 1959, S. 18.
[62] ebda. S. 100.
[63] Vgl. hiezu H. Grimm – L. Besser-Walzel, Die Corporationen, Frankfurt 1986.
[64] V. Bibl, Metternich, Wien 1928, S. 37.
[65] Reschauer-Smets, 1848, I. Band, Wien 1872; A. Bach, Geschichte der Wiener Revolution im Jahre 1848, Wien 1898; V. Bibl, Die niederösterreichischen Stände im Vormärz, Wien 1911.

# DAS WIENER KAFFEEHAUS IM BIEDERMEIER oder von der „Eröffnung des irdischen Paradieses"

*Reingard Witzmann*

Im Jahre 1819 wurde im Paradeisgartl, einem ehemals kaiserlichen Lustgärtchen in der Nähe der Hofburg, ein neu eingerichtetes Sommerkaffeehaus dem Wiener Publikum vorgestellt. Der Besitzer Pietro Corti hatte die luxuriöse Ausstattung mit allen nur erdenklichen Annehmlichkeiten ausführen lassen, so daß selbst Kritiker und Satiriker ganz in den Bann dieser neuen Kaffeehausatmosphäre gerieten. Der Lokalschriftsteller Joseph Richter witzelte gleich doppeldeutig von der „Eröffnung des irdischen Paradieses"[1] und bezog sich dabei sowohl auf den Ortsnamen Paradeis(Paradies)-garten als auch auf das Gebotene.

Damit begann in der Geschichte des Wiener Kaffeehauses eine Entwicklung, die in der zweiten Hälfte des 19. Jahrhunderts über die Grenzen Wiens und Österreichs hinaus als spezieller Typ bekannt und nachgeahmt wurde. Mit dem in den europäischen Großstädten populären Exportartikel „Wiener Kaffeehaus" verband sich stets ein gewisses Flair: wienerische Gemütlichkeit gepaart mit Intellektualität, ein paar ferne Walzertakte, gute Mehlspeisen, Kaffeespezialitäten sowie eine ganz spezielle Ausstattung bzw. Möblierung. In der Biedermeierzeit erhielt das Wiener Kaffeehaus eine sehr charakteristische Ausformung.

Um 1900 setzte dann wiederum rückblickend eine intensive Auseinandersetzung mit dem Biedermeierkaffeehaus ein, und niemand Geringerer als Adolf Loos, der Bahnbrecher der Moderne, wollte bei seiner ersten großen Arbeit, der Ausgestaltung des Café Museum, „nichts Originelles, sondern ein Café aus dem Jahre 1830" schaffen[2]. Aus der Rezeption entwickelte allerdings Loos mit seiner 1898/1899 geschaffenen Kaffeehauseinrichtung einen neuen, in die Zukunft weisenden Stil. Mit den biedermeierlichen Kaffeehäusern war lediglich die Ausstrahlung und „Geistigkeit" des geschaffenen Rahmens gemeinsam: Bestechende Eleganz, Klarheit und Einfachheit dominierten, dahinter verbarg sich jedoch besonderes Raffinement, um optimale Funktionalität zu erreichen. Trotz ständigen Veränderungsprozessen sind bis heute biedermeierliche Elemente in den Wiener Kaffeehäusern spürbar.

**Das Kaffeehaus als Ort der städtischen Geselligkeit und Kultur**

Bis zum Beginn des 19. Jahrhunderts hatte das Wiener Kaffeehaus eine nicht besonders auffallende Rolle inne gehabt.

Kat. Nr. 7/3/9 Jakob Schufried, Erstes Cortisches Kaffeehaus, 1825

Kat. Nr. 7/3/15 Kaffeehaus Hugelmann an der Schlagbrücke, 1820

Erst ab 1685 nachweisbar[3] – und damit im Vergleich zu anderen Städten etwas verspätet –, erfährt es seinen ersten großen Aufschwung Ende des 18. Jahrhunderts unter Kaiser Joseph II. Nach den Schilderungen der Zeitgenossen, vor allem nach den Berichten vieler Reiseschriftsteller, waren die Kaffeehäuser jener Zeit noch äußerst schlicht und standen den Kaffeehäusern anderer Städte wie Berlin oder Venedig nach. Friedrich Kölln lästerte 1808: „Die Wiener Kaffeehäuser sind den Berlinern nicht gleich zu setzen, sie sind ohne Eleganz, finster und ohne Leben . . . Ein solch elegantes Institut wie das Jostische in Berlin sucht man in Wien vergebens und ich bin überzeugt, wer es dort einrichten wollte, würde viel Geld verdienen: denn die Wiener lieben den Genuß, sie scheinen aber hierin keinen guten Geschmack zu haben“[4].

Doch war es nicht nur eine Frage des Geschmacks, sondern auch der finanziellen Möglichkeiten. Wien war durch kriegerische Auseinandersetzungen verarmt. Erst um 1820, als nach schweren Krisen, kommerziellen Depressionen und Staatsbankrott, sich die wirtschaftliche Lage besserte, begann in Wien der Ausbau der Kaffeehäuser, die nun an Bequemlichkeit, Luxus und Angebot alles übertrafen.

Die vielen Neugründungen Ende des 18. Jahrhunderts zeigen allerdings die wachsende Bedeutung des Kaffeehauses als neues Zentrum der städtischen Geselligkeit. Bereits 1786 stellte Johann Pezzl fest, „die Kaffeehäuser sind, wie man weiß, gegenwärtig eines der unentbehrlichen Bedürfnisse jeder großen Stadt“[5] – und mit der Betonung auf das Städtische charakterisierte er einen dominierenden Wesenszug dieser Einrichtung. Denn bestimmte Formen des menschlichen Umgangs und geselligen Zusammenlebens haben sich seit dem Barock im städtischen Bereich entscheidend verändert.

Der ständige Bevölkerungszuwachs in Wien, neue Arbeitsverhältnisse und die Säkularisierung bisher christlichen Brauchtums brachten einen grundlegenden Wandel, der in diesem Zusammenhang nur schlagwortartig angeführt werden kann. Lustbarkeit und Festlichkeit waren im Barock in hohem Maß sozial gebunden und von dem kirchlichen Jahresfestkreis bestimmt. Das kirchliche Feiertagsgebot gab hauptsächlich den Rhythmus von Anspannung und Entspannung vor, dem sich teilweise die Bruderschaften und Zünfte mit ihren Zeremonien fügten. Auch wenn sich religiöse Feier und weltliches Fest, Frömmigkeit und pralle Lebenslust dabei vermischten, so war doch im Grunde die „Freizeit“ des Menschen eine „Feierzeit“, eingebettet in den kirchlichen Rahmen.

Bereits Kaiserin Maria Theresia verminderte die große Zahl der kirchlichen Festtage. Die Aufklärung führte zu einer weiteren Einschränkung gemeinsam begangener religiöser Feierlichkeiten: In Wien wurden allein 118 Bruderschaften sowie zahlreiche Lehrlings- und Gesellenvereinigungen aufgehoben. Auch gewisse aus der bäuerlichen Tradition stammende Feste wie das Abbrennen von Johannisfeuern oder das Aufstellen von Maibäumen usw. wurden bereits in der 1. Hälfte des 18. Jahrhunderts durch die Behörde verboten und somit aus der zunehmend urbaner werdenden Lebenswelt verdrängt.

Die beginnende Industrialisierung bewirkte entscheidende Veränderungen im Bereich der gesellschaftlichen Strukturen: Die traditionellen Gemeinschafts- und Familienbeziehungen lockerten sich, anstelle der großen Haushaltsfamilie trat die Kleinfamilie, aus den gemeinsamen Tisch- und Trinkgemeinschaften der Handwerker entwickelten sich nun formlose Wirtshausgesellschaften. Der Arbeitsplatz wurde immer mehr vom Wohnraum getrennt. Der moderne „Freizeitbegriff“ nahm in jener Zeit seinen Anfang. Der bisher in bestimmten Bindungen ablaufende Freizeitbereich der Städter wurde individueller. Freimaurerlogen und Salons wurden zu neuen gesellschaftlichen Zentren, das Café begann seine große Rolle im gesellschaftlichen Leben einzunehmen, allerdings lange Zeit nur für Männer. Lediglich in den „Kaffeehausgärten“ waren vereinzelt auch Frauen anwesend.

Das Café konnte den neuen Bedürfnissen besser nachkommen als das Wirtshaus oder die Branntweinschenke. Der Gast wurde durch ein belebendes Getränk oder durch Informationen aus Zeitungen inspiriert, das Spiel – wie z. B. das Billard – diente der Regeneration. Ende des 18. Jahrhunderts, also zur Zeit der Aufklärung, waren die Kaffeehäuser zu einem neutralen Boden geworden, wo man ohne Rücksicht auf „ständische“ Abgeschlossenheit über Politik, Literatur, Kunst, Verkehr und Gewerbe diskutieren konnte – als Umschlagplatz von Gedanken lassen sie sich als vornehme Nachfahren der Marktplätze ansehen. So bildeten sich in jener Zeit auch in Wien eigene Künstler- und Gelehrtenkaffeehäuser heraus: z. B. das Kramersche Kaffeehaus in der Spiegelgasse, bekannt durch sein vielfältiges Sortiment an Zeitungen, oder das Café Jüngling, in dem die Freimaurer wie Alxinger, Bern, Blumauer, Retzer, Ratschky, Pezzl u. a. verkehrten.

Im Biedermeier eroberten sich alle Publikumsschichten das Kaffeehaus. Ein gewisser Anstoß kam zusätzlich von den veränderten Ernährungsgewohnheiten: Kaffee wurde als warmes Getränk für die

Kat. Nr. 7/3/20 Anton Elfinger, Im Silbernen Kaffeehaus, 1843

Frühstücks- und Jausenmahlzeit modern.

Dieses rege Kaffeehauswesen und die starke Konkurrenzierung der Kaffeesieder untereinander führten zur Ausbildung der unterschiedlichen „Kaffeehaustypen", die verschiedenen Ansprüchen gerecht wurden und vom eleganten „Kaffeegarten" bis zur Kaffee-(eigentlich Kaffee-Ersatz-)Ausschank reichten.

Auch bildeten sich an berühmten Orten in der Stadt und in der Vorstadt regelrechte Kaffeehauszentren. So hatte der Kohlmarkt stets drei Kaffeehäuser – jeweils eines an den beiden Enden und eines in der Mitte –, am Graben, im Volksgarten und in der Vorstadt bei der Schlagbrücke lagen ständig mehrere Kaffeehäuser nebeneinander. Der Prater und Plätze wie der Neue Markt waren weitere bevorzugte Standorte.

**Vom Stadtkaffeehaus zum Luxuscafé**

Aus den vielfältigen Ausformungen des Wiener Kaffeehauses im Biedermeier läßt sich also eine gewisse Typik herausarbeiten, auch wenn in diesem Rahmen nur auf die berühmtesten Lokale eingegangen werden kann[6].

So befand sich innerhalb der Stadtmauern eine Fülle von Kaffeehäusern, deren Gründungsjahre meist in das 18. Jahrhundert wiesen und die sich im Biedermeier zu Treffpunkten von Künstlern und Gelehrten entwickelten. Politische Kaffeehausdebatten gehörten allerdings der Vergangenheit an, die Zensurpatente von 1795 und 1810 sowie das zunehmende Spitzelwesen lähmten solche Aktivitäten. So verlagerte sich der Schwerpunkt von der „Debatte" im Kaffeehaus immer mehr zur „Unterhaltung" im Kaffeehaus, in der doppelten Bedeutung des Wortes.

Diesen Umstand nutzten die Kaffeesieder, um durch eine besondere Ausstattung und exklusive Veranstaltungen das Publikum anzulocken. Das Kaffeehaus als erweiterter Wohnraum der Wiener mußte verschiedene Bedingungen erfüllen, um auch ein Maß an Gelassenheit und Entspannung gewährleisten zu können. So gehörten zum Repertoire der Inneneinrichtung Spiegel, Uhren, runde Tischchen und Sessel, aparte Draperien und Wandbemalungen bzw. Tapeten; auch das Heizungsproblem wurde oft elegant gelöst. Gesonderte Spielräume mit Billardtischen gehörten ebenso zum Service wie die Verleihung von Tabakpfeifen, Spielkarten und die möglichst breite Palette von aufgelegten Zeitungen, soweit sie mit der Zensur in Einklang standen.

Alles sollte der kultivierten Muße dienen; das Café im Biedermeier bot sich nicht als „Arbeitsraum" für Künstler an, wie es sich Ende des 19. Jahrhunderts herausbildete, sondern man traf sich, um zu spielen, sich zu unterhalten und auszureden. In der wachsenden Anonymität der Stadt wurde das Kaffeehaus zu einem sicheren Anlaufpunkt für Bekannte. Auch waren die Wohnungsverhältnisse im Durchschnitt ziemlich beengt, um – aus heutiger Sicht – nicht zu sagen trostlos. Hier bot das Kaffeehaus einen guten Ort, um die Synchronisation von Gleichgesinnten und Gleichgestimmten zu ermöglichen.

Obwohl diese Gesellschaften sehr flexibel waren, wurden in diesem Zusammenhang doch einige Kaffeehäuser immer wieder erwähnt. Zu den legendärsten Lokalen zählte des sogenannte „Silberne Kaffeehaus", das sich in der Plankengasse, Ecke Spiegelgasse, befand und auch nach seinem Besitzer Ignaz Neuner benannt wurde[7]. Dieser hatte es 1824 prunkvoll herrichten lassen, und angeblich sollen das Geschirr, die Türschnallen und die Kleiderhaken im 1. Stock aus Silber gewesen sein. Ignaz Franz Castelli, Johann Ludwig Deinhardstein waren hier ebenso Gäste wie Ferdinand Raimund und Ignaz Schuster. Nikolaus Lenau gehörte zu den Stammgästen, Eduard von Bauernfeld spielte hier leidenschaftlich Billard und Franz Grillparzer kehrte immer wieder ein. Doch auch der Freundeskreis um Franz Schubert traf sich manchmal im „Silbernen Kaffeehaus"[8].

Geschäftskarte eines Kaffeesieders für Neujahr, um 1840

Um 1840 verlor das „Silberne Kaffeehaus" an Bedeutung, und als neuer Literaten- und Künstlertreff wurde von der gleichen Gesellschaft das Café Corra, dem Kärntnertortheater gegenüber, gewählt. Dort saßen die Dichter, sie wurden von der Polizei beaufsichtigt, und sie trieben ihre Scherze mit den Ordnungshütern[9]. Ebenfalls vom Niedergang des „Silbernen Kaffeehauses" profitierte Heinrich Griensteidl, der 1844 eine Kaffeeschenke gründete, 1847 in das Herbersteinsche Palais in der Herrengasse zog und ebenfalls viele Literaten – u. a. Franz Grillparzer – zu den Gästen zählte. Während der Revolutionstage 1848 hieß das Lokal vorübergehend „Nationalcafé". Ende des 19. Jahrhunderts wurde dann das Café Griensteidl mit dem Literatenzirkel „Jung-Wien" (mit Hermann Bahr und Arthur Schnitzler) legendär.

Ein besonderer „Umschlagplatz" für Künstler war im Biedermeier das Café Bogner, in dem man Bücher, Nachrichten, aber auch Manuskripte hinterlegen konnte. Dabei handelte es sich um ein typisches Wiener Eckkaffeehaus in der Singerstraße[10], in der Nähe des Stephansdomes gelegen, das ab Herbst 1826 „das Stammlokal" der Schubertianer wurde. Es besaß nur zwei Gasträume und eine Küche, in einem Raum war ein Billardtisch aufgestellt. An der Außentür prangten als Reklameschild ein Türke und eine Türkin, wie aus einer Darstellung von Moritz von Schwind hervorgeht[11].

Doch auch das Café „Zum goldenen Rebhuhn" in der Goldschmiedgasse – ausnahmsweise nach dem Hausnamen und nicht nach dem Besitzer benannt[12] – nahm Künstler wie auch Politiker auf. Der Kreis um Clemens Maria Hofbauer kam regelmäßig in diesem Café zusammen[13]. Die Schubertianer frequentierten es ebenfalls sowie das gleichnamige Gasthaus nebenan.

Jedes Kaffeehaus hatte in der Stadt sein „Publikum". Im luxuriös ausgestatteten Café Daum am Kohlmarkt traf sich beispielsweise vor allem das Militär[14].

In allen diesen Lokalen waren nur Männer anwesend, ausgenommen waren Frauen wie die „Sitzkassierin" oder eventuell die Besitzerin. In den vierziger Jahren eröffnete das Café Benko (ab 1846 hieß es Café français) am Stephansplatz im 1. Stock einen Damensalon, in dem „Frauen zugelassen" waren. In diesen Räumen durfte nicht geraucht werden. Obwohl das Café ab 1846 den Beinamen „Damenkaffeehaus" erhalten hatte, berichtete die Wiener Theaterzeitung ein Jahr später, sie habe „vergeblich mit der Laterne des Diogenes ein weibliches Wesen gesucht"[15]. Für die Frauen standen lediglich die Sommerkaffeehäuser in Zelten zur Verfügung. Am Graben befand sich ein solcher Kiosk, der als Kaffeeausschank im Volksmund „Gifthütte" benannt wurde.

Tüchtige Kaffeesieder der Innenstadt betrieben solche Sommerzelte vor allem auf den Basteien. So gehörte z. B. der Kaffeepavillon auf der Bastei des Rotenturmtores dem Kaffeesieder Ambrosio Augustini, der auch in der Rotenturmstraße ein Café betrieb. Die gediegene und kostbare Ausstattung des Stadtcafés trug Augustinis Lokal zum ersten Mal den Titel eines „Silbernen Kaffeehauses" ein[16]. Das Sommercafé auf der Bastei hatte er um 1814 errichtet, also zur Zeit des Wiener Kongresses, und dort bot er Kaffee, „Harmoniemusik" und „Gefrorenes" (Speiseeis) seinen Gästen an. Der Verkauf von Speiseeis war ein Privileg der Kaffeesieder, die es auch „über die Gasse" anboten und sich damit eine bedeutende Einnahmequelle erschlossen.

Die exponierte Lage von Augustinis Kaffeehütte ermöglichte einen schönen Rundblick, vor allem auch auf das Treiben auf der Schlagbrücke. Diese Hütte mußte allerdings 1819 entfernt werden. Als das Häuschen mittels Walzen auf die Biberbastei übertragen wurde, war unter den Schaulustigen sogar Kaiser Franz I. (II.) anwesend. Die Kaffeehütte bestand bis 1825. Augustini ist bereits vor diesem Zeitpunkt gestorben, und schon vor seinem Ableben schwebte über seinem Unternehmen der Konkurs[17]. Eine solche Entwicklung bedeutete im Wiener Kaffeehausgewerbe keinen Einzelfall, denn mit der luxuriösen Ausstattung der Lokale und dem besonderen Service wurde öfters die Finanzkraft eines Kaffeesieders bei weitem überstiegen.

Kat. Nr. 7/3/10 Erfrischungszelt auf der Rotenturmbastei, 1816

Kat. Nr. 7/3/17 Alexander v. Bensa, Kaffeehaus Jüngling, 1836

**Die Konzertkaffeehäuser**

Die sommerlichen Nebenstellen der Kaffeehäuser, die schon seit dem Ende des 18. Jahrhunderts ihrem Publikum „Harmoniemusik" anboten, gaben einen wichtigen Impuls für eine spezifische Kaffeehauskultur: die Bildung der Kaffeehausgärten. Diese mußten einen schönen Ausblick haben oder sich in der herrlichen Natur, wie beispielsweise die Praterkaffeehäuser, befinden und außerdem regelmäßig Konzerte veranstalten.

Diese Lokale nahmen eine wichtige Rolle im musikalischen Leben Wiens ein; viele Uraufführungen von Walzern, aber auch Teile von zeitgenössischen Opern – zu Unterhaltungsmusik umgeformt – hörten die Gäste in der gelösten Atmosphäre. Die Kaffeehäuser, die immer wieder umgebaut und äußerst aufwendig ausgestattet wurden, boten den Männern und Frauen Sitzplätze im Freien. In diesem Zusammenhang sind vor allem die Kaffeehäuser an der Schlagbrücke (heute Schwedenbrücke über den Donaukanal) mit ihren im Sommer geöffneten Zweigstellen im Prater und die beiden Kaffeehäuser des Pietro Corti im neugegründeten Volksgarten zu erwähnen.

Die Schlagbrücke stellte bis 1782 die einzige Verbindung zwischen der Innenstadt und der Leopoldstadt her. Die Kaffeehäuser bei dieser Brücke besaßen von jeher eine Sonderstellung. Aus ursprünglich vier bescheidenen Holzhütten entwickelten sich im 18. Jahrhundert sechs Kaffeehäuser, die durch ihre günstige Lage, ihr Publikum und ihre Ausstattung Berühmtheit erlangten. Im Biedermeier waren besonders die Kaffeehäuser Jüngling, Hugelmann, Wagner und Stierböck – jeweils nach ihren Besitzern benannt – ein Begriff. Hier fand sich ein internationales Publikum, wie Türken, Griechen, Ungarn, Juden usw., ein. Die guten Billardtische, die Zeitungen und die schöne Aussicht auf den Strom, einen Nebenarm der Donau, wurden immer wieder hervorgehoben. Der große Zulauf ermöglichte den innovationsfreudigen Kaffeesiedern ständige Umbauten und das Angebot neuer Anreize für das Publikum.

Von den Kaffeehäusern an der Schlagbrücke (ab 1819 nach einem Neubau nach dem Thronfolger „Ferdinandsbrücke“ genannt) ging die Mode der sogenannten „Gläserkasten“ aus. Vorerst wurden die Balkone mit Glas verschalt, in einer weiteren Ausbaustufe umgaben die Besitzer ihre ganze Fassade – meist Erdgeschoß und erster Stock – mit Glas. So war auch bei schlechter Witterung aus dem geschützten Innenraum eine weitreichende Aussicht möglich.

Diese Vorbilder wurden nachgeahmt, so daß auch andere Kaffeehäuser in Wien, wie z. B. das Café „Zum Goldenen Kreuz“ in der Mariahilfer Straße (heute Wien 6), vom Erdgeschoß bis zum ersten Stockwerk eine Fassade aus Glas aufwiesen. Denn der Wunsch nach einem Ausblick war ein mitbestimmender Faktor und führte dazu, daß später die Wiener Kaffeehäuser gerne in Eckhäusern eingerichtet wurden. Diese Ecklage bestand aus zwei zueinander rechtwinkelig liegenden Räumen, die durch einen Gelenkraum – dort stand dann die Sitzkasse – miteinander verbunden waren. Dadurch befanden sich zwei lange Fensterreihen in zwei verschiedenen Gassen. Dieser Grundriß blieb bis in unser Jahrhundert gültig.

Auch die Gestaltung der Räume wurde ständig der neuesten Mode angepaßt. Der Kaffeesieder Ignaz Wagner – seine Tochter Toni war die unsterbliche Liebe Ferdinand Raimunds – konnte den Architekten Josef Kornhäusl für einen Umbau engagieren. Ende 1819 wurde das Café wiedereröffnet, und die Wiener Theaterzeitung war voll des Lobes: „Bei dem ersten Anblick des Eintrittes meint man in einen Feentempel zu treten, weil die Säulen, deren Hintergrund durchaus mit Spiegeln gedeckt ist, sich vielfach wiedergeben und so eine weite Gallerie von solchen Säulen zeigen. Die Farbenwahl, rot der Hintergrund mit grünen Kolonnen, deren Kapitäler reich vergoldet sind, die Kredenz, der Ofen, der von unten herauf seine Wärme mitteilt, die Türen, Fenster und weitere Einrichtung, alles im neuesten Geschmack; die Billards, Uhren u. s. w. gewähren eine überaus anziehende Augenweide“[18]. Besonders gerühmt wurde, daß das Wagnerische Kaffeehaus nicht im Großen und Kolossalen glänzte, sondern seine Annehmlichkeiten vielmehr im Kleinen, Zierlichen, Luxuriösen lagen: „. . . beym Wagner ist alles klein, subtil und freundlich“[19].

Neben der exklusiven Ausstattung mit ihren Extras boten die Kaffeesieder noch eine zusätzliche Inspirationsquelle an: Zu bestimmten Zeiten fanden die schon erwähnten musikalischen Veranstaltungen statt. Die Idee war nicht neu, schon 1788 hatte der Kaffeesieder Martin Wiegand im Café Bellevue in der Nähe des Kärntnertores mit seinen Kaffeehauskonzerten begonnen. Die besondere Qualität der musikalischen Darbietungen war nun aber etwas vollkommen Neues und entsprach den gehobenen Ansprüchen des Kaffeehauspublikums der Biedermeierzeit.

1819 trat der junge Joseph Lanner als Geiger zum ersten Mal mit seinen Ländlern im Café Jüngling auf. Begleitet wurde er von den Brüdern Carl und Johann Alois Drahanek, die zur Zeit des Wiener Kongresses aus dem Waldviertel in die Residenzstadt gekommen waren und bisher als „Bratlgeiger“ (Wirtshausmusikanten) aufgetreten waren[20]. Zu diesem Terzett, bestehend aus zwei Geigen und einer Gitarre, gesellte sich wenig später Johann Strauß (Vater) als Bratschist (Violoncello). Diese Sphärenklänge in Dreivierteltakt öffneten die Tore zum „irdischen Paradies“ im Kaffeehaus.

Ein beachtliches Eigenleben – gerade in bezug auf die musikalische Präsenz – entfalteten die drei Kaffeehäuser im Prater. Vorerst nur als sommerliche Kaffeezelte gedacht, verliehen ihnen die Lage und ihre musikalischen Aktivitäten eine besondere Bedeutung. So stellte z. B. Ludwig van Beethoven 1814 im „Ersten Kaffeehaus“ persönlich sein „B-Dur-Trio“ vor; es war sein letztes öffentliches Auftreten als Klaviervirtuose. Einen anderen musikalischen Höhepunkt setzte Joseph Lanner, als er sein Quartett zu einem Streichorchester erweiterte. Er debütierte damit am 1. Mai 1824 im selben Lokal im Prater. Zum ersten Mal spielte ein aus Streichinstrumenten gebildetes Orchester im Freien – der Erfolg war durchschlagend. Solche Konzerte gab es dann auch im „Zweiten Kaffeehaus“ und im Café Corti im Volksgarten, alternierend unter der Leitung von Johann Strauß (Vater).

Mit der Geschichte des Biedermeierkaffeehauses ist auch der Italiener Pietro Corti untrennbar verbunden. Er betrieb neben einem prächtigen Stadtkaffeehaus am Josefsplatz in der Folge noch zwei weitere Sommerkaffeehäuser im neugeschaffenen Volksgarten. Corti verfügte über gute Beziehungen zum kaiserlichen Hof. Als Dank für geleistete politische Informationen erhielt er 1819 ein schon bestehendes Hofgebäude im Paradeisgartl mit der Erlaubnis, es zu einem Kaffeehaus zu adaptieren. Corti verstand es, die Gelegenheit zu nutzen, auf die „paradiesischen“ Annehmlichkeiten wurde bereits verwiesen. Eine eigene Reklameschrift beschrieb das Innere: „In demselben ist zu ebener Erde ein schöner Saal, der abends durch eine angemessene Zahl argandischer Lampen erleuchtet ist. Rechts im Innern dieses zierlichen Hauses ist die Kredenz, wo Kaffee, Chocolade und Erfrischungen verschiedener Gattung serviert werden, eben daselbst werden auch die Mineralwässer gereicht. Im oberen Stockwerk ist ein Billard- und

Kat. Nr. 7/3/13 Norbert Bittner, Zweites Kaffeehaus im Prater

Kat. Nr. 3/10/6 Anton Zampis, Johann Strauß (Vater) spielt im Café Corti

zwey Nebenzimmer. Von hier aus übersieht man den k. k. Volksgarten und eine große Partie der benachbarten Vorstädte"[21]. Obwohl das Kaffeehaus einen Balkon besaß, der dann nach der Mode mit Glas verschalt wurde, ließ der phantasievolle Pietro Corti im ersten Stock „einen großen schwarzen Hohlspiegel" aufstellen, der die „lieblichen Ansichten" auf die Vorstädte, auf Leopolds- und Kahlenberg „mit solcher Treue verkleinert und zusammengezogen" wiedergab[22].

Ein eigener Musikpavillon für Konzerte war ebenfalls vorhanden. Wegen des ständigen starken Windes mußten große Windschutzwände aufgestellt werden. Vermutlich zufolge dieser Schwierigkeiten erhielt Corti die Befugnis, ein weiteres Kaffeehaus im Volksgarten errichten zu dürfen. Peter Nobile, der Erbauer des Burgtores, erhielt den Auftrag, und 1823 war der halbkreisförmige Kolonnadenbau mit den beiden Antentempeln abgeschlossen: „Dieses artige Gebäude, welches nach dem Plane des k. k. Hofbaurathes und Directors der Architectur-Schule in Wien, Herrn Peter Nobile, errichtet wurde, bildet eine zierliche gedeckte Halb-Rotunde von 26 Säulen jonischer Ordnung getragen. Das Innere ist geschmackvoll ausgestattet und sehr geräumig. Die Zwischenräume der Säulen sind mit großen Glasfenstern geschlossen. Die Möbilirung ist äußerst elegant, und die hier aufgestellten, fast lebensgroßen Bildnisse I.I.M.M. des jetzt regierenden Kaisers und der Kaiserin sind gut gelungene Kunstwerke. Vor dem Gebäude steht ein Kiosk, in welchem an schönen Abenden eine gut besetzte Harmonie ertönt"[23]. Joseph Lanner, Philipp Fahrbach (Vater) und Johann Strauß (Vater) widmeten diesen Volksgartensoireen eigene Kompositionen. Hier erschien „die elegante Welt, um zu sehen und gesehen zu werden, und sich an der Kühle des Abends, an dem Getränk Kaffee, oder an anderen Erfrischungen aller Art . . . zu laben"[24].

Es waren vor allem Kreise aus dem Adel und dem sogenannten „gehobenen", d. h. wohlhabenden Bürgerstand, die sich hier ein Stelldichein gaben. Der Wiener Karikaturist Anton Zampis hat als Gäste auf einer Zeichnung auch Schriftsteller wie Adolph B. Bäuerle, den Herausgeber der Wiener Theaterzeitung, oder Moriz G. Saphir festgehalten.

**Die Kaffeehäuser in der Vorstadt**

Nicht so exklusiv und extravagant, aber trotzdem mit Komfort waren die vielen Kaffeehäuser in den Vorstädten ausgestattet. Am Rande des Glacis, der unverbauten Fläche vor den Stadtmauern, siedelten sich viele Kaffeesieder an und boten ihren Gästen eine schöne Aussicht auf die Stadt. Besonders das bis in das 20. Jahrhundert berühmte Café Casapiccola – nach seinem Begründer, dem Italiener Dominik Casapiccola, benannt – wurde von den Zeitgenossen hervorgehoben, denn „es hat die schönste Lage, das imposanteste Local und die elegantesten Billards . . . man überblickt von da die halbe Stadt, das freundliche Glacis und das Kahlengebirge“[25].

Auch in den Vorstädten kam es zu Neugründungen, die sich von den Kaffeehäusern der Innenstadt nur wenig unterschieden. „Die Kaffeehäuser in den Vorstädten stehen an Eleganz denen in der Stadt nicht nach und sind meist heller und heiterer“, lautete 1840 eine Beschreibung[26]. Die Lokale konnten großzügiger gebaut werden als in der durch die Befestigungsmauern beengten Stadt. 1839 gab es insgesamt 88 Kaffeehäuser, davon lediglich 33 in der Innenstadt[27].

In krassem Gegensatz dazu standen die vielen kleinen dumpfen Lokale, in denen statt Bohnenkaffee zu niedrigen Preisen Ersatzkaffee ausgeschenkt wurde. Obstfrauen, Wanderhändler und arme Bevölkerungsschichten tranken in diesen familiären intimen „Tschecherln“[28] ihren Kaffee, der längst ein Modegetränk geworden war.

Eine Sonderentwicklung nahmen die Ausflugscafés in den Vororten außerhalb des Linienwalls (heute außerhalb des Gürtels) ein: Diese neu gegründeten Lokale wuchsen zu großen Unterhaltungsstätten heran, denen Tanzsäle und Jausenstationen angeschlossen waren. Die Cafés Dommayer, Tivoli, Hohe Warte oder Landgut sind einige Beispiele dafür.

*

Das biedermeierliche „Kaffeehausparadies“ besaß also einen starken diesseitigen Zug, voll Unterhaltung, Komfort und Attraktionen. Diese „paradiesischen“ Zustände eröffneten breiteren Bevölkerungsschichten einen gesteigerten Vergnügungskonsum von bisher nicht dagewesenem Ausmaß; unsere moderne Konsumgesellschaft nahm im Biedermeier ihren Anfang.

Die Kaffeehausschilderungen jener Zeit hinterlassen auch den Eindruck einer Idylle; diese Bilder widerspiegeln allerdings nur oberflächlich ein Phänomen, das tiefere Ursachen hatte. Denn im Grunde bot das Kaffeehaus in der wachsenden Großstadt der Bevölkerung einen wichtigen „Freiraum“, eine zwischenmenschliche Sphäre, die im alltäglichen Getriebe auf der Straße nicht mehr möglich war. Die Ungezwungenheit barocken Straßen- und Marktlebens hatte aufgehört. Ähnlich dem Handel, der in zunehmendem Maße von der Straße in die Geschäftsgewölbe verschwand, so wurde auch das gesellige Leben der Stadtbewohner in fest umrissene Zirkel, wie z. B. Gartenanlagen oder Kaffeehäuser, abgedrängt.

Der biedermeierliche Mensch begann den Rückzug in abgegrenzte Räume. Markt und Straße waren nicht mehr der primäre Ort des Lebens, sondern das Haus. Das Kaffee h a u s ist im weitesten Sinn dieser biedermeierlichen „Häuslichkeit“ zuzurechnen, einer Häuslichkeit aber, die in ihrer Konsequenz in den folgenden Jahrzehnten zu einer Isolation des einzelnen in der Großstadt führte. Die Bestimmung des Wiener Kaffeehauses als Anlaufstelle hat somit von seiner Aktualität nichts verloren.

**Anmerkungen:**

1 Joseph Richter, Briefe eines Eipeldauers an seinen Vettern in Kakran, Wien 1819, Heft 5, S. 54.
2 Heinrich Kulka, Adolf Loos, Wien 1931, S. 27.
3 Siehe bei Karl Teply, Die Einführung des Kaffees in Wien (Forschungen und Beiträge zur Wiener Stadtgeschichte, Bd. 6), Wien 1980.
4 Friedrich Kölln, Wien und Berlin in Parallele, Amsterdam und Cölln 1808, S. 133.
5 Johann Pezzl, Skizze von Wien; hrsg. von Gustav Gugitz und Anton Schosser, Graz 1923, S. 265.
6 Siehe bei Gustav Gugitz, Das Wiener Kaffeehaus, Wien 1940. – Weiter: Das Wiener Kaffeehaus. Von den Anfängen bis zur Zwischenkriegszeit. Ausstellungskatalog des Historischen Museums der Stadt Wien, Wien 1980.
7 Ebda. Ausstellungskatalog S. 79.
8 Otto Erich Deutsch, Schubert. Die Dokumente seines Lebens, Kassel, Basel, Paris, London, New York 1964, S. 277.
9 Wie Anmerkung 6, Gugitz, S. 191.
10 Wien 1, Singerstraße 9, Ecke Blutgasse. Wurde auch scherzweise „Zur lustigen Blunzen“ genannt.
11 Moritz von Schwind, Lachner-Rolle. Historisches Museum der Stadt Wien.
12 Es gehörte in der fraglichen Zeit Anton Schneider.
13 Eduard Winter, Romantismus, Restauration und Frühliberalismus, Wien 1968.
14 Karl Höflmayer, Wien und die Wiener, Wien o. J., S. 22.
15 Wiener Allgemeine Theaterzeitung; hrsg. von Adolf Bäuerle, Wien 1847, S. 419.
16 Wie Anmerkung 6, Ausstellungskatalog, S. 64.
17 Ebda., S. 64.
18 Wie Anmerkung 15, Wien 1819, S. 568.
19 Wie Anmerkung 1, Wien 1920, 4. Heft, S. 170 f.
20 Für folgende Daten ist Herrn Dr. Hans Carl Singer, Wien, herzlichst zu danken: Carl Drahanek, geb. 1798 in Dobersberg, Niederösterreich, wanderte nach Amerika aus. Johann Evangelist Alois Drahanek, geb. 26. 11. 1800 in Dobersberg, gest. 10. 3. 1876 in Wien.
21 Flugblatt „Der Volksgarten“. Wien, um 1825.
22 Ebda.
23 Joseph Pezzl, Beschreibung von Wien, Wien 1826, S. 123 f.
24 Wie Anmerkung 21.
25 Jean Charles, Wien und die Wiener, Stuttgart 1840, S. 40.
26 Ebda., S. 41.
27 Wie Anmerkung 15, Wien 1839, S. 120.
28 Eigentlich Schächerl, von „Schächer“, das ist der Wirt.

# „VOM EMPIRE ZUM 2. ROKOKO“ BÜRGERLICHE DAMEN- UND HERRENMODE

*Regina Forstner*

Politischer, kultureller und gesellschaftlicher Mittelpunkt, Treffpunkt der regierenden Monarchen und Staatsmänner, der schönsten Frauen, der Adabeis und Möchtegerns, das war Wien zur Zeit des Wiener Kongresses geworden. Mit Clemens Lothar Wenzel Fürst von Metternich, dem „Kutscher Europas“, als Staatskanzler sollte die Habsburger Monarchie in den nächsten Jahrzehnten eine dominierende Rolle unter den europäischen Staaten einnehmen.

Kapitalkräftige und innovationsfreudige Unternehmer setzten nach den Kriegsjahren neue wirtschaftliche Impulse, die sich natürlich auch auf dem Sektor der modeverarbeitenden Branchen sowie der Mode selbst bemerkbar machten.

Der Seidenindustrie, die 1817 eine arge Depression erlebte[1], gelang es durch entscheidende Verbesserungen in der Produktionstechnik (Verwendung von selbstwebenden Stühlen, Stühlen für Herstellung schmälerer Stoffbahnen und Jacquardwebstühlen[2], ohne welche die Streublumenmuster der Damenkleider und Herrenwesten der Biedermeierzeit nicht denkbar gewesen wären) und die Einbeziehung der oberitalienischen Provinzen in das Zollgebiet der Monarchie, um die Rohstoffversorgung (d. h. noch nicht gefärbte und verwebte Seide[3]) zu gewährleisten[4], einen Konjunkturaufschwung in den zwanziger Jahren des 19. Jahrhunderts zu erzielen. Dieser Aufschwung kapitalkräftiger Großunternehmer brachte aber die Schließung vieler Kleinbetriebe mit sich, da diese konkurrenzunfähig geworden waren[5]. 1840 war die Umwandlung in der Seidenindustrie vom Klein- zum Großbetrieb vollzogen. Die Kleinbetriebe, die sich halten konnten, stellten für die Industrie keine Konkurrenz mehr dar[6].

Zu den bekanntesten Seidenfabrikanten zählten: Hornbostel, Bischof, Bujatti, Mestrozzi, Krauthanf, Scamaroni und Bestoli[7]. Angesiedelt waren die meisten Seiden- und Bandwebereien im heutigen 7. Bezirk im Schottenfeld, das bald mit dem Reichwerden der Seidenweber der „Brillantengrund“ hieß.

Eine neuerliche Wirtschaftskrise in den dreißiger Jahren brachte viele Entlassungen und Schließungen von Gewerbebetrieben mit sich.

Der Zustrom von Menschen aus den slawischen Teilen der Monarchie nach Wien und Niederösterreich erhöhte die Arbeitslosenanzahl und Armut der unteren Volksschichten beträchtlich[8]. Die internationale Wirtschaftskrise, die Mißernte 1847 und die Revolution 1848 stürzten die Seidenindustrie neuerlich in tiefste Depression. Der Hauptabnehmer der Seidenprodukte, der Adel, hatte Wien größtenteils verlassen, die unsichere Währung und der Rohstoffmangel, bedingt durch die politische Situation in Oberitalien, trugen das Ihre dazu bei. Das führte zur Umsiedlung kapitalkräftiger Betriebe in die Provinzen, wo Grund und Boden billiger und die Arbeitskräfte von „revolutionären“ Ideen noch unberührt waren[9].

Die Baumwollindustrie erfuhr bereits um die Jahrhundertwende eine entscheidende Veränderung in der Produktionstechnik durch die Mechanisierung der Spinnerei. 1814 gab es zwölf bedeutende Baumwollspinnereien. Die wichtigsten waren: die k. k. priv. Garnmanufaktur, die Manufakturen von Fries, Ochs, Geymüller und Herberstreit. Trotz der Kriegsjahre und des Mangels an Arbeitskräften verzeichnete die österreichische Baumwollindustrie bis zum Wiener Kongreß ein stetiges Wachstum[10]. Die große Depression folgte in den Jahren 1815–1820 infolge Überproduktion[11]. Die zwanziger Jahre brachten eine wesentliche Entspannung der Lage mit sich. Die Einführung der Jacquardwebstühle, weitere Verbesserungen in der Produktionstechnik verhalfen der Baumwollindustrie in den dreißiger Jahren zu einer Hochkonjunktur und stärkeren Expansion. Um 1840 war die Entwicklung zum modernen industriellen Großbetrieb abgeschlossen[12].

Ein lebhafter Export von Modewaren setzte in den dreißiger Jahren nach dem Südosten ein. Wichtige Exportartikel waren u. a. Federputz, Flitter, falscher Schmuck und Bühnenkostüme[13]. Woll- und Seidenstoffe fanden ebenfalls ausländische Absatzmärkte[14].

Der Fes, die männliche türkische Kopfbedeckung, wurde in einer Gumpendorfer Strickwarenfabrik ausschließlich für den Export erzeugt[15] sowie die aus leichtem Wollstoff in der Fabrik in Rittersfeld bei Traismauer hergestellten sogenannten Levantiner-, Dreikronen- und Serailtücher[16]. Mit den berühmten „Wiener Shawls“, Tüchern aus Wolle mit Palmetten- und Blumenmustern, aus der Fabrik Josef Burdes begann Josef Arthaber, Inhaber des renommierten Handelshauses in Wien 1, Ecke Stephansplatz/Goldschmiedgasse, in den zwanziger Jahren einen schwungvollen Außenhandel, dessen Ausfuhrumsatz bis 1834 3 Millionen Gulden betrug[17].

Gerade in den Jahren vor und während des Wiener Kongresses waren diese Kaschmirschals bei der Damenwelt sehr begehrt, da sie mit ihrer Buntheit einen Farbakzent für die in Pastelltönen und in Weiß gehaltenen Damenkleider setzten und somit eines der wichtigsten modischen Accessoires geworden waren. Um einen solchen Kaschmirschal wurde während der Kongreßzeit in einem Salon von niemand Geringerem als dem Zaren Alexander und der Gräfin Flora Wrbna-Kageneck gewettet. Dabei ging es darum, nachdem beide im tiefsten Negligé angetreten waren, wer von beiden als erster in großer Hofgala erscheine. Die Gräfin soll es in 10½ Minuten geschafft haben, der Zar, als galant und charmant bekannt, eine halbe Minute später. Für die gewonnene Wette überreichte er ihr einen Kaschmirschal[18].

Der Schal aus Seide oder Wolle, vorerst rechteckig, später dann viereckig und so groß, daß sich die Dame fast vollständig umhüllen konnte, von bunter Farbigkeit, mit gestreiftem, geblumtem, quadrilliertem oder türkischem Muster, blieb für die nächsten Jahrzehnte beliebter und ständiger Begleiter der Damenmode.

1835 fand die „Gewerbsproduktenausstellung“ in der Hofburg statt. Diese erste Wiener Messe wurde für die modeerzeugenden Unternehmer und die Wiener Mode ein großartiger Erfolg. Sie stand unter der Patronanz von Kaiser Franz I., der die Aussteller mit goldener, silberner und bronzener Medaille auszeichnete. Die Zielsetzung dieser Leistungsschau war die Förderung kapitalistischer Großunternehmungen sowie eine weitgehende wirtschaftliche Unabhängigkeit vom Ausland zu erreichen[19].

Folgende Unternehmer aus der Modebranche wurden mit der goldenen Medaille ausgezeichnet: der Schalfabrikant Burde, der Inhaber des Handelshauses Arthaber, der Seidenfabrikant Hornbostel, der Handschuhmacher Jaquemar, der Kammgarnfabrikant Geymüller, die Feintuchfabrikanten Gebrüder Moro und Josef Winter, der in Wien den ersten bedruckten Pikée herstellte. Aufsehen erregten ferner unter den ausgestellten Produkten: ein Herrenrock aus Leder von Josef Gunkel, gestickte Damenschuhe und Stiefel aus Gros de Naples (schwerer Taft) von Franz Dobril, eine Boa und ein Muff aus inländischem Edelmarder vom k. k. Leib- und Hofkürschner Johann Nepomuk Schwarz, Wechselportefeuilles aus grünem Maroquinleder, Brieftaschen mit Pressung und Emailvergoldung, Reisenecessaires und Damenridiküls von C. G. Müller, Proben von nachgemachten französischen Parfüms von Treu & Nuglisch, Regenschirme aus Pfefferrohrstäbchen ohne Metall von Josef Winter, Schmuckfedern von Anna Schilde, Haarschmuck von Caspar Fischer, Bronzeschmuck von Jakob Weiß und Spitzen von der Fabrikantin Elisabeth Reichmann[20].

Neben den großen modeerzeugenden Betrieben gab es natürlich auch zahlreiche Modewarenhandlungen, die Wäsche, Stoffe, Hüte, Schals, Handschuhe, Mieder, Putzwaren und fertige Kleidung führten. Im Geschäft „Zur schönen Wienerin“ am Stock-im-Eisen-Platz konnte man fertige Damenkleider, Hüte und Putzwaren kaufen. Eine besondere Attraktion dieses Geschäftes war die lebensgroße Schaufensterpuppe aus Wachs, die immer das neueste Modell der Damenmode trug. Das Geschäft „Zur Irisblume“ am Hof führte Trauerwaren, Fertig- und Maßkleidung, im Abonnenement bestellte man dort die fertige Winter- bzw. Sommergarderobe, getragene Kleidung wurde gegen Aufzahlung gegen neue eingetauscht und Kleidung auch leihweise zur Verfügung gestellt[21].

Um Käufer und deren Kauflust anzuregen, bemühten sich die Geschäftsleute um eine besonders attraktive und anziehende Gestaltung des Geschäftsportales mittels prächtig gemalter Geschäftsschilder (die bekanntesten waren: „Zur Braut“, „Zum römischen Kaiser“, „Zum Pagen“, „Zur Jungfrau von Orleans“, „Zur schwäbischen Jungfrau“, „Zur Französin“[22]) und ebenso um ein elegantes und geschmackvolles Schaufensterarrangement.

Das zahlenmäßig stärkste Gewerbe in Wien war damals die Schneiderei. Gab es um 1816 1660 selbständige Meister mit ca. 3000 Gesellen, erhöhte sich die Zahl zwischen 1835 und 1840 etwa um das Doppelte bei den Schneidern (unterschiedliche Zahlen von 2000 bis 4000) und etwa um das Dreifache bei den Gesellen (unterschiedliche Zahlen von 7000 bis 10.000)[23]. Man unterschied Damen- und Herrenkleidermacher. Die Schneiderei lag in der ersten Hälfte des 19. Jahrhunderts fast ausschließlich in Männerhänden. Frauen waren nur Gehilfinnen oder Hilfsarbeiterinnen. Erst nach 1850 durften auch Frauen die Schneiderei selbständig ausüben und weibliche Lehrlinge ausbilden[24].

Es gab Schneider für den hohen und niederen Adel, für das in dieser Zeit erstarkende Bürgertum, Volksschneider, die in den Vorstädten und Vororten ansässig waren, Marktschneider, die von Jahrmarkt zu Jahrmarkt zogen und fertige Kleidung anboten, und Tandelmarktschneider, die Trödler und Schneider in einer Person waren, alte Kleidung aufkauften, herrichteten und wieder verkauften[25].

Trotz der Erfindung der Nähmaschine durch Josef Madersperger (1808) wurde die Kleidung der Biedermeierzeit noch handgenäht, so vielschichtig die Gründe dafür auch sein mögen wie aus Ablehnung dem Neuen, Unbekannten gegenüber, aus Konkurrenzgründen, und/oder weil diese Erfindung noch technischer Verbesserungen bedurfte, um sich nach der Jahrhundertmitte durchzusetzen.

Der berühmteste Herrenkleidermacher in Wien war damals Josef Gunkel, den Johann Nestroy in seiner Posse „Der Zerrissene“ mit Herrn von Lips verewigte: „Ich hab vierzehn Anzüg', teils licht und teils dunkel. Die Frack und die Pantalon, alles von Gunkel . . .“[26] Sein Haus am Graben zählte zu einem der ersten Schneidergroßbetriebe. Er beschäftigte u. a. 25 Meister für die Herstellung der Herrenhosen, 30 Arbeiterinnen für die Herstellung von Herrenwesten und 80 Arbeiter[27]. Die berühmtesten Damenkleidermacher waren Friedrich Bohlinger am Kohlmarkt, Gottfried Röhberg in der Dorotheergasse[28] und Thomas Petko am Heidenschuß[29].

Einen wichtigen Beitrag zur Verbreitung der Wiener Mode leistete Johann Schickh, Besitzer der Modewarenhandlung „Zu den drey Grazien“ am Kohlmarkt[30]. Er gründete 1816 die Wochenzeitschrift „Wiener Modenzeitung“ und leitete damit für die Wiener Mode und die Wiener Schneider eine neue Ära ein. Es war ihnen jetzt möglich geworden, ihre Kreationen in dieser Zeitschrift zu veröffentlichen.

Insgesamt erschienen in den 33 Jahren von 1816 bis 1848 über 1700 handkolorierte Modeblätter[31]. Sie geben uns heute noch einen ausgezeichneten Überblick über die Wiener Mode dieser Jahrzehnte. Die Entwürfe für die Herrenmode stammten von Josef Gunkel, die Entwürfe für die Damenmode stammten von Josef Georg Beer, Friedrich Bohlinger und Thomas Petko, die Kopfbedeckungen, der Kopfputz und die Frisuren von Johann Langer, später von Josefine Niederreiter, Putzmacherin und Modistin[32].

Abgesehen von den Modebeilagen, wurden Prosa, Lyrik, Reisebeschreibungen, Theaterrezensionen, Nachrichten aus der Literatur-, Kunst- und Musikwelt veröffentlicht. U. a. schrieben Franz Grillparzer und Adalbert Stifter für die Zeitschrift[33].

1817 wurde der Titel auf „Wiener Zeitschrift für Kunst, Literatur, Theater und Mode“ geändert, der bis zur Einstellung 1848 blieb. Nach dem Tode von Johann Schickh 1835 übernahm Friedrich Witthauer die Zeitschrift und führte sie erfolgreich weiter. 1844 mußte er sie aus gesundheitlichen Gründen an Gustav Ritter von Franck abgeben. Damals hatte die Zeitschrift bereits ihren Höhepunkt überschritten. Das Ansehen der Wiener Mode hatte nachgelassen, die vornehmen Maßschneider orientierten sich schon wieder längere Zeit an Paris. Zwar versuchte J. A. Bachmann die Zeitschrift 1847 weiterzuführen, mit der gescheiterten Revolution von 1848 war aber ihr Ende besiegelt, da sie einerseits zu sehr für die Revolution Partei ergriffen hatte und andererseits verschärfte Pressebestimmungen festgelegt wurden[34].

Bedeutend waren die Modeblätter der Zeitschrift deshalb, weil sie bewußt nur Wiener Mode nach Originalentwürfen von Wiener Schneidern veröffentlichte, im Gegensatz zu Bäuerles „Theaterzeitung“, die Pariser Mode zeigte[35].

Die handkolorierten Kupferstiche der Wiener Modenzeitung zählten zu den schönsten Europas. Für die Damen- und Herrenmode sowie modische Accessoires waren als Zeichner der Maler Johann Nepomuk Ender und der Kostümdirektor beider Hoftheater Philipp von Stubenrauch, als Stecher Franz Stöber engagiert. Neben den Modeblättern erschienen auch

Wiener Modekupfer aus:
Wiener Zeitschrift für Kunst, Literatur, Theater und Mode, 1818–1840

Beilagen mit Möbeln und Interieurs, die neuesten Wagenmodelle, seit 1840 Porträtbeilagen und nicht zuletzt Notenbeilagen mit Kompositionen von Franz Schubert und Conradin Kreutzer[36].

Doch wie kleidete sich eine charmante Wienerin, ein eleganter Wiener der besseren Gesellschaft?

In den Jahren während des Kongresses bis etwa 1820 trug sie ein Kleid, das dem Schnitt des Empire voll entsprach. Es hatte eine hochangesetzte Taille, einen eher geraden, nur im Rücken gezogenen, leicht ausgestellten langen Rock und enganliegende lange Ärmel, die zumeist an den Schultern kleine Puffen hatten.

Um ein Kleid für zweierlei Anlässe verwenden zu können, nahm die Dame die langen Ärmeln ab, so daß nur die Puffen blieben, und sie hatte daraus ein Ballkleid gemacht[37].

Blonden- oder Vapeurspitzen, Stickereien und Durchbruchsarbeiten zierten oft den Halsausschnitt, das Oberteil, die Ärmelenden und den Rocksaum[38].

Weiß war die Modefarbe in diesen Jahren. Daneben gab es noch Kombinationen von Weiß-Blau, Weiß-Grün und zarten Pastelltönen[39]. Ab 1818 zeigte die Modenzeitung Tageskleidung mit quadrillierten Mustern[40], für die die Wienerin in den nächsten Jahren eine besondere Vorliebe entwickelte. Die ersten karierten Kreationen stießen aber auf ziemliches Unverständnis, schenkt man einem Zeitgenossen Glauben, der schrieb: „. . . die jetzt mehr als je in seidenen Stoffen, Merinos und Galicos, zur größten Bekleidung eines an ruhige Licht- und Faltenbrechungen gewöhnten Auges, herrschende Mode in quadrillierten oder gewürfelten Mustern, sey eine barbarische Tracht (. . .) Wenn ich vorher nur noch in Beziehung auf diese schottischen Stoffe Herder's Ausspruch in Erinnerung gebracht habe: Unsere Kleidung hat Penia, die Dürftigkeit selbst erfunden und eine Megäre des Luxus und der Unvernunft vollendet.“[41]

Die Stoffe der Kleider waren aus verschiedenen Baumwollgeweben (Perkal, Batist, Musselin, Popeline), aus Seiden (Gros de Naples, Taffet, Atlas, Marcelline) und aus Schafwolle (Merino)[42].

Dem Schnitt des Kleides entsprach auch der des Mantels. Bevorzugte Farbkombination für die Überkleidung war entweder Weiß-Grün oder Weiß-Blau, aber auch Stoffe mit Karo- und zarten Streifenmustern fanden Verwendung. Verziert waren die Mäntel zumeist mit Epauletten und Schnüren. Der Spenzer, eine kurze enganliegende Jacke, der nur bis zur Taillennaht des Kleides reichte und lange Ärmel hatte, bewährte sich ebenfalls jahrelang als Überkleidung in der Damenmode[43].

Beliebte Accessoires waren wie schon genannt ein Kaschmir- oder Seidenschal, ein Knickschirm, um das Gesicht vor der Sonne zu schützen, ein Fächer und Handschuhe. Unerläßliche Kopfbedekkung war die Schute, ein breitkrempiger Hut aus Atlas oder Stroh, der mit Schleifen, Spitzen, Federn und Blumen verziert sein konnte. Eine treffende, wenn auch nicht gerade schmeichelhafte Beschreibung derselben lieferte Egon Friedell: „. . . eine Art Pferdehüte, sehr groß und sehr unpraktisch, das Gesicht wie Scheuklappen einhüllend, so daß man an ihnen am Hören und Sehen verhindert war.“[44] Daneben gab es aber auch den Kopfmantel, „ein gegen die Kälte sehr zweckmäßiges Putzstück, dessen sich die Damen zu Spazierfahrten, Theater usw. bedienen, und der sowohl über Hüte als über den blossen Kopf gelegt, in Gesellschaft aber abgenommen wird“; er war aus Vapeurspitzen und konnte vier Wiener Ellen lang sein[45]. Die zierlichen Füße steckten in flachen Kreuzbandschuhen.

Als Modeneuheit von 1817 zeigte die Modenzeitung den ersten Hosenrock für Damen mit folgender Beschreibung: „Wenn die Dame auf Männerart reitet, so überschlägt sie die Theile und knöpft selbe über den Fuß, daß sie ein Beinkleid bilden.“[46] Durchsetzen konnte sich der Hosenrock in der Damenmode allerdings damals nicht.

In den zwanziger Jahren besann sich die Biedermeier-Dame wieder ihrer Taille. Diese rutschte demzufolge immer tiefer, wurde geschnürt und mit einem breiten Gürtel betont, um 1836 ihre natürliche Stelle wieder zu erreichen. Das Oberteil des Kleides mußte enganliegend sein. Um das zu erreichen, blieb der modebewußten Wienerin nichts anderes übrig, als sich wieder in ein Mieder zu zwängen. Daß sie aber darunter litt, zeigen Versuche von damals, dieses erträglicher zu machen: eine Verbesserung brachte J. N. Reithoffers und Purtschers Erfindung, Kautschuk mit Flachs-, Woll- und Seidenfäden zu dehnbaren Geweben zu verarbeiten. Die Modenzeitung berichtete am 28. August 1828 darüber: „. . . die elastischen Gesundheitmieder, ohne Metall- und Fischbeinfedern, welche vollkommen anliegen, ohne im mindesten zu drücken, dürften besonders, und um so mehr beachtet werden, als sie sich auch durch ihre Dauerhaftigkeit auszeichnen.“[47] Patentmieder, wie das von August Piltz erfundene, sollten „bey Übelwerden der Dame mittels Anziehen einer kleinen, am Busen angebrachten Schleife augenblicklich und ohne Benötigung einer fremden Hand vom Leibe fallen“[48]. Allem Unbehagen zum Trotz, das Mieder war – so vielschichtig die Gründe – wiederum fester Bestandteil der Damenkleidung geworden.

Der Rock stand im Gegensatz zum Oberteil immer weiter kreisrund ab und ließ Ende der zwanziger bis in die Mitte der dreißiger Jahre die Knöchel frei. Unter dem Rocksaum blitzten weiße oder cremefarbene Seidenstrümpfe mit Ajourarbeit am Rist und an der Fessel hervor. Vielfach wurden auch aus weißem Garn gestrickte Strümpfe getragen. Manchmal hatten diese ein Blumenmotiv als Verzierung am Rist, das aus mitgestrickten bunten Glasperlchen entstanden war. Diese bunten Glasperlchen säumten dann auch noch zusätzlich den Strumpfabschluß. Gehalten wurden die Strümpfe von oft zauberhaften Strumpfbändern aus Seide oder feinstem Rehleder, die bemalt oder bestickt waren und deren Sprüche eine – wenn auch diskrete – Erotik nicht zu verbergen suchten: „Wandle auf Rosen und Vergißmeinnicht“, „Mein Wunsch – Ihr Glück“, „Meine Bitte – Ihre Freundschaft“, „De vous je suis amoureux“[49].

Plastische Verzierungen wie Girlanden, Blätter oder Bällchen aus Stoff zwischen Knie und Rocksaum waren in den zwanziger Jahren sehr beliebt. Ende der zwanziger Jahre trug die Dame gerne Röcke mit Volants[50].

Großen Wert legte man auf eine Übereinstimmung des Dekors von Rock und Oberteil. Ausladende Dekolletés, die die Schultern freiließen und beim Ballkleid in Puffärmelchen, beim Tageskleid Ende der zwanziger Jahre in beginnende „Keulen“ oder „Schinkenärmel“ übergingen, waren keine Seltenheit.

Breitkrempige, mit Garnierung überladene Hüte vervollständigten die Tagesgarderobe der Dame. Für zu Hause wählte die Wienerin ein Häubchen als Kopfbedeckung, und für gesellschaftliche Ereignisse eroberte der Turban ihr Herz. Kompliziert aufgesteckte Frisuren, die

Haare in der Mitte gescheitelt, rechts und links gewellt, in der oberen Kopfmitte wie zu einer Masche gebunden und mit künstlichen Blumen, Federn, Spitzen oder Bändern verziert, boten sich dem Betrachter während einer rauschenden Ballnacht[51]. Ohrgehänge, Kolliers, Broschen, breite Armbänder und Ferronieren (Stirnbänder) für den Abend waren die bevorzugt getragenen Schmuckstücke.

Mit den zwanziger Jahren verschwand endlich die Farblosigkeit aus der Damenmode. Eine Vorliebe für kräftige Farben, umgesetzt in quadrillierte, gestreifte und geblümte Stoffe, machte sich bemerkbar[52]. Ebenso bekundeten die Dessins für die Damenkleider Ende der zwanziger Jahre ein besonderes Interesse an der Tier- und Pflanzenwelt.

Die Stoffe der Tageskleider waren aus Perkal und Popeline, die der Ballkleider aus Petinet und Organdin[53].

Der Wickler[54], ein capeartiger Umhang, trat Mitte der zwanziger Jahre seinen Siegeszug in der Damenmode an, um Mitte der dreißiger Jahre von dem taillenbetonten, dem Schnitt der Kleider angepaßten Mantel verdrängt zu werden.

Ein Ereignis, das bereits ein Jahr vorher die Modemacher anregte, war der Einzug der ersten Giraffe in Wien (1828). Wien schwelgte in der Mode à la Giraffe. Kleider mit Giraffendessin[55], Handschuhe, Nadeln, Ringe, Ohrgehänge und sogar Tabaksbeutel à la Giraffe wurden getragen[56]. Im selben Jahr tauchte das berühmte Cachuchakostüm von Fanny Elßler aus rosa Krepon mit schwarzem Spitzenbesatz, der das Dekolleté umrahmte und den Rocksaum zierte, in verschiedenen Abwandlungen, gearbeitet von Josef Georg Beer, in den Wiener Ballsälen auf[57].

Der Ferne Osten inspirierte die Damenkleidermacher Anfang der dreißiger Jahre. Sie fuhren auch wieder vor der jeweiligen Saison nach Paris, um sich dort neue Anregungen zu holen. Beer entwarf Hauskleider à la Mandarin mit Pagoden, Vögeln und Phantasieblüten[58] im Dessin sowie weite lose Mäntel aus chinesischem Kaschmir mit trichterförmigen chinesischen Ärmeln und langem Kragen[59].

Eine besondere Entwicklung erfuhr der Ärmel. War er Anfang der zwanziger Jahre noch enganliegend, begann er sich in den folgenden Jahren aufzublähen, um zu dem vielberühmten, von Friedell als „abenteuerlich" bezeichneten „Keulen- oder Schinkenärmel" zu führen. Roßhaareinlagen und Fischbeine schufen ballonartige Gebilde, die nicht nur in der Tagesmode der Dame vorherrschten, sondern sogar im Reitkleid einer modebewußten Amazone zu finden waren[61]. Wie kompliziert das vierhändige Klavierspielen mit einer Dame dazumals durch diese Ärmel geworden war, schilderte ein männlicher Leidtragender folgendermaßen: „Um das möglich zu machen, mußte der Ärmel mit der Stahlfeder in die Höhe geschlagen werden und durch eine Nadel an der Schulter befestigt werden, weil der Mitspieler sonst unaufhörlich an den Arm gestoßen wurde."[62] Die größten Ausmaße hatten die Ärmel 1835/36 erreicht[63], um daraufhin schlagartig aus der Damenmode zu verschwinden und den wieder enganliegenden, leicht gebauschten oder mit Volants verzierten Ärmeln Platz zu machen[64].

Die Schuhe mit kleiner Krempe, die nur das Gesicht umrahmte und eine eher spärliche Garnierung aus Federn und Bändern aufwies, eroberte sich in den dreißiger Jahren wieder ihren festen Platz in der Damenmode. Die Kreuzbandschuhe waren weiterhin en vogue.

Kräftige Farben waren Mitte der dreißiger Jahre sehr beliebt, ebenso Stoffe, die verschiedenfarbige Streifen, Schottenkaros, Streifen mit eingewebten Blumenmotiven, große Karos mit je einem einzelnen Blumenbukett zeigten[65]. Plastische Verzierungen, wie sie in den zwanziger Jahren modern waren, wurden immer seltener und verschwanden im Laufe des nächsten Jahrzehnts.

Ende der dreißiger Jahre begannen die Damenkleidermacher mit einer längst vergangenen Epoche, dem Rokoko, zu kokettieren. Die Modedame mußte daher in den nächsten Jahren versuchen, so grazil, so zart und so zierlich wie möglich zu erscheinen. Das mit seinen übertriebenen Formen und kräftigen Farben bis 1836 dominierende Kleid hatte sie abgelegt. Um der neuen Modelinie gerecht zu werden, die die Dame, betrachtet man Modeblätter aus dieser Zeit, in eine Art zerbrechliches „Teepüppchen" verwandelte, trug sie ein eng am Körper anliegendes Oberteil, das in einer Schneppentaille auslief und – um diese optisch noch schlanker erscheinen zu lassen – ein weit ausladendes Dekolleté, welches mit Spitzen und Bändern besetzt war, diese fanden sich auch auf den Ärmeln und oft auf dem weiten, mit Roßhaareinlagen verstärkten, kreisrund abstehenden, nur mehr die Fußspitzen sehen lassenden Rock wieder[66]. Bereits 1838 kreierte Josef Georg Beer den ersten Reifrock[67]. Doch wurde dieser nicht gerade als formschön betrachtet, liest man Friedells sarkastische Beschreibung desselben: „Zunächst gelangt wieder der unschöne Reifrock zur Herrschaft, wegen der Wülste aus Crin, Roßhaar, die ihn in Fasson halten, Krinoline genannt, dem die drei- und vierfachen Volants noch eine besondere Plumpheit verleihen: er wirkt jetzt nicht mehr als bizarres, aber unmutiges Instrument der Koketterie wie der Hühnerkorb des Rokokos oder als Requisit steifer, aber stilvoller Grandezza wie der Tugendwächter der Gegenreformation, sondern in der neuen verbürgerlichten und materialistischen Welt als lästige und skurrile Aufdonnerung."[68]

Dekolletés trug die charmante Wienerin sowohl beim Tages- als auch beim Abendkleid in den vierziger Jahren, wobei der Ausschnitt vom Tageskleid mit einem Fichu bedeckt wurde. Das Tageskleid hatte zumeist lange Ärmel, die bis zum Ellbogen eng, ab da gebauscht und am Handgelenk durch ein schmales Bündchen gehalten wurden[69]. Eine Schute, deren Innenrand mit Schleifen und Stoffblumen verziert war, ein Knickschirm, manchmal fingerlose Handschuhe sowie die bereits seit Jahren in Mode gewesenen Kreuzbandschuhe waren die wichtigsten Accessoires für die Komplettierung der Tagesgarderobe.

Der Ausschnitt der Balltoilette wurde sehr gerne mit einem breiten Spitzenbesatz, Berthe genannt[70], verziert oder aber in einen an den Schultern mit Spangen gehaltenen breiten Kragen gelegt[71]. Die Balltoilette vervollständigten halblange Handschuhe, ein Fächer sowie eine Frisur mit Korkenzieherlocken oder mit einem im Nacken kunstvoll geschlungenen Chignon[72]. Bemerkenswert ist, daß man in den vierziger Jahren wieder großes Augenmerk auf die Ausschmückung des Rockes legte, dafür traten das Oberteil und die Ärmel in den Hintergrund. So wurden Anfang der vierziger Jahre Röcke mit Mittelbahnen, die entweder durch Verzierungen oder durch einen Unterrock mit einem vorne offenen Überrock gebildet wurden, modern und konnten sich bis in die späten vierziger Jahre halten[73].

Ende der vierziger Jahre wurde dieser Rock vom Volantsrock abgelöst[74], der die kreisrunde Form noch betonte und bis in die späten fünfziger Jahre die Damenmode beherrschte.

Auch die verwendeten Stoffe erinnerten an das Rokoko: für die Tageskleidung wurden Mischgewebe aus Seiden mit Baumwolle, Organdin und Chiffon, für die Abendkleidung Samt, Moiré, Brokat, Damast und Tüll verarbeitet. Mit der Einführung der Gasbeleuchtung machte sich eine häufige Verwendung von changierenden Stoffen bemerkbar.

Für den eleganten Herrn brachten die Jahre des Wiener Kongresses eine einschneidende Veränderung mit sich. Die Pantalons, die langen Hosen, wurden für den Tag gesellschaftsfähig. Das wichtigste für den Herrenanzug war nach dem Arbiter elegantiarum George Bryan Brummel, daß die Eleganz darin bestand, nicht aufzufallen, sondern sich nur in ausgezeichnetem Schnitt und tadellosem Sitz zu äußern hatte[75].

Der Herrentagesanzug bestand aus einem dunklen Gehrock, einer hellen langen Hose, die über die Stiefeletten reichte und mittels eines Steges gehalten wurde, einer zum Gehrock und zu den Pantalons in der Farbe kontrastierenden Weste, einem weißen Hemd, das bis um 1820 einen hohen Kragen hatte, den berühmten „Vatermörder", von Friedell als „Provinzkomikerrequisit" betrachtet[76], mit einer kunstvoll gebundenen Halsbinde, Handschuhen und einem Zylinder[77]. Zum Ballanzug trug der Herr hingegen noch immer Kniehosen, die erst Ende der vierziger Jahre von der langen schwarzen Hose abgelöst wurden, mit schwarzen Seidenstrümpfen und flachen Pumps[78]. 1819 gab es ein Mittelding zwischen Kniehose und langer Hose für den Abend, die „bodenscheue" dreiviertellange Hose[79]. Bereits Ende der zwanziger Jahre war die lange Hose für den Abendanzug in der Wiener Modenzeitung vorgeschlagen worden, hatte sich zu dieser Zeit aber noch nicht durchsetzen können[80].

Die Silhouette des Herrn war schlank, wie die der Damenmode in den zwanziger Jahren, wenn er auch einen Schnürleib zu Hilfe nehmen mußte. Einzig die Ärmel nahmen Ende der zwanziger Jahre, ähnlich den Ärmeln bei den Damenkleidern, doch nicht so extrem, etwas zu. Als Überkleidung wählte der modebewußte Herr den von Josef Gunkel entworfenen Doppelgehrock. In den dreißiger Jahren erhielt der Gehrock weitere Schöße, die Taille wurde, ähnlich wie in der Damenmode, betont[81].

Der Schnitt der Herrenmode veränderte sich in den vierziger Jahren kaum. Beliebt waren quadrillierte Pantalons, andersfärbige Gehröcke und Gilets in leuchtend bunten Farben. Gerne kombinierte der Herr auch quadrillierte Pantalons mit quadrilliertem Gilet. Dominierende Farben für den Gehrock untertags waren verschiedene Braun, Blau und Grün, für den Frack abends Blau, Ende der vierziger Jahre Schwarz[82]. Als Überkleidung trug der elegante Herr entweder Mäntel, die dem Schnitt der Gehröcke entsprachen und mit Posamenterie in Anlehnung an die ungarischen und polnischen Uniformen verziert waren, oder capeartige halblange Umhänge[83].

Für zu Hause wählte der modebewußte Herr in Anlehnung an die Orientmode gerne einen weiten, losen Morgenmantel aus Kaschmirtuch, der mit Palmettenmotiven bedruckt war, eine bequeme Hose aus leichtem Schafwollstoff, Pantoffel mit aufgebogenen Spitzen, ein Hemd mit großem Kragen, um den er locker einen Schal band, und eine dem Fes ähnliche Kopfbedeckung, ein Käppchen, das mit Posamentrie verziert sein konnte[84].

Das wichtigste Kleidungsstück des Herrn der Biedermeier-Zeit war wohl die Weste. Sie stellte den farbigen Akzent des Herrenanzuges dar, war entweder cremefarben mit Blumenmuster bestickt, gestreift, quadrilliert oder getupft. Im Frühbiedermeier trugen die Herren oft mehrere Westen übereinander, so zum Beispiel eine aus Pikee und darüber eine aus schwarzer Seide, wobei die aus Pikee vorschauen mußte. Seiden und Samte, aber auch Kaschmir waren die bevorzugten Materialien für die Herrenwesten.

Die Weste war das eine der zwei Kleidungsstücke, in welchen der Herr seine persönliche Note, sein modisches „Gewußt – wie", seinen Kleiderluxus ausleben und zur Schau tragen konnte. 50 Westen zu besitzen galt damals keineswegs als Luxus. Ebenso mußte die Weste nach dem neuesten Schnitt gearbeitet und die Knopfart und -anzahl genauestens eingehalten werden[85]. 1821 soll sich der Schnitt und die Farbe der Weste fünfmal während acht Monate geändert haben[86].

Neben der Weste war es die Halsbinde, die den individuellen Geschmack ihres Trägers ausdrückte. Die Halsbinde für den Tagesanzug war meist bunt, auch quadrilliert, die für den Abendanzug weiß oder schwarz. Es gab vielerlei Arten, sie zu binden, zu schlingen und zu knoten. Eine wahre Flut an Literatur über die „Kunst des Krawattenbindens" setzte dazumal ein[87]. Niemand Geringerer als Honoré de Balzac beschäftigte sich in seiner „Physiologie de la toilette" mit der Krawatte. Sie lebte für ihn nur von der Originalität, durfte sich keiner Regel unterwerfen und mußte aus spontaner Eingebung schöpferisch gestaltet werden. Um mit Balzac dieses Thema zu beenden: „Die Kunst, seine Krawatte zu binden, ist für den Weltmann das, was für den Staatsmann die Kunst, ein Diner zu geben, bedeutet."[88]

Die modischen Accessoires der Herrenmode dieser Epoche waren der Spazierstock oder die Reitgerte, die kurzen Handschuhe, die Uhrkette, die Lorgnette an einem Seidenband und der Zylinder, der die Kopfbedeckung für den Herrn schlechthin war. Er wechselte zwar des öfteren seine Form, war einmal niedriger, einmal höher, hatte einmal schmale Krempen, dann wieder breitere, ausladendere, konnte sich aber seinen Platz in der Herrenmode Jahrzehnte hindurch erhalten. Im Vormärz gelang es ihm sogar, politische Bedeutung zu gewinnen, galt er doch als die Kopfbedeckung des staatstreuen, konservativen Bürgers und erhielt den Namen „Angströhre".

In den dreißiger Jahren wurde auch der Kalabreser, eine Art von Kappe, getragen[89]. Den Schlapphut bevorzugten in den vierziger Jahren Liberale, Intellektuelle und Künstler. Er war sichtbares Zeichen für die freigeistige Gesinnung seines Trägers und galt als Kopfbedeckung der Revolutionäre schlechthin.

Auch die Haar- und Barttracht spielte im Leben eines Mannes eine wesentliche Rolle[90]. Nach dem Wiener Kongreß war es nicht modern und auch nicht klug, Bart zu tragen, wollte man sich nicht der Gefahr aussetzen, als Revolutionär verdächtigt zu werden. Erst im Laufe der Jahre änderte sich diese Einstellung. Bereits in den zwanziger Jahren tauchten wieder Backenbärte und kleine Oberlippenbärte auf, die auch in den beiden folgenden Jahrzehnten getragen wurden. In den dreißiger Jahren kam der Kinnbart dazu. Der Vollbart der vierziger Jahre war wiederum Ausdruck liberalen Gedankenguts und galt als Symbol politischen Umtriebs. Im allgemeinen jedoch zeichnete sich die Herrenmode durch Nüchternheit und Sachlichkeit aus.

Für Egon Friedell war es die Tracht, wie sie die zur Herrschaft gelangte Großbourgeoisie geschaffen hatte: sachlich, wirklich und unspielerisch und daher langweilig, undekorativ und phantasielos wie alles, was der Financier außerhalb seines Kontors tut; praktisch, plebejisch, von tierischem Ernst; eine Tracht für Verdiener, Buchmacher und Geschäftsreisende . . .[91]

**Anmerkungen:**

[1] Sylvia Lausecker, Vor- und frühindustrielle Produktionsformen am Beispiel der Seiden- und Baumwollindustrie in Wien und Niederösterreich 1740–1848, Wien, phil. Diss. 1975, S. 55.
[2] Leopoldine Springschitz, Wiener Mode im Wandel der Zeit, Wien 1949, S. 97
[3] Josef Ehmer, Familienstruktur und Arbeitsorganisation im frühindustriellen Wien, Wien 1980, S. 30.
[4] Lausecker, S. 55.
[5] Ebenda, S. 56.
[6] Helene Deutsch, Die Entwicklung der Seidenindustrie in Österreich 1660–1840, Wien 1909, S. 142.
[7] Lausecker, S. 55, Springschitz, S. 96, Ehmer, Produktion und Reproduktion in der Wiener Manufakturperiode. In: Wien im Vormärz, Wien 1980, S. 107 ff.
[8] Lausecker, S. 57 f.
[9] Ebenda, S. 58.
[10] Ebenda, S. 76 f.
[11] Ebenda, S. 79, Springschitz, S. 102.
[12] Ebenda, S. 80 f.
[13] Hubert Kaut, Modeblätter aus Wien, Wien 1970, S. 61.
[14] Springschitz, S. 102.
[15] Kaut, S. 57.
[16] Springschitz, S. 100.
[17] Ebenda, S. 106.
[18] Lulu von Thürheim, Mein Leben. Erinnerungen aus Österreichs großer Welt, Wien 1913, 2. Bd., S. 117 f.
[19] Springschitz, S. 155 f.
[20] Ebenda, S. 156 f.
[21] Kaut, S. 66.
[22] Ebenda, S. 70.
[23] Ebenda, S. 62.
[24] Springschitz, S. 171.
[25] Kaut, S. 64 f.
[26] Johann Nestroy, Der Zerrissene, 1. Akt, 5. Szene.
[27] Springschitz, S. 167.
[28] Ebenda, S. 167, 169, 89, 169; Kaut, S. 62.
[29] Kaut, S. 62; Wiener Zeitschrift für Kunst, Literatur, Theater und Mode, 12. Juni 1827, S. 584.
[30] Springschitz, S. 83.
[31] Kaut, S. 49.
[32] Wiener Zeitschrift für Kunst, Literatur, Theater und Mode, Jg. 1–33 (1816–1848), im folgenden zitiert als „Wr. Zs.“.
[33] S. Anm. 32.
[34] Kaut, S. 50.
[35] Wiener Allgemeine Theaterzeitung, Modebeilagen 1831–1858.
[36] S. Anm. 32.
[37] Im Bestand der Modesammlung des Historischen Museums der Stadt Wien.
[38] Wr. Zs., 22. 5. 1815, Modebild n. 220. 14. 8. 1816, Modebild n. 400. Blonden: ursprünglich gelbe Seidenspitzen. Vapeur: Baumwollgewebe.
[39] Wr. Zs. 15. 1. 1817, Modebild n. 40, 19. 2. 1817, Modebild n. 120, 14. 5. 1817, Modebild n. 328.
[40] Wr. Zs. 9. 7. 1818, Modebild n. 668, 29. 6. 1820, Modebild n. 636.
[41] Über die herrschende Mode der gewürfelten Stoffe in: Wr. Zs. 20. 11. 1821, S. 1169, 24. 11. 1821, S. 1189.
[42] Damen Konversationslexikon, 10 Bde., Leipzig 1834–1838.
[43] Wr. Zs. 1816–1840.
[44] Egon Friedell, Kulturgeschichte der Neuzeit, München 1983, 2. Bd., S. 1005.
[45] Wr. Zs. 8. 1. 1817, Modebild n. S. 24, 1 Wiener Elle = 92 cm.
[46] Wr. Zs. 11. 6. 1817, Modebild n. 400.
[47] Zusätzlich wurden elastische Schnürriemen, Hosenträger, Kniespangen, Leibbinden u. a. angeboten.
[48] Springschitz, S. 122.
[49] Kat. Nr. 7/6/35–38.
[50] Wr. Zs. 31. 1. 1828, Modebild n. 112, 7. 2. 1828, Modebild n. 136, 14. 2. 1828, Modebild n. 160, 24. 4. 1828, Modebild n. 404, 15. 5. 1828, Modebild n. 476, 3. 7. 1828, Modebild n. 656.
[51] Wr. Zs. 31. 1. 1828, Modebild n. 112, 7. 2. 1828, Modebild n. 136.
[52] Wr. Zs. 1826–1838.
[53] Perkal, Nesselstoff, Baumwolle, Popeline: Baumwolle, leinwandbandig, Organdin: Baumwollbatist.
[54] Wr. Zs. 14. 11. 1822, Modebild n. 1112, 28. 11. 1822, Modebild n. 1160, 4. 11. 1824, Modebild n. 1152, 11. 11. 1824, Modebild n. 1176.
[55] Wr. Zs. 8. 11. 1827, Modebild n. 1106.
[56] Springschitz, S. 131.
[57] Wr. Zs. 27. 9. 1827, Modebild n. 962.
[58] Wr. Zs. 7. 4. 1831, Modebild n. 336.
[59] Wr. Zs. 23. 10. 1831, Modebild n. 1036.
[60] Friedell, S. 1005.
[61] Wr. Zs. 7. 4. 1835, Modebild n. 348.
[62] Wolfgang Kudrnofsky, Mode-Brevier, Wien 1970, S. 99.
[63] Wr. Zs. 28. 5. 1835, Modebild n. 523, 6. 6. 1835, Modebild n. 568, 1. 9. 1836, Modebild n. 840, 10. 9. 1836, Modebild n. 888.
[64] Wr. Zs. 5. 4. 1838, Modebild n. 328, 24. 5. 1838, Modebild n. 496, 13. 9. 1838, Modebild n. 880.
[65] Wr. Zs. 1. 2. 1838, Modebild n. 112, 24. 5. 1838, Modebild n. 496, 19. 7. 1838, Modebild n. 688, 30. 8. 1838, Modebild n. 832, 27. 9. 1838, Modebild n. 928.
[66] Vgl. Anm. 65.
[67] Wr. Zs. 20. 12. 1838, Modebild n. 1216.
[68] Friedell, S. 1025.
[69] Vgl. Anm. 65.
[70] Wr. Zs. 19. 1. 1837, Modebild n. 69.
[71] Wr. Zs. 24. 1. 1839, Modebild n. 88, 14. 2. 1839, Modebild n. 160, 21. 2. 1839, Modebild n. 184, 21. 1. 1841, Modebild n. 96.
[72] Wr. Zs. 8. 10. 1840, Modebild n. 1288, 17. 12. 1840, Modebild n. 1608, 16. 2. 1841, Modebild n. 224.
[73] Wr. Zs. 7. 7. 1836, Modebild n. 648, 14. 1. 1841, Modebild n. 64, 4. 3. 1841, Modebild n. 288, 25. 3. 1841, Modebild n. 384, 27. 11. 1847, Modebild n. 940.
[74] Wr. Zs. 31. 7. 1847, Modebild n. 620.
[75] Friedell, S. 1005.
[76] Ebenda, S. 1024.
[77] Wr. Zs. 13. 6. 1822, Modebild n. 576, 12. 12. 1822, Modebild n. 1208.
[78] Wr. Zs. 10. 2. 1820, Modebild n. 144.
[79] Wr. Zs. 18. 2. 1819, Modebild n. 170.
[80] Wr. Zs. 10. 1. 1828, Modebild n. 40.
[81] Wr. Zs. 28. 4. 1835, Modebild n. 420, 3. 5. 1838, Modebild n. 424.
[82] Wr. Zs. 14. 2. 1828, Modebild n. 160, 13. 6. 1833, Modebild n. 580, 17. 8. 1837, Modebild n. 784, 6. 4. 1841, Modebild n. 440.
[83] Wr. Zs. 13. 3. 1828, Modebild n. 256, 11. 4. 1833, Modebild n. 364, 28. 12. 1837, Modebild n. 1240.
[84] Wr. Zs. 11. 3. 1830, Modebild n. 248, 29. 7. 1841, Modebild n. 960.
[85] Springschitz, S. 100 f.
[86] Gabrielle Wittkop-Ménardeau, Unsere Kleidung, Frankfurt am Main 1985, S. 60.
[87] A. Varron, Die Kunst seine Krawatte zu binden. In: Ciba Rundschau 36, 1909, S. 1306.
[88] Ebenda, S. 1304.
[89] Wr. Zs. 14. 7. 1836, Modebild n. 672.
[90] Wr. Zs. 1816–1848.
[91] Friedell: S. 1026 f.

# „WIENER SHAWLS"

Angela Völker

In den letzten Jahren haben sich europäische und amerikanische Museen, Sammler und Forscher wiederholt mit den sogenannten Kaschmirshawls beschäftigt, weniger um die aus dem Himalajastaat stammenden Stücke von ihren europäischen Kopien und Varianten zu unterscheiden – eine recht einfache technische Frage –, sondern vor allem, um eine Chronologie und Kriterien zu erarbeiten, die erlauben, die Produkte europäischer Shawlzentren zu charakterisieren[1]. So hat Monique Lévi-Strauss in Ausstellungen und Publikationen französische Shawls untersucht und einen Ausgangspunkt geschaffen für deren Abgrenzung gegen Erzeugnisse anderer Länder[2]. In Frankreich webt man die aufwendigsten und qualitätvollsten europäischen Kaschmirshawls, Vorbilder und Maßstab für andere Zentren, so daß die Charakteristika französischer Stücke deutlicher formulierbar scheinen als z. B. die der vergleichsweise einfacheren schottischen Ware. Wien, Textilmetropole der österreichisch-ungarischen Monarchie, spielt eine weit weniger wichtige Rolle, regional außerdem weitgehend begrenzt auf den allerdings relativ großen eigenen Markt.

Die „echten" Kaschmirshawls, die in der zweiten Hälfte des 18. Jahrhunderts nach Europa gelangen, avancieren hier schnell zum überaus beliebten und sehr kostspieligen Accessoire der Damenmode. Was liegt nun näher, als die begehrten Stücke im Land zu imitieren und vor allem auf einfachere und kostensparende Weise mit den neuen Errungenschaften der Webtechnik billiger zu produzieren? Schon Ende des 18. Jahrhunderts haben daher schottische und französische Fabrikanten begonnen, mit diesem Artikel einen neuen Markt aufzubauen. In Wien fängt man erst um 1805 an, sich vom Import auch der europäischen Varianten durch eigene Erzeugung unabhängig zu machen.

Im Österreichischen Museum für angewandte Kunst befindet sich dazu eine ungewöhnlich exakte Dokumentationsmöglichkeit, die die Wiener Shawlproduktion der ersten Hälfte des 19. Jahrhunderts durch höchst interessante Beispiele belegt: Hier ist eine Sammlung von Musterkarten aus dem ehemaligen, 1807 von Kaiser Franz I. gegründeten „Fabriksproduktenkabinett" erhalten, an das Textil- und andere Fabrikanten aus der gesamten Monarchie Exemple ihrer Produktion senden, die gesammelt und öffentlich ausgestellt werden[3]. Diese auch heute noch sehr umfangreiche Kollektion verschiedenster Stoffarten enthält etwa sechzig Muster von Wiener Shawlwebern, die mit Angaben zum Fabrikanten, zum Entstehungs- oder Einsendejahr und zuweilen auch zu Technik und Material beschriftet sind. Außerdem besitzt das Museum fünfzig Shawlmuster – meist sind es Viertel von quadratischen Tüchern – aus der Firma Joseph Burde, die dessen Teilhaber Rudolph Arthaber 1837 dem Kabinett schenkt[4]. Schließlich befinden sich – leider nur wenige und nicht so gut dokumentierte – vollständige Shawls und Tücher aus dieser Zeit in der Textilsammlung. Eine Reihe zeitgenössischer Publikationen bietet außerdem einen „theoretischen" Einblick in die Shawlproduktion der Donaumetropole[5]. Der heute verwendete Begriff „Wiener Shawl" ist in der ersten Hälfte des 19. Jahrhunderts in Wien wahrscheinlich in diesem Sinne kaum gebraucht worden. „Kaschmir Shawl" hingegen heißen die Stücke meist nur, wenn sie wirklich ganz oder teilweise aus Kaschmirwolle gewebt sind. Die Quellen benutzen oft den heute nicht eindeutigen Begriff „Shawl". Die Musterkarten aus dem „Farbriksproduktenkabinett", auf denen Stoffe die Bezeichnungen ja illustrieren, verwenden „Shawl" als Gattungsbegriff, der sich mit der gegenwärtigen Vorstellung von „Wiener Shawl" deckt. Zusätzliche Benennungen gelten vor allem der Musterverteilung: Der „Empleen-Shawl", das „Emplein-Tuch" oder der „gestreifte Empleen-Shawl" haben ein kleinteiliges, das ganze Feld überspannendes Muster – bei letzterem zusätzlich in farblich abgesetzte Streifen geordnet. Die „Guirlanden-Tücher" zeigen eine schmale äußere Bordüre, an die eine lockere Reihe größerer, sogenannter Palmen – so die zeitgenössische Bezeichnung des Boteh – Motivs – anschließt. Die Ecken sind durch zusätzliche Motive betont, das Feld bleibt leer. Für die „Rondeau-Tücher" hingegen ist eine breite äußere Borte charakteristisch, ebenso fächerartige Ecklösungen, eine locker gestreute Feldmusterung und das prominente Mittelmotiv. „Shawls mit hohen Palmen-Borduren" kommen den Vorbildern aus Kaschmir wohl am nächsten. Diese und andere Zusätze werden aber auch oft vermischt, so daß viele Benennungen unklar und verwirrend erscheinen.

Material und Technik europäischer – und natürlich auch der Wiener – Shawls müssen vom Vorbild vor allem aus ökonomischen Gründen abweichen. Trotz mannigfacher Versuche gelingt es nicht, ein der Kaschmirwolle adäquates Material zu produzieren, der Import hingegen ist unrentabel. Die charakteristische Weichheit und Leichtigkeit des Originals versucht man deshalb durch Mischen von Seide und Wolle oder Baumwolle zu erreichen. Meist wird das Muster in Wolle, Baumwolle oder in beiden Materialien in eine seidene Kette eingetragen. Die Webtechnik der „echten" Shawls – Tapisserieweberei in Köperbindung auf Handwebstühlen – kann auf den zunehmend mechanisierten Webstühlen des Westens nicht gewinnbringend nachvollzogen werden, so daß man in ganz Europa lancierte Gewebe verfertigt, deren auf der Rückseite lose flottierende Schüsse man nach der Fertigstellung des Shawls mit der Hand und später maschinell ausschneidet. Es hat allerdings auch nicht an Anstrengungen gefehlt, materialmäßig und webtechnisch dem Vorbild zu entsprechen. Das Ergebnis sind luxuriöse, viel zu teure Einzelstücke.

Auf den drei großen „Allgemeinen Gewerbsprodukten Ausstellungen" 1835, 1839 und 1845 werden Shawls bei den Schafwollprodukten geführt, obwohl die meisten Exponate keine reinen Wollgewebe sind. Die Shawls, die ganz aus Wolle gearbeitet sind, werden sogar hervorgehoben. So heißt es z. B. über Joseph Burde, Sohn 1845: „Bemerkenswerth ist bei diesem Einsender, daß ein von ihm ausgestellter, ganz aus Schafwolle (mit Kette ohne Seidenfäden) verfertigter Shawl selbst bei den französischen Shawl-Fabrikanten, . . . , Aufsehen erregte, und von einem derselben, Fortier, sogar als Seltenheit angekauft wurde."[6] Meist werden die Shawls in den Quellen allerdings – richtig – als Halbseidenerzeugnisse kategorisiert. Als erster soll Franz Blümel die „sogenannten englischen Shawls mit Baumwoll-Eintrag verfertigt haben"[7]. Von Georg Griller wird berichtet, er habe Experimente mit Angorawolle gemacht[8].

Zur Produktion europäischer Shawls waren neben den mit dem Material und dem Weben unmittelbar verbundenen

Vorgängen noch zwei Arbeitsgänge notwendig: Einmal das Waschen und nachträgliche Ausspannen: „Eine eigentliche Appretur oder Steife hingegen wird ihnen fast nie gegeben, da bey vielen möglichste Weiche und Leichtigkeit zu den geforderten Eigenschaften gezählt, bey anderen wieder durch den Eintrag der gehörige Grad von Festigkeit und Steife hervorgebracht wird."[9] Wichtiger noch ist das Ausschneiden der Lancierfäden auf der Rückseite, „weil diese dem Stoff zu viel von seiner Leichtigkeit benehmen würden"[10]. Vor 1835 – als in Frankreich dafür eine Maschine erfunden wurde – verrichteten Frauen und Mädchen diese Arbeit. Daß damit selbständige Werkstätten betraut waren, liest man im Bericht zur Ausstellung 1845[11].

Nimmt man nun die in den Quellen erwähnten und auf den Musterkarten notierten Wiener Shawlfabrikanten zusammen, so ergibt sich hinsichtlich ihrer kunsthandwerklichen, wirtschaftlichen und historischen Bedeutung eine gewisse Reihung: Eine der ersten und zugleich anerkanntesten dürfte die Firma Bertolli (Pertolli) gewesen sein, von der es 1821 heißt: „Von den früher bestandenen verdient Fr. Bertolli wegen seiner ausgezeichnet schönen Shawls vorzugsweise genannt zu werden."[12] „Im Jahre 1811 trieb Herr Pertolli diesen Artikel, sowohl in der Feinheit des Stoffes als auch an Geschmack in Hinsicht des Dessins, auf die höchste Stufe", findet ein anderer Autor[13]. Leider sind bisher keine Shawls dieser Firma identifizierbar.

Bei Georg Griller hingegen, der als einer der geschicktesten und wirtschaftlich erfolgreichsten geschildert wird, zeugen Musterkarten von der hohen Qualität seiner Waren: Drei Karten zeigen „feine Shawls-Borduren", die anderen vier Muster „mittelfeiner" und „feiner Palmen", ein „Emplein zu Shawls und Tüchern", sowie eine „große feine Scheibe in die Mitte eines Shawls oder Tuches" mit vier Eckmotiven in Fächerform. Die Muster sind 1820 datiert und zeigen vom indischen Vorbild geprägte Formen. Nur die „große feine Scheibe" ist eine Mischung aus orientalischen und klassizistisch europäischen Elementen. Die Beispiele sind sorgfältig gewebt, farblich sehr reizvoll und kommen mit seidener Kette und wollenem Schuß der Materialwirkung der „Originale sehr nahe".

Als wichtige Shawlfabrikanten werden noch Anton Mayer, Joseph Wolf, Lorenz Schaller und Johann Blümel genannt[14]. Von jeder dieser Firmen befinden sich Muster in der Wiener Sammlung: Die Kartons der Fabrik Anton Mayers reichen von 1823 bis 1830 und vermitteln einen lebhaften Eindruck von der Variationsbreite der Motive innerhalb der „orientalischen" Konstante. Besonders interessant sind die 1830 datierten „feinen Shawls-Muster", die, wohl als Muterstükke gewebt, Shawls oder Tücher en miniature wiedergeben und eine eigenständige, weit vom Vorbild entfernte Motivik und Farbigkeit aufweisen. Auch die von Joseph Wolf erhaltenen Kartons umfassen einen längeren Zeitraum – 1826 bis 1835 – und geben eine Vorstellung von damals guter, gängiger Ware. Vier Muster stammen aus der „ersten allgemeinen Gewerbs-Produkten-Ausstellung" von 1835, wo der Fabrikant ein „zahlreiches Sortiment seiner Erzeugnisse" präsentiert und mit einer Silbermedaille ausgezeichnet wird. Von Lorenz Schaller gibt es nur zwei Muster für „Umhängtücher aus spitzenartigem Dünntuch-Grunde, mit Schafwoll-Broschirung" von 1822. Auf dieses ungewöhnliche Verfahren hatte er am 23. September 1822 ein fünfjähriges ausschließliches Patent erhalten[15]. Es sind die einzigen Exemplare unter den Shawlmustern in der ausgefallenen Technik. Die wichtigsten Musterkartons aus der Fabrik Johann Blümels zeigen „patentirte Muster für Shawlstücher" von 1825, auf die Blümel 1823 das ausschließliche Privileg bekommen hat und die „an Schönheit die türkischen weit übertreffen, auf beyden Seiten getragen werden, und auf jeder Seite eine andere Farbe mit Dessins haben können, von denen man zwey auf einem Webstuhl zu machen im Stande ist . . ."[16] Der obere Stoff zeigt so ein Beispiel, während der untere eine „Shawlsbordur, auf beyden Seiten rechts", das gleiche Muster vorne und hinten im Farbwechsel aufweist. Eine Shawlmusterkarte von 1820 mit Stoffen zu „Shawlstücher(n) aus Baumwolle und Seide" hat sich schließlich von Sebastian Kargl erhalten, den man als Halbseidenfabrikanten, nicht aber als Shawlproduzenten in den Quellen erwähnt.

Die Gold- und Silbermedaillengewinner der drei großen Gewerbeausstellungen werden vor allem wirtschaftlich eine gewisse Rolle gespielt haben. Hier ist allen voran die Fabrik des Joseph Burde zu nennen, die 1835 und 1839 zu den Goldmedaillengewinnern gehört und von der sich – wie oben erwähnt – ein großes Musterkonvolut im Österreichischen Museum für angewandte Kunst befindet. Wahrscheinlich stammen diese Produkte nicht alle aus dem Jahr der Schenkung – 1837 –, sondern vermitteln einen gewissen Überblick über die Produktion der Firma in den Jahren davor. Hier findet man nämlich neben den traditionellen, gängigen, orientalisierenden Mustern auch eigenständigere, die vielleicht auf eine im Ausstellungsbericht von 1835 gerühmte Initiative des Teilhabers Arthaber zurückgehen: Rudolph Arthaber „ist im Jänner 1834 dieser Fabrik . . . beigetreten. Seit dieser Zeit bietet das Etablissement alles auf, um in der Fabrikation unabhängig von ausländischen Mustern zu werden und der inländischen Shawl-Erzeugung den Charakter der Originalität zu verschaffen. Um zu diesem Zweck zu gelangen, hat (er) an dem k. k. polytechnischen Institute einen jährlichen Preis von 90 Dukaten für die gelungenste Original-Shawl-Zeichnung festgesetzt"[17].

Weitere Goldmedaillengewinner waren 1839 Wilhelm Reinhold und die Firma Zeisel & Blümel 1845. Silbermedaillen haben der schon genannte Joseph Wolf 1835 und 1839 Joseph Zeisel gewonnen. Joseph Berger wurde ebenfalls 1839, Wilhelm Reinhold, Joseph Berger d. Ä. und Sebastian Haydter 1845 mit Silbermedaillen ausgezeichnet. Man kann aus den Quellen mehr als sechzig Wiener Shawlfabrikanten namhaft machen, und das sind sicherlich noch nicht alle, denn „auf Halbseidenzeuge (werden) keine eigenen Befugnisse in Wien verliehen . . ., sondern jedem Seidenzeugmacher sowie den Webern ist gestattet, alle Halbseidenzeuge zu verfertigen"[18].

Daß die Shawlproduktion für die Wiener Textilindustrie ein wichtiger Zweig ist, zeigt bereits die Spezialisierung einer ganzen Reihe von Fabrikanten allein auf deren Herstellung. Es gilt dabei vor allem, den recht großen Bedarf an „Wiener Shawls" im eigenen Land zu befriedigen, aber auch die ausländische – schottische und französische – Konkurrenz auf diesem Gebiet sowohl in der österreichischen Monarchie als auch in den möglichen Exportgebieten zu schlagen. Wilhelm Reinhold erhält 1839 seine Goldmedaille „wiewohl der Herr Aussteller in keinen unmittelbaren Handelsverbindungen mit dem Auslande steht, so gereicht es ihm doch zum großen Verdienste, zur befriedigenden Bedeckung des starken inländischen Bedarfs ausländischer, besonders französischer Shawls wesentlich mitgewirkt zu haben"[19]. Als Exportpartner kommen vor allem Deutschland, Italien und die Türkei, aber auch Rußland, Polen und Nordamerika in Frage. Wie labil diese Situation freilich ist, wird 1821 berichtet: „Vor einigen Jahren wurden viele Shawls nach Italien und vorzüglich nach Frankfurt und Leipzig verschickt. Seit kurzem scheint aber der Handel mit Wiener Shawls nach Teutschland abzunehmen und man beklagt sich selbst im Inlande über die Einschwärzung (i. e. den Schmuggel) englischer und französischer Shawls"[20].

1832 sind mehr als 4000 Webstühle in Wien mit der Erzeugung von Shawls und shawlartigen Stoffen beschäftigt. Die Produktionsziffern einzelner Firmen werden in den Gewerbeausstellungsberichten veröffentlicht: Joseph Berger d. Ä. beispielsweise „liefert jährlich 5000 Stück Shawls"[21]. Die Firma Zeisel & Blümel erzeugt 1845 sogar 12.300 Stück jährlich[22]. Die kurze Beschreibung der aktuellen Situation der Shawlherstellung im Jahr 1845 sei zitiert: „Ein höchst wichtiger Zweig der Schafwollen-Manufactur ist die Shawls-Weberei, Wien ihr Sitz. Dieselbe erreichte seit dem Jahre 1825 und noch mehr seit wenigen Jahren einen so hohen Aufschwung, dass die hiesigen Erzeugnisse dieser Art mit jenen von Paris, Lyon und Nîmes zu concurriren vermögen. Mehr als zwei Drittheile der jährlich erzeugten 400.000 Stück im Werte von ungefähr 3 Millionen Gulden gehen in das Ausland . . . Die Zahl der sich mit diesem Fach beschäftigenden Unternehmungen in der Residenz stieg im Jahr 1844 auf 216. Hierzu kommen noch mehrere Weber in der Umgebung, so daß man die Zahl der dieser Industrie angehörenden Stühle auf 2600 veranschlagen kann"[23]. Als Hauptkonkurrent wird natürlich Frankreich angesehen, sowohl was die Menge der dort produzierten Ware betrifft, als auch in bezug auf Muster und Qualität. Mancher stellte die Produkte Pariser Fabrikanten sogar über die echten Shawls aus Kaschmir, weil die Stücke einheitlicher gewebt und schöner in der Proportion seien[24].

Diese Einschätzung hängt nicht zuletzt mit der Mode zusammen, die auch den Kaschmirshawl nicht unberührt läßt. Der importierte echte Shawl ist meist rechteckig, insgesamt von einer schmalen Borte umgeben und an den beiden Schmalseiten noch zusätzlich mit einer breiten Bordüre geschmückt, die aus Boteh-Motiven oder Palmen – wie man sie damals nennt – besteht. Zu den leichten, hellen Empirekleidern turg man sie nicht nur als Schmuck, sondern auch als wärmende Ergänzung. Mit der Abwendung der Mode von klassizistischen Formen, Farben und Idealen versucht man auch, den klassischen Kaschmirshawl zu verändern, bevorzugt nicht mehr nur die längliche Form, Bordürenschmuck und klassische Farbigkeit. In zunehmendem Maße werden quadratische Tücher beliebt, die auch einen reicheren Schmuck haben sollen und deren Farbigkeit intensiver und kontrastreicher wirkt, so daß die Shawls auch im Gesamteindruck zur Kleidermode sich harmonisch fügen. Shawls und Tücher werden bald ganz von einem großteiligen Muster überzogen, das allerdings seine orientalische Quelle nicht verleugnet. Die oft schwereren, sehr großen und jetzt üppig gemusterten europäischen – und natürlich auch die Wiener – Shawls sind bald nicht mehr nur ein Accessoire, sondern werden wie Mäntel über den weiten, jetzt auch wieder durch einen Reifrock oder die Krinoline unterstützten Rock getragen. Vorzüglich passen diese Muster natürlich in die Orientmode der dreißiger Jahre des 19. Jahrhunderts, in denen die wohl schönsten und qualitätvollsten europäischen sogenannten Kaschmirshawls entstehen.

**Anmerkungen:**

[1] H. Overduin, M. C. de Jong, H. M. van Eijkern-Balkentein, Kashmirsjaals. Den Haag 1985/86.
F. Ames, The Kashmir Shawl. Woodbridge, Suffork 1986.
E. Mikosch, The Scent of Flowers. In: Textile Museum Journal 1985, Vol. 24, 1986, 6 ff.

[2] M. Lévi-Strauss, La mode du châle cachemire en France. Paris 1982.
Dies., Arte e storia degli scialli nel XIX secolo. Milano 1986.

[3] Vgl. zur Gründung des Kabinetts: J. Slokar, Geschichte der österreichischen Industrie und ihrer Förderer unter Kaiser Franz I. Wien 1914, 228 f.
M. Dreger hat diesen interessanten Bestand der Wiener Textilsammlung bereits bekannt gemacht: Beginn und Blüte der Wiener Seidenweberei. In: Kunst und Kunsthandwerk XVIII, 1915, 325 f. und: Über die älteste Zeugdruck-Industrie in Österreich. In: ebd. XIX 1916, 1 ff.
Den Anteil der Shawlproduktion habe ich selbst beschrieben: A. Völker, Die Produktion von „Wiener Shawls" in der ersten Hälfte des 19. Jahrhunderts. In: Dokumentatextilia. München 1981.

[4] Inv. Nr. TGM 29533, 1–50. Sie sind zwischen 60 × 60 und 80 × 80 cm groß.

[5] Vor allem: S. Edler von Keeß, Darstellung des Fabriks- ud Gewerbewesens im österreichischen Kaiserstaate. Wien 1819–1821 (Textilindustrie: 2. Teil, 1. Bd., 2. Lieferung, 1821).
Ders. u. W. C. W. Blumenbach, Systematische Darstellung der neuesten Fortschritte in den Gewerben und Manufakturen und des gegenwärtigen Zustandes derselben. Wien 1829–1830 (Textilindustrie 1. Bd. 1829).

[6] Bericht über die dritte allgemeine österreichische Gewerbe-Ausstellung in Wien 1845. Wien 1846, 446.

[7] Kees a. a. O. (Anm. 5), 1821, 349.

[8] Keeß a. a. O. (Anm. 5), 1821, 352.

[9] Keeß a. a. O. (Anm. 5), 1821, 351.

[10] Keeß a. a. O. (Anm. 5), 1821 351.

[11] Bericht 1845 a. a. O. (Anm. 6), 412.

[12] Keeß a. a. O. (Anm. 5), 1821, 352.

[13] J. G. Bartsch, Die Vorrichtungskunst der Webstühle. Wien 1832 (1. Bd.), 1833 (2. Bd.), o. J. (Tafeln), 161.

[14] Keeß a. a. O. (Anm. 5), 1821 352; Bartsch a. a. O. (Anm. 13), 1833, 161; Keeß a. a. O. (Anm. 5), 1829, 484.

[15] Keeß a. a. O. (Anm. 5), 1829, 477 f.

[16] Keeß a. a. O. (Anm. 5), 1829, 477.

[17] Bericht über die erste allgemeine österreichische Gewerbsprodukten-Ausstellung im Jahre 1835. Wien o. J., 16 f.

[18] Keeß a. a. O. (Anm. 5), 1821, 353.

[19] Bericht über die zweite allgemeine österreichische Gewerbsprodukten-Ausstellung im Jahre 1839. Wien 1840, S. 275.

[20] Keeß a. a. O. (Anm. 5), 1821, 354.

[21] Bericht 1845 a. a. O. (Anm. 6), 445.

[22] Bericht 1845 a. a. O. (Anm. 6), 444.

[23] Bericht 1845 a. a. O. (Anm. 6), 412.

[24] Keeß a. a. O. (Anm. 5), 1829, 481.

## 7 BÜRGERSINN UND STADTKULTUR

### 7/1
### Fabriksproduktenkabinett

**7/1/1**
**8 Champagnergläser**

Graf Harrachsche Glasfabrik Neuwelt, Böhmen 1818
Farbloses Glas, unterschiedlicher Schliff
H.: 19–20 cm, Dm.: 4,5–6 cm
Wien, Technisches Museum, Inv. Nr. 21.897 bis 21.899 und 30.154–30.158

**7/1/2**
**6 Weinbouteillen**

Graf Harrachsche Glasfabrik Neuwelt, Böhmen 1818
Farbloses Glas, unterschiedlicher Schliff
H.: 21–26 cm, Dm.: 8–9 cm
Wien, Technisches Museum, Inv. Nr. 30.159 bis 30.164

**7/1/3**
**3 Muster von Elfenbeinschnitzerei, Wien 1819**

Franz Findling
Elfenbein, in Holzschatulle
Schatulle 37 × 37 × 7,5 cm
Wien, Technisches Museum, Inv. Nr. 8.412

**7/1/4**
**Nacht-Öllampe, als Uhr ausgeführt, Wien 1820**

Carl Demuth
Blech
13,5 cm × 6 × 19 cm
Wien, Technisches Museum, Inv. Nr. 22.228

**7/1/5**
**Aus einem einzigen Horn gefertiger Musterkamm, Wien 1821**

Viktor Valadier
Horn
120 × 48 cm
Wien, Technisches Museum, Inv. Nr. 30.186

**7/1/6**
**Kreisrunder, innen und außen gezähnter Musterkamm, Wien 1821**

Viktor Valadier
Horn
Dm.: 19,5 cm
Wien, Technisches Museum, Inv. Nr. 30.185

**7/1/7**
**Hydrostatische Lampe, um 1820**

Weißblech, hellbraun lackiert, figurale Szene
15 × 15 × 48 cm
Wien, Technisches Museum, Inv. Nr. 10.346

**7/1/8**
**1 Paar Handschuhe à la Girafe, Wien 1827**

Gustav Autenrieth
Weißes Leder mit Lithographie einer Giraffe
L.: 24 cm, B.: 7,5 cm
Wien, Technisches Museum, Inv. Nr. 30.188/1, 2

**7/1/9**
**Vorhängschloß, um 1830**

Stahl
14,5 × 21,5 × 5,5 cm
Wien, Technisches Museum, Inv. Nr. 19.782

**7/1/10**
**Zusammenschiebbarer Jagdbecher, um 1830**

Horn
H.: 10 cm, Dm.: 6 cm
Wien, Technisches Museum, Inv. Nr. 20.811

**7/1/11**
**Fein lackierte Bleistifte in Schatulle**

K.K. priv. Fabrik der Brüder L. u. C. Hardtmuth in Wien, um 1830
Holz, Schatulle mit Goldborten beklebt
Schatulle 42 × 27 × 8 cm
Wien, Technisches Museum, Inv. Nr. 30.187

**7/1/12**
**4 Schmelzfarben in Kuchenform**

Glasfabrik Murano, um 1830
Opakes, farbiges Glas (weiß, gelb, schwarz, dunkelrot)
H.: 1–2 cm, Dm.: 10–11,5 cm
Wien, Technisches Museum, Inv. Nr. 25.902 sowie 30.173–30.175

**7/1/13**
**Bund Glasperlen zu 10 Schnüren, um 1830**

Grünes, massives Glas, geschliffen
L.: 34 cm, Perlen: Dm.: 0,8 cm
Wien, Technisches Museum, Inv. Nr. 30.148

**7/1/14**
**2 Schnüre Hohlperlen, Gablonz um 1830**

Heinrich Göble
Glas, glatt und vergoldet, blauer Grund mit Goldverzierungen
L.: 29 cm, Perlen: Dm.: 1,2 bzw. 1,4 cm
Wien, Technisches Museum, Inv. Nr. 30.149

**7/1/15**
**2 Schnüre Rubinperlen, Gablonz um 1830**

Heinrich Göble
Rotes, massives Glas, geschliffen
L.: 33 cm, Perlen: Dm.: 1,1 cm
Wien, Technisches Museum, Inv. Nr. 30.150

**7/1/16**
**2 Schnüre Glasperlen, Gablonz um 1830**

Heinrich Göble
Blaues und violettes, massives Glas, geschliffen
L.: 31 cm, Perlen: Dm.: 1,5 cm
Wien, Technisches Museum, Inv. Nr. 30.151

**7/1/17**
**Kästchen mit verschiedenen Drechslerarbeiten, um 1830**

Erzeugnisse in Horn, Holz, Elfenbein, Kästchen Holz, mit Papier überzogen
Kästchen, 45 × 19 × 19 cm
Wien, Technisches Museum, Inv. Nr. 22.093

**7/1/18**
**Kästchen mit 15 silberplattierten Gegenständen, Wien um 1830**

Stephan Mayerhofer
Gegenstände Plattierware, Kästchen Holz
45 × 19 × 19 cm
Wien, Technisches Museum, Inv. Nr. 22.856

**7/1/19**
**Taschenmesser in Form eines Fisches, Graz um 1830**

Pichler
Stahl, Perlmutter
9,5 × 3,5 × 1 cm
Wien, Technisches Museum, Inv. Nr. 30.184

**7/1/20**
**Modell eines Einkaufskorbes, um 1830**

Holz
15 × 11 × 17 cm
Wien, Technisches Museum, Inv. Nr. 30.181

**7/1/21**
**Modell einer Bibliotheksstiege, Graz um 1830**

Joseph Grillwitzer
Holz
33 × 17 × 46 cm
Wien, Technisches Museum, Inv. Nr. 23.599

**7/1/22**
**Handkörbchen, Wien um 1830**

Georg Ecker
Holz
21 × 18 × 15 cm
Wien, Technisches Museum, Inv. Nr. 3.419

**7/1/23**
**8 Schmelzfarben in Kuchenform, Venedig 1839**

Dalmistro, Minerbi und Co
Durchsichtiges, farbiges Glas (blau, grün, rosa und weiß)
H.: 1–1,5 cm, Dm.: 9,5–12 cm
Wien, Technisches Museum, Inv. Nr. 25.901, 25.903, 25.904 sowie 30.165–30.169

**7/1/24**
**Bacchus mit Faun**

Gießerei des Fürsten Salm, Blansko, Mähren 1839
Eisenkunstguß
L.: 155 cm, Sockel: Dm.: 53 cm
Wien, Technisches Museum, Inv. Nr. 5.852

**7/1/25**
**Galanterie-Bronzearbeiten**

Div. Erzeuger, Wien 1839
Bronze, Glas, auf Karton montiert
H.: 29,5 cm, B.: 21,5 cm
Wien, Technisches Museum, Inv. Nr. 24.540

**7/1/26**
**Kühlflasche, Wien 1842**

Josef Sauerwein
Glas, Körper mit Zinn überzogen, Hals vergoldet
H.: 28 cm, Dm.: 10 cm
Wien, Technisches Museum, Inv. Nr. 30.153

**7/1/27**
**Tableau mit Mustern von Lithyalinglas**

Friedrich Egermann, Haida in Nordböhmen
85 Plättchen von verschiedenfärbigem Lithyalinglas auf Milchglas montiert, unter Glas in vergoldetem Holzrahmen
38,5 × 38,5 × 5 cm
Wien, Technisches Museum, Inv. Nr. 22.078
Siehe auch Kat. Nr. 6/1/8–16.

**7/1/28**
**Kaffeeflasche, Wien 1847**

Winkler
Glas, Unterteil galvanoplastisch mit Kupfer überzogen
H.: 25 cm, Dm.: 14 cm
Wien, Technisches Museum, Inv. Nr. 30.152

**7/1/29**
**Pumplampe mit Argandbrenner, um 1850**

Brüniertes Kupferblech, Verzierungen Messing
H.: 36,5 cm, Dm.: 13,5 cm
Wien, Technisches Museum, Inv. Nr. 3.705

**7/1/30**
**Steckkamm, Wien 1854**

Alexander Ziegler
Stahl, Muster in Blau-Gold
H.: 9,5 cm, B.: 9,5 cm
Wien, Technisches Museum, Inv. Nr. 30.183

**7/1/31**
**Dampfkaffeemaschine, Wien um 1850**

Joachim Jaksch
Wien, Technisches Museum, Inv. Nr. 11.525

**7/1/32**
**Heber-Kaffeemaschine, Wien 1839**

Wagenmann und Böttger
Wien, Technisches Museum, Inv. Nr. 11.526

**Der Wiener Volkscharakter nach Franz Stelzhamer, 1844**

„. . . Sowohl untereinander, als mit Fremden sind die Wiener freundlich, höflich und zuvorkommend, beispringend und gastfrei, weil sie vom Hause aus, d. h. vom Erzhause aus, nie ein anderes Beispiel gesehen haben. – Luxus und Luxuriosität werden nur ausnahmsweise getroffen, da sie der Natur des Wieners, ja der des Oesterreichers überhaupt widerstreben, die sich dem Bequemen, Behaglichen zuneigt. Aus Grund und in Folge dieser Eigenschaft bricht sich an uns auch meistens die Rapidität der Zeitwelle, wenn sie schon Alles ringsum über den Haufen zu werfen droht; . . . Es scheint, als habe unsere Nation mehr erdigen Stoff als der luftige Franzmann, oder der feuchte Sohn Albions. (Das Feuer ist zu edel, um eine National-Eigenschaft zu bedingen und flackert nur da und dort in einem einzelnen Kopfe oder Herzen.) – Ganz besonders ergötzlich ist unser Volk, wenn es sich der Lust hingibt, und der Freudigkeit des Lebens überläßt. Ach, Ach, kommt doch ihr Weltschmerzler, ihr Daseinsbejammerer, ihr Groß-Sorgenträger und Erdenkreutzritter, ihr Tag- und Nachtgrübler und Misanthropen! kommt, doch, etwa am ersten Mai in unsern allereinzigsten Prater, oder den zweiten Juli in die allbekannte Brigittenau, oder einmal zur Zeit des Carnevals, oder, wenn auch das Alles nicht möglich, kommt nur an einem schlichten Sonn- oder Feiertage, laßt euch von dem ersten, besten Menschenstrome mitwälzen, hinaus, durch irgend ein Stadtthor, und weiter und weiter hinaus zu irgend einer Linie nach – wo immerhin!

Seid aber dort nicht etwa zu herrisch oder zu blöde, und laßt euch ebenfalls ein Gläschen vorsetzen; denn nur durch ein solches wird es möglich, daß ihr den oft etwas grellen Freundschaftsstrahl erfassen könnt – klar und ungetrübt . . .

. . . Ein Volk, das sich so sorglos der Freude, so unbekümmert dem Genusse des Augenblicks hingibt, kann doch – beim Himmel! kein unglückliches sein, und diese seine Unkümmerniß und Sorglosigkeit kann nirgend anders begründet sein, als im Vertrauen auf die Liebe und Fürsorge von Oben; unter welchem „Oben" ich die irdische Thronhöhe und den Himmel zugleich verstanden wissen will.

Das Aeußere des Wiener Volkes: Gestalt und Aussehen zeugt von Gesundheit und völliger Jugend; von Temperament ist es sanguinisch-phlegmatisch; daher seine nur etwas über mittlere Größe, seine angenehme Leibesfülle und das prädominirende Lichtbraun von Haar und Bart; daher sein bonmotistisches Talent, seine Tagesfreudigkeit und Lebenssanftmuth . . ."

*Lit.: Franz Stelzhamer, Wiener Stadt-Physiognomie und Wiener Volks-Charakter. In: (Adalbert Stifter), Wien und die Wiener, Pest 1844, S. 161 ff.*

**„Die Welt wird immer schöner und großartiger"**
**Adalbert Stifter**

„Und da du das Rohr einmal in Händen hast, so gehe nun damit etwas links – siehst du am Rand der Stadt jenes palastähnliche Gebäude? Es ist eine Wagenremise, aber von großen mächtigen Wagen, deren gleich immer eine ganze Reihe aneinandergehängt daraus hervorfährt, von furchtbaren unbändigen Rossen gezogen; ihr Schnauben ist erschütternd, und der Dampf ihrer Nüstern geht als hohe dunkle Säule durch den Himmel; sie zermalmen jeden Widerstand, und ihrem Laufe vergleicht sich nur der Flug des Vogels und dennoch nur e i n Mensch, ein kleiner Mensch, du würdest ihn mit deinem Rohre kaum sehen, mit einem sanften Druck seiner Hand bändigt er die Rosse, daß sie dastehen, still und fromm wie zitternde Lämmer. Ei – dort fährt er ja – siehe die dunkle Linie schiebt sich durch die Saaten hin – sieh zu, eh sie dir enteilt. Schon steht ihre erste Rauchwolke weit hinter ihr am Himmel, aber auch ihre zweite und ihre dritte – jetzt deckt sie jener Abhang, jetzt ist sie wieder sichtbar, deutlich hinausschwebend – jetzt ist sie verschwunden, und nur der Rauch zerstreut sich langsam am Himmel.

Wie das majestätisch ist! und der Mensch, das körperlich ohnmächtige Ding, hat das Alles zusammengebracht; die furchtbar gewaltige Naturkraft, blind und entsetzlich, hat er wie ein Spielwerk vor seinen Wagenpallast gespannt, und lenkt sie mit dem Drucke seines Fingers – und so wird er auch noch andere, noch innigere, noch grauenhaftere seinem Dienste unterwerfen, und allmächtig werden in seinem Hause der Erde. Die Welt wird immer schöner und großartiger – Fast ist es betrübend, sterben zu müssen!"

*Lit.: Adalbert Stifter, Aussicht und Betrachtungen von der Spitze des St. Stephansthurmes. In: Wien und die Wiener, Pest 1844, S. XI.*

**Der Wiener Volkscharakter nach C. F. Langer, 1844**

„. . . Ein Hauptzug im Charakter des Wieners ist Lust am Lebensgenusse. Er ist ein Epikuräer – und wenngleich nicht durchwegs ein grober, doch auch nicht immer einer der feinsten. Der bekannte Vers Schillers: ‚Immer dreht sich am Herde der Spieß' – findet bei uns Wienern völlige Anwendung. Das ganze liebe Jahr hindurch gibt es öffentliche Unterhaltungen, Schmausereien, Musik und Tanz . . ."

*Lit.: C. F. Langer, Wiener Carnevals-Freuden. In: (Adalbert Stifter) Wien und die Wiener, Pest 1844, S. 387.*

**Der Nationalcharakter der Wiener nach Johann Pezzl, 1841**

„Hinsichtlich des National-Charakters der Wiener möge hier das Urteil A. W. v. Schlegels stehen: ‚Die Bewohner Wiens haben längst die Sitte gehabt, nachtheilige Schilderungen, welche manche Schriftsteller des nördlichen Deutschlands von dieser Hauptstadt entworfen, durch die wohlwollendste Aufnahme der eben aus jenen Gegenden herkommenden Gelehrten und Künstler, und durch uneigennützige Wärme für den Ruhm unserer Literatur zu widerlegen; eine Wärme, die selbst durch eine gerechte Empfindlichkeit nicht hat gedämpft werden können. Ich fand hier die Herzlichkeit besserer Zeiten mit jener liebenswürdigen Regsamkeit des Südens vereiniget, welche oft dem deutlichen Ernste versagt ist, und lebhaften Geschmack an geistiger Unterhaltung allgemein verbreitet.' – Nicht minder merkwürdig und betreffend ist das Urtheil eines andern geistreichen, fremden Beobachters:

‚Die Wiener verdienen den Ruf, in welchem sie allgemein stehen, den Ruf eines gutmüthigen, biedern, gastfreien Volkes. Diese National-Eigenschaften machen es Ausländern nicht schwer, auf allerlei Art in Wien ihr Glück zu machen. Daß es den Eingebornen mit diesen Eigenschaften Ernst ist, erhellt zur Genüge daraus, daß sie ungeachtet des mannigfaltigen Mißbrauchs bösartiger Reisenden ihre Offenheit, Redlichkeit und Geselligkeit niemals verläugnet haben. Man wirft ihnen durchaus Sinnlichkeit, einen großen Hang zum Wohlleben und zum guten Essen und Trinken vor; allein sei es die Folge des Klima's oder der Reiz der Nachahmung, oder die bequeme Gelegenheit, hier auf alle nur mögliche Art seine Laune zu befriedigen; kurz bei einem etwas längeren Aufenthalte finden Fremde an dieser Seite des National-Charakters allmählich weniger zu tadeln, und eifern wohl gar hierin mit den Eingebornen um die Wette.' . . ."

*Lit.: Johann Pezzl's Beschreibung von Wien. Achte Ausgabe, Wien 1841, S. 15 f.*

## 7/2
## Presse und Information

### Zeitungen, Zeitschriften, und Almanache

„Niemals darf es der Beurteilung des Redakteurs überlassen werden, welche bei dem Leser zu erzeugenden Schlußfolgerungen heilsam oder nachteilig sind; die Regierung allein ist dies imstande, und dem Redakteur einer Zeitung können dergleichen neue Darstellungen, Erläuterungen und Zusammenstellungen nur dann gestattet werden, wenn er von dem Gouvernement den Fingerzeig und die Richtung erhält", so hatte Metternich bereits im Jahr 1812 apodiktisch erklärt. Nach 1815 wurde die Presse wie auch andere Publikationsformen weiter eingeschränkt, 1823 und 1837 die Zensurbestimmungen noch verschärft. Mit Stand des Jahres 1841 erschienen in Wien lediglich zwei politische Zeitungen, nämlich die „Wiener Zeitung" und „Der Österreichische Beobachter", die beide als offiziöse Organe ein Teil des Regierungsinstrumentariums waren. Dem Biedermeier-Klischee durchaus entsprechend war der Schwerpunkt in der Wiener Medienlandschaft bei den nichtpolitischen Zeitschriften zu finden. 1841 erschienen in Wien neben den politischen 21 deutschsprachige Periodika sowie mit der „Revista Viennense" ein italienischsprachiges Journal. Hier sind neben verschiedenen speziellen Fachorganen vor allem die Kulturzeitschriften „Adler", „Der Humanist", „Der Sammler", die „Theaterzeitung", die „Wiener Modezeitung" und die „Wiener Musik-Zeitung" zu nennen. Was allerdings dem landläufigen Biedermeierklischee von der extremen Isolation Österreichs nicht entspricht, ist die Tatsache, daß man über die „k. k. Hofpostamts-Haupt-Zeitungs-Expedition in Wien" neben den 146 verschiedenen inländischen Journalen in neun Sprachen nicht weniger als 265 ausländische Zeitungen und Zeitschriften in elf verschiedenen Sprachen erhalten konnte. Ein Angebot, das einen Vergleich zu heute durchaus nicht zu scheuen braucht.

Ebenfalls sehr beliebt waren im Biedermeier die Almanache in einer für die Zeit fast symbolhaften Form: gestaltet als kleine Jahrbücher, harmlose Blütenlesen, herzige Kalender und betuliche Taschenbücher der Nichtigkeit.

Hatte Wien in diesen beidermeierlichen Jahren eher einen ruhigen, rezipierenden Charakter, so fand 1848 auch eine gewaltige Medien-Revolution statt. Im Jubel der endlich erreichten Pressefreiheit wurden rund 300 periodische Druckschriften gegründet, darunter nicht weniger als 86 Tageszeitungen. In allen Publikationsformen, so auch im Flugblatt und Plakat, wurden in diesem Jahr all die neugewonnenen Möglichkeiten der Meinungsäußerung durchgespielt.
Bernhard Denscher

**7/2/1**
**Der Adler**

Welt- und National-Chronik, Unterhaltungsblatt, Literatur- und Kunstzeitung für die oesterreichischen Staaten, Wien.
Wien, Wiener Stadt- u. Landesbibliothek, Sign.: F 5.541

**7/2/2**
**Allgemeine Bauzeitung**

mit Abbildungen, für Architekten, Ingenieurs, Dekorateurs, Bauprofessionisten, Oekonomen, Bauunternehmer und Alle, die an den Fortschritten und Leistungen der neuesten Zeit in der Baukunst und den dahin einschlagenden Fächern Antheil nehmen.
Hrsg. und redigirt von Christian Friedrich Ludwig Förster, Wien.
Wien, Wiener Stadt- u. Landesbibliothek, Sign.: C 28.801

**7/2/3**
**Oesterreichischer Beobachter, Wien.**

Wien, Wiener Stadt- u. Landesbibliothek, Sign.: C 32.842

**7/2/4**
**Der Sammler. Ein Unterhaltungsblatt, Wien.**

Wien, Wiener Stadt- u. Landesbibliothek, Sign.: F 153.241

**7/2/5**
**Wiener allgemeine Theaterzeitung.**

Red.: Adolf Bäuerle, Wien.
Wien, Wiener Stadt- u. Landesbibliothek, Sign.: F 15.213

**7/2/6**
**Der Wanderer im Gebiete der Kunst und Wissenschaft, Industrie und Gewerbe, Theater und Geselligkeit, Wien.**

Wien, Wiener Stadt- u. Landesbibliothek, Sign.: B 27.496

**7/2/7**
**Wiener Zeitschrift für Kunst, Literatur, Theater und Mode, Wien.**

Wien, Wiener Stadt- u. Landesbibliothek, Sign.: A 10.728

**7/2/8**
**Oesterreichisch-Kaiserlich privilegirte Wiener-Zeitung, Wien.**

Wien, Wiener Stadt- u. Landesbibliothek, Sign.: F 19.111

### Almanache

**7/2/9**
**Aglaja. Taschenbuch für das Jahr 1830, Wien.**

Wien, Wiener Stadt- u. Landesbibliothek, Sign.: A 14.692

**7/2/10**
**Almanach für Freundinnen romantischer Lecture auf das Jahr 1813, Wien.**

Wien, Wiener Stadt- u. Landesbibliothek, Sign.: G 33.955

**7/2/11**
**Alamanach der Liebe und Freundschaft für 1827, Wien.**

Wien, Wiener Stadt- u. Landesbibliothek, Sign.: G 26.193

**7/2/12**
**Almanach und Taschenbuch zum geselligen Vergnügen für das Jahr 1818, Wien.**

Wien, Wiener Stadt- u. Landesbibliothek, Sign.: G 35.623

**7/2/13**
**Dramatisches Sträußchen für das Jahr 1834, Wien.**

Ignaz Franz Castelli (1781–1862)
Wien, Wiener Stadt- u. Landesbibliothek, Sign.: A 29.943

**7/2/14**
**Der Freund des schönen Geschlechtes. Taschenbuch für das Jahr 1831, Wien.**

Wien, Wiener Stadt- u. Landesbibliothek, Sign.: G 12.136

**7/2/15**
**Les Variétes des Muses au La Fortune fixée pour l'année 1816, Vienne.**

Jean Hehl
Wien, Wiener Stadt- u. Landesbibliothek, Sign.: G 77.838

**7/2/16**
**Karten-Almanach für das schöne Geschlecht.**

Hrsg. und nach von Pergers Zeichnungen gestochen von Johann Neidl, Wien 1815.
Wien, Wiener Stadt- u. Landesbibliothek, Sign.: G 75.707

**7/2/17**
**Modealmanach für Damen 1818, Wien.**

Wien, Wiener Stadt- u. Landesbibliothek, Sign.: G 33.960

**7/2/18**
**Neuer Taschenkalender auf das Jahr 1830, Wien.**

Wien, Wiener Stadt- u. Landesbibliothek, Sign.: G 22.813

**7/2/19**
**Das Veilchen**

Ein Taschenbuch guten Menschen geweiht von Johann Carl Unger, 1823, Wien.
Wien, Wiener Stadt- u. Landesbibliothek, Sign.: G 22.813

### Anschlagzettel und Flugblätter

Maueranschläge waren bereits im Vormärz ein bedeutendes Kommunikationsmittel: Behörden, die Kirche aber auch Geschäftsleute bedienten sich relativ häufig dieses Mediums. Am stärksten aber war es die Unterhaltungsbranche, die diese Form der Außenwerbung betrieb: Feuerwerke, Bälle, Konzerte, Theater-

aufführungen, die Darbietungen wandernder Artisten und Schausteller wurden auf diese Weise beworben. Freilich waren die Plakate noch relativ klein und selten illustriert, aber aus Berichten und Illustrationen geht hervor, daß in manchen Gegenden Wiens die Mauern von derartigen Ankündigungen übersät waren. Die meisten Anschlagzettel hat es im vormärzlichen Wien beim „kleineren Thor der rothen Thurm-Passage" gegeben: Hier wurden zum Beispiel alle Bälle und alle wichtigen Konzerte von Strauß (Vater) und Lanner angekündigt. In der Frühzeit des Anschlagwesens wurde in Wien im buchstäblichen Sinn noch wild plakatiert. Die Hausmauern mit den vielen zum Teil übereinandergeklebten Anschlagzetteln sahen dementsprechend ungepflegt aus. Zur Verschönerung des Stadtbildes und wohl auch, um diese Form der Meinungsäußerung durch die Behörden besser kontrollieren zu können, wurden schon im Vormärz Firmen gegründet, die ein organisiertes Ankündigungswesen durchführten. Das erste dieser Unternehmen in Wien war jenes von Eduard Mauczka, das bereits 1826 gegründet wurde und sich deshalb später stolz „Erste Wiener Central-Placat-Anstalt" nannte. Allerdings hießen im Vormärz die Plakate noch „Anpikzettel" und die Plakatierer „Zetteltrager" oder deftiger „Zettelpapper". 1837 wurde die Neugründung einer weiteren „Expeditionskanzlei" für „Anpikzettel" in der satirischen Zeitschrift „Neue komische Briefe des Hans Jörgel von Gumpoldskirchen" witzig glossiert. Dem Kommentar ist zu entnehmen, daß das „k. k. privilegirte Expeditions-Bureau" nicht weniger als 150 „ungeheuer große Tafeln" anfertigen ließ, die dann in den Straßen angebracht wurden. Diese hölzernen „k. k. Ankündigungs-Tafeln" waren mit Leisten unterteilt, um so dem Ganzen ein geordnetes Aussehen zu verleihen. Eine eigene Druckerei, die mit dem Bureau zusammenarbeitete, sollte die Außenwerbung für die Auftraggeber nicht nur erleichtern, sondern auch verbilligen.
Bernhard Denscher

**7/2/20**
**Buchdruck-Handpresse**

Heinrich Löser
Wien um 1850
Gußeisen, Stahl; 170 × 110 × 178 cm
Wien, Technisches Museum, Inv. Nr. 17.135
GM

**7/2/21**
**Das neue Jahr 1815**

Wunsch von Georg Depolito, Zetteltrager beyder k. k. Hof-Theater
Flugblatt, Wien 1814.
Wien, Wiener Stadt- u. Landesbibliothek, Sign.: E 27.873

**7/2/22**
**Ordnung für die Kriegs-Bethstunden in der Metropolitankirche zu St. Stephan den 16., 17., 18. April 1815 von 9 Uhr Vormittags bis 6 Uhr Abends**

Anschlagzettel, Wien 1815.
Wien, Wiener Stadt- u. Landesbibliothek, Sign.: E 27.872

**7/2/23**
**Im k. k. Hoftheater nächst dem Kärnthnerthore. Fidelio, 2. December 1822**

Theaterzettel, Wien 1822.
Wien, Wiener Stadt- u. Landesbibliothek, Sign.: C 133.418

**7/2/24**
**Todesurtheil . . . Lorenz S.**

Flugblatt, Wien 1829.
Wien, Wiener Stadt- u. Landesbibliothek, Sign.: C 39.975

**7/2/25**
**Große Vorstellung Indianischer Kunststücke**

Anschlag, Wien 1829.
Wien, Wiener Stadt- u. Landesbibliothek, Sign.: D 64.522

**7/2/26**
**Große musikalisch-declamatorische Akademie (. . . zum Vortheile der durch die Überschwemmung verunglückten Bewohner der Ortschaften des Marchfeldes . . .)**

Anschlagzettel, Wien 1830.
Wien, Wiener Stadt- u. Landesbibliothek, Sign.: C 64.521

**7/2/27**
**Groß-Thaten hochherziger Bewohner Wiens und Oesterreichs, bei der schrecklichen Überschwemmung im Jahre 1830**

Flugblatt, Wien 1830.
Wien, Wiener Stadt- u. Landesbibliothek, Sign.: E 16.200

**7/2/28**
**Todesurtheil . . . Joseph K.**

Flugblatt, Wien 1830.
Wien, Wiener Stadt- u. Landesbibliothek, Sign.: C 39.975

**7/2/29**
**Redoute zum Vortheile der Pensions-Gesellschaft bildender Künstler in Wien**

Anschlagzettel, Wien 1832.
Wien, Wiener Stadt- u. Landesbibliothek, Sign.: C 129.399

**7/2/30**
**Entlaufener Hund**

Anschlagzettel, Wien 1835.
Wien, Wiener Stadt- u. Landesbibliothek, Sign.: E 53.571

**7/2/31**
**K. K. privil. Theater in der Leopoldstadt, Der Verschwender**

Theaterzettel, Wien 1835.
Wien, Wiener Stadt- u. Landesbibliothek, Sign.: P 120.941

**7/2/32**
**Unglückliches Ereigniß in St. Petersburg in Rußland**

Flugblatt, Wien 1836.
Wien, Wiener Stadt- u. Landesbibliothek, Sign.: E 16.196

**7/2/33**
**Tanzunterhaltung unter dem Titel: Der Fasching im Tunnel, in den sämtlichen Localitäten zu St. Anna**

Anschlagzettel, Wien 1836.
Wien, Wiener Stadt- u. Landesbibliothek, Sign.: C 129.399

**7/2/34**
**Der mißgestaltete Froschmensch**

Flugblatt, Wien 1837.
Wien, Wiener Stadt- u. Landesbibliothek, Sign.: E 17.569

**7/2/35**
**Der Doppelgänger**

Flugblatt, Wien 1837.
Wien, Wiener Stadt- u. Landesbibliothek, Sign.: E 10.761

**7/2/36**
**An Raimunds Grabe**

Flugblatt, Gutenstein 1837.
Wien, Wiener Stadt- u. Landesbibliothek, Sign.: E 144.788

**7/2/37**
**Frühlings-Conversation unter der Bezeichnung: Der Wiener Wohltätigkeitssinn (. . . zur Unterstützung der durch die Ueberschwemmung in Ofen und Pesth verunglückten Bewohner . . .)**

Anschlagzettel, Wien 1838.
Wien, Wiener Stadt- u. Landesbibliothek, Sign.: C 129.399

**7/2/38**
**Grosse Soirée . . . J. Lanner**

Anschlagzettel, Wien 1839.
Wien, Wiener Stadt- u. Landesbibliothek, Sign.: C 129.399

**7/2/39**
**K. K. priv. Theater in der Leopoldstadt, Production des Hrn. J. Lanner**

Theaterzettel, Wien 1838.
Wien, Wiener Stadt- u. Landesbibliothek, Sign.: P 120.941

**7/2/40**
**Der mitternächtliche Gang zum Hochgerichte**

Flugblatt, Wien 1841.
Wien, Wiener Stadt- u. Landesbibliothek, Sign.: E 10.257

**7/2/41**
**Preis-Tarif der Zeitungen und Journale bei der k. k. Hofpostamts-Haupt-Zeitungs-Expedition in Wien**

Verzeichnis, Wien, 1841.
Wien, Wiener Stadt- u. Landesbibliothek, Sign.: 131. 190

**7/2/42**
**Todesurtheil . . . Joseph W.**

Flugblatt, Wien 1844.
Wien, Wiener Stadt- u. Landesbibliothek, Sign.: C 39.975

**7/2/43**
**Todesurtheil . . . Jakob B.**

Flugblatt, Wien 1844.
Wien, Wiener Stadt- u. Landesbibliothek, Sign.: C 39.975

**7/2/44**
**Heute Donnerstag ist große musikalische Soirée des k. k. Hofball-Musikdirectors Herrn Johann Strauss**

Anschlagzettel, Wien 1846.
Wien, Wiener Stadt- u. Landesbibliothek, Sign.: C 129.399

**7/2/45**
**K. K. priv. Theater in der Leopoldstadt, Der Amerikaner in Paris**

Theaterzettel, Wien 1846.
Wien, Wiener Stadt- u. Landesbibliothek, Sign.: P. 120.941

**7/2/46**
**Todesurtheil . . . Franz J.**

Flugblatt, Wien 1847.
Wien, Wiener Stadt- u. Landesbibliothek, Sign.: C 39.975

**7/2/47**
**Concert von Dr. A. J. Becher**

Anschlagzettel, Wien 1847.
Wien, Wiener Stadt- u. Landesbibliothek, Sign.: C 64.521

**7/2/48**
**Österreichs reichster Tag**

Anschlagzettel, Wien 1848.
Wien, Wiener Stadt- u. Landesbibliothek, Sign.: P 50.835

**7/2/49**
**Bewohner Wiens!**

Anschlagzettel, Wien 1848.
Wien, Wiener Stadt- u. Landesbibliothek, Sign.: P 50.835

**7/2/50**
**Arbeiter!**

Anschlagzettel, Wien 1848.
Wien, Wiener Stadt- u. Landesbibliothek, Sign.: P 50.835

**7/2/51**
**Terrorismus der Schwarzgelben!**

Anschlagzettel, Wien 1848.
Wien, Wiener Stadt- u. Landesbibliothek, Sign.: P 50.835

**7/2/52**
**Eine Stimme aus Ungarn**

Anschlagzettel, Wien 1848.
Wien, Wiener Stadt- u. Landesbibliothek, Sign.: P 50.835

**7/2/53**
**Tapfere Wiener!**

Anschlagzettel, Wien 1848.
Wien, Wiener Stadt- u. Landesbibliothek, Sign.: P 50.835

**7/2/54**
**Modell einer lithographischen Presse um 1830**

Holz, Eisen, 55 × 25 × 24,5 cm
Wien, Technisches Museum, Inv. Nr. 25.164

**7/2/55**
**Lithographischer Stein „Wiener Bürger Cavallerie 1848“**

49 × 59 × 8 cm
HM, Dep. Nr. 5.704

**7/2/56**
**Anton Jung, 1829**
**Insiegeln sämtlicher Grundgerichte in Wien**

Lithographischer Stein, 52,5 × 40 × 5,5 cm. Sign. u. dat. re. u.: Nach den Originalabdrükken gezeichnet und auf Stein radiert im Jahr 1829 von dem Steueramts Registranten Anton Jung.
HM, Inv. Nr. 517

Die tabellarische Übersicht bringt 36 Siegel der Grundgerichte der Wiener Vorstädte:

1. Gemeinde Erdberg 1816
2. Althanisches Grundgerichtssigel
3. Gerichtssigel der Vorstadt Mariahülf im Schiff
4. Grundgericht Schaumburgerhof (Schaumburgergrund)
5. Gemain Sigil Landstrasse v. Wien C. St. Nicolai (Landstraße)
6. Sigill der Gemain unter den Weysgerbern
7. Gerichts Insigl der Wienerischen Leopoldstadt
8. Grundgericht Josephstadt
9. Grundsigil Laimgrube
10. S. M. Magdalena Grund Insigl
11. Von der Gemeinde Windmühle St. Theobald Sigil
12. Grund Breitenfeld
13. Der Gemain zu Gumpendorf
14. Grundgericht Altlerchenfeld
15. Sigilum Strotzi (Strozzigrund)
16. Sigilum BE I Sanctum Laurentium (Laurenzergrund)
17. Bürg. Wiener Alster im Währingergrund Gerichts. Sig. (Alstervorstadt)
18. Fürst. Lichtenstein Gerichts Sigil im Lichtenthal
19. Sigilum des Freygrund Jägerzeil
20. Grd. Gerichtsins. jenseits am Alserbach (Michelbeuern)
21. Grundgerichtsigil der Wiener Vorstadt Rossau
22. Nicolsdorff bey Sc. Margarethen an der Wien
23. Gemeinde Matzlsdorf bey St. Florian 1709 (Matzleinsdorf)
24. Gemeinde Hungelbrunn 1744
25. Sigill v. Grundgericht Margarethen
26. Frey Grund Thury
27. Gemein Sigil am Spitelberg
28. Reinprechts Torff Insigill (Hundsturm)
29. S. Tollonius einer ehrbaren Gemain (Neubau)
30. Sigil S. Ulrich untern Schotischen Grund (St. Ulrich)
31. Himmelpfortgrund Gerichts Sigill
32. Reimprechtstorf
33. Grundgericht Wieden
34. Sigill Sanct Ulrich am Oberneustift (Schottenfeld)
35. Grundgerichts Sigill Schotten (Schotten Gericht)
36. Schleifmühle

In Österreich – vornehmlich „unter der Enns“ – befand sich der Grund- und Hausbesitz bis zum Jahre 1848 im „Obereigentum“ verschiedener Grundherrn, welche die „Grundherrschaft“ ausübten. Dies bedeutete, daß der jeweilige „Grundbesitzer“ gewisse, in der Regel wirtschaftliche Leistungen an den Grundherrn zu erbringen hatte.

Mit dem erwähnten „Obereigentum“ waren auch wichtige öffentliche Rechte verbunden. So stand jedem Grundherrn über seine Grunduntertanen, das waren die von ihm abhängigen Personen, die als „Hörige“ auf seinem Grunde „saßen“ (und daher auch „Hintersassen“ genannt wurden), die Gerichtsbarkeit zu, wenn auch, je nachdem, ob die Hintersassen unfrei waren oder nur eine geminderte Freiheit hatten, in verschiedenem Maße. Die Aufgaben der Gerichtsbarkeit verpflichteten den Grundherrn auch zur Führung des sogenannten „Grundbuches“, in welchem alle „Besitzveränderungen“ ersichtlich zu machen waren.

Diese grundherrliche Gerichtsbarkeit gestaltete sich dadurch, daß im Laufe der Entwicklung die hohe Gerichtsbarkeit über die Unfreien dem Grundherrn entzogen und den (staatlichen) Landgerichten übertragen wurde und die niedere Gerichtsbarkeit über die freien Hintersassen in die Gerichtsbarkeit des Grundherrn einbezogen wurde, zur sogenannten patrimonialen Gerichtsbarkeit, die als eine Pertinenz des Grundstückes angesehen wurde.

Auch in den Städten übten die Grundherrn eine Gerichtsbarkeit über jene Personen aus, die in den im Obereigentum des Grundherrn befindlichen und im Stadtgebiet gelegenen Häusern angesiedelt waren.

In Wien wurde die erstinstanzliche staatliche Gerichtsbarkeit bis zu Kaiser Joseph II. durch das kaiserliche Stadt- und Landgericht und sodann im Gefolge der josephinischen Reformen durch den Magistrat der Stadt Wien ausgeübt. Die örtliche Zuständigkeit dieser Behörden erstreckte sich jeweils auf den Bereich des „Burgfriedens". Innerhalb der – mit der Burgfriedensgrenze nicht übereinstimmenden – Befestigungsgrenze blieben zahlreiche nichtstaatliche Grundherrschaften bestehen, die außerhalb des Burgfriedens lagen. Im Verlaufe des 18. Jahrhunderts erwarb der Wiener Magistrat viele nichtstaatliche Grundherrschaften, was zu einer nicht unwesentlichen Erweiterung des Burgfriedens führte. Bis zum Jahre 1848 besaß der Magistrat der Stadt Wien, der sich hinsichtlich der zugeordneten Bevölkerungszahl zur bedeutendsten Einzelgrundherrschaft entwickelt hatte, die alleinige Grundherrlichkeit über zehn der insgesamt siebzehn Vorstädte Wiens.

Die flächenmäßig größten Grundherrschaften waren lange Zeit hindurch die kirchlichen Grundherrlichkeiten. Zu diesen zählten vor allem das Stift Klosterneuburg, das Stift Schotten, die Erzdiözese Wien und verschiedene – später (insbesondere unter Kaiser Joseph II.) aufgehobene – Klöster.

Die übrigen im privaten Obereigentum befindlichen Grundstücke unterstanden adeligen Grundherrn. Von den Wiener Vororten gehörten im Vormärz lediglich Lichtenthal, der Schaumburgergrund und die Jägerzeile zur liechtensteinischen, starhembergischen bzw. seegenthalischen Grundherrschaft.

Veranlaßt durch die revolutionären Ereignisse des Jahres 1848 und die Forderungen Hans Kudlichs bestimmte ein Gesetz vom 7. September 1848, PGS. 76, Nr. 112, daß die Untertänigkeitsverhältnisse sowie alle aus dem grundherrlichen Obereigentum abgeleiteten Rechte aufgehoben seien. Im Zusammenhang damit wurde auch die Patrimonialgerichtsbarkeit vorerst verstaatlicht und schließlich zur Gänze beseitigt. Durch diese Maßnahmen waren um die Mitte des 19. Jahrhunderts die Grundlagen für die in der Republik Österreich noch derzeit in Geltung stehende Gerichtsorganisation geschaffen worden.
Dr. Herbert Spehar

**7/2/57**
**Druckform für Spielkarten**

Ludwig Worm, 1823
Holz, 27,5 × 23 × 8 cm
Wien, Technisches Museum, Inv. Nr. 20.865

**7/2/58**
**Haarreiber, um 1820**

Kuhhaar, L.: 21 cm, Dm.: 10 cm
Wien, Technisches Museum, Inv. Nr. 20.819

**7/2/59**
**Ungeschnittener Spielkartenbogen**

Mathias Koller, Wien um 1820
Karton, 30 × 37 cm
Wien, Technisches Museum, Inv. Nr. BPA 5.364/1

**7/2/60**
**Schablone für die rote Farbe**

Mathias Koller, Wien um 1820
Karton, 32 × 27 cm
Wien, Technisches Museum, Inv. Nr. BPA 5.364/2

**7/2/61**
**„Krönungszug Ihrer Majestät der Kaiserin / Carolina Augusta / von Österreich als Königin von Ungarn / aus der Kirche zu Pressburg am 25. September 1825. / Höchstderselben / in tiefster Ehrfurcht geweiht von dem Herausgeber / Joseph Trentsensky / in Wien."**

Joseph Kriehuber (1800–1876) nach Johann Nepomuk Hoechle (1790–1835)
Kreidelithographien, koloriert, um 1825/26
Blätter fortlaufend aneinandergeklebt
Serie unvollständig
16,3 × 966 cm
Bezeichnung auf Titelblatt:
Fig. 1: Avant-Garde
Fig. 2: Eine k. k. Kürassier-Division
Fig. 3: K. K. Hof-Einspänner
Fig. 4: Dienerschaft der Minister, Magnaten und Stände
Fig. 5: K. K. Leiblaquayen
Fig. 6: K. K. Hof Pauker u. Trompeter
Fig. 7: K. K. Hof Fourier
Fig. 8: K. K. Kammer Fourier
Fig. 9: K. K. Edelknaben
Fig. 10: Deren Hofmeister, Stellvertreter
Fig. 11: (Fehlstelle) Stände, Kämmerer, Mag (Fehlstelle) Räthe, Minister
Fig. 12: Der königl. Reichsherold
Fig. 13: Der K. Obersthofmeister
Fig. 14: S. K. H. der E. H. Reichs Palatin
Fig. 15: Die k. k. Trabanten Leibgarde
Fig. 16: Der Bischof mit apost. Kreuz
Fig. 17: Der Stellvertreter des Oberstallmeisters
Fig. 18: S. M. Der Kaiser und König
Fig. 19: Der Capit. der ungar. adel. Leibgarde
Fig. 20: (–"–) d(etto) der deutsch. Tra (unleserlich) Garde
Fig. 21: Der Königl. Oberst-Kämmerer
Fig. 22: Der General Adjutant S. M.
Fig. 23: J. M. der Kaiserin und Königin
Fig. 24: Der Oberst Hofmeister I. M.
Fig. 25: Die Königl. ungar. adel. Leibgarde
Fig. 26: Die Oberst Hofmeisterin I. M. und Gemahlin des Iudex Curice
Fig. 27: Die kön: ung. Krone, begleitet von dem k. k. Oberst-Hofmeister, k. k. Oberst-Kämmerer, k. ungar. Kronhüthern
Fig. 28: Dritter Wagen Hof Damen
Fig. 29: Vierter –"– d.
Fig. 30: Fünfter –"– d.
Fig. 31: Sechster –"– d.
Fig. 32: Eine k. k. Grenadier-Companie
Fig. 33: –"—"– Kürassier Division
Fig. 34: Arriere Garde
HM, Inv. Nr. 63.700

Aus einer Anzeige der Wiener Zeitung vom 2. Juni 1826 gehen die Künstler dieser Serie hervor und zugleich auch das Anliegen des Verlages, wenn es heißt: „Nicht nur das historische Interesse eines Werkes, welches mit umständlicher Genauigkeit einen Moment darstellt, auf welchen Millionen ihr Augenmerk gerichtet haben, sondern auch der künstlerische Wert derselben, da es das größte und umfangreichste Produkt ist, welches nicht nur unsere Monarchie, sondern vielleicht die Lithographie überhaupt geliefert hat, machen diese Darstellung der lebhaftesten Teilnahme und aufmuntersten Verbreitung würdig."

Das Format der Blätter weicht von der üblichen Norm ab, und man konnte den Krönungszug auf Papier aufgerollt und „ganz fein colorirt" in einer mit Gold verzierten Kapsel um 40 fl. C.M. kaufen. (Im Vergleich dazu kostete ein Heft mit 12 kolorierten Mandlbögen etwas mehr als 1 fl. C.M.). Doch gab es auch eine einfachere Ausführung, bei der die Lithographien um ein Stäbchen gerollt waren, das sich in einer Pappendeckelhülle befand. Aus einem seitlich angebrachten Schlitz konnte man die Blätter zur Besichtigung herausziehen.
ReWi

**7/3**
**Wiener Kaffeehaus**

*In Kaffeehäusern dürfen nur die erlaubten politischen Zeitungen, keine sonstigen erlaubten nichtpolitischen, literarischen Journale aufgelegt werden.*
(Dekret der Polizeihofstelle vom 20. Dezember 1838)

**7/3/1**
**Inneneinrichtung aus dem Café Eckl**

**7/3/1/1**
**Sitzkasse**

Esche, Blumeneschenfurnier, Intarsien aus Nuß, 180 × 190 × 105 cm und 150 cm

**7/3/1/2**
**Zwei Rundtischchen mit Unterfach**

Esche, Blumeneneschenfurnier, Intarsien aus Nuß, D. 35 cm, H. 76 cm

**7/3/1/3**
**Sechs Sessel, um 1815/20**

Esche, Intarsien aus Ahorn und Nuß

**7/3/1/4**
**Zwei Spiegelwände**

Esche, Blumeneschenfurnier, Intarsien aus Nuß, 261 × 140 cm
HM, Inv. Nr. 51.952

Das Café Eckl gibt ein Beispiel für ein Vorstadtkaffeehaus, das seit Anfang des 19. Jahrhunderts kontinuierlich über 100 Jahre im gleichen Lokal bestand. Es befand sich in Wien 7, Neubaugasse 38. Im Einzugsbereich des Fabriksviertels, des sogenannten „Brilliantengrundes" am Schottenfeld, hat es sicherlich gutsituierte Bürger zu seiner Kundschaft gezählt. Spiele und Zeitungen sorgten für Unterhaltung.

Das seit 1802 mit dem Haus verbundene Kaffeehausgewerbe führt um 1811 Sigmund Pettry, 1815 erwarben Jakob Pettry und seine Frau das Haus und das Café. Sie erweiterten 1832 das Lokal durch einen Salon, von dem eine breite Terrasse in den im englischen Stil angelegten Garten führte. Durch große Fenster, die die gleiche Form wie die Spiegelwände aufwiesen, wurde der Garten mit in den Raum einbezogen. 1845 kauften Karl und Anna Schuster das Lokal. Sie ließen zwei Billardsäle mit sechs Billardtischen gestalten; der Garten erhielt ein Bassin. Jeder neue Besitzer fühlte sich verpflichtet, dem Stammpublikum ständig Neues zu bieten. Das Café Eckl besaß auch Fresken; 1832 hat ein „Maler Orterer" sie gemalt.
ReWi

**7/3/2**
**Tisch mit Kaffeehauspfeifen**

**7/3/2/1**
**Große Wiener Meerschaumpfeife in der Form der Ulmerpfeifen**

Silbermontierung, langes Weichselrohr
Österreich, um 1810

**7/3/2/2**
**Wiener Meerschaumpfeife**

Silbermontierung, reiche ornamentale Verzierung
Österreich, um 1800

**7/3/2/3**
**Wiener Kaffeehauspfeife**

Meerschaum
Österreich, 19. Jh.

**7/3/2/4**
**Wiener Meerschaumpfeife**

Silbermontierung
Österreich, um 1820

**7/3/2/5**
**Wiener Kaffeehauspfeife**

Meerschaum
Österreich, 19. Jh.

**7/3/2/6**
**Ungarische Meerschaumpfeife**

Metallmontierung, Motiv „galoppierendes Pferd"
Ungarn, Mitte 19. Jh.

**7/3/2/7**
**Wiener Meerschaumpfeife**

Silbermontierung
Österreich, nach 1800

**7/3/2/8**
**Großer Ungarischer Tschibuk**

Ton, Wechselrohr, Mundstück aus Meerschaum
Ungarn, Mitte 19. Jh.

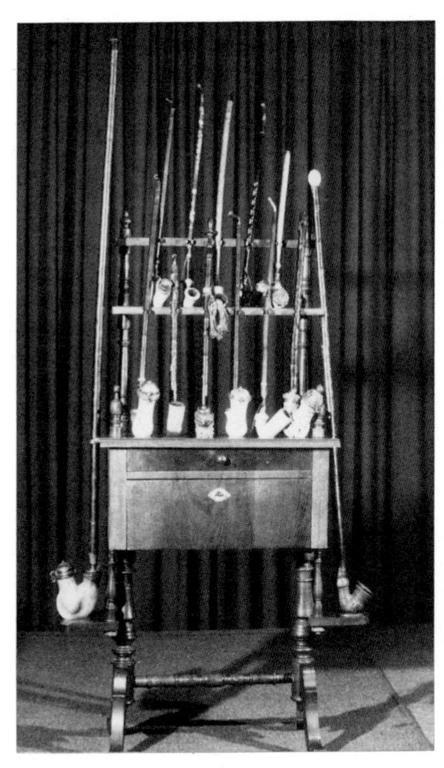

Kat. Nr. 7/3/2

**7/3/2/9**
**Kleine Wiener Meerschaumpfeife**

Metallmontierung, Marke „Rettich"
Österreich, 19. Jh.

**7/3/2/10**
**Ungarische Meerschaumpfeife**

Ungarn, 19. Jh.

**7/3/2/11**
**Ungarischer Meerschaumtschibuk**

Ungarn, 19. Jh.

**7/3/2/12**
**Ungarische Tonpfeife**

schwarz lackiert, gedrechseltes Holz
Ungarn, 19. Jh.

**7/3/2/13**
**Ungarischer Meerschaumtschibuk**

reicher Silberfiligrandeckel
Ungarn, um 1850
Wien, Österreichisches Tabakmuseum, Inv. Nr. 2.200–2.213
Abbildung

**7/3/4**
**Schnupftabakdosen**

**7/3/4/1**
**Lackdose**

Papiermaché, mit Darstellung des Künstlers H. Klischnig in der Rolle des Affen Mori und des Frosches Pouri
Österreich, um 1840
(siehe auch Kat. Nr. 9/7/1)
Wien, Österreichisches Tabakmuseum, Inv. Nr. 747

**7/3/4/2**
**Silberdose**

ornamentaler Dekor, Monogr.: F. V.
Österreich, um 1830
Wien, Österreichisches Tabakmuseum, Inv. Nr. 2.127

**7/3/4/3**
**Schnupftabakdose**

braunlackiertes Papiermaché, Einlegearbeit, bronzierter Löffel für Schnupftabak
Österreich, um 1820
Wien, Österreichische Tabakmuseum, Inv. Nr. 2.130

**7/3/4/4**
**Golddose**

ovale Form, mit Blumen- und Schneckenmotiven, Deckel: Abbildung von Mars und Fahne des Heiligen Römischen Reiches
Österreich, 19. Jh.
Wien, Österreichisches Tabakmuseum, Inv. Nr. 2.214

**7/3/4/5**
**Lackdose**

Papiermaché, „Tabakinsel"
Österreich, Mitte 19. Jh.
Wien, Österreichisches Tabakmuseum, Inv. Nr. 2.131

**7/3/5**
**Zigarrenetui**

Elfenbein, Leder
Österreich, Mitte 19. Jh.
Wien, Österreichisches Tabakmuseum, Inv. Nr. 2.215

**7/3/6**
**„Neueste Billard-Regeln"**

Lithographie, 61,5 × 47,3 cm
Wien, Verlag Heinrich Friedrich Müller
HM, Inv. Nr. 61.201

Acht verschiedene Spiele werden auf diesem Plakat angegeben. Eine Ansicht des Billardzimmers im Café Corti im Paradeisgartl dient zur Illustrierung (siehe auch Kat. Nr. 7/3/9).
ReWi

**7/3/7**
**Griechen in einem Wiener Kaffeehaus**

Leopold Theodor Weller, 1824
Öl auf Holz, 37,5 × 31 cm
Sign. u. dat. li. u.: 18 W 24
HM, Inv. Nr. 58.778

Kat. Nr. 7/3/8

Kat. Nr. 7/3/11

Vermutlich handelt es sich hier um das Kaffeehaus „Beim weißen Ochsen", das 1823 in das neue Haus alter Fleischmarkt Nr. 691 übersiedelt war. Von 1788 bis 1826 besaß es die Familie Losert; ab 1827 betrieb es K. Kappelmayer. Seit dem Ende des 18. Jahrhunderts hatte es sich zum Treffpunkt der Griechen in Wien entwickelt. Sogar Kaiser Joseph II. und sein Bruder Leopold sollen es einmal besucht haben. Die Eipeldauerbriefe weisen für 1820 aus, daß hier „eine allgemeine Toleranz zu finden war, da sich so viele orientalische Völker einfanden". (J. Richter, Eipeldauerbriefe 1820, 11. Heft, S. 519). Das Kaffeehaus war nicht nur wegen seiner Gäste anziehend, sondern auch wegen der Spiele – besonders der Kartenspiele –, die dort gepflegt wurden.
ReWi
Abbildung

**7/3/8**
**Türken in einem Wiener Kaffeehaus**

Dietrich Monten (1799–1843)
Öl auf Leinwand, 31,5 × 39,5 cm
HM, Inv. Nr. 13.493

Vermutlich ist das Kaffeehaus „Zur Stadt London" dargestellt, das sich am alten Fleischmarkt Nr. 684 befand und ein besonderer Treffpunkt für die türkische Bevölkerung in Wien war.
ReWi
Abbildung

**7/3/9**
**„Vue du Café et de la Promenade sur le Bastion", 1825**

Jakob Schufried (1785–1857)
Federzeichnung, aquarelliert, 12,6 × 18 cm
Sign. re. u.: Schufried
HM, Inv. Nr. 166.652

Dargestellt ist das Erste Cortische Kaffeehaus im Paradeisgarten, das durch seine luxuriöse Ausstattung von Zeitgenossen als „Eröffnung des irdischen Paradieses" gefeiert wurde. Als Dank für geleistete Spitzeldienste hat Pietro Corti ein schon bestehendes Hofgebäude zur Adaptierung eines Kaffeehauses 1819 zur Verfügung gestellt bekommen. Das Gebäude wurde 1872 wegen Errichtung des neuen Burgtheaters demoliert. Bei der Neugestaltung des Hofgebäudes zum Kaffeehaus wurde der dem Paradeisgartl abgewandten Fassade ein von Säulen getragener Balkon angebaut, wie er damals bei den Wiener Kaffeehäusern in Mode gekommen war. Später wurde der Balkon mit Glas verschalt.

Im ersten Stock ließ der phantasievolle Kaffeesieder einen „großen schwarzen Hohlspiegel" aufstellen, der „die lieblichen Ansichten" auf die Vorstädte, auf Leopolds- und Kahlenberg „mit solcher Treue verkleinert und zusammengezogen" wiedergab (Flugblatt „Der Volksgarten", um 1825).
ReWi
Abbildung

**7/3/10**
**Das Erfrischungszelt auf der Rotenturmbastei, 1816**

Netti Bandorfer (?)
Aquarell, 6,7 × 21,7 cm
Sign. re. u.: Netti Bandorfer (?) und bez. li. u.: Rothenthurm „Bastei" anno 1816
HM, Inv. Nr. 124.342

Ein Markör serviert einem jungen Paar Gefrorenes vor dem Zelt, das die Kaffeesiederin Kleopha Lechner aufgestellt hat. Sie hatte 1792 die Personalgerechtigkeit von Martin Wiegand übernommen, dem ersten Kaffeesieder in Wien, der musikalische Darbietungen für seine Gäste veranstaltet hatte. Lechner führte diese Einrichtung fort, und ihr erstes Lokal im Fischhof am Hohen Markt (Eröffnung 27. Juni 1793) erregte wegen seiner luxuriösen Ausstattung und seiner Konzerte großes Aufsehen. Seit 1795 besaß sie im Sommer am Hohen Markt ein Erfrischungszelt, wo auch Konzerte veranstaltet wurden. 1804 übersiedelte sie mit dem Zelt auf die Rotenturmbastei. – Zu den Spezialitäten der Kaffeesieder gehörte auch die Herstellung von Speiseeis („Gefrorenem"), das ebenfalls „über die Gasse" verkauft wurde.
ReWi
Abbildung

**7/3/11**
**Café Corti, 1832**

Franz Wolf (1795–1859)
Kreidelithographie, koloriert, 29,9 × 44,6 cm
Sign. u. dat. re. u.: F. Wolf nach d. Natur 832
Aus: Journal pittoresque, III. Heft, Blatt 4
Bez.: Panorama der Vorstädte Wien's/Blatt Nr. 2: Von der Burgbastey aus.
HM, Inv. Nr. 169.976

Ab 1820 entstand das zweite Kaffeehaus im Volksgarten. Peter Nobile entwarf einen halbkreisförmigen Kolonnadenbau, von zwei Antentempeln abgeschlossen. „Dieses artige Gebäude, welches nach dem Plane des k. k. Hofbaurathes und Directors der Architectur-Schule in Wien, Herrn Peter Nobile, errichtet wurde, bildet eine zierliche, gedeckte Halb-Rotunde von 26 Säulen jonischer Ordnung getragen. Das Innere ist geschmackvoll ausgestattet und sehr geräumig. Die Zwischenräume der Säulen sind mit großen Glasfenstern geschlossen. Die Möblirung ist äußerst elegant, und die hier aufgestellten, fast lebensgroßen Bildnisse I. I. M. M. des jetzt regierenden Kaisers und der Kaiserin sind gut gelungene Kunstwerke. Vor dem Gebäude steht ein Kiosk, in welchem an schönen Abenden eine gut besetzte Harmonie ertönt." (J. Pezzl, Beschreibung vom Wien, Wien 1826, S. 123 f).

Ab 1840 gehörten die sommerlichen Soireen von Johann Strauß (Vater) im zweiten Cortischen Kaffeehaus zu den ständigen Einrichtungen.
ReWi
Abbildung

Kat. Nr. 7/3/14

Kat. Nr. 7/3/12

**7/3/12**
**Erstes Kaffeehaus im Prater**

Norbert Bittner (1786–1851)
Radierung, Pl. 13 × 15 cm, Bl. 20,5 × 25 cm
Sign. li. u. i. d. Pl.: N. Bittner f., bez. Mi. u.: I. Café au Pratre
HM, Inv. Nr. 62.720

Die sogenannten „drei Kaffeehäuser" im Prater standen in enger Verbindung mit den Kaffeehäusern an der Schlagbrücke (siehe Kat. Nr. 7/3/17), 1789 gegründet, waren sie vorerst sommerliche Zweigstellen der dortigen Besitzer. Im ersten Kaffeehaus entfaltete sich reiches musikalisches Leben, vor allem Joseph Lanner trat hier auf.
ReWi
Abbildung

**7/3/13**
**Zweites Kaffeehaus im Prater**

Norbert Bittner
Radierung, koloriert,
Pl. 12,8 × 15 cm, Bl. 13,2 × 15,5 cm
Sign. i. d. Platte li. u.: N. Bittner f. bez.: Wagners Caffée-Haus
HM, Inv. Nr. 62.732

Seit 1802 ist Ignaz Wagner, der bereits ein prächtiges Kaffeehaus an der Schlagbrücke betrieb, als Besitzer des Zweiten Kaffeehauses nachweisbar. Auch hier wird die Ausstattung von den Zeitgenossen gerühmt; Hauptattraktion waren allerdings die Konzerte. An Sonn- und Feiertagen und an Donnerstagen spielte Johann Strauß (Vater); auch Lanner konzertierte hier. Beliebt im Biedermeier waren die komischen Vorträge des Volkssängers Johann Baptist Moser (H. Pemmer, Der Wiener Prater, S. 112). Auch Carl Michael Ziehrer brachte einige Werke hier zur Uraufführung (M. Schönherr, Carl Michael Ziehrer, Wien 1974).
ReWi
Abbildung

**7/3/14**
**„Schmierers Kaffeehaus am Prater zum Auge Gottes", 1817**

Außenansicht
Radierung, Pl. 12 × 16 cm, Bl. 14 × 20,7 cm
Bildbeilage zu „Briefe eines Eipeldauers an seinen Herrn Vetter in Kakran", Jg. 1817, Heft 9, S. 6, Nr. 61
HM, Inv. Nr. 95.532/61

Nach dem Wiener Kongreß legte man auf die künstlerische Ausgestaltung der Geschäftslokale besonderen Wert. Schmierers Kaffeehaus besaß kunstreich gemalte Läden, die Anlaß für Bewunderung – auch ironischer Art – waren: „nix Mandl! nix Soldad'n, Türk'n und Raiz'n –

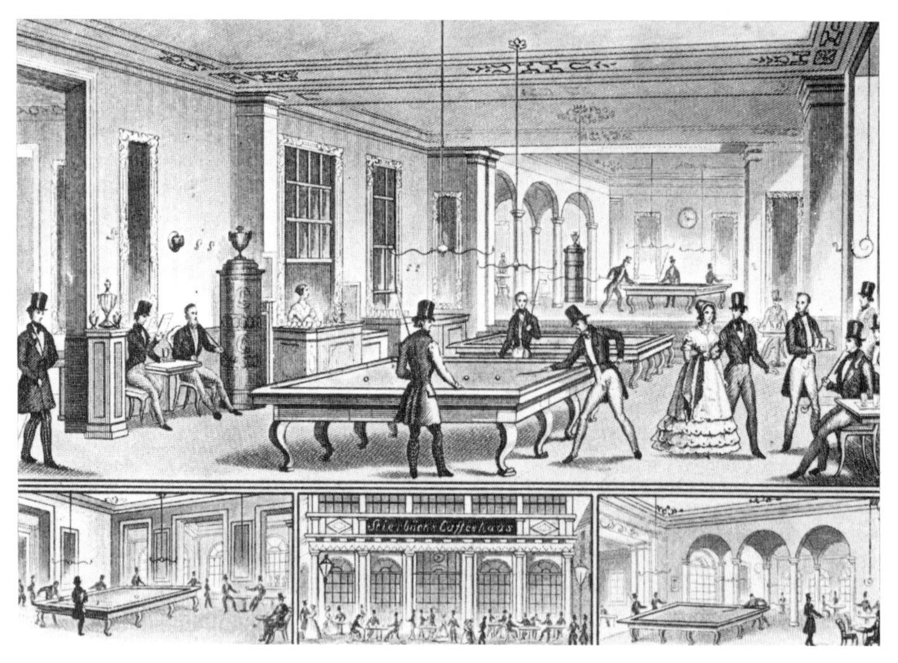

Kat. Nr. 7/3/16

Dö zwaa Bilder stell'n zwaa grossi, auf Opfertischart vorgestellti egyptisch antiki Koridon vor . . .“

Anton Schmierer hatte die erste Kaffeesiederkonzession, die noch von de Luca stammte, käuflich erworben und eröffnete damit 1777 auf dem Petersplatz im Haus „Zum Auge Gottes“ ein neues Lokal.
ReWi
Abbildung

**7/3/15**
**„Hugelmanns Kaffeehaus“, 1820**

Radierung, Pl. 12,8 × 17 cm, Bl. 14,2 × 21,3 cm
Bildbeilage zu „Briefe eines Eipeldauers an seinen Herrn Vetter in Kakran“, Jg. 1820, Heft 4, S. 165, Nr. 92
HM, Inv. Nr. 96.532/92

1820 wurde das Café, das inzwischen Anna Jory, geb. Hugelmann, übernommen hatte, großzügigst umgebaut. Eipeldauer lobte: „. . . das Kaffeehaus ist schon was Herrliches worden. – Da hat der Herr Vetter z. B. zu ebener Erden einen prächtigen Billiard-Saal; drei regelmäßige Billiard sind vorhanden, zwey dickmächtige Säulen stehen mitten d'rinn und eine bequeme Kaffeekuchl ist extra dabei . . . Die Mahlerei, die Verzierung, die Möbeln, die Beleuchtung und die übrige Einrichtung ist übrigens recht sehr artig, und die grüne Marmorirung der Säulen, die zweckmäßigen Zuglöcher für das Rauchen der Tobakdampfer, die Fenster, das Kassabureau und die Zuckerniederlage etc. ist alles so nett . . . so zweckmäßig.“ Im ersten Stock waren ebenfalls zwei Räume zum Billardspielen und ein Zimmer für Kartenspieler eingerichtet. Alle Wände waren mit biedermeierlichen Bildtapeten, die u. a. „schöne Schweizergegenden mit lustigen Schweizerbauern“ zeigten, beklebt. Franz Gräffer bezeichnete in seinen Memoiren das Café Hugelmann als die „Universität des Billardspiel“. 1847 wurde das Lokal in „Zur Stadt Pesth“ umbenannt, und die Wiener Theaterzeitung bemerkte dazu, „einen der seltenen Fällen hier, daß ein Kaffeehaus nicht den Namen des Eigentümers“ erhält (1847, S. 247).
ReWi
Abbildung

**7/3/16**
**„Stierböck's Caffeehaus in Wien in der Leopoldstadt“, um 1835**

Die Dienerschaft desselben empfiehlt sich bei dem Jahreswechsel“, um 1835
Geschäftskarte für Neujahr
Radierung, 10 × 14 cm
HM, Inv. Nr. 15.097

1820 hatte Jakob Stierböck das Café an der Schlagbrücke erworben und es umbauen lassen. Am 8. März 1821 eröffnete er es in seiner neuen Gestaltung; besonders die in Glas verschalte Terrasse erregte Aufsehen. Im ersten Stock waren drei Spielzimmer. Der Besitzer hat sich auch sehr um die Reorganisation der Kaffeesiedergenossenschaft bemüht. 1839 wurde es mit dem Café Jüngling vereinigt.
ReWi
Abbildung

**7/3/17**
**„Jünglings Kaffeehaus an der Donau“, 1836**

Alexander v. Bensa (1820–1902)
Kreidelithographie, St. 18,7 × 35,5 cm, Bl. 29 × 422,8 cm
Sign. re. u.: A. R. v. Bensa und li. u.: ged. bei Sartory
Wien, Verlag Anton Paterno
HM, Inv. Nr. 31.432

Die Zeitgenossen rühmten immer wieder das Treiben vor dem Café Jüngling an der Schlagbrücke (umgebaut: Ferdinandsbrücke), wo die Nationen sich versammelten und von der Tür bis weit in die Jägerzeile hinab an staubbedeckten Tischen saßen. (Zitiert nach G. Gugitz, Das Wiener Kaffeehaus, S. 109.) Am Beginn der zwanziger Jahre sind Josef Lanner und die Brüder Drahanek als Streichterzett beim Jüngling aufgetreten und haben ihre Ländler gespielt; zu ihnen gesellte sich dann Johann Strauß (Vater). Augustinis Kaffeehaus auf der gegenüberliegenden Seite der Schlagbrücke hatte schon längst Konzerte für die Gäste organisiert. 1835 starb Johann Jüngling, und seine Witwe führte den Betrieb weiter, bis ihn 1839 der Nachbar Franz Stierböck kaufte.
ReWi
Abbildung

**7/3/18**
**Kaffeehaus Hohe Warte**

Vinzenz Reim (1796–1858)
Radierung, koloriert, Pl. 13,1 × 19 cm, Bl. 18,5 × 23,6 cm. Monogr. re. u. V. R.
Bez.: Die hohe Warte bei Döbling.
HM, Inv. Nr. 63.179

Ursprünglich war das Kaffeehaus „Hohe Warte“ 1837 als komfortables Landhaus erbaut worden, und erst im April 1841 eröffnete der Besitzer Matthias Grandjean das Kaffeehaus mit einer angeschlossenen Meierei. Wegen seiner angenehmen Lage und der schönen Rundsicht wurde es zum beliebten Ausflugsziel vor allem der höheren Gesellschaft in Wien. So hieß es knapp nach der Eröffnung in einer Zeitschrift: „Wien, das bereits an eleganten Unterhaltungsorten so reich ist, hat in seiner nächsten Umgebung ein neues Etablissement gewonnen . . . Wir meinen das neue ‚Kaffeehaus auf der Hohen Warte‘ zwischen Döbling und Heiligenstadt, daß wir allen Freunden anständiger Unterhaltung empfehlen müssen. Der Besucher findet da gewählte Gesellschaft, ein entzückendes Panorama, artige und prompte Bedienung, schmackhaftes Eis von allen Sorten, guten Kaffee, prachtvolles Ameublement, wertvolle Ölgemälde und reizende Gartenanlagen. Schon der malerischen Lage nach ist die Hohe Warte vor allen ähnlichen Anstalten weit bevorzugt . . .“ (Der Sammler, Wien 1841, S. 314; ein weiteres Zitat auf S. 415.) An diesem Ort wurden keine Konzerte veranstaltet, was für diese Art des Kaffeehauses ausgesprochen selten war. Während der Revolution 1848 mußte das Kaffeehaus geschlossen werden.

*Lit.: Kurt J. Apfel, Das Kaffeehaus „Hohe Warte". In: Döblinger Museumsblätter, Wien 1979, Heft 58/59, S. 1 ff.*
ReWi

**7/3/19**
**„Die Limonadenhütte auf dem Graben", 1836**

Alexander v. Bensa (1820–1902)
Kreidelithographie, koloriert,
18,7 × 34,6 cm
Aus der Serie: Wiener Bilder
HM, Inv. Nr. 51.004/11

Der Graben und der Kohlmarkt bildeten regelrechte Kaffeehauszentren. Der Kaffeesieder Johann Jakob Tarone hatte schon im 18. Jahrhundert die Bewilligung erhalten, Tische und Stühle vor seinem Café aufstellen zu dürfen; später entwickelte sich daraus der „Schanigarten". Auch bekam Tarone seit 1754 die Bewilligung für ein Zelt mit „Erfrischungswasser" und war damit der Begründer der „Sommerkaffeehäuser" oder „Gifthütten", wie man sie im Volksmund nannte. Denn die sich verbreitende „Kaffeesucht" wurde auch als gesundheitsschädigend angesehen.
ReWi
Abbildung

**7/3/20**
**Neujahr im Silbernen Kaffeehaus, 1843**

Johann Wenzel Zinke (1797–1858) nach Cajetan (Anton Elfinger, 1821–1854)
Kupferstich, koloriert,
Pl. 26,5 × 21,2 cm, Bl. 30,8 × 24 cm
Sign. li. u.: Cajetan del.; re. u.: J. W. Zinke sc.
Bildbeilagen zur Wiener Theaterzeitung „Satyrisches Bild", Nr. 16 vom 2. Jänner 1843, S. 4
HM, Inv. Nr. 96.842/16

Ziemlich sicher handelt es sich bei dieser Karikatur um eine Darstellung des berühmten „silbernen Kaffeehauses", das sich seit 1808 in Wien 1, Plankengasse, Ecke Spiegelgasse, befand. Sein Besitzer Ignaz Neuner hat es 1824 prunkvoll herrichten lassen, und angeblich sollen das Geschirr und die Türschnallen aus Silber gewesen sein. Auch wurden den Gästen Meerschaumpfeifen anstelle der üblichen billigeren Pfeifenköpfe gereicht. In der Zeit von ungefähr 1825 bis 1854 wurde das Café zu einem Treffpunkt der Literaten, Schauspieler und anderer Künstler. Lenau war hier Stammgast, Bauernfeld spielte leidenschaftlich Billard, auch Grillparzer kehrte immer wieder ein. Der Freundeskreis um Schubert gehörte ebenfalls zu den Gästen (O. E. Deutsch, Schubert, S. 277). Als 1846 der Sohn des Gründers, Ignaz Neuner d. J., sehr früh verstarb, verlor das Lokal seinen glänzenden Ruf.
ReWi
Abbildung

Kat. Nr. 7/3/19

Kat. Nr. 7/3/21

**7/3/21**
**„Die Zeitungsliebhaberey", 1837**

Andreas Geiger (1765–1856) nach Johann Christian Schoeller (1782–1851)
Kupferstich, koloriert,
Pl. 21,5 × 24,4 cm, Bl. 23,4 × 29,6 cm
Sign. l. u.: Schoeller del. und re. u.: And. Geiger sc.
Bildbeilage zur Wiener Theaterzeitung (Scenen aus Wien, Nr. 9) vom 30. September 1837
HM, Inv. Nr. 97.420/5

„Beiliegendes Bild führt Sie, meine verehrten Leser und Leserinnen, in ein Caffeehaus, gerade in dem Moment, in welchem die anwesende Caffeehaus-Menschheit über sämtliche Journale mit Heißhunger herfällt. Zeitungsliebhaberei! dies ist der bezeichnende Ausdruck für den Lektüre-Dillettantismus der Caffeehaus-Welt!" (Theaterzeitung, S. 792; Text gekürzt).
ReWi
Abbildung

**7/3/22**
**„Löw's Caffeehaus auf der Landstrasse in Wien", 1842**

Aquarell, 20,7 × 16 cm
(Untersatzkarton 12,2 × 17,4)
Fälschlich sign. re. u.: J. Alt
Vorlage für eine Lithographie im Verlag M. R. Toma 1842
HM, Inv. Nr. 34.353

Die großzügigen Dimensionen der Vorstadtkaffeehäuser zeigt dieses Lokal der Kaffeesieder Löw. Das Café befand sich in Wien 3, Landstraßer Hauptstraße, Ecke Bockgasse (heute Beatrixgasse).
ReWi
Abbildung

Kat. Nr. 7/3/22

**7/4**
**Daheim bei Herrn und Frau Biedermeier**

**7/4/1**
**Nähtisch-Klavier, um 1830**

Reparaturvermerk im Inneren des Klaviers: Rudolf Windhofer, bgl. Clavierfabrik Wien IV, Wienstr. 39"
Äußere Form: Tischform, zwei Beine, Gehäuse außen aus Nußholz, auf Mahagoni gebeizt, teilweise vergoldet. Gehäuse innen aus Ahorn natur. Elfenbein-Klaviatur. Über den Saiten ist eine Lade mit Fächern (Nähschatulle) aus Ahorn, mit schwarz gebeizten Kanten, eingelegt.
Klaviatur: Tonumfang F-f$^3$
Mechanik: „Wiener Mechanik"
Registerzüge: Kniehebeldämpfung
Maße: H.: 79,5 cm, Br.: 75,5 cm, T.: 56 cm, Zargenhöhe: 32 cm
HM, Inv. Nr. 75.584

Bis um die Mitte des 19. Jahrhunderts war das Klavier in verschiedensten Formen, Typen und Modellen verbreitet. Von diesen blieben nur die Flügel und das Pianino bestehen. Dieses „Nähtisch-Klavier" war eine beliebte Kleinform des Klaviers, weil es in der Funktion Möbel und Musikinstrument in besonderer Weise kombinierte
ASchu
Abbildung

Kat. Nr. 7/4/1

Kat. Nr. 7/4/5

## Das Weihnachtsfest als Familienfest „Stille Nacht"

Das in der ganzen Welt bekannte Weihnachtslied von Hilfspriester Josef Mohr (Text) und Lehrer Franz Xaver Gruber (Musik) ist am Heiligen Abend des Jahres 1818 in Oberndorf (Salzburg) entstanden. Die beiden Autoren haben es für die Mitternachtsmesse geschaffen und in der dortigen Nikolauskirche zur Uraufführung gebracht, und zwar zweistimmig solistisch zur Begleitung einer Gitarre; der Kirchenchor wiederholte die Schlußverse. Über die Grenzen seiner Heimat hinaus bekannt wurde es erst Jahre später, als 1825 die genannte Kirche eine neue Orgel erhielt, die vom Orgelbaumeister Carl Mauracher aus Fügen im Zillertal aufgestellt wurde. Bei seinem Aufenthalt in Oberndorf lernte er das Lied kennen und nahm es mit nach Tirol. Die reisenden „Tiroler Nationalsänger" Strasser aus dem Zillertal fanden Gefallen daran und nahmen es in ihr Programm auf. Vermutlich 1831 haben sie es in Leipzig zum erstenmal im Ausland gesungen. Von dort aus trat es – meist als „Tiroler Volkslied" bezeichnet – seinen Siegeszug durch Deutschland und die ganze Welt an. Es war bald in den USA, in England, Schweden und Britisch-Indien bekannt; durch christliche Missionare wurde es in Afrika, Neuseeland und Südamerika verbreitet. Heute existiert es in mindestens acht englischen, elf französischen, acht italienischen Fassungen und ist u. a. ins Spanische, Schwedische, Indianische, Suaheli, Japanische und Russische übersetzt worden.[1]

„Stille Nacht" ist kein Volkslied im engeren Sinn des Wortes, sondern ein Kirchenlied, das ganz jenem Zeitstil verhaftet ist, der seit der Einführung des allgemeinen deutschen Kirchengesanges (1780) die Musikpraxis in den Landkirchen bestimmte. Franz Xaver Gruber hat etwa 70 kirchenmusikalische Kompositionen dieser Art hinterlassen.[2] Textlich ist das Lied mit den ursprünglich sechs Strophen die theologisch einwandfreie Zusammenfassung der biblischen Verkündigung und entspricht in allen Teilen dem Weihnachtsoffizium.[3] Der Priester Mohr hat damit seinem seelsorglichen, aber auch seinem volksbildnerischen Anspruch Rechnung getragen. In der Verbreitung durch den Volksgesang wurde die Melodie leicht verändert; der Text wurde auf die bekannten drei Strophen (Nr. 1, Nr. 2, Nr. 6) reduziert. Parallelen für dieses Lied in der Volksliedtradition wurden von der Wissenschaft immer wieder gesucht; der interessanteste Fund ist zweifellos ein Lied mit gleichem Beginn aus dem Salzburger Flachgau, das von Kindern zum Neujahrssingen verwendet worden ist.[4] Typisch für das bekannte Weihnachtslied „Stille Nacht" ist jedoch eben nicht die direkte Verknüpfung mit einer Volksliedtradition, sondern, daß es vielmehr aus jenem Zwischenbereich von Hochkunst und Volkskunst stammt, der auch als „volkstümliche Musik" bezeichnet wird. Franz Eibner hat diese „volkstümliche Musik" als

Zivilisationserscheinung erkannt, deren Ursprünge dort liegen, wo die Eigenart der Volksmusik in das allgemeine Bewußtsein einzudringen beginnt und den musikalisch gebildeten Dilettanten zur nachempfindenden Komposition reizt.[5] Dieses Volksliedinteresse erwacht in der Biedermeierzeit ganz stark, und es ist auch kein Zufall, daß die Entstehung des Liedes „Stille Nacht" zeitlich mit dem Beginn der ersten halbamtlichen Volksliedsammlung Österreichs (Sonnleithner-Sammlung der Gesellschaft der Musikfreunde in Wien, 1819) zusammenfällt, zu der übrigens Franz Xaver Gruber selbst zwei Volksliedaufzeichnungen beigesteuert hat.[6]

Die Suche des Bürgertums nach volkstümlichem Gefühlsausdruck, gepaart mit der Möglichkeit der Popularisierung durch das Nationalsängerwesen und durch Notendrucke bildet die historische Voraussetzung für Entstehung und Verbreitung des bekanntesten österreichischen Weihnachtsliedes.
Gerlinde Haid

**Anmerkungen**

[1] Vgl. Franz Floimair, Das Weihnachtslied Stille Nacht, heilige Nacht! Oberndorf, Fremdenverkehrs-Verschönerungs-Verein Oberndorf, 1985. A. Leeb, Bibliographie des Weihnachtsliedes „Stille Nacht, heilige Nacht". In: Oberösterreichische Heimatblätter 23 (1969), S. 59 ff. Manfred Schneider, „Stille Nacht" und Tirol. In: Ein Kind ist uns geboren, ein Sohn ist uns geschenkt. Weihnacht in der Tiroler Kunst. Innsbruck, Tiroler Landesmuseum Ferdinandeum, 1986, S. 84 ff.

[2] Max Gehmacher, Franz Xaver Gruber zum 100. Todestag. In: Österreichische Musikzeitschrift 18, Wien 1963, S. 393.

[3] Karl Amon, Nacht, die der ganzen Welt Heil bringt! In: Singende Kirche, Jg. 22/2, Wien 1927, S. 73.

[4] Vgl. Gerlinde Haid, „Stille Nacht, heilige Nacht, wir bringen dem Kindlein ein Opfer dar . . .". In: Präsent, 18. 12. 1986 Innsbruck.

[5] Franz Eibner – Walter Deutsch – Gerlinde Haid – Helga Thiel, Der Begriff Volksmusik. Zur Definition und Abgrenzung. In: Musikerziehung 29, Wien 1976, S. 214 f.

[6] Gerlinde Haid, Franz Xaver Gruber: „Stille Nacht" und „Altes Volkslied". In: Österreichische Musikzeitschrift 30, Wien 1975, S. 474 ff.

**7/4/2**
**„Stille Nacht, heilige Nacht"**

Autograph
Melodie: Franz Xaver Gruber
Text: Josef Mohr
Hallein, Stille-Nacht-Gesellschaft und Keltenmuseum

**7/4/3**
**Weihnachtsbaum mit Geschenken**

**7/4/3/1**
**Kindertrommel und zwei Schlegel**

Messing, Eisen, Kalbsleder
H.: 11,5 cm, Dm.: 19 cm
HM, Inv. Nr. 123.153/1–4

**7/4/3/2**
**Geschnitztes Wickelkind (Holzdocke)**

Erzeugnis der Grödner Hausindustrie, 19. Jh.
Weichholz, gedrechselt und geschnitzt, bemalt, lackiert; der Wickelteil blau mit gelben Bändern und weißen Sprossen mit roten Blüten bemalt; Rückseite roh, flach.
33,5 × 4,5 × 7 cm
Wien, Österreichisches Museum für Volkskunde
KB

**7/4/3/3**
**Geschnitztes Wickelkind (Holzdocke)**

Erzeugnis der Grödner Hausindustrie, 19. Jh.
Weichholz, gedrechselt und geschnitzt, bemalt, lackiert; Wickelteil hellrosa mit gelben Bändern und mit grünem Blattsproß mit roten Blüten bemalt; Rückseite roh, flach;
16 × 9 × 3 cm
Wien, Österreichisches Museum für Volkskunde
KB

**7/4/3/4**
**Geschnitztes Wickelkind (Holzdocke)**

Erzeugnis der Grödner Hausindustrie, 19. Jh.
Weichholz, gedrechselt und geschnitzt, bemalt, lackiert; Wickelteil blau mit roten und gelben Bändern und zwei weißen Pflanzensprossen mit roten Blüten bemalt; Rückseite roh, flach;
26,5 × 7 × 5 cm
Wien, Österreichisches Museum für Volkskunde
KB

**7/4/4**
**Papiertheater für Kinder, um 1840**

Carl Joseph Lemann (1785–1847)
Aus dem Besitz der Wiener Kaufmannsfamilie Marsano

**7/4/4/1**
**Bühne, um 1840**

Holz, Metall; bemalt
62 × 93 × 43 cm

**7/4/4/2**
**Szenenaufstellung**
**Einfache Bauernstube, um 1840**

Deckfarben auf Karton
1 Hintergrund, 1 Durchsicht; ca. 47 × 55 cm, 6 Figurinen; ca. 12 cm
HM, Inv. Nr. 38.772/53, 54, 340, 367, 368, 409, 512, 515
Dieses wunderschöne Papiertheater wurde dem Historischen Museum der Stadt Wien 1914 von Karl Marsano geschenkt. Lange Jahre waren auf diesem Theater Vorstellungen für die Kinder und auch die Erwachsenen der Familie Marsano gegeben worden.

Das Theater besteht aus einem hölzernen Bühnenkasten und ca. 150 Kulissenteilen, 370 Figurinen und 250 Dekorationsstücken. Diese vielen Teile wurden von Carl Joseph Lemann, einem bürgerlichen Kirchen- und Seidenstoffabrikanten aus Gumpendorf für die Kinder der Familie Marsano gezeichnet, bemalt und auf Karton aufgeklebt. Die Entstehungszeit dieses Papiertheaters wird um 1840 angegeben. Sicher sind nicht alle Teile gleichzeitig entstanden, sondern im Laufe der Zeit hinzugefügt worden, deshalb ist eine ganz genaue Datierung auch nicht möglich. Nur drei Kulissen sind bezeichnet. Sie sind für folgende Aufführungen gedacht: „Zriny" von Theodor Körner, „Sylphide das Seefräulein" ein Zauberspiel in zwei Akten von Therese Krones mit Musik von Joseph Drechsler und „Der letzte Tag von Pompeji". Allerdings wurden die unbezeichneten Kulissenteile bestimmt für die Aufführung verschiedenster Stücke verwendet, wie es auch im richtigen Theater der Fall war. Zahlreiche Kulissen und Versatzstücke für Waldlandschaften, Burgen, fremdländische Landschaften, Bauernstuben, vornehme Salons usw. boten die Möglichkeit, die beliebtesten Theaterstücke der damaligen Zeit nachzuspielen.

Das Marsano-Papiertheater hebt sich besonders von den anderen Kindertheatern, die aus dieser Zeit bekannt sind, ab, weil es nicht aus gedruckten Vorlagen besteht, sondern von Carl Joseph Lemann mit viel Liebe und Genauigkeit von Hand angefertigt worden war.

Außerdem gehören zu dem Bestand noch 694 Soldatenfiguren, die alle Militärgattungen der damaligen Zeit darstellen. Sie sind in der gleichen Technik wie die Theaterfigurinen hergestellt (siehe Kat. Nr. 15/85).
EPS

**7/4/5**
**Schaukelpferd, um 1815/20**

Holz, gefaßt, 112 × 75 cm
HM, Inv. Nr. 54.937

Das Schaukelpferd stammt aus dem Nachlaß des Hofkapellmeisters Joseph von Eybler (1764–1846) und wurde wahrscheinlich für seinen Sohn (geb. nach 1806) neu angeschafft.
ReWi
Abbildung

**7/5**
**Widmungen**

**7/5/1**
**Adalbert Gyrowetz (1763–1850)**

Musikalisches Stammbuchblatt
Autograph, 8,3 × 12,5 cm
Wien, Wiener Stadt- und Landesbibliothek, Ia 179.623

Gyrowetz schrieb seinen musikalischen Glückwunsch „Glücklich sey dein Leben, fern von Bitterkeit . . .“ in das Stammbuch des Wiener Musikverlegers Carl Haslinger (1816–1868).
WO

**7/5/2**
**Ludwig van Beethoven (1770–1827)**

Brief an (Sigmund Anton Steiner?, Anfang November 1821)
Autograph, 25 × 19,5 cm
Wien, Wiener Stadt- und Landesbibliothek, H.I.N. 150.001

Seinem Mahnbrief an einen säumigen Musikverleger fügte Beethoven auch einen scherzhaften Kanon „O Tobias Haslinger“ bei.
WO

**7/5/3**
**Maximilian Joseph Leidesdorf (1787–1840)**

Musikalisches Stammbuchblatt
Autograph, 10 × 33 cm
Wien, Wiener Stadt- und Landesbibliothek, Ia 188.297

Der Musikverleger und Pianist Leidesdorf trug sich am 28. November 1825 in Wien mit einem Gedicht und einer „Arietta“ mit italienischem Text in das Stammbuch der Sophie von Wertheimstein ein.
WO

**7/5/4**
**Carl Czerny (1791–1857)**

Brief an C[arl] F[riedrich] Peters, Baden / Wien, 11. Juni 1826
Autograph, 26 × 21 cm
Wien, Wiener Stadt- und Landesbibliothek, H.I.N. 4.021

Czerny ersucht seinen Leipziger Musikverleger um die Korrekturen einiger Druckfehler in seinen Variationen op. 114.
WO

**7/5/5**
**Leopold Jansa (1795–1875)**

Musikalisches Stammbuchblatt
Autograph, 8 × 12 cm
Wien, Wiener Stadt- und Landesbibliothek, Ia 179.623

Auch der Geiger, Komponist und Musiklehrer Leopold Jansa trug sich im Stammbuch Carl Haslingers ein.
WO

**7/5/6**
**Joseph Dessauer (1798-1876)**

Musikalisches Stammbuchblatt
Autograph, 22 × 27,5 cm
Wien, Wiener Stadt- und Landesbibliothek, Ia 44.509

In der Stammbuch der Josefine Brenner-Felsach, der Schwester von Stifters vertrautestem Jugendfreund, trug sich am 3. Juni 1838 der Komponist Dessauer mit einem Klavierstück („Prestissimo“) ein.
WO

**7/5/7**
**Adolph Müller sen. (1801–1886)**

Musikalisches Stammbuchblatt
Autograph, 8 × 12,5 cm
Wien, Wiener Stadt- und Landesbibliothek, Ia 179.623

Adolph Müller, der die Musik zu zahlreichen Stücken Nestroys schrieb, wählte für seine Eintragung ins Stammbuch Carl Haslingers eine besonders orginielle Form: er umrahmte das Blatt mit Notenzitaten aus vier Schauspielmusiken. Darunter finden sich auch solche zu den Nestroy-Stücken „Nagerl und Handschuh“ und „Zu ebener Erde und erster Stock“.
WO

**7/5/8**
**Franz von Suppé (1819–1895)**

Musikalisches Stammbuchblatt, Wien. 15. Dezember 1836
Autograph, 12,5 × 17 cm
Wien, Wiener Stadt- und Landesbibliothek, Ia 76.212

Der erst siebzehnjährige Suppé schrieb diese einfache Komposition eines „Andantino“ auf einen italienischen Text in das Stammbuch der Hofratstochter Leopoldine Rother.
WO

**7/5/9**
**Heinrich Proch (1809–1878)**

Musikalisches Albumblatt. Wien, Dezember 1843
Autograph, 23,5 × 30,5 cm
Wien, Wiener Stadt- und Landesbibliothek, H.I.N. 84.338

**7/5/10**
**Becher, Wien, 1811**

Gottlob Samuel Mohn (1789–1825)
Farbloses Glas, Transparentmalerei
H.: 10,2 cm, Dm.: 8,2 cm
Sign. u. dat.: Mohn fec. 1811, Bodenaußenseite: rote Zahl 10
Silbergelb geätzter Mundrand mit gemaltem Lorbeerkranz. Um den Becher laufend Text und Noten.
HM, Inv. Nr. 116.700

Die Wandung des Bechers ist mit einem umlaufenden Notenblatt bemalt, welches eine volkstümliche Vertonung von Schillers „Ode an die Freude“ wiedergibt. Die Komposition gilt als „Volksweise“, sie stammt von einem Anonymus und wurde 1799 gemeinsam mit acht anderen Vertonungen dieses Textes erstmals veröffentlicht. Die wohl bekannteste Vertonung von Schillers Ode stammt von Ludwig van Beethoven. Seine 9. Symphonie, deren Schlußsatz die „Ode an die Freude“ enthält, wurde erst 1823 vollendet.

*Lit.: Pazaurek/Philippovich, Gläser, S. 49, Abb. 33. Max Friedländer, Das deutsche Lied im 18. Jh. Quellen und Studien. 2. Bd., Hildesheim 1962, S. 391 ff.*
WL

**7/5/11**
**Becher**

Böhmisch, um 1820
Farbloses Glas, geätzt
Privatbesitz

Unterer der zarten Gravur am Mundrand ist umlaufend ein 27taktiges Notenband eingraviert, welches in der Mitte des Bechers durch eine Rundung unterbrochen wird. Die darin befindliche Widmung: „Es / lebe unser / Lieber Bruder / Franz“ deutet darauf hin, daß es sich bei diesem Glas um einen „Freundschaftsbecher“ handelt. Das Notenband gibt die Melodie des im 19. Jahrhundert äußerst beliebten Tirolerliedes „Wann i in der Früh aufsteh“ wieder. Zahlreiche Komponisten, von denen hier nur einige genannt werden können, haben dieses Lied bearbeitet und variiert: Joseph Gelinek, Nikolaus Freiherr von Krufft, Franz Anton Neumann, August Klengel, Louis Boehner, Carl Czerny und Ludwig van Beethoven (WoO 158, 1/4). Das Lied stammt ursprünglich aus dem Schauspiel „Der Lügner“ von Johann Tost (Preßburg, um 1785) und galt schon bald nach der Jahrhundertwende als beliebtes „Volkslied“.

*Lit.: Walter Salmen, „Tyrolese Favorite Songs“ des 19. Jahrhunderts in der Neuen Welt. In: Festschrift für Karl Horak, hrsg. von Manfred Schneider, Innsbruck 1980, S. 69 ff.*
WL

**7/5/12**
**Becher**

Böhmen, um 1830
Farbloses Glas, geschliffen und geschnitten, Wien, J. u. L. Lobmeyr

Die Wandung des Kristallglases ist mit zwei auf mattiertem Grund geschnittenen Notenblättern versehen, welche eine freie Variante des Terzetts „So leb' denn wohl, du stilles Haus“ (= Abschied von der Hütte“) aus Ferdinand Raimunds „Der Alpenkönig und der Menschenfeind“ beinhalten. Das Terzett ist hier in einer Bearbeitung für Klavier mit präzisen Artikulationsangaben und dynamischen Vorschriften wiedergegeben. In seiner Klavierbearbeitung verwandelte der unbekannte Autor das besinnliche Vokalensemble (Tempobezeichnung: „Allegro"). Raimunds Zauberspiel in drei Akten (mit Musik von Wenzel Müller) war am 7. Oktober 1828 im Leopoldstädter Theater in Wien uraufgeführt worden.

*Lit.: Pazaurek/Philippovich, Gläser, S. 49f.*
WL

**7/6**
**Mode**

**7/6/1**
**Korsett, um 1835**

Naturfarbenes Köpergradl mit Fischbein verstärkt. Elastische Einsätze an den Seiten und an den abknöpfbaren Trägern.
HM, Inv. Nr. M 1.235

**7/6/2**
**Festkleid, um 1816**

Rosa Seide mit eingewebtem Sternmmuster, verziert mit Tüll, Spitzen und Satinbändern an Schultern, Ärmelenden und Rocksaum.
Kleid mit hochangesetzter Taille, rundem Halsausschnitt, langen Ärmeln und leicht ausgestelltem, in der rückwärtigen Mitte gezogenem Rock.
HM, Inv. Nr. M 12.264

**7/6/3**
**Festkleid, um 1824**

Hellblaue Seide mit eingewebtem Streifengeflecht, verziert mit plastischem Dekor aus Tüll und Satin am Halsausschnitt und Rocksaum.
Kleid mit höher angesetzter Taille, rundem Halsausschnitt, langen, leicht gepufften Ärmeln und leicht ausgestelltem, in der rückwärtigen Mitte gezogenem Rock.
HM, Inv. Nr. M 12.034

**7/6/4**
**Damenmantel, um 1815**

Grün-braun changierender Seidentaft, verziert mit in Falten gelegten Seidenbändern.
Hochgeschlossener Mantel mit rundem Kragen, hochangesetzter Taille, enganliegenden Ärmeln und leicht ausgestelltem, in der rückwärtigen Mitte gezogenem Rock.
HM, Inv. Nr. M 3.872

**7/6/5**
**Festkleid, um 1821**

Gestreifter Seidensatin, verziert mit Maschen aus gelbem Seidensatin.
Kleid mit hoher Taille, rundem Halsausschnitt, Puffärmelchen und leicht ausgestelltem, in der rückwärtigen Mitte gezogenem Rock.
HM, Inv. Nr. M 11/1
Abbildung

**7/6/6**
**Wickler, um 1820–22**

Braunschwarzer Seidentaft, verziert mit Posamentrie und Fransenborten, gefüttert mit gelbem Seidentaft, wattiert.
Mantel in Capeform mit angesetzten Ärmelteilen.
HM, Inv. Nr. M 208/1
Abbildung

**7/6/7**
**Ballkleid, um 1839/40**

Gestreifter Taft mit eingewebtem schwarzem Streifenmuster.
Oberteil enganliegend, in Schneppe auslaufend, mit tiefem Dekolleté und kurzen Ärmeln. Rock gezogen, glockig geschnitten.
HM, Inv. Nr. M 3.472/1, 2

**7/6/8**
**Witwenbrautkleid, E. zwanziger Jahre 19. Jh.**

Mittelblauer Seidensatin, gefüttert mit Seidentaft, wattiert.
Hochgeschlossenes Kleid mit enganliegendem, in Falten gelegtem und gesmoktem Oberteil, lange enge gesmokte Ärmel. Rock gezogen, glockig geschnitten.
HM, Inv. Nr. M 3/1

**7/6/9**
**Nachmittagskleid, um 1837/38**

Goldgelber Seidenrips und bedruckter Seidentaft.
Oberteil eng anliegend, runder Halsausschnitt, bis zum Ellbogen enge, ab da gebauschte Ärmel. Rock gezogen, glockig geschnitten.
HM, Inv. Nr. M 2.401/1, 2
Abbildung

**7/6/10**
**Damenmantel, um 1832**

Grün-schwarz changierender Seidentaft, verziert mit Falten und Passepoils, wattiert.
Hochgeschlossener Mantel mit eckigem rüschenbesetztem Kragen, Oberteil eng anliegend, Schinkenärmel, Rock in Falten gelegt.
HM, Inv. Nr. M 3.781/1
Abbildung

**7/6/11**
**Nachmittagskleid, um 1840**

Gestreifte, bunt bedruckte Wollgaze.
Oberteil eng anliegend, in Schneppe auslaufend, tiefes Dekolleté, kurze Ärmel. Rock gezogen, glockig geschnitten.
HM, Inv. Nr. M 9.281/1, 2

**7/6/12**
**Tageskleid, um 1843**

Blau-weiß kariertes Mischgewebe (Baumwolle/Seide) in Atlasbindung mit Ikatmuster, verziert mit blauer Fransenborte.
Hochgeschlossenes Kleid mit enganliegendem Oberteil, breitem Kragen, langen engen Ärmeln und gezogenem, glockig geschnittenem Rock.
HM, Inv. Nr. M 4.610/1

**7/6/13**
**Schute, 2. Viertel 19. Jh.**

Naturfarbene Strohborten, rückwärtige Kopfplatte und Innenfutter aus hellblauer Seide, Haltebänder aus weiß-blau kariertem Seidenband.
HM, Inv. Nr. M 1.079/1
Abbildung

Kat. Nr. 7/6/5, 6

Kat. Nr. 7/6/9, 10

Kat. Nr. 7/6/22–24

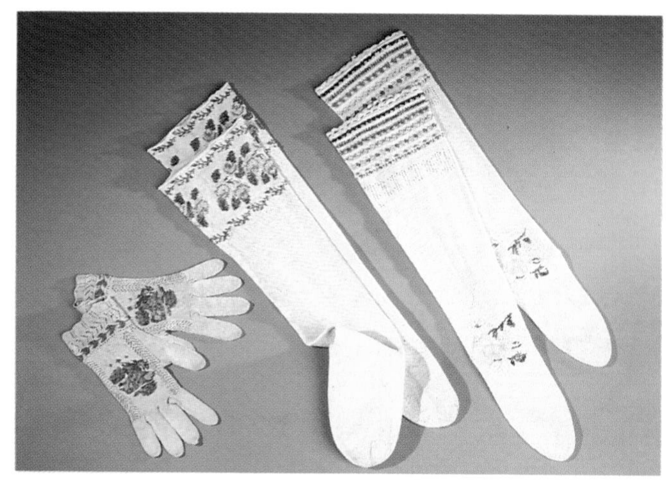

Kat. Nr. 7/6/39–41

Kat. Nr. 7/6/66–70

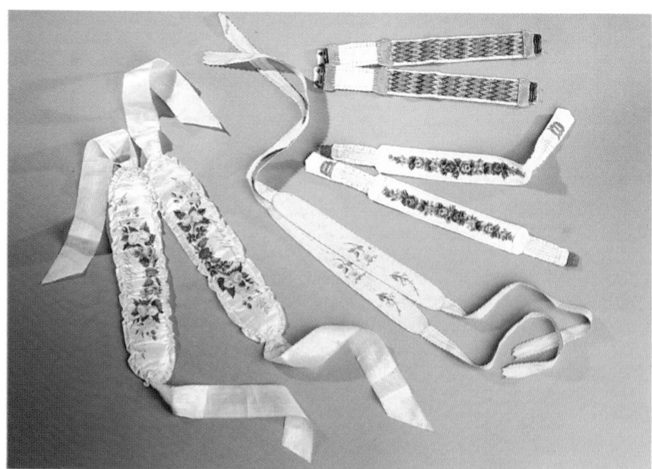

Kat. Nr. 7/6/35–38

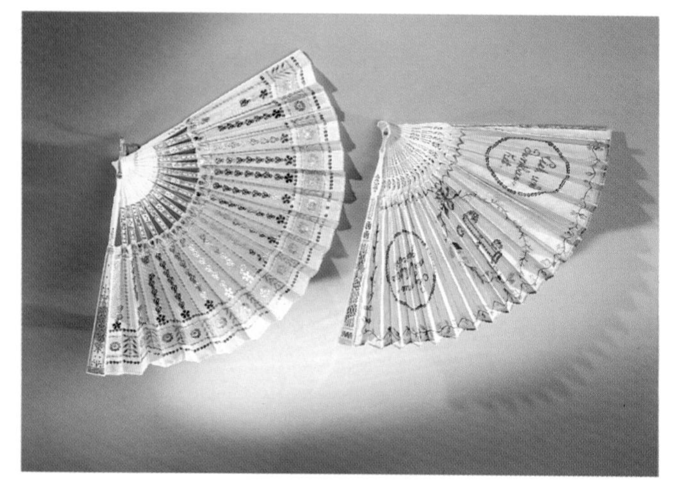

Kat. Nr. 7/6/64, 65

Kat. Nr. 7/6/45, 49, 50, 51

Schuten, um 1845/48, 2. Viertel 19. Jh.

Kat. Nr. 7/6/13–15

Kat. Nr. 7/6/25–27

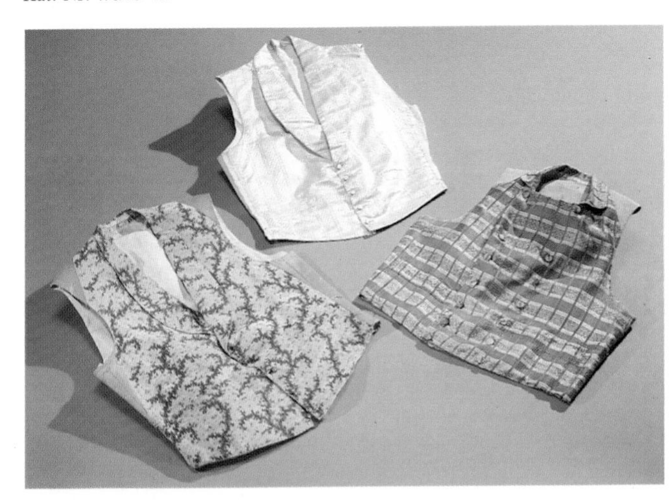

Kat. Nr. 7/6/28–30

Kat. Nr. 7/6/19–21

Kat. Nr. 7/6/16–18

**7/6/14**
**Breitrandige Schute, um 1830**

Naturfarbene Strohborten, Haltebänder aus hellblauer Seide, verziert mit Tüllspitze und künstlichen Blumen.
HM, Inv. Nr. M 409/1
Abbildung

**7/6/15**
**Schute, um 1845**

Rosa Seide, verziert mit weißer Spitze und weißer Seide. Gefüttert mit Organdin.
HM, Inv. Nr. M 2.730
Abbildung

**7/6/16**
**Damenspenzer, um 1810**

Schwarzer Moiré, verziert mit plastischem Dekor aus Moiré und Seidensatin.
Spenzer mit rundem tiefem Halsausschnitt, langen, an den Schultern gepufften Ärmeln.
HM, Inv. Nr. M 11.713/1
Abbildung

**7/6/17**
**Damenspenzer, um 1830**

Rosa Seide, verziert mit Smoketeilen, wattiert. Hochgeschlossener Spenzer mit rundem Kragen, eng anliegend, „Schinkenärmeln" und Gürtel.
HM, Inv. Nr. M 4.226/1
Abbildung

**7/6/18**
**Damenspenzer, um 1835**

Braune Seide mit eingewebtem floralem Dekor in Rosa und Schwarz, Zackenverzierung auf Passepoil aus rosa Seidensatin.
Hochgeschlossener Spenzer mit eckigem Kragen, enganliegend, Schinkenärmeln und Gürtel.
HM, Inv. Nr. M 9.948/1
Abbildung

**7/6/19**
**Schirm, 1. Hälfte 19. Jh.**

Gestrickte Bespannung mit bunten ganzflächig mitgestrickten Glasperlchen, Seidenfransenverzierung. Stock aus weiß lackiertem Holz und geschnitztem Bein.
HM, Inv. Nr. M 1.116/1
Abbildung

**7/6/20**
**Schirm, um 1850**

Grüne Seidentaftbespannung mit weißen Perlchen bestickt. Oberer Stockteil aus Messing unterer aus geschnitztem braunem Holz.
HM, Inv. Nr. M 10.653/1
Abbildung

**7/6/21**
**Schirm, 1. Hälfte 19. Jh.**

Hellbraune Lederbespannung. Lederüberzogener Stock und Knauf, Lederschlaufe.
HM, Inv. Nr. M 2.189
Abbildung

**7/6/22**
**Damenschuhe, um 1820–30**

Cremefarbener Seidensatin mit cremefarbenen Kreuzbändern und Ristmasche, gefüttert mit cremefarbenem Glattleder und Leinen, Ledersohle.
HM, Inv. Nr. M 1.282/1, 2
Abbildung

**7/6/23**
**Damenschuhe, um 1830**

Schwarzer Seidensatin mit schwarzen Kreuzbändern und Rosette, gefüttert mit cremefarbenem Glattleder und Leinen, Ledersohle.
HM, Inv. Nr. M 2.246/1, 2
Abbildung

**7/6/24**
**Damenstiefeletten, um 1840–45**

Schwarzer Seidensatin, seitlich zum Schnüren, gefüttert mit cremefarbenem Glattleder, Ledersohle.
HM, Inv. Nr. M 9.777/1, 2
Abbildung

**7/6/25**
**Zylinder, 1. Viertel 19. Jh.**

Braunes Strohgeflecht, Hutband aus beigem Rips.
HM, Inv. Nr. M 1.084/1
Abbildung

**7/6/26**
**Zylinder, 1. Viertel 19. Jh.**

Mittelbraunes Stroh mit eingeflochtenem Muster im Kopfteil.
HM, Inv. Nr. M 1.264/1
Abbildung

**7/6/27**
**Zylinder, um 1830**

Schwarzes „Spanisches Glanzrohr", Krempe mit grüner Seide gefüttert.
Auf innerer Kopfplatte: „K. k. priviligirte Neuverbeßserte Sommer Hüte von Fischbein und Spanisch Glanzrohr des Anton Dietrich. Wohnhaft außer den Sach Thor N 1016. die Niederlage ist am Hauptplatz N 211 in Graz".
HM, Inv. Nr. M 10.474/1
Abbildung

**7/6/28**
**Herrenweste, um 1830**

Karierte Seide, Leinen
Vorderteil aus Seide, doppelreihig geknöpft, mit Kragen und zwei eingeschnittenen Taschen. Rückenteil und Futter des Vorderteils aus naturfarbenem Leinen.
HM, Inv. Nr. M 4.907/1
Abbildung

**7/6/29**
**Herrenweste, um 1836**

Cremefarbene, in sich gestreifte und gemusterte Atlasseide, Baumwolle.
Vorderteil aus Seide, einreihig geknöpft, mit rundem Kragen und zwei eingeschnittenen Taschen. Rückenteil und Futter des Vorderteiles aus Baumwolle.
HM, Inv. Nr. M 10.529/1
Abbildung

**7/6/30**
**Herrenweste, um 1845**

Bunter Seidenrips (bedruckt und gewebt), Baumwollchintz, Chiffon.
Vorderteil einreihig geknöpft, mit Posamentrieknöpfen, rundem Kragen und eingeschnittenen Taschen. Rückenteil aus hellbraunem Baumwollchintz. Futter aus naturfarbenem Chiffon.
HM, Inv. Nr. M 4.956/1
Abbildung

**7/6/31**
**Spazierstock, um 1820**

Schwarzer, polierter Holzstock, Hornspitze, Silberknauf mit plastischem Dekor.
HM, Inv. Nr. M 4.652/1
Abbildung

**7/6/32**
**Spazierstock, um 1840**

Hellbrauner, polierter Holzstock, geschnitzter Elfenbeinknauf und Spitze.
HM, Inv. Nr. M 4.650/1
Abbildung

**7/6/33**
**Spazierstock, um 1840**

Hellbrauner, polierter Holzstock, Elfenbeinknauf, Quaste, Metallspitze.
HM, Inv. Nr. M 12.430/1
Abbildung

**7/6/34**
**Herrentanzstiefel, um 1840**

Schwarzer Lederschuh, schwarzer Seidentrikotstrumpf aufgearbeitet auf hellbeigem Leder, grüngraue Leder-Abschlußkante, gefüttert mit Glatt- und Rauhleder, Ledersohle.
HM, Inv. Nr. M 2.581/1

*Lit.: June Swann, Shoes. The Costume Accessoires Series, Batsford, London 1984, S. 43.*

**7/6/35**
**Strumpfbänder, Anfang 19. Jh.**

Helles Rauhleder mit Seidenstickerei „Wandle auf Rosen und Vergißmeinnicht" und rosa Seidenbändern.
HM, Inv. Nr. M 598/1, 2
Abbildung

**7/6/36**
**Strumpfbänder, 2. Viertel 19. Jh.**

Weißer Seidenatlas bemalt und beschriftet: „Meine Bitte Ihre Freundschaft", „Mein Wunsch Ihr Glück". Weiße Seidenbänder, verziert mit Rüschen.
HM, Inv. Nr. M 577/1, 2
Abbildung

**7/6/37**
**Strumpfbänder, um 1840**

Weißer Seidenmoiré mit Chenillestickerei (Rosenbordüre), überzogene Metallfedern mit Metallschließen.
HM, Inv. Nr. M 6.436
Abbildung

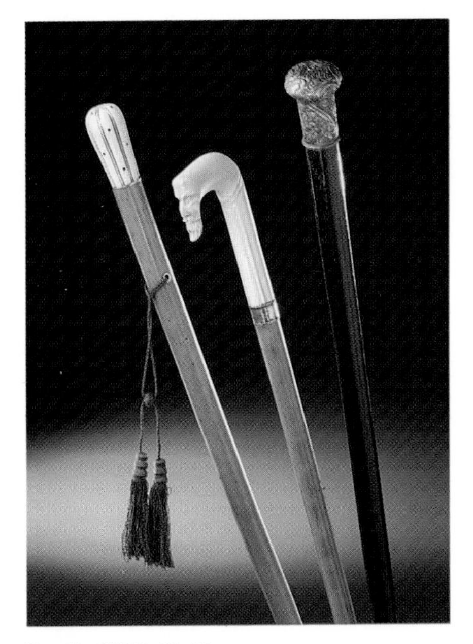

Kat. Nr. 7/6/31, 32, 33

Kat. Nr.7/6/71–79

**7/6/38**
**Strumpfbänder, um 1840**

Auf Leder aufgearbeitete bunte Wollstickerei, Ledergummizug mit Metallschließen.
HM, Inv. Nr. M 6.686/2, 1
Abbildung

**7/6/39**
**Damenstrümpfe, 1. Hälfte 19. Jh.**

Weiße Baumwolle, gestrickt, oberer Rand verziert mit bunten mitgestrickten Glasperlchen (Rosen- und Blattbordüre).
HM, Inv. Nr. M 559/1, 2
Abbildung

**7/6/40**
**Damenstrümpfe, um 1840**

Cremefarbene Baumwolle, gestrickt, oberer Rand und Rist verziert mit bunten mitgestrickten Glasperlchen (Bordüren, Rosenbouquet).
HM, Inv. Nr. M 556/1, 2
Abbildung

**7/6/41**
**Damenhandschuhe, um 1830**

Beiger Baumwollzwirn, gestrickt, oberer Rand und Handrücken verziert mit bunten mitgestrickten Glasperlchen (Bordüre, Blumenmotiv).
HM, Inv. Nr. M 531/1, 2
Abbildung

**7/6/42**
**Taschentuch, um 1850**

Weißer Batist, verziert mit Nähspitze, Loch- und Flachstickerei.
HM, Inv. Nr. M 9.082/1
Abbildung

**7/6/43**
**Taschentuch, um 1840**

Weißer Leinenbatist, verziert mit Ajourarbeit, Klöppelspitze, Flach- und Lochstickerei.
HM, Inv. Nr. M 9.079/1
Abbildung

**7/6/44**
**Taschentuch, um 1850**

Weißer Baumwollbatist, verziert mit Ajourarbeit, Flach- und Lochstickerei.
HM, Inv. Nr. M 9.083/1
Abbildung

**7/6/45**
**Beutel, 1837**

Grünes Seidengarn, gestrickt, Metallringe, Seidenband, verziert mit silbernen mitgestrickten Glasperlchen (Bordüre, Schrift: „Mit Gott den Anfang").
HM, Inv. Nr. M 9.743/1
Abbildung

**7/6/46**
**Beutel, 1. Viertel 19. Jh.**

Ockerfarbenes Seidengarn, gestrickt, verziert mit bunten mitgestrickten Glasperlchen (Bordüren, Stern, Baum).
HM, Inv. Nr. M 15.133/1

**7/6/47**
**Geldtäschchen, 1. Viertel 19. Jh.**

Cremefarbenes Seidengarn, verziert mit goldenen mitgestrickten Metallperlchen, Metallbügel zum Schließen, verziert mit bunter Blattgirlande, Abschluß durch Metallkugel.
HM, Inv. Nr. M 8.606/1

**7/6/48**
**Beutel, um 1840**

Grün-rot-schwarz-cremefarbenes Seidengarn, gehäkelt, Seidenband zum Schließen, verziert mit goldenen Metallperlchen.
HM, Inv. Nr. M 5.813/1

**7/6/49**
**Beutel, um 1820**

Rosa-grünes Seidengarn, Nadelarbeit, spinnennetzartiger Dekor mit je einer Stahlperle im Mittelpunkt. Seidenquaste, Seidenkordel zum Schließen.
HM, Inv. Nr. M 9.001/1
Abbildung

**7/6/50**
**Beutelchen, um 1830**

Bunte Glasperlchen mit Baumwollgarn verstrickt bilden Rosenbordüre und Schrift: „mein Denke, Denke mein". Band zum Schließen.
HM, Inv. Nr. M 9.016/1
Abbildung

**7/6/51**
**Beutelchen, 1817**

Bunte Glasperlchen mit Seidengarn verstrickt bilden Blumenbordüre, Zahl 1817 und Buchstaben „M F". Abschluß durch Perlfransen, Kordel mit Quasten zum Schließen.
HM, Inv. Nr. M 11.042/1
Abbildung

**7/6/52**
**Beutel, 1820–1830**

Braune Haare, geklöppelt, Haarbändchen zum Schließen.
HM, Inv. Nr. M 4.262/1

**7/6/53**
**Beutel, 1820**

Bunte Glasperlchen mit Seidengarn verstrickt bilden die Kaiser-Ferdinand-Brücke in Wien 1820. Oberer Rand gehäkelt, Kordel zum Schließen.
HM, Inv. Nr. M 11.093/1

**7/6/54**
**Beutel, 1. Hälfte 19. Jh.**

Bunte Glasperlchen auf Stramin gestrickt bilden Blumenkränze u. Rosenbouquets. Oberer Rand aus schwarzer Häkelspitze, Kordel zum Schließen. Abschluß durch schwarze Perlquaste.
HM, Inv. Nr. M 6.193/1

**7/6/55**
**Geldtäschchen, um 1830**

Bunte Glasperlchen mit Seidengarn verstrickt. Blumenmotive und Bordüren. Metallbügel zum Schließen.
HM, Inv. Nr. M 9.010/1

**7/6/56**
**Geldtäschchen, 1800–1820**

Rosa Seidengarn mit weißen und silbernen Glasperlchen verstrickt, Metallbügel zum Schließen, Abschluß durch weiße Perlquaste.
HM, Inv. Nr. M 3.063/1

**7/6/57**
**Geldkatze, um 1840**

Buntes Seidengarn, gestrickt, verziert mit goldenen Metallperlchen, zwei Metallringe zum Schließen. An den Enden Metallglöckchen.
HM, Inv. Nr. M 9.021/1
Abbildung

**7/6/58**
**Geldkatze, um 1840**

Buntes Seidengarn, gehäkelt, verziert mit Stahlperlchen, zwei Metallringe zum Schließen.
HM, Inv. Nr. M 9.022/1

**7/6/59**
**Geldtäschchen, um 1830**

Rosa-graue Glasperlchen mit Baumwollgarn verstrickt, Metallbügel zum Schließen.
HM, Inv. Nr. M 11.286/1

**7/6/60**
**Geldtäschchen, um 1830**

Buntes Seidengarn, gehäkelt, verziert mit Metallperlchen, Metallbügel zum Schließen mit Kette u. Spange zum Befestigen.
HM, Inv. Nr. M 9.012/1

**7/6/61**
**Handtasche, 1. Hälfte 19. Jh.**

Braun-lila Samt, verziert mit bunter Seidenstickerei, Kanteneinfassung aus rosa-grüner Kordel, Tragegriffe aus dunkelgrauem Flechtband.
HM, Inv. Nr. M 15.510/1

**7/6/62**
**Handtasche, um 1820**

Silberplagegewebe, verziert mit Blumen aus bunten Seidenbändchen und Seidenstickerei, Metallrahmen, Haltegriffe aus cremefarbenen Seidenbändern.
HM, Inv. Nr. M 8.589/1

**7/6/63**
**Handtasche, 1840**

Flachstickerei aus Wollgarn in drei Blautönen, rasterförmige Unterteilung durch naturfarbene Seidenbänder, verziert mit Metallperlchen, Einfassung und Haltegriffe aus Seidenkordel.
HM, Inv. Nr. M 966/1

**7/6/64**
**Fächer, 1. Viertel 19. Jh.**

Fächerblatt aus naturweißem Organza und Gaze, verziert mit gold- und silberfarbenen Pailletten und Metallstanzformen, Posamentrieborte an der oberen Fächerkante. Fächergestänge verziert mit eingelegten Metallplättchen und gold- und silberfarbener Bemalung.
HM, Inv. Nr. M 1.953/1
Abbildung

**7/6/65**
**Fächer, 1. Viertel 19. Jh.**

Fächerblatt aus cremefarbenem Seidentaft, verziert mit bunter Seidenstickerei und Flitter, gestickte Schrift: „Liebe und Dankbarkeit Sey meiner Mutter geweiht.“ Fächergestänge aus Elfenbein mit Durchbruchsschnitzerei.
HM, Inv. Nr. M 10.290/1
Abbildung

**7/6/66**
**Herrenhalsbinde, 1. Hälfte 19. Jh.**

Bunt gestreifter Wollstoff, gewebt, handgeknüpfte Fransen an den Enden.
HM, Inv. Nr. M 1.368/1
Abbildung

**7/6/67**
**Herrenhalsbinde, um 1830**

Roter Wollstoff mit gelben Seidenstreifen, gewebt, Fransen an den Enden.
HM, Inv. Nr. M 1.370/1
Abbildung

**7/6/68**
**Herrenhalsbinde, um 1830**

Schwarze Seide mit rot-beigem Paisleymuster, gewebt, Fransen an den Enden.
HM, Inv. Nr. M 8.438/1
Abbildung

**7/6/69**
**Herrenhalsbinde, um 1850**

Schwarz-blau rote Seide mit quadrilliertem und floralem Dekor, gewebt, Fransen an den Enden.
HM, Inv. Nr. M 4.485/1
Abbildung

**7/6/70**
**Herrenmasche, 2. Viertel 19. Jh.**

Cremefarbener Seidensatin mit broschiertem floralem Dekor in Blaugrün, Rosa und Gold, gefüttert mit cremefarbenem Seidentaft, Metallschließe.
HM, Inv. Nr. M 1.104/1
Abbildung

**7/6/71**
**Herrenhausmantel, um 1850**

Brauner Seidensamt, verziert mit bunter Wollstickerei in floralem Dekor.
Hochgeschlossener Mantel, Oberteil und Ärmel eng anliegend, Rock leicht ausgestellt.
HM, Inv. Nr. M 15.228/1
Abbildung

**7/6/72**
**Herrenhauskappe, 1826**

Schwarzbrauner Samt, verziert mit bunter Glasperlenstickerei und Goldborten.
HM, Inv. Nr. M 436/1
Abbildung

**7/6/73**
**Herrenhausmütze, um 1840**

Blau-schwarz-goldfarbenes Seidengarn, gehäkelt, geometrischer Dekor, Posamentenknopf aus goldfarbener Seide in der Mitte.
HM, Inv. Nr. M 8.608/1
Abbildung

**7/6/74**
**Herrenhausmütze, 1840**

Buntes Seidengarn, gehäkelt.
HM, Inv. Nr. M 8.619/1
Abbildung

**7/6/75**
**Herrenhausmütze, um 1840**

Lila Wolle, gelb und braunes Baumwollgarn, gehäkelt, Posamentrieknopf mit Quaste in der Mitte.
HM, Inv. Nr. M 12.741/1
Abbildung

**7/6/76**
**Tabakbeutel, um 1840**

Blau-braunes Seidengarn, gestrickt, verziert mit goldenen Metallperlchen, Seidenkordel zum Schließen.
HM, Inv. Nr. M 9.755/1
Abbildung

**7/6/77**
**Tabakbeutel, 1. Hälfte 19. Jh.**

Braun-petrol- und ockerfarbenes Seidengarn, gestrickt, verziert mit weißen, schwarzen und grünen mitgestrickten Glasperlchen, die Bordüren bilden, Kordel zum Schließen, Abschluß durch Quaste.
HM, Inv. Nr. M 9.756/1
Abbildung

**7/6/78**
**Tabakbeutel, um 1820**

Bunte Glasperlchen mit Baumwollgarn verstrickt bilden Landschaft, Füllhörner und Stern. Seidenkordel zum Schließen, Abschluß durch Quaste.
HM, Inv. Nr. M 9.002/1
Abbildung

**7/6/79**
**Tabakbeutel, um 1830**

Braunes Seidengarn, gestrickt, verziert mit bunten mitgestrickten Glasperlchen, die Rosenbordüre, Linien und Stern bilden. Posamentrieband zum Schließen, Abschluß durch Quaste.
HM, Inv. Nr. M 8.599/1
Abbildung

**7/6/80**
**Babyhemd und Häubchen, um 1830**

Gelber Seidentaft mit aufgearbeitetem Baumwolltüll mit Lochstickerei, verziert mit Spitzenrüschen und Seidenmaschen.
HM, Inv. Nr. M 959/2, 3

**7/6/81**
**Babyhemd, um 1830**

Weiße Baumwolle, gestrickt, verziert mit bunten mitgestrickten Glasperlchen, die Blumenbordüren bilden.
HM, Inv. Nr. M 3.884/1

**7/6/82**
**Babyhäubchen, um 1830**

Weiße Baumwolle, gestrickt, verziert mit Tüllrüsche und bunten mitgestrickten Glasperlchen, die Blumenbordüren und Sterne bilden.
HM, Inv. Nr. M 8.318/1

**7/6/83**
**Kinderschuhe, 1. Hälfte 19. Jh.**

Gelbbraunes Leder, seitlich zum Schnüren, gefüttert mit Leinen, Ledersohle.
HM, Inv. Nr. M 504/1, 2

**7/6/84**
**Fingerlose Kinderhandschuhe, um 1850**

Braunes Baumwollgarn, gestrickt, Handrükken verziert mit gestrickten Zierlinien.
HM, Inv. Nr. M 7.041/1, 2

Die folgenden Kupferstiche stammen aus der „Wiener Zeitschrift für Kunst, Literatur, Theater und Mode“. Sie zählen zu den schönsten Europas und geben einen ausgezeichneten Überblick über die Wiener Mode der Jahre 1816 bis 1848.

**7/6/85**
**Dame in Morgenanzug, 1816**

29. 5. 1816, Nr. 22
Kupferstich, koloriert 22 × 13,6 cm
Bez.: 22 Wiener Moden 1816
HM, Inv. Nr. MB 3.234

**7/6/86**
**Dame mit Kopfmantel, 1817**

8. 1. 1817, Nr. 3, Bild II
Kupferstich, koloriert, 22,4 × 12,6 cm
Bez.: II Wiener Moden, K. sc. $\frac{3}{1817}$
HM, Inv. Nr. M 31.234

**7/6/87**
**Dame in Mantel mit quadrilliertem Muster, 1818**

Johann Blaschke (1770–1833)
9. 7. 1818, Nr. 82, Bild XXVIII
Kupferstich, koloriert, 21,7 × 12,7 cm
Bez.: XXVIII Wiener Moden, Blaschke sc. $\frac{82}{1818}$
HM, Inv. Nr. MB 3.234

**7/6/88**
**Abendanzug mit „bodenscheuen Hosen“, 1819**

18. 2. 1819, Nr. 21, Bild VII
Kupferstich, koloriert, 21,8 × 13,8 cm
Bez.: v. S. del. VII Wiener Moden M sc. $\frac{21}{1819}$
HM, Inv. Nr. M 32.441
Abbildung

**7/6/89**
**Dame in weißem Batist-Musselinkleid mit fliederfarbenem Spenzer und Strohhut, 1819**

Franz Stöber (1795–1858)
nach Philipp von Stubenrauch (1784–1848)
5. 8. 1819, Nr. 93, Bild XXXI
Kupferstich, koloriert, 21,8 × 13,8 cm
Bez.: P. v. St. del. XXXI Wiener Moden Fr. Stöber sc. $\frac{93}{1819}$
HM, Inv. Nr. M 32.449
Abbildung

**7/6/90**
**Dame in grünem Wickler und Basthut, 1820**

Franz Stöber nach Philipp von Stubenrauch
25. 4. 1822, Nr. 50, Bild XVII
Kupferstich, koloriert, 22 × 13,4 cm
Bez.: P. v. St. del. XVII Wiener Moden Fr. Stöber sc. $\frac{50}{1820}$
HM, Inv. Nr. M 32.465
Abbildung

**7/6/91**
**Dame in Mantel, Herr in Tagesanzug, 1822**

Franz Stöber nach Philipp von Stubenrauch
12. 12. 1822, Nr. 149, Bild L
Kupferstich, koloriert, 21,7 × 13,7 cm
Bez.: P. v. St. del. L Wiener Moden Fr. Stöber sc. $\frac{149}{1822}$
HM, Inv. Nr. M 32.480
Abbildung

**7/6/92**
**Dame in Morgenanzug, Herr im Frack, 1827**

Franz Stöber
31. 7. 1827, Nr. 92, Bild XXXI
Kupferstich, koloriert, 21,7 × 13,1 cm
Bez.: XXXI Wiener Moden Fr. Stöber sc. $\frac{92}{1827}$
HM, Inv. Nr. M 32.491
Abbildung

**7/6/93**
**Dame in Gesellschaftskleid in Anlehnung an das Cachuchakostüm von Fanny Elßler, 1827**

Franz Stöber
27. 9. 1827, Nr. 116, Bild XXXIX
Kupferstich, koloriert, 21,5 × 13,2 cm
Bez.: XXXIX Wiener Moden Fr. Stöber sc. $\frac{116}{1827}$
Vgl. Kat. Nr. 9/1/4/1
HM, Inv. Nr. M 32.493
Abbildung

**7/6/94**
**Herren in Doppelgehröcken, 1827**

Franz Stöber
13. 12. 1827, Nr. 149, Bild L
Kupferstich, koloriert, 21,5 × 14,5 cm
Bez.: L Wiener Moden Fr. Stöber sc. $\frac{149}{1827}$
HM, Inv. Nr. MB 3.456
Abbildung

**7/6/95**
**Herr in Gesellschafts- oder Ballanzug, 1828**

Franz Stöber
10. 1. 1828, Nr. 5, Bild II
Kupferstich, koloriert, 21,4 × 13,8 cm
Bez.: II Wiener Moden Fr. Stöber $\frac{5}{1828}$
HM, Inv. Nr. MB 3.456
Abbildung

**7/6/96**
**Dame in Pelz von englischgrünem Cashmir mit Hermelin verbrämt, Herr in Pelz-Capot von Doppeltuch, 1829**

Franz Stöber
8. 1. 1829, Nr. 4, Bild II
Kupferstich, koloriert, 22 × 13,2 cm
Bez.: II Wiener Moden Fr. Stöber sc. $\frac{4}{1829}$
HM, Inv. Nr. M 32.495

**7/6/97**
**Herr in Mantel mit Flügeln, 1829**

Franz Stöber
10. 12. 1829, Nr. 148, Bild L
Kupferstich, koloriert, 22,1 × 13,9 cm
Bez.: L Wiener Moden Fr. Stöber sc. $\frac{148}{1829}$
HM, Inv. Nr. M 32.519
Abbildung

**7/6/98**
**Dame in Putzkleid, 1829**

Franz Stöber
24. 12. 1829, Nr. 154, Bild LII
Kupferstich, koloriert, 22,1 × 13,9 cm
Bez.: LII Wiener Moden Fr. Stöber sc. $\frac{154}{1829}$
HM, Inv. Nr. M 32.521

**7/6/99**
**Herr im Morgenanzug und Frack, 1830**

Franz Stöber
11. 3. 1830, Nr. 30, Bild X
Kupferstich, koloriert, 21,8 × 13,7 cm
Bez.: X Wiener Moden Fr. Stöber sc. $\frac{30}{1830}$
HM, Inv. Nr. MB 3.234

**7/6/100**
**Dame in Hausmantel („Mandarin“), 1831**

7. 4. 1831, Nr. 42, Bild XIV
Kupferstich, koloriert, 22,4 × 13,9 cm
Bez.: XIV Wiener Moden $\frac{42}{1831}$
HM, Inv. Nr. M 32.528
Abbildung

**7/6/101**
**Dame in Tagesanzug, 1835**

Franz Stöber
11. 7. 1835, Nr. 70, Bild XXIV
Kupferstich, koloriert, 22 × 14,6 cm
Bez.: XXIV Wiener Moden Fr. Stöber sc. Wien. Zeitschr. N° 70. 11. July 1835
HM, Inv. Nr. MB 3.234
Abbildung

**7/6/102**
**Dame in Gesellschaftskleid mit Panier (Reifrock), 1838**

Franz Stöber
20. 12. 1838, Nr. 152, Bild LI
Kupferstich, koloriert, 21,9 × 13,9 cm
Bez.: LI Wiener Moden Fr. Stöber sc. Wien.
HM, Inv. Nr. MB 3.234
Abbidlung

**7/6/103**
**Dame in Ballkleid, 1840**

Franz Stöber
13. 2. 1840, Nr. 25, Bild VII
Kupferstich, koloriert, 22,1 × 13,7 cm
Bez.: VII Wiener Moden Fr. Stöber sc. Wien.
HM, Inv. Nr. MB 3.234
Abbildung

**7/6/104**
**Herr in Schlafrock und Tagesanzug, 1840**

Franz Stöber
6. 8. 1840, Nr. 125, Bild XXXII
Kupferstich, koloriert, 22 × 13,7 cm
Bez.: XXXII Wiener Moden Fr. Stöber sc.
HM, Inv. Nr. MB 3.234
Abbildung

**7/6/105**
**Schal, 1. Viertel 19. Jh.**

Naturweißer Wollstoff, bunt bedruckt mit Paisley- und floralem Dekor an den Enden und Rändern, Mittelteil ockerfarben. Handgeknüpfte Fransen an den Enden.
HM, Inv. Nr. M 675/1

**7/6/106**
**Schal, 2. Viertel 19. Jh.**

Gold- und cremefarbene changierende Seide mit eingewebten Streifen und Karos in Silber, Blau, Rotbraun, Blaßrosa und Cremefarbe. Handgeknüpfte Fransen.
HM, Inv. Nr. M 674/1

**7/6/107**
**Schal, 2. Viertel 19. Jh.**

Blau-rot-weiß quadrilliertes Seidenwollgewebe. Handgeknüpfte Fransen an den Enden.
HM, Inv. Nr. M 679/1

**7/6/108**
**Schal, 2. Viertel 19. Jh.**

Cremefarbene Seide mit eingewebten Streifen und Karos in Rosa, Grün, Blau, Gold und Lila. Handgeknüpfte Fransen an den Enden.
HM, Inv. Nr. M 1.396/1

**7/6/109**
**Schal, 1. Viertel 19. Jh.**

Naturweißer Wollstoff, bunt bedruckt mit Paisley- und floralem Dekor an den Enden und Rändern, Mittelteil braun. Handgeknüpfte Fransen an den Enden.
HM, Inv. Nr. M 1.406/1

**7/6/110**
**Wiener Schal, um 1850**

Bunter Wollstoff mit „türkischem Muster", gewebt.
HM, Inv. Nr. M 15.730

**7/6/111**
**Wiener Schal, um 1850**

Bunter Wollstoff mit „türkischem Muster", gewebt.
HM, Inv. Nr. M 15.693

**7/6/112**
**Mustertafel mit Wachsleinwand**

Joseph Groll, Wien 1830
Muster Wachsleinwand, Tafel Karton
Tafel B.: 33 cm, H.: 43 cm
Wien, Technisches Museum, Inv. Nr. 30.143

**7/6/113**
**Mustertafel mit 4 Seidenbändern**

Anton Messat und Ignaz Wallner, Wien 1842
Bänder Seide, Tafel Karton
Tafel B.: 33 cm, H.: 43 cm
Wien, Technisches Museum, Inv. Nr. 30.191

**7/6/114**
**Mustertafel mit 3 Seidenbändern**

Carl Möring, Wien 1826
Bänder Seide, Tafel Karton
Tafel B.: 33 cm, H.: 43 cm
Wien, Technisches Museum, Inv. Nr. 30.189

**7/6/115**
**Mustertafel mit 8 Atlasbändern**

Modebandfabrik Carl Möring, Wien 1840
Bänder Seide, Tafel Karton
Tafel B.: 33 cm, H.: 43 cm
Wien, Technisches Museum, Inv. Nr. 30.190

**7/6/116**
**Mustertafel mit 4 Seidenbändern**

Carl Möring, Wien 1845/46
Bänder Seide, Tafel Karton
Tafel B.: 33 cm, H.: 43 cm
Wien, Technisches Museum, Inv. Nr. 30.196

**7/6/117**
**Mustertafel mit 4 Seidenbändern**

Anton Messat, Wien 1845/46
Bänder Seide, Tafel Karton
Tafel B.: 33 cm, H.: 43 cm
Wien, Technisches Museum, Inv. Nr. 30.195

**7/6/118**
**3 Mustertafel mit je 4 Seidenbändern**

Anton Messat und Ignaz Wallner, Wien 1843
Bänder Seide, Tafel Karton
Tafel B.: 33 cm, H.: 43 cm
Wien, Technisches Museum, Inv. Nr. 30.192 bis 30.194

**7/7**
**Bildergalerie der Straße**

**7/7/1**
**„Caballa"**
**Geschäftsschild einer Lottokollektur**

Öl auf Holz, 93 × 75 cm
HM, Inv. Nr. 34.296

Angeblich befand sich das Schild am Sothenschen Geschäft (Am Hof), später bei einer Lotterie in der Taborstraße „Bei der Post", zuletzt in einer Lotterie in der Spitalgasse. Die Lotto-Leidenschaft der Bevölkerung führte zu zahlreichen Karikaturen im Biedermeier.
ReWi

**7/7/2**
**„Zur Iris", um 1840**
**Geschäftsbild einer Seidenwarenhandlung**
**Wien 1, Rotenturmstraße**

Öl auf gebogenem Holz, 167 × 99 cm
HM, Inv. Nr. 59.620

Darstellung einer allegorischen weiblichen Figur, die den Regenbogen versinnbildlicht. Das Geschäftsportal "Zur Iris" ist auf dem berühmten „Situations-Plan der k. k. Haupt- und Residenz-Stadt Wien" von Carl Graf Vasquez (1798–1861) dargestellt. Der Besitzer war Carl Adam v. Dück.
ReWi
Abbildung

**7/7/3**
**„Zur Jungfrau von Orlean"**
**Geschäftsschild der Seidenwarenhandlung v. Ernst Szontágh**
**Wien 1, Graben/Bräunerstraße 1 (vormals Graben 1123)**

Öl auf Blech, 244 × 79 cm
HM, Inv. Nr. 34.691

Nach Groner wurde das Porträt lange Zeit als das von der Schauspielerin Gottdank gehalten. Die Seiden- und Modewarenhandlung ist von 1825 bis 1901 nachweisbar. Bei den Künstlern könnte es sich um Johann oder Josef Ziegler handeln.
ReWi

**7/7/4**
**„Zum Pagen"**
**Geschäftsschild der Marcherschen Spitzenhandlung, 1842**
**Wien 1, Kohlmarkt, Ecke Wallnerstraße 6**

Johann Nepomuk Mayer (1805–1866)
Öl auf Eisenblech, 186 × 65 cm (mit Rahmen 221 × 99 cm). Sign. u. dat.: J. N. Mayer 1842
HM, Inv. Nr. 42.161
Johann N. Mayer war Zeichenlehrer am Theresianum.

Kat. Nr. 7/7/2

Kat. Nr. 7/7/6

Kat. Nr. 7/7/5

Kat. Nr. 7/7/7

**7/7/5**
**„Zum Fürsten Ypsilanti", um 1830**
**Geschäftsschild eines Weißwarengeschäftes**
**Wien 1, Seilergasse 10 (Göttweigerhof)**

Öl auf Eisenblech, 197 × 88 cm
HM, Inv. Nr. 42.983

Fürst Alexander Ypsilanti (1792–1828) war ein Freiheitskämpfer im griechischen Unabhängigkeitskrieg. Seit 1818 war er Führer der Hetärie (Geheimbund zur Befreiung der Griechen von türkischer Herrschaft), 1821 eröffnete er den Aufstand der Griechen gegen die Pforte. Damit begann die Erhebung des ganzen griechischen Volkes. Ypsilanti wurde geschlagen; er floh nach Österreich und wurde bis 1827 gefangengehalten. Er starb in Wien (siehe Kat. Nr. 4/13). Der Göttweigerhof wurde 1829 nach Kornhäusel in klassizistischer Art umgebaut und ein Geschäftslokal nach Ypsilanti benannt. In diesem Haus schuf Franz Schubert die „Unvollendete".

*Lit.: Hedwig Herzmansky, Der Göttweigerhof in Wien – ein Werk Kornhäusels. In: WGB 27, Wien 1927, S. 416 ff.*
ReWi
Abbildung

**7/7/6**
**„Zur Französin", 1839**
**Geschäftsschild einer Modewarenhandlung**
**Wien 1, Goldschmiedgasse 9, Trattnerhof**

Josef Ziegler (1785–1852)
Öl auf Eisenblech, 218 × 95 cm (mit Rahmen 235 × 108)
HM, Inv. Nr. 54.968
Abbildung

**7/7/7**
**„Zu den heiligen drei Königen"**
**Hausschild**
**Wien 7, Neustiftgasse 21**

Öl auf Blech, 55 × 87 cm
HM, Inv. Nr. 13.326

*Lit.: Anton Ziegler, Wien mit ihren Vorstädten, 3. Aufl., 1830, S. 140.*
ReWi
Abbildung

**7/7/8**
**„Zur schönen Orientalin"**
**Geschäftsschild einer Parfümerie**

Friedrich Amerling (?)
Öl auf Stahlplatte, 150 × 83 cm (Rahmen 203 × 133 cm)
HM, Inv. Nr. 47.020

**7/7/9**
**Rebekkabrunnen (Replik)**

Adam Ramelmayr (1807–1887), 1846
Zinkguß
H.: 176 cm (mit Sockel)
Bez. u. dat. am Sockel: 1846
HM, Inv. Nr. 60.321

Der Brunnen wurde vom Wiener Bürgermeister Ignaz Czapka im Zusammenhang mit der Fertigstellung der Kaiser-Ferdinands-Wasserleitung in Auftrag gegeben. Die Darstellung ist dem Alten Testament entnommen. Rebekka, die mit einem Krug zum Brunnen geht, wird die auserwählte Braut von Isaak, dem Sohn Abrahams. Szene und Anordnung stehen in der Tradition der Wiener Wandnischenbrunnen für die als Beispiel Franz Xaver Messerschmidts Brunnen mit der Witwe von Sarepta (Wien 1, Johannesgasse 15) genannt sei. Stilistisch ist das Werk von Ramelmayrs Lehrer an der Wiener Akademie, Johann Nepomuk Schaller, abhängig. Der Rebekkabrunnen steht in der Einfahrt des Hauses Wien 1, Franziskanerplatz 1.

*Lit.: Selma Krasa, Biedermeier in der Skulptur?: In: Wien 1815–1848. Bürgersinn und Aufbegehren, Fribourg-Wien 1986, S. 191 ff.*
SK

**7/8/1**
**Clemens Lothar Wenzel Fürst Metternich, 1819/21**

Bertel Thorvaldsen (1768[?]–1844)
Büste, Marmor, 66
H.: 66 cm
Fürst Paul Metternich-Winneburg, Schloß Johannisberg.

**7/8/2**
**Ferdinand Raimund**

Josef Alois Dialer (1797–1846), 1836
Büste, Gips
H.: 69 cm
Bez. auf RS: IOS. DIALER
HM, Inv. Nr. 30.180
Abbildung

**7/8/3**
**Büste Kaiser Franz**

Gießerei des Grafen Wrbna, Horowitz, Böhmen, 1818
Eisenkunstguß
H.: 52 cm
Wien, Technisches Museum, Inv. Nr. 5.875

Kat. Nr. 7/8/2

**7/8/4**
**Büste des Kronprinzen Ferdinand**

Gießerei des Grafen Wrbna, Horowitz, Böhmen 1829
Eisenkunstguß
H.: 68 cm
Wien, Technisches Museum, Inv. Nr. 5.886

# KAPITEL 8

## WOHNKULTUR

Anhand einer chronologischen Aufarbeitung werden einerseits die Variationsbreite und die verschiedenen Stilformen zwischen 1815 und 1848 gezeigt, andererseits wird durch bestimmte Möbeltypen (Sessel, Fauteuils, Tische, Sofas, Kleinmöbel usw.) deren Funktionalität und Modernität vor Augen geführt. Dieser Aspekt wird durch die Vielfalt der unter anderem von Josef Danhauser stammenden Entwürfe für Möbel und Raumdekorationen verstärkt, ebenso durch die aus dem Fabriksproduktenkabinett stammenden Möbelstoffe, Borten- und Teppichmuster.

Die zum größten Teil im Historischen Museum der Stadt Wien erhaltenen Interieurdarstellungen geben darüber hinaus einen Einblick in die Wohnkultur des Biedermeier.

# DER DIFFERENZIERTE KONSUM
## Das Wiener Möbel 1815–1848

*Christian Witt-Dörring*

Bei dem Versuch, unsere tägliche Wohnumgebung aus einer historischen Dimension heraus zu verstehen, unterliegen wir in Wien dem unbewußten Einfluß einer Assoziation biedermeierlicher Werte. Für unseren Kulturkreis ist das Biedermeier der Moment, in dem unsere Wohnkultur Geschichtlichkeit erlangte – eine Geschichtlichkeit, die sich in Objekten, Schriften und Erinnerungen dokumentiert. Sie ist in der Lage, ein gewisses Maß an Selbstverständnis, genährt durch das Bewußtsein einer kulturellen Kontinuität, in uns zu erzeugen, die für die breite Schichte des Bürgertums in unserem Kulturbereich, verglichen mit England oder Holland, nur sehr spät einsetzt. Erst seit dem späten 18. Jahrhundert kennen wir bei uns eine kontinuierliche literarische und zum Teil auch bildliche Darstellung städtischer Alltagskultur im bürgerlichen oder aristokratischen Rahmen. Mit ein Grund für diese nur sehr spät einsetzende Tradition der Selbstdarstellung scheint die große Kluft zu sein, die zwischen Kulturträger und Volk in Österreich bestand.

Auf der erneuten Suche[1] nach einer nationalen kulturellen Identität war man in Deutschland und in Österreich am Ende des 19. Jahrhunderts bemüht, dort anzuschließen, wo selbstbewußter und bodenständiger Ausdruck das tägliche Leben bestimmte. Man stieß dabei auf die Qualitäten der nachnapoleonischen Zeit, der sogenannten Biedermeierzeit[2]. Gleichzeitig mit der Etablierung des formalen Ausdrucks dieser kulturhistorischen Epoche als letzter anerkannter Zeitstil wurden auch dessen Merkmale und Eigenschaften definiert[3]. Aus der gegebenen Motivation heraus, die neben den nationalen Wurzeln auch die des „modernen“ Gebrauchsgegenstandes finden wollte, entstand ein, bis heute angewandtes, typisiertes Biedermeierbild, das der historischen Realität nur zum Teil entspricht. Wienerisch, einfach, ehrlich, praktisch, erschwinglich und privat waren

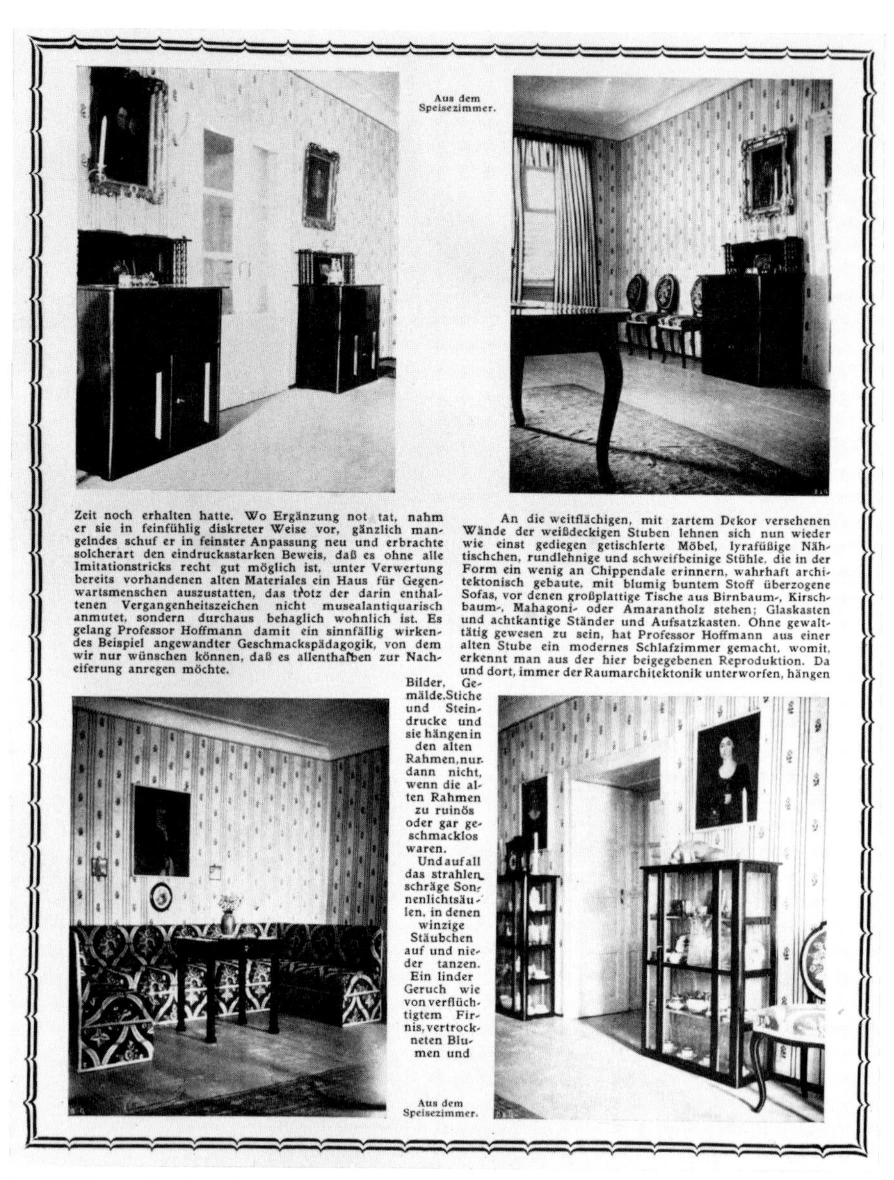

Aus dem Speisezimmer.

Zeit noch erhalten hatte. Wo Ergänzung not tat, nahm er sie in feinfühlig diskreter Weise vor, gänzlich mangelndes schuf er in feinster Anpassung neu und erbrachte solcherart den eindrucksstarken Beweis, daß es ohne alle Imitationstricks recht gut möglich ist, unter Verwertung bereits vorhandenen alten Materiales ein Haus für Gegenwartsmenschen auszustatten, das trotz der darin enthaltenen Vergangenheitszeichen nicht musealantiquarisch anmutet, sondern durchaus behaglich wohnlich ist. Es gelang Professor Hoffmann damit ein sinnfällig wirkendes Beispiel angewandter Geschmackspädagogik, von dem wir nur wünschen können, daß es allenthalben zur Nacheiferung anregen möchte.

An die weitflächigen, mit zartem Dekor versehenen Wände der weißdeckigen Stuben lehnen sich nun wieder wie einst gediegen getischlerte Möbel, lyrafüßige Nähtischchen, rundlehnige und schweifbeinige Stühle, die in der Form ein wenig an Chippendale erinnern, wahrhaft architektonisch gebaute, mit blumig buntem Stoff überzogene Sofas, vor denen großplattige Tische aus Birnbaum-, Kirschbaum-, Mahagoni- oder Amarantholz stehen; Glaskasten und achtkantige Ständer und Aufsatzkasten. Ohne gewalttätig gewesen zu sein, hat Professor Hoffmann aus einer alten Stube ein modernes Schlafzimmer gemacht, womit, erkennt man aus der hier beigegebenen Reproduktion. Da und dort, immer der Raumarchitektonik unterworfen, hängen Bilder, Gemälde, Stiche und Steindrucke und sie hängen in den alten Rahmen, nur dann nicht, wenn die alten Rahmen zu ruinös oder gar geschmacklos waren.

Und auf all das strahlen schräge Sonnenlichtsäulen, in denen winzige Stäubchen auf und nieder tanzen. Ein linder Geruch wie von verflüchtigtem Firnis, vertrockneten Blumen und

Aus dem Speisezimmer.

Josef Hoffmann, Interieurs in seinem Vaterhaus in Pirnitz, Mähren. Aus: „Das Interieur“, Wien 1911

die Eigenschaften, die den biedermeierlichen Gebrauchsgegenstand als Urbild materiellen bürgerlichen Ausdrucks erscheinen lassen sollten. J. Folnesics war sich der Grenzen und Konsequenzen dieses Gedankengebäudes bewußt, als er 1903 anläßlich eines Vortrages über „Unser Verhältnis zum Biedermeierstil“ zum Abschluß bemerkte: „Jeder gedankenmäßige Aufbau des Werdens und Geschehens in der Welt ist einseitig und reicht nur bis an die ganz individuell begrenzte Klarheit des Erkennens. Dem Gedanken des Einzelnen steht der unendliche Reichtum und die unerschöpfliche Fülle lebendiger Kräfte gegenüber. Aus dem Einflusse des Gedankens auf das Leben und der Korrektur des Gedankens durch das Leben, geht aber das hervor, was wir Kultur nennen. Deshalb ist der Gedanke kein müßiges Spiel. Es genügt, wenn wir wissen, was wir wollen und als denkende Menschen handeln“[4].

Wenn man die Wiener Möbelproduktion der Jahre 1815–1848, die Zeitspanne, die dieser Ausstellung zugrunde liegt, analysiert, so ist es schwierig, eine allgemein gültige stilistische Aussage für diesen gesamten 30jährigen Zeitraum zu finden. Es gibt vielmehr die verschiedensten geschmacklichen Ausformungen, die einander zum Teil ablösen, aber auch gleichzeitig verfügbar sind. Ein einheitlicher stilistischer Terminus „Biedermeier“

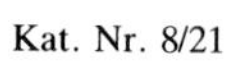

Kat. Nr. 8/21

Kat. Nr. 8/24

Kat. Nr. 8/28

Kat. Nr. 8/20

Kat. Nr. 8/25

Kat. Nr. 8/19

Kat. Nr. 8/23

Kat. Nr. 8/3

Kat. Nr. 8/26

kann daher in diesem Zusammenhang nicht verwendet werden. Die Praxis des Kunsthandels behilft sich, indem sie diesen von einer gleichbleibenden Lebenseinstellung bestimmten kulturhistorischen Epochenbegriff durch die Vorsilben „Früh" beziehungsweise „Spät" zu einem Stilbegriff ausweitet.

Die Tradition dieses erweiterten Stilbegriffs in bezug auf das Wiener Möbel der ersten Hälfte des 19. Jahrhunderts beruht in der Hauptsache auf zwei nicht in Frage gestellten Grundsätzen. Ersterer besagt, daß das Biedermeier das Empire als Stil ablöst und zweiterer meint, daß das Biedermeiermöbel rein sachlich, nur auf Funktion ausgerichtet ist. Dies bedeutet, daß das private, einfache Biedermeiermöbel zeitlich auf das repräsentative, prunkvolle Empiremöbel folgt[5]. Diese Erkenntnis hat dazu geführt, daß fast sämtliche einfachen, undekorierten Möbel der ersten Jahrhunderthälfte, ohne auf ihre materiellen, räumlichen und konstruktiven Eigenschaften einzugehen, als entwicklungsmäßig nach dem Empire entstanden, eingestuft werden. Gleichzeitig hilft dies natürlich wiederum, die Theorie, von der zum ersten Mal in unserem Kulturkreis im Biedermeier beheimateten bürgerlichen Selbstverwirklichung zu untermauern. Noch 1907 wird Biedermeier in einer Stil- und Formenlehre folgendermaßen definiert: „Dieser Stil wird seiner Formenarmut und Schmucklosigkeit wegen mit Recht der nüchterne Stil genannt. Es war die allgemeine Ernüchterung und Anspruchslosigkeit, die den Freiheitskriegen folgte, die Aufhebung des Zunftwesens, der Einfluß der Maschinenerzeugnisse u. a. m., wodurch der Kunstsinn und die künstlerische Betätigung rasch zurückgingen"[6]. Auch Ludwig Hevesi betont, diesmal aber in positivem Sinne, im Rahmen seiner Geschichte der österreichischen Kunst im 19. Jahrhundert das Einfache, Unaristokratische des Biedermeier, wie es dem Wiener Publikum zum ersten Mal nach langer Zeit anhand von Möbeln und kunstgewerblichen Gegenständen in der Kongreßausstellung von 1896[7] bewußt präsentiert wurde: „Das war nicht Empire, sondern eine Fortbildung desselben im Sinne des Bürgerlich-Praktischen, für eine Bevölkerung von gemütlichen Gewohnheiten . . . Glücklicherweise hatte man auch nicht viel Geld, und das erhielt die Leute besonnen . . . und ihre Möbel auch"[8]. Bei einem Durchblättern des Katalogs der Kongreßausstellung und bei Betrachtung von Abbildungen der damals ausgestellten Möbel finde ich kein einziges sogenanntes Biedermeiermöbel, sondern erstklassige Beispiele des österreichischen und internationalen Empire. Alois Riegel bestätigt dies in seinem zeitgenössischen, anläßlich der Ausstellung erschienenen Beitrag über „Möbel und Innendekoration"[9]. Der Problematik der stilistischen Abgrenzung des Biedermeiermöbels vom Empiremöbel kommt Joseph Folnesics in seiner Beurteilung der Wurzeln des Biedermeierstils noch am nächsten: „Dieser Stil hat sich nicht bloß aus dem Empire entwickelt, er ist seinen wesentlichen Eigenschaften nach eine Fortsetzung jener englischen Vorbilder der Achtziger-Jahre"[10]. Folnesics erkennt zwar eine gewisse Kontinuität praktisch-funktioneller formaler Aussage, die bis in das späte 18. Jahrhundert zurückreicht, sieht diese aber, wie alle seine Zeitgenossen, durch das „kaiserliche Empire" unterbrochen. Diese Auffassung entspricht dem allgemein vertretenen Glauben an eine kontinuierliche, lineare Abfolge von Zeitstilen und dem Bedürfnis, diese formal und zeitlich abzugrenzen. Untersucht man aber den privaten, einfachen, in der Folge immer wieder als Basis bürgerlicher Manifestation interpretierten Charakter des Biedermeiermöbels, so muß man feststellen, daß er nicht nur eine spezifisch biedermeierliche Entwicklung darstellt. Bereits seit der Regierungszeit Maria Theresias, entwickelt der Wiener Hof in Fragen der Innenraumgestaltung und der mobilen Einrichtung ein haushälterisches, auf nationale Bedürfnisse ausgerichtetes Verhalten, das bis zum Ende der Monarchie bestimmend bleibt[11]. Wir sind es gewohnt, den höfischen Lebensbereich als eine von durchschnittlichen menschlichen Empfindungen und Bedürfnissen losgelöste Aktionsebene, die nach eigenen Verhaltensmustern funktioniert, vermittelt zu bekommen. Dieses Bild wird von den „Biedermeier-Entdeckern" der Jahrhundertwende ganz bewußt eingesetzt, um „ihre" Periode kulturhistorisch von dem Vorher abzusetzen. In diesem Sinne schreibt J. A. Lux: „Das Bürgertum schafft die Formen, die es braucht. Es will nicht glänzen, nicht präsentieren, sondern bequem und behaglich leben." So nimmt die Idealisierung bürgerlicher Werte auf Kosten tatsächlicher Verhaltensnormen ihren Anfang. Repräsentieren ist ein weit verbreitetes, klassenunabhängiges menschliches Bedürfnis. Wir begegnen ihm im bürgerlichen Haushalt genauso wie am kaiserlichen Hof. Auf sein Selbstbewußtsein kommt es an, um eine Beurteilung vornehmen zu können. Wenn Kaiserin Maria Ludovika 1809 aus Ofen an Kaiser Franz I. über ihre Einrichtungswünsche schreibt, so sind diese aus ihrer gesellschaftlichen Position heraus begründet. Für ihre Rechtfertigung bedient sie sich aber, wie wir sagen würden, „bürgerlicher" Wertvorstellungen: „Was meine

Wiener Kongreßausstellung im Österreichischen Museum für Kunst und Industrie, Wien 1896

Wohnung betrifft, so kennst Du, bester Schatz, meine Schwachheit, diese ist das einzige auf der Welt, was kein Gefühl der Seele enthält und mich doch freuet. Ich läugne nicht, daß die Ausgabe groß sein wird, doch alles bleibt dem Staat und nichts betracht ich als Proprietät, sondern will mir bloß den Genuß zueignen. Was ich Dir in Möbeln kost, kostet Dir eine andere Frau in Pferden, Bällen, Unterhaltungen, von denen verlange ich nichts, nur eine schöne Wohnung"[12]. In einer Tagebucheintragung Karoline Pichlers findet sich diese Beobachtung von bürgerlicher Seite her bestätigt: „ . . . späterhin soll sie (Maria Ludovica) ihm zuviel Eleganz und zu sehr den Ton der großen Welt angenommen und ihn daher nicht so glücklich gemacht haben, als er es wünschte und hoffte. Denn er liebte ein hausväterlich bürgerliches Leben und wußte, wie es sich im Kongreßwinter zeigte, sehr wohl den Patriarchen seiner zahlreichen Familie mit der Majestät und Würde eines der ersten europäischen Monarchen zu vereinigen"[13].

Gerade in einer Zeit erneuten bürgerlichen Selbstbewußtseins spielt der erleichterte Zugang zu überkommenen Repräsentationsformen eine wichtige Rolle. Ihre materielle Realisierung ist zur Zeit des Biedermeier zum großen Teil abhängig von den im Laufe der industriellen Revolution entwickelten neuen Produktionsmethoden und Werkstoffen. Sie ermöglichen erst den erweiterten Zugang zu ehemals teuren Luxusprodukten in Form billiger Ersatzprodukte. Die Produktkultur des gesamten 19. Jahrhunderts wird vom Ersatz in materieller sowie ideeller Hinsicht bestimmt. Anfänglich als stolze Errungenschaft technischen Fortschritts und materieller Unabhängigkeit in den unterschiedlichsten Modejournalen und wissenschaftlichen Magazinen publiziert, wird das Ersatzprodukt noch vor der zweiten Jahrhunderthälfte zur bedrückenden Wirklichkeit. Als eine der wenigen erkennen bereits um 1800 Charles Percier und Pierre Fontaine, die Apostel des Empirestils, die Gefahr, die in dieser Entwicklung liegt: „On ne veut pas ces choses parcequ'on les trouve belles; mais on les trouve belles parce qu'on les veut: aussi leur arrive-t-il promptement de subir le sort de tous les produits de la mode. L'industrie s'en empare, les reproduit de mille facons économiques, les met à la portée des moindres fortunes. Toutes les sortes de falsifications dénaturent leur valeur. Le plâtre tient lieu de marbre, le papier joue la peinture, le carton imite les travaux du ciseau, le verre se substitue aux pierres précieuses, la tôle remplace les métaux, les vernis contrefont les porphyres . . ."[14]. Im Rahmen der frühen englischen Reformbewegungen um 1840 werden die Ideen Percier & Fontaines wieder aufgenommen. Am ersten Höhepunkt der Industriekultur bilden sie eine gedankliche Essenz, die über die Wiener Kunstgewerbereform um 1870 bis zum Wiener Kunstfrühling um 1900 ihre Gültigkeit behauptet und zur eigentlichen treibenden Kraft wird.

Ähnlich dem anfangs viel gepriesenen Ersatzprodukt wird auch Percier und Fontaine's Vorlagenwerk „Recueil de décorations intérieures" zum modischen Alptraum für seine Schöpfer. In der ursprünglichen Absicht der Autoren lag es, ein von kurzlebigen modischen Strömungen unabhängiges Formenvokabular zu schaffen, daß die Schöpfungen der römischen und griechischen Antike ihren anfänglichen Intentionen entsprechend definieren sollte[15].

Für Percier und Fontaine sollte jedes dekorative Detail durch seine Verwendung und das verarbeitete Material eine ganz bestimmte Information vermitteln. Tatsächlich fand ihr Vorlagenwerk bei Entwerfern, Handwerkern, Fabrikanten und Konsumenten in ganz Europa ungeteilte Aufnahme, wurde aber zur unreflektierten „Bibel" des Empirestiles[16]. Mit ihrer Hilfe war es möglich, jeden Gegenstand, ja die ganze gestaltete Umgebung des Menschen, modisch up to date zu bringen. Ihr Formenkatalog wurde ohne Rücksicht auf Funktion oder Material über sämtliche Produkte gezogen, die einen repräsentativen, französischen und somit tonangebenden Charakter ausstrahlen wollten. Diese Mode sollte über vierzig Jahre lang, durch vier aufeinanderfolgende Neuauflagen der „Recueil de décorations intérieures" am Leben erhalten bleiben. Sie wurde zum Inbegriff eines offiziellen, repräsentativen, formalen Ausdrucks, der noch vor der Jahrhundertmitte seine Neuformulierung im wiederentdeckten Rokoko fand. Anfänglich entwickelte es wie das Empire schöpferischen Reichtum, um schließlich in weißgoldener, mit rotem Damast gehöhter Banalität zu erstarren.

Die für die Produktkultur unseres Kulturbereiches völlig neuen Differenzierungsmöglichkeiten und Notwendigkeiten waren, wie schon bemerkt, das Ergebnis neuer Produktionsmethoden und erlaubten beziehungsweise bewirkten das Entstehen einer neuen, viel breiteren Konsumentenschicht. Der Markt trug dieser Entwicklung Rechnung, indem er verschiedene formale Ausdrucksmöglichkeiten zur Auswahl anbot. Vereinfacht ausgedrückt, waren es teurere und billigere Produkte. Aus archivalischen Quellen und erhaltenen Objekten wissen wir[17], daß es sich bei der teureren Variante um das mit vergoldeten Bronzebeschlägen verzierte Empire handelt und die billigere Variante dem sogenannten „einfachen Biedermeier" entspricht. Beiden Ausdrucksformen begegnen wir im höfisch-aristokratischen und im bürgerlichen Bereich bereits um das Jahr 1805. Es war nur eine Frage des Geldes, was sich wer leisten konnte oder wollte. Die teureren, dekorierten Empiremöbel fanden sich meistens in den Repräsentationsräumen, während die einfacheren, undekorierten und billigeren Möbel im privaten Bereich und in den Landhäusern Verwendung fanden. Eine Einteilung in aristokratische Empiremöbel und bürgerliche „Biedermeiermöbel" ist daher genauso wenig zutreffend wie die evolutionäre stilistische Abfolge vom dekorierten Empiremöbel zum undekorierten Biedermeiermöbel. In den ersten vierzig Jahren des 19. Jahrhunderts gibt es beide formalen Möglichkeiten gleichzeitig. Sie passen sich aber, bei gleichzeitiger Entwicklung eigenständiger, nationaler Ausdrucksformen, in Material, Proportionen und Funktion dem wechselnden internationalen Geschmacksdiktat an. Auch die immer wieder als Charakteristikum des österreichischen Biedermeiermöbels zitierte Verwendung einheimischer Holzsorten ist nicht nur auf unseren Kulturbereich beschränkt und auch nicht spezifisch Nachempire. Sie stellt eine billigere Variante für das seit 1777 bei uns auf Möbel verarbeitete und seit diesem Zeitpunkt beliebteste und teuerste Modematerial[18] Mahagoni dar. Wie unglaublich bestimmend dieser neue Werkstoff für die Innenraumgestaltung war, kann aus der Tatsache ermessen werden, daß, um die Färbigkeit und Oberflächenqualitäten des Mahagoniholzes am vorteilhaftesten zur Geltung zu bringen, die hochglänzende Schellackpolitur eingeführt wurde. War sie zuerst nur für das teure Mahagoniholz und andere exotische Hölzer bestimmt, so wurde sie schließlich anstatt der bisher

Schreibschrank, Wien um 1810/15, The Art Institute of Chicago

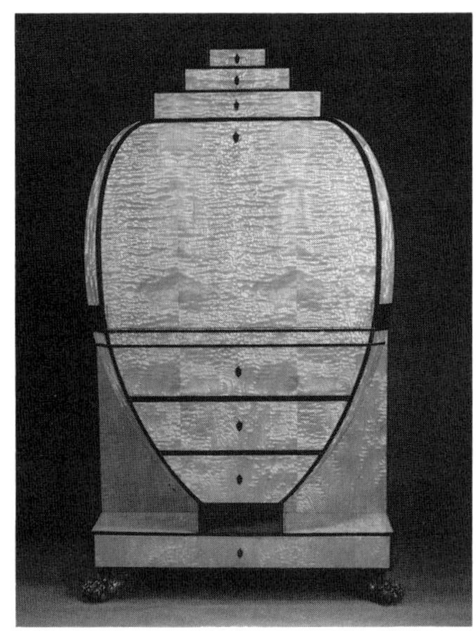

Schreibschrank, Wien um 1810/15; Kunsthandel New York

Danhausersche Möbelfabrik, Armlehnsessel, Wien um 1815; Thomas Dolezal, Wien

Armlehnsessel, Wien 1810/15; Privatbesitz

üblichen Wachspolitur auf sämtlichen Holzsorten verwendet[19, 31]. Noch 1823 werden in einer Beschreibung der „rohen Materialien welche in den Fabriken, Manufacturen und Gewerben des österreichischen Kaiserstaates verarbeitet werden", die verschiedenen Holzsorten in solche, die die Politur leicht oder nicht leicht annehmen, eingeteilt[20]. Um die dekorative Wirkung des enorm teuren Mahagoniholzes und somit die herrschende Mode einer breiteren Konsumentenschicht zugänglich zu machen, verwendete man auf Mahagoni gebeizte heimische Hölzer[21]. Gleichzeitig versuchte man aber auch, vermutlich durch die seit 1806 bestehenden Handelsbeschränkungen der Kontinentalsperre begründet, von überseeischen Importen, wozu die exotischen Modehölzer zählten, unabhängig zu werden. Zu diesem Zweck veranstaltete 1810 die französische „Aufmunterungsgesellschaft für die National-Industrie" einen Wettbewerb für die Verfertigung von „Schönen Meubeln aus inländischen Holzarten"[22]. Interessant ist dabei, daß die Billigkeit des einheimischen Rohmaterials anscheinend nicht genug Anreiz für den Konsumenten besaß, um ihn zu einem geschmacklichen Wechsel zu überreden: „Es war nicht hinlänglich, einen niedrigern Preis für die aus inländischen Hölzern verfertigten Meubeln zu erhalten, es mußte auch dem Geschmack geschmeichelt und dem Luxus Genüge geleistet werden; . . ." Die bis jetzt idealistisch gesehene Verarbeitung einheimischer Holzsorten für die Möbelproduktion des frühen 19. Jahrhunderts hat daher weniger mit verinnerlichter bürgerlicher Selbstdarstellung zu tun, als mit realen, nationalökonomischen Überlegungen. Sie lassen aber die Hoffnung offen, „daß man es mit der Zeit einsehen wird, wie sehr es Ameublements von inländischem Holze verdienen, mit der ausgesuchtesten Pracht in Verbindung gebracht zu werden". In Wien trennt man aber 1823 noch strikt zwischen „Einrichtungstücken von Nuß- und Kirschbaumholz, jedoch ohne Bronce und Gold" und solchen von „Mahonyholz . . . mit Vergoldung und Bronce"[23]. Das spricht eine deutliche Sprache materieller Statussymbole, deren Vokabular sich aus einem klar umrissenen, fein abgestuften und genau berechenbaren finanziellen Aufwand ablesen läßt.

Die neue Stellung, die dem Individuum als Konsumenten in der Gesellschaft zukommt, kann in einer für die Geschichte der Wiener Gewerbeproduktion des frühen 19. Jahrhunderts einmaligen zeitgenössischen Publikation nachvollzogen werden. Durchblättert man Wiener Modejournale dieses Zeitraumes, so ist der darstellenden Kunst breiter Raum gewidmet, während Informationen über die bildende Kunst fast nicht vorhanden sind. Sofort fallen einem dabei Parallelen zu den Kulturseiten der heutigen österreichischen Tageszeitungen auf, und man ist versucht, an so etwas wie einen Volkscharakter zu glauben, der sich über die Jahrhunderte fortpflanzt. Der 1825 von W. C. W. Blumenbach in Wien veröffentlichte „Wiener Kunst- und Gewerbsfreund oder der neueste Wiener Geschmack" geht in seinem Vorwort auf die nationale Bedeutung des heimischen Gewerbes und dessen Verfügbarkeit für möglichst „alle Classen der Einwohner" ein[24]. Insbesondere in seiner Charakterisierung der 1825 modernen Wiener Tischlerarbeiten ist dies eines der Hauptargumente für die Entwicklung eines eigenständigen Wiener Möbelstiles: „Wenn die französischen Journale Zeichnungen von Tischler-Arbeiten liefern, welche mit Verzierungen überladen sind, und daher sehr hoch im Preise zu stehen kommen müssen: so fehlt es ihnen dagegen an Meubeln, welche, von überflüssigem Zierrath frey, durch Einfachheit, Regelmässigkeit, Schönheit und Solidität sich auszeichnen, und daher eben sowohl für den Mittelstand, als für die höheren Stände Anwendung finden können. Bei den Zeichnungen des vorliegenden Blattes ist vorzüglich auf den letzten Punkt Rücksicht genommen worden, . . ."[25]. Aus dieser programmatischen Erkärung kann geschlossen werden, daß der im Empiregeschmack gehaltenen französischen Luxusproduktion ein qualitativ gleichwertiges, aber für eine breitere Konsumentenschicht erschwingliches Möbel entgegengesetzt werden sollte. Qualitäten, die ehemals nur für die finanziell stärksten Schichten von realer Bedeutung waren, werden einer finanziell weniger potenten Mittelschicht zugänglich gemacht. Es ist die Verfügbarmachung einer bestehenden materiellen Aussageweise und nicht das Entstehen eines sozial eigenständigen Formenkanons. Eine weitere Bestätigung erfährt dies durch Blumenbachs detaillierte Beschreibung des neuen zeitgenössischen Wiener Möbelstils im Vergleich zu dessen früherer unterschiedlichen Ausformung. „Durch eine Reihe von Jahren suchte man das Äussere der Einrichtungsstücke durch vergoldetes und bronziertes Schnitzwerk (die sogenannte Holzbronze), durch Anschlagung vieler Beschläge und Verzierungen aus gepresstem und gefirnistem Tombakbleche, oder aus echter vergoldeter Metallbronze zu erhöhen; seit den Jahren 1823 und 1824 nahm aber diese Verzierungsart immer mehr ab, und der Wiener Geschmack verbannte dieselben endlich grösstenteils und forderte dagegen reinere Tischlerware. Die Wiener Möbel gehen seitdem mehr ins Schwere und Massive über, ersetzen den früheren Flitter durch richtigere und edlere Formen, durch glatte oder canelirte Säulen, schöne Sockel und Capitäler, Kehlungen, Stäbe usw., fordern aber auch mehr Zeichnungskunde, und fleißigere und geschicktere Arbeiter"[26]. Das dekorierte Möbel der Jahre vor 1823/24 wird hiemit dem undekorierten Wiener Möbel der Zeit danach qualitäts- und statusmäßig gleichgesetzt. Der „frühere Flitter" wird durch neue Proportionen und eine bisher unbekannte Material-Sensibilität ersetzt. Der durchschlagende Erfolg dieser Produkte ist zum großen Teil der Verdienst

Kat. Nr. 8/102

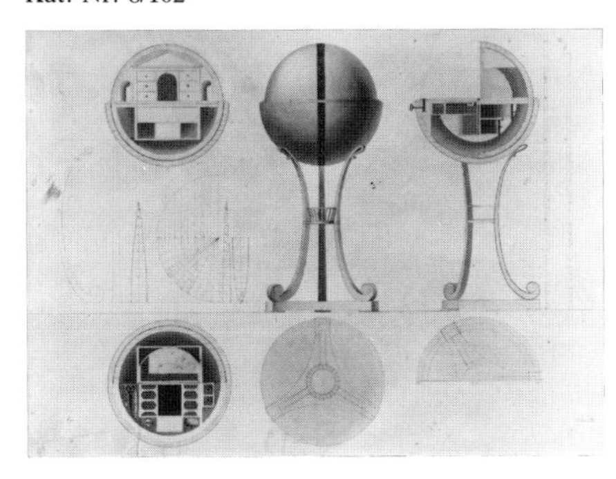

Kat. Nr. 8/100

eines seit dem Ende des 18. Jahrhunderts unter der Führung der k. k. Akademie der vereinigten bildenden Künste zielbewußt aufgebauten Zeichenunterrichts für Handwerker[27], der den selbstbewußten Umgang mit Proportionen überhaupt erst ermöglichte. Dekorlosigkeit bedeutet in diesem Zusammenhang nicht unbedingt auch Billigkeit. Sie kann eine ganz bewußte ästhetische Willensäußerung sein, die sich in einer materiellen Verdichtung durch die Betonung der Materialoberfläche Ausdruck verschafft. „Einfachheit" im formalen Ausdruck bekommt hier den Charakter einer komprimierten Aussage. Diese kommt durch den deutlichen Einsatz dekorativer Mittel zustande. Sie sind integraler Bestandteil des Möbelstückes und dienen nicht zu dessen oberflächlichen Verzierung, sondern sie bestimmen übehaupt erst sein materielles Volumen, das zu einem eigenständigen, kompakten, räumlichen Dekor wird. Verwirklicht wird dies durch eine geschlossene Komposition des Möbelkorpus und den raffinierten Einsatz der Holzfurnier, die oft ohne Rücksicht auf strukturelle Elemente einheitlich über die gesamte Oberfläche gelegt wird. Es übernimmt die Holzmaserung die Rolle, das Möbel materiell zu definieren. Die Zeichnung der Maserung wird dabei in einer Richtung über Sockel, Laden, Profile und Gesimse gezogen. Verstärkt werden daher alle Sorten heimischer Maser- und Fladerhölzer verarbeitet, die oft eigens gezüchtet werden[28] und im Preis den exotischen Hölzern fast gleichkommen[29]. Besonders beliebt ist dabei das durch eine schöne Zeichnung und eine sehr dunkle Farbe ausgezeichnete Pyramidenmahagoni. Aus teuren Materialien werden somit „einfache" Möbel hergestellt. Wie schon anfangs besprochen, ist auch „einfach" ein relativer Begriff. Schon Keeß verwendet ihn in diesem Sinne, wenn er den zeitgenössischen, modernen Möbelstil der Zeit um 1825 von der Produktion des 18. Jahrhunderts unterscheiden will[30]. Noch deutlicher wird die Tatsache, daß „Einfachheit" hier zur Geschmacksfrage und nicht zu sozialem Ausdruck wird, wenn Keeß über das Färben des Holzes die folgende Aussage trifft: „Der neuere Geschmack in der Möblirung fordert sehr lebhafte Farben und ein glänzendes Äußeres, wodurch man die vormahlige Solidität und Überzierung zu ersetzen sucht. Da dieser Forderung aber größten Theils nur die theuren ausländischen Hölzer entsprechen, so sucht man mehrere inländische Holzgattungen an Farbe und Schönheit jenen ähnlich zu machen“[31]. Auch die Beschläge ordnen sich beim „Biedermeiermöbel“ dem Gesamteindruck unter. Im Idealfall wird man keine Schlüsselschilder oder Ladengriffe aus Metall finden. Das Schlüsselloch ist dann meistens mit einer eben gefeilten Schlüsselbüchse aus Metall, Holz oder Bein konturiert. An den größeren Laden übernimmt der Schlüssel die Funktion der Griffe. Die Oberflächenbehandlung des Holzes zielt ebenfalls darauf hin, nicht einzelne Elemente des Möbelstücks hervorzuheben, sondern zu einem räumlichen Ganzen zu verschmelzen. Es ist die zu diesem Zeitpunkt verhältnismäßig neue Methode der Schellackpolitur, die diesen Eindruck verstärkt[19, 31, 32]. Das damalige Ideal einer spiegelglatten, stark glänzenden Oberfläche ersetzt die warmen, das Naturprodukt Holz betonenden Wachspolituren, wie sie für das 18. Jahrhundert typisch sind. Die alte Methode der Wachspolitur wird nur mehr für billigere Möbelstücke, vor allem für jene aus Eichenholz gefertigte, verwendet.[33].

Blumennachs Zitat über die Wiener Möbelproduktion des Jahres 1825[34] ist wahrscheinlich das früheste zeitgenössische Urteil, das wir über Wiener Tischlererzeugnisse besitzen. Für die Geschichte unserer Gewerbeproduktion ist es nicht nur aus diesem Grund von einmaliger Bedeutung, sondern vor allem auch durch die detaillierte Beschreibung und genaue Datierung des Geschmackswechsels, den wir dadurch vermittelt bekommen. Mit seiner Hilfe und in Zusammenhang mit erhaltenen Beispielen ist es möglich, die obige Charakterisierung eines typischen Biedermeiermöbels, wie es in den Jahren um 1825 bis gegen Ende der dreißiger Jahre aktuell war, zu erstellen. Gleichzeitig erhalten wir aber auch Kenntnis vom damals soeben veralteten Möbelgeschmack der Jahre vor 1823/24, der bis heute stilistisch sowie zeitlich undifferenziert dem Begriff „Biedermeier“ zugezählt wird.

Die Wiener Möbelproduktion der ersten zwanzig Jahre des 19. Jahrhunderts stellt eine Entwicklungsstufe innerhalb der Wiener Möbelgeschichte dar, die nur sehr unklar bestimmt ist. Einerseits zeigt sie alle dekorativen Merkmale des internationalen Empire, andererseits ist sie aber in ihrer Grundaussage unverkennbar wienerisch. Franz Windisch-Graetz hat seinerzeit den tauglichen Vorschlag gemacht, diese im wesentlichen noch ganz

Kat. Nr. 8/23 a

Kat. Nr. 8/22

dem 18. Jahrhundert verpflichtete Entwicklungsstufe des Wiener Möbels als franziszeischen Stil zu bezeichnen[35]. Grundsätzlich kennt das Möbel des franziszeischen Stils zwei geschmackliche Spielarten – das im Empiregeschmack dekorierte Möbel und das undekorierte Möbel. Vor allem letzteres wird immer wieder, seiner klaren, einfachen Konturierung wegen, fälschlich dem Biedermeier zugezählt. Aus dem bei Blumenbach beschriebenen Geschmackswechsel kann ein genaues Bild des franziszeischen Wiener Möbels abgeleitet werden. Im Gegensatz zu seinem „ins Schwere und Massive“[36] übergehenden Nachfolger ist es leicht, beweglich, beinahe transparent. Es schließt daher strukturell ganz und gar an das josefinische Möbel des 18. Jahrhunderts und an zeitgenössische englische Beispiele an. Seine Erscheinung wird von dem für das Ende des 18. Jahrhunderts typischen Aufbau der Oberfläche nach Rahmen und Füllung geprägt. Unterstützt wird dieser Eindruck noch durch den gliedernden Einsatz heller und dunkler Holzsorten (meistens Kirschbaumholz oder Mahagoni im Kontrast mit schwarz gebeiztem Birnbaumholz). Vor allem zwei Materialoberflächen, die fast ausschließlich in den zwei ersten Jahrzehnten des 19. Jahrhunderts in Wien vorkommen, sind für das franziszeische Möbel bezeichnend. Neben dem hauptsächlich für innere Auskleidungen und Laden verwendeten Roteibenholz[37] werden die verschiedensten, durch eine dichte, einheitliche Struktur ausgezeichneten Hölzer, schwarz gebeizt[38]. Den für das französische Empiremöbel typischen monumentalen, durch die einheitlich geschlossene Oberfläche verstärkten Charakter erreicht das Wiener franziszeische (Empire-)Möbel nicht. Unter dem Einfluß des gleichzeitigen französischen Empire entstanden, verwendet es jedoch nur modische Detaildekorationen aus Frankreich, die der veralteten, noch ganz dem

Schreibschrank, Wien um 1805; Österreichisches Museum für angewandte Kunst, Wien

Kat. Nr. 8/152

Kat. Nr. 8/154

18. Jahrhundert verhafteten Möbelstruktur aufgesetzt werden. Auf diese Weise wird diese nur oberflächlich auf den neuesten Stand der Mode gebracht. Blumenbach zählt die aus den verschiedensten Materialien bestehenden Dekormöglichkeiten auf („Durch eine Reihe von Jahren suchte man das Äussere der Einrichtungsstücke durch vergoldetes und bronziertes Schnitzwerk (die sogenannte Holzbronze), durch Anschlagung vieler Beschläge und Verzierungen aus gepresstem und gefirnistem Tombakbleche, oder aus echter vergoldeter Metallbronze zu erhöhen; . . .“). Sie geben Zeugnis von der bereits hochentwickelten Kultur des Ersatzproduktes. Nach den jeweiligen finanziellen Möglichkeiten des Konsumenten abgestuft, konnten diese, vom Möbelkorpus unabhängigen Dekorelemente vom Tischler in Spezialgeschäften gekauft werden, um damit den entsprechenden Empireeffekt auf dem Möbelkorpus zu erreichen.

Das Bedürfnis nach solchen, dem damaligen Geschmack entsprechenden Möbeldekorationen befriedigte unter anderem das 1804 von dem Bildhauer Joseph Danhauser gegründete Unternehmen für die Herstellung „aller Gattungen vergoldeter, versilberter und broncirter Bildhauer-Arbeiten“[39]. Sie waren aus Masse und Pasten in Model gepreßt oder gegossen und wurden bis weit nach Rußland exportiert. Auch bei den aus Metall gefertigten Möbelverzierungen gab es je nach benötigtem Arbeitsaufwand und verarbeitetem Rohmaterial die Möglichkeit, den Markt mit billigeren und teureren Produkten zu versorgen[40]. Wie man sieht, unterscheidet der Markt nicht nur zwischen teureren dekorierten und billigeren undekorierten Einrichtungsgegenständen, sondern er kennt auch feine Qualitätsabstufungen innerhalb der beiden Geschmacksrichtungen. Zum besseren Verständnis seien dafür anhand der Danhauser'schen Möbelproduktion einige Beispiele angeführt. Eine der qualitätvollsten und kostbarsten Einrichtungen, die wir aus franziszeischer Zeit besitzen, ist die 1822 von Joseph Danhauser im Empiregeschmack entworfene und ausgeführte Einrichtung für die Weilburg bei Baden und das Palais des Erzherzog Carl in Wien (heute Albertina). Das verarbeitete Holz ist ausschließlich Mahagoni und die Empiredekorationen sind aus Bronze massiv gegossen und zum Teil glanz- und matt vergoldet (Kat. Nr. 8/1/3). Preiswertere, unter der Verwendung von Ersatzprodukten entstandene Varianten von Möbeln im Empiregeschmack haben sich in den verschiedensten Beispielen erhalten. Dazu zählen einige der seltenen signierten Stücke aus der Danhauserschen Möbelfabrik, nämlich eine Sitzgarnitur mit dazugehörigem Tisch in Wiener Privatbesitz. Als Furnier ist hier wiederum Mahagoni verarbeitet, jedoch diesmal eine blasse, etwas billigere Art, die auch nicht die Härte und spiegelglatte Oberfläche der erstklassigen, sehr dunklen Mahagonisorten erreicht. Ihren Empirecharakter erhält die Garnitur in Form eines bronzierten Pastendekors, der auf einen simulierten, patinierten Bronzeuntergrund, dem sogenannten „verde antico“-Anstrich aufgeleimt ist. Aus eben dieser Materialwahl sowie stilistischen Gründen kann geschlossen werden, daß die beschriebene Garnitur in den ersten Jahren der Danhauser'schen Möbelfabrik, also um 1815, entstanden sein muß. 1814 hatte Danhauser die Landesfabriksbefugnis „auf die Verfertigung aller Gattungen Möbel“[41] verliehen bekommen, wodurch er nun in der Lage war, nicht nur Möbelverzierungen und dreidimensionale plastische Gebilde bis hin zu Beleuchtungskörpern herzustellen, sondern auch sämtliche für die mobile Einrichtung des Wohnbereiches erforderlichen Gegenstände. In diesem Zusammenhang soll darauf aufmerksam gemacht werden, daß nicht alle Möbel, die Danhauser'sche Pastendekorationen tragen, auch aus seiner Möbelfabrik hervorgegangen sein müssen. Das Budapester Kunstgewerbemuseum besitzt unter anderem einen Konsoltisch mit aufgesetztem Toilettespiegel, dessen Oberfläche ganz mit „verde antico“-Anstrich überzogen und mit Danhauser'schen Pastendekorationen verziert ist. Die größeren Dekorelemente, wie die beiden sitzenden weiblichen Figuren, haben an ihrer Unterseite eine Klebeetikette der „k. k. pr. Landes Fabr. des Jos. Danhauser in Wien“, was nur bedeutet, daß die Dekorelemente aus der Fabrik stammen. Sie können von irgend einem Tischler für sein Möbelstück als Dekor zugekauft worden sein[42]. Bei der oben beschriebenen Sitzgarnitur kann man aus der Signatur, eines ovalen, gepreßten Pastenmedaillons der „K. K. PRIVILEG LANDESFABR:ALLER:-GATTUNGEN MEUBL:DES JOSEPH DANHAUSER IN WIEN“ schließen, daß diese Möbel auch tatsächlich nach einem Entwurf Danhausers in seiner Fabrik entstanden sind. Fast gleichzeitig mit der pastenverzierten Sitzgarnitur ist eine Reihe von Möbeln, die Danhauser 1816 an den Coburger Hof zur Meublierung des Bürglaß-Schlößchens geliefert hat[43]. Die Möbel haben keinerlei dekorative Verzierungen. Sie sind linear aufgebaut und dem franziszeischen Geschmack entsprechend ganz schwarz gebeizt und hochglanz-politiert. Dabei handelt es sich um die sogenannte „einfache Biedermeier Variante“, die der billigeren Gestehungskosten wegen ganz bewußt für die private

Atmosphäre des Landsitzes gewählt worden war. Wohingegen die repräsentativen Räume des Stadtschlosses, der Ehrenburg in Coburg, mit gleichzeitigen französischen Empiremöbeln ausgestattet wurden. Diese so deutlichen Qualitätsabstufungen sind Ausdruck eines ausgeprägten Materialbewußtseins in finanzieller sowie geschmacklicher Hinsicht. Heute haben wir oft viel zu kostbare und perfekte Vorstellungen von historischen Innenraumgestaltungen. Materialien und Verarbeitungsmethoden, deren Verfügbarkeit aus unserer heutigen wirtschaftlichen und technischen Situation heraus für selbstverständlich gelten, bekommen daher, aus ihrem kulturhistorischen Zusammenhang genommen, einen völlig falschen Stellenwert.

Die Dekorlosigkeit, das Weglassen der applizierten antiken Dekorelemente haben wir als eines der hervorstechendsten Merkmale des Wiener Möbels der zwanziger Jahre kennengelernt. Diese einseitige Betrachtungsweise hat uns den Blick auf eine Reihe von Produkten verstellt, die bis jetzt zeitlich entweder falsch oder gar nicht eingeordnet werden konnten. Sie sind Wiener Ursprungs, haben aber alle Attribute französischen Empires, was das Verhältnis zwischen Volumen und Oberflächengestaltung und die Verwendung antiker Ornamentzitate betrifft. In W. C. W. Blumenbachs „Überblick über die Wiener Gewerbeproduktion des Jahres 1825“ finden wir Produkte, die einerseits unserem Idealbild vom Biedermeiermöbel entsprechen und andererseits aber auch solche, die einem französischen Vorlagenwerk des Empire entnommen sein könnten[44]. Beide formalen Möglichkeiten bietet der Markt bis in die frühen dreißiger Jahre an, wobei der Empiregeschmack noch bis um 1840 in Mode bleibt. Besonders deutlich wird die Kontinuität dieser Geschmacksvariante zwischen 1820 und 1840 bei den Dekoren und Ornamenten der heimischen Tapeten- und Textilindustrie[45]. Aus der ehemaligen Ausstattung des Lustschlosses Laxenburg hat sich eine komplette Schlafzimmereinrichtung im Empiregeschmack der zwanziger Jahre erhalten. Geschlossene Körperlichkeit, die nicht in linearen Umrissen definiert ist, sondern durch ihr materielles Volumen selbst, wird hier durch dekorative Empirebronzen gehöht und nicht strukturiert. Eben diese geschlossene Monumentalität zeigt auch eine Gruppe von Sitzmöbeln aus dem ehemaligen Hofmobilienbestand. Weiß-gold gefaßt, schließen sie an die Tradition des 18. Jahrhunderts an, die als solche im Laufe des 19. Jahrhunderts zum Inbegriff der Repräsentation wird. Die aus Frankreich stammende neue Armlehnsesselform mit der Rückenlehne „en gondole“ hat klar ausgeprägte klassizistische Detailformen im strukturellen sowie im ornamentalen Dekor. Sie sind rein französisch und lassen jegliche eigenständige Auseinandersetzung, wie sie sonst in ungebändigter Fantasie für die Wiener Möbel der ersten Hälfte des 19. Jahrhunderts so typisch sind, zugunsten einer international ver-

Saloneinrichtung im Palais Erzherzog Carl, Wien 1822, Danhauser'sche Möbelfabrik

Kanapeeleuchter, Wien 1810/15, Danhausersche Möbelfabrik; Regensburg, Fürstl. Thurn und Taxisches Schloß

Konsoltisch mit Standspiegel, Wien 1815/20, Danhausersche Möbelfabrik; Iparmüvészeti Muzeum, Budapest

Tisch, Wien um 1825/30; Österreichisches Museum für angewandte Kunst, Wien

Klebeetikette der „k. k." pr. Landes Fabr. des Jos. Danhauser in Wien, um 1815/20

Kat. Nr. 8/39

Kat. Nr. 8/104

ständlichen Repräsentationssprache, vermissen. Im Laufe der dreißiger Jahre kommt es scheinbar durch die 3. Auflage (1827) von Perciers & Fontaine's Vorlagenwerk „Recueil de décorations intérieures" zu einem neuerlichem Empire-Impuls in Wien. Die Produkte, die diesem Impuls entspringen, sind von einer betonten Monumentalität und setzen die ursprünglich aus Metall aufgelegten antikisierenden Ornamente zum Teil in Marketerie oder in dreidimensionale Schnitzereien um, die oft sogar strukturelle Funktionen übernehmen. So werden Voluten-, Palmetten- und Fächerformen zu Beinen, Arm- oder Rückenlehnen. In einer von Alexander Popp[46] entworfenen und lithographierten Sammlung von verschiedenen Einzelmöbeln und Innenraumgestaltungen besitzen wir einen guten Überblick über die Formenvielfalt der dreißiger und vierziger Jahre und deren gleichzeitige Abhängigkeit und Selbständigkeit gegenüber französischen Vorbildern. Popp übernimmt einige Vorlagen von Percier & Fontaine in fast identischer Ausführung[47]. Dazu gehört die Inszenierung des napoleonischen Thrones im Tuillerienpalast, bei dem Popp sämtliche napoleonischen Machtinsignien durch österreichische ersetzt (nur auf die am Thronbaldachin gestickten Bienen vergißt er), eine Jardinière und ein runder Tisch. Erweitert wird die Formenpalette des Wiener Möbels der dreißiger Jahre noch durch die Wiederaufnahme von Elementen des Rokoko, dem sogenannten „Blondel'schen Stile"[48] und die seit den neunziger Jahren des 18. Jahrhunderts in Österreich wieder aktuellen gotischen Detailformen. Letztere werden aber jetzt oft fragmentiert zitiert und mit antikisierenden Palmettenmotiven oder Rokokoschwüngen zu unverwechselbar eigenständigen Ornament- und Raumschöpfungen kombiniert. Das Kombinieren verschiedenster Informationen findet aber nicht nur im formalen Bereich, sondern auch in der Auswahl der Materialien und angewendeten Techniken statt. Neben der verhältnismäßig neuen Technik der Übertragung von Kupferstichen und Zeichnungen auf helle Holzoberflächen[49] begegnen wir in Österreich, nach fast 100jähriger Pause, wieder der Boulle-Marketerie[50].

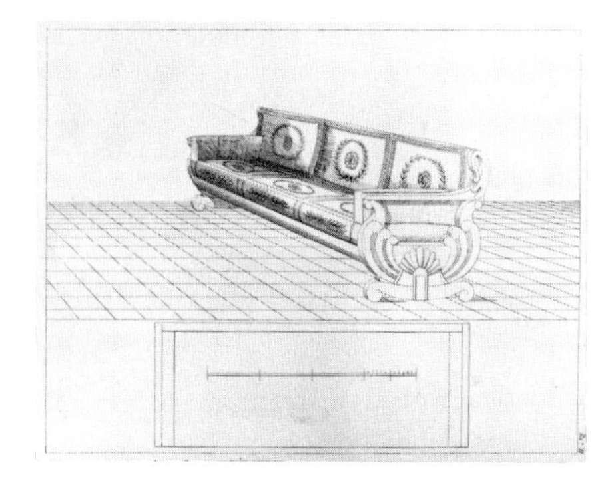

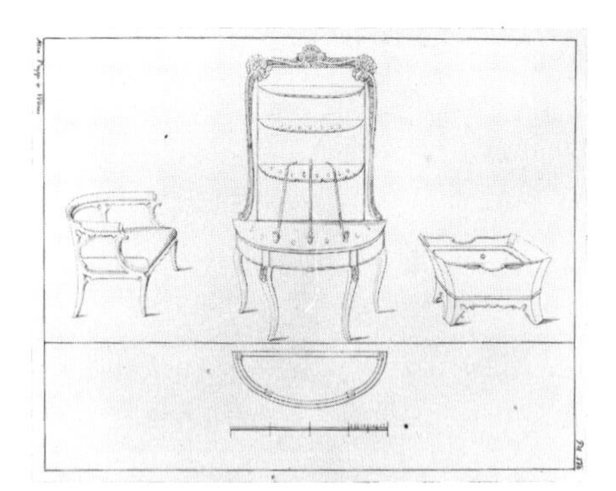

Alexander Popp, 3 Lithographien aus einem Vorlagenwerk für Innenräume und deren Einrichtungsgegenstände, Wien um 1830/35

Josef Danhauser, „Schlafcabinet mit vollständiger Einrichtung“; Beilage aus der Wiener Zeitschrift für Kunst, Literatur und Mode, Wien 1834

Josef Danhauser, Bleistiftzeichnung zu „Theil eines Salons im Blondel'schen Geschmacke“ für die Bildbeilage der Wiener Zeitschrift für Kunst, Literatur und Mode, Wien 1838; Historisches Museum der Stadt Wien, Inv. Nr. 13.941/5

Josef Danhauser, Bleistiftzeichnung für eine Bildbeilage zur Wiener Zeitschrift für Kunst, Literatur und Mode, Wien 1838; Historisches Museum der Stadt Wien, Inv. Nr. 13.941/2

Einer der unbekanntesten und mißverstandensten Aspekte des Wiener Möbels und der Wiener Innenraumgestaltung der ersten Hälfte des 19. Jahrhunderts ist deren textile Ausstattung. In nur ganz wenigen Fällen haben sich originale Einzelbeispiele erhalten, die nicht genügen, um ein historisch richtiges Bild im Bewußtsein des heutigen Antiquitäten-Konsumenten entstehen zu lassen. An der textilen Ausstattung kann genauso wie an allen anderen im Bereich der Innenraumgestaltung verarbeiteten Materialien die gesellschaftliche und wirtschaftliche Position des Bewohners deutlich abgelesen werden[51]. In diesem Sinn werden auch die textilen Produkte ganz bewußt eingesetzt. Der finanzielle Aufwand dafür ist in den meisten Fällen bei weitem bedeutender als bei der eigentlichen mobilen Einrichtung[52]. Von der einstigen Fülle raffinierter Material- und Farbzusammenstellung, die uns überhaupt erst den ganzen Reiz biedermeierlichen Materialbewußtseins und -verständnisses erschließt, bekommen wir durch die erhaltenen Innenraumdarstellungen und die Sitzmöbelentwürfe der Danhauser'schen Möbelfabrik einen Eindruck aus zweiter Hand. Umsonst wird man nach zeitgenössichen Beispielen des heute zum Inbegriff textilen, biedermeierlichen Ausdrucks gewordenen „Biedermeierstreif" suchen. Er entpuppt sich als josephinischer Kleiderstoff, der erst um 1900 zum Einheitsbezug biedermeierlicher Sitzmöbel wurde. Genauso wie unsere heutige Vorstellung von der richtigen Form der Möbelpolsterung historischen Tatsachen nicht entspricht, so ist auch die Wahl des „Biedermeierstreifs" diktiert von dem Wunsch nach funktioneller, erschwinglicher Einfachheit, die einem fertigen Biedermeierbild ohne ergründete Tatsachen angehört. Die Stoffauswahl ist, wie schon bemerkt, abhängig von den finanziellen Mitteln, die zur Verfügung stehen. Die teuerste Bezugsart ist aus Seide gearbeitet und zeigt ein eigens für Sitz, Rücken und Armlehne abgepaßtes Muster mit dazupassenden, in der Höhe des Sitzes gewebten Borten[53]. Diese Stoffwahl findet man auf dem entsprechend teuren Tischlerprodukt, das folgerichtig im Empiregeschmack gehalten ist. Die nächstbilligere Variante einer Sitzmöbelbespannung stellen die verschiedensten Baumwollstoffe (Nanking, Kasimir, Kattun, Perkal usw.), einfärbig oder gemustert, dar. Sehr oft werden einfärbige Stoffe verarbeitet, die mit einer

Kat. Nr. 8/129

Kat. Nr. 8/123

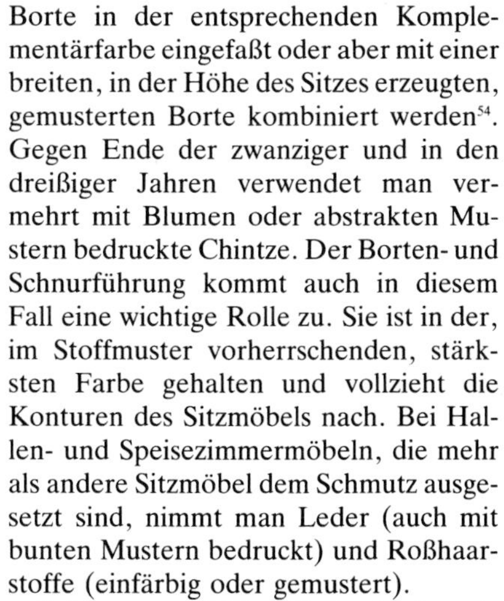

Borte in der entsprechenden Komplementärfarbe eingefaßt oder aber mit einer breiten, in der Höhe des Sitzes erzeugten, gemusterten Borte kombiniert werden[54]. Gegen Ende der zwanziger und in den dreißiger Jahren verwendet man vermehrt mit Blumen oder abstrakten Mustern bedruckte Chintze. Der Borten- und Schnurführung kommt auch in diesem Fall eine wichtige Rolle zu. Sie ist in der, im Stoffmuster vorherrschenden, stärksten Farbe gehalten und vollzieht die Konturen des Sitzmöbels nach. Bei Hallen- und Speisezimmermöbeln, die mehr als andere Sitzmöbel dem Schmutz ausgesetzt sind, nimmt man Leder (auch mit bunten Mustern bedruckt) und Roßhaarstoffe (einfärbig oder gemustert).

Polsterung und Sitzmöbel entstehen als eine Entwurfseinheit, die den spezifischen Charakter des Möbels ergeben. Gleich dem biedermeierlichen Korpusmöbel, dessen ideale Ausformung ein geschlossenes räumliches Volumen bildet, schließt die Polsterung das Gestell des Sitzmöbels zu einem räumlichen Ganzen zusammen. Dies geschieht einerseits durch die Form der Polsterung und andererseits durch die Stoffbespannung in Zusammenhang mit der entsprechenden Posamentrie. Die Polsterung hat fast ausschließlich eine schachtelartige, leicht bombierte Form, deren Kanten scharf aufgebaut und mittels Borten oder Schnüren betont sind. Der Aufbau der Polsterung erfolgt in der Regel mittels Roßhaar oder dem billigeren Moos. In Wien kommen elastische Springfedern erst 1822 auf. Der Tapezierer Georg Junigl erhält damals ein „5jähriges ausschließliches Privilegium auf die Verbesserung der gegenwärtig üblichen Möbelpolsterung, welche er mittels einer eigenen Zubereitung des Hanfs und mit Beyhülfe eiserner Springfedern so elastisch macht, daß sie der Polsterung mit Roßhaaren nicht nachstehen soll"[55]. In Deutschland war diese Art der Polsterung bereits in den neunziger Jahren des 18. Jahrhunderts bekannt[56]. Neben der für die Proportion des Sitzmöbels äußerst wichtigen Verwendung von Borten kommt es des öfteren vor, daß Volants und Draperien zwischen die Beine, über Arm- und Rückenlehnen gespannt beziehungsweise gelegt werden. Diese Art der Dekorierung ist aus dem späten Louis XVI. übernommen und zeigt einmal mehr, wie stark das frühe 19. Jahrhundert bei uns formal im späten 18. Jahrhundert verwurzelt ist. Sogar die im Hofrecht des 17. und 18. Jahrhunderts verankerte Rangordnung der einzelnen Sitzmöbel[57] hat sich bis hierher als „Anstandsform" erhalten. Das Kanapee ist und bleibt die würdevollste Sitzgelegenheit, die der ranghöchsten Person beziehungsweise der Dame vor dem Herrn gebührt. In zeitgenössischen Briefen und Tagebüchern findet dieser Umstand immer wieder mit Nachdruck Erwähnung. So schreibt Karl von Varnhagen über einen Besuch bei einer Gräfin Fuchs und der dort verkehrenden Gesellschaft am

Kat. Nr. 8/76

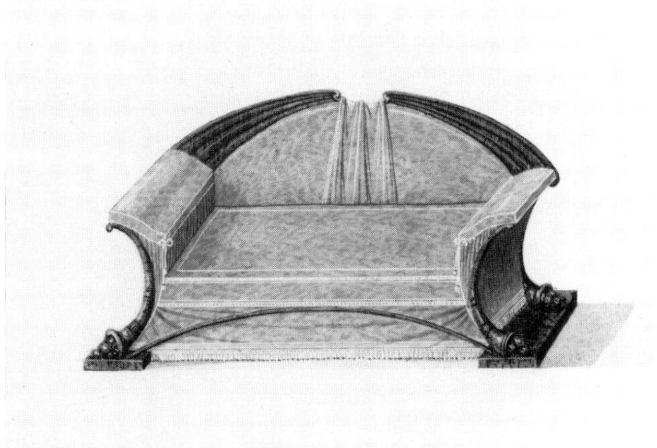

Kat. Nr. 8/81

Kat. Nr. 8/83

Kat. Nr. 8/77

Kat. Nr. 8/87

Kat. Nr. 8/86

7. Jänner 1810 aus Wien an seine Frau Rahel: „Fürsten und Grafen, Fürstinnen und Gräfinnen könnte man statt Butterbrot zum Thee serviren, und es bleiben noch genug übrig, aber einen edleren freieren Ton habe ich nirgends gefunden, die völligste Ungezwungenheit, und gänzliche Gleichheit der geselligen Rechte: sie sind so vornehm diese Leute, daß ihnen nicht einfällt, ihr Rang könnte beeinträchtigt werden, während bei Arnstein's, Eskeles und Pereira's die Vornehmheit nur durch die jeden Abend ächzend fortgesetzte Anstrengung mühsam erhalten wird, und alles zittert, wenn eine Gräfin auf dem Sopha, und eine Fürstin auf dem Stuhl sitzt"[58]. Das Sitzmöbel erhält in der Innenraumgestaltung des frühen 19. Jahrhunderts einen neuen, raumgliedernden Stellenwert. Zu „Etablissements" zusammengestellt, die später in sogenannten „Wohninseln"[59] spezifische Wohnaktivitäten übernehmen, beginnen die Möbel den Wohnraum von der Wand her auszufüllen, so daß der Eindruck eines multifunktionalen Innenraumes entsteht. Über diese von der Aristokratie ausgehende Entwicklung berichtet Karoline Pichler anläßlich einer theatralischen Vorstellung bei der Gräfin Zamoyska im Jahre 1808 in ihren Erinnerungen: „Die Versammlung war sehr glänzend, es war die Crème de la Société, obwohl sie damals noch nicht so genannt wurde; das Appartement, nach dem damaligen Geschmack auf griechische Art drapiert, von den ebenfalls unlängst Mode gewordenen argantischen Lampen erhellt, und eine Menge kleinerer oder größerer Etablissements mitten im Salon, so daß die Gesellschaft ohne allen eigentlichen Mittelpunkt nach allen Richtungen, wie es gerade jedem beliebte, saß, stand, ging, lehnte usw. Mir war dies damals etwas Neues, denn in den Gesellschaften des Mittelstandes herrschte noch die ältere Sitte; aber ich fand das Neue wo nicht hübsch, doch bequem, und jetzt ist es wohl schon überall verbreitet, wo man auf Eleganz Anspruch hat"[60]. Das bürgerliche Gegenstück wird von ihr anhand der im biedermeierlichen Haushalt um 19 Uhr üblichen Teegesellschaft beschrieben: „. . ., so saßen denn unsere Damen . . . in dichtgedrängter Reihe um den Teetisch, jede mit einem Strickstrumpf bewaffnet, . . . Sie saß neben meiner Mutter auf dem Kanapee"[61]. In diesem Zusammenhang werden eine Reihe neuer Sitzmöbeltypen entwickelt, um die multifunktionale, von der Wandarchitektur unabhängige Raumausteilung zu verwirklichen. Es sind Sitzmöbel, die eine gute Raumausnutzung und größte Bequemlichkeit bieten wollen. Dazu zählen die Eckbank, das Dos à Dos (zwei Rücken an Rücken gestellte Bänke) und der Würfel oder Puff (von allen Seiten besitzbares Sitzmöbel mit einer zentralen Rückenlehne); alles Typen, die man für gewöhnlich mit der Möblierung öffentlicher Räume, wie Kaffeehäusern, Hotel- oder Bahnhofshallen der zweiten Hälfte des 19. Jahrhunderts in Verbindung bringt. Von der enormen Formenvielfalt des nur in Restbeständen erhaltenen Sitzmöbel-Angebots des vormärzlichen Wien erhalten wir durch die Musterzeichnungen der Danhauser'schen Möbelfabrik einen erstaunlichen Eindruck[62].

Kat. Nr. 8/111 Interieur, 1825–1837

Kat. Nr. 8/113 Interieur, 1837–1842

Joseph Ulrich Danhauser (1780 bis 1829), der Vater des Malers Josef Danhauser (1805–1845) hatte 1814 mit seiner „k. k. privilegierten Landesfabrik aller Gattungen Meubel" das erste Wiener Inneneinrichtungshaus gegründet. So viel man weiß, war es ihm möglich, nach eigenen Entwürfen und mittels allein in seiner Fabrik erzeugten Waren ganze Wohnungen und Häuser auszustatten. Er konnte, angefangen von der textilen Ausstattung (Vorhänge, Betthimmeln und -überwürfe, Polstermöbel), den Beleuchtungskörpern, der mobilen Einrichtung, bis hin zu Spucknäpfen und kleinen dekorativen Artikeln, wie Briefbeschwerern, Uhrständern und Lichtschirmen, alles aus seinem eigenen Sortiment anbieten. Dieses Sortiment bestand aus einem reichen Angebot verschiedenster Modelle, das während des fast 30jährigen Bestehens des Unternehmens, der wechselnden Mode entsprechend, laufend erneuert und ausgewechselt wurde. So konnte der Konsument unter anderem über ein gleichzeitiges Angebot von 153 verschiedenen Sesselmodellen, 179 Lustern, 79 Kanapees, 51 Divans, 76 Eckdivans, 51 Ruhebetten, 58 Spucknäpfen und 18 Wäschekörben verfügen. Um eine solche Vielzahl verschiedenster Modelle im laufenden Angebot halten zu können und dabei auch noch wirtschaftlich zu produzieren, führte Danhauser einen gewissen Grad an Typisierung bei der Zusammenstellung seiner Modelle ein. Dazu mußten die konstruktiven Einzelteile des Möbels einer allgemeinen Norm folgen, die es erlaubte, sie zu einer Vielzahl verschiedener Entwürfe zu kombinieren. Im Sesselangebot der Fabrik findet man daher zum Beispiel eine gewisse Anzahl von wiederkehrenden Bein-, Zargen- und Lehnenformen, die zu einzelnen, individuellen Modellen zusammengestellt werden konnten. Der Vertrieb geschah über Niederlagen in Wien, Graz und Budapest sowie eine durchgehende Numerierung der einzelnen Modelle. Die ca. 3000 erhaltenen Entwurfszeichnungen der Danhauserschen Möbelfabrik weisen zum großen Teil eine Typenbezeichnung und eine Modellnummer auf, wodurch man annehmen kann, daß es sich dabei um eine Art Sortimentkatalog der Firma handelt. Einige der Musterzeichnungen tragen auch Kundennamen. Dadurch ist einer der größten Möblierungsaufträge Danhausers, die für Erzherzog Carl ausgeführte Inneneinrichtung der Albertina und der Weilburg, teilweise für uns nachvollziehbar[63]. Dies bedeutet aber auch, daß jeder beliebige Kunde, unter Angabe der gewünschten Modellnummer, dasselbe Möbel wie ein Mitglied des Kaiserhauses erwerben konnte. Die Erzeugnisse waren somit frei zugängliche Konsumartikel, ohne eine individuelle Bindung an einen bestimmten Auftraggeber oder eine bestimmte Innenarchitektur. Danhausers Unternehmen stellte für Wien und den Bereich der gesamten Monarchie eine Neuerung dar, die wie so viele andere technische oder wirtschaftliche Errungenschaften der damaligen Zeit englischen Ursprungs war. Als Unternehmen, das fast sämtliche Artikel und Einrichtungsgegenstände für die Innenraumgestaltung unter einem Dach führte, basierte es auf dem englischen Prinzip des „Upholsterers“ oder „Meublirers“[64]. Im Unterschied zu letzterem und dem „Möbelmagazin“ des Münchner Unternehmers Johann Georg Hiltl[65] ließ Danhauser nicht außer Haus arbeiten, kaufte auch keine Waren zu, sondern vertrieb nur seine ausschließlich nach eigenen Entwürfen entstandenen Produkte.

Danhausers Ausstattungen sind die für den österreichischen Kulturraum frühesten nachweisbaren Beispiele eines einheitlich durchgestalteten Innenraumes. Einrichtungen, bei denen alle Möbel einem Dekor- und Materialschema folgen, damit sind Sitz- sowie Korpusmöbel gemeint, kommen in den achtziger und neunziger Jahren des 18. Jahrhunderts zum ersten Mal auf dem Kontinent in Mode[66]. Wieweit sie zu diesem Zeitpunkt auch in Österreich, was eher wahrscheinlich ist, bereits verbreitet waren, kann mangels erhaltener Beispiele oder bis jetzt noch unbekannten Materials nicht genau geklärt werden. Die damit verbundene Entwicklung der Zimmereinrichtung oder -garnitur hängt mit der gleichzeitig von England kommenden stärkeren Differenzierung der Zimmer nach einzelnen Funktionen (Speisezimmer, Arbeitszimmer, Toilettezimmer, Schlafzimmer, Rauchzimmer usw.) zusammen. Die oft für typisch biedermeierlich angesehenen „gemischten“ Zimmer (in Dekor und Funktion) waren nicht die Regel. Sie bilden nur eine der Gestaltungsmöglichkeiten und sind dadurch erst für das Biedermeier typisch. Bei Danhauser läßt sich ebenfalls zum ersten Mal für den Bereich der Österreichischen Monarchie die kleinere Dekoreinheit der Sitzgarnitur nachweisen[67]. In der damals neu entstandenen Bezeichnung „Canapeetisch“[68] kommt diese Funktionseinheit zum Ausdruck. Durch ihre einheitliche textile Ausstattung ist die Sitzgarnitur der ruhende Pol, der die dekorative Einheit im „gemischten“ Zimmer anstrebt.

Wie so viele englische Entwicklungen des 18. Jahrhunderts wird auch das Stellagemöbel erst im Laufe des beginnenden 19. Jahrhunderts in Österreich heimisch. Es nimmt in der biedermeierlichen Innenraumgestaltung einen wichtigen Platz ein. Man begegnet ihm dort in den verschiedensten Funktionsbereichen. Meistens ist es ein aus mehreren Abstellflächen zusammengesetztes Gestell, das der Präsentation von Gegenständen dient. Im deutschen Sprachgebrauch als „Stummer Diener“, Aufwärter oder Servante bezeichnet, findet man darauf Glas, Porzellan oder auch Bilder aneinandergereiht. Eigene Gestelle gibt es für Blumen, Musiknoten, Billiardqueues, Gewehre oder Pfeifen. Danhauser hat für letztere allein 29 verschiedene Modelle im Repertoire. Ab den zwanziger Jahren wird das Rauchen zu einer der häuslichen Vergnügungen für den Mann, was zur Einrichtung eigener Rauchzimmer führt. Karoline Pichler hat uns über diesen Sinnzusammenhang eine zeitgenössische Schilderung hinterlassen: „Dies Tabakrauchen und die rasende Liebe dafür, welche sich unter dem Szepter der Mode jetzt bis beinahe in das kindische Alter des männlichen Geschlechtes erstreckt, ist denn auch, was die stets mehr zunehmende Trennung der beiden Geschlechter im geselligen wie im häuslichen Leben begünstigt, ja notwendig macht. Mit der Pfeife im Munde kann man doch nicht in Gesellschaft anständiger Frauen erscheinen, von der Pfeife will man sich aber nicht trennen, so trennt man sich von den Frauen, überläßt diese sich selbst, und in ihren Haremssozietäten aller Nichtigkeit, Frivolität und Klatschhaftigkeit, die in solcher Einseitigkeit unvermeidlich sind, und ergibt sich mit gleichgesinnten Freunden aller Ungeniertheit, Roheit, mitunter Grobheit, welche ebenso unabtrennbar von burschikosem Leben sind“[69]. Auch die damals neuerliche Verwendung eines Buffets oder Kredenzkastens hängt mit der Schaffung eines eigenen Speisezimmers zusammen. Jetzt ist das Buffet aber nicht mehr wie vom Mittelalter bis zum Barock, Schaumöbel, das den gesellschaftlichen Rang seines Besitzers vorführen soll, sondern es ist in erster Linie Aufbewahrungsort und Abstellfläche für Speisen und Geschirr. Eine Mischung aus Schaumöbel und Behältnismöbel ist die Vitrine. Bereits in der zweiten Hälfte des 18. Jahrhunderts ist sie bei uns in Verwendung, wird aber erst während des ersten Jahrzehnts des 19. Jahrhunderts allgemein gebräuchlich. Im Grunde genommen nichts anderes als eine weitere Variante eines Stellagemöbels, lautet ihre damalige Bezeichnung auch nicht Vitrine, sondern einfach „Etagère“ oder „Servante.“

Kat. Nr. 8/46

Kat. Nr. 8/51

Kat. Nr. 8/48

Kat. Nr. 8/45

Kat. Nr. 8/50

Kat. Nr. 8/49

Das Wiener Möbel der ersten drei Jahrzehnte des 19. Jahrhunderts vereinigt das überlieferte, noch lebendige Wissen um den Ausdrucksreichtum der Materialien und den Glauben an immer neue, zukunftsträchtige, technische Möglichkeiten. Aus dieser Verbindung entsteht ein, wie es für Übergangszeiten bezeichnend ist, spannungsgeladenes Produkt, das seine Energie nicht aus inhaltlich Neuem, sondern aus dem schöpferischen Einsatz heimischer Quellen bezieht. In der Auseinandersetzung mit dem internationalen Modediktat werden diese zu fantasievollen, ihre subjektive Aussagekraft nicht verleugnenden, eigenständigen Produkten. Erreicht wurde dies durch eine konsequente, vom Staat geförderte Politik, deren Ziel es war, durch Information und Ausbildung Anschluß zu finden an internationale (französische und englische) Qualitätsmaßstäbe. Liest man zeitgenössische Berichte über die österreichische Gewerbeproduktion des frühen 19. Jahrhunderts, so wird ein Großteil der Erzeugnisse zum ersten Mal oder aber in verbesserter, internationalem Standard gemäßer Qualität nun auch in Österreich hergestellt. Das ehemalige kunstgewerbliche Statussymbol wird nun zur marktorientierten Konsumware des täglichen Lebens, die vom Preis und vom wechselnden Geschmack des Konsumenten bestimmt wird. Durch sie erlangt der Konsument Zugang zu der Erfüllung seiner Sehnsüchte, die sich in der neuen Verfügbarkeit der Dinge materialisieren. Das Echte wird „künstlich“, das Große wird handlich und das Repräsentative wird häuslich. Biedermeier vermittelt diese Werte nicht als stilistischer, sondern als kultureller Ausdruck. Sie sind bis heute lebendig in dem Mythos vom bürgerlichen Möbel, der heute auch schon Amerika erreicht hat. Michael Graves, als einer der postmodernen Geschmackspäpste unserer Zeit, meint: „Biedermeier was the Volkswagen of furniture: it started as a furniture for all of us“[70]. Ist es wirklich diese Dimension, die heute fasziniert? Oder haben wir eine neue Quelle der Verfügbarkeit entdeckt, die uns Detail- und Materialreize vermitteln kann? Biedermeier ist Teil einer Überlieferung, wie sie bei jeder erneuten Suche nach unseren Wurzeln lebendig gedeutet wird. „Die poesievolle Geschichte des Biedermeiers als Kunstereignis ist eine moderne Schöpfung. Die persönliche Auffassung eines einzelnen, wie alle Geschichte“[71].

**Anmerkungen:**

[1] Frühere Impulse, eine nationale Produktkultur aufzubauen, gab es im Gefolge der Französischen Revolution (Aufforderung an Teutschland. In: Journal des Luxus und der Moden, Februar 1793, S. 104 ff.) und des Deutsch-Französischen Krieges 1870/71.

[2] Ludwig Hevesi, Österreichische Kunst im 19. Jahrhundert. Leipzig, 1903, S. 105 ff.
J. A. Lux, Biedermeier als Erzieher; in: Hohe Warte. Wien – Leipzig, 1904/05, 1. Jg., S. 145 ff.
Alfred Lichtwark, Palastfenster und Flügeltür. Berlin, 1899.

[3] Kunstgewerbeblatt: Neue Folge, 1900, XI. Jg., S. 124: „. . . wenn man von kleinen Anlehnungen an den gemütlichen Biedermännerstil absieht, der ja seit kurzem in die Reihe der ‚offiziell anerkannten‘ Stile vorgerückt ist, . . .“

[4] Joseph Folensics, Unser Verhältnis zum Biedermeierstil. Vortrag, gehalten am 3. April 1903 im Nö. Gewerbeverein. Wien, 1903, S. 15.

[5] J. A. Lux, wie Anm. 2, S. 148: „Die Sachlichkeit, die das Mobiliar aus den Prunk- und Repräsentationszwecken der vorangegangenen Epochen wieder zu den lediglichen Gebrauchszwecken zurückführte und es zu organischen Gebilden gestaltete, ist ein weiteres vorbildliches und erziehliches Moment der Biedermeierzeit.“

Berghof, Landes, Rang; Frankfurter Hochhausschrank F1; Vogelaugahorn, Ebenholz, Bruyère, Wurzelmaser, Ahorn massiv, Bubinga, Elfenbein, Horn, Messing, Blattgold, Marmor Lasa und Aosta, Granit Bahia blue usw. Ausführung: Draenert, Immenstaad, BRD, 1985

[6] Anton Rath, Stil- und Formenlehre für Tischler und Schlosser unter Berücksichtigung der Entwicklung der Technik. Schriften des Steiermärkischen Gewerbeförderungs-Institutes in Graz. Graz, 1907, S. 52.

[7] Ausstellung im k. k. Österr. Museum für Kunst und Industrie in Wien.

[8] Wie Anm. 2, S. 106.

[9] Alois Riegel, Möbel und Innendekoration. In: Der Wiener Congress. Wien, 1898, S. 188: „Unsere Abbildungen lehren also hauptsächlich die Entwicklung, die das französische Empiremöbel außerhalb Frankreichs, und insbesondere in Österreich und Süddeutschland genommen hatte, . . .“

[10] Wie Anm. 4, S. 12.
Joseph Folnesics, Innenräume und Hausrat der Empire- und Beidermeierzeit in Österreich-Ungarn, Wien, 1903, S. 24.
Alfred Lichtwark, Theorie und Historie 1896. In: Palastfenster und Flügelthür. Berlin, 1899, S. 122: „Aber der Bürger unseres Jahrhunderts hat seinen Stil bereits geschaffen: wir haben es nur vergessen. Technisch konnte er zwar die Leistungen des Rokoko nicht überbieten. Dagegen blieb es ihm vorbehalten, in den ersten drei Jahrzehnten die praktischen Grundlagen zu schaffen, auf denen ein bürgerliches Mobiliar entwickelt werden kann. Wir dürfen behaupten, daß die Zeit von 1790–1830 die große Keimperiode des eigentlich modernen, d. h. des bürgerlichen Möbels war.“

[11] Christian Witt-Dörring, Die Möbelkunst am Wiener Hof unter Maria Theresia 1740–1780. Phil. Diss. Wien, Wien, 1978.

[12] Eugen Guglia, Kaiserin Maria Ludovica von Österreich (1787–1816). Wien 1894, S. 53 f.

[13] Karoline Pichler, Denkwürdigkeiten aus meinem Leben. München, 1914, 1. Bd., S. 317 (Eintragung aus dem Jahr 1808).

[14] Charles Percier & Pierre Fontaine, Recueil de décorations intérieures. Paris, 1812, S. 12.

[15] Wie 14, S. 16: „Nous le répétons, notre intention est moins de produire dans cet ouvrage le fruit de nos travaux, que de concourir par notre exemple, à lutter contre l'esprit de mode qui dédaigne ce qui est parce qu'il a été, et contre l'esprit d'innovation qui n'admire que ce qui n'a pas encore été.“

[16] Bereits 1803 bringt Löschenkohl in Wien ein Musterbuch heraus. „Muster der neuesten Londoner, Pariser und Wiener Meubles für Liebhaber des Geschmacks und der Bequemlichkeit dann zum Gebrauch für Galanterie Handwerksleute, Silber und Bronce-Arbeiten, Tischler, Tapezierer, Vergolder, Uhrmacher, . . .“, das eine 1801 in Perciers & Fontaine's Vorlagenwerk „Recueil de décorations intérieures“ auf Tafel 10 publizierte Jardinière genau übernimmt.

[17] Lorenz Seelig, Wiener Biedermeier in Coburg. In: alte und moderne kunst, 26. Jg., Heft 178/179, 1981, s. 2 ff.
Stephan, E. von Keeß, Darstellung des Fabriks- und Gewerbswesens im österreichi-

schen Kaiserstaate vorzüglich in technischer Beziehung. Wien, 1823, 2. Teil, 2. Bd., S. 97: „Möbel von Mahonyholz mit geschmackvoller innerer Einrichtung, und mit Vergoldung und Bronce kosteten fast das Doppelte und noch mehr. Einrichtungsstücke von weniger schönem Holze und leichterer Arbeit kommen um vieles wohlfeiler zu stehen."

[18] Keeß wie Anm. 17, S. 93: „Mahony-Möbel werden in Wien erst seit dem Jahre 1777, wo Fürst Dietrichstein eine Parthie dieses Holzes kommen ließ, gemacht, und damahls wurden sie noch, in Ermangelung einer bessern Politur, mit Öhl eingelassen und mit Tripel geschliffen."

[19] Keeß wie Anm. 17, S. 92: „Die jetzt gewöhnliche Politur wird, nachdem das Bohnen mit Wachs oder Wachsseife aus der Mode gekommen ist, mit Schellackfirniß hervorgebracht, dem man, um die Farbe des Holzes zu verändern, auch schwarze, gelbe und rothe Pigmente beyzusetzen pflegt. Dieser neue Firniß wurde um das Jahr 1792 in Teutschland zu Mainz und Leipzig zuerst gebraucht und bald darauf auch in Wien eingeführt."

[20] Keeß wie Anm. 17, I. Teil, Wien, 1819, S. 3ff.

[21] Keeß wie Anm. 17, I. Teil, S. 25: „Des hohen Preises wegen hat man sich seit einer Reihe von Jahren bestrebt, das echte Mahagonyholz aus inländischen Holzgattungen durch Beitzen, Färben und Poliren nachzuahmen, wozu das Ahornholz, Birkenholz, Kirschbaum-, Roth- und Weißbuchenholz sich ziemlich tauglich gezeigt haben."

[22] Neues Journal für Fabriken, Manufakturen, Handlungen, Kunst und Mode. Leipzig, 1810, 4. Bd., S. 543ff.

[23] Keeß wie Anm. 17, II. Teil, S. 97.

[24] W. C. W. Blumenbach, Wiener Kunst- und Gewerbsfreund, oder der neueste Wiener Geschmack . . ., Wien, 1825: „Ein Werk, welches für unsern Staat berechnet und bestimmt ist, die vorzüglichsten Erzeugnisse, und die ausgezeichnetsten Künstler und Fabrikanten zur Kenntniß des Publicums zu bringen, die Fortschritte unserer Gewerbe durch anschauliche Zeichnungen darzustellen, zur Verbreitung des Geschmacks in der Meublirung u.s.w. möglichst beyzutragen, die Künstler selbst zu den nach den Forderungen des gesteigerten Geschmacks nöthigen Fortschritten aufzumuntern, und überhaupt unsere Industrie gegen Vorurtheile und entehrende Äußerungen zu schützen, schien daher kein überflüssiges, vielmehr ein für alle Classen der Einwohner höchst nützliches Unternehmen zu seyn, besonders wenn die auf den Kupfertafeln abgebildeten Gegenstände nicht, wie in den meisten fremden Werken ähnlicher Art, bloß Ideen von Künstlern, sondern von wirklich ausgeführten Mustern nach einem gewissen Maßstabe entnommen sind."

[25] Wie Anm. 24, 1. Heft, S. 2.

[26] Wie Anm. 24, 1. Heft, S. 3.

[27] Zur Zeit ist eine Dissertation zu diesem Thema von Gabriele Fabiankowitsch im Entstehen. Durch eine große Anzahl datierter Schülerzeichnungen wird es möglich sein, eine stilistische Entwicklung nachvollziehen zu können.

[28] Keeß wie Anm. 21, S. 28f.

[29] Keeß wie Anm. 21, S. 29: „Dieser Flader, der zum Fourniren verschiedener Tischlerwaaren sehr gesucht ist, gehört unter die theuersten Fladersorten, und stand kürzlich (Jänner 1819) mit dem Mahagonyholze, beynahe gleich im Preise, indem der Centner mit 20 fl. Conv. M. bezahlt wurde."

[30] Keeß wie Anm. 17. S. 93: „In der neuern Zeit hat die Mode sehr viele Veränderungen an Möbeln veranlaßt, und viele neue geschmackvollere Formen zum Vorscheine gebracht. Die bunten Verzierungen und das Schnitzwerk im massiven Holze sind gänzlich abgekommen, dafür werden die Möbel jetzt sehr einfach, aber mit einer ungemein lebhaften Farbe und schönen Politur, nach regelmäßigen Verhältnissen, mit herrlichen Beschlägen und mit künstlichen verborgenen Auszügen verfertiget. Noch vor 50 bis 60 Jahren waren in Wien die geschweiften, mit Laubwerk und vielen Verzierungen versehenen Möbel im Schwunge."

[31] Keeß wie Anm. 20, S. 33f.

[32] Keeß wie Anm. 20, S. 36: „Es hängt von einigen Handgriffen ab, um die Politur spiegelglatt und sehr glänzend ohne Streifen und Flecken aufzutragen, besonders auf schwarzgefärbtes Holz."

[33] Keeß wie Anm. 17, I. Teil, S.11f.: „ . . . und außer zahlreichen ordinären Einrichtungsstücken, die sich durch ihre Dauerhaftigkeit auszeichnen, gibt das Eichenholz auch sehr gute Parketen . . . Es nimmt aber, da es zu viele Poren hat, keine gute Politur an, und wirft sich auch leicht, wenn es vor dem Verarbeiten nicht genug ausgetrocknet war. Die Tischler erhöhen gewöhnlich die gelbliche Farbe desselben durch einen Zusatz von Cucumenwurzel unter das Polierwachs."

[34] Wie Anm. 24, 1. Heft, S. 2f.

[35] Franz Windisch-Graetz, Der rätselhafte Meister B. Holl und die Wiener Kleinmöbel des frühen 19. Jahrhunderts. In: alte und moderne Kunst, Heft Nr. 160/161, 1978, S. 32.

[36] Wie Anm. 26.

[37] Keeß wie Anm. 17, I. Teil, S. 15: „Rotheiben= oder Theißholz, vom Eiben= oder Taxusbaume (Taxus baccata L.), ein rothes zähes, hartes Holz, welches eine gute Politur annimmt, allmählich dunkler wird und sich sehr schön schwarz beitzen läßt. Es wird jetzt nicht mehr so häufig wie vormahls, von Tischlern, Drechslern, Instrumentenmachern und anderen Holzarbeitern verwendet, indem es gern springt und mit der Zeit absteht (seine schöne Farbe verliert) . . . Im Jahre 1798 wurde den Tischlern Wiens das Rotheibenholz aus dem Lande ob der Ens höheren Ortes besonders anempfohlen."

[38] Keeß wie Anm. 17, I. Teil, S. 14: „Die Tischler kleiden viele schwarzgebeizte und andere Einrichtungsstücke mit gelbgefärbtem Ahornholze inwendig aus, oder verarbeiten dasselbe auch massiv."
Keeß wie Anm. 17, II. Teil, S. 93: „Seit Anfang des 19. Jahrhunderts wurden die meisten Einrichtungsstücke aus Nußbaum=, Kirschbaum=, Mahony=, schwarz gebeiztem Birnbaumholze und aus Maserhölzern gemacht, und zum Theil mit vergoldeten Leisten und mit Bronce=Arbeit verziert."

[39] Keeß wie Anm. 17, II. Teil, 2. Bd., S. 94: Bekanntmachung der Eröffnung eines Verkaufsmagazins in seiner Wohnung an der Wien nächst dem Theater N° 30. In: Wiener Zeitung vom 24. April 1808, S. 2131.

[40] Christian Witt-Dörring, Wiener Möbelbeschläge 1810–1835. In: Weltkunst, 51. Jg., Nr. 21, November 1981, S. 3197ff.

[41] Franz Windisch-Graetz, Furniture. In: Ausstellungskatalog „Vienna in the age of Schubert – The Biedermeier interior 1815–1848". London, 1979, S. 34ff.
Christian Witt-Dörring, Beleuchtungskörper aus der k. k. priv. Landes Fabrik des Josef Danhauser in Wien. In: alte und moderne kunst, 26. Jg., 1981, Heft 178/179, S. 50f.
Christian Witt-Dörring, Die Danhauser'sche Möbelfabrik unter Josef Danhauser. In: Ausstellungskatalog „Josef Danhauser Gemälde und Zeichnungen", Albertina, Wien, 1983, S. 143ff.

[42] Keeß wie Anm. 17, II.Teil, 2. Bd., S. 96: „ . . . besonders fanden die vergoldeten Bildhauer Arbeiten und die Pasten von Danhauser wegen der geschmackvollen Arbeit und der Billigkeit des Preises, im Auslande größeren Absatz als im Inlande."
S. 149: „Der Handel mit dergleichen Arbeiten ist, da sie meist nur zur Verzierung dienen und selbst entbehrliche Luxuswaren sind, nicht sehr erheblich, daher sie auch meist nur auf Bestellungen gemacht werden. Dessen ungeachtet werden von Wien nach den Provinzen, zumahl nach Österreich, Ungarn und Galizien viele rohe und vergoldete Bildhauer-Arbeiten, Rahmen u. dgl. verschickt."

[43] Seelig wie Anm. 17.

[44] Wie Anm. 24: Bettstelle (Tischler-Arbeiten 1 und 4).

[45] Im Sammlungsbestand des ehemaligen Nationalfabriksproduktenkabinetts (heute zum Teil im Technischen Museum und im Österr. Museum für angewandte Kunst) haben sich unter anderem Stoff- und Tapetenmuster der heimischen Produktion erhalten. Die Tapetendesigns der Firma Spörlin & Rahn zeigen z. B. für die Jahre 1824 bis 1832 Empiremuster. In der Möbelstoffproduktion findet man 1826 bei Hornbostel rein französische Empirestoffe. Noch 1835 bringt Jos. Kniezaurek einen halbwollenen Möbeldamast mit zentraler Empirerosette auf den Markt.

[46] Über den Wiener Architekten Alexander Popp ist leider keinerlei biographisches Material bekannt. Das Historische Museum der Stadt Wien und das Bayerische Nationalmuseum in München besitzen eine Reihe von lithographierten Blättern nach seinen Entwürfen. Insgesamt sind bis jetzt 217 Blätter bekannt.

[47] Popp: Thron Pl. 126, Tisch Pl. 102, Jardinière Pl. 172; Percier & Fontaine: Pl. 48, Pl. 21, Pl. 10.

[48] Das bisher früheste Dokument für das Auftauchen des „Blondel'schen" Stiles in Wien ist ein Meubelbild von Josef Danhauser (publiziert am 12. 7. 1834 in der Wiener Zeitschrift für Kunst, Literatur und Mode). Die Stilbezeichnung taucht 1835 anläßlich der „Allgemeinen österreichischen Gewerbsprodukten Ausstellung" in Wien auf. Im Katalog auf S. 317: „Johann Pauller, bürgerl. Vergolder in Wien, Laimgrube, breite Gasse Nr. 189 (Exp. Nr. 81) stellte mehrere Rahmen von Holzbronze im Blondelschen Styl aus, welche beifällig aufgenommen wurden."

[49] Stefan Ritter von Keeß, Systematische Darstellung der neuesten Fortschritte in den Gewerben und Manufacturen und des gegenwärtigen Zustandes derselben. 1. Bd., Wien, 1829, S. 741 ff.
Christian Moll, Zwischen Handwerk und Unternehmertum – das Leben des Johann Georg Hiltl (1771–1845). In: Ausstellungskatalog „Biedermeiers Glück und Ende – die gestörte Idylle 1815–1848". München, 1987, S. 57 ff.

[50] „Carl Schmidt, privil. Perlmutter-Galanterie-Waarenfabrikant in Wien, Laimgrube, Hauptstraße Nr. 184 (Exp. Nro. 270) übergab ein zahlreiches Sortiment von Galanteriearbeiten aus Perlenmutter und Schildpatt, und sogenannte Bulls, . . ." In: Katalog der Allgemeinen österreichischen Gewerbsprodukten Ausstellung; Wien, 1835, S. 339.

[51] Keeß wie Anm. 17; S. 270: „Die Preise der tapezierten Möbel sind äußerst verschieden, wie sich dieses aus der Verschiedenheit der Gestelle, der Auspolsterung und Überzüge leicht erklären läßt. Man hat in Wien Garnituren, d. i. Canapee mit 6 Sesseln, zu 50 bis 120, 140 bis 150 fl. von Baumwollstoff, zu 150, 200 bis 400 fl. von Seide, zu 100 bis 600 fl. W. W. und höher von Leder u. s. w."

[52] Diese Tatsache kann bis weit in das Mittelalter zurückverfolgt werden. Im 17. und 18. Jahrhundert war das Verwenden von Hussen im höfischen und aristokratischen Bereich üblich, so daß die enorm teuren Stoffe geschont werden konnten.

[53] Wie Anm. 24, 2. Heft, S. 6; Tapezierer-Arbeiten Nr. 2 (Wien, 30. April 1825): „Dass man im Durchschnittte, wie behauptet wird, in Paris schwerere und teuere Stoffe zu den Drapierungen und Dekorierungen der Gemächer verwendet, schadet den Wiener Arbeiten keineswegs, da jeder Gewerbsmann sich nach dem Geschmacke, dem Begehr und Vermögen seiner Kunden zu richten hat."

[54] Seelig, a. a. O., Anm. 58: „Für die Bezüge wurden keine Seiden-, sondern zumeist Wollstoffe – wie Merino, Prunelle und Casimir – verwendet. Die Archivalien überliefern folgende Farbzusammenstellungen: lilla beschlagen, mit ‚grüner Traperie und Sitz' sowie ‚grüne Traperie und Sitz mit weißen Schnüren'; ‚gelb mit grauem Sitz und Traperie' sowie ‚grau beschlagen mit lilla Schnüren und Borden'; ‚blau mit gelber Traperie und Sitz' sowie ‚gelb beschlagen mit lilla Schnüren und Borden'; ‚weiß mit blauer Traperie und Sitz'."
Carl Bertuch, Tagebuch vom Wiener Kongreß, Berlin, 1916, S. 157 f.: Donnerstag 30. März 1815: „ . . . Danhauser, Fabrik von bronzirtem Holz oder Kittmasse. – Die Vergoldung schön, das Ganze mit Geschmack. Auch eine Menge kleiner Necessaires . . . Meuble Magazin im Burgerspital. Die Sopha ausgeschweift und mit Bogen von zweierley Zeucher drappirt. Die Stühle Schaufelform. Viel schwarzes Ameublement. Uebergang von grauem Nankin mit Borden-Cattun in türkischen Mustern."

[55] Keeß; wie Anm. 17, 2. Teil, 2. Bd., S. 268 f.

[56] Magazin für Freunde des guten Geschmacks; Leipzig, 1796, 1. Bd., N° II von 1794 und 1795; Tab. I, Fig. I: „Ein Armstuhl (Fauteuil) in Gesellschafts- oder Schlaf-Zimmer; Sitz- und Rückenlehne gepolstert, der Sitz mit Stahlfedern versehn, oder auf englische Art ganz mit Roßhaaren ausgefüllt."

[57] Friedrich Carl von Moser, Teutsches Hof-Recht. In 12 Büchern (2 Bdn.), Frankfurt und Leipzig, 1754/55. Zitiert in: Ausstellungskatalog „Jakob Prandtauer und sein Kreis". Stift Melk, 1960: Franz Windisch-Graetz, Die Kaiserzimmer – ihre Verwendung, Ausstattung und Hofzeremoniell; S. 137 f.

[58] Augusta Weldler-Steinberg (ausgew.), Rahel Varnhagen – Ein Frauenleben in Briefen. Weimar, 1912, S. 160 f.
Hannes Steckel, Österreichs Aristokratie im Vormärz. – Herrschaftsstil und Lebensformen der Fürstenhäuser Liechtenstein und Schwarzenberg. Wien, 1973, S. 138, Anm. 37: „In den meisten Salons der Hocharistokratie gab es ein Kanapee, das ausschließlich Prinzessinnen vorbehalten war. Erschienen diese bei einer Veranstaltung nicht, so blieb die Sitzgelegenheit leer. Die Plätze der ‚einfachen Sterblichen' – bloß Sessel – befanden sich in deutlicher Distanz davon: ‚Souvent j'ai vue madame de Metternich assise seule au milieu du sien pendant une grande partie de la soirée; les simples mortelles étaient placées sur des fauteuils à une trop grande distance pour qu'elle pût leur adresser la parole.' – Als eine Fremde einmal aus Unkenntnis gegen die herrschenden Gepflogenheiten verstieß und auf dem ‚Prinzessinnenkanapee' Platz nahm, wurde sie zum Gesprächsthema des Abends."

[59] Friederike Klauner, Der Wohnraum des Wiener Biedermeier. Phil. Diss., Wien, 1941.

[60] Karoline Pichler, Denkwürdigkeiten aus meinem Leben. München, 1914, 1. Bd., S. 322.

[61] Pichler, a. a. O., I. Bd., S. 319.
Ludwig Hevesi, Die Wiener Gesellschaft zur Zeit des Congresses. In: Der Wiener Congress (Redaktion G. Leisching), Wien 1898, S. 63 f.: „Der Salon der Gräfin Laura Fuchs galt für den intimsten in Wien und zwar ‚soupierte man da noch', während anderwärts schon der Thee den gemütlichen Schmaus verdrängt hatte."

[62] Das Österreichische Museum für angewandte Kunst besitzt in seiner Kunstblättersammlung ca. 3000 Zeichnungen aus der Danhauser'schen Möbelfabrik.

[63] Die Einrichtungsarbeiten Danhausers für Erzherzog Carl sind nur sehr unvollständig dokumentiert. Weder in der Weilburg (nach dem Zweiten Weltkrieg abgebrochen) noch in der Albertina haben sich Teile der Möblierung erhalten. Da die entsprechenden Archivbestände in Ungarn verbrannt sind, sind unsere einzigen Quellen die Österr. Kunsttopographie und das Mappenwerk „Alte Innenräume österr. Schlösser, Paläste und Wohnhäuser" von J. Folnesics.

[64] London und Paris; Weimar 1799, 3. Bd., 3. Stück, S. 211: „Ein Upholsterer ist ein Meublirer, der, wenn man will, das größte oder kleinste Haus fürstlich oder bürgerlich in Zeit von wenigen Tagen mit allem versieht, was Maurer, Zimmermann und Glaser nicht schon darin befestigt haben. Große Leute, die eine neue Wohnung beziehen oder ein neues Haus bauen lassen, geben meist einem Upholsterer den Auftrag, es zu meubliren; andere aber suchen sich in seinem Laden nach ihrem Geschmacke das Benöthigte aus . . ."

[65] Wie Anm. 49.

[66] Magazin für Freunde des Guten Geschmacks, Leipzig, 1796; 1. Bd., N° II von 1794 und 1795; Tab. I.: „Die Art des Holzes, oder dessen zu wählende Farbe der Stuhlgestelle muß mit der natürlichen, oder durch Kunst gegebene Farbe der übrigen Geräthschaften, als Tische, Commoden, Bureaux, Spiegelraum u. s. f. übereinstimmen, und deren Überzüge oder Kappen stehen mit der Hauptfarbe der Tapeten oder der Mahlereien in einer guten Harmonie. Man kann hierzu nach der Bestimmung und der größern oder kleinern Pracht der Zimmer und nach dem Reichthum der Verzierungen, Damast, Atlas, Taffet, Halbatlas, Cattun, schwarz Pferdehaar oder bunte Leinwand und dergl. wählen."

[67] Die Bezeichnung „Garnitur" ist in Wien z. B. bei Keeß (siehe Anm. 51) oder bei Blumenbach (a. a. O., 1. Heft, S. 3; Tapezierer-

Arbeiten Nr. 1, 30. 1. 1825: „ein geschweiftes Canapé, nach der neuesten Art gearbeitet und verziert. Das folgende Blatt wird die zur Garnitur gehörigen Sessel und Armsessel enthalten".) nachweisbar.

[68] Im Danhauser'schen Zeichnungsbestand nachweisbar.

[69] Pichler, a. a. O., II. Bd., S. 383; Eintragung um 1830.

[70] Donna Dorian, The Biedermeier Factor. In: Art & Antiques, New York, September 1986, S. 62.

[71] Joseph August Lux, Die Werdenden. In: Die Hohe Warte. Leipzig, 1906/07, 3. Jg., S. 2.

# LINZER TEPPICHE

*Dora Heinz*

1672 begründete der Handelsmann Christian Sindt mit kaiserlicher Bewilligung in Linz eine Fabrik für wollene Zeuge. Nach mehrfachem Besitzwechsel ordnete Kaiserin Maria Theresia 1754 die Übernahme des Unternehmens in staatliche Verwaltung an. Ein Jahrhundert lang besaß die Ob der Ennsische Hauptstadt das größte Textilunternehmen der Erblande. 1772 wurde Konrad Sörgel von Sorgenthal zu seinem Direktor ernannt. Diesem ebenso versierten wie initiativen Mann verdankte es einen bedeutenden Aufschwung und die Einführung neuer Produktionszweige. Als wichtigster wurde 1795 die Erzeugung von Maschinteppichen begonnen, die sich bald zum aussichtsreichsten und interessantesten Teil der ganzen „K. K. Aerarial Wollenzeug- Tuch- und Teppichfabrik", wie sie nun offiziell hieß, entwickelte.

Anlaß für die Begründung neuer Werkstätten waren ökonomische Überlegungen, mit denen Sorgenthal die vorgesetzten Stellen, insbesondere die meist übervorsichtige Hofkammer, zu überzeugen verstand. Einerseits galt es, dem sinkenden Absatz der einfachen Wollzeuge, denen in Baumwollgeweben eine drückende Konkurrenz erwuchs, zu begegnen, andererseits im eigenen Land Waren zu erzeugen, die bis dahin aus dem Ausland eingeführt werden mußten und damit den Abstrom namhafter Geldsummen zu verhindern. Die Einführung dieser bis dahin in Österreich nicht geübten Technik gelang in Linz erstaunlich rasch und reibungslos und ohne bedeutenden Kostenaufwand, der in derartigen Fällen sonst vor allem durch das Abwerben von Fachkräften aus ausländischen Unternehmen entstand. Ein Werkmeister der Linzer Weberei verstand es, nach importierten Mustern niederländischer Teppiche deren Herstellung nachzuahmen und damit aus eigenem die Erzeugung der Maschinteppiche einzurichten. Dieser Jakob Feßl muß gute Kenntnisse in der Samtweberei, deren Technik derjenigen der Maschinteppiche am nächsten verwandt ist, besessen haben. Mehr als 40 Jahre blieb diesem um die Linzer Fabrik hochverdienten Mann die Leitung und Oberaufsicht über die Teppichwerkstatt anvertraut. Sie wurde zunächst mit sechs Webstühlen ausgestattet. An jedem arbeiteten zwei Menschen, ein Weber und ein Zieher, dem es oblag, die jeweils vom Muster erforderte Kombination der Kettfäden aufzuziehen und damit das Fach für den Durchgang des Weberschiffchens zu bilden. Dies war nicht nur mühsam, sondern erforderte große Aufmerksamkeit, da jedes Versehen des Ziehers einen Fehler im Muster bedeutete. Diese Arbeit, die für die Herstellung aller gewebten Muster, ob in Seide, Wolle, Leinen oder Baumwolle, ob mit glatter Oberfläche oder mit einem Flor wie beim Samt oder den Maschinteppichen unerläßlich war, wurde erst durch die Erfindung des mechanischen Webstuhles durch J. M. Jacquard überflüssig. Es ist leicht verständlich, daß diese bahnbrechende Neuerung von den Arbeitern keineswegs begrüßt wurde, da durch sie die Zieher brotlos werden mußten und daß sie daher auch in Österreich vielerorts nur zögernd aufgegriffen wurde. Grotesk wirkt jedoch die Handhabung in Linz: Schon 1822/23 waren hier Jacquardstühle für die Teppicharbeit in Gebrauch und bewährten sich bestens. Trotzdem kehrte man nach kurzer Zeit zu den alten Zug- oder Zampelstühlen zurück. Daran war jedoch nicht technischer Unverstand schuld, sondern die restriktive staatliche Verwaltung, die größere Investitionen aus finanziellen, Entlassung zahlreicher Arbeitskräfte aus politischen Gründen verhinderte. Einen Teppichwebstuhl „vorzurichten", d. h. die Kettfäden dem jeweiligen Muster entsprechend in den verschiedenen Farben aufzuziehen und ihre Kombinationen für jeden einzelnen Schuß festzulegen, war der bei weitem schwierigste Teil der Ausführung, bevor die eigentliche Webarbeit beginnen konnte; sie war daher dem Werkmeister vorbehalten.

Die Teppiche wurden in einzelnen Bahnen als Meterware hergestellt, ebenso die Bordüren. Sodann wurden Stücke dieser Bahnen mustergerecht zusammengenäht, Bordüren angepaßt und die Nähte auf der Rückseite durch feste Leinenstreifen gesichert. Es war daher möglich, von einem Muster Teppiche ganz verschiedener Größe herzustellen und das Mittelfeld mit jeder beliebigen Bordüre zu kombinieren. Ohne Schwierigkeit konnten sehr unterschiedliche Wünsche von Käufern und Bestellern berücksichtigt werden. Neben dieser praktischen Handhabung bildeten natürlich die Preise, die wesentlich niedriger als für handgearbeitete Teppiche lagen, einen Hauptanziehungspunkt, da sie auch für das besser situierte Bürgertum durchaus erschwinglich waren. Als teuer galten die besonders strapazfähigen und haltbaren Teppiche mit gezogenem Flor in „englischer Art", die mit sechs Gulden für die Elle veranschlagt wurden. Von Anfang an wurde ein richtiges Verhältnis zwischen Qualität und Preis gefunden; schon an den frühesten Erzeugnissen wurden Dichte und Festigkeit des Flores sowie lebhafte und beständige Einfärbung der Wollen gelobt. Sorgenthal hatte es zur Richtlinie gemacht, durch gute Qualität in Muster und Ausführung zu überzeugen und nicht in erster Linie auf billige Preise zu achten, da sonst die Konkurrenz mit den ausländischen Waren nicht gehalten werden konnte. In diesem Sinne bemühten sich auch seine Nachfolger als Direktoren des Linzer Werkes, immer wieder zu verbessern und mit jeder Neuerung auf dem internationalen Markt Schritt zu halten. Zuerst entstanden nach dem Vorbild der Arbeiten aus Tournai ausschließlich Teppiche mit geschnittenem Flor, die daher oft auch „Samtteppiche" genannt wurden, seit 1816 auch solche mit unaufgeschnittenem, „gezogenem" Flor nach Art der englischen. Komplizierter waren Stücke, die beide Techniken vereinigten; zumeist war der Grund mit gezogenem Flor gearbeitet, von dem sich das Muster reliefartig in geschnittenem besonders gut abhob („Colorierter Caminteppich" von 1820 mit einer großen schattierten Rosette in Art einer Hopfenblüte auf hellem Grund). Mit großem Interesse griff die Direktion das Projekt auf, auch die Herstellung handgeknüpfter Teppiche, sogenannter Savonnerien, mit starkem hohen Flor zu beginnen. Als dies am Widerstand der Hofstellen scheiterte, die für so teure Waren einen zu geringen Absatz fürchteten, begann man, besonders dichte und hochflorige Stücke zu erzeugen, von denen stolz berichtet werden konnte, daß sie den Savonnerien im Effekt sehr nahe kämen, aber nur ein Drittel kosteten. Besonderheiten bildeten sodann kleine bildhafte Teppiche als Wandschmuck und „Webereien à la Gobelin".

Von ihrer Gründung an nahm die Teppichwerkstatt einen raschen Aufschwung. Die Zahl der Webstühle wurde ständig vermehrt: 1797 waren es bereits neun, 1801 zwölf – und es wurde ein eigenes Verkaufslager in Wien eingerichtet –, 1806 siebenundzwanzig, 1810 dreißig. Freilich teilte auch diese Abteilung das Schicksal des gesamten Unternehmens, das in gleicher Weise gegen äußere und innere Schwierigkeiten zu kämpfen hatte. 1805 und 1809 wurde Linz von den Franzosen besetzt, in größter Eile mußten die wertvollsten Warenbestände verschickt, zum Teil auch versteckt und die Erzeugung so weit als möglich gedrosselt werden, weil alle fertigen Produkte der Ablieferung unterlagen. Mit größter Umsicht gelang es Joseph Edlen von Lacasa, der seit 1801 Sorgenthal zur Seite stand und diesem 1805 als Direktor folgte, die Fabrik über die Kriegsjahre hinwegzubringen und bereits 1810 wieder voll in Betrieb zu setzen. Mit dem Staatsbankrott von 1811 und der darauf folgenden wirtschaftlichen Regression traf sie ein noch schwerer Schlag; der gesamte Betrieb wurde drastisch eingeschränkt, die Teppicherzeugung stillgelegt. Joseph Groß von Ehrenstein, der nach dem Tod Lacasas als Direktor 1813 folgte, trat ein schweres Erbe an. Trotz des glücklichen Krieges wurden der Fabrik doch unheilbare Wunden geschlagen, berichtete er der Hofkammer. Nur zwei Abteilungen des großen Unternehmens schienen noch aussichtsreich, die Teppiche und der jetzt neu eingeführte Tuchdruck; auf diese richtete sich auch von nun an das Hauptaugenmerk der Direktoren, die hier auch schöne Erfolge zu verzeichnen hatten.

Kat. Nr. 8/120 Teppichmuster mit gezogenem Flor, 1820

Die zeitbedingten wirtschaftlichen Schwierigkeiten wären von einem so großen und leistungsfähigen Unternehmen, wie es das Linzer am Anfang des 19. Jhs. war, weit leichter überwunden worden, wenn eine geordnete Leitung, klare Finanzverhältnisse und eine weitschauende Planung vorhanden gewesen wären. An all dem aber fehlte es in einem Maß, daß es erstaunlich ist, daß die Fabrik bis 1850 bestehen blieb, obwohl man bereits in den sechziger Jahren des 18. Jhs. begonnen hatte, über ihren Verkauf zu verhandeln. Niemals konnten sich die diversen Hofstellen darüber einigen, welcher von ihnen das Unternehmen unterstehen sollte; so blieb ein 1776 für zwei Jahre bestimmtes „Provisorium", das die Hofkammer zur vorgesetzten Behörde bestellte, bis zum Ende in Kraft. Von ihr war der Direktor in allen Entscheidungen abhängig, Selbständigkeit und Eigenverantwortung des Direktors wurden stets strikt abgelehnt, nicht zuletzt, weil die Größe des Unternehmens, das Tausende von Menschen beschäftigte, nicht der staatlichen Kontrolle entzogen werden sollte. So viel – immer wieder durch Jahre – über einen Verkauf auch gesprochen wurde, so war aus eben diesem Grund die Überlassung an einen Privatmann eigentlich gar nicht denkbar, worauf auch immer wieder hingewiesen wurde. Noch zwiespältiger und gegensätzlicher waren die Auffassungen über die Zielsetzung des Unternehmens und die Art der Geschäftsführung: Es sollte finanzieller Gewinn erzielt, zugleich aber auch die Privatunternehmer nicht gehindert, sondern gefördert und unterstützt werden, das Unternehmen sollte konkurrenzfähig sein, aber gleichzeitig als eine Art Muster- und Lehranstalt der Hebung der konkurrierenden privaten Betriebe dienen, die Preise sollten niedrig sein, um

Kat. Nr. 8/121 Teppichmuster mit geschnittenem Flor, 1820

den Absatz zu heben, die Zahl und die Löhne der Arbeiter durften aber nicht gesenkt werden, weil dadurch gerade die ärmsten Bevölkerungsschichten geschädigt würden, die Werkstätten sollten auf dem neuesten Stand sein, doch durften die Gelder aus Gewinnen nicht investiert werden, sondern mußten abgeführt und nachher um sie in langwierigen Eingaben wieder nachgesucht werden. Zahllos sind die Berichte und Eingaben, die ihren Weg bis hinauf zum Schreibtisch des Kaisers Franz I. nahmen, zahlreich die Gutachten verschiedener Kommissäre und Sachverständiger zur Vorbereitung einer „kaiserlichen Entschließung". Auch hierbei gingen die Meinungen und Urteile diametral auseinander, selbst dann, wenn es sich nur darum handelte, festzustellen, ob die vorgeschriebene Verzinsung des Stammkapitals mit vier Prozent geleistet worden sei oder nicht. Auch wenn jahrzehntelang nichts Entscheidendes geschah, um die gesamte Fabrik tatsächlich zu verkaufen, wirkte doch der ständige Zustand der Unsicherheit und Ungewißheit mit der Zeit lähmend. Als man begann, die Produktion einzuschränken, wurden die Kosten des schwerfälligen Verwaltungsapparates um so drückender, zuletzt betrugen die Regiekosten 43 Prozent. In den vierziger Jahren wurde dann Wirklichkeit, was zuvor – lange Zeit allerdings grundlos – befürchtet worden war: Die Fabrik erbrachte keinen Ertrag mehr, schließlich belastete sie den Staat und mußte durch Subventionen gestützt werden. Da man gleichzeitig zu dem Urteil gelangte, daß inzwischen die Privatunternehmen auf einen entsprechend hohen Stand gekommen seien, so daß das Linzer Werk auch in dieser Hinsicht keine Bedeutung mehr besitze, wurde die endgültige Auflassung beschlossen und mit Ende des Jahres 1850 der Betrieb eingestellt.

In den 55 Jahren ihres Bestandes hat die Maschinteppicherzeugung der Linzer Aerarialfabrik einen neuen Produktionszweig in Österreich eingeführt, alle Schwierigkeiten eines Neubeginns unter wirtschaftlich zumeist ungünstigen Verhältnissen überwunden und Werke geschaffen, die für die Innenraumkultur in der ersten Hälfte des 19. Jhs. wichtig und bezeichnend sind. Den Bodenteppich als einen wesentlichen Teil der Innenausstattung zu betrachten, hängt in Europa mit dem wachsenden Interesse an einer einheitlichen Gesamtgestaltung in der Barockzeit zusammen. Wohl waren schon seit Jahrhunderten orientalische Teppiche nach Europa gekommen und hier hochgeschätzt worden, galten aber zumeist als Kostbarkeiten, die nicht auf dem Boden benützt, sondern auf Tischen, Truhen und Bänken als Schmuck verwendet wurden. Als Teil eines künstlerischen Gesamtkonzeptes waren sie ihres fremdartigen Charakters wegen ungeeignet. Seit dem 17. Jh. wurden daher vornehmlich in Frankreich handgeknüpfte Teppiche hergestellt, deren Muster rein europäischen Charakter besaßen und mit der übrigen Raumdekoration harmonieren konnten. Als billigerer Ersatz für die sehr kostspieligen sogenannten Savonnerien entstanden dann Maschinteppiche. Seit dem späten 18. Jh. spielten Teppiche nicht nur in Fest- und Repräsentations-, sondern auch in Wohnräumen eine wichtige Rolle. Den Weg in die bürgerliche Wohnkultur, aus der der Bodenteppich in der zweiten Hälfte des 19. Jhs. nicht mehr wegzudenken ist, bahnten am Jahrhundertanfang die Maschinteppiche.

Der Wunsch nach einheitlicher Dekoration des gesamten Raumes hatte alle Teile aufeinander abgestimmt; so wie die Wände einander entsprachen, ohne sich vollkommen zu gleichen, bildete der große, zumeist den gesamten Boden deckende Teppich ein künstlerisches Pendant zur Decke. Viele der in Stuck und Farbe ausgeführten Motive der Deckendekoration fanden in mehr oder minder abgewandelter Form Eingang in die Teppichmuster, die durch reiche Schattierungen ebenfalls plastische Effekte zu suggerieren suchten. Ein wenn auch schwacher Nachklang dieser Tradition ist noch in einigen Beispielen aus der Linzer Manufaktur zu erkennen: strenge, geometrische Formen, wie sie einer klassizistischen Dekoration entsprachen, eine betonte Felderteilung, klar gezeichnete Blattranken oder Kränze als Innenfüllung, kräftig schattierte Rosetten (großer Bodenteppich im Festsaal der Technischen Universität in Wien).

Dann aber erfolgte ein völliger Bruch mit dieser Bindung an die Architektur und ihre Dekoration in den Streumustern. Sie sind auch in den Teppichen die charakteristischen Schöpfungen der Biedermeierzeit. Ohne bestimmte Richtung und ohne tektonischen Aufbau füllen einzelne Blumensträuße, Blumenkörbe usw. die ganze Fläche.

Sie besitzen keine Beziehung zu den nun meist schmucklosen Wänden und Plafonds, dafür sehr enge zu dem Dekor anderer kunstgewerblicher Gegenstände, zu den Stoffen und Stickereien der Möbelbezüge und Kissen, aber ebenso zur Malerei auf Porzellan oder Glas. Diese Teppiche besitzen keinen repräsentativen Charakter mehr, sie gehören auch nicht in Prunk- und Festräume, sie sind ein wichtiger Teil der bürgerlichen Wohnkultur. Als bewegliche Einrichtungsgegenstände konnten sie beliebig im Raum ausgelegt oder verschoben werden; sie konnten die Mitte einnehmen oder – und das viel häufiger – exzentrisch unter einem Tisch oder vor einem Sofa liegen. Mit ihren kräftigen Farben brachten sie willkommene Akzente in die Einrichtungen mit ihren schlichten Möbelformen. Diese bunten Blumenmuster spiegeln den ausgeprägten Naturalismus der Biedermeiermalerei wieder, vor allem der an holländischen Stilleben des 17. Jhs. orientierten Blumenbilder. Es ist bezeichnend, daß es große Blumenbilder auch in Porzellanmalerei gab und dann vereinzelt auch in kleinen Linzer Teppichen (ein solcher Teppich mit einer Blumenvase befand sich im Österreichischen Museum für angewandte Kunst, ist aber nur mehr in einer Abbildung überliefert), daß Porzellanmaler wie Joseph Nigg und Joseph Fischer für die Linzer Tuchdruckkerei Vorlagen lieferten oder daß ein Bild von Sebastian Wegmayer ausgwählt wurde, um in Linz in „Kunstweberei à la Gobelin" ausgeführt zu werden. Die direkte Verbindung der Linzer Teppichmuster mit der Wiener Biedermeiermalerei war vor allem durch die Manufakturzeichenschule gegeben, die hier bis 1852 bestand. An ihr war Ignaz Strenzl, ein fruchtbarer Blumenmaler und Schöpfer vieler botanischer Illustrationen, als Professor tätig. Er war der Lehrer von Anton Banholzer, den die Linzer Fabrik in Wien als Entwerfer ausbilden ließ, um ihn speziell in der Teppichwerkstatt zu beschäftigen, lieferte aber auch selbst des öfteren Teppichmuster für Linz. Statt wie anfänglich zumeist fremde Muster zu adaptieren, verfügte man in der Zeit nach dem Wiener Kongreß vornehmlich über eigene neue Entwürfe. Die Zeit von 1815 bis zum Ende der dreißiger Jahre war an Umfang der Erzeugung wie auch künstlerisch die fruchtbarste der Linzer Fabrik. Als Gegenstände des täglichen Gebrauches unterlagen die Teppiche starker Abnützung und ständigem Verschleiß. Auch aus den Jahrzehnten, in denen eine große Produktion und ein weitverzweigter Absatz in ganz Österreich wie auch im Ausland diese Teppiche in großer Zahl entstehen ließ, ist nur ein verschwindender Bruchteil erhalten. Zum Großteil sind es diejenigen, die als Musterstücke an die technologische Sammlung Kaiser Franz I. eingesendet wurden, um den an allen technischen Neuerungen sehr interessierten Herrscher über die Leistungen der Fabrik zu informieren. Darunter findet sich eine Reihe von Teppichen mit Blumenmustern, von den kleinen Stücken mit bildhaften Darstellungen sind dagegen nur mehr die Titel bekannt, die genau den Themen gleichzeitiger Biedermeierstickereien entsprechen wie „Tauben im Nest" oder „Pudel als Briefbote" usw.

Nur in ihren ersten Ansätzen sind zwei andere, seit den dreißiger Jahren wirksame Strömungen der Textildekoration auch in den Linzer Teppichen zu erkennen: die Hinwendung zum zweiten Rokoko und damit zur ersten Periode des Historismus und das beginnende Interesse an orientalischen Formen und Mustern. Der überquellende Reichtum an Blumen und bewegten Ornamenten, von denen die schlichteren, klareren Biedermeiermuster allmählich verdrängt wurden, ist nur in einem der spätesten Erzeugnisse aus Linz erhalten (Stift Klosterneuburg, Kaiserappartement), ebenso die erste Auseinandersetzung mit orientalischen, insbesondere kaukasischen Teppichmustern (Ein Teppichmuster Wien, 29427 TGM, Österreichisches Museum für angewandte Kunst). Beides wurde für die österreichische Teppicherzeugung der zweiten Hälfte des 19. Jhs. von großer Bedeutung. An dieser hatte die Linzer Fabrik keinen Anteil mehr, doch hatte sie die Grundlage und die technischen und künstlerischen Voraussetzungen für diese geschaffen.

## 8 WOHNKULTUR

**8/1**
**Sessel**

Wien, um 1815/20
Holz, schwarz gebeizt, Strohgeflecht
H.: 94 cm, B.: 46 cm, T.: 42 cm
Stift Lilienfeld, Niederösterreich
Abbildung

**8/2**
**Sessel**

Wien, um 1815/20
Ahorn auf Mahagoni gebeizt, auf Buchenholz furniert, Mahagoniadern, Bronzebeschläge vergoldet; Polsterung erneuert
H.: 97 cm, B.: 45 cm, T.: 39,5 cm, SH.: 45 cm
Wien, Österreichisches Museum für angewandte Kunst, Sammlung Sobek im Geymüllerschlössel, Inv. Nr. Sob. 42
Abbildung

**8/3**
**Joseph Danhauser**

Sessel
Wien 1822/23
Mahagoni auf Buchenholz furniert, vergoldete Bronzebeschläge, erneuerte Stoffbespannung
H.: 94 cm, B.: 47 cm, T.: 43 cm
Ausführung: Danhauser'sche Möbelfabrik
Privatbesitz

Der Sessel ist ein Teil einer aus Kanapee, Armlehnsesseln und Tisch bestehenden Garnitur, die ursprünglich zu der für Erzherzog Karl ausgeführten Ausstattung der Albertina gehörte.

*Lit.: J. Folnesics, Alte Innenräume Österr. Schlösser, Paläste und Wohnhäuser, Wien o. J., T. 24.*
CWD
Abbildung

**8/4**
**Joseph Danhauser**

Sessel
Wien, um 1820/25
Mahagoni massiv und auf Weich- und Buchenholz furniert; erneuerte Stoffbespannung
H.: 92 cm
Ausführung: Danhauser'sche Möbelfabrik
Bez.: L 6141
Wien, Ehemaliges Hofmobiliendepot

Dieser Sessel entspricht einer, im Danhauser zugeschriebenen Zeichnungsbestand vorhandenen, Gouache. Ein in der Grundkonzeption fast ähnliches Modell findet sich unter N° 18 im Danhauser'schen Firmenkatalog. Anhand dieses Beispieles wird deutlich, inwieweit die Zeichnungen des Firmenkataloges nur annähernd genaue Angaben liefern. In dem Sesselmodell N° 18 ist man versucht, eine formale Vorstufe zu Michael Thonets „Konsumsessel" N° 14 zu sehen.
CWD
Abbildung

Kat. Nr. 8/2

Kat. Nr. 8/5

Kat. Nr. 8/9

**8/5**
**Sessel**

Wien, um 1825
Nußbaumholz und Birnbaumholz (mit Fächermotiv bemalt) auf Buchenholz furniert; Polsterung erneuert
H.: 94 cm, B.: 44,5 cm, T.: 40 cm, SH.: 51 cm
Wien, Österreichisches Museum für angewandte Kunst, Inv. Nr. H 2.666
Abbildung

**8/6**
**Sessel**

Wien, um 1825
Mahagoni auf Buchenholz furniert; Polsterung erneuert
H.: 88 cm, B.: 45 cm, T.: 40 cm, SH.: 43 cm
Wien, Österreichisches Museum für angewandte Kunst, Sammlung Sobek im Geymüllerschlössel, Inv. Nr. Sob. 56
Abbildung

**8/7**
**Joseph Danhauser (?)**

Sessel
Wien, um 1825
Mahagoni massiv und auf Buchenholz furniert; Polsterung erneuert
H.: 89 cm, B.: 48 cm, T.: 42 cm, SH.: 46,5 cm
Ausführung: Josef Danhauser (?)
Bez.: L 7190, Cd 15455 (Metallschildchen)
Wien, Österreichisches Museum für angewandte Kunst, Inv. Nr. H 1772

Ursprünglich zur Ausstattung von Schloß Laxenburg bei Wien gehörig. Im Danhauserschen Firmenkatalog findet sich ein fast identes Sesselmodell (N° 21).
CWD
Abbildung

**8/8**
**Sessel**

Wien, um 1825
Nußbaumholz massiv und Weichholzsitzrahmen; originale Stoffbegurtung
H.: 87 cm, B.: 45,5 cm, T.: 50 cm, SH.: 45,5 cm
Bez.: B 3063
Wien, Ehemaliges Hofmobiliendepot

Diese Art der Sitzbespannung mit Stoffgurten weist den Sessel als einen Gartensessel beziehungsweise sommerliches Sitzmöbel aus. Es wurde während der warmen Jahreszeit vom kaiserlichen Hof in Baden bei Wien benutzt. Die Danhauser'sche Möbelfabrik hatte eine Reihe solcher Gurtensessel in ihrem Programm, wobei deren Modellnummer 37 unserem Stück am nächsten kommt.
CWD
Abbildung

**8/9**
**Sessel**

Wien, um 1825
Nußbaumholz massiv und auf Buchenholz furniert; erneuerte Stoffbespannung
H.: 91 cm, B.: 61 cm, T.: 54 cm
Bez.: CD 51H auf Metallplättchen, Doppeladler (gestempelt), 1247
Wien, Ehemaliges Hofmobiliendepot,
Inv. Nr. MD 70
Abbildung

**8/10**
**Sessel**

Wien, um 1825
Mahagoni massiv und auf Buchenholz furniert; erneuerte Stoffbespannung
H.: 94 cm, B.: 47 cm, T.: 49 cm
Bez.: L 7134
Wien, Ehemaliges Hofmobiliendepot
Abbildung

Kat. Nr. 8/10

**8/11**
**Joseph Danhauser**

Sessel
Wien, um 1825/30
Mahagoni massiv und auf Buchenholz furniert; erneuerte Stoffbespannung
H.: 93 cm, B.: 47 cm, T.: 53 cm
Ausführung: Danhauser'sche Möbelfabrik
Bez.: B 4117
Wien, Ehemaliges Hofmobiliendepot

Eine Interieurdarstellung von Stephan Decker zeigt uns diesen Sessel in seiner originalen Tapezierung und in seinem ursprünglichen Rahmen. Dieses Interieur ist als Musiksalon der Erzherzogin Sophie in Laxenburg identifiziert worden, was aber wegen der Badener Inventarnummer des Sessels als eher fraglich erscheint. Im Danhauser'schen Firmankatalog findet sich der Sessel als Modell N° 92 wieder.
CWD
Abbildung

Kat. Nr. 8/11

**8/12**
**Joseph Danhauser (?)**

Sessel
Wien, um 1825/30
Mahagoni und Ahorn auf Buchenholz furniert, Ahorn massiv; Polsterung erneuert
H.: 88 cm, B.: 48,5 cm, T.: 43 cm, SH.: 45 cm
Ausführung: J. Danhauser (?)
Bez.: B 4012
Wien, Ehemaliges Hofmobiliendepot,
Inv. Nr. MD 918

Die alte Inventarnummer bestimmt diesen Sessel als Einrichtungsgegenstand für eines der kaiserlichen Häuser in Baden bei Wien. Dafür kommt entweder das von Kaiser Franz I. mit seiner Familie benützte sogenannte Kaiserhaus oder das von Marie Louise und dem Herzog von Reichstadt bewohnte Flora-Gebäude in Frage. Ein von Stephan Decker signiertes Aquarell im Besitz des Historischen. Museums der Stadt Wien (Inv. Nr. 9.895) zeigt eben dieses Sesselmodell, ohne aber nähere Angaben über den Ort des dargestellten Interieurs zu geben. Auch in der Kunstblättersammlung des Österreichischen Museums für angewandte Kunst befindet sich in dem der Danhauserschen Möbelfabrik zugeschriebenen Zeichnungsbestand eine Abbildung dieses Sessels. Noch bis vor dem Zweiten Weltkrieg muß er ein Teil einer Sitzgarnitur gewesen sein, da sich der dazugehörige Armlehnsessel als Foto in der Vorbildersammlung des Österreichischen Museums (VS 63B/7.554) nachweisen läßt.
CWD
Abbildung

Kat. Nr. 8/12

**8/13**
**Sessel**

Wien, um 1830
Kirschbaumholz massiv und auf Buchenholz furniert, Mahagoniadern; erneuerte Stoffbespannung
H.: 90 cm, B.: 45 cm, T.: 48 cm
Bez.: Doppeladler (gestempelt), 170
Wien, Ehemaliges Hofmobiliendepot
Abbildung

**8/14**
**Sessel**

Wien, um 1830/35
Nußbaumholz massiv und auf Buchenholz furniert; erneuerte Stoffbespannung
H.: 90,8 cm, B.: 44,4 cm, T.: 42 cm, SH.: 48 cm
Privatbesitz
Abbildung

**8/15**
**Sessel**

Wien, um 1835
Kirschbaumholz massiv und auf Buchenholz furniert; erneuerte Stoffbespannung
H.: 93 cm, B.: 50 cm, T.: 50 cm
Bez.: MD 3517, Cd 15458 auf Metallplättchen
Wien, Ehemaliges Hofmobiliendepot,
Inv. Nr. MD 034471
Abbildung

**8/16**
**Johann Nepomuk Geyr**

Sessel
Innsbruck 1838
Mahagoni massiv und auf Buchenholz furniert, Ahornholz massiv und furniert; Stoffbespannung erneuert
H.: 95 cm, B.: 45 cm, T.: 49 cm
Ausführung: J. N. Geyr
Bez.: I 47, I.H. 3888
Wien, Ehemaliges Hofmobiliendepot,
Inv. Nr. MD 1.768

Nachdem im Laufe der französischen Besatzung die Innsbrucker Hofburg fast ihr gesamtes Mobiliar verloren hatte, wurden die Räumlichkeiten nach und nach in den Jahren 1836 bis 1858 von dem Innsbrucker Tischlermeister Johann Nepomuk Geyr neu ausgestattet. Sie sind einige der wenigen Ausstattungsstücke,

Kat. Nr. 8/1

Kat. Nr. 8/4

Kat. Nr. 8/6

Kat. Nr. 8/7

Kat. Nr. 8/8

Kat. Nr. 8/13

Kat. Nr. 8/18

Kat. Nr. 8/17

von denen wir die genaue Entstehungszeit und deren Hersteller kennen. Stilistisch stellen sie die für die Mitte der dreißiger Jahre typische gleichzeitige Verwendung verschiedenster Dekor- und Ornamentformen (gotisch, klassizistisch, Rokoko) dar.

*Lit.: Österr. Kunsttopographie Bd. XLVII, Die Kunstdenkmäler der Stadt Innsbruck. Die Hofbauten, Wien 1986, S. 80.*
CWD
Abbildung

**8/17**
**Johann Nepomuk Geyr**

Sessel
Innsbruck 1838
Mahagoni massiv und furniert, Ahornadern, auf Buchenholz furniert; originale Polsterung und Stoffbespannung
H.: 95,5 cm, B.: 44,6 cm, T.: 41 cm, SH.: 49 cm
Ausführung: Johann Nepomuk Geyr
Bez.: Reste einer Klebeetikette des Tischlermeisters J. N. Geyr, IH 3976, I 16, MD 1636
Wien, Österreichisches Museum für angewandte Kunst, Inv. Nr. H 1.780

Der Sessel war Teil einer in den Jahren 1837/38 von Johann Nepomuk Geyr für die Innsbrukker Hofburg gelieferten Ausstattung. Die nur ganz selten erhaltene originale Polsterung und Stoffbespannung gibt uns einen Eindruck von der ursprünglichen Farbigkeit und Sitzpolsterform. Die raffinierte Posamentenführung (Borte und Schnur) und Farbzusammenstellung (braun, rosa, weiß und gelb) hilft, die Sitzfläche in ihren Konturen zu bestimmen.

*Lit.: A. Schestag, Zur Entstehung des Biedermeierstils. In: Kunst und Kunsthandwerk, VI. Jg., 1903, S. 297ff.*
CWD
Abbildung

**8/18**
**Michael Thonet**

Sessel
Wien 1843

Abbildung

**8/19**
**Joseph Danhauser (?)**

Armlehnsessel
Wien, um 1815
Birnbaumholz, schwarz gebeizt auf Weichholz furniert, plastischer, bronzierter Dekor, zum Teil aus Masse gegossen und aus Lindenholz geschnitzt; Polsterung erneuert
H.: 95 cm, B.: 61,5 cm, T.: 53 cm, SH.: 50 cm
Ausführung: Danhauser'sche Möbelfabrik (?)
Wien, Österreichisches Museum für angewandte Kunst, Sammlung Sobek im Geymüllerschlössel, Inv. Nr. Sob. 256.

Der Armlehnsessel ist Teil einer Sitzgarnitur, die aus Kanapee, zwei Armlehnsesseln und sechs Sesseln besteht und heute zur Möblierung des Geymüllerschlössels in Wien-Pötzleinsdorf gehört. Noch 1896 findet man sie im Besitz der Frau Anna von Hackländer im Rahmen der Wiener Kongreßausstellung (Kat. N° 26). Das Schloßmuseum von Nagycenk (Ungarn) besitzt eine ganze Zimmereinrichtung mit demselben Sesselmodell, aber einem anderen, jedoch die selben Dekorelemente aufweisenden Kanapee. Ihnen begegnet man auf frühen Einrichtungsvorschlägen Danhausers (ÖMAK, KI Inv, N° XVIIIz/283, 298). Seiner Fabrikspolitik entsprechend, konnte er die im eigenen Betrieb aus Holz geschnitzten und Masse gegossenen Möbelverzierungen je nach Belieben applizieren und zu den verschiedensten Garnituren zusammenstellen. Typisch für die Wiener Möbel der zehner Jahre ist die Verwendung des auf Hochglanz politierten, schwarz gebeizten Birnbaumholzes und die sehr abstrakt anmutenden, geraden Armlehnen.

*Lit.: Eduard Leisching, Der Wiener Kongreß, Wien 1878, T. XXXVI; György Kiszt, Nagycenk, Budapest 1982, Abb. 21.*
CWD
Abbildung

Kat. Nr. 8/14

Kat. Nr. 8/16

Sessel; Nußbaumholz massiv und furniert; Polsterung erneuert; Wien um 1825/30. Österreichisches Museum für angewandte Kunst, Inv. Nr. H 1.779

**8/20**
**Armlehnsessel**

Wien, um 1820
Mahagoni massiv und auf Weichholz furniert, Messingräder; erneuerte Stoffbespannung
H.: 87 cm, B.: 61 cm, T.: 60 cm
Bez.: L 7174
Wien, Ehemaliges Hofmobiliendepot

Danhauser verwendet ein fast identes Exemplar als Teil einer Schlafzimmereinrichtung (ÖMAK, KI 8.971/93). Sein Fauteuil Modell N° 77 ist eine weitere Variante dieses Armlehnsessels. 1901 diente der Armlehnsessel als Modell für einen von Eduard Huber „nach Altwiener Original" ausgeführten Fauteuil (ÖMAK, Inv. Nr. H 1.029).
CWD
Abbildung

**8/21**
**Joseph Danhauser**

Armlehnsessel N° 86
Wien, um 1825
Mahagoni massiv und auf Weichholz furniert, Messingräder; erneuerte Stoffbespannung
H.: 116 cm, B.: 76 cm, T.: 76 cm, SH.: 43 cm
Ausführung: Danhauser'sche Möbelfabrik
Bez.: 19405
Wien, Ehemaliges Hofmobiliendepot, Inv. Nr. MD 5.227
Abbildung

**8/22**
**Joseph Danhauser**

Armlehnsessel
Wien, um 1825/30
Mahagoni auf Weichholz furniert; wiederhergestellte ursprüngliche Stoffbespannung
H.: 92 cm, B.: 57 cm, T.: 52 cm, SH.: 47 cm
Ausführung: Danhauser'sche Möbelfabrik
Bez.: L 10939
Wien, Österreichisches Museum für angewandte Kunst, Inv. Nr. H 1.785a

Wie Kat. Nr. 8/11 gehörte er zur ursprünglichen Ausstattung des Musiksalons der Erzher-

zogin Sophie in Laxenburg. Eine Entwurfszeichnung Danhausers befindet sich in der Kunstblättersammlung des Österreichischen Museums (Inv. Nr. K.I. 9.569/164)
CWD
Abbildung

**8/23**
**Ohrensessel**

Wien, um 1830
Nußbaumholz massiv und auf Weichholz furniert, Messingräder; erneuerte Stoffbespannung
H.: 212 cm, B.: 69 cm, T.: 81 cm
Bez.: B 3995
Wien, Ehemaliges Hofmobiliendepot
Abbildung

**8/23 a**
**Armlehnsessel**

Wien, um 1830
Buchenholz massiv, weiß gestrichen, vergoldet; erneuerte Stoffbespannung
H.: 86,5 cm, B.: 60,5 cm, T.: 49,5 cm, SH.: 48 cm
Ausführung: unbekannt
Bez.: MD 4210
Wien, Österreichisches Museum für angewandte Kunst, Inv. Nr. H 1.559
Abbildung

**8/24**
**Armlehnsessel**

Wien, um 1835
Eschenholz, Pappelmaser und Kirschbaumholz auf Weichholz furniert, Eschenholz massiv, Mahagoniadern; originale Stoffbespannung
H.: 102 cm, B.: 65 cm, T.: 60 cm
Bez.: Schloßhof
Wien, Ehemaliges Hofmobiliendepot, Inv. Nr. ME 1.125
Abbildung

**8/25**
**Armlehnsessel**

Wien, um 1845
Mahagoni massiv und furniert, Metallräder; originale Stoffbespannung
H.: 105,5 cm, B.: 66 cm, T.: 74 cm
Stift Lilienfeld, Niederösterreich
Abbildung

**8/26**
**Tabouret**

Wien
Mahagoni massiv und auf Weichholz furniert; erneuerte Stoffbespannung
H.: 73 cm, B.: 55 cm, T.: 50 cm
Bez.: L 13351
Wien, Ehemaliges Hofmobiliendepot, Inv. Nr. MD 545
Abbildung

**8/27**
**Tabouret**

Wien
Mahagoni massiv und auf Weichholz furniert; erneuerte Stoffbespannung
H.: 76 cm, B.: 61 cm, T.: 54 cm
Bez.: L 7126
Wien, Ehemaliges Hofmobiliendepot
Abbildung

Kat. Nr. 8/30

Kat. Nr. 8/31

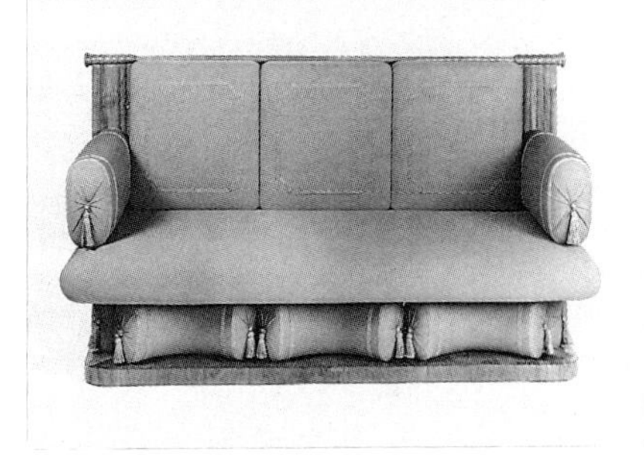

Kat. Nr. 8/32

Kat. Nr. 8/33

Kat. Nr. 8/34

**8/28**
**Tabouret**

Wien
Mahagoni auf Weichholz furniert; erneuerte Stoffbespannung
H.: 79 cm, B.: 58 cm, T.: 60 cm
Bez.: B 1931
Wien, Ehemaliges Hofmobiliendepot
Abbildung

**8/29**
**Joseph Danhauser (?)**

Sitzgarnitur
Wien, um 1825/30
Bestehend aus einem Kanapee, zwei Armlehnsesseln und sechs Sesseln. Mahagoni (hell und dunkel) massiv und auf Weichholz furniert; Polsterung erneuert.
Kanapee: H.: 97 cm, L: 194 cm, T.: 76,5 cm, SH.: 45 cm
Armlehnsessel: H.: 92,5 cm, B.: 75 cm, T.: 44 cm, SH.: 45 cm; Beine nachträglich gekürzt
Sessel: H.: 92,5 cm, B.: 47 cm, T.: 44 cm, SH.: 50 cm
Ausführung: J. Danhauser (?)
Wien, Österreichisches Museum für angewandte Kunst, Widmung Dipl.-Ing. Nikolaus Winter, Inv. Nr. H .2852–2.854

Die Zuschreibung dieser Garnitur an J. Danhauser basiert auf einer Reihe von Sitzmöbelentwürfen, die sich in der Kunstblättersammlung des Österreichischen Museums für Angewandte Kunst erhalten haben. Obwohl diese Zeichnungen mit den aktuellen Möbelstücken nicht in allen Details genau übereinstimmen, kann an einer Autorenschaft für Entwurf sowie Ausführung nicht gezweifelt werden. Es ist dies eine Bestätigung dafür, daß Danhauser konstruktive sowie dekorative Details verschiedener Modelle durch die Typisierung und Standardisierung seiner Produktion kombinieren konnte. Das Sesselmodell findet sich mit veränderten Vorderbeinen auf der Zeichnung K.I. 9569/179, der Armlehnensessel mit veränderten Vorderbeinen und Armlehnen auf K.I. 9.569/184. Zu dieser Garnitur gehört auch der Tisch Kat. Nr. 8/41.
CWD

**8/30**
**Kanapee**

Österreich, um 1825
Nußbaumholz massiv und auf Weichholz furniert, Birnbaumholz schwarz gebeizt; originale Lederbespannung und Metallmontierung
H.: 95 cm, B.: 169,5 cm, T.: 52 cm, SH.: 48 cm
München, Kunsthandlung Schlapka

Dieses Kanapee besitzt eine der ganz seltenen originalen Bespannungen, die hier sogar in Form von gelegten und gespannten Falten an der Rückenlehne angebracht sind.
CWD
Abbildung

**8/31**
**Kanapee**

Wien, um 1825/30
Birnbaumholz, schwarz gebeizt, massiv und auf Weichholz furniert; erneuerte Stoffbespannung
H.: 97 cm, B.: 160 cm, T.: 65 cm
Bez.: (?) 1468
Wien, Ehemaliges Hofmobiliendepot, Inv. Nr. MD 17.561
Abbildung

**8/32**
**Joseph Danhauser**

Kanapee N° 57
Wien, um 1825/30
Kirschbaumholz massiv und auf Weichholz furniert; wiederhergestellte ursprüngliche Tapezierung
H.: 93 cm, B.: 182 cm, T.: 68 cm, SH.: 43 cm
Ausführung: Danhauser'sche Möbelfabrik
Bez.: N° 72 (in Bleistift am Sitzrahmen)
Wien, Österreichisches Museum für angewandte Kunst, Inv. Nr. H 2.726
Abbildung
*Lit.: Ch. Witt-Dörring, Eine Sitzgruppe aus der Danhauser'schen Möbelfabrik. In: alte und moderne kunst, 30. Jg., Heft 200, S. 22 f.*

**8/33**
**Kanapee**

Wien, um 1825/30
Kirschbaumholz auf Weichholz furniert; erneuerte Stoffbespannung
H.: 99 cm, B.: 181 cm, T.: 76 cm
Bez.: L 10885
Wien, Ehemaliges Hofmobiliendepot
Abbildung

**8/34**
**Kanapee**

Wien, um 1830/35
Birnbaumholz massiv, schwarz gebeizt, Weichholzkorpus; erneuerte Stoffbespannung
H.: 96 cm, B.: 175 cm, T.: 65 cm, SH.: 47 cm
Ausführung: unbekannt
Schloß Wetzdorf, Nö.
Abbildung

**8/35**
**Joseph Danhauser**

Schreibtisch
Wien, um 1820
Mahagoni massiv und auf Eichenholz furniert, Laden aus Eichenholz und gelb poliertem Ahornholz; Beschläge und Räder aus matt- und glanzvergoldeter Bronze
H.: 89,5 cm, L: 111 cm, B.: 78 cm
Ausführung: Danhauser'sche Möbelfabrik
Bez.: N° 214 (gestempelt), MC darüber fünfspannige Krone ohne Futter (Brandmarke), unleserliche Bleistiftzüge
Wien, Österreichisches Museum für angewandte Kunst, Inv. Nr. H 2.844 (mit Unterstützung der Creditanstalt Bankverein und Hans Dichand)

Im Danhauser'schen Firmenkatalog scheint dieser Schreibtisch als Modell N° 17 auf. Er war Teil des von Josef Kornhäusel 1820–1823 erbauten und zum Teil von Josef Danhauser für Erzherzog Karl und dessen Gemahlin Henriette von Nassau-Weilburg ausgestatteten Schlosses Weilburg bei Baden.
CWD
Abbildung

**8/36**
**Joseph Danhauser (?)**

Damenschreibtisch
Wien, um 1825/30
Kirschbaumholz und schwarz gebeiztes Birnbaumholz auf Weichholz furniert, Kirschbaumholz massiv, grün lackierte Blecheinsätze, die Laden Ahornholz massiv, gelb politiert; Fußpolster erneuert
H.: 95 cm, L: 124 cm, B.: 79,5 cm
Ausführung: Danhauser'sche Möbelfabrik (?)
Bez.: B 922, MD 16176, L 10992, Lax 10992
Wien, Österreichisches Museum für angewandte Kunst, Inv. Nr. H 2.558

Nach einem in Potsdam befindlichen Aquarell von Stephan Decker (Kat. Nr. 8/104) war der Schreibtisch angeblich ein Teil des Salons der Erzherzogin Sophie in Laxenburg, was auch durch eine der alten Inventarnummern (L 10992) bestätigt scheint. Dieses Aquarell gehört aber zu einer Reihe von Innenraumdarstellungen Stephan Deckers, die auch mit den kaiserlichen Appartements in Baden in Verbindung gebracht werden können (Kat. Nr. 8/109 und 110) und somit einen Bezug zu der Badener Inventarnummer (B 992) des Möbels herstellen. Der freistehende, ovale Schreibtisch mit seitlichen Vertiefungen für Blumen war ein im vormärzlichen Wien sehr beliebter Möbeltypus, der ursprünglich auf französische Vorbilder zurückgeht. Im Danhauser'schen Firmenrepertoire findet man unter Schreibtischmodell N° 18 eine etwas abgeänderte Variante unseres Stückes. Ähnliche Schreibtische befinden sich um Geymüllerschlössel (Sob. 129), im Kunstgewerbemuseum Prag, in der Moravska Galerie in Brünn (Inv. Nr. 26.560), im Nationalmuseum in Budapest (Inv. Nr. 1952.86) und im Privatbesitz in Chicago. Die Sammlungen des ehemaligen Hofmobiliendepots in Wien besitzen eine von mehreren exakten Kopien des Schreibtisches aus der Zeit um 1910/20. Bis heute hat dieses Modell nichts von seiner Anziehungskraft verloren. Als Grundlage für sein Meisterstück hat ihn erst jüngst der Tischlermeister Josef Neindl (Kautendorf, Niederösterreich) benützt.
CWD
Abbildung

Kat. Nr. 8/35

Kat. Nr. 8/36

Kat. Nr. 8/37

**8/37**
**Schreibtisch**

Wien, um 1825/30
Nußbaumholz massiv und auf Weichholz furniert, Messingbeschlag, Messingräder mit Holzrollen
H.: 85 cm, L: 106 cm, B.: 62,5 cm
Wien, Österreichisches Museum für angewandte Kunst, Widmung Dipl.-Ing. Nikolaus Winter; Inv. Nr. H 2.857
Abbildung

**8/38**
**Aufschlagtisch**

Wien, um 1810/15
Birnbaumholz schwarz gebeizt, massiv und furniert
H.: 78 cm, Dm.: 106 cm
Privatbesitz
Abbildung

**8/39**
**Friedrich Reimann**

Aufschlagtisch
Wien, 1827
Mahagoni massiv und furniert, Nußbaummaser, Ahornholz schwarz gebeizt und furniert; Perlmuttereinlagen, vergoldete Bronzebeschläge
H.: 78 cm, Dm.: 63 cm
Ausführung: Friedrich Reimann
Bez.: „Johann Reimann bürgl:Tischler in Wien verfertiget von seinem Sohn Fried:Reimann 1827." (Messingschild)
Wien,. Ehemaliges Hofmobiliendepot

Friedrich Reimann wurde 1827 mit einem „Runde Tisch von Machony mit Säule" zum Tischlermeister. Die Werkstätte seines Vaters Johann Reimann war nach dem Urteil W. C. W. Blumenbachs „eine der ersten und vorzüglichsten in Wien, und lieferte Einrichtungsstükke, die in jedem Betrachte meisterhaft genannt werden können". Der Tisch ist eines der wenigen signierten und datierten Wiener Tischlerprodukte dieser Zeit. Durch seine gesicherte Datierung ist es ein wichtiges Beispiel für das Weiterleben des Empiregeschmacks während der zwanziger Jahre des 19. Jahrhunderts.

*Lit.: W. C. W. Blumenbach, Wiener Kunst- und Gewerbsfreund oder der neueste Wiener Geschmack, Wien 1825.*
CWD
Abbildung

**8/40**
**Joseph Danhauser**

Tisch
Wien, um 1825/30
Kirschbaumholz auf Weichholz furniert, Mahagoniadern
H.: 75 cm, L: 126 cm, B.: cm
Ausführung: Danhauser'sche Möbelfabrik
The Art Institute of Chicago, Inv. nr. 1986.179

Zwei sehr ähnliche Entwürfe Danhausers haben sich für dieses Tischmodell erhalten (ÖMAK, K.I. 8.971/66 und K.I. 9.569/83).
CWD
Abbildung

**8/41**
**Joseph Danhauser (?)**

Tisch
Wien, um 1825/30
Mahagoni und Ahorn massiv und auf Weichholz furniert, Eibenholz massiv; Bronzebeschlag vergoldet, Eisenverstärkung an den Beinen, Metallrollen
H.: 80 cm, L: 126,7 cm, B.: 79,7 cm
Ausführung: Danhauser'sche Möbelfabrik (?)
Wien, Österreichisches Museum für angewandte Kunst, Widmung Dipl.-Ing. Nikolaus Winter, Inv. Nr. H 2.855

Auch hier basiert die Zuschreibung an Josef Danhauser auf erhaltenen Entwürfen, die mit größter Wahrscheinlichkeit aus der Danhauser'schen Möbelfabrik stammen. Diese in der Kunstblättersammlung des Österreichischen Museums für angewandte Kunst aufbewahrten Blätter zeigen unter anderem einen fast identen Tisch (K.I. 9.569/82), dessen Platte jedoch viereckig und dessen Beinlösung am unteren Ende verändert ist. Den in Form von geschnitzten Blumen ausgebildeten Beinen begegnet man bei einem Kanapeemodell desselben Zeichnungsbestandes (K.I. 9.569/156).
CWD
Abbildung

**8/42**
**Arbeitstischchen mit aufklappbaren Seitenteilen**

Wien, um 1830
Birnbaumholz, schwarz gebeizt, auf Buchenholz furniert; die Lade Ahornholz massiv, gelb politiert
H.: 76 cm, L.: 67 cm, B.: 47,5 cm
HM, Inv. Nr. 43.442

Stammt ursprünglich aus der Wohnung der Schwestern Fröhlich.
Abbildung

**8/43**
**Arbeitstischchen**

Wien, um 1830
Nußbaummaser massiv und auf Weichholz furniert; im Inneren Ahornholz massiv, weiß politiert, Mahagoni furniert; originale Lederpolsterung
H.: 78 cm, L.: 77 cm, B.: 55,5 cm
Wien, Ehemaliges Hofmobiliendepot,
Inv. Nr. MD 32.814 (nicht aus kaiserlichem Besitz)
Abbildung

**8/44**
**Johann Nepomuk Geyr**

Tischchen
Innsbruck, 1838
Mahagoni massiv und auf Buchenholz furniert, Ahornholzadern; die Lade aus Ahornholz massiv, gelb politiert
H.: 78 cm, L.: 97 cm, Dm.: 61 cm
Ausführung: J. N. Geyr
HM, Inv. Nr. 159.421

**8/45**
**Servante**

Wien, um 1820
Mahagoni und Birnbaumholz massiv und auf Weichholz furniert; Unterseiten der Ablageflächen mit Nußbaumholz furniert
H.: 145 cm, Dm.: 55,7 cm
HM, Inv. Nr. 70.005
Abbildung

**8/46**
**Servante**

Wien, um 1825
Birnbaumholz, schwarz gebeizt, massiv und furniert
H.: 125,5 cm, B.: 60,5 cm, T.: 42 cm
Bez.: S 9166, OA 236 (Metallschildchen)
Wien, Ehemaliges Hofmobiliendepot, Inv. Nr. MD 2.715
Abbildung

**8/47**
**Servante**

Wien, um 1825/30
Kirschbaumholz massiv und auf Weichholz furniert
H.: 126,5 cm, B.: 69 cm, T.: 52 cm
Bez.: OA 64 (Metallschildchen)
Wien, Ehemaliges Hofmobiliendepot, Inv. Nr. MD 034962
Abbildung

**8/48**
**Servante**

Wien, um 1825/30
Nußbaumholz massiv und auf Weichholz furniert
H.: 145 cm, Dm.: 61 cm
Wien, Österreichisches Museum für angewandte Kunst, Sammlung Sobek im Geymüllerschlössel, Inv. Nr. Sob. 306
Abbildung

**8/49**
**Servante**

Wien, um 1835/40
Eschenholz massiv und auf Weichholz furniert, Palisanderadern; die Unterseiten der Ablageflächen mit Eichenholz furniert
H.: 125,2 cm, L.: 105,5 cm, B.: 34,5 cm (später verkürzt)
HM, Inv. Nr. 59.641
Abbildung

**8/50**
**Vitrine**

Wien, um 1830
Kirschbaumholz mit Mahagoni-Beizspuren massiv und auf Weichholz furniert; Spiegel
H.: 157,5 cm, B.: 132,5 cm, T.: 42,5 cm
Bez.: Efl
Wien, Österreichisches Museum für angewandte Kunst, Inv. Nr. H 1.811; aus dem ehemaligen Hofmobiliendepot übernommen.
Abbildung

Kat. Nr. 8/42

Kat. Nr. 8/43

Kat. Nr. 8/53

**8/51**
**Vitrine**

Wien, um 1830/35
Mahagoni massiv und auf Weichholz furniert, Ahorneinlagen; Spiegel
H.: 171 cm, B.: 110 cm, T.: 44 cm
Wien, Österreichisches Museum für angewandte Kunst, Sammlung Sobek im Geymüllerschlössel, Inv. Nr. Sob. 290
Abbildung

**8/52**
**Joseph Danhauser**

Waschtisch
Wien, um 1820/25
Mahagoni massiv und furniert; Messinghahn, Blechwanne
H.: 120 cm, Dm.: 48 cm
Ausführung: Danhauser'sche Möbelfabrik
Privatbesitz

Aus dem Besitz des Erzherzogs Carl stammend.

**8/53**
**Konsoltisch**

Wien, um 1825/30
Mahagoni massiv und auf Weichholz furniert; die Tischplatte an der Unterseite Ahornholz furniert
H.: 89,5 cm, L.: 89 cm, B.: 26 cm
Bez.: L 10945
Wien, Ehemaliges Hofmobiliendepot

Gehörte ursprünglich zur Ausstattung des Musiksalons der Erzherzogin Sophie in Laxenburg.
CWD
Abbildung

**8/54**
**Papierkorb**

Wien, um 1825
Mahagoni und Ahorn auf Weichholz furniert, Adern aus schwarz gebeiztem Birnbaumholz; Metallräder;
H.: 72 cm, B.: 63 cm, T.: 43 cm
Wien, Österreichisches Museum für angewandte Kunst, Sammlung Sobek im Geymüllerschlössel, Inv. Nr. Sob. 296
Abbildung

Kat. Nr. 8/54

Kat. Nr. 8/54

**8/55**
**Spucknapf**

Wien, um 1820/25
Mahagoni massiv und auf Weichholz furniert; gepreßte Blechbeschläge; H.: 48,5 cm, Dm.: 30 cm
Wien, Ehemaliges Hofmobiliendepot
Abbildung

**8/56**
**Spucknapf**

Wien, um 1825/30
Mahagoni massiv und auf Eichenholz furniert
H.: 42,5 cm, Dm.: 25 cm
Wien, Ehemaliges Hofmobiliendepot,
Inv. Nr. MD 6.313
Abbildung

**8/57**
**Spucknapf**

Wien, um 1825/30
Nußbaumholz massiv und auf Weichholz furniert
H.: 24,5 cm, Dm.: 29 cm
Bez.: S.18179, S 16239
Wien, Ehemaliges Hofmobiliendepot,
Inv. Nr. MD 405
Abbildung

**8/58**
**Spucknapf**

Wien, um 1825/30
Mahagoni massiv, Kirschbaumholz auf Weichholz furniert
H.: 34,5 cm, Dm.: 28 cm
Bez.: Doppeladler (gestempelt), 18841
Wien, Ehemaliges Hofmobiliendepot,
Inv. Nr. MD 6.948
Abbildung

**8/59**
**Spucknapf**

Wien, um 1825/30
Kirschbaumholz auf Ahornholz furniert, Mahagoniadern
H.: 42 cm, Dm.: 29 cm
Bez.: B 1973
Wien, Ehemaliges Hofmobiliendepot
Abbildung

**8/60**
**Spucknapf**

Wien, um 1825/30
Nußbaumholz massiv und auf Weichholz furniert
H.: 42,5 cm, Dm.: 31,5 cm
Bez.: B 3042
Wien, Ehemaliges Hofmobiliendepot
Abbildung

**8/61**
**Spucknapf**

Wien, um 1825/30
Kirschbaumholz massiv und auf Weichholz furniert
H.: 29 cm, Dm.: 20,5 cm
Bez.: Doppeladler (gestempelt), 20202
Wien, Ehemaliges Hofmobiliendepot
Abbildung

**8/62**
**Johann Nepomuk Geyr**

Spucknapf
Innsbruck, 1836
Mahagoni massiv und auf Weichholz furniert, Ahornadern
H.: 32,5 cm, Dm.: 26,5 cm
Ausführung: J. N. Geyr
Bez.: I 131, I.H. 4.478
Wien, Ehemaliges Hofmobiliendepot,
Inv. Nr. MD 4.884
Abbildung

**8/63**
**Spucknapf**

Wien, um 1825/30
Kirschbaumholz massiv und auf Weichholz furniert
H.: 51,5 cm, Dm.: 27,5 cm
Wien, Ehemaliges Hofmobiliendepot
Abbildung

**8/64**
**Joseph Kirchmeyer (?)**

Luster (8armig)
Wien, um 1825
Bronze vergoldet
H.: 70 cm, Dm.: 74 cm
Ausführung: J. Kirchmeyer (?)
Wien, Ehemaliges Hofmobiliendepot,
Inv. Nr. MD 13.175

W. C. W. Blumenbach überliefert uns einen fast identen Luster in seinem Wiener Kunst- und Gewerbsfreund (Bronce-Arbeiten N° 1). Aus der Beschreibung dazu geht hervor, daß „Joseph Kirchmeyer, akademisch geprüfter Broncearbeiter in Wien, Mariahülfer Hauptstraße, beym goldenen Lamm Nr. 10, rückwärts gegen die Windmühle“ ihn ausgeführt hat. „Er gehört zu den ersten und geschicktesten Broncearbeitern der Monarchie. Die Proben an der k. k. Akademie der vereinigten bildenden Künste hat er schon im Jahre 1798 abgelegt, seinen Geschäftsbetrieb begann er im Jahre 1804. Durch den Zeitraum von 21 Jahren hat er in dieser Arbeitsbranche ungemein viel geleistet, wobey ihm seine Fertigkeit und Gewandtheit im Graviren und Modelliren einen großen Vorsprung verschaffte. Alle Modelle bearbeitet er selbst, zu Verzierungen und kleinen Gegenständen gewöhnlich durch Treiben des Kupferblechs, worin er einen hohen Grad der Schärfe und Reinheit erreicht hat. Eben so läßt die Ausarbeitung der bey ihm gegossenen Waaren und die Vergoldung wenig zu wünschen übrig. Nebst Kunstwerken, Statuen, Büsten ec. liefert er alle Gattungen Aufsätze und Geräthe, und eine große Menge Verzierungen, sowohl gegossen als getrieben.“

*Lit.: W. C. W. Blumenbach, Wiener Kunst- und Gewerbsfreund oder der neueste Wiener Geschmack, Wien 1825, S. 27 f.*
CWD

Kat. Nr. 8/55

Kat. Nr. 8/56

Kat. Nr. 8/57

Kat. Nr. 8/58

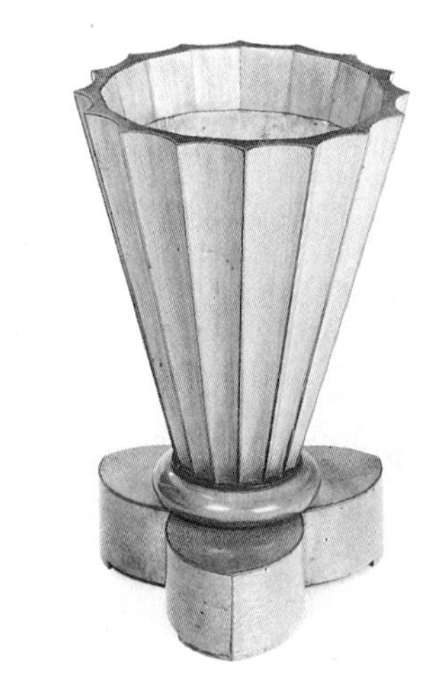

Kat. Nr. 8/59

Kat. Nr. 8/60

Kat. Nr. 8/61

Kat. Nr. 8/62

Kat. Nr. 8/63

**8/65**
**Stutzuhr in Form des Atlas**

Wien, um 1815
Bronze vergoldet und zum Teil schwarz patiniert
H.: 55 cm, B.: 20 cm
Uhrwerk: Spindelgang, Vierviertelschlag auf 2 Glocken, Federaufhängung, Federzug. Gangdauer 1 Tag
Wien, Österreichisches Museum für angewandte Kunst, Sammlung Sobek im Geymüllerschlössel, Inv. Nr. Sob. 1.539
Abbildung

**8/66**
**Stutzuhr in Form des „Achilles, wie er über die Asche seines Freundes Patroklos trauert"**

Wien, um 1820/30
Alabaster, Bronze vergoldet
H.: 41 cm, B.: 25 cm
Uhrwerk: Hakengang, Vierviertelschlag auf zwei Silberglocken, Fadenaufhängung, Federzug
Bez.: am Ziffernblatt „Caspar Kaufmann in Wien"
Wien, Österreichisches Museum für angewandte Kunst, Sammlung Sobek im Geymüllerschlössel, Inv. Nr. Sob. 1084
Abbildung

**8/67**
**Stutzuhr in Form eines Leuchtturms (nachts zu beleuchten)**

Wien, um 1825/30
Alabaster, Bronze vergoldet
H.: 35 cm
Uhrwerk: Spindelgang mit Unruhe, Federzug. Feststehender Zeiger und sich drehender Ziffernring. Gangdauer 1 Tag
Wien, Österreichisches Museum für angewandte Kunst, Sammlung Sobek im Geymüllerschlössel, Inv. Nr. Sob. 1.556
Abbildung

**8/68**
**Stutzuhr**

Wien, um 1830
Bronze vergoldet
H.: 42 cm, B.: 33 cm
Uhrwerk: Hakengang, Vierviertelschlag auf Tonfedern, Fadenaufhängung. Federzug. Gangdauer 1 Tag. Kammspielwerk im Sockel
Bez.: am Ziffernblatt: „Rettich in Wien"
Wien, Österreichisches Museum für angewandte Kunst, Sammlung Sobek im Geymüllerschlössel, Inv. Nr. Sob. 1.542
Abbildung

**8/69**
**Stutzuhr**

Wien, um 1830
Bronze vergoldet
H.: 30 cm, B.: 19 cm
Uhrwerk: Hakengang, Vierviertelschlag auf Tonfedern, Fadenaufhängung. Gangdauer 1 Woche.
Bez.: am Ziffernblatt „Franz Hekel in Wien"
Wien, Österreichisches Museum für angewandte Kunst, Sammlung Sobek im Geymüllerschlössel, Inv. Nr. Sob. 1.538
Abbildung

Kat. Nr. 8/65

Kat. Nr. 8/66

Kat. Nr. 8/67

**8/70**
**Stutzuhr, skelettiert**

Wien, um 1840
Schwarz gebeizter Holzsockel, Glassturz
H.: 41 cm
Uhrwerk: Stunden-Minuten-Indikation, Gangdauer 1 Woche; Scherenhemmung mit Stiftengangrad, Uhrwerksantrieb mit konstanter Kraft. Nach je 21/2 Minuten Aufzug des kleinen Gewichtes durch Federkraft mit kleiner Stahlgliederkette
Ausführung: Jakob Happacher
Bez.: am Ziffernblatt „Jakob Happacher in Wien"
Wien, Österreichisches Museum für angewandte Kunst, Sammlung Sobek im Geymüllerschlössel, Inv. Nr. Sob. 1.554
Abbildung

**8/71**
**Wanduhr „Laterndluhr"**

Wien, um 1820/30
Mahagoni und Ahornholz massiv und furniert, Bronze vergoldet
H.: 130 cm
Uhrwerk: Grahamgang, Vierviertelschlag auf zwei Glocken, Schneidenaufhängung, Kompensationspendel. Emailziffernblatt mit zentralem Monatsanzeiger, Wochen- und Monatstage, Sekunden auf drei Hilfszifferblättern.
Bez.: am Ziffernblatt „Fertbauer in Wien"
Wien, Österreichisches Museum für angewandte Kunst, Sammlung Sobek im Geymüllerschlössel, Inv. Nr. Sob. 1.503
*Lit.: Erika Hellich, Alt-Wiener Uhren. Die Sammlung Sobek im Geymüller Schlössel, München 1978, S. 25.*

**8/72**
**Wanduhr (Laterndluhr)**

Wien, um 1825
Bronze vergoldet
H.: 138 cm
Uhrwerk: Gehwerk mit Mondphasen, Vierviertelschlag auf Tonfedern, Grahamgang, Kette und Schnecke, Kompensationspendel mit Thermometer; Gangdauer 14 Tage
Ausführung: Glückstein
Bez.: am Ziffernblatt „Glückstein in Wien"
Wien, Österreichisches Museum für angewandte Kunst, Sammlung Sobek im Geymüllerschlössel, Inv. Nr. Sob. 1.509
Abbildung

Kat. Nr. 8/68

Kat. Nr. 8/69

Kat. Nr. 8/70

Kat. Nr. 8/72

Kat. Nr. 8/73

**8/73**
**Bilderuhr in Standrahmen mit eingebautem Spielwerk**

Wien, um 1825
Perlmutter auf Holz, Bronze vergoldet; Gouache mit der Darstellung des Karlsplatzes (Balthasar Wigand zugeschrieben)
H.: 57 cm, L.: 78 cm, B.: 18 cm
Uhrwerk: Federzugwerk, Viertelstundenrepetition
Ausführung: für die Galanteriewarenhandlung Stephan Syré (?)
Bez.: Das Spielwerk sign.: „Nicole P."
Wien, Österreichisches Museum für angewandte Kunst, Sammlung Sobek im Geymüllerschlössel, Inv. Nr. Sob. 1.557

Die Rolle der Galanteriewarenhändler ist für die Geschichte und Entwicklung des Wiener Kunstgewerbes noch kaum erforscht. Ihr muß aber eine ähnliche Bedeutung bei der Schaffung neuer Moden und in der Anleitung des Publikumsgeschmackes zugekommen sein wie den Pariser Marchand mercier des 18. Jahrhunderts. Nach eigenen Entwürfen vertrieben sie kunstgewerbliche Gegenstände und Kleinmöbel, deren Einzelbestandteile sie bei den unterschiedlichsten Handwerkern bestellten, um sie schließlich selbst zu einem Ganzen zusammenzusetzen. Einer der wichtigsten Händler dieser Art in Wien war Stephan Syré. Er war die Nachfolgefirma von Franz Mayers „Zur Stadt Carlsbad" am Kohlmarkt N° 1152, die bereits 1797 im Wiener Kommerzialschema für Handelsleute, Fabrikanten, Künstler usw. erwähnt wird.

Ein identes Uhrmodell hat Blumenbach 1825 mit der folgenden Beschreibung publiziert: „Eine Uhr in Form eines Bildes zum Aufhängen an die Wand, oder auch zum Stellen auf Kästen. Die ganze Vorderseite ist von Perlmutter, reich mit vergoldeter Metallbronce verziert. Das Basrelief der Carlskirche in Wien ist ebenfalls aus Perlmutter geschnitten und hat über sich in einem Bogen die Stundenzahlen, welche beym Tage von einer beweglichen Sonne, bey der Nacht von einem Monde

Kat. Nr. 8/74

gewiesen werden. Uhren dieser Art in der Größe, wie vorliegende Zeichnung nach dem beygefügten, in 12 Wiener Zoll getheilten Maßstabe ausweiset, kosten 800 bis 350 Fl.C.M.; es sind auch schon größere zu 1400, auch 1500 Fl.C.M. verfertigt worden."
CWD
Abbildung

**8/74**
**Bilderuhr; Kaiser Franz I. in seinem Arbeitszimmer**

Wien, 1831
Bild: Öl auf Kupfer, Ochsenaugenrahmen vergoldet
L.: 64 cm, B.: 59 cm
Uhrwerk: Spindelgang, Vierviertelschlag auf Tonfedern, Fadenaufhängung. Gangdauer 1 Tag
Kammspielwerk: Kaiserlied von J. Haydn, Ländler.
Bez.: r. u. am Bild „L.C. Hofmeister 1831"
Wien, Österreichisches Museum für angewandte Kunst, Sammlung Sobek im Geymüllerschlössel, Inv. Nr. Sob. 1.477
Abbildung

**8/75**
**Bilderuhr; Kaiser Franz I. zum Neuen Burgtor reitend**

Wien, um 1830
Bild: Öl auf Blech, Ochsenaugenrahmen vergoldet
L.: 66 cm, B.: 104 cm
Uhrwerk: Spielwerk mit 2 Stücken, Vierviertelschlag
Bez.: C.L. Hoffmeister
Wien, Kunstsalon Mag. Peter Kovacek

**Entwürfe aus der Danhauserschen Möbelfabrik (?), um 1825/30**

**8/76**
**Entwurf für ein Ruhebett und einen Armlehnsessel**

Gouache auf Papier, 21 × 30,3 cm
Wien, Österreichisches Museum für angewandte Kunst, Inv. Nr. K.I. 9.569/163
Abbildung

**8/77**
**Entwurf für ein Ruhebett und einen Armlehnsessel**

siehe ausgeführtes Möbel Kat. Nr. 8/22
Gouache auf Papier, 22,9 × 32,2 cm
Wien, Österreichisches Museum für angewandte Kunst, Inv. Nr. K.I. 9.569/164
Abbildung

**8/78**
**Entwurf für ein Ruhebett und einen Sessel**

siehe ausgeführtes Möbel Kat. Nr. 8/11
Gouache auf Papier, 21,2 × 30,3 cm
Wien, Österreichisches Museum für angewandte Kunst, Inv. Nr. K.I. 9.569/166
Abbildung

**8/79**
**Entwurf für ein Kanapee und einen Sessel**

Gouache auf Papier, 22,5 × 32,1 cm
Wien, Österreichisches Museum für angewandte Kunst, Inv. Nr. K.I. 9.569/180
Abbildung

**8/80**
**Entwurf für eine gepolsterte Bank**

Gouache auf Papier, 24,9 × 35,2 cm
Wien, Österreichisches Museum für angewandte Kunst, Inv. Nr. K.I. 9.569/124
Abbildung

**8/81**
**Entwurf für ein Kanapee**

Gouache auf Papier, 22,6 × 32,1 cm
Wien, Österreichisches Museum für angewandte Kunst, Inv. Nr. K.I. 9.569/156
Abbildung

**8/82**
**Entwurf für ein Kanapee**

Gouache auf Papier, 22,6 × 32,1 cm
Wien, Österreichisches Museum für angewandte Kunst, Inv. Nr. K.I. 9.569/153
Abbildung

**8/83**
**Entwurf für ein Kanapee**

Gouache auf Papier, 22,5 × 32,1 cm
Wien, Österreichisches Museum für angewandte Kunst, Inv. Nr. K.I. 9.569/133
Abbildung

**8/84**
**Entwurf für ein Bett mit Himmel in ausdrapiertem Alkoven**

Gouache auf Papier, 22,7 × 32,5 cm
Wien, Österreichisches Museum für angewandte Kunst, Inv. Nr. K.I. 9.569/102
Abbildung

**8/85**
**Entwurf für ein Bett mit Himmel und Wanddraperie**

Gouache auf Papier, 23,4 × 31,8 cm
Wien, Österreichisches Museum für angewandte Kunst, Inv. Nr. K.I. 9.569/106
Abbildung

**8/86**
**Entwurf für eine Wanddraperie mit Trumeauspiegel**

Gouache auf Papier, 23,5 × 32,2 cm
Wien, Österreichisches Museum für angewandte Kunst, Inv. Nr. K.I. 9.569/30
Abbildung

**8/87**
**Entwurf für eine Wanddraperie mit Trumeauspiegel und Jardiniere**

Gouache auf Papier, 22,9 × 31,4 cm
Wien, Österreichisches Museum für angewandte Kunst, Inv. Nr. K.I. 9.569/26
Abbildung

**Entwürfe aus der Danhauserschen Möbelfabrik, um 1820/30**

**8/88**
**Entwurf für „Chifonier N° 14"**

Feder, laviert, 21,6 × 27,1 cm
Wien, Österreichisches Museum für angewandte Kunst, Inv. Nr. K.I. 8.971/XL/1.108
Abbildung

**8/89**
**Entwurf für „Ankleidespiegel N° 7"**

Feder, laviert und aquarelliert, 21,3 × 26,6 cm
Wien, Österreichisches Museum für angewandte Kunst, Inv. Nr. K.I. 8.971/LII/1.351

**8/90**
**Entwurf für „Commode N° 9"**

Feder, laviert, 21,5 × 27,3 cm
Wien, Österreichisches Museum für angewandte Kunst, Inv. Nr. K.I. 8.971/XXXIX/1083

**8/91**
**Entwurf für „Aufwarter N° 26"**

Feder, laviert, 19,2 × 24,2 cm
Wien, Österreichisches Museum für angewandte Kunst, Inv. Nr. K.I. 8.971/LVII/1.484
Abbildung

Kat. Nr. 8/88

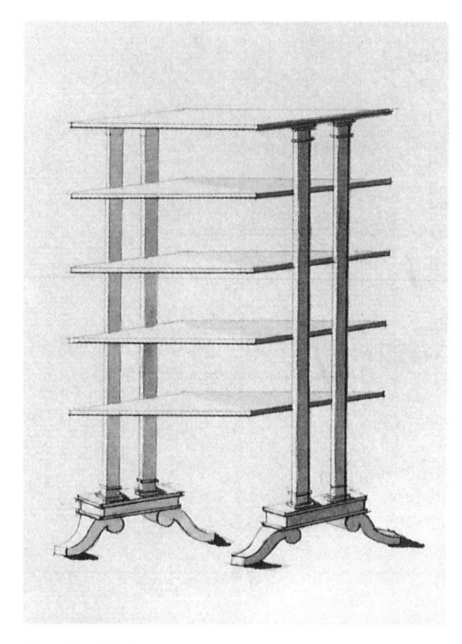

Kat. Nr. 8/91

**8/92**
**Entwurf für „Keeh= & Pfeifenstelle N° 2"**

Feder, laviert, 21,6 × 27,3 cm
Wien, Österreichisches Museum für angewandte Kunst, Inv. Nr. K.I. 8.971/LX/1.545
Abbildung

**8/93**
**Entwurf für „Nachtkastel N° 16"**

Feder, laviert und aquarelliert, 21,3 × 26,8 cm
Wien, Österreichisches Museum für angewandte Kunst, Inv. Nr. K.I. 8.971/XLIV/1.199
Abbildung

**8/94**
**Entwurf für „Tisch Trumeau N° 13"**

Feder, aquarelliert, 21,9 × 27,2 cm
Wien, Österreichisches Museum für angewandte Kunst, Inv. Nr. K.I. 8.971/LXXIX/2.134

**8/95**
**Entwurf für „Canape=tisch N° 31" („Theetisch N° 50")**

Feder, laviert, 21,8 × 27,3 cm
Wien, Österreichisches Museum für angewandte Kunst, Inv. Nr. K.I. 8.971/LXXIV/1.979
Abbildung

**8/96**
**Entwurf für „Theetisch N° 4"**

Feder, laviert und aquarelliert, 21,6 × 27 cm
Wien, Österreichisches Museum für angewandte Kunst, Inv. Nr. K.I. 8.971/LXXV/2.018
Abbildung

**8/97**
**Entwurf für „Waschtisch N° 6"**

Feder, laviert und aquarelliert, 21,2 × 26,8 cm
Wien, Österreichisches Museum für angewandte Kunst, Inv. Nr. K.I. 8.971/LXXVIII/2.111
Abbildung

**8/98**
**Entwurf für „Wäschekorb N° 4"**

Feder, laviert, 21,3 × 27 cm
Wien, Österreichisches Museum für angewandte Kunst, Inv. Nr. K.I. 8.971/XLVI/1.262
Abbildung

**8/99**
**Entwurf für „Spuckastel N° 30"**

Feder, laviert und aquarelliert, 21 × 26,7 cm
Wien, Österreichisches Museum für angewandte Kunst, Inv. Nr. K.I. 8.971/XLV/1.235

**8/100**
**Carl Schmidt**

Schulzeichnung für ein Globustischchen, um 1830
Feder, laviert und aquarelliert, 36,6 × 51,7 cm
Sign. r. u.: „Schmidt"
Wien, Österreichisches Museum für angewandte Kunst, Inv. Nr. K.I. 7.710, XVIII d/I/15
Abbildung

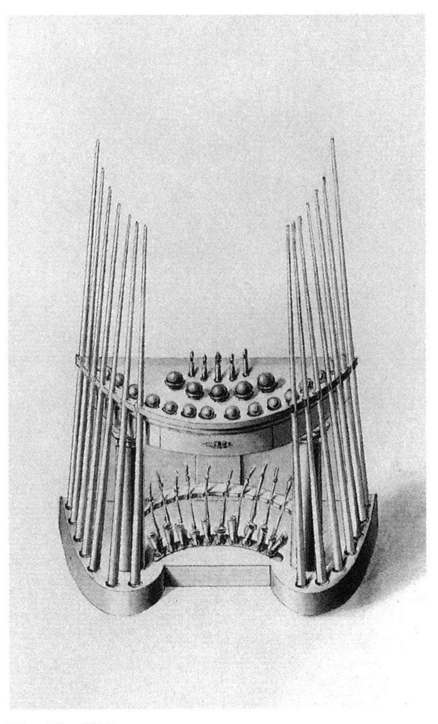

Kat. Nr. 8/92

Kat. Nr. 8/93

Kat. Nr. 8/96

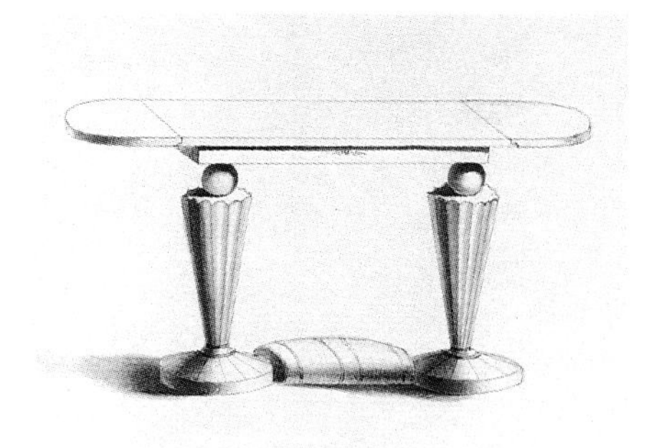

Kat. Nr. 8/95

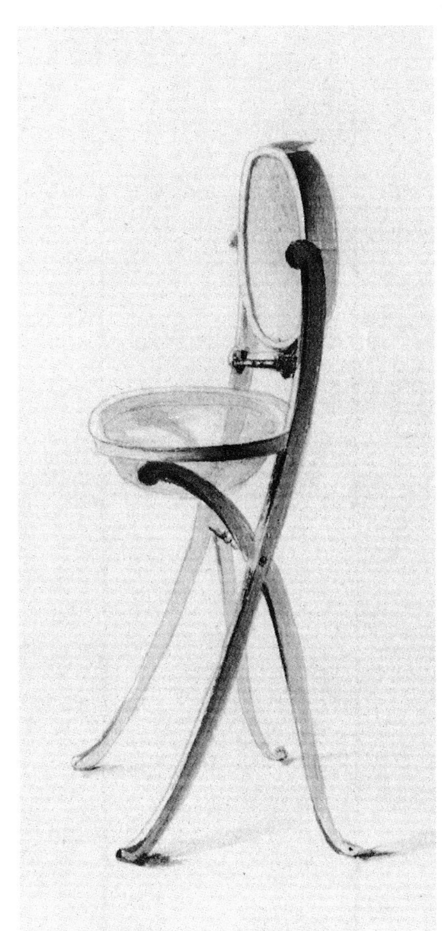

Kat. Nr. 8/97

**8/101**
**Carl Schmidt**

Schulzeichnung für einen Schreibsekretär, um 1830
Feder, laviert und aquarelliert, 35,7 × 52 cm
Sign. r. u.: „Schmidt“
Wien, Österreichisches Museum für angewandte Kunst, Inv. Nr. K.I. 7.710, XVIII d/I/18
Abbildung

**8/102**
**Carl Schmidt**

Schulzeichnung für einen Schreibsekretär, um 1830
Feder, laviert und aquarelliert, 35,7 × 51,9 cm
Sign. r. u.: „Schmidt“
Wien, Österreichisches Museum für angewandte Kunst, Inv. Nr. K.I. 7.710, XVIII d/I/19
Abbildung

**8/103**
**Carl Schmidt**

Schulzeichnung für einen Bibliothekstisch, der durch Aufklappen zu einer Leiter wird, um 1830
Feder, laviert und aquarelliert, 35 × 51,5 cm
Sign. r. u.: „Schmidt“
Wien, Österreichisches Museum für angewandte Kunst, Inv. Nr. K.I. 7.710, XVIII d/I/23
Abbildung

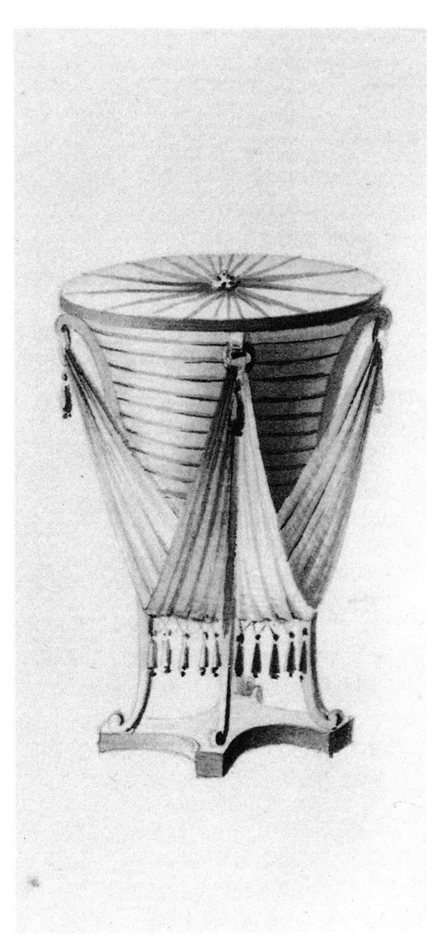

Kat. Nr. 8/98

Kat. Nr. 8/105

Kat. Nr. 8/106

Kat. Nr. 8/107a

Kat. Nr. 8/107b

**8/104**
**Schlafzimmer der Erzherzogin Sophie in Laxenburg**

Johann Stephan Decker (1784–1844)
Gouache, 25,2 × 33,7 cm
Dresden, Staatliche Schlösser und Gärten Potsdam-Sanssouci, Aquarellsammlung
Nr. 480
Der aus dem Elsaß gebürtige Künstler kam 1821 nach Wien. Hier arbeitete er unter anderem für Fürst Metternich und war durch 13 Jahre Zeichenlehrer von Erzherzogin Therese, der Tochter Erzherzogs Carl
Abbildung

**8/105**
**Salon der Erzherzogin Sophie in Laxenburg**

Johann Stephan Decker
Gouache, 24,3 × 30,7 cm
Dresden, Staatliche Schlösser und Gärten Potsdam-Sanssouci, Aquarellsammlung
Nr. 481
Abbildung

**8/106**
**Wohnzimmer der Erzherzogin Sophie in Laxenburg**

Johann Stephan Decker
Gouache, 25,3 × 25 cm
Dresden, Staatliche Schlösser und Gärten Potsdam-Sanssouci, Aquarellsammlung
Nr. 482
Abbildung

**8/107 a**
**Bürgerliches Wohnzimmer**

Um 1835
Aquarell, 17,5 × 26,7 cm
Nürnberg, Germanisches Nationalmuseum, Inv. Nr. Hz 4.332 Kapsel 712 a
Abbildung

**8/107 b**
**Bürgerliches Wohnzimmer**

Um 1835
Aquarell, 17,2 × 26,7 cm
Nürnberg, Germanisches Nationalmuseum, Inv. Nr. Hz 4.325 Kapsel 712 a
Abbildung

**8/108**
**Schlafzimmer des Erzherzogs Carl in der Weilburg**

Franz Heinrich (1802–1890)
Bleistift, aquarelliert, 24 × 32,5 cm
Baden, Rollett-Museum, TSB 210

**8/109**
**Damenzimmer**

Johann Stephan Decker
Aquarell, 25,8 × 31,2 cm
Sign. re. u.: St. Decker
HM, Inv. Nr. 9.897
Abbildung

**8/110**
**Wohnzimmer**

Johann Stephan Decker
Aquarell, 25,6 × 31,7 cm
Sign. re. u.: St. Decker
HM, Inv. Nr. 9.895

**8/111**
**Schlaf- und Wohnzimmer**

Wien, um 1830
Aquarell, 19 × 37,5 cm
Bez.: „MEIN ZIMMER IN WIEN, VON 1825 BIS 1837"
HM, Inv. Nr. 62.879
Abbildung

**8/112**
**Wohnzimmer, 1836**

Franz Maleck
Aquarell, 25,8 × 38,1 cm
Sign. u. dat. re. u.: F. Maleck 1836
HM, Inv. Nr. 58.774
Abbildung

**8/113**
**Wohnzimmer, um 1840**

Aquarell, 23,8 × 35,8 cm
Bez.: „Mein Zimmer in Wien von $\overline{837}$ bis $\overline{842}$"
HM, Inv. Nr. 96.745/2
Abbildung

**8/114**
**Wohnzimmer, 1843**

Mathias Grösser
Aquarell, 27,3 × 37,1 cm
Sign. u. dat. re. u.: M. Grösser pinxit 1843
HM, Inv. Nr. 138.217
Abbildung

**8/115**
**Arbeitsraum**

Mathias Grösser
Wien, 1843
Aquarell, 24,7 × 35,3 cm
Sign. u. dat. re. u.: M. Grösser 1843
HM, Inv. Nr. 138.214

Kat. Nr. 8/109

Kat. Nr. 8/114

**Mustertafeln zur textilen Innenraumgestaltung aus dem Nationalfabriksproduktenkabinett**

**8/116**
**Wachsleinwandfabrikant Josef Groll, Wien 1830**

„Gedruckte Wachsleinwand“ (z. T. unten velutiert)
Wien, Technisches Museum, Inv. Nr. 34.187

**8/117**
**Posamentierer Nikolaus Janach, Wien 1828**

„Moderne Vorhangfranzen“
Wien, Technisches Museum, Inv. Nr. 29..084, 29.083

**8/118**
**Posamentierer Carl Rosenthal, Wien 1836**

„Tapeziererbörtchen“
Wien, Technisches Museum, Inv. Nr. 28.151

**8/119**
**Posamentierer Josef Kaspar, Wien 1837**

„Borten auf Vorhänge und Draperien“
Wien, Technisches Museum, Inv. Nr. 28.180

**8/120**
**K. k. Teppichmanufaktur Linz, 1820**

„Ausgezogener Teppich mit großen Blumen“
Wien, Österreichisches Museum für angewandte Kunst, Inv. Nr. TGM 29.386
Abbildung

**8/121**
**K. k. Teppichmanufaktur Linz, 1820**

„Ord. aufgeschnittener Teppich“
Wien, Österreichisches Museum für angewandte Kunst, Inv. Nr. TGM 29.387
Abbildung

**8/122**
**Segeltuch=Weberey des Bollinger et Comp., Wien 1826**

„Gedrucktes Segeltuch zu Fußteppichen“
Wien, Österreichisches Museum für angewandte Kunst, Inv. Nr. TGM 30.569

**8/123**
**Cosmanosser Ziz- und Katunfabrik, 1834**

„Gedruckter Ziz“ (Chintz)
Wien, Österreichisches Museum für angewandte Kunst, Inv. Nr. TGM 20.574
Abbildung

**8/124**
**Anton Münzberg's Baumwoll-, Schaffwoll- u. Leinenwaarenfabrik zu Georgenthal im Leitmeritzer Kreise, 1845/46**

„Gedruckter Baumwollsamt auf Möbel“
Wien, Österreichisches Museum für angewandte Kunst, Inv. Nr. TGM 21.962
Abbildung

**8/125**
**Josef Kniezaurek, Wien 1835**

„Halbwollener Möbel-Damast“
Wien, Österreichisches Museum für angewandte Kunst, Inv. Nr. TGM 22..032

**8/126**
**Josef Kniezaurek, Wien 1835**

„Tulles" (für Vorhänge)
Wien, Österreichisches Museum für angewandte Kunst, Inv. Nr. TGM 19.930

**8/127**
**Josef Kniezaurek, Wien 1835**

„Möbel-Borduren von halbwollenem Damast"
Wien, Österreichisches Museum für angewandte Kunst, Inv. Nr. TGM 22.040

**8/128**
**Druckwaarenfabrik der Brüder Porges, Prag 1836**

„Gedruckter Möbel-Ziz" (Chintz)
Wien, Österreichisches Museum für angewandte Kunst, Inv. Nr. TGM 21.086

**8/129**
**Druckwaarenfabrik der Brüder Porges, Prag 1836**

„Gedruckte Ziz-Borduren" (zum Auseinanderschneiden)
Wien, Österreichisches Museum für angewandte Kunst, Inv. Nr. TGM 21.091
Abbildung

**8/130**
**Druckwaarenfabrik der Brüder Porges, Prag 1836**

„Gedruckter Möbel-Ziz" (Chintz)
Wien, Österreichisches Museum für angewandte Kunst, Inv. Nr. TGM 21.083

**8/131**
**Druckwaarenfabrik der Brüder Porges, Prag 1836**

„Gedruckter Möbel-Ziz" (Chintz)
Wien, Österreichisches Museum für angewandte Kunst, Inv. Nr. TGM 21.077

**8/132**
**Hornbostelsche Seidenzeugfabrik, Wien 1819**

„Tapetenstoff"
Wien, Österreichisches Museum für angewandte Kunst, Inv. Nr. TGM 23.047

**8/133**
**Hornbostelsche Seidenzeugfabrik, Wien 1823**

„Möbel- und Tapetenstoffe sammt Borduren"
Wien, Österreichisches Museum für angewandte Kunst, Inv. Nr. TGM 23.146

**8/134**
**Hornbostelsche Seidenzeugfabrik, Wien 1818 u. 1819**

„Möbelstoffe" und Möbelbordüren
Wien, Österreichisches Museum für angewandte Kunst, Inv. Nr. TGM 23.046

**8/135**
**Hornbostelsche Seidenzeugfabrik, Wien 1826**

„Gelb und weiße 3 3/4-zöllige Draperie-Bordur"
Wien, Österreichisches Museum für angewandte Kunst, Inv. Nr. TGM 23.189

Kat. Nr. 8/124

**8/136**
**Hornbostelsche Seidenzeugfabrik, Wien 1826**

„Sessellehne, grau und weiß"
Wien, Österreichisches Museum für angewandte Kunst, Inv. Nr. TGM 23.192

**8/137**
**Josef Nigri, Wien 1835**

„Faconnirte Atlasse auf Möbel etc."
Wien, Österreichisches Museum für angewandte Kunst, Inv. Nr. TGM 23.589

**8/138**
**Josef Nigri, Wien 1835**

„Geblumte Atlasse zu Möbel etc."
Wien, Österreichisches Museum für angewandte Kunst, Inv. Nr. TGM 23.601

**8/139**
**Seidenzeugfabrik Ignaz Beywinkler, Wien 1838**

„Halbwollene Möbel-Damaste, aus Schaf- u. Baumwolle"
Wien, Österreichisches Museum für angewandte Kunst, Inv. Nr. TGM 22.094

**8/140**
**Seidenzeugmanufaktur von A. Fries und Zeppezauer, Wien 1837**

„Möbelstoff"
Wien, Österreichisches Museum für angewandte Kunst, Inv. Nr. TGM 23.876

Kat. Nr. 8/141

**8/141**
**K. k. Wollenzeugmanufaktur, Linz 1837**

„Mehrfarbig gedruckte Barcane, 11/16 br., auf Möbel“
Wien, Österreichisches Museum für angewandte Kunst, Inv. Nr. TGM 29.813
Abbildung

**8/142**
**K. k. Wollenzeugmanufaktur, Linz 1837**

„Caroles, 5/8 br., auf Möbel etc“
Wien, Österreichisches Museum für angewandte Kunst, Inv. Nr. TGM 29.800

**8/143**
**K. k. Wollenzeugmanufaktur, Linz 1837**

„Morins auf Möbel, 13/16 br.“
Wien, Österreichisches Museum für angewandte Kunst, Inv. Nr. TGM 29.797

**8/144**
**K. k. Wollenzeugmanufaktur, Linz 1837**

„Dimontino, 2/3 br., ehemals auf Möbel und Kleider, Schottische Zeuge auf Möbel etc“
Wien, Österreichisches Museum für angewandte Kunst, Inv. Nr. TGM 29.801

**8/145**
**K. k. Wollenzeugmanufaktur, Linz 1837**

„Schottische Zeuge“
Wien, Österreichisches Museum für angewandte Kunst, Inv. Nr. TGM 29.803

**8/146**
**K. k. Wollenzeugmanufaktur, Linz 1837**

„Mehrfarbig gedruckte Barcane, 11/16 br., auf Möbel“
Wien, Österreichisches Museum für angewandte Kunst, Inv. Nr. TGM 29.812, 29.811

**8/147**
**K. k. Wollenzeugmanufaktur, Linz 1837**

„Ordinäre Merinos“
Wien, Österreichisches Museum für angewandte Kunst, Inv. Nr. TGM 29.805

**8/148**
**K. k. Wollenzeugmanufaktur, Linz 1837**

„Prunelle, 2/3 br., auf Möbel, Damenschuhe etc., Manacord, 3/4 br.“
Wien, Österreichisches Museum für angewandte Kunst, Inv. Nr. TGM 29.807

**8/149**
**K. k. Wollenzeugmanufaktur, Linz 1837**

„Gedruckte Barcane, 11/16 br., auf Möbel“
Wien, Österreichisches Museum für angewandte Kunst, Inv. Nr. TGM 29.815

**8/150**
**K. k. Teppichmanufaktur, Linz 1823**

„Glatter Tischteppich in mehreren schattirten Farben. Eine Elle ungarisch geflammten Teppich.“
Wien, Österreichisches Museum für angewandte Kunst, Inv. Nr. TGM 29.390

**8/151**
**K. k. Wollenzeugmanufaktur, Linz 1835**

„Gedruckter Rosenkranz zu einem Tischteppich von Tuch“
Wien, Österreichisches Museum für angewandte Kunst, Inv. Nr. TGM 29.833

**Mustertafeln für Möbelbeschläge aus dem Nationalfabriksproduktenkabinett**
**Blech gepreßt, vergoldet**

**8/152**
**Winkler'sche Metallwarenfabrik zu Ebersdorf, 1822**

Wien, Österreichisches Museum für angewandte Kunst, Inv. Nr. Me 707
Abbildung

**8/153**
**Winkler'sche Metallwarenfabrik zu Ebersdorf, 1828**

Wien, Österreichisches Museum für angewandte Kunst, Inv. Nr. Me 709
Abbildung

**8/154**
**Metallwarenfabrik Franz Feil, Wien 1822**

Wien, Österreichisches Museum für angewandte Kunst, Inv. Nr. Me 708
Abbildung

**8/155**
**Winkler'sche Metallwarenfabrik zu Ebersdorf, 1822**

Wien, Technisches Museum, Inv. Nr. 6.249

**8/156**
**Winkler'sche Metallwarenfabrik zu Ebersdorf, 1835**

Wien, Technisches Museum, Inv. Nr. 6.263

# THEATER UND LITERATUR

Dem Wiener Theaterleben kam im Biedermeier eine enorme Bedeutung zu, zwei Hofbühnen und drei Vorstadttheater erlebten ihre Blütezeit. Das Burgtheater festigte in dieser Epoche seine Position als erste Sprechbühne des deutschen Sprachraums, das Kärntnertortheater war die Heimat der deutschen und italienischen Oper. Die größten Publikumslieblinge feierten aber in der Vorstadt ihre Triumphe: Ferdinand Raimund, der erste große Wiener Volksschauspieler, war der Star der beliebten lokalen Zauberposse. An seiner Seite wurde Therese Krones als „Jugend" zum Inbegriff „weiblicher Liebenswürdigkeit". Der Wandel dieser Zeit, der Wechsel von Biedermeier zu Vormärz, ist auf der Bühne deutlich zu erkennen: Der gemütvolle, unpolitische Raimund fand seine Ablöse in dem aggressiven Nestroy, der in Witz und Spott den Verfall der alten Ordnung aufzeigt und die Revolution erahnen läßt.

# ZUM WIENER THEATER 1815–1848

*Johann Hüttner*

Die äußere Wiener Theatertopographie in der ersten Hälfte des 19. Jahrhunderts ist bald erzählt:

In der von Mauern umgebenen Inneren Stadt existierten zwei Hofbühnen (Burgtheater und Kärntnertortheater), die sich erst seit 1810 auf Sprechtheater einerseits und Oper und Ballett andererseits spezialisierten; in den Vorstädten standen drei Geschäftstheater, das in der Leopoldstadt (1847 als Carltheater neuaufgebaut), in der Josefstadt und an der Wien. Hof- und Vorstadtbühnen hatten wohl eine andere Ausrichtung und in weiten Bereichen ein anderes Publikum, aber dennoch gab es in den Vorstadttheatern keine Gegenkultur.

Während der ganzen Zeit der Monarchie, nicht nur im Vormärz, verstand sich das Burgtheater viel mehr als ein Hof- und weniger als ein Nationaltheater, sonderte sich ab von einem Volkstheater, während man nicht selten die Nationaltheater-Repräsentanten der österreichischen Monarchie (in zunehmendem Maße dann in der zweiten Jahrhunderthälfte) zugleich als Repräsentanten eines sich als Volkstheater verstehenden Dramas oder Theaters findet.

Wenn auch Vertreter der Weltliteratur gespielt wurden, dann oft entstellt und verharmlost (durch Zensur und die Erwartungen des Publikums bedingt); viel typischer sind aber die Salonlustspiele und die vielen anderen Gebrauchsdramen, die einerseits Unterhaltung und andererseits eine politische Schule im Sinne aristokratischer Wertvorstellungen boten. Unter den gespielten Autoren dieser Zeit ist wohl Franz Grillparzer der interessanteste und einer, der auch mit dem nötigen Ernst behandelt wurde.

Das Typische fürs Burgtheater sind aber die „großen“ Schauspieler, Lieblinge des Publikums, Lehrer des guten Anstands auf der Bühne, während die Kunst der Regie hierzulande noch sehr im argen lag (sieht man von der Ausnahmeerscheinung des Vorstadtdirektors Carl Carl ab).

Das Burgtheater scheint lange Zeit Vorbildwirkung ausgeübt zu haben, einerseits als Sog für die „besten“ Schauspieler, die damit auf die Bühnen Deutschlands und der Monarchie modellhaft zurückwirkten, andererseits durch das Repertoire, das meist von den anderen größeren Metropolen Europas (z. B. Paris) ans Burgtheater gelangte. Aber die Stücke wurden zensurmäßig angepaßt und darüber hinaus auf die einem quasi Privattheater des Kaisers angemessene Aussage hin überprüft. Was sich ziemt, das war wichtiger als Weltliteratur, wichtiger als theaterkünstlerische Ergebnisse jenseits von Perfektionierung und „großen Schauspielerleistungen“. Eine glättende, alles positiv verbrämt sehende Vorbildwirkung muß hier zum Tragen gekommen sein (während Paris im Vergleich dazu um Welten entwickelter und fortschrittlicher in seiner Theaterkunst war.)

Das Burgtheater blieb eine höfische Domäne. Trotz seiner Gegenposition zu einem Volkstheater wurde dieser Widerspruch nicht erkannt, da sich im Laufe des 19. Jahrhunderts Volk immer weniger als soziale und immer mehr als nationale Dimension verstand. Und trotz des aufbrechenden Loyalitätskonflikts Dynastie – Nation, blieb, so scheint es jedenfalls, die Bühne des Kaisers unangefochten.

Über die normale Theaterzensur hinaus waren übrigens während der ganzen Monarchie die Wiener Hoftheater an spezielle Rücksichten gebunden.

Das Kärntnertortheater als Pflegestätte von Oper und Ballett, war vom Hof praktisch (die meiste Zeit) bis 1848 an Privatunternehmer verpachtet; diese waren zum Teil italienische Impresarios, wie Domenico Barbaja ab 1821, der zugleich das Teatro S. Carlo in Neapel leitete, oder ab 1836 Carlo Balocchino und Bartolomeo Merelli, welche auch die Mailänder Scala führten. Natürlich gab es nicht nur italienische Opern, vielmehr wurde das damals repräsentative Repertoire gepflegt (oft mit Vorbild der Pariser Oper) und das Ballett; aber immer wieder gab es am Kärntnertortheater eigene italienische Saisonen.

Bei Betrachtung der Vorstadtbühnen lassen sich wiederholt Bestrebungen einzelner Direktoren bzw. Besitzer feststellen, ein Monopol zu erlangen oder zumindest jeweils zwei der drei in Frage kommenden Häuser zu beherrschen. Wenn auch die jeweilige Bühnengeschichte wechselvoll verlief, so kann doch gesagt werden, daß Lage, Größe bzw. technische Ausrüstung jeweils Spezialisierungen nahelegte, so daß über längere Zeitabschnitte bestimmte Häuser ein bestimmtes Publikum hatten, einen bestimmten Spielplan und bestimmte Genres pflegten und sich dadurch profilieren konnten. Das Theater in der Leopoldstadt als Lachtheater und Fremdenattraktion bis in die späten zwanziger Jahre, das Theater an der Wien als Spektakelbühne und über weite Bereiche als Mischbetrieb, der auch Opern gab, geführt und das Theater in der Josefstadt als kleinstes, etwas abgelegenes Haus, in dem aber ebenfalls über gewisse Perioden Opern aufgeführt wurden, sind jene Spielstätten, in denen das angeboten wurde, was man oft das Altwiener Volkstheater nennt. Aber Karl Meisl, Josef Alois Gleich und Adolf Bäuerle, die grotesk-komische Zauber- und Lokalkomödie (oder wie immer man die jeweiligen Moden bezeichnet), die großen Komikerpersönlichkeiten in der Blüte des Leopoldstädtertheaters in den zwanziger Jahren (Ignaz Schuster, Ferdinand Raimund, J. F. Korntheuer, die Damen Ennöckl und Krones u. v. m.) sind Repräsentanten nur *einer* Ausprägung des Vorstadttheates; ja nicht einmal Ferdinand Raimund als Autor und Schauspieler und später Johann Nestroy als Autor und Schauspieler, Wenzel Scholz, Friedrich Kaiser und andere können für das ganze Vorstadttheaterwesen ihrer Zeit stehen. Denn an diesen Häusern gab es (mit Ausnahme des Leopoldstädtertheaters) Opern, es gab Schauspiele, Kunstreiterspektakel, traurige Melodramen und dergleichen.

Das Wiener Theaterleben in Biedermeier und Vormärz ist durch die Theatergeschichte zu einem Mythos geworden, und eine Reihe von Klischees haften am Theater dieser Epoche, wobei es auch heute noch nicht leicht ist, dagegen anzukämpfen.

Da gilt es einmal, die Theaterbegeisterung richtig einzuschätzen. Diese Epoche wird ja schließlich als einer der Höhepunkte des Theaters und des Interesses am Theater bezeichnet. Im Lichte der sonstigen Freizeitangebote und Unterhaltungsmöglichkeiten und im Lichte der polizeilichen Steuerung des Theaterbesuchs, um die Menschen gerade in den gefährlichen Abendstunden vor schädlichen anderen Aktivitäten abzuhalten, ist aber die Theaterbesuchsausbeute sehr gering. Auch wenn wir annehmen, während des Wiener Kongresses wäre der Theaterbesuch enorm gewesen und wir nicht die atypische Situation durch die vielen auswärtigen Besucher und den Troß der Kongreßteilnehmer, denen zuliebe ja wohl rechtzeitige Spielplanaufpolierung und Schreyvogels Anstellung als Imagepflege vorangegangen waren, ins Kalkül ziehen, läßt sich andererseits nicht wegleugnen, daß die Zahl der stehenden Theater (Harfenisten, Kunstreiter, Feuerwerke und andere Aktivitäten hier einmal ausgeklammert) die ganze Zeit (sogar bis 1860) mit fünf gleich blieb, die Wiener Bevölkerung hingegen zwischen 1815 und 1848 analog zu anderen europäischen Metropolen enorm zunahm. Schätzungen für 1847 lassen vermuten, daß damals die durchschnittliche Auslastung der Bühnen sehr gering war und der Besuch, auf die Wohnbevölkerung umgelegt (ohne Berücksichtigung der jeweiligen Zahl der Wien-Besucher), nicht stärker war als um 1970.

Dennoch waren die Theater mit wenigen anderen Ausnahmen die einzigen Versammlungsorte größerer Menschenmassen außerhalb der Kirche, und sie waren in den Augen der Polizei gefährlich, was zu einer strengen Überwachung führte – durch die allgemeine Theaterzensur wie auch, seit 1803 in den Vorstadtbühnen, durch die Theaterkommissäre. Die Theater sollten zu ihrer (im Sinne der Obrigkeit) wahren Bestimmung, „einer öffentlichen Unterhaltung ohne Gefahr für Kopf, Herz, Sitten und Stimmung des Volkes“[1], zurückgeführt werden. Heiterkeit und Zerstreuung in den gefährlichen Abendstunden waren wichtig, und es war wichtig, Ideale zu tradieren, die für die Erhaltung der staatlichen Ordnung und die Dynastie von Nutzen waren.

Zensur übt eine der weitgehendsten Kontrollen künstlerischer Betätigung aus; ob es nun Zensur des geschriebenen (Bücher) oder des gesprochenen Worts (Theater) ist, ob von Bildern oder Musik. Zensur im Polizeistaat Metternichs veränderte nicht nur viele Werke, sondern verhinderte zum Teil auch ihre Veröffentlichung.

Die Verwobenheit bzw. die Abhängigkeit des Mediums Theater mit und von den Erscheinungen, Entwicklungen und Zwängen der realen Umwelt ist für jeden, der sieht, einsichtig.

Fragt doch 1828 Charles Sealsfield in der Emigration, nachdem er das Los der österreichischen Autoren unter der österreichischen Zensur beklagt: „What would have become of Shakespeare had he been doomed to live or write in Austria?“[2] – was ja beweist, wie wichtig die kulturelle Umgebung mit ihren Zwängen für den Künstler ist.

Sind es auf der einen Seite die Strukturen in der Hierarchie eines Hoftheaters und die Verbindungen zu den einzelnen Entscheidungsträgern und deren jeweiligen Auffassungen, welche die Voraussetzung schaffen, eine Aufführung überhaupt einmal zu erwägen, so ist auf der anderen Seite die Zensur im damaligen Österreich eine Komponente von noch gewaltigeren Auswirkungen, gerade wenn man, wie bei Grillparzers Hinwendung zu Politik und Geschichtsdrama, seine Entwicklung zu den Forderungen der Zensur konträr laufen sieht.

Nicht lange nach Erscheinen des zitierten Werkes von Charles Sealsfield schreibt Grillparzer 1829 in sein Tagebuch: „Ein östreichischer Dichter sollte höher gehalten werden als jeder andere. Wer unter solchen Umständen den Muth nicht ganz verliert, ist wahrlich eine Art Held“[3]. Nicht jeder war ein solcher Held.

Zwei Fragenkomplexe mögen herausgegriffen werden, um beispielhaft einerseits Hoftheater und andererseits Volkstheater in seiner Problematik anzudeuten:

Für das Burgtheater soll uns Grillparzer als Ansatz dienen (im Verhältnis zu den Entscheidungsträgern und Schreyvogel, der Zensur und den Grenzen der Inszenierungskunst), und für das Volkstheater sollen vor allem Überlegungen zum Publikum angestellt werden.

Das mehrfache kurzfristige Verbot der „Ahnfrau“ nach den ersten Aufführungen, die langen Verzögerungen mit „König Ottokars Glück und Ende“ und der Versuch, den „Treuen Diener seines Herrn“ dadurch aus dem Verkehr zu ziehen, daß der Kaiser ein Anbot zum ausschließlichen Erwerb der Handschrift machte, sind einige der Beispiele, die Grillparzer klarmachten, daß Österreich kein Boden für einen schöpferischen Schriftsteller war.

Nur ein Beispiel: Im „Treuen Diener seines Herrn“ bildet Machtmißbrauch durch einen absoluten Herrscher sicher ein wichtiges Anliegen. Die Loyalität des „treuen Dieners“ wird mißbraucht, so daß sein Gehorsam gegenüber Staat und Herrscherhaus übertrieben und die Macht, die diesen Gehorsam fordert, ungerechtfertigt scheinen muß. All dies mag des Kaisers Verdacht nach der erfolgreichen Uraufführung (1828) geweckt haben, und er versuchte nun, Grillparzers Werk als sein ausschließliches Eigentum zu erwerben, also die vorhandenen Manuskripte aufzukaufen, was bedeutet hätte, sie aus dem öffentlichen Verkehr zu ziehen und damit auch vom Theaterspielplan zu entfernen. Grillparzer argumentierte dagegen, deutete auch an, daß vielleicht ohne sein Wissen bereits zusätzliche Kopien hergestellt worden waren, so daß der Kaiser seinen Plan aufgab und der „Treue Diener“ im Burgtheater bis 1851 nicht mehr aufgeführt wurde.

**Beispiel Burgtheater**

Glaubt man der theaterwissenschaftlichen Literatur, so sind Josef Schreyvogel und Heinrich Laube jene beiden Direktoren des Burgtheaters überhaupt, welche diesem Institut zu Weltruhm verholfen haben. Für eine kritische Einschätzung der Ergebnisse ist es wichtig zu fragen, ob denn tatsächlich Ursache und Wirkung richtig gesehen wurden.

Wenn auch Theaterdirektoren und ihre künstlerischen Mitarbeiter ihr Theaterselbstverständnis vermitteln, sind und waren es nicht selten andere Leute, die nichts mit dem Theater, ja nicht einmal notwendigerweise mit dem Theaterbesuch zu tun haben, welche die Entscheidungen treffen – in unserem Fall sind es die Hofbeamten und Hochadeligen und weniger jene Theaterdirektoren, die wir aus der Theatergeschichte kennen.

Josef Schreyvogel, 1814–1832 am Burgtheater tätig, kann für die Frage nach den wirklichen Entscheidungsträgern als gutes Beispiel gelten. In der neueren Literatur ist Schreyvogels tatsächliche rechtliche Stellung zwar bekannt, doch sind daraus noch keine Konsequenzen für seine geänderte Verfügungsgewalt gezogen worden. Uta Maley kommt im Zusammenhang mit Schreyvogels beruflichem Werdegang am Burgtheater zu dem Schluß:

„Schreyvogels Tätigkeit am Burgtheater ist gekennzeichnet durch die Diskrepanz von persönlichem Wollen, fachlichem Können und reformatorischem Impetus einerseits und seiner untergeordneten Stellung andererseits, die ihn von den Launen der jeweiligen Kavaliersdirektion abhängig machte“[4].

Grillparzer und Schreyvogel standen ja in einem engen künstlerischen Verhältnis, und für Grillparzers Dramenaufführungen am Burgtheater sind die hierarchischen Strukturen einer Hofbühne wichtige Voraussetzungen.

Grillparzer schrieb als Dramatiker für die Hofbühne. Bis auf die „Ahnfrau" – und auch da nur in formeller Hinsicht – sind alle vor „Weh dem, der lügt!" uraufgeführten Stücke (genauer: alle Sprechstücke, vgl. „Melusina" 1835) im Hofburgtheater vorgestellt worden; obwohl man neben der „Ahnfrau" etwa „Traum ein Leben" sicherlich auch in der Vorstadt erfolgreich hätte inszenieren können. Ja, es ließe sich sogar mutmaßen, wieweit der Mißerfolg von „Weh dem, der lügt!" auf einer anderen Bühne als der Bühne des Hofes weniger kraß ausgefallen wäre. Tatsache ist, daß das Burgtheater, seine Struktur, sein Personal, sein Publikum, Partner für Grillparzers dramatisches Schaffen sein sollte.

Während der Zeit, in der Grillparzers Dramen am Burgtheater uraufgeführt wurden (ohne Nachlaßdramen), waren die beiden Hofbühnen, nämlich Burg- und Kärtnertortheater, bis 1. April 1817 verpachtet, dann bis 1821 unter zeitlicher Ärarialregie. Von diesem Zeitpunkt an, 1821, wurde das Kärntnertortheater wieder einem Pächter übergeben (bis 1848), während das Burgtheater, nun als eigener Verwaltungskörper und nicht mehr mit der Oper verbunden, dauernd unter direkter Hofverwaltung blieb.

Der Oberstkämmerer war oberster Leiter der Hoftheater. Dieses Hofamt eines Oberstkämmerers hatten nun inne: Graf Rudolf Wrbna (von Ende 1806 bis zu seinem Tod 29. Oktober 1824), gefolgt von Graf Czernin, nach dessen Tod (23. April 1845) dann Graf Moritz Dietrichstein, der dieses Amt am 1. Dezember 1848 zurücklegte. Man wird annehmen dürfen, daß diese Personen kraft ihres Amtes und ihres Adels den Bedürfnissen des Hofes und der Nobilität in der Regel zumindest sehr aufgeschlossen gegenüberstanden. Ob nun verpachtet oder nicht, unterstanden die Bühnen dem jeweiligen Oberstkämmerer als Aufsichtsbehörde. Je nach persönlicher Disposition oder nach Lage der Dinge konnte der Oberstkämmerer auch durchaus in die Angelegenheiten der Theater eingreifen, was zum Beispiel zwischen etwa 1826 und 1832 (Czernin) oder 1845 bis 1848 (Dietrichstein) der Fall war.

Im Zusammenhang mit Grillparzer und Schreyvogel ist nun sicher wichtig, daß zwischen 1817 und 1821 Graf Wrbna die Oberaufsicht über die Hofbühnen nicht ausübte, sondern diese an den damaligen Finanzminister, Graf Johann Philipp Stadion, delegierte. In diese Zeit fallen die Uraufführung der „Sappho" und des „Goldenen Vließes"[5]. Durch diese persönliche Konstellation ist es auch zum Autorenvertrag gekommen – quasi einem Stipendium – und zu den Erleichterungen im Amt[6].

Wer war aber für die Theaterleitung selbst verantwortlich? Ende 1806 hatte eine Theaterunternehmungsgesellschaft von Adeligen den Pachtvertrag über beide Hoftheater vom vormaligen Pächter Peter von Braun, inklusive des inzwischen von Braun erworbenen privaten Theaters an der Wien übernommen, so daß also drei der fünf Wiener Bühnen in einer Hand waren und eine Einheit bildeten. Aus der Kavaliersgesellschaft schieden nun in dieser fürs Theater so ungünstigen Zeit immer mehr Teilhaber aus. Aufgrund der finanziellen Misere wurde schon 1813 eine ärarische Sequestrationsverwaltung unter der Leitung des Hofrats Claudius Ritter von Fuljod eingesetzt, der auch noch nach dem 1. April 1817, bis 1821 unter Stadion, kontrollierender Kommissar blieb. Diesem Namen begegnen wir auch im Brotberuf Grillparzers als unmittelbarem Vorgesetzten, zwischen Stadion eingeschaltet[7].

Mit anderen Worten heißt dies, daß die Uraufführung der „Ahnfrau" im Theater an der Wien im Jänner 1817 noch in eine Zeit fällt, in der Palffy, der letzte der Kavalierspächter, die Oberleitung über die drei genannten Häuser innehatte. Wenn wir Grillparzers Selbstbiographie glauben[8], dann mag der Hauptgrund für die Wahl der Bühne in der Tatsache begründet sein, daß zu dieser Zeit im Theater an der Wien eben bestimmte gewünschte Schauspieler eingesetzt werden konnten. Die „Burgtheaterfähigkeit", auf die später öfters hingewiesen wurde, kann hier wohl kaum eine Rolle gespielt haben. Als dann die „Ahnfrau" 1824 ins Burgtheater übernommen wurde, war der Erfolg größer als im Theater an der Wien, und die „Ahnfrau" war eines der Werke Grillparzers, durch welches der Autor die ganze in Frage stehende Zeit hindurch am Burgtheater präsent blieb (was für das Theater an der Wien nicht zutraf).

Palffy behielt nach Abtretung der beiden Hofbühnen das Theater an der Wien noch bis 1825 (als Direktor) bzw. 1826 (als Besitzer) und bot als Abschluß seiner Direktion quasi als Epilog eine vom Burgtheater offenbar so gefürchtete Konkurrenz (1825) mit dem „König Ottokar" als Kavallerie-Spektakel.

Die Pächter, genauso wie die Direktoren späterer Jahre, versicherten sich ihrerseits der Hilfe von Vollzugsorganen mit Sachverstand, aber ohne wesentliche Entscheidungsvollmacht, meist unter dem Titel Hoftheatersekretär. Auch Josef Schreyvogel ist einer jener Fachleute, die dem Theater im großen und ganzen als Theatersekretär und Dramaturg zur Verfügung standen[9].

Es mag kein Zufall sein, daß der Finanzminister Graf Stadion mit der Aufgabe betraut wurde, die finanziell heruntergekommenen Hoftheater zu sanieren, aber auch das künstlerische Niveau zu heben. In einem Vortrag an den Kaiser von 18. Mai 1820[10] argumentierte Stadion – hier noch indirekt gegen eine Wiederverpachtung der Oper: So wie der Kaiser keinen Anstand nehme, die Bauten und Pflanzungen vor der Burg, die Verschönerung der kaiserlichen Gärten, die Unterhaltung des Marstalles vom Ärar bezahlen zu lassen, so müßten noch mit besserem Grunde (nämlich aus polizeilichen und politischen Rücksichten) die Hoftheater vom Ärar bezahlt werden, auch wenn sich in ganz Europa der Theaterbetrieb verteuerte. Für das Burgtheater befahl er Ende 1820[11] die „baldmöglichste Herstellung eines bedeutenderen Repertoires von Trauerspielen und anderen Stücken neuester Gattung, worin vorzüglich Mad. Schröder und nächst ihr Mad. Löwe beschäftigt wären", ein Ziel, dem etwa „Das goldene Vlies" durchaus Rechnung tragen sollte, mit Sophie Schröder als Medea und Juliane Löwe als Kreusa.

Stadion war nicht nur Grillparzers Förderer im Theater, sondern gab ihm jegliche Unterstützung im Amt, wie etwa lange Urlaubsbewilligungen u. dgl. Überhaupt darf man nicht glauben, Grillparzers Vorgesetzte hätten auf seine Berufung als Schriftsteller nicht Rücksicht genommen: Bei der Aufführung der „Sappho" dient Grillparzer als Konzeptspraktikant der allgemeinen Hofkammer, und die Befürwortung seines achtwöchigen Urlaubsantrags (am 4. Mai 1818) lautet folgendermaßen[12]:

„Es vereinigen sich alle Rücksichten, dem Verfasser des mit ungetheiltem Beyfalle aufgenommenen Trauerspieles

Sappho die nöthige Erholung von seinen Anstrengungen zu gönnen." Eine Art Amtshilfeangelegenheit?

Mit 22. April 1821 übernimmt Graf Moritz Dietrichstein nach Fuljod bzw. Minister Stadion die wiedergeschaffene Hoftheaterdirektorenstelle. Er scheidet am 1. Juni 1826 aus, wird Präfekt der Hofbibliothek, und wir begegnen ihm später als Oberstkämmerer. Er nimmt sich als Vizedirektor Ignaz von Mosel, der bis 1829 bleibt, um dann Kustos der Hofbibliothek zu werden.

In diese Periode fallen die Zensurschwierigkeiten mit Grillparzers „König Ottokars Glück und Ende", wobei es Czernins und Dietrichsteins persönlichem Einsatz zu danken ist, daß das Stück für die Bühne gerettet wird[13].

Die Grillparzer auf der Bühne betreffenden entscheidenden Maßnahmen, bis hin zu Besetzungsfragen, wurden nicht von Schreyvogel, sondern von den dafür Zuständigen getroffen: am Beginn Fuljod und Stadion, später Czernin und Dietrichstein.

Mit dem Ausscheiden Dietrichsteins, 1826, übernahm Oberstkämmerer Czernin das Theater bis 1832 in seine unmittelbare Leitung; da Mosel 1829 ebenfalls ging, hatte Czernin einzig an Schreyvogel einen Sekretär und Dramaturgen, eine Konstellation, die es begreiflich macht – noch dazu wenn man persönliche Aversionen hinzurechnet –, daß Czernin unzufrieden und Schreyvogel überarbeitet war, so daß er am 13. Mai 1832 unverdient in den Ruhestand, den er nicht lange genießen sollte, versetzt wurde.

Mit demselben Tage wurde der Professor für Ästhetik und klassische Literatur, Ludwig Deinhardstein, ein Jugendbekannter Grillparzers, als Vizedirektor angestellt; er blieb in dieser Funktion und als Dramaturg bis 1841 dem Burgtheater erhalten. Nach dem Tod Kaisers Franz I., 1835, wurde zwischen Czernin und Vizedirektor Deinhardstein wieder ein Direktor, Josef Landgraf Fürstenberg, zwischengeschaltet, also ein organisatorischer Zustand hergestellt, wie er zu Dietrichsteins Direktionszeit bestanden hatte. Als dieser Direktor 1840 starb, wurde die Macht der Direktion etwas eingeschränkt (vor allem was Engagementrechte betraf) und als neuer Direktor Franz von Holbein eingesetzt (zum erstenmal kein Theaterkavalier in dieser Position – und dies scheint wichtig), der dieses Amt durch die Revolution hindurchführte, aber besonders nach 1845, als Dietrichstein das Oberstkämmereramt übernahm, immer mehr in seinen Rechten beschränkt und praktisch auf den Posten eines Vizedirektors zurückverwiesen wurde.

Es soll darauf hingewiesen werden, daß die Entscheidungen im Hofdienst anders liefen, als sie besonders von der älteren Theatergeschichte beurteilt wurden. Damit soll Schreyvogels Wichtigkeit nicht abgewertet, sondern neu bewertet werden: denn seine Aufgaben und seine Möglichkeiten der Beeinflussung lagen auf anderen Gebieten. Was Grillparzer betrifft, so schätzte dieser sicher den väterlichen Ratgeber und war ihm verbunden, wenngleich er offenbar mit Schreyvogels Bearbeitungsvorschlägen oft sehr unglücklich war und später ihm möglichst nur vollendete Stücke vorlegte. Wir wissen um die kritische Einstellung zu den Änderungen bei der „Ahnfrau" und können Grillparzers Motivation verstehen, durch einen frühen Druck, der ja in der Regel dem Autor und dem Theater abträglich war, sozusagen die „Ahnfrau" der Öffentlichkeit vorzustellen. Auch mit dem Stück „Der Traum ein Leben" etwa, das Schreyvogel noch zu seiner Burgtheaterzeit lesen konnte und es (1831) noch als durchaus der Feile bedürfend beschrieb [14] – es wurde dann nach Schreyvogels Tod uraufgeführt –, konnte dieser offenbar nicht viel anfangen.

Es soll nicht der Eindruck entstehen, Schreyvogel hätte keinerlei Einfluß auf die Bühnengeschicke gehabt. Er hat Grillparzer sicher mit dem im Theater praktisch Möglichen, mit den Theaterkonventionen vertraut gemacht. Grillparzers und Schreyvogels jeweiliger Stellenwert in der Literatur- und Theatergeschichte müßte ja anders bewertet werden, hätte Grillparzer nicht sehr bald Schreyvogels Adaptionsvorschläge bewußt verworfen, um seine eigenen Vorstellungen zu verwirklichen.

Sei es durch seine Erfahrungen als Literat, Theatermann oder Zensor, Schreyvogel ermöglichte es aufgrund der Kenntnis dessen, was man gerade noch durchsetzen konnte, daß mit seinen Bearbeitungen ein sogenannter Welttheaterspielplan angestrebt wurde, in dem neben Zeitgenossen auch Schiller (ein großes Problem für die österreichische Hofbühne), Shakespeare und die großen Spanier gebracht werden konnten – wenn auch mengenmäßig nur bescheiden im Wust des Tagesangebots. Ihm gelang die Gratwanderung zwischen Dienst am Werk und zwischen Theater- und Zensurrücksichten.

Es scheint mir nicht uninteressant zu sein, Grillparzers Reiseeindrücke von Paris 1836 darauf zu befragen, ob sie ihm nicht neue Dimensionen eines Theaterverständnisses anboten. Zumindest führten sie ihm praktisch vor Augen, wie bescheiden und zum Teil qualitativ überholt die Burgtheaterangebote im Lichte der sonst sich damals bereits rapide wandelnden Theaterkunst zu bewerten waren. Es drängt sich also die Frage auf, ob die erkannten Möglichkeiten des Theaters und die vermutliche Einsicht, in Wien und in Deutschland noch keine adäquaten Realisierungsmöglichkeiten zu sehen, neben mangelnden Erfolgserlebnissen und neben Zensurdruck ihn bewogen hat zu einer Nichtaufführung seiner später folgenden Werke, die sicher vieles in ihrem Text, der späteren Inszenierungs- und Schauspieltechnik des Historismus vorwegnehmen.

Grillparzer ist vom Pariser Theater jedenfalls höchst beeindruckt. Vieles war für ihn im Vergleich zu den Wiener Verhältnissen neu: er stellt fest, daß die schauspielerische Leistung in einer Inszenierung einheitlich ist, daß auch Nebenrollen gleich gut besetzt werden und das Szenische in Hinblick auf Bühnenbild, eventuell Kostüm und Beleuchtung als Regiekonzeption erkannt wird. Und etwas anderes Wichtiges fällt ihm auf, das es in Wien nicht gab: „Der Vorhang ging auf – ein Gemälde lag vor mir da. Ein Zimmer mit einigen Bücherstellen, dunkel gehalten. Keine Koulissen, keine Suffiten, keine Seitenlampen, keine Einsicht zwischen die Wände; sondern eben ein Zimmer wie man es in der Wirklichkeit sieht"[15].

Was er hier beschreibt, ist eine sogenannte „geschlossene Zimmerdekoration", wie sie damals in Paris schon gang und gäbe war; in Wien und im sonstigen deutschsprachigen Theater arbeitete man hingegen noch mit Seitenkulissen.

Daß eine geschlossene Zimmerdekoration ein anderes Spiel, andere Beleuchtungstechnik u. dgl. erfordert, ist einsichtig. Jetzt erst muß man tatsächlich Türen öffnen, wenn man seitlich die Bühne betritt, Einrichtungsgegenstände sind jetzt erst sinnvollerweise tatsächlich als Gegenstände vorhanden und nicht nur aufgemalt. Er beschreibt also Inszenierungen, wie es sie in Wien in dieser Form damals nicht gab. Paris war ja Pionier in der Entwicklung der Regie, und in der Zeit, aus der Grillparzers Reisetagebücher stammen, war diese Entwicklung in voller Reife.

Am 20. April 1836 z. B. sieht er die Oper „Die Jüdin" von Halevy, deren Musik er größtenteils als blinden Lärm abtut, aber auch im Musiktheater (das auch im Wiener Kärntnertortheater relativ zum Sprechtheater des Burgtheaters opulenter ausgestattet wurde) fällt ihm wieder die Dekoration auf: „Ich glaube Phantasie zu haben. Hier zum erstenmale in meinem Leben habe ich ein theatralisches Arrangement gesehen"[16].

Diese Pariser Inszenierungen konnten für Grillparzer nur ein Fernziel bleiben, denn trotz seiner Phantasie konnte er die Theaterproduktionen und die Theaterpraxis kaum beeinflussen, denn es war nicht so sehr das Problem, Phantasie in Text umzusetzen, sondern das Problem der Theaterleute, diese Zeichen zu lesen und zu fragen, ob damit nicht die Wiener Theaterkonvention überschritten wurde.

**Beispiel Volkstheater**

Das Wiener Volkstheater, gerne gleichgesetzt mit Ferdinand Raimund und Johann Nestroy, steht viel stärker in einem internationalen Kontext, als es die Wiener Volkstheaterforschung wahr haben will. Die Reduktion dieses Phänomens auf die Theaterleidenschaft der Wiener und auf die Entwicklungsstufen einer komischen Figur ist unrichtig, eignet sich aber zugegebenermaßen zum Fortschreiben gewisser Klischees des Wieners und des Wiener Theaters. Wenn auch nicht geleugnet werden soll, daß es ein „Komikertheater" in der Leopoldstadt gegeben hat, das es zu einer Attraktion gebracht hat (auch für die vielen fremden Besucher, die natürlich darüber berichteten und damit den Eindruck vermittelten, nur diese Art von Volkstheater hätte existiert), darf dabei nicht vergessen werden, daß diese Spezialität nur **eine** Form des Theaterangebots in der Vorstadt war. Volkstheater läßt sich nicht nur auf bodenständige Volkskomödie beziehen. Die Tradition der internationalen Melodramen war auf jeden Fall im 19. Jahrhundert auch für Wien maßgebend. Paris und in zweiter Linie London waren Trendsetter und Lieferanten dramatischer Produkte, die in Wien (wie auch sonstwo) angepaßt und einverleibt wurden, begünstigt durch die urheberrechtlich schlechte Stellung der meist als Lohnschreiber tätigen Autoren und die naturgemäß mangelnde Vergleichsmöglichkeit des Publikums. Während Wiener Premieren ihrerseits Ausgangspunkt für die Theater der Monarchie und Deutschlands waren, erlagen Darsteller dem Sog der großen Stadt. Volkstümliche Lokalkomödie war nicht das ausschließliche (möglicherweise nicht einmal das am häufigsten besuchte) Unterhaltungsangebot fürs Volk – wobei der Unterhaltungscharakter nicht unbedingt durch Lachen zum Tragen kommen muß, wie umgekehrt Lachen nicht unbedingt ein Zeichen für (bloße) Unterhaltung sein muß. In Häusern, die man dem Volkstheater zuordnet, konnte auch Oper und Schauspiel gedeihen.

Was sind überhaupt Volksstücke? Ein Terminus technicus, der von den zeitgenössischen Dramatikern für ihre Produkte nicht verwendet wurde, weil sich hinter Posse, Lebensbild und x-beliebigen Konstrukten eine ernsthafte Behandlung eines Themas genauso wie eine (vielleicht erwünschte) eskapistische Ablenkung verbergen konnte. Nestroy beispielsweise nannte keines seiner Werke „Volksstück".

Gerade in den späten vierziger und frühen fünfziger Jahren haben Nestroys Theaterstücke die Stellung des sozial Benachteiligten, dessen Selbstwertgefühl und die Korruption höherer Kreise zum Thema, aber – so müssen wir vorläufig vermuten – vor einem Publikum, das sich in seiner Zusammensetzung zunehmend von dem Personenkreis, dessen Fragen auf der Bühne angesprochen wurde, entfernte und unterschied.

Daneben gab es zur Zeit Raimunds und Nestroys aber auch ein Volkstheater, das sich nicht mit den privilegierten Theatergebäuden der Vorstadt zufrieden gab, sondern mit Volkssängern („Harfenisten") und anderen subtheatralen und subliterarischen Angeboten, die es aber, so sonderbar es auf den ersten Blick klingen mag, als Theaterhistoriker erst zu suchen gilt. Unser Quellennotstand ist vermutlich weniger auf das Nichtvorhandensein solcher Spielformen zurückzuführen, sondern darauf, daß sich hauptsächlich jene Gewährsleute artikulierten und damit von der Theatergeschichtsschreibung aufgegriffen wurden, die, von den damaligen jeweiligen kulturtragenden Schichten stammend und in deren Organen schreibend, an die kulturelle Szene Maßstäbe ihrer eigenen ästhetischen und politischen Wertvorstellungen anlegten.

Noch im Vormärz hatte das Volk – als untere oder eine der untersten sozialen Schichten gemeint – keine eigenen Theater, sondern es war immer nur Gast in den Vorstadtbühnen – an Sonntagen, im Sommer, auf der letzten Galerie. Eine Gegenkultur auf dem Theater war in Wien – im Gegensatz zu den vielfältigen Volks- beziehungsweise Arbeitertheatern in London und Paris – nicht möglich. Diesbezügliche Bestrebungen mußten – schon aus Polizeirücksichten – getarnt werden.

Für das Verständnis des Wiener Theaters im allgemeinen und damit auch als Ausgangspunkt für Überlegungen zur Publikumsstruktur bzw. von deren Veränderung sind die Jahre um 1830 von großer Bedeutung. Hier ist eine „Wende" anzusetzen, die sich am anschaulichsten dadurch dokumentieren läßt, wenn man sich überlegt, welche Leute[17] aus dem kulturellen Leben sich vom Theater zurückzogen oder starben. Im Politischen sind natürlich die Auswirkungen der Revolution von 1830 auf Österreich zu spüren, was sich auch daran zeigt, wie viele Stücke, auch am Hoftheater, ohne offizielles Verbot, ohne aktenkundig gewordenen Eingriff der allgegenwärtigen Theaterzensur, plötzlich auf lange Zeit vom Spielplan verschwanden.

Viel müßte noch geforscht werden, will man sich nicht der Gefahr aussetzen, einen einmal bedenklich erkannten Weg der älteren Wiener Theatergeschichtsschreibung weiterzugehen und höchstens nur im Detail perfekter zu machen. Ich gehe davon aus, daß im Spielplanangebot (im Sprechtheater, aber nicht bei Opern) ursprünglich eine relativ klare Trennung zwischen Hof- und Vorstadtbühnen gegeben war. Seit der Jahrhundertmitte wurde diese Grenzziehung brüchig. Immer häufiger finden wir Theaterstücke, welche im Burgtheater ebenso wie an einer der Vorstadtbühnen gespielt wurden. Ein zusätzliches Indiz, daß sich die Interessen des Publikums beider Bereiche bald einander näherten.

„Volk" ist kein wissenschaftlich klar abgesteckter Begriff, und wir meinen jeweils etwas anderes damit. Ferdinand Raimunds Theater hatte es noch mit einem regional gegliederten Stammpublikum zu tun, in erster Linie mit Zuschauern aus der Umgebung. Unter diesen gab es natürlich auch einen Anteil an sozial Tieferstehenden, die als „Nachbarn" dazugehörten, wobei sich das Theater aber nicht primär an ihnen orientierte.

Die um die Jahrhundertmitte zunehmend verbesserte Verkehrssituation (durch Eisenbahn oder andere Transportsysteme) bewirkte, daß besonders im Sommer jener Teil des Publikums, der es sich leisten konnte, Wien und damit die Wiener Theater verließ, und so lange die Theater nicht diesen Gegebenheiten Rechnung tragen konnten (Arenabühnen in den Vororten für die Zurückgebliebenen oder Bühnen in den Zielorten der Reisenden), hatten sie in dieser Jahreszeit wenig Chancen. Als Zugang zum Erkennen von Publikumsstrukturen sind daher Premieren bzw. Aufführungen in der warmen oder in der kühlen Jahreszeit für die Einschätzung des Werkes bzw. die Selbsteinschätzung durch das Theater aussagekräftig. Hierher gehören die vielen Gastspiele fremder Zugkräfte (Gymnastiker, Zauberer usw.) bzw. die Auswärtsgastspiele der engagierten Lieblinge. Hierher gehört auch, an welchen Tagen in der Regel Premieren stattfanden bzw. Benefizvorstellungen (Benefiz im Sinne von zusätzlichen Einnahmen des Benefizianten, eines engagierten Schauspielers oder Dichters u. ä.), weil gerade bei Benefizvorstellungen natürlich ein zahlungskräftiges und geschmackbildendes Publikum erwünscht war, das eine indirekte Mäzenatenfunktion ausübte. Das sogenannte Sonntagspublikum und die oft an Sonntagen abgespielten oder besonders das Spektakuläre betonenden Stücke geben ebenfalls Hinweise.

Oft fällt innerhalb der professionellen Kritiker auf, wie sehr das „gebildete" (d. h. gesellschaftlich gehobene Parterrepublikum) vom Galeriepublikum abgesetzt wird und Reaktionen meist aus der Perspektive des Parterres beschrieben werden. Riskant ist die Umlegung von Textstellen der Theaterstücke auf Publikumsbelange. Ein gesellschaftlicher Besucherwandel seit den 1830er oder 1840er Jahren kann nicht bestritten werden, und auch die Vorstadttheater wurden als Sammelpunkte der beau monde immer mehr „in". Als Zeichen dieser Verbürgerlichung des Publikums der Vorstadttheater kann das elegante Carltheater gelten (eröffnet am 10. Dezember 1847), mit dem sich – der Name sagt es schon – Direktor Carl Carl ein Denkmal setzte. Nicht nur die Kartenpreise, sondern allein schon die Eleganz, das neue Selbstverständnis von Theater, das vielleicht stärker selektionierte, als es die Preise taten, machen das Carltheater als Volkstheater problematisch. Dasselbe trifft auch bald auf das Theater an der Wien zu. Diese Beobachtungen führen uns aber bereits in eine andere Epoche.

**Anmerkungen:**

[1] Karl Glossy, Zur Geschichte der Theater Wiens. I. (1801 bis 1820). In: Jahrbuch der Grillparzer-Gesellschaft XXV, Wien 1915, S. 59.

[2] Charles Sealsfield, Austria as it is, London 1828, S. 209.

[3] Franz Grillparzer, Sämtliche Werke, HKA II/8, S. 332.

[4] Ura Maley, Schreyvogel und Calderón. Ein Beitrag zur Erforschung der österreichischen Calderónrezeption im 19. Jahrhundert, Diss. Innsbruck 1976, S. 4.

[5] „Sappho" 21. April 1818, „Das goldene Vließ" 26./27. März 1821.

[6] Franz Grillparzer, Sämtliche Werke, HKA III/1, S. 119–121, 399f. Vgl. auch: Lorenz Mikoletzky, Grillparzers Beamtenlaufbahn. In: Grillparzer-Forum Forchtenstein 1973, Eisenstadt 1974, S. 85–102.

[7] [Franz Dirnberger], Burgtheater in Dokumenten. Katalog der Theaterausstellung. September 1976=März 1977. Haus-, Hof- und Staatsarchiv, Wien 1976, S. 40.

[8] Franz Grillparzer, Sämtliche Werke, HKA I/16, S. 123.

[9] Vgl. Uta Maley (wie Anm. 4), S. 1–4.

[10] Karl Glossy (wie Anm. 1), S. 264f.

[11] Franz Dirnberger (wie Anm. 7), S. 40.

[12] Lorenz Mikoletzky (wie Anm. 6), S. 89.

[13] Franz Grillparzer, Sämtliche Werke, HKA I/18, besonders S. 16 (Nr. 137, 148) und S. 18f. (Nr. 176ff.).

[14] Franz Grillparzer, Sämtliche Werke, HKA I/20, S. 16 (Nr. 57).

[15] Franz Grillparzer, Sämtliche Werke, HKA II/10, S. 10 (Nr. 2884).

[16] Franz Grillparzer, Sämtliche Werke, HKA II/10, S. 30 (Nr. 2926).

[17] W. E. Yates, Cultural Life in Early Nineteenth Century Vienna, in: Forum for Modern Languages Studies XIII, 2 (April 1977), S. 117ff.

# FERDINAND RAIMUND

*Reinhard Urbach*

„Wer sich der Tugend weiht, hat nie des Bösen Macht zu scheuen."

In goldenen Lettern prangt der Wahlspruch Alzindes, der Gemahlin des Beherrschers des Diamantenreiches am Tempel der Tugend, den sie errichten ließ, als absehbar war, daß Hoanghu, „der königliche Held", nach langem Krieg den Feind über die Grenzen des Landes zurückwerfen konnte. Mit dem Frieden sollte auch die Tugend einziehen und das Böse in Gestalt des Geistes Moisasur, der bisher durch Opfergaben besänftigt worden war, für immer verdammt und verbannt werden. Moisasurs Tempel hatte sie zerstören lassen.

Alzindes Wahlspruch entpuppt sich als Behauptung. Das Böse läßt sich nicht durch einfachen Entschluß vertreiben. Moisasur beweist seine Macht durch Tat und Fluch: Er läßt das Diamantenreich und seine Bewohner zu Stein erstarren; Alzinde schlägt er mit hohem Alter, verbannt sie in ein fernes Alpental (ausgerechnet nach Österreich), doch bleibt ihre Seele jung, „damit sie zehnfach jeden Schmerz empfind' und die Erinnerung ihres Glücks sie quäle!" Als Strafverschärfung muß sie diamantene Tränen weinen, „damit des Menschen Habsucht bis zum Tod sie peinige".

Doch weil Moisasur zwar böse, aber nicht allmächtig ist, muß er seiner Verwünschung eine Bedingung setzen, die sie aufhebt: Alzinde wird erlöst, „wenn sie im Arm des Todes Freudentränen weint".

Nichts anderes hat Ferdinand Raimund in seinem „Zauberspiel" *Moisasurs Zauberfluch* von 1827 an den Anfang gestellt, als ein pervertiertes Bild seiner Zeit, des „Biedermeier".

Die Restauration der europäischen Staaten nach den Napoleonischen Kriegen durch den Wiener Kongreß, was wollte sie anderes, als daß alles beim alten bliebe? Die „Heilige Allianz" von 1815 (die freilich 1827 schon längst brüchig geworden war), was hatte sie anderes gewollt, als daß sich nie mehr etwas ändern sollte?

Metternich, der „Dämon Österreichs", ein anderer Moisasur, was wollte er anderes als den *Status quo,* als: Versteinerung?

Das zweite Bild läßt ebenfalls eine zeitbezogene Deutung zu. Alt sein mit junger Seele – Bild für ein Volk, das nach den Befreiungskriegen ein bis dahin nicht gekanntes Nationalbewußtsein zu entwikkeln und daraus staatliche Mitgestaltung und politische Mitbestimmung abzuleiten begann; es wurde in die „alten" Zustände des *Ancien régime* zurückgezwungen.

Das dritte Bild: Diamantene Tränen sollen die Habgier reizen. Eine symbolische Darstellung des Mehrwerts; mit dem deutlichen Fingerzeig darauf, daß die lukrative Ausbeutung der „Armen" durch die „Reichen" an Grenzen stößt: Die profitablen Tränen können nicht erzwungen werden, sie müssen von selber fließen. Das heißt, die Weinende hat ihre Tränen zwar nicht unter Kontrolle, aber wenn sie als Edelsteine tropfen, dann nur mit ihrem Einverständnis. Mit anderen Worten: Zugfügtes Leid bringt keinen Gewinn.

Das vierte Bild umschreibt ein dem Menschen schier unmögliches Verhalten. Sterbend sich zu freuen, nur das kann den Fluch des Bösen lösen! Das geht über den Gleichmut stoischer Entsagungsmoral hinaus, und doch ist auch nicht mystisch verzückte Todesseligkeit gemeint; denn es sollen nicht über den Tod, sondern trotz des Todes Freudentränen vergossen werden. Das Unmögliche gelingt durch die Liebe; und zwar nicht durch eine diffuse, alles umspannende Agape, sondern konkret: durch Gattenliebe. Das mythische Motiv (von Orpheus zu Alceste) ist noch in Kraft: Gattenliebe ist stärker als der Tod. Wenn sie uneigennützig ist, wenn sie des eigenen Vorteils, des eigenen Lebens nicht achtet. Alzinde, als eine neue Alceste, paart die Liebe mit der Tugend. Sie bewährt sich im Leid; sie bekräftigt durch ihr Verhalten den Wahlspruch, den sie über den Tempel der Tugend setzte. Und der dadurch nicht nur Behauptung blieb, sondern Haltung war, Haltung freilich nicht eines gewöhnlichen Menschen, sondern einer Königin. Herrschertugend wehrt der Macht des Bösen. Eine hohe Forderung Ferdinand Raimunds, eine hochgespannte Erwartung an die versammelten legitimistischen Herrscherhäuser der Welt, dem Erstarrungsprinzip der bösen Geister – hießen sie nun Moisasur oder Metternich – zu wehren und Veränderungen nicht nur zuzulassen, sondern zu befördern, soferne sie der „Tugend" als dem höchsten Begriff des Wohlergehens für alle dienen.

Mit diesem Beispiel soll zunächst nur angeregt werden, bei der Beurteilung Raimunds als eines biedermeierlichen Dichters Vorsicht walten zu lassen. Die Raimund-Problematik ist nicht darin zu sehen, daß er ein Biedermeier-Autor war, sondern darin, daß er zu einem gemacht wurde. Nur weil er sie dargestellt hat, hat er seine Zeit noch nicht akklamiert. Vielmehr hat er biedermeierliche Lebensart, Illusion, Resignation thematisiert. Das Biedermeier war sein Gegenstand, das er spiegelverkehrt abbildete und dem er sein Gegenbild entgegensetzte. Er erfand Bilder von wirkungsvoller theatralischer Stärke, die aus „Biedermeier"-Wirklichkeit „Vormärz"-Literatur, besser: „Vormärz"-Theater machten.

Das heißt aber nicht, daß sich Ferdinand Raimund von biedermeierlicher Ideologie hätte freimachen können, daß er alle Fußangeln seiner Zeit durchschaut, erkannt und gemieden hätte. Er war in seiner Zeit gefangen; kein Revolutionär, der auf dem Theater eine politische Botschaft hämmert; kein Satiriker, dessen Figuren ätzen und säuern sollten; kein Zyniker, dem alle Menschen – er selbst nicht ausgenommen – zuwider wären. Er lehnte seine Zeit nicht ab, er bildete sie ab und setzte sein Ideal dagegen. Es konnte geschehen, daß dieses Ideal identisch war mit der Ideologie, die von der Obrigkeit, vom „System" gewünscht, propagiert, oktroyiert wurde.

Das Bescheidenheitsideal und die Resignationsideologie sehen sich ähnlich; das Bedürfnis nach innerem Frieden kommt der Ruhe als verordneter Bürgerpflicht nahe – aber es ist nicht dasselbe. Es bleibt der kleine Unterschied zwischen selbstverständlich, eigenmächtig geübter Freiheit, eigenem Entschluß aufgrund selbst errungener Erkenntnis und obrigkeitlicher Verordnung, Verpflichtung, Drangsalierung. In diesem Unterschied liegt die Sprengladung der künftigen Revolution. Einsicht in Notwendigkeiten kann nicht befohlen werden; und wenn sie befohlen wird, hebt der Befehl die Einsicht auf.

Raimunds Werk strotzt von solchen Diskrepanzen: gewaltsame Bekehrungen, erzwungenes Glück, erpreßtes Einverständnis.

Raimunds Werk wurde und wird immer noch gar zu gern verkleinert, zwangsharmonisiert, beschönigt. Es scheint gerade gut genug für die Kinder zu sein und wäre doch erst dann für die Kinder gut, wenn es von den Erwachsenen in allen Konse-

Kat. Nr. 10/4 Ferdinand Raimund, um 1820

quenzen, Spannungen und seiner Zwiespältigkeit – die alles andere als einfältig ist – ernst genommen würde.

Wie sieht es denn in seinem Werk mit der vielgepriesenen Häuslichkeit aus, die vom Kaiserhaus bis zur Köhlerhütte alle Menschen in familiärer Traulichkeit versammelt? Bei Raimund findet sich kein intaktes Interieur, keine wohnliche Stube, kein trautes Heim. Das Haus, das der Zauberer Zephises seinem Sohn Eduard *(Der Diamant des Geisterkönigs)* hinterläßt, ist verschuldet und steht zum Verkauf. Doch: „Wer wird denn ein Haus kaufen, wo die Hexen wie die Schwalben aus und eing'flogen?"

Das protzig-noble Stadtpalais des „Bauern als Millionär" läßt keine intime Behaglichkeit aufkommen; der Familiensinn des Parvenus ist durch seinen plötzlichen Reichtum empfindlich gestört.

Rappelkopf, der Menschenfeind, zerschlägt, bevor er das Haus verläßt, das ihm eine Mördergrube zu sein schien, das Mobiliar. Die Köhlerhütte, die er sich als Einsiedelei einrichten will, nachdem er deren Insassen mit Geld vertrieben hat, ist der Inbegriff eines biedermeierlichen Elendsquartiers. Und es gehört zu den tradierten Perversionen der Raimund-Rezeption, die Idylle zu glauben, die das parodistische Auszugslied suggeriert:

*„So leb' denn wohl, du stilles Haus,*
*Wir ziehn betrübt aus dir hinaus.*
*Und fänden wir das höchste Glück,*
*Wir dächten doch an dich zurück."*

So eng, rußig, verstunken kann es gar nicht gewesen sein, daß die Ideologie vom Eigenheim, Glücks genug, nicht zum einschmeichelnden Volkslied verinnerlicht worden wäre.

Die Versessenheit auf ein reiches Meublement parodiert Raimund in der *Unheilbringenden Krone:* Mit einer Wunderfackel gaukelt der arme Schneider Simplizius seinem Gläubiger, dem Weinhändler Riegelsam, ein kostbares Interieur in seiner armseligen Hütte vor, eine Kombination von Schmutz, einer „schönen Wanduhr" und „großen Gemälden mit goldenen Rahmen", wie sie auch dem spleenigsten Engländer, der als ihr Urheber angegeben wird, nicht zuzutrauen wäre. Simplizius hat Erfolg: der Weinhändler ist versessen darauf, das kostbare Interieur zu besitzen. Rasche Verwandlung läßt ihn den Trug erkennen und vor Zorn die Tür eintreten.

Eine zerschlagene Wirtshaustür ist es auch, deren Reparatur den Tischler Valentin für heute ins Brot setzt. („Ich soll im Wirtshaus drüben die Tür z'samm'nageln, weil s' gestern einen hinausg'worfen haben, und da ist er ankommen an die Tür, und da hat s' einen Sprung kriegt.") Zertretene Türen sind die irdische Variante der Transparenz, die die Wesen aus höheren Sphären, wenn sie ins menschliche Leben eingreifen wollen, bürgerlichen Wohnungswänden zu verleihen vermögen. Das Alter fährt noch mit Gewalt durch die Glastür in Fortunatus Wurzels Palast ein, „so daß die Scherben davonfliegen". Doch der Alpenkönig erscheint der Familie Rappelkopfs im Salon hinter dem sich öffnenden Spiegel. Eduards Hoffnung tritt in sein Zimmer nicht herein, sondern „kommt aus der Erde". Eduard vermag mit magischem Schlüssel die Wand zu öffnen, hinter der seines Vaters Schatzhalle sichtbar wird.

Wände sind durchlässig bei Raimund. Räume verwandeln sich auf Zauberschlag. Als Wurzel seinen Reichtum verwünscht, mutieren seine Kredenzen im Nu zu brüllenden Ochsen. Einstürzende Paläste, Naturkatastrophen, versinkende Städte – Raimunds Menschen haben ständig die entsetzlichsten Umschwünge zu gewärtigen. Sicherheit ist nirgends, weder daheim zwischen bunt tapezierten Wänden, noch in der Natur, die durch sentimentale Domestizierung nicht zu bändigen ist.

Die Natur ist nur dann lieblich, wenn es die Menschen sind, die sich ihr anvertrauen; dann kann sogar die Nacht ein Schutz sein. Die in seiner Zeit übliche und von ihm selbst geübte Naturschwärmerei wird von Raimund in seinen Stücken nicht bestätigt oder gefördert, sondern zu Furcht und Grauen verkehrt. Die Angst und ihre Begleiter Mißtrauen, Menschenhaß, Melancholie durchziehen sein Werk und vergiften sein Leben.

Geboren 1790, in Kriegszeiten aufgewachsen, mit 15 Jahren verwaist, abgebrochene Lehrzeit, unstete Wanderjahre in der Provinz. Das Bedürfnis, Menschen (Schauspieler) nachzuahmen, war so groß, daß er sich von offensichtlichen körperlichen Mängeln und stimmlichen Hemmnissen nicht abhalten ließ, zum Theater zu gehen, in die ungarische Provinz zunächst, nach Preßburg, Steinamanger, Ödenburg, Raab (1808–1814). 1814 wurde er von Josef Alois Gleich ans Theater in der Josefstadt engagiert; es ging in Wien nur langsam vorwärts, die große Konkurrenz der Lokalkomiker Ignaz Schuster, Josef Korntheuer etwa war nur schwer zu überwinden. Sogar eine Versippung mit dem Volksstückeschreiber Gleich, dessen Tochter Raimund nach einigem Widerstreben heiratete, schien ihm ratsam; der hatte ihm mit dem Musikanten Kratzerl einen Serienerfolg auf den Leib geschrieben. Das Publikum begann, Raimund zu akklamieren, was sich auch darin äußerte, daß es Anteil an seinem Privatleben nahm, ja dieses öffentlich zu beeinflussen suchte. 1815 hatte er schon im Theater in der Leopoldstadt gastiert, 1817 wurde er dorthin engagiert, seit 1821 war er dort auch Regisseur und ab 1828 für zwei Jahre Artistischer Leiter. Ab 1830 ging er kein festes Engagement mehr ein, sondern gastierte in Wien (außer an den genannten Vorstadttheatern auch im Theater an der Wien), München, Hamburg, Berlin und Prag. 1834 erwarb er sich in Pernitz bei Gutenstein einen Landsitz, den er mit seiner Lebensgefährtin Antonia (Toni) Wagner bewohnte (eine zweite Heirat war nach der Scheidung von Luise Gleich nicht möglich). In Pernitz wurde er im August 1836 von einem Hund gebissen, den er für tollwütig hielt. Auf der Fahrt zum Arzt nach Wien erschoß er sich und starb einige qualvolle Tage später in Pottenstein.

Die Katastrophen, deren unermeßliche Folgen er in seinen Dramen mit größter Mühe und im allerletzten Moment abwendete, wollte er von seinem Leben fernhalten. Er suchte sich abzusichern: sei es durch stets erneuerte Treueschwüre an seine Geliebte, die er auch ständig von ihr forderte, um den ausbleibenden Segen der Kirche durch privat-sakramentale Bestätigungen wettzumachen, sei es durch beschwörende Huldigungsgedichte an das Gutensteiner Tal, ihm treu zu bleiben bis zum Tod. Seine Briefe sind voll von Beschwörungen, Gelöbnissen, Beteuerungen. Sie bestätigen seinen Zweifel an der Balance des Lebens, seine Hypochondrie, seine gestörte Beziehung zur Umwelt, eine Balance, die schließlich kippte. Sich selbst umbringen zu können als letzte freie Entscheidung – sie mißriet ihm kläglich.

Fürs Theater zu schreiben hatte Ferdinand Raimund nicht begonnen, weil es ihn dazu drängte, sondern weil Bedarf bestand. Es fehlte an einem geeigneten Stück für sein Benefiz. So entstand die „Zauberposse mit Gesang" *Der Barometermacher auf der Zauberinsel,* am 18. Dezember 1823 im Theater in der Leopoldstadt uraufgeführt; eine Parodie auf die Verkommenheit der Macht, bei der sich manche Zeitgenossen schon wunderten, daß ein so vertrottelter Herrscher wie der König Tutu unbeanstandet die Zensur passieren durfte. Doch Raimund hatte als Schauspieler und gelegentlicher Verfasser von Einlagen in fremde Stücke ausreichend Erfahrung mit der Zensur, um zu wissen, daß auf der Bühne Herrschaftsstrukturen wanken durften, solange sie nicht grundsätzlich angefochten wurden.

Beim Weiterschreiben machte er im Gegensatz zu seinen inflationär produzierenden Kollegen keine Konzessionen mehr an den Verschleiß *(Der Barometermacher auf der Zauberinsel* hatte den Verschleiß theatralischer Mittel unwiederholbar vorgeführt), wohl aber an den Geschmack des Publikums; er gab dem Affen Zucker und versüßte die bitteren Pillen, die er gleichsam in pädagogischer Absicht drehte. Daß alles in Ordnung sei auf der Welt und man nach des Tages Müh am Abend nur zum Lachen ins Theater komme, das brachte er nicht übers Herz, dem Publikum weiszumachen.

Mit seinem zweiten Stück, dem „Zauberspiel" *Der Diamant des Geisterkönigs,* im Theater in der Leopoldstadt am 17. Dezember 1824 uraufgeführt, mit dem er auch die Zweifel zerstreute, das erste geschrieben zu haben, glossierte er die Perversion staatsbürgerlichen Gehorsams. Der brave Eduard tut alles, was man von ihm verlangt; teils aus Geldgier – denn der Lohn für seinen Gehorsam ist hoch bemessen –, teils aus anerzogener Unterwürfigkeit, die es ihm verbietet, seinen eigentlichen Bedürfnissen nachzukommen.

Das „romantische Original-Zaubermärchen mit Gesang" *Das Mädchen aus der Feenwelt oder Der Bauer als Millionär* kam am 10. November 1826 im Theater in der Leopoldstadt heraus. Es ist die märchenhafte Verheißung wirtschaftlichen Aufschwungs auf landwirtschaftlicher Basis, sofern man sich gefährlicher Überheblichkeiten enthält. War *Der Diamant des Geisterkönigs* ein politisches Zeitstück in verschlüsselter Form, so ist *Der Bauer als Millionär* ein soziales. Standesschranken sind gegeben. Sie zu überwinden, bedeutet Gefahr für Leib und Leben. Dem Bauern Fortunatus Wurzel geht es nur an den Leib. Seine Unmäßigkeit kann physiologisch korrigiert werden. Es steht in der Geister Macht, ihm die Jugend zu entziehen und ihm damit des Herzens Lust, zu fressen und zu saufen, zu vergällen, so daß er mit seinem Reichtum nichts anderes zu beginnen weiß als ihn zu verwünschen, in der Hoffnung: „Vielleicht wird wieder alles wie vorhin." Schwieriger ist es für die Geisterwelt, den Fischer Karl zur Vernunft und Einsicht in die Unangemessenheit, Vermessenheit seiner Machtgelüste zu bringen. Er überschreitet seine Grenze, indem er sich auf ein gefährliches (Kegel-)Spiel um den Ring, der höchste Macht verleiht, einläßt. Er gewinnt das Spiel, das Kopf und Kragen kosten kann. Er ist nicht um der Macht willen auf das Spiel eingegangen, sondern gleichsam als Mittel zum Zweck, sein Lottchen zu bekommen, das ihm der mitgiftversessene Wurzel verweigert. Die Macht jedoch, so er sie einmal hat, wäre ihm eine willkommene Zuwaage zur Braut. Hier müssen die guten Geister einschreiten; diesmal auf psychologische Weise, denn physiologische Mittel würden bei Karl versagen. *Sein* Haß und *seine* Zufriedenheit müssen miteinander streiten. Der Sieg fällt – wie schon im *Diamant des Geisterkönigs* – zugunsten der Liebe und also der Zufriedenheit aus. Belohnt wird er dafür mit einem „Fischergut mit ewig reichem

Fang". Denn die Moral der Geschichte ist nicht: arm sein und bleiben macht glücklich; oder: Schuster bleib bei deinem Leisten, sondern: Übernimm dich nicht! Friß nicht soviel, sonst bekommst du die Gicht! Laß dich nicht von Neid und Haß lenken! Denn wenn der reiche Bauer Wurzel dem armen Fischer Karl seine Ziehtochter zur Frau gegeben hätte, hätte er wohl auch reich bleiben dürfen. Und wenn der Fischer Karl nicht durch Haß, sondern durch Mut und in bester Absicht die Macht erlangt hätte . . .? Doch nein, daß er die Macht zum Guten gebrauchen könnte, war nicht anzunehmen, da er sie ja allein der Protektion des Hasses verdankte. Was der Haß gebiert, kann nicht dem Guten dienen. Der Fischer Karl mag mit seinem Reichtum zufrieden sein. Die „Zufriedenheit" hat eine aktive Rolle gespielt. Sie ist eben nicht die „Bescheidenheit" oder die „Resignation", mit denen sie oft verwechselt wird. Sie hält sich nicht zurück. Sie gibt nicht auf. Sie läßt das verlassene Lottchen nicht im Stich. Sondern sie geht mit ihr in die Welt und kämpft gegen Haß und Neid. Man könnte sie fast für ein Synonym für „Freiheit" ansehen: zu tun, was dem einen nutzt und frommt, ohne den anderen zu schaden.

In seinem nächsten Stück, dem „Original-Zauberspiel" *Die gefesselte Phantasie*, hat Raimund das Machtproblem variiert. Obwohl schon im September 1826 abgeschlossen, kam es erst am 8. Jänner 1828 im Theater in der Leopoldstadt zur Aufführung. Böse Zauberschwestern wollen dem Harfenisten Nachtigall aus der Wiener Vorstadt zum Dichtersieg und Thron auf der poetischen Halbinsel Flora verhelfen. Apoll weiß es zu verhindern. Von der „Phantasie" protegiert, kommt es zu einer aristokratisch-legitimistischen Lösung. Ein Dechiffrierungsversuch: Der Volkssänger darf nicht auf den Parnaß, obwohl er kreativer ist als die Vertreter der Hochkultur, wenn auch weniger zivilisiert. Und Raimund gelang es nicht, den Sprung aus der Vorstadt ins Burgtheater zu schaffen . . .

Vor der *Gefesselten Phantasie* wurde das später entstandene „Zauberspiel" *Moisasurs Zauberfluch* am 25. September 1827 im Theater an der Wien uraufgeführt.

Wieder wird das Böse besiegt, doch diesmal nicht mit Hilfe der Götter, sondern aus eigener Tugendkraft des Menschen.

Im Jahr der *Gefesselten Phantasie* kam am 17. Oktober ein weiteres Stück Ferdinand Raimunds im Theater in der Leopoldstadt heraus, das den Erfolg der beiden vorangegangenen weit überstrahlte: *Der Alpenkönig und der Menschenfeind.* Das „romantisch-komische Märchen" ist der psychologische Versuch, zu einem Selbstverständnis durch Selbsterkenntnis zu finden. Nach dem in den vergangenen Stücken angewandten theatralischen Trick der Personifizierungen von Eigenschaften und Leidenschaften, nimmt hier Raimund eine Persönlichkeitsspaltung bzw. -verdopplung vor. Der Menschenfeind wird durch das Rollenspiel mit sich selbst behandelt. Er sieht sich von außen und wird geheilt. Ein tragikomischer Fall: Rappelkopf darf sich in seinem Menschenhaß nicht verwirklichen. Er ist asozial, er muß in die Gemeinschaft wieder eingefügt werden. Natur und Geld versöhnen ihn. Doch einfach ist das nicht. Naturgewalten müssen walten, damit ein einzelner Einsicht zeigt, in der Gemeinschaft friedlich leben zu wollen. Berge kreißen und öffnen sich, die Alpen spielen mit, um einem einzelnen zu zeigen, daß er nicht allein auf der Welt ist und tun kann, was ihm beliebt. Ein beschauliches Eremitendasein – im Barock noch verklärt, anakreontisch gepriesen – ist nicht mehr möglich.

Mit dem „original-tragisch-komischen Zauberspiel" *Die unheilbringende Krone oder König ohne Reich, Held ohne Mut, Schönheit ohne Jugend,* das am 4. Dezember 1829 im Theater in der Leopoldstadt aufgeführt (und vom Publikum nicht verstanden und akzeptiert) wurde, holt Raimund noch einmal groß aus. Es geht im buchstäblichen Sinn um die Weltherrschaft und drohende Weltvernichtung. Das Böse – diesmal personifiziert als Hades – hält die Krone der Welt feil. Wieder muß das Böse besiegt werden. Es gelingt natürlich auch diesmal und unter Aufbietung aller Einbildungskraft; doch sieht der Sieg auch danach aus: er ist Einbildung. Das Böse läßt sich durch Illusion betören. Aus der Welt ist es deshalb nicht. Hades wartet auf den nächsten, der die Krone begehrt. Die Mittel, mit denen hier gute Geister und willfährige Menschen antreten, sind so fadenscheinig – und zudem von Raimund selbst in früheren Stücken schon relativiert und auf ein richtiges Maß gebracht worden –, daß sie hier weder glaubwürdig sind, noch einen des Happyends froh werden lassen. Zum Glück ist das Böse so dumm, daß es an Spuk glaubt. Es scheint, als habe Raimund in die Zeit vor dem *Barometermacher auf der Zauberinsel* zurückfallen wollen, als er noch glaubte, mit Übertreibungen übersteigerte Wirkung erzielen zu können.

Mit seinem nächsten und letzten Stück ließ er sich vier Jahre Zeit. Am 20. Februar 1834 wurde im Theater in der Josefstadt das „Original Zaubermärchen" *Der Verschwender* uraufgeführt. Ein vormärzlicher Preisgesang auf ein tätiges, gutes Handwerkertum. Doch Valentin ist nicht die Titelfigur. Flottwell, der Verschwender, ist der nicht charakterfeste, gleichwohl sympathische Erbe eines Vermögens und eines Schatzes, die ihn befähigen, ein freier Mensch zu sein, nicht mehr gehalten von des Schicksals Netz. Und da er sich selbst nicht halten kann, verliert er alles: Stand, Vermögen, Familie. Zu arbeiten hat er nun wirklich nicht gelernt.

Anders sein Diener Valentin, der sich vom Bedienten zum selbständigen Handwerker hochgearbeitet hat. Ein Aufstieg, denn er ist zu seinem eigenen Herrn geworden, der sich die Arbeit einteilen kann (siehe die Reparatur der gesprungenen Wirtshaustür). Er muß keinem direkten Befehl gehorchen. So wird die raimundsche Utopie des sozialen Ausgleichs möglich: Es gibt ein Zusammenleben von oben und unten vor dem Tod – der ohnehin alle soziale Ungleichheit glatthobelt! – konfliktfrei nur deshalb, weil der Reiche alles verloren hat und der Reichgewordene, der Kammerdiener Wolf, der sich seinen Reichtum ergaunert hat, nicht gesund genug ist, um ihn genießen zu können.

„Wenn in unserer Zeit etwas helfen soll, so ist es Gewalt", schrieb Georg Büchner 1833, zur Entstehungszeit des *Verschwenders.*

Raimund wußte es und wollte es nicht wahrhaben, setzte die Ideale des Genügsamen, Unheroischen, Unpolitischen dagegen, indem er darstellte, wie schwierig bis unmöglich es ist, sie zu wahren oder zu verwirklichen.

# JOHANN NEPOMUK NESTROY

*Walter Obermaier*

Kat. Nr. 9/1/1/1 Johann Nestroy als „Sansquartier“

Eigentlich hatte alles darauf hingedeutet, daß Johann Nestroy ein im bürgerlichen Sinne achtbares und systemkonformes Mitglied der Vormärzgesellschaft hätte werden können. Sein Vater war Hof- und Gerichtsadvokat, die Mutter Beamtentochter. Er selbst wurde am 7. Dezember 1801 in einem Haus in der Bräunerstraße, nahe der kaiserlichen Hofburg, geboren, besuchte dann die Anna-Schule, weiters das Akademische und schließlich das Schotten-Gymnasium und bereitete sich ab 1817 in den Philosophieklassen der Universität auf das Studium der Rechte vor. Eine juristische Laufbahn – gleich der des Vaters oder, besser noch, diese überflügelnd – scheint vorgezeichnet. Doch es kommt anders. In dem jungen Mann zeigt sich ebenso wie in seiner um zwei Jahre jüngeren Schwester Franziska und später auch noch in deren Tochter Johanna Nepomucena ein unbezähmbarer Hang zum Theater.

Als Dreizehnjähriger hatte sich Nestroy bereits öffentlich als Klavierspieler produziert, hat dann 1818 das Baßsolo in einem Händel-Oratorium gesungen und trat in den folgenden Jahren mit zunehmender Begeisterung in Liebhabertheatern als Sänger und Schauspieler auf. Im Juni 1822 sang er im niederösterreichischen Ständesaal in Schuberts Quartett „Geist der Liebe“ (D. 747) mit. Seine große Stunde schlug aber am 24. August des gleichen Jahres: Nestroy debütierte als Sarastro in Mozarts Oper „Die Zauberflöte“ im Kärntnertortheater. Die Aufnahme des jungen Sängers, den eine zahlreiche Freundesschar ausführlich beklatschte, war auch bei der Theaterkritik recht gut. Trotzdem war Nestroy an Wiens Opernhaus nur zweite Garnitur, was ihn – zusammen mit einem verlockenden Gagenangebot, das seinen Eheplänen entgegenkam – dazu bewog, ein Engagement in Amsterdam anzunehmen. Dort war er stark beschäftigt, als Sänger, aber auch in Schauspielrollen, doch wurde das Theater infolge anhaltender Krawalle 1825 geschlossen.

So trat Nestroy als nächsten Schritt am 31. Oktober 1825 ein Engagement in Brünn an. Hier schob sich in seinem Repertoire das Schauspiel noch stärker in den Vordergrund, auch komische Rollen und das Wiener Lokalstück machte er sich zu eigen. In Brünn hatte Nestroy aber auch erste Zusammenstöße mit Zensur und Polizei. Wiederholtes Extemporieren in Possen wie in Opern und das Singen nicht genehmigter Zusatzstrophen brachten ihm Arreststrafen ein, bis die Polizei seinen Vertrag schließlich als vorzeitig beendet erklärte. Nestroys nächste Station waren die Theater in Graz und Preßburg, an denen er bis 1831 alternierend spielte. In diese Jahre fällt auch seine endgültige Wandlung vom Sänger zum Schauspieler, und zwar mit Betonung des komischen Rollenfaches. Standen 1826 noch 63 Opernpartien 49 Sprechrollen gegenüber, so hatte sich das Verhältnis 1831 auf 7 zu 226 verschoben.

Auch sonst hatte sich in diesen Jahren Entscheidendes ereignet. 1823 hatte Nestroy Wilhelmine Nespiesni geheiratet, und 1824 wird der Sohn Gustav geboren. Doch bereits 1827 verläßt Wilhelmine ihren Gatten und läßt den dreijährigen Gustav in der Obhut des Vaters zurück. Die Erinnerung daran mag Nestroy zu den zahlreichen sarkastischen Anmerkungen zur Ehe motiviert haben, die auch ihm selbst zur „wechselseitigen Lebensverbitterungsanstalt“ geworden war. 1828 lernte er die Schauspielerin Marie Weiler kennen, die ihm bis zu seinem Tode eine treue Lebensgefährtin blieb, auch wenn das Zusammenleben der beiden keineswegs reibungsfrei war.

Nestroys letzter Versuch, sich doch noch im Opernfach zu profilieren, schlug bei einem Gastspiel 1830 am Kärntnertortheater fehl. Wegweisend hingegen sollte sein Debut als Lokalpossendichter werden. 1827 brachte er in Graz den Einakter „Der Zettelträger Papp“ heraus, eine Theatersatire, wie sie sich nicht nur in Nestroys Frühwerk immer wieder findet. Gleichzeitig spielte er auch in Louis Angelys „Zwölf Mädchen in Uniform“ den Sansquartier, eine Rolle, die Nestroy ein Leben lang begleitete und der er mit seiner eingelegten Vorlesung namentlich aus Schiller-Dramen einen starken parodistischen Akzent gab.

Nestroy beschritt den nun einmal eingeschlagenen Weg konsequent weiter. 1828 schrieb er sein erstes abendfüllendes Stück: „Dreyßig Jahre aus dem Leben eines Lumpen“. Im Gewande des lokalen Zauberspieles ist es eine Art negatives Besserungsstück mit stark pessimistischem Grundton, das die verwendeten Gattungsschemata in Frage stellt. Ähnlich ist es auch mit dem nächsten Stück „Der Tod am Hochzeitstag“ (1829), mit dem sich Nestroy – wenn auch ohne nachhaltigen Erfolg – auch dem Wiener Publikum am Theater in der Josefstadt als

Kat. Nr. 9/1/1/3 Nestroy und Marie Weiler in „Das Mädl aus der Vorstadt"

Bühnendichter vorstellte. Auch hier Satire, auch hier wird der herkömmlichen Gattung nur durch einen künstlich aufgesetzten guten Ausgang entsprochen; doch hinter dem formalen Besserungsweg stehen Skepsis und ein vielleicht vom eigenen Geschick beeinflußtes Ehedrama: „So geht's halt, wann d'Frau bei der Hochzeit dem Grab zu wankt. Wär s' a 3, 4 Jahr später g'storbn, i hätt vielleicht Gott gedankt."

1831 gastiert Nestroy gemeinsam mit seiner Schwester in Lemberg – der Vater freut sich über den Erfolg seiner Kinder – und wird schließlich im Herbst dieses Jahres von Direktor Karl Carl für das Theater an der Wien unter Vertrag genommen. An dieser Bühne und später am Leopoldstädter Theater, dem nachmaligen Carltheater, wirkte Nestroy in den kommenden dreißig Jahren als Schauspieler und Theaterdichter. Abgesehen von den sommerlichen Gastspielreisen hat Nestroy an Carls Bühnen eine adäquate und dauernde Wirkungsstätte gefunden; nach Carls Tod leitete er von 1854 bis 1860 dessen Theater auch als Direktor. Dann zieht er sich ins österreichische „Pensionopolis" Graz zurück, von wo ihn noch drei Gastspiele ein letztes Mal nach Wien bringen, ehe er am 25. Mai 1862 in Graz stirbt. Seine letzte Ruhestätte findet Nestroy in Wien.

Alljährlich präsentierte Nestroy – freilich mit nicht immer gleichbleibendem Erfolg – seinem Publikum zwei bis drei Possen aus eigener Feder. In Einklang mit einer durchaus nicht nur auf das Wiener Volkstheater beschränkten internationalen Usance übernahm er Handlungsgerüst, ja oft sogar Szenenfolge und Dialogteile fremden Vorlagen. Soweit feststellbar, hat Nestroy mit besonderer Vorliebe französische Vorlagen verwendet, aber auch englische und sogar ungarische. In manchen Fällen ist ihm die Vorlage nicht bloß Skelett eines Stückes, sondern eigentlicher Anlaß. Hier, wo er erklärtermaßen Parodien schrieb, trafen sein Witz und seine Satire eine ganze Reihe von Zeitgenossen: der Bogen spannt sich von den Dramen eines Karl Holtei und Friedrich Hebbel bis zu den Opern eines Flotow, Meyerbeer oder gar Richard Wagner.

Die Handschriftenüberlieferung zeigt, daß Nestroy nicht einfach der geniale Tagesschreiber war, der die Gabe hatte, beliebige Stückvorlagen rasch für seinen Gebrauch am Theater zu adaptieren und mit seinem Wortwitz auszustatten, sondern daß er sehr genau an seinen Stücken arbeitete. Die Vorlage oder Übersetzung wird inhaltlich auf ihre knappste Form gebracht und mit ersten Anmerkungen zur endgültigen Stückgestaltung versehen. Dann folgt ein den Gang der Posse skizzierendes Szenarium, in dem sich die ersten Wortspiele (von denen sich Nestroy in den fälschlich so genannten „Aphorismen" einen reichen Fundus angelegt hatte) und Dialogteile finden, und schließlich folgt das noch mit reichlichen Korrekturen und Veränderungen versehene Manuskript der neuen Posse, das die Vorlage für die Reinschrift beziehungsweise die Theaterbücher bildete. In einer Art Selbstzensur wurden überdies jene Stellen verharmlost, von denen Nestroy zu Recht oder Unrecht annahm, daß sie im Original die Zensur nicht passieren würden. Noch in den Partituren und Rollenheften finden sich Änderungen und Zusätze von Nestroys Hand, und aus der Reaktion von Publikum und Kritik sowie aus veränderten Theatergegebenheiten oft Jahre nach der Uraufführung ergaben sich häufig weitere Umarbeitungen bis hin zur Zusammenziehung mehrerer Akte in einen. Lebendiges Theater war Nestroy überhaupt außerordentlich wichtig. Bei aller Souveränität des Schaffensprozesses reagierte er doch auch auf die von Kritik und Publikum besonders akklamierten oder abgelehnten Teile oder Tendenzen seiner Stücke. Mit diesem Eingehen auf Hinweise der Kritik, die Nestroy aber in ganz eigener Weise umsetzte, handelte er sich als Autor aber auch eklatante Mißerfolge ein.

Kat. Nr. 9/1/1/4 Johann Nestroy als „Weinberl"

Schon die mit viel stoff- und gattungsspezifischer Parodie versehenen Zauberpossen „Der gefühlvolle Kerkermeister", „Nagerl und Handschuh" und „Der konfuse Zauberer" (alle 1832) waren höchst erfolgreich, und mit „Der böse Geist Lumpazivagabundus" (1833) wurde Nestroy überhaupt zum prominentesten Autor der Vorstadtbühnen. Als 1835 „Zu ebener Erde und erster Stock", eine Gesellschaftssatire mit sittlicher Tendenz, zum großen Erfolg wurde, verlangte man von Nestroy nachdrücklich das „neue Volksstück". Die Jahre bis 1838 zeigen ihn auf dem Weg zu seinen klassischen Meisterwerken. „Im Fache der Lokaldichtung", befand die Kritik, machen Nestroys Stücke „dieselbe Epoche und Sensation wie ein neues Trauerspiel von Grillparzer in der dramatischen Welt." Mit „Der Färber und sein Zwillingsbruder", „Der Talisman" (1840), „Das Mädl aus der Vorstadt" (1841), „Einen Jux will er sich machen" (1842) und „Der Zerrissene" (1844) steht Nestroy fraglos auf der Höhe seines Schaffens und seines Ruhmes. 1846 schreibt er mit „Der Unbedeutende" ein Stück, das sich am ehesten dem annähert, was man sich von einem neuen Volksstück erwartete: das Volksleben – bei aller Situationskomik und satirischer Detailbeleuchtung – unter einem sittlichpädagogischen Aspekt ernsthaft auf der Bühne zu zeigen. „Der Schützling" (1847) wiederum, durchaus auf ähnlichen Spuren wandelnd, entlarvt schonungslos die Zeit: optimistischer Fortschrittsglaube, soziale Problematik und eine immer mehr vom „Kapitalismus" geprägte Gesellschaft werden vorgeführt und ihre Schwächen in der Komik entlarvt. Im genialen Einakter „Die schlimmen Buben in der Schule" weist Nestroy auch expressis verbis darauf hin, daß „die Welt . . . die wahre Schule", ist und er hält dieser seiner Welt den Zerrspiegel vor.

Nestroys Stücke lassen sich gattungsmäßig sehr schwer einteilen – gleichgültig, ob man sich an die von ihm selbst gewählten Bezeichnungen hält oder später gefundenen Ordnungskriterien folgt. Er war in der Wahl der äußeren Form ebenso bedenkenlos wie in der Wahl der Vorlagen: Zauberspiele und Parodien, Possen und Volksstücke sowie politische Komödien lautet die gängige, im einzelnen aber nicht überzeugende Einteilung seiner Werke. Was immer Nestroys ständig wacher und scharfblickender Geist an aktueller Form, Vorwürfen und Gegebenheiten vorfand, füllte er mit der unverwechselbaren Prägnanz seiner Spielfiguren, mit seinem auf einsamer Höhe stehenden Wortwitz, mit oft pessimistischen Sarkasmen und einer satirischen Kraft, die sowohl objektbezogen als auch sprachimmanent ist. Die heile Komödienwelt wird desillusioniert, das Zauberspiel entlarvt und der versöhnliche Possenschluß als konventionelles Versatzstück zwar unbedenklich verwendet, aber gleichzeitig denunziert: „Nein was 's Jahr Onkel und Tanten sterben müssen, bloß damit alles gut ausgeht – !" (Einen Jux will er sich machen).

In „Der böse Geist Lumpazivagabundus" ist die Feenwelt wie in allen anderen Zauberspielen Nestroys ihres idealen Daseins entkleidet. Es sind anthropomorphe Feen, Zauberer und Geister, die da die Bühne bevölkern, und ihre Handlungs- und Denkungsweise ist ganz die der irdischen Komödienfiguren. Glück kann den Menschen nicht bessern und ist insbesondere gegen den Leichtsinn chancenlos. Wen trotzdem der konventionelle Ausgang mit den leicht zu durchschauenden Besserungsversprechungen des „liederlichen Kleeblattes" täuschen sollte, den klärt die Fortsetzung „Die Familien Zwirn, Knieriem und Leim" (1835) schonungslos auf. Die guten Vorsätze sind vergessen, die Ehen der drei Protagonisten des Stückes erweisen sich als unglückschwangere Verbindungen. Ehe als „wechselseitige Lebensverbitterungsanstalt" (Der Färber und sein Zwillingsbruder), das Ausgeliefertsein an ein blindes, unbeeinflußbares Schicksal („Es ist wirklich ein Luxus vom Schicksal, daß es Pfeile schleudert; an seinen Fügungen sieht man ohnedem, daß es das Pulver nicht erfunden hat", Mein Freund, 1851), der Wechsel des Glücks (Zu ebener Erde und erster Stock) und der schwache und zur Skepsis auch gegen sich selbst berechtigte Mensch („Ich glaube von jedem Menschen das Schlechteste, selbst von mir, und ich hab' mich noch selten getäuscht", Die beiden Nachtwandler, 1836) gehören zu den durchgehenden Motiven in Nestroys Stücken vor allem der Zeit bis 1848. In der Holtei-Parodie „Weder Lorbeerbaum noch Bettelstab" (1835) wird die „Mittelstraß'n" als Lebensweg empfohlen und in diesem Sinne auch Unterhaltung des Publikums wie eigener Gewinn als Anspruch des Stückeschreibers legitimiert. Sozialkritik findet sich nicht nur in „Zu ebener Erde und erster Stock", sondern in sehr vielen Stücken. „Der Talisman" zeigt die verschiedenen Gesellschaftsschichten nüchtern-satirisch und prangert das Vorurteil und mehr noch das egoistische Zweckverhalten an. „Der Zerrissene" zielt auf die Zeitmode des Weltschmerzes und Überdrusses, karikiert aber auch die von Friedrich Kaiser neu geschaffene Form des „Lebensbildes" („Wenn in einem Stück drei G'spaß und sonst nichts als Tote, Sterbende, Verstorbene und Totengräber vorkommen, das heißt man jetzt ein Lebensbild"), und „Der Unbedeutende" setzt sich unpathetisch und unsentimental für die Ehre des kleinen Mannes ein. In der Revolutionsposse des Jahres 1848 „Freiheit in Krähwinkel" werden nicht nur die gestürzte Reaktion, sondern auch Schwung und Pathos der Revolution satirisch-kritisch aufs Korn genommen. Das Stück ist in viel geringerem Maße ein Beleg für revolutionäre Sympathien Nestroys als einmal mehr der Beweis dafür, daß seine Possen immer auf die Zeit, die Menschen und ihre Probleme zielen. Hier zeigt sich offen das, was sich sonst oft hinter Spielvorlage und Possenform verbirgt und vom Zuseher gesehen werden kann, aber nicht gesehen werden muß: die Posse als kritischer Spiegel eines keineswegs „biedermeierlichen" Biedermeiers.

# FRANZ GRILLPARZER

*Walter Obermaier*

Kat. Nr. 10/7

Es sollte sich erfüllen, was der Advokat Wenzel Grillparzer anläßlich der Geburt seines Sohnes Franz Seraphicus am 15. Jänner 1791 in das Gebetbuch seiner Frau eintrug: „Gott lasse ihn gedeihen . . . zur Ehre des Vaterlandes". Ehre hat Grillparzer seinem Vaterland gemacht und dieses wiederum hat ihm ein Maß an Ehre zuteil werden lassen, das den ungetrübten Blick auf den Dichter für die Nachwelt eher zu verdecken geeignet schien: es hat ihn zum Klassiker erhoben. Als der österreichische Dichter schlechthin und vornehmste Repräsentant der Hochkultur dieses Landes schien er auch zur repräsentativen, weil scheinbar ungebrochenen literarischen Leitfigur des Biedermeier wie geschaffen. „Durch die Tradition zum klassischen österreichischen Dichter, zum vorgeschriebenen Schul-, Burgtheater- und Hausdichter aller ordentlichen bürgerlichen Familien geworden . . ., (verkörpert er) das Wesen der österreichischen Seele" (Claudio Magris). Grillparzers Genialität scheint sich dem Rahmen der bürgerlichen Ordnung einzufügen, sein Lebenswandel erweist sich im großen und ganzen als auch vom pädagogischen Standpunkt aus herzeigbar. Ehrendoktorate, Ehrenbürgerschaft, Orden, Berufung ins Herrenhaus und schließlich Ehrengrab sind nur konsequente Belohnungen und Krönungen eines solchen Dichterlebens. Und so hat sich nur allzu leicht das letztlich höchstens für patriotische Feierstunden traditionellen Zuschnitts brauchbare Bild eines zwar verehrungswürdigen, aber auch etwas griesgrämigen Hofrates und „greisen Pensionisten" verbreitet, dem – im weitesten Sinn des Wortes – „die ganze Dienstzeit in sein Monument eingerechnet" wurde (Daniel Spitzer).

Grillparzer wurde und wird vielfach mißverstanden und fordert wohl auch zu Mißverständnissen heraus. Denn unter der Oberfläche einer glatten, ziemlich linear verlaufenden und scheinbar folgerichtigen Dichterlaufbahn zeigen sich bei näherem Hinsehen Spannungen, Widersprüchlichkeiten, Verletzlichkeiten und innere Gefährdungen. So ist auch das vielfach konstatierbare Ordnungsdenken des Dichters nicht einfach Übernahme traditioneller Wertvorstellungen, sondern mühsam erworbene Lebenshaltung, die für Grillparzer – bewußt oder unbewußt – ein Gegengewicht zu den disparaten Kräften des eigenen Lebens und der eigenen Vorstellungswelt darstellt. Dies zeigt schon ein tieferer Blick auf das dramatische Hauptwerk mit seinen eigenartigen negativen, gleichsam fallenden Helden, wie etwa König Ottokar, Rustan oder Kaiser Rudolf II. Es zeigt sich stärker noch in der Lyrik, den Epigrammen, der Prosa und vor allem in den Tagebüchern und der Selbstbiographie. „Mißtrauen in mich selbst, wenn ich bedachte, was sein sollte, und damit abwechselnder Hochmut, wenn man mich herabsetzen oder vergleichen wollte", begleiten ihn, wie er selbst bekennt, durchs Leben. Diese Spannung zwischen Selbstzweifel und konsequenter Bejahung des eigenen Weges auch in seinen Widersprüchlichkeiten, die Ambivalenz von Verzicht und Selbstbewahrung, von Verlieren und Besitzen, charakterisieren Grillparzers Leben und Werk mit.

Spannungen und Gefährdungen war vor allem der Heranwachsende ausgesetzt. Der Vater, ein eigenbrötlerischer Mensch, in dem sich trockene Pedanterie, Naturliebe und kindlich-romantische Spielereien zu einer seltsamen Mischung vereinten, starb schon früh (1809). Musische Interessen waren ihm weitestgehend fremd und so begegnete er den dichterischen Ambitionen seines Sohnes mit Mißtrauen und Ablehnung. Er hielt sie – wohl mit Recht – für ein Erbteil der mütterlichen Familie Sonnleithner. Die Geschwister der Mutter Grillparzers standen Literatur und Musik nicht nur aufgeschlossen gegenüber, sondern förderten sie auch und dilettierten selbst in den Künsten. Anna Maria Grillparzer, die eine starke Liebe zur Musik auszeichnete, war eine problematische, charakterlich äußerst labile Natur. Phasen der Leichtlebigkeit wechselten mit solchen strengster Askese, ihre Ansichten waren schwankend und ihre Unternehmungen von Planlosigkeit gezeichnet. Dazu trat noch – gewissermaßen als Gegengewicht zu der josephinisch-kirchenskeptischen Haltung ihres Gatten – eine übersteigerte Religiosität, die in Bigotterie und religiösen Wahn ausarten konnte. Am 23. Jänner 1819 erhängte sie sich in ihrem Schlafzimmer – eine Todesart, die sich Grillparzer nie, auch in seinen Tagebüchern nicht, eingestand. Die elterliche Wohnung, aber auch das Sommerhaus in Maria Enzersdorf mit Teich und Garten, schienen dem jungen Grillparzer von dunklen Gestalten und Gespenstern bewohnt. Auch seine Geschwister waren schweren psychischen Störungen ausgesetzt. Der zweitgeborene Karl bezichtigte sich fälschlich des Mordes, der drittgeborene Kamillo quälte sich und seine Umgebung mit Hypochondrie und Adolph, der Spätgeborene, setzte seinem Leben mit 17 Jahren selbst ein Ende.

Franz Grillparzer war der einzige in seiner Familie, der den inneren Spannungen standzuhalten vermochte und der – wiewohl zeitweise auch selbstmordgefährdet und an psychosomatisch bedingten Krankheiten leidend – Kraft genug besaß, diese Spannungen nicht nur zu ertragen, sondern sie auch noch künstlerisch fruchtbar zu machen. Nach dem Besuch der Annaschule und der „Artistenfakultät" der Wiener Universität studierte er die Rechte – nicht aus Neigung, sondern um den Vater zu erfreuen; 1813 schloß er mit dem Absolutorium ab. Schon früh zeigte sich sein poetisches, vornehmlich sein dramatisches Talent. In der Zeit, da er nach dem Tod seines Vaters für die Erhaltung der Familie mitverantwortlich wurde und ab 1810 Privatunterricht erteilte, vollendete er auch sein Jugenddrama „Blanka von Kastilien". In dieser an Schillers „Don Carlos" orientierten Tragödie zeigen sich bereits Grundtendenzen von Grillparzers dramatischem Schaffen. Die an ihrer inneren Schwäche kränkelnden Charaktere werden zwischen Wollen und Nichtwollen hin- und hergezogen. Dazu kommt der alte Konflikt zwischen Pflicht und Neigung, aber auch die Überzeugung, daß rechtes Maß und rechte Ordnung die gestörte Wirklichkeit wiederherzustellen imstande sind.

Grillparzers Hoffnung, über Vermittlung seines Onkels Joseph Sonnleithner das Stück auf einer Wiener Bühne herausbringen zu können und sein dichterisches Talent auch für den Broterwerb zu nützen, zerschlug sich aber. So nahm er wechselnde Verdienstmöglichkeiten an, bis er 1814 endlich in den Finanzdienst eintrat, dem er in der Folgezeit in verschiedenen Verwendungsgebieten angehörte. Den dichterischen Durchbruch brachte „Die Ahnfrau". 1816 legte er sie dem künstlerischen Sekretär des Hofburgtheaters Joseph Schreyvogel vor, der ihm zu einzelnen Abänderungen riet und auch in Hinkunft – bis zu seinem 1832 erfolgten Tode – das Werk des Dichters mit Interesse verfolgte und förderte. Am 31. Jänner 1817 wurde „Die Ahnfrau" im Theater an der Wien uraufgeführt. Das Stück, zu des Dichters fortwährendem Mißmut der Gattung der Schicksalstragödie zugerechnet, steht keineswegs unter dem Zeichen eines dumpf und ausweglos waltenden Geschickes. Schuld ergibt sich auch bei integren Charakteren oft gleichsam als Negativkomponente persönlicher Freiheit; widrige Verkettung äußerer Umstände und ungezügelte innere Triebe bringen die Seinsordnung aus dem Gleichgewicht.

„Sappho", mit der Grillparzer 1818 seinen Einzug ins Burgtheater hält, ist gleichermaßen Künstlerdrama wie Drama der Leidenschaft. Sappho leidet an ihrer Kunst, die Lebensersatz zu sein scheint. Ihre scheinbare Ruhe ist auf den Verzicht von bürgerlichem Glück und Lebenserfüllung gegründet. In ihrer Liebe zu Phaon entdeckt sie die Leidenschaft, aber auch die Liebe zu sich selbst und zu ihrer Kunst: „Ich suchte dich und habe mich gefunden." – Wenige Tage nach der Uraufführung der „Sappho" wird Grillparzer für 5 Jahre zum Hausdichter des Hofburgtheaters bestellt.

1819 reist er nach dem Tod seiner Mutter für einige Monate nach Italien. Das in Rom aus der Spannung zwischen der Größe des antiken Erbes und der als widersprüchlich erfahrenen päpstlichen Gegenwart entstandene Gedicht „Campo vaccino" – als Dichtung durchaus zweitrangig – löste einen schweren Konflikt des Dichters mit der Zensurbehörde aus. Bereits im Taschenbuch „Aglaja" für 1820 gedruckt, mußte es über allerhöchste Anweisung aus allen Exemplaren wieder entfernt werden. Grillparzer sowie dem Herausgeber der „Aglaja", Joseph Schreyvogel, der obendrein noch als Zensor gewirkt hatte, erwuchsen eine Reihe von Schwierigkeiten und Demütigungen aus dem Vorfall. Für Kaiser Franz I. war Grillparzer nun auf lange Zeit der Mann, der „die Geschichte mit dem Papst" gehabt hatte. Zensur und Polizei hatten auch in Hinkunft ein wachsames Auge auf den Dichter. So war es kein Zufall, daß Grillparzer immerhin schon als geachteter Schriftsteller bei der polizeilichen Auflösung der „Ludlamshöhle" 1826 nicht nur verhört, sondern auch einer Hausdurchsuchung unterzogen wurde. Grillparzer, der vor allem in jungen Jahren sehr sprunghaft zwischen Zeiten der Zurückgezogenheit und solchen durchaus lauter und ausgelassener Geselligkeit schwankte, hatte der literarischen Unsinnsgesellschaft allerdings nur kurz als Mitglied angehört.

Auch später noch unternahm Grillparzer weitere Reisen. 1826 ging es nach Deutschland, wo er in Dresden Ludwig Tieck traf – doch blieb ihm die Romantik ein Greuel. In Berlin begegnete er Georg W. F. Hegel, in München dem hochgeschätzten Peter Cornelius, vor allem aber in Weimar Goethe. Hier erging es Grillparzers komplizierter Natur wie so oft im Leben. Von widerstreitenden Empfindungen gegenüber dem verehrten Dichterfürsten beseelt, versagte er sich schließlich einem von Goethe gewünschten und gewährten Zwiegespräch. Noch einmal besuchte Grillparzer Deutschland auf einer Art Erinnerungsreise 1847. – 1836 fuhr er nach Paris und London, wobei er sich mit Intensität in beiden Städten dem Studium der politischen, geistigen und künstlerischen Gegebenheiten, vor allem aber dem Besuch großer und kleiner Theater hingab. Wiewohl er in Paris umsorgt wurde und Giacomo Meyerbeer, Ludwig Börne und Heinrich Heine traf, fühlte er sich in England trotz einiger Sprachschwierigkeiten wohler. – 1843 reiste Grillparzer endlich – nicht in bester körperlicher Verfassung und unter ungünstigen äußeren Umständen – nach Konstantinopel und Athen. Konstantinopel fand er so, wie er es erwartet hatte, und die Stadt machte ihm auch Eindruck. Das politische Bild aber, das Grillparzer auf dieser Reise von der Türkei gewonnen hatte, war deprimierend: „Der Untergang steht nicht bevor, er ist schon da." In Athen geriet der Dichter in die Wirren des griechischen Aufstandes. Dennoch notierte er, dem Hellas innerlich immer so nahe gestanden hatte und dem auch die griechischen Denkmäler im Britischen Museum den tiefsten Eindruck in London gemacht hatten, am Fuße der Akropolis: „Die Bauwerke machten mich staunen, die Hügel und Flußbeete trieben mir die Thränen in die Augen."

In den Jahren 1818 bis 1820, als er an der Trilogie „Das goldene Vließ" arbeitete, lernte Grillparzer auch die Schwestern Fröhlich kennen. Schon vorher hatte er eine Reihe von Frauen geliebt, doch einer wirklichen Liebeserfüllung stand seine komplizierte Natur im Weg. Im Tagebuch konstatiert er seinen „Hang zur Liebe und Wollust", zwei Gefühle, die sich aber gegenseitig auszuschließen schienen. „Wenn ich liebe, liebe ich so, wie vielleicht noch niemand . . . und, sonderbar, nur solange ich unglücklich liebe, steht meine Leidenschaft auf diesem hohen Grade, bin ich einmal erhört (ich verstehe hierunter nicht soviel als: habe ich genossen, nein, nur: habe ich Gegenliebe erhalten), dann nimmt meine Liebe ab, wie die Gegenliebe wächst, und allmählig erkalte ich. Wie mit der Liebe geht es auch mit meinem Hange zur Wollust, nur solange ich Widerstand finde, ist er brennend, findet er Erhörung, ist er vernichtet. Sonderbar!" Auch mit Katharina Fröhlich, der äußerlich reizvollsten der vier Schwestern, erging es ihm ähnlich, doch dauerte diese Bindung in wechselnder Intensität ein ganzes Leben lang. 1821 kommt es zur Verlobung, die aber rückgängig gemacht wird. Trotzdem bleibt Katti Fröhlich über zahlreiche Perioden der Entfremdung und des Wiederfindens hinweg Grillparzers „ewige Braut". Zu ihr und ihren Schwestern zieht er 1849 in jene Wohnung in der Spiegelgasse, die er bis zu seinem Tod am 21. Jänner 1872 bewohnte.

1821 wird „Das goldene Vließ" uraufgeführt. Auch hier klingt der Ordnungsgedanke auf, stärker aber noch die aus den Widersprüchlichkeiten des Lebens sich ergebende persönliche Schuld. Jason ist kein strahlender Held. Medea hingegen ist selbst in den Augenblicken scheinbar willenloser Gebrochenheit eine machtvolle Gestalt, ein „tiefes Gemüt, gerade durch die Gewalt ihrer mehrseitigen Richtungen auf Irrwege gebracht". Daß sie „in der Stunde des Sieges . . . die Niederlage und in der Niederlage die Rache ereilt hat" (Heinz Politzer), zeigt einmal mehr die Tragik der scheiternden Helden Grillparzers und verweist auf jene resignative Stimmung, die auch im Leben des Dichters selbst eine bestimmende Komponente bildete.

Ausgerechnet mit jenem Stück, das der Nachwelt oft als Paradebeispiel österreichisch-patriotischer Dichtung gilt, hatte Grillparzer die stärksten Schwierigkeiten mit der Zensur. „König Ottokars Glück und Ende" wurde bereits 1823 dem Burgtheater eingereicht, doch kam es seitens der Zensurbehörden zu keiner Erledigung. Auch Grillparzers Bitten an den Grafen Sedlnitzky, ihm nicht „die Frucht jahrelanger Arbeiten, meine Aussicht auf die Zukunft" zu rauben, blieben erfolglos. Erst die persönliche Intervention der Kaiserin Carolina Augusta ermöglichte 1825 die Uraufführung. Grillparzer hatte sich bei diesem Stück zwar eingehend mit historischen Studien befaßt, doch wollte er hier ebensowenig wie später beim „Bruderzwist" oder gar bei „Libussa" dramatisierte Geschichte bieten. Mag die Figur Rudolfs von Habsburg mit ihren idealen Zügen auch dem entsprechen, was man für einen biedermeierlichen Volkskaiser halten konnte, mag das Stück auch – durchaus im Einklang mit Grillparzers personalistischer Staatsauffassung und seiner Konzentration auf die Person des Monarchen – als Verherrlichung Österreichs und seiner Dynastie empfunden werden, so entzündet sich der dramatische Konflikt doch zuallererst am Zusammenstoß von Macht und Ordnung. Diese bürgerliche Ordnung, die zugleich Weltordnung ist, vertritt Rudolf. Er ist der „Kaiser nur, der niemals stirbt" und verkörpert „das Reich als geistige und politische Ordnung" (Reinhold Schneider). Ihm tritt mit Ottokar der fast übermenschliche Held entgegen, der die Möglichkeiten seiner Zeit sprengt, den Frieden der Welt stört, und schließlich scheitert. Im Augenblick der durch die Macht des Geschehens in seinem Inneren wach gewordenen Einsicht und sittlichen Läuterung fällt er unter einem Schwertstreich.

Der Ordnungsgedanke läßt sich aber auch in „Ein treuer Diener seines Herrn" feststellen. Das Drama der treuen Pflichterfüllung zeigt aber auch deren notwendige sittliche Unvollkommenheit. Der passive Held Bancbanus verliert im Sieg sein Liebstes und verlangt als einzigen Lohn „auf meiner Väter Schloß, bei meinem Weibe, bei meines Weibes Leiche still zu harren". Dem künftigen Herrscher aber empfiehlt er Selbstzucht: „nur wer sich selbst bezähmt, mag des Gesetzes scharfe Zügel lenken". Ein Versuch des Kaisers, das Stück, gegen das er Bedenken hegte, durch Ankauf aus dem Verkehr zu ziehen, mißlang. – Eine andere Welt tut sich in „Des Meeres und der Liebe Wellen" (1831) auf: ein Seelendrama, das weniger den Gegensatz von Pflicht und Neigung als das Aufbrechen der Leidenschaft zum Thema hat. Heros aus heiterer Selbstverständlichkeit und träumerischer Selbstsuche hervorbrechende Leidenschaft zu Leander entwickelt sich aus ihrem eigenen Ich. Leander, voll „unentwickelter Dumpfheit, schüchtern", ist für sie mehr Anlaß als Verursacher ihrer Empfindungen.

In „Der Traum ein Leben" (1834) behandelt Grillparzer in subtiler Weise das Problem von Sein und Schein. Barocktheater, Volkskomödie und Besserungsstück sind nur vordergründige Komponenten eines Dramas, das in seinem psychologischen Erkenntniswert weit über Grillparzers Zeit hinausweist. Rustan, der Mann, der so vieles will und so wenig vermag, findet im Traum scheinbare Erfüllung seiner Wünsche. Gerade diese nun ans Licht tretenden Wünsche und Ängste enthüllen aber auch die Fragwürdigkeit seines Strebens, und am Gipfel des geträumten Heldentums steht jählings der Fall, der ihn aus der Traumwelt weckt. Doch auch die Traumwelt hat Anteil an der Realität, denn „die Gedanken nur sind wahr". Nur unter diesem Gesichtspunkt kann Rustans aus seinem Fallen gewonnene Einsicht: „Und die Größe ist gefährlich und der Ruhm ein leeres Spiel" sowie seine Hingezogenheit zu ruhigem, schuldlosem inneren Frieden Wirklichkeitswert beanspruchen.

Hatte Grillparzer mit diesem Stück den Gipfel seiner Popularität und des Erfolges erreicht – Ferdinand Raimund klagte mit Blick auf seinen „Der Bauer als Millionär": „das habe ich immer wollen . . . Nur die vielen schönen Worte habe ich nicht" – so brachte „Weh dem der lügt"

(1836) einen eklatanten Mißerfolg. Auch hier geht es um Sein und Schein, um Wahrheit und Lüge, und Grillparzer bewegt sich auf jenem schmalen Grat zwischen Tragik und Komik, der von einem Publikum, das leicht geneigt war, „Lustspiel" mit „Posse" zu verwechseln und sich in seiner Erwartungshaltung getäuscht sah, nicht verstanden wurde. Grillparzer ist kein Fanatiker der Wahrheit, und höher als die vom moralischen Imperativ der Einzelperson abgehobene und einer fiktiven „Allgemeinheit" verpflichtete Wahrheit steht ihm jene Wahrheit, die der einzelne aus seinem persönlichen Ethos verantwortet. – Der Mißerfolg beim Publikum ließ Grillparzer sein öffentliches dramatisches Schaffen beenden. Weniger die Mühen der Zensur, die er immer wieder beklagte, als der Unverstand des Publikums, wohl auch verbunden mit immer wiederkehrenden Zweifeln am eigenen Schaffen, hatten ihn zum Schweigen gebracht.

Grillparzer konnte sich den Verzicht auf Bühnenwirksamkeit allerdings auch leisten. Sein Ruf als erster Dichter Österreichs war ungeachtet des letzten Mißerfolges fest gegründet. Zudem war er 1832 zum Direktor des Hofkammerarchives ernannt worden. Das Beamtendasein – trotz aller Klagen mehr Sinekure als Behinderung im schöpferischen Prozeß – gestattete ihm nun, seine weiteren Dramen für die Schreibtischlade zu verfassen und unbeeinflußt von Rücksichten aller Art seine persönliche dichterische Wahrheit einzubringen. Auch in den letzten drei Dramen – sie wurden mit Ausnahme des ersten Aktes von „Libussa", den Grillparzer 1840 zugunsten einer Wohltätigkeitsaufführung nur widerwillig freigegeben hatte, erst nach dem Tode des Dichters uraufgeführt – spielt der Gedanke an ein ordnendes Prinzip eine große Rolle. In „Libussa" erweist sich der Traum eines von Mitmenschlichkeit getragenen Staatswesens der Realität, die sich im männlich ordnenden Prinzip verkörpert, als nicht gewachsen. Dennoch läßt eine groß angelegte Zukunftsvision der Hoffnung weiten Raum. Das Recht des Herzens ist oberste Maxime. Der Staat aber ist kein Ziel, sondern ein Weg und „das Glück und die Gleichheit aller [sind] Zweck und Bestimmung des Ganzen". Die Überwindung des Geschlechtergegensatzes – diese Gegensätzlichkeit beschäftigte Grillparzer schon in seiner frühen Lyrik – ermöglicht erst wahre kulturelle Entwicklung. In „Die Jüdin von Toledo" ist der Staat der Ordnungsfaktor inmitten der Spannug von moralischem Imperativ und individueller Handlungsweise, von Bindung und Freiheit, Pflicht und Neigung. Vollends aber in „Ein Bruderzwist in Habsburg" stellt Grillparzer Ordnung als göttliches Prinzip dar: „Gott aber hat die Ordnung eingesetzt." Sie ist Orientierungspunkt und regulativer Gegensatz zum inneren Chaos des Menschen; im Angesicht der Gefahr des neuen Barbaren, der diese Ordnung zu zerstören droht, sucht der Dichter hinter allen Zerrbildern unbeirrbar das Bild wahrer Menschlichkeit.

Nach außen aber bleibt Franz Grillparzer in den letzten Jahren des Vormärz stumm. Seinen Groll schreibt er sich in sarkastischen Epigrammen von der Seele, ein Aufsatz gegen die Zensur (1844) bleibt unveröffentlicht; Grillparzer wußte wohl um die Erfolglosigkeit und resignierte. Eine Schriftstellerpetition zur Aufhebung der Zensur 1847 findet ihn zwar unter den ersten Unterzeichnern, Metternich aber schiebt die Schrift beiseite. Als schließlich 1848 die Revolution ausbricht, ist Grillparzer zutiefst verstört. Er mißtraut ihr, mißtraut vor allem dem überall aufkeimenden Nationalismus und seiner zentrifugalen Kraft und schreibt endlich im Oktober 1848 sein Testament, „da im gegenwärtigen Augenblicke niemand, vor allem kein ehrlicher Mann, sicher ist, gewaltsam zu Grunde zu gehen". Grillparzer geht nicht zugrunde, und aus der spöttischen Erinnerung erscheint ihm das Jahr 1848 als „die lustigste Revolution, die man sich denken kann". 1856 erhält er zur Pensionierung den Hofrat-Titel verliehen, und 1861 wird er ins Österreichische Herrenhaus berufen; beides Stationen auf dem Weg zum konservativen Staatsdenkmal. Grillparzers Werk ohne diese Hypothek und ohne den Klassikernimbus gelesen bietet aber einen tiefen Blick nicht nur in die Widersprüchlichkeiten seines Inneren und die Anstrengungen, ihrer Herr zu werden, sondern auch in die Unausgeglichenheit einer Zeit, der „des Innern stiller Frieden" nur vordergründig in den Schoß gefallen zu sein schien.

# NIKOLAUS LENAU

*Christian Beck-Mannagetta*

Karl von Saar, Nikolaus Lenau

Der bedeutendste österreichische Lyriker des Vormärz ist Nikolaus Lenau, eigentlich: Nikolaus Franz Niembsch, Edler von Strehlenau. Während seiner Jugend rang seine Familie um bürgerliche Existenz und Anerkennung, und später suchte der Dichter nach einem positiven Bild des Erwachsenenlebens verbunden mit poetischer Lebenspraxis. Zuletzt, desillusioniert, kämpfte Lenau um seine individuelle poetische Existenz gegenüber den vielfältigen gesellschaftlichen Begrenzungen.

Am 13. August 1802 wurde er im damaligen ungarischen Csadát, heute: Lenauheim in Rumänien, als drittes Kind des unbeständigen Vaters und der temperamentvollen Mutter geboren. Sein Vater, Franz Niembsch (1777–1807), entstammte einer preußisch-schlesischen Militärfamilie aus Strehlen und war unter anderem Rentamtschreiber in Csadát und Umgebung. Die Mutter, Maria Theresia, geb. Maigraber (1771–1829), war die Tochter einer in Pesth, Ungarn, seßhaft gewordenen deutschsprachigen Bürgerfamilie. Früh verstarb die älteste Tochter Magdalena, und 1803 übersiedelte die Familie nach Buda, teils, um den beengenden siebenbürgischen Verhältnissen zu entkommen, teils, um auch den Anschluß an den mütterlichen Familienzweig zu erhalten. Nach dem Tod des Vaters, 1807, lebte die Mutter mit den drei Kindern – 1804 wurde das dritte Kind geboren – in jahrelanger Armut, weil man für die Schulden des Vaters aufkommen mußte. Auch die Heirat mit dem ehemaligen Militärarzt Dr. Karl Vogel, 1811, konnte die triste finanzielle Lage nicht ändern. Dennoch wurde alles für eine gute Ausbildung des einzigen Sohnes getan; von 1812 bis 1815 besuchte dieser das Piaristengymnasium in Pesth. Im März 1816 zog die Familie nach Tokaj, wo sich Dr. Vogel eine gutgehende Praxis versprach. Trotz aller Anstrengungen reichten die Einkünfte nicht für den Erhalt der Familie aus, daher übersiedelte man ohne den Stiefvater nach Buda, wo man in dürftigsten Verhältnissen lebte. Am 5. Juni 1818 bestand Lenau mit Auszeichnung sein Abitur, und auf Anraten seines Onkels Franz Maigraber reiste Lenau mit seiner jüngeren Schwester zu den Großeltern nach Stockerau. Diese wollten gegen den Willen der Mutter für den Lebensunterhalt der Enkel aufkommen. Der Großvater, Oberst Josef Niembsch, 1820 mit dem Adelsdiplom Edler von Strehlenau ausgezeichnet, war seinen Enkeln herzlich zugeneigt. Die Großmutter Katharina, geborene von Kellersberg, legte großen Wert auf vornehme Umgangsformen und solide Ausbildung – ihr Enkel zunächst weniger[1].

Ab Oktober 1818 begann Lenau den dreijährigen philosophischen Lehrgang an der Wiener Universität, eine Vorbedingung zum akademischen Studium. Im Zuge der Ausbildung schloß Lenau Freundschaft mit Fritz Kleyle und schwärmte von der 15jährigen Bertha Hauer, eine Beziehung, die unglücklich enden sollte. 1821 heiratete seine ältere Schwester Theresia Anton Xaver Schurz, der sich auch später rührend um Lenau annahm. Nach dem Bruch mit der Großmutter zog Lenau zu seinen Eltern nach Preßburg, auch, um ungarisches Recht zu studieren. Jedoch 1822/23 übersiedelte er zu seinem Freund Kleyle nach Ungarisch-Altenburg in die Landwirtschaftliche Akademie und verbrachte dort eine angenehme Studienzeit. In diese Periode fallen seine ersten poetischen Versuche. Ab 1823 lebte Lenau in Wien, wohin später auch seine Eltern zogen, und schloß den Philosophiekurs ab –; finanziell von seiner ungeliebten Großmutter unterstützt. In den Wiener Kaffeehäusern schloß Lenau mit Dichtern und Schriftstellern wie Johann G. Seidl, Karl F. Dräxler, Anastasius Grün (= Anton Alexander von Auersperg), Eduard von Bauernfeld, Franz Grillparzer, Ferdinand Raimund, Josef von Zedlitz und anderen Bekanntschaft. Neben seinem Rechtsstudium schrieb er Gedichte, Oden und gefühlvolle Lebensbilder, die meist an Bertha Hauer gerichtet waren. Diese brachte 1826 eine Tochter zur Welt, und Lenau trug sich mit Heiratsabsichten, die aber bloße Absichten blieben, da er seine Vaterschaft bezweifelte. 1828 kühlte dieses Verhältnis gänzlich ab, und im gleichen Jahr erschien das erste Gedicht „Die Jugendträume" noch unter dem Namen Niembsch. Enttäuscht vom Rechtsstudium, hatte sich Lenau der Medizin zugewandt, allerdings ohne greifbare Berufsvorstellungen. 1829 starb seine vielgeliebte Mutter und ein Jahr später die Großmutter, mit deren Erbschaft er ein poetisches Leben führen wollte. Kurz vor Ende des Medizinstudiums erkrankte Lenau und knüpfte im Erholungsort Gmunden Liebesbeziehungen zu Nanette Wolf, die aber bald gelöst wurden. Vom Salzkammergut zurück, schrieb er im

Herbst 1830 an Nanette: „Da bin ich wieder in dem vielbewegten Wien, wo tausend und abertausend Kräfte im ewigen Kampfe liegen, wo alle Abstufungen des menschlichen Loses vom höchsten Glücke bis zum tiefsten Elende täglich vor meinen Blicken stehen, wo die Kunst und Wissenschaft ihre Schätze aufnehmen, aber wo die Herzen kälter schlagen, als von wannen ich gekommen bin. (. . .)"[2] Durch die Vermittlung von Anastasius Grün erschien 1830 das Gedicht „Glauben. Wissen. Handeln." unter dem Namen Lenau.

Im Herbst 1831 war Lenau in Schwaben, um mit den Vertretern des „Schwäbischen Dichterkreises", zu dem auch Gustav Schwab, Ludwig Uhland, Justinus Kerner, Alexander von Württemberg und andere zählten, seine Gedichte zu veröffentlichen. Fast beispielhaft zeichnet das Gedicht „Das Posthorn" seine Lebensführung:

*„(. . .)*
*Ich gedenke bang und schwer*
*Aller meiner Lieben,*
*Die in ferner Heimat mir*
*Sind zurückgeblieben;*

*Diese schöne Sommernacht*
*Muß vorübergehen*
*Und mein Leben ohne sie*
*Einsamkeit verwehen. (. . .)"*[3]

Durch die Vermittlung von Gustav Schwab unterzeichnete Lenau mit dem Cotta-Verlag in Stuttgart vertragsmäßig die Drucklegung seiner Gedichte. Von Heidelberg aus widmete er seiner Freundin Lotte Gmelin die „Schilflieder", die wohl zu den schönsten Schöpfungen seiner Naturlyrik zählen:

*„Drüben geht die Sonne scheiden,*
*Und der trübe Tag entschlief.*
*Niederhangen hier die Weiden*
*In den Teich, so still, so tief. (. . .)"*[4]

Für kurze Zeit nahm er wiederum das Medizinstudium auf, und viel Aufmerksamkeit widmete er seinen Freundinnen Emilie von Reinbeck und Lotte Gmelin. Angeregt von der Heidelberger Burschenschaft wie durch die „Spaziergänge eines Wiener Poeten" von Anastasius Grün, 1831, zeigte er lebhaftes Interesse an den bedrückenden zeitpolitischen Ereignissen. Nicht nur ein Gewinn mit Staatspapieren, sondern auch die politisch-gesellschaftlichen Zustände veranlaßten Lenau 1832 in die Vereinigten Staaten zu reisen. Vermutlich dort entstand eines seiner bekanntesten Gedichte: „Der Postillion".

*„Lieblich war die Maiennacht,*
*Silberwölklein flogen,*
*Ob der holden Frühlingspracht*
*Freudig hingezogen. (. . .)"*[5]

Unsentimental beleuchten die Gedichte „Der Indianerzug" und „Die drei Indianer" den Untergang des roten Volkes verbunden mit herber, schonungsloser Kritik gegen die weißen Eroberer. – Tief enttäuscht von der „Neuen Welt" kehrte er 1833 zurück und lebte abwechselnd in Stuttgarter und Wiener Gesellschaftskreisen. In letzteren traf er die Kusine von Fritz Kleyle, Sophie von Löwenthal, die entscheidenden Einfluß auf sein Leben nahm. In Stuttgart redigierte Lenau 1835 seinen „Frühlingsalmanach", in dem auch der erste Teil des „Faust" erschien. Im Jahr darauf veröffentlichte er im zweiten Jahrgang des „Frühlingsalmanach": „Faust. Ein Gedicht", worauf die Wiener Polizei- und Zensurhofstelle ein Strafverfahren gegen ihn einleitete, das Lenau zunächst nur mit dem Hinweis auf seine ungarische Herkunft ablenken konnte. Tief und schmerzlich traf ihn der plötzliche Tod von Fritz Kleyle – nicht minder die Verhaftung seiner jüngeren Schwester Magdalena, von der er nichts mehr wissen wollte. Besorgt schrieb Lenau im Herbst des Jahres 1836: „. . . Mein Fehler ist, daß ich die Sphäre der Poesie und die Sphäre des wirklichen Lebens nicht auseinanderhalte, sondern beide durchkreuzen lasse. Gewohnt, in der Poesie mich dem Zuge meiner Phantasie zu überlassen, tu ich ein Ähnliches auch im Leben, und es geschieht, daß in Momenten der Selbstvergessenheit diese vielleicht zu viel geübte Kraft aufstürmt und ihre eigenen schönsten Gebilde verheerend niedertritt."[6]

Zunächst beeinflußt von Hans Lasse Martensen und später, 1837, von Franz von Baader verarbeitet Lenau in seinem Gedicht „Savonarola" gängige Geschichtsphilosophie und Mystik mit dem Anspruch nach gesellschaftlicher Änderung zum Vorteil der Kunst. In Wien übersiedelte Lenau in das Löwenthal'sche Haus und arbeitete an den „Albigensern", in die er auch Hegelsches Gedankengut aufnahm. In diesen „Freien Gedichten" thematisierte er den Wechsel der göttlichen Ordnung zum soziologischen Prozeß. Das Sein, bei Lenau der Kampf samt den unzähligen Kriegsopfern der Geschichte, ist dabei in ein „quasi technisches" Verfahren, in einen unausweichlichen Prozeß eingeschlossen, in dem aber die sinnstiftende Instanz fehlt:

*„(. . .)*
*Den Albigensern folgen die Hussiten*
*Und zahlen blutig heim, was jene litten;*
*Nach Huß und Ziska kommen Luther,*
*Hutten,*
*Die dreißig Jahre, die Cevennenstreiter,*
*Die Stürmer der Bastille, und so weiter."*[7]

Die innigen Beziehungen zu Sophie von Löwenthal nahmen fast beklemmende Formen an, und Lenau wollte sich durch die Heirat mit der Sängerin Karoline Unger aus der bedrückenden Situation befreien. Aber diese sah in der Verbindung mit dem Dichter eher eine Art von „Renommierkapital", abgesehen von gelegentlichen Zuneigungen. Verbittert löste Lenau 1840 das unerfreuliche Verhältnis und wurde, schwer erkrankt, liebevoll von Sophie von Löwenthal gesundgepflegt.

1840/41 erschienen in vermehrten Auflagen seine Gedichte, und 1842 schloß er die „Albigenser" ab. Im darauffolgenden Jahr bewarb sich Lenau um die Professur für Ästhetik an der Wiener Theresianischen Ritterakademie, die er aber als unvereinbar mit seinem Lebensstil zurückzog. Vermutlich auf Ersuchen von Rudolf von Kleyle, des Vaters von Sophie von Löwenthal, dichtete Lenau Anfang April 1843 den „Prolog zum Jubelfeste des Erzherzogs Karl", der ausnahmsweise auch unverändert von der Zensur veröffentlicht wurde. Im Herbst desselben Jahres entstanden im Krapfenwaldl bei Grinzing die „Waldlieder", die Lenaus große Verbundenheit mit der Natur wiedergeben:

*„(. . .)*
*In dieses Waldes leisem Rauschen*
*Ist mir, als hör ich Kunde wehen,*
*Daß alles Sterben und Vergehen*
*Nur heimlichstill vergnügtes Tauschen."*[8]

Im Frühjahr 1844 fuhr Lenau nach Stuttgart, um dort die Neuausgabe seiner „Gedichte" und des „Savonarola" vorzubereiten; auch arbeitete er am „Don Juan". Mit Cotta wollte er bessere Autorenverträge aushandeln, die ihn finanziell sicherstellen sollten. Am 2. Juli 1844 lernte er Marie Behrends kennen und lieben, mit der er im August Verlobung feierte. Vermutlich aus Trennungs- und Bindungsangst erlitt Lenau im September einen heftigen Schlaganfall, der sich am 12./13. und 15./16. Oktober wiederholte und ihn in tiefste Depressionen und zu Selbstmordversuchen führte. In der Heilanstalt Winnenthal bei Stuttgart notierte Lenau noch am 25. November 1844: „Ich bin kein Narr und bin es nie gewesen.“[9] – Dennoch mußte er auf Vorstellungen seines Schwagers 1847 in die private Heilanstalt nach Oberdöbling bei Wien überstellt werden. Dort, von wenigen hellen Augenblicken abgesehen, dämmerte er seinem Tod entgegen. Am 22. August 1850 starb Lenau und wurde unter großer Anteilnahme der Bevölkerung im Weidlinger Friedhof bei Klosterneuburg begraben.

Sein Leben und Schaffen, das den verzweifelten Versuch, eine bürgerliche Existenz mit poetischem Leben zu vereinen, so rückhaltlos aufzeigt, zerbrach sowohl an den Anforderungen der gesellschaftlichen Realität als auch an der eigenen Lebensführung. Seine schutzlose poetische Offenheit stand im krassen Gegensatz zur berechenbaren bürgerlichen Lebenspraxis, denn: „. . . ich glaube die Poesie bin ich selber; mein selbstestes Selbst ist die Poesie . . .[10], wie Lenau 1831 schrieb. Diese Poesie ist nicht mehr Heilmittel von Entsagung, nicht Therapie gegen die Formen von Melancholie, sondern sie wendet sich dieser zu, nimmt diese auf, wie auch das Leiden und die menschlichen Opfer der Geschichte. Ohne Verklärung, ohne positive Interpretation zeigt Lenaus Dichtung den Menschen und das Leid. „Das Menschenleben ist ohnehin nur das Bild der Natur, wie es sich malt in den bewegten Wellen unserer Triebe . . .“[11], notierte Lenau 1831, wobei letztere sich nicht, wie bei Hegel, als ein vernünftiges System begreifen lassen. Ohne Verklärung nimmt sich Lenau der Ausgestoßenen, der Randexistenzen und Kriegsopfer an, und bewegend zeugen dafür die „Polenlieder“, „Mischka“, „Der ewige Jude“, „Johannes Ziska“ und viele andere Gedichte. Dadurch wird seine Poesie zum Instrument der Anklage, der Rebellion und des Aufbegehrens gegenüber gesellschaftlichen Restriktionen schlechthin.

Für Lenau gab es keine prästabilisierte Harmonie, die sowohl Freiheit als auch Sicherheit garantiert, und gegenüber dem brüchig gewordenen geltenden Recht wurde die Gerechtigkeit gesetzt, die aber ohne theologische Rückbindung erscheint. So, distanziert von transzendenter Letztverbindlichkeit, verweist die Sinnfrage menschlicher Existenz wieder auf den Menschen und findet bei Lenau keine positive Antwort:

*„Sahst du ein Glück vorübergehn,*
*Das nie sich wiederfindet,*
*Ists gut in einen Strom zu sehn,*
*Wo alles wogt und schwindet*
*(. . .)*

*Hinträumend wird Vergessenheit*
*Des Herzens Wunde schließen;*
*Die Seele sieht in ihrem Leid*
*Sich selbst vorüberfließen.“*[12]

**Anmerkungen:**

1 Vgl. Nikolaus Britz, Aus Nikolaus Lenaus familiengeschichtlicher Vergangenheit, Wien 1982; auch:
Karl Gladt, Stockerauer Beiträge zur Fünfjahrfeier der Internationalen Lenau-Gesellschaft. Wien 1969.

2 Nikolaus Lenau. Sämtliche Werke und Briefe in 6 Bänden. Hsg. von Eduard Castle, Leipzig 1910–1923, Band III, S. 60; die folgenden Band- und Seitenangaben beziehen sich auf diese Ausgabe.

3 Band I, S. 14.

4 Band I, S. 18.

5 Band I, S. 105.

6 Band IV, S. 27.

7 Band II, S. 400.

8 Band I, S. 456.

9 Band VI, S. 101.

10 Band III, S. 85.

11 Band III, S. 85.

12 Band I, S. 537; vgl. auch zum oben angeführten: Antal Mádl, Auf Lenaus Spuren. Beiträge zur österreichischen Literatur, Wien/Budapest, 1982; auch:
Hans Georg Schmidt, Der Ästhetizismus im Werk Nikolaus Lenaus. Staatsexamenarbeit, Marburg 1981.

# ADALBERT STIFTERS ETHIK DES BIEDERMEIER

Robert Waissenberger †

Kat. Nr. 10/32 Moritz M. Daffinger, Adalbert Stifter

Es ist das Schicksal geistiger Erscheinungen von Größe, daß sie von verschiedenen Interessentengruppierungen vereinnahmt werden. Dem Werk und der Persönlichkeit Adalbert Stifters ist es in dieser Beziehung nicht anders ergangen. Etwa versuchten sich die Vertreter einer Blut-und-Boden-Romantik seiner besonders zu bedienen: Denn einer, der die Landschaft und die in ihr lebenden Menschen in so unvergleichlicher Weise beschreibt, mußte da ein Opfer sein.

Lange blieb Stifter relativ unbeachtet, dann, nach der Jahrhundertwende, erfolgte eine Art Neuentdeckung, wobei sich vor allem zum Großteil jene seines Werkes bemächtigten, die in ihm in erster Linie den Böhmerwald-Heimatdichter sahen und weniger einen der Bewunderer und Schilderer des Salzkammerguts, zu denen er zählt, jener Landschaft, die ein eigentliches Ziel biedermeierlicher Betrachtungsweise geworden war. Daß Stifters Werke auch viele signifikante Schilderungen der Wiener Atmosphäre enthalten – als Beispiel möge vor allem der von ihm herausgegebene Band „Wien und die Wiener" gelten, – fiel mehr oder weniger nicht auf und auch, daß er seine Landschaftseindrücke sowohl des Böhmerwaldes als auch des Salzkammerguts in Wien verarbeitete. Man hat also Stifter manchmal von gewisser Seite ideologisch vereinnahmt, wodurch dem einen oder dem anderen die stifterische Existenz verleidet wurde, weil er sozusagen mit der Klientel um den Dichter herum nichts zu tun haben wollte. Das Odium des Heimatdichters umgibt ihn vielfach heute noch. Die Auslegung Stifters als Heros des Schrifttums der deutschen Nation schließlich, die ihm natürlich auch zuteil wurde, tat ihm gerade auch nicht gut, wobei dieser Seite die Befassung mit dem historischen böhmischen Thema in „Witiko" immer mißfallen hatte. Daß sehr viel von der österreichischen Lebensart in Stifters Werk wiedergegeben wird, fiel fallweise unter den Tisch, so daß in den gestellten Perspektiven nur selten ein klares Bild des Werkes und der Persönlichkeit dieses bedeutenden deutschsprachigen, aber österreichischen Prosaisten entworfen wurde.

Endlich bemächtigten sich neuerdings auch die Psychoanalyse und ihre Vertreter seiner Person, was im Hinblick auf sein von vielen menschlichen Problemen nicht unbelastetes Leben auch naheliegend ist. Denn zwischen seinem Handeln und den Postulaten, die er in seinen Werken setzte, bestehen die größten Gegensätze. Psychische Sonderfälle innerhalb der Reihe der schöpferischen Persönlichkeiten Österreichs wie Grillparzer, Lenau, Raimund sind aber nichts Außergewöhnliches. Alle schwankten sie in ihrer Art zwischen Sympathien für den Umsturz und der Bereitschaft zur Angleichung, zwischen dem, was sie für lebensbestimmend hielten und dem, wie sie tatsächlich handelten.

Das Werk Stifters ist immer wieder hoch geschätzt, ebenso aber auch kritisiert und abgelehnt worden, was natürlich nur eine Angelegenheit des persönlichen Geschmacks und der besonderen Einstellung war und ist. Manche Leute mögen keine Landschaftsschilderungen, weil sie Natur wohl überhaupt nicht mögen und ihnen die Kaffeehausatmosphäre lieber ist. Und Friedrich Hebbels merkwürdige Kritik an der Vorliebe Stifters „für die kleinen Dinge" ist in dieser Beziehung auch kein Einzelfall, ist nur bekannt und viel zitiert.

Oft waren es auch Stil und Diktion des Autors, die Widerspruch erregten. Es ist eine Form der Übergenauigkeit, ein Bemühen des Autors, ganz besonders deutlich auszudrücken, was mitunter fraglos in Pedanterie, in einen geradezu bürokratisch anmutenden Vortrag zu münden vermag. Vor allem mit den Überarbeitungen seiner Erzählungen brachte Stifter vielfach erst diesen betulichen, pedantisch wirkenden Stil ein. Ernst Jünger spießte da einmal eine dafür besonders charakteristische Stelle auf, wo es (in „Katzensilber") heißt: „Die Kinder hatten beide Strohhüte auf, sie hatten Kleider, aus deren Ärmeln die Arme hervorgingen." Das sind freilich Formulierungen, die man nur schwer ohne Kritik zur Kenntnis nimmt, doch in der Zeit, in der sie entstanden, befleißigte man sich eben da und dort ihrer, ohne daß es dem zeitgenössischen Leser, der an der betulichen Grundhaltung weniger Anstoß nahm, störte. Andernteils muß auch noch ins Treffen geführt werden, daß gerade die Novelle „Katzensilber" im Verband einer Reihe von Erzählungen steht, die in erster Linie sozusagen im „kindlichen" Ton abgehandelt werden, weil sie als Lektüre für Kinder und Jugendliche gedacht waren.

Doch „Vortragsstil" ist ein Stichwort. All das, auch das Betuliche hat „Stil": in allen Konsequenzen und seiner Folgerichtigkeit. Es beweist vom Autor her das Bemühen um eine Literatur der genauen Wiedergabe des Sichtbaren: Es macht aber auch mitunter mehr sichtbar, als gemeinhin gesehen wird. In der Malerei Stifters ist dieses Bemühen zuerst zur Wirkung gekommen, denn auch in diesem Medium strebte er danach, einfach eine absolut genaue Wiedergabe des Gesehenen zu erreichen. Und nur im Unbewußten, im Bereich seines ihm hingegebenen Temperaments kam jenes Maß an Persönlichem dazu, das jenen Bereich ausmacht, den man Kunst nennt. Dort, „wo er nicht anders kann", ist sein schöpferisches Wirken. Dazu kam natürlich in vieler Beziehung die „Sache der Zeit", in der er lebte, die auf ihn wirkte, und die er natürlich auch ausdrückte, das war die Modernität, mit der sich die Zeitgenossen verständlich machen wollten und konnten. Mit welcher Genauigkeit Stifter in seinen Schriften ans Werk ging, vermag man vor allem an der Weise abzusehen, wie er an seinen Erzählungen immer wieder feilte, sie änderte und umschrieb und zu präziseren Formen zu finden suchte, mit dem Ziel, sein Wollen immer mehr zu verdeutlichen. Das ging freilich manchmal auch auf Kosten der Unmittelbarkeit und Lebendigkeit der Darstellung. Möglicherweise wußte Stifter das auch, doch gab ihm sein Gewissen ein, daß er so handeln müsse, wie er handelte und eben nicht anders. Das Bemühen galt auch einer Vergrößerung der Objektivität. Während die „Urfassungen" noch voll von subjektiven Äußerungen, voll von Reflexionen des Autors sind, hält sich der Autor in der Überarbeitung zurück: Seine Meinung wird zurückgestellt, das Persönliche darf nicht im Vordergrund stehen.

Um es noch einmal zu sagen, man macht immer wieder den Fehler, daß man die Wirklichkeit dieses Dichterlebens der Fiktion der erdachten Erzählungen gegenüberstellt. Stifter war aus Einsicht, Neigung und daraus gewonnener Disziplin ein Überwinder seiner selbst. Natürlich erscheint es geradezu paradox, daß jemand, um das stärkste Beispiel zu bringen, der ein Leben lang den Suizid als Lösung unlösbarer Probleme ausklammerte, an das Ende seines Daseins einen Selbstmordversuch setzt. Und gerade diesen tragischen Umstand hat man immer wieder zum Anlaß genommen, um gewisse Bewertungen Stifters beweisen zu können. Was jemand sein Leben lang als falsche Handlung erkannt hat, kann jedoch im besonderen Moment – der Qual einer schweren Krankheit – verständlich werden. Man hat es im bestimmten Fall mit einer Augenblicksentscheidung zu tun, die an dem ein Leben lang aufrecht erhaltenen Prinzip noch lange nicht zu rütteln, es nicht in Frage zu stellen vermag.

Die ernstzunehmende Rezeption seines Werkes erfolgte absolut nicht selbstverständlich und schon gar nicht ohne Vorbehalte, denn die Mentalität, die darin zum Ausdruck kommt, ist alles andere als selbstverständlich oder gängig. Das ist auch ein Grund dafür, daß es nicht so rasch zur Popularität fand, sondern zunächst eben für eine Zeitlang in Vergessenheit geriet. Und dieses Schicksal teilte vor allem das wohl in der Wirkung nachhaltigste Werk Adalbert Stifters, der Roman „Nachsommer", und natürlich und in einem noch größeren Maß, das kühle und schwierig zu verstehende Romanwerk „Witiko".

Man hat zu Recht immer wieder von dem hohen sittlichen Gehalt gesprochen, der Stifters Werk auszeichnet. Ohne Zweifel ist es aber auch in erster Linie von Ehrfurcht, Verantwortungsbewußtsein vor Gott und den Menschen und damit vor der Sitte und dem Gesetz geprägt. Stifter war wohl nicht gerade ein kirchenfrommer Mann. Das hat auch dazu geführt, daß es ihm leicht fiel, keinen großen Unterschied zwischen den Konfessionen zu machen, sonst hätte er nicht ohne weiteres, wie das Beispiel seiner Novelle „Kalkstein" beweist, einen protestantischen Pfarrer von der Urfassung zu einem katholischen in der endgültigen Fassung verwandelt.

Natürlich haben Stifters Lebensstationen auch ihre Wirkung auf sein Werk gehabt. Dazu zählt seine Geburt in dem Dorf Oberplan im Böhmerwald, die Erziehung durch die Großeltern nach dem frühen Tod des Vaters, der Besuch des Gymnasiums im Stift Kremsmünster, die Studien in Wien und vor allem sein Versuch, sich zum Maler auszubilden. Tatsächlich sind die von ihm geschaffenen Bilder von nicht geringer Bedeutung für die biedermeierliche Landschaftsmalerei. Viele Episoden in seinen Schriften haben autobiographischen Charakter oder sind aus der Lebenserfahrung gewonnen. Von tiefer Bedeutung ist seine unglückliche Liebe zu der Kaufmannstochter Fanny Greipl sowie seine spätere Ehe mit Amalie Mohaupt. Die Zeit, in der er sich unverwechselbar zu dem entwickelte, der er war, waren die vierziger Jahre, da entstanden die Werke, die ihn deutlich charakterisieren. Es waren die Erzählungen „Der Kondor" (1840), „Der Hochwald" (1842), „Abdias" (1842) usw. Die besonderen Fähigkeiten Stifters wurden hier deutlich: Sein Streben nach einer harmonievollen Welt, seine Liebe zur Natur und seine Kunst, diese zu schildern.

Die frühen Erzählungen, die zuerst in veschiedenen Almanachen erschienen waren, wurden unter der Bezeichnung „Studien" zwischen 1840 und 1845 zusammengefaßt und herausgegeben, nachdem sie aber bereits tiefgreifend überarbeitet worden waren. Manchmal besteht zwischen Urfassung und endgültiger Fassung ein so großer Unterschied, daß beide wert bleiben, nebeneinander gelesen zu werden. Deshalb hat man sich auch in den letzten Jahrzehnten wesentlich um die Herausgabe der „Urfassungen" bemüht. Durch Stifters Vortrag war ein völlig neuer Erzählton angeschlagen worden: Er vermittelt Ernsteres, Tiefgreifenderes, Bedeutungsvolleres als all das, was man in den Almanachen der gleichen Zeit finden kann. Der Leser sieht sich mit dem Walten entscheidender Kräfte konfrontiert. Schon an der ersten Erzählung „Der Kondor" vermag man die Veränderung zu erkennen. Viel Autobiographisches ist in den „Feldblumen" enthalten, einer Erzählung, die auf Stifters Tagebuch des für ihn wichtigen Jahres 1836 beruht. In diesem frühen Werk, einem Briefroman, schlägt die Grundgesinnung eines Malers durch. Öfter kann der Leser nicht umhin, sich an Jean Paul zu erinnern, viel „Romantisches" ist schließlich im Ton, was man so recht eigentlich dem späteren Stifter nicht ohneweiters zumißt. Typisch ist auch hier der lange Anlauf, den Stifter in seinen Erzählungen benötigt, bis er zum eigentlichen Kern der Handlung gelangt. Das Thema der „Feldblumen" beinhaltet vor allem ein Mißverständnis und die daraus entstehende brennende Eifersucht des Ich-Erzählers, die sein fast schon in Aussicht stehendes Eheglück verhindert. Erst nach einiger Mühe kommt letzten Endes dann doch alles ins Lot. Bemerkenswert an den „Feldblumen" ist vor allem aber die geschilderte Stimmung der Landschaft, in der sie handelt. Es ist das Salzkammergut, von dem hier in Bildern erzählt wird.

Sehr bald versuchte Stifter aber auch von den letzten Endes sehr auf Persönliches bezogenen Erzählungen abzurükken und brachte historisches Geschehen ein, soweit es auf der unmittelbaren Vergangenheit seiner Heimat Böhmerwald beruht. Eine seiner wichtigsten und populärsten Erzählungen ist „Der Hochwald", eine Geschichte, die im Dreißigjährigen Krieg spielt – einer Zeit, die ihm öfter den Hintergrund für seine Erzählkunst abgab. Der Wald gilt als die letzte Zufluchtsstätte vor der Gewalt dämonischer Mächte und spielt hier deshalb sozusagen die Hauptrolle. Der Kampf mit dem Schicksal und die Frage, warum über manche Menschen soviel Leid verhängt wird, stehen im Mittelpunkt der Erzählung „Abdias", der Geschichte eines afrikanischen Juden, dem sein Liebstes, die Tochter, genommen wird. In manchen Erzählungen Stifters, im Unterschied zu jenen Schilderungen, wo ein „kosmisches Geschehen" im Vordergrund steht, sind dann doch Einzelschicksale von Menschen das Thema, wie in „Brigitta" oder in „Waldsteig". Liebenswürdig-ironisch schildert Stifter in der zuletzt genannten Erzählung einen verwöhnten Hypochonder, der den Umgang mit Menschen meidet, sich in seine Bücher vergräbt und nicht einmal seine Wohnung verläßt. Erst die Aufforderung eines wohlmeinenden Freundes, er müsse ein Bad aufsuchen,

Kat. Nr. 10/34 Adalbert Stifter, Blick auf Wiener Vorstadthäuser, 1839

um Anschluß an die Gesellschaft, vielleicht sogar ein Weib zu finden, denn für sein Leben sei es wichtig, daß er heirate, führt ihn in die Realität zurück.

In die Sammlung „Studien" wurde schließlich auch eines der Hauptwerke Stifters, „Die Mappe meines Urgroßvaters" einbezogen, eine Erzählung, die den Dichter ein Vierteljahrhundert lang befaßt hat und die ihm vielleicht sein wichtigstes Anliegen bedeutete. Nicht weniger als vier Fassungen entstanden im Laufe von zweieinhalb Jahrzehnten, Stifter hat mit Unterbrechungen von 1841 bis 1867 immer wieder daran gearbeitet. Zwei Elemente sind es in diesem Werk, die in ihm zum Tragen kommen: die Darstellung der Überwindung des Bösen, von dem gleichsam jedermann bedroht ist, und das Bemühen um ein Leben für andere, einen hochentwickelten Gemeinsinn, ein Wirken im Sinne eines gemeinsamen Interesses, ein humanes Verhalten und die Liebe der Menschen, die alles verbindet und ausgleicht. Die „Mappe meines Urgroßvaters" faßt also viele Motive zusammen, die aus des Dichters eigener Lebenserfahrung kommen, und die natürlich auch in anderen seiner Werke da und dort ihre Rolle spielen. Freilich greifen auch in dieses Leben, und dafür ist gerade „Die Mappe meines Urgroßvaters" ein gutes Beispiel, mit Macht die Naturgewalten ein: Die hier zu findende Schilderung eines Eisbruchs, wie die eines verheerenden Schneefalls in seiner nicht lange vor seinem Tod entstandenen Erzählung „Aus dem bayerischen Wald", gehören zu den zwingendsten Naturgemälden der Literatur überhaupt.

Bedeutung für den Menschen hat jedenfalls die Natur immer: So beispielsweise im „Haidedorf", der Geschichte eines zum Dichter heranreifenden Bauernjungen, des Knaben Felix, der sich Wissen und Eigentum in der Welt zu erwerben versteht, dennoch aber die innere Bindung an seine „Haide" nie verliert, die letzten Endes das Elixier seines Lebens ist. Und noch ein Motiv tritt in „Haidedorf" zutage, das Motiv eines Mannes, der die begehrte Frau nicht erringen kann und deshalb eigentlich sein Leben lang in einer Art stiller Trauer dahinlebt. „Er suchte die Wüsten und die Einöden des Orients nicht brütend, nicht trauernd, sondern einsam, ruhig, heiter dichtend." Hier war eine Grunderfahrung Stifters entscheidend.

Das Motiv der opferbereiten tätigen Menschen, das in der Mappe angeklungen ist, kehrt in den „Zwei Schwestern" zurück. Auch das Problem der übertriebenen Eifersucht, die das Vertrauen der Menschen zueinander zerstört, spielt in diesen „Studien" eine Rolle, so im „beschriebenen Tännling", wie dies vordem schon in den „Feldblumen" der Fall gewesen ist.

Eine weitere Sammlung von Erzählungen, ein „Festgeschenk", wie sie vom Dichter genannt wurde, stellen die „Bunten Steine" dar, die eigentlich für Kinder gedacht waren. So wie die „Studien" waren sie schon vorher zwischen 1842 und 1852 in verschiedenen Zeitschriften erschienen, doch nunmehr alle unter einem neuen Titel, um die Unterordnung unter die Devise zu rechtfertigen. Die Absicht, die zu dieser Sammlung führte, ist zunächst in Form von Stifters künstlerischem Bekenntnis, aus dem Zitat zu erkennen, daß ihm in seinen Dichtungen „Kleines groß und Großes klein" sei. Am Beginn steht die Erzählung „Granit", die in der Urfassung „Die Pechbrenner" hieß und eine der dramatischesten und berührendsten Äußerungen des Dichtertums Stifters ist. In einer doppelten Handlung, einer Rahmenerzählung aus Stifters Kindheit und einer Geschichte aus der Pestzeit, sind Anklagen gegen das Unverständnis der Eltern, gegen ihre mitunter zutage tretende „seelische Grausamkeit" enthalten. „Granit" – als Synonym für ein besonders hartes Gestein gedacht – ist allein dadurch schon als Titel gerechtfertigt. Fast in allen Erzählungen der „Bunten Steine" ist das Thema der Rettung von Kindern aus gefährlichen, ausweglosen Situationen bestimmend und so auch in diesem ersten Beispiel. Die Handlung beginnt damit, daß der Pechverkäufer dem kleinen Buben die Füße mit Pech beschmiert, wofür dieser von der Mutter hart bestraft wird. Da nimmt sich der Großvater seiner an, wäscht ihm die Füße und erzählt ihm die überaus unmittelbar klingende, wohl als Legende fortlebende Geschichte einer Pechbrennerfamilie, die sich während der Pestzeit in den Wald zurückzieht, um der tödlichen Seuche zu entgehen, was aber letzten Endes doch nicht gelingt. Die ganze Familie stirbt aus, nur der Knabe überlebt, den der hartherzige, zürnende Vater in der Wildnis ausgesetzt hat, ein geistesschwacher Knecht und ein kleines Mädchen, das zu einer wandernden Familie gehört, die ebenfalls der Seuche zum Opfer gefallen war.

Eine andere Erzählung, die ursprünglich unter dem Titel „Der arme Wohltäter" erschienen war, wurde in die Sammlung „Bunte Steine" als „Kalkstein" eingereiht. Es ist die Geschichte eines Pfarrers, der nach Enttäuschungen und Entbehrungen im Leben alles Geld zusammenspart, um in seinem Testament eine bedeutende Summe für die Errichtung einer Schule aussetzen zu können, damit die Kinder auf ihrem Schulweg nicht immer wieder großen Gefahren in der Natur ausgesetzt sind. Beeindrukkend ist die Schilderung des bewußt kargen, sparsamen Lebens in einer ebenso rauhen wie unwirtlichen Landschaft.

Schließlich fand auch eine der bekanntesten und beliebtesten Erzählungen Stifters Eingang in diese Sammlung. „Der Heilige Abend" oder, wie sie in den „Bunten Steinen" heißt, „Bergkristall". Das ist eine der wohl am meisten gelesenen Geschichte von zwei Kindern, die sich am Heiligen Abend im Gletschereis verirren, doch wie durch ein Wunder gerettet werden. Die drohende Natur erweist sich letzten Endes als unberechenbar auch im Sinn der Güte. Den Kindern, die dank ihrer Naivität alles ganz ohne Panik hinnehmen, ist die Gefahr, in der sie sich befunden haben, gar nicht bewußt geworden.

Etwa mit dem Revolutionsjahr 1848 begann Stifter mit seiner Arbeit am Roman „Der Nachsommer", den man sinnvollerweise wohl als sein bedeutendstes und im Aufbau geschlossenstes, besonders abgerundetes Werk anzusehen hat. Es bringt seine Anschauung am besten zur Geltung, zumal eigene Lebenserfahrungen, eigenes Glück und Leid, Trauer und Freude auch in dieses Werk eingeflossen sind. „Nachsommer" ist der deutlich aus der Sache selbst gerechtfertigte Titel. Für den Leser liegt über dem Ganzen der goldene Glanz später Augusttage. Nicht eigentlich der Erzähler, der Wiener Kaufmannssohn und Geologe Heinrich Drendorf und seine spätere Braut Nathalie sind die Hauptpersonen, sondern der Freiherr von Risach und Mathilde und deren Jugendliebe, die aus Zaghaftigkeit und Unentschlossenheit unerfüllt blieb. Diesen Vorwurf, allzu sehr der Konvention gedient zu haben, erhob Stifter wiederholt wie etwa schon im „Alten Siegel" in erster Linie wohl gegen sich selbst: Das sind Ergebnisse der Selbsterkenntnis, daß man ein Recht darauf hat, sein Glück durchzusetzen und man nicht zuletzt nur Schuld gegenüber sich selbst auf sich nimmt, wenn man nicht die Kraft aufbringt, entgegen aller Konvention gegen seine Mitwelt sich zu behaupten. Die im letzten Drittel dargebotene Erzählung der tragischen Jugendgeschichte Risachs birgt die Moral des Romans. Risach und Mathilde liebten einander, doch hielten die Eltern des Mädchens eine frühe Bindung für falsch und verstanden sie zu verhindern. Die Schuld lag an Risach, der den Umständen nachgebend verzichtete, so daß auch Mathilde resignierte und sich mit einem Mann verheiratete, den sie nicht liebte. Erst im Alter, als Witwe, trifft sie den Jugendgeliebten wieder, mit dem sie nun als Nachbar lebt und die späten Tage ihres Lebens, eben den „Nachsommer" verbringt. Dieser Roman wird, entsprechend seinem Aufbau, als „Bildungsroman" bezeichnet, gleichzustellen etwa dem „Wilhelm Meister" Goethes, dem „Grünen Heinrich" Kellers oder Thomas Manns „Zauberberg". Stifter war Künstler in jeder Phase seines Lebens: Sein Einsatz für die Werke der Kunst, der Malerei und der Dichtung weist ihnen im Rahmen dieses Romans eine besondere Position zu. „Nachsommer" ist die Zeit im Leben, die zwar von einer gewissen Resignation erfüllt ist, in der man allerdings auch den Dingen mit Ruhe und Gelassenheit gegenübersteht, sie ungetrübt sieht und in der es möglich ist, Ordnung in den anvertrauten Bereichen zu halten.

Immer wieder treten die eigentlichen Instanzen der abendländischen Kultur, der bildenden Kunst vor allem, in Erscheinung, und Freiherr von Risach ist da dem jungen, in Bildung begriffenen Kaufmannssohn eine leitende und führende Hand. Gerundet erscheint die Geschichte schließlich, als Heinrich und Nathalie – Mathildens Tochter – zueinander finden und auf Grund einer Art „Wahlverwandtschaft" ein Paar werden. Den Roman „Witiko" schließlich, der ein Thema der tschechisch-böhmischen Geschichte zum Inhalt hat, schrieb Stifter über viele Jahre. Das Werk, das auch für den Leser von spröder Art ist, widmete Stifter seinen Landsleuten, „insbesondere der alten ehrwürdigen Stadt Prag".

Man mag überlegen, warum sich gewisse Literatur über die Zeiten hin zu erhalten vermag, in denen sie in ihrer Bedeutung für die Leserschaft zunimmt, oder hervorgeholt wird, nachdem man lange den Eindruck hatte haben müssen, sie sei schon vergessen. Bemerkungen wie „modern" oder „unmodern" fallen hier sicher nicht ins Gewicht: Würden sie es, dürfte Stifter in der Gegenwart kaum mehr Bedeutung haben. Denn er ist ein „spröder" Dichter, an den niemand so ohneweiters heranzukommen vermag, der nicht ernsthaft willens ist, sich mit seinen Anliegen und seiner Aussage auseinanderzusetzen. Doch ein solches ist nicht an die Zeit gebunden: Es geht „darüber hinaus", es schafft Postulate menschlicher Werte, die vielleicht zeitweise in Vergessenheit geraten, aber nicht einfach untergehen, allenfalls negiert werden können. Der Einbruch von Naturgewalten in das Leben des Menschen hat heute vielleicht nicht jene Bedeutung mehr, die er einmal hatte. Es handelt sich dabei aber nicht so sehr um die Bedrohung durch sie, als um das Phänomen der Bedrohung an sich, das immer gegeben ist, wenngleich sich die Erscheinungsformen ändern.

Der in seine Umgebung, mit der er fertigzuwerden hat, gestellte Mensch ist das Thema der Erzählungen Stifters. Da die Natur immer wieder als so entscheidend und dominierend für das menschliche Leben dargestellt wird, das sich nur durch Einsicht, Maß und Klugheit zu behaupten vermag, ist sie die allmächtige Herrin, der alles unterworfen ist.

Es hieße diesem Erzähler das größte Unverständnis entgegenbringen, wenn man ihm seine Naturschilderungen vorwirft oder sie als unwesentlich darstellt, abgesehen davon, daß sie kaum ihresgleichen haben. In der Natur liegt kein für den Menschen begreiflicher Sinn. Sie spielt mit uns. Und diese Ansicht beweist uns, wie klar Stifter dachte.

## 9 THEATER

### 9/1
### Bühnenlieblinge

#### 9/1/1/1
#### Johann Nestroy als „Sansquartier“

in „Zwölf Mädchen in Uniform“
Statuette, Gips, bemalt, Holzsockel, H.: 50 cm
HM, Inv. Nr. 58.583

Nestroy trat in dieser Rolle von 1831 bis 1862 auf.

Theater an der Wien 30. August 1831: „. . . erfolgte das Debüt des Hrn. Nestroi, vom k. städt. Theater zu Lemberg. Der Empfang, der diesem Gast zu Theil wurde, war sehr auszeichnend . . .

In den . . . ‚Zwölf Mädchen in Uniform‘ (Hr. Direktor Carl hat die sieben um fünf vermehrt) entwickelte Hr. Nestroi sein schönes Talent in einem noch weit höheren Grade – seine Darstellung des Sansquartier muß zu den besten komischen Produktionen dieser Bühne gerechnet werden. Der Gast entwickelte hier eine solche Freyheit und Ungezwungenheit als ob er bey uns bereits heimisch wäre und ohne Zweifel ist es diesem Umstande zuzuschreiben, daß er aus der eben nicht sehr bedeutenden Rolle – einen so durchdrungenen und kräftig komischen Charakter zu entwickeln vermochte. Die reiche und wohlberechnete Nüanzierung, das Originelle der ganzen Haltung bürgt uns für ein ungewöhnliches Talent . . .“
(Th. Z. 8. September 1831)

„. . . so ist der Sansquartier in einer imposanten Ruhe, aus der ihn nur dann und wann die Plackereien der Subordination, oder wie er selbst sagt, der ‚Suppenordination‘ aufstacheln können. Das Alter hat seinen Nacken gebeugt, seinen Gleichmut kann nur der Schloßhauptmann Birquet beugen. Die immer zusammenknickende Gestalt, Gesicht und Stimme, jenes vom Branntwein mit einem verdächtigen Bläulichrot, diese mit Heiserkeit belegt, bilden ein Ensemble, das unwiderstehlich zum Lachen reizt. Die stille Selbstgefälligkeit des drolligen Patrons bildet zu diesem Aeussern die effektvolle Kehrseite. Was er spricht und tut, geschieht mit einem Gewicht mit einer Ruhe des Bewusstseins, die ihres eigenen Wertes Herold ist, mag Sansquartier nun seinem Kommandanten linguistische Belehrungen erteilen, oder den Herrn ‚Schuwernör‘ nach dem Befinden seiner Frau Liebsten fragen . . .“
(Bohemia, 30. Juli 1844)
WD
Abbildung

Kat. Nr. 9/1/2/4

#### 9/1/1/2
#### Bühnenkostüm von Johann Nestroy als „Sansquartier“

in „Sieben Mädchen in Uniform“, Vaudeville-Posse von Louis Angely
Leinenfrack, gelbe Tuchweste, Dreispitz, Hose, ein Paar Wollgamaschen
Wien, Österreichische Nationalbibliothek, Theatersammlung, O-2.510

Das Kostüm wurde von Johann Nestroy erstmals bei der Uraufführung der Vaudeville-Posse „Sieben Mädchen in Uniform“ am 31. März 1831 im Theater in der Josefstadt getragen
Gertrud Höller

#### 9/1/1/3
#### Johann Nestroy und Marie Weiler

in „Das Mädl aus der Vorstadt“
Johann Christian Schoeller (1782–1851), 1845
Aquarell, 9 × 6,5 cm,
auf Untersatzkarton 13,1 × 10,3 cm
Re. u. monogr. u. dat.: S. 1845
HM, Inv. Nr. 109.289

Am 24. November 1841 im Theater an der Wien uraufgeführt, nach einem Vaudeville von Paul de Kock und Charles-Victor Varin bearbeitet, trägt es doch Nestroys Stempel in diesem konventionellen „Krimisujet" mit dem Thema Heirat und Rehabilitierung.

Der Winkelagent Schnoferl (Nestroy) ist mit einer der Näherinnen, Rosalie (Marie Weiler), abgebildet, die gemeinsam in einem Quodlibet (II, 12) ihr schauspielerisches und gesangliches Talent zeigen, einem musikalischen Potpourri mit zum Teil unterlegtem verfremdeten Text.

Obwohl „Das Mädl aus der Vorstadt" auch zu Lebzeiten Nestroys erfolgreich war, sind uns sonderbarerweise keinerlei vervielfältigte Illustrationen bekannt.
JH
Abbildung

**9/1/1/4**
**Johann Nestroy als „Weinberl"**

in „Einen Jux will er sich machen"
Johann Christian Schoeller, 1845
Aquarell, 9,1 × 6,4 cm,
auf Untersatzkarton, 13,1 × 10,3 cm
Re. u. monogr. u. dat.: S. 1845
HM, Inv. Nr. 109.288

Am 10. März 1842 im Theater an der Wien uraufgeführt, wurde diese „klassische" Posse eines der populärsten Nestroy-Stücke. Hinter der Heiterkeit eines konventionellen, in der Handlung (wie meist bei Nestroy) unoriginellem Werks, das die gängigen Theaterkonventionen verwendet, aber auch mit ihnen spielt, steht die Flucht vor den gesellschaftlichen Zwängen wie auch die Flucht vor dem Selbst.

Nestroy spielt als Weinberl einen der für sein Opus typischen Raisonneure, wenngleich oberflächlich betrachtet hier nicht so bitter ausformuliert, wie man das von manchen anderen seiner Klassiker gewöhnt ist. Wenzel Scholz spielt darin den berühmt gewordenen Hausknecht Melchior, der alles „klassisch" findet, weil er durch seine Dummheit die Manipulation mittels Sprache nicht durchschaut.
JH
Abbildung

**9/1/2/1**
**Fanny Elßler, die Cachucha tanzend**

Jean Auguste Barre (1811–1896), 1836
Statuette, Gips, getönt, H.: 54 cm
HM, Inv. Nr. 33.494

Fanny Elßler, die Personifizierung tänzerischer Grazie und Anmut, kam 1810 in Wien zur Welt und starb auch da (1884) – dazwischen eroberte sie die kulturelle Welt in der Kunstform Ballett. Sie triumphierte im noch jungen Fußspitzentanz, der Ausdruck für die biedermeierliche Geistes- und Feenwelt auf der Bühne geworden war und machte auch den Volkstanz durch ihre ausdrucksvolle Darstellung bühnenfähig (Cachucha, Cracovienne). Sie war die erste Wienerin, welche die damals noch ungeheuren Reisestrapazen auf sich genommen hatte und Wiener Kunst in der im kulturellen Aufbau befindlichen Neuen Welt zu einmaligen Triumphen brachte.
RR
Abbildung

Kat. Nr. 9/1/2/1

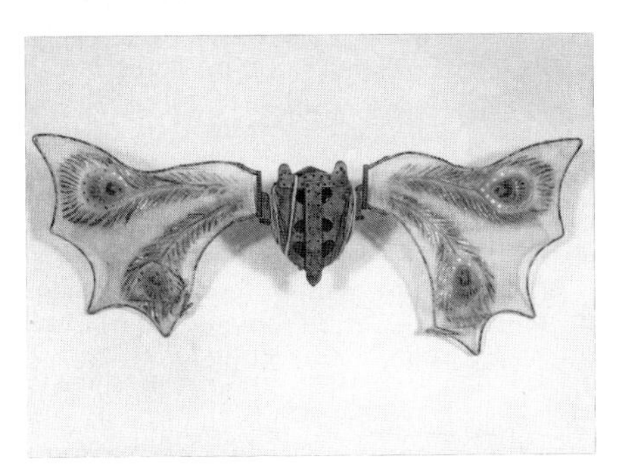
Kat. Nr. 9/1/2/2

**9/1/2/2**
**Flügel mit Bewegungsmaschine,**

von Fanny Elßler als „Sylphide" getragen
Flügel, entfaltet: 45 × 18 cm
HM, Inv. Nr. 48.984/1, 2
Abbildung

**9/1/2/3**
**Fanny Elßler als „Sylphide"**

Wild nach Franz Krüger
Kreidelithographie, 48 × 36,1 cm
Sign. li. u.: Gez. v. Fr. Krüger; re. u.: Lith. v. Wild
HM, Inv. Nr. 2.351

Die Rolle der „Sylphide", erstmals von Marie Taglioni dargestellt, war später einer der größten Erfolge für Fanny Elßler
WD

**9/1/2/4**
**Fanny Elßler als „Florinde"**

im Ballett „Der hinkende Teufel", die Cachucha tanzend
Andreas Geiger (1765–1856)
Kupferstich, koloriert
Pl.: 21,2 × 13,8 cm; Bl.: 28,1 × 22,8 cm
HM, Inv. Nr. 111.204/11
Aus der Serie: Costume-Bild Nr. 48
Kärntnertortheater, 22. 7. 1837

Fanny Elßler tanzte erstmals die „Cachucha" 1836 in Paris: „. . . in einem rosaseidenen, mit breiten, schwarzen Spitzenvolants besetzten spanischen Rock, der unten mit Blei beschwert, an den Hüften eng anliegt, tritt sie auf. Ihre Wespentaille ist kühn geschweift, und auf ihrem Leibchen blitzt als Schmuck ein mit Diamanten besetztes Stäbchen; ihre Beine, blank wie Marmor, scheinen durch das zarte Netz ihrer Seidenstrümpfe, und ihre Füßchen lauern nur auf das Zeichen der Musik, um anzufangen. Wie reizend ist sie mit ihrem großen Kamm, der Rose über dem Ohr, ihrem flammenden Auge und ihrem funkelnden Lächeln! In ihren rosigen Fingern zittern die Kastagnetten aus Ebenholz. Nun schnellt sie vor, aus den Kastagnetten tönt das helle Geplauder, ganze Büscheln von Rhythmus scheinen sie aus den Händen zu schütteln. Wie sie sich windet, wie sie sich biegt! Welches Feuer! Welche Wonne! Welche Glut! Ihre Arme bewegen sich ohnmächtig um ihr geneigtes Haupt, ihr Leib biegt sich nach rückwärts, fast berühren ihre weißen Schultern den Boden. Welch reizende Gebärde! Könnte man nicht meinen, daß sie mit ihrer Hand, die am leuchtenden Rand der Rampe entlangstreift, alle Wünsche und die Begeisterung des Hauses einsammelt?" (Theophil Gauthier)
Abbildung

## 9/2
## Das Kärntnertortheater

**9/2/1**
**Das Kärntnertortheater**

Außenansicht, um 1826
Eduard Gurk (1801–1841)
Aquatinta, koloriert, 13,6 × 18,1 cm
HM, Inv. Nr. 59.462
Aus der Serie: „Wiens vorzüglichste Gebäude und Monumente".

1709 Errichtung eines steinernen Theaters nächst dem Kärntnertor, das die Komödianten aufnahm, die zuvor auf verschiedenen Plätzen der Altstadt in hölzernen Buden gespielt hatten. 1712 übernahm Stranitzky von einer italienischen Wandertruppe das Theater. Damit erhielt das Wiener Volkstheater erstmalig eine feste Bühne, und der Hanswurst erlebte hier seine Glanzzeit. Nach Stranitzkys Tod (1726) diente das Haus nicht mehr allein dem Wiener Volksstück, sondern auch das italienische Lustspiel, Oper und Ballett wurden aufgeführt. 1761 Gebäude durch Brand völlig

zerstört. Eröffnung des Neubaus 9. Juli 1763. Wurde von da an zum „Kaiserlichen Hoftheater". Seit 1794 ausschließlich Pflege des Balletts, der italienischen und deutschen Oper. Viele Jahre verpachtet, 1849 wieder unter Hofverwaltung. Nach Erbauung und Eröffnung der Hofoper am Ring (1869) wurde das unmittelbar hinter dem neuen Opernbau gelegene Kärntnertortheater abgebrochen (1870).
WD
Abbildung

**9/2/2**
**Das Kärntnertortheater**

Innansicht, um 1815
Verlag Marie Geisler
Kupferstich, koloriert
Pl.: 9,8 × 12,1 cm; Bl.: 14,1 × 17,4 cm
HM, Inv. Nr. 15.750

**9/2/3**
**Le diable boiteaux**

Johann Christian Schoeller (1782–1851), 1833
Aquarell, 20,9 × 25,3 cm
Sign. u. dat. re. u.: Schoeller del. 1833
HM, Inv. Nr. 33.578
Vorlage (mit geringfügigen Änderungen) zu Kupferstich von Andreas Geiger in Gall. dr. Sc. VI. Jg., Nr. 1.

Das Blatt zeigt den französischen Verwandlungskünstler und Bauchredner Alexander in sechs Rollen, welche er in dem Stücke „Der hinkende Teufel" im Kärntnertortheater darstellte: Am 20. März 1833 wurde „zum ersten Male und zum Vortheile des Hrn. Alexanders, das von ihm selbst verfaßte, einactige Vaudeville ‚Le diable boiteux' zur Aufführung gebracht. Der Inhalt dieser Piece dreht sich um die Vereinigung des Liebespaares, Fortunat und Seringa, und zwar dieses Mal durch Vermittlung Asmodis, des hinkenden Teufels, welchen Fortunat großmüthig-schlau aus wohlversiegelter Flasche befreit hatte. Hr. Alexander erschien in den Charakteren des Asmodi, des Apothekers Duboch, der Mad. Duboch, der Tochter Seringa, des Apotheker-Lehrlings Fortunat und des Vicomte de Rampe en-Cour, als des Mädchens Verlobter. Daß die Darstellung mit Meisterschaft und glänzendem Erfolge vor sich ging, war bei dem seltenen Talente unseres trefflichen Gastes, der wahrhaftig in siegender Eile uns Wienern die lebendigste Anerkennung abgewonnen hatte, vorauszusehen . . . Alexander ist ein mit nicht gewöhnlichen Gaben ausgestatteter Schauspieler, und der größte jetzt lebende Mimiker! Insbesondere dürfen in der Vorstellung des ‚diable boiteux' die Charaktergemälde des grämlichen Apothekers, seiner stotternden Gattin, des steifen Vicomte und des launig listigen Fortunat mit Auszeichnung hervorgehoben werden . . . Ein Meisterstück der Ventriloquistik war die Scene mit dem in der Flasche eingeschlossenen Asmodi, welchen Fortunat hin und wieder rüttelt, und endlich zum Singen eines Liedes bringt. Der Vortrag des von der

Kat. Nr. 9/2/1

Kat. Nr. 9/2/5

Flasche heraus vernehmbaren Gesanges erreichte den höchsten Grad der Täuschung. Den meisten Effect machte die Schlußscene, in welcher die böse Apothekerfrau, durch Asmodis unsichtbare Gewalt fortgerissen, in horizontaler Richtung ihres Körpers der Bühne entschwebt . . .'" (Th. Z. 22. 3. 1833, S. 243).
Siehe Kat. Nr. 9/1/2/4
WD

**9/2/4**
**Der Berggeist**

Johann Wenzel Zinke (1757–1858) nach Johann Christian Schoeller
Kupferstich, koloriert
Pl.: 21,8 × 27,8 cm; Bl.: 26 × 35,5 cm
HM, Inv. Nr. 123.058
Aus „Gallerie drolliger und interessanter Scenen", III. Jg., Nr. 26.

Friedrich Horschelt (1793–1876), Mitglied des Hofopernballetts, arrangierte mit großem Erfolg am Theater an der Wien Ballette und Divertissements, die ausschließlich von Kindern bestritten wurden. Das Paradebeispiel und erfolgreichste Kinderballett war die Zauberpantomime „Der Berggeist" (Premiere 7. Mai 1818). Nachdem es aber im Zusammenhang mit diesen Aufführungen zur Verführung von Kindern gekommen war, wobei Fürst Kaunitz in die Affäre wesentlich involviert war, wurden im Jahre 1821 im Auftrag von Kaiser Franz I. (auf Betreiben von Kaiserin Carolina Augusta) diese Ballette mit der Begründung aufgelöst, daß „die Verwendung von Kindern bei Balletten höchst nachteilig auf ihre moralische Bildung einwirken müsse".

Der vorliegende Stich zeigt eine Szene aus einer reformierten Fassung und Neuinszenierung im Kärntnertortheater vom 5. 12. 1829 mit Fanny Elßler in der Hautrolle der Prinzessin Emma.
WD

**9/2/5**
**Zampa oder die Marmorbraut**

Johann Christian Schoeller
Kupferstich, koloriert
Pl.: 22,8 × 28,4 cm; Bl.: 27,8 × 36,3 cm
HM, Inv. Nr. 47.776/7
Aus „Gallerie drolliger und interessanter Scenen", V. Jg., Nr. 8, Kärtnertortheater, 3. 5. 1832

Franz Wild als Zampa, Karoline Fischer-Achten als „Geist im Sarge".

„Die Oper wurde besonders von den Hauptpersonen sehr gut executirt, und von dem Chor und Orchester trefflich unterstützt. Hr. Wild wurde nach allen Aktschlüssen hervorgerufen. Eben so Mad. Fischer, welche beyde sich sehr auszeichneten. Das ganze Arrangement war unübertrefflich, ebenso hübsch waren die Dekorationen." (Th. Z. 1832, S. 366)
WD
Abbildung

**9/3**
**Das Burgtheater**

**9/3/1**
**Das Burgtheater**

Außenansicht, 1835
Vinzenz Reim (1796–1858)
Kupferstich, koloriert
Pl.: 12,8 × 18,9 cm; Bl.: 19 × 24 cm
HM, Inv. Nr. 61.889

Im Jahre 1741 wurde das Burgtheater gegründet, indem Maria Theresia dem Hoftheatertänzer Selliers die Erlaubnis gab, das alte Hofballhaus am Michaelerplatz (in dem zuvor eine Art Schlagball gespielt worden war) zu einem Theater umzubauen. Eine Zeitlang wurde dieses Theater mit wechselndem, meist jedoch geringem Erfolg von verschiedenen Pächtern betrieben. Ein Jahrzehnt war es unter dem Grafen Durazzo ein französisches Theater. In seiner Direktionszeit erhielt die Bühne 1760 ihre entscheidende Gestalt: Sie wurde um 11,5 m gegen den Michaelerplatz hin vorgeschoben, der Bau aufgestockt, spätbarock fassadiert. 1776 ernannte Kaiser Joseph II. das Theater zum „Teutschen Nationaltheater", und der Hof übernahm es in seine Regie. Seit 1810 galt die bis zum heutigen Tag bestehende Trennung der Hoftheater: Kärntnertortheater als Musiktheater, Burgtheater als Sprechbühne. Seit dem 12. Februar 1821 führte das Theater offiziell den Namen „Hofburgtheater". 1837 wurde es innen, 1845 außen vollkommen umgestaltet. Von 1848 bis 1852 erhielt es den Namen „K. k. Hof- und Nationaltheater". Am 13. Oktober 1888 schlossen sich seine Pforten für immer, und am darauffolgenden

Kat. Nr. 9/3/1

Kat. Nr. 9/3/4

Kat. Nr. 9/4/1

Tag wurde das neue Gebäude an der Ringstraße eröffnet.
WD
Abbildung

**9/3/2**
**Das Burgtheater**

Innenansicht, um 1815
Verlag Maria Geisler
Kupferstich, koloriert, 9,8 × 11,3 cm
HM, Inv. Nr. 109.628

**9/3/3**
**König Heinrich der Vierte**

Johann Christian Scheoller (1782–1851)
Aquarell, 21,6 × 24,9 cm
Wien, Privatbesitz
Vorlage für den Kupferstich in: „Galerie drolliger und interessanter Scenen", III. Jg., Nr. 8

Die Abbildung bezieht sich auf das Gastspiel des damals berühmtesten Schauspielerstars der Romantik, Ludwig Devrient, der zwar seinen Zenit bereits überschritten hatte, aber am Burgtheater große Erfolge feierte und über zwanzig seiner besten Rollen zeigte.

Hier spielt er den Falstaff im ersten Teil der Schreyvogelschen Shakespeare-Bearbeitung am 2. Dezember 1828.
JH

**9/3/4**
**Der Müller und sein Kind**

Johann Christian Schoeller
Aquarell, 22 × 25,3 cm
Sign. u. dat. re. u.: Schoeller del. 1830
Wien, Privatbesitz
Vorlage zum Kupferstich von J. W. Zinke in Gall. dr. Sc. IV. Jg., Nr. 6
Burgtheater, 30. 3. 1830

„Scene aus dem Volksdrama von Raupach: ‚Der Müller und sein Kind'. Der Müller Reinhold (Hr. Wilhelmi) hat aus den eigenen Worten Konrads (Hr. Löwe) die Ueberzeugung erhalten, daß er in der Christnacht unter den Todesgeweihten gewandelt sey, auch Marie wird bey dem verwirrten Benehmen ihres Geliebten von der Ahnung erfaßt, daß sie bereits den verhängnisvollen Todesgang gemacht habe. Der Gedanke: sterben zu müssen, bringt den alten, ohnehin kränklichen Müller an den Rand des Grabes. Er faßt den Entschluß, sein Geld vor seinem Tode zu verscharren, um der Tochter und ihrem Geliebten nichts als Schulden zu hinterlassen. Bey den Vorbereitungen zur Vergrabung der Geldsäcke wird er von Konrad überrascht, welcher eben im Begriffe ist, von seiner Heimath auf immer Abschied zu nehmen. Der Müller sieht seinen Todfeind, und dieses Zusammentreffen erschüttert seine letzten Kräfte so sehr, daß er über seinen Säcken todt zusammenstürzt. Konrad ruft die Knechte (Hr. Vollkom und Hr. Schmidt) und Marie zu Hilfe, welche verzweifelnd herbeyeilen, und den Erblaßten unterstützen. Marie ruft: ‚Mein Vater stirbt?'

Einer der Müllerburschen antwortet klagend: ‚Es ist wohl vorbey mit ihm.' Konrad in dumpfer Verzweiflung: ‚Vorbey? – Todt?'

– Marie, vom Schmerze niedergebeugt, zu Konrad: ‚Konrad! fort! fort! abscheulicher Mörder!' – Konrad sich abwendend, die Hände vor das Gesicht haltend: ‚Kain! Kain!'" (Erkl. zu Gall. dr. Sc. IV. Jg., 1830)

„Die Darstellung selbst war meisterhaft zu nennen. Jede, die größte wie die kleinste Rolle wurde ausgezeichnet und im rechten Einklange zu dem Ganzen gespielt. Vor Allen verdient Hr. Wilhelmi als Reinhold in dieser Riesenaufgabe bewundert zu werden . . . Hr. Wilhelmi hat vorzüglich das Husten, das die Schwindsucht bezeichnet, mit seltener Geschicklichkeit zwischen die Reden einzumengen, und ihm einen Charakter von Wahrheit zu verleihen gewußt, daß die Wirkung schauererregend war. Die Ironie seiner Reden hob er mit der tiefsten Bedeutsamkeit heraus, und das Selbstbeschwichtigen der Furcht, die er vor dem Tode hat, ward mit einer erkünstelten Fröhlichkeit dargestellt, die sich wie das Lachen des Verzweifelten ausnahm. Der Moment am Kirchhofe, wo er erfährt, daß er im Todtenzuge gesehen worden, war durch Wilhelmi's Spiel wahrhaft grandiös zu nennen. Höchst künstlerisch gestaltete er auch die Sterbescene . . .

Mit seltener Auszeichnung spielte auch Hr. Löwe den Conrad. So einfach und tieferschütternd klangen seine Reden . . .

Mad. Fichtner gab die Marie . . . Mit der größten Zahrtheit gestaltete sie ihr körperliches Leiden, und die echt weibliche Duldsamkeit sprach aus jedem Worte und jeder Miene, die eigentlich das Prinzip dieser Rolle ist . . ." (Sammler, 24. 4. 1830, S. 196)
WD
Abbildung

**9/3/5**
**Der Traum ein Leben**

Andreas Geiger nach Johann Christian Schoeller
Kupferstich, koloriert, 21,1 × 27,3 cm
HM, Inv. Nr. 96.843/6
Aus: „Theatralische Bilder Galerie", I. Jg., Nr. 24

Dieses „dramatische Märchen" (von Grillparzer selbst einmal als „Spektakelstück" bezeichnet) wurde eines der populärsten Stücke am Burgtheater (uraufgeführt am 4. Oktober 1834), wenngleich nur ein sehr geringer zeitgenössischer Leserkreis angesprochen wurde. Es wurde von Grillparzer erst für die Aufführung freigegeben, als sich alle Maßgeblichen für einen Erfolg verbürgt hatten. Es wurde auch für Burgtheaterverhältnisse szenisch sehr opulent inszeniert, und die Illustrationen in Bäuerles Theaterzeitung (die sich bis auf ein Stargastspiel einer „Sappho" sonst nie auf Grillparzer beziehen) weisen auf die Breitenwirkung dieses mit den Techniken der vorstädtischen „Besserungsstücke" arbeitenden Werkes hin.
JH

**9/4**
**Das Theater in der Leopoldstadt**

**9/4/1**
**Das Theater in der Leopoldstadt**

Außenansicht
Sepia, 19 × 24,2 cm
HM, Inv. Nr. 76.615/290
Abbildung

**9/4/2**
**Innenansicht des Theaters in der Leopoldstadt**

Eduard Gurk (1801–1841)
Kupferstich, koloriert, 10,3 × 14,9 cm
HM, Inv. Nr. 109.517

Die Darstellung bietet einen Blick zur Bühne, auf der gerade Ferdinand Raimunds Erfolgsstück „Das Mädchen aus der Feenwelt oder Der Bauer als Millionär" gegeben wird (Premiere 10. 11. 1826).

Das Theater in der Leopoldstadt war 1781 unter Direktor Karl Marinelli eröffnet worden. In der Folge hieß es eine Zeitlang „Kasperltheater", weil die Figuren des Kasperls und Thaddädls den Spielplan beherrschten. 1801 wurde Ignaz Schuster ans Theater engagiert, ein Komiker, der als erster Staberl-Darsteller (ab 1813) berühmt werden sollte. Seit 1817 war Ferdinand Raimund Schauspieler, seit 1821 auch Regisseur in diesem Theater. In den zwanziger Jahren erfreute sich das Theater, das über ein großartiges Ensemble verfügte, hoher Beliebtheit beim Wiener Publikum. Nach mehrmaligem Direktoren- und Besitzerwechsel erwarb Karl von Bernbrunn (Direktor Carl Carl) 1838 die Bühne und leitete damit abermals – vor allem durch seine Stars Johann Nestroy und Wenzel Scholz – eine erfolgreiche Epoche ein. 1847 wurde das Gebäude demoliert und noch im selben Jahr als Carltheater neu eröffnet (vgl. Kat. Nr. 10/4/10).
WD
Abbildung

**9/4/3**
**Die Bürger in Wien**

Johann Christian Schoeller (1782–1851), 1826
Aquarell, 21,7 × 24,5 cm
Sign. u. dat. re.: Schoeller del. 1826
Wien, Privatbesitz

Das Aquarell ist die Vorlage zu einem Kupferstich von J. W. Zinke, der in der Folge „Gallerie drolliger und interessanter Scenen" (I. Jg., Nr. 5) im Jahre 1827 erschien. Es zeigt eine Szene aus dem Theaterstück „Die Bürger in Wien", das im Theater in der Leopoldstadt erstmals am 23. 10. 1813 gegeben worden war und als erstes „Staberl-Stück" eine wahre Flut von Staberliaden hervorgerufen hatte. Die zeitgenössische Erklärung zum Kupferstich lautet:

„Die beliebte Wachstubenscene aus den ‚Bürgern in Wien', Lokales Scherzspiel von Adolf Bäuerle . . .

Der Negoziant Müller (Herr Joseph Schuster, die Figur im Überrock) will nach einer schlechten Handlung, über welche er von den Bürgern in Wien auf die Wachstube gebracht wurde, den lustigen Bürger Staberl bestechen, um seine Freyheit zu erhalten. Hierüber wird der kleine Parapluiçmacher wüthend; der Wachkommandant (Herr Kemetner, die große Person in Uniform in der linken Gruppe) verweist ihn zwar zur Ordnung, mit den Worten: ‚Ruhig, Herr Staberl, ich befehle es Ihnen', aber Staberl (Herr Ignaz Schuster, die kleine Gestalt in der Ecke links), ruft aus: ‚Nein, ich bin nicht ruhig, ich schweige nicht, und wenn die schwere Cavallerie kommt; ich bin zwar ein kleiner Mensch, ein guter Mensch, aber wenn ich anfange bin ich ein Vieh!"
WD

**9/4/4**
**Der Barometermacher**

Johann Christian Schoeller
Aquarell, 21,6 × 25,1 cm
Wien, Privatbesitz
Vorlage zu dem Kupferstich von J. W. Zinke in Gall. dr. Sc. I. Jg., Nr. 7
Theater in der Josefstadt, 18. 12. 1923.

„Introductionsscene aus dem ‚Barometermacher', Zauberspiel . . . Quecksilber, früher ein armer Barometermacher, nun begünstigt durch eine Fee (Herr Raimund, die Figur im goldenen Fracke), läßt sich bey dem Prinzen Tutu melden, angebend er könne alles in Gold und Silber verwandeln und, auf solche Kunst gestützt, leicht den Freyer seiner Tochter vorstellen. Tutu (Herr Korntheuer, die Person im gespitzten Turban) und Zoraide (Demoiselle Krones, das Frauenzimmer im rothen Kleide) bezweifeln seine Angabe. Quecksilber versichert: ‚Diese Thorflügeln sollen Gold seyn!' (Sie verwandeln sich) worüber Tutu ausruft: ‚Mir bleibt der Verstand stehn!' . . ." (Erkl. zu Gall. dr. Sc. I. Jg., 1827)

„Bey dem Ganzen findet der Zuschauer seine Rechnung. Späße, Lazzi, Bonmots etc. sind reich und glücklich eingestreut und wenn sie auch nicht alle eben bey dieser Gelegenheit aus der Präge kommen, so flimmern sie durch den Vortrag doch wie neu. Hr. Raimund war voll Regsamkeit und in der jovialsten Stimmung. Sein Spiel war eine Kette von lebendigen Lachbildern, er erhielt während des Spiels und insbesonders am Ende lärmenden wohlverdienten Beyfall des überaus vollen Hauses. Hr. Korntheuer hat uns heute vorzüglich angesprochen; ohne zu karikiren, gab er diesen wohlgenährten Bequemling mit einem Aufwand von intensiver Lächerlichkeit, dem man unmöglich widerstehen konnte . . ."
(Th. Z. 27. 12. 1823, S. 619)
WD
Abbildung

**9/4/5**
**Ferdinand Raimund als „Wurzel" und Therese Krones als „Jugend"**

in „Der Bauer als Millionär"
Johann Christian Schoeller
Aquarell, 21,6 × 25 cm
Wien, Privatbesitz
Vorlage für den Kupferstich in: „Gallerie drolliger und interessanter Scenen", I. Jg., Nr. 22
Theater in der Leopoldstadt, 10. 11. 1826

„. . . Fortunatus Wurzel, ehemals Waldbauer und jetzt Millionär (Herr Raimund), hatte seine Zechbrüder zu einem Trinkgelage versammelt; aber in diesem fröhlichen Taumel überrascht ihn die Jugend (Demoiselle Krones, der Jüngling, welcher Wurzel bey der Achsel faßt) um mit den gesammten rosenbekränzten Begleitern Abschied von ihm zu nehmen. In dem beliebten Abschieds-Duette singt die Jugend unter andern die bedeutungsvollen Worte:

Kat. Nr. 9/4/6

*Alles hat man in der Welt!*
*Jugend kriegt man nicht für's Geld –*
*Brüderlein fein, Brüderlein fein,*
*Mußt nicht böse seyn!"*
(Erkl. zu Gall. dr. Sc.)
WD

**9/4/6**
**Das Begräbnis der Pantomime in der Leopoldstadt den 15. November 1846**

Johann Christian Schoeller
Aquarell, 15,2 × 19,5 cm
Re. u. sign.: Schoeller del.
HM, Inv. Nr. 109.620

Vor dem geschlossenen Leopoldstädter Theater bewegt sich ein Trauerzug Richtung stadtwärts. Auf einem schwarzverhüllten Gestell wird, auf offenem Sarg ruhend, die tote Pantomime getragen, von Leidtragenden gefolgt. Unter diesen bemerkt man die Tänzer und Mimiker Paul Rainoldi, Karl Schadetzky, Johann Fenzl, die Komiker Wenzel Scholz, Louis Grois und ganz rechts Johann Nestroy. Ein launiger Nachruf berichtet uns über Höhepunkte und Niedergang der Pantomime (Th. Z. 18. 11. 1846, S. 1103):

„Die Pantomime – todt! . . . das Leopoldstädter Theater hat die Pantomime abgeschafft!!! Was hat sie gethan, . . . daß sie sterben mußte? – Weil sie nichts mehr gethan, das war ihr Verbrechen Nr. 1, und weil nichts mehr für sie gethan wurde, das war ihr Verbrechen Nr. 2. Junge Kräfte widmeten sich nicht mehr der alten Dame. Wer das Bein mit Grazie zum dritten Stocke hinauf heben lernte, ging unter die Balletisten, und wer das Gesicht ordentlich verziehen und nach dem Tacte mit Händen und Füßen die Luft zersägen konnte, ging unter die Mimiker. So wurde das Ballet und die Mimik, die beiden Sprossen der alten Pantomime, immer größer und wuchsen endlich der Mutter über den Kopf. Die Pantomime wurde aber kleiner und schwächer, denn die alten Kräfte wollten nichts mehr taugen. Columbine wurde hager, denn mit 40 Jahren läßt sich nicht mehr gut hüpfen, Harlekin bekam etwas Podagra und etwas Gicht. Pierrot schnitt wehmüthige Gesichter . . . Pantalon hatte den alten Rücken schon schwarz geschlagen, und war so mürbe geworden, daß ihn die nächste Prügelei zerbröckelt hätte. Die Chory-

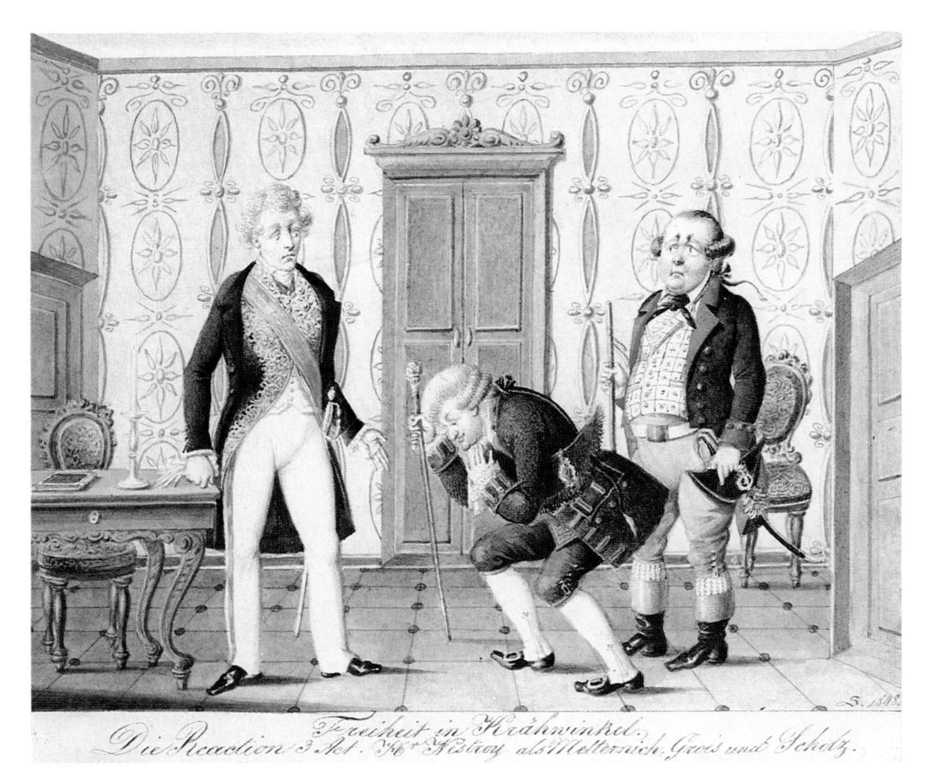


Kat. Nr. 9/4/7

phäen schmeichelten sich, auf Großväter und Großmütter Anspruch zu machen, und die Figuranten und Figurantinen waren Jammerbilder im irdischen Leben der Pantomime. Dazu kam noch, daß der einzige Erfinder von allen Ballets, Hr. Fenzl und seine Kinder den Wanderstab ergriffen . . .

Nun ist's aus!

Die Pantomime ist todt – mausetodt!"

WD

Abbildung

**9/4/7**
**Die Freiheit in Krähwinkel**

Die Reaction 3. Act
Hr. Nestroy als Metternich, Grois und Scholz
Johann Christian Schoeller, 1848
Aquarell, 13,5 × 18,6 cm
Re. u. monogr. u. dat.: S. 1848
HM, Inv. Nr. 109.847

Szenenbild mit Nestroy als Eberhard Ultra (in der Verkleidung als Fürst Metternich), Louis Grois als Bürgermeister und Wenzel Scholz als Klaus.

Carltheater, 1. 7. 1848.

„Nestroy hat . . . mit seinem neuen Stücke ‚Freiheit in Krähwinkel' einen Triumph gefeiert, wie er ihm vielleicht trotz seiner vielen gelungenen, mit dem größten Beifalle aufgeführten Volksstücke, noch nicht zu Theil geworden. Er hat es verstanden, die Zeit zu erfassen, die Bewegungen in Wien seit dem 13. März in einem Miniatur Bilde mit großer Geschicklichkeit vorzuführen, und durch Witz und Satyre das Publikum unausgesetzt zu amüsiren, und in steter Spannung zu erhalten. Es kommt in diesem Stücke Alles vor, was die neuesten Tage charakterisirte: der glühende Drang nach Freiheit, selbst in den untersten Classen, die Willkür und Despotie der Beamten, der schauderhafte Einfluß der Ligourianer, die Ligourianer selbst und ihre Austreibung, die Hoffnungen der reactionären Partei auf die Russen, Metternich sogar, und zuletzt – die Barricaden; kurz: die ganze Revolution und Reaction in einem hellbeleuchteten Guckkasten . . . Nestroy selbst hat sich eine äußerst brillante Rolle geschrieben, die er vortrefflich spielt. Sein Erscheinen als Ligourianer, als russischer Fürst und endlich als Fürst Metternich, erregten einen Sturm von Applaus. Er wurde sowohl als Dichter wie als Schauspieler gewiß einige zwanzig Male gerufen; seine Couplets sind wieder meisterhaft und elektrisirten das übervolle Haus. Welche seiner Scenen die brillanteste ist kann nicht eigentlich bezeichnet werden, und wollte man die schlagenden Witze alle genau angeben, so müßte man das ganze Stück abschreiben . . . Außer Nestroy spielt auch Scholz magnificque. Er gibt den Rathsdiener, diesen parodirten Bureaukraten und Reactionär so vortrefflich, daß er zum Vergnügen des Publikums wesentlich beiträgt, und ebenfalls in jeder Scene den echten Komiker zeigt. Alle übrigen Schauspieler greifen lebendig ein, so, daß die Darstellung nichts zu wünschen übrig läßt." (Th. Z. 3. 7. 1848, S. 635)

WD

Abbildung

Kat. Nr. 9/5/1

Kat. Nr. 9/5/3

**9/5**
**Das Theater an der Wien**

**9/5/1**
**Das Theater an der Wien**

Außenansicht, um 1826
Kupferstich, koloriert, 13,5 × 17,5 cm
HM, Inv. Nr. 59.887

Seit dem Jahr 1787 bestand im großen Hof des Starhembergischen Freihauses auf der Wieden ein Theater, in dem u. a. Mozarts Oper „Die Zauberflöte" zur Uraufführung gelangte (1791).

Als Fortsetzung des Freihaustheaters wurde 1801 durch den Theaterdirektor Emanuel Schikaneder das nach Plänen des Architekten Franz Jäger erbaute, vom Bankier Bartholomäus Zitterbart finanzierte Theater an der Wien (6., Linke Wienzeile 6) eröffnet. Das Papagenoportal in der heutigen Millöckergasse stammt noch aus dieser Zeit, während die übrigen Hausteile mehreren Restaurierungen und Änderungen unterzogen wurden. 1803 wohnte Ludwig van Beethoven kurze Zeit in diesem Gebäude, hier ist sein „Fidelio" uraufgeführt worden. Die Bühne hatte zuweilen kuriose Dinge erlebt: 1819 und 1830 war sie als Gewinn einer Lotterie zu haben. Eine Blütezeit erlebte das Theater unter Ferdinand Graf Palffy (1813–1825), der hier die ersten Opern Rossinis und Webers aufführen ließ, und unter Carl Carl (1825–1845), der ihm als Heimstätte des Wiener Volkstheaters unvergängliche Bedeutung verschaffte. Im Jahre 1860 hielt mit Offenbach die Operette Einzug in diesem Haus.

WD

Abbildung

Kat. Nr. 9/5/4

**9/5/2**
**Das Theater an der Wien**

Innenansicht
Kupferstich, koloriert, 9,3 × 13,6 cm
HM, Inv. Nr. 15.601/2

**9/5/3**
**Die Räuber**

Ansicht der Dekoration von natürlichen Bäumen und zwei lebendigen Springbrunnen . . .
Johann Wenzel Zinke (1797–1858) nach Johann Christian Schoeller
Kupferstich, koloriert
Pl.: 21,8 × 27,4 cm, Bl.: 23,7 × 30,6 cm
HM, Inv. Nr. 111.580/7
Aus: „Gallerie drolliger und interessanter Scenen“, IV. Jg., Nr. 18

Wenn Schiller in Wien vor 1848 aufgeführt wurde, dann durch Zensur extrem entstellt und – vielleicht auch durch Theaterkonvention bedingt – verkürzt. Neben den verharmlosenden Bearbeitungen des Hofburgtheaters ist das Theater an der Wien vor allem durch effektvolle Schauspielergäste fallweise eine interessante Schiller„pflege“stätte.

Auf den 10. September 1830 im Theater an der Wien bezieht sich die Ansicht einer Dekoration von „natürlichen Bäumen“ in einer Bearbeitung von Direktor Carl Carl, der daraus ein richtiges Räuberstück machte. Carl war im damaligen Wien der größte Regisseur und konnte seine Fähigkeiten im technisch dafür geeigneten Theater an der Wien voll zur Geltung bringen.
JH
Abbildung

Kat. Nr. 9/5/5

**9/5/4**
**Herr Joseph und Frau Baberl**

Johann Christian Schoeller
Aquarell, 18,6 × 26,7 cm
HM, Inv. Nr. 33.580
Vorlage für den Kupferstich in: „Gallerie drolliger und interessanter Scenen“, IV. Jg., Nr. 3
Theater a. d. Wien, 26. 1. 1830

„Scene aus der Posse: ‚Herr Joseph und Frau Baberl, oder der Fleischhauer aus Oedenburg‘. Die leichtsinnige Frau von Springerl (Mad. Kneisel) arrangirt eine brillante Schlittenfahrt, zu welcher sie auch ihre häusliche Schwester Babette (Dem. Grünthal), die Frau eines Fleischhauers von Oedenburg, einladet. Diese wird ihrem Manne als krank in Baden darniederliegend geschildert. Der eifersüchtige Fleischhauer (Hr. Hopp, der Mann im grünen Pelz) befindet sich jedoch unglücklicher Weise unter den Zuschauern, entdeckt die Frau von Springerl (die Frau im rothen quadrillirten Mantel) und seine Frau (im grünen Mantel) und sieht nun mit Aerger ein, daß er betrogen sey. Der Barbier (Hr. Stahl, die Figur mit rothem Rocke und gelben Hosen) sucht ihn von dem Gesehenen abzuziehen und ruft: ‚Da sehen Sie sich die Schlittage an, das ist eine wahre Pracht.‘ Allein der Fleischhauer hat bereits die Intrigue entdeckt, und schickt sich an, seinen Stock zu schwingen. Der Mann im Kinderschlitten, von Gassenjungen gezogen, ist der Gatte der leichtsinnigen Frau von Springerl (Hr. Carl), gewesener Herrschaftsbeamter, da er aber unter dem Pantoffel steht, darf er die Lustparthie auf keine andere Art mitmachen, als auf eine Weise, die ihn herabsetzt, und nicht viel kostet.“ (Erkl. zu Gall. dr. Sc. IV. Jg., 1830)
WD
Abbildung

**9/5/5**
**Johann Nestroy als „Sansquartier“**

in „Sieben (Zwölf) Mädchen in Uniform“
Johann Christian Schoeller, 1842
Aquarell, 14,3 × 11,4 cm
Monogr. u. dat. re. u.: S. 1842
HM, Inv. Nr. 119.162/1

Ein Vaudeville nach dem Französischen, von Louis Angely verfaßt, war schon in den zwanziger Jahren (mit sieben Mädchen) im Theater in der Josefstadt bekannt, wurde aber durch die Darstellung Nestroys als Sansquartier sehr populär, vor allem die Lesungen aus dem „Büchl“, in die vermutlich auch Nestroys eigene Textänderungen eingeflossen sind. Es handelt sich hiebei aber um kein Soldatenstück, sondern die Uniformen sind als Vorwand für Verkleidungen interessant.

Diese Rolle begleitete Nestroys ganzes Berufsleben, und die meisten seiner Rollenbilder beziehen sich darauf (siehe auch Kat. Nr. 9/1/1/1 und 9/1/1/2).
JH
Abbildung

**9/5/6**
**Zu ebener Erde und erster Stock**

Johann Christian Schoeller
Aquarell, 21,4 × 25,3 cm
Wien, Privatbesitz
Vorlage für den Kupferstich in: „Theatralische Bilder Gallerie, III. Jg., Nr. 1“

Am 24. September 1835 im Theater an der Wien uraufgeführt, stellt es ein wichtiges Werk Nestroys dar, auch im Zusammenhang mit der damaligen Volksstück-Diskussion. Bühnentechnisch steht es mit seiner zweigeteilten Bühne (in ebene Erde und ersten Stock) in der Tradition der Melodramen und Spektakelstükke. Von der Aussage ist der Untertitel („Die Launen des Glückes“) ein wichtiges Indiz für Nestroys pessimistische Auffassung von Schicksal und Zufall, daher wird gerade auch in diesem Stück der Warencharakter der Gefühle thematisiert.
JH

**9/5/7**
**Die Araber aus der Wüste Sahara**
**Die Gebrüder Graffina**

Andreas Geiger nach Johann Christian Schoeller, 1840
Kupferstich, koloriert, 22,7 × 30 cm
HM, Inv. Nr. 165.148/1
Aus: „Costume-Bilder Nr. 80“, Beilage zur Theaterzeitung v. 30. 9. 1840, S. 1088

Ab 31. August 1840 traten sogenannte Araber in Kunstvorführungen im Theater an der Wien offenbar erfolgreich fallweise auf, denn noch nach 1846 finden wir sie dort.

Die Gebrüder Graffina produzierten sich hingegen im Theater in der Josefstadt mit ihren akrobatischen Kunststücken.

Dieses Blatt gibt einen Hinweis darauf, wie sehr die Theater insbesondere in der ungünstigen Sommerperiode auch für andere nicht dramatische Angebote genutzt wurden.
JH

**9/6**
**Das Theater in der Josefstadt**

**9/6/1**
**Das Theater in der Josefstadt**

Plan des Neubaus von 1822
Längsschnitt, Aufriß
Kupferstich, koloriert, 19,1 × 36,8 cm
Aus: Böckh, Franz Heinrich, „Merkwürdigkeiten der Stadt Wien“, 1822
HM, Inv. Nr. 109.055

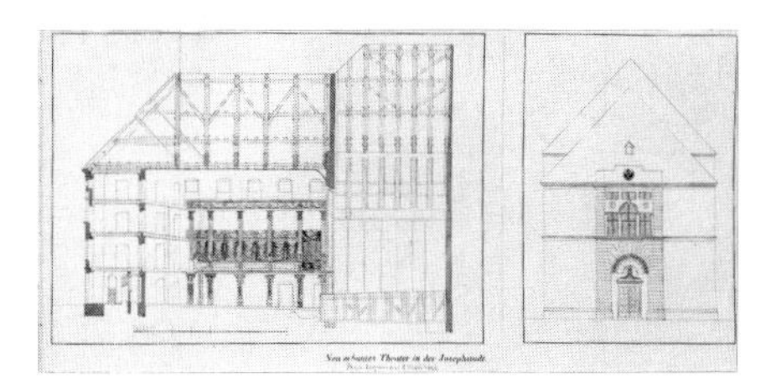

Kat. Nr. 9/6/1

Anfang Mai 1822 wurde das kleine Theater im Hof hinter der Gastwirtschaft „Bey den goldenen Straußen“ (Josefstädter Straße 26) abgerissen und sofort ein Neubau begonnen, bei dem der berühmte Biedermeier-Architekt Josef Kornhäusel sicherlich bestimmend mitgewirkt hat, der ausführende Baumeister war Adam Hildwein. Die markanteste Änderung zum früheren Theater war die Drehung um 90 Grad, denn nun war die Hauptachse Bühne – Zuschauerraum parallel zur Piaristengasse. Die Gestaltung des Zuschauerraums zeigte sich von einer Gebäudefassade inspiriert, Säulen dominierten. Um die erste Galerie liefen grau gemalte Arabesken, und silbergraue Pfeiler reichten von den Trennwänden der Logen in die Kränze der zweiten Galerie. Die Farben Grau, Blau und Silber – übrigens typisch für die Zeit – waren harmonisch aufeinander abgestimmt.

*Lit.: Anton Bauer, Das Theater in der Josefstadt zu Wien, Wien 1957.*
WD
Abbildung

**9/6/2**
**Innenansicht des Theaters in der Josefstadt mit dem Bühnenbild zu Meisls Stück „1722. 1822. 1922“**

Eduard Gurk (1801–1841)
Kupferstich, koloriert, 9,7 × 13,9 cm,
auf Untersatzkarton 24,5 × 30,7 cm
HM, Inv. Nr. 33.928
1788 erwirkte der Neulerchenfelder Wirtssohn und Schauspieler Karl Mayer ein Privileg für ein Theater in der Josefstadt, das er am 22. Oktober 1788 mit „Liebe und Koketterie“ von Salomon Friedrich Schletter eröffnete. Ein für die Theatergeschichte Wiens im allgemeinen und für jene des Josefstädter Theaters im besonderen wichtiges Ereignis war das Engagement Ferdinand Raimunds (13. Mai 1814). Er debütierte als Franz Moor. Raimund war für das Theater jene Kraft, die allmählich der Anziehungspol wurde und die wenigen guten Schauspieler wertvoll ergänzte.

Der Nachfolger Mayers, der Nikolsburger Apotheker Josef Huber, der das Theater mit seinem Bruder, dem Wiener Kaufmann Leopold Huber, leitete, führte die albernsten Spektakelstücke auf, das Theater verödete, fand aber in Karl Friedrich Hensler einen neuen, tüchtigen Leiter, der es umbauen ließ und Ende 1822 mit einem Gelegenheitsstück, „Die Weihe des Hauses“, eröffnete, zu dem Beethoven eine von ihm selbst dirigierte Ouvertüre komponierte. Später sehr herabgekommen, konnte das Theater erst unter der Direktion Franz Pokornys (1834–1845) wieder eine glanzvolle Periode erleben. Unter Pokorny wurde das Theater 1841 restauriert; 1845 übernahm dieser Direktor das Theater an der Wien und überließ das Josefstädter Theater Adalbert Prix.

Karl Meisls phantastisches Zeitgemälde „1722. 1822. 1922.“ kam am 26. Oktober 1822 erstmals im Theater in der Josefstadt zur Aufführung.

**9/6/3**
**Die schwarze Frau**

Johann Christian Schoeller, 1827
Aquarell, 21 × 25 cm
Sign. u. dat. re. u.: Schoeller del. 1827
HM, Inv. Nr. 33.577
Vorlage zu dem Kupferstich in: „Gallerie drolliger und interessanter Scenen“, II. Jg., Nr. 3
Theater in der Josefstadt, 1. 12. 1826

„Am 1. d. M. kam auf dieser Bühne zum ersten Mahle . . . zur Schau: ‚die schwarze Frau‘ parodirende Posse mit Gesang und Tanz in drey Aufzügen von Meisl . . . Des Verfassers Verdienste sind demnach echt komische Hinstellung der Charaktere, durchaus humoristische Behandlung des Dialoges und die konsequente Durchführung des ganzen Stückes . . . Die Musik ist trefflich zu nennen . . .“ (Th. Z. 9. 12. 1826, S. 600)

Die Darstellung zeigt die Szene „wo der ganze Rath vom Markte Gänsewitz versammelt, seine Angst über den Spuk der schwarzen Frau ausspricht, und plötzlich vom Rathsdiener Klapperl (Herr Scholz), der als schwarze Frau verkleidet, dergestalt durch sein dreymahliges: ‚Wehe!‘ erschreckt wird, daß die Rathsherren von ihren Sesseln unter den Tisch fallen und ein Geschrey des Entsetzens ausstoßen.“ (Erkl. zu Gall. dr. Sc. II. Jg., 1828)
WD

**9/6/4**
**Herr Walter als „Chevalier Dumont“ und Mad. Schmidt als „altes Weib“**

Szenenbild aus „Der Verschwender“
Johann Christian Schoeller, 1834
Aquarell, 22,7 × 16 cm
Re. u. sign. u. dat.: Schoeller del. 1834
HM, Inv. Nr. 55.374
Theater in der Josefstadt, 20. 2. 1834

„Der Verschwender“ wurde für Ferdinand Raimund ein großer Triumph. Das Stück wurde innerhalb von zwei Monaten 42mal gespielt und erbrachte einen Reingewinn von etwa 20.000 Gulden. Über die Premiere berichtete die Theaterzeitung: „Nach einem Schweigen mehrerer Jahre erfreute Hr. Raimund endlich wieder die zahlreichen Freunde seiner Muse mit einem neuen Producte seines schöpferischen Geistes . . . Der Erfolg bewährte neuerdings das Talent des geistreichen Dichters und Darstellers, und das Werk erfreute sich der günstigsten Aufnahme . . .

Unter den zahlreichen erscheinenden Episoden nennen wir Hrn. Walter als Dümont . . . und Mad. Schmidt als altes Weib mit besonderer Auszeichnung . . ."
WD

## 9/7
## Artisten und Schausteller

### 9/7/1
### Circus gymnasticus des Johann Porte

Holzschnitt und Druck, 44,8 × 36,5 cm
HM, Inv. Nr. 55.574/28

Akrobaten- und Kunstreitertruppen, die auf ihren Reisen nach Wien kamen, blieben oft lange Zeit, manche auch für immer. Sie produzierten sich unter freiem Himmel, in den gedeckten Reitbahnen vornehmer Bürger oder auch in der Hofreitschule; viele traten schließlich in eigenen, nur zu diesem Zweck errichteten Gebäuden auf.

Der Wahlwiener Johann Porte gehörte einer bekannten Akrobaten-, Athleten- und Kunstreiterfamilie an, die in den zwanziger Jahren des neunzehnten Jahrhunderts an der Neulerchenfelder Linie in einem eigenen Amphitheater beziehungsweise Circus gymnasticus Vorstellungen gab.
GB

### 9/7/2
### Außerordentliche Stellungen des Herrn Klischnig als Affe Mamock in der Posse „Der Affe und Bräutigam"

Kupferstich, koloriert, 21 × 34,8 cm
HM, Inv. Nr. 109.264

Am 23. Juli 1836 fand für das Sommerpublikum des Theaters an der Wien die Uraufführung statt, um dem damaligen Star unter den Tierdarstellern, Eduard Klischnigg (1813–1877), die Möglichkeit zu bieten, seine Kunststücke im Rahmen des Lokaltheaterspielplans zu zeigen. Die Unterhaltungsfunktion der damaligen Bühnen legte Gastspiele von Gymnastikern, Kunstreitern, Artisten jeder Art nahe und zeigt, daß auch Nestroy für das Verfassen von reinen Gebrauchsstücken herangezogen wurde, wenngleich auch bei diesem Stück mehr als ein bloßer Rahmen für einen Akrobaten gesehen werden kann: Rio Preisner spricht von der Degradierung des entfremdeten Menschen und Franz H. Mautner von Artaudscher Grausamkeit.

Im Rahmen einer Possenhandlung (Nestroy als Karl Maria Tiburtius Hecht) wirken hier ein als Affe verkleideter Herr von Mondkalb und ein „echter", eben von Klischnigg imitierter, Affe Mamok mit.
JH
Abbildung

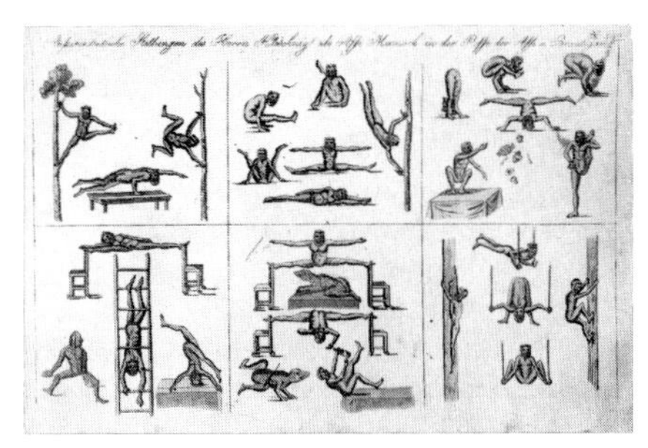

Kat. Nr. 9/7/2

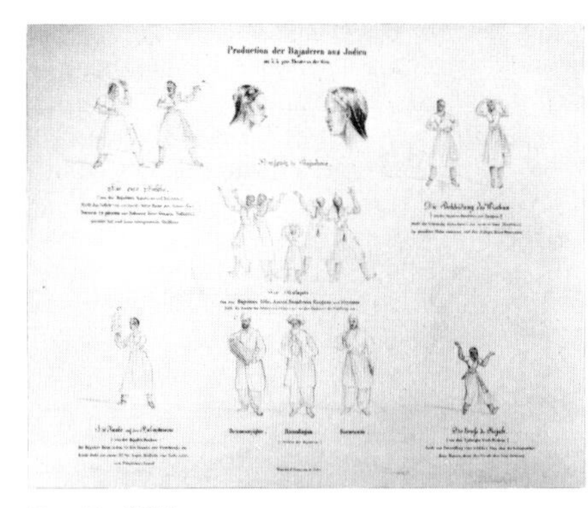

Kat. Nr. 9/7/4

Kat. Nr. 9/7/6

### 9/7/3
### Attituden der Herren Lawrence und Redisha in J. Nestroys Posse: „Moppels Abentheuer"

Friedrich Kaiser
Lithographie, 45,4 × 60 cm
HM, Inv. Nr. 12.305

Ein Gelegenheitsstück für den Sommerspielplan des Theaters an der Wien, um einen Rahmen abzugeben für die Kunststücke der (angeblich) von London kommenden Akrobaten W. Lawrence und P. Redisha. Sie traten als neuseeländische Wilde auf und vollführten – wie es im Text lapidar heißt – „gymnastische Künste" (I, 23 und II, 25). Hinter den kurzen Szenenanweisungen verbergen sich langdauernde und effektvolle Kunststücke, so daß wir ein extremes Beispiel dafür vorfinden, daß sich „Text" nicht nur auf die gesprochenen Repliken der Dramenfiguren beschränken kann.

Offenbar waren die Akrobaten die Sensation und nicht das Stück von Nestroy, das ohne ihn (er gastierte zur selben Zeit in Pesth und Ofen) am 5. Mai 1837 im Theater an der Wien uraufgeführt wurde. Später übernahm er dann die Rolle des Moppel von Wenzel Scholz. Das Stück lebte vor allem in der Provinz fort, und noch 1855 erlebte es eine Neubearbeitung durch Carl Bruno für das Carltheater in Wien.
JH

### 9/7/4
### Production der Bajaderen aus Indien

Lithographie, 44,7 × 60,2 cm
HM, Inv. Nr. 109.577
Theater an der Wien, 17. 7. 1839

„. . . fand die erste Vorstellung der hier angekommenen indischen Bajaderen statt.

. . . Man konnte sich denken, bis zu welchem Grade von Neugier das ganze Publikum hinaufgeschraubt war, und wie man den Augenblick kaum erwarten konnte, da der Vorhang in die Höhe flog, und uns die seltsamen, abenteuerlichen, orientalischen Geschöpfe von Angesicht zu Angesicht schauen ließ.

Auf einem eigens ausgebreiteten Teppiche waren sie alle symmetrisch vertheilt; die drei Männer mit ihren Instrumenten im Hintergrunde stehend; die vier Bajaderen paarweis auf zwei Seiten sitzend; in der Mitte das Kind, die siebenjährige Weydoun. Nun begannen die Tänze . . .

Der Erfolg dieses Schauspiels kam, wie zu erwarten war.

Die Sache wurde keineswegs als Bühnenschauspiel genommen, sondern als historisches Schaustück gewürdigt. Den frappantesten Eindruck machte das Kunststück der Bayadere Rangoun, welche aus einem 35 Fuß langen Mousselin eine Taube auf einem Palmstamme sitzend formirte, während sie sich fast eine Viertelstunde lang auf einem unveränderlichen Puncte herumdrehte. Dieses Herumdrehen, welches gegen die Neige zu, mit verdreifachter Geschwindigkeit statt fand, und nicht die leiseste Anstrengung zu bewirken schien, ist ein auffallendes Pröbchen der bekannten indischen Geduld und Standhaftigkeit . . . Das Costume der Bayaderen ist ziemlich reich, ohne jedoch sehr malerisch und vortheilhaft zu seyn. Der Uiberwurf ist zu lang, die Ringe in der Nase und die Tätowirung der Hände sind ebenfalls seltsam. Das Ganze bildet ein höchst merkwürdiges und plastisches Tableau . . ."
(Th. Z. 20. 7. 1839, S. 711)
WD
Abbildung

Kat. Nr. 9/7/5

**9/7/5**
**Ludwig Döbler (1801–1864)**

Dominik Perlasca (–1846) nach Leopold Steinrucker (1801–1853)
Kupferstich
Pl.: 26 × 21 cm; Bl.: 35,1 × 27,2 cm
HM,. Inv. Nr. 109.747

Taschenspieler und Physiker. Karriere begann im Theater in der Josefstadt mit Gastspiel am 7. November 1839. Großer Kassenerfolg. Von den vielen überraschenden Kunststücken begeisterte vor allem die Sträußchen-Verschenkung die Wiener, bei der der Zauberkünstler mit den Worten „Hier ein Sträußchen, und noch ein Sträußchen" Blumensträußchen dem Zylinder entnahm und dem Publikum im Parkett überreichte. Auch bei verschiedenen Gastspielen in den großen Städten Europas faszinierte der Magier. Über ein Londoner Gastspiel im St. James-Theater berichtet die englische Prsse:

„. . . Der mächtige Zauberer stand in der Mitte der Beschwörungsstätte . . . Ein von ihm gebotenes neues Kunststück erregte vorzügliche Unterhaltung und Verwunderung. Es wurde nämlich zuerst ein Fisch vorgewiesen, der in einem mit sehr unreinem Wasser gefüllten Glasgefäß schwamm. Der Beschwörer entlehnte dann einer der Damen in den Logen einen Ring, worauf durch eine einzige Berührung mit dem Negromantenfinger das Wasser augenblicklich krystallhaft ward und der Ring in des Fisches Mundhöhle überging . . . Zum Schlusse eröffnete Herr Döbler aus einem sehr bescheidenen Filzhute eine Blumenspende, die mehr Sträußchen enthielt, als am schönsten Frühlingstage der ganze Blumenmarkt von Covent-Garden . . ."
(Th. Z. 1. 6. 1844, S. 551)
WD
Abbildung

**9/7/6**
**Rudolf Guerra, 1843**

Lithographie, 52 × 35,8 cm
HM, Inv. Nr. 12.896

Der Name Guerra hatte in Wien seit dem Jahre 1815, als Alexander Guerra, Rudolfs Vater, erstmals als Mitglied der Kunstreitergesellschaft de Bach auftrat, einen guten Klang. Der geborene Italiener zählte bald zu den Lieblingen der Wiener, Temperament und Können trugen ihm den Beinamen „Furioso" ein.

Rudolf, der Sohn, war ein schöner, kraftvoller Mann, ein ebenso bravouröser Reiter wie sein Vater. Zu seinen Glanzleistungen gehörte das Stehendreiten, verbunden mit Reifen- und Flötenspiel. Die Kritiker waren sich einige in ihrer Bewunderung über die Leistungen Rudolf Guerras, auf galoppierendem Pferd stehend ein Flötensolo mit Orchesterbegleitung vorzutragen.
GB
Abbildung

## 10 LITERATUR

**10/1**
**Friedrich Ludwig Zacharias Werner (1786–1823)**

Friedrich Ludwig Zacharias Werner war als Beamter in Polen und Berlin tätig, konvertierte 1801 in Rom zum Katholizismus und wurde 1814 zum Priester geweiht. In Wien war er ein bekannter Kanzelprediger und gehörte dem Romantikerkreis um Clemens Maria Hofbauer an. Neben Lyrik und Erzählungen schrieb er vor allem eine Fülle von Dramen und gilt als einer der bedeutendsten Vertreter der „Schicksalstragödie".
WO
Abbildung

**10/2**
**Friedrich Ludwig Zacharias Werner**

Theater, 6. Band, Wien 1815
Buchdruck, 21,5 × 25 cm
Wien, Wiener Stadt- und Landesbibliothek, A 11.364

Dieser Band aus der Reihe gesammelter Dramen des Dichters enthält unter anderem sein wohl berühmtestes Stück, die einaktige Schicksalstragödie „Der vierundzwanzigste Februar".
WO

**10/3**
**Friedrich Ludwig Zacharias Werner**

An Malfatti, Sonett, Wien 1. 5. 1818
Eigene Handschrift, 20 × 13,5 cm
Wien, Wiener Stadt- und Landesbibliothek H.I.N. 71.544

Zacharias Werner richtete dieses Sonett an den berühmten Arzt Johann Malfatti von Monteregio, „den innigst und ewig von mir geliebten Retter meines Lebens".
WO

**10/4**
**Ferdinand Raimund (1790–1836), um 1820**

Christoph Frank (um 1787–1822)
Öl auf Leinwand, 69 × 55,5 cm
HM, Inv. Nr. 13.291

Ferdinand Raimund war kurze Zeit Zuckerbäckerlehrling und ging dann als Schauspieler ans Josefstädter- und Leopoldstädtertheater. Ab 1823 begann er selbst Stücke zu schreiben. Seine acht Zauberspiele sind von hoher poetischer Qualität und lassen ihn als den Dichter des biedermeierlichen Volksstückes schlechthin erscheinen.
WO
Abbildung

Kat. Nr. 10/1

**10/5**
**Ferdinand Raimund**

Das Mädchen aus der Feenwelt oder Der Bauer als Millionär
Eigene Handschrift, 40 × 25 cm
Wien, Wiener Stadt- und Landesbibliothek, H.I.N. 11.228

Das Stück war am 10. November 1826 im Theater in der Leopoldstadt uraufgeführt worden und bescherte Raimund einen durchschlagenden Erfolg. Aufgeschlagen ist die Arie des Fortunatus Wurzel aus der 8. Szene des 3. Aktes („Aschenlied").
WO

**10/6**
**Ferdinand Raimund**

Sämtliche Werke, 4. Band, Wien 1837
Buchdruck, 16 × 21,5 cm
Wien, Wiener Stadt- und Landesbibliothek, A 29.947

Da Raimund befürchtete, daß seine Stücke überall unkontrolliert nachgespielt werden könnten, ließ er bei Lebzeiten kein einziges davon drucken. Zwei Jahre nach seinem Tod gab Johann Nepomuk Vogl das gesamte dramatische Werk des Dichters – vermehrt um einige lyrische Arbeiten – heraus.
WO

**10/7**
**Franz Grillparzer (1791–1872), 1844**

Ferdinand Georg Waldmüller (1793–1865)
Öl auf Leinwand, 69 × 55,5 cm
HM, G.I.N. 14

Franz Grillparzer (Wien 15. Jänner 1791 – Wien 21. Jänner 1872) studierte die Rechte und schlug dann die Beamtenlaufbahn ein. 1832 wurde er Direktor des Hofkammerarchives. Als Dramatiker galt er bald als der erste Dichter Österreichs, doch ist er auch als Epiker, Lyriker, Epigrammist und vor allem als Tagebuchschreiber von hervorragender Bedeutung.
WO
Abbildung

**10/8**
**Franz Grillparzer**

Das Goldene Vließ, II. Die Argonauten, 3. Aufzug, Szene Jason – Medea
Eigenhändige Federzeichnung, 13 × 20,5 cm
Wien, Wiener Stadt- und Landesbibliothek, H.I.N. 82.180

Grillparzers Federzeichnungen zu „Das Goldene Vließ" sind nicht als künstlerisch selbständige Behandlung des Stoffes gedacht, sondern visuelle Hilfsmittel des Dichters zur Gestaltung des Dramas. Der am gleichen Blatt befindliche Vers: „So hab ich dich gesehn, genossen / Du Land, wo Mirth' und Lorbeer weht . . ." entstammt nicht dem Drama, sondern ist eine Erinnerung an Grillparzers eben beendete Italienreise (März bis Juli 1819).
WO

**10/9**
**Franz Grillparzer**

König Ottokars Glück und Ende
Eigene Handschrift, 24,5 × 39,5 cm
Wien, Wiener Stadt- und Landesbibliothek, H.I.N. 82.419

An dieser von Ende April bis 25. Mai 1823 verfaßten Reinschrift hat Grillparzer später noch Änderungen angebracht. Aufgeschlagen ist der Monolog des Ottokar von Horneck aus dem 3. Akt.
WO

**10/10**
**Franz Grillparzer**

König Ottokars Glück und Ende, Wien 1825
Buchdruck, 21 × 29 cm
Wien, Wiener Stadt- und Landesbibliothek, A 13.030

Die Arbeit an dem fünfaktigen Trauerspiel beschäftigte Grillparzer seit 1819. Am 25. November 1823 reichte er das Stück ein, doch wurde es von der Zensur lange zurückgehalten und erlebte erst am 19. Februar 1825 am Burgtheater seine Uraufführung. Die Aufnahme bei Publikum und Kritik war allerdings nicht allzu glücklich.
WO

**10/11**
**Charles Sealsfield (1793–1864)**

Foto, 10,6 × 6,6 cm
HM, Inv. Nr. 103.670/34

Charles Sealsfield (eigentlich: Karl Anton Postl) trat als katholischer Priester in den Prager Kreuzherrenorden ein, floh aber dann nach Amerika. Als Zeitungskorrespondent bereiste er Europa und ließ sich schließlich in der Schweiz nieder. Neben bedeutsamen Romanen („Das Kajütenbuch") und Novellen schrieb er auch scharfe antiösterreichische Pamphlete. Sein Inkognito wurde erst nach seinem Tod gelüftet.
WO

**10/12**
**(Charles Sealsfield)**

Austria as it is: or, Sketches of Continental Courts. London 1828
Buchdruck, 19 × 25 cm
Wien, Wiener Stadt- und Landesbibliothek, A 44.964

Sealsfields anonyme scharfe Auseinandersetzung mit dem Österreich Metternichs – er bezeichnet darin den Staatskanzler als einzig, „als Diplomat und politischer Intrigant" und beschrieb seine „unnachahmliche Liebenswürdigkeit in der Lüge" – erschien im gleichen Jahr 1828 auch in französischer Sprache.
WO

**10/13**
**Charles Sealsfield**

Brief an (Johann Lukas) Schönlein, Zürich 16. Juni 1839
Eigene Handschrift, 27 × 20,5 cm
Wien, Wiener Stadt- und Landesbibliothek ,H.I.N. 41.130

Das Schreiben ist an den deutschen Mediziner Schönlein gerichtet, der aus politischen Gründen von Würzburg in die Schweiz ging, dann aber wieder nach Deutschland zurückkehrte. In seinem Züricher Heim war Sealsfield oft zu Gast gewesen.
WO

**10/14**
**Moriz Gottlieb Saphir (1795–1858)**

Karl v. Saar (1798–1853)
Aquarell, 24 × 17 cm
HM, Inv. Nr. 48.883

Moriz Gottlieb Saphir war als Journalist in Ungarn, Deutschland und Frankreich tätig und hatte sich seit 1834 in Wien niedergelassen. Von seinen Zeitgenossen wurde er als Lyriker und Satiriker viel bewundert, aber auch geschmäht. Mit seiner Zeitschrift „Der Humorist" spielte er in der Journalistik des Vormärz eine bedeutsame Rolle.
WO
Abbildung

Kat. Nr. 10/14

Kat. Nr. 10/17

**10/15**
**Moriz Gottlieb Saphir**

Wilde Rosen. Dritte Folge
Eigene Handschrift, 29 × 23,5 cm
Wien, Wiener Stadt- und Landesbibliothek, H.I.N. 8.277

Zu den verschiedenen Auflagen von „Wilde Rosen" hat sich auch ein Konvolut eigenhändiger Gedichte erhalten, darunter etwa das vorliegende Gedicht „Die Welt ist".
WO

**10/16**
**Moriz Gottlieb Saphir**

Wilde Rosen, Wien 1847
Buchdruck, 14 × 18 cm
Wien, Wiener Stadt- und Landesbibliothek, A 34.837

Die hier als „Illustrierte vermehrte und verbesserte Ausgabe" vorgelegte Gedichtsammlung zählte zu den beliebtesten Werken Saphirs und wurde öfters aufgelegt.
WO

**10/17**
**Ignaz Franz Castelli (1781–1862)**

Karl v. Saar (1798–1853)
Aquarell, 17,3 × 12,8 cm
Sign.: Saar
HM, Inv. Nr. 56.350

Ignaz Franz Castelli war Beamter und von 1811–1814 Theaterdichter am Kärntnertortheater. Er schrieb über 200 Bühnenstücke, außerdem Lyrik (darunter Dialektgedichte) und lesenswerte Erinnerungen. Auch als Bibliophiler, als Gründer der literarischen Unsinnsgesellschaft „Die Ludlamshöhle" sowie des Tierschutzvereines machte er sich einen Namen.
WO
Abbildung

**10/18**
**(Ignaz Franz Castelli)**

Reise-Paß vom 22. September 1815
Handschrift, 34 × 22 cm
Wien, Wiener Stadt- und Landesbibliothek, H.I.N. 86.333

Der Paß wurde Castelli vom k. k. Gouvernements-Commissariat in Bourg für eine Reise nach Wien ausgestellt.
WO

**10/19**
**Ignaz Franz Castelli**

Gedichte, Band 1, Berlin 1835
Buchdruck, 15,5 × 20,5 cm
Wien, Wiener Stadt- und Landesbibliothek, A 41.849

Diese Ausgabe der Gedichte Castellis umfaßt insgesamt 6 Bändchen.
WO

**10/20**
**Ignaz Franz Castelli**

Zwei Briefe die Rückkehr des Kaisers betreffend (1848)
Eigene Handschrift, 22,5 × 17 cm
Wien, Wiener Stadt- und Landesbibliothek, H.I.N. 103.695

Castelli teilt in diesem Bericht seinen Brief an die Erzherzogin Sophie vom 31. Juli 1848 und den Antwortbrief von deren Hofmeisterin vom 6. August 1848 mit. Bewegt dazu hat ihn der „allgemeine Jubel, den Kaiser wieder in den Mauern Wiens zu wissen".
WO

**10/21**
**Johann Nepomuk Nestroy (1801–1862)**

Öl auf Leinwand, 66,5 × 53,5 cm
Nach Photo von Hermann Klee
HM, Inv. Nr. 54.228

Johann Nepomuk Nestroy brach schon früh sein Jusstudium ab und ging zum Theater. Ursprünglich Opersänger, wechselte er aber bald zum Schauspiel und schließlich ins Genre der Wiener Volkskomödie. In dieser Gattung wurde er nicht nur zum bedeutendsten Bühnenautor des späten Biedermeier, sondern erwies sich darüber hinaus als überragender Satiriker. Von 1854 bis 1860 leitete er als Direktor das Carltheater.
WO

**10/22**
**Johann Nepomuk Nestroy**

Der Zerrissene, 1844
Eigene Handschrift, 43 × 53 cm
Wien, Wiener Stadt- und Landesbibliothek, H.I.N. 149.112

Nestroy hat in dieser Bleistiftreinschrift noch zahlreiche Änderungen und Selbstzensuren angebracht. Aufgeschlagen ist das Auftrittscouplet des Lips aus der 5. Szene des 1. Aktes.
WO

**10/23**
**Johann Nepomuk Nestroy**

Der Zerrissene, Wien 1845
Buchdruck, 17 × 32,5 cm
Wien, Wiener Stadt- und Landesbibliothek, A 19.284

Die am 9. April 1844 uraufgeführte Posse mit Gesang in drei Akten war nicht nur in Wien, sondern auch auf Gastspielreisen eines der großen Erfolgsstücke Nestroys.
WO

Kat. Nr. 10/25

Kat. Nr. 10/28

**10/24**
**Eduard v. Bauernfeld (1802–1890), um 1845**

Theodor Petter (1822–1872)
Öl auf Leinwand, 56 × 45,5 cm
HM, Inv. Nr. 40.733

Eduard von Bauernfeld studierte die Rechte und war einige Zeit als Beamter tätig. Als Schriftsteller war er im Vormärz und auch später noch einer der beliebtesten Lustspielautoren seiner Zeit, der vor allem häufig am Burgtheater aufgeführt wurde. Seine Tagebücher gewähren interessante Einblicke in die kulturelle und politische Situation der Epoche.
WO

**10/25**
**Eduard v. Bauernfeld**

Karl v. Saar (1798–1853)
Aquarell, 17,5 × 13,9 cm
Sign. re. u.: v. Saar
HM, Inv. Nr. 103.436
Abbildung

**10/26**
**Eduard v. Bauernfeld**

Die Abentheurer. Lustspiel in 5 Akten, 1832
Eigene Handschrift, 25 × 20,5 cm
Wien, Wiener Stadt- und Landesbibliothek, Ib 59.510

Bauernfeld hat – wie er später selbst am Titelblatt vermerkte – „Einiges benützt zum letzte(n) Abenteuer". Dieses Stück erschien dann 1834 im Druck.
WO

**10/27**
**Eduard v. Bauernfeld**

Lustspiele, Wien 1835
Buchdruck, 17 × 21 cm
Wien, Wiener Stadt- und Landesbibliothek, A 24.324

Der Band enthält die beiden 1831 mit großem Erfolg am Burgtheater uraufgeführten Konversationsstücke „Leichtsinn aus Liebe" und „Das Liebes-Protocoll"; außerdem das noch unaufgeführte Stück „Die ewige Liebe".
WO

**10/28**
**Nicolaus Lenau (1802–1850)**

Moritz v. Schwind (1804–1871)
Bleistift, 145 × 108 cm
HM, Inv. Nr. 116.626

Nikolaus Lenau (eigentlich: Nicolaus Niembsch von Strehlenau) studierte Jus und Medizin, hielt sich dann in Amerika und schließlich abwechselnd in Wien und Deutschland auf. Seine eminente lyrische Begabung läßt sich nicht nur an den zahlreichen Gedichten ablesen, sondern auch an den Versepen.
WO
Abbildung

**10/29**
**Nikolaus Lenau**

Faust. Der Tanz
Eigene Handschrift, 20,5 × 13 cm
Wien, Wiener Stadt- und Landesbibliothek, H.I.N. 3.030

Diese in einer Dorfschenke spielende Szene des „Faust" entstammt einer fragmentarischen Reinschrift des Werkes.
WO

**10/30**
**Nikolaus Lenau**

Faust. Ein Gedicht, Stuttgart – Tübingen 1836
Buchdruck, 19 × 23 cm
Wien, Wiener Stadt- und Landesbibliothek, A 54.227

„Faust" ist das erste der großen Versepen Lenaus, dem unter anderen noch „Die Albingenser" und „Savonarola" folgten.
WO

**10/31**
**Taschenuhr, 1. Hälfte 19. Jh., Schweiz**

(Aus dem Nachlaß von Nikolaus Lenau)
Goldgehäuse mit 35 cm langer Goldkette, vergoldetes Ankerwerk mit Repetierschlagwerk und Schlüsselaufzug.
HM, U.I. Nr. 3.205

**10/32**
**Adalbert Stifter (1805–1868), 1846**

Moritz Michael Daffinger (1790–1849)
Aquarellminiatur
13 × 10,4 (oval) in geschnitztem Rahmen, Holz vergoldet 41 × 36,5 cm
Im Bild li. u. mit Bleistift sign.: Daffinger
Wien, Graphische Sammlung Albertina Inv. Nr. 36.347 (aus dem Bestand der Österreichischen Galerie)

Adalbert Stifter studierte die Rechte und Naturwissenschaft, war dann als Hauslehrer tätig und wurde 1850 Schulrat. Seine Erzählungen und Romane, von manchen Zeitgenossen wegen ihrer liebevollen Detailschilderungen vor allem der Natur, und ob ihrer Breite der Handlungsführung verspottet, gehören zu den bedeutendsten Beispielen der deutschsprachigen Prosa der Zeit.
WO

*Lit.: Katalog: Die Blumenaquarelle des Moritz Michael Daffinger. Zur Erforschung der österreichischen Flora im Vormärz (= Katalog des Kupferstichkabinettes der Akademie der bildenden Künste, Wien 1986), S. 57, 61. Fritz Novotny, Daffingers Bildnis Adalbert Stifters. In: Vierteljahresschrift des Landes Oberösterreich 13 (1964), S. 16f.*
Abbildung

**10/33**
**Adalbert Stifter**

Fabriksgarten in Schwadorf, um 1835
Öl auf Leinwand, 25 × 31,5 cm
Sign. re. u.: A. Stifter
Wien, Adalbert Stifter-Gesellschaft

Kat. Nr. 10/38

**10/34**
**Adalbert Stifter**

Blick auf Wiener Vorstadthäuser, 1839
Öl auf Holz, 33,7 × 41 cm
Sign. re. u.: Stifter 1839
Wien, Österreichische Galerie

Bei der Darstellung dürfte es sich um Stifters Wohnumgebung in der Landstraßer Hauptstraße handeln.
WO

*Lit.: Novotny Nr. 39.*

**10/35**
**Adalbert Stifter**

Wolkenstudie, um 1840
Öl auf Papier, 17,3 × 31,8 cm
Wien, Adalbert Stifter-Gesellschaft,

**10/36**
**Pfeifenkopf aus dem Besitz Adalbert Stifters**

Holz und Metall, 12 × 10 cm
Wien, Adalbert Stifter-Gesellschaft,

Stifter erhielt 1836 von der Gräfin Colloredo als Dank für ein Gemälde diese Pfeife geschenkt.
WO

**10/37**
**Adalbert Stifter**

Die Sonnenfinsternis am 8. July 1842.
In: Wiener Zeitschrift für Kunst, Literatur, Theater und Mode, 14. Juli 1842
Buchdruck, 23 × 30,5 cm
Wien, Wiener Stadt- und Landesbibliothek, A 10.728

Stifters Schilderung der viel beachteten totalen Sonnenfinsternis in Wien ist die dichteste literarische Darstellung des Ereignisses. Sie erschien nur wenige Tage später in drei Fortsetzungen am 14., 15. und 16. Juli 1842.
WO

**10/38**
**Carl Agricola (1779–1852)**

Sonnenfinsternis, 8. 7. 1842
Blick vom Fenster des Künstlers auf Franziskanerplatz mit Kloster
Aquarell, 20,5 × 16,2 cm
Sign.: „C. Agricola p. d. 8t. Juli 1842"
HM, Inv. Nr. 97.738
Abbildung

**10/39**
**(Adalbert Stifter)**

Wien und die Wiener in Bildern aus dem Leben. Pesth 1844
Buchdruck, 25 × 32 cm
Wien, Wiener Stadt- und Landesbibliothek, A 9.373

Der Sammelband, der in Wort und Bild vor allem Wiener Volkstypen und Genreszenen aus Wien brachte, gewann durch die Mitarbeit Stifters besonderes Gewicht. Er veröffentlichte hier unter anderem „Aussicht und Betrachtungen von der Spitze des St. Stephansthurmes"; „Ein Gang durch die Katakomben" und „Der Prater".
WO

**10/40**
**Adalbert Stifter**

Brief an Albert Kaindl, Wien 30. 1. 1848
Eigene Handschrift, 26 × 21 cm
Wiener Stadt- und Landesbibliothek, H.I.N. 70.687

Stifter schrieb an den Linzer Buchhändler in Angelegenheiten von dessen Familie.
WO

**10/41**
**Anastasius Grün (1806–1876)**

Stahlstich, 27,9 × 17,7 cm
HM, Inv. Nr. 103.620

Anastasius Grün (eigentlich: Anton Alexander Graf Auersperg) war 1848/49 Abgeordneter im Frankfurter Parlament und später auch österreichisches Herrenhausmitglied. Neben seinen Versepen hat er sich vor allem durch seine politische Lyrik und die satirische Auseinandersetzung mit dem Metternichsystem in die vorderste Reihe der Schriftsteller der Zeit gestellt.
WO

**10/42**
**Anastasius Grün**

Blaetter der Liebe
Eigene Handschrift, 21 × 34 cm
Wien, Wiener Stadt- und Landesbibliothek, Ia 73.474

Anastasius Grün hatte das Manuskript seines ersten Gedichtbandes Ludwig Uhland geschenkt, aus dessen Nachlaß es wieder nach Wien gelangte.
WO

Kat. Nr. 10/44

**10/43**
**Anastasius Grün**

Blätter der Liebe, Stuttgart 1830
Buchdruck, 21,5 × 15 cm
Wien, Wiener Stadt- und Landesbibliothek, A 35.897

Dieser erste Lyrikband erschien, als der Dichter in Graz sein Jusstudium beendete. Ein Jahr später veröffentlichte er seine „Spaziergänge eines Wiener Poeten" in Deutschland, mit denen er nicht nur die österreichischen Verhältnisse scharf kritisierte, sondern sich auch jahrelange Schwierigkeiten mit der Zensur einhandelte.
WO

**10/44**
**Ernst v. Feuchtersleben (1806–1849)**

Josef Danhauser (1805–1845)
Bleistift, 26,4 × 19,5 cm
Bez. Ernst F. v. Feuchtersleben geb. am 29st April 1806/Danhauser
HM, Inv. Nr. 2.436

Ernst Freiherr von Feuchtersleben war Arzt und wurde 1848 als Unterstaatssekretär ins Unterrichtsministerium berufen. Neben seinem literarisch-philosophischen Hauptwerk „Zur Diätetik der Seele" schrieb er vor allem Lyrik.
WO
Abbildung

**10/45**
**Ernst v. Feuchtersleben**

Gedichte, Stuttgart – Tübingen 1836
Buchdruck, 17,5 × 21,5 cm
Wien, Wiener Stadt- und Landesbibliothek, A 137.643

Wie so viele österreichische Schriftsteller dieser Zeit ließ auch Feuchtersleben seine Lyrik lieber im freieren Deutschland erscheinen.
WO

**10/46**
**Helene v. Feuchtersleben**

Stammbuch (1826–1854)
Handschrift, 12,5 × 41 cm
Wien, Wiener Stadt- und Landesbibliothek, Ia 73.478

Das Stammbuch der Gattin Feuchterslebens vereint zahlreiche bedeutende Persönlichkeiten des Kunst- und Geisteslebens des Vormärz. Das aufgeschlagene Aquarell von (Karl?) Ritter zeigt das Wohnhaus von des Dichters Halbbruder Eduard in Aussee, wo dieser Sudhüttenmeister war. Hier hatte Feuchtersleben auch einen Teil seiner Kindheit verbracht.
WO

**10/47**
**(Ernst v. Feuchtersleben)**

Aufsatz über Inhalt und Anordnung seiner Gedichte
Eigene Handschrift, 20 × 12,5 cm
Wien, Wiener Stadt- und Landesbibliothek, H.I.N. 5.203
Feuchtersleben übermittelte diese Erläuterungen dem Schriftsteller und Schubertfreund Franz Schober.
WO

# KAPITEL 11

## EXOTIK

In der Zeit, als Reisen noch ein echtes Abenteuer darstellten, brachten Wissenschaftler und Künstler Botschaften aus der Ferne nach Wien. Aber nicht nur auf dem Papier waren exotische Tiere zu bewundern: 1828 kam die erste lebende Giraffe zur Freude der schaulustigen Wiener aus Ägypten in die kaiserliche Menagerie von Schönbrunn.

# NATURWISSENSCHAFT IM VORMÄRZLICHEN WIEN

*Stefan Nebehay*

Neuzeitliche Naturwissenschaft schöpft ihre Ergebnisse wesentlich aus dem Sammeln und Untersuchen anorganischer und organischer Dinge. Daher hat sie gegenüber anderen Formen menschlichen Erkenntnisdranges größeren Bedarf an Material und Gerät, an Platz und Mobilität; werden diese Grundlagen politisch und finanziell nicht ausreichend gesichert, so kann sie sich nicht entfalten. Während es in Österreich an Naturforschern von Format wie auch an den ebenso notwendigen begabten und leistungswilligen Mitarbeitern zumeist nicht gefehlt hat, ist ihre Tätigkeit keineswegs immer adäquat gefördert worden. Die wissenschaftlichen Leistungen im vormärzlichen Wien als dem Mittelpunkt des Habsburgerreiches müssen vor dem Hintergrund eines wenig an geistigen Fortschritten interessierten Systems gesehen und beurteilt werden; es ist müßig darüber zu spekulieren, was unter günstigeren Bedingungen vielleicht zu erreichen gewesen wäre.

Schon Maria Theresia hatte sich bei ihrer Reform des Unterrichtswesens vorwiegend vom praktischen Nutzen für Staat und Wirtschaft leiten lassen. Wohl nahmen unter ihrer Regentschaft Medizin und Erdwissenschaften (als Grundlage für Bergbau und Industrie) einen deutlichen Aufschwung, die seit langem von verschiedenen Seiten urgierte Gründung einer Akademie der Wissenschaften kam aber ebensowenig zustande wie eine umfassende Reform der Universität. Dieses deutliche Zurückbleiben innerhalb des europäischen Kulturgefüges – die deutsche Akademie der Naturforscher „Leopoldina“ reicht mit ihren Anfängen bis 1652 zurück, London und Paris besaßen seit 1662 beziehungsweise 1666 naturwissenschaftliche staatliche Akademien, Berlin seit 1700 die von Leibniz begründete „Brandenburgische Sozietät der Wissenschaften“ – konnte auch die seit 1782 von dem hervorragenden Montanisten, Mineralogen und Geologen Ignaz von Born (1742–1791) zur akademieähnlichen Vereinigung ausgebaute Wiener Freimaurerloge „Zur wahren Eintracht“ nicht wettmachen. Sie leistete zwar einige Jahre hindurch hervorragende wissenschaftliche Arbeit, fiel aber bald der Reform der Freimaurerei durch Joseph II. zum Opfer. Dieser vom Geist der Aufklärung durchdrungene Kaiser liebte und förderte zwar persönlich das Sammeln von Naturalien, der Wissenschaft insgesamt brachten seine Maßnahmen aber kaum mehr als staatliche Bevormundung anstelle der bisherigen klerikalen. Schließlich verlängerte die unter Franz II. (I.) einsetzende politische und geistige Reaktion die mißliche Lage des akademischen Bereichs für weitere Jahrzehnte.

So verblieb der Schwerpunkt naturwissenschaftlicher Tätigkeit im vormärzlichen Wien nicht zufällig bei einer Institution, die durch ihre engere Bindung an das Kaiserhaus einerseits weniger der Tagespolitik ausgesetzt war, andererseits aus den persönlichen Interessen mancher Habsburger Nutzen ziehen konnte: beim kaiserlichen Naturalienkabinett in der Hofburg, dem Vorläufer des heutigen Naturhistorischen Museums. 1748 von Franz Stephan von Lothringen als private Sammlung gegründet und von ihm unter Einsatz großer finanzieller Mittel nach systematisch-wissenschaftlichen Gesichtspunkten ausgebaut, war es nach des Kaisers Tod in Staatsbesitz übernommen und nach einigen nicht immer glücklichen strukturellen und personellen Umbildungen 1806 dem richtigen Mann zur Leitung anvertraut worden. Carl von Schreibers (1775–1852), als Organisator ein ebenso fähiger Kopf wie als Gelehrter, machte das Kabinett trotz der Wirren der napoleonischen Kriege, trotz permanenter Raumnot, beschämender Postenpläne und Besetzungspraktiken – etliche seiner besten Mitarbeiter leisteten hier jahre- bis jahrzehntelang unbezahlt oder in subalternen Stellungen hochqualifizierte Arbeit – bald zu einem weltweit angesehenen Zentrum naturwissenschaftlichen Sammelns und Forschens. Sein großer Gegenspieler bei Hof war Andreas Joseph von Stifft, der Leibarzt Kaiser Franz' II. (I.), der im Zug seiner Sanitätsreformen einen bedeutenden politischen Einfluß auf den gesamten Wissenschaftsbetrieb erlangt hatte und hier für manche willkürliche und reaktionäre Maßnahme verantwortlich zeichnete. Die „Vereinigten k. k. Naturalien-Cabinete“ – so der offizielle Titel seit 1810 – umfaßten die den drei „Naturreichen“ entsprechenden Teilgebiete Mineralogie/Geologie, Zoologie und Botanik und trugen mit ihren stark frequentierten Schausammlungen nicht unwesentlich zur Volksbildung bei.

Für den Ausbau der kaiserlichen Sammlungen erlangte im Biedermeier vor allem die von Kaiser Franz 1817 nach Brasilien entsandte naturwissenschaftliche Expedition zentrale Bedeutung. Anlaß dafür war die aus Staatsräson beschlossene (und politisch folgenschwere) Vermählung seiner Tochter Leopoldine mit dem portugiesischen Kronprinzen und späteren Kaiser Dom Pedro. Für das damals höchst wagemutige und, wie sich zeigen sollte, auch Opfer an Menschenleben fordernde Unternehmen wurden mehrere Naturforscher sowie die Maler Johann Buchberger und Thomas Ender ausgewählt. Während die meisten der sich in kleinen Gruppen bewegenden Expeditionsmitglieder nach einem oder mehreren Jahren nach Europa zurückkehrten, blieb der Zoologe Johann Natterer (1787–1843) fast zwei Jahrzehnte in Brasilien und erforschte unter kaum vorstellbaren Strapazen nahezu alle Teile des riesigen Landes, vor allem auch den fieberverseuchten, bis dahin praktisch unbekannten Distrikt Mato Grosso. Als ausgezeichneter Jäger, Präparator und Zeichner schickte er mehr als 50.000 (!) vorbildlich konservierte und dokumentierte zoologische Präparate – darunter weit über 1000 neue Formen – an das Naturalienkabinett, dazu reiche botanische, mineralogische und völkerkundliche Sammlungen. Da diese Schätze in dem unter Platznot leidenden Kabinett nicht einmal deponiert, geschweige denn gezeigt werden konnten, wurde bereits 1821 ein eigenes „Brasilianisches Museum" im Harrachschen Haus in der Johannesgasse eingerichtet, das allerdings nur bis 1836 bestand und dann durch eine Reihe mehr oder weniger unglücklicher Verlegenheitslösungen ersetzt wurde. Natterer selbst, der im Jahr der Schließung nach Wien zurückkehrte, fand hier übrigens kaum Dank und Anerkennung; nur das Ausland ließ ihm reiche Ehrungen zuteil werden.

Natterer war keineswegs der einzige weit über sein eigentliches Fachgebiet hinaus denkende und arbeitende Forscher. Ganz allgemein war die Naturwissenschaft im Gegensatz zu heute nicht von einseitiger Spezialisierung, sondern von Universalität geprägt: die Naturforscher des Biedermeier verfügten – oft auf der Grundlage eines medizinischen oder pharmazeutischen Studiums – gewöhnlich über Kenntnisse aus vielen Bereichen der anorganischen und organischen Natur und einen entsprechend weiten wissenschaftlichen Horizont, und so mancher leistete auf zwei und mehr Gebieten Bedeutendes. Das ganzheitliche Selbstverständnis der Naturwissenschaft kam in Wien nicht zuletzt in einem Ereignis zum Ausdruck, das in mehr als nur zeitlicher Hinsicht in der Mitte des Vormärz liegt: in der zehnten „Versammlung deutscher Naturforscher und Ärzte" in Wien. Bereits für 1831 geplant und wegen des Ausbruchs der Cholera um ein Jahr verschoben, bedeutete die Abhaltung dieser eine Woche dauernden Veranstaltung mit 462 eigentlichen Mitgliedern und 635 interessierten Gästen allein schon organisatorisch eine gewaltige Leistung. Ihre gleichsam selbstverständliche Bewältigung läßt etwas von der Arbeitskapazität und dem Idealismus der damaligen Exponenten und Freunde der Naturwissenschaft ahnen. Aufschlußreich ist auch die Zusammensetzung dieser „deutschen" Versammlung nach Nationen: rund vier Fünftel der Teilnehmer kamen aus den verschiedenen Staaten der Monarchie, der Rest aus allen Teilen Europas und zu einem kleinen Prozentsatz sogar aus Übersee.

Es würde zu weit führen, hier der Entwicklung aller Zweige der Naturwissenschaft im vormärzlichen Wien nachgehen zu wollen. Im folgenden seien nur zwei Bereich etwas näher beleuchtet: die Erdwissenschaften, deren Fortschritte eine der Grundlagen für den steilen Aufschwung der Industrie in der zweiten Hälfte des 19. Jahrhunderts bildeten, und die Zoologie, die nicht unwesentlich zur Überwindung des traditionellen statischen Weltbildes beitrug.

Mineralogie und Geologie wurden zunächst am Naturalienkabinett besonders intensiv gepflegt. So hielt hier unter anderem der durch seine Härteskala bekannt gewordene Friedrich Mohs (1773–1839) Vorlesungen und Praktika ab. In- und ausländische Gelehrte studierten das Sammlungsmaterial und rechneten es sich zur Ehre an, die Kollektionen durch Geschenke zu bereichern. Zwei wissenschaftliche Leistungen, die in Wien beziehungsweise von Wien aus erbracht wurden, verdienen besondere Erwähnung: der deutsche Physiker Chladni wies 1819 anhand der Meteoritensammlung des Naturalienkabinetts – damals die größte der Welt – die bis dahin bestrittene kosmische Herkunft der Meteoriten nach; und der am Kabinett tätige Paul Maria Partsch (1791–1856) schuf 1823 die erste geologische Karte Niederösterreichs.

Ab 1835 verlagerte sich dann das Schwergewicht mineralogisch-geologischer Forschung und Lehre allmählich an die neugeschaffene Sammlung der k. k. Hofkammer im Münz- und Bergwesen (im Münzgebäude am Landstraßer Glacis). Wilhelm Haidinger (1795–1871) erweiterte sie 1843 zum „Montanistischen Museum", aus dem sechs Jahre später die Geologische Reichsanstalt hervorgehen sollte. Haidinger war auch maßgeblich an der Gründung des Vereins „Freunde der Naturwissenschaften" beteiligt, der akademischen Fachgelehrten ebenso offenstand wie ernsthaften Liebhabern und den eigentlichen Beginn eines öffentlichen wissenschaftlichen Lebens in Wien markiert. Die „Freunde" brachten in den kurzen Jahren ihres Bestehens (1845 bis 1850) elf Bände mit Berichten und Abhandlungen aus allen Bereichen der Naturwissenschaften heraus – angesichts des bisherigen Fehlens eines einschlägigen Publikationsorgans in Wien eine höchst wichtige Leistung – und suchten die Fortschritte ihrer Fächer einem breiten Publikum zugänglich zu machen, etwa durch Mitteilungen in der „Wiener Zeitung". Daß sich eine dynamische, aufgeschlossene Persönlichkeit wie Haidinger mit seinen zukunftsweisenden Reformbestrebungen auch manche Feinde bei den politischen Behörden und im Kollegenkreis machte, versteht sich von selbst.

Die Zoologie der Zeit war im deutschsprachigen Raum geprägt durch die verschiedenen Strömungen der von Schelling und Oken begründeten, in der Romantik wurzelnden Naturphilosophie. In den Jahrzehnten vor Darwin wurden zahlreiche Versuche unternommen, über allgemein-biologische Fragestellungen zu einer durchgehenden systematischen Ordnung der Natur vorzustoßen. Damit drangen zusehends spekulative und selbst theologische Elemente in die Naturwissenschaft ein. Schreibers verfügte aber am Naturalienkabinett mit Männern wie dem Mediziner und Helminthologen Johann Bremser (1767–1827), dem Ichthyologen Johann Jacob Heckel (1790–1857) und den Entomologen Vincenz Kollar (1797–1860) und Ludwig Redtenbacher (1814–1876) über einige hervorragende, durchaus empirisch forschende Mitarbeiter. Am stärksten von der Naturphilosophie beeinflußt war der gleichfalls am Kabinett tätige und als Chronist desselben verdiente Leopold Joseph Fitzinger (1802–1884), der eine von den fünf Sinnesorganen ausgehende schematische Ordnung des gesamten Naturreiches anstrebte. Ihm sind daneben aber auch die Erstbeschreibung des südamerikanischen

Lungenfischs – die jahrelange Diskussionen über die Abgrenzung zwischen Fischen und Amphibien auslöste – und frühe Arbeiten zur österreichischen Faunistik sowie zur Variabilitätsforschung an Haustieren zu verdanken. Fitzinger hatte sich übrigens bereits 1825 ohne Erfolg um die Gründung einer Wiener naturwissenschaftlichen Zeitschrift bemüht. Viele der im Wiener Vormärz entstandenen naturwissenschaftlichen Arbeiten erschienen ja mangels eines geeigneten Publikationsorgans im Ausland, vor allem in Okens Zeitschrift „Isis“ in Jena beziehungsweise später in Leipzig. Erst 1836 gab das Kabinett eigene „Annalen des Wiener Museums der Naturgeschichte“ heraus, die es allerdings nur auf zwei Bände brachten.

Zur zoologischen Arbeit gehörte auch die wissenschaftliche Beobachtung lebender Tiere in der Menagerie des Naturalienkabinetts am Josefsplatz, einer ebenfalls für das Publikum geöffneten „Filiale“ des populären kaiserlichen Tiergartens in Schönbrunn. Das Brasilien-Unternehmen sowie andere kleinere Expeditionen brachten immer wieder Nachschub an exotischen Tieren, und Ereignisse wie die Ankunft des ersten lebenden Krokodils in Wien am Josefsplatz (1821) oder der ersten lebenden Giraffe in Schönbrunn (1828) riefen bei den Zeitgenossen lebhaftes Interesse hervor und zählten zu den besonderen Freuden des Kaisers Franz.

Mit dem Tod dieses Mannes erneuerten sich 1835 die Hoffnungen auf die Gründung einer Akademie. Mehrere Gelehrte – darunter Schreibers – bemühten sich mit Nachdruck um die längst fällige Schaffung einer derartigen Institution, scheiterten aber nach Jahren zähen Ringens wiederum an der Ignoranz der zuständigen Stellen und am beharrlichen Widerstand Metternichs, obwohl dieser persönlich durchaus naturwissenschaftlich interessiert war (er unterhielt gute Beziehungen zu verschiedenen Naturforschern, förderte und finanzierte Untersuchungen vor allem im alpinen Bereich und besaß selbst eine bedeutende Fossiliensammlung). Erst als die liberale Bewegung zusehends an Boden gewann, der Ruf nach Reform der Zensur lauter wurde und die Opposition immer deutlicher auf das geringe wissenschaftliche Ansehen Österreichs im Ausland hinweisen konnte, schwenkte Metternich um und ergriff von sich aus die Initiative zur Akademiegründung, die Anfang 1846 von Kaiser Ferdinand genehmigt und im Mai 1847 vollzogen wurde. Damit war der Naturwissenschaft in Östereich und vor allem in Wien am Ende des Vormärz ein entscheidender Durchbruch gelungen.

Das alte Naturalienkabinett behielt weiterhin seine Bedeutung als wichtigste naturhistorische Sammlung der Monarchie, war jedoch bis zu seiner Neugründung als „k. k. naturhistorisches Hofmuseum“ (1876) keine führende wissenschaftliche Institution mehr. Als tragisches Symbol dafür stehen die Verluste, die es anläßlich der ebenso unnötig provozierten wie sinnlosen Beschießung der Hofburg durch kaiserliche Truppen in den Revolutionswirren von 1848 erlitt: ein beträchtlicher Teil der zoologischen Sammlung – darunter viele noch unbeschriebene Arten –, Natterers Reisetagebücher aus Brasilien und Schreibers gesamter persönlicher Besitz einschließlich seiner unveröffentlichten Manuskripte wurden dabei ein Raub der Flammen, desgleichen vier der skurrilen Sammelleidenschaft Franz’ II. (I.) zu verdankende ausgestopfte Neger. –

Wie sehr die neuen Verhältnisse als Fortschritt empfunden wurden, zeigen Äußerungen aus den folgenden Jahren. So meinte beim Tod Wilhelm Haidingers einer seiner Freunde und Schüler, daß er „mehr als irgend ein Anderer in unserem Reiche dazu beitrug den tiefen Schlaf zu bannen, in welchem jede selbstthätige Regung auf dem Gebiete der reinen Naturwissenschaft bis in das 5. Decennium des Jahrhunderts bei uns gefesselt lag“ und am meisten daran mitwirkte, „jenen gewaltigen Umschwung herbeizuführen, durch welchen die Metropole des Reiches, vordem überhaupt so wenig betheiligt an der allgemeinen Culturarbeit der Menschheit, zu einem geachteten Mittelpunkt freier und selbständiger naturwissenschaftlicher Forschung geworden ist“. Die Bewertung der Verhältnisse vor der Revolution mag dabei in der Formulierung überspitzt ausgefallen sein; gemessen am stürmischen Aufschwung der Naturwissenschaft anderswo hat Wien aber tatsächlich erst ab etwa 1848 auf diesem Feld ein seiner politischen Bedeutung entsprechendes Gewicht erlangt.

**Literatur:**

„Brasilianisches Museum“. Sonderausstellung des Naturhistorischen Museums in Wien 1954, Wien 1954.

L. J. Fitzinger, Geschichte des kais. kön. Hof-Naturalien-Cabinetes zu Wien. III.–V. Abtheilung, Sitzungsber. kais. Akad. d. Wiss., math.-nw. Cl. 58 (1868), S. 35 ff., 81 (1880), S. 267 ff., 82 (1880), S. 279 ff.

W. v. Haidinger, Das kaiserlich-königliche Montanistische Museum und die Freunde der Naturwissenschaften in Wien in den Jahren 1840 bis 1850, Wien 1869.

G. Hamann, Die Geschichte der Wiener naturhistorischen Sammlungen bis zum Ende der Monarchie, Veröff. Naturhist. Museum, N. F. 13 (1976).

F. v. Hauer, Zur Erinnerung an Wilhelm Haidinger, Jahrb. k. k. geol. Reichsanstalt 21 (1871) S. 31 ff.

(J.) v. Jacquin – J. J. Littrow, Bericht über die Versammlung deutscher Naturforscher und Ärzte in Wien im September 1832, Wien 1832.

R. Meister, Geschichte der Akademie der Wissenschaften in Wien 1847–1947, Österr. Akad. d. Wiss., Denkschr. Gesamtakad. 1 (1947).

## 11 EXOTIK

### 11/1
**Josef Freiherr von Hammer-Purgstall (1774–1856)**

Thomas Lawrence (1769–1830), um 1815 (?)
Bleistift und Rötel, 32 × 22,5 cm
HM, Inv. Nr. 138.354

Der porträtierte Orientalist und Hofdolmetsch war nach einem mehrjährigen Aufenthalt in Konstantinopel von 1807 an in der Hof- und Staatskanzlei in Wien tätig, 1835 erbte er von der Gräfin Purgstall Schloß und Gut und nannte sich seither Hammer-Purgstall. 1838 ging er nach Auseinandersetzungen mit Fürst Metternich in Pension, 1847 wurde er Präsident der neugegründeten Akademie der Wissenschaften, an deren Zustandekommen er seit 1817 gearbeitet hatte. Aus seiner unglaublich großen literarischen Produktivität seien nur seine zehnbändige „Geschichte des Osmanischen Reiches" (1827–1833) und vier Bände „Geschichte der osmanischen Dichtkunst" (1838) genannt.

*Lit.: Ausstellungskatalog „Evangelisch in Wien", Historisches Museum der Stadt Wien, 1982, Nr. 165.*
SW
Abbildung

Kat. Nr. 11/1

### 11/2
**Johann Natterer (1787–1843)**

Wilhelm Sandler
Kreidelithographie, 46,8 × 32,3 cm
Beschriftet Mi. u.: Joh: Natterer
HM, Inv. Nr. 12.559

Der Zoologe Johann Natterer, einer der bedeutendsten Naturforscher seiner Zeit, gehört zu den zu Unrecht vergessenen großen Österreichern. Von 1817 bis 1836 durchzog er unter beträchtlichen Strapazen nahezu alle Teile Brasiliens und brachte für Wien eine riesige Sammlung zoologischer Präparate sowie botanischer, mineralogischer und ethnologischer Objekte zusammen. Als Jäger, Präparator und Zeichner ebenso hervorragend wie als Wissenschaftler, mußte er sich vor und nach seiner großen Reise mit subalternen Anstellungen begnügen; ein aus Brasilien mitgebrachtes Leiden ließ es ihm nicht mehr vergönnt sein, die Aufarbeitung seines Materials und weiterführende Forschungen abzuschließen.
Nebehay
Abbildung

Kat. Nr. 11/2

### 11/3/1
**Johann Natterer**

Tropischer Fisch (Serrasalmus nattereri, Natterers Sägesalmler), Cuyabá (Mato Grosso)
2. März 1824
Bleistift, aquarelliert, 44,5 × 29,5 cm
Wien, Naturhistorisches Museum, Archiv

Natterers zoologische Bilder aus Brasilien sind das glückliche Ergebnis von Talent, Fleiß und höchsten wissenschaftlichen Ansprüchen. Auf dem gezeigten Blatt – Nr. 40 einer größerern Serie von Fischbildern – hat Natterer den indianischen Namen des von ihm entdeckten Tieres („mu tö") vermerkt; die wissenschaftliche Benennung der Art erfolgte durch den Ichthyologen Rudolf Kner und ehrt in der Wahl des Namens den Entdecker.
Nebehay

### 11/3/2
**Johann Natterer**

Brasilianische Fische
1824–1829
13 Bleistiftzeichnungen, aquarelliert, jeweils ca. 50,5 × 33,5 cm
Wien, Naturhistorisches Museum, Archiv

### 11/4
**Stephan Ladislaus Endlicher (1804–1849)**

Nicolaus Zehner nach Marie Troll/Krafft
Kreidelithographie, 47 × 35,5 cm
Sign. li. u.: Gedr. b. J. Höfelich./Nach d. Nat. gez. v. Marie Troll geb. Krafft., re. u.: Lith. Nicol. Zehner
HM, Inv. Nr. 92.532

Der am 24. Juni 1804 in Preßburg als Sohn eines Arztes geborene Stephan Ladislaus Endlicher promovierte nach Besuch des Gymnasiums in seiner Heimatstadt zum Dr. phil., studierte darauf Theologie, aber entsagte aus familiären Gründen dem geistlichen Stand.

Am Anfang seiner wissenschaftlichen Laufbahn stehen historische und literarhistorische Quellenstudien. Voll Eifer widmete er sich in der Folge einerseits dem Studium der chinesischen und anderer ostasiatischer Sprachen, des Altdeutschen, der klassischen Philologie und der Botanik. 1828 trat er seinen Dienst an der k. k. Hofbibliothek an, wo er u. a. den Katalog der Handschriftensammlung redigierte und eine Reihe wichtiger literarhistorischer und linguistischer Arbeiten publizierte. 1836 erhielt er eine Stellung als Kustos am Hof-Naturaliencabinet als Botaniker. Fortan betrieb er nebeneinander in erster Linie Botanik, Sinologie und Numismatik. Auf jedem dieser Gebiete brachte er grundlegende Werke heraus. So veröffentlichte er ein eigenes Pflanzensystem und gab eine für lange Zeit grundlegende Einführung in die chinesische Grammatik heraus. Doch blieb ihm daneben noch genügend Zeit, um auch im öffentlichen Leben eine immer bedeutendere Rolle zu spielen. Besonders genoß er das Vertrauen von Kaiser Ferdinand I., mit dem er zweimal wöchentlich botanische Themen besprach. Gemeinsam mit dem Orientalisten Hammer-Purgstall setzte er 1847 die Gründung der kaiserlichen Akademie der Wissenschaften durch, der er bezeichnenderweise als Philologe angehörte, obwohl er bereits 1840 den Lehrstuhl für Botanik an der Wiener Universität als Nachfolger des jüngeren Jacquin übernommen hatte. Ausfallende Bemerkungen Hammer-Purgstall's im Zusammenhang mit der Besetzung der Stelle des Vertreters für ostasiatische Sprachen mit Endlichers Schüler Pfitzmayer ohne vorhergehende Rücksprache führten dazu, daß Endlicher fortan der Akademie fernblieb. Für die Pharmazie hatte er durch die Bearbeitung der

Kat. Nr. 11/4

Kat. Nr. 11/5/1

Medizinalpflanzen für die österreichische Pharmakognosie (1842) Bedeutung erlangt.

Populär bei den Studenten und geschätzt bei Hof, obwohl seine liberale Gesinnung bekannt und ihm sogar ein Amt im Frankfurter „Rumpfparlament" angeboten worden war, das er aber ausgeschlagen hatte, wurde er im Revolutionsjahr 1848 von beiden Seiten als Vermittler eingesetzt, was ihm aber schließlich das Mißtrauen aller eintrug, so daß er schwere Zurücksetzungen und Verdächtigungen hinnehmen mußte, die seine ohnehin angegriffene Gesundheit belasteten und wohl mit zu seinem frühen Tod im März 1849 beitrugen. Als Wissenschafter hatte er bereits zu Lebzeiten höchsten Ruhm erlangt und war etwa von so hervorragenden Persönlichkeiten wie Alexander v. Humboldt und Metternich als Genie und Polyhistor von unglaublich vielseitiger Begabung gepriesen worden.

*Lit.: Ch. Riedl-Dorn, Botanik und Gartenkunst im Wiener Vormärz.*
Christa Riedl-Dorn
Abbildung

**11/5/1**
**Ida Pfeiffer (1797–1858)**

Adolf Dauthage (1825–1883), 1856
Kreidelithographie, 46,2 × 31,1 cm
Sign. li. u.: Ged. bei Jos. Stoufs in Wien, re. u.: Dauthage/856, beschriftet Mi. u.: Ida Pfeifer (sic!)/(:in Reise-Costüme:)
HM, Inv. Nr. 11.319

Nachdem sich die Wienerin Ida Pfeiffer, geb. Reyer, mit der Beschreibung ihrer Fahrt in das Heilige Land (1833 in zwei Bänden erschienen) einen Namen gemacht hatte, begann sie mit fünfundvierzig Jahren ein selbständiges Reise- und Forscherleben, das sie ab 1842 in den Orient, nach Brasilien, Hongkong, Ceylon und Madagaskar führte, um nur einige ihrer Ziele zu nennen. Ihr gebührt der Ruhm, die erste Welt- und Forschungsreisende des Biedermeier gewesen zu sein, außerdem verhalf sie den Sammlungen ihrer Heimatstadt und Londons zu einer wesentlichen Bereicherung des ethnologischen und zoologischen Materials.
SW
Abbildung

**11/5/2**
**„Tunggal panaluan" der Batak auf Sumatra**

(Zauberstab, 1852 von der Wiener Weltreisenden Ida Pfeiffer erworben)
Holz beschnitzt, L.: 198 mm
Wien, Museum für Völkerkunde,
Inv. Nr. 10.398

Vor 1880 in der Ambraser Sammlung. – Einen Höhepunkt der zweiten Weltreise von Ida Pfeiffer bildete ihre Reise in die unabhängigen Bataklande auf Sumatra. Die Batak – eine Stammesbevölkerung Nordsumatras – waren damals als gefährliche Kannibalen verrufen, doch gerade das muß die damals 55jährige erfahrene Weltreisende gereizt haben. Nur den ersten Teil der Reise, die sie von Padang aus an der Westküste Sumatras antrat, konnte sie zu Pferd zurücklegen. Es folgte ein anstrengender Fußmarsch durch dichtes Urwaldgebiet – eine Art Niemandsland zwischen den niederländisch regierten Gebieten und den unabhängigen Bataklanden. Stand Ida Pfeiffer bis hierher unter dem Schutz der Kolonialverwaltung, so war sie nun praktisch auf sich allein gestellt. Richtig erkannte sie, daß ihr „die Schwäche ihres Geschlechtes von Nutzen sein" würde und verzichtete auf bewaffnete Begleiter. In der Folge gelang es ihr tatsächlich – mit der Unterstützung zweier ihr wohlgesinnter Batak-Häuptlinge –, als erste Europäerin weit nach Norden in die noch unabhängigen Bataklande vorzudringen. Doch als sie nur noch eine Hügelkette von ihrem eigentlichen Ziel trennte, dem Toba-See, den bisher noch kein Weißer gesehen hatte, wird ihr die Weiterreise endgültig verweigert, wie vor ihr schon F. Junghuhn, dessen Reiseroute sie folgte.

Waren die Reisebeschreibungen Ida Pfeiffers auch in erster Linie als spannende Lektüre für das gehobene Bürgertum gedacht, so enthalten sie doch zahlreiche detaillierte Beobachtungen, die auch für den Ethnologen von Interesse sind. Über den Erwerb des Zauberstabes berichtet Ida Pfeiffer leider nicht. Vermutlich hat sie ihn nicht direkt von den Batak, sondern von einem Kolonialbeamten erhalten. Der „Tunggal panaluan", üblicherweise als Zauber- oder Ahnenstab bezeichnet, war einer der wichtigsten Ritualgegenstände der Batak. Der „Datu" (Priester/Medizinmann) verwendete ihn u. a. zum Abwehren von schlechten Omen, zum Regenzauber und bei Krankheitsritualen. Als heiliges Familienerbstück dokumentierte er die rituelle Autonomie einer Verwandtschaftsgruppe. Der „Raja" (Häuptling) bediente sich seiner bei wichtigen Regierungsangelegenheiten, und bei Kriegszügen wurde der Zauberstab vom Anführer vorangetragen. Die charakteristische Gestaltung des „Tunggal panaluan" mit den übereinander angeordneten Menschen- und Tierdarstellungen wird auf eine Mythe zurückgeführt, in deren Zentrum der Inzest eines Geschwisterpaares steht. Besondere Wirksamkeit erhielt der Zauberstab durch eine magische Substanz, zu deren Herstellung ein Menschenopfer notwendig war. Sie wurde in einer oder mehreren kleinen Ausnehmungen des Stabes oder unter dem Haar- oder Federbüschel angebracht, das die oberste Figur schmückte (es fehlt bei diesem Stück).
Heide Leigh-Theisen

**11/6**
**Rio de Janeiro, nach 1818**

Thomas Ender (1793–1875)
Öl auf Leinwand, 126,5 × 189 cm
Wien, Gemäldegalerie der Akademie der bildenden Künste in Wien, Inv. Nr. 171

Neben Steinfeld, Waldmüller und Gauermann war Thomas Ender der bedeutendste Landschaftsmaler seiner Zeit. Dabei malte er nicht nur die engere Umgebung Wiens, sondern hinterließ durch seine ausgedehnte Reisetätigkeit Ansichten von Orten und Gegenden, die damals nur eine kleine Gruppe von Auserwählten zu sehen bekamen.

1817/18 begleitete er die österreichische naturhistorische Exkursion im Gefolge der Tochter von Kaiser Franz I., Erzherzogin Leopoldine, die mit Pedro I., Kaiser von Brasilien, vermählt wurde. Die künstlerische Ausbeute dieses fernen Aufenthaltes waren mehrere hundert topographische Ansichten, wovon ein Motiv, in Ölmalerei umgesetzt, als „Aufnahmearbeit" in den Besitz der Akademie kam, der Thomas Ender seit 1824 als Mitglied angehörte.
RKM

**11/7/1**
**„Die Girafe in Ruhe am Morgen des Rast-Tages in der Remise zu Groß Höflein mit dem Araber Cagi Alli Sciobary u. dem K. Thierwächter Aman.", 1828**

Eduard Gurk (1801–1841)
Aquarell, 35,2 × 50,1 cm
Sign. u. dat. re. u.: E. Gurk. fec./1828
HM, Inv. Nr. 64.751

Am 7. August 1828 traf die erste lebende Giraffe in Wien ein und erregte größtes Aufsehen. Jedermann eilte nach Schönbrunn, „um endlich die so hoch gespannte Neugierde durch Anschauung dieses so seltsamen Geschöpfes zu befriedigen. Und so sehen wir nun täglich eine Unzahl von Menschen vor den Gittern der Menagerie, Jung und Alt von beyden Geschlechtern, Individuen aus allen Ständen, aus allen Classen drängen sich mit größtem Eifer, um nur zu sehen, nur zu schauen" (Gurk).

Sie war, zusammen mit zwei afrikanischen Kühen und einem Kalb, ein Geschenk des Vizekönigs von Ägypten, Mehmed Ali, an Kaiser Franz I. für die Schönbrunner Menagerie. Unter Aufsicht von Kapitän Leva schifften die Tiere am 30. März für ihre monatelange Reise nach Wien ein. Der Kaiser beauftragte den Tierwärter Aman mit der Betreuung der Giraffe und schickte ihn nach Venedig, wo auf der Insel Poveglia die vierzigtägige Quarantäne abgewartet wurde. Hier stießen die aus Konstantinopel zugesandten Angora-Ziegen hinzu. Der weitere Weg ging über Fiume, Karlsstadt – bis hierher mußte die Giraffe selbst laufen, mußte aber wegen großer Erschöpfung auf einen Transportwagen verladen werden –, Agram, Warasdin, Steinamanger, Güns, Ödenburg, Groß-Höflein, Wimpassing, Laxenburg nach Schönbrunn. Hier wurden Giraffe und Kühe in einem eigens erbauten Stallgebäude untergebracht. Eduard Gurk, sonst hauptsächlich als Vedutenmaler und mehrmals als Chronist kaiserlicher Festlichkeiten tätig, hielt dieses aufsehenerregende Ereignis in einer Folge fest, die, teilweise lithographiert, große Verbreitung fand. Schon beim „Giraffen-Fest" lag außerdem eine Beschreibung vor. Wie zuvor in Paris und London, brach auch in Wien eine Modewelle „à la Girafe" aus.

Unglücklicherweise litt das Tier, ein Männchen, an Rachitis der Hinterbeine und verendete trotz eingeleiteter medizinischer Behandlung am 20. Juni 1829. Das Fell wurde dem k. k. zoologischen Museum zum Ausstopfen übergeben, das Skelett erhielt das Thierarzney-Institut. Erst 1852 kam wieder eine Giraffe nach Wien.

*Lit.: E. Gurk, Die Girafe in der Menagerie des k. k. Lustschloßes Schönbrunn. Abgebildet und nach den besten Quellen erzählt. U. Giese, Wiener Menagerien, Wien 1962, S. 140 ff.*
RKM

Kat. Nr. 11/7/3

Kat. Nr. 11/7/4

**11/7/2**
**„Zug von Groß-Höflein bis Wimpassing.", 1828**

Eduard Gurk (1801–1841)
Aquarell, 34,2 × 51,4 cm
Sign. u. dat. li. u.: E. Gurk. fec./1828.
HM, Inv. Nr. 51.293

Überall erregte die Giraffe und ihre Begleitung auf dem Weg von Fiume bis Wien größtes Aufsehen. Nach Gurks Darstellung gingen die afrikanischen Kühe samt Kalb an der Spitze, gefolgt von der Kutsche, worin Kapitän Leva und der Transportkommissär Karl von Bayer saßen. Die Giraffe befand sich in einem eigens konstruierten Wagen, hinter dem die Angora-Ziegen und der übrige Troß fuhren. Um die Giraffe vor ungünstiger Witterung zu schützen, wurde eigens ein Zelt mitgeführt.
RKM

**11/7/3**
**Bewegungsstudien vor dem neuen Stallgebäude in Schönbrunn, 1828**

Eduard Gurk (1801–1841)
Aquarell, 26 × 34 cm
Sign. u. dat. re. u.: Ed. Gurk. del. 1828
HM, Inv. Nr. 64.747

Die simultanen Bewegungsstudien verraten, wie sehr der ungewöhnliche Körperbau des Tieres den Künstler faszinierte. Auch Josef Danhauser und Johann Schindler machten Skizzen von der Giraffe, während sie Carl Wilhelm Joachim von Fabrici nach ihrem Tode „in Lebensgröße" modellierte, womit er ebenfalls überall Aufsehen erregte.

*Lit.: F. Pietznigg, Mittheilungen aus Wien, Jg. 1835, April-Heft, S. 59 f.*
RKM
Abbildung

**11/7/4**
**„Die Girafe mit den angorischen Ziegen auf dem freyen Platze vor der Loge.", 1828**

Eduard Gurk (1801–1841)
Aquarell, 34,5 × 48,8 cm
Sign. u. dat. li. u.: Ed. Gurk. fec. 1828
HM, Inv. Nr. 97.731
Abbildung

**11/8**
**„Der Ashanté in der Akademie der bildenden Künste in Wien.", 1834**

Franz Wolf (1795–1859) nach Johann N. Hoechle (1790–1835)
Lithographie, koloriert, 32,5 × 41,8 cm
Sign. li. u. im Druck: Höchle del. und re. u. im Druck: F. Wolf lith.
Aus: Journal pittoresque, 1834. Hg. Wolf und Weißenbach
HM, Inv. Nr. 179.483

Die Ausbildung im Malereifach der Akademie inkludierte die „Zeichnung und Modellierung des menschlichen Körpers nach der Natur und dem Wurfe der Gewänder" (Statut). Das Journal Pittoresque, das „Mahlerische Darstellungen der neuesten merkwürdigsten Begebenheiten und Erscheinungen im Leben" . . . „von den geschicktesten Künstler nach der Natur gezeichnet (Titelblatt) laufend herausgab, edierte 1834 eine Modellsitzung, bei der einem hellhäutigen Modell ein Neger gegenübergestellt wurde. Der Aschanti (engl. Ashanti) stammte aus einem Negerreich an der Goldküste (Westafrika), das seit 1824 britische Kolonie war.
RKM

KAPITEL 12

# WIEN ZWISCHEN IDYLLE UND TECHNIK

Der Lebensraum des biedermeierlichen Wieners wird diskutiert: Innenstadt, Vorstädte und Vororte, die Donau und der Wienfluß schaffen Voraussetzungen für die Existenz des Stadtbewohners. Gezeigt wird auch die Sehnsucht nach einem idyllischen Leben in einer unberührten Landschaft (Gärten, Landpartie, Ausflüge), aber auch die Realität einer positivistisch verstandenen Technisierung.

# DAS BILD DER STADT

*Unveränderter Nachdruck aus Adolf Schmidl, Wien und seine nächsten Umgebungen, Darmstadt 1847, Seite 126–137*

Kat. Nr. 12/1/18 Blick aus einem Fenster des Dianabades, Ölgemälde von Nikolaus Moreau

**Topographie**

Physiognomie der Stadt. So ziemlich aus den 4 Weltgegenden führen die Hauptstraßen nach Wien, die oberösterreichische (Reichsstraße), böhmische, ungarische und italienische, aber nur die erste und letzte bietet einen überraschenden Anblick der Stadt. An der italienischen Straße steht die berühmte 1451–1452 von Hans Buchsbaum erbaute gothische Denksäule „Spinnerin am Kreuz" von welcher man die oft gezeichnete Ansicht der Stadt hat, jedenfalls die umfassendste aber keineswegs die malerischeste. Auf der Reichsstraße nähert man sich durch die Dörfer Hütteldorf, Baumgarten etc., wo Villa an Villa sich drängt, zuletzt an dem prachtvollen Schönbrunn vorbei, wo man am ersten den Vorbegriff einer großen Stadt erhält. Aber von Wien sieht man hier nicht viel bis man die Linien erreicht und die schönste Vorstadt Mariahilf in ihrer breiten Hauptstraße durchfährt, an deren Ende, von der Anhöhe der kaiserl. Stallungen, die Stadt selbst um so mehr überrascht, als sie hier St. Stefan in der Mitte, das Kahlengebirge zur Seite, am schönsten sich gruppirt, wo man die großartigsten Gebäude fast mit einem Blicke übersieht. Das schönste allgemeine Bild giebt Wien jedenfalls von den Vorhügeln des Kahlengebirges, wo man schönen Vorgrund, rechts in der Ferne die Alpen, links die Donau-Auen, im Hintergrunde die Karpathen hat. Wien hat Mangel an emporragenden Gebäuden und besonders an Thürmen, es gruppirt sich daher aus der Ferne bei weitem nicht so gut, wie manche andere, selbst kleinere Stadt, und wird darin namentlich von Prag weit übertroffen. Aeußerst lohnend ist aber eine Ersteigung des Stefansthurmes, wenn auch nur der Gallerie, denn der grüne Kranz der Glacis-Alleen und Rasenplätze und der großen Gärten geben eine Vogelperspective die ungemein reizend ist. Noch malerischer stellt sich die Stadt von der Kuppel der Karlskirche dar.

Die Hauptmasse von Wien liegt am rechten Ufer der Donau, aber nicht des Stromes selbst, sondern eines kleinen Armes, der 1598 vertieft und regulirt wurde, Donau-Kanal genannt. Er bildet mit einem größeren Arme, dem Kaiserwasser, eine 2 Stunden lange, ¾ Stunden breite Insel, welche die Leopoldstadt und den berühmten Prater enthält.

Wien hat im Ganzen $5{,}_{29}$ geographische Meilen im Umfange und besteht aus der inneren Stadt, welche durch das Glacis von den ringsum gelagerten Vorstädten getrennt ist. Wie überall sind auch in Wien die Vorstädte der Sitz der arbeitenden Klasse, aber nicht im Verhältnis der Entfernung, indem gerade die Vorstädte an der kürzesten Linie, Liechtenthal, Himmelpfortgrund etc. vorzugsweise von ihnen bewohnt sind. Wie überall, bildet auch hier die Stadt den Mittelpunkt alles Lebens, und des Reichthums, aber die Trennung von Stadt und Vorstädte wird nicht leicht anderswo dem Begriffe nach so strenge genommen als in Wien, wo noch mehr als die vornehme und reiche Welt, der wohlhabende Mittelstand mit Achselzucken auf die „Vorstädter" herabsieht, und eine kleine Wohnung im fünften Stockwerke in einer dumpfigen engen Seitengasse der Stadt jedenfalls einer luftigen schönen Wohnung in den ersten Stockwerken eines Glacishauses vorzieht. Es ist nicht die Entfernung, denn niemand besinnt sich von der Mölkerbastei zum Besuch auf die Seilerstätte zu gehen – es ist der Begriff der „Vorstadt" den der Wiener scheut. In dem Maße als der Raum der inneren Stadt überfüllt wird, muß dieß lächerliche Vorurtheil abnehmen, um so mehr als zugleich der Sitz mehrerer bedeutenden Behörden aus der Stadt in die Vorstadt verlegt wurde, wie des Kriminal-Magistrats, der Kameralbehörden etc. Zu jener Vorstadt-Scheu trägt aber wesentlich der Mangel an eigenen Omnibus zwischen Stadt und Vorstädten und an billigen Fahrgelegenheiten überhaupt bei, wie es z. B. die Berliner Droschken sind. Nur die Leopoldstadt-Jägerzeile, um der berühmten Praterfahrt willen, und zum Theil die schöne breite Mariahilfer Hauptstraße, wegen der Fahrt nach Schönbrunn und Hietzing, machen eine Ausnahme in der Meinung der eleganten Welt.

Die Stadt ist in Viertel eingetheilt, zugleich Polizeibezirke, mit welcher Eintheilung aber die pfarrliche nicht im Einklange steht und welche überhaupt nur amtliche Anwendung hat, da die Stadt selbst sehr klein ist (in ¾ Stunden umgeht man sie auf dem Walle). Die Hauptparthien der Stadt haben eine sehr verschiedene Physiognomie. Von der Burg über den Kohlmarkt, Graben, zum Rothenthurm-Thore geht der Hauptdurchschnitt der Stadt, ein S von Süd nach Nord, der lebhafteste Zug des Straßenverkehrs. Hier finden sich die elegantesten Kauf-

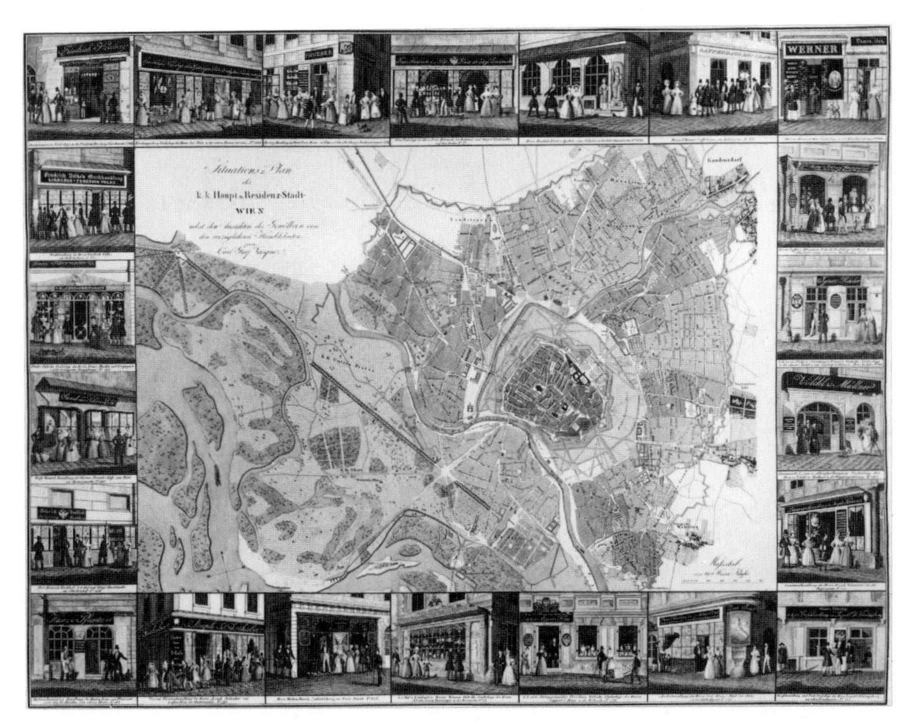

Kat. Nr. 12/1/1/1 Karl Graf Vasquez, „Situations=Plan der k. k. Haupt- und Residenz-Stadt – WIEN . . .“

läden und nach Wohnungen drängt sich hier die reiche Welt, in Wien durchaus nicht gleichbedeutend mit der vornehmen Welt, mit dem hohen Adel, von dessen Hauptsitz die „Herrengasse“ nächst der Burg noch ihren Namen aus alter Zeit trägt, wo man fast gar keine Kaufläden sieht. Der älteste Stadttheil gegen die Donau zu, hat meist enge, krumme Gassen, ist daher weniger gesucht und dort erinnert noch der „Judenplatz“ an die Zeit der Unduldsamkeit; obwohl die Juden überall wohnen dürfen, finden sich die meisten doch in der Nähe der Synagoge am Ruprechtsplatz. Der schönste Stadttheil ist der neueste, die von der Kärnthnerstraße östlich parallel abgehenden Straßen von der Singer- bis zur Krugerstraße, meist an der Stelle ausgehobener Klöster entstanden. Die Vorstädte sind von ungleicher Größe, so daß z. B. die Wieden 958, Hungelbrunn gar nur 11 Häuser zählt. Sie stehen unter 5 verschiedenen Grundobrigkeiten, Magistrat, Domkapitel, Benediktinerstift, Fürst Liechtenstein und Graf Starhemberg, und die meisten treiben eigenthümliche Gewerbe, z. B. Gumpendorf Weberei, Wieden Färberei, Roßau Holzhandel; in der Jägerzeile sind die meisten Wagenfabriken und Sattler u. s. w.

Nicht nur die Stadt auch die Vorstädte haben Mangel an großen Plätzen, breiten schönen Straßen, und dieser Mangel ist Ursache, daß Wien weit weniger den Eindruck einer großen Stadt macht, als z. B. Mailand und Berlin. Der berühmte „Graben“ heißt in Wien ein Platz und ist doch um ⅕ schmäler als die herrliche Straße „unter den Linden“ in Berlin. Von den paar schnurgeraden Straßen der Stadt ist keine einzige 5 Minuten lang, und selbst in den Vorstädten sind nur 5 Hauptstraßen von ansehnlicher Breite, aber auch diese haben vom Glacis aus eine beengte Zufahrt. – Die Häuser sind in der Regel sehr tief, haben oft 2 und sogar 3 kleine Höfe, aber nur ein Thor, welches bei Tag immer offen steht und dessen Flur daher dem Zugwinde Preis gegeben ist. Die angenehme Einrichtung Mailands und zum Theil Berlins, daß die Flur durch eine Glasthüre abgeschlossen ist, welche den Wägen jedesmal geöffnet wird, kennt man nicht und noch weniger die Berliner Sitte, das Fahrthor in der Seitengasse anzubringen und vorne eine zierlichere Thüre, ein paar Stufen erhöht, wo dann die Flur nur Fußgehern zugänglich, oft reich verziert ist. Unübertroffen ist aber Wien durch sein herrliches Pflaster und seit 1845 durch die reiche Beleuchtung von Stadt und selbst einigen Hauptstraßen der Vorstädte mit Gas; die Gasbeleuchtung erstreckt sich sogar im Sommer bis nach Schönbrunn während des Aufenthaltes des Hofes daselbst. Das Wiener Pflaster ist seit Alters berühmt, aber in neuester Zeit so verbessert worden, daß es durchaus seines Gleichen nicht hat. Es besteht jetzt überall aus sorgfältig behauenen Granitwürfeln und nicht blos im Fußwege (trottoirs), sondern auch in der Mitte der Straßen im Fahrwege, sowie auf den Plätzen, wo die Steine sogar in mannichfaltigen Figuren gelegt sind und selbst in den abgelegensten Gäßchen. Die Gasbeleuchtung, schon vor 20 Jahren versucht, seit 10 Jahren in ein paar Hauptstraßen in Ausführung, wurde 1845 einer Londner Gesellschaft (Continental Imperial Gas Association) übergeben und ist jetzt über die ganze Stadt verbreitet, mit Einschluß der äußeren Zufahrten zu den Stadtthoren und einiger Hauptstraßen der Vorstädte.

Das vortreffliche Pflaster erleichtert die Reinigung der Straßen außerordentlich, aber trotz dem kann man Wien nicht den Vorwurf übergroßer Reinlichkeit machen. In den Fugen des früheren Pflasters fand der unvermeidliche Straßenstaub, dessen nicht kleinster Bestandtheil Pferdemist, einige Ablagerung, während auf der Ebene des jetzigen Pflasters der leiseste Windhauch ihn aufwirbelt, ohne daß das Straßenkehren seitdem vermehrt worden wäre. Auch sind noch immer mehre Marktplätze in der Stadt, von denen der Geflügel- und Eiermarkt auf der Seilerstätte am lästigsten, wo die Atmosphäre nie vollkommen rein wird. Am häßlichsten aber werden die Straßen Wiens durch die Befriedigung jenes Bedürfnisses verunstaltet, für welches nicht nur in Paris durch zahlreiche anständige Asyle in jeder Straße gesorgt ist, sondern wie das elendeste türkische Landstädtchen dergleichen bei jeder Moschee besitzt. Es ist das auch eine von den vielen Beziehungen, in denen wir vom Orient lernen können, wo der gemeinste Türke das für eine Schamlosigkeit hält und durchaus nicht duldet, was die Philosophie des Deutschen nach dem Grundsatze „naturalia non turpia“ auf öffentlicher Straße einbürgerte (*). Erst im Sommer 1846 hat man auch in Wien versuchsweise 2 derlei, zugleich Humanitäts- und Sanitäts-Anstalten errichtet, aber an so wenig besuchten Orten, fast verborgen, daß sehr zu fürchten ist, an dem geringen Zuspruch dürfte der Besuch scheitern. Es ist merkwürdig, daß der Deutsche, der doch anderseits so sehr auf Reinlichkeit hält, an diesen ekelhaften Pfützen die in jeder deutschen Stadt, in Berlin nicht minder als in Wien, sich allabendlich an jedem Eckstein bilden, nicht das geringste Aergerniß nimmt.

Es wurde bereits erwähnt, daß Straßen und Plätze durch ihre Ausdehnung nicht im Verhältniß zur Größe und Würde der Stadt stehen, wie denn der größte Platz „der Hof" nur 71 Kl. lang, 52 breit ist, aber auch die innere Stadt selbst ist zu klein für das immer zunehmende Bedürfniß und es wird immer schwerer zu den vielen dringend nöthigen Staatsbauten Raum zu finden. In dieser Beziehung ist es sehr zu bedauern, daß die Festungswerke wieder aufgebaut wurden, welche in ihrer jetzigen Gestalt überdieß noch weniger militärische Bedeutung haben als früher. Der Raum, welchen die Wälle einnehmen, hätte zu einem Gürtel von öffentlichen Pracht-Gebäuden benützt werden können, die Boulevards weit übertreffend. Das Bedürfniß der Ausdehnung machte sich so fühlbar, daß General Cerini einen Plan entwarf, die Stadt nach Nordwest zu erweitern, gegen die Rossau hin, wo das Glacis am breitesten, und Prof. Förster sogar schon das Modell dieses neuen Stadttheiles öffentlich ausstellte, der eine Kirche, Museum, Theater und an 300 Häuser enthalten sollte. Indessen wurden in neuester Zeit durch den Umbau sehr vieler alter Häuser die Zahl der Wohnungen bedeutend vermehrt und auch für einige Staatsgebäude Raum gewonnen. Am Kärnthnerthore aber dürfte eine Erweiterung demnächst wirklich eintreten, um Raum für ein neues Opernhaus und eine Börse zu gewinnen. Rühmlichst muß indeß der konsequenten Bemühung des Magistrates erwähnt werden, der Unregelmäßigkeit der Straßen immer mehr abzuhelfen, indem bei jedem Bau Raum zu diesem Zwecke gewonnen wird; keine geringe Ausgabe bei dem hohen Grundwerthe, wie denn auch in den 3 Jahren 1840–43 zur Erweiterung der Straßen und auf Ablösung von Gründen und Realitäten 354,604 fl. verwendet wurden.

Es ist zu wünschen, daß die Vorstädte, namentlich in ihrem Auslaufen gegen die Stadt hin, diesem Beispiele folgen, übrigens wurde auch hier schon manches gethan und namentlich sind die Kanäle beiderseits des Wienflusses und die Ueberwölbung des Alserbaches (1840 bis 1846) eine große Wohlthat. Der ersteren wurde bereits erwähnt, letztere ist eines der großartigsten Werke und

Kat. Nr. 12/1/29 Blick von der Schottenbastei gegen die Vorstädte

kostete nicht weniger als 273190 fl. Der ziemlich tiefe Graben in welchem der Alserbach fließt, und seine Zuflüsse aus den Häusern in pestartigen Ausdünstungen wieder gab, ist jetzt so vollkommen überbaut, daß eine Fahrtstraße auf dem Gewölbe führt, und die Vorstädte an seinen Ufern jetzt „eine Zukunft" gewonnen haben, um einen Mode-Ausdruck zu gebrauchen. Bereits entstehen Neubauten in dieser Gegend, wo das Zusammensein der größten Kaserne, des ungeheuern allgemeinen Krankenhauses, des Narrenthurmes, des Militärspitals, dreier Siechenhäuser, eines großen Friedhofes dicht vor der nahen Barriere, und des Alserbaches der Phantasie Stoff zu den unangenehmsten Bildern gibt. Durch die Eröffnung eines neuen bequemen Linienthores daselbst in gerader Linie mit der Währingergasse, ist um so mehr einem Bedürfnisse abgeholfen worden, als nach Ankunft der Dampfschiffe in Nußdorf die Döblinger Barriere für den Andrang der hereinströmenden Passagiere und der Hinausfahrenden nicht Raum genug hat.

Den Stefansthurm zu besteigen ist nicht jedermanns Sache, aber selbst hätte man ihn bestiegen, so sollte man den Rundgang auf dem Walle nicht versäumen, da man dort jedenfalls nicht nur am besten sich orientirt, sondern auch eine Reihe schöner Prospekte findet*). Wall und Basteien sind fast durchaus mit Gartenanlagen versehen und das „Paradiesgärtchen" auf der Bastei, rechts von der Burg, ist ein reizender Platz (mit einem Kaffeehause) wo man die Ansicht des Kahlengebirges hat. Unter demselben, noch inner der Stadt, liegt der „Volksgarten", dessen dichter Schatten im Hochsommer eine wahre Wohlthat ist. Das Glacis, welches die Stadt umgiebt, ist ein ziemlich sorgfältig gehaltener Rasenplan, nach allen Richtungen hin von Alleen durchkreuzt, außer dem großen Raume vor dem Franzensthore, welcher zum Exercierplatz und zu großen Paraden dient, wo 15 – 20,000 Mann Raum zu Bewegungen haben. Am entgegengesetzten Ende der Stadt vor dem Karolinenthore, ist eine hübsche Gartenanlage um ein Kaffeehaus, mit welchem eine Mineralwasser-Trinkanstalt verbunden ist. Der Stadtgraben ist gleichfalls mit einer Papelallee besetzt und die Böschung des Glacis in den Graben hinab hat üppigen Graswuchs; von den Basteien sieht man daher ringsum überall ins Grüne und dieses „Grün in Wien" wie Willibald Alexis sagt, ist eine der größten Reize der Kaiserstadt, abgesehen davon, daß der weite Raum zwischen Stadt und Vorstädten zur Gesundheit wesentlich beiträgt. Der Wall ist

Kat. Nr. 12/1/27 Das Maschinenhaus der Kaiser-Ferdinands-Wasserleitung, Aquarell von Franz Wolf

daher ein sehr beliebter Spaziergang, namentlich die Südostseite zwischen Burg- und Rothenthurm-Thor, wo es meistens windstill ist; er wird auch durch die Fortifikation im sorgfältigsten Stande erhalten, nach jedem Regen mit Sand überstreut etc. Man hat Versuche gemacht, den Weg auf dem Wall mit Asfalt zu belegen, sowie desgleichen in einer Allee vom Kärnthnerthore zur Wienbrükke. Diese Belegung der Glacis-Alleen würde zwar bedeutende Summen kosten, wäre aber eine sehr große Wohlthat, da nach längerem Regen, zumal im Frühjahr bei schmelzendem Schnee man stets in einem Moraste gehen muß; ein Hauptgrund, warum der Wiener auch einen Gang in die Vorstadt so scheut.

Von der *Donau* zieht Wien bei weitem nicht die Vortheile, die es von einem so großen Strome ziehen könnte, weil in den Wiener Kanal keine größeren Schiffe einlaufen können und sogar die Pesther Dampfboote im „Kaiserwasser“ die Linzer sogar bei Nußdorf landen müssen. Nur die kleinen Dampfboote die zwischen Wien und Preßburg fahren, landen in der Leopoldstadt vor dem Rothenthurm-Thore, wenn nämlich das Wasser nicht zu klein ist; hohes Wasser aber erlaubt ihnen wieder nicht unter der Ferdinandsbrücke durchzufahren. Der Kanal ist von seinem Beginn bei Nußdorf bis zur Franzensbrücke 2 St. lang, mit gepflasterten Quais versehen, erhielt durch einen Durchstich kürzeren Lauf und besseren Fall bei seiner Mündung, wird durch einen Dampfbagger zeitweise geräumt, behält aber wohl für immer seine zu geringe Tiefe. Ueber denselben führen: die hölzerne Augarten-Jochbrükke, der Franz-Karls-Kettensteg. die Ferdinandsbrücke mit einem Steinpfeiler (großes Hinderniß für die Schiffahrt in so schmalem Kanal), die neue Franzens-Kettenbrücke, die schönste aus allen, und die Sophien-Kettenbrücke. – In diesen Donau-Kanal mündet der Alserbach und die Wien, welche letztere bei heftigem Regen nicht selten im oberen Laufe aus den Ufern tritt, und von Schönbrunn bis zum Glacis einen Mühlgraben speiset, der von großer Wichtigkeit für viele Gewerbe ist. Ueber dieselbe führt eine Kettenbrükke, ein Kettensteg, die massive alte Steinbrücke vor dem Kärnthnerthore, welche eben abgerissen wird, um einer neuen Raum zu geben, was namentlich wegen des Straßenzuges zur Süd-Eisenbahn hin bereits nothwendig war; eine zweite steinerne vor dem Stubenthore, eine hölzerne Fahrbrücke nächst der Mündung in die Donau und 3 hölzerne Stege. Der Brücke nächst der Gumpendorfer Kirche steht auch der Umbau bevor. Die Ufer sind skarpirt und mit üppigen Akazien dicht besetzt.

An Trinkwasser hatte Wien bis in die neueste Zeit selbst in der inneren Stadt keinen Ueberfluß, in allen höher gelegenen Vorstädten aber Mangel. Diesem abzuhelfen gründete die Erzherzogin Christine (siehe Geschichte) eine Wasserleitung, aber erst die große Kaiser Ferdinands-Leitung half demselben für immer ab, durch Zufuhr von täglichen 100,000 Eimer filtrirtes Donau- (Seiher) Wasser. Vor der Nußdorfer Linie heben aus den Saugkanälen 2 Dampfmaschinen das Wasser 170 Fuß hoch auf 2270 Kl. Länge, in 3 Hauptbehälter vor den Linien und versorgen 93 neue Auslaufbrunnen nicht nur in den bedürftigen Vorstädten sondern auch einige in der Stadt. Artesische Brunnen zählt Wien ein halbes Hundert und sie sind hier schon seit 2 Jahrhunderten im Gebrauch. Die Landwirthschaft-Gesellschaft ließ 1839 auf ihre Kosten vor der Kaserne am Getreidemarkt einen dergleichen bohren, der aus 411' Tiefe eine Springquelle von +11 Grad Wärme R. lieferte. Der reichste aus allen ist aber der 1846 im Gloggnitzer Bahnhofe gebohrte, welcher aus nicht weniger als 712' Tiefe täglich 15000 Eimer zu +13 Grad R. giebt.

Die Uebersicht der Häuserzahl im Jahre 1845 mag diese allgemeine Uebersicht beschließen.

*) Der Merkwürdigkeit halber erwähne ich, daß ich diese Zeilen einer Schilderung von Wien in – Asien schreibe, an den Küsten des Pontus! Um mein Wort nicht zu brechen, die regelmäßige Erscheinung der Lieferungen dieses Werkes nicht zu verhindern, welches ich übernahm ehe meine Reise in die Levante sich ergab, bin ich genöthigt, in der Residenz des ehemaligen Kaiserreichs Trapezunt, ein paar Bogen über die deutsche Kaiserstadt zu schreiben.
Trapezunt 1. Okt. 1846.

*) Der Wiener sagt nicht „Wall“ sondern „Bastei“ noch aus der Zeit her als nur einzelne Basteien (Ravelins) nicht aber der Wall selbst (die Courtinen) zugänglich waren.

| | | |
|---|---|---|
| 1) Die innere Stadt | 1217 | Häuser. |
| 2) Leopoldstadt | 725 | " |
| 3) Roßau | 117 | " |
| 4) Althann | 39 | " |
| 5) Michaelbauer Grund*) | 47 | " |
| 6) Thury | 125 | " |
| 7) Alservorstadt | 350 | " |
| 8) Josephstadt | 229 | " |
| 9) Strozzengrund | 57 | " |
| 10) Altlerchenfeld | 239 | " |
| 11) Spitelberg | 146 | " |
| 12) Gumpendorf | 548 | " |
| 13) Laimgrube | 203 | " |
| 14) Windmühle | 110 | " |
| 15) Magdalenengrund | 39 | " |
| 16) Matzleinsdorf | 131 | " |
| 17) Margarethen | 188 | " |
| 18) Reinprechtsdorf | 24 | " |
| 19) Nikolsdorf | 48 | " |
| 20) Laurenzergrund | 16 | " |
| 21) Hungelbrunn | 11 | " |
| 22) Wieden | 958 | " |
| 23) Landstraße | 733 | " |
| 24) Weißgärber | 124 | " |
| 25) Erdberg | 415 | " |
| 26) Himmelpfortgrund | 87 | " |
| 27) Jägerzeile | 67 | " |
| 28) Hundsthurm | 160 | " |
| 29) Mariahilf | 158 | " |
| 30) St. Ulrich | 161 | " |
| 31) Neubau | 331 | " |
| 32) Schottenfeld | 511 | " |
| 33) Liechtenthal | 211 | " |
| 34) Breitenfeld | 94 | " |
| 35) Schaumburgergrund | 94 | " |
| Summa | 8773 | Häuser. |

Im Jahre 1845 wurden 59 neue Häuser erbaut.

Der Zinsertrag der 1217 Häuser der inneren Stadt betrug 4 Millionen und 938459, der Ertrag der Stadt- und Vorstadthäuser 11701261 fl. (nach Abschlag der darauf ruhenden Lasten aber 9,578088 fl.) und demgemäß stellen die Häuser Wiens einen Kapitalswerth von 191½ Millionen Gulden vor. Die oben ausgesprochene Ansicht, daß bei großen Städten die Ortschaften ½ Stunde außer der Barriere mit zur Bevölkerung zählen müssen, hat für Wien sogar eine administrative Geltung, indem in diesen Ortschaften, nach dem jährlichen Zinsertrag die Steuer bemessen wird, während die Häuser auf dem flachen Lande nur einer Klassensteuer unterworfen werden. Der Zinsertrag von 18 der nächsten Ortschaften beträgt aber nicht weniger als 84694 fl.

*) So benannt nach dem ehemaligen Besitzer, dem Benediktinerstifte Michaelbäuern.

# BOTANIK UND GARTENKUNST IM WIENER VORMÄRZ

*Christa Riedl-Dorn*

Die Liebe zu Blumen und Gärten des Kaisers Franz I. (II.), der eine gärtnerische Ausbildung genossen hatte und oft Seite an Seite mit seinem Hofgärtner Franz Antoine im Kaisergarten arbeitete, trug sicher mit zu dem Enthusiasmus bei, mit dem im Vormärz die Pflanzen, sei es wissenschaftlich, künstlerisch oder als persönliche Zierde behandelt wurden. Der „Blumenkaiser", dessen Gartenwerkzeug das Bundesmobiliendepot noch heute aufbewahrt, gab Anlaß zu so mancher Anekdote: so soll z. B. ein Stuttgarter Fabrikant dem „Gärtner Franz", dessen Haupt ein stark abgebrauchter Filzhut bedeckte, für eine Führung durch den Kaisergarten einen Silbergulden gegeben haben[1] oder ein Hauptmann den mit Gartenarbeit beschäftigten Kaiser nicht erkannt und ihn gefragt haben, wo er seine Majestät finden könne[2]. Tatsache ist, daß Franz an Naturwissenschaften, besonders der Botanik, und am Gartenbau großes Interesse gefunden hat. Er förderte Reisen in noch wenig bekannte Gebiete, um auf diese Weise zu Samen und Stecklingen von ungewöhnlichen Pflanzen zu kommen. Laxenburg ließ er zu einem riesigen Landschaftsgarten mit romantischen Elementen – wie Errichtung der an eine mittelalterliche Feste erinnernden Franzensburg, Grotten, Wasserfälle – umgestalten, die nach Wien führenden Hauptstraßen mit Alleen versehen. Er bewilligte auch die Aufstellung der ersten „öffentlichen Blumenhütte" (Blumengeschäft). Der Volksgarten, die erste Parkanlage, die ausschließlich für die Öffentlichkeit gestaltet worden war, wurde 1823 ihrer Bestimmung übergeben. Dieser nach Plänen von Ludwig von Remy und Franz Antoine[3] entworfene Park entstand auf dem Grund der ehemaligen, 1809 von den Franzosen gesprengten Basteien. Neben dem Volksgarten wurde der Kaisergarten – dem Publikum erst 1919 unter dem Namen Burggarten zugänglich – von Franz Antoine angelegt.

Aber nicht nur Parkanlagen großen Stils entstanden, „selbst unter Privaten und wohlhabenden Bürgern verbreitet sich ziemlich allgemein Geschmack an schönen Gewächsen, und die Flora der ehemaligen Wiener=Hausgärten ist um eben so vieles reicher als schöner geworden"[4], erzählt der zeitgenössische Botaniker und Reisende Josef August Schultes über den zwischen dem Wiener Kongreß und der Märzrevolution 1848 neu entstandenen Gartentyp in Wien. Der Biedermeiergarten[5] ist kein kleines Abbild des englischen Landschaftsparks, in dem nur die Natur als höchstes Vorbild zählt und alle anthropomorphen Elemente weitgehend verbannt sind[6]. Der Mensch greift nicht nur „hintergründig" ein, er möchte den Garten als seine eigene Schöpfung sehen, die Nutzen, Zierde und Annehmlichkeit für den Besitzer im Einklang mit der Natur verbinden soll. Das noch heute erhältliche „Biedermeiersträußchen" gibt uns einen Eindruck von der Vielfalt der Farben in dieser neu aufgekommenen Gartenform, fröhlich, hell, bunt, im Gegensatz zu den düsteren melancholischen englischen Landschaftsparks. Der Rasen brachte die einander ablösenden bunten Beete, Solitärstauden und Topfpflanzen gleichsam als monochromer Malgrund besser zur Geltung. Die Beete, nicht betretbar, wurden umgeben von Abgrenzungen, wobei sich wieder der Vergleich mit dem Blumenbouquet, das als einziges nach einer Epoche benannt wurde, aufdrängt: eine Unzahl verschiedener bunter Blumen, eng aneinandergepreßt, umgeben von einer Papierrüsche, die die Farben noch mehr hervorhebt. Weiters zierten ihn bunte Glaskugeln, rot-weiß bemalte Spielgeräte, Plastiken, die einen direkten Bezug zur Vegetation haben, wie z. B. die Göttin Flora,

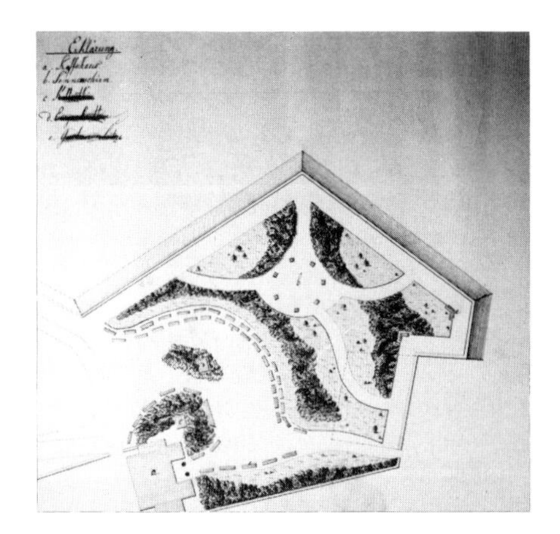

Ausschnitt aus dem Plan „Garten, Ideen zur neuen Anlage auf der Lowel Bastion" von Franz Antoine. Botanisches Archiv am Naturhistorischen Museum – F. Antoine/Gartenpläne

Typischer Biedermeiergarten (in Atzgersdorf). Porträtsammlung d. Österr. Nationalbibliothek

verborgene Grotten, allseitig geöffnete Gartenzelte, in deren Schatten man sich intensiver der Blumenpracht hingeben konnte, und Gartenhäuser neben Rabatten für Küchen- und Gewürzkräuter und Obstbäumen. Vom englischen Landschaftspark werden die geschwungenen Wege übernommen, in der Natur gibt es keine geraden Linien. Der Garten gehört untrennbar zur Wohnung des Menschen dieser Zeit[7]. Durch große Fenster und hohe Türen fällt der Blick auf die üppige Vegetation. In den Räumen stehen Topf- und Schnittblumen, die Teppiche sind ebenso mit naturgetreuen Blumenmustern versehen wie die Polstermöbeltapezierung. Grün wird als Farbe der Tapete bevorzugt. Auch auf den Gegenständen des täglichen Gebrauchs, wie Porzellan und Bekleidung – vom mit Blumen bestickten Strumpfband bis zur Krawatte – findet die „Blumenfreude" ihren Ausdruck. Wachs- und Porzellanblumensträuße erblickt man in den Glasvitrinen mit natürlicher Maserung meist, wie bei den anderen Möbeln, aus Mahagoni oder Kirsch. Neben Schaukeln, Reigen, „Blinde Kuh", Schmetterlingsjagd, Reifenspiel dient der Garten auch der Erziehung der Kinder. So wurde ihnen das Veredeln der Bäume beigebracht, sie lernten, mit Gartenwerkzeug umzugehen und je nach Jahreszeit Blumensträuße zusammenzustellen. Auch die Erzherzoge wurden in der Gartenkunst unterwiesen.

Im folgenden seien einige bedeutende Biedermeiergärten besprochen. Nachdem 1813 große Teile des Starhemberggartens (4., Rainergasse) parzelliert worden waren, erwarb 1816 der ehemalige Lakai des Grafen Esterházy, Joseph Karl Rosenbaum, zwei Parzellen mit etwa 2000 m² Grundfläche. „Seit jener Zeit ward nun auf der wüsten Stätte jenes Paradies geschaffen, welches seither Schauplatz so vieler geselliger Freuden wurde"[8], meinte 1824 Franz Carl Weidemann, der eine Reihe Gärten und Parks Europas kannte und ein eigenes Werk „Die Rosenbaumsche Gartenanlage" verfaßte. Hier entstand ein bürgerliches Pendant zum kaiserlichen Laxenburg. Die Planung wurde zunächst dem Architekten Stäubel, später dem k. k. Hofgärtner Franz Antoine übertragen. Unter dem Architekten Joseph Ortner entstanden das erste kleinere Hauptgebäude und der Gotische Turm. Daran merkte man sicher auch Einflüsse des Architekten Kornhäusel, der mit Rosenbaum befreundet war und so manche Ratschläge erteilte. Von Jahr zu Jahr stiegen die Attraktionen, die der Garten den Besuchern bot: eine Kettenbrücke, eine Sonnenuhr, eine Schaukel, ein Hanswurst, ein Karussell, ein Vogelhaus, eine Windmühle, ein 8,5 Klafter hoher Steigbaum, ein Glashaus, Denkmäler, Grotten und vieles anderes mehr. Aber all diese Sehenswürdigkeiten gingen unter in der überreichen Vegetation des Gartens, der in unregelmäßige Beete unterteilt war. Die Wege waren durch Eisenbogen oder Pflanzen abgegrenzt. Neben Flieder, Goldregen und Akazien waren Rosen vorherrschend. 40.000 Rosen, wohl in Anspielung auf den Namen ihres Besitzers, bildeten einen Rosenweg, an anderen Stellen befanden sich neben sonstigen Blumen, die die Baumstämme und Sträucher farbig ergänzen sollten, weitere Rosenpartien. Auch waren Obstbäume, Weinreben, Gemüse und andere Nutzpflanzen angebaut. Außerhalb der Vegetationsperiode machte ein Glashaus den Besitzer und seine zahlreichen Gäste den blumen- und blütenlosen Winter vergessen. Bis zu 130 Besucher tummelten sich im Garten bei den häufigen Gartenfesten, welche nahezu an Theaterinszenierungen erinnern, wobei sich Rosenbaums Gattin Therese geb. Gaßmann in diesem Metier sehr gut auskannte, war sie doch selbst Sängerin und Schauspielerin gewesen. Ein Böllerschuß begrüßte die Gäste, unter ihnen waren häufig die Dichter Franz Grillparzer und Ignaz Franz Castelli, der Genremaler und Porträtist Josef Danhauser nebst anderen Künstlern und Komponisten zu finden. Nun wurden Theaterszenen aufgeführt, Gedichte rezitiert, Konzerte oder Tanzveranstaltungen gegeben. Für einen der veranstalteten Maskenzüge zu Ehren des Namenstages von Rosenbaums Gattin wurde sogar eine künstliche Giraffe hergestellt, deren „arabischer" Führer Gratulationen überbrachte. Der Garten entwickelte sich bald zu einem beliebten Treffpunkt des intellektuellen Wien. Dabei dürfte sicher nicht allein die Gastfreundschaft des Besitzers ausschlaggebend gewesen sein, sondern auch der Umstand, daß der politisch zur völligen Passivität verurteilte Bürger jener Zeit so auf anderen Gebieten ein Ventil für seinen Betätigungsdrang suchte. Vereinsgründungen wurden in der Regel gleichfalls bald durch die Polizei unterbunden. Hingegen konnten Treffen in Privatgärten von der Geheimpolizei kaum überwacht werden. So trafen sich Mitglieder der 1826 verbotenen Gesellschaft „Lundlamshöhle“ im Garten Rosenbaums[9], der hier übrigens den Namen Laritaferl Optikus[10] trug. Acht Jahre nach seinem Tod (1829) verkaufte seine Witwe das Grundstück. Den vielbewunderten und bestaunten Garten ereilte ein fast allen Biedermeiergärten ähnliches Schicksal: nach mehrmaligem Weiterverkauf wurde das gesamte Grundstück verbaut.

Ein weiterer berühmter Garten war jener von Baron von Pronay. 1817 erwarb er in Hetzendorf (heute Hetzendorfer Straße 75a und zum Großteil verbaut) eine aus dem 18. Jahrhundert stammende Anlage, an der er „eine neue Schöpfung anlegte“. Weiters berichtet der bereits erwähnte J. A. Schultes: „Seine Sammlung von neuholländischen Gewächsen ist wirklich einzig, und enthält manche Seltenheit, die selbst in den kaiserlichen Gärten noch fehlt. Auch dürfte vielleicht seine Sammlung von Pelargonien die vollständigste unter aller seyn, die ich in und um Wien traf“[11]. Von 1831 bis 1837 veranstaltete Pronay Gartenausstellungen, auch war jedem, der seine Sammlung zu „studieren wünscht, auf die gefälligste Weise der Zutritt zu der selben gestattet“[12], ebenso bestand die Gelegenheit zum Pflanzentausch. Pronay gehörte auch jenen an, deren langjähriges Bestreben zur Gründung der Gartenbaugesellschaft, die heuer ihr 150jähriges Bestehen feiert, worüber noch an anderer Stelle zu berichten ist, schließlich von Erfolg gekrönt war.

1811 erwarb der Schriftsteller, Bücherzensor und bis 1809 erfolgreiche Fabrikant Dr. Johann Baptist Rupprecht[13] eine barocke Anlage (heute 6., Gumpendorfer Straße 91 und Marchettigasse 10–18, vollständig verbaut), die er ähnlich dem Rosenbaumschen Garten umgestaltete. Bei ihm wurden die Beete von mehreren Reihen Topfpflanzen eingefaßt. Im Gegensatz zu Rosenbaum besaß er zahlreiche Gewächshäuser. Er trat als Verfasser botanischer Artikel und eines Fachbuches über Chrysanthemum Indicum (1835) hervor. Seine Chrysanthemenzucht umfaßte 70 Arten in 150 Sorten, womit er die bis dahin führenden Engländer und Holländer übertraf, die Individuenzahl soll 150.000 (!) überschritten haben. Der in Wien unter dem Spitznamen „Knecht Rupprecht“ als engstirniger Bücherzensor, Spitzel und böswilliger Kritiker Grillparzers bekannte Rupprecht zeigt sich hier von einer anderen liebenswürdigeren Seite als Pflanzenzüchter und Veredler. Neben Chrysanthemen, Pelargonien und Georginen befaßte er sich auch mit Nutzpflanzen. Mehr als 1000 Weinstöcke, darunter solche aus Ägypten und Ceylon baute er an, um die damalige Streitfrage lösen zu können, ob Weinstöcke aus mediterranen Zonen in Mitteleuropa gedeihen können, ferner 400 Kartoffelsorten, 40 Sorten von Erd- und Stachelbeeren und Hunderte verschiedener Kürbisse. Rupprecht gehörte auch zu den wenigen Handelsgärtnern im damaligen Wien.

Eine weitere Steigerung zu den vorher beschriebenen bildete der 1824 erworbene Garten des Naturwissenschaftlers, Reisenden und Staatsmannes Carl Alexander Freiherr von Hügel[14] in Hietzing[15]. In seinen acht Glashäusern, wovon eines, das Orchideenhaus, statt aus Eisen aus einer Holzkonstruktion bestand, konnte man sich nicht nur der stillen Blumenpracht widmen, sondern auch der dazugehörigen Fauna, besonders Affen und Vögel. Neben seinen Orchideen (über 700), Eriken und Georginen sammelte, züchtete und tauschte Hügel Pflanzen aus aller Welt. An bestimmten Wochentagen war der Garten dem interessierten Publikum zugänglich, bald erwuchs daraus eine Handelsgärtnerei. 1827 initiierte er die erste öffentliche Pflanzenausstellung, die in den Gewächshäusern des Fürsten Schwarzenberg am Rennweg stattfand[16]. Unter den 24 Ausstellern, überwiegend Hochadeligen, befand sich auch der begeisterte Kamelienzüchter Fürst Metternich. Kaiser Franz eröffnete persönlich die Ausstellung. Den ersten Preis, eine 3 Meter hohe Camellia japonica fl. albo pleno, erhielt Erzherzog Anton für die Palme Diplothemium littorale Mart. Infolge des großen Erfolgs dieser Veranstaltung fanden alljährlich bis 1837 Pflanzenschauen statt. Auf Anregung Erzherzog Antons verfaßte Hügel eine Denkschrift (1827) zur Gründung einer Gartenbau-Gesellschaft[17], nach dem Vorbild der 1804 in England gegründeten „Royal Horticultural Society“, mit dem Ziel der Einflußnahme auf die gesamte „Horticultur“, an Fürst Metternich. Da diese Gesellschaft von und für Pflanzenliebhaber aus den Kreisen des Adels und Großbürgertums geplant war, schien sie in Hinblick auf allfällige revolutionäre Umtriebe unbedenklich, zumal die Statuten von vorneherein die Möglichkeit zur Aufnahme auf einen kleinen elitären Kreis beschränkten. Ausübende Gärtner mußten entweder einen Preis gewonnen oder eine Veröffentlichung aufzuweisen haben, aber selbst dann konnten sie keine Funktion im Ausschuß bekleiden, der hohe Beitrag beim Eintritt wirkte ebenfalls abschreckend. 1830 wurde die Gartenbau-Gesellschaft vom Kaiser genehmigt, 1832 deren Statuten. Aber erst 1837[18], nachdem Hügel von seiner 6jährigen Asien- und Australienreise zurückgekehrt war, konstituierte sich die Gesellschaft und wählte ihn zum Präsidenten. Metternich übernahm das Ehrenamt eines Protektors, in der Folge fanden zahlreiche Ausstellungen zugunsten der Gesellschaft auf seinem sowie Hügels Grund statt. Noch im selben Jahr gab Hügel das allerdings insgesamt nur zweimal erschienene „Botanische Archiv der Gartenbaugesellschaft des österreichischen Kaiserstaates“ heraus. Kaiser Ferdinand I. stellte der k. k. Gartenbau-Gesellschaft Teile des zum Kaiserhaus gehörigen Gartens auf der Landstraße (Haltergasse, heute 3., Juchgasse) samt Glashäusern zur Verfügung. Die vorgesehenen Komitees u. a. „Komitee für die Akklimatisierung fremder Bäume, Sträucher, und anderer Pflanzen“, „Komitee für den wissenschaftlichen Teil der Gartenkunde“ usw., gingen an die Arbeit.

Nachdem Hügel 1848 Wien verließ und seine Besitzungen verkaufte und durch die Wirren von Krieg und Revolution das gesellschaftliche Leben eine radikale Änderung erfuhr, ging es mit der Gartenbaugesellschaft rasch bergab, so daß sie schließlich beinahe vor der Auflösung stand. Erst durch die Änderung der Statuten 1853, die weiteren Kreisen den Zugang ermöglichte, begann sie sich allmählich zu erholen.

Weniger auffallend für die Zeitgenossen, dafür von umso dauerhafterer Bedeutung vollzog sich im Biedermeier die Entwicklung der Wissenschaft von den Pflanzen, in der sich dank der Gunst Kaiser Franz' I. (II.) eine neue Blütezeit vorbereitete, die allerdings erst nach seiner Ära voll zur Geltung kam.

Auf dem Gebiet der Botanik war mit dem Tod des 90jährigen Nikolaus Joseph von Jacquin am 26. Oktober 1817 eine ganze Epoche zu Ende gegangen. An der Universität folgte ihm auf der Lehrkanzel für Botanik und Chemie sein Sohn Joseph Franz (1766–1839), der die Arbeitsweise seines Vaters beibehielt, ohne neuere Zeitströmungen aufzunehmen, als Bota-

Kat. Nr. 11/4 Nicolaus Zehner, Ladislaus Endlicher

niker auch nur ein wenig umfangreiches Werk hinterließ, aber für die Entwicklung der Chemie in Österreich große Bedeutung erlangte[19].

Ein typisches Beispiel für die Furcht vor Neuerungen selbst auf wissenschaftlichem Gebiet ist der schon seit 1807 als Kustos am k. k. Botanischen Hofcabinet tätige Leopold Trattnick (1764–1849), dem die Landstände Niederösterreichs einst den ebenso wohlklingenden wie unverständlichen Ehrentitel eines „niederösterreichischen Landschaftsphytographen", er stammte aus Klosterneuburg, verliehen hatten. Er verkörpert den liebenswürdigen Epigonen, der mit Akribie versucht, den Großen nachzueifern, ohne selbst jemals über das Mittelmaß hinauszugelangen. Am ehesten hatte er bei seiner Beschäftigung mit Pilzen bleibenden wissenschaftlichen Erfolg, über die er ein zusammenfassendes Werk[20] für das gesamte österreichische Kaisertum veröffentlicht und von denen er eine Sammlung von Wachsmodellen anfertigen läßt, die heute noch existiert. Die Blumen werden mehr ästhetisch betrachtet, es ist ihm wesentlich, daß ihre Schönheit in Bildern festgehalten wird, für die er allerdings gleichfalls nur mittelmäßige Illustratoren findet. Er widmet den verschiedenen Pflanzenarten Gedichte[21], die stets auch eine moralische Lehre für den Menschen enthalten. So fällt ihm zum frühblühenden Ehrenpreis folgender Sinnspruch ein:

„Dies Pflänzchen lehret euch die rechte Wahl der Zeit:
Ein Augenblick gilt oft für eine Ewigkeit"[22].

Das Botanische Hofcabinet, die heutige Botanische Abteilung des Naturhistorischen Museums, verdankt ihm mit größter Genauigkeit geführte Aufzeichnungen. Bei den Widmungen seiner Bücher kann er sich mit untertänigen Loyalitätsbezeugungen für den Kaiser und das Herrscherhaus nicht genug tun.

Auch die Werke[23] über die bei der Brasilienexpedition anläßlich der Vermählung von Erzherzogin Leopoldine gesammelten Pflanzen von Johann Emanuel Pohl und Johann Mikan sind eher durch ihre Abbildungen als durch den Text bedeutsam. Unter den Botanikern der nun folgenden Jahre nimmt wohl der aus Fiume, dem heutigen Rijeka, stammende kaiserliche Hofarzt in Schönbrunn, Nikolaus Thomas Host (1761–1834), den höchsten Rang ein. Der Kaiser übertrug ihm die Anlage eines Gartens, der ausschließlich die in Österreich vorkommenden Pflanzenarten in möglichster Vollständigkeit zeigen sollte und sich in einem entfernteren Winkel des Belvederegartens befand. Später wurde er aus diesem ausgegliedert und ist heute noch Teil des Botanischen Universitätsgartens. Hier begann der jugendliche Heinrich Wilhelm Schott (1794–1865) seine gärtnerische Laufbahn, der später auch als Botaniker große Berühmtheit erlangt hat. Host ist der Verfasser einer unbebilderten, aber wissenschaftlich wertvollen „Flora austriaca", einer Monographie der Gräser und einer der wegen der Häufigkeit von Bastarden schwierigen Gattung der Weiden aus dem Gebiet der Donaumonarchie. Die beiden letzteren wurden von Johann Jebmayer (= Ibmayer) prachtvoll illustriert[24], dem Kaiser Franz I. (II.) 1824 den wohlklingenden Titel eines „Hof-Botanikmalers" verlieh.

Alle bisher genannten Autoren folgten dem auf den Zahlenverhältnissen der Blütenorgane beruhenden künstlichen Pflanzensystem von Linné[25], das man bereits im ausgehenden 18. Jahrhundert durch ein „natürliches", die Verwandtschaft der Pflanzengruppen berücksichtigendes System zu ersetzen versucht hatte. Erst verhältnismäßig spät fand diese neue Richtung in Österreich in Stephan Ladislaus Endlicher (1804–1849) aus Preßburg ihren ersten und gleichzeitig glanzvollsten Vertreter.

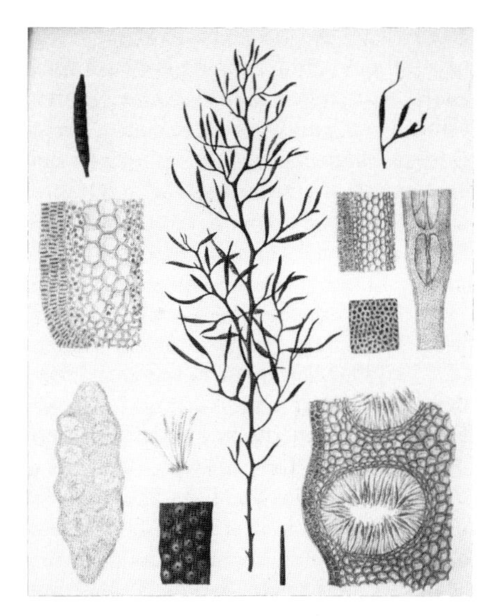

Abbildung einer Alge für Kaiser Ferdinand I. von Joseph Zehner. Bildersammlung d. Botanischen Archivs am Naturhistorischen Museum

Endlicher war gleich bedeutend als Botaniker, Philologe, speziell Altgermanist und Sinologe, wie auch als Numismatiker. Sein erstes öffentliches Amt bestand in der Neuaufstellung der Handschriftensammlung der k. k. Hofbibliothek, deren Katalog er redigierte. Die bei dieser Gelegenheit unter Mondseer Handschriften entdeckte älteste Übersetzung des Matthäus-Evangeliums gab er gemeinsam mit dem deutschen Dichter und Sprachforscher Heinrich Hoffmann von Fallersleben (Deutschland-Lied, zahlreiche bekannte Kinderlieder) heraus. Auf Anregung des Orientalisten Hammer-Purgstall wandte er sich dem Studium der chinesischen Sprache zu, verfaßte eine Einführung in die chinesische Grammatik, gab einen chinesischen Atlas auf der Basis der Aufnahmen durch Jesuiten-Missionare heraus und katalogisierte die chinesischen und japanischen Münzen des kaiserlichen Münz- und Antikenkabinetts. Seit 1836 Kustos am Hof-Naturalienkabinett ließ er eine Reihe bedeutender botanischer Werke erscheinen, unter denen die „Genera plantarum secundum ordines naturales disposita" (1836–1841) und „Enchiridion botanicum" (1841) als Darstellungen seines eigenen Pflanzensystems einen besonderen Rang einnehmen. Andere wesentliche Werke sind die „Synopsis Coniferarum", in der alle bekannten Nadelhölzer behandelt werden, eine Flora der Insel

Norfolk bei Australien nach den Kollektionen des Pflanzenmalers Ferdinand Bauer von der Expedition des Kapitän Flinders, „Grundzüge einer neuen Theorie der Pflanzen-Erzeugung“ (1838) und ein gemeinsam mit Franz Unger verfaßtes Lehrbuch der Botanik. Endlichers Bemühungen, einen eigenen Zeichner für botanische Objekte beschäftigen zu dürfen, für welches Amt er eine geeignete Persönlichkeit in dem jungen Joseph Zehner (1821–1895) gefunden zu haben glaubte, der unter anderem im Auftrag von Kaiser Ferdinand I. mehrere hundert Farbbilder[26] niederer Pflanzen, wie Algen, Pilze und Moose, anfertigte und später auch für den Hofgartendirektor Heinrich Wilhelm Schott arbeitete, blieben erfolglos. Aus seinem Antrag geht hervor, welche Bedeutung Endlicher auch der Beachtung mikroskopischer Merkmale und ihrer Darstellung beimaß, für die Zehner besondere Eignung aufwies. Nach Endlicher „ist der gegenwärtige Zustand der Naturwissenschaften und insbesondere der Botanik von der Art, daß es schlechterdings unmöglich ist ohne microscopische Zergliederungen und Untersuchungen, und ohne Fixierung des durch das Microscop Gesehenen durch Zeichnung, Naturgegenstände wissenschaftlich zu bestimmen und zu classificiren“[27]. 1840 wurde Endlicher Professor für Botanik an der Universität und Direktor des Botanischen Gartens.

Endlichers Einstellung war überzeugt liberal, doch genoß er auch am kaiserlichen Hof großes Ansehen, was dazu führte, daß er im Revolutionsjahr 1848 einer der beiden Professoren war, die von einer Versammlung der Studentenschaft mit einer Petition an den Hof gesandt wurden. Diese Mission erwies sich als völliger Mißerfolg, der zu einer Gefährdung seiner Position und Verlust seines Ansehens führte, worunter er so schwer litt, daß seine offenbar bereits geschwächte Gesundheit gänzlich untergraben wurde und er im folgenden Jahr starb. Es wurde später immer wieder behauptet, er habe vor allem wegen hoher Schulden Selbstmord verübt, doch entspricht dies mit Sicherheit nicht den Tatsachen[28]. Seine Rolle im Wiener Geistesleben jener Zeit geht etwa auch daraus hervor, daß er zusammen mit Hammer-Purgstall und Alexander von Ettinghausen im Jahre 1847 die seit den Tagen des Prinzen Eugen immer wieder verhinderte Gründung einer Österreichischen Akademie der Wissenschaften durchsetzte.

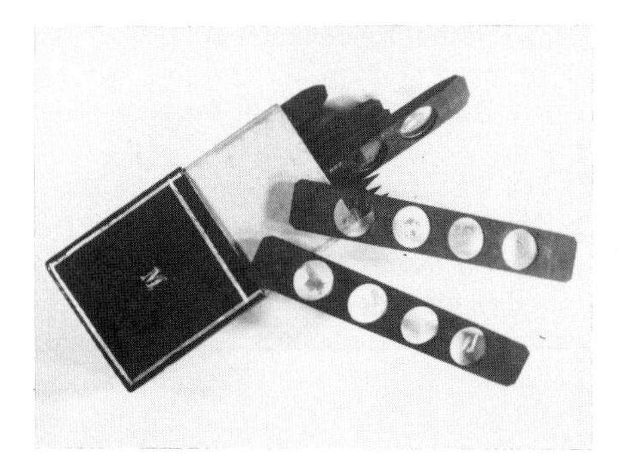

Präparate von Moosen, die Kaiser Ferdinand I. zugeschrieben werden. Botanisches Archiv am Naturhistorischen Museum

Endlichers Freund, der bereits genannte Franz Unger[29] (1800–1870) war der erste Professor für Anatomie und Physiologie („Physik“) der Pflanzen in Wien, wo der gebürtige Steirer allerdings nie recht heimisch wurde und mannigfachen Verfolgungen ausgesetzt war. Als typischer Vertreter der romantischen Naturphilosophie Lorenz Okens hatte er diesen in seinem national-liberalen Kreis auf der Insel Rügen besucht (1827) und wurde von der argwöhnischen Polizei bei seiner Rückkehr in der Tracht eines Burschenschafters an der österreichischen Grenze wegen des Verdachts verbotener politischer Umtriebe verhaftet und für einige Monate eingesperrt, dann aber mangels an Beweisen wieder auf freien Fuß gesetzt. Von seinen zahlreichen bahnbrechenden Arbeiten fällt nur die berühmte Abhandlung „Die Pflanze im Moment der Thierwerdung“ (1843), in der er erstmals die Schwärmsporen einer Algenart beschreibt und daran naturphilosophische Betrachtungen im Sinne Okens knüpft, in die Zeit des Vormärz. Auch entdeckte er bereits damals die Abhängigkeit der Vegetation der Alpen von den Höhenstufen und wurde damit zu einem Vorläufer der modernen Ökologie.

Eine Reihe von Expeditionen, die teils zu rein wissenschaftlichen oder wirtschaftlichen Zwecken, teils aber mit dem ausdrücklichen Ziel unternommen wurden, Pflanzen für gärtnerische Zwecke einzuführen, trugen wesentlich dazu bei, für die kaiserlichen Gärten wie für jene wohlhabender Gartenliebhaber immer neue Kostbarkeiten nach Europa zu bringen. Die bedeutendste dieser Expeditionen war zweifellos jene, die 1817 Erzherzogin Leopoldine aus Anlaß ihrer Vermählung mit Dom Pedro von Alcantara nach Brasilien begleitete[30]. Botanische Sammlungen wurden von dem aus gesundheitlichen Gründen bereits 1818 wieder nach Österreich zurückgekehrten Johann Mikan, dem als Mineralogen aufgenommenen Botaniker Johann Emanuel Pohl und den Gärtnern Heinrich Wilhelm Schott und Joseph Schücht durchgeführt. Schott hatte den ausdrücklichen Auftrag, nahe Rio de Janeiro einen Akklimatisationsgarten einzurichten, in dem die tropischen Gewächse schrittweise an europäische Klimaverhältnisse gewöhnt werden sollten. Er hat sich dieser Aufgabe auch mit großem Erfolg unterzogen und kehrte erst 1821 mit reicher Ausbeute nach Wien zurück. Wir verdanken ihm das von Carl von Schreibers veröffentlichte Tagebuch jener denkwürdigen Reise, auf der er wohl auch die Anregung zu seiner späteren Beschäftigung mit Arongewächsen (Araceae)[31] erhielt, zu deren bedeutendstem Kenner er sich entwickeln sollte.

Auf Weisung von Kaiser Franz I. (II.) reiste 1820 (nach anderen 1819) der junge, bis dahin an der Gestaltung des Kaisergartens beteiligte Gärtner Karl Ritter (1800–?) nach Haiti und Santo Domingo, konnte aber erst nach dem Tod des als „Roi Christophe“ bekannten dunkelhäutigen Königs ins Innere der Insel vordringen, da dieser Europäern das Verlassen der Hauptstadt verboten hatte. Über die letzten Tage seiner Herrschaft hat Ritter ausführlich in seiner 1836 publizierten Reiseschilderung[32] berichtet.

1845–1848 besuchte Karl Bartholomäus Heller[33], dem der ausdrückliche Titel eines „Reisenden der k. k. Wiener Gartenbaugesellschaft“ verliehen worden war, in deren Auftrag Mexiko, vor allem Yukatan und die Provinzen Tabasco und Chiapas, von wo er mehr als 6000 lebende Pflanzen mitbrachte.

Carl Alexander Freiherr von Hügel, der Gründer der Wiener Gartenbaugesellschaft, kehrte 1830 Europa den Rükken und begab sich über Vorderasien nach Indien, Kaschmir und Tibet, dann nach Australien, an dem er zwar wenig Gefallen fand, aber dort trotzdem eine große Zahl von Pflanzen sammelte, kehrte schließlich nochmals ins Gebiet des Himalaya zurück und traf 1836 wieder in Wien ein. Seine Herbarpflanzen erhielt das Hof-Naturaliencabinet, die lebenden Pflanzen und Sämereien ließ er für die weitere Kultur in seinen Gärten über England nach Wien senden.

Unter den wissenschaftlichen Reisenden ist als einer der ersten Emanuel von Friedrichsthal, Pseudonym E. Thal (1809–1842), zu nennen, der 1834 Griechenland und die Türkei, 1837 die Antillen, Mittel- und Nordamerika durchstreifte, 1840 die Ruinenstädte der Maya in Yukatan und Guatemala in Daguerreotypien festhielt und bald nach seiner Rückkehr als Folge der erlittenen Strapazen starb. Sein umfangreiches Herbarium besitzt heute ebenso wie das des in Südamerika tätigen Geologen Virgil von Helmreichen (1805–1852) das Wiener Naturhistorische Museum. Die Pflanzensammlung aus Afghanistan des siebenbürgischen Arztes Martin Honigberger (geb. 1795), der den größten Teil seines Lebens in Asien, vor allem in Indien, verbrachte, bildet die Grundlage von Eduard Fenzls „Sertum cabulicum“[34], herausgegeben von Stephan Endlicher.

Unbestreitbar zu den bestausgerüsteten Expeditionen ihrer Zeit zählte jene des Montanisten Wilhelm Russegger nach Ägypten und in den Sudan (1836–1842), die der junge, aus Schlesien stammende Botaniker Theodor Kotschy[35] (1813–1866) begleitete. Kotschy wurde 1843 Volontär, 1847 Assistent am Hof-Naturalienkabinett. Auf mehreren Reisen besuchte er in den nächsten Jahren den südlichen Sudan (Kordofan und Senaar), Syrien, Mesopotamien, Kurdistan, sodann vom Persischen Golf kommend den Iran, den er bis zum Elbursgebirge, das er bestieg, durchquerte und von wo er völlig mittellos, schwer leidend im letzten Moment gerettet wurde, und schließlich Zypern gemeinsam mit F. Unger. Seine Sammlungen waren die größten, die bis dahin ein einzelner Botaniker zusammengetragen hatte, und umfaßten etwa 600.000 Einzelbelege, dazu noch zoologische und mineralogische Objekte. Seine Aufzeichnungen gingen leider in Persien verloren. In den Jahren nach 1850 veröffentlichte er bedeutende wissenschaftliche Arbeiten, darunter vor allem eine Monographie der Eichen Europas und des westlichen Asien.

Um der Vergänglichkeit der blühenden Pflanzen entgegenzuwirken, war es in der Zeit des Biedermeier üblich, Blumen malen zu lassen. 1812 wurde eine eigene Lehrkanzel für Blumenmalerei geschaffen, die Mehrzahl der Künstler ging aus der Porzellanmanufaktur hervor und hatte entscheidende Anregungen für die wissenschaftliche Genauigkeit der Darstellungen von Nikolaus Joseph von Jacquin empfangen. Johann Knapp (1778–1833)[36] war Kammermaler des Erzherzogs Anton, für den er Hunderte Blätter von exotischen Pflanzen, Pilzen, u. a. m. malte. Er schuf auch für Erzherzog Johann Bilder von Alpenpflanzen. Sein Nachfolger bei Erzherzog Anton war sein Sohn Joseph (1810–1867). Franz Xaver Gruber (1810–1862) malte im Auftrag des Kaisers Ferdinand Palmen und Orchideen aus Schönbrunn sowie Kamelien für den Fürsten Metternich. Sie alle wie auch die bereits früher Genannten übertraf an wissenschaftlicher Genauigkeit wie an künstlerischer Ausführung Ferdinand Lukas Bauer (1760–1826), der in englischen Diensten zahlreiche Prachtwerke illustriert und Tausende von Skizzen angefertigt hatte. Er schuf nach seiner Rückkehr weitgehend unbekannt gebliebene Bilder von Pflanzen aus Schönbrunn zur eigenen Befriedigung, die sich heute an der Botanischen Abteilung des Naturhistorischen Museums befinden und sich durch einen seltenen Grad von Vollendung auszeichnen. Über Ferdinand Bauer, dessen Illustrationen zu Lamberts Monographie der Föhren er kannte und den er als einzigen zeitgenössischen Künstler nennt, schrieb Goethe 1817 in einem Aufsatz über „Blumenmalerei“:

„Daher wird man beim Anblick dieser Blätter bezaubert; die Natur ist offenbar, die Kunst versteckt, die Genauigkeit groß, die Ausführung mild, die Gegenwart entschieden und befriedigend, und wir müssen uns glücklich halten, aus den Schätzen der großherzoglichen Bibliothek dieses Meisterwerk uns und unseren Freunden wiederholt vorlegen zu können“[37].

**Anmerkungen:**

1 Josef Pfundheller, Der Blumenkaiser. Österreichs Zeit- und Culturbild (Wien 1881), S. 68ff.

2 Constant von Wurzbach, Biographisches Lexikon des Kaiserthums Oesterreich. Bd. 6 (Wien 1860), S. 220.

3 Geb. 1768, gest. 1834. Verfasser des Prachtwerkes: Abbildungen von 51 Pfirsich-Gattungen nach der Natur (Wien 1821).

4 Joseph August Schultes, Österreichs Donau-Strom mit allen an den Ufern desselben vorkommenden Merkwürdigkeiten. Ein Taschenbuch für Donaufahrer. Anhang 4. Über die Gärten und Gartenanlagen in und um Wien. (Stuttgart - Tübingen 1827) S. 466.

5 Zu Biedermeiergärten siehe: Heinz Althöfer, Wiener Gärten des Vormärz. In: Wiener Jahrbuch für Kunstgeschichte. Bd. XVIII (XXII) (Wien 1960), S. 103ff.
Hubert Kaut, Der Biedermeiergarten. In: Ed. Alfred Auer, Wien und seine Gärten (Wien - München 1974), S. 65ff., und Hubert Kaut, Wiener Gärten. Vier Jahrhunderte Gartenkunst (Wien 1964), S. 35ff.

6 Heinz Althöfer, a. a. O., S. 103.

7 Heinz Althöfer, a. a. O., S. 122.

8 Franz Carl Weidmann, Die Rosenbaumsche Gartenanlage. 1. Abteilung: Garten (Wien 1824), S. 15.

9 Vgl. Hubert Kaut, a. a. O. (1974), S. 72.

10 Richard Kralik und Hans Schlitter, Wien. Geschichte der Kaiserstadt und ihrer Kultur (Wien 1912), S. 632.

11 Joseph August Schultes, a. a. O., S. 471.

12 Joseph August Schultes, a. a. O., S. 472.

13 1776–1846. Biografie siehe I. Egger, Rupprecht J. B. In: Österreichisches Biographisches Lexikon 1815–1950.

14 Geb. 25. 4. 1796 in Regensburg, gest. 2. 6. 1870 in Brüssel, begraben am Penzinger Friedhof.

15 Heute vollkommen verbaut, Hietzinger Hauptstraße 40.

16 „Darstellung der ersten Pflanzen-Ausstellung in Wien“ war der Titel des bebilderten Katalogs dazu.

17 Zur Geschichte der Gartenbaugesellschaft siehe besonders: Hans D. Eisterer, 150 Jahre Österreichische Gartenbaugesellschaft 1837–1987. In: Garten. Magazin für Alle, 1987/3 (Wien 1987), S. 97ff.; Alfred Burgerstein, Die k. k. Gartenbau-Gesellschaft in Wien. 1837–1907 (Wien 1907); Eduard Fenzl, Die k. k. Gartenbau-Gesellschaft in Wien (Wien 1867).

18 Auf Vorschlag Erzherzog Antons wurde mit der Gründung auf die Rückkehr Hügels gewartet.

19 Sein Lehrbuch der Chemie erlebte mehrere Auflagen und wurde ins Englische und Holländische übersetzt.

20 „Die essbaren Schwämme des österreichischen Kaiserthums. Mit 30 in Wachs nach der Natur gemachten Abbildungen“ (Wien 1809).

[21] In: „Österreichischer Blumenkranz. Ein poetisches Taschenbuch für alle Gebildete, besonders für Freunde der schönen Natur (Wien 1819); die zweite Auflage erschien unter dem Titel: „Kalliope und Flora oder Poetische Unterhaltungen in den Gefilden der blühenden Natur" (Wien 1840).

[22] L. Trattnick, Ehrenpreis. In: J. D. S., Selam oder die Sprache der Blumen (Wien[2] 1832).

[23] Johann Emanuel Pohl, Plantarum Brasiliae Icones et Descriptiones hactenus ineditae sub auspiciis Francisci Primi Imperatoris et Regis Augustissimi (Vindobonae 1827).
Johann Christian Mikan, Delectus florae et faunae Brasiliensis (Vindobonae 1820).

[24] Die Vorlagen dazu befinden sich in der Bildersammlung des Botanischen Archivs am Naturhistorischen Museum in Wien.

[25] Carolus Linnaeus, Species plantarum (Gryphiswaldae 1753).

[26] Zehners Bilder befinden sich in der Bildersammlung des Botanischen Archivs am Naturhistorischen Museum in Wien.

[27] Botanisches Archiv am Naturhistorischen Museum: Berichte 837: St. L. Endlicher: Bericht und Vorschlag über die Anstellung eines Zeichners am Musée. Wien, 2. Januar 1837.

[28] Vgl. Brief von Dr. Karl Jaeger vom 16. 1. 1853 an F. Unger, abgedruckt in: ed. Gottlieb Haberland, Briefwechsel zwischen Franz Unger und Stephan Endlicher (Berlin 1899), S. 181 ff.

[29] Zur Biographie F. Ungers, besonders Harald Riedl, Franz Unger. In: (ed.) Walter Pollak, Tausend Jahre Österreich. Bd. 2 (Wien – München 1973), S. 218 ff.

[30] Sehr gute Darstellung von Österreichs Rolle bei wissenschaftlichen Expeditionen nach und Entdeckung Brasiliens, bei Johanna Prantner, Kaiserin Leopoldine von Brasilien (Wien – München 1974), S. 113 ff.

[31] Ca. 3500 Bilder von Araceen sowie mehr als 100 Bilder von Primeln, Soldanellen und Hauswurzen befinden sich in der Bildersammlung des Botanischen Archivs am Naturhistorischen Museum in Wien.

[32] „Naturhistorische Reise nach der westindischen Insel Hayti auf Kosten Sr. Majestät des Kaisers von Oesterreich" (Stuttgart 1836).

[33] Sohn des J. G. Heller, der anfangs Gärtner bei C. A. von Hügel und später der k. k. Gartenbaugesellschaft war. Geb. 1824, gest. 1880.

[34] Dieses Werk erschien 1836; 1840 wurde Fenzl als Custos Nachfolger Endlichers, 1849 auch als Professor der Botanik.

[35] Biographien siehe Eduard Fenzl, Theodor Kotschy. In: Almanach der kais. Akademie der Wissenschaften, XVII, Jg. 1867 (Wien 1867), Separatabdruck S. 1 ff. Karl-Heinz Rechinger, Theodor Kotschy, ein Pionier der österreichischen Orientforschung. In: Taxon IX (Utrecht 1960), S. 33 ff.

[36] Dazu: Gerbert Frodl, Der Wiener Blumenmaler Johann Knapp und die botanische Illustration seiner Zeit. In: Johann Knapp. Jacquins Denkmal (= Bildheft 1 der Österreichischen Galerie; Wien 1976), S. 30 ff.

[37] Johann Wolfgang von Goethe, Blumenmalerei. In: (ed.) Fr. Strehlke, Goethe's Werke 28 (Original in: Ueber Kunst und Alterthum I (3), 1817, S. 81 ff; Berlin o. J.), S. 547 f.

**Weitere Literatur (Auswahl):**

Maria Auböck, Die Gärten der Wiener (Wien 1975).

Günther Ritter von Beck, Geschichte des Wiener Herbarismus. In: Botanisches Centralblatt XXXIII (Berlin 1888), S. 249 ff., 280 ff., 312 ff., 378 ff.; XXXIV (Berlin 1888), S. 28 ff., 86 ff., 147 ff.

Blumen und Gärten. Ausstellungskatalog Historisches Museum, Wien 1974.

Wilfrid Blunt, The Art of Botanical Illustration (London 1950).

Leopold Joseph Fitzinger, Geschichte des kaiserlich-königlichen Hof-Naturalien-Cabinetes zu Wien. II.–V. Abteilung. In: Sitzungsbericht der kaiserlichen Akademie der Wissenschaften, mathematisch-naturwissenschaftliche Klasse. LVII (Wien 1868), S. 1 ff.; LVIII (Wien 1868), S. 1 ff.; LXXXI (Wien 1868), S. 267 ff.; LXXXII (Wien 1880), S. 279 ff.

Günther Hamann, Die Geschichte der Wiener naturhistorischen Sammlungen bis zum Ende der Monarchie (= Veröffentlichung aus dem Naturhistorischen Museum, Neue Folge 13; Wien 1976).

Hugo Hassinger, Österreichs Anteil an der Erforschung der Erde (Wien 1949).

Claus Nissen, Die botanische Buchillustration. Geschichte, Bibliographie, Supplement (Stuttgart[2] 1966).

Wilfrid Oberhummer, Die Chemie an der Universität Wien in der Zeit von 1749 bis 1848 und die Inhaber des Lehrstuhles für Chemie und Botanik. In: Studien zur Geschichte der Universität Wien 3 (Graz/Köln 1965), S. 126 ff.

Hans Pfann, Der Kleine Garten zu Beginn des XIX. Jahrhunderts (= Studien zur deutschen Kunstgeschichte 304, Straßburg 1935).

Siegfried Reissek, Die österreichischen Reisenden dieses Jahrhunderts in fremden Erdtheilen (Wien 1861).

Harald Riedl, Heinrich Wilhelm Schott. In: Annalen des Naturhistorischen Museums in Wien 68 (Wien 1965), S. 3 ff.

Christa Riedl-Dorn, Tafel zur Geschichte der Botanischen Abteilung. In: Botanik. Führer durch die Schausammlung des Naturhistorischen Museums Wien (Wien 1982), S. 3 ff.

Christa Riedl-Dorn, Die Bildersammlung. In: Botanik. Führer durch die Schausammlung des Naturhistorischen Museums Wien (Wien 1982), S. 45 ff.

Hubert Scholler, Österreichs Anteil an der naturgeschichtlichen Erforschung Brasiliens. In: „Brasilianisches Museum". Sonderschau des Naturhistorischen Museums in Wien (Wien 1954), S. 9 ff.

Constant von Wurzbach, Biographisches Lexikon des Kaiserthums Oesterreich (Wien 1856–1891), S. 1 ff.

# „ERWACHEN HEITERER EMPFINDUNGEN BEI DER ANKUNFT AUF DEM LANDE . . .“ Landpartie und Tourismus im Biedermeier

*Peter Csendes*

Kat. Nr. 12/2/7 Moritz von Schwind, Die Landpartie auf den Leopoldsberg, um 1827

An der Wende des 18. zum 19. Jahrhundert begann sich in zunehmendem Maß ein Interesse der städtischen Gesellschaft an der Natur zu zeigen. Man wird das mit den unterschiedlichsten Komponenten in Verbindung zu bringen haben. Vorzüglich ist dabei aber zu berücksichtigen, daß mit den immer deutlicher werdenden ökonomischen Veränderungen der Stadt und dem Bürgertum steigende Bedeutung zukam. Die bis dahin dominierende, lebens- und gesellschaftsbestimmende Landwirtschaft verlor ihre Führungsrolle[1].

Der Bürger, der in dichtbevölkerten Siedlungen lebte – wir haben hier vornehmlich die Stadt Wien im Auge –, trachtete danach, den negativen Seiten städtischer Lebensbedingungen – der Enge, dem Lärm, dem Gestank und dem Staub – wenigstens zeitweise zu entkommen. Die einfachste Möglichkeit hierzu bot die Landpartie, der Ausflug über die „Linien“ hinaus in die „Vororte“ und in den Wienerwald. Fußwanderungen durch die Weingärten oder die Ersteigung des Leopoldsberges gehörten zu beliebten Unternehmungen, die auch ausländischen Besuchern bleibende Eindrücke vermittelten[2]. Eigene Verkehrsmittel wie der Zeiselwagen, der Gesellschaftswagen und schließlich der Stellwagen, der einen regelmäßigen Betrieb unterhielt, erleichterten solche Ausflüge. Zahlreiche Beschreibungen derartiger sonntäglicher „Partien“, die zumeist in einem Gasthaus ihren Abschluß fanden, sind in der zeitgenössischen Literatur überliefert.

Eine bereits erweiterte Möglichkeit, der Stadt zu entfliehen, bot die Sommerfrische[3]; das reichte vom Einmieten in oft sehr primitiven ländlichen Unterkünften bis zum Erwerb oder zur Errichtung von Sommerhäusern. Manche der Wiener Vororte – im Westen auf dem Boden der heutigen Bezirke Hernals, Währing und Döbling, aber auch in Hietzing und Liesing – errangen dabei eine besondere Stellung, die bald mit einem wie selbstverständlich zu allen Zeiten verbreiteten Prestigedenken zusammenhing. Auch die Wohngewohnheiten, das häufige, zumeist mietzinsbedingte Wechseln des Domizils, machte man sich zunutze und bezog nach Möglichkeit während der schönen Jahreszeit eine vor der Stadt gelegene Heimstatt; die Biographie Ludwig van Beethovens bietet dafür zahlreiche Beispiele.

Es wird aus dem Gesagten bereits klar, daß die „Sommerfrische“, ja vielfach bereits die „Landpartie“, den „besseren“ Kreisen vorbehalten bieben. Die Verbreiterung einer kulturell besonders engagierten Gesellschaftsschicht – man denke an die „Dilettanten“ der Musikszene –, die bürgerliche Kreise in die Nähe des Adels führte, integrierte adelige und großbürgerliche Landsitze in eine Ausdrucksform bürgerlich-intellektueller Lebenshaltung, die uns besonders plastisch und einprägsam in der bekannten Landpartie Franz Schuberts und seiner Freunde nach Schloß Atzenbrugg als „typisch biedermeierlich“ entgegentritt[4]. Dem zeitgenössischen Beobachter ist freilich auch das oft genug spießerhafte Element dieser Freizeitgestaltung klargeworden[5].

Man wanderte und fuhr aus der Stadt hinaus und erlebte die Landschaft unzweifelhaft anders als ihre Bewohner: das Leben der Landbevölkerung war hart, die Arbeit schwer, die wirtschaftlichen Probleme besonders während der Napoleonischen Kriege drückend. Für die Bauern standen daher naheliegenderweise nicht die Schönheiten der Naturlandschaft im Vordergrund, sondern der Lebenskampf, dessen Schauplatz der ländliche Raum war; die Bilder eines Michael Neder geben daher wohl die Realität dieses Alltags im Nahbereich der Großstadt realistischer wieder als die oft heroisierende Darstellung bei Gauermann oder später bei Waldmüller.

Der Wanderer, der mit der bäuerlichen Bevölkerung in Kontakt trat, gewann unterschiedliche Eindrücke, wobei es aus heutiger Sicht besonders aktuell berührt, wenn wir von Beispielen des verderblichen Einflusses des „Fremdenverkehrs“ lesen. So schreibt J. A. Schultes[6] von den Bauern am Fuß des Schneebergs, daß sie „rauh wir ihre Berge, aber streng, ehrlich, aufrichtig, gut“ wären, „empfangene Wohlthaten“ nie vergessen würden, jene unter ihnen jedoch, die bereits mit Wien in wirtschaftlichen Kontakt gekommen wären, seien „physisch und moralisch verdorben, falsch und höhnisch, und wenn sie bemerken, daß man ihre Tücke kennt, boshaft und schadenfroh“. Auch eine schwärmerische Landsehnsucht – die freilich die Realität des Landlebens kaum zur Kenntnis nahm – fehlte nicht. 1806 warnt Josef Widemann in seinen „Malerischen Streifzügen durch die interessantesten Gegenden um Wien“ vor solchen Fehlbeurteilungen[7].

Zahlreiche Reisebeschreibungen sind uns erhalten; einer der skurrilsten Autoren ist sicherlich Joseph Kyselak gewesen (1799–1831), ein Beamter der Hofkammer in Wien, der sich auch – allerdings ohne besonderen Erfolg – als Dichter und Schauspieler versucht hatte. In seinen „Skizzen einer Fußreise . . .“ (1829) berichtet er von seinem Unternehmen, das ihn im Jahre 1825 nach Oberösterreich, Steiermark, Kärnten, Salzburg, Berchtesgaden und Tirol führte; er huldigte dabei der uralten Unsitte des Hinterlassens seiner Unterschrift in besonders markanter Weise, indem er seinen Namenszug mit Hilfe einer Schablone an möglichst schwer zugänglichen Stellen (Felswänden, Schluchten, aber auch an Häusern und Kirchtürmen) anbrachte.

Kat. Nr. 12/2/7 Moritz von Schwind, Die Landpartie auf den Leopoldsberg, um 1827

Manche der Autoren, wie Gaheis oder Embel, waren bestrebt, ihren Lesern nicht nur Anregungen und praktische Hinweise, sondern auch Auskunft über kulturhistorische Denkmale zu geben, denen man unterwegs begegnete. Die Wege waren – wenn man die Poststraße verließ und die Ausflüge weiter ausdehnte, als es dem „Massentourismus“ entsprach[8] – beschwerlich. Der Wiener Rechnungsbeamte Embel, der im Jahr 1805 von Gießhübl aus nach Puchberg am Schneeberg wanderte, nahm in Gutenstein einen Führer, der ihn über den Öhler bringen mußte; die Wälder dieser Gegend erschienen dem Beobachter wild und undurchdringlich, und man muß bedenken, daß es tatsächlich noch Wölfe und Bären gab[9]. Man stand jedoch den objektiven Gefahren zunehmend realistischer gegenüber und begann auch die Wildheit der Landschaft, ihre „Romantik“ zu schätzen.

Noch 1777 schreibt der Mineraloge Andreas Schütz[10] – das steigende Interesse an Mineralogie und Botanik, Modewissenschaften der Zeit, regte zu Wanderungen und Bergbesteigungen an – von den „schrecklichen Steilabgründen“, denen er in den „sehr hohen Mittelgebirgen, welche sich hinter Rodaun erheben“ begegnet war, der bereits erwähnte Schultes ist drei Jahrzehnte später vom Gebirgspanorama auf dem Schneeberg so beeindruckt, daß er einen Satz niederschreibt, der zu einem der häufigsten Gemeinplätze in der Alpinliteratur bis zum heutigen Tag geworden ist: „Wie klein und unmächtig der Mensch sich auf dem Gipfel einer solchen Alpe fühlt!“[11] Wir sehen in der Person des Arztes und Geologen Schultes jene zwei wesentlichen Motive vereinigt, die für die Erschließung der Bergwelt von Anfang an von Bedeutung waren: Wissenschaftliches Interesse und Freude an der Naturlandschaft. Hier hat sich am Ausgang des 18. Jahrhunderts ein Wandel vollzogen, wie wir ihn vergleichbar im 14. Jahrhundert an der Schwelle zur Renaissance beobachten können: Es war bekanntlich kein geringerer als Petrarca, der eine bewußte Bergbesteigung um ihrer selbst willen unternommen hat, und zur gleichen Zeit vermochten es Künstler, das strenge Prinzip des „hortus conclusus“ mittelalterlicher Landschaftsauffassung zu durchbrechen[12]. Ähnlich auch jetzt: Das Gebirge, die wilde Landschaft, ist nicht länger Dekorationsgegenstand, sie

Kat. Nr. 12/2/7 Moritz von Schwind, Die Landpartie auf den Leopoldsberg, um 1827

wird Mittelpunkt künstlerischer Betrachtungsweise[13].

So ist auch der Garten des Biedermeier bescheiden, klein, in sich geschlossen, dokumentiert gleichfalls den Eindruck häuslicher Geborgenheit, der dem Lebensstil der Zeit entspricht. Darüber hinaus bleibt selbstverständlich die Sehnsucht nach der Weite, nach der Einsamkeit, die über die Realität des Alltags hinweghilft und die im Erlebnis der Naturlandschaft eine Erfüllung zu finden vermag.

Sind nun schon die Wanderungen durch den Wienerwald ungleich ernstere Unternehmungen gewesen als die Landpartie, so kam dem Ersteigen hoher Berge oft schon Expeditionscharakter zu. Lange Anmarschwege waren in Kauf zu nehmen, die Versorgung außerhalb der bewohnten Gebiete sehr schwierig. Schultes berichtet jedoch nicht nur von den „grausenvollen Bildern", die der Blick in die Tiefe eröffnet, er schildert auch, daß man mit einem sicheren Bergrosse sehr hoch auf den Schneeberg hinauf gelangen könne und er bereits Damen bis auf den Gipfel geführt habe.

Der Adel nahm an dieser ersten Phase der Erschließung der Bergwelt regen Anteil; Fürstbischof Salm-Reifferscheidt initiierte im Jahr 1800 die Erstbesteigung des Großglockners, die Erzherzoge Carl und Johann regten Besteigungen des Ortlers und des Dachsteins – der allerdings erst in den dreißiger Jahren erstiegen werden konnte – an[14]. Wir wissen, daß Kaiser Franz selbst zweimal den Schneeberg bestiegen hat – der Name „Kaiserstein" erinnert bis heute daran. Schließlich waren es auch die wirtschaftlichen Nutzungsmöglichkeiten, die zur Erschließung abgelegener Wald- und Gebirgsgegenden führten. Noch am Beginn des 19. Jahrhunderts war das Holz der wichtigste Brennstoff – nur allmählich verbreitete sich die Verwendung mineralischer Kohle, und erst die Eisenbahn sollte hier die entscheidende Veränderung bringen –, der Bedarf der Industrie und natürlich der Großstadt Wien war entsprechend hoch. So ging man daran, die Gebiete des Naß- und Neuwalds mit Hilfe von Holzfällern, die man aus dem Salzkammergut berief, zugänglich und nutzbar zu machen[15].

Die Menschen des Biedermeier waren genaue Beobachter, wahrscheinlich haben die vielen Restriktionen, denen sie unterworfen waren, diese Gabe noch geschärft. Sie haben ihre Aufmerksamkeit der Naturlandschaft zugewendet, nicht um diese zu gestalten und zu verformen, sondern um sie zu erleben: „Die Natur ist so reich, so mannigfaltig und unerschöpflich, daß nichts weiter als das Auge eines talentvollen Künstlers dazu gehört, diesen Schatz zu entdecken[16].

**Anmerkungen:**

[1] Vgl. Ernst Bruckmüller, Sozialgeschichte Österreichs, Wien – München 1985, S. 333 ff., S. 341 ff.

[2] So berichtet etwa Ernst Moritz Arndt in seinen „Reisen durch einen Theil Teutschlands" von einem solchen Ausflug auf den Leopoldsberg im Jahre 1798.

[3] Vgl. Felix Czeike, Die Reisen des Wiener Bürgermeisters Dr. Cajetan Felder. In: Jahrbuch des Vereines für Geschichte der Stadt Wien 23/25 (1967–1969), S. 356 ff.

[4] Bekannt sind die Zeichnungen von Franz von Schober, einem der Teilnehmer des Ausflugs, die von Ludwig Mohn umgesetzt wurden.

[5] Berühmt ist das Bild des Spießers, der dickbäuchig und schwitzend an der Spitze seiner Familie im Sonntagsstaat, Hut und Rock am geschulterten Spazierstock, durch die Felder vor der Stadt wandert, das gern variiert wurde.

[6] J(oseph) A(ugust) Schultes, Ausflüge nach dem Schneeberg in Unterösterreich. Ein Taschenbuch auf reisen nach demselben 1, Wien 1802, S. 320 f.

[7] So galt Baden als Lieblingsausflugsziel, das mit gewisser Regelmäßigkeit aufgesucht wurde.

[8] Vgl. Lothar Machura, Zum Entstehen des Naturgefühls der Biedermeierzeit. In: Friedrich Gauermann und seine Zeit, Wien 1962, S. 125.

[9] So wurde der letzte Bär in Niederösterreich am 22. Juni 1842 bei Neuhaus erlegt.

[10] Vgl. Machura (wie Anm. 8), S. 124.

[11] Schultes (wie Anm. 6) 1, S. 395.

[12] Vgl. Kenneth Clark, Landscape into art, London 1984.

[13] Vgl. Peter Pötschner, Genesis der Wiener Biedermeierlandschaft (Wiener Schriften 19), Wien 1964, S. 126 ff.

[14] Zur Erschließung der Alpen vgl. Karl Ziak, Der Mensch und die Berge. Eine Weltgeschichte des Alpinismus, Berlin – Darmstadt – Wien 1965.

[15] Vgl. Wolfgang Häusler, Von der Manufaktur zum Maschinensturm. Industrielle Dynamik und sozialer Wandel im Raum von Wien. In: Wien im Vormärz (Forschungen und Beiträge zur Wiener Stadtgeschichte 8, 1980) 44.

[16] Ferdinand Georg Waldmüller 1864 über „Das Bedürfnis eines zweckmäßigen Unterrichts in der Malerei und Kunst".

## 12 WIEN ZWISCHEN IDYLLE UND TECHNIK

*„Wien, die Hauptstadt des Kaiserthums Oesterreich . . . liegt in dem Viertel Unter=Wiener=Wald des Landes unter der Enns, auf einer kleinen Anhöhe an dem südlichen Ufer der Donau, in 34 Grade 2 Minuten 16 Secunden östlicher Länge und 48 Grade 12 Minuten 32 Secunden nördlicher Breite. Die Höhe des mittleren Standes der Donau unter der Franzensbrücke beträgt 79.95, jene der Terrasse der Universitäts=Sternwarte 103.85, und die des Fußbodens des St. Stephansthurmes 87.78 Wiener Klafter über die Fläche des adriatischen Meeres . . .*

*. . . Der Umkreis der Stadt und sämmtlicher Vorstädte, im Ganzen eine ovale Figur bildend, beträgt, da das Stadtgebiet an mehreren Stellen weit über den Linienwall hinausreicht, 23272 Wiener Klafter, d. i. 5 ¾ Osterreichische Post= oder 5.95 geographische Meilen. Die ganze Länge von der St. Marxer= bis an die Nußdorfer=Linie mißt 3250 Klafter, und die Breite von der Gumpendorfer=Linie bis zum Ende der Jägerzeile 2650 Klafter . . .“*

Johann Pezzl's Beschreibung von Wien. Achte Ausgabe, Wien 1841, Seite 1 f.
(1 Wiener Klafter = 1,896 Meter)

**12/1/1**
**Die Innenstadt und ihre Vorstädte – Grundriß und Straßenbild, um 1835**

Carl Graf Vasquez (1798–1861)

Vasquez edierte seit 1827 (innerhalb des folgenden Jahrzehnts), unterstützt von Anton Ziegler und Franz Weiß, eine Serie von 12 Plänen der Innenstadt und ihrer Vorstädte; sechs Pläne werden hier präsentiert. Der besondere Wert dieser Arbeiten liegt in der Verbindung von exakter Planzeichnung und ausgewählter Vedute.
GD

**12/1/1/1**
**„Situations=Plan/der K. k. Haupt- und Residenz-Stadt-/WIEN/nebst den Ansichten der Gewölbern von/den vorzüglichsten Handelsleuten“**

Kolorierte Federlithographie, 57,5 × 72 cm
HM, Inv. Nr. 34.839

Die Randveduten stellen dar:
Drechslerwarenniederlage Friedrich Herzberg, Kärntnerstraße – Kinderspielereiniederlage Anton Fritz, (Untere) Bräunerstraße – Spezereihandlung Franz Huber, Ecke Weihburggasse und Rauhensteingasse – Glasniederlage Franz Rohrweck, Graben – Friedrich Etzelts Apotheke zum Salvator, Kärntnerstraße – J. Daums Kaffeehaus, Kohlmarkt – Werners Hutniederlage, Kärntnerstraße – Blumenfabriksniederlage Leopold Schedel, Tuchlauben – Stahlwarenniederlage Ignaz Rösler, Hohe Brücke – Baumwollniederlage Völkl und Müllner, Wipplingerstraße – Leinwandhandlung Joseph Kranner, Bognergasse – Großhandlung und Tuchniederlage Leopold Königsberg, Fleischmarkt – Seidenhandlung Carl Adam v. Duck „zur Iris“, Rotenturmstraße – K. k. priv. Schlaggenwalder Porzellanfabriksniederlage Lippert und Haas, Wollzeile – Bronzewarenniederlage Joh. G. Danninger, Herrengasse – Matthias Bauers Zuckerbäckerei, Neuer Markt – Currentwarenfabrik Joseph Arthaber, Stephansplatz – Materialwarenhandlung Kuntz und Pfantzerl, Tuchlauben – Buchbinder Heinrich Buchholz, Schottenhof – Weißwarenhandlung Straub und Kiß, Bauernmarkt – Plattirfabrikniederlage Franz Machts u. Co., Laimgrube – Buchhandlung Friedrich Volke, Stock-im-Eisen-Platz.
Abbildung

**12/1/1/2**
**„K. k./Polizey=Bezirk/WIEDEN/bestehend aus den Vorstädten Wieden, Margarethen, Schaumburger=Grund,/Hungelbrunn, Nikkolsdorf, Reinprechtsdorf, Hundsthurm, Matzleinsdorf und Lorenzergrund./nebst 14 der vorzüglichsten Ansichten.“**

Kolorierte Federlithographie, 59,5 × 75 cm
HM, Inv. Nr. 105.971/5

Die Randveduten stellen dar:
Strohsesselfabrik Lamarche, (IV.) Rechte Wienzeile – Margaretner Pfarrkirche hl. Joseph, (V.) Schönbrunner Straße – Paulanerkirche hl. Schutzengeln, (IV.) Wiedner Hauptstraße – Karlskirche – K. k. Theresianische Akademie, Favoritenstraße – Palais Geymüller, (IV.) Wiedner Hauptstraße – Haus des Simon Plößl, (IV.) Schmöllerlgasse – Theresianumgasse – Möbelfabrik Danhauser, (IV.) Favoritenstraße bei 35/40 – Steinerne Brücke über den Wienfluß (später Elisabethbrücke) – Polytechnikum, (IV.) Karlsplatz, erb. 1816/18 – Hofmanisches Haus am Glacis bei der Karlskirche, (IV.) Technikerstraße – Piaristenkirche (Theklakirche), (IV.) Wiedner Hauptstraße bei 82 – Pfarrkirche St. Florian, (V.) Wiedner Hauptstraße bei 105 – K. k. Taubstummeninstitut, (IV.) Favoritenstraße und Taubstummengasse.

**12/1/1/3**
**„K. k. Polizey=Bezirk/MARIAHILF/bestehend aus den Vorstädten/Laimgrube, Mariahilf, Windmühle, Magdalenagrund & Gumpendorf/nebst 14 Ansichten der vorzüglichsten Gebäude.“**

Kolorierte Federlithographie, 59,5 × 75 cm
HM, Inv. Nr. 105.971/6

Die Randveduten stellen dar:
K. k. Ingenieur-Akademie, (VII.) Stiftgasse – Pfarrkirche St. Joseph ob der Laimgrube, (VI.) Mariahilfer Straße und Windmühlgasse – Haus des Andreas Jäger, erb. 1805, (VI.) Windmühlgasse – Haus des Herrn Marchetti, erb. 1803, (VI.) Gumpendorfer Straße und Marchettigasse – Seidenzeugfabrik Fürgartner, (VII.) Mariahilfer Straße zwischen Stift- und Kirchengasse – Palais Esterházy, (VI.) Mariahilfer Straße bei Schadeckgasse – J. M. Gratzl's Seiden- u. Baumwolltuchfabrik, (VI.) Mollardgasse bei 20 – K. k. priv. Theater a. d. Wien, (VI.) Linke Wienzeile, erb. 1797 bis 1801 – Herrn Rupprechts Haus und Garten, (VI.) Gumpendorfer Straße – K. k. Infanterie-Caserne, (VI.) Gumpendorfer Straße zwischen Esterházy- und Hirschengasse – Tull-anglais Fabrik Damböck, (VI.) Stumpergasse bei Mittelgasse – Pfarrkirche St. Aegydi, (VI.) Gumpendorfer Straße bei Brückengasse – Pfarrkirche Mariahilf, (VI.) Mariahilfer Straße bei 55.

Kat. Nr. 12/1/4

**12/1/1/4**
**„K. k./Polizey=Bezirk/ST. ULRICH/bestehend aus den Vorstädten/Schottenfeld, Neubau, St. Ulrich und Spittelberg,/nebst 14 Ansichten der vorzüglichsten/Gebäude.“**

Kolorierte Federlithographie, 59,5 × 75 cm
HM, Inv. Nr. 105.971/7

Die Randveduten stellen dar:
Pfarrkirche am Schottenfeld, (VII.) Westbahnstraße – Seidenbandfabrik Jos. Göbel, (VII.) Zieglergasse – Seidenbandfabrik Jac. u. Jos. Haas, (VII.) Andreasgasse – Seidenzeugfabrik Joseph Hornung, (VII.) Richtergasse – K. k. Hofstallungen, (VII.) – Seidentuchfabrik Franz Bernhard, (VII.) Kandlgasse – Harhammersches Haus, (VII.) Mariahilfer Straße bei Andreasgasse – Gerichtshaus der Stiftsherrschaft Schotten, (VII.) Burggasse – Mestrozzisches Haus, (VII.) Schottenfeldgasse – Palais der Ungar. Leibgarde, (VII.) Museumstraße – Haus Blumauer, (VII.) Kellermanngasse – Haus des Grundrichters Dietz, (VII.) Andreasgasse – Seidenzeugfabrik Johann Bruder, (VII.) Neubaugasse – Pfarrkirche St. Ulrich, (VII.) St.-Ulrichs-Platz.

**12/1/1/5**
**„K. k. Polizey=Bezirk/ALSERVORSTADT/bestehend aus den Vorstädten/Alservorstadt, Breitenfeld und Michaelbayrischer Gr./nebst 14 Ansichten.“**

Kolorierte Federlithographie, 59,5 × 75 cm
HM, Inv. Nr. 105.971/9

Die Randveduten stellen dar:
Pfarrkirche in der Alser Vorstadt, (VIII.) Alser Straße – K. k. Waisenhaus, (IX.) Boltzmanngasse – Haus des FMLT Wilhelm Freiherr

Kat. Nr. 12/1/2

v. Hammerstein, (IX.) Alser Straße – Strudelhof u. Hebraeische Buchdruckerei Anton von Schmidt, (IX.) Strudelhofgasse – K. k. Infanteriekaserne, (IX.) Alser Straße – K. k. Allgemeines Krankenhaus, (IX.) Alser Straße – K. k. Magistrat, Kriminal Gerichtshaus, erb. 1831/39, (VIII.) Landesgerichtsstraße – K. k. Versorgungshaus, (IX.) Währinger Straße – Boltzmanngasse – Palais Dietrichstein, erb. 1834/35, (IX.) Währinger Straße – K. k. Josephinische Akademie, (IX.) Währinger Straße – K. k. Militärspital, (IX.) Van-Swieten-Gasse – Brünnelbad, (IX.) Lazarettgasse – Klinkowströmisches Erziehungsinstitut, (IX.) Skodagasse und Florianigasse – K. k. Gewehrfabrik, (IX.) Währinger Straße und Schwarzspanierstraße.

**12/1/1/6**
**„K. k. Polizey=Bezirk/LEOPOLDSTADT/ bestehend aus den Vorstädten Leopoldstadt und Jaegerzeil/nebst 14 der vorzüglichsten Ansichten."**

Kolorierte Federlithographie, 59,5 × 75 cm
HM, Inv. Nr. 105.971/3

Die Randveduten stellen dar:

Erziehungsinstitut an der Taborlinie – Leopoldstädter Gemeindehaus, Große Sperlgasse – Johann Nepomuk-Kirche, Praterstraße – Kloster und Kirche der Barmherzigen Brüder, Taborstraße – Mack'sche Zuckerfabrik, Untere Donaustraße – Jägerzeile (Praterstraße) – Ferdinandsbrücke – Dittmann'sches Haus (Praterstraße) – Taborlinie – K. k. Kavalleriekaserne (Am Tabor) – Prater – Leopoldstädter Theater (Praterstraße) – Karmeliterkirche – Leopoldskirche.

*„Die Stadt zählte im Jahre 1840 für sich allein 1218 . . . Gebäude und Häuser aller Art . . . Die Namen aller Plätze und Gassen sind an den Ecken derselben angeschrieben.*

*Die Häuser in der Stadt sind äußerst fest und dauerhaft gebaut, sie haben meistens vier bis fünf Stockwerke, durchaus steinerne Treppen, und Ziegel=, Schiefer= oder Kupferdächer mit Wasserrinnen . . ."*

Johann Pezzl's Beschreibung von Wien. Achte Ausgabe, Wien 1841, Seite 3.

**12/1/2**
**Ballonfahrt über Wien, 1847**
Jacob Alt (1789–1872)
Aquarell, 31,9 × 43,4 cm
Sign. u. dat. re. u.: J. Alt/1847. Auf der Rückseite beschriftet: Vervielfältigungsrecht vorbehalten/Joseph Bermann.
HM, Inv. Nr. 141.943
Vorlage für die Kreidelithographie von Franz Xaver Sandmann im Verlag Joseph Bermann „Wien aus dem Luftballon gesehen von Südwesten."
Abbildung

Kat. Nr. 12/1/6

**12/1/3**
**Blick aus der Grabengasse auf St. Stephan, 1843**

Rudolf Alt (1812–1905)
Aquarell, weiß gehöht, 37,6 × 26,8 cm
Sign. u. dat. li. u.: Rudolf Alt 1843
HM, Inv. Nr. 333

Bis 1866 war der Stock-im-Eisen-Platz durch eine Häusergruppe (1866–1868 demoliert) vom Graben getrennt und nur an der Südseite durch die schmale Grabengasse mit diesem verbunden. Im Hintergrund erhebt sich der Südturm der Stephanskirche, in der oberen Hälfte fast ganz eingerüstet. Als sich 1838 von dem aus der Senkrechten erheblich abweichenden Turm Steine lösten, wurde er eingerüstet und durch eine Kommission auf seinen Bauzustand untersucht. Auf Grund des überaus pessimistischen Ergebnisses dieser Prüfung wurde die Abtragung der Turmspitze in einer Länge von 60 Fuß verfügt und am 19. August 1839 bis zum 25. August 1840 durchgeführt. Der Wiederaufbau geschah unter Zugrundelegung eines Eisengerippes, dessen Kernstück ein gußeiserner Kranz von acht Fuß im Durchmesser bildete. Die Einweihung des wiederhergestellten Turmes erfolgte am 20. Oktober 1842 durch Fürsterzbischof Vinzenz Milde. Diese Arbeiten, die zu ihrer Zeit beträchliches Aufsehen erregten, wurden die Einleitung zu einer systematischen Wiederherstellung und Betreuung des Domes.
GD
Abbildung

**12/1/4**
**In den Katakomben von St. Stephan**

Josef Lanzedelly d. Ä. (1774–1832)
Kohle u. Feder auf blauem Papier
50,1 × 57,8 cm
HM, Inv. Nr. 15.001

Adalbert Stifter, Ein Gang durch die Katakomben. In: Wien und die Wiener, in Bildern aus dem Leben, Pesth 1844, S. 56 f.:

„Wir traten nun wieder in eine neue Halle und wie ich um die Ecke des Pfeilerbogens komme und vor mich hinleuchte, erschrack ich heftig. Ein großer nackter Mann lehnte an der Mauer; zu seinen Füßen saß ein Anderer zusammengekauert, die Hände über der Brust gefaltet, und den Kopf, der nur mehr an einem losen Bande des Halses hing, über die Schulter seitwärts gesunken – eine Frau in sich gebückt und eingesunken, gleichfalls mit gefalteten Händen, lauerte im Winkel, und an den Wänden lehnten oder saßen, oder lagen andere – lauter Leichen und lauter Mumien, der eine mit offenem Munde, der andere mit furchtbar zusammen gepreßtem, der eine gestreckt, der andere zusammengeknittert, fast alle mit gefalteten Händen, wie man sie ihnen im Sarge gegeben – alle mit verzerrten Zügen; aber bis zum Erschrecken deutlich waren die Gesichter und die Körperformen, als wären sie gestern hierher gestellt worden, – denn aus einer mir unbekannten Ursache war hier keine Verwesung eingetreten, sondern die Haut war sanft getrocknet, und war anzufühlen wie weich gegerbtes Leder, das Zellgewebe des Fleisches war ebenfalls ausgetrocknet und füllte die Haut wie eingestopfte Sägespäne, so daß selbst die Muskeln elastisch blieben, dem Drucke unserer Stöcke wichen, und wieder sachte emporschwollen, wenn der Druck nachließ.

Es war ein seltsamer, gespenstiger Anblick in dieser Halle, und überwältigend für Gefühl und Phantasie . . . Seltsam ist es, die Körper sind geblieben, und die Gewänder sind fast alle zerstäubt und vermodert, . . .“
Abbildung

**12/1/5**
**Die Minoritenkirche, 1814**

Jacob Alt (1789–1872)
Aquarell über Feder, 38,8 × 59,6 cm, auf laviertem Untersatzkarton (45,6 × 13 cm) montiert
Sign. u. dat. li. u.: J. Alt 1814. Auf Untersatzkarton bez. Mi. u.: Jacob ALT./ANSICHT DER MINORITEN KIRCHE IN WIEN.
HM, Inv. Nr. 31.231

Links von der Kirche die Fassade des Landhauses vor der 1827–1848 erfolgten Umgestaltung. Die Niederösterreichischen Stände wollten den aus verschiedenen Epochen stammenden Bau des Landhauses 1827 durch einen Neubau erweitern. Die Pläne Josef Kornhäusels zu einem totalen Neubau wurden wegen der Forderung der Stände nach Erhaltung der historischen Räume nicht realisiert. Man beauftragte Alois Pichl mit dem Umbau; 1839 entschloß man sich aber, den Auftrag der Weiterführung an Leopold Mayer weiterzugeben: 1839 war die Front zur Herrengasse fertiggestellt, 1843 folgten die Fassaden zur Landhausgasse und zum Minoritenplatz, erst im Sommer 1848 war die Fassade in der Regierungsgasse vollendet. Der Bau des Landhauses reichte also bis zu jenem Zeitpunkt, an dem gleichsam offiziell mit der architektonischen Richtung, die er repräsentierte, abgerechnet wurde.

*Lit.: Klassizismus in Wien. Architektur und Plastik. Katalog der 56. Sonderausstellung des Historischen Museums der Stadt Wien, Kat. Nr. 216.*
GD
Abbildung

**12/1/6**
**Die Freyung gegen den Heidenschuß, 1849**

Rudolf Alt (1812–1905)
Bleistift, teilw. laviert, 31 × 50,8 cm
Sign. u. dat. li. u.: R Alt 849.
HM, Inv. Nr. 17.666

Blick vom Schottenstift gegen den Heidenschuß; die Gebäude von links nach rechts: „Schubladkastenhaus“ (volkstümliche Bezeichnung für das 1773/74 von Andreas Zach errichtete Prioratshaus des Schottenstiftes), Teil des Palais Batthyány-Schönborn (vor 1700 von Johann Bernhard Fischer v. Erlach erbaut), „Zum rothen Mandl“ (Renngasse 2, Niederösterreichische Escomptegesellschaft), „Zum goldenen Straußen“ (Freyung 8, Niederösterreichische Escomptegesellschaft), davor der 1846 von Ludwig Schwanthaler errichtete Austriabrunnen, „Heiligengeisthaus“ (erbaut 1639, demoliert 1856, Vorläufer des Palais Montenuovo), Palais Hardegg (erbaut 1847 von Johann Romano und August Schwenden-

Kat. Nr. 12/1/8

wein), Palais Harrach (mit den baulichen Veränderungen des Jahres 1845).
GD
Abbildung

**12/1/7**
**Im Volksgarten**

Norbert Bittner (1786–1851)
Aquarell u. Deckfarben auf blauem Papier, 37,6 × 51,1 cm
HM, Inv. Nr. 14.053

Blick auf die Umgebung des Theseustempels. Links im Hintergrund das Restaurationsgebäude Corti auf der Löwel-Bastei (nicht zu verwechseln mit dem Café Corti im Volksgarten, siehe Kat. Nr. 7/3/11), rechts die Hofburg.

Der Theseustempel wurde 1819–1823 im Einverständnis mit Antonio Canova für dessen in den Jahren 1804–1819 geschaffene Theseusgruppe (seit 1910 im Stiegenhaus des Kunsthistorischen Museums), die, nachdem sie ursprünglich für Napoleon bestimmt gewesen war, 1819 von Franz I. gekauft wurde, nach Plänen von Peter Nobile erbaut. Der Theseustempel ist den Intentionen nach eine Architekturkopie, die verkleinerte Nachbildung des Theseions in Athen, verbunden mit der Idee eines in unterirdischen Kasematten angelegten Museums für österreichische Antikenfunde. Der Zugangsbau (vorne Mitte) zu diesem „unterirdischen römischen Österreich“ wurde 1821/22 errichtet.

Die endgültige Ausgestaltung des Volksgartens – möglich geworden nach der Zerstörung der Wallanlagen 1809, vgl. Kat. Nr. 2/1/15 – erfolgte 1821–1823.
GD
Abbildung

**12/1/8**
**Die Südseite des Stephansdoms**

Rudolf Alt (1812–1905)
Aquarell, 23,4 × 15,7 cm
Sign. li. u.: R. Alt
HM, Inv. Nr. 105.769
Abbildung

**12/1/9**
**Die Freyung**

Johann Passini (1798–1874), nach Georg Christian Wilder (1797–1855)

Kolorierter Kupferstich, 21 × 27,1 cm, auf laviertem Untersatzkarton (28,6 × 35,4 cm) montiert
Auf Untersatzkarton bez.: À Vienne chez Tranquillo Mollo./DIE FREYUNG. Wien. LA PLACE, DITE FREYUNG.
HM, Inv. Nr. 106.098

Links vom Palais Harrach steht das 1700 errichtete und 1855 abgebrochene Palais Abensberg-Traun (Freyung 2, ehemalige Österreichisch-Ungarische Bank, heute Palais Ferstel).

**12/1/10**
**Blick auf die Freyung, um 1825**

Balthasar Wigand (1770–1846)
Gouache, 20,5 × 16 cm
Sign. li. u.: Wigand. f.
HM, Inv. Nr. 56.380

Blick aus einem Wohnungsfenster, Ecke Teinfaltstraße–Schottengasse, auf die Freyung und gegen den Heidenschuß. Zur Aussicht vgl. Kat. Nr. 12/1/6.
GD
Abbildung

**12/1/11**
**Am Hof**

Johann Passini (1798–1874), nach Georg Christian Wilder (1797–1855)
Kolorierter Kupferstich,
Pl.: 27,3 × 34,8 cm; Bl.: 36,4 × 49,2 cm
Sign. li. u.: G. C. Wilder del: und re. u.: Passini sc: Bez. Mi. u.: AM HOF. Wien. SUR LE HOF./À Vienne chez Tranquillo Mollo
HM, Inv. Nr. 105.005

Das zentrale Gebäude an der Südseite des Platzes ist die Nuntiatur (1767/68–1913). An die Kirche zu den neun Chören der Engel schließt das Hofkriegsratsgebäude an. Die Mariensäule wird von den Bleifigurengruppen (errichtet 1812, abgetragen 1875) Johann Martin Fischers flankiert, im Vordergrund: „Der Ackerbau“.
GD

**12/1/12**
**Michaelerplatz**

Georg Christian Wilder (1797–1855)
Kolorierter Kupferstich,
Pl.: 27,3 × 34,8 cm; Bl.: 36,4 × 49,2 cm
Sign. Mi. u.: G. C. Wilder del & sc. Bez. Mi. u.: MICHAELS PLATZ. Wien. LA PLACE ST. MICHEL./À Vienne chez Tranquillo Mollo.
HM, Inv. Nr. 105.003

Kat. Nr. 12/1/10

**12/1/13**
**Der Neue Markt**

Georg Christian Wilder (1797–1855)
Kolorierter Kupferstich,
Pl.: 27,2 × 34,1 cm; Bl.: 36,4 × 49,2 cm
Sign. Mi. u.: G. C. Wilder del & sc: Bez. Mi. u.: NEUE MARKT. WIEN. LE NOUVEAU MARCHÉ./À Vienne chez Tranquillo Mollo.
HM, Inv. Nr. 105.004

Vorne links die „Mehlgrube“ (Neuer Markt 5, erbaut 1698 nach Plänen Johann Berhard Fischers v. Erlach, demoliert 1897), ein seit 1832 als „Kasino“ bezeichnetes Etablissement, das ein von der Wiener Gesellschaft gerne angenommenes Mittelding zwischen Wirtshaus, Trakteurhaus und Kaffeehaus darstellte. Hier spielten Joseph Lanner und Morelly, auch Journalistenabende wurden gegeben, bei denen Moriz Gottlieb Saphir eine große Rolle spielte.

Im Hintergrund das „Schwarzenbergpalais“ (Neuer Markt 8), das von Francesco Martinelli, Johann Bernhard Fischer v. Erlach und Joseph Emanuel Fischer v. Erlach gestaltet wurde; der Abbruch erfolgte 1894. Hier erfolgten die Uraufführungen der Haydn-Oratorien „Die Schöpfung“ (1798) und „Die Jahreszeiten“ (1801).
GD

**12/1/14**
**Der Große Zwettlhof, 1838**

Johann Matthias Ranftl (1805–1854)
Aquarell u. Deckfarben, 27,7 × 19,4 cm, auf Untersatzkarton (53,5 × 42,3 cm) montiert.
Sign. u. dat. li. u.: Ranftl/1838
HM, Inv. Nr. 94.232

Lange Zeit (vom 14. bis zum Beginn des 17. Jahrhunderts) war der Große Zwettlhof (Stephansplatz 6) die Wohnung des Dompropstes beziehungsweise der ersten Bischöfe. Der Abbruch des Gebäudekomplexes erfolgte

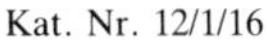

Kat. Nr. 12/1/16

Kat. Nr. 12/1/15

1839–1842, Leopold Mayer errichtete an seiner Stelle einen viergeschoßigen Neubau mit zwei öffentlichen Durchgängen zwischen Stephansplatz und Wollzeile.
GD

**12/1/15**
**Die Johanneskapelle auf der Hohen Brücke**

Jacob Alt (1789–1872)
Aquarell, 22,3 × 11,4 cm
HM, Inv. Nr. 105.313

Anfang des 18. Jhs. errichteten die Theatiner auf der der Freyung zugekehrten Brüstung der Hohen Brücke eine Statue des hl. Nepomuk. (Auf die entgegengesetzte Seite stellte man eine Statue des hl. Kajetan von Thiene.) 1725 baute man über die Statue des hl. Nepomuk die Johanneskapelle. Mit dem Abbruch der alten Hohen Brücke und deren Neubau 1857/58 wurde auch die Johanneskapelle entfernt.
GD
Abbildung

**12/1/16**
**Der Stephansplatz, 1834**

Rudolf Alt (1812–1905)
Öl auf Leinwand, 58 × 68,5 cm
Sign. u. dat. li. u.: Rudolph Alt 1834
HM, Inv. Nr. 60.099

„Die vornehmste Kirche von Wien ist die Metropolitan=Kirche zu St. Stephan, ein höchst solides majestätisches Gebäude von schöner altdeutscher Bauart, das ganz allein über alle Gebäude der Stadt emporragt."

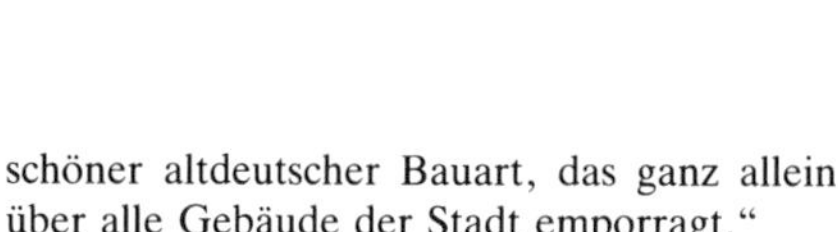

Johann Pezzl's Beschreibung von Wien. Achte Ausgabe, Wien, 1841, Seite 48.
Abbildung

**12/1/17**
**Blick vom Fleischmarkt in die Köllnerhofgasse, 1833**

Alois von Saar (1779–1861)
Öl auf Leinwand, 39,5 × 29 cm
Sign. u. dat. (auf dem Gesims über dem Fenster li. u.): Saar 1833
HM, Inv. Nr. 27.122

Dieser Blick in eine Gasse der Innenstadt ist ein Beispiel für die im Biedermeier so oft entstandenen immer freundlichen kleinen – und kleinstädtisch wirkenden – Stadtmotive.
GD

**12/1/18**
**Blick aus einem Fenster des Dianabades auf Maria am Gestade, 1830**

Nikolaus Moreau (1805–1834)
Öl auf Leinwand, 39,5 × 34,5 cm
Sign. u. dat.: N. Moreau 1830
HM, Inv. Nr. 95.189

Erbauer und erste Besitzer des 1804 eröffneten Dianabades (die Begründerin des Bades war Katharina Hackel, die Gattin des Jakobiners und Glückhafenbesitzers Johann Hackel) waren der Maler Karl Humel und der Architekt Karl Moreau, Vater des Malers. Erstmals 1829–1830 baulich umgestaltet, wurde das Bad 1841–1843 durch eine von den Architekten Christian Friedrich Ludwig Förster und Karl v. Etzel errichtete überdachte Winterschwimmschule erweitert. (Siehe Kat. Nr. 13/8.)
GD
Abbildung

*„Unter dem Namen Wien versteht man heut zu Tage nicht bloß die eigentliche Stadt Wien, sondern auch die Vorstädte . . . Sie liegen, wie in einem Zirkel, rings um die Stadt, und sind von außen durch die so genannte Linie eingeschlossen, welche aus einem Graben und einem 12 Fuß hohen gemauerten Walle besteht . . ."*

Johann Pezzl's Beschreibung von Wien. Achte Ausgabe, Wien 1841, Seite 1.

**12/1/19**
**Die Jägerzeile, 1825**

Franz Scheyerer (1762–1839)
Öl auf Leinwand, 57,3 × 83 cm
HM, Inv. Nr. 53.258

Blick gegen das Leopoldstädter Theater links vorne und die linke Straßenseite der Jägerzeile (seit 1862 Praterstraße) mit der Johann Nepomuk-Kirche. Im Hintergrund der Prater.
GD

**12/1/20**
**Blick aus der Wohnung des Künstlers, 1839**

Adalbert Stifter (1805–1868)
Öl auf Holz, 34 × 41 cm
Sign. u. dat. re. u.: Stifter 1839
Wien, Österreichische Galerie

Der Wien-Aufenthalt Adalbert Stifters fällt in die Jahre 1826–1848. Die Wohnung, von der aus Stifter diesen Blick malte, befand sich in „Landstraße 55" (heute 3, Landstraßer Hauptstraße 15).
GD
Abbildung

**12/1/21**
**Altmannsdorf mit Blick gegen den Anninger, 1840**

Friedrich Loos (1797–1890)
Öl auf Leinwand, 63 × 94
Sign. u. dat.: Friedrich Loos p: 1840
Wien, Niederösterreichisches Landesmuseum, Inv. Nr. 1.202

„Dieses ist ein gleich außer Schönbrunn, am Wiener=Berge, an der Straße bei Meidling und Hetzendorf in einer angenehmen Gegend liegendes Dorf, gehörte vormals den Augustinern auf der Landstraße und ist mit einer dem heil. Oswald geweihten Kirche versehen . . .

. . . Der Bezirk dieser Herrschaft ist ein bedeutendes Wasserbecken, von welchem der Hauptstadt ein Theil ihrer Brunnengewässer zugeht. Auf Anregung des Herrschaftsbesitzers sprudeln hier 24 artesische Brunnen herrliches Wasser hervor; manches Wirthschaftshaus zählt deren mehrere, eines sogar sieben. Dieser Wasserüberfluß, der bei Bohrversuchen immer in einer Tiefe von 8 bis 30 Klaftern gefunden wird, hat hier den großartigsten Blutegelhandel in Europa concentrirt. Viele Millionen sind von hier nach Frankreich und England versendet worden . . ."
Realis (Gerhard Coeckelberghe von Dützele), Curiositäten- und Memorabilien=Lexikon von Wien, 1. Band, Wien 1846, Seite 50 f.

**12/1/22**
**Die Leopoldstadt, 1832**

Anton Siegl (1763–1846)
Aquarell, 11,5 × 33 cm
Sign. u. dat. re. u.: A. Siegl/1832
HM, Inv. Nr. 179.925

Blick von der Rotenturmtor-Bastei über die Ferdinandsbrücke gegen die Leopoldstadt.
GD

**12/1/23**
**Der Praterstern, 1836**

C. Goebel
Aquarell u. Deckfarben, 32,5 × 45,4 cm
Sign. u. dat. re. u.: C. Goebel 1836. Bez. u. dat. li. u.: Strasse zur Schwimmschule 1836
HM, Inv. Nr. 64.372

Die „Strasse zur Schwimmschule" ist die heutige Lassallestraße (Wien 2), sie führte zu der 1813 eingerichteten Militärschwimmschule an der Donau (heute etwa 2., Handelskai 15).
GD

**12/1/24**
**Rosenbaumscher Garten: Auf dem Weg zum „Gotischen Turm"**

Benjamin Zalabsky
Gouache, 18,3 × 40,4 cm
HM, Inv. Nr. 24.733/2

Die Gartenanlage (heute 4., Kolschitzkygasse Nr. 9–11) des ehemaligen Lakaien des Grafen Karl Esterházy, Joseph Rosenbaum, war mit ihrer Verbindung des Regelmäßigen mit dem Unregelmäßigen, mit ihren zahlreichen Attraktionen, wie Gotischer Turm, Vogelhaus, Sonnenuhr, Kettenbrücke, Schaukel u. v. a., das beste Beispiel eines „Paradiesgärtleins", des biedermeierlich empfundenen bürgerlichen Hausgartens. Hier war in unmittelbarer Nähe der Stadt, in der Vorstadt Wieden, ein bescheidenes Gegenstück zur großen englischen Parkanlage des kaiserlichen Hofes in Laxenburg entstanden, hier hatte sich aber auch ein beliebter Treffpunkt gehobenen Wiener Bürgertums gebildet: Salieri, Weber, Castelli, Langer, Weidmann und Gewey zählten zu den ständigen Gästen in der Villa Rosenbaum.

1816 erwarb Rosenbaum zwei Parzellen aus den 1813 aufgeteilten und versteigerten Gartengründen des Palais Starhemberg und ließ von fachkundiger Hand (Sträubel, Antoine, Ortner, Kornhäusel) Gartenanlage und Gebäude errichten; die Ausgestaltung dieses Erholungsortes war nie abgeschlossen. Jahr für Jahr kamen neue Sehenswürdigkeiten hinzu, die sich größter Beliebtheit bei den Besuchern erfreuten. Bald nach dem Tode Rosenbaums verfiel der Garten, die Witwe (Therese Rosenbaum, Tochter des Hofkapellmeisters Florian Gaßmann) verkaufte ihn 1838. 1844 ging der Besitz an Ladislaus Romer, den Zündholzerfinder, über, der nun hier das St. Josef-Kinderspital errichtete.

Zalabskys Gouache zeigt den Garten vor dem Wohngebäude. Die vorne dargestellte „Rosenflur" mit ihrer Vielfalt an Rosenarten war eine der Attraktionen des Parks. Links, teilweise verdeckt, führt die „Holzbrücke" zum „Gotischen Turm", der beliebtesten Sehenswürdigkeit der Gartenanlage. Dieser in mehreren Etagen errichtete Turm (Höhe: 48 Fuß = ca. 15 m) wurde als erstes Bauwerk des Gartens vollendet und entsprach in seiner Ausgestaltung durchaus den Vorstellungen von Idylle, denen man gerne anhing. Eine „Grotte" war das Erdgeschoß: Hier befanden sich Küche, Speisekammer und Milchkeller. Über Steinstufen stieg man von da zum „Gotischen Turmzimmer" hinauf: Bemalte Fensterscheiben, Kupferstiche, Handzeichnungen und Stickereien waren die Sehenswürdigkeiten. Stieg man höher hinauf, erreichte man die „Schweizerhütte": Ländliche Dekorationen (Binsenmatten, Girlanden aus Tannen- und Fichtenzweigen) und eine im Fenster hängende Äolsharfe beeindruckten die Besucher, die man vorerst von diesem Gemach mit einem gewaltigen Sprachrohr begrüßt hatte. Von dieser Etage gelangte man über Holztreppen auf die Plattform des Turmes, auf die „Galerie", wo eine Glocke (sie läutete zum Empfang der Gäste) und eine eiserne Fahne angebracht waren. Über die Aussicht, die man von hier gerne genoß, urteilte F. C. Weidmann (Die Rosenbaumsche Gartenanlage, Wien 1824/27, S. 12): „Das Ganze, der Total-Effect dieses großartigen Panorama's, ist wirklich herrlich. Ich habe viele Höhen erklimmt, von den Spitzen unserer comagenischen Hügel bis an den Montblanc, und die Gipfel der Pyrenäen, aber die Aussicht von der Höhe dieses Turmes hat mich dennoch freundlich überrascht. Wien besonders dürfte sich kaum einer vorteilhafteren Darstellung von irgend einem Höhepunkte erfreuen . . ."
GD
Abbildung

**12/1/25**
**Rosenbaumscher Garten: Das Denkmal für den Schriftsteller Franz Karl Xaver Gewey und das „Vogelhaus"**

Benjamin Zalabsky
Aquarell über Feder, 24,9 × 33 cm
HM, Inv. Nr. 24.733/1

Franz Karl Xaver Gewey (1764–1819), Hofkanzlist, Schriftsteller, Schauspieler, war Zögling bei den Piaristen und ausgebildeter Jurist. Bereits 1787 gründete er mit Freunden ein Privattheater, dessen Erträgnisse Taubstummen zugute kamen. 1789 trat er in den öffentlichen Dienst, wirkte im Generalkommando, im Hofkriegsrat und schließlich in der Präsidialkanzlei des Landeskommandeurs von Kärnten in Klagenfurt, mit dem er später nach Holland ging. 1795 nach Wien zurückgekehrt, erhielt er eine Stelle in der Wiener Hofkanzlei. Daneben war er als volkstümlicher Bühnendichter erfolgreich. Er verfaßte Lustspiele, Operntexte, Parodien und Travestien. 1813–1819 war er der Herausgeber der von Josef Richter begründeten „Eipeldauer-Briefe", ferner schuf er die „Komischen Gedichte auf die Vorstädte Wiens", eine Topographie in Versform.
GD
Abbildung

**12/1/26**
**Vor der Mariahilfer Kirche, 1818**

Jacob Alt (1789–1872)
Aquarell und Deckfarben über Feder
28 × 41,5 cm
Sign. u. dat. re. u.: J. Alt. 1818
HM, Inv. Nr. 15.556

Bemerkenswert ist der Brunnen mit einer Statue des hl. Leopold; er wurde 1879 abgetragen.
GD

**12/1/27**
**Das Maschinenhaus der Kaiser Ferdinands-Wasserleitung**

Franz Wolf (1795–1859)
Aquarell, 25,5 × 34 cm
Sign. re. u.: F. Wolf fec.
HM, Inv. Nr. 64.147

1835 stellte Ferdinand I. die ihm überreichten Krönungsgeschenke (allein die Stadt Wien spendete 20.000 Gulden) mit der Auflage zurück, sie für den Bau einer Wasserleitung zu verwenden. Eine solche war nicht zuletzt wegen des Anwachsens der Stadtbevölkerung um etwa 40 Prozent während der ersten Jahrzehnte des 19. Jahrhunderts notwendig geworden. Die „Kaiser Ferdinands-Wasserleitung" entnahm das durch Schotterböden filtrierte Wasser oberhalb der Nußdorfer Linie mittels Saugkanälen dem Donaukanal. Nach anfänglichen finanziellen Schwierigkeiten und einer teilweisen Inbetriebnahme 1841 konnte die Wasserleitung 1846 vollendet werden, das Maschinenhaus (9., Wasserleitungsstraße) wurde erst 1965 abgebrochen.
GD
Abbildung

**12/1/28**
**Eine Ziegelei auf dem Alsergrund, 1814**

Aquarell, 17,2 × 22,2 cm
HM, Inv. Nr. 15.830

Entlang des Linienwalls erstreckten sich am Rande der Vorstädte Ziegeleien von der Landstraße bis nach Liechtental. Mit dem zunehmenden Ausbau der Vorstädte legte man die Ziegeleien still und konzentrierte die Ziegelproduktion, die durch die rasch anwachsende Bautätigkeit immer mehr verstärkt werden mußte, am Abhang des Wienerberges.
GD
Abbildung

**12/1/29**
**Blick von der Schottenbastei gegen die Vorstädte**

Aquarell und Deckfarben, 17,2 × 21,7 cm
HM, Inv. Nr. 30.224

*„Die Umgebungen Wiens zeichnen sich, besonders gegen West und Nordwest, durch große malerische Schönheiten aus. Ueberhaupt gleicht das ganze Flachland umher einem weiten anmuthigen Garten; hohe Berge in den mannigfaltigsten Formen umschließen den Hintergrund, und schattige Haine, liebliche Rebenhügel, dann die breite, majestätische Donau, die sich zwischen blumigen Wiesen und Auen hinwindet, umgeben in erquickender Abwechslung den Raum, in welchem die herrliche Kaiserstadt thront . . ."*

Carl August Schimmer, Neuestes Gemälde von Wien in topographischer, statistischer, commerzieller, industriöser und artificieller Beziehung. Nach eigenen Forschungen und den bewährtesten Quellen ganz neu bearbeitet, Wien 1837, S. 207.
Abbildung

Kat. Nr. 12/1/30

Kat. Nr. 12/1/34

**12/1/30**
**Blick aus der Alservorstadt gegen den Wienerwald, 1808**

A. Reutter
Aquarell und Deckfarben, 42,8 × 55,2 cm
Sign. u. dat. li. u.: A Reutter fct: 1808
HM, Inv. Nr. 105.813
Abbildung

**12/1/31**
**Döbling, 1829**

Anton Siegl (1763–1846)
Aquarell, 17,9 × 24,8 cm
Sign. u. dat. li. u.: Döbling 1829
HM, Inv. Nr. 33.164

Blick auf Döbling von der Brigittenau

Kat. Nr. 12/1/35

Kat. Nr. 12/1/36

**12/1/32**
**Oberdöbling, 1814**

Thomas Ender (1793–1875)
Aquarell, 23,9 × 34 cm
Sign. re. u.: Tho Ender. Dat. u. bez. Mi. u.: 1814 Ober=Döbling.
HM, Inv. Nr. 45.357

Durch den Bau einer ganzen Reihe vornehmer Villen (Daun, Wrbna, Firmian, Henikstein, Mollo) war Döbling zum „zweitschönsten Dorf Wiens" geworden.
GD

**12/1/33**
**Heiligenstadt, 1821**

Tobias Dionys Raulino (1787–1839)
Aquarell, 35 × 50 cm, auf laviertem Untersatzkarton (38,2 × 52 cm) montiert
Sign. u. dat. li. u.: Tob. Dyon. Raulino. n. Natur 1821. Bez. u. dat. auf Untersatzkarton: Heiligenstadt bey Wien. 1821
HM, Inv. Nr. 45.489

Durch die Entdeckung der Heiligenstädter Mineralquelle 1781 (knapp neben der Pfarrkirche St. Michael, 19., Grinzinger Straße Nr. 84–86), wurde aus dem Hauerdorf Heiligenstadt ein von der Wiener Gesellschaft gerne aufgesuchter Badeort. Zwar erlitt das Badeleben durch die französische Besetzung 1809 vorübergehend starke Einbußen, doch gelang sehr rasch die Wiederbelebung der Heilquelle durch die Anlage von Parkanlagen in Verbindung mit dem Bad und der Aufnahme des Stellwagenverkehrs mit der Stadt (Freyung – Heiligenstadt). Zu den prominentesten Besuchern Heiligenstadts und des Heiligenstädter Bades zählten Beethoven, Grillparzer, Bauernfeld, Feuchtersleben, Schubert und Schwind.
GD

**12/1/34**
**In Hackels Garten in Heiligenstadt, 1828**

Anton Siegl (1763–1846)
Aquarell, 17,8 × 25 cm
Dat. u. bez. li. u.: 1828 Heiligenstadt. Hackels Garten
HM, Inv. Nr. 33.166
Abbildung

**12/1/35**
**Inzersdorf**

Franz Wolf (1795–1859)
Aquarell, 35 × 54,7 cm
Sign. li. u.: Wolf. fec.
HM, Inv. Nr. 63.979

„Inzersdorf wird zum Unterschiede von den beiden im Lande unter der Enns liegenden gleichnamigen Orten mit dem Beisatze am Wienerberge bezeichnet; es ist ein großes an dem Liesingbache liegendes Dorf . . ."

Realis (Gerhard Coeckelberghe von Dützele), Curiositäten- und Memorabilien=Lexicon von Wien, II. Band, Wien 1846, Seite 63.
Abbildung

**12/1/36**
**Nußdorf von der Brigittenau gesehen, um 1822**

Jacob Alt (1789–1872)
Aquarell, 23,2 × 32,2 cm
HM, Inv. Nr. 55.294

Studie für Blatt CIV der „Donau-Ansichten", erschienen 1826 im Verlag Adolf Kunike (vgl. Kat. Nr. 5/3/1).
GD
Abbildung

**12/1/37**
**Nußdorf, 1822**

Johann Nepomuk Hoechle (1790–1835)
Aquarell über Feder, 29,5 × 45,3 cm
Bez. u. dat. auf Rückseite li. u.: Nussdorf von Döbling aus gezeichnet/nach der Natur 1822 im August:
HM, Inv. Nr. 105.356

**12/1/38**
**Eine Ziegelei auf dem Wienerberg, um 1815**

Aquarell, 47,6 × 71,6 cm
HM, Inv. Nr. 95.779

Zu den Ziegeleien vgl. Kat. Nr. 12/1/28
Abbildung

Kat. Nr. 12/1/7

Kat. Nr. 12/1/24

Kat. Nr. 12/1/25

Kat. Nr. 12/1/28

Kat. Nr. 12/1/38

Kat. Nr. 12/1/48

Kat. Nr. 12/1/49

Kat. Nr. 12/1/50

Kat. Nr. 12/1/52

Kat. Nr. 12/1/53

Kat. Nr. 12/1/57

Kat. Nr. 12/1/54

Kat. Nr. 12/1/39

Kat. Nr. 12/1/42

**12/1/39**
**Blick auf Wien von der Spinnerin am Kreuz, 1841**

Rudolf Alt (1812–1905)
Aquarell und Deckfarben mit herausgekratzten Lichtern, 37,7 × 59,2
Sign. u. dat. li. u.: Rudolf Alt 1841
HM, Inv. Nr. 56.389

Immer wieder wurde Wien von diesem Standort aus dargestellt:" . . . um Wien mit einem Blicke zu übersehen . . . gibt es mehrere Punkte zu malerischen Ansichten der Stadt. Um aber dieselbe mit ihren Umgebungen und der ganzen umliegenden Landschaft vollkommen zu überschauen, muß man sich zur Spinnerin am Kreuz am Wienerberg . . begeben . . ."

Johann Pezzl, Beschreibung von Wien, 8. Aufl. 1841, S. 12 f.

Im Vordergrund, unmittelbar vor dem Linienwall, sieht man den Bahnhof der Wien-Gloggnitzer Bahn (1841 in Betrieb genommen).
GD
Abbildung

**12/1/40**
**Blick auf Wien von der Spittelauer Lände, 1820**

Tobias Dionys Raulino (1787–1839)
Aquarell, 44,8 × 64,1 cm
Sign. u. dat. li. u.: gezeich nach der Natur von Tob: Raulino 1820
HM, Inv. Nr. 31.098

**12/1/41**
**Blick auf Wien vom Leopoldsberg, 1833**

Rudolf Alt (1812–1905)
Aquarell, 24,8 × 36,9 cm
Dat. li. u.: 1833
HM, Inv. Nr. 23.906

Blick vom Vorplatz der Leopoldskirche nach Südosten bzw. Süden (Anninger).

*„Die Donau theilt sich eine Stunde ober Wien, bei dem Dorfe Nußdorf, in mehrere Arme, welche sich jedoch alle, eine starke Stunde unter der Stadt, wieder in Einen Strom vereinigen. Der größte dieser Arme fließt eine halbe Stunde von der Stadt nordwärts derselben vorbei; einer von den kleineren, der Donaukanal genannt, geht zwischen der Stadt und der Vorstadt Leopoldstadt durch, und diesen müssen alle, sowohl abwärts als aufwärts, bei Wien vorbeigehenden Schiffe befahren."*

Johann Pezzl's Beschreibung von Wien. Achte Ausgabe, Wien 1841, Seite 4.

**12/1/42**
**Blick auf die Donau vom Nußberg, 1842**

Rudolf Alt (1812–1905)
Aquarell, 25,5 × 34,3 cm
Sign. u. dat. re. u.: R Alt 842.
HM, Inv. Nr. 17.669

Stromabwärts der „Großen Taborbrücke" überquert die Brücke der Kaiser Ferdinands-Nordbahn die Donau.

1835 beschrieb Adolf Schmidl (Wiens Umgebungen auf zwanzig Stunden im Umkreise. Nach eigenen Wanderungen geschildert, Bd. 1. S. 23 f.) den Blick vom Nußberg auf die Aulandschaft der Donau: „Es ist ein imposanter Anblick, den schönen Strom hier zu überschauen, wie er durch die anmuthigen Auen sich windet, . . . in blauer Ferne dämmern Ungarns Höhen empor. Wenn die Sonne schon hinter dem Kahlenberg sich verbarg, dieser seine Schatten über Nußdorf und theilweise über den Strom wirft, Schiff an Schiff herbeieilt, den ersehnten Landungsplatz zu erreichen, . . . und nun vielleicht ein paar größere Fahrzeuge, welche nach Ungarn steuern, dem Hauptstrom folgend ruhig hinausgleiten aus dem Schatten in die breite, lichte Wasserfläche – dann wird man begreifen, was den Wiener in sein liebes Nußdorf zieht, es ist ein Anblick, großartig, wie wenig andere . . ."
GD
Abbildung

**12/1/43**
**Die Taborbrücke**

Tobias Dionys Raulino (1787–1839)
Aquarell, 30,3 × 39,8 cm
Sign. li. u.: Tob. Raulino del. ad nat.
HM, Inv. Nr. 141.910

Die Straße von Wien nach Böhmen überquerte im Zuge der alten Taborbrücken die Donau. Dieser Hauptverkehrsweg ging über die Taborstraße, übersetzte auf einer Brücke mit 6 Jochen das Fahnenstangenwasser in der Gegend der heutigen Straße Am Tabor und gelangte auf den Taborhaufen. Vom Taborhaufen führte eine Brücke mit 7 Jochen („Schlampete Bruckn") über das Kaiserwasser auf die große Insel, die „Im Durchlauf" genannt wurde. Die Straße durchquerte die Insel in nördlicher Richtung und erreichte die Donau etwa in der Gegend des linken Brückenkopfes der Floridsdorfer Brücke. Dort begann die Hauptbrücke über die damalige Donau (heutige Alte Donau), die genau an derselben Stelle stand, wo heute der Straßendamm der Floridsdorfer Hauptstraße zur Brücke führt. Die Hauptbrükke hatte 26 Joche und wurde die Große Taborbrücke genannt.
GD

**12/1/44**
**Bau der Ferdinandsbrücke über den Donaukanal, 1819**

Franz Maleck (1787–1849)
Öl auf Leinwand, 48 × 60,5 cm
Sign. u. dat. Mi. u.: Maleck 1819
HM, Inv. Nr. 28.572/1

Blick vom Müllerschen Gebäude über die Rotenturm-Bastei und das Rotenturmtor den Donaukanal stromabwärts. Das Müllersche Gebäude (1773–1889) beherbergte eine Kunstgalerie, in der als besondere Sehenswürdigkeiten Wachsfiguren nach der Natur gezeigt wurden.

Kat. Nr. 12/1/44

Auch der Bau der Ferdinandsbrücke, ausgeführt vom Wasserbauamtsvorsteher Johann Kudriaffsky anstelle der alten Schlagbrücke, war eine jener technischen Großleistungen, die den Beginn des 19. Jahrhunderts kennzeichneten. Der Mittelpfeiler – die Brücke wies außerdem zwei Landjoche auf – wurde mittels Caisson (Senkkasten), einer Art des Unterwasserbaues, die man eben erst in Frankreich und England versuchsweise begonnen hatte, errichtet. Dem sensationellen Bauvorhaben entsprechend, war das Interesse der Schaulustigen überaus groß, das Prunkzelt am rechten Kanalufer diente zum Empfang des Hofes anläßlich der feierlichen Grundsteinlegung am 22. Mai 1819.
GD
Abbildung

**12/1/45**
**Die Sophienbrücke**

Tobias Dionys Raulino (1787–1839)
Aquarell und Deckfarben, 16,5 × 24,5 cm.
Sign. re. u.: T. Taulino ad nature.
HM, Inv. Nr. 66.201

Blick vom rechten Ufer (Prater) flußaufwärts gegen die Brücke. Die Sophienbrücke (heute Rotundenbrücke), errichtet von Johann Kudriaffsky, war die erste Kettenbrücke Wiens; sie wurde am 4. Oktober 1825 – nur für Fußgänger und Reiter – eröffnet.
GD

**12/1/46**
**Die Dampfschiffahrt, 1845**

Leander Ruß (1809–1864)
Aquarell, 34 × 46,2 cm
Bez.: LR. 1845
HM, Inv. Nr. 63.061

Die Landungsstelle für die Personenschiffe nach Linz befand sich in der Höhe des Karls-Kettensteges am rechten Donaukanalufer „Am Schanzl", dem späteren Obstmarkt. Das Bild zeigt links den Karls-Kettensteg (errichtet 1827/28, abgetragen 1870; heute Salztorbrükke) und am gegenüberliegenden Ufer die Schanzelkapelle (heute nach zweimaliger Übertragung am linken Donaukanalufer unterhalb der Augartenbrücke) und die Schiffahrtsstation. Das Schiff ist die aus Linz angekommene „Amsterdam".
GD
Abbildung

*„Das Flüßchen Wien entspringt drei Meilen außer der Stadt, in dem so genannten Wienerwald, kommt von der Südseite durch die Vorstädte herein, wo sie einige Mühlen treibt, geht dann eine Strecke über die Esplanade, und ergießt sich zwischen der Stadt und der Weißgärber=Vorstadt in die Donau. Bei starken Regengüssen wird die Wien oft sehr reißend, und richtet großen Schaden an; zur Sommerszeit aber kann sie an vielen Stellen beynahe trocknen Fußes überschritten werden."*

Johann Pezzl's Beschreibung von Wien. Achte Ausgabe, Wien 1841, Seite 7.

Kat. Nr. 12/1/46

Kat. Nr. 12/1/47

**12/1/47**
**Hietzing und Wienfluß**

Franz Barbarini (1804–1873)
Bleistift, 17,8 × 23,3 cm
HM, Inv. Nr. 45.251

Bis 1834 überspannte ein hölzerner Steg (an der Stelle der heutigen Kennedy-Brücke) den Wienfluß als Verbindung zwischen Hietzing und Penzing. Unmittelbar daneben wurde jedoch nach wie vor eine Furt benützt, die in diesem Abschnitt der Wien den Flußübergang gewährleistete. 1834–1843 errichtete man statt des Holzstegs eine Kettenbrücke, die die vierte dieser damals für Wien hochmodernen Brükkenkonstruktionen war.
GD
Abbildung

*„Der Neustädter=Canal. Man fing denselben im Jahre 1795 zu bauen an. Seine erste Anlage ist von Wien bis Wienerisch=Neustadt. Seit 1797 aber zieht er sich von der ungarischen Grenze bei Pötsching bis hieher in einer Länge von 8⅓ geogr. Meilen. Er hat auf der Oberfläche 28, auf dem Grunde 16 Fuß Breite, und 4 Fuß Tiefe. Er geht aus der Gegend von Laxenburg um den Wienerberg bis zur Stadt, durchschneidet die Linie, und läuft durch die Vorstadt Landstraße herein bis auf das Glacis, wo vor dem dermaligen Invalidenhause das große Bassin zum Ausladen der Schiffe gegraben, und von da sein Ausfluß in die nahe Donau angebracht ist. Sein Abfall vom höchsten Puncte bei Neustadt bis zur Oberfläche der Donau, bei seinem Ausflusse, beträgt 55 Klafter, und er hat auf dieser ganzen Strecke 52 Schleusen. Es sind eigene Kanal=Schiffe gebauet worden, welche 6 Fuß 8 Zoll in der Breite, 3 Fuß 9 Zoll Tiefe, und 72 Fuß in der Länge haben, 500 Zentner Ladung führen, und von einem Pferde gezogen werden. Der Hauptgegenstand des Transports auf diesem Kanale sind Steinkohlen, Holz und Mauerziegeln . . .“*

Johann Pezzl's Beschreibung von Wien. Achte Ausgabe, Wien 1841, Seite 139 f.

**12/1/48**
**Der Wiener-Neustädter-Kanal beim Tierarznei-Institut**

Norbert Bittner (1786–1851)
Aquarell u. Deckfarben auf blauem Papier, 41,6 × 51,4 cm
HM, Inv. Nr. 106.266

Mit dem Bau des Kanals – das nicht realisierte Gesamt-Projekt sah die Errichtung einer Wasserstraße von Wien nach Triest vor – wurde 1795 begonnen. Das Interesse Kaiser Franz II. (I.) an diesem, der merkantilistischen Wirtschaftstheorie verhafteten Vorhaben war so groß, daß er sich zunächst in das Konsortium der privaten Bauherren einkaufte und schließlich ab 1797 den Kanal auf eigene Rechnung übernahm. Im April 1803 war die Strecke Wien–Wiener Neustadt befahrbar, ein weiterer Ausbau fand nicht mehr statt, da die Kanalschiffahrt sich als weitaus unrentabler erwies, als man gehofft hatte. Die Wiener Hafenanlage befand sich ursprünglich in der Gegend des heutigen Bundesamtes für Besoldung und Verrechnung (3., Hintere Zollamtsstraße 4) und wurde 1847–1849 an die Stelle des späteren Aspangbahnhofes verlegt. 1879 wurde die Schiffahrt eingestellt, das alte Kanalbett ist heute teilweise Schnellbahntrasse.

Das Tierarzney-Institut (heute Veterinärmedizinische Universität, 3., Linke Bahngasse 11) begann 1778 mit dem regelmäßigen Lehrbetrieb, nachdem G. v. Swieten die erste Anregung zur Errichtung einer „Thierarzneyschule" gegeben und Ludwig Scotti nach einem entsprechenden Studienaufenthalt in Lyon die Grundlagen für eine tierärztliche Ausbildung erstellt hatte. 1821–1823 erfolgte durch Johann Aman der Umbau des Instituts. (Siehe Kat. Nr. 13/24.)
GD
Abbildung

**12/1/49**
**Der Wiener-Neustädter-Kanal, 1816**

Aquarell, 17,5 × 22,2 cm
Bez. u. dat. li. u.: Le Canale au Ligne/de St. Marx à Wienne/1816
HM, Inv. Nr. 31.148
Abbildung

*„Zwischen den Vorstädten und der Stadt liegt das Glacis (Esplanade), ein geräumiger schöner Wiesengrund, der seit 1781 mit vielen Alleen nach allen Richtungen durchschnitten ist, die Abends durch Laternen beleuchtet werden."*

Johann Pezzl's Beschreibung von Wien. Achte Ausgabe, Wien 1841, Seite 2.

*„Die eigentliche Stadt Wien hat eine ovale Gestalt, und rings um dieselbe läuft der stehen gebliebene innere Wall, gewöhnlich die Bastei genannt, welcher von nun an bloß als Spaziergang dient, und mit Baum=Alleen bepflanzt ist."*

Johann Pezzl's Beschreibung von Wien. Achte Ausgabe, Wien 1841, Seite 31.

**12/1/50**
**Das Wasserglacis, 1819**

Tobias Dionys Raulino (1787–1839)
Aquarell, 41,6 × 55,1 cm
Sign. u. dat. li. u.: gezeichnet nach der Natur von Tob: D: Raulino 1819.
HM, Inv. Nr. 18.920

1818 wurde nächst dem Karolinentor eine parkähnliche Anlage mit Kaffeehaus und „Kursalon" geschaffen, in dem man Trinkkuren machen konnte. Die Demolierung der Bastei und der Bau der Ringstraße machten dem Wasserglacis ein Ende.
GD
Abbildung

**12/1/51**
**Der Münzgraben beim Carolinentor, 1819**

Anton Siegl (1763–1846)
Aquarell, 17,8 × 25,5 cm
Bez. u. dat. re. u.: Münzgraben, Carolinen Thor. December 1819.
HM, Inv. Nr. 33.168

Der hinter der Wasserkunstbastei liegende Teil des Stadtgrabens wurde nach der bis 1830 dort befindlichen „Münzstätte", einem ebenerdigen Gebäude, das zur kaiserlichen Münze gehörte, Münzgraben genannt.
GD

**12/1/52**
**Der Münzgraben beim Carolinentor, 1819**

Anton Siegl (1763–1846)
Aquarell auf Feder, 17,7 × 25,4 cm
Bez. u. dat. re. u.: Münzgraben Carolinen Thor, Erdödi Gartl 1819
HM, Inv. Nr. 33.169
Abbildung

**12/1/53**
**Blick auf Wien von der Rampe des Palais Schwarzenberg, 1820**

Jacob Alt (1789–1872)
Aquarell u. Deckfarben, 46,3 × 71,6 cm, auf laviertem Untersatzkarton (57,1 × 82,5 cm) montiert
Sign. u. dat. li. u.: J. Alt 1820
HM, Inv. Nr. 77.621

Vorlage für die Lithographie „Österr. Pittor. Ansichten Nr. 1. Carlskirche" im Verlag Josef Trentsensky.
Abbildung

**12/1/54**
**Blick gegen die Wieden von der Kärntnertor-Bastei**

Johann Michael Sattler (1786–1847)
Aquarell über Feder, 46,8 × 62 cm
HM, Inv. Nr. 31.072

Zu den zerstörten Festungswerken vgl. Kat. Nrn. 2/1/15–18.
GD
Abbildung

**12/1/55**
**Ansicht des Burgtores vom Glacis, um 1825**

Johann Nepomuk Hoechle (1790–1835)
Sepia-Zeichnung, 42,7 × 70 cm
HM, Inv. Nr. 106.467

Die beiden Ansichten Hoechles zeigen das Burgtor unmittelbar nach seiner Vollendung (erbaut 1822–1823). Die Wiedergabe der Außenseite zeigt die Einbindung des Torbaues in den Verband der Festungsmauer. Durch den Graben besaß es von der Glacisseite eine mächtigere Wirkung, als dies seit der Anlage der Ringstraße der Fall ist.

Die Vorstadtseite zeigt den Torbau mit fünf gleich hohen Bogendurchfahrten. An den beiden Seiten ist je ein Halbkreisfenster eingelassen. Vier mächtige Pilaster gliedern die Front. Torbau, Pilaster, Gebälk und Attika sind aus Stein, die Füllwände aus Ziegelrohbau. Das Gebäude ist durch einen Triglyphenfries umspannt und in der Mitte von einer Attika bekrönt.

Peter Nobile gab dem Burgtor gegenüber Luigi Cagnolas Konzeption einen anderen architektonischen Charakter. An die Stelle von Cagnolas einheitlichem Bezug auf die römische Antike treten zwei neue Einflüsse. Bei der Vorstadtseite verzichtete Nobile auf die Säulenordnung und folgte der Festungsarchitektur Sanmicheles, verarbeitete somit Elemente der Renaissancearchitektur. Massigkeit und stereometrische Form des Baukörpers werden betont, während schmückende Details wegfallen. Für die Ausformung des kubischen Stiles und seine Anwendung in der Wiener Architektur des Vormärz wurde Nobiles Burgtor von zentraler Bedeutung.
GD

**12/1/56**
**Das Neue Burgtor – innen**

Johann Nepomuk Hoechle (1790–1835)
Sepia-Zeichnung, 42,7 × 70,1 cm
HM, Inv. Nr. 106.468

Bei der Gestaltung der Innenseite kam eine weitere Komponente zum Tragen. Nobile verwendete bei den Kolonnaden an der Innenseite die „Dorika". Die dorische Ordnung in archäologisch getreuer Proportionierung vermittelt einen wuchtigen Eindruck. Das Burgtor ist eines der frühesten österreichischen Beispiele des sich in England im 18. Jahrhundert durchsetzenden „Dorismus". Die Abwendung vom römischen Gliederungsprinzip und die Hinwendung zum griechischen Vorbild zeigt sich bei Nobile nicht nur beim Burgtor, sondern auch beim Theseustempel (siehe Kat. Nr. 12/1/7).
GD

**12/1/57**
**Aussicht von der Löwelbastei gegen die Vorstädte, 1824**

Tobias Dionys Raulino (1787–1839)
Aquarell und Deckfarben, 44,4 × 65,4 cm
Sign. u. dat. re. u.: Dessiné d'apré nature par L. D. Raulino/1824
HM, Inv. Nr. 34.211

Aufgenommen vom Paradeisgärtchen auf der Löwel-Bastei. Blick über die Burg-Bastei mit dem Volksgarten (Theseustempel, Café Corti) und dem Burgtor gegen die Vorstädte Landstraße (Palais Schwarzenberg, Belvedere), Wieden (Karlskirche, Polytechnisches Institut), Mariahilf und Neubau (rechts außen die Hofstallungen).
GD
Abbildung

**12/1/58**
**Neutorbastei**

Johann Baptist Hoechle (1754–1832)
Aquarell über Feder, 19,6 × 25,3 cm
HM, Inv. Nr. 10.547

**12/1/59**
**Blick auf die Leopoldstadt von der Biber-Bastei, 1815**

Thurner
Aquarell über Feder, 27,5 × 33,2 cm
Bez. u. dat. Mi. u.: Die Leopoldstadt -/von der Bastei aus. - 1815.
HM, Inv. Nr. 31.095

Zur Schlagbrücke und die sie ersetzende Ferdinandsbrücke vgl. Kat. Nr. 12/1/44.

**12/1/60**
**Modell der Innenstadt, um 1845**

Karton und Holz bemalt, Dm.: 110 cm
Privatbesitz

Das plastische Modell der Innenstadt mit dem Glacis weist bereits die wesentlichen Veränderungen der Festung während des ausgehenden 18. und der ersten Hälfte des 19. Jahrhunderts auf. Das Glacis ist zu einer Parkanlage umgewandelt, die Fortifikationen sind verändert. Gleichsam als Vergeltung dafür, daß Wien es gewagt hatte, sich der Herrschaft des Napoleonischen Kaiserreiches entgegenzustellen, wurden 1809 (16. Oktober bis 10. November, vgl. Kat. Nrn. 2/1/15–18) die bereits völlig bedeutungslos gewordenen Festungswerke vom Kärntnertor bis zur Elendbastei hin gesprengt und in Schutt gelegt. Auf dem Gelände der nun zerstörten Befestigungsanlagen im Burgbereich wurden in der Zeit von 1819 bis 1823 der Kaisergarten, das Neue Burgtor mit dem Äußeren Burgplatz und der Volksgarten mit dem Theseustempel und dem Café Corti angelegt.
GD

**12/2 Idylle**

**12/2/1**
**Liechtensteinsches Lusthaus am Schüttel, 1814–16**

Thomas Ender (1793–1875)
2, Jägerzeile 12 (1910 demoliert)
Fassade gegen Garten
Aquarell, 14,2 × 20,7 cm
HM, Inv. Nr. 63.518

Das Lusthaus am Schüttel entstand während Kornhäusels Tätigkeit als Direktor des Fürstlich-Liechtensteinschen Bauamtes (1812 bis 1818). Sein Betätigungsfeld lag dabei vorwiegend in Eisgrub und Feldsberg, auf den Besitzungen des Fürsten an der niederösterreichisch-mährischen Grenze.

In der Tradition adeliger Lustschlösser stehend, enthielt das Obergeschoß einen repräsentativen Speisesaal. Dennoch kann, wenn auch bedingt, dieser Bau als Beitrag zur Villenarchitektur angesehen werden, da infolge der Verbürgerlichung des Adels im ausgehenden 18. Jahrhundert bei solchen Bauten der Unterschied von adeligen oder bürgerlichen Bauherren nicht mehr ad hoc zu erkennen war. Wichtig für diese Art der Architektur war die Vermeidung einer Dominanz über die umgebende Natur zugunsten harmonischer Einfügung.

Kat. Nr. 12/2/2

Die Nähe zum architektonischen Weichbild der Haupt- und Residenzstadt bedingte eine konservative Angleichung, während ähnliche Bauwerke auf den Liechtensteinschen Gütern stärker vom Revolutionsklassizismus geprägt waren, somit eine modernere Struktur der Körperdurchdringung aufwiesen.

*Lit.: Klassizismus, HM, 1978, S 100.*
RKM
Abbildung

**12/2/2**
**Villa am Grünberg, von 1827**
**12, Tivoligasse 73 (demoliert)**
**Blick aus der Grünberggasse (Zenogasse), um 1830/40**

Thomas Ender (1797–1875)
Aquarell, 22 × 35 cm
Sign. re. u.: Tho. Ender.
HM, Inv. Nr. 105.074

Ober-Meidling und der Grünberg waren wie Hietzing durch die Nähe zum kaiserlichen Schloß Schönbrunn eine vornehme Sommerfrische, wo Diplomaten aber auch Fürst Metternich ihre Villen besaßen.

Ender wählte für seine Vedute einen Standpunkt aus der heutigen Zenogasse, während die Tivoligasse nach rechts zur heutigen Grünbergstraße führt (die Straßennamen wechselten mehrmals). Unter CN 50 ist die Landvilla, mit ihrem charakteristischen Palladiomotiv beim Mittelrisalit, auf A. Zieglers Plan von „Wiens nächste Umgebungen. – Die Ortschaften Unter- und Ober-Meidling und Gaudenzdorf" eingetragen. 1889/90 erbauten die Architekten Fellner und Helmer auf diesem Grundstück eine Villa für Gustav Freiherr von Springer.
RKM
Abbildung

**12/2/3**
**Husaren-Tempel, 1813**

Franz X. Sandmann (1805–1856)
nach Grünauer
Hinterbrühl, NÖ
„Der Husaren-Tempel in der Briel bei Mödling"
Chromolithographie, 32,2 × 42,5 cm
Sign. li. u. im Druck: V. Grünauer pinx.
Sign. re. u. im Druck: Sandmann lith.
Bez. Mi. u. im Druck: Gedr. bei Joh. Höfelich. Verlag L. T. Neumann
HM, Inv. Nr. 94.660

Im Sinne der Ruinenromantik ließ Fürst Liechtenstein verschiedene malerische Punkte Niederösterreichs ausgestalten. In der Hinterbrühl auf dem Kleinen Anninger errichtete er eine patriotische Ruhmeshalle mit Krypta zum Gedenken an sieben Gefallene, die sich 1809 in der Schlacht bei Aspern ausgezeichnet hatten. Kornhäusel erneuerte den Bau in einem antikisierenden Klassizismus. Ähnliche Überlegungen führten auch zur Errichtung des Theseustempels im Volksgarten durch Nobile.

Bauten dieser Art waren damals bevorzugte Ausflugsziele, da sie bei den Besuchern auf ideale Weise Patriotismus und Naturgefühl hervorzurufen verstanden.

*Lit.: Wagner-Rieger, 1970, S 70 f.*
RKM
Abbildung

Kat. Nr. 12/2/3

**12/2/4**
**„Sauerbad von Innen" (Sauerhof, 1820–1822), um 1825**

Baden, Weilburgstraße 1
Aquatinta, aquarelliert, Weißhöhung, 9,2 × 13,7 cm, 25,7 × 33 cm (Untersatzkarton)
Verlag Tranquillo Mollo
HM, Inv. Nr. 95.640/12

Baden war sozusagen die architektonische Expositur von Wien, da die Wiener Gesellschaft im Gefolge des kaiserlichen Hofes, Kaiser Franz I. war viele Jahre Dauergast, die Sommer hier verbrachte. Viele reizvolle Gebäude haben sich bis heute erhalten und geben noch einen recht einheitlichen Eindruck von der Architektur dieser Epoche.

Unter den vielen Bädern, die damals in Betrieb waren, zeichnete sich der im Auftrag von Karl Freiherr von Doblhoff von Kornhäusel errichtete Sauerhof durch besondere Eleganz aus. Die schön proportionierte Anlage mit ihrer unprätentiösen Formensprache der Fassaden verbarg eine monumentale Innenraumlösung, die das funktionelle Zentrum enthielt: das „römische Bad", einen tonnengewölbten, mit Oberlicht beleuchteten, von acht Säulen gestützten Raum mit einem oktogonalem, marmorverkleidetem Becken.
RKM

**12/2/5**
**Weilburg, 1820–23**
**ehemals Baden, Weilburgstraße**
**Die Weilburg von Osten**

Fide (Joseph Fußnecker)
Feder, aquarelliert 22,8 × 35,2 cm
HM, Inv. Nr. 21.083

Erzherzog Carl, jüngerer Bruder von Kaiser Franz I., 1809 Sieger von Aspern, beendete im gleichen Jahre seine militärische Karriere und zog sich ins Privatleben zurück. 1815 heiratete er 44jährig Henriette von Nassau-Weilburg.

Kat. Nr. 12/2/6

Mit seiner immer größer werdenden Familie verbrachte er der Mode entsprechend, die Sommer in Baden.

1820 schrieb er an Herzog Albert von Sachsen-Teschen, seinen Adoptivvater: „Die teuren und schwer zu bekommenden Wohnungen hier, die Annehmlichkeit, das Landleben mit den Hilfsmitteln der Gesellschaft vereinigen zu können, das Wohlbefinden meiner Kinder, der Vorteil, nicht allzu fern von Ihnen zu weilen, der Staub und die Langeweile von Wien, die auf psychisches und physisches Befinden einwirken, wenn man gezwungen ist, in dieser Stadt auch während des Sommers wohnen zu müssen, all diese Umstände haben mich bewogen, einen köstlichen Bauplatz im Helenental zu erwerben, auf welchem ich mir einen Wohnsitz zu schaffen gedenke, den ich in Hinkunft während der Badesaison benützen kann."

Das Resultat dieses Entschlusses war der mächtigste Schloßbau seiner Zeit, während sonst im Vormärz diese traditionelle Bauaufgabe nur eine untergeordnete Bedeutung besaß.

In Kornhäusel fand der Erzherzog einen kongenialen Partner seiner Vorstellungen. Dieser verstand aristokratische Repräsentation, die sich vor allem auf den Mitteltrakt mit seinen acht Säulen konzentrierte, mit bürgerlicher Wohnlichkeit zu paaren. Teile der überaus qualitätvollen Inneneinrichtung sind erhalten geblieben (Bundesmobiliendepot).

Die Weilburg lag am Fuße der Ruine Rauheneck oberhalb der Schwechat und dominierte als breitgelagerte Schloßanlage den Abschluß des malerischen Helenentales. Auch wegen ihrer großartigen Gartenanlage wurde sie zu einem Hauptanziehungspunkt für Einheimische und Fremde. Diesem Umstand trugen die Künstler und Verleger Rechnung. So ist wenigstens in zahllosen Darstellungen der demolierte Bau dokumentiert. Das 1825 nach Zeichnungen von Jaschke herausgegebene Album zählte zu den repräsentativen Folgen über die Weilburg.

*Lit.: O. Criste, Erzherzog Carl von Österreich, Wien 1912, 3. Bd., S 339 (Zitat).*
RKM

**12/2/6**
**„Die Jammer-Pepi", Anfang 19. Jh.**

Reklamefigur für die Milch- und Kaffeeausschank in Baden, „Felsenthor", Helenenstraße 132, der Josepha Jammer
Öl auf Holz, 162,5 × 64 cm
HM, Inv. Nr. 95.300
ReWi
Abbildung

**12/2/7/1–6**
**Die Landpartie auf den Leopoldsberg, um 1827**

Moritz von Schwind (1804–1871)
Kreidelithographien, 33,3 × 45,5 cm
Sign. li. u.: M. Schwind, del, Folge von 6 Blatt
Wien, Lithographisches Institut
HM, Inv. Nr. 108.946/1–6

Adalbert Stifter berichtete um 1840 in seinen Schilderungen „Wien und die Wiener" folgendes: „Wie sehr der Wiener seine Landpartien liebt, geht aus dem Umstande hervor, daß an schönen Sonn- und Festtagen nicht nur alle Straßen und Fußpfade vor der Stadt mit den Hinauswandelnden bedeckt sind, sondern daß es auch Fuhrwerke und Bewegungsfahrzeuge aller Art in Menge gibt, um diejenigen hinauszuschaffen, die ihre Füße nicht gebrauchen wollen oder können."

Vorliegende Folge hat Schwind selbst lithographiert, und er illustrierte humoristisch den Ablauf einer Landpartie. Auf Blatt Nr. 1 „Die Ausfahrt" skizziert der Künstler einen bunt gemischten Freundeskreis, der die Fahrt ins Grüne antritt. In der weiteren Folge wird die Bergbesteigung auf den Leopoldsberg, das Mittagsmahl, die Nachmittagsruhe, die Pfändung und die Heimkehr bei Sturm und Regen geschildert. Bei der vorletzten Szene, der Pfändung, zeigt Schwind das Verhalten der übermütigen Stadtbewohner auf; die Gesellschaft bricht in einen Weinberg ein, sie wird dabei ertappt und muß dem Weinhüter für die gestohlenen Trauben eine Geldbuße zahlen.
ReWi
Abbildung

**12/2/8**
**Der Garten, 1845/60**

Federlithographien, koloriert, Folge von 6 Mandlbogen
Wien, Verlag Matthäus Trentsensky
Auswahl der Figuren in Einzelaufstellung
HM, Inv. Nr. 142.016/1–23

Der Wiener Verleger Matthäus Trentsensky brachte seit 1819 eine unübersehbare Fülle von sogenannten Mandlbogen (Bilderbogen zum Ausschneiden und Anmalen) heraus. Jedes Thema umfaßte durchschnittlich die Anzahl von 3 bis 24 Blättern. Neben der angestrebten handwerklichen Geschicklichkeit – diese Bogen dienten „zur Übung in Colorieren und Ausschneiden" – sollte dem Kind in der Aufstellung die Welt übersichtlich und begreifbar gemacht werden. Doch beschränkte sich diese Bilderbogenproduktion keineswegs nur auf Kinder.

Die Beliebtheit der Themen „Garten und Land" zeigt, daß diese Serien jahrzehntelang in Produktion waren, aber ständig nach neuen modischen Gesichtspunkten umgezeichnet wurden.

*Lit.: R. Witzmann, Die kleine Welt des Bilderbogens. Der Wiener Verlag Trentsensky. Ausstellungskatalog des Historischen Museums der Stadt Wien, 1977.*
ReWi

**12/2/9**
**„Die Landparthie", 1845/60**

Federlithographien, koloriert, Folge von 6 Mandlbogen
Wien, Verlag Matthäus Trentsensky
Auswahl der Figuren in Einzelaufstellung
HM, Inv. Nr. 142.008/1–19

**12/2/10**
**Das Kirchweihfest von Wien, um 1855**

Georg Fischer (um 1840)
Federlithographien, koloriert, Folge von 12 Mandlbogen (später 10)
Wien, Verlag Matthäus Trentsensky
Auswahl der Figuren in Einzelaufstellung
HM, Inv. Nr. 142.009/1–6, 8–16, 18–50; 55.884/1–35

Kat. Nr. 12/3/3

**12/2/11**
**„Flohglas"**

Glas, Metall, Karton, H.: 4 cm, Dm.: 3,7 cm; Schachtel, H.: 4,5 cm, Dm.: 3,8 cm
Wien, Bezirksmuseum Mariahilf

Das Vergrößerungsglas diente zum Betrachten von kleinen Insekten.
ReWi

**12/2/12**
**Taschenmikroskop**

Holz, Metall, Glas, H.: 5,5 cm, Dm.: 3,7 cm. Mit Schachtel
Wien, Bezirksmuseum Mariahilf

**12/2/13**
**Fernrohr**

Holz, Messing, Glas, L.: 66 cm, Dm.: 4 cm
Bez.: Utzschneider, Reichenbach und Fraunhofer in Benedictbeuren
Wien, Bezirksmuseum Mariahilf

**12/3 Verkehr**

**12/3/1**
**Tragsessel der Wiener Sesselträgerinnung, um 1820**

Holz, mit grüner Wichsleinwand überzogen, beiderseits Glasfenster mit Vorhang
153 × 73 × 75 cm
Gesamtlänge der beiden hölzernen Tragstangen: 249 cm
HM, Inv. Nr. 73.185

Die Einrichtung von Tragsesseln zur Beförderung von Einzelpersonen geht in Wien auf das Ende des 17. Jahrhunderts zurück. Um 1800 gab es ungefähr 100 Tragsessel in Wien, die sich auf verschienenen Standplätzen verteilten. Nach dem Jahr 1848 wurde ihr Gebrauch immer spärlicher, bis sie schließlich vollends aus dem Straßenbild verschwanden.
ReWi

**12/3/2**
**Laufrad oder Draisine**

Anton Burg (1767–1849)
Wien um 1825
Holz, Eisen, 117 × 79 cm
Wien, Technisches Museum, Inv. Nr. 1.405

**12/3/3**
**Die ersten Laufräder in Wien in einem Hof gegenüber dem Theresianum, 1818**

Radierung, Pl. 12,8 × 16,5 cm,
Bl. 14,3 × 20,5 cm
Bildbeilage zu „Briefe eines Eipeldauers an seinen Herrn Vetter in Kakran", Jg. 1818, Heft 7, S. 71
HM, Inv. Nr. 96.532/71

1817 stellte Karl Friedrich Drais von Sauerbronn zum ersten Mal sein Laufrad vor: Auf diesen Vorläufer unseres heutigen Fahrrades setzte man sich rittlings und stieß sich mit den Beinen vom Boden ab. Am Vorderrad war eine Lenkstange angebracht. Drais sorgte selbst für eine rasche Verbreitung seiner Erfindung in ganz Europa. Fahrschulen für Laufräder wurden in Paris, London und Wien gegründet. Ziemlich bald wurden für Knaben kleinere Draisinen angefertigt.

Die Laufräder wurden im Wiener Volksmund „neumodische Fußkutscher", „Schnell-Läufer" oder „zweifüßige Fiakersurrogate" bezeichnet.

Erst mit der Erfindung der Vorderrad-Tretkurbel 1861 durch den Franzosen Pierre Michaux nahm die Entwicklung des Zweirades einen rapiden Aufschwung.
ReWi
Abbildung

**12/3/4**
**„Draisinen-Wettrennen"**

Radierung, koloriert, Pl. 19 × 25,3 cm;
Bl. 21,2 × 32 cm
HM, Inv. Nr. 55.587

**12/3/5/1–4**
**Wiener Fahrzeuge, um 1825**

Eduard Gurk (1801–1841) nach Johann Baptist Hoechle (1754–1832)
Kupferstiche, koloriert, 32,5 × 45 cm
Sign. li. u.: J. Höchle del.; re. u. Gurk sc.

1. „Ein Wiener Fiaker"
HM, Inv. Nr. 95.270/1

2. „Wiener Magistrats Feuerspritze"
HM, Inv. Nr. 95.270/5

3. „Wiener Zeiselwagen"
HM, Inv. Nr. 97.088/3
Abbildung

4. „Straßenreinigung"
HM, Inv. Nr. 95.270/6
Abbildung

Die Zeiselwagen dienten seit dem 18. Jahrhundert dem Personennahverkehr außerhalb Wiens. Ihre Standorte hatten sie an den „Linientoren" (am heutigen Gürtel), weshalb sie auch „Linienzeisel" im Volksmund hießen. Sie waren ungefederte Bauernleiterwagen, hatten über die Seitenwände gelegte Sitzbretter und eine aufgespannte Plache zum Schutz gegen Wind und Wetter. Ein Zeiselwagen bot zehn bis zwanzig Personen Platz; seine Benennung kommt wahrscheinlich vom bayerischen „zeiseln" (eilen).

Eine Landpartie an Sonntagen für alle Bevölkerungsschichten, wie sie im 19. Jahrhundert beliebt war, wurde erst durch den Zeiselwagen durchführbar. Er bot Familien die Möglichkeit, billig auf das Land zu fahren. Bis Dornbach zahlte man z. B. 6 Kreuzer pro Fahrt, bis Penzing, Hietzing oder Schönbrunn 3 bis 4 Kreuzer.
ReWi

**12/3/6**
**„Erstes Dampf-Schiff auf der Donau / erbaut als Vorspann-Boot von Anton Bernhard et Comp (1818)"**

John Poad Drake (1794–1883)
Lithographie, 45,5 × 56 cm
Sign. li. u.: Aufgenommen u. gezeichn. von Drake; re. u. P. fec. 1818
HM, Inv. Nr. 19.982

1817/18 legte Anton Bernhard, ein Deutschungar aus Fünfkirchen, dem kaiserlichen Hof den Plan eines Dampfschiffes vor. Im Sommer 1818 unternahm Bernhard auf der Donau bei Wien mit dem Schiff „Carolina" Probefahrten. Er erfüllte die Bestimmungen des Hofdekrets aus dem Jahr 1813, unter anderem fuhr er bei einer kommissionellen Probefahrt mit einer Ladung von 350 Zentnern eine längere Strecke stromaufwärts.

Am 31. Dezember 1818 erhielt Bernhard gemeinsam mit dem Franzosen Chevalier Meras de St. Leon ein Privileg für die Dampfschiffahrt auf der Donau auf die Dauer von

Kat. Nr. 12/3/5/3

Kat. Nr. 12/3/5/4

15 Jahren. Die beiden Inhaber des Privilegs betrieben zwei Dampfschiffe. Im März 1819 wollte Bernhard eine Dampfschiffahrts-Aktiengesellschaft gründen, er fand aber nicht genügend Aktionäre. Bernhard dürfte sich 1819 beim Bau eines Lastdampfschiffes finanziell verausgabt haben. Das bald gegenstandslose Privileg wurde am 26. November 1828 gerichtlich gelöst.

*Lit.: Grössing – Funk – Sauer – Binder, Rotweiß-rot auf blauen Wellen, 150 Jahre DDSG, Wien 1979.*
ReWi
Abbildung

**12/3/7**
**„Abfahrt des Dampfschiffes vom Prater nächst Wien / nach Semlin den 19ten April 1831"**

Franz Wolf (1795–1859)
Kreidelithographie, koloriert, 29,9 × 44,1 cm
Sign. re. u.: F. Wolf del. et lyth.; li. u.: Ged. im Lith. Inst. in Wien
Aus der Serie. Journal pittoresque, Jg. 2/1
HM, Inv. Nr. 185.621/1

Anfang des Jahres 1829 gründeten die beiden Engländer John Andrews und Joseph Prichard die privilegierte Erste Donau-Dampfschifffahrts-Gesellschaft. Alle bisherigen Schifffahrtsversuche auf der Donau waren an den unbeständigen und störungsanfälligen Maschinen der Dampfschiffe gescheitert. Die Engländer, die sich „Schiffsfabrikanten" nannten, wählten die damals anerkannteste Schiffsmaschinenfirma, das Unternehmen Boulten & Watt in England. Im Winter 1830 wurde nach den Plänen dieser Firma an der Schiffsllände beim Floridsdorfer Spitz (etwas nördlich von Wien) Schiff und Maschine zusammengebaut. Dieses Schiff erhielt den Namen „Franz I." Bereits eine frühere, 1823 gegründete Schifffahrtsgesellschaft auf der Donau hatte einen Dampfer mit dem gleichen Namen. Diese Gesellschaft bestand 1829 nicht mehr.

Die „Franz I." von Andrews und Pritchard war das erste Schiff der DDSG. Die ersten Fahrten führten 1830 bis nach Budapest, 1831 trat die „Franz I." eine Fahrt nach Semlin an. Semlin war die letzte Donaustation der Monarchie, nur wenige Kilometer von der Militärgrenze (und von Belgrad) entfernt. Bei den Abfahrten fanden sich stets Mitglieder der höheren Gesellschaft Wiens ein.

*Lit.: Grössing – Funk – Sauer – Binder, Rotweiß-rot auf blauen Wellen, 150 Jahre DDSG, Wien 1979.*
ReWi
Abbildung

Kat. Nr. 12/3/7

Kat. Nr. 12/3/14

**12/3/8**
**Modell der Schiffsschraube für den Dampfer „Civetta"**

Metall, bronziert D. 30,5 cm, L. 40,5 cm
Triest, Civico Museo del Mare

Josef Ressel (1793–1857) erfand 1826 eine brauchbare Schiffsschraube, die er 1829 zu Triest im 33-t-Dampfer „Civetta" anwandte. Da weitere Versuche verboten wurden, blieb die Erfindung leider unwirksam. Später traten andere Erfinder mit Schiffsschraubenkonstruktionen hervor.
(Siehe auch Kat. Nr. 14/9.)
ReWi

**12/3/9**
**Modell des Personenwagens „Hannibal" der Pferdeeisenbahn Linz–Budweis**

Modell angefertigt 1983
Holz, Karton, 101 × 55 × 56 cm
Wien, Technisches Museum, Inv. Nr. 25.721
GM

**12/3/10**
**Fischbauchschiene der Pferdeeisenbahn Linz – Budweis 1825**

Gußeisen, 95 × 5 × 12,5 cm
Wien, Technisches Museum, Inv. Nr. 25.802
GM

Kat. Nr. 12/3/16

Kat. Nr. 12/3/18

**12/3/11**
**Modell der Dampflokomotive „Austria“ mit Tender**

Eisen, 48 × 13,5 × 28 cm
Wien, Technisches Museum, Inv. Nr. 23.201

Mit der ersten Fahrt eines von der Dampflokomotive „Austria“ gezogenen Zuges auf der Strecke Floridsdorf–Deutsch Wagram im Jahre 1837 begann das Zeitalter der Dampfeisenbahn in Österreich.
GM

**12/3/12**
**„Ansicht einer Eisenbahn mit Pferden“**

Radierung, koloriert, 8,1 × 28,5 cm
HM, Inv. Nr. 64.404

Am 1. August 1832 wurde die Pferdeeisenbahn Linz–Budweis eröffnet. Die Bauzeit für die 127 km lange Strecke betrug sieben Jahre und stand unter der Leitung des Wiener Ingenieurs Franz Anton von Gerstner.
ReWi

**12/3/13**
**„Ansicht einer Eisenbahn mit Dampfwagen“**

Radierung, koloriert, 9 × 27,6 cm
HM, Inv. Nr. 64.403

Mit einiger Verspätung erteilte Kaiser Ferdinand I. ein Jahr nach seinem Regierungsantritt Salomon M. Rothschild das Privileg für die Kaiser Ferdinands-Nordbahn.
ReWi

**12/3/14**
**„Erste Probefahrt mittels Dampfwagen in Österreich auf der Kaiser Ferdinands Nordbahn am 14. November 1837**
**Von Floridsdorf bis Wagram in 20 Minuten (eine Strecke von 6700 Klaftern)“**

Franz Wolf (1795–1859)
Kreidelithographie, 33,8 × 44,2 cm
Sign. li. u.: F. Wolf; re. u. Gedruckt b. Johann Höfelich
Aus der Serie: Journal pittoresque, 1837
HM, Inv. Nr. 66.998

Als Pionier des Eisenbahnbaues gilt der Engländer George Stephenson. 1814 baute er eine kurze Eisenbahnstrecke für den Güterverkehr. 1829 wurde die erste Eisenbahnstrecke in Amerika eröffnet, 1832 in Frankreich, 1835 in Deutschland und 1837 in Österreich.

Ab 13. November 1837 fanden zwischen Floridsdorf und Wagram Probefahrten statt, für die 13 Kilometer lange Strecke benötigte die Lokomotive „Austria“ mit zwei Wagen 21 Minuten. Am 23. November nahmen Mitglieder des Kaiserhauses an einer derartigen Fahrt teil, in den insgesamt acht Wagen befanden sich 164 Personen. Die Fahrt dauerte 26 Minuten.

*Lit.: Alfred Horn, Friedrich Rollinger, Die Eisenbahnen in Österreich, Wien 1986.*
ReWi
Abbildung

**12/3/15**
**„Eisenbahnfahrt über die große Donaubrücke nächst Wien, bei Eröffnung der / Kaiser Ferdinands-Nordbahn, von der Hauptstation im Prater am Dec. 1837“**

Tobias Dionys Raulino (1787–1839)
Lithographie, 26,7 × 35 cm
Sign. li. u.: Tob. Raulino fec.; re. u.: ged. bei A. Leykum
HM, Inv. Nr. 20.075

Im Jänner 1838 verkehrte die Bahn nach der Errichtung einer neuen Donaubrücke bis zum Nordbahnhof, der beim Praterstern lag. 1839 erreichte der Eisenbahnbau bereits die Stadt Brünn.
ReWi

**12/3/16**
**„Ansichten der Ferdinands Nordbahn von Wien bis zur ersten Eisenbahnstation in Wagram“, 1839/40**

Joseph Folwarczny
Federlithographie, koloriert,
12,5 × 222,5 cm
Sign. li. u.: Gez. u. lith. v. Joseph Folwarczny
Leporello in Originalumschlag
Wien, Verlag Anton Paterno
HM, Inv. Nr. 55.585/1–6
ReWi
Abbildung

**12/3/17**
**„Die Eisenbahn in Wien“**

Ignaz Sontag (geb. 1801)
Kreidelithographie, koloriert, 23 × 34 cm
Sign. li. u.: Lith. von Igz. Sontag; re. u.: Gedr. bei Joh. Höfelich
HM, Inv. Nr. 16.342

Im Hintergrund des Bildes ist der alte Nordbahnhof im 2. Bezirk zu sehen. Der Bau der Eisenbahnbrücken über die Donauarme wurde schon wenige Wochen nach der Inbetriebnahme der Strecke Floridsdorf–Wagram vollendet. Der erste Planzug von Wien-Nordbahnhof nach Wagram verkehrte am 6. Jänner 1838, der Zug, bestehend aus der Lokomotive „Moravia“ und zehn Wagen mit insgesamt 218 Personen, benötigte für die Fahrt nach Wagram 40 Minuten. Der Zug bestand aus drei Klassen, der Fahrpreis betrug jeweils 50, 30 und 15 Kreuzer. Der Güterverkehr wurde auf der Nordbahn erst am 2. April 1840 aufgenommen.

*Lit.: Alfred Horn, Friedrich Rollinger, Die Eisenbahnen in Österreich, Wien 1986.*
ReWi
Abbildung

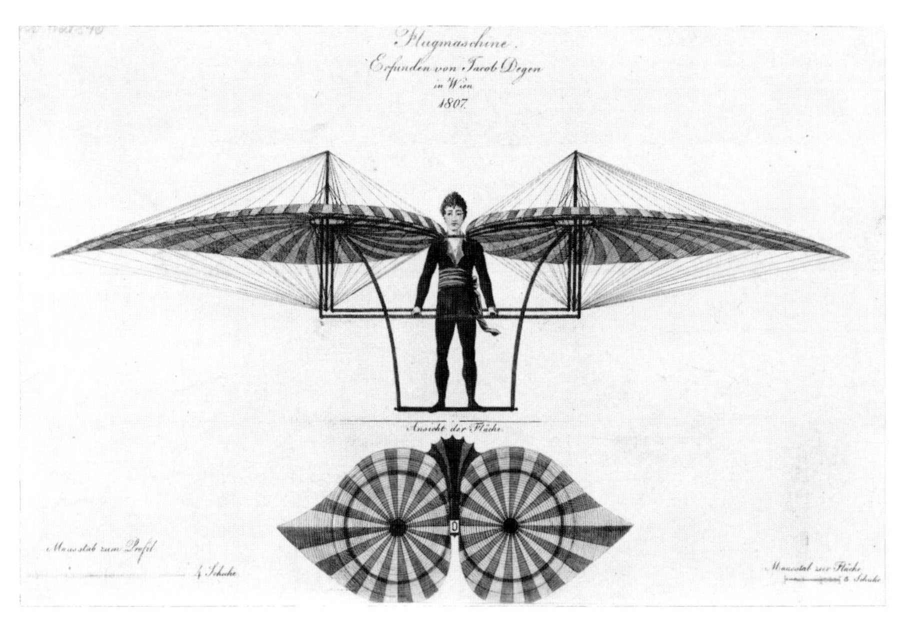

Kat. Nr. 12/3/19

**12/3/18**
**Eisenbahnzug der Südbahn**

Leander Ruß (1809–1864)
Aquarell, 33,5 × 49,1 cm
Monogr. u. dat. li. u.: LR 1847
HM, Inv. Nr. 61.867

Die Wien–Gloggnitzerbahn wurde am 20. Juni 1841 eröffnet. 1844 wurde die Strecke Mürzzuschlag–Graz in Betrieb genommen, 1846 erfolgte die Verlängerung nach Cilli. Die Bahnlinie sollte Wien mit der Adria verbinden, das Schließen der von Gloggnitz bis Mürzzuschlag bestehenden Lücke war also ein dringendes Problem. Carl Ritter von Ghega (1802–1860), der Bahntrassierungen in Amerika studiert hatte, legte Pläne für die erste Gebirgsbahn der Welt vor. Der Bau begann 1848, die Eröffnung der Semmeringbahn fand am 17. Juli 1854 statt. Die Verlängerung der Südbahn von Cilli bis Laibach war schon 1849 fertiggestellt worden, am 15. Oktober 1857 wurde der durchgehende Betrieb zwischen Wien und Triest aufgenommen. Die Haupt- und Residenzstadt war mit der Adria verbunden.

Die Darstellung scheu werdender Pferde, die vor dem Eisenbahnzug mit dem Fuhrwerk durchgehen, ist aus der Frühzeit der Eisenbahn mehrfach belegt. Eine solche sicherlich auch erlebte Episode beinhaltet gleichzeitig einen symbolischen Vergleich: die Konfrontation zwischen dem Alten und dem Neuen.
ReWi
Abbildung

Kat. Nr. 12/3/23

**12/3/19**
**„Flugmaschine / Erfunden von Jacob Degen in Wien", 1807**

Radierung, koloriert, 26,4 × 41,6 cm
(Blatt beschnitten)
HM, Inv. Nr. 21.846

Der Uhrmachermeister Jakob Degen beschäftigte sich bald nach den ersten Ballonflügen mit der Luftfahrt, und seine Versuche, eine Steuervorrichtung für Ballons zu entwickeln, führten zur Konstruktion seines „Schlagflügelapparates" – einer Kombination zwischen Flugmaschine und Ballon. Seine ersten Pläne legte er 1805 dem Direktor des „Physikalischen Kabinets in der Hofburg" vor, 1807 baute er seinen Apparat. Die beiden je 3,16 m langen und 2,85 m breiten herzförmigen Flügel der Flugmaschine waren aus gefirnißtem Papier mit Streifen aus Schilfrohr verstärkt und hatten 3500 Klappen, die sich beim Heben öffneten und beim Senken schlossen. Sie waren mit einem Rahmengestell aus Bambusrohr verbunden und wurden durch Muskelkraft bewegt. Der erste öffentliche Versuch fand am 18. April 1808 in der Winterreitschule statt, und es gelang Degen – obwohl bei einem Fluggewicht von 80,6 kg 42 kg als Gegengewicht verwendet wurden –, sich durch Flügelschlag bis zur Decke zu erheben.

Im November des gleichen Jahres setzte Degen seine aufwendigen Flugexperimente auf dem Feuerwerksplatz im Prater fort, die ihm auch gelangen. Degen versuchte sein Schwingenflugzeug zu verbessern und übersiedelte 1811 nach Paris. Er kombinierte den Schlagflügelapparat mit einem Heißluftballon. Doch der Wind war sein größter Gegner und seine Aufstiege 1813 in Paris mißglückten. Wenig später kehrte er wieder nach Wien zurück, gab allerdings alle Versuche mit seiner Flugmaschine auf. Degen ist auch der Erfinder der Guillochiermaschine, mit der fälschungssichere Banknoten gedruckt werden können (vgl. Kat. Nr. 14/23).

*Lit.: Jakob Degen, Flugmaschine, Wien; Wilhelm Zachariä, Beurtheilung der Degenschen Flugmaschine, Leipzig 1809.*
ReWi
Abbildung

**12/3/20**
**„Nichts ist mehr unmöglich"**

Lithographie, 36,8 × 50,4 cm
Sign. re. u.: Herausgegeben von M. Trentsensky in Wien
Aus: Landschaften für die Optik, o. Nr.
HM, Inv. Nr. 21.785

Luftschiff, Dampfschiff, Eisenbahn und kühne Brückenbauten vereinen alle Länder.
ReWi

**12/3/21**
**Die Ballonfliegerin Wilhelmine Reichard im Rosenbaumschen Garten, 1820**

Aquarell, 28,4 × 40,1 cm
HM, Inv. Nr. 48.006

Wilhelmine Reichard wurde durch ihre intensive und variationsreiche Ballonfahrertätigkeit berühmt. Sie war am 10. August 1820 um 7 Uhr abends vom Feuerwerksplatz im Prater zu ihrer zweiten Luftfahrt in Wien aufgestiegen. Ihr Mann und Josef Rosenbaum folgten dem Flug der Aeronautin in einem bestellten Mietwagen, kamen aber zum Landeplatz am Linienwall in der Nähe des Belvedere zu spät. Die zusammengeströmte Menge Schaulustiger wollte ein Andenken an das Unternehmen der mutigen Frau erwerben. Der Ballon, seine Herstellungskosten hatten 3000 Gulden betragen, war in Gefahr, zerstört zu werden. Herbeigeeiltes Militär schloß einen Kreis um das Luftschiffzeug, und die Neugierigen wurden abgedrängt. Nach einer kurzen Zwischenstation im Belvedere wurde auf Vorschlag von Rosenbaum der Ballon in seinen Garten gebracht und während der Nacht aufgehoben. Zum Dank für die hilfreiche Unterstützung schenkte Wilhelmine Reichard den Korb des Ballons und die bei dem Unternehmen mitgeführte Fahne dem Förderer Rosenbaum.

(Über die berühmte Gartenanlage auf der Wieden siehe Kat. Nr. 12/1/24.)
ReWi
Abbildung

**12/3/22**
**Erste Luftfahrt des Ballons „Adler" von Wien am 20. April 1846 im Wiener Prater**

Franz Kaliwoda (um 1820–1859)
Lithographie mit Tonplatte, 27,4 × 35,3 cm
Sign. li. u.: F. Kaliwoda lith.; re. u. Gedr. b. J. Rauh
HM, Inv. Nr. 164.207

Das Flugblatt gibt auch nähere technische Daten an: „Dieser Ballon ist mit einem Fallschirm versehen, hat 32 Fuß im Durchmesser, faßt 17,151 Cubickfuss Wasserstoffgas und ist aus 1200 Ellen innländer Gros de Neaples verfertigt." Obwohl bereits 1821 der Engländer Charles Greene zur Füllung der Ballone den billigeren und schwereren Kohlenwasserstoff propagiert hatte, verwendeten die Wiener Aeronauten nach wie vor Wasserstoff. Die Verwendung des Fallschirmes diente hauptsächlich der Bereicherung des Showprogrammes – denn als solches sind diese Vorführungen zu werten – und bot keine erhöhte Sicherheit für den Ballonflieger.

Die Aeronauten werden ebenfalls im Titel angegeben: „Erste Luftfahrt mit dem Riesen-Ballon genannt: der Adler von Wien ausgeführt von den kühnen Aéronauten Christian Lehmann und Dr. J. F. Natterer. Aufgestiegen am Feuerwerksplatze im Prater zu Wien, am 20. April 1846, niedergegangen bei Leopoldau."
ReWi

Kat. Nr. 12/3/21

**12/3/23**
**Erneuter Aufstieg des Ballons „Adler von Wien" am 23. Mai 1846 im Wiener Prater mit den Ballonfahrern Christian Lehmann, dessen Tochter Carolina und Dr. J. F. Natterer**

Andreas Geiger (1773–1856)
Stahlstich, 41 × 28,6 cm
Sign. re. u.: And. Geiger sc.
Aus: Besondere Bilder-Beilage zur Wiener Theaterzeitung
HM, Inv. Nr. 97.363/1

Die breite Masse erlebte den Nervenkitzel des gefahrvollen und faszinierenden Ereignisses von der Erde aus. Die Begeisterung über die neue Erfindung der Ballonfahrt, die sich seit dem Ende des 18. Jahrhunderts den Menschen erschlossen hatte, führte zu großen Veranstaltungen in Vergnügungszentren. In Wien blieb der Prater das gesamte 19. Jahrhundert Aufführungsort von Ballonflügen. Hauptsächlich professionelle Luftfahrer, die aus Interesse und Abenteuerlust ihr risikoreiches Geschäft als Lebensunterhalt bestritten, nahmen sich der Ballonfahrt an.

Eine entscheidende Fortentwicklung der Technik des Ballonfluges gelang nicht. Das große Problem, daß der Ballon den Luftströmungen ausgesetzt ist, konnte nicht gelöst werden; Lenkungsversuche mit Hilfe von Ruderschwingen blieben illusorisch.
ReWi
Abbildung

# KAPITEL 13

## BAUKUNST

Andere Kunstsparten wie Malerei oder Kunstgewerbe liefen im Vormärz der Architektur den Rang ab. Mit Ausnahme des Wohnhausbaues war das Bauvolumen gegenüber den vorhergehenden und nachkommenden Architekturperioden geringer. Eingeschränkt von Sparmaßnahmen, Baubürokratie und offiziell vertretenem Konservativismus, bewegte sich die öffentliche Bautätigkeit („Beamtenarchitektur") in der Tradition des Klassizismus. Unter den nichtbeamteten Architekten war Josef Kornhäusel durch sein breites Spektrum an verwirklichten Bautypen und durch hohe Qualität der bedeutendste Vertreter der zeitgenössischen Architektur und gilt noch heute als Hauptrepräsentant biedermeierlichen Bauens. Ohne Klischee versucht der Raum „Baukunst" in konzentrierter Form die Realität der Architektur vorzustellen.

# ARCHITEKTUR

*Eckart Vancsa*

Die Zeit des Vormärz, von 1815 bis 1848, bedeutete für die Entwicklung der Architektur eine Phase des Umbruchs. Einerseits lebte der Klassizismus als Stil der Aufklärung ungebrochen weiter, andererseits gewann Englands „Gothic Revival" im Zeitalter der Romantik und des Nationalismus zusehends seit Ende des 18. Jahrhunderts auch am Kontinent an Einfluß. Daneben entstanden Mischstile, die vor allem unter dem neuen historischen Blickwinkel Ansätze für den Historismus der zweiten Jahrhunderthälfte boten. Darüber hinaus begannen in der Schülergeneration die Lehren des sogenannten Revolutionsklassizismus (Etienne-Louis Boulée, Claude-Nicolas Ledoux) durch die Theorien des Jean-Nicolas-Louis Durand[1] Früchte zu tragen: Zweckmäßigkeit und Sparsamkeit waren die Parolen, und verbunden damit die Rückbesinnung auf die stereometrische Schlichtheit des Baukörpers.

Ein wesentliches Faktum für die Vielschichtigkeit der architektonischen Szenerie der ersten Jahrhunderhälfte bildete aber auch die wirtschaftliche und technische Entwicklung. Das neue Industriezeitalter mit seinen neuen Möglichkeiten von Handel und Verkehr sowie der neuen Materialien Glas und Eisen schuf sowohl gänzlich neue Bauaufgaben (Bahnhöfe, Fabriken usw.), als auch neue Konstruktionsmethoden (Brücken, Ausstellungshallen usw.). Das Zeitalter taumelte nicht nur politisch zwischen Krieg und Revolution, sondern auch im geistig-künstlerischen, im architektonischen Bereich gärten die Neuerungsideen und führten zu einer allgemeinen Verunsicherung, die sich in der 1828 von Heinrich Hübsch beinahe verzweifelt gestellten Frage: „In welchem Style sollen wir bauen?"[2] Luft zu machen schien.

In Wien – des neben London und Paris bedeutendsten politisch-kulturellen Zentrums des Kontinents – verlief das architektonische Geschehen nicht ganz so dramatisch wie anderswo[3]. Die Gründe dafür lagen einerseits darin, daß das große Bauvolumen des 18. Jahrhunderts die wesentlichsten Aufgaben bereits verwirklicht hatte, auch mangelte es seit den Napoleonischen Kriegen an finanziellen Mitteln, andererseits war die Stadt – trotz des rapiden Anwachsens der Vorstädte[4] – immer noch Festung und somit in ihrer Entfaltung beschränkt. Die Umstellungen auf das industriell-technische Zeitalter wurden trotz gewisser Ansätze nur zögernd aufgenommen[5], und schließlich bildete die Bevormundung durch den 1809 gegründeten Hofbaurat ein gewisses Hemmnis in der freien Entfaltung des architektonischen Geschehens[6].

Trotzdem entstanden auch in Wien bedeutende Leistungen, deren Stellenwert in der europäischen Entwicklung beachtlich ist, doch hat die Kritik vor allem der nächsten, der Ringstraßen-Generation, vielfach dazu geführt, die Architektur des Vormärz bis heute gering zu schätzen[7] und sie mit Begriffen wie „Kasernen-" oder „Beamtenarchitektur" abzutun. Auch der Begriff „Biedermeier" trägt in diesem Zusammenhang nicht gerade zum Verständnis der Situation bei[8], suggeriert er doch eine Szene der bürgerlichen Zurückgezogenheit, der heilen Idylle in kleinem Maßstab, wo im Gegenteil in allen geistig-künstlerischen Gebieten Konflikte schwelten, Neuerer und Revolutionäre agierten, was ja schließlich auch politisch zur Revolution führte. Erst die Generation der mit allen Traditionen brechenden Künstler um 1900 erkannte das Zukunftsweisende der auf Zweckmäßigkeit gestimmten Erzeugnisse des Vormärz, ja nahm sie zum Teil sogar direkt zum Vorbild[9].

Um die Wiener Architekturszene des Vormärz richtig beurteilen zu können, wird man in Hinkunft aber wohl auch noch einen anderen Aspekt berücksichtigen müssen: Schon die großartige Schöpfung der „Reichsarchitektur" der beiden Fischer von Erlach hatte zu einer kosmopolitischen Sicht[10] und in der Folge auch zu Lösungen geführt, deren auf die Zweckhaftigkeit gerichtete Signifikanz vielfach anwendbar war (Hofstallungen). Diese klare Formulierung öffentlicher Präsenz, weitab jedweder rein auf den Herrscher bezogenen Repräsentationsansprüche, verkörperte nunmehr, gleichsam wie ein Hoheitszeichen, die Staatsarchitektur in den habsburgischen Landen und bildete so den Keim zur sogenannten ärarischen Architektur, wie sie durch die vereinheitlichenden Bestrebungen des Hofbaurates im Vormärz entwickelt wurde und bis zum Ende der Monarchie gültig blieb. So wird man denn die Leistungen der vormärzlichen Architektur Wiens nicht nur auf die Stadt selbst beziehen dürfen oder auf ihr Umland, sondern auch die vielfältigen Beziehungen berücksichtigen müssen, welche die Reichshaupt- und Residenzstadt als d a s politische, kulturelle und verwaltungsmäßige Zentrum des Reiches bis zum Ausgleich mit Ungarn (1867) mit den übrigen Kronländern und darüber hinaus mit dem gesamten Mitteleuropa verband. Die entgegen den stark aufkeimenden nationalistischen Tendenzen zwar zentralistisch geführte, aber doch kosmopolitische Haltung des Metternich-Regimes und seiner Institutionen (Hofbaurat) förderte u. a. eine über das ganze Reich relativ gleichgestimmte Entfaltung des Baugeschehens, dessen Protagonisten daher nicht nur in der Metropole, sondern auch in den anderen Zentren, in Prag, Brünn, Preßburg, Budapest, Triest, damals aber auch noch in Venedig und Mailand, ihr Betätigungsfeld fanden und so den Grundstein auch in der Architektur für ein Kulturphänomen legten, das heute unter dem Begriff „Mitteleuropa" wieder allgemein Beachtung findet.

Für Wien als Stadt waren aus den bereits oben aufgezeigten Gründen die Möglichkeiten architektonischer Verwirklichung relativ beschränkt. Trotzdem boten sich aber gerade durch die Napoleonischen Kriege gewissermaßen Chancen für die weitere Entwicklung der Stadt, nachdem Napoleon 1809 weite Teile der Stadtbefestigung hatte sprengen lassen und sich somit die nunmehrige Nutzlosigkeit der alten Bollwerke erwies. In der Folge verstärkten sich die Forderungen nach Beseitigung der die Stadtentwicklung hemmenden Befestigungswerke, und die Architektenschaft beschäftigte sich zunehmend mit Plänen zur Stadterweiterung, allerdings vorerst vornehmlich im Bereich der Burg- und Kärntnerbastei sowie im Bereich um den heutigen Rudolfsplatz[11]. All diese Projekte – immer wieder die Errichtung von Oper, Theater, Akademie oder Kasernen usw. beinhaltend – scheiterten jedoch am Widerstand der Militärs, und lediglich die Neugestaltung des Burgbereichs mit Burggarten, Heldenplatz und Volksgarten als erstem öffentlichen Park der Innenstadt wurde verwirklicht.

Die Schwerpunkte stadtplanerischer Aktivitäten richteten sich daher naturgegebenermaßen auf die Vorstädte. Schon 1780 hatte Kaiser Joseph II. das Brachgelände des Glacis mit Alleen bepflanzen lassen, die nunmehr einen beliebten

Hofstallgebäude, 1723–1725

Anziehungspunkt für die Wiener zum Flanieren bildeten. Auch waren im 18. Jahrhundert bereits zahlreiche Monumentalbauten entlang des Vorstadtrandes errichtet worden, welche die Front der Vorstädte gegen die Stadt hin akzentuierten (Palais Schwarzenberg, Karlskirche, Hofstallungen, Palais Trautson usw.). Diese städtebauliche Aufwertung wurde durch zahlreiche öffentliche Bauten (Finanzlandesdirektion, Hauptmünzamt, Polytechnikum, Militärgeographisches Institut, Gefangenenhaus) nunmehr fortgesetzt, so daß die Vorstädte von den Basteien und vom Glacis aus ein ansehnliches monumentales Bild ergaben. Im übrigen überließ man die durch das Bevölkerungswachstum aus allen Fugen geratenden vorstädtischen Gebiete mehr oder minder ihrem Schicksal. Denn abgesehen von einigen nie verwirklichten Gestaltungsversuchen – wie etwa dem Verbauungsplan für das Gebiet um das Belvedere von A. E. Stache, 1818, mit Marktplatz und lockerer Zeilenverbauung mit großzügig begrünten Innenhöfen – begnügte man sich mit der rasterförmigen Parzellierung aufgelassener Kloster- und Schloßgärten bzw. der Parzellierung freier Flächen gegen den Linienwall zu (Vorstadt Schottenfeld). Die einzige Auflockerung des monotonen Rasters bildeten dabei zuweilen kleine Rechteckplätze mit Straßenkreuz (Paulusplatz, Mozartplatz, Albertplatz u. a.). So bleibt für die städtebauliche Entwicklung der Vorstädte im Vormärz charakteristisch, daß das seit dem Mittelalter überkommene Straßen- und Wegenetz kaum verändert wurde. Durch den Linienwall seit 1700 ebenso umklammert wie die Stadt durch die Bastionen, konnte man – unter Opferung der prachtvollen barocken Gartenstadt – die Strukturen nur verdichten, was bald zu einer ebensolchen Raumnot wie in der Innenstadt führte. Dadurch wurden gerade die Vorstädte – weitab jedweder biedermeierlichen Idylle – mit ihrer von Industrie- und Gewerbebetrieben durchmischten kompakten Struktur, gegenüber der wie eine einzige turmbekrönte Burg durch die Weite des Glacis getrennten Stadt zum eigentlichen Großstadtkörper Wiens am Beginn des Industriezeitalters[12].

Hatten im 18. Jahrhundert noch adeliger Schloßbau, Kirchen und Klöster als Bauaufgabe dominiert, so begann sich nun das Schwergewicht zugunsten öffentlicher Bauvorhaben zu verlagern. Die Gründe dafür lagen einerseits in einer gewissen Sättigung dieser traditionellen Baubereiche, andererseits waren dem seit 1804 neugegründeten Österreichischen Kaiserstaat neue Aufgaben zugewachsen. Der Verwaltung des nunmehrigen Einheitsstaates mußte Rechnung getragen werden, der Fortschritt des technischen Zeitalters erforderte neue Organisationen der Bildung, des Verkehrs, aber auch des Wohlfahrtswesens. Da der Staat aber seit den Napoleonischen Kriegen traditionell an Geldknappheit litt, suchte man ein Höchstmaß an Sparsamkeit und eine damit verbundene Zweckhaftigkeit bei den Staatsbauten zu verwirklichen. Das Instrument hierfür bildete der Hofbaurat, dessen architektonisches Departement seit 1820 Peter Nobile leitete[13]. Seit 1818 bereits Direktor der Architekturschule der Akademie, war Nobile eine der beherrschendsten Architektenpersönlichkeiten des Wiener Vormärz. Obwohl vorwiegend in Triest tätig und eigentlich noch der Generation der Monumentalklassizisten zugehörig, nahm er sowohl durch seine Funktionen wie auch durch seine konsequenten Forderungen nach baukünstlerischer Ausbildung – entgegen der aufstrebenden Ingenieurschule des Polytechnikums – im Wiener Architekturgeschehen eine zentrale Stellung ein, wiewohl er selbst als ausführender Architekt kaum in Erscheinung trat. So liegen denn auch seine beiden Wiener Hauptwerke (Theseustempel, 1820–1823 und Burgtor, 1821–1824) am Beginn der Epoche und vertreten mit ihrer archäologisch strengen „Dorica" und der kubischen Geschlossenheit des Mauerblockes (Burgtor) Strömungen des repräsentativen Gräcismus westlicher Prägung (England) oder eines Friedrich Schinkel (Neue Wache, Berlin, 1816).

Den eigentlichen Beginn der vormärzlichen Repräsentationsarchitektur, der abschätzig bezeichneten sogenannten Beamtenarchitektur, setzte bezeichnenderweise ein Bau für eine Institution, deren Gründung die Intentionen des neuen Staates durchaus der Zeit gemäß und fortschrittlich erscheinen lassen: das Polytechnikum. 1816–1818 nach einem vom Hofbaurat erstellten Plan unter der Bauleitung von dessen Direktor Joseph Schemerl von Leytenbach neben der Karlskirche errichtet, zeigt der langgestreckte Baukörper eine klare Gliederung durch Risalite, die durch Säulen bzw. Pilaster und durch Mansarddächer gegliedert sind, ein System, das letztlich die barocke Tradition (Hofbibliothek), die im Nutzbau des 18. Jahrhunderts weitergeführt wurde (ehemaliges Invalidenhaus), wieder aufgreift.

Noch nüchterner, ja schon fast extrem im Sinne reiner Zweckarchitektur, erweist sich jedoch Johann Amans Tierärztliche Hochschule (1821–1823). Hier werden zwei große Kuben fast schmucklos miteinander verzahnt und lediglich der Mittelteil erhält durch flache Pilaster und Frontispiz eine gewisse Nobilitierung.

Diese auf den Baukubus als Block konzentrierte, die Mauerhaftigkeit der Architektur betonende Grundhaltung,

Kat. Nr. 13/23/1 Polytechnikum, 1816–1818

Ehemaliges Militärinvalidenhaus, 1783–1786

sparsam im Dekor und auf Zweckmäßigkeit gestimmt, aber doch monumenthaft signifikant, beherrschte nunmehr fast ausschließlich das öffentliche Baugeschehen in Wien. Sei es die ehemalige Nationalbank von Karl von Moreau (1821–1823), mit ihrer die Mauerschichtung betonenden Pseudoarkatur[14], der fast würfelige Block der ehemaligen Universitätsbibliothek (1827–1829) oder das durch Aufstockung und Bereicherung 1870 veränderte Militärgeographische Institut, 1840–1842 von Franz von Mayern. Auch das heutige Landesgericht, 1831–1839 von Johann Fischer errichtet (1905/06 aufgestockt), zählt zu dieser Richtung funktionalistisch-kubischer Monumentalbauten, wenn es auch – speziell bedingt durch seine Funktion als Gefangenenhaus – mit der schmucklosen Rustikafassade einen trutzig-wehrhaften Charakter vermittelt (vgl. die ehemalige Alserkaserne, 1751–52).

Hauptvertreter dieser spezifisch wienerischen Ausprägung des vormärzlichen öffentlichen Nutzbaues und vielleicht auch – bedingt durch seine Stellung beim Hofbaurat – die beherrschende Architektenpersönlichkeit der Zeit war jedoch Paul Sprenger. Sein 1835–1838 erbautes Hauptmünzamt ist sozusagen die klassische Lösung dieser Richtung, gleichsam eine Verbindung von Amans kubischen Tendenzen, vergleichbar etwa Leistungen eines Leo von Klenze und Friedrich von Gärtner in München, mit der traditionsgebundenen Richtung des Polytechnikums. Weitergetrieben im Sinne reiner Nutzarchitektur sind diese Tendenzen dann beim Bau der Finanzlandesdirektion (1841–1847), wobei in den Detailformen des Portikus historistische Elemente voll zur Geltung gelangen.

Eine Sonderstellung in dieser Szenerie der Nüchternheit der Architekturgestaltung nimmt der Neubau des Nö. Landhauses, 1837–1839 von Alois Pichl, ein. Seine durch mächtige Dreiviertelsäulen gegliederte Fassade greift noch einmal voll in die monumental-klassizistischen Register etwa eines Louis Montoyer (Palais Rasumofsky), zeigt aber vor allem Verwandtschaft mit Triestiner oder Mailänder Bauten und verweist somit – neben Peter Nobile – auf die künstlerischen Beziehungen zu Italien.

Die Gliederung der Fassade durch eine Monumentalordnung mit Frontispiz und Lünettenfenstern hatte schon 1826–1832 Josef Kornhäusel, der bekannteste Architekt des Wiener Vormärz, beim Schottenhof vorgetragen. Ähnlich, wenn auch im Detail dekorativer als bei Amans Tierärztlicher Hochschule, ist hier jedoch die repräsentative Wertigkeit zugunsten einer flachen, der Wand wie vorgeblendet erscheinenden Struktur zurückgenommen, eine Lösung, die flexibel genug war, um fortan sowohl am Monumentalbau (Erste Österreichische Spar-Casse, 1835 bis 1836 von Pichl), als auch beim Wohnbau Anwendung zu finden.

Dieser Wohnbau war allein schon durch die Zahl der Häuser, die für die beinahe verdoppelte Bevölkerung im Verlauf der Epoche errichtet werden mußten, die größte Bauaufgabe des Vormärz. Dabei stieg die Zahl der Neubauten bei weitem nicht in dem Maße wie die der Einwohner[15], woraus folgt, daß sich vor allem die Geschoßzahl der Häuser erhöhte. Geht man nun aber von der vielfach vertretenen Annahme aus, daß gerade im behaglichen Bereich des bürgerlichen Wohnbaus, und hier wiederum besonders in der vermeintlich gemütlicheren Vorstadt, der Begriff einer biedermeierlichen Architektur am ehesten zu fassen sei, so lassen diese Zahlenvergleiche doch eher ein anderes Bild vermuten. Und tatsächlich stellen die Jahre zwischen 1800 und 1850 – wie schon oben kurz skizziert – einen ersten Höhepunkt der Verstädterung dieser Gebiete dar. Eine Idylle der Vorstadt war im 18. Jahrhundert entstanden, im Barock und im theresianisch-josephinischen Wien, und ist in Resten auch noch überkommen, in jenen ein- bis zweigeschossigen Häuschen mit Pawlatschenhöfen und kleinen Gärten. Vereinzelt wurde dieser Bautyp zwar auch noch im Vormärz weitertradiert, das Gros der Wohnbauten tendierte jedoch zur Mehrgeschossigkeit und damit zum Zinshaus, zur Ausbildung eines geschlossenen Innenhofes ohne Garten, zur Verlegung des Gangsystems nach innen (Kasernentypus) und zur durchschnittlichen Wohneinheit Küche-Zimmer-Kabinett[16]. Dabei verlor sich zunehmend der Unterschied zwischen der immer schon an Raumknappheit leidenden Stadt und den Vorstädten, sowohl was die Höhe der Bauten, als auch was die Enge des Wohnraumes betrifft, ja die häufige Durchmischung mit Gewerbe- und kleinen Industriebetrieben (vgl. u. a. das Marchettihaus, Gumpendorfer Straße 95, 1803 von Josef Adelpodinger, später mehrfach umgebaut) verlieh den Vorstadthäusern eine noch wesentlich verdichtetere Struktur[17] als in den doch vornehmeren Stadtmietshäusern, obwohl diese mit ihren fast durchwegs fünf und mehr Geschossen in den engen Altstadtgassen ebenfalls an die Grenze der vertretbaren Grundausnützung gelangt waren[18].

Es kann hier nicht der Ort sein, eine ins Detail gehende Typengliederung des vormärzlichen Wohnbaues darzustellen, der in seinem Variantenreichtum und der Vielfalt der Einzelgestaltungen wie die gesamte Epoche überaus differenziert erscheint. Im wesentlichen kristallisieren sich zwei Hauptströmungen heraus, die – und das ist das Interessante – beide in der nachfolgenden Epoche des Historismus ihre Fortsetzung und Steigerung erfahren: man kann diese beiden Hauptrichtungen etwa mit den Begriffen Mietpalais und Zinskaserne charakterisieren, allerdings vorwiegend im architektonischen und nicht im soziologischen Sinn[19].

Der Typus des Mietpalais knüpfte an Lösungen an, wie sie Josef Kornhäusel etwa an der Fassade des Schottenhofes vorgetragen hatte. Der prominenteste dieser Bauten ist das sogenannte Seilerhaus am Heumarkt (1826 von Franz Reymund), welches – gemäß dem repräsentativen Anspruch an der Vorstadtfront – das flächige Tempelmotiv des Mittelrisalites durch ein wuchtiges Attikarelief noch monumentalisiert. Kornhäusel selbst hat diesen Fassadentyp mehrfach aufgegriffen, wie etwa beim Haus in der Resselgasse (1831) oder beim Haus Dittmann in der Praterstraße (1832–1833), wo er allerdings die Tempelfront variierte, indem er die Pilaster gleichsam zwischen massive Eckpfeiler einstellte, ein Motiv, das vor allem in der Nachfolge des Revolutionsklassizismus am Monumentalbau häufig auftritt.

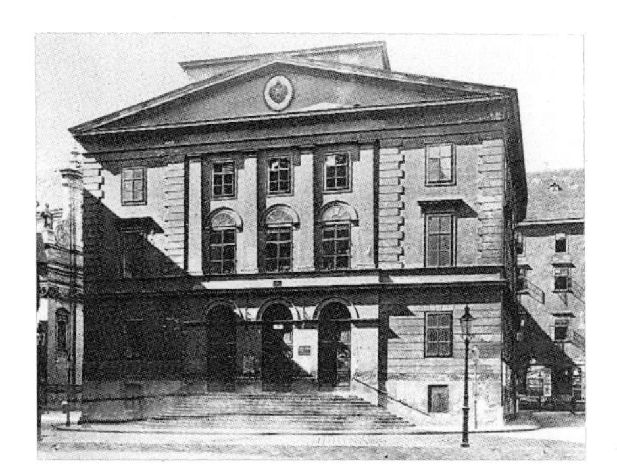

Ehemalige Universitätsbibliothek, 1827–1829

Hauptmünzamt, 1835–1838 (Foto BDA)

Erste Österreichische Spar-Casse, 1835–36

Seilerhaus, 1826 (Foto BDA)

Der Typ der Zinskaserne ist einerseits durch besondere Zurückhaltung im Dekor, andererseits durch das Prinzip der monotonen Achsenreihung geprägt. Einfache Lünettenfenster, Dreiecksgiebel- oder gerade Fensterverdachungen instrumentieren die Fassadenfläche. So sind etwa Kornhäusels Bauten in der Seitenstettengasse (1825) oder das Haus Haan in der Rotenturmstraße (1840–1841) Variationen dieses Schemas, dessen kasernenartiger Charakter besonders bei vielachsigen Bauten wie dem Haus Wiedner Hauptstraße 40–42 (1837–1838, Karl Högel und Franz Xaver Lössl) deutlich wird und somit das dem Begriff nach zutiefst Unbiedermeierliche dieser vermeintlich biedermeierlichen Vorstadthäuser klar unterstreicht.

Neben diesen beiden grundsätzlichen Fassadentyppen entstand jedoch eine Vielzahl von Variationen, die entweder dem einen oder dem anderen Schema zuneigen, sei es durch die Betonung flacher Risalite, durch Pilaster oder durch leichte Rhythmisierung der Achsenmonotonie.

Eine im Vormärz eher zurücktretende Bauaufgabe, die sowohl mit dem Wohnals auch mit dem Monumentalbau verknüpft ist, bildet der Komplex Schloß – Palast – Villa. Durch die Vielzahl an Schloß- und Palaisbauten des 18. Jahrhunderts wurden im Vormärz in Wien – im Gegensatz zu Ungarn – kaum mehr größere Anlagen errichtet. Eine zentrale Rolle spielte allerdings ein Bau, der seit Ende des 18. Jahrhunderts vor den Toren Wiens entstand: die Franzensburg in Laxenburg mit ihren zahlreichen Trabantenbauten im Park, wie etwa dem gotischen Schlößchen auf der Marianneninsel (1840/41 von Moretti), vergleichbar dem Entwurf Friedrich Schinkels zur Petrikirche (1810). Hier war an einem kaiserlichen Bau erstmals die gotisierende Romantik aufgegriffen worden, die, in den Napoleonischen Kriegen zum deutschen Nationalstil erkoren, dann nach dem Wiener Kongreß seitens des Metternich-Regimes aus eben diesen Gründen eher verpönt war. So entstand neben dem romantischen Ausbau der Liechtensteinschen Stammburg bei Mödling, mit ihren architektonischen, zum Teil vaterländisch gestimmten Versatzstücken in der natürlichen Umgebung, wie Husarentempel (1812–1813 von Josef Kornhäusel), Amphietheater, Ruine Mödling u. a., nur ein einziger wirklich großer Bau dieser Richtung in der Umgebung Wiens, nämlich das Schloß Grafenegg, ab 1840 von Leopold Ernst, wogegen z. B. der böhmische Adel in bewußtem Gegensatz zum Wiener Hof gerade den neugotischen Schloßbau bevorzugte (u. a. Schloß Hluboká, Schloß Ledenice)[20].

Die Wiener Bauten folgen im allgemeinen, wie der Monumental- und Wohnbau, der klassizierenden Richtung, mit übergiebelten Säulenrisaliten, meist auf Sokkeln, wie z. B. das Palais Clam-Gallas (1834–35 von Heinrich Koch) oder das Schloß Liechtenstein bei Mödling (1820–1822 von Josef Engel). Eine interessante Variante in Anlehnung an das benachbarte Palais Rasumofsky von Louis Montoyer (ab 1803) zeigt das 1827–1832 von Ignaz Göll erbaute Palais Salm mit seiner der flachen Giebelfassade vorgesetzten, auf mächtigen Säulen ruhenden Terrasse.

Der bedeutendste vormärzliche Schloßbau im Raum Wiens ist leider durch Kriegseinwirkungen verlorengegangen, Josef Kornhäusels 1820–1823 für Erzherzog Carl errichtete Weilburg in Baden. Die mächtige Anlage zeigt in eindrucksvoller Weise die selbständige Auseinandersetzung des Architekten mit Ideen des Revolutionsklassizismus[21], wobei dessen Säulen-Monumentalität schwerer Blöcke zur Dominanz einer dekorlosen Raumhaut flächiger Kuben verknappt ist, vergleichbar der Tendenz Amans beim Bau der Tierärztlichen Hochschule.

Das vormärzliche Stadtpalais spielte eine eher untergeordnete Rolle, und man beschränkte sich meist auf die Umgestaltung älterer Bauten an den Fassaden und in den Repräsentationsräumen, wie etwa beim Palais Modena in der Herrengasse (1811 von Giacomo Quarenghi und Alois Pichl) oder beim Palais Palffy in der Wallnerstraße (1809–1813 von Charles von Moreau), das sich mit seiner dichten Achsenreihung an der Fassade dem Wohnbau anzugleichen scheint. Zwei interessante Bauten erweisen dagegen auch bei dieser Bauaufgabe wiederum die vormärzlich Architekturszene als sozusagen zwischen den Epochen stehend: Einmal das 1842–1847 von Karl Schleps erbaute Palais Coburg, das mit seiner gedehnt-übereinandergestellten Säulenreihung am Glacis-Risalit die klassizistische Maxime beinahe zu karikieren scheint, wogegen die stadtseitige Fassade eine durch Säulenschleier unterbrochene äußerst verdichtete Gliederung zeigt, die bereits Gestaltungen der frühen Ringstraße (Kärntnerring) vorwegnimmt. Zum anderen das ehemalige Palais Metternich (heute italienische Botschaft) am Rennweg, 1846–1847 von Johann Romano und August Schwendenwein errichtet. Der mächtige, durchgehend genutete Block mit seiner schlichten Achsenreihung zeigt

Laxenburg, Mariannen-Schlößchen, 1840/41 (Foto BA, ÖNB)

Schloß Grafenegg, ab 1840 (Foto BDA)

Palais Clam-Gallas, 1834/35 (Foto BDA)

einerseits Verwandtschaft mit Gestaltungsprinzipien des Wohnbaues der 1840er Jahre (vgl. Lenaugasse 2, 1839 von Anton Grünn), andererseits weist er durch die Mittelbetonung mit Balkon-Fenster-Gruppe auf den Palast des Strenghistorismus, der sogenannten Neu-Wiener-Renaissance voraus.

Die vormärzliche Villa gebärdete sich überwiegend als kleines Schlößchen mit ähnlichen klassizierenden Gestaltungsprinzipien, wie u. a. die Villa Wertheimstein in Döbling, 1834–1836 von Alois Pichl erbaut. Ein für die Epoche in der Vielfalt seiner Formen eigentlich sehr charakteristischer Bau ist dagegen das Geymüller-Schlößl in Pötzleinsdorf. Ab 1808 errichtet, zeigt es sich in seiner Außenerscheinung, im Baukörper, noch barocken Gartenpavillons verpflichtet[22], mit mauresken und gotisierenden Details, während die Innenräume klassizistische und empirehafte Dekorationsmotive aufgreifen; alles in allem aber in jener schlichten, unpathetischen Attitüde, welche die Behaglichkeit saturierten Bürgertums vermittelt, wie sie etwa auch Ferdinand Raimunds Zaubermärchen kennzeichnet. Somit ist das Geymüller-Schlößl eine architektonische Schöpfung, wo – den Garten eingeschlossen – am ehesten so etwas wie Biedermeier an einem Bau faßbar wird, wenn auch nicht im streng architektonischen Sinn, sondern im Stimmungswert eines eigentümlich disparaten Lebensgefühles[23].

Die religiöse Architektur hat im vormärzlichen Wien kaum wesentliche Spuren hinterlassen, zu sehr war durch Barock und besonders durch die josephinischen Pfarrgründungen diese Bauaufgabe ausgeschöpft. Außerdem lähmte gerade hier die leidige Stilfrage – ob gotisch oder im sogenannten Jesuitenstil – wie sie vor allem bei der Planung der Altlerchenfelder-Kirche, dem Initialbau der nächsten Epoche, seit 1843 diskutiert wurde, die schöpferischen Kräfte. Unter den wenigen katholischen Kirchen der Zeit ist zweifellos die Johann Nepomuk-Kirche in der Praterstraße, 1841–1845 von Karl Rösner, der bedeutendste Bau, gehört aber bereits mit seinem lombardisch-florentinische Quattrocentoarchitektur verarbeitenden Gliederungs- und Dekorsystem in die frühhistoristische Epoche. Der Form des für den Klassizismus typischen zylindrischen Zentralbaues folgt dagegen die 1817–1820 erbaute Inzersdorfer Pfarrkirche (später verändert).

Ehemalige Weilburg bei Baden, 1820–1823 (Foto BDA)

Eisenstadt, Schloß Esterházy, Gartenfront, ab 1794 (Foto BDA)

Palais Metternich (Italienische Botschaft), 1846/47

Geymüller-Schlößl, ab 1808 (Foto BDA)

Die seit dem Toleranzpatent Josephs II. ermöglichten nichtkatholischen Sakralbauten gehören alle der folgenden Phase des Historismus an, wie auch die bereits 1846 durch Ludwig Förster, den Herausgeber der Architekturzeitschrift „Allgemeine Bauzeitung" (ab 1836) begonnene Evangelische Kirche in der Gumpendorfer Straße. Josef Kornhäusels 1825–26 erbaute Synagoge in der Seitenstettengasse dagegen ist mit ihrer über der vorgezogenen Säulengalerie gleichsam schwebenden Kuppel eine der ausgewogensten Raumschöpfungen des Wiener Klassizismus.

Zuletzt sei noch kurz auf den Bereich des Ingenieurbaues hingewiesen, der im beginnenden Industriezeitalter zunehmend an Bedeutung gewann. Die neue Möglichkeit der stützenlosen Überspannung großer Räume durch Eisenkonstruktionen fand in Wien ihre erste Verwirklichung an der Schwimmhalle des ehemaligen Dianabades, 1841–1843 von Karl von Etzel, die der stützenlosen Überführung von Wasserläufen durch die Erfindung der Ketten-Hängebrücke in der ehemaligen Sophienbrücke über den Donaukanal, 1824–25 nach Plänen von Ignaz von Mitis. Schließlich erforderten Eisenbahnen (Kaiser-Ferdinands-Nordbahn, 1837), Wasserleitungen (Kaiser-Ferdinands-Wasserleitung, 1836–1843), allenthalben entstehende Fabriksanlagen u. a. m. die architektonische Auseinandersetzung mit gänzlich neuen Bauaufgaben, die vorerst – im Zeitalter der nüchternen Zweckhaftigkeit der Architektur –, wie das frühe Beispiel der Zinnerschen Zuckerfabrik (1839 von Ludwig Förster) zeigt, durchaus adäquate Lösungen fand. Erst die folgende Epoche sah sich auf Grund des nunmehr neu gestellten Repräsentationsanspruches genötigt, selbst diese reine Zweckarchitektur durch historisierend-monumentale Gestaltung (Fabriks-Burgen) zu verfremden und so eine Ära zu beenden, deren – bei aller Gestaltungsvielfalt – vor allem in Wien ausgeprägter Grundsatz, weitab jedweden nationalistischen Pathos oder parvenühafter Prunksucht, mit den Worten J.-N.-L. Durands danach gerichtet war: „Es wird nicht schwer sein, das Ziel der Architektur zu entdecken. Nach dem, was wir oben gesehen haben, kann sie kein anderes haben als die Nützlichkeit für die Öffentlichkeit und den Einzelnen, die Erhaltung und das Glück der Individuen, der Familie und der Gesellschaft"[24].

4., Wiedner Hauptstraße 40–42, 1837/38

Palais Coburg, 1842–1847

Inzersdorfer Pfarrkirche, 1817–1820, Säulenvorbau 1846

**Anmerkungen:**

[1] Zu Durand vgl. u. a. G. German, Einführung in die Geschichte der Architekturtheorie. Darmstadt 1980, S. 229 ff.

[2] H. Hübsch, In welchem Style sollen wir bauen? Karlsruhe 1828.

[3] Allgemein zur Architektur vgl.: R. Feuchtmüller u. W. Mrazek, Biedermeier in Österreich, Wien – Hannover – Bern 1963. – R. Wagner-Rieger, Wiens Architektur im 19. Jahrhundert. Wien 1970. – R. Wagner-Rieger, Vom Klassizismus bis zur Secession, in: Geschichte der Stadt Wien, N. R., Bd. VII/3. Wien 1973, S. 81 ff. – Klassizismus in Wien. Architektur und Plastik, Kat. d. Ausst. d. Hist. Museums d. Stadt Wien 1978. – R. Kassal-Mikula, Architektur zwischen Klassizismus und Historismus, in: Wien 1815–1848, Bürgersinn und Aufbegehren. Die Zeit des Biedermeier und Vormärz, hrsg. von R. Waissenberger, Wien 1986, S. 139 ff.

[4] Von 1800 bis 1850 stieg die Einwohnerzahl um 200.000 auf 450.000, rechnet man den Bereich der erst 1890 eingemeindeten Vororte hinzu, auf ca. 650.000.

[5] 1815 Eröffnung des Polytechnikums, 1836–1843 Kaiser-Ferdinands-Wasserleitung, 1837 Kaiser-Ferdinands-Nord-Bahn, seit 1837 Dampfschiffahrt auf der Donau.

[6] Zum Hofbaurat vgl. E. Springer, Geschichte und Kulturleben der Wiener Ringstraße. Wiesbaden 1979, S. 21 ff.

[7] Eine genaue geschlossene wissenschaftliche Aufarbeitung der Epoche steht auch nach wie vor aus.

[8] Vgl. u. a. R. Wagner-Rieger, Wiens Architektur (zit. Anm. 3), S. 80: „Zweifellos würde man nämlich der Wiener Architektur des Vormärz nicht voll gerecht, wollte man sie nur aus dem Blickwinkel der Traditionsgebundenheit der bürgerlichen Enge des Biedermeiers betrachten“. – J. Jahn, Wörterbuch der Kunst, Stuttgart 1977, S. 71: „In der Bau- und Bildhauerkunst gibt es keinen Biedermeierstil als eigene Formenwelt.“

[9] Vgl. vor allem das Kunstgewerbe, aber auch die Architektur um Otto Wagner (Max Fabiani) bzw. die des Neoklassizismus (etwa Phänomene bei A. Loos, aber auch bei den frühen Bauten der Brüder Gessner u. a. m.).

[10] Vgl. die „Historische Architektur“ Joh. Bernh. Fischers von Erlach, aber auch seine Verarbeitung italienischer und französischer Einflüsse bzw. der des englischen Palladianismus.

[11] Vgl. K. Mollik, H. Reining und R. Wurzer, Planung und Verwirklichung der Wiener Ringstraßenzone, Wiesbaden 1986, 2 Bde.

[12] Vgl. die zahlreichen Ansichten, die diese Situation darstellen, u. a. von Rudolf von Alt, 1842.

[13] Vgl. E. Springer, zit. Anm. 6, S. 21.

[14] 1795–1805 hatte derselbe Architekt in seinen Entwürfen für das Eisenstädter Schloß noch einen monumentalen Säulenklassizismus revolutionsklassizistischer Prägung vorgetragen.

[15] Zwischen 1800 und 1850 steigt die Zahl der Wohnbauten in den Vorstädten nur um etwa die Hälfte auf rund 8100 (s. A. L. Hickmann, Wien im Neunzehnten Jahrhundert. Wien 1903).

[16] Übertroffen wird diese Ausnutzung des Baugrundes nur noch durch die Zinskasernen des späten 19. Jahrhunderts, mit ihren Küche-Zimmer-Gangwohnungen (vgl. H. Bobek u. E. Lichtenberger, Wien. Bauliche Gestalt und Entwicklung seit der Mitte des 19. Jahrhunderts. Graz – Köln 1966).

[17] Vgl. die heute noch weitgehend anzutreffende Situation besonders im VII. Bezirk.

[18] Das läßt auch die Erleichterung verstehen, als endlich das Glacis zur Verbauung freigegeben wurde, da nunmehr der besseren Gesellschaft genügend Wohnraum in vertretbarer Stadtnähe zur Verfügung stand und nicht nur in den sozial immer noch verfemten Vorstädten.

[19] Was allerdings auch vielfach zusammenzutreffen schien, doch mangels diesbezüglicher Untersuchungen schwer zu verifizieren ist. – Vgl. zum Wohnbau: Kunsthistorische Arbeitsgruppe GeVAG, Wiener Fassaden des 19. Jahrhunderts in Mariahilf, Wien – Köln – Graz 1976. – G. W. Rizzi u. R. L. Schachel, Die Zinshäuser im Spätwerk Josef Kornhäusels, Wien 1979.

[20] V. Kotrba, Die Anfänge der Neugotik in den böhmischen Ländern, in: Alte und moderne Kunst, 10, 1965, S. 35 ff.

[21] Vgl. den Entwurf zum Eisenstädter Schloß von Charles von Moreau.

[22] Vgl. das Gartenpalais Althan Jos. Emanuel Fischers von Erlach.

[23] Vielleicht sei in diesem Zusammenhang erlaubt – da sich Architektur ja nicht verbal verständlich ausdrücken kann –, gleichniszeichenhaft auf Nestroys „Der Zerrissene“ zu verweisen.

[24] G. German, zit. Anm. 1, S. 236.

# JOSEF KORNHÄUSEL

*Wilhelm Georg Rizzi*

Überblickt man die Architektur des Klassizismus im Raume Wiens, so fällt auf, daß in der nach dem Wiener Kongreß einsetzenden Phase ihrer Entwicklung die Vielfalt der künstlerischen Möglichkeiten sich zunehmend reduziert. Es sind im wesentlichen nur noch zwei unterschiedliche Haltungen, die fortan das Bild prägen und die, da der Begriff „Biedermeier" insgesamt für Lebensstil und Kultur von 1815 bis zum Revolutionsjahr 1848, mithin also auch für die Architektur dieser Zeit in Gebrauch steht, streng genommen beide im Terminus „Biedermeierbaukunst" inkludiert sein müßten. Im Sinne der längst zum Synonym für die apolitische bürgerliche Kultur aufgestiegenen satirischen Figur des Herrn Biedermeier wird damit gemeinhin jedoch vor allem jene mehr bürgerlichen Charakter tragende Seite der Bautätigkeit umschrieben, von der sich die den offiziellen Repräsentationsstil des Staates und seiner Institutionen verkörpernde Richtung bewußt absetzt. Ist es deren Vertretern nicht gelungen, mit gesamteuropäischen Entwicklungen Schritt zu halten, so wird gerade in der Biedermeierbaukunst heute der eigentliche Beitrag Wiens zur Geschichte der Architektur der ersten Hälfte des 19. Jahrhunderts gesehen[1].

Als Hauptrepräsentant dieser spezifisch bürgerlichen Baukunst gilt Josef Kornhäusel, er kann zu seiner Bauherrschaft, die gesamte – weil insgesamt in einem Prozeß der Verbürgerlichung begriffene – Gesellschaft zählen. Daß Kornhäusel gleichzeitig als öffentlicher Architekt scheitert, erscheint gerade deswegen verständlich. Seine Hauptaktivitäten betreffen den bürgerlichen Wohnhausbau insgesamt. Die Palette reicht dabei vom Zinshaus bis zum Schloßbau für ein Mitglied des Kaiserhauses, da sich auch diese, dem soziologischen Gefüge der Zeit nicht mehr entsprechende Bauaufgabe nur mehr in ihrer Dimension von bürgerlichen Landhäusern unterscheidet.

Zu Kornhäusels künstlerischen Voraussetzungen zählen die feste Verankerung in der lokalen Tradition und die Offenheit gegenüber gemäßigt modernen Formen, vor allem solchen französischer Prägung. Sein eigener Beitrag liegt in der harmonischen Synthese beider Elemente[2].

Kornhäusel blieb zeit seines Schaffens mehreren Spielarten des Klassizismus verbunden, unter denen er stets genau Maß zu halten wußte. Diese Eigenschaft prädestinierte ihn genauso zum Architekten der Religions- und Klostergemeinschaften wie zum Schöpfer von freien, von der Tradition unbelasteten Bautypen, zu denen vor allem die Gartengebäude zählen, die Kornhäusel als Baudirektor des Fürsten Liechtenstein geschaffen hat.

Gleichaltrig mit Georg Friedrich Schinkel deckt sich Kornhäusels Schaffenszeit mit dem Klassizismus, wobei seine eigentliche Karriere als Biedermeierarchitekt erst gegen Ende des zweiten Jahrzehntes einsetzt, um sodann den größten Teil des Vormärz zu bestreichen. Als Sohn eines bürgerlichen Baumeisters 1782 in Wien geboren, wächst Kornhäusel im väterlichen Betrieb auf, wo er mit 13 Jahren als Geselle freigesprochen wird. Sein weiterer Ausbildungsweg ist durchaus unklar, da er sich – wiewohl bereits 1802 als Architekt entwerferisch tätig – weder in den Schülerlisten der Wiener Akademie nachweisen läßt, noch seine zünftische Schulung mit einer Meisterprüfung abgeschlossen hat. Jene Maurermeister, die sich dort im Entwerfen von Baurissen und Erstellen von Kostenüberschlägen ausbilden und prüfen ließen, durften sich hernach Baumeister oder Architekt nennen, und, was wesentlich schwerer wog, sie waren für alle Zeit von jeder Zunft frei[3].

Kornhäusel, der sich 1806 für die von der Wiener Akademie ausgeschriebene Architekturlehrkanzel in Krakau bewirbt, muß die Schule zu diesem Zeitpunkt bereits absolviert haben. Der in der Fachwelt bis dahin völlig unbekannte Vierundzwanzigjährige gewinnt die in Form einer Klausurarbeit unter Vorsitz des Akademiedirektors Hohenberg abgehaltene Konkurrenz, offenbar jedoch von Haus aus mit dem festen Vorsatz, nicht dem gut dotierten Ruf ins ferne Polen zu folgen, sondern vielmehr um sich und der Welt einen Talentbeweis – wahrscheinlich gerade auch wegen der fehlenden akademischen Ausbildung im engeren Sinn – zu liefern.

Das folgende Ansuchen um Aufnahme in die Akademie soll nun auch die öffentliche Legitimation seines baukünstlerischen Talents erbringen. Es wirft ein bezeichnendes Licht auf die zur Verwirklichung drängende Künstlerschaft, wenn man die allseitige Anerkennung seines eingereichten Konkurrenzentwurfes der dem Akademiegesuch beigegebenen Auflistung seiner sechs bisher ausgeführten Bauwerke gegenüberhält. Es sind Werke, die wohl eine Vorahnung des Kommenden abzugeben vermögen, in denen bereits alle später wesentlichen Gestaltungsprinzipien ebenso wie die Liebenswürdigkeit des architektonischen Vortrags präformiert erscheinen, aber eben doch noch keine Meisterstücke. Mit einer Ausnahme: dem Hotel „Zur Kaiserin von Österreich", seinem Erstling von 1802, dessen Fassade die reine Ausbildung des Zinshaustypus verkörpert, welche für Kornhäusel zum Ausgangspunkt und nach vierzigjähriger Entwicklung auch wieder zum Endpunkt wird.

Die übrigen Referenzobjekte sind ein Wohnhaus vis-à-vis des Theaters an der Wien, genauer gesagt die Aufstockung und Fassadengestaltung eines älteren, früher bereits vom Vater Kornhäusel aufgestockten Gebäudes; weiters das vorstädtische Privathaus eines Gewerbetreibenden am heutigen Rennweg und ein Landhaus in Ottakring; außerhalb Wiens ein Hotel in Baden mit einer sehr nüchternen, am Rande des anonymen Baugeschehens angesiedelten Fassadengestaltung und schließlich der Umbau des Schlosses Jeutendorf in Niederösterreich, bei dem allerdings nur der in Hufeisenform angelegte Hof umfangreicher Wirtschaftsgebäude eine Formulierung künstlerischer Zielsetzungen erlaubt hat[4]. Man könnte vermuten, daß dem Akademiegesuch Kornhäusels in erster Linie wohl wegen seines idealen Konkurrenzentwurfes einer 3000 Besucher fassenden Domkirche entsprochen worden ist.

Noch bevor die Aufnahme ausgesprochen wird, erhält Kornhäusel mit dem für Kunstreitervorführungen gedachten Zirkus Bach im Prater erstmals die Möglichkeit zur Gestaltung eines freistehenden monumentalen Bauwerks, das als zentraler Holzbau mit Kuppel und Laterne, also in elementar-geometrischer Körperform dem revolutionsklassizistischen Formideal voll entsprechen und dabei auch in der polygonalen Gestalt eines Zirkuszeltes den Gebäudeinhalt zum Ausdruck bringen kann.

Diesen Bauten der frühesten Schaffensperiode schließen sich noch ein Miethaus am Vorplatz der Wiener Karlskirche, bei dem die konstituierenden Elemente der reifen Zeit erstmals auftreten[5], und mehrere Vorhaben im biedermeierlichen

Weichbild der Kurstadt Baden an: Von 1810 datiert das Wohnhaus des Großhändlers Anton von Jäger mit dem eingeschnittenen Rundbogen als extravagantem Risalitmotiv, das der fein ausponderierten Fassade einen städtischen Anstrich verleiht. Anschließend ist das Haus des Grafen Esterházy gegenüber dem fast gleichzeitig von Kornhäusel erbauten Badener Stadttheater entstanden[6]. Heute in manchem verändert, zeigt die Theaterplatzfront noch die ursprüngliche Auflokkerung durch den Mittelrisalit mit der Attika, der seinerseits mit den flankierenden Achsen ein mehrschichtiges Kompositionssystem eingeht, bei dem der liebenswürdige Charakter eines Vor- bzw. Kleinstadthauses trotz imponierender Attitüde gewahrt bleibt.

Beim Badener Stadttheater greift Kornhäusel wie auch bei seinen übrigen fünf in Wien und Olmütz errichteten Theaterbauten auf den gängigen französischen Typus mit rechteckigem Grundriß und hufeisenförmigem Zuschauerraum zurück. Der Vorliebe des Klassizismus für Pfeiler- und Säulenstellungen wird dabei im Inneren durch die von Stützgliedern getragenen Ränge entsprochen. Außen dominiert die geschlossene Blockform im Sinne des Revolutionsklassizismus, wobei der in Baden noch locker vorgeblendete Risalitportikus allerdings erst später, beim zweiten Umbau des Josefstädter Theaters 1822, zu fester Baukörperverklammerung geführt wird[7].

Als Kornhäusel 1812 zum Direktor des Liechtensteinschen Bauamtes bestellt wird, eröffnet sich für den gerade Dreißigjährigen ein weit gestreutes Betätigungsfeld. Bis zu seinem Ausscheiden aus dem fürstlichen Dienst im Jahre 1818 ist er nun für sämtliche Voluptuarbauten auf den ausgedehnten Besitzungen des Fürsten Johann I. zuständig, bis 1817 zusätzlich auch für die Besorgung der Wirtschaftsbauten[8]. Zunächst mit der Vollendung der von seinem Vorgänger Josef Hardtmuth nicht abgeschlossenen Vorhaben im Raum Feldsberg-Eisgrub beschäftigt, kann Kornhäusel in der Folge bei diesen an Traditionskonventionen kaum gebundenen, zudem nicht in einem Verband, sondern frei stehenden Gebäudetypen an moderne revolutionsklassizistische Formideale anknüpfen. So ist auch der als patriotisches Denkmal und zur Verewigung des Ruhmes seines Erbauers ab 1812 neu errichtete Husarentempel am Kleinen Anninger kein Tempel nach klassischem Kanon, sondern bringt die dem ideellen Gehalt entsprechende dorische Ordnung in Kombination mit kubischen Bauteilen das Formideal der Zeit zum Ausdruck.

Es sind zumeist höchst reizvolle Denkmalarchitekturen, denen man auch anmerken soll, daß sie einer fürstlichen Laune entsprungen sind, wobei dem durchaus sekundären Gebrauchswert jeweils die funktional gestalteten Gebäuderückseiten Rechnung tragen. Trotz freier Lage sind die zumeist in radikaler Körperdurchdringung gestalteten kubischen Baublöcke auf Einansichtigkeit konzipiert. Nach diesem Schema entsteht im Park von Eisgrub das Teichschloß in Form eines zweigeschossigen dreiachsigen Kubus mit flachem, von einem Dreieckgiebel gekrönten Risalit. Zur praktischen Nutzung ist im Obergeschoß ein Speisesaal angeordnet. Untergeordnete Räumlichkeiten zur Unterbringung eines Parkwächters sind rückwärts angebaut; ebenso bei dem auf einer zum Eisgruber Mühlteich sanft abfallenden Anhöhe als Aussichtsgebäude gestalteten Apollotempel. Dieses weitestgehend funktionsfreie Zierbauwerk inmitten einer gärtnerisch gestalteten Landschaft gemahnt direkt an revolutionsklassizistische französische Architekturvorbilder, konkret an Ledoux' Haus der Demoiselle Guimard von 1770/72, das auch in Stichen publiziert worden ist[9]. Der den Triumphzug Apollos im Sonnenwagen darstellende Relieffries in der Mittelkonche hinter der Säulenkolonnade empfängt durch eine dem kubischen Baublock aufgesetzte, vorne offene Halbkuppel zusätzliches Oberlicht.

In Wien ließ Fürst Liechtenstein ein kleines Schlößchen mit Stallungen auf einem Parkgrundstück am Schüttel, mit der Hauptfront zur Prater-Hauptallee, errichten. Es ist wieder ein auf Einansichtigkeit konzipierter Kubus, doch wird hier bewußt die moderne Struktur der Körperdurchdringung vermieden, wie denn insgesamt das Streben nach einer eher konservativen, sich in Baukörperform und Gliederung dem Weichbild der kaiserlichen Residenzstadt unterordnenden Gestaltung zu verspüren ist. Auch das „Schüttel-Lusthaus" diente im wesentlichen nur der Unterbringung eines festlich gestalteten Speisesaales im Obergeschoß und sollte nach seiner Devise im Giebel „Agrestia miscet gaudia urbanis" – die ländlichen Genüsse mit den Vorzügen der Stadt verbinden.

Eine für die Entwicklung der Wiener Architektur des Vormärz wichtige Entscheidung wurde mit der nach dem Ableben Ferdinand Hetzendorfs von Hohenberg vakanten und vom Kaiser 1817 mit Peter von Nobile nachbesetzten Direktorenstelle an der Architekturschule der Akademie zuungunsten des sich mitbewerbenden Kornhäusel entschieden. Es ist eine programmatische Entscheidung, welche die Voraussetzung zur Verbreitung des akademischen, auf die Antike ausgerichteten und mit oberitalienischen Elementen angereicherten Klassizismus als offiziellen, vom Kaiser gebilligten Repräsentationsstil im Nutzbaubereich darstellt, auf welchem Sektor die bürgerliche Spielart von Kornhäusels Kunstwollen nicht bestehen kann.

An den Schluß dieser Schaffensperiode setzt Kornhäusel eine wohl zu Studienzwecken unternommene längere Reise nach Italien, Frankreich und in die Schweiz, nach deren Rückkehr er im Sommer 1818 unvermutet und auf eigenes Ersuchen von der Stelle eines fürstlich Liechtensteinschen Baudirektors ausscheidet. Da Kornhäusel 1827 dieses Amt nochmals übernehmen sollte, was sich letztendlich an finanziellen Fragen zerschlagen hat, können nur außerkünstlerische Gründe für diesen Schritt ausschlaggebend gewesen sein[10].

Die folgenden Jahre bringen den glänzenden Aufstieg von Kornhäusels Karriere, die, nach dem Intermezzo zweier Miethäuser in Wien[11], 1820 mit dem Bau der Weilburg, einem klassizistischen Schloßbau für Erzherzog Carl, den Bruder des Kaisers, im Helenental bei Baden einsetzt. Aus mehreren ungleichen Baublöcken gestaltet der Architekt über barocker Grundrißdisposition eine Schloßanlage im Pavillonsystem, die trotz geometrischer Körperfügung in revolutionsklassizistischer Manier einen geschlossenen Baukörper mit traditioneller Prägung hervorbringt. Mit dem Säulenportikus strahlt der Hauptbau aristokratische Hoheit aus; ihm angeschlossen sind zurückgestaffelte niedrigere Flügel, die in Quertrakten mit Eckpavillons enden, denen halbkreisförmige Stallungen seitlich vorgelagert sind. An der abgekehrten Seite wird in traditioneller Manier ein Ehrenhof ausgebildet.

Durch seine klare Gliederung in Würfel, Quader und Zylinder erscheint der Bau gleichsam als elementares Gebilde in die umgebende Natur einbezogen. In

Kat. Nr. 12/2/1 Liechtensteinsches Lusthaus am Schüttel, 1814–1816

Weilburg, 1820–1823

ihrer inneren Raumdisposition zeigt diese fürstliche Sommerresidenz einerseits die Orientierung an der barocken Schloßbautradition und andererseits eine dem Bürgerhaus entsprechende Organisation und Struktur, mit der sich – nach H. Herzmanskys Feststellung – selbst das auf der soziologisch höchsten Wohnhausstufe stehende Bauwerk zur allgemeinen, vom Bürgertum bestimmten Kultur bekennt; die Weilburg ist im Inneren verbürgerlicht, zu einer intimen Sommer-Wohnung geworden[12].

Gleichzeitig mit der Weilburg entsteht in Baden für Karl von Doblhoff der ausgedehnte Komplex des Sauerhofes, ein Kurhotel mit Bad, Restaurant und Kapelle inmitten eines Parks. Kornhäusel geht wieder von einem barocken Grundkonzept aus, indem an eine weite Ehrenhofanlage der Tiefe nach zwei Höfe angeschlossen sind, deren repräsentativer erster in Hufeisenform gestaltet ist. Eine eigentliche architektonische Akzentuierung an der Schauseite ist im System der Flankenbauwerke entbehrlich, so daß das Gebäude ganz dem Typus des bürgerlichen Wohnhauses angeglichen wird, dem es denn auch funktionell nahesteht. Das in der vielachsigen, in sich ruhenden Außenerscheinung begründete Gleichmaß atmet jenes freundliche Wohlbehagen, welches von einem Kurbetrieb erwartet wird.

Moderne Baukörper bzw. Formen finden sich hier jedoch als „eingebaute" Elemente: das Bad in Gestalt eines Tempels, mit einer auf Säulen ruhenden Längstonne mit Oberlicht und oktogonalem Bassin und die Kapelle mit tonnengewölbtem Schiff und nach außen vortretender Halbkreisapsis[13]. Für denselben Bauherrn entsteht unweit daneben auch noch das sogenannte Engelsbad, von der Bauaufgabe her – wie alle Bäder – eine ideale Gelegenheit zur Verwirklichung idealer Vorstellungen des Klassizismus. Bei dieser kleinen Anlage sind die aus überhöhtem Mittelpavillon, niedrigen Flügeln und zylindrischer Rückseite bestehenden Baukörper mittels Durchdringung und Verklammerung fest zusammengeschlossen; im Schaffen Kornhäusels die radikalste Formulierung moderner Formvorstellungen.

Kornhäusels eindrucksvollen Innenraumschöpfungen liegt in der Regel ein einheitliches Struktursystem zugrunde, welches mittels Säulenstellungen einem tektonischen, die Wände als Raumbegrenzung negierenden Raumtypus „in Form von nach innen gezogenen freien Tempelarchitekturen" huldigt[14]. Sauerbad, Bibliothek des Schottenstiftes und Zuschauerraum des Josefstädter Theaters können hier ebenso wie die 1823 von der israelitischen Gemeinde in Wien in Auftrag gegebene Synagoge in der Seitenstettengasse zum Vergleich herangezogen werden. Durch das Fehlen eines verbindlichen Synagogen-Bautypus gelangt der Architekt am Ende einer mehrstufigen Entwicklungsreihe zu einem überkuppelten ovalen Zentralraum mit Umgangsgalerien, die von einem eingestellten Säulenkranz getragen werden. Trotz andersartiger Ausgangsposition kommt das Endprodukt dem Theaterraum auffallend nahe, wobei aber da wie dort der Zweck die ihm gemäße Form gefunden hat. Die Wirkung dieser geometrischen Idealform beruht auf Ausgewogenheit, Klarheit und innerer Würde und wird hierin den Anforderungen an einen Kultraum im Besonderen gerecht[15].

Gelegenheit zu einer interessanten, auf

Kat. Nr. 13/1/4 Synagoge, 1825/26

höchstem Niveau vorgetragenen Auseinandersetzung mit dem Neoklassizismus, die im künstlerischen Gegensatz die bürgerliche Orientierung der Architektur Kornhäusels verdeutlicht, gibt der Innenumbau des „Palais Herzog Albert" auf der Augustinerbastei, der zugleich die bereits bewährte Zusammenarbeit des Künstlers mit seinem hochgestellten Bauherrn, Erzherzog Carl, fortsetzt. Die von Louis Montoyer im Repräsentationsstil der Vorgängergeneration für Herzog Albert von Sachsen-Teschen gestaltete „Albertina" wird ab 1822 für dessen Ziehsohn im Inneren umgestaltet, wobei sowohl dem inzwischen veränderten Zeitgeschmack wie auch den persönlichen Verhältnissen des Auftraggebers Rechnung zu tragen ist. In diesem Sinn werden die Räumlichkeiten mit vorwiegend privatem Charakter ihrer Repräsentation entkleidet und in ein sehr wohnliches, aber bürgerlich schlichtes Gewand gehüllt, die offizielle Repräsentationsraumfolge hingegen mit streng architektonischer Gliederung neu und würdevoll gestaltet[16]. Dabei wird auch die innere Grunddisposition des Palastes, die an dem altüberkommenen Schema orientiert ist, weitgehend umgestoßen. Der repräsentative Aufweg zeigt ebenso wie der Festsaal eine intensive Konzentration der gestalterischen Mittel, als der für den Bauherrn nicht verzichtbare Teil der Tradition, für deren freien Einsatz jedoch nicht mehr das starre Zeremoniell des Palastes, sondern das Vorbild des bürgerlichen Wohnhauses gilt.

Die Bauaufgabe des innerstädtischen Wohnhauses, die Kornhäusel bereits in den ersten zwei Dezennien seines Schaffens begleitet hat, wird denn auch für die Folgezeit bestimmend und die Bedeutung des Architekten heute vielfach darin gesehen, daß er „in den zwanziger Jahren einen Zinshaustypus eigener Prägung geschaffen hat"[17]. Sein bedeutender Anteil am Wohnhausbau Wiens macht ein genaueres Eingehen erforderlich, zumal gerade dieser Bereich auch infolge der gesellschaftlichen Umschichtungen damals neue Dimensionen gewonnen hat.

Generell unterscheidet sich der seit der Jahrhundertwende im Entstehen begriffene neue Typus des Zinshauses von dem der älteren bürgerlichen Wohnhäuser formal vor allem durch die stark vermehrten Fensterachsen und von den Palästen durch die größere Anzahl der Geschosse als hervorstechendstes Gestaltmerkmal. Die Vielzahl gleichwertiger Einheiten erweist die großen Stiftshofkomplexe als die eigentlichen typologischen Ahnen, die bezeichnenderweise für Kornhäusel mit Schottenhof, Göttweigerhof und Seitenstettenhof auch weiterhin wichtige Bauaufgaben innerhalb dieses Typus bleiben.

Die reale Grundlage der Bauaufgabe Zinshaus basiert auf exakten Wirtschaftlichkeitsüberlegungen, mit der Forderung nach möglichst vielen und gut vermietbaren Wohnungen. Das eigentliche künstlerische Problem liegt darin, der Bauaufgabe im vorgegebenen ökonomischen Rahmen durch Konzentration der formalen Mittel ein größtmögliches Ansehen zu verleihen. Zur sichtbaren Verbesserung des Zinshaustypus stehen dem Architekten im wesentlichen drei Möglichkeiten zu Gebot, welche das Äußere, also die Fassadengestaltung, und im Inneren sowohl die Gestaltung des Zugangs zur Stockwerkwohnung als auch die direkte Aufwertung der Mietwohnung selbst betreffen. Letztere erfordert die weitgehende Vermeidung der Gangerschließung mit allen ihren Mängeln, insbesondere den Gangküchen. Die Grundrisse auf den oft schwierigen, unregelmäßigen Innenstadtparzellen zeigen bei Kornhäusel höchst erfinderische Experimente, die – oft in mehreren Ansätzen – aus der jeweiligen Situation entwickelt werden.

Als Charakteristikum Kornhäuselscher Planungen läßt sich in allen Fällen das Streben nach Klarheit und Symmetrie des Grundrißbildes als inneres Ordnungsprinzip und das Streben nach Ökonomie im Einsatz der Raumwerte herauslesen. Die indirekte Aufwertung durch eine an der sozial nächst höher gestellten Gattung des Privatwohnhauses und der Villa orientierten Gestaltung der Eingangs- und Vestibülzone nimmt hier auf Raumform und Raumfolge Bedacht und sichert gerade dadurch auch dem Hausherrn mit seiner zwar größeren und im bevorzugten ersten Stockwerk gelegenen, allenfalls noch durch einen Balkon an der Schauseite ausgezeichneten, sonst jedoch durchaus anonymen Wohneinheit sein standesgemäßes Auskommen. Dies ist gleichzeitig aber die unabdingliche Basis für den im Biedermeier das Bild der Inneren Stadt prägenden Typus des repräsentativen Nobelzinshauses.

Im Gegensatz dazu steht die in der Vorstadt überwiegende Zinskaserne, bei welcher künstlerische Gestaltungsbestrebungen im Inneren völlig entfallen. Hier findet sich keinerlei Steigerung der Erlebniswerte im Bereich der halböffentlichen Zonen und der rein funktional gestalteten Stiegenhäuser. Mit dem Stiftungshaus der Mechitaristen ist auch dieser Typus im Werk Kornhäusels – allerdings nur einmal – vertreten[18].

Bei der Gestaltung der Fassaden geht es nicht nur darum, der Bauaufgabe möglichst sinnfällig Ausdruck zu verleihen, sondern es müssen auch die von der Stadtstruktur vorgegebenen ungünstigen Randbedingungen in der Gestaltung Berücksichtigung finden. Da die äußerst geringen Straßenbreiten der dicht verbauten Innenstadt keine Gesamtansichten, sondern nur die partielle Betrachtung von Fassadenausschnitten ermöglichen, strebt Kornhäusel nach gleicher Gewichtung aller Fassadenteile nach Rang und Wert. Die vielfenstrigen Flächen seiner Zinshausfassaden überzieht er mit Sohlbank- und Kordongesimsen und vertikal locker verbundenen Fenstergruppen, die bei entsprechender Betrachtungsmöglichkeit allenfalls noch durch flache Kolossalpilaster zusammengeschlossen werden können. Diese Rasternetze werden sodann mit verschieden ausgebildeten und ausgewogen verteilten Fenstern und Blenden besetzt, so daß der Gesamteindruck einer harmonisch entspannten Schauseite entsteht. Prononcierte Risalite, Kolossalpilaster und Dreiecksgiebel finden nur in Ausnahmefällen Anwendung und dienen dann in erster Linie dem optischen Zusammenhalt langgestreckter Fassaden. Als Gestaltungselemente der Palastarchitektur finden sie bei Kornhäusel für das Zinshaus a priori kaum Anwendung.

Dazu kommt, daß die pilasterinstrumentierte Fassade hinsichtlich ihrer Höhenerstreckung engen kanonischen Gesetzlichkeiten unterliegt. Stadtpalast und Bürgerhaus des 18. Jahrhunderts haben daher in unzähligen Ansätzen immer wieder Lösungsvarianten mit übereinandergetürmten Ordnungen oder mit unkanonischen Stützgliedern zur Bewältigung ihrer mehrgeschossigen Fassadenspiegel entwickeln müssen. Für die gesteigerte Geschoßzahl des Kornhäuselschen

Kat. Nr. 13/1/2 Haus der israelitischen Kultusgemeinde, 1822–1824

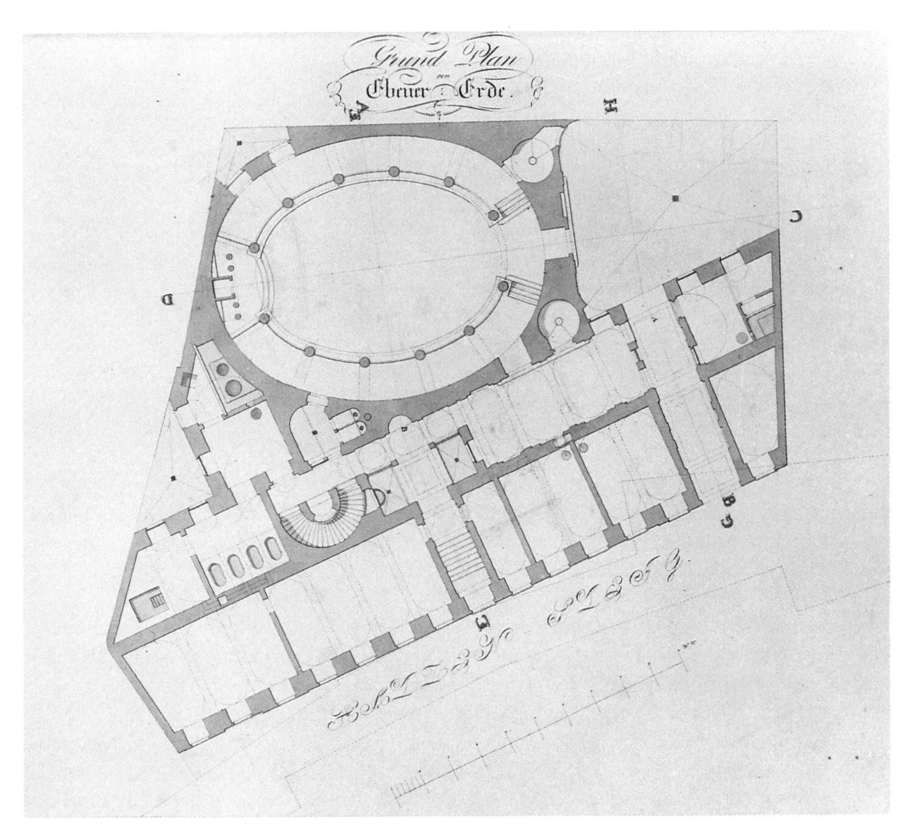


Kat. Nr. 13/1/1 Haus der israelitischen Kultusgemeinde, 1822–1824

Kat. Nr. 13/3/2 Schottenhof, Innenhof, 1826–1828

Kat. Nr. 13/3/1 Schottenhof, Fassade gegen die Freyung, 1826–1828

Zinshaustypus erweist sich der mehrzonige Fassadenaufbau sehr bald als ausschließlich verbindliches Prinzip. Dazu greift Kornhäusel auf die traditionelle, inzwischen aber wieder in Vergessenheit geratene Zwei- und Dreiteilung, deren Überlagerung sowie die Verdoppelung bzw. Unterteilung der Teile zurück, wobei jedoch gegenüber früher der hinderliche Pilaster entfällt und das Grundthema der gleichförmigen horizontalen Reihung immer stärker hervortritt[19].

Anstelle der auf Individualisierung zielenden, inzwischen jedoch Allgemeingut gewordenen Formen des Biedermeier findet sich in der späten Schaffensphase ein auf korrekten historischen Formzitaten beruhendes Repertoire, welches zur Erweiterung der formalen Möglichkeiten dient. In den großstädtischen Miethausblöcken der dreißiger Jahre schafft Kornhäusel eine klassizistische Variante zu den späteren Bauten der Ringstraßenära, in welcher bereits Vorahnungen einer „modernen" Baukunst keimen, an die denn auch zu Beginn unseres Jahrhunderts bewußt angeknüpft worden ist.

Den Wandel im Erscheinungsbild trotz unveränderter Grundhaltung belegen die Bauwerke selbst: Zwischen 1823 und 1825 hat Kornhäusel in der Seitenstettengasse drei Miethäuser errichtet, welche den für die zwanziger Jahre verbindlichen Standard auf der Stilstufe des Biedermeier in der ausgereiften Form darstellen. Gleichzeitig wurde damit auch der bis dahin mittelalterliche Katzensteig zu einer einheitlichen Straßenflucht reguliert. Das Haus der Israelitischen Gemeinde, Seitenstettengasse 4, mit Schule und Bad ist der im Sinne der Vorschriften des Toleranzpatents im Hof situierten Synagoge vorgelagert; Haus Nr. 2 hat Kornhäusel für sich und den gut befreundeten Berufskollegen Franz Jäger errichtet[20]. Rückwärts ist der „Kornhäuselturm" angebaut, das Turmatelier des Architekten, welches diesem die Stellung eines Sonderlings im Gedächtnis der Nachwelt eingetragen hat. Gegenüber, auf Nr. 5, befindet sich der Seitenstettenhof, das Miethaus des gleichnamigen Stiftes. Auf die besondere Situation der Bauwerke im überaus engen Straßenraum geht Kornhäusel hier mit einer einprägsamen Ausbildung der unteren Geschosse ein. Die Erdgeschoßzone mit dem ornamentalen Reliefschmuck und der größeren Putzstruktur wird zum stellvertretenden Ausdrucksträger des Hauses. Nach oben hin nimmt die Plastizität rapid ab, um ungünstige Überschneidungen und Verschattungen zu vermeiden.

Von 1826 bis 1835 ist Kornhäusel mit Umbau und Aufstockung des Schottenhofes beschäftigt. Der dem Schottenstift vorgelagerte Miethauskomplex hat seine eigentliche, mit Giebelfronten und Kolossalordnung ausgezeichnete Schauseite an der Freyung, wo sich auch im Haupttrakt die repräsentative Prälatenwohnung befindet, während die Front an der Schottengasse nie als Ganzes zur Wirkung kommt. Die für ein Zinshaus untypisch repräsentativen Fassaden stehen stellvertretend für das allein mit der anschließenden Kirche im Stadtbild präsente Stift, dessen Zugang zudem nur über den Innenhof, akzentuiert durch einen hohen Säulenportikus, möglich ist. In das Vorhaben ist der Neubau des Konvents samt anschließenden Verbindungstrakten inkludiert, der Kornhäusel auch Gelegenheit zu exemplarischen Innenraumschöpfungen gab.

Kat. Nr. 13/4 Ertlsches Stiftungshaus, 1838/39

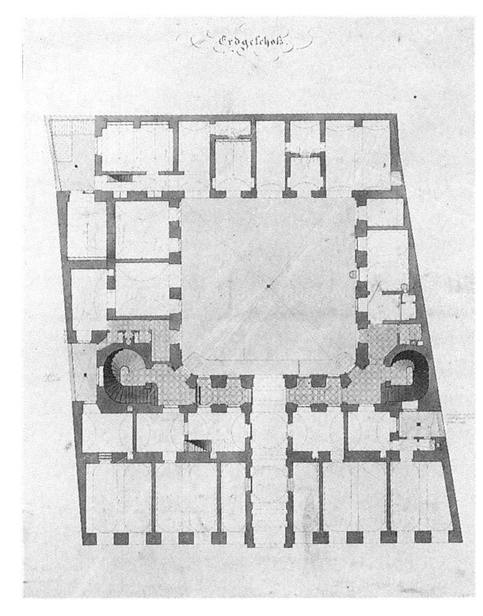


Kat. Nr. 13/5/3 Haus Haan, Grundriß des Erdgeschoßes, 1840/41

Kat. Nr. 13/5/1 Haus Haan, Fassade gegen die Rotenturmstraße, 1840/41

In der Reihe der Miethäuser schließen 1831 bis 1833 die beiden jeweils an prominenter Stelle im Stadtbild situierten Objekte der Familie Dittmann an: das ursprünglich am Glacis gelegene Miethaus in der Resselgasse 3–5, dessen langgestreckte Front, im engsten Anschluß an die Fassade des benachbarten Polytechnikums, mit Pilasterfronton gestaltet ist. Das andere, in völlig freier Lage am Ufer des Donaukanals und Eingang in die Praterstraße gelegene Objekt gibt Kornhäusel Gelegenheit, die bisher bei der Nobilitierung der Bauaufgabe Zinshaus gesammelten Erfahrungen auszuspielen. Die „Große Ordnung" und der Verzicht auf Kleinformen tragen der vorwiegend auf Fernwirkung bestimmten Gestaltung Rechnung. Der eigentliche künstlerische Schmuck konzentriert sich im Tympanon und verleiht der Fassade individuelle Prägung.

Die folgenden fünf Miethäuser entstehen im engen innenstädtischen Gefüge – vorwiegend in der Rotenturmstraße – und verzichten auf die Anwendung der Kolossalordnung[21]. Die Fassaden sind meist nach einem mehrzonigen System aufgebaut, mit gleichförmigen Fensterreihen, die auf Flächigkeit im Gesamteindruck und – durch Vermeidung nicht rechteckiger Formen – auf ein rasterhaft additives Aussehen zielen. Das Erdgeschoß bleibt nunmehr der Aufnahme von hölzernen Geschäftsportalen vorbehalten, wodurch zusammen mit dem Fassadenspiegel darüber der völlig klar ausgeprägte Typus des Wohn- und Geschäftshauses entsteht. Das Streben nach Vereinheitlichung des Baukörpers zeigt etwa der allseits freistehende Block des Ertlschen Stiftungshauses, ehemals Rotenturmstraße 13, dessen fünf Vollgeschosse samt Attikageschoß der Architekt trotz enormer Raumhöhen scheinbar mühelos in den Griff bekommen hat. Der hier offenbar intendierte Monumentalitätsanspruch kann auf ein tektonisches Instrumentarium nunmehr völlig verzichten.

Beim Haanschen Haus, Rotenturmstraße 14, Kornhäusels letztem bekannten Miethausbau von 1840–1841 und zugleich das letzte noch bestehende seiner Rotenturmstraßenhäuser, kehrt der Architekt sodann in der Grundstruktur der Horizontalgliederung wieder zu seiner ebenso nüchternen wie tragfähigen Ausgangsposition von 1802 zurück. Dieses Schema ist auch schon 1835 der den bürgerlichen Miethäusern völlig angeglichenen Fassade des Wiener Mechitaristenklosters zugrunde gelegt worden.

Die in Kornhäusels Werk verkörperte Bürgerlichkeit, welche dem Lebensgefühl des Biedermeier so entgegen kam, war wohl ein zusätzlicher Grund, der den zu Synthese und Ausgleich neigenden Architekten zum Ausbau der Klöster und Stifte empfahl. Neben den bereits erwähnten Bauten in Wien hat Kornhäusel schon in den späten zwanziger Jahren das Karmelitinnenkloster in Gmunden sowie die Niederlassung der Mechitaristen in Klosterneuburg geschaffen[22]. Von 1833–1842 laufen sodann die Arbeiten zur Fertigstellung des im 18. Jahrhundert nur zu teilweiser Ausführung gelangten Stiftes Klosterneuburg, wobei die Gestaltung zwar im wesentlichen an den Bestand anknüpft, Einfahrtshalle und Bibliothek jedoch Gelegenheit zur Verwirklichung eigener Raumschöpfungen bieten.

Offensichtlich hinderlich war Kornhäusel seine bürgerlich-einfache Grundhaltung beim öffentlichen Repräsentationsbau, da sich das am Miethaus entwickelte Instrumentarium nicht mit den Würdeformeln betont offizieller Lösungen messen konnte. Diese Bauaufgabe ist denn auch im Werk Kornhäusels mit den Entwürfen für das Niederösterreichische Landhaus nur eine singuläre Episode geblieben. An den im Auftrag der niederösterreichischen Stände im Jahr 1828 erstellten ersten Fassadenentwürfen hat deren Biederkeit Mißfallen erregt, so daß als zweiter Entwurf 1831 eine bereicherte Variante mit turmartigen Flankenrisaliten und eingespannter Pilasterordnung vorgelegt wird. Auch der letzte Entwurf von 1832, der anstelle der eingespannten Mitte nun einen Risalit mit Kolossalpilastern vorsieht, zeigt uns Kornhäusels Streben nach Monumentalisierung, doch hat der Architekt das ihm wesensmäßig fremde „offizielle“ Instrumentarium sichtlich nicht in den Griff bekommen. Der Bau geht sodann an Alois Ludwig Pichl, dessen Neoklassizismus der adäquate Repräsentationsstil im Bereich öffentlicher Bauvorhaben gewesen ist.

Im Gegensatz zum städtischen Wohnhausbau ist unsere Kenntnis von der Bauaufgabe des Privathauses am Lande, der Villa, im Schaffen Kornhäusels auf ganz wenige Beispiele beschränkt, die zudem nur teilweise ihre ursprüngliche Struktur bewahrt haben. Wenn Christian Ludwig Förster 1847 aus Anlaß einer Würdigung der Miethäuser Kornhäusels in der Allgemeinen Bauzeitung auch dessen „viele hübsche Gartengebäude und großartige Gartenanlagen“ ausdrücklich hervorhebt, so ist uns diese empfindliche und mangels Quellen wohl nicht mehr schließbare Lücke im Bild der Baukunst unseres Architekten schmerzlich bewußt[23]. Aus der Zusammenschau seiner Werke und Kompositionsprinzipien ist jedoch zu erschließen, daß Kornhäusel hier wie bei allen übrigen von Traditionsvorgaben unbelasteten Bauaufgaben im revolutionsklassizistischen Blockgefüge die adäquate Ausdrucksmöglichkeit gesehen hat. Die weitgehende Unabhängigkeit von außerkünstlerischen Bedingungen auf Grund der freien Lage gibt die Gelegenheit zur Formierung dieses vom traditionsgebundenen Stadthaus abweichenden wesentlich moderneren Formtypus.

Als Prototyp können hier wohl die Anfang der zwanziger Jahre entstandenen Nebengebäude der Weilburg angesehen werden, deren Baukörper aus sich gegenseitig durchdringenden Blöcken gestaltet ist, so daß die Aufgliederung des Hauses in drei einzelne, aber fest verspannte Einheiten erfolgt. Diesen Typus hat Kornhäusel bereits 1814 unter grundsätzlich ähnlichen Voraussetzungen beim Eisgruber Teichschloß vorgestellt und schließlich auch bei seiner Eigenvilla in der Hinterbrühl 1846 noch angewandt[24].

Ist die Villa stärker in eine bebaute Umgebung integriert, so entfällt der radikale Zug. Bei der an drei Seiten freistehenden Villa Perger in Baden von 1836 akzentuiert Kornhäusel den flachen Mittelrisalit durch Dreiecksgiebel, Doppelpilaster sowie durch den auf Säulen vorgestellten Balkon[25]. Die einfache klare Gliederung und der breite Achsabstand erzeugen eine vornehme Ruhe und sind hierin bewußt dem baulichen Ambiente Badens angeglichen. Diese für Kornhäusel sehr charakteristische Anpassung an ein spezielles Milieu ist auch bei der für die Familie Haan 1817 entstandenen Floravilla in Baden zu verspüren[26]. Älteren Bauresten folgend, die ein unregelmäßiges Grundrißbild des freistehenden Gebäudes bedingen, separiert der Architekt einen repräsentativen Fassadenabschnitt als Hauptansicht und faßt diesen durch stark überhöhte Flankenrisalite ein. Diese für Kornhäusel an sich ungewöhnlich radikale, französisch inspirierte Baukörperform dient im besonderen Fall der Akzentuierung der regulierten Schauseite im größeren Komplex und wird durch das Ebenmaß der vollkommen beruhigten Gliederung wieder ausgeglichen.

So manifestiert sich Kornhäusels individuelle Leistung auch auf diesem Sektor des Baugeschehens in der selbständigen Auswahl und Verwendung überkommener wie moderner Formen, deren Abstimmung und Harmonisierung ihn in Qualität und Geschmack überlegen hervortreten lassen. Daß sein Spätwerk keineswegs durch ein Schwinden der künstlerischen Kraft gekennzeichnet ist, wie früher behauptet wurde, haben die unlängst aufgefundenen späten Miethausprojekte erwiesen. Auch spricht seine weiterdauernde Beschäftigung dagegen:

Ab 1842 wird im Auftrag des Erzherzogs Carl der ausgedehnte Teschener Burgbezirk umgestaltet, wobei nach Kornhäusels Plänen Schloß, Kapelle und Glashaus entstehen. In der Stadt Teschen selbst werden Rathaus und Redoutengebäude nach seinen Entwürfen von 1844 gebaut[27]. Und noch im Jahr 1856 begegnet uns Kornhäusel als Bausachverständiger und Gutachter, als es um Entwürfe für die Griechisch-Orientalische Kathedrale in Wien am Fleischmarkt geht[28].

Als Achtundsiebzigjähriger ist Kornhäusel 1860 in seinem Haus in der Seitenstettengasse an Darmruhr gestorben. Sein hauptsächliches Schaffen konzentrierte sich auf Wien und auf die Biedermeierlandschaft um Wien. Bauaufgaben im heutigen Ausland wie die Gruftanlagen der Grafen Somogyi in Döbrönte oder der Haugwitz in Namiest sind – wie auch im Falle des Fürsten Liechtenstein und Erzherzogs Carl – stets im Auftrag von in Wien ansässigen Familien entstanden[29]. Was ihn 1841 nach Mailand geführt hat, ist nicht bekannt. Dafür entschädigt in diesem Zusammenhang die amtliche Beschreibung seiner Person, deren Trefflichkeit mangels bekannter Porträtdarstellungen freilich offenbleibt, so daß denn auch weiterhin Spiel zur Formung eines Bildes von Josef Kornhäusel besteht: *Statur – mittel, Gesicht – rund, Haar – grau, Augen – lichtbraun, Nase – groß, besondere Kennzeichen – keine!*[30]

**Anmerkungen:**

[1] Zur Architektur des Klassizismus im Raum Wien siehe allgemein: Renate Wagner-Rieger, Wiens Architektur im 19. Jahrhundert, Wien 1970. – Renate Wagner-Rieger, Vom Klassizismus bis zur Secession, in: Geschichte der Stadt Wien, Neue Reihe Bd. VII/3, Geschichte der Architektur in Wien, Wien 1973, S. 81 ff. – Renate Goebl, Architektur, in: Klassizismus in Wien – Architektur und Plastik, Katalog d. 56. Sonderausstellung des Historischen Museums der Stadt Wien, 1978, S. 32 ff. – Renata Kassal-Mikula, Architektur zwischen Klassizismus und Historismus, in: Wien 1815–1848, Bürgersinn und Aufbegehren, Wien 1986, S. 139 ff.

[2] Zu J. Kornhäusel siehe die erste Monographie von Paul Tausig, Josef Kornhäusel, Ein vergessener österreichischer Architekt (1782–1860), Wien 1916. Eine wesentliche Bereicherung des Œuvres und gründliche stilkritische Aufarbeitung bringt sodann Hedwig Herzmansky, Joseph Kornhäusel – Eine Künstlermonographie, phil. Diss., Wien 1964. Soweit im Folgenden nicht anders zitiert, wird auf diese grundlegende Arbeit Bezug genommen. Das bislang unbekannte Spätwerk des Architekten wird beleuchtet bei Georg W. Rizzi – Roland L. Schachel, Die Zinshäuser im Spätwerk Josef Kornhäusels, Forschungen und Beiträge zur Wiener Stadtgeschichte, Bd. 4, 1979. Der vorliegende Beitrag geht einer gemeinsam mit R. L. Schachel vorbereiteten Monographie über die Architektur Josef Kornhäusels voraus.

[3] Herzmansky (zit. Anm. 2), S. 5 ff. – Walter Wagner, Geschichte der Akademie der bildenden Künste in Wien, Wien 1967, S. 49.

[4] Die im Akademiegesuch angeführten Bauten in Wien: Haus Lazzer am Spittelberg Nr. 83 (nicht erhalten); Hotel „Zur Kaiserin von Österreich“, Weihburggasse 3; Landhaus Jenamy, Ottakringer Straße 235, von 1804 (verändert); Haus Häring, Linke Wienzeile Nr. 4, von 1805 (nicht erhalten); Haus Öfferl, Rennweg 56. In Baden: Hotel des Hrn. Hebenstreit, Theresiengasse 10.

[5] Miethaus Holl, Karlsgasse 2, von 1809 (nicht erhalten). Rizzi-Schachel (zit. Anm. 2), S. 10 f.

[6] Haus Jäger, Theresiengasse 8; Haus Graf Esterházy, Pfarrgasse 7 – Theaterplatz 1, von 1810–1811, abgebrannt und wiedererrichtet 1812.

[7] Zu den Theaterbauten in Baden und Wien siehe Herzmansky (zit. Anm. 2). Nicht bei Herzmansky der u. a. durch die von Zdenek Kudělka, Brünn, aufgefundenden Originalpläne für Kornhäusel gesicherte Theaterbau in Olmütz von 1828–1832.

[8] Eine Zusammenstellung der Tätigkeit in Liechtensteinschen Diensten – nach Archivexzerpten von Gustav Wilhelm, Vaduz – bei Herzmansky (zit. Anm. 2). Weiters W. Georg Rizzi, Joseph Kornhäusels Wiener Bauten für den Fürsten Liechtenstein, in: Alte und moderne Kunst, Heft 152, 1977, S. 23 ff.

[9] Claude-Nicolas Ledoux, L'Architecture considérée sons le rapport de l'art des moeurs et de la législation, Bd. II, S. 249.

[10] Die bisher nicht ausgewerteten Unterlagen finden sich im Liechtensteinschen Hausarchiv, Vaduz, K 321, für dessen Benützung ich Dr. Reinhold Baumstark dankbar verbunden bin.

[11] Miethaus Schaumburg, Wollzeile 11, von 1819–1821 durch Kornhäusel fertiggestellt; Wohn- und Kaffeehaus Wagner, Leopoldstadt Nr. 587 und 588, von 1819 (nicht erhalten).

[12] Herzmansky (zit. Anm. 2), S. 54.

[13] Siehe auch Karl Neubarth, Das Sauerhofbad in Baden von Joseph Kornhäusel, in: Österr. Zeitschrift für Kunst und Denkmalpflege, XXXV, 1981, S. 143 ff.

[14] Herzmansky (zit. Anm. 2), S. 70.

[15] „150 Jahre Wiener Stadttempel“, Festschrift der Israelitischen Kultusgemeinde Wien, o. J., mit Abbildungen der frühen Entwurfsstufen.

[16] Hedwig Herzmansky, Die Baugeschichte der Albertina, in: Albertina-Studien, 3. Jg., 1965, Heft 1–3.

[17] Wagner-Rieger, Klassizismus (zit. Anm. 1), S. 124. Zur Bedeutung des Kornhäuselschen Wohnbaues siehe insbesondere Herzmansky und Rizzi-Schachel (beide zit. Anm. 2).

[18] Stiftungshaus der Mechitaristen am Josefstädter Glacis, von 1839–1840 (nur Teile der Bausubstanz erhalten). Rizzi-Schachtel (zit. Anm. 2), S. 10 f.

[19] Kornhäusels Kompositionsprinzipien bei Rizzi-Schachel (zit. Anm. 2), S. 50 ff.

[20] Das erste Eigenhausprojekt der Familien Kornhäusel und Jäger von 1824 für die Parzelle Rechte Wienzeile 3 ist – entgegen Herzmansky – nicht zur Ausführung gelangt.

[21] Miethaus Doll, Rotenturmstraße 22, von 1833 (nicht erhalten); Miethaus Schmidt, Bauernmarkt 5, von 1836 (nicht erhalten); Miethaus Arthaber, Rotenturmstraße 19, von 1837–1839 (nicht erhalten); Ertlsches Stiftungshaus, Rotenturmstraße 13, von 1838–1839 (nicht erhalten); Miethaus Haan, Rotenturmstraße 14, von 1840–1841. Rizzi-Schachel (zit. Anm. 2).

[22] Der Hinweis auf Kornhäusels bisher unbeachtete Tätigkeit in Gmunden in „Eine Biedermeierreise – Albin Bukowskys Tagebuch vom Jahre 1835“, hrsg. von Dr. Vinzenz O. Ludwig, Wien 1916 (freundliche Mitteilung von Frau Dr. Waltrude Oberwalder).

[23] Ludwig Förster, Der Bau der Wiener Zinshäuser, in: Allgemeine Bauzeitung, 12, Wien 1847, S. 237 ff. – Auf die jüngst erst bekannt gewordene Villa Hoffmann in der Hinterbrühl, die wohl ungefähr gleichzeitig mit dem Wiener Miethaus der Familie Hoffmann in der Beatrixgasse 20 von 1833 entstanden ist, wird anderorts noch einzugehen sein. Christine Hofmann, Klassizismus und Biedermeier, in: Die großen Architekten auf dem Lande, Katalog der Ausstellung im Schloß von Bad Vöslau, 1986, S. 17 ff.

[24] „Grillenvilla“, Hinterbrühl, Johannesstraße Nr. 40 (stark verändert).

[25] Villa Perger, Gutenbrunnerstraße 1.

[26] Die sogenannte Floravilla, Breyergasse 2, wird von Herzmansky (zit. Anm. 2) S. 353, nicht als Werk Kornhäusels anerkannt.

[27] Die Tätigkeit Kornhäusels in Teschen wurde bisher nicht berücksichtigt. Zu Rathaus und Redoutengebäude siehe Irena Kwaśny, Ratusz w Cieszynie, Dokumentacja historyczna, PP. PKZ, Krakow 1974.

[28] Klaus Eggert, Die Griechisch-Orientalische Kathedrale am Fleischmarkt in Wien, in: ΣΤΑΧΥΣ, Zeitschrift der Metropolis von Austria, S. 8 ff.

[29] Gruftkirche der Grafen Somogyi von Medgyes in Döbrönte, Komitat Veszprém, Ungarn, nach Kornhäusels Entwürfen von 1812 (nicht bei Herzmansky). – Die gräflich Haugwitzsche Familiengruft in Namiest, Mähren, ist – gegen Herzmansky – auf Grund der amtlichen Paßprotokolle als sicheres Werk Kornhäusels von 1824–1827 anzusehen.

[30] Wiener Stadt- und Landesarchiv, Paßprotokolle 1841, Anweisung Nr. 1451, Paß Nr. 408.

# CHRISTIAN FRIEDRICH LUDWIG FÖRSTER

*Klaus Semsroth*

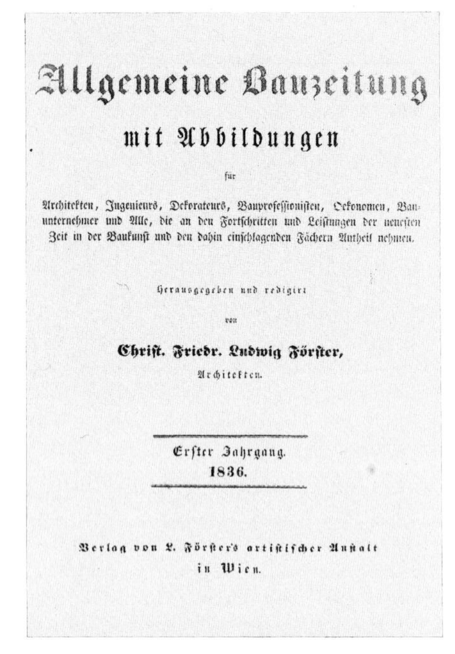

Allgemeine Bauzeitung

mit Abbildungen

für

Architekten, Ingenieurs, Dekorateurs, Bauprofessionisten, Oekonomen, Bauunternehmer und Alle, die an den Fortschritten und Leistungen der neuesten Zeit in der Baukunst und den dahin einschlagenden Fächern Antheil nehmen.

Herausgegeben und redigirt

von

Christ. Friedr. Ludwig Förster,

Architekten.

Erster Jahrgang.

1836.

Verlag von L. Förster's artistischer Anstalt

in Wien.

Titelblatt der Allgemeinen Bauzeitung, 1836

Christian Friedrich Ludwig Förster nimmt in der Reihe jener Persönlichkeiten, die das Architekturgeschehen in Wien im Vormärz wesentlich beeinflußt haben, eine Sonderstellung ein.

Diese Sonderstellung wurde durch seine vielfältigen Begabungen gekennzeichnet. Einerseits war er vor allem ein kluger und weitsichtiger Unternehmer, der u. a. 1836 eine vielbeachtete Bauzeitung gründete und herausgab und andererseits war er Architekt und Städtebauer, der das Baugeschehen in Wien sowohl künstlerisch als auch technisch aktiv mitprägte.

Förster wurde als Sohn des Forstinspektors und Oberingenieurs Christoph Förster am 8. Oktober 1797 in Bayreuth geboren. Bereits in seinem 12. Lebensjahr verstarb sein Vater und ließ ihn in ärmlichen Verhältnissen zurück. Während der Gymnasialzeit in Ansbach entwickelte der junge Förster bereits eine besondere Vorliebe für Mathematik und Zeichnen. Er verließ Ansbach 1816, um an der königlichen Akademie der bildenden Künste in München zu studieren. „Es war dies die Zeit seiner härtesten Entbehrungen, seines angestrengtesten Kampfes; die Spannkraft seines Geistes, die ihm bis an sein Ende treu verblieb, ließ ihn über alle Hindernisse triumphieren“[1].

Bereits zwei Jahre später verließ er München und kam am 1. April 1818 nach Wien, wo er in Peter Nobiles Atelier eintrat, der gerade zuvor von Kaiser Franz I. an die Architekturschule der Akademie für bildende Künste berufen worden war.

Da Nobile von Försters Begabungen und Motivationen angetan war, verschaffte er ihm die Anstellung als Korrektor an der Architekturschule. Im Jahre 1826 gab Förster diese Stellung aus wirtschaftlichen Gründen auf und gründete eine „Artistisch-lithographische Anstalt“, wobei er sich vor allem mit der damals in Österreich noch wenig bekannten Drucktechnik der Zinkographie beschäftigte.

Zu den frühen Veröffentlichungen aus diesem Zeitraum zählen seine „Sammlung von Ideen zur äußeren Verzierung von Gebäuden“ und die „Sammlung von Handzeichnungen berühmter alter Meister aus der Galerie Sr. K. Hoheit der Durchlaucht Erzherzog Karl“[2].

Im Jahre 1836 konnte Förster seinen lange gehegten Plan mit der Gründung der „Allgemeinen Bauzeitung“ verwirklichen. Das Programm dieser Zeitung, „das Försters Ruf in den Fachkreisen begründen half“[3], wurde im erweiterten Titel wie folgt angekündigt: „Allgemeine Bauzeitung mit Abbildungen für Architekten, Ingenieurs, Dekorateurs, Bauprofessionisten, Ökonomen, Bauunternehmer und alle, die an den Fortschritten und Leistungen der neuesten Zeit in der Baukunst und den dahin eingeschlagenen Fächern Antheil nehmen“[4].

Diese das gesamte Baufach berücksichtigende Zeitschrift ist noch heute eine der verläßlichsten Quellen über die Entwicklung der Architektur im 19. Jahrhundert, denn Förster berichtete nicht nur über neue Architektur in Wien und Österreich, sondern auch aus ganz Europa.

Förster gelang es während seiner zahlreichen Reisen durch Deutschland, England, Frankreich und Italien, die besten Mitarbeiter für seine Bauzeitung zu gewinnen und konnte selbst neue Erfahrungen sammeln, die er dann in fachlich weitgefächerten Beiträgen für diese Zeitung verfaßte. So wurde die „Allgemeine Bauzeitung“, „dieses für die Architekturgeschichte des 19. Jahrhunderts so ungemein wichtige Organ“[5] bereits im Vormärz auch zum Wegbereiter „historisierender Architektur“ und Vermittler technischer und architektonischer Neuerungen[6].

„Seine rastlose Strebsamkeit konnte sich jedoch nicht mit einer lediglich literarischen Thätigkeit begnügen; praktisch, wie er durch und durch war, hörte er nie auf, diese Seite seines Faches zu cultivieren“[7].

Försters Schaffensperiode teilt sich in drei abzugrenzende Abschnitte[8]. Der erste Abschnitt begann mit dem Eintritt in das Atelier Peter Nobiles und endet 1847. In diesen Zeitabschnitt fallen an besonders erwähnenswerten Arbeiten die Planung und Verwirklichung der Zuckerfabrik für Daniel Zinner (Wien 2, Gr. Franzensbrückengasse 17; 1848 ausgebrannt), das Wohnhaus für Baron Ludwig Pereira-Arnstein (Wien 1, Weihburggasse 4), die Winterschwimmhalle für das Dianabad (gemeinsam mit Karl v. Etzel in Wien 2, Obere Donaustraße 93–95; 1913 demoliert) und die Trinkhalle Ursprungsquelle im Stadtpark von Baden bei Wien.

Aus dieser Schaffensperiode ragt die Zuckerfabrik für Daniel Zinner deshalb besonders hervor, weil Förster hiermit als einer der ersten für eine neue Aufgabe eine neue Architektur – eine Industriearchitektur – vorstellte.

Wurden im ersten Drittel des 19. Jahr-

Kat. Nr. 13/18/1 Zuckerfabrik Zinner, 1839

Kat. Nr. 13/8 Dianabad, Winterschwimmhalle, 1841–1843

Kat. Nr. 13/18/2 Zuckerfabrik Zinner, 1839

hunderts oftmals noch bestehende Objekte – wie z. B. Schlösser und Landsitze – für die Aufnahme von Industriebetrieben umgebaut, so trat mit der immer stärker an Bedeutung gewinnenden Industrialisierung in der österreichischen Monarchie ein Wandel ein, der ca. ab 1890 für industrielle Produktionen eigens konzipierte Gebäude vorsah.

Diese neue Industriarchitektur war bestimmt von einer funktionellen Ausrichtung der Gebäude und einem eher schmucklosen, doch ästhetisch deshalb nicht weniger anspruchsvollen Erscheinungsbild.

Durch die Errichtung der Zinnerschen Zuckerfabrik zählt Förster zu jenen Baukünstlern, denen es bereits in einem sehr frühen industriellen Entwicklungsstadium gelang, im Industriebau eine funktional bestimmte Zielrichtung einzuschlagen, ohne die Bedeutung der Gesamtwirkung des Bauwerkes zu vernachlässigen.

Anläßlich der Fertigstellung der Zukkerfabrik führte Förster grundsätzliche Überlegungen zur Wechselbeziehung von Industrie und Bauwesen aus:

„Der Einfluß, welchen die Entwickelungen der Industrie auf Alles, was den Menschen beschäftigt, stets genommen haben, wirkt, wie es sich wohl von selbst versteht, in hohem Grade auch auf das Bauwesen, sowohl mittels der Aufgaben, welche die verschiedenartigsten Werkstätten- und Fabriken-Bedürfnisse demselben vorlegen, als auch durch die Vermehrung der Baumaterialien und technischen Hilfsmittel, die theils aus dem klassischen Alterthume wieder hervorgerufen, theils neu erfunden und verbessert werden. Es ist aber eben so unläugbar, daß die Ingenieur-Wissenschaften und die Architektur auf die Fortschritte der Industrie selbst wieder mächtig zurückwirken, indem sie einen industriellen Betrieb durch entsprechende Maschinen und Bauanlagen unterstützen und ordnen, und daß die Architektur, als bildende Kunst, insbesondere auf Sinn und Gestaltung bei vielen industriellen Erzeugnissen mit ihren prototypen Formen als Führerin, und dann auch als Konsumentin auftritt, indem sie sich nämlich damit befaßt, die Gebäude mit den mannigfaltigsten Produkten des Gewerbefleißes auszustatten[10].

Förster war aber auch ein Architekt, dem die Einhaltung einer geplanten Bauzeit und die mögliche Minimierung der Baukosten unbedingt notwendig erschien, „um nicht nur den Zweck der Ökonomie zu erreichen, sondern auch, um in artistischer Beziehung den Charakter industrieller Gebäude durch einfache Darstellung der aus dem nützlichsten Betrieb einer gewerblichen Anstalt hervorgehenden Bauformen festzuhalten: Der gleichen Gebäude sind nach den landesgesetzlichen Baukonstruktionen, sowie aus den mit leichtesten Mittel zu erreichenden und zugleich zweckmäßigsten Baumaterialien zu entwickeln und in eine rationelle Architektur einzukleiden“[11].

Für ein weiteres Beispiel seines breitgefächerten architektonischen Wirkens sei der Bau der Winterschwimmhalle des Dianabades angeführt.

Im Zuge der Installierung einer Filtrieranlage in unmittelbarer Nachbarschaft des 1804 vom Architekten Karl von Moreau erbauten Dianabades wurden die Architekten Förster und Etzel aufgefordert, die Planung und technische Durchführung einer Winterschwimmhalle zu übernehmen. Die besondere Schwierigkeit dieser Bauaufgabe bestand darin, auf einem eng bemessenen Baugrundstück eine großzügige Lösung zu finden, die sich funktionell in die bestehende Anlage integrieren mußte.

Die Ausmaße des Gebäudes waren mit 68' (21,49 m) zu 173' (54,86 m) für damalige Verhältnisse relativ groß, wobei eine Bassinfläche von 40' (12,4 m) × 114' (36,02 m) vorgesehen wurde.

Mit einer kühnen, halbkreisförmigen, gußeisernen Rahmenkonstruktion überbrückten die beiden Architekten diese beachtliche Spannweite, deren Mittelpunkt nur 1' (31,6 cm) über dem Fußboden des 1. Stockwerkes lag. Dadurch wurde die ohnehin schon bedeutende Höhe des zu beheizenden Raumes nicht noch zusätzlich vergrößert[12].

„Die Komposition des Innenraumes wurde von einem Rhythmus der Kreise, Halbkreise und Viertelkreise bestimmt." Es gelang den beiden Architekten, einen sowohl in technischer als auch in künstlerischer Hinsicht bemerkenswerten Raum zu schaffen, der neben einem gewissen Charme auch gleichzeitig eine progressive Haltung ausdrückte.

In der Entwicklung der Nutzbauten ist im Bau der Schwimmhalle des Dianabades deshalb ein Meilenstein zu sehen, weil hier bereits noch vor der Errichtung der großen englischen Bahnhofshallen Eisenträger zur Überspannung großer Tragweiten verwendet wurden. Das Dianabad mit der von Etzel und Förster errichteten Schwimmhalle wurde 1913 abgetragen und durch einen Neubau ersetzt[13].

Der zweite Abschnitt in Försters Schaffensperiode (1847–1851)[14] ist gekennzeichnet durch den Namen Theophil Hansen. Hansen, der 1813 in Kopenhagen geboren wurde, ging 1838 vorerst nach Athen, um dort mit seinem Bruder, der auch Architekt war, durch „die Verbindung der Archäologie des klassischen Altertums mit dem romantischen Neugriechentum"[15] zu einer Architektur

Kat. Nr. 13/20 Evangelische Kirche Gumpendorf, 1844–1849

zu gelangen, die der Stadt ihren eigenen Charakter verlieh. Auf Grund politischer Schwierigkeiten in Athen, die den Ausländern die Wirkungsmöglichkeiten einschränkte, nahm Hansen 1847 ein Angebot Försters an, nach Wien zu kommen.

Mit solchen Initiativen versuchte Förster, auch im Sinne einer Auffrischung der Wiener Architekturszene, im Vormärz Anschluß an das internationale Baugeschehen zu gewinnen. Seine Bemühungen, junge und fähige Künstler nach Wien zu bringen, waren auch tatsächlich für die weitere Architekturentwicklung der Stadt von weitreichender Bedeutung[16].

Förster ging mit Hansen sehr bald eine Ateliergemeinschaft ein und innerhalb von 4 Jahren entstanden zahlreiche Gebäude und Projekte; so z. B. die Evangelische Kirche in Gumpendorf (Wien 6; 1844–1849), der Wettbewerbserfolg für die Elisabethbrücke (Wien 4; 1846. Das Projekt wurde erst später ausgeführt), das Hotel National (1847–1848; Wien 2, Taborstraße 18), zahlreiche Wohnhausobjekte und der Wettbewerbserfolg für das k. k. Artilleriearsenal. Letzteres Projekt wurde jedoch nach der Auflösung der Ateliergemeinschaft im Jahre 1851 in verschiedenen Teilbereichen getrennt verwirklicht.

Die Evangelische Kirche in Gumpendorf stellt die erste gemeinsame Arbeit der beiden Architekten dar. Noch stärker als bei früheren Bauten unterstrich Förster bei dieser Arbeit seine Absicht, den funktionellen Zusammenhängen besondere Aufmerksamkeit zu schenken. In seiner Baubeschreibung heißt es:

„Bei dem Entwurfe war es vor allem Absicht, einen christlichen Ausdruck des Baues zu bewirken und eine Eintheilung zu vermitteln, welche den Kirchengebräuchen, der Akustik, der Bequemlichkeit der Geistlichen und Kirchenbesucher und einer haushälterischen Verwaltung möglichst entspreche . . . Der Eintheilung lag die Absicht zu Grunde: den inneren Kirchenraum so viel als möglich zusammenzudrängen, damit alle Kirchenbesucher den Prediger hören und so viel als möglich sehen können . . ."[17].

Und an anderer Stelle erläutert Förster zum Erscheinungsbild und zur Ausgestaltung der Kirche; „ . . . daß die Massen und Einzelheiten im Stile der ältesten für den christlichen Kultus gebauten Kirchen durchgeführt und daß dabei vorzugsweise die morgenländischen und byzantinischen Kirchendetails als Mittel herangezogen wurden"[18].

Wie intensiv bereits bei dieser ersten gemeinsamen Arbeit die gegenseitige Beeinflussung wirklich war, ist nur schwer nachzuvollziehen. Aufgrund der vorliegenden Unterlagen kann vermutet werden, daß Hansen vor allem für die dekorative Ausgestaltung herangezogen wurde. Dies besonders deshalb, weil Hansen durch seine Arbeit in Griechenland – „einem Gebiet mit zahlreichen mittelalterlichen und byzantinischen Bauten . . . in hohem Grade für die Vermittlung solcher Dekorationsformen in Frage kommen konnte“[19].

Die Zusammenarbeit mit Hansen dauerte nur 4 Jahre, doch erreichten die Bauwerke und Projekte durch die gegenseitige Befruchtung zweier so unterschiedlich veranlagter Persönlichkeiten ein ganz besonderes Niveau.

Nach der Trennung von Theophil Hansen begann 1852 Försters dritte und letzte Schaffensperiode, die jedoch im Rahmen dieses Beitrages hier nur kurz gestreift werden soll. Exemplarisch für diesen Zeitraum sollen die Verwirklichung mehrerer Teilaufgaben im k. u. k. Artilleriearsenal (Wien 3; Gewehrfabrik, Schießstätte, Waffenmuseum), der Bau der Synagoge (Wien 2, Tempelgasse; 1938 zerstört) oder die Errichtung des Palais Todesco (Wien 1, Kärntnerstraße 51) genannt werden.

Die zukunftsweisendste Idee, die Förster jedoch während der drei Schaffensperioden ohne Unterlaß verfolgt hat, waren die Studien und Projekte für die Wiener Stadterweiterung. Auf Anregung des Barons L. Pereira[20] bearbeitete Förster bereits 1839 ein Projekt zur Regulierung und Erweiterung der Stadt Wien, mit dem er eine Ausweitung der Innenstadt im Bereich des späteren Textilviertels vorschlug.

Diesen ersten Erweiterungsvorschlag stellte er nicht nur in Wien zur Diskussion, sondern erläuterte ihn auch vor „Deutschen Architekten“ in Leipzig (1842), in Bamberg (1843) und in Prag (1844). Im Zusammenhang mit der Veranstaltung in Prag wurde auch ein 20’ (6,12 m) × 14’ (4,28 m) großes Holzmodell[21] dieses Stadterweiterungsvorschlages ausgestellt.

In der Folge erstellte Förster noch eine Vielzahl von Stadterweiterungsprojekten, die die Idee seines ersten Projektes auf immer weitere, an die Altstadt angrenzende Bereiche, ausdehnte.

Deshalb wurde Förster auch als bedeutender Initiator der Wiener Stadterweiterung bezeichnet, weil er immer wieder auf die Notwendigkeit dieser städtebaulichen Maßnahme hinwies[22].

Als dann 1858 schließlich die Wiener Stadterweiterung wirklich begann – nachdem Kaiser Franz Joseph I. seinen Willen kundgetan hatte, die Erweiterung der Inneren Stadt in Angriff zu nehmen –, beteiligte sich Förster an dem großen Wettbewerb für die Wiener Ringstraße. Sein Stadterweiterungsprojekt zählt neben dem von Van der Nüll und Sicardsburg und Stache zu den preisgekrönten.

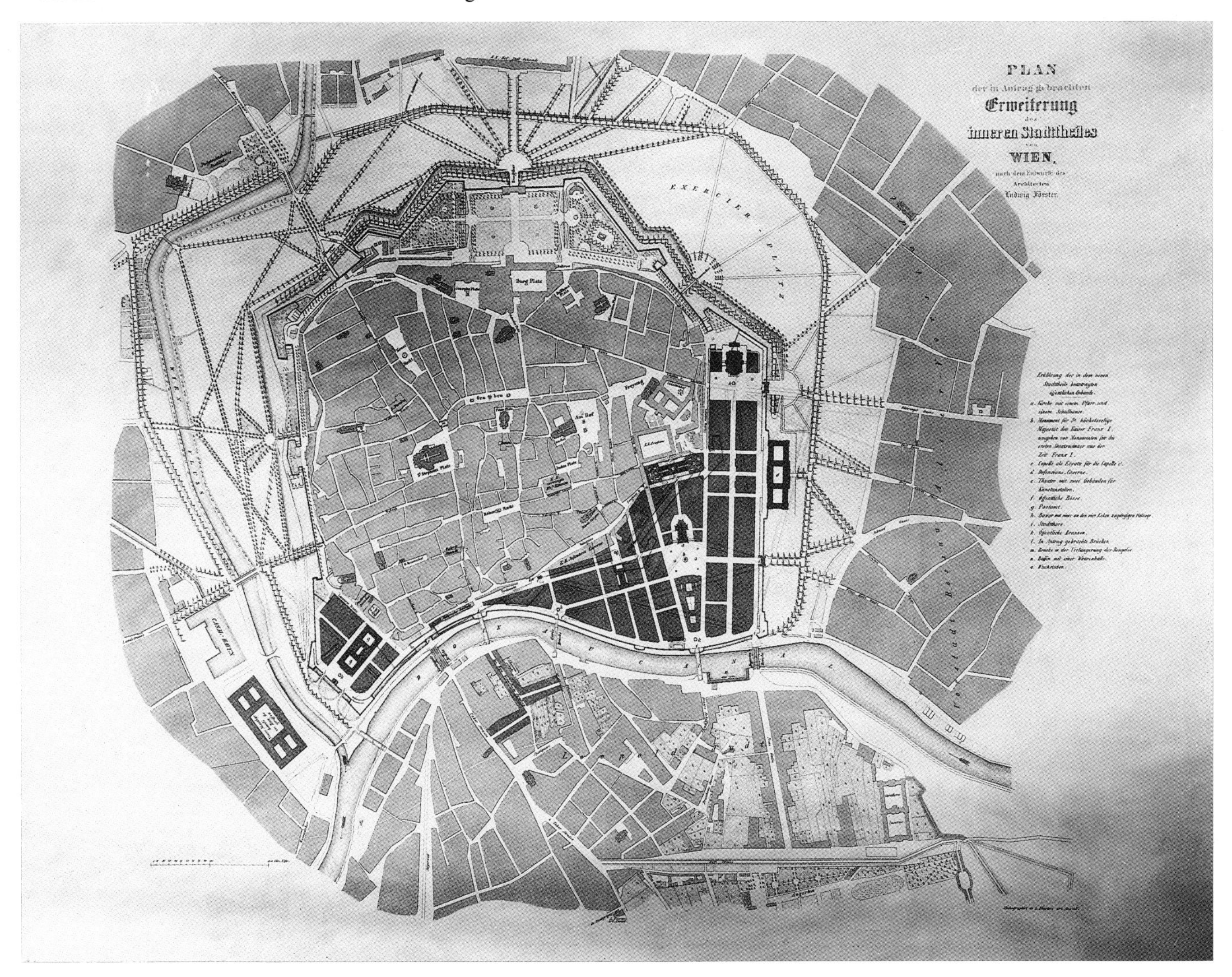


Kat. Nr. 13/21 Stadterweiterungsplan für Wien, 1843

Im Zuge der Durchführung der Wiener Ringstraßenzone wurden an Einzelheiten des von Förster ausgearbeiteten Planes, der eine breite, die Stadtmitte umschließende mehrspurige Straße vorsah, zahlreiche Änderungen vorgenommen. Die grundsätzliche Idee Försters jedoch, die Innenstadt eindeutig gegen die Vorstädte abzugrenzen, blieb erhalten. Nicht nur der Grundriß veranschaulicht diese eindeutige Konzeption der Trennung, sondern auch im Aufriß standen die repräsentativen Bauten der Ringstraßenzone in Kubatur und Ausgestaltung den schlichten kleineren Bürgerhäusern der Vorstädte gegenüber.

Im Gegensatz zu vielen anderen Wettbewerbsprojekten führte er die Ringstraße nicht in unmittelbarer Nähe der alten Innenstadtgrenze, sondern etwa in der Mitte des Glacis.

Auch die Ausgestaltung der Ringstraße als Allee mit vier und fünf Baumreihen geht auf seinen Vorschlag zurück[23]. Damit wird Förster zu Recht „zum eigentlichen Schöpfer der Ringstraßenzone“[24].

Am 16. Juni 1863 starb Förster im Alter von 66 Jahren. Im Nachruf, den seine beiden Söhne 1864 in der „Allgemeinen Bauzeitung“ veröffentlichten, heißt es u. a.:

„Obgleich sein Geist stets voll von Phantasie, war er im Leben wie in seinen Werken trotzdem der Mann des Denkens und der Praxis. Das Gefühl für Schönheit, das er in hohem Grade besaß, strebte er dem Bedürfnis unterzuordnen und höher als die Ornamentik stand bei ihm der Zweck“[25].

Wenn auch zu Lebzeiten eine uneingeschränkte Anerkennung seines Werkes nicht erfolgte, so sollten rückblickend seine architektonischen und städtebaulichen Werke und Ideen – neben seinen sonstigen vor allem publizistischen Tätigkeiten – wegen ihrer richtungweisenden Impulse mehr Beachtung finden.

**Anmerkungen:**

[1] Heinrich und Emil Ritter von Förster, Christian Friedrich Ludwig von Förster. In: Allgemeine Bauzeitung, 29. Jahrgang, Wien 1864, S. 1.

[2] Werkdokumentation Christian Friedrich Ludwig Ritter von Förster 1797–1863. Klaus Semsroth, Roswitha Lacina, Christoph Braumann, Oswald W. Madritsch, Forschungsarbeit des Bundesministeriums für Wissenschaft und Forschung, Wien 1985, S. 20.

[3] Kurt Mollik, Hermann Reining, Rudolf Wurzer, Planung und Verwirklichung der Wiener Ringstraßenzone. Wien 1980, S. 330.

[4] Allgemeine Bauzeitung, 1. Jahrgang, Wien 1836.

[5] Renate Wagner-Rieger, Wiens Architektur im 19. Jahrhundert, Wien 1970, S. 143.

[6] Wagner-Rieger, a. a. O., S. 100.

[7] Heinrich und Emil Förster: a. a. O., S. 2.

[8] Semsroth, a. a. O., S. 13 ff.

[9] Robert Waissenberger, Anmerkungen zu der von Ludwig Förster erichteten Zinnerschen Zuckerfabrik bei der Franzensbrücke. In: Jahrbuch des Vereins für Geschichte der Stadt Wien. Band 34 (1978), S. 310.

[10] Über den Bau der Zuckerfabrik des Herrn D. Zinner in Wien, entworfen und ausgeführt von Ludwig Förster. In: Allgemeine Bauzeitung, 4. Jahrgang, Wien 1839, S. 3 ff.

[11] Ibid, S. 3 ff.

[12] Karl Etzel, Das Dianabad in Wien. In: Allgemeine Bauzeitung, 8. Jahrgang, 1943, S. 115 ff.

[13] Robert Waissenberger, Wiener Nutzbauten des 19. Jahrhunderts als Beispiele zukunftsweisenden Bauens, Wien 1977, S. 46.

[14] Semsroth, a. a. O., S. 13 ff.

[15] Wagner-Rieger, a. a. O., S. 145.

[16] Ibid, S. 145.

[17] Das Bethaus der evangelischen Gemeinde A. B. in der Vorstadt Gumpendorf in Wien von Ludwig Förster. In: Allgemeine Bauzeitung, 14. Jahrgang, Wien 1849, S. 1.

[18] Ibid, S. 1.

[19] Wagner-Rieger, a. a. O., S. 146.

[20] Mollik, Reining, Wurzer, a. a. O., S. 331.

[21] Über die Ausstellung während der Architektursammlung in Prag. In: Allgemeine Bauzeitung, 9. Jahrgang, S. 292.

[22] Mollik, Reinig, Wurzer, a. a. O., S 334.

[23] Friedrich Walter, Wien. Die Geschichte einer deutschen Großstadt an der Grenze. Band 3. Wien 1944, S. 339 ff.

[24] Fred Hennings, Ringstraßensymphonie 1857–1870. Wien 1963.

[25] Heinrich· und Emil Ritter von Förster, a. a. O., S. 2.

## 13 BAUKUNST

**13/1/1**
**Josef Kornhäusel (1782–1860)**

Haus der israelitischen Kultusgemeinde, 1823
1., Seitenstettengasse 4
„Grund-Plan/von/Ebener Erde." (1. Projekt)
Tuschfeder, laviert, 49,3 × 62,5 cm
Wien, Graphische Sammlung Albertina, Arch. Z. 5.836, M 41, U 8, Nr. 53

Das Judenpatent Kaiser Josephs II. enthielt trotz positiver Ansätze weiterhin restriktive Bestimmungen gegen eine freie Glaubensausübung. Vorrangiges Ziel der tolerierten Juden war daher die Errichtung eines würdigen Tempels. Treibende Kraft war der Bankier Michael Lazar Biedermann (im Jahr der Hungersnot 1816 schoß er dem Kaiser 300.000 Silbergulden vor). 1811 gelang es, den Dempfinger-Hof am Katzensteig zu erwerben, der wegen Baufälligkeit demoliert wurde. Das neue Miethaus nahm Schule und Frauenbad auf, dahinter wurde die Synagoge ausgeführt.

Kornhäusels Planungen durchliefen mehrere Entwicklungsstadien, die zu einer ovalen Grundrißdisposition mit eingestelltem Säulenkranz führten, wobei der Kultbau als eigener Baukörper behandelt wurde.

*Lit.: S. Husserl, Gründungsgeschichte des Stadttempels der israelitischen Kultusgemeinde Wien, Wien–Leipzig, 1906; M. Eisler, Der Seitenstetten Tempel, Menorah, 4. Jg., März 1926, S. 149 ff.; 150 Jahre Wiener Stadttempel, Wien 1976. Klassizismus, HM, 1978, S. 66 ff., Kat. Nr. 253 ff.; G. W. Rizzi-Schachel, 1979, S. 13 f.; H. Hammer-Schenk, Synagogen in Deutschland, I, 1981, S. 160 f.*
RKM
Abbildung

**13/1/2**
**Josef Kornhäusel**

Haus der israelitischen Kultusgemeinde, 1823
1., Seitenstettengasse 4
„Gassen Ansicht" (1. Projekt)
Tuschfeder, 49,5 × 62,5 cm
Bez. re. u.: Joseph Kornhäusel/K. K. Architect/und Mitglied der KK: Academie/der bildenden Künste.
Wien, Graphische Sammlung Albertina, Arch. Z. 5.793, M 41, U 4, Nr. 9

Der Fassadenspiegel besitzt jene Formelemente, „welche den für die Zwanzigerjahre verbindlichen Standard auf der Stilstufe des Biedermeier in der ausgereiften Form darstellen" (Rizzi). Die reale Enge innerstädtischer Gassen ließ Kornhäusel auf eine architektonische Durchgliederung verzichten und verleiht dem Erdgeschoß größere Plastizität, die nach oben hin abnimmt.
RKM
Abbildung

**13/1/3**
**Josef Kornhäusel**

Haus der israelitischen Kultusgemeinde und Synagoge, 1823
1., Seitenstettengasse 4
„Durchschnitt nach der Linie E:F:"
Bleistift, Tuschfeder, laviert, 49,3 × 62,3 cm
Wien, Graphische Sammlung Albertina, Arch. Z. 5.834, M 41, U 8, Nr. 51

Beim Bau der Synagoge galt noch immer die Verfügung des josephinischen Toleranzpatentes, das einen direkten Zugang von der Straße nicht gestattete. Das vorgeblendete Miethaus rettete die Synagoge 1938 vor der Zerstörung.
RKM

**13/1/4**
**Josef Kornhäusel**

Synagoge, 1825/26
1., Seitenstettengasse 4
Innenansicht gegen den Thoraschrein
Tuschfeder, laviert, schwarze Pastellkreide, 34,2 × 44,5 cm
HM, Inv. Nr. 65.134

Die Synagoge war das Resultat einer Reformbewegung, die von Berlin ausging, in Wien aber weniger radikal ausfiel als beispielsweise in Hamburg. Der Almemor wurde zwar nach Osten verlegt, die Frauenemporen blieben dafür vergittert. Man beließ es bei der Verteilung der Plätze überhaupt bei der Geschlechtertrennung.

Ausschlaggebender Faktor für die Wiener Lösung, die auch den Ritus betraf, war die kleine, wohlhabende Schicht tolerierter jüdischer Familien. Den Unterschied interpretierte M. Eisler 1926: „. . . sie wollten ihrem rationellen Humanismus einen Tempel bauen."

Mit seiner Reduktion auf architektonische Grundelemente (Zylinder, Stütze) gelang Kornhäusel ein Raumeindruck wie er offenbar der Denkungsart seiner Auftraggeber entsprach. Dieses Raumkonzept wurde auch für andere Funktionen adaptiert: Römisches Bad im Sauerhof, Zuschauerraum im Theater in der Josefstadt, Bibliothek im Schottenstift.

„Man tritt in eine Rotunda, die durch eine kühngeschwungene Kuppel reichliches Tageslicht empfängt. Zu den beiden Seiten des hohen Portals, in einiger Entfernung von der Hauptmauer, laufen zwölf Säulen von ionischer Ordnung und den reinsten Verhältnissen in gemessenen Zwischenräumen, die eine Doppelgalerie bilden, gegen die Schranken hin, welche die erhöhte Bühne im innersten Halbkreis von dem übrigen Raume des Tempels abscheidet. Sie steigt auf einige Stufen von den Schranken zu der Bundeslade empor; diese insbesondere, ja diese allein fordert und fesselt mit großartiger Einheit des Eindrucks den Blick des Beschauers" (Bäuerles Theater-Zeitung, April 1826).

Ernst Ehrenhauß (er stellte 1834 Architekturblätter in St. Anna aus) schuf nach seiner Vorzeichnung zur Vollendung der Synagoge eine Lithographie mit Widmung: „Innere Ansicht des israelitischen Tempels zu Wien/ Erbaut unter der glorreichen Regierung Seiner K. K. Majestaet Franz des Ersten/von den israelitischen Bewohnern Wien's unter der Leitung des Herrn Architecten Kornhäusel/ eingeweiht zum Gottesdienst am 9ten April 1826."
RKM
Abbildung

**13/2**
**Haus der Israelitischen Kultusgemeinde (1823) – Miethaus für die Familien Franz Jäger und Josef Kornhäusel (1825) – Seitenstettenhof (1825)**

1., Seitenstettengasse 4 – Seitenstettengasse 2, Judengasse 14, Fleischmarkt 1b – Seitenstettengasse 5, Rabensteig 5, Ruprechtsplatz 3
Baukörper- und Fassadenmodell, 1987. Maßstab 1 : 50
Modellbau: Karl Schwarz (4., Plößlgasse 5–7)
Konsulenten: Dipl.-Ing. Dr. techn. Georg W. Rizzi, Dr. Renata Kassal-Mikula

Kornhäusels Bauten in der Seitenstettengasse stehen im ältesten Siedlungsgebiet Wiens. Die Niveauunterschiede der Seitenstettengasse ergeben sich aus dem Anstieg zu der seit der Römerzeit verbauten Stadtterrasse. Im Zuge einer Regulierung wurde 1825 das mittelalterliche Tor „Am Katzensteig" abgebrochen und die Fluchtlinien begradigt. Das Haus der Kultusgemeinde wurde noch für den „Katzensteig" entworfen. Das Miethaus wurde 1823 begonnen, die im Hof liegende Synagoge war 1826 vollendet. Daran anschließend entstand 1825 das Miethaus der Familien Franz Jäger und Josef Kornhäusel mit Hausherrenwohnungen und Kornhäusels Turmatelier. Schon 1824 plante Kornhäusel ein gemeinsames Miethausprojekt in der Vorstadt Wieden, das nicht zur Ausführung kam. Franz Jäger d. J. (1781–1839) war wie sein Vater K. K. Hofsteinmetz, Baumeister und Kunstsammler.

Um den Kornhäuselturm, ein Wiener Wahrzeichen seiner Zeit, rankten sich verschiedene Vermutungen über Kornhäusels Persönlichkeit, der angeblich vor Gattin und Besuchern dort Schutz suchte. 1908 vermerkte A. Sitte, daß dem Architekten die mittelalterlichen Streittürme, die man in diesem alten Stadtteil aus strategischen Gründen angelegt hatte, als Vorbild gedient hatten. Anläßlich eines Besuches beschrieb P. Tausig seine Eindrücke: „Ein Fenster erleuchtet den kahlen, gänzlich leeren Raum des Turmparterres. Rings um das von einem Stukkoplafond bedeckte Zimmer läuft ein Figurenfries in rötlicher, verblaßter Farbe: tanzende Frauen und spielende Kinder mit Blumengirlanden, wie man ihn sich nicht typischer für den Empiregeschmack denken könnte. Hier war Kornhäusels Werkstatt, und – so geht die Tradition – die untere Fensteröffnung habe er nur abmauern lassen, damit die Zeichner nicht durch die Ausblicke auf die Stadt von ihrer Arbeit abgelenkt würden. Auf einer etwas halsbrecherischen Stiege gelangt man in den zweiten und dritten Stock der Festung. Kleine, heute nicht mehr ganz verständliche Nischen, Fensteröffnungen mit erblindeten oder zerschlagenen Scheiben, Staub, Mörtelabfall und Moder. Außen ragen Eisenträger ins Freie, die wohl einst Balkone getragen haben mochten, heute aber wie rostige Arme ohne Daseinszweck und Bestimmung aussehen. Im obersten Geschoß fühlt man sich wie in einer verlassenen Zauberkammer. Eine eiserne Welle, vermorschte Stricke und allerlei Maschinerie lassen bald erkennen, daß ein Personenaufzug hier empor führte, und tatsächlich waren die Öffnungen in den Fußböden, die ich schon beim Heraufsteigen bemerkte, heute mit Brettern verschalte Durchlässe für diese senkrechte Hochbahn. Wie aber vom dritten Stock aufs Dach klettern, hinaus, wo eine halbmannshohe Brüstung die Plattform umschließt? Da nimmt man an der Decke eine querstehende eiserne Treppe wahr, die an Seilen hängt und wie eine Zugbrücke das Innere nach oben hin abschließt. Sie wird langsam unter dem Gekreische der lahmen Eisengelenke herabgelassen und so steigt man schief und steil hinauf durch eine eiserne Falltür ins Freie und genießt unversehens einen der herrlichsten Rundblicke mitten in der innersten Stadt Wien weit über das Häuserwirrwarr, den Donaukanal, in die Ebenen hinaus bis zu den Preßburger Bergen und nach Süden bis zum Eisernen Tor."

Noch zu Lebzeiten Kornhäusels ging sein Turm in die Literaturgeschichte ein, als Adalbert Stifter, der zwischen 1842 und 1848 hier wohnte, am 8. Juli 1842 die totale Sonnenfinsternis von dieser Warte aus beschrieb.

1825 erbaute Kornhäusel den Seitenstettenhof auf dem Areal des alten Gamingerhofes. Dieser Baublock reicht bis zum Rabensteig und dem Ruprechtsplatz.

Die übrigen beiden, 1828 erbauten, Miethäuser, Nr. 1a–3 von Philipp Högel und Josef Klee, Nr. 1 von Josef Klee, paßten sich harmonisch den Häusern Kornhäusels an. So hat sich in der Seitenstettengasse ein biedermeierliches Ensemble erhalten, wie kaum noch in der Innenstadt. Obwohl in der Rotenturmstraße sogar fünf Miethäuser durch Kornhäusel entstanden, blieb nur das Haus Haan erhalten.

*Lit.: A. Sitte, Berichte u. Mittheilungen, 41 (1908), S. 15; P. Tausig, J. Kornhäusel, 1916, S. 25 ff.; Groner, 1974, S. 592.*
RKM

**13/3/1**
**Josef Kornhäusel**

Schottenhof, 1826–1828
1., Freyung 6, Schottengasse 2, Helferstorferstraße 2
Fassade gegen die Freyung und Blick in die Schottengasse
Öl auf Leinwand, 31,5 × 40 cm
Sig. u. dat. auf der Rückseite: P.(ater) Ludovicus Schütz/1835.
HM, Inv. Nr. 179.589

Der alte Komplex des Schottenstiftes erfuhr mehrfache bauliche Veränderungen. Beim großzügigen Ausbau durch Kornhäusel wurde der Miethaustrakt gegen den Basteiweg, die Schottengasse und die Freyung unter Einbeziehung des Altbestandes um zwei Stockwerke erhöht. Dem repräsentativen Anspruch der Fassade gegen die Freyung – in diesem Teil war die Prälatenwohnung untergebracht – entsprach Kornhäusel durch eine dreigeschoßige Kolossalordnung und Dreiecksgiebel. Zeitgenössische Wien-Führer rühmten nicht nur ihre monumentale Wirkung, sondern auch die Ausdehnung des neuen Wohnkomplexes.

*Lit.: Klassizismus, 1978, S. 137f.; G. W. Rizzi-Schachel, 1979, S. 19f.*
RKM
Abbildung

**13/3/2**
**Josef Kornhäusel**

Schottenhof, 1826–1828
1., Freyung 6, Schottengasse 2, Helferstorferstraße 2
„Das Innere des Schottenhofes in Wien" (rechts Stiftseingang mit Säulenportikus), um 1845
Tonlithographie, 36,5 × 43,5 cm
Bez. Mi. u. im Druck: Gedr. b. Joh. Rauh
HM, Inv. Nr. 105.572/1
(aus einer vierteiligen Folge)

Die zeitgenössische Darstellung der Hoffronten vermittelt, worum es Kornhäusel bei seinen Bauführungen ganz besonders ging: um klare Ordnungsprinzipien bei der Grundrißgestaltung und Vereinheitlichung des Fassadenspiegels. So wurde kein formaler Unterschied zwischen den Wohntrakten und dem Konventhaus gemacht, das nur durch den Säulenportikus eigens gekennzeichnet ist. Der Repräsentationsanspruch dieses großen Zinshauses und Klosterbezirkes hatte nur an der freigestellten Front gegen die Freyung seine architektonische Ausformung. Der Schottenhof erreichte als städtisches Zinshaus bereits eine Dimension, die für die Entwicklung der zweiten Hälfte des 19. Jahrhunderts zukunftsweisend war. Zusammen mit dem jüngeren Seitzer-Hof und dem 1838 errichteten Bellegarde-Hof zählte er zu den größten Wohnhäusern, die im Vormärz entstanden, die aber in Wien schon ihre Tradition hatten (Trattner-Hof, Bürgerspitalzinshaus, Deutschordens-Haus, Melker-Hof).
RKM
Abbildung

**13/4**
**Josef Kornhäusel**

Ertlsches Stiftungshaus, 1838/39
1., Rotenturmstraße 13, Ertlgasse 12, Lichtensteg 1 (vor 1913 demoliert)
Fassade gegen die Rotenturmstraße
Tuschfeder, 60 × 91,5 cm
Bez. re. u.: Anton Hoppe/bürg. Baumeister
Wien, Nö. Landesarchiv, StHA E1 ex 1838 (56814 ad 14796)

Maria Anna von Ertl, Witwe nach dem Gerichtsadvokaten Dr. Johann von Ertl, setzte 1801 testamentarisch eine Stiftung für „junge neu angehende Advocaten" ein. Zur Bedekkung wurde im Sinne der Stifterin auf dem geerbten und zusammengekauften Areal ein großes Miethaus errichtet. Dieses mußte einem Neubau weichen, für den Ludwig Baumann (Kriegsministerium) verantwortlich war, während die Stiftung heute noch besteht. Beim Ertlschen Stiftungshaus konnte Kornhäusel erstmals einen allseitig von Straßen umschlossenen freien Baublock ausführen. Trotz schiefwinkeliger Figuration des Grundstückes gelang die Vereinheitlichung des Baukörpers. Die Fassade gegen die Rotenturmstraße zeigt mit ihrer gleichförmigen Reihung der Fensterachsen jene Knappheit des Formenvokabulars, wie sie der Entwicklung ganz allgemein entsprach. Die neue Monumentalität ergab sich aus der Einheitlichkeit und Größe des Baukörpers.

*Lit.: G. W. Rizzi-Schachel, 1979, S. 36ff.; 200 Jahre Rechtsleben in Wien, HM, 1985/86, Kat. Nr. 12/6.*
RKM
Abbildung

**13/5/1**
**Josef Kornhäusel**

Miethaus für Ludwig von Haan, 1840/41
1., Rotenturmstraße 14
Fassade gegen die Rotenturmstraße (ehem. Haarmarkt)
Tuschfeder, laviert, schwarze Deckfarbe, 64 × 93,5 cm
HM, Inv. Nr. 186.410/7

In der Rotenturmstraße, einem der ältesten und wichtigsten Straßenzüge Wiens, der zwischen 1830 und 1837 teilweise reguliert wurde, errichtete Kornhäusel innerhalb eines Jahrzehnts fünf Miethäuser: 1830, Haus Liebenberg (Nr. 29); 1833 Haus Doll (Nr. 22); 1837/38, Haus Arthaber (Nr. 19); 1838/39, Ertlsches Stiftungshaus (Nr. 13) und das einzig davon übriggebliebene Haus Haan 1840/41.

Die Instrumentierung der Fassade ist nicht nur für Kornhäusels späte Miethäuser typisch, sie deckt sich ganz allgemein mit der Entwicklung im Wohnhausbau des ausgehenden Vormärz. Für den anonymen Mieter werden gleichwertige Wohneinheiten geschaffen. Die Hausherrenwohnung im ersten Stock wird nur durch einen Balkon über dem Portal besonders gekennzeichnet.

Was die Fassadenlösung und den gesamten Charakter des Hauses von den seriell errichteten Miethäusern der Vorstädte abhebt, ist die noble Abstimmung aller architektonischen Details in ihrem Kräfteverhältnis zueinander.

Erst stufenweise wurden die präzisen Vorstellungen des Bauherrn, der neben Kornhäusel auch Alois Pichl und Paul Sprenger zu Entwürfen eingeladen hatte, verwirklicht. Letztlich gelang es Kornhäusel am besten, die vor allem außerkünstlerischen Überlegungen Ludwig von Haans zu verwirklichen.

Der komplette Plansatz zum Haus Haan konnte 1987 vom Historischen Museum der Stadt Wien erworben werden.

*Lit.: G. W. Rizzi-Schachel, 1979, S. 36f.*
RKM
Abbildung

**13/5/2**
**Josef Kornhäusel**

Miethaus Haan, 1840/41
1., Rotenturmstraße 14
Querschnitt des Straßentraktes, Hoffassade, Querschnitt des Stallgebäudes
Tuschfeder, laviert, 64,1 × 93,5 cm
HM, Inv. Nr. 186.410/8

Der Querschnitt des Straßentraktes und Aufriß des Hoftraktes zeigt die Gleichwertigkeit der Wohneinheiten, die sich auch auf die Fassadengestaltung auswirkt. Erst nach Befriedigung der ökonomischen Forderungen des Bauherrn konnte der Architekt den Freiraum individueller künstlerischer Gestaltungsmöglichkeiten nützen und beispielsweise eine dem Rang eines Innenstadtwohnhauses entsprechende originelle Eingangszone entwerfen.
RKM

**13/5/3**
**Josef Kornhäusel**

Miethaus Haan, 1840/41
1., Rotenturmstraße 14
„Erdgeschoß“
Tuschfeder, laviert, 94 × 63 cm
HM, Inv. Nr. 186.410/1

Die maximale Ausnutzung des Baugrundes durch Anlage zweier Hoftrakte entsprach der Forderung des Hausherrn nach guter Rendite. Es ist typisch für Kornhäusel, daß er die schiefwinkelige Altstadtparzelle regelmäßig aufzuteilen trachtete. Von der zentralen Einfahrt, die zum Innenhof und dem ebenerdigen Stalltrakt führt, erfolgt auch die Erschließung der einzelnen Stockwerke durch zwei in die Hofecken verlegte Stiegenhäuser.
RKM
Abbildung

**13/5/4**
**Josef Kornhäusel**

Miethaus Haan, 1840/41
1., Rotenturmstraße 14
„Zweyter Stock“
Tuschfeder, laviert, 91 × 59,4 cm
HM, Inv. Nr. 186.410/3

Während Ludwig von Haan eine Wohnung im ersten Stock bezog, welche den gesamten Straßentrakt einnahm, wurde der zweite bis vierte Stock in vier Wohnungen aufgeteilt. Durch Vermeidung einer Gangerschließung war für die damalige Zeit eine höhere Wertigkeit des Hauses erreicht, die sich für den Hausherrn besser amortisierte.
RKM

**13/6/1**
**Friedrich Stache (1814–1895)**

Seitzerhof, 1838–1840
1., Tuchlauben 7–7a, Steindlgasse, Seitzergasse 6 (demoliert, jetzt Tuchlauben-Hof)
„Grundriß des ebenerdigen Geschosses im neuen Seitzerhof“
Bleistift, Tuschfeder, laviert
26,1 × 35,1 cm;
Untersatzpapier 28,2 × 37,8 cm
Wien, Graphische Sammlung Albertina, Arch. Z. 8.338, M 41, U 10, Nr. 1

Der Seitzerhof war ein multifunktionelles, modernen urbanen Bedürfnissen angepaßtes Bauwerk. In seiner Ausdehnung und Anzahl der Stockwerke gehörte er zu den größten Zinshäusern der Stadt. Mietwohnungen und Kaufläden wurden durch vier Treppen erschlossen. Gestalterisches Raffinement, wie Auflösung der Einkaufszonen in gläserne Galerien und Wölbungsdekor, diente dem Konsumanreiz. Die Vorbilder kamen aus dem Ausland, aus London, Paris und Mailand. 1843 schuf Förster im Hause Rotenturmstraße 16 wieder eine Ladenpassage. Zum Unterschied von anderen europäischen Metropolen setzte sich der Basar in Wien dennoch nicht durch, von Ferstels grandioser Lösung im Bank- und Börsengebäude nach der Jahrhundertmitte abgesehen. Zu seiner Zeit war der Seitzerhof aber ein bedeutender Versuch, an internationale Entwicklungen anzuschließen.

Pezzl und Wurzbach nennen Friedrich Stache (1841–1895), Realis einen Rudolph als Schöpfer des Seitzerhofes. Vor 1848 war die Aufstellung der Mosaik-Kopie von da Vincis Letztem Abendmahl in der Minoritenkirche Staches bedeutendste Arbeit. Seit 1836 gehörte er dem Hofbaurat an. Später wurde er fürstlich Kinskyscher Architekt, Preisträger bei der Konkurrenz zur Wiener Stadterweiterung und war treibende Kraft bei der Gründung des Wiener Künstlerhauses.
RKM

**13/6/2**
**Friedrich Stache**

Seitzerhof, 1838–1840
1., Tuchlauben 7–7a, Steindlgasse, Seitzergasse 6
Blick in die Passage (Basar)
Mezzotinto
Pl.: 33,4 × 26,9 cm; Bl.: 51,7 × 36,2 cm
Verlag Artaria
HM, Inv. Nr. 74.080

„Die innere Eintheilung ist eben so bequem als sinnreich. Gleich den meisten Höfen in Wien, z. B. den Mariazellerhof, den Zwettlhof u.s.w. bestand auch im Seitzerhof ein freiwilliger Durchgang, welcher bei dem beschränkten Raum der Gassen in dieser Gegend als Verbindungsweg des nordwestlichen und südöstlichen Theils der Stadt sehr bequem war. Dieser freiwillige Durchgang ist bei dem neuen Gebäude nicht nur beibehalten, sondern zur Ausführung einer besonders glücklichen Idee benützt worden. Die Richtung des Durchganges ist von der Spänglergasse in die Seitzergasse, er führt aus den Passagen unter den Trakten, in welchen die nächst gelegenen Gassengewölbe einmünden, in einen großen Hofraum, zehn Klafter lang, fünf Klafter breit. An den vier Ecken desselben eröffnen sich große Vestibüls, in denen sich die schönen freitragenden Treppen erheben. An diese Vestibüls schließt sich längs des Hofraumes eine Doppelreihe von Boutiquen, welche bei der glänzenden Ausstattung sich zu einem höchst interessanten Bazar gestalten, nach Art ähnlicher Etablissements in London, Paris, Mailand u.s.w. Über diese Boutiquen zieht sich eine Glasgallerie rings umher, welche durch Glasthüren mit den Wohnungen des ersten Stockwerkes in Verbindung gesetzt ist. Dieselben erhalten durch diese Gallerie etwas eigenthümlich Anziehendes, da sie heizbar und zu einer Art Wintergarten einzurichten sind, von welchem aus die Bewohner das Treiben in den unteren Räumen des Bazars, eines reizenden, stets wechselvollen Bildes, sich erfreuen können. Der Hof trägt jährlich 40000 fl. C. M. Zins.“

„Der Seitzerhof hat sich seit meiner Zeit auch bedeutend in die Höhe gestreckt, und seine Bäcker-, Schuster- und Handschuhmacher-‚Hütteln‘ und ‚Standeln‘ in elegante Kaufladen, in eine Vauxhall ähnliche Halle umgestaltet, was man Alles zusammen auf gut türkisch ‚Bazar‘ nennt.“

*Lit.: H. Adami, Alt- und Neu-Wien, 1841, S. 98 (Zitat I); Realis, Curiositäten und Memorabilien von Wien, 1846, Bd. I, S. 163 (Zitat II).*
RKM
Abbildung

Kat. Nr. 13/6/2

**13/7**
**Franz Xaver Lössl (1801–1885)**

Haus der Gesellschaft der Musikfreunde, 1829–1831
1., Tuchlauben 12 (1885 demoliert)
Fassade gegen die Tuchlauben, 1840
Tuschfeder, laviert, 51,5 × 35 cm
Sign. u. dat. re. u.: Prem/840
Wien, Graphische Sammlung Albertina, Arch. Z. 8.340, M 31, U 16, Nr. 1

Der Musikverein repräsentiert einen neuen, zukunftsweisenden Bautypus, der die geänderten sozialen Verhältnisse widerspiegelt. Als Auftraggeber dieses Konzerthauses fungierte eine Vereinigung, die 1812 gegründete „Gesellschaft der Musikfreunde".

Da dem Architekten nur eine schmale Altstadtparzelle zur Verfügung stand, konnte seine klassizistisch instrumentierte Fassade im Häuserverband der Tuchlauben nur bedingt Monumentalität erlangen. Ein typischer Fall, wie sehr es der Stadt vor ihrer Erweiterung an Platz mangelte. Tatsächlich war das Haus mit dem 700 Personen fassenden Konzertsaal schon bald zu klein. Das neue Musikvereinsgebäude entstand 1867–1870 am Karlsplatz nach den Plänen von Theophil Hansen.

*Lit.: Klassizismus, 1978, S. 136 f.*
RKM
Abbildung

Kat. Nr. 13/7

**13/8**
**Christian Friedrich Ludwig Förster (1797–1863) und Karl von Etzel (1812–1865)**

Dianabad – Winterschwimmhalle, 1841–1843
2., Obere Donaustraße 93–95 (1913 demoliert)
Ansicht der Schwimmhalle
Tonlithographie, 32,3 × 52 cm
(Allgemeine Bauzeitung 1843)
HM, Inv. Nr. 9.506

Wenn die Bautechnik bei der Wiener Stadterweiterung sich den großen Ingenieuraufgaben gerüstet zeigte, lag dies, trotz aller Hemmnisse, am innovativen Geist des Vormärz. Das von Kaiser Franz I. gegründete Polytechnikum nahm bei der Erforschung neuer Baumaterialien eine Schlüsselstellung ein. Ein wichtiges Betätigungsfeld bekam der Baustoff Eisen damals beim Brücken- und Eisenbahnbau. Auch bei Hochbauten wagte man sich an neue Konstruktionssysteme: ein letztlich mißlungener Versuch war die Versteifung der Turmspitze von St. Stephan 1840–1843 mit einem Eisengerippe durch Paul Sprenger.

Im Fall des Dianabades wurde die Winterschwimmhalle mit einem gußeisernen Dachstuhl überwölbt, einem der ersten seiner Art. Sowohl Förster als auch Etzel hatten vorher einschlägige Erfahrung für diese neue Konstruktion gesammelt. Schon kurz darauf folgten 1845–1848 August Sicardsburg und Eduard van der Nüll mit einer eisernen Dachkonstruktion beim Sophienbad. Beide Schwimmhallen konnten auch in Tanzsäle verwandelt werden.

*Lit.: Ingenieurbauten in Wien, HM 1979, S. 3; M. Wehdorn, Die Bautechnik der Wiener Ringstraße, 1979, S. 7.*
RKM
Abbildung

**13/9**
**Josef Adelpodinger, Adam Hildwein, Josef Klee**

Marchetti-Haus, 1803–1832
6., Gumpendorfer Straße 95, Grabnergasse Nr. 16, Marchettigasse 11
Perspektivische Ansicht von der Gumpendorferstraße
Radierung, koloriert, 31 × 60 cm
HM, Inv. Nr. 63.249

Dieser Bau ist ein besonders typisches Beispiel, welchen Veränderungen die Vorstadthäuser im Vormärz unterworfen waren. 1803 errichtet, wurde es 1808 aufgestockt und 1822 von Josef Klee für den damaligen Besitzer, Johann Baptist Marchetti, nochmals erweitert. Der Grund solcher Maßnahmen war der erhöhte Bedarf an Wohnraum, vor allem in den westlichen Vorstädten von Gumpendorf bis Breitenfeld, die einen wirtschaftlichen Aufschwung erlebten. Die Grundstücke wurden dabei bis an die Grenze der Bauvorschriften gehend ausgenutzt. Zugleich mit der Verwendung als Miethaus kam es auch zu einer intensiven Nutzung durch Gewerbe- und Industriebetriebe.

Sein charakteristisches Aussehen erhielt das Marchetti-Haus durch Lünetten mit Reliefs über den Fenstern im Erdgeschoß und Medaillons über den Fenstern des 1. Stockes. Die Eingangszone wurde durch einen flachen Risalit mit Dekor betont.

*Lit.: R. Wagner-Rieger, Bürgerhaus, 1957, VI/40.*
RKM
Abbildung

**13/10**
**Ernst Haffner**

„Plan der Vorstadt Schottenfeld, gezeichnet von Ernst Haffner 1840“ (mit Angabe der ebenerdigen, ein- und zeistöckigen Gebäude)
Tuschfeder, aquarelliert, 59 × 41,8 cm
Wien, Wiener Stadt- und Landesbibliothek, Plan 302

Stellvertretend auch für andere Wiener Vorstädte, zeigt der Plan von Schottenfeld, wo vor allem die Seidenfabrikation angesiedelt war, die dichte Verbauung im Rastersystem. Sie war in josephinischer Zeit begonnen worden und ließ im ausgehenden Vormärz kaum mehr Grünflächen übrig.

(Ein Architekt, namens Ernst Haffner, wohnhaft in der Westbahnstraße, verstarb am 22. September 1875 im Alter von 62 Jahren.)
RKM

Kat. Nr. 13/9

Kat. Nr. 13/12

**13/11**
**„Mestrozisches Haus und Seidenzeug Fabrik des Herrn Ludwig Rüdelmann am Schottenfeld, Feldgasse № 318.“, um 1835**

7., Schottenfeldgasse 30 (Fassade erneuert)
Federlithographie, koloriert, 6,7 × 8 cm
Randvedute des „K. K. Polizey Bezirks St. Ulrich“, hrsg. von Carl Graf Vasquez (1798–1861)
HM, Inv. Nr. 15.647

1802 für den Seidenfabrikanten Ludwig Riedelmann erbaut, wurde es 1824 vergrößert (23 Fensterachsen). Seit 1826 besaß es der Seidenzeugfabrikant Paul Mestrozzi (1771–1855).

*Lit.: R. Wagner-Rieger, Bürgerhaus, 1957, VII/237.*
RKM

**13/12**
**„Haus und Seidenband Fabrik des Herrn Joseph Göbel am Schottenfeld, Zieglergasse № 486“, um 1835**

7., Zieglergasse 50, Kandlgasse 8
Federlithographie, koloriert, 8,7 × 7,1 cm
Randvedute des „K. K. Polizey Bezirks St. Ulrich“, hrsg. von Carl Graf Vasquez
HM, Inv. Nr. 15.670

1829 für den Seidenwarenfabrikanten Joseph Göbel errichtet. Er erzeugte Seidenbänder, die alle fünf Meter mit einer Klebemarke versehen waren, wovon sich das Wort „Fünferln“ herleitet.

*Lit.: R. Wagner-Rieger, Bürgerhaus, 1957, VII/330.*
RKM
Abbildung

**13/13**
**„Haus des Herrn Franz Bernard und dessen Seidentüchel Fabrik am Schottenfeld, Rauchfangkehrerg. № 484.“, um 1835**

7., Hermanngasse 25, Kandlgasse 2
Federlithographie, koloriert, 6,5 × 8 cm
Randvedute des „K. K. Polizey Bezirks St. Ulrich“, hrsg. von Carl Graf Vasquez
HM, Inv. Nr. 15.610

1826/27 für Franz Alois Bernard (1791–1851) errichtet. Er war Architekt, Dekorateur, Landschaftsmaler und Erfinder einer Hebe-, Zug- und Preßmaschine. Als Besonderheit erhielt das Haus einen Aussichtsturm, ansonsten ist es wiederum ein typischer Vertreter eines Vorstadthauses, das sowohl als Wohngebäude als auch Fabrik diente.

*Lit.: R. Wagner-Rieger, Bürgerhaus, 1957, VII/99.*
RKM

**13/14**
**Franz Lausch (1792–1852)**

Miethaus „Zum Verlorenen Sohn“ für Josef Hartl, 1823
7., Neubaugasse 17 (ehem. Neubau Hauptstraße, E. Z. 262, demoliert)
Grundriß des Kellers, Erdgeschoßes, 1. und 2. Stockes, Fassade, Profil
Tuschfeder, aquarelliert, 49 × 71,5 cm
Bez. re. u.: Franz Lausch/bürg: St: Baumeister
Wien, Nö. Landesarchiv, StHA E1 ex 1823 (60550 ad 59918)

Anstelle eines älteren Baues von Franz Lausch errichtet, von dem bis 1847 zahlreiche Häuser belegbar sind.

Die intensive Ausnützung der Bauparzelle durch zwei Hoftrakte ist typisch. Die hier noch geübte Erschließung der Wohnungen mittels Pawlatsche verschwand im Vormärz immer mehr. Mit seiner Zweistöckigkeit gehört dieses Wohnhaus zu jener Gruppe, die man noch während des Vormärz oft zur Raumgewinnung aufstockte.

Die Fassadengestaltung ist charakteristisch für ein Wohnhaus der zwanziger Jahre, später entfielen mehr und mehr die noch hier aufscheinenden architektonischen Details, wie Pilaster und Palladiofenster und Risalitbildung.
RKM

**13/15**
**Josef Kornhäusel**

Miethaus für Friedrich von Hoffmann, 1833
3., Beatrixgasse 20
Grundrisse: Keller – 3. Stock, Fassade gegen die Beatrixgasse, Profil, Garten mit Salettl
Tuschfeder, laviert 49,4 × 62,8 cm
Bez. re. u.: Anton Hoppe/bürg. Stadtbaumeister
Wien, Nö. Landesarchiv, StHA E1 ex 1834 (4351/244)

Dieses viergeschoßige Miethaus mit Hausherrenwohnung im ersten Stock gehört einem anspruchsvolleren Typ des Vorstadthauses an. Nur wenige Mieter verfügten über mehr Wohnraum, den unverbauten Teil des Grundstückes nimmt ein Garten mit Gartenhaus ein. Die ungegliederte, flächige Fassade entsprach der Entwicklung.

*Lit.: G. W. Rizzi-Schachel, 1979, S. 28.*
RKM

**13/16/1**
**Villa in Hietzing, um 1832**

13., Trauttmansdorffgasse 54
„eben der Erde“ (Grundriß des Erdgeschoßes)
Tuschfeder, laviert, 52,3 × 36,5 cm
Wien, Privatbesitz

1829 erwarb Katharina Plank (geb. 1790), Gattin des Handelsmannes Johann Karl Plank und Tochter des Seidenbandfabrikanten Sebastian Göbel (seit 1789 besaß er eine Banderzeugung im Hause „Zum König Ludwig“ in der Zieglergasse 34 und 34a und seit 1797 auch im Hause „Zum Reichsadler“ in der Bandgasse 7. Auch sein Sohn, Joseph Göbel, war Seidenbanderzeuger, der 1827 das Haus Zieglergasse Nr. 32 dazuerwarb. Vgl. Kat. Nr. 13/12), die Liegenschaft Schmidtgasse 153 in Hietzing von Josefa Anna Jung. Lepold Keif, bürgerlicher Baumeister in Hietzing, machte eine Bauaufnahme der vorhandenen Baulichkeit, auf der bis 1831 Zubauten verzeichnet sind.

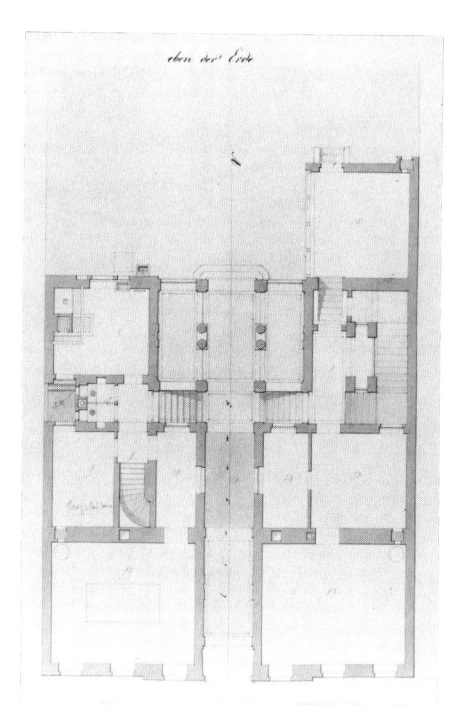

Kat. Nr. 13/16/1

Um das Jahr 1832 verfügte die Besitzerin offenbar über die Geldmittel für einen Neubau. Dieser Neubau im Zeilenverband ist eine typische vornehme Landvilla, wie sie die gehobene Gesellschaft auf Sommerfrische benützte. Rund um Wien entstanden solche Villen in malerischen Lagen, wobei Hietzing durch seine Nähe zu Schloß Schönbrunn als Sommerdomizil besonders begehrt war.

Die Villa ist durch die Kombination intimer Wohnräume mit einem repräsentativen Vestibül mit Oberlicht und Säulen in Art einer „sala terrena“ ein besonders gelungenes Beispiel, wie man private Zurückgezogenheit und Repräsentation zu vereinen wußte. Die gartenseitige Loggia und das Vestibül stellen die Verbindung von Architektur und Natur her: im biedermeierlichen Garten mit Glashaus und Salettl entfalteten sich auf relativ kleiner Fläche malerische Ansichten als konzentrierte Umsetzung englischer Landschaftsparks.

Durch glückliche Fügung hat sich von diesem Villenbau ein vollständiger Plansatz erhalten, der jedoch unbezeichnet blieb. Das originelle Konzept verweist, daß es von keinem „lokalen“ Baumeister stammt.
RKM
Abbildung

**13/16/2**
**Villa in Hietzing, um 1832**

13., Trauttmansdorffgasse 54
„Vordere Ansicht" (Straßenfassade)
Tuschfeder, laviert, 48,8 × 39,9 cm
Wien, Privatbesitz
Abbildung

**13/16/3**
**Villa in Hietzing**

13., Trauttmansdorffgasse 54
„Garten Ansicht"
Tuschfeder, laviert, 48,5 × 39,7 cm
Wien, Privatbesitz
Abbildung

**13/16/4**
**Villa in Hietzing**

13., Trauttmansdorffgasse 54
„Profil nach der Linie AB." (Längsschnitt)
Tuschfeder, laviert, 40,7 × 49,7 cm
Wien, Privatbesitz

**13/17**
**Paul Sprenger (1798–1854)**

Maschinenhaus der Kaiser Ferdinands-Wasserleitung, 1835–1843
9., Wasserleitungsstraße (ehem. Nußdorfer Lände, 1965 demoliert)
„Ferdinands Wasserleitung" – Fassade gegen den Donaukanal
Tuschfeder, laviert, 37,3 × 47,4 cm
Bez. re. u.: Auman F.
HM, Inv. Nr. 43.972

Zur Deckung des Wasserbedarfs war man im ersten Drittel des 19. Jahrhunderts auf kleinere Quellwasserleitungen (z. B. Albertinische Wasserleitung), größtenteils aber auf tausende Hausbrunnen angewiesen. Die rasch fortschreitende bauliche Entwicklung der Wiener Vorstädte als Folge des Bevölkerungszuwachses erforderte eine gründliche Verbesserung der Versorgung. 1835 entschloß sich Kaiser Ferdinand I. die ihm als Huldigung offerierten Krönungsgeschenke der Errichtung einer Wasserleitung zu widmen.

Das Wasser wurde dem Donaukanal entnommen, durch den Schotterboden filtriert und mittels des Schöpfwerkes verteilt. Von dieser Wasserleitung wurden 211 öffentliche Auslaufbrunnen, 25 Bassins mit Ausläufen, 36 städtische und 682 Privathäuser sowie 52 Feuerhydranten versorgt. Vom ursprünglichen künstlerischen Ausstattungsprogramm (Entwürfe im HM) wurde nur der Austria-Brunnen auf der Freyung ausgeführt.

Von dieser Wasserleitung ist noch der Wasserturm und Behälter (A. Baumann-Park, Wien 18 bei Michelbeuern) erhalten.

Die gesamte Bauausführung lag bei Sprenger. Sein Maschinenhaus zeigt, daß man durch die Möglichkeit der Ausbildung am Polytechnikum den neuen technischen Anforderungen gewachsen war. Die schlichte, stereometrische Form des Maschinenhauses – es enthielt die 60-PS-Dampfmaschine der englischen Ingenieure Fletcher und Punshorn – samt Reduktion auf wenige Gliederungselemente war völlig funktionsbezogen, verweist aber auch

Kat. Nr. 13/16/2–13/16/3

auf den in Wien tradierten Einfluß des Revolutionsklassizismus.

Ein Aquarell (HM, Inv. Nr. 64.147) zeigt das Maschinenhaus in seiner damaligen Umgebung und hält die neue Konfrontation der Technik mit einer noch ländlichen Umgebung fest.
RKM

**13/18/1**
**Christian Friedrich Ludwig Förster**

Zuckerfabrik für Daniel Zinner, 1839
2., Große Franzensbrückengasse 17 (1848 ausgebrannt)
„Ansicht/der neu erbauten Zucker=Rafinerie des Großhändlers/Zinner an der Franzensbrücke, erbaut 839. von Architect/Förster."
Tuschfeder, aquarelliert, 50,4 × 36,4 cm
Bez. re. u.: Prem/Bau=Zeichnungs Schule/Inhaber. /839.
HM, Inv. Nr. 34.674/2

Dieser Bau zeigt auf, welch starken Veränderungen die Wiener Vorstädte im Vormärz unterworfen waren, indem sie ihren ursprünglich „idyllischen" Charakter verloren. Zwischen ihrer immer dichteren Verbauung mit steigender Geschoßzahl der Häuser schoben sich nun Ingenieurbauten mit starkem optischen Eigenleben. Für Förster war die Zuckerfabrik die erste größere Wiener Arbeit. Mittels einer überzeugenden architektonischen Gliederung gelang ihm ein Ausgleich von Form und Funktion, der alles Überflüssige wegließ, während in der Folge der Historismus eher zur Verkleidung neigte.
RKM
Abbildung

**13/18/2**
**Christian Friedrich Ludwig Förster**

Zuckerfabrik für Daniel Zinner, 1839
2., Große Franzensbrückengasse 17 (1848 ausgebrannt)
„Quer=Profil/Der neu erbauten Zinnerschen Zucker Rafinerie/in Wien", 1839
Tuschfeder, aquarelliert, 51,8 × 34,7 cm
Bez. re. u.: Prem /839
(Allgemeine Bauzeitung 1839)
HM, Inv. Nr. 34.674/1
Inv. Nr. 34.674/3 alle Grundrisse
RKM
Abbildung

**13/19**
**Carl Rösner (1804–1869)**

Johann Nepomuk-Kirche, 1841–1846
2., Praterstraße bei 45
„Die neue landesfürstliche Pfarrkirche in der Praterstraße in Wien./Erbaut von/S[r]. Majestät dem Kaiser Ferdinand I./Gewidmet der Pfarrgemeinde und den Gutthätern von dem Kirchenvorstande."
Tonlithographie, 62,8 × 46,8 cm
Bez. Mi. li. im Druck: Gez. von C. Rösner, Professor der k. k. Academie.
Bez. Mi. re.: Steindr. des Joh. Rauh/lith. von Rothmüller.
Im Medaillon: Die alte landesfürstliche Pfarrkirche
HM, Inv. Nr. 107.009

Der katholische Kirchenbau spielte bis etwa 1830 eine untergeordnete Rolle. Die reiche Bautätigkeit beim Sakralbau im Barock und

Kat. Nr. 13/19

unter Joseph II. hatte zu einer Saturierung geführt. Außerdem standen in diesem Zeitalter der Sparsamkeit stets die hohen Kosten einem Kirchenbau entgegen. Die Gegenströmung ergab sich aus den Anliegen der Romantiker, die sich um Klemens Maria Hofbauer scharten, nach einer Neubelebung.

Zahlreiche Projekte aus dieser Zeit, bei denen die verschiedensten Baustile durchgespielt wurden, verraten die latente Brisanz des Themas. Unausgeführt blieb dabei die seit 1835 propagierte Kaiser Franz-Gedächtniskirche, Die Spannungen zwischen den Architekten und der staatlichen Behörde entluden sich 1848 in der Diskussion um einen Sakralbau, die Altlerchenfelder-Kirche, besonders heftig.

Ein Exponent der Romantiker, Rösner, Schüler Nobiles und seit 1835 Professor an der Akademie, schuf ein Schlüsselwerk der Sakralarchitektur, die sich nun historisierenden Formen hingab. Ihm schrieb Eduard van der Nüll: „Euer Hochwohlgeboren geniessen das schöne Bewusstsein, als der erste ein mächtiges Denkmal zur Feier der Wiedergeburt einer zeitgemäßen Architektur geschaffen zu haben.“ Was hier anklang, war die Kritik am Hofbaurat, der die Fassade nach eigenem Gutdünken verändert hatte, was Rösner hinnehmen mußte.

Als landesfürstliche Kirche war die Pfarre dem Kaiser direkt unterstellt. Die Plastiken an der Hauptfassade stellen die Namenspatrone des Kaiserpaares, die Heiligen Ferdinand und Anna, dar. Zur Illustrierung ihres Ranges ließ Rösner auf dem Gedenkblatt Kaiser Ferdinand I. und Kaiserin Maria Anna an der Kirche vorbeifahren.

*Lit.: R. Wagner-Rieger, 1970, S. 106 (Zitat); E. Springer, 1979, S. 23.*
RKM
Abbildung

**13/20**
**Christian Friedrich Ludwig Förster und Theophil Hansen (1813–1891)**

Evangelische Kirche A. B., 1844–1849
6., Gumpendorfer Straße 129
Perspektivische Ansicht von der Gumpendorfer Straße
Zinkographie
Pl.: 39,1 × 52,5 cm; Bl.: 40,2 × 53,3 cm (Blatt beschnitten)
Bez. Mi. u. im Druck: L. Förster's art. Anstalt in Wien
HM, Inv. Nr. 15.544

Förster und Hansen, beide evangelisch, erbauten die zweite Kirche der evangelischen Gemeinde in Wien. Der Bedarf ergab sich aus dem Umstand, daß gerade in den westlichen Vorstädten viele Gläubige dieser Konfession lebten.

Wie die gleichzeitig entstandene Johann Nepomuk-Kirche stellt auch die Gumpendorfer Kirche im Sinne der weiteren Entwicklung eine moderne Lösung durch die Verwendung eines historischen Formenvokabulars dar.

*Lit.: Evangelisch in Wien, HM, 1982, S. 22 f., Kat. Nr. 190 f.*
RKM
Abbildung

Kat. Nr. 13/24

**13/21**
**Christian Friedrich Ludwig Förster**

„Plan der in Antrag gebrachten Erweiterung des inneren Stadttheils von Wien, nach dem Entwurfe des Architecten Ludwig Förster.“ Mit „Erklärung der in dem neuen Stadttheile beantragten öffentlichen Gebäude.“, 1843
Zinkographie
Pl.: 47,2 × 62,6 cm; Bl.: 49,4 × 65 cm
Bez. re. u. im Druck: Zinkographiert in L. Förster's art. Anstalt
Maßstab in Wr. Klafter
HM, Inv. Nr. 105.760

Die Frage der Stadterweiterung Wiens war im 19. Jahrhundert längst zu einem aktuellen Problem geworden, ihre Verwirklichung erfolgte jedoch erst ab 1857 unter Kaiser Franz Joseph I. Die Idee, die Einengung der Stadt durch die Festungswerke zu beenden, das Glacis zu verbauen und eine Ringstraße anzulegen, reicht bis in 18. Jahrhundert zurück. Trotz Erkenntnis der Vorteile, welche die Niederlegung der Stadtmauern mit sich bringen würden, blieb es über die Revolution von 1848 hinaus bei der alten Situation. So wurde nach Sprengung der Burgbastei 1809 das Areal vor der Hofburg zwar erweitert, die Militärbehörden bestanden aber auf einer abermaligen Schließung der Basteien.

Die vielseitigen Ideen, welche in die Stadterweiterungsentwürfe bis 1857 eingearbeitet wurden, bildeten den Humus zur Ausarbeitung des Grundkonzepts, wodurch, trotz vieler Schwierigkeiten, die zügige Verwirklichung der Stadterweiterung möglich war.

In diesem jahrzehntelangen Ringen um neues Terrain kommt den Projekten von Förster, der seit den dreißiger Jahren eine immer wichtigere Rolle in Wiens Architekturszene spielte, entscheidende Bedeutung zu. Bis 1857 machte er insgesamt acht Stadterweiterungsvorschläge und wurde so zu einer treibenden Kraft dieses architektonischen Großunternehmens.

Im Fall des um 1843 entstandenen Entwurfes erfolgte sein Vorschlag auf Initiative der großen Wiener Bankhäuser (z. B. Pereira-Arnstein), die ihr Stadterweiterungsprojekt an Kaiser Ferdinand I. herantrugen und auch Überlegungen zur Finanzierung anstellten. Försters Konzept rührte in dieser Phase selbstverständlich nicht am bestehenden Verteidigungsgürtel. Öffentliche Bauten (Theater, Kunstanstalten) sowie eine Kirche mit monumentaler Platzanlage samt Kaiser-Franz-Denkmal sollten die hochrangigen Kernstücke der neuen Stadtteile werden, denen wirtschaftsorientierte Bauten (Börse, Postamt, Basar, Warenhalle) ebenso gleichwertig gegenüberstanden. Die wirtschaftliche Nutzung entsprach den Wünschen der Auftraggeber, trotzdem flossen Elemente dieses frühen Projekts in Försters preisgekrönten Konkurrenzentwurf und damit auch in den Grundplan der Stadterweiterung ein.

*Lit.: K. Mollik, H. Reining, R. Wurzer, Planung und Verwirklichung der Wiener Ringstraßenzone, 1980, S. 45 ff.*
RKM
Abbildung

Kat. Nr. 13/25

**13/22**
**Anton Emanuel Stache**

„Plan einer Vorstadt in den Umgebungen des K. K. Belvedere am Rennwege in Wien.", 1817
Grundriß und 2 Ansichten (Marktplatz mit Springbrunnen und Blick auf Wien mit dem Belvederegarten im englischen Stil)
Radierung, koloriert
Pl.: 52 × 64,5 cm; Bl.: 53,5 × 73,5 cm
Widmung: Dem Hochwohlgebornen Herrn Herrn (sic)/Stephan Edlen von Wohlleben – Ritter des K. Ung. St. Stephans. Ordens./ K. K. N. OE[n]. Regierungs Rathe und Bürgermeister von Wien &c./Ehrfurchtsvoll gewidmet von A. E. Stache.
HM, Inv. Nr. 54.712

Staches „Verschönerungs-Plan" enthielt außer dem Vorschlag für die Vorstadt beim Belvedere auch Ideen zur gärtnerischen Ausgestaltung des Glacis vor der Burgbastei (und für Prag). Wiens barocke „Gartenstädte" als Folge adeliger Bautätigkeit vor Augen, suchte er mittels eines lockeren Bebauungsplanes im zeittypischen Rasterschema mit viel Grün nach Art der englischen Landschaftsgärten und einem großzügigen Marktplatz, eine Wohnqualität zu propagieren, die eine gehobene Gesellschaftsschicht hätte ansprechen sollen.

Die Realität der Wiener Vorstädte sah anders aus. Die verbliebenen Grünareale wurden zunehmend einer dichteren Verbauung geopfert, um dem Bevölkerungszuwachs und der industriellen Entwicklung gerecht zu werden.
RKM

**13/23/1**
**Hofbaurat (Andreas Fischer/Joseph Schemerl von Leytenbach)**

Polytechnikum, 1816–1818
(Technische Universität)
4., Karlsplatz 13
„Ansicht des neuen Polytechnischen Institut-Gebäudes zu Wien, wie solches/sich von der Haupt-Seite an dem Glacis dem Auge darstellet."
Tuschfeder, laviert, 59,8 × 94,5 cm
Wien, Graphische Sammlung Albertina, Arch. Z. 7597, M 44, U 2, Nr. 9

Nach dem Organisationskonzept von Johann Josef Prechtl entstand das Polytechnikum als zivile, wirtschaftsfördernden Aufgaben dienende Lehranstalt, die 1815 eröffnet wurde. Nach Paris und Prag war sie die dritte Gründung dieser Art, die im Vormärz immer mehr an Bedeutung gewann.

Dieser erste große Bau nach den Napoleonischen Kriegen war eine Art Standortbestimmung für die Situation des Nutzbaues der franziszäischen Ära. Die Ausführung besorgte der seit 1809 installierte Hofbaurat unter Joseph Schemerl von Leytenbach. Rückgriffe auf ältere Vorbilder des 18. Jahrhunderts (Hofbibliothek) bildeten die Ausgangsbasis. Dieser Konservativismus verzichtete auf eine freie Entfaltung der künstlerischen Möglichkeiten. Besondere Präsenz im Wiener Stadtbild erhielt das Polytechnikum durch seine Lage an der stadtseitigen Randzone der Vorstadt Wieden. Die repräsentative Verbauung der vorstädtischen Randzonen hatte schon im 18. Jahrhundert eingesetzt und wurde nun wiederaufgenommen, um Nutzbauten und Wohnhäusern Platz zu schaffen. Zusammen mit der dominierenden Karlskirche hatten alle künftigen Planungen auf diese beiden Bauten am Karlsplatz Rücksicht zu nehmen.

*Lit.: Klassizismus, HM, 1978, S. 131 ff.; ÖKT, 1980, S. 297 ff.; E. Vancsa, Der Karlsplatz, 1983, S. 49 ff.*
RKM
Abbildung

**13/23/2**
**Polytechnische Schule und Karlskirche mit Wienfluß**

Jakob Alt (1789–1872)
Aquarell, 26,3 × 36,3 cm
Sign. u. dat. re. u.: J. Alt 1817.
HM, Inv. Nr. 106.970

**13/24**
**Hofbaurat (Johann Aman, 1765–1834)**

Thierarzney-Institut, 1821–1823
(Tierärztliche Hochschule)
3., Linke Bahngasse 11
Ansicht gegen den Wiener Neustädter-Kanal, 1826
Aquarell, 35 × 52 cm; Untersatzkarton 46,8 × 62,8 cm
Bez. Mi. u.: MDCCCXXVI Paul Sprenger. Assistent im K. K. Polyt. Inst.
HM, Inv. Nr. 34.272

Der Schwerpunkt von Amans Tätigkeit lag nicht beim Verwaltungsbau, sondern in seiner Funktion als Hofarchitekt. Neben Hohenberg, Montoyer und Remy suchte er, zumindest in Entwürfen, den repräsentativen Ausbau der Hofburg nach Installierung des Kaisertums Österreich voranzutreiben.

1820 genehmigte der Hofbaurat seinen, in einer trockenen Formensprache vorgetragenen Entwurf. Moreaus kurz vorher entstandene Nationalbank, die ihrerseits französische Einflüsse verarbeitete, war für Amans Lösung vorbildlich. Gerade an diesem Bau orientierte sich der Exponent der „Beamtenarchitektur", Paul Sprenger.

*Lit.: Klassizismus, HM, 1978, S. 133 f.; S. Kronbichler, ÖZKD, 1979, S. 27 ff.; ÖKT, Bd. XLIV, 1980, S. 83 f.*
RKM
Abbildung

**13/25**
**Johann Fischer (1773–1849)**

Criminalgerichtsgebäude, 1828–1839
8., Landesgerichtstraße 11
Ansicht vom Josefstädter Glacis
Kreidelithographie, 43 × 61,5 cm
HM, Inv. Nr. 15.707

Dieser voluminöse Bau, der die alte Schranne des Wiener Magistrates am Hohen Markt entlastete, setzte im Rahmen der Verbauung der Vorstadtfronten einen neuen optischen Schwerpunkt. Nach militärischen Gesichtspunkten angelegt, erhielt er eine Fassadengestaltung im Sinne der „architecture parlante": „Der Anblick der Gefängnisse soll fürchterlich und zugleich stolz sein, um Schrecken denjenigen zu verkünden, die sich durch ihre schlechten Streiche der menschlichen Gesellschaft unwürdig gemacht haben."

*Lit.: Klassizismus, HM, 1978, S. 135 f. (Zitat).*
RKM
Abbildung

**13/26/1**
**Paul Sprenger**

Hauptmünzamt, 1835–1838
3., Am Heumarkt 1
„Entwurf des in Wien neu zu errichtenden Münzgebäudes", 1833
(Ansicht vom Glacis mit Wiener Neustädter-Kanal)
Aquarell, 64,8 × 96,8 cm; Untersatzkarton 75,1 × 106,1 cm
Bez. re. u.: Entworfen und gezeichnet von Paul Sprenger K. K. academ. Professor./Wien März 1833
Wien, Bildarchiv der Österr. Nationalbibliothek, Pk 269, 1

Die Leistungen der Architektur des Vormärz werden vorwiegend an dem gemessen, was der langjährige Leiter des Hofbaurates, Paul Sprenger, nicht nur zu verantworten hatte, sondern wie er selbst ins Baugeschehen eingriff. Besonderen Stellenwert besitzt daher das Hauptmünzamt, Sprengers erster öffentlicher Auftrag. Die strenge Grundrißdisposition und die gleichförmige Achsenreihung entsprachen vollkommen dem vom Hofbaurat so unerbittlich vertretenen Sparsamkeits- und Nützlichkeitsprinzip. Einzig durch seine weithin sichtbare Lage an der Front der Vorstadt Landstraße und durch seinen Mittelrisalit gewann der Bau repräsentativen Charakter, wie er einem Staatsbau zukam. Als Vorbild diente ein Bau gleicher Funktion, die Pariser Münze (1768–1777). Dieser weite Rückgriff ist symptomatisch für die Situation der damaligen Architekturszene Wiens, die sich modernen Entwicklungen weitgehend verschloß.

*Lit.: S. Kronbichler, ÖZKD, 1979, S. 27 ff.*
RKM
Abbildung

**13/26/2**
**Paul Sprenger**

Hauptmünzamt, 1835–1838
3., Am Heumarkt 1
„Ansicht des neuen Münzgebäudes in Wien."
Radierung, koloriert, 8,9 × 12,4 cm
HM, Inv. Nr. 15.305

Kat. Nr. 13/26/1

**13/27/1**
**Josef Kornhäusel**

Entwurf zum Niederösterreichischen Landhaus, 1831
1., Herrengasse 13
Fassade gegen die Herrengasse
Tuschfeder, aquarelliert, 52,9 × 74,7 cm; Untersatzpapier 62,2 × 84,3 cm
Bez. re. u.: Joseph Kornhäusel k:k: academischer Architect ano 831.
Wien, Nö. Landesbibliothek, Topographische Sammlung, Inv. Nr. 22.610

Beim Neubau des Landhauses, dessen Planungen 1827 einsetzten, wünschten sich die Bauherren kein gewöhnliches Amtshaus, sondern ein Gebäude, „in welchem die Herrn Stände sich feierlich versammeln und ihre Repräsentanten in Ausübung ständischer Rechte und Pflichten fungieren". Diesen selbstbewußten Repräsentationsanspruch sollte anfangs Kornhäusel erfüllen. Sein Versuch, nach den Erfolgen als privater Wohnbauarchitekt sich als Architekt offizieller Gebäude zu etablieren, schlug fehl, da sein Formenvokabular Auftraggebern und Hofbaurat zu wenig monumental erschien. Es folgte eine öffentliche Konkurrenz, an der auch Alois Pichl teilnahm. Wie schon Kornhäusel, mußte sich auch Pichl alternativen Vorschlägen des Hofbaurates beugen, was den Baubeginn bis 1837 hinauszögerte.

Anders als Kornhäusel hatte Pichls Architektur als Folge seiner italienischen Schulung einen Hang ins Monumentale (vgl. Erste Österreichische Spar-Casse am Graben, 1834), die im Falle des Landhauses der Hofbaurat noch steigerte. Dabei trat die Herrengassenfassade mit ihrer über drei Geschoße reichenden korinthischen Säulenkolonnade damals in einen optischen Wettstreit mit dem schräg gegenüberliegenden, älteren Liechtensteinischen Majoratshaus. Die endgültige Gestaltung des Herrenhauses zeigt, wie es dem Hofbaurat als entscheidende Instanz gelang, den Neoklassizismus auch in das zweite Jahrhundertviertel hineinzutragen.

*Lit.: R. Wagner-Rieger, 1973, S. 126 ff. (Zitat); Klassizismus, HM, 1978, S. 137.*
RKM
Abbildung

**13/27/2**
**Alois Pichl (1782–1856)**

Niederösterreichisches Landhaus, 1837–1839
1., Herrengasse 13
Fassade gegen die Herrengasse
Lithographie, 16,4 × 24 cm; Untersatzpapier 26,3 × 31,5 cm
HM, Inv. Nr. 61.843
Abbildung

Kat. Nr. 13/27/2

Kat. Nr. 13/27/1

**13/28/1**
**Atelier Josef Klieber (?)**

Lünette (geflügelter weiblicher Genius mit Wappen) vom Portal des Palais Esterházy-Erdödy, 1810–1812
1., Krugerstraße 10 – Walfischgasse 7 (1955 demoliert)
Sandstein (Loretto), 110 × 165 × 35 cm
HM, Inv. Nr. 117.173/3

Das Palais wurde für Nikolaus Graf Esterházy durch Karl von Moreau (1758–1840) im klassizistischen Stil adaptiert. Die plastische Ausstattung stammt wahrscheinlich aus dem Atelier von Josef Klieber.

**13/28/2**
**Kapitelle aus dem Festsaal des Palais Esterházy-Erdödy, 1810–1812**

Gips, grau patiniert, Goldfarbe
48 × 54 (37) cm
HM, Inv. Nr. 117.173/6–13

**13/29**

**Tympanonartiges Relief (zwei weibliche Genien halten einen Rosenkranz über ein Wappenschild mit dem ligierten Monogramm AG, das von zwei Putti gehalten wird), um 1833**

4., Technikerstraße 7 (1968 demoliert)
Sandstein, 100 (110) × 340 × 20 cm
HM, Inv. Nr. 117.561/1–3

Das Relief war über den beiden Mittelfenstern des 1. Stockes, des insgesamt füngeschoßigen Hauses eingelassen. Das Häuserschema von 1833 nennt unter CN 101 Am Glacis Aloisia Gemeiner als Hauseigentümerin.

**13/30**
**Zwei Lünetten (2 Putti in Ranken) von der Bärenmühle**

4., Rechte Wienzeile 1 (ehem. Vorstadt Wieden, Wienstraße 1, 1936 demoliert)
Sandstein, 55 × 120 × 20 cm
HM, Inv. Nr. 57.735 und 57.737

Die Lünetten schmückten die Fenster des ersten Stockes (vgl. Fotos HM, Inv. Nr. 143.630 und 145.130. Weitere Lünetten, HM, Inv. Nr. 57.736 und 57.738.).

**13/31**
**Zwei Lünetten mit Allegorien der Baukunst, 1. V. 19. Jahrhundert**

ehem. 7., Andreasgasse
Sandstein, 60 × 125 × 25 cm
HM, Inv. Nr. 117.156/1 und 117.156/2

# KAPITEL 14

## WISSENSCHAFT UND ERFINDUNGEN

Sichtbares Symbol für die Industrialisierung war die Dampfmaschine. Zu Beginn des 18. Jahrhunderts in England entstanden und in der zweiten Hälfte des Jahrhunderts von James Watt zu einer allgemein einsetzbaren Kraftmaschine weiterentwickelt, erreichte sie im 19. Jahrhundert auch Österreich. Die Aufnahme der Dampfmaschine ging vorerst langsam vor sich, 1841 standen in Wien und Niederrösterreich 56 Dampfmaschinen in Betrieb, von denen allerdings bereits 37 im Inland erzeugt worden waren.

Große Bedeutung für die Ausbildung von Wissenschaftlern, Technikern, aber auch Unternehmern erlangte das 1815 gegründete k. k. Polytechnische Institut in Wien, der Vorläufer der heutigen Technischen Universität. Unter der Leitung von Johann Josef Prechtl genoß es bald auch im Ausland hohes Ansehen.

In Wien erlebte besonders die Feinmechanik und der Bau wissenschaftlicher Instrumente eine hohe Blüte. Peter W. F. Voigtländer und J. Petzval erwarben sich große Verdienste um die Weiterentwicklung des Fotoapparates, von J. Madersperger stammt die erste Idee für eine Nähmaschine.

# TECHNIKER UND ERFINDER

*Gerhard Maresch*

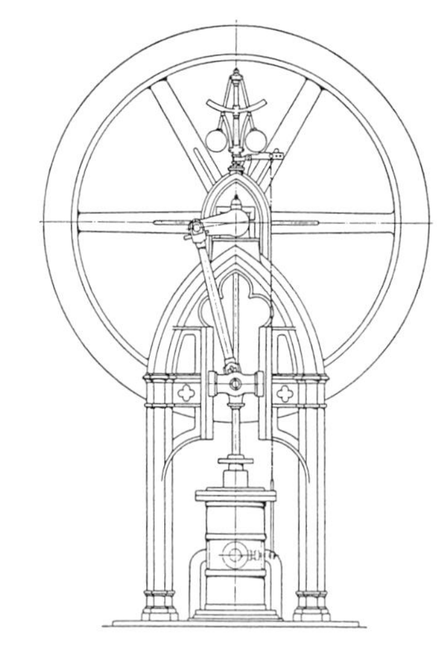

Dampfmaschine, um 1850

Das Biedermeier ist nicht nur eine Zeit der Hochblüte des Handwerks, sondern zugleich auch jener Zeitraum in der Geschichte Österreichs, in dem durch die allmähliche Aufnahme der von England ausgehenden neuen Form der Arbeitsorganisation – des Fabrikswesens – und den zunehmenden Einsatz von Maschinen anstelle der bisher üblichen Handarbeit die Grundlagen für die Industrialisierung gelegt wurden. Die Vorbilder für die ersten Maschinen mußten noch aus dem Ausland bezogen werden. Für Reparaturen und die Anfertigung weiterer Maschinen richteten die Fabriken dann eigene Werkstätten ein. Richtige Maschinenfabriken, die sich ausschließlich auf die Anfertigung von Maschinen und Fabrikseinrichtungen beschränkten, entstanden erst in den dreißiger Jahren.

1831 gründete Ferdinand Dolainski in Wien eine Fabrik, die vor allem Einrichtungen von Zuckerfabriken, Brauereien und Brennereien baute. Im selben Jahr wurde die Firma Rollé und Schwilgué als Filiale der gleichnamigen Fabrik in Straßburg unter der Leitung von H. D. Schmid gegründet. Schmid führte die Firma seit 1840 unter seinem eigenen Namen und machte sie zu einer der bedeutendsten Wiener Maschinenfabriken, die Mitte der vierziger Jahre bereits über 200 Arbeiter beschäftigte. Ein vielseitiger Techniker, der sich auf zahlreichen Gebieten der Technik mit Erfolg betätigte und der in Wien hohes Ansehen genoß – in den vierziger Jahren wird er als „berühmter Mechaniker" bezeichnet – war der Ingenieur und Maschinenfabrikant Franz Xaver Wurm (geb. 1786 in Ebenthal in Kärnten, gest. 1860 in Wien). Die Skala seiner Erfindungen und Verbesserungen umfaßt neben vielen anderen Maschinen eine Flachsspinnmaschine, eine Drahtseilspinnmaschine und Maschinen zur Herstellung von Nägeln. Wurm lieferte auch die gesamte Einrichtung des Hauptmünzamtes in Wien.

Sichtbares Symbol für die Industrialisierung war die Dampfmaschine. Zu Beginn des 18. Jahrhunderts in England entstanden und in der zweiten Hälfte des Jahrhunderts von James Watt zu einer allgemein einsetzbaren Kraftmaschine weiterentwickelt, erreichte sie im 19. Jahrhundert auch Österreich. Wie langsam die Aufnahme der Dampfmaschine bei uns freilich vor sich ging, zeigt die Tatsache, daß 1841 in Wien und Niederösterreich erst 56 Dampfmaschinen in Betrieb standen, von denen allerdings bereits 37 im Inland erzeugt worden waren. Als Hindernis für eine verbreitete Anwendung erwiesen sich die hohen Kosten für Anschaffung und Betrieb, die Probleme im Umgang mit dieser völlig neuartigen Kraftmaschine und die dadurch bedingte Notwendigkeit des Einsatzes von geschultem Bedienungspersonal. Die Dampfmaschine fand aber nicht nur als stationäre Kraftmaschine in Fabriken zum Antrieb von Maschinen mit Hilfe der Transmission Anwendung, sondern auch als Antriebsmotor für Eisenbahn und Dampfschiff.

Das Dampfschiff kam noch vor der Eisenbahn nach Österreich. Im Jahre 1829 wurde die Erste Donau-Dampfschiffahrts-Gesellschaft gegründet. 1830 fand die erste Probefahrt des von einer Dampfmaschine mit 60 PS angetriebenen Dampfschiffes „Franz I." von Wien nach Budapest statt. Im darauffolgenden Jahr wurde auf dieser Strecke der regelmäßige Betrieb aufgenommen. 1836 verfügte die Gesellschaft über 9, 1841 über 23 und 1847 schon über 47 Dampfschiffe.

Einen wichtigen Beitrag auf dem Gebiet des Schiffsantriebes lieferte Joseph Ressel (geb. 1793 in Chrudim in Böhmen, gest. 1857 in Laibach). Ressel studierte seit 1812 einige Zeit an der Universität Wien, absolvierte die k. k. Forstanstalt in Mariabrunn bei Wien und und übte dann seinen Beruf als Förster im Adriagebiet aus. Daneben beschäftigte er sich Zeit seines Lebens mit technischen Problemen. Seine bedeutendste Leistung war die erstmalige praktische Anwendung der archimedischen Schraube zum Schiffsantrieb. 1829 fand mit dem schraubengetriebenen Dampfschiff „Civetta" im Hafen von Triest eine Probefahrt statt, die anfangs erfolgreich verlief, dann aber wegen eines Gebrechens in der Dampfleitung abgebrochen werden mußte. Weitere Versuche wurden verboten. Ressel war daher eine Weiterentwicklung seiner Idee nicht mehr möglich, doch hatte er mit seinem Versuch als erster die praktische Brauchbarkeit der Schiffsschraube als Schiffsantrieb demonstriert.

In Österreich begann das Eisenbahnzeitalter im Jahre 1837 mit der ersten Fahrt einer Dampfeisenbahn auf dem ersten Teilstück der Kaiser Ferdinands-Nordbahn zwischen Floridsdorf und Deutsch-Wagram. 1839 hatte die Strecke bereits Brünn erreicht. Es blieb aber nicht bei dieser Linie, weitere wie die Bahnlinie

Kat. Nr. 12/3/6 Erstes Dampfschiff als Vorspannboot auf der Donau, 1818

Kat. Nr. 12/3/17 Ignaz Sontag, Nordbahnhof mit ausfahrender Lokomotive „Moravia"

Wien–Gloggnitz und Wien–Raab folgten bald darauf. Die Eisenbahn brachte in mehrfacher Hinsicht eine Belebung und Umgestaltung in Industrie und Wirtschaft. Ihr großer Bedarf an Schienen und Fahrzeugen bewirkte einen starken Aufschwung von Eisenindustrie und Maschinenbau. Mit der Eisenbahn konnten nun aber auch Güter rasch und billig über große Entfernungen transportiert werden, was eine Umstrukturierung der Industrie bewirkte. Alte Standorte verloren ihre Bedeutung, neue entstanden.

Jede der in rascher Folge entstandenen Eisenbahngesellschaften besaß eine eigene Werkstätte für Reparatur und Fabrikation. Die 1840 errichtete landesbefugte Maschinenfabrik der Wien – Gloggnitzer Eisenbahngesellschaft war mit den neuesten Werkzeugen und Maschinen aus England eingerichtet, als Antrieb dienten zwei Dampfmaschinen. Wegen ihrer modernen Einrichtung galt diese Fabrik als Musterwerkstätte für ganz Österreich. Ähnliche Betriebe waren auch die Werkstätte der k. k. priv. Kaiser Ferdinands-Nordbahn und die der Wien – Raaber Eisenbahngesellschaft, deren Leitung der Schotte John Haswell innehatte, von dem zahlreiche Neuerungen im Lokomotivbau und in der Werkstattechnik kamen.

In den vierziger Jahren entstanden in Wien auch sonst weitere Maschinenfabriken wie die Lokomotivfabrik des Amerikaners William Norris und die Fabrik von Daniel Specker am Tabor, die Mitte der vierziger Jahre 235 Arbeiter beschäftigte und zwei Dampfmaschinen besaß.

Als ein Hemmnis für eine rasche Industrialisierung erwies sich der Mangel an entsprechend ausgebildeten und qualifizierten Arbeitern, aber auch an geeigneten Werkmeistern, Betriebsleitern und Unternehmern. Ausgeglichen wurde dieser Mangel zunächst durch Ausländer, die entweder bewußt ins Land geholt wurden, wie besonders Fachleute auf dem Gebiet des Eisenbahnbaues, oder die selbst kamen, da sie hier entsprechende Möglichkeiten zur Entfaltung sahen. Auch die ersten inländischen Unternehmer erwarben ihre Kenntnisse auf längeren Auslandsaufenthalten oder als Mitarbeiter ausländischer Unternehmer. Es dauerte noch einige Zeit, bis es möglich war, Fachleute auf allen Ebenen auch im Inland in entsprechender Zahl auszubilden.

Große Bedeutung für die Ausbildung von Wissenschaftlern, aber auch von Unternehmern und Technikern erlangte das 1815 gegründete k. k. Polytechnische Institut in Wien, der Vorläufer der heutigen Technischen Universität. Unter der tatkräftigen Leitung von Johann Joseph Prechtl genoß es bald auch im Ausland hohes Ansehen. Dies zeigt wohl am besten die Tatsache, daß zwei Absolventen und Lehrer des Institutes an neu gegründete ähnliche Institute nach Deutschland berufen wurden. Karl Karmarsch erhielt 1830 eine Berufung nach Hannover zur Gründung eines polytechnischen Institutes, dessen Direktor er von 1834 bis 1875 war. 1840 ging Ferdinand Redtenbacher als Professor nach Karlsruhe und war dort von 1857 bis 1862 Direktor.

Auch die Betriebe fungierten als Ausbildungsstätten. So gingen aus der Fabrik von Leo Müller fast alle späteren Wiener Unternehmer und Konstrukteure auf dem Gebiet der Buchdruckermaschinen hervor wie Georg Sigl und Ludwig Kaiser, Simon Plößl erhielt seine Ausbildung bei Voigtländer.

Das zunehmende Interesse an Industrie und Gewerbe bekunden auch Sammlungen und Ausstellungen. Modellensammlungen am k. k. Polytechnischen Institut und seit 1813 bei der k. k. Landwirtschaftsgesellschaft in Wien boten Interessenten und Fachleuten einen Überblick über die neuesten Konstruktionen auf dem Gebiet des Maschinenwesens. Zu Beginn des 19. Jahrhunderts entstanden in Wien auch mehrere Mustersammlungen von Erzeugnissen heimischer Produktion. 1807 begründete Kaiser Franz I. das Fabriksproduktenkabinett, seit 1810 legte Stephan Keeß für sich eine Mustersammlung an und baute seit 1819 für Kronprinz Ferdinand dessen österreichisch-technische Sammlung auf. Periodisch abgehaltene Ausstellungen wie die allgemeinen Gewerbsproduktenausstellungen in Wien in den Jahren 1835, 1839 und 1845 boten einen umfassenden Überblick über den aktuellen Stand der heimischen Produktion.

Als Folge des Aufschwunges der Industrie durch den vermehrten Einsatz von Maschinen und als Maßnahme zur Förderung dieser Entwicklung kam es im Jahre 1810 zur ersten gesetzlichen Regelung des Privilegienwesens. Ein Privilegium war das Recht zur ausschließlichen Verwertung einer Entdeckung, Erfindung oder Verbesserung in Industrie und Gewerbe. Es bestand jedoch im Gegensatz zum heutigen Patent kein Rechtsanspruch, die Verleihung eines Privilegiums erfolgte immer durch den Kaiser.

Trotz der zunehmenden Zahl von Fabriken und mechanischen Werkstätten dominierte in der ersten Hälfte des 19. Jahrhunderts noch immer das Handwerk. Man wandte aber nun auch dem Handwerk, seinen Werkzeugen und Geräten sowie den Arbeitsmethoden erhöhte Aufmerksamkeit zu. Am k. k. Polytechnischen Institut begründete Georg Altmütter (geb. 1787 in Wien, gest. 1858 in Wien) die systematische Werkzeuglehre und legte eine umfassende Werkzeugsammlung für alle wichtigen Handwerkszweige an. Es war dies die erste systematische Werkzeugsammlung überhaupt, die Vorbild für ähnliche Sammlungen im Ausland wurde. Auch die seit 1830 von Johann Joseph Prechtl unter Mitarbeit hervorragender Fachleute wie Altmütter und Karmarsch herausgegebene Technologische Enzyklopädie zeigt die dominierende Rolle des Handwerks, denn die meisten der Artikel befassen sich mit Handwerkstechniken, nur wenige auch schon mit Maschinen.

Waren auch alle großen technischen Neuerungen wie Dampfmaschine, Drehbank, Spinnmaschine und Jacquardstuhl aus dem Ausland übernommen worden, so gab es zu Beginn des 19. Jahrhunderts doch auch im Inland eine große Zahl von Erfindungen und Verbesserungen, die für die weitere Entwicklung von Industrie und Gewerbe wichtig waren. Ihre Schöpfer stammten meist aus dem Handwerkerstand, besaßen nur geringe naturwissenschaftliche Kenntnisse und wenige materielle Mittel. Da aber sehr viele einfache technische Möglichkeiten noch nicht genutzt waren, konnten sie trotzdem brauchbare Verfahren und Geräte entwickeln.

Im 19. Jahrhundert erlebten die Feinmechanik und der Bau wissenschaftlicher Instrumente in Wien eine hohe Blüte und erlangten in den Namen Voigtländer, Petzval und Plößl internationales Ansehen.

Johann Friedrich Voigtländer (geb. 1778 in Wien, gest. 1857 in Wien) erlernte bei seinem in Leipzig geborenen Vater Johann Christoph, der seit 1756 als Instrumentenmacher in Wien tätig war, und anschließend in England das Mechanikerhandwerk. 1807 eröffnete er eine eigene Werkstätte zur Herstellung optischer, mechanischer und mathematischer Instrumente. Mit seinen elegant gefaßten Brillen, die als „Wiener oder Patentbrillen" bekannt wurden, machte er diesen Sehbehelf gesellschaftsfähig. 1823 erhielt er ein Privilegium auf die Herstellung des „doppelten Theaterperspektives galileischer Bauart", den Operngucker, der in kurzer Zeit zu einem der im In- und Ausland am meisten begehrten Erzeugnisse der Firma wurde. Für Voigtländers achromatische Zugfernrohre lieferte der Mathematiker Prof. Stampfer vom Polytechnischen Institut die Berechnungen.

1837 übernahm sein Sohn Peter Wilhelm Friedrich Voigtländer (geb. 1812 in Wien, gest. 1878 in Braunschweig) die Firma und machte sie zu einem kaufmännisch geführten industriellen Unternehmen von internationaler Bedeutung. Er hatte seine Ausbildung im väterlichen Betrieb und anschließend am polytechnischen Institut erhalten. Große Verdienste erwarb sich Voigtländer zusammen mit Josef Petzval um die Weiterentwicklung der Fotografie.

Am 19. August 1839 wurde die Fotografie in Paris vor der Akademie der Wissenschaften erstmals öffentlich vorgeführt. Prof. Andreas von Ettinghausen war dabei anwesend und regte in Wien Petzval dazu an, lichtstärkere Linsen zu berechnen. Josef Maximilian Petzval (geb. 1807 in Bela in der Slowakei, gest. 1891 in Wien) hatte in Pesth studiert und war von 1837 bis 1877 o. Professor der höheren Mathematik an der Universität Wien. Petzval führte mit Hilfe von zehn im Rechnen geübten Soldaten die Berechnungen durch. Das „Petzval-Porträt-Objektiv" wies gegenüber dem Objektiv von Daguerre eine 16mal höhere Lichtstärke (1 : 3,7 gegenüber 1 : 16) auf und erlangte Weltruf. Voigtländer baute mit diesem Objektiv eine handliche Kamera ganz aus Messing, die erste Ganzmetallkamera der Welt. Sie war Ende 1840 fertig und gelangte ab Jänner 1841 zum Verkauf. Trotz des hohen Preises waren 1842 bereits über 200 Stück verkauft.

Einer der hervorragendsten Vertreter österreichischer Feinmechanik, dessen Name auch im Ausland hohes Ansehen genoß, war Simon Plößl (geb. 1794 in Wien, gest. 1868 in Wien). Plößl erlernte das Drechslerhandwerk und war anschließend seit 1812 bei Johann Friedrich Voigtländer beschäftigt. 1823 machte er sich selbständig und erzeugte vor allem Brillen, Mikroskope und Fernrohre. Plößl stand in engem Kontakt zu bedeutenden Gelehrten und belieferte zahlreiche naturwissenschaftliche, medizinische und astronomische Institutionen mit seinen erstklassigen Präzisionsinstrumenten.

Im Jahre 1818 wurde am polytechnischen Institut eine mechanische Werkstätte begründet und mit ihrer Einrichtung Georg Reichenbach beauftragt, der in München mit Utzschneider und Frauenhofer das bekannte mathematisch-mechanische Institut führte. Reichenbach stattete die Werkstätte mit seinen hervorragenden Werkzeugen und Maschinen aus und blieb selbst einige Monate zur vollen Organisation der Werkstätte in Wien. Unter der Leitung von Christian Starke gehörte sie zu den hervorragendsten feinmechanischen Werkstätten in Wien, deren Erzeugnisse auch gegen ausländische Konkurrenz bestehen konnten.

Eine der interessantesten Erfinderpersönlichkeiten der Biedermeierzeit in Wien war Joseph Madersperger (geb. 1768 in Kufstein, gest. 1850 in Wien).

Auch er war Handwerker und hatte bei seinem Vater, mit dem er 1790 nach Wien übersiedelte, das Schneiderhandwerk erlernt. Aus dem Bedürfnis heraus, seine Arbeit zu erleichtern, beschäftigte sich Madersperger durch mehrere Jahrzehnte mit der Konstruktion von Nähmaschinen. Bereits aus dem Jahre 1808 stammt die Idee zu seiner ersten Nähmaschine, auf die ihm 1815 ein Privilegium verliehen wurde. Diese und seine weiteren Konstruktionen sind nicht erhalten geblieben, nur kurze Beschreibungen und Abbildungen geben Auskunft über sie. Erst von der fünften Nähmaschine, die zu Beginn der dreißiger Jahre entstanden sein dürfte, ist der eigentliche Nähteil, von Madersperger selbst als „Hand" bezeichnet, im Technischen Museum in Wien erhalten geblieben. Aber auch diese Konstruktion weist noch keines der wesentlichen Elemente einer Nähmaschine im heutigen Sinne auf. Bei dieser sehr umständlich arbeitenden Maschine stachen zwei Nadeln von unten durch den Stoff und ließen beim Zurückziehen zwei Schlingen zurück, durch die dann händisch mit einer Nadel ein sogenannter Kettfaden gezogen wurde. Es gelang Madersperger schließlich, auch diesen Vorgang mit Hilfe einer Schützenvorrichtung selbsttätig ausführen zu lassen, worüber 1843 berichtet wurde. Wenn Madersperger mit seinen Nähmaschinen auch keinen Erfolg und keinen Einfluß auf die Entwicklung der Nähmaschine hatte, so ist er doch ein Beispiel für die Aufgeschlossenheit eines Handwerkers im Wien der Biedermeierzeit für die Mechanisierung seiner Arbeit.

Internationale Anerkennung fand dagegen die Arbeit von Leo Müller (geb. 1799 in Mittelberg in Vorarlberg, gest. 1844 in Wien). Müller erlernte das Tischlerhandwerk und arbeitete mehrere Jahre in der Schnellpressenfabrik von Friedrich Koenig, dem Erfinder der Buchdrucker-Schnellpresse, in Oberzell in Deutschland. 1836 gründete er gemeinsam mit Friedrich Helbig, dem Neffen Koenigs, in Wien die zweite Schnellpressenfabrik auf dem Kontinent. 1839 beschäftigte er über 20 Arbeiter und hatte bereits mehr als 30 Schnellpressen verkauft. Mit seinen Verbesserungen machte Müller die Buchdrucker-Schnellpresse erst allgemein gebrauchsfähig und gilt daher als Reformator des Schnellpressenbaues. Leo Müller, der einer der bedeutendsten österreichischen Techniker in der 1. Hälfte des 19. Jahrhunderts war, verstarb leider viel zu

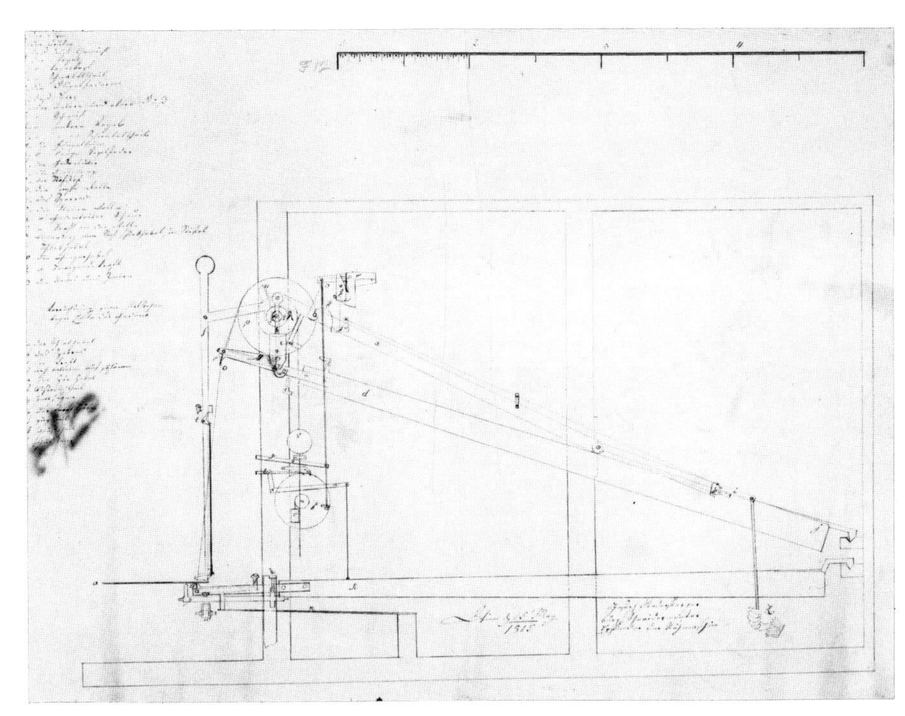

Kat. Nr. 14/31 Josef Madersperger, Werkzeichnung für seine „Nähmaschine", 1815

früh, um alle seine Ideen und Projekte verwirklichen zu können.

Aus Wien kam noch ein weiterer wichtiger Beitrag auf dem Gebiet der Drucktechnik, der von Jakob Degen entwickelte Banknoten-Doppeldruck. Jakob Degen (geb. 1761 in Liedertswil in der Schweiz, gest. 1848 in Wien) erlernte bei seinem Vater, der als Seidenbandweber nach Wien berufen worden war, die Seidenbandweberei und machte dann eine Ausbildung als Mechaniker durch. Bekannt wurde Degen durch seine Flugversuche mit Gleitflügeln und Heißluftballon, die er erstmals 1810 in Laxenburg durchführte. Wichtiger war aber sein Verfahren zur Herstellung fälschungssicherer Banknoten. Der von Degen entwickelte Banknoten-Doppeldruck beruht darauf, daß Teile der Druckform, die verschiedenartige Guillochen – ein fein verschlungenes Linienmuster, das mit Hilfe einer Guillochiermaschine hergestellt wurde – tragen, in verschiedenen Farben eingefärbt und dann gemeinsam und somit passergenau abgedruckt werden. 1821 stellte die Nationalbank in Wien als erste Bank der Welt Banknoten nach Degens Verfahren her, bald folgten die Notenbanken anderer Länder.

Auch das neue Druckverfahren der Lithographie fand in Wien rasch Eingang. 1803 eröffnete der Erfinder Alois Senefelder selbst in Wien seine k. k. privilegierte chemische Druckerei, ging aber wegen Schwierigkeiten bald wieder nach München zurück. Dafür wurden nach Ablauf seines Privilegiums zahlreiche andere lithographische Werkstätten gegründet, wie die von Carl Gerold 1816, von Adolf Kunike 1817 und als wichtigste 1819 die Firma Trentsensky.

Wegbereiter des Fabriksystems waren die großen Textilfabriken – Baumwollspinnereien und Kattunfabriken –, wie sie seit der Jahrhundertwende in großer Zahl im Umfeld von Wien errichtet wurden. So gehörte z. B. die Spinnerei in Pottendorf zu Beginn des 19. Jahrhunderts zu den größten Baumwollspinnereien auf dem Kontinent. In Wien selbst war dagegen nicht die Massenerzeugung, sondern die Herstellung von höherwertigen Produkten konzentriert, die Seidenweberei, Shawlherstellung, Posamentrie und Bandweberei. Die Wiener Maschinentischler lieferten nicht nur Spinnmaschinen, Webstühle und sonstige Einrichtungen für die ersten Fabriken, sondern in Wien wurden auch zahlreiche Verbesserungen an Textilmaschinen erdacht und in die Praxis umgesetzt. Wichtigste dieser Neuerungen war der Seidenwebstuhl Hornbostels. Christian Georg Hornbostel (geb. 1778 in Wien, gest. 1841 in Wien) übernahm 1809 die Seidenfabrik seines Vaters in Gumpendorf, nachdem er sich durch Studienreisen ins Ausland auf diese

Aufgabe bestens vorbereitet hatte. Er konstruierte den Baumwollwebstuhl für Seide um und erhielt 1816 ein Privilegium auf diesen ersten selbstwebenden Seidenwebstuhl in Europa. 1835 arbeiteten in seiner Fabrik in Leobersdorf bereits 30 derartige durch Wasserkraft angetriebene Webstühle.

In Wien begründete Reithoffer auch einen anderen wichtigen Produktionsbereich, die Kautschukweberei. Johann Nepomuk Reithoffer (geb. 1781 in Feldsberg in Mähren, gest. 1872 in Wien) erlernte das Schneiderhandwerk, verbrachte in seiner Jugend längere Zeit in Deutschland und Frankreich und machte sich dann in Nikolsburg selbständig. In der Enge der Kleinstadt konnte er seine Ideen aber nicht verfolgen, und so übersiedelte er nach Wien. Hier beschäftigte er sich jetzt intensiv mit der Herstellung elastischer Gewebe aus Kautschuk. Er fand die Lösung, indem er Kautschukfäden mit Textilfäden umgab und so die Elastizität hemmte. Dadurch wurde es möglich, Gewebe von beliebiger Elastizität zu weben. Nach Überwindung der Anfangsschwierigkeiten kam ein steiler Aufstieg. Wurden zu Beginn der dreißiger Jahre ca. 700 Hosenträger pro Jahr erzeugt, so betrug die Produktion im Jahre 1843 schon 60.000 Hosenträger, 6000 Paar Schuhe, 20.000 Bandagen und 4000 Mieder. Mitte der vierziger Jahre beschäftigte Reithoffer bereits über 200 Arbeiter.

Aber nicht nur Industrie und Handwerk nahmen im 19. Jahrhundert einen großen Aufschwung. Auch auf dem Gebiet der Landwirtschaft fanden die in England im 18. Jahrhundert ausgebildeten neuen Betriebsformen und Geräte Eingang in Österreich. Wichtig dafür wurden die Landwirtschaftsgesellschaften wie die k. k. Landwirtschaftsgesellschaft in Wien, die 1813 ihre Tätigkeit aufnahm. Der Wegbereiter der neuen Landwirtschaft in Österreich war Peter Jordan (geb. 1751 in Sellrain in Tirol, gest. 1827 in Wien). Jordan, der Vater der österreichischen Landwirtschaft, hielt seit 1796 an der Universität Wien Vorlesungen über Landwirtschaft und tat seit 1806 als Direktor der k. k. Patrimonialgüter in Vösendorf und Laxenburg viel für die Einführung neuer Geräte. In seiner Werkstätte in Vösendorf entstanden zahlreiche von ihm entwickelte oder verbesserte Geräte, als bekanntestes die Jordansche Saatharke.

Wesentlich für die Aufnahme neuer

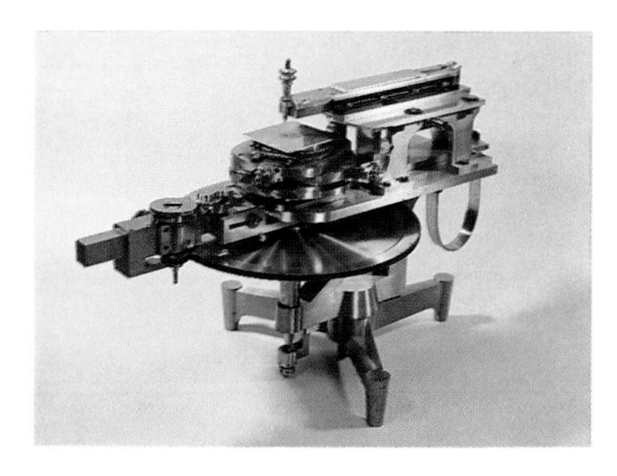

Kat. Nr. 14/23 Jakob Degen, Guillochiermaschine, um 1830

landwirtschaftlicher Maschinen und Geräte war der Anbau neuer Früchte wie Mais, Futter- und Zuckerrübe und die damit verbundene Einführung der Reihensaat. Dafür benötigte man ganz spezielle Geräte und Maschinen wie Reihensämaschine und Harke.

Die Geräte wurden meist von ortsansässigen Handwerkern und auf den Gutshöfen in eigenen Werkstätten angefertigt. Vorbilder dafür waren ähnliche Geräte in der Nachbarschaft, Zeichnungen oder Modelle, die oft noch verbessert und den jeweiligen Bedingungen angepaßt wurden. In Wien gab es aber schon sehr früh Werkstätten, die sich auf die Herstellung landwirtschaftlicher Maschinen und Geräte spezialisiert hatten. Bereits 1798 hatte Anton Burg eine derartige Werkstätte gegründet, zu Beginn des 19. Jahrhunderts folgte Sebastian Jobst.

Nicht nur Fachleute wie Peter Jordan und Gutsverwalter wie Joseph Daninger, der 1813 in Rutzendorf bei Wien eine Walzendreschmaschine in Betrieb nahm und in einer von ihm selbst herausgegebenen Schrift ausführlich beschrieb, beschäftigten sich mit Verbesserungen auf dem Gebiet der Landwirtschaft. Auch berufsfremde Personen waren auf diesem Gebiet erfolgreich tätig. Der Arzt Johann Burger setzte sich für den Anbau von Mais ein und konstruierte eine häufig verwendete Sämaschine, der k. k. Straßenbaukommissär Vitus Ugazy baute mehrere Sämaschinen und setzte für deren Verbesserung sogar einen Preis aus eigener Tasche aus, der Eisen- und Kupfergewerke Severin Zugmayer baute einen in Niederösterreich sehr häufig verwendeten Pflug.

Eine Pionierrolle kam Österreich auf dem Gebiet der Mähmaschine zu. 1817 wurden in Vösendorf mit einer Smithschen Mähmaschine, die in der Werkstätte in Vösendorf gebaut worden war, die ersten Mähversuche auf dem Kontinent durchgeführt.

So fanden in der ersten Hälfte des 19. Jahrhunderts die in Westeuropa und vor allem in Großbritannien entwickelten neuen Maschinen und Verfahren nach und nach Eingang in alle wichtigen Produktionsbereiche. Im Biedermeier begann auch in Österreich der Aufstieg von Technik und Industrie.

**Literatur:**

Anton Durstmüller, 500 Jahre Druck in Österreich, Band 1, 1482–1848, Wien 1982.

Ilse Erdmann, Vom Mechanicus Johann Christoph Voigtländer in Wien zur Voigtländer AG in Braunschweig. In: Tradition 1, 4/1962.

150 Jahre Österreichische Kautschukindustrie, Wien 1975.

150 Jahre Technische Hochschule in Wien, Wien – New York 1965.

125 Jahre Erste Österreichische Donaudampfschiffahrts-Gesellschaft, Wien 1954.

Hellmut Janetschek, Neuere Forschungsergebnisse über Madersperger's Nähmaschinen. In: Blätter für Technikgeschichte, 41./42./43. Heft, Wien 1979/80/81.

Stephan Edler von Keeß, Darstellung des Fabriks- und Gewerbswesens im österreichischen Kaiserstaate, Wien 1823.

Gerhard Maresch, Die Anfänge der Mechanisierung der Landwirtschaft in Österreich. In: Blätter für Technikgeschichte, 46./47. Heft, Wien 1984/85.

Gerhard Maresch, Werkzeuge aus der Biedermeierzeit – Die Werkzeugsammlung Altmütter. In: Blätter für Technikgeschichte, 41./42./43. Heft, Wien 1979/80/81.

Österreichische Naturforscher und Techniker, Wien 1950.

Öterreichisches Biographisches Lexikon 1815–1950, Wien 1957 ff.

Johann Slokar, Geschichte der österreichischen Industrie und ihre Förderung unter Kaiser Franz I., Wien 1914.

August Wess, Josef Fessel. In: Blätter für Technikgeschichte, 19. Heft, Wien 1957.

## 14 WISSENSCHAFT UND ERFINDUNGEN

**14/1**
**Stehende Dampfmaschine**

Wien um 1850
„k. k. landesbefugte Metall-Maschinen-Waren-Fabrik“ des Vinzenz Prick
Gußeisen, Stahl, 180 × 145 × 225 cm
Wien, Technisches Museum, Inv. Nr. 905
GM

**14/2**
**Karlskirche und Polytechnisches Institut**

Feder, aquarelliert, 41,5 × 58,7 cm
HM, Inv. Nr. 8.740

Das k. k. Polytechnische Institut (heute Technische Universität, Wien 4, Karlsplatz 13) wurde 1815 auf Anregung Johann Joseph Prechtls gegründet und 1816 bis 1818 errichtet (siehe auch Kat. Nr. 13/23/1).

Nach Prechtls Plänen sollten Maßnahmen entwickelt werden, um Österreichs Industrie, Handel und Gewerbe zu fördern. Außerdem wurde die Einrichtung ausgedehnter Sammlungen in Angriff genommen, wie das Fabriksproduktenkabinett, die „österreichische technische Sammlung von Kronprinz Ferdinand“ ab 1819 und die Werkzeugsammlung von Altmütter, die 1840 zum „Technologischen Kabinett“ vereint wurden.
ReWi

**14/3**
**Johann Joseph Prechtl (1778–1854)**

Kupferstich, 35,4 × 24,7 cm
Sign. re. Mi.: A. E. [sc.], li. Mi.: P. G. D.
HM, Inv. Nr. 34.771

Der dargestellte Physiker, Industrietechniker und Naturforscher wurde bereits 1814 zum Direktor des im darauffolgenden Jahr gegründeten „Polytechnischen Instituts“ bestimmt, an dessen Leistungen er namhaften Anteil hatte. 1846 wurde er zum Ehrenbürger der Stadt Wien ernannt, seit 1847 gehörte er der Akademie der Wissenschaften als wirkliches Mitglied an.
SW
Abbildung

**14/4**
**Josef Petzval (1807–1891)**

J. Blechinger nach Fritz Luckhardt (1843–1894), 1890
Heliogravure, 44,3 × 36,5 cm
Dat. re. o., bez. li. u.: Photographie von Prof. F. Luckhardt, re. u.: Heliogravure von J. Blechinger, Wien., Mi. u.: Druck v. F. Kargl.
HM, Inv. Nr. 11.315

Der dargestellte Mathematiker war ein Pionier auf dem Gebiet der Fotografie, er konstruierte 1840 das erste Porträtobjektiv (Petzval-Objektiv) und berechnete dafür Linsen mit 1:3,5 Lichtstärke, wodurch erstmals Momentaufnahmen möglich wurden. Das Exponat entstand kurze Zeit vor Petzvals Tod, damals war Petzval als Universitätsprofessor in Wien bereits emeritiert.
SW

Kat. Nr. 14/3

Kat. Nr. 14/6

**14/5**
**Friedrich Mohs (1773–1839)**

Josef Kriehuber (1800–1876), 1829
Kreidelithographie, 40,7 × 31,4 cm
Sign. li. u.: Kriehuber/Wien. 829., re. u.: Gedr. bei Mansfeld & C[ie].
HM, Inv. Nr. 11.176

Der in Gernrode geborene Wahlösterreicher Friedrich Mohs trug als Montanist, Mineraloge und Kristallograph wesentlich zum Aufschwung dieser Wissensgebiete und ihrer technischen Nutzung bei. An der Bergakademie in Freiberg (Sachsen) ausgebildet, lebte er seit 1802 in Österreich und wirkte hier unter anderem am Joanneum in Graz, an der Wiener Universität und am Naturalienkabinett. Seine zehnstufige, vom Talk bis zum Diamant reichende Härteskala fand weltweite Anerkennung und Verbreitung und wird bis heute für einfache Mineralbestimmungen verwendet.
Nebehay

**14/6**
**Joseph Skoda (1805–1881)**

Eduard Kaiser (1820–1895), 1850
Kreidelithographie, 54 × 35 cm
Sign. li. Mi.: Eduard Kaiser/1850, re. Mi.: Ged. bei Jos. Stoufs in Wien, li. u.: Wien, bei L- T. Neumann.
HM, Inv. Nr. 12.481

Der berühmte Kliniker Skoda machte sich vor allem um das Gebiet der physikalischen Diagnostik verdient, seine 1839 erstmals verlegte „Abhandlung über Percussion und Auscultation“ verschaffte ihm internationales Ansehen. 1840 gelang ihm gemeinsam mit Franz Schuh die Punktion des Herzbeutels, 1841 wurde er zum Primararzt, 1846 zum Professor an der Universität Wien ernannt.
SW
Abbildung

**14/7**
**Karl Rokitansky (1804–1878)**

Josef Kriehuber (1800–1876), 1839
Kreidelithographie, 44 × 30,8 cm
Sign. li. Mi.: Kriehuber/839, re. Mi.: Gedr. bei Joh. Höfelich.
HM, Inv. Nr. 11.475

Der pathologische Anatom Rokitansky war ebenso wie Joseph Skoda aus Böhmen gebürtig. Nicht zuletzt wegen der fruchtbringenden Zusammenarbeit mit diesem Internisten gelang es ihm, sein Institut zum Sammelpunkt von Ärzten aus aller Welt zu machen. Sein „Handbuch der pathologischen Anatomie“ (1841–1846) fand weite Verbreitung, als Universitätsprofessor für pathologische Anatomie hatte er in Wien die erste derartige Lehrkanzel im deutschen Sprachgebiet inne. Seit 1867 durfte sich der Mediziner Freiherr von Rokitansky nennen.
SW
Abbildung

Kat. Nr. 14/7

Kat. Nr. 14/8

**14/8**
**Ernst Freiherr von Feuchtersleben (1806–1849)**

Franz Stöber (1795–1858) nach
Josef Danhauser (1805–1845), 1840
Radierung, Pl.: 22,3 × 14,5 cm,
Bl.: 31,1 × 21,3 cm
Sign. li. u.,: Jos. Danhauser del. und re. u.: Fr. Stöber inc. Bez. re. u.: Beylage z. Wien. Zeitschr. Nr. 158 3. Oct. 1840. Unterschrift des Dargestellten
HM, Inv. Nr. 165.290

Der porträtierte Arzt, Philosoph und Lyriker gehörte zu den wichtigsten Persönlichkeiten des Wiener Vormärz. Er hatte mit seiner 1838 erstmals erschienenen Schrift „Zur Diätetik der Seele" solchen Erfolg, daß er seit 1844 an der Universität Wien freie Vorträge über ärztliche Seelenkunde abhalten konnte, welche reges Interesse fanden. Möglicherweise entstand das Bildnis 1840, als die k. k. Gesellschaft der Ärzte in Wien Feuchtersleben zu ihrem Sekretär bestellte. Er gilt heute als Vorläufer der Psychoanalyse. Siehe auch Kat. Nr. 10/44.
SW
Abbildung

**14/9**
**Joseph Ressel (1793–1857)**

Theodor Mayerhofer
Druck, 40,8 × 31,6 cm
Sign. li. Mi.: Th. Mayerhofer, re. Mi.: C. A. ph., li. u.: Verlag von A. Pichlers Witwe und Sohn
HM, Inv. Nr. 55.203

Ressel demonstrierte als erster die praktische Brauchbarkeit der archimedischen Schraube für den Schiffsantrieb, die 1829 durchgeführte Probefahrt mit dem Dampfschiff „Civetta" mußte allerdings wegen eines technischen Gebrechens abgebrochen werden, woraufhin das Verbot weiterer Versuche erfolgte (siehe auch Kat. Nr. 12/3/8).
*Lit.: Maresch, Techniker und Erfinder, S. 532 ff.*
SW

**14/10**
**Peter Wilhelm Friedrich Voigtländer (1812–1878)**

Zeitungsholzstich, 16 × 14,4 cm, 1868
HM, Sammlung Wurzbach

Der Dargestellte war der Sohn von Johann Friedrich Voigtländer (1778–1857), dessen Werkstätte vor allem wegen der Erzeugung des „doppelten Theaterperspektives galileischer Bauart" internationale Anerkennung genoß. Voigtländer junior machte die Firma zu einem kaufmännisch geführten Unternehmen von Weltruf, große Verdienste erwarb er sich um die Weiterentwicklung der Fotografie (siehe auch Kat. Nr. 14/28).
*Lit.: Maresch, Techniker und Erfinder, S. 532 ff.*
SW

**14/11**
**Simon Plößl (1794–1868)**

Josef Kriehuber (1800–1876), 1836
Kreidelithographie, 44,4 × 30,4 cm
Sign. li. u.: Kriehuber 836, re. u.: gedr. b. J. Höfelich.
HM, Inv. Nr. 65.838

Plößl, einer der namhaftesten Vertreter österreichischer Feinmechanik, machte sich 1823 selbständig. Vorher hatte er in der Werkstätte Johann Friedrich Voigtländers gearbeitet. Den Schwerpunkt des Schaffens von Plößl bildeten Mikroskope, Brillen und Fernrohre (siehe auch Kat. Nr. 14/27).
*Lit.: Maresch, Techniker und Erfinder, S. 532 ff.*
SW
Abbildung

**14/12**
**Jakob Degen (1761–1848)**

Adalbert Suchy (ca. 1783–1849), 1842
Aquarell, 25,5 × 21 cm
Sign. u. dat. re. u.: Adalbert Suchy. pinxit./ 842.
HM, Inv. Nr. 46.321

Jakob Degen, bekannt durch seine Flugversuche mit Gleitflügeln und Heißluftballon, entwickelte in Wien den Banknoten-Doppeldruck zur Herstellung fälschungssicherer Banknoten. Bei diesem Verfahren werden die mit Guillochen versehenen Teile der Druckform in zwei Farben getrennt eingefärbt und dann gemeinsam und somit passergenau abgedruckt. Seit 1821 stellte die Nationalbank in Wien als erste Bank der Welt Banknoten nach Degens Verfahren her, bald darauf folgten die Notenbanken anderer Länder (siehe auch Kat. Nr. 14/23).
GM

**14/13**
**Johann Joseph von Littrow (1781–1840)**

Franz Kadlik (1786–1840)
Kreidelithographie, 55 × 38,5 cm
Sign. li. Mi.: Kadlik del. 1825., re. Mi.: gedruckt bey Mañsfeld, Mi. u.: J. J. Littrow/ Director der k. k. Sternwarte in Wien.
HM, Inv. Nr. 93.160

Der angeblich zur gleichen Stunde, in der Herschel den Planeten Uranus entdeckte, geborene Littrow war anfangs physisch und psychisch kränklich, wurde aber wegen seiner philologischen Begabung vom Vater (Kaufmann) an das Gymnasium nach Prag gesandt. Danach belegte er an der Prager Universität verschiedene Vorlesungen über Literatur, Griechisch und Mathematik. Im Jahr 1800 gab er mit Freunden die Literaturzeitschrift „Die Propyläen" heraus und trat im selben Jahr in die Legion Erzherzog Carls ein. Nach dem Frieden von Luneville (9. Februar 1801) studierte er in rascher Folge Naturphilosophie, Jus, Medizin und Theologie. Danach wandte er sich von der Universität ab und übernahm 1803 eine Stellung als Hofmeister (= Erzieher) beim Grafen Rénard auf dessen Gütern in Schlesien. Neben klassischer Literatur wandte er sich mathematisch-astronomischen Fragestellungen zu, und obwohl er weitgehend Autodidakt war, wurde er 1807 mit einer schriftlichen Eignungsprüfung als Professor der Astronomie an der Universität Krakau angestellt. Bis 1809 verblieb er dort, heiratete in der Zwischenzeit und folgte danach einer Berufung als Professor für Theoretische Astronomie an die Universität von Kasan, als die polnische Sternwarte in ein Pulvermagazin verwandelt wurde. In Rußland verblieb er bis 1816, wonach er Codirektor der neuen Sternwarte von Ofen, Ungarn, wurde. Allerdings war er auch dort bald unzufrieden und trachtete die Leitung der Wiener Universitätssternwarte zu übernehmen, was ihm auch 1819 gelang. Außerdem supplierte er im selben Jahr die Lehrkanzel für höhere Mathematik der Universität Wien. Seine Vorlesungen waren wegen ihrer Praxisnähe und der hohen Eloquenz des Vortragenden ganz außerordentlich gut besucht. Gleich nach seiner Ankunft in Wien versuchte Littrow die Sternwarte aus dem Stadtzentrum (heute Dr.-Ignaz-Seipel-Platz) wegzuverlegen, jedoch wurde ihm nur ein Umbau und eine instrumentelle Neuausstattung des Universitätsinstitutes bewilligt. Die Querelen, die dazu geführt haben, müssen hart und unliebsam gewesen sein, fielen jedoch der Zensur im Nachruf des Sohnes von Littrow auf seinen Vater zum Opfer. Allerdings sind sie im Band der Annalen der Sternwarte Wien (1841) handschriftlich nachgetragen. 1832 verbesserte Littrow die Konstruktion des achromatischen Fernrohrs, indem er das Kron- und Flintglas des Objektivs weit voneinander getrennt im Rohr einsetzte. Der Wiener Instrumentenmacher Simon Plößl fertigte dieses sogenannte dialytische Fernrohr dann kommerziell.

Neben den astronomischen Beobachtungen von Planetenoppositionen, Kometen, Sternschnuppen, Sternbedeckungen, einem Fixsternpositionskatalog, der Mitarbeit an der astronomisch-geodätischen Längenvermessung von Wien, meteorologischen Beobachtungen, die täglich in der Zeitung erschienen, und der Vorbereitung der totalen Sonnenfinsternis von 1842 war es die Aufgabe der Sternwarte unter Littrows Leitung, mit einer Glocke das Mittagszeichen für Wien zu geben, wonach der Türmer von St. Stephan die Domuhr einstellte.

1835 wurde Littrow geadelt und erhielt 1838 ein Ehrendoktorat in Wien. Im selben Jahr hatte er das Amt des Dekans der Philosophischen Fakultät der Universität inne. Nach zehntägiger Krankheit erlag er 1840 einem Herzleiden. Unter seinen 94 Publikationen befinden sich mehrere Lehrbücher und das populäre, sehr bekannte Werk „Die Wunder des Himmels", das bis 1963 in zahlreichen Neuüberarbeitungen 11 Auflagen erlebte.

*Lit.: L. Darmstaedter, Handbuch zur Geschichte der Naturwissenschaften und der Technik, S. 460, Berlin 1908; C. L. von Littrow, Annalen der k. k. Sternwarte Wien, 21. Teil, Neue Folge, 1. Band, S. V ff., Wien 1841; J. G. Poggendorff, Biographisch-Literarisches Handwörterbuch zur Geschichte der exakten Naturwissenschaften, S. 1479 f., Leipzig 1863; P. J. Steinmayr, Die Geschichte der Universitätssternwarte Wien, ungedrucktes Manuskript, Wien 1935.*
Maria G. Firneis

**14/14**
**Johann Christian Doppler (1803–1853)**

Franz (?) Schier nach Anton Machek (1774–1844), 1839/40
Kreidelithographie, 45,5 × 28,2 cm
Sign. Mi. li.: Machek gez., Mi. re.: Schier lith.
Beschriftet Mi. u.: Aus Verehrung und Dankbarkeit gewidmet von den Hörern des / prager technischen Institutes vom Studienjahre 1839/ 1840.
HM, Inv. Nr. 2.313

Doppler wurde als Sohn eines angesehenen Steinmetzmeisters in Salzburg geboren. Schon früh wurde sein mathematisches Talent durch den Astronomen und Geodäten Simon Stampfer erkannt. Auf dessen Empfehlung studierte er von 1822–1825 am Polytechnischen Institut in Wien Physik, kehrte aber nach Salzburg zurück, da diese Ausbildung nicht ganz seinen Neigungen entsprach. Dort absolvierte er privat den Gymnasialkurs in der halben Zeit und ging wieder nach Wien, wo er 1829–1833 Assistent des Mathematikers Hantschl war. Da er danach keine passende Stellung im Wissenschaftsbetrieb finden konnte, verkaufte er seine Habseligkeiten und zog 1835 mit seinem Bruder, der aus den Salzburger Steinbrüchen des Untersberges Material für die künstlerischen Unternehmungen König Ludwigs von Bayern zu liefern hatte, nach München, wo er mit dem amerikanischen Konsul seine Auswanderungspläne nach den USA besprach. In München erreichte ihn seine Ernennung zum Professor der Mathematik und Handelsbuchhaltung an der Ständischen Realschule in Prag, die er annahm, 1836 heiratete er eine Salzburgerin und verblieb bis 1847 an verschiedenen Prager Schulen. In dieser Zeit entdeckte er das nach ihm benannte Prinzip, das die beobachtete Frequenz einer Welle (Licht oder Schall) in Beziehung zu der Bewegung der Quelle oder des Beobachters relativ zu dem Medium setzt, in dem sich die Welle ausbreitet (1842 und 1846). Anschaulich bekannt ist dieses Prinzip durch den höheren Ton z. B. eines Rettungsfahrzeuges bei Annäherung und den tieferen Ton bei Entfernung desselben.

In der Folge wurde Doppler Mitglied der königlichen böhmischen Gesellschaft der Wissenschaften und Mitglied der Akademie der Wissenschaften in Wien. 1847 wurde er zum k. k. Bergrat und Professor der Mathematik, Physik und Mechanik an der k. k. Berg-Akademie in Schemnitz (heute: Banská Štiavnica) bestellt und erhielt ein Ehrendoktorat der Prager Universität. Durch die politischen Wirrnisse der Jahre 1848 und 1849 irritiert, kehrte der sensible Gelehrte nach Wien zurück, wo er 1850 durch den Kaiser zum

Kat. Nr. 14/11

1. Direktor und Ordinarius des neugegründeten Instituts für Experimentalphysik der Universität Wien ernannt wurde. Noch 1848 gelang es Armand Fizeau, auf die praktische Anwendung des Doppler-Prinzips durch die Verschiebung der Spektrallinien bei Sternbewegungen längs der Visierlinie hinzuweisen, und 1850 publizierte B. Sestini die Anwendung bei der Bewegung von Doppelsternen. Mit Korrekturgliedern der Relativitätstheorie versehen, ist das Doppler-Prinzip heute zu einem wesentlichen astronomischen Hilfsmittel geworden.

1852 mußte sich Doppler allerdings gegen heftige Angriffe seines Mathematiker-Kollegen J. Petzval zur Wehr setzen, der die akustischen Beweise für die Richtigkeit des Prinzips zugunsten theoretischer Überlegungen völlig außer acht ließ. Als Curiosum sei hier noch angeführt, daß es im Jahre 1879 sogar noch möglich war, daß die Belgische Akademie der Wissenschaften eine Arbeit des Astronomen Spée mit einem Preis auszeichnete, die sich gegen die Richtigkeit des Doppler-Prinzips richtete. Noch 1852 begab sich Doppler, der seit seiner Prager Zeit lungenkrank war, auf einen Kuraufenthalt nach Venedig, wo er aber im Frühjahr des nächsten Jahres verstarb.

*Lit.: Chr. Doppler, Über das farbige Licht der Dopplersterne und einiger anderer Gestirne des Himmels, Acten der Königl. Böhmischen Gesellschaft der Wissenschaften, 5. Folge, Bde. 2, S. 465, Prag 1842; Chr. Doppler, Annalen der Physik und Chemie, Bd. 68, S. 1 ff., Wien 1846; Julius Scheiner, Johann Christian Doppler und das nach ihm benannte*

*Prinzip, Himmel und Erde, VIII. Jahrgang, S. 260 ff., Berlin 1896; Anton Schrötter, Nachruf auf Christian Doppler, Almanach der Kaiserlichen Akademie der Wissenschaften, 4. Jahrgang, S. 112 ff., Wien 1854; F. Skacel, Doppler Christian, Lexikon der Geschichte der Naturwissenschaften, herausgegeben von Rupert Hink, 7. Lieferung, S. 40, Wien 1978; A. E. Woodruff, Christian Doppler, In: Dictionary of Scientific Biography edited by Charles C. Gillispie, Vol. IV, S. 167 f., New York 1971.*
Maria G. Firneis

**14/15**
**„Kaiserliche Tafel der Naturforscher in Laxenburg./den 25ten September 1832"**

Franz Wolf (1795–1859) nach Johann Nepomuk Hoechle (1790–1835)
Kreidelithographie, koloriert, 29,8 × 44,2 cm
Sign. li. u.: Höchle del.; re. u.: F. Wolf lyth.
Aus.: Journal pittoresque, Jg. V./2
HM, Inv. Nr. 185.617

Die im Jahre 1822 in Leipzig gegründete „Gesellschaft deutscher Naturforscher und Ärzte", die sich alljährlich in einer deutschen oder österreichischen Stadt eine Woche zu einem Kongreß zusammenfand, hielt ihre 10. Versammlung 1832 in Wien ab. Bei der ersten Wiener „Versammlung" fungierten die beiden angesehenen Gelehrten, der Botaniker J. F. von Jacquin und der Astronom J. J. von Littrow, als Geschäftsführer. Das Interesse an dieser Veranstaltung war beeindruckend: 462 Mitglieder und 635 Teilnehmer, also 1097 Personen, waren zum Wiener Treffen erschienen. Es wurden drei allgemeine Versammlungen und 32 Sitzungen der fünf Sektionen abgehalten (der physikalisch-chemischen, der zoologisch-anatomisch-physiologischen, der botanischen, der mineralogisch-geognostischen und der medizinisch-chirurgischen). Insgesamt wurden 350 Vorträge gehalten.

Das gesellschaftliche Programm, mit dem die Wichtigkeit der Veranstaltung betont wurde, war aufwendig. Der Höhepunkt hiebei war ein Festmahl am 25. September 1832 in Laxenburg, zu dem Kaiser Franz geladen hatte:

„Schon um 8 Uhr Früh begab sich der Zug, aus mehr als siebzig Eil- und Postwagen bestehend, und von dem k. k. obersten Hofpost-Director, Hrn. Hofrath v. Ottenfeld, selbst begleitet, nach diesem kaiserlichen Lustschlosse, wo kaiserliche Hofwagen in Bereitschaft standen, und die Gesellschaft bis zur Stunde der Mittagstafel in dem großen und herrlichen Parke herumführten. Das Ritterschloß und die sämmtlichen Lustgebäude waren geöffnet, und eine Abtheilung Pontoniere stand mit den kaiserlichen Booten auf den Canälen und Teichen in Bereitschaft. Um 3 Uhr versammelte sich die Gesellschaft unter einem eigens zu diesem Zwecke errichteten Zelte, wo an drey geschmackvoll verzierten Tafeln über vierhundert Personen Platz fanden. Se. Erlaucht der Hr. Graf von Wurmbrand, Obersthofmeister Ihrer Majestät der Kaiserinn, führte, im Allerhöchsten Auftrage Sr. Majestät des Kaisers, den Vorsitz. Se. Durchlaucht der Hr. Haus-, Hof- und Staatskanzler und mehrere Minister und hohe Staatsbeamte wohnten dem Mahle bey. Sr. kaiserl. Majestät und den Mitgliedern der kaiserlichen Familie wurden die rauschendsten Toaste ausgebracht und mit rührender Wärme zu mehreren Mahlen wiederhohlt. Eben so wurde auf das Gedeihen der Wissenschaften überhaupt und insbesondere der Bestrebungen der Gesellschaft, die hier ein schönes Band des Vertrauens und der Heiterkeit umschlungen hielt, getrunken. Nach Einbruch der Nacht kehrte der Zug wieder nach der Stadt zurück." (Wiener Zeitung, S. 916)

In den Tagen danach machte in Wien der Witz die Runde, die Kutscher hätten erzählt, daß sie die Geleerten (Gelehrten) hinaus und die Gefüllten wieder zurückgebracht hätten. (Caroline Pichler, Denkwürdigkeiten, 4. Bd., Wien 1844, S. 150.)
WD

Kat. Nr. 14/16

**14/16**
**„Ein Theil der Industrie und Gewerbs-Producten-Ausstellung/im Jahre 1835, in der k. k. Reitschule in Wien."**

Franz Wolf (1795–1859)
Lithographie, 34,9 × 49,4 cm
Sign. li. u.: Nach der Natur gez. u. lith. v. F.Wolf
Aus der Serie: Journal pittoresque
HM, Inv. Nr. 123.040

Die erste Österreichische Gewerbeausstellung wurde 1791 in Prag veranstaltet. 1816 nahm Österreich erstmals an der Leipziger Messe teil, 1830 versuchte Ignaz Ritter von Schönfeld eine Dauerausstellung von Wirtschaft und Gewerbe in Wien zu etablieren, allerdings ohne durchschlagenden Erfolg, da nur das Kleingewerbe und Privatleute vertreten waren. Im Herbst 1835 wurde in der Wiener Hofburg erstmals eine groß angelegte Industrie- und Gewerbeausstellung präsentiert, die auf eine Anregung des in der Zwischenzeit verstorbenen Kaisers Franz I. zurückzuführen war und sicherlich auch als Konkurrenzunternehmen zur Pariser Ausstellung verstanden werden durfte. Über diese Ausstellung, in der betont wurde, daß die Industrie nicht materiell zu nennen sei, sondern ein „Product menschlicher Kräfte und menschlichen Willens" wäre, war eine Vielfalt von technischen und industriellen Erzeugnissen ausgestellt, die erahnen läßt, daß auf diesem Sektor die Biedermeierzeit sicherlich keine Zeit des Stillstands war. Diese Ausstellung, die als Vorläufer der Wiener Messe bezeichnet werden kann, fand in der Presse und beim Publikum großen Anklang.

Wochenlang berichtete die Wiener Zeitung ausführlich über die Exponate, und besonders der sonst so gefürchtete Kritiker Moriz Saphir war voll des Lobes und ließ seiner Begeisterung in mehreren Folgen der Theaterzeitung freien Lauf. Über den Ausstellungsbereich der gezeigten Illustration kann man nachlesen:

„. . . Herr Würth ist ein Dichter, er dichtet in Silber, es ist alles poetisch, lyrisch, herrlich gerundet, und das Versmaß ist entzückend hineingearbeitet. Da ist z. B. eine Caffee-Maschine, das ist eine historische Novelle mit kleinen Liedern eingelegt. Man sieht ordentlich die Wollust des Caffeetrinkens in dem Silber glänzen, der Styl ist gediegen, die Ausarbeitung episch romantisch! Meine Caffee-Maschine, bei der ich alle meine herrlichen Sachen schreibe, verhält sich zu dieser Caffee-Maschine, wie ein Dorfschulmeister zu der Taglioni! Was ließe sich bei einer solchen Caffee-Maschine für Humoristik schreiben! –

Lampen sind da, bei welchen dem dümmsten Schriftsteller ein Licht aufgehen muß! Und nun gar ein Lichtschirm, ein Lichtschirm wie ihn nur Grecourt oder Aretin gedacht haben! Ein Lichtschirm, der ungefähr das Licht so schirmt, wie mancher Schirmherr seinen Schützling. Er laßt gerade so viel Licht heraus, damit man das sehe was man nicht sehen sollte.

Neben diesem patrizischen Metall, hat sich ein bürgerliches: das Eisen hervorgethan. Aus der Eisenguß-Fabrik des Grafen Wrbna, in Horowitz in Böhmen, sind Gegenstände aus Gußeisen ausgestellt, die alle Aufmerksamkeit verdienen. Ketten, Büsten, Spangen, Bracelets u. s. w. eben so schön als geschmackreich. Insonders niedlich ist ein kleines Eisengußbild: Weiland Seine Majestät Kaiser Franz in der Arbeitsstube. Wer nicht selbst aus Gußeisen ist, wird von der wehmüthigsten Rührung bei diesem Bildchen ergriffen. – Auf zwei Fensterpfeilern flattern glänzend und blendend, blaue, rothe, grüne, weiße Ströme hernieder, es sind Offermanns (in Brunn) Tuch- und Casmir-Erzeugnisse, und ganz ausgezeichnete Teppiche, des Erdteppichfabrikanten J. Perger (Rothethurmstraße, in Wien).

Auf der Rückwand glänzt die k. k. Wollenzeug-Fabrik aus Linz, mit ihren herrlichen Teppichen, Decken, Zeugen und andern unaussprechlich schönen Erzeugnissen aus Schafwolle. Die Correctheit und Eigenthümlichkeit der Desseins, die Schönheit und Lebendigkeit der Farben in ihren Lichtern und Schatten, hält der Vortrefflichkeit des Stoffes und der technischen Musterhaftigkeit der Erzeugung selbst, vollkommen das Gleichgewicht . . ." (Th. Z. 1. Okt. 1835, S. 781 f.)

„Angenehm und glänzend werden wir bei der Abtheilung der Porzellan-Ausstellung überrascht. Selbst wer die unendlich schönen und geschmackvollen Erzeugnisse der Fabrik zu Sèvres kennen und gesehen hat, muß gestehen, daß die Productionen des Inlandes ihnen gleich kommen, wo nicht sie übertreffen. Besonders dürften hierin die Gegenstände der k. k. Aerarial-Porzellan-Manufactur, namentlich in der vortrefflichen, unnachahmlichen Malerei, in dem Geheimniß des Brennens, und der Reinheit und Klarheit des Schmelzes vor Allen den Vorrang einnehmen. Porträte, Landschaften und andere Gegenstände, auf Vasen und Tassen u. s. w. sind unvergleichlich schön und auserlesen. Der Elbognerkreis in Böhmen lieferte das Ausgezeichneteste. Die Schlaggenwalder-Fabrik von Lippert und Haas, wetteifert kühn und glücklich mit dem Auserlesensten in diesem Fache. Ein Lilla Porzellan-Service ist eben so geschmackvoll als höchst elegant, und dürfte leicht das einfach Schönste seyn, was je eine Tafel zierte. Eben so ausgerüstet ist die Elbogner Porzellanfabrik der Brüder Haidinger, welche ebenfalls das auserlesenste Porzellan und die geschmackvollsten Erzeugnisse liefert. . . ." (Th. Z. 19. Okt. 1835, S. 829)
WD
Abbildung

Kat. Nr. 14/17

**14/17**
**„Feyerliche Medaillen-Vertheilung den 19. Dec. 1835, aus Anlaß der ersten oesterreichischen Gewerbs und Industrie Ausstellung"**

Franz Wolf (1795–1859) nach Eduard Gurk (1801–1841)
Kreidelithographie, koloriert, 31,2 × 37,4 cm
Sign. li. u.: Eduard Gurk del; re. u.: lith. F. Wolf
Aus der Serie: Journal pittoresque, Jg. 14/2
HM, Inv. Nr. 185.615

Den Höhepunkt der Gewerbe- und Industrieausstellung bildete die Preisverleihung im Zeremoniensaal der k. k. Hofburg am 19. Dezember 1835, bei der 27 goldene, 68 silberne und 102 bronzene Medaillen vergeben wurden. Dieser feierliche Akt war – entsprechend dem Zeremoniell – zuvor bis ins kleinste Detail geplant worden, und der in der Theaterzeitung zwei Wochen zuvor erschienene Situationsplan (siehe Abbildung) zeigt uns, welch großes Interesse die Öffentlichkeit an dem Geschehen hatte.
WD
Abbildung

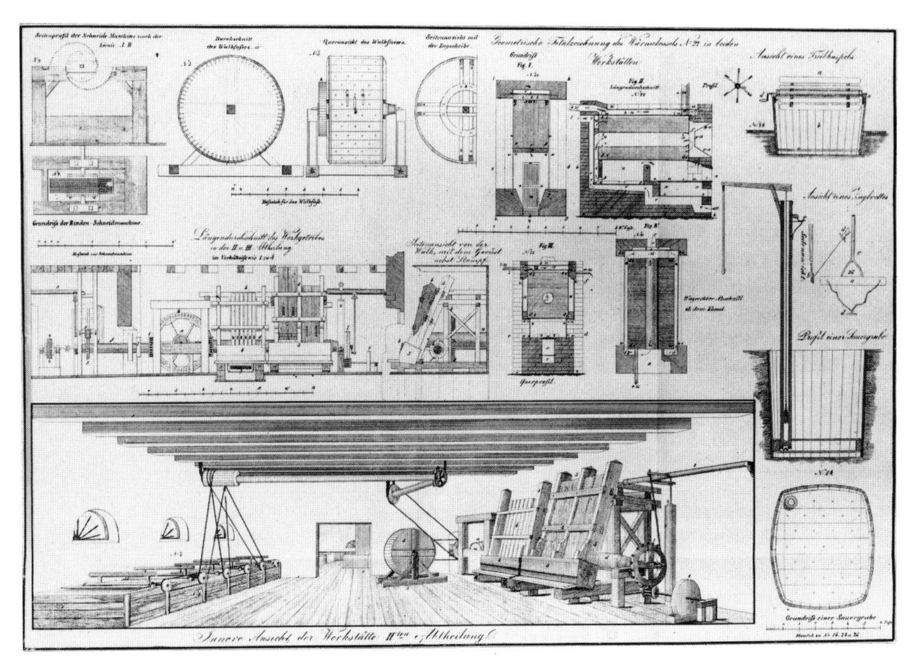

Kat. Nr. 14/18/1

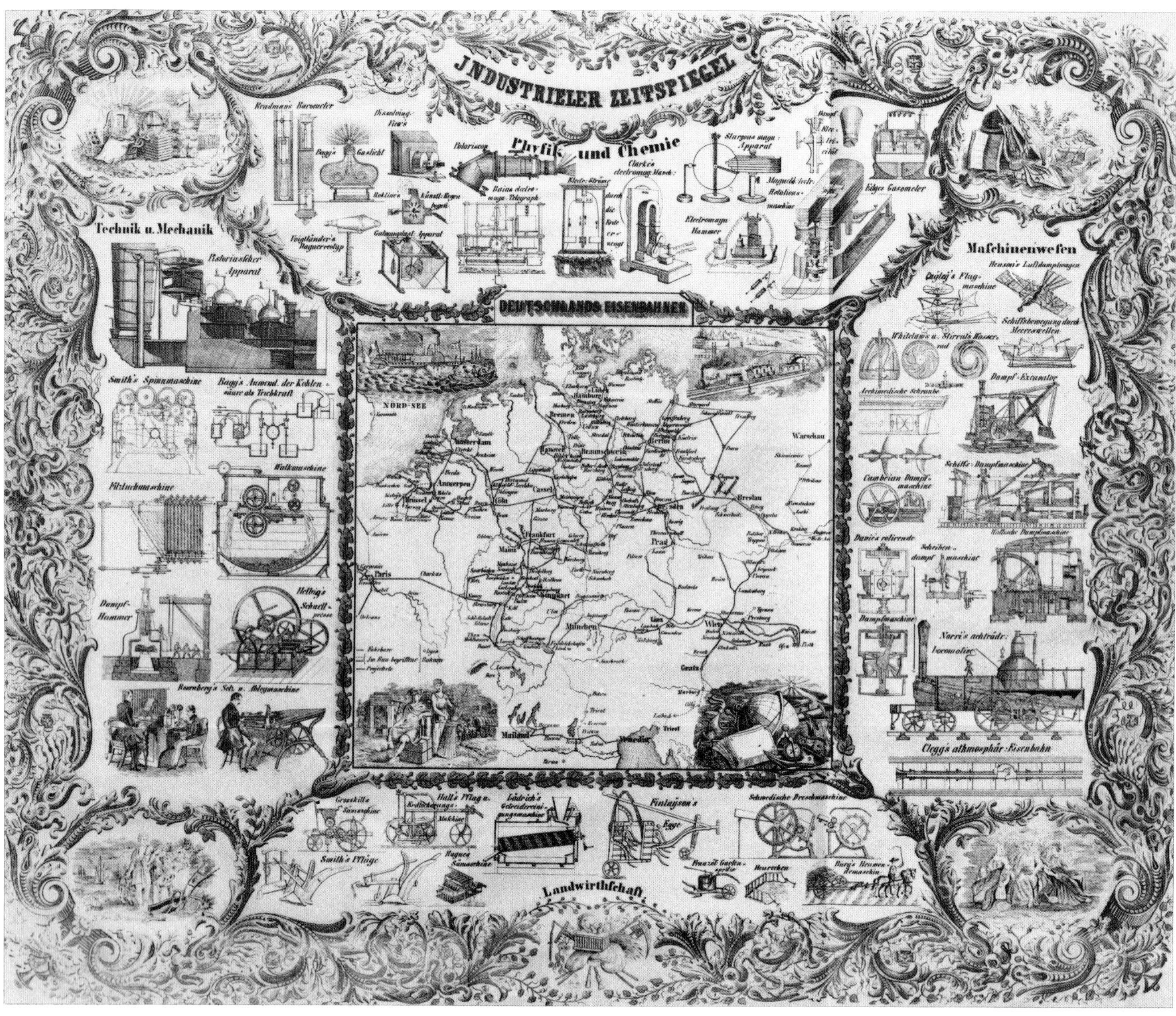


Kat. Nr. 14/18/2

**14/18/1–4**
**Allgemein statistisch-topographischer und technischer Fabriks-Bilder-Atlas der österreichischen Monarchie.**

Carl von Falkenstein (1810–1848)
Beilage zum innerösterreichischen allgemeinen Industrie- und Gewerbeblatt.
Grätz 1842–1847

**14/18/1**
**Innere Ansicht der „k. k. priv. Lederfabrik" von J. Jauernig in Wilhelmsburg, Niederösterreich**

1. Jg. 1842, 6. Lieferung, Tafel I
Wien, Niederösterreichische Landesbibliothek, Druckschriftensammlung
Abbildung

**14/18/2**
**„Industrieller Zeitspiegel"**

3. Jg. 1844, 1. und 2. Lieferung, Tafel I
Wien, Niederösterreichische Landesbibliothek, Druckschriftensammlung
Abbildung

**14/18/3**
**„Spritzen aus der k. k. priv. Maschinenfabrik von Rolle und Schwilgue in Wien"**

3. Jg. 1844, 5. Lieferung, Tafel III
Wien, Universitätsbibliothek der Technischen Universität Wien
Abbildung

**14/18/4**
**„Vogler's gußeisener Spar- und Kochofen**

6. Jg. 1847, 7. und 8. Lieferung, Tafel II
Wien, Niederösterreichische Landesbibliothek, Druckschriftensammlung
Abbildung

**Instrumente und Geräte**

**14/19**
**Universalinstrument**

Joseph von Utzschneider (1761–1840) und Joseph Liebherr (1767–1840), nach 1826
Messing, 48 × 28 × 29 cm
Bez.: Uzschneider (sic!) und Liebherr, München
Wien, Institut für Astronomie der Universität Wien

Das ausgestellte Universalinstrument ist von der Münchner optischen Werkstätte des Jo-

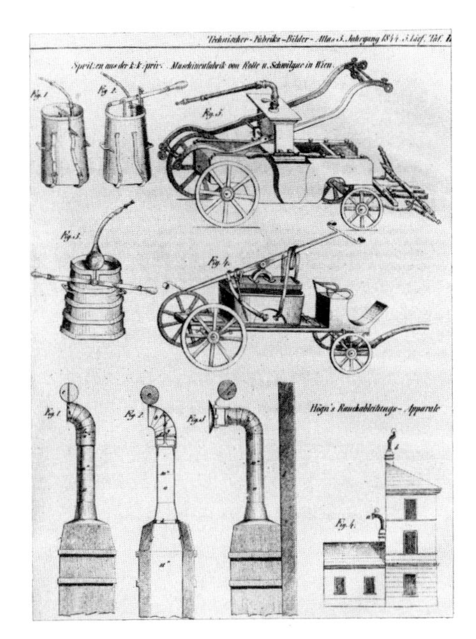

Kat. Nr. 14/18/3

seph von Utzschneider und Joseph Liebherr gefertigt. Es wurde zu einem Zeitpunkt produziert, als Joseph Fraunhofer (1787–1826) und der eigentliche Gründer dieser berühmten deutschen Werkstätte, Georg Reichenbach (1772–1826), bereits verstorben waren. Ein Entstehungsjahr knapp nach 1826 muß daher angenommen werden. Charakteristisch für die damalige Instrumentenentwicklung ist das „gebrochene Fernrohr". Dabei ist ein Spiegel im Strahlengang so positioniert, daß das Okular in horizontaler Lage aus dem Zapfenlager hervorragt, was platzsparend wirkt. Universalinstrumente kamen um 1812 auf und stellten damals eine neue Gattung astronomisch-geodätischer Reiseinstrumente dar. Im vorliegenden Fall des aus Messing gefertigten Instruments hat das Objektiv eine freie Öffnung von 34 mm, der dazugehörige Tubus ist mit einem würfelförmigen Gegengewicht austariert. Das umkehrende Okular verfügt über ein einfaches Fadenkreuz. Die beiden optischen Komponenten des Geräts sind im Originalzustand. Die 360grädige Kreisteilung der Azimut- und Höhenskala (Durchmesser 218 mm und 225 mm) ist in Silber eingelegt, das eine exaktere Teilung erlaubt als Messing. Dabei sind die thermischen Ausdehnungskoeffizienten der beiden Materialien aber ähnlich.

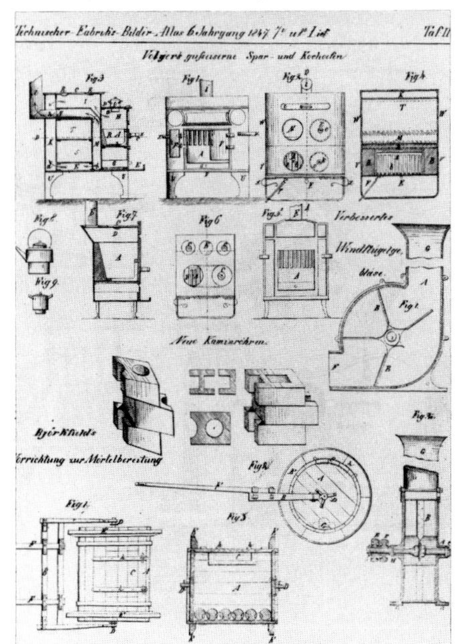

Kat. Nr. 14/18/4

Vier Nonius-Ablesungen (ausgestattet mit weißen Reflektoren) am Azimutkreis und zwei am Höhenkreis sind mit je zwei Meßlupen versehen, die eine Ablesegenauigkeit von 10" gestatten. Klemmbacke und Feinbewegung sind in beiden Koordinaten angebracht.

Drei große Stellschrauben tragen den Gesamtaufbau des Instruments, dessen Achsenlage mit einer auf 0,2 Pars geteilten Libelle (späterer Bauart) kontrolliert werden kann.

*Lit.: A. Repsold, Zur Geschichte der Astronomischen Meßwerkzeuge von Purbach bis Reichenbach 1450–1830, S. 93 ff., Leipzig 1908.*

Maria G. Firneis

**14/20**
**Prechtls Höhenmaß-Baroskop**

Anton Schwefel, Wien 1823
Glas, Kassette Holz, 30 × 11 × 3 cm
Wien, Technisches Museum, Inv. Nr. 19.096

**14/21**
**Modell einer Schiffsschraube**

Joseph Ressel (1793–1857), um 1850
Karton, L.: 11,5 cm, Dm.: 13 cm
Wien, Technisches Museum, Inv. Nr. 1.949/1
Siehe Kat. Nr. 14/9.

**14/22**
**Druckform**

Wien, um 1830
Messing, 39 × 32 × 11 cm
Wien, Technisches Museum, Inv. Nr. 13.669/2
Siehe Kat. Nr. 12/3/19 und 14/12.

**14/23**
**Guillochiermaschine**

Wien, um 1830
Messing, 62 × 35 × 41 cm
Wien, Technisches Museum, Inv. Nr. 13.669/1

Diese Maschine diente zum Anfertigen der Druckformen mit Guillochen – einem feinen, verschlungenen Linienmuster – für den Banknoten-Doppeldruck nach Degen.
GM
Abbildung

**14/24/1–9**
**Banknoten der Konventionswährung, 1825–1848**

Ausgegeben von der „privilegirten oesterreichischen National-Bank" in Wien
Drucke mit Guillochen

**14/24/1**
**Banknote zu 5 Gulden, 23. Juni 1825**

Einseitiger Zweifarbendruck mit Guillochen, 75 × 115 mm
Wien, Kunsthistorisches Museum, Münzkabinett

**14/24/2**
**Banknote zu 50 Gulden, 23. Juni 1825**

Einseitiger Zweifarbendruck mit Guillochen, 98 × 135 mm
Wien, Kunsthistorisches Museum, Münzkabinett

**14/24/3**
**Banknote zu 5 Gulden, 9. Dezember 1833**

Einseitiger Schwarzdruck, 91 × 127 mm
Wien, Kunsthistorisches Museum, Münzkabinett

**14/24/4**
**Banknote zu 10 Gulden, 1834, Formular, 8. Dezember 1834**

Einseitiger Schwarzdruck, 99 × 127 mm
Wien, Kunsthistorisches Museum, Münzkabinett

**14/24/5**
**Banknote zu 50 Gulden, 1. Jänner 1841**

Einseitiger Schwarzdruck, 114 × 185 mm
Wien, Kunsthistorisches Museum, Münzkabinett

**14/24/6**
**Banknote zu 100 Gulden, 1. Jänner 1841**

Einseitiger Schwarzdruck, 120 × 200 mm
HM, Inv. Nr. 38.195

**14/24/7**
**Banknote zu 1 Gulden, 1. Mai 1848**

Einseitiger Druck, 96 × 124 mm
Wien, Kunsthistorisches Museum, Münzkabinett

**14/24/8**
**Banknote zu 2 Gulden, 1. Mai 1848**

Einseitiger Schwarzdruck, 95 × 132 mm
HM, Inv. Nr. 34.958

**14/24/9**
**Banknote zu 1 Gulden, 1. Juli 1848**

Einseitiger Schwarzdruck, 126 × 74 mm
HM, Inv. Nr. 21.496

**14/25**
**Fernrohr mit Baumschraube**

Simon Plößl (1794–1868), Wien um 1830
Messing, L.: 15 cm, Dm.: 3,5 cm
Wien, Technisches Museum, Inv. Nr. 10.811

**14/26**
**Mikroskop**

Simon Plößl, Wien um 1840
Messing, Kassette Holz, 34 × 18 × 8 cm
Wien, Technisches Museum, Inv. Nr. 17.058

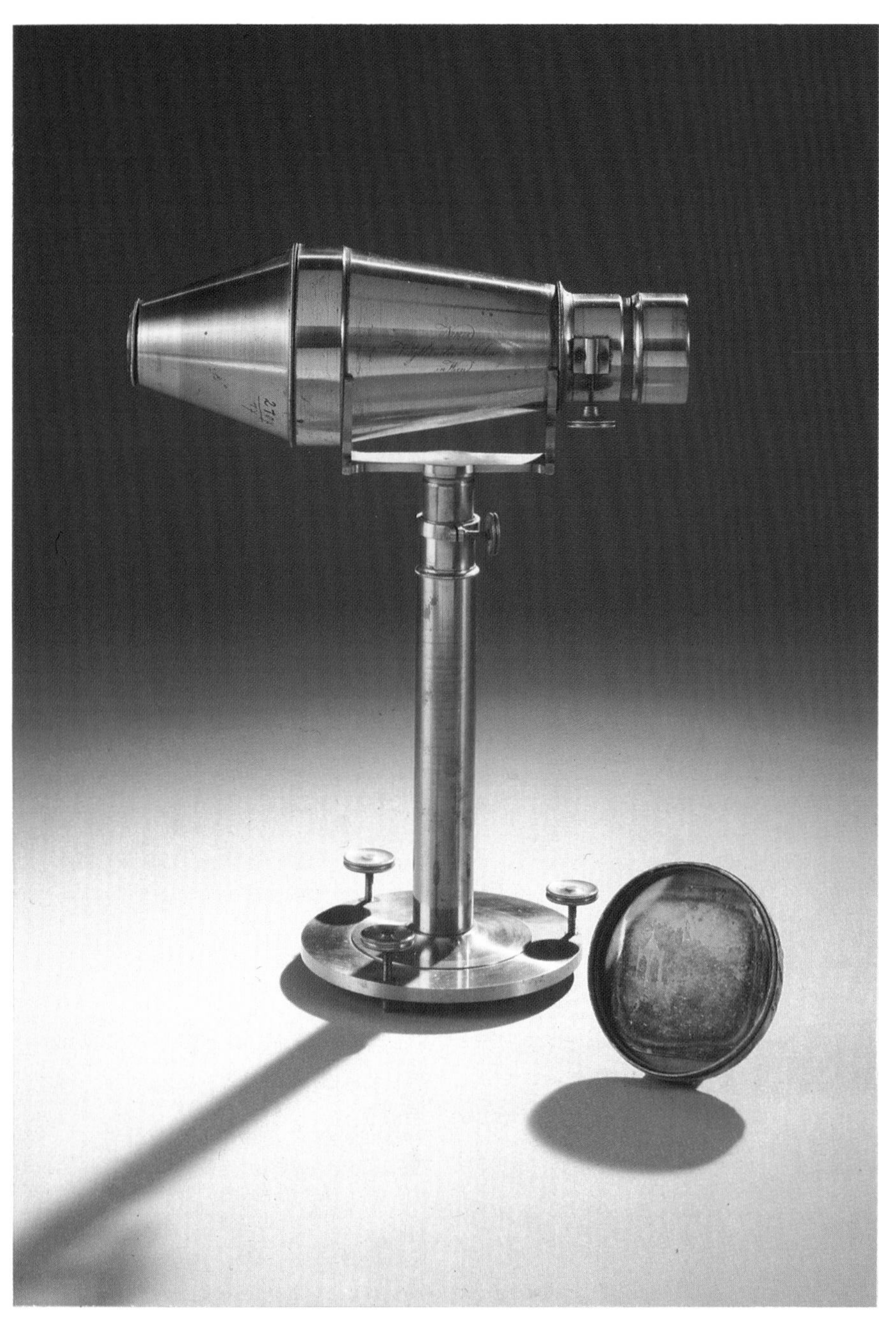

Kat. Nr. 14/28

**14/27**
**Fernrohr**

Simon Plößl, Wien um 1840
Messing, Schildpatt, L.: 11 cm, Dm.: 5 cm
Wien, Technisches Museum, Inv. Nr. 10.800

**14/28**
**Daguerrotypiekamera**

Voigtländer und Sohn, Wien um 1845
Messing, 30 × 16 × 36 cm
Wien, Technisches Museum, Inv. Nr. 2.107

Die von Peter Wilhelm Voigtländer in Wien in Serie erzeugte und ab 1841 verkaufte erste Ganzmetallkamera der Welt war mit dem „Petzval-Porträt-Objektiv" ausgestattet.
GM
Abbildung

**14/29**
**Porträt-Objektiv**

Carl Dietzler, Wien
Messing, Glas, L.: 19 cm, Dm.: 11,5 cm
Wien, Technisches Museum, Inv. Nr. 13.537

Josef Maximilian Petzval, seit 1836 Professor der höheren Mathematik an der Universität Wien, berechnete gleich nach der ersten öffentlichen Vorführung der Fotografie in Paris im Jahre 1839 ein gegenüber dem Objektiv von Daguerre wesentlich lichtstärkeres Objektiv, das als „Petzval-Porträt-Objektiv" Weltruf erlangte.
Siehe Kat. Nr. 14/4.
GM

**14/30**
**Nähkopf einer Nähmaschine**

Joseph Madersperger (1768–1850)
Wien, um 1833
Messing, 37 × 21 × 31 cm
Wien, Technisches Museum, Inv. Nr. 12.926

Joseph Madersperger beschäftigte sich mehrere Jahrzehnte hindurch mit der Konstruktion von Nähmaschinen. Nur von seiner um 1833 gebauten fünften Maschine ist der als „Hand" bezeichnete eigentliche Nähteil erhalten geblieben. Madersperger hatte mit seinen Konstruktionen, die keines der wesentlichen Elemente einer Nähmaschine im heutigen Sinn aufweisen, keinen Erfolg und auch keinen Einfluß auf die Entwicklung der Nähmaschine. Sie zeigen aber die Aufgeschlossenheit eines Handwerkers im biedermeierlichen Wien für die Mechanisierung seiner Arbeit.

*Lit.: Hellmut Janetschek, Neuere Forschungsergebnisse über Maderspergers Nähmaschinen. In Blätter für Technikgeschichte, 41./42./43. Heft, Wien 1979/80/81.*
GM
Abbildung

**14/31**
**Werkzeichnung für eine Nähmaschine**

Josef Madersperger, 1815
Feder, 41 × 54 cm
Sign. u. dat. Mi. u.: Wien d. 15. May/1815, Josef Madersperger/bürgerlicher Schneidermeister/Erfinder der Nähmaschine.
Wien, Hofkammerarchiv, Nr. 30

Der Kufsteiner Josef Madersperger beschäftigte sich in Wien seit 1808 mit einer Nähmaschine. Sein Ansuchen um ein Privilegium 1815 für die Nähmaschine brachte auch die Objektivierung eines Erfinderschutzes ins Rollen.
ReWi
Abbildung

**14/32**
**Mustertafel mit elastischen Bändern**

Johann Nepomuk Reithoffer (1781–1872), Wien 1835
Tafel Karton, Bänder Gummigewebe; Tafel 44 × 33 cm
Wien, Technisches Museum, Inv. Nr. 24.553

Johann Nepomuk Reithoffer entwickelte in Wien ein Verfahren, aus umsponnenen Kautschukfäden elastische Gewebe für Hosenträger, Bandagen usw. herzustellen. Mit diesem Verfahren, auf das ihm 1831 ein Privilegium zur ausschließlichen Verwertung verliehen wurde, begründete Reithoffer die Kautschukweberei.
GM

**14/33**
**Ziehharmonika**

Christian Steinkellner, Wien 1845
Holz, Papier, 22 × 9 × 8 cm
Wien, Technisches Museum, Inv. Nr. 20.041

1829 erhielt Cyrill Demian ein Privilegium für die „Akkordeon"-Produktion. Damit begann von Wien aus der Siegeszug der Ziehharmonika.

**14/34**
**Ziehharmonika**

Josef Müller, Wien um 1840
Holz, Papier, Messing, 21 × 7,5 × 8 cm
Wien, Technisches Museum, Inv. Nr. 20.035

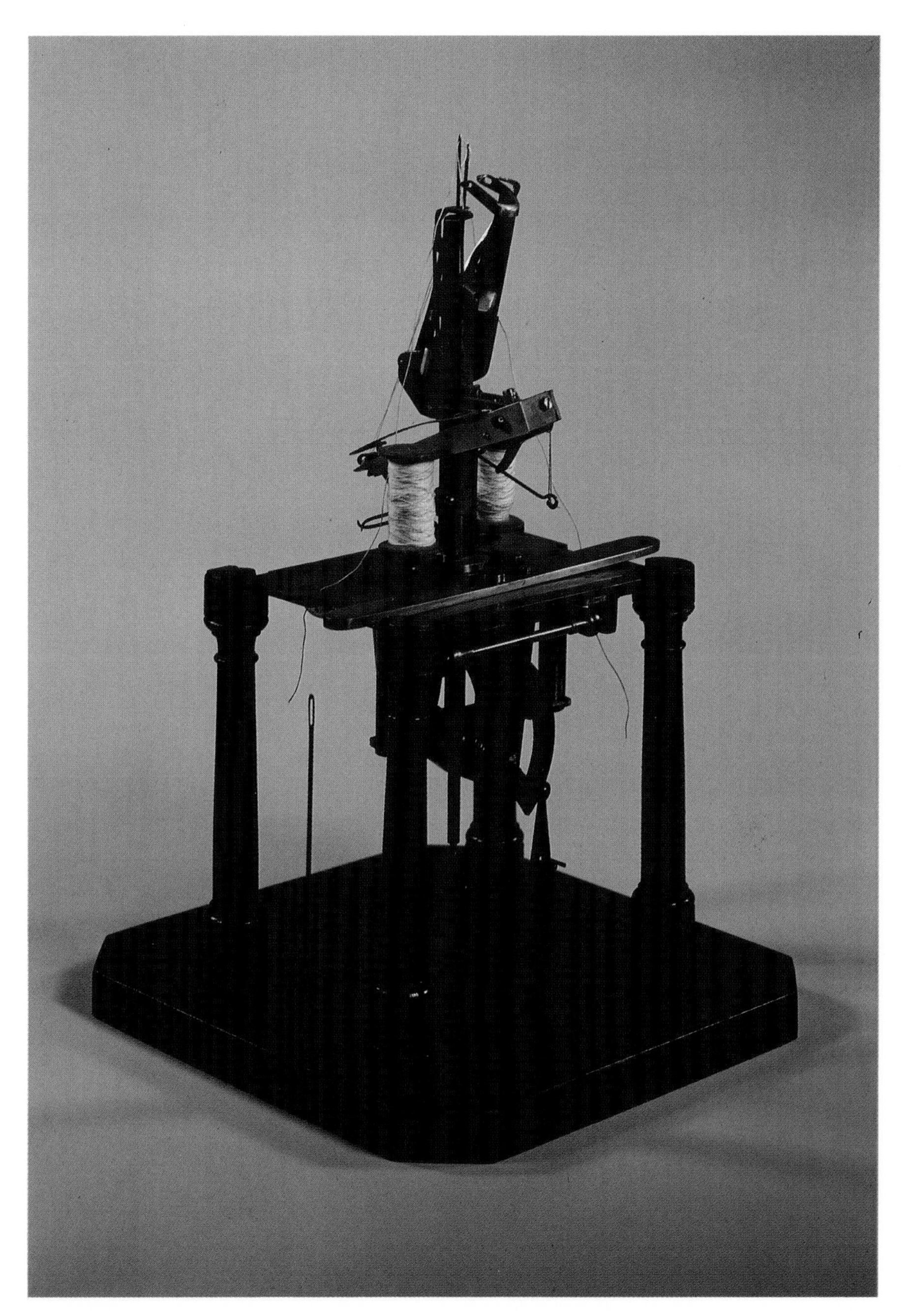

Kat. Nr. 14/30

# KAPITEL 15

# ALLTAG IN DER STADT

Die Epoche des Biedermeiers, oft literarisch-nostalgisch gleichgesetzt mit der „guten alten Zeit", wurde immer wieder in der Betrachtung des Alltags simplifiziert. Doch gerade in diesem Zeitraum vollzogen sich enorme Veränderungen im wirtschaftlichen und gesellschaftlichen Bereich, die schließlich zur Revolution 1848 führten.

Die überlieferten Bildquellen und schriftlichen Schilderungen aus jener Zeit klammern die Problematik der veränderten Sozialstruktur aus. Denn die idyllisch anmutenden Darstellungen geben kein adäquates Bild der Verhältnisse in der Residenzstadt. Deshalb wird besonderer Wert auf Gerätschaften, Modelle usw. gelegt, um die Dynamik des Wandels zu demonstrieren. Nostalgischen Handwerksszenen werden Geräte, die die Mechanisierung des Handwerks verdeutlichen, gegenübergestellt. Vermehrte Frauen- und Kinderarbeit wiederum drückte das Lohnniveau in der Fabrik. Mit neuen landwirtschaftlichen Geräten begann die Ausbeutung des Bodens.

Auch die Lebenserhaltung gibt ein Spiegelbild jener Zeit: So nahm z. B. die billige Kartoffel als Grundnahrungsmittel immer mehr zu – einige Kochgeräte wurden für sie erfunden –, aber auch der Zucker- und Kaffeeverbrauch stieg an. Die berühmte Sachertorte war eine „Erfindung" der Biedermeierzeit. Der Weg von der „Ruß- bzw. Rauchküche" zum Sparherd vollzog sich ebenfalls in jener Zeit.

Als Komplement zur Berufsarbeit trat nun immer mehr der Freizeitbegriff, den man in der positiven antiken Muße-Bedeutung als „Freiheit zu schöpferischem Tun" auffaßte. Der einzelne nahm nun mehr Anteil an dem künstlerischen Schaffen seiner Zeit, als Erlebender oder auch als Ausführender – oft als Dilettant. Aber auch viele Lustbarkeiten, im Barock lediglich dem Adel vorbehalten, wurden in großem Ausmaß breiteren Bevölkerungsschichten zugänglich.

Die traditionellen Gemeinschafts- und Familienbeziehungen lockerten sich, anstelle der großen Haushaltsfamilie trat die Kleinfamilie, in der eine besondere Innerlichkeit zum Ausdruck kam. Der Erziehung des bürgerlichen Kindes kam eine große Rolle zu; Bilderbücher und Spielzeug verdeutlichen die diversen pädagogischen Bemühungen.

# DER WANDEL DER FAMILIENSTRUKTUR IM WIENER BIEDERMEIER

*Josef Ehmer*

Michael Neder, Bürgerliche Familie, 1854

Vormärz und Biedermeier gelten weithin als jene historische Epoche, in der die Familie einen besonders hohen Stellenwert im Leben der Gesellschaft einnahm. „Von öffentlicher Tätigkeit ausgeschlossen, wandte sich das Bürgertum unpolitischen Bereichen zu. Das Leben spielte sich im kleineren Kreis, in der Familie und unter Freunden, ab. Die Geselligkeit erfuhr eine besondere Pflege"[1], lautet das knappe Urteil unserer Schulbücher. Diese Sichtweise hat eine lange Tradition. Ignaz Castelli (1781–1862), einer der ersten und erfolgreichsten Autoren, die sich nostalgisch der „guten, alten Zeit" vor der industriellen und politischen Umwälzung zur Mitte des 19. Jahrhunderts erinnerten, beschreibt „das gewöhnliche, ordnungsgemäße Leben eines Wiener Bürgers" als harmonische Verbindung von Arbeit, Stammtisch und Familie: Er führte „im Sommer an einem Sonntage sein Weib und seine Kinder in den Prater, aß dort mit ihnen beim wilden Mann oder beim Papperl für einen Gulden Bankozettel 12 Speisen, ließ nachmittags seine Kinder im Ringelspiel fahren, zeigte ihnen das Marionettentheater, und die ganze Familie versäumte nie, sich auf der in einer Bude befindlichen Waage wägen zu lassen und sich recht herzlich zu freuen, wenn eines oder das andere seit dem vorigen Jahre um ein halbes Pfund schwerer geworden war"[2]. Emil Ertl, der aus einer alten Wiener Seidenweberfamilie stammende Erfolgsautor der ersten Jahrzehnte unseres Jahrhunderts, ließ in seinen Familienromanen die „Idylle" einer Zeit aufleben, in der „urväterliches Einvernehmen herrscht zwischen Meister und Gesellen"[3]. Haben wir es hier mit einem langlebigen Mythos zu tun oder mit einer Beschreibung der Realität?

Was das Bürgertum selbst betrifft, ist diese Frage schwer eindeutig zu beantworten. Tatsächlich weisen verschiedene Indizien auf einen hohen Stellenwert der Familie in der Lebensweise des vormärzlichen Bürgertums hin. Zeitgenössische Autobiographien, die nicht für die Veröffentlichung bestimmt waren, Tagebücher und andere Quellen lassen ein dichtes Netz von Familienbeziehungen sichtbar werden[4]. Allerdings erscheinen sie nicht als idyllische Sphären des Rückzugs in ein gemächliches Dasein, sondern weit eher als Ausdruck gezielter sozialer und ökonomischer Strategien. Für das Bürgertum, das sich eben erst durchzusetzen begann, waren gesellige Zusammenkünfte, eine zielgerichtete Heiratspolitik und die Pflege von Familien- und Verwandtschaftsbeziehungen Medien wirtschaftlicher Absicherung und Expansion sowie Formen des Aufbaus stabiler sozialer Kontakte, eben einer „zweiten Gesellschaft". Das Kapital war in dieser frühen Phase der kapitalistischen Entwicklung noch stark an die Erfahrungen, Kenntnisse und persönlichen Beziehungen seiner Besitzer gebunden. Technisch und kaufmännisch ausgebildetes Personal war rar, und man versuchte, viele der Funktionen, die in späteren Jahrzehnten Angestellten oder Managern übertragen wurden, an Familienangehörige zu delegieren. Die Söhne von Fabrikanten wurden nach Möglichkeit als Comptoiristen, Werkführer oder einfach Gesellschafter im Familienbetrieb eingesetzt, wie dies etwa beim berühmten Gumpendorfer Textilfabrikanten Philipp Haas oder dem Mariahilfer Schalfabrikanten Sebastian Hajter der Fall war[5]. Eine gediegene Ausbildung konnten sie am ehesten in der Praxis erlernen, und man versuchte, sie als Praktikanten bei erfolgreichen und innovativen Geschäftsfreunden unterzubringen, die man sich über gesellige Kontakte verpflichtet hatte. Die Verheiratung der Töchter war gut geeignet, zwischen Unternehmerfamilien stabile Beziehungen herzustellen oder sich in weitere soziale Kreise zu integrieren: Angehörige der höheren Bürokratie, Professoren des Polytechnikums, Ärzte oder Rechtsanwälte waren angestrebte „Partien". Wenn Paul Mestrozzi, um 1820 einer der größten Seidenunternehmer Wiens, seine Tochter an den Spitzenfabrikanten Ludwig Damböck verheiratete und für das junge Paar ein neues Fabrikshaus errichtete, für das er selbst die Baupläne gezeichnet hatte, so ist dies Ausdruck der Überlagerung von Familien- und Geschäftsstrategien wie der Notwendigkeit, technische und geschäftliche Erfahrungen persönlich weiterzugeben[6]. Die Chroniken von Wiener Unternehmerfamilien aus dieser Zeit sind ebenso voll von derartigen „Liebesgeschichten und Heiratssachen" (Johann Nestroy) wie die Komödien des Volkstheaters.

Wenn wir allerdings die geselligen Zirkel der bürgerlichen Salons verlassen und hinabsteigen in die Werkstätten der Handwerker, in die Wohnungen der

Kat. Nr. 17/33 Aus dem Erinnerungsbuch Baumann: Einkehr in Weidlingau, 1822

Handarbeiterinnen und in die Quartiere der Taglöhner, so ändert sich das Bild radikal. Für die unteren Schichten der Gesellschaft, und das heißt für ihre Mehrheit, war das Biedermeier alles andere als ein idyllisches Familienleben. Ganz im Gegenteil können wir in dieser Periode den Zerfall und die Auflösung von Familienstrukturen konstatieren. Eine zunehmende Zahl von Menschen lebte ohne eigene Familie, als Lehrling, Geselle oder Dienstbote im Haushalt des Arbeitgebers oder fand als Bettgeher oder Untermieter eine kärgliche und unstabile, vereinzelte Existenz.

Werfen wir zunächst einen Blick auf die Statistik. Alle demographischen Langzeitreihen, die uns zur Verfügung stehen, zeigen in der ersten Hälfte des 19. Jahrhunderts einen übereinstimmenden Verlauf: Das Heiratsalter stieg, der Anteil der Verheirateten sank, und die Zahl derjenigen, die ohne eigene Familie in fremden Haushalten mitlebten, nahm zu. Parallel zur Veschlechterung der Heiratsmöglichkeiten stieg auch der Anteil der unehelichen Geburten stark an. Zwar bestand in der Großstadt Wien schon zu Ende des 18. Jahrhunderts eine höhere Unehelichkeit als auf dem umliegenden Land: Um 1800 war in ganz Niederösterreich eine von zehn Geburten unehelich, in Wien dagegen eine von vier. Gegen Ende des Vormärz hatte sich dieses Verhältnis jedoch wesentlich verschärft: Nun kam knapp die Hälfte aller in Wien geborenen Kinder unehelich zur Welt[7].

Mitunter erhöhten gerade geringe Heiratschancen die Motivation für ein Kind. Im Jahre 1828 beklagte etwa der Bischof von Wien das unmoralische Verhalten von Mägden, das im Lauf von Visitationen offenkundig wurde. Manche äußerten, daß sie, wenn sie schon ledig bleiben müßten, auch an unehelichen Kindern im Alter eine Stütze haben würden[8]. Diese Erwartung realisierte sich aber in der Praxis nicht. Bei ihren Dienstgebern wohnenden Frauen war es kaum möglich, uneheliche Kinder selbst aufzuziehen. Die meisten von ihnen brachten ihre Kinder im „Gebärhaus" zur Welt und gaben sie dann an das „Findelhaus" weiter, von wo sie, wenn sie ihre ersten Monate überlebten, auf Kosten des Magistrats zu Zieheltern auf dem Land gegeben wurden. Das Gebärhaus und das Findelhaus, beide 1784 gegründet, erlangten im Vormärz in Wien eine steigende Bedeutung[9]. Zur Mitte des 19. Jahrhunderts nahmen sie rund 83 Prozent aller unehelich, und somit rund 41 Prozent aller in Wien geborenen Kinder auf. In einer Zeit, der ein idyllisches Familienleben nachgesagt wird, bekamen rund zwei Fünftel aller Neugeborenen ihre Eltern nie zu Gesicht! Unter diesen Bedingungen war auch die Kindersterblichkeit hoch: In der ersten Hälfte des 19. Jahrhunderts bestand in Wien fast die Hälfte aller Sterbefälle aus Kindern unter zehn Jahren, und von zehn Neugeborenen überlebten drei bis vier das erste Lebensjahr nicht.

Diese Auflösungserscheinungen des Familienlebens der unteren Schichten bildeten sich in Wien im Vormärz heraus und prägten das soziale Leben bis in die 1860er Jahre. Erst in der Gründerzeit zeichnet sich eine Trendumkehr ab. Die wichtigsten Ursachen dieser Verhältnisse sind im sozial-ökonomischen Wandel dieser Epoche begründet. In den ersten Jahrzehnten des 19. Jahrhunderts war Wien ökonomisch von der hausindustriellen Textilerzeugung geprägt. Diese Produktionsweise brachte in der arbeitenden Bevölkerung dichte Familienbeziehungen hervor. Sie bot Männern wie Frauen, Kindern wie alten Menschen Beschäftigung, und für manche Arbeiten war es sogar notwendig, daß mehrere Familienangehörige zusammenarbeiteten: Mann und Frau saßen am Webstuhl, Kinder spulten das Garn auf die Schiffchen oder halfen durch das Ziehen der Kettfäden an Seidenwebstühlen an der Herstellung komplizierter Muster mit. Die beginnende Mechanisierung der Textilindustrie führte jedoch zu ihrer Abwanderung aus Wien. Die Fabrikanten suchten die Wasserkraft der ländlichen Bäche und die niedrigen Löhne der nun verwendbaren weniger qualifizierten Arbeiter. In Wien expandierte dagegen die kleingewerbliche Produktion nahezu aller Branchen: Schuh- und Kleidermacher, Tischler, Schlosser usw. nahmen immer mehr Arbeitskräfte auf. Dieser Sektor war gerade deswegen konkurrenzfähig, weil er die alten handwerklichen Sozialbeziehungen auch in der neuen industriellen Welt beibehielt. Lehrlinge, Gesellen und Mägde blieben ledig, lebten im Haushalt der Meister und erhielten nur einen geringen Lohn, der zum Unterhalt einer Familie nicht ausgereicht hätte. Schieden sie in höherem Alter doch aus den Arbeitgeberhaushalten aus, so blieb meist nur das Los eines ebenfalls alleinstehenden Bettgehers. An die Stelle des familiengebundenen hausindustriellen Arbeiters trat im Vormärz immer mehr der alleinstehende Geselle. Daß sich ein Dutzend und mehr Lehrlinge, Gesellen und auch eine oder zwei Mägde im

Haushalt eines einzigen Meisters zusammendrängten, war um die Mitte des 19. Jahrhunderts in Wien keine Seltenheit. Die oben dargestellten demographischen Tendenzen sind der zahlenmäßige Ausdruck dieses sozialen Wandels[10].

Wenn unselbständige Arbeiter, Gesellen oder Dienstboten im Wiener Biedermeier eine Familie gründen wollten, hatten sie aber nicht nur wirtschaftliche und soziale, sondern auch rechtliche Hindernisse zu überwinden. Sie bedurften „zu ihrer Verehelichung der Bewilligung, Erlaubniß, des Vorwissens oder der Entlassung" einer ganzen Reihe von Obrigkeiten. In Wien durften nur die folgenden „Classen" ohne ausdrückliche Bewilligung der politischen Obrigkeit heiraten: „1] der Adel; 2] alle landesfürstlichen, ständischen, städtischen, Fonds= und herrschaftlichen Beamten; 3] Doctoren, Magister, Professoren und Lehrer der öffentlichen Schul= und Erziehungs=Anstalten; 4] Advokaten und (von den höchsten Behörden creirte) Agenten; 5] alle Bürger; 6] alle Haus= und Güterbesitzer; 7] alle Personen, welche mit einem Meisterrechte, Landesfabriks= oder stadthauptmannschaftlichen Befugnisse versehen sind . . . Alle übrigen unter den genannten Classen nicht begriffenen Personen aber haben vor ihrer Verehelichung die Bewilligung anzusuchen, und dürfen vor Erhaltung derselben nicht getrauet werden", wie es in einem Handbuch über das österreichische Eherecht aus dem Jahr 1846 heißt[11]. „Diese Ehebeschränkungen", so fährt der Autor fort, „und daher nothwendige Nachsuchungen und Ertheilung der Ehe=Licenz, finden wegen der ärmeren und gemeinern Volksclasse statt, um vorläufig den Nahrungsunterhalt und die Erwerbsfähigkeit der Bittsteller zu untersuchen".

Insbesondere Handwerksgesellen wurden einer genauen Prüfung unterzogen. „Ein Handwerksgeselle, der sich in Wien verehelichen will, muß 1] zuvor darthun, daß er einige Jahre als Geselle gedienet, und sich gut betragen habe; 2] muß er die Möglichkeit ausweisen, sich und seine künftige Familie durch eigenen, oder vereinigten Erwerb seines Weibes zu erhalten; 3] muß er die Erlaubnis zur Verheirathung bei dem Magistrate ansuchen . . ."[12]. Schon diese Formulierungen zeigen, daß der politische Ehekonsens der Obrigkeit als Mittel zur Disziplinierung der arbeitenden Bevölkerung diente. Die Praxis war aber noch um einiges komplizierter, als die Gesetzestexte erwarten lassen. Dies zeigt beispielhaft der Schriftverkehr, den der Gärtnergeselle Leopold Heuschmid im Frühjahr 1842 führte, um die Erlaubnis zur Heirat der Köchin Anna Bodendorfer zu erhalten[13].

Kat. Nr. 15/19 Franz Heinrich, In einer Schneiderwerkstätte, 1835

Leopold Heuschmid wurde 1803 in der Vorstadt Margarethen als Sohn eines bürgerlichen Schuhmachers geboren, er war, als er sich 1842 erstmals verheiraten wollte, also 39 Jahre alt. Er wohnte in diesem Jahr im Vorort Sechshaus und arbeitete hier bei dem bürgerlichen Gärtner Mathias Leist. Seine Braut Anna war bereits 42 Jahre alt, wie er selbst bisher ledig. Sie war die Tochter eines Müllers aus Oberösterreich und lebte und arbeitete als Köchin bei Frau Theresia Richter, einer „Advokatensgattin" in der Leopoldstadt.

Als erstes brauchte Leopold Heuschmid ein Zeugnis seines Arbeitgebers, der sein „treues, fleißiges und sittliches Betragen" bestätigen und angeben sollte, wie lange der Geselle bei ihm in Arbeit gestanden habe und wie hoch sein Verdienst sei. Dieser war übrigens bei Leopold Heuschmid nicht schlecht, er erhielt 6 Gulden (Conventions-Münze) die Woche. Weiters war ein „Wohnungs= Zeugnis" erforderlich, in dem der Hausbesitzer der Behörde mitteilen mußte, daß und seit wann der „Bittsteller" in seinem Haus wohnhaft sei. Der Hausbesitzer war übrigens auch dann zuständig, wenn der um den Ehe-Konsens Ansuchende nicht selbst der Mieter war, sondern als Bettgeher oder Untermieter lebte. Häufig fühlten sich die Hausbesitzer dazu berufen, vor der Ausstellung des Zeugnisses nachzuprüfen, ob sich „Anstand an seinem (also des Ehekandidaten, J. E.) Lebens Wandel findet", wie eine übliche Formulierung lautete. Sie befanden sich damit in völliger Übereinstimmung mit den zeitgenössischen Grundsätzen der „modernen Polizei": „Hausinhaber und Hausbesorger sollen die Inwohner anzeigen, sobald sich ein gegründeter Verdacht in Ansehung ihrer Person, ihres Lebenswandels oder der Art der Erwerbung erhebt . . . und jeder Hauseigentümer soll über alle in seinem Hause wohnenden Parteyen Auskunft zu geben im Stande seyn"[14]. Lag von seiten des Hausbesitzers „keine Einwendung zur Verehelichung" seines Mieters oder Bettgehers vor, so stellte er das „Wohnungs-Zeugnis" aus. Damit es Gültigkeit erlangte, mußte es allerdings noch vom Ortsrichter gegengezeichnet werden. Unser Leopold Heuschmid hatte es dabei insofern leichter, als sein Hausherr, Johann Plunzer, zugleich der Ortsrichter in Sechshaus war.

Zusätzlich waren der Taufschein, mit dem die Großjährigkeit nachgewiesen wurde, und ein „Conscriptions-Zeugnis" der Militärbehörde erforderlich. Diese Dokumente reichte Leopold Heuschmid nun mit der „gehorsamsten Bitte um den ortsobrigkeitlichen Consens zur Verehelichung“ bei der Grundherrschaft seines Wohnorts ein. Im Fall des Vororts Sechshaus war dies das Barnabiten-Kollegium St. Michael. Dessen Oberamtmann hatte nichts gegen die Verehelichung Heuschmids einzuwenden, benützte aber die Gelegenheit, um dem Bittsteller zu „bedeuten, daß er sich um eine giltige Aufenthaltsbewilligung . . . zu bewerben habe, in dem er durch seine Verehelichung in die hiesige Jurisdiktion nicht übertritt.“ Versehen mit diesem positiven Bescheid der Ortsobrigkeit konnte sich Leopold Heuschmid nun an die eigentlich für ihn zuständige politische Behörde, an seine Geburtsobrigkeit wenden. Geboren in Margarethen, handelte es sich dabei um den Wiener Magistrat, an den Heuschmid nun alle bisher bestätigten Dokumente nebst einer weiteren Bittschrift sandte: „Dieser löbliche Magistrat geruhe mir zur Verehelichung mit Anna Bodenhofer die nöthige Bewilligung sobald als möglich in Gnade zu ertheilen . . .“. Leopold Heuschmid schien sich dabei im übrigen nicht für würdig genug gehalten zu haben, den Antwortbescheid des löblichen Magistrats selbst in Empfang zu nehmen: Er bat, ihn dem Herrn Dr. Richter jun., vermutlich der Sohn der Dienstgeberin seiner Braut, zustellen zu lassen.

Auch der Magistrat erteilte seine Zustimmung, und so konnten sich die Brautleute nun an die zuständige Pfarre wenden. Der Pfarrer war dafür verantwortlich, die bisher erteilten Bewilligungen ein weiteres Mal zu überprüfen und darüber hinaus festzustellen, ob „der Bräutigam in der Religion gut unterrichtet“ sei. Nachdem auch dies zu seiner Zufriedenheit ausgefallen war, stand nun der öffentlichen Verkündigung der Heiratsabsicht „in der Pfarrkirche zu Reindorf zu drey verschiedenen Malen“ nichts mehr im Wege. Auch dabei wurden „gegen ihre eheliche Verbindung keine gesetzlichen Hindernisse entdeckt“, und so konnten der Gärtnergeselle Heuschmid und die Köchin Bodenhofer nun endlich zur Trauung schreiten.

Wie viele Handwerker und Arbeiter vor dieser Prozedur zurückschreckten und auf die Ehe verzichteten und wie vielen von den Behörden die Erlaubnis zur Heirat verweigert wurde, können wir mit Genauigkeit noch nicht sagen. Eindeutig geht aber aus diesem und ähnlichen Dokumenten hervor, in welch hohem Maß die Familiensphäre der Menschen im Vormärz Gegenstand obrigkeitlicher Überwachung und Einflußnahme war. Arbeitgeber, Hausherr, Grundherrschaft, Geburtsobrigkeit, Militär und Kirche, kurz alle Gewalten, mit denen ein Angehöriger der arbeitenden Klassen im Alltag in Konflikt geraten konnte, waren angehalten, über seine Heiratswürdigkeit zu entscheiden. Was immer die Familie im Biedermeier war, eine Privatangelegenheit war sie jedenfalls nicht.

**Anmerkungen:**

[1] H. Lein, F. Weissensteiner, Geschichte und Sozialkunde (7. Klasse AHS). Wien 1972, S. 121.

[2] Aus dem Leben eines Wiener Phäaken 1781–1862. Die Memoiren des J. F. Castelli, hrsg. von A. Saager. Stuttgart 1912, S. 84 f.

[3] E. Ertl, Im Haus zum Seidenbaum. Leipzig 1926, S. VIII.

[4] Vgl. dazu den Bestand von Familiengeschichten, Autobiographien und Tagebüchern von Wiener Seidenfabrikanten im Archiv des Bezirksmuseums Wien-Neubau, insbesondere das von 1827 bis 1860 reichende Tagebuch der Josepha Chwalla. Für entsprechende Hinweise danke ich Frau Dr. Elfriede Faber.

[5] J. Ehmer, Volkszählungslisten als Quelle der Sozialgeschichte; in: Wiener Geschichtsblätter 35 (1980), H. 3, S. 121 f.

[6] P. Mestrozzi, Die wichtigsten Momente meines Lebens gewidmet seinen Nachkommen zur stäten Erinnerung im Jahre 1839. Handschrift im Museum für angewandte Kunst in Wien, S. 301 f.

[7] Eine ausführliche Darstellung der hier und im folgenden angeführten statistischen Daten bei J. Ehmer, Familienstruktur und Arbeitsorganisation im frühindustriellen Wien. Wien 1980.

[8] E. Weinzierl-Fischer, Visitationsberichte österreichischer Bischöfe an Kaiser Franz I. (1804–1835); in: Mitteilungen des österreichischen Staatsarchivs VI (1953), S. 240.

[9] F. X. Ritter v. Sickingen (= J. Schweickhardt), Darstellung der k. k. Haupt- und Residenzstadt Wien. Wien 1832, S. 268 f.

[10] Ausführlich dazu Ehmer, Familienstruktur (wie Anm. 7).

[11] Das in den k. k. österreichisch-deutschen Ländern bestehende Ehe-Recht, hrsg. v. P. Baldauf, Graz 1846 (3. Aufl.), S. 31.

[12] Ebenda, S. 31 f.

[13] Sämtliche angeführte und im folgenden zitierte Dokumente aus dem Archiv des Bezirksmuseums Wien-Rudolfsheim-Fünfhaus.

[14] G. Zimmermann, Wesen, Geschichte, Literatur, charakteristische Thätigkeiten und Organisation der modernen Polizei. Hannover 1852, S. 59 (zit. nach W. Pircher, Mutmaßungen über den Vormärz; in: Wien im Vormärz, hrsg. v. R. Banik-Schweitzer u. a., Wien 1980, S. 7).

# VOM BRILLANTEN-GRUND ZUR FAVORITEN-LINIE. Zum Wandel der Produktion im Wiener Vormärz

*Gerhard Meißl*

„Es war wie ein ganzes Konzert: dieses Klappern und Ächzen der Weberschemel und des Geschirrs, das mit den Schächten bedächtig auf- und niederrasselte, dieses Kollern des Gerölls und Klopfen des Bandmacherrechens, dieses Knarren der Korden und Klirren der Platinen, begleitet von dem leidenschaftlichen Schwirren der Winden und dem besonnenen Schnurren der Schweifrahmen, während die behaglichen Spulmaschinen in der Tiefe mitbrummten und das gleichmäßige Pochen der Weberladen langsam und gemessen den Takt dazu schlug." In so schwärmerischer Bildersprache schwelgt Emil Ertl, Sproß einer alten Schottenfelder Seidenzeugmacherfamilie, in Erinnerung an die „biederen Handwebstühle" und ihre Musik, „die aus all den vielen Fenstern der Hinterhäuser und Fabriksgebäude ertönte, die unsern Hof und Garten einschlossen. Es war die Musik, die seit den Tagen der großen Kaiserin Maria Theresia und ihres aufgeklärten Sohnes dieser fleißigen und tüchtigen Vorstadt ihr besonderes Gepräge aufgedrückt hatte, bis zu dem Zeitpunkt, wo der Großteil der Fabrikation mechanisch geworden war und allmählich in ferne Provinzorte hinaus verlegt wurde."[1]

Eine anheimelnde Idylle, wie man auf Grund dieser Schilderung vermuten möchte, war die Arbeit der Wiener Seidenweber natürlich nie, auch nicht, als noch ganz konventionell handwerklich produziert wurde, in anderer Hinsicht ist der Text jedoch realitätsnah. Die Seidenverarbeitung war die erste Wiener Branche, wo in großem Stil kapitalistisch für einen überregionalen Markt gewirtschaftet wurde. Die Voraussetzungen dafür waren hier besonders günstig – zum einen sorgten der Hof, ein Heer von Adeligen und eine breite Schicht wohlhabender Bürger für eine Massierung zahlungskräftiger Nachfrage wie nirgendwo sonst im Habsburgerreich, zum anderen sicherten eine lange Gewerbetradition sowie fachkundige Zuwanderer aus dem westlichen Ausland das nötige Reservoir an entsprechend qualifizierten Unternehmern und Arbeitskräften. Durch den Ausfall der den Markt dominierenden Lyoner Konkurrenz im Zusammenhang mit der Französischen Revolution und die Abtrennung der italienischen Provinzen mit ihrer ebenfalls traditionsreichen Seidenindustrie während der Napoleonischen Kriege eröffneten sich besonders günstige Chancen. Unter diesen Bedingungen konnte die Seidenverarbeitung so expandieren, daß für die Zeit um 1810 der Anteil der in dieser Branche Beschäftigten auf ein Fünftel der Wiener Berufstätigen geschätzt wurde. Lokales Produktionszentrum war das im 18. Jahrhundert vom Grundherrn Schottenstift mit viel Gespür für einträgliche Verwertungschancen zur Verbauung freigegebene Schottenfeld. Bei einigermaßen gutem Geschäftsgang boten die hier ansässigen Betriebe nicht nur vielen Tausenden Arbeit und Brot, für etliche der größeren „Seidenfabrikanten", wie sie damals schon hießen, war darüber hinaus ein ganz respektabler Profit dabei, den sie auch in demonstrativem Luxuskonsum zur Schau stellten, was der Gegend den vielsagenden Namen „Brillantengrund" eintrug.

Für Produktionszweige, die schon nach der Jahrhundertwende den Durchbruch zur mechanisierten Fabrik schafften, war Wien nicht nur wegen der hier bestehenden politisch-gesellschaftlichen Hemmschwellen, die weiter unten zu erörtern sein werden, ein eher ungünstiger Standort. Da Wasserkraft noch die weitaus dominierende Antriebsenergie war, bevorzugten solche Betriebe Gegenden mit wasserreichen Flüssen, wie sie etwa Niederösterreich, Böhmen oder Vorarlberg hatten, darüber hinaus waren natürlich auch die Wiener Bodenpreise für großflächige Werksanlagen zu hoch, ebenso bedeuteten die hohen Lebenshaltungskosten für hochqualifizierte großstädtische Arbeitskräfte einen Wettbewerbsnachteil, wenn man das niedrigere Lohnniveau der Provinz, noch dazu mit billigeren unqualifizierten, oft weiblichen Maschinenarbeitern nützen konnte. Wiener Unternehmer, die frühzeitig den Übergang zur Fabriksproduktion riskierten, taten dies häufig außerhalb der Stadt, wie der Seidenfabrikant Christian Georg Hornbostel 1817 in Leobersdorf an der Triesting oder der Möbelstoffabrikant Philip Haas 1845 in Mitterndorf bei Moosbrunn (jeweils in Niederösterreich). Anders als etwa die Baumwollindustrie, deren Mechanisierung schon seit der Jahrhundertwende rasche Fortschritte gemacht hatte, wurde die Seidenverarbeitung den ganzen Vormärz hindurch fast zur Gänze handwerksmäßig betrieben. Das feine, kostbare Gewebe und die komplizierten, modeabhängigen Muster waren einer maschinellen Massenfertigung noch kaum zugänglich. An der Einführung oder Verbesserung händisch

Kat. Nr. 15/13 Der Weber. Aus der Serie: Der Mensch und sein Beruf

betriebener mechanischer Vorrichtungen, überhaupt an neuen Fertigungsmethoden zur Steigerung der Produktivität bzw. zur Herabsetzung der Produktionskosten bestand freilich großes Interesse. Paul Mestrozzi, einer der rührigsten Wiener Seidenzeugmacher, preist etwa in seinen Lebenserinnerungen die Vorteile eines 1817 von ihm entwickelten Flammierungsverfahrens: „. . . weil bei dieser neuen Methode erstens die Bearbeitung von dem unkundigsten Arbeiter ohne Fehler gemacht werden konnte, zweytens weil in einem Tage mehr als bei der älteren Methode in 3 Wochen hervorgebracht werden konnte und drittens, weil der durch Zeitverlust und Geldauslagen hervorgehende Kostenaufwand hiedurch von 100 f auf 10 f zurückgebracht worden ist, wodurch die Möglichkeit erreicht wurde, ein größeres Quantum und um einen geringeren Preis zu erzeugen und zu verkaufen . . ."[2]

Neue, im Ausland entwickelte Geräte waren aus Konkurrenzgründen meist nur schwer zu bekommen. Zusammen mit dem Aufschwung der Seidenweberei waren aber in Wien teils aus dem Reservoir der ansässigen technisch gebildeten Handwerker, teils mit Hilfe von aus dem Ausland geholten Experten zahlreiche Betriebe entstanden, die die einschlägige Nachfrage der Branche befriedigten. Größere Fabrikanten wie Mestrozzi unterhielten sogar selbst mechanische Werkstätten zur Deckung ihres Eigenbedarfs. Der eben Genannte beschreibt recht eindrucksvoll den experimentellen, aufwendigen Charakter solcher Entwicklungsbemühungen: „Diese so glückliche Zustandebringung durch immerwährendes Wagen, Zusammenstellen, Verwerfen, wieder suchen und machen und wieder Zusammenstellen, bis es endlich vollkommen brauchbar da stand, hatte uns nebst der für uns so hart zu verlierenden Zeit und Forschens Anstrengungen auch ganz richtig zu einer Geldaufopferung von mehreren tausend Gulden bringen müssen . .. "[3] Die bedeutsamste technische Innovation dieser Zeit in der Seidenverarbeitung war wohl der 1805 vom Franzosen J. M. Jacquard entwickelte Webstuhl, der mittels Lochkarten die Herstellung auch komplizierter Muster selbsttätig steuern konnte. In Wien kam er anfangs der zwanziger Jahre in einer vom hiesigen Mechaniker Johann Bausener verbesserten Version zum Einsatz.

Die typische Organisationsform der Produktion war bei dem beschriebenen Entwicklungsniveau der Produktivkräfte das Nebeneinander von zentralisierter Manufaktur und verlegter Heimarbeit. Wahrscheinlich war das eine ganz rationale und rentable Strategie für einen kapitalistisch funktionierenden Markt – in einem noch wenig mechanisierten Erzeugungsverfahren wie in der Seidenverarbeitung (und übrigens auch in der ebenfalls in Wien stark vertretenen Weberei feiner Wolltuche) blieb ein Unternehmer offensichtlich konkurrenzfähig, wenn nur die für eine einheitliche Großproduktion unabdingbaren Abschnitte wie Färberei und Appretur zentralisiert wurden, die Arbeitsteilung in der Weberei zwischen teuren (meist männlichen) Fachkräften und billigen (weiblichen und jugendlichen) Hilfskräften jedoch zum großen Teil in die Heimarbeiterfamilien und -wohnungen hineinverlegt wurde. Damit wurde die optimale Organisationsstruktur in einem Kompromiß gesucht zwischen der Effizienz zentral-großbetrieblicher Fertigung, die überdies bei besonders kostbaren Stücken eine strengere Kontrolle ermöglichte, und dezentraler Heimarbeit, die Anlagekosten ersparte und zugleich eine flexiblere Reaktion auf Nachfrageschwankungen erlaubte, indem man eben immer soviele Heimweber beschäftigte, wieviele man gerade brauchte. Es kam daher gar nicht so selten vor, daß Unternehmer etliche hundert Arbeitskräfte anstellten – wie etwa Andreas Jonas oder Christian Gottlieb Hornbostel, für die um die Jahrhundertwende knapp 2000 bzw. 600 Personen arbeiteten. Unklar bleibt allerdings, wieviel davon im Zentralbetrieb und wieviel im Verlag tätig waren. Die Vignette „Der Weber" aus der Serie „Der Mensch und sein Beruf" vermittelt jedenfalls insofern kein ganz unrealistisches Bild von der Wiener Textilverarbeitung, wenn man darin weniger den kleinen selbständigen Meister sieht, der in seiner Werkstattwohnung direkt an den Konsumenten verkauft, sondern eher den unselbständigen Heimarbeiter, bei dem der Verleger die in seinem Auftrag gefertigte Ware kontrolliert und übernimmt.

In Jahren guter Konjunktur wie um die Jahrhundertwende oder seit Ende der zwanziger Jahre war mit dieser Form der Produktionsorganisation im allgemeinen reichliche Beschäftigung für die in der eigenen Wohnung mit ihren Familien und oft auch noch mit eingemieteten Gesellen arbeitenden Hausweber verbunden. Im Gefolge der Absatzstockungen ab Mitte der vierziger Jahre häufen sich hingegen in Polizeiberichten die Meldungen über durch Arbeitslosigkeit in Not geratene Heimarbeiterfamilien, vor allem in den außerhalb der Verzehrungssteuerlinie gelegenen Vororten wie Sechshaus oder Gaudenzdorf, wo sich immer mehr Heimweber wegen der im Vergleich zu den Zentren der Textilverarbeitung wie Schottenfeld oder Gumpendorf niedrigeren Wohnungs- und Lebenshaltungskosten niedergelassen hatten.

Die umwälzendsten technischen Fortschritte in der Wiener Textilverarbeitung spielten sich in den Sparten Färberei und Stoffdruck ab. Dampfmaschinen begannen zunehmend den Handbetrieb zu verdrängen und neue Arbeitsmaschinen brachten gewaltige Produktivitätssteigerungen – mit Hilfe der Perrotine etwa, einer Druckmaschine, konnten angeblich ungefähr dreißig Druckergesellen eingespart werden. Sicher nicht zufällig befanden sich um 1845 die beiden größten Wiener Druckfabriken mit jeweils einigen hundert Arbeitern außerhalb des eigentlichen Stadtgebietes – Gebr. Granichstädten in Sechshaus und Bracht & Königs in Penzing. Hier griffen vermutlich auch die gravierendsten Änderungen der Arbeitssituation Platz. Zwar ginge man weit fehl, würde man sich die manufakturell-verlagsgewerblich organisierten Bereiche der Wiener Textilverarbeitung als romantisch-gemütliche Handwerksidylle vorstellen. Auch hier dauerte die Arbeitszeit meist länger als zwölf Stunden pro Tag exklusive der Pausen, auch hier waren durch die Arbeitsteilung vor allem für unqualifizierte Frauen und Kinder vielfach monotone und gesundheitsschädigende Tätigkeitselemente entstanden und suchten die Unternehmer durch Disziplinierung und Lohndruck die Arbeitsleistung zu steigern. Doch dürften vor allem für die gelernten Arbeiter noch ziemliche Autonomiespielräume bestanden haben, sowohl was die Gestaltung der Arbeit selbst als auch was die Arbeitszeit anlangt. Der Blick des Wiener Seidenfabrikanten Franz Bujatti ist ohne Frage durch für ihn unangenehme unternehmerische Erfahrungen der neunziger Jahre getrübt, wenn er ganz verklärt in den Vormärz zurückschaut: „Die Arbeiter (Gesellen) waren geschickt, willig, verhältnismäßig fleissig, benahmen sich auch in ihren Ansprüchen meist bescheiden, das Wort ‚Streik‘ war noch gänzlich unbekannt.“ Dennoch muß er zugeben, daß sich die Arbeiter auch damals ganz beträchtliche Freiheiten herausnahmen: „Nur getrunken wurde mitunter über Gebühr! Wein war ja billig, der Verdienst gut, und florirten daher die sogenannten ‚blauen Montage‘, an welchen wenig oder gar nicht gearbeitet wurde; ja bei sehr guten Zeiten und reichlichen Löhnen soll es öfters vorgekommen sein, daß manche Arbeiter an ersteren Tagen der Woche sich wenig in der Fabrik sehen liessen, hingegen die noch übrigen Tage der Woche das Versäumte durch vermehrte Anstrengung einzubringen trachteten.“[4] Ein derartiger Mangel an kapitalistischer Arbeits- und Zeitdisziplin wurde in den mechanisierten Druckfabriken sicherlich energischer bekämpft, schon allein unter den Verwertungszwängen der darin angelegten großen Kapitalien. Auch ist anzunehmen, daß hier die Arbeitszeit länger war, ähnlich den in den großen Baumwollspinnereien des Wiener Beckens üblichen 14–16 Stunden. Der zunehmende Maschineneinsatz bewirkte zudem eine „äußerst einseitige technische Bildung“ der Lehrlinge und verstärkte vermutlich die in den Druckfabriken feststellbare Tendenz, ausgebildete Gesellen durch billigere, wenig qualifizierte Lehrjungen zu ersetzen[5]. Dequalifikation und Monotonie, Disziplinierungsdruck und die bereits erwähnte ökonomisch und technologisch bedingte Arbeitslosigkeit schufen hier ein Protestpotential, das sich bekanntlich im Revolutionsjahr 1848 besonders radikal manifestieren sollte.

Abgesehen von der frühen Ausbildung der Manufaktur in der Seidenfabrikation blieb im Wiener Produktionssektor bis weit in den Vormärz hinein die kleingewerblich-zünftische Struktur dominant, auch wenn schon, wie im Bereich des Luxushandwerks, für den Markt produziert wurde. Größere Betriebe mit über hundert Beschäftigten – wie etwa die ärarische Porzellanmanufaktur, die Buchdruckerei Trattners oder die Möbeltischlerei Danhausers – blieben Einzelphänomene. Neben den bereits beschriebenen ökonomisch-technologischen Schranken war das Interesse des zünftischen Gewerbes an der Aufrechterhaltung des Bestehenden zu groß und die Risikobereitschaft, in die Produktion für einen noch wenig entwickelten Markt größere Kapitalien zu investieren, zu gering. Unterstützt wurden diese retardierenden Tendenzen durch maßgebliche Vertreter der staatlichen Bürokratie mit Kaiser Franz I. an der Spitze, die eine ökonomische Modernisierung wegen der damit verbundenen Revolutionsgefahr ablehnten und speziell von Wien das entstehende Fabriksproletariat fernhalten wollten.

Zu guter Letzt konnten sich jedoch die liberalen Kreise und ihre Proponenten in der Bürokratie, die die Unausweichlichkeit des sozioökonomischen Wandels erkannt hatten, durchsetzen. Noch während der Napoleonischen Kriege begann man die für Wien und seine Umgebung bestimmten Beschränkungen zur Errichtung von Fabriken abzubauen – wobei der Begriff „Fabrik“ weniger im Sinn des Einsatzes innovativer Produktionstechnologie als im Sinn des Wegfalls institutionell-zünftischer Schranken bezüglich Arbeiterzahl und -qualifikation sowie Produktmenge und -qualität zu verstehen ist. Deutliche Fortschritte bei der Etablierung größerer Betriebe mit neuen Erzeugungstechniken lassen sich freilich erst mit Beginn des Wirtschaftsaufschwungs gegen Ende der zwanziger Jahre registrieren. Vor diesem Hintergrund und initiiert durch die damit zusammenhängende industrielle Aufbruchstimmung wurden in den Jahren 1835, 1839 und 1845 Gewerbeausstellungen veranstaltet, die den Innovationsprozeß recht eindrucksvoll dokumentierten. Es ist wenig verwunderlich, daß solche Tendenzen zumal dort sichtbar wurden, wo sie auf den traditionell oder den neuerdings zum Tragen kommenden Standortvorteil Wiens aufbauen konnten – auf das gut ausgebildete Luxusgewerbe mit seinen zahlreichen entsprechend qualifizierten Arbeitskräften, auf den Rang der Hauptstadt als Verwaltungs-, Informations- und Handelszentrum des Habsburgerreiches sowie auf das große Gewicht des Luxuskonsums und das Einsetzen des großstädtischen Massenkonsums. Gleichzeitig fällt auf, daß die Neustrukturierung besonders dort erfolgreich verlief, wo sich Unternehmer der Herausforderung durch die tonangebende Auslandskonkurrenz stellten, neue ausländische Verfahren vor Ort studierten, ihren Betrieb unter hohem Kapitaleinsatz konsequent modernisierten und systematisch ihre Märkte in den Provinzen oder, was viel schwieriger war, im Ausland zu erweitern trachteten. Hier sollen nur einige besonders charakteristische Beispiele angeführt werden, alles Betriebe mit hundert und mehr Beschäftigten: Der Plattierwarenfabrikant Machts hatte sich zur Ausbildung unter anderem in Paris umgesehen, bevor er 1820 seinen Betrieb gründete; er hatte zahlreiche Maschinen im Einsatz und sich durch Messebesuche eine Exportbasis geschaffen. Ebenfalls mit französischem Know-how ausgestattet hatten Spoerlin & Rahn 1808 ihre Papiertapetenfabrik gegründet; durch Erfindungen (Iris-Druck) und Einsatz neuester Techniken konnten sie seit den zwanziger Jahren ihren Betrieb ständig erweitern und sich am österreichischen Markt gegen die ausländische Konkurrenz immer besser behaupten. Treu & Nuglisch hatten sich 1831 von Berlin kommend mit einer Parfümeriewarenfabrik in Wien etabliert und ebenfalls bemerkenswerte Erfolge in Österreich sowie im Türkei-Export zu verzeichnen. Bei der schon Ende des 18. Jahrhunderts bestehenden Fabrik der Gebrüder Hardtmuth ist ab den dreißiger Jahren ein deutlicher Expansionsruck feststellbar – die Steinguterzeugung wurde durch Übernahme einer neuen Brenntechnologie rationalisiert und gesteigert, bei der mechanisierten Bleistifterzeugung ist die Standardisierung (sechs Härtegrade) beachtenswert. Im Bereich der Chemie war die wichtigste Innovation die Kerzenfabrikation aus Stearin – wegen des hohen Kapitalbedarfs für den stark arbeitsteiligen, technologisch relativ aufwendigen Produktionsprozeß dominierten hier zwei exportstarke Kapitalgesellschaften, die 1838 gegründete Milly-Kerzenfabrik und die bedeutendere, ein Jahr später konstituierte Apollo-Kerzenfabrik (ihr erster Produktionsstandort war, nicht untypisch für die Anfänge der Wiener Industrie, der 1807 als Vergnügungsetablissement am Schottenfeld errichtete Apollo-Saal). Äußerst erfolgreich war auch Johann Nepomuk Reithoffer mit seiner Erfindung, aus Gummi elastische und wasserdichte Gewebe herzustellen; seine Fabrik arbeitete noch ausschließlich im Handbetrieb. Als Verwaltungs- und Verlagszentrum der Monarchie beherbergte Wien natürlich auch die größten Druckereien – weitaus dominierend war hier die k. k. Hof- und Staatsdruckerei, die allerdings erst nach Aufstellung einer Dampfmaschine und der in den dreißiger Jahren entwickelten Schnellpressen entscheidend expandierte. Verursacht durch das in den zwanziger Jahren einsetzende starke Stadtwachstum ergaben sich günstige Entwicklungschancen für einschlägige Branchen. Allen voran profitierte davon der Ziegelfabrikant Alois Miesbach am Wienerberg,

Kat. Nr. 15/28 Die Apollofabrik

aber auch im Bereich der Bauschlosserei und -tischlerei sowie der Parkettfabrikation lassen sich Tendenzen zum Großbetrieb ausmachen. Fast durchgängig kleinbetriebliche Strukturen wies weiterhin die Nahrungsmittelerzeugung auf, lediglich in der recht kapitalaufwendigen Bierbrauerei überwog der Großbetrieb, zumal seit der in den dreißiger Jahren erfolgten Einführung des untergärigen Bieres. Über den Wandel der Arbeitssituation in den Großbetrieben läßt sich wenig Präzises aussagen. Es ist jedoch anzunehmen, daß der überwiegende Teil der Arbeitsplätze mit herkömmlich qualifizierten Facharbeitern besetzt war und nur in Branchen mit besonders fortgeschrittener Arbeitsteilung wie etwa in der Kerzenfabrikation schon zahlreiche angelernte oder ungelernte, häufig weibliche Arbeitskräfte herangezogen wurden.

Wie am Beispiel der Seidenverarbeitung zu sehen war, mußte der Einstieg in die Marktproduktion nicht unbedingt mit dem Übergang zur zentralisierten Manufaktur oder Fabrik verbunden sein. In Branchen, die noch kaum von industriellen Innovationen erfaßt waren, gelang es seit den dreißiger Jahren einigen größeren und wohl auch finanzkräftigeren Meistern, ihren Geschäftsumfang vor allem dadurch auszuweiten, daß sie Aufträge an kleine Meister oder auch an Heimarbeiter(innen) weitergaben und deren Produkte dann wieder selbst teils in Wien, teils in den Provinzen oder im Ausland vermarkteten. Die überkommene handwerkliche Betriebsorganisation blieb dabei im wesentlichen erhalten, der Kapitalaufwand war dabei relativ gering, die formal selbständigen kleinen Meister schlitterten freilich zusehends in ein Abhängigkeitsverhältnis zu den großen Verleger-Meistern. Der Standortvorteil der Residenz war hier neben den natürlich überreich vorhandenen gewerblichen Qualifikationen die durch die räumliche Nähe von Händlern und Auftraggebern (viele waren das ohnehin in Personalunion) sowie Produzenten gegebene Möglichkeit, rasch auf wechselnde Modetrends und Markterfordernisse zu reagieren. Wieder einige charakteristische Fälle zur Illustration dieses Prozesses: Der Schneidermeister Gunkel beschäftigte „80 Arbeiter im eigenen Hause, außerdem 25 arbeitbedürftige Meister zum Nähen der Beinkleider, und 30 weibliche Individuen zur Verfertigung der Westen" und trieb einen ausgedehnten Handel mit den Provinzen und dem Ausland[6]. Der Schuhmachermeister Demmer hatte Anfang der vierziger Jahre produktivitätssteigernde Neuerungen wie holzgenagelte oder aufgeschraubte Schuhsohlen eingeführt; 1845 beschäftigte er „nebst 30 Arbeitern im Hause – zeitweise wegen des sich mehrenden Betriebs-Umfanges noch gegen

30 Meister oder befugte Anfänger, grösstentheils Familien-Väter, ausser dem Hause, welche, wenn sie nicht selbst genug Kunden haben, für ihn nach dem Stücke im Lohne“ arbeiteten – durch seine Exportaktivitäten konnte er sie kontinuierlich auf Vorrat produzieren lassen, „wenn die Platz-Arbeit nachlässt“[7]. Durchgehend verlagsmäßig war die Handschuhfertigung organisiert – die Zuschneiderei wurde zentral von Gesellen besorgt, das Zusammennähen geschah durch Heimarbeiterinnen, größere Unternehmer wie Feyerer oder Dippel kamen damit 1845 auf mehrere hundert Beschäftigte; es gab schon bedeutende Innovationen wie eine Art Nähmaschine, die aus Frankreich übernommen worden war, oder die Standardisierung nach Konfektionsgrößen. Tendenzen zur Verlagsarbeit machten sich in verschiedenen Ausformungen z. B. auch im Bereich der Tischlerei, der Drechslerei, der Galanterieschlosserei oder der Instrumentenmacherei bemerkbar. 1845 führt ein Kenner des Tischlereifaches beredte Klage über die Entwicklung, die diese Branche nahm: „Leider haben wenige der geschicktesten Tischlermeister eigene Verkaufslocalitäten und noch weniger die Geldkraft ihre Erzeugnisse nach eigener Angabe tapeziren zu lassen, sondern liefern ihre schönen Arbeiten in die Hände der Tapezirer, welche nun schon dahin gekommen sind, nicht allein tapezirte, sondern alle Gattungen anderer Möbel in ihren Verkaufslocalitäten als ihre Erzeugnisse feil zu bieten, und die Tischler nur als Hilfsarbeiter zu betrachten.“[8]).

Die im eigentlichen Wortsinn entscheidende Weichenstellung zum mechanisierten Großbetrieb erfolgte in Wien erst gegen Ende der dreißiger Jahre – mit der Entstehung moderner Maschinenfabriken im Zusammenhang mit dem Eisenbahnbau. Auf dem Gebiet des Apparate- und Instrumentenbaus hatte die Residenz im Vormärz ein beachtliches Niveau erreicht – hier sollen nur stellvertretend für viele die Namen Friedrich Voigtländer und Simon Plößl als Erzeuger optischer Geräte, Johann Baptist Streicher und Ignaz Bösendorfer als Klavierbauer oder Samuel Bollinger und Franz Wurm als Mechaniker erwähnt werden. Mit dem Typ des genialischen Meister-Tüftlers in seiner Werkstatt-Wohnung, wo die Kinder am Boden spielen (vgl. „Der Mechaniker“), hatten die genannten erfolgrei-

Kat. Nr. 15/14 Der Mechaniker. Aus der Serie: Der Mensch und sein Beruf

chen Unternehmer wohl nur mehr wenig gemein, sie nannten durchwegs stattliche, marktorientierte Betriebe ihr eigen. Von einer maschinenbetriebenen, arbeitsteiligen Massenproduktion waren sie allerdings noch weit entfernt, lediglich bei Streichers Ende der dreißiger Jahre erfolgtem Fabriksneubau·entsteht der Eindruck einer planvoll durchgestalteten großangelegten Betriebsorganisation. Das grundlegend Neue kam erst mit der Bahn. Wiens Standortvorteil war nicht nur die hier wie nirgendwo in der Monarchie vorhandene Massierung technologischen Wissens und einschlägiger Facharbeiter, es bot sich auch als gleichsam naturgegebenes Zentrum des österreichisch-ungarischen Eisenbahnnetzes klarerweise zur Ansiedlung einer für den Eisenbahnbedarf arbeitenden Industrie an. Die Mobilisierung der nötigen Kapitalien war kein Problem, großteils kamen sie von den Eisenbahngesellschaften selbst. Noch in den dreißiger Jahren wurde die Nordbahn-Werkstätte fertiggestellt, beispielgebend wurde allerdings die unter Anleitung des als Planer und Betriebsleiter engagierten jungen englischen Ingenieurs John Haswell nach den neuesten Erkenntnissen der Industrieorganisation 1839/40 errichtete Maschinenfabrik der Wien-Raaber (Wien-Gloggnitzer) Eisenbahn vor der Favoriten-Linie. Das die Zeitgenossen überwältigende Erlebnis der Leistungsfähigkeit dieser Fabrik erfüllte sie zugleich mit staunendem Fortschrittsglauben und existenzieller Verunsicherung: „Will man sich . . . einen Begriff davon bilden, in welchem Maße die technischen und industriellen Unternehmungen hier betrieben werden, in welcher Ausdehnung und mit welchen Kräften: so werfe man vor Allem einen Blick in die Werkstätte, die zur Verfertigung der Requisiten für die Raaber Eisenbahn, unmittelbar vor der Favoriten-Linie errichtet worden. Dort war im Jahre 1839 noch nicht ein Ziegel. Jetzt steht der Bahnhof fertig, und riesenhafte Werkstätten von mehreren hundert Klaftern Länge verfertigen in diesem Augenblicke mit den besten englischen Werkzeugen, nach den berühmtesten englischen und amerikanischen Mustern, den ganzen ungeheuern Bedarf der Bahn, von den Maschinen der Locomotive bis zum letzten Kutschersitze, an Ort und Stelle. Der Anblick dieser, durch drei Dampfmaschinen getriebenen unzähligen Arbeiten in Eisen und Holz, wo zolldicke Eisenstäbe in Stücke geschnitten werden wie Rüben; dampfgetriebene Sägen im Nu die dicksten Pfosten behauen; perpendiculäre Hobel eben so schnell die unzähligen Hölzer ebnen, neben einer Linie von Schmiedeessen, wo Ein Blasebalg alle Feuer treibt, ist wahrhaft staunenswerth. Die zahllosen, fast unglaublichen Arbeiten scheinen von unsichtbaren Zauberkräften regiert. Alles das hat der menschliche Geist meist seit wenigen Jahren erfunden; die Kolben fliegen, die Räder sausen, wie durch Schicksals-Sprüche getrieben, unaufhaltsam, in Sturmeseile.

Ja, eine neue Aera tritt ein, ist eingetreten, die nothwendig der Welt eine neue Gestalt geben muß. Kaum gibt es noch eine Aufgabe, für die Erfindungsfähigkeit der Menschen zu hoch gestellt. Die Zeit liegt im Kreißen – wer will es läugnen – und gebiert ein neues Geschlecht! Ob ein besseres, ein glücklicheres, die Götter wissen es; in jedem Falle aber ein anderes – mit neuen Begriffen und mit neuen Bedürfnissen. – Dank unserer Regierung, welche die Kreißende nicht stört, aber auch nicht zur vorzeitigen Geburt treibt!“[9]

Neben den beiden genannten Fabriken, die jeweils über 500 Arbeiter beschäftigten, kamen binnen weniger Jahre weitere drei – H. D. Schmid am Rennweg, Specker am Tabor und Heindörffer in der Leopoldstadt – auf eine Belegschaftsgröße von 200 bis 300 Arbeitern, etwa fünf weitere hatten 50–100 Arbeiter. Sie verdankten zwar überwiegend ihre Prosperität den Eisenbahnlieferungen, ganz offensichtlich erfaßte der Aufschwung aber den gesamten Maschinen- und Apparatebau. Mit dieser Entwicklung wurde zugleich eine Neustrukturierung des Wiener Betriebsstandortmusters eingeleitet.

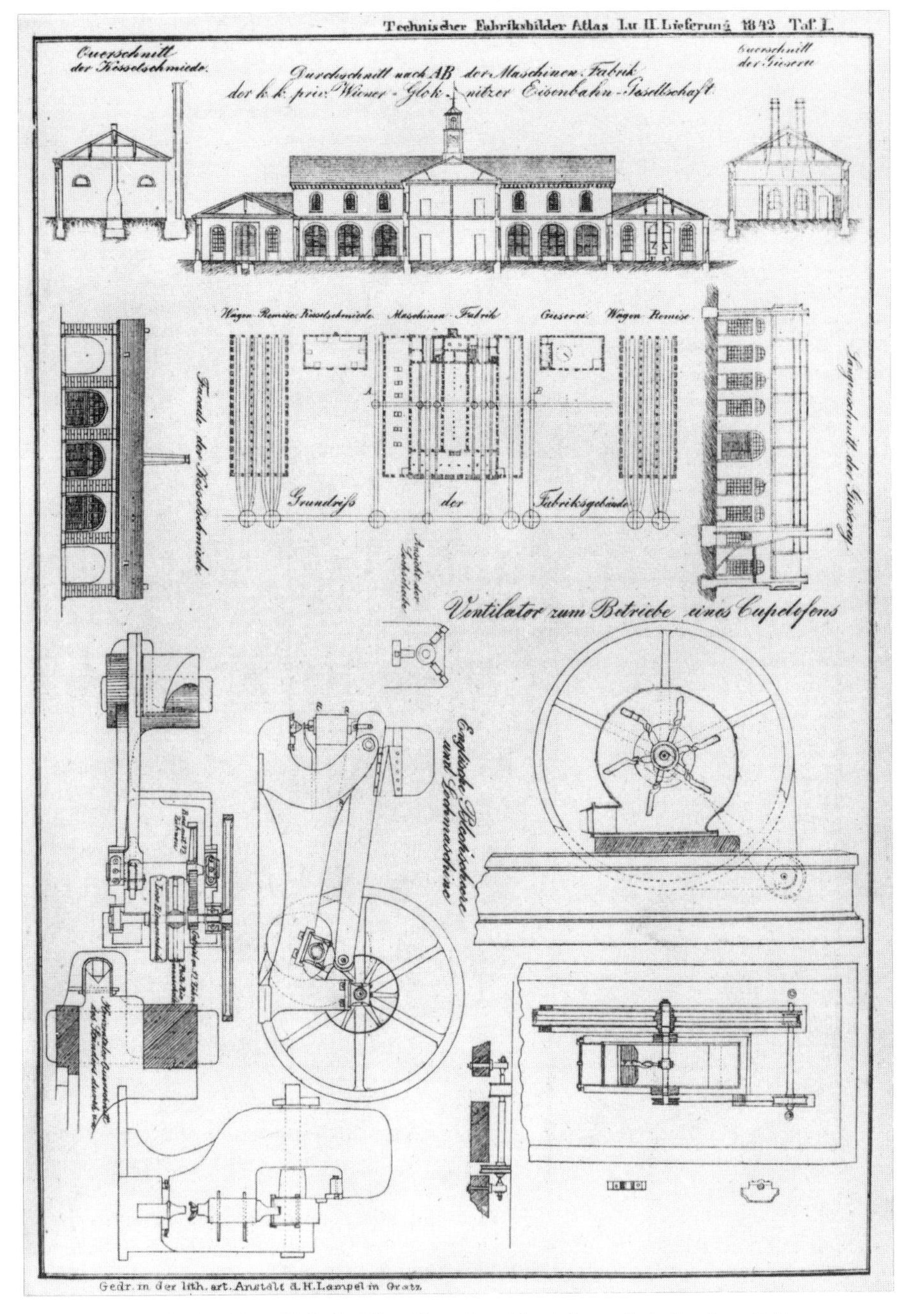


Kat. Nr. 14/18 Die Maschinenfabrik der Wien-Gloggnitzer Eisenbahngesellschaft, erbaut 1840

Die neuen Werke lagen fast durchwegs im noch kaum verbauten Umfeld der Eisenbahnen – Nähe zum Auftraggeber, günstige Transportbedingungen und Bodenpreise waren die Gründe. Der Aufbau des Eisenbahnnetzes initiierte so eine Verlagerung weg vom bisherigen Schwerpunkt der Produktion entlang des Wienflusses hin zu den beiden Bahnhöfen – hier entstanden die neuen Industriezonen, die sich bald auch zu Arbeiterwohngebieten entwickeln sollten.

In bezug auf die Arbeitssituation war der Wandel noch nicht allzu weitgehend. Zwar übte die neue Qualität des systematisch durchorganisierten, über weite Strecken maschinenbetriebenen Produktionsprozesses einen bisher sicher ungewohnten Normierungsdruck auf die Arbeits- und Zeitstrukturen aus, zugleich blieben jedoch gerade bei der Komplexität des Maschinenbaus die Betriebsleitungen noch stark auf den reichen Erfahrungsschatz und die Fachkniffe ihrer qualifizierten Arbeiter angewiesen, so daß allzu rigide Disziplinierungsmaßnahmen eher kontraproduktiv gewirkt hätten.

Ausgehend von der politischen Dominanz der Reaktion werden für den Wiener Vormärz oft allzu kurzschlüssig und generalisierend Stagnationstendenzen auch im Bereich der Ökonomie angenommen. Bei genauerem Hinsehen zeigt sich jedoch ein differenzierteres Bild. Gewiß war die ursprünglich gegebene Kräftekonstellation einem Strukturwandel denkbar abträglich – die zähe Beharrungskraft der überkommenen zünftisch-kleingewerblichen Produktionsform, die fast manische Feindseligkeit mächtiger Repräsentanten des Herrschaftssystems gegenüber Neuerungen in der Hauptstadt, von denen Gefahr für die etablierte Ordnung auszugehen drohte, die geringe Bereitschaft zur Kapitalinvestition angesichts schwach entwickelter Märkte und drückender Auslandskonkurrenz, das Rentabilitätsdefizit eines Standorts in Wien gerade bei fortgeschrittener Produktionstechnologie, all das bedeutete meist, daß sich moderne Fabrikationsstätten außerhalb der Residenz ansiedelten. Zuerst gelang es in der noch großteils in Handarbeit betriebenen Seidenverarbeitung unter Ausnützung günstiger Arbeitsmarkt- und Absatzverhältnisse durch Ausweitung der Verlags- und Heimarbeit die Verhältnisse gleichsam von innen her auszuhöhlen, d. h. unter weitgehender formaler Beibehaltung zünftisch-kleingewerblicher Produktionsverhältnisse kapitalistische Marktproduktion zu betreiben. Im weiteren Verlauf des Vormärz griff dieses Produktionssystem auch in anderen Gewerben mit ähnlichen Ausgangsbedingungen um sich, insbesondere im Bekleidungsgewerbe und in der Herstellung von Holz- und Metall-Galanteriewaren. Die gewaltigen Umschichtungen, die nach 1848 mit dem Verfall der Wiener Textilverarbeitung und der enormen Ausbreitung dieser neuen Verlagsbranchen eintreten sollten, kündigten sich also schon im Vormärz qualitativ wie quantitativ deutlich an.

Ein merklicher Aufschwung des Fabriksystems erfolgte dann erst um 1840 – zu einer Zeit also, wo die Industriegegner schon länger an Terrain verloren hatten – mit der wachsenden Einsatzfähigkeit der Dampfmaschine und dem Beginn des Eisenbahnbaus, als die großstädtischen Standortvorteile wie der entwickelte Arbeitsmarkt mit zahlreichen hochqualifizierten Kräften, die Position als Kommunikationszentrum oder die Nähe zum Massenkonsum allmählich zum Tragen kamen und der Mangel an Wasserkraft nicht mehr so ins Gewicht fiel.

Auch die herkömmlichen Arbeitsverhältnisse zeigten sichtliche Auflösungserscheinungen, weniger tiefgehende in der noch handwerklichen Verlagsproduktion, die aber immerhin durch das Ende der hausrechtlichen Abhängigkeit bei der Heimarbeit und den Autonomieverlust der kleinen Meister gekennzeichnet war, schon drastischere im Fabriksystem, das freie Lohnarbeit sowie die Trennung von Wohn- und Arbeitsort mit sich brachte und eine ungewohnt strikte Arbeits- und Zeitdisziplin verlangte, wenngleich das erreichte Niveau der Mechanisierung und Arbeitsteilung noch nicht häufig zu Dequalifizierungsprozessen führte.

Eine Epoche behäbigen Verharrens in der althergebrachten Wirtschaftsweise war der Wiener Vormärz also ganz offenbar nicht. Betrachtet man die angeführten Phänomene im Ensemble, so spricht einiges für die Annahme, daß in den vierziger Jahren die Ökonomie eine Reifestufe oder zumindest eine Entwicklungsdynamik erreicht hatte, die recht energisch auf eine grundlegende Umformung der obsoleten Gesellschaftsordnung hindrängte.

**Anmerkungen:**

1 Emil Ertl, Die Leute vom Blauen Guguckshaus, Leipzig 1922, S. 2ff.

2 Paul Mestrozzi, Die wichtigsten Momente meines Lebens gewidmet seinen Nachkommen zur stäten Erinnerung im Jahre 1839, Handschrift im Museum für angewandte Kunst in Wien, Sign. S. 13, zit. aus einer mir freundlicherweise von Josef Ehmer zur Verfügung gestellten Abschrift, S. 53.

3 Ebenda, S. 43.

4 Franz Bujatti, Die Geschichte der Seiden-Industrie Österreichs, deren Ursprung und Entwicklung bis in die neueste Zeit, Wien 1893, S. 99.

5 Karl Glossy (Hrsg.), Wien 1840–1848. Eine amtliche Chronik, 2. Bd., Wien 1919, S. 69f.

6 Bericht über die dritte allgemeine österreichische Gewerbe-Ausstellung in Wien 1845, Wien 1846, S. 601.

7 Bericht über die erste allgemeine österreichische Gewerbsprodukten-Ausstellung im Jahre 1835, Wien o. J., S. 342f.

8 Journal des Österreichischen Lloyd, 10. Jg., Nr. 99 v. 19. 8. 1845.

9 Jurende's vaterl. Pilger, 1841, zit. nach Innerösterreichisches Industrie- und Gewerbe-Blatt, 2. Jg., Nr. 102 v. 19. 12. 1840, S. 1.

**Literatur in Auswahl:**

Renate Banik-Schweitzer u. a., Wien im Vormärz (Forschungen und Beiträge zur Wiener Stadtgeschichte 8), Wien 1980.

Josef Ehmer, Familienstruktur und Arbeitsorganisation im frühindustriellen Wien (Sozial- und wirtschaftshistorische Studien 13), Wien 1980.

Wolfgang Häusler, Von der Massenarmut zur Arbeiterbewegung. Demokratie und soziale Frage in der Wiener Revolution von 1848, Wien – München 1979.

Gerhard Meißl, Im Spannungsfeld von Kundenhandwerk, Verlagswesen und Fabrik. Die Herausbildung der industriellen Marktproduktion und deren Standortbedingungen in Wien vom Vormärz bis zum Ersten Weltkrieg. In: R. Banik-Schweitzer/G. Meißl, Industriestadt Wien. Die Durchsetzung der industriellen Marktproduktion in der Habsburgerresidenz (Forschungen und Beiträge zur Wiener Stadtgeschichte 11), Wien 1983, 99 ff.

Johann Slokar, Geschichte der österreichischen Industrie und ihrer Förderung unter Kaiser Franz I., Wien 1914.

# HANDWERK UND INNUNGEN IM VORMÄRZ

*Helmut Kretschmer*

„Die Gesellen reichten dem freigewordenen Jungen ein hartes mit Pfeffer und Salz überstreutes Brot, welches dieser hinunterschlingen mußte, und hierauf ein mit Essig, Baumöhl, Pfeffer und Salz vermischtes Glas, das er austrinken mußte." So wird uns noch das „Gesellenmachen", dem sich der junge Handwerker zu unterziehen hatte, wollte er in seiner Bruderschaft anerkannt werden, gegen Ende des 18. Jahrhunderts beschrieben[1]. Jahrhundertealte Rituale, von symbolischen Handlungen begleitet, lebten noch in einer Zeit, in der die Industrie voll in die Welt der Menschen einbrach, weiter. Wurden auch die Widersprüche zwischen den Zunftverfassungen und den tatsächlichen politischen und ökonomischen Zuständen, wie sie sich am Beginn des 19. Jahrhunderts präsentierten, immer beträchtlicher, blieb dennoch die Zunftverfassung der Grundstock der gewerblichen Verfassung bis in das vorige Jahrhundert hinein. Die Lebenszähigkeit und die Widerstandskraft der Zünfte – der Begriff Zeche oder Innung ist im Wiener bzw. österreichischen Bereich ebenfalls häufig anzutreffen – wurzelten in ihrer aus dem Mittelalter stammenden Organisation, welche im 16. und 17. Jahrhundert zum völligen Ausbau kam[2].

Im Mittelalter wurde das Gewerbewesen durch die Zünfte geregelt. Diese Zünfte, Zechen, Innungen, Bruderschaften, später auch Gremien genannt, waren Zwangsvereinigungen aller selbständigen, mit Bürger- und Meisterrecht ausgestatteten Gewerbetreibenden eines bestimmten Gewerbezweiges, also gleichsam genossenschaftliche Organisationen von Handwerkern des gleichen oder von verwandten Gewerben, territoriale Selbstverwaltungskörper, die die Aufgabe hatten, den standesgemäßen Unterhalt der Handwerker zu sichern. Neben wirtschaftlichen Funktionen, wie Festlegung der Zahl der Meisterbetriebe oder die Regelung des Produktionsumfanges, hatten die Zünfte auch religiöse und soziale Aufgaben, so etwa die Sorge für Begräbnisse und die Unterstützung kranker Mitglieder. Sie hatten ein Ausschließungsrecht auf das von ihnen erfaßte Gewerbe, und sie regelten durch eigene Ordnungen und Vorsteher sowohl die Erlernung als auch die Ausübung des jeweiligen Gewerbes. Zwar kam in den ersten Jahrzehnten des 19. Jahrhunderts die Industrialisierung in älteren Gewerbelandschaften, wie etwa in Böhmen, in der Steiermark, aber auch in Niederösterreich samt Wien, allmählich voran – Textilgewerbe, Bergbau, Eisenbahnbau und Maschinenbau waren hier die Vorreiter –, eine wesentliche Verschiebung zwischen Handwerk und Industrie trat zunächst noch nicht ein[3]. Hier stellt sich wohl die aktuelle Frage, in welcher Weise und mit welchen Ergebnissen „das Handwerk" in Auf- und Ausbau der um die Mitte des vorigen Jahrhunderts schon so bezeichneten „industriellen Welt" involviert war, welche Veränderungen die Lebenswelt des Handwerkerstandes unter dem Einfluß der Industrialisierung durchmachte, Fragen, deren wissenschaftliche Durchleuchtung erst die jüngere Forschung in Angriff nahm[4].

Schon durch die merkantilistischen Industriegründungen wurde die zünftische Gewerbeverfassung zwar nicht unmittelbar betroffen, da es sich fast ausschließlich um neue, von den Zünften noch nicht betriebene Gewerbe handelte, dennoch wirkten sie, auf längere Sicht gesehen, auflösend auf dieselben ein. Versucht man die Stellung des Handwerks, der Innungen, die wirtschaftliche Lage sowie die soziale Position der Handwerkerschaft in jener Spätzeit – die endgültige Aufhebung der Zunftladen, Zechen und Bruderschaften erfolgte ja im Jahre 1859 durch die Einführung der sogenannten Gewerbefreiheit – zu beleuchten, ergeben sich Schwierigkeiten, das Handwerk gegenüber anderen, teils neuen, gewerblichen Betriebsformen abzugrenzen. Immer stärker beeinflußte außerhandwerkliche Konkurrenz die wirtschaftliche Lage des Handwerks. Es ist die Zeit, in der sich das „Kleingewerbe" – dem die Mitglieder der gewerblichen Korporationen (alte Innungen und moderne gewerbliche Genossenschaften) in gleicher Weise angehören wie Angehörige der alten traditionellen Handwerksinnungen – ausbildet. Eine immer stärkere Spezialisierung des Handwerks, die mit der Erzeugung von stets hochwertigeren Gütern einherging, ist für jene Zeit charakteristisch.

Der Übergang vom Handwerk zu einer neuen Betriebsform, dem Verlag, war nicht selten. Besonders im Textil- und Bekleidungshandwerk vollzog sich dieser Übergang zur verlagsmäßigen Produktion häufig. Der Verlag bot dem Handwerk bei vielen Betrieben die Möglichkeit, in gewohnter Weise weiter zu produzieren, während der Verleger die Sorge um den Absatz abnahm. Eine Abhängigkeit vom Verleger war aber andererseits dadurch gegeben. Eine weitere Folge der im Vormärz spürbaren neuen Gegebenheiten waren Wandlungen der Betriebsweise innerhalb des Handwerks. Natürlich zeigte sich diese Tatsache am stärksten dort, wo Maschinen Einzug in die Werkstätten hielten. In vielen Fällen vollzog sich hier der „Aufstieg" eines Handwerksbetriebes zu einer Fabrik. Nicht unbedingt mußten Maschinenarbeit und handwerkliche Betriebsweise unvereinbar sein. Die Verwendung teils einfacher Maschinen, etwa z. B. einer Art Nähmaschine im Bekleidungshandwerk, unterstützte und ergänzte zwar die Handarbeit, ja erleichterte sie in vielen Fällen, ersetzte sie aber nicht. Gerade in Wien ist auch im hier behandelten Zeitraum eine Zunahme der durchschnittlichen Betriebsgrößen in verschiedenen Handwerkszweigen zu beobachten. Ein weiterer Wandel bedeutete die im 19. Jahrhundert zunehmende Auflösung der Einheit von Wohnen und Arbeit, desgleichen ist auch im Vormärz in einigen Handwerksberufen eine Zunahme der Vererbung der Betriebe vom Vater auf den Sohn feststellbar, demgegenüber in der früheren Zeit, der vorindustriellen Gesellschaft, familiäre Kontinuität von Handwerksbetrieben eher gering gewesen war. Nur selten folgte der Sohn dem Vater im Gewerbe nach. Nach dem Tod des Meisters wurde das Gewerbe von der Zunft neu vergeben. E. Schremmer meint den Grund darin zu sehen, daß die handwerkliche Produktionsweise nicht auf individuellem Privateigentum im bürgerlichen Sinn basiert, sondern auf „zunftgebundenem Eigentum"[5].

Ist auch im hier behandelten Zeitraum der Wandlungsprozeß, dem „das Handwerk" schlechthin unterworfen war, bereits weit fortgeschritten, in verschiedenen Bereichen auch schon vollzogen, handelt es sich dennoch um einen langen Entwicklungsprozeß, der bereits im 18. Jahrhundert einsetzt und letztlich zur Gewerbefreiheit von 1859 führt. Bedrohlich für die Organisation des Handwerks war vor allem die immer mehr Raum greifende Überzeugung, daß für die Blüte eines Staatswesens eine gutgehende Industrie und eine aktive Handelsbilanz unerläßliche Voraussetzungen seien. Eine Auffassung, die mit den mittelalterlichen Verfassungen der Innungen bzw. Zünfte oder Zechen unvereinbar war[6]. Schon in der späteren Regierungszeit Maria Theresias lassen sich neue Gedanken in der Gewerbepolitik erkennen. Freiheitlichere, durch französische Einflüsse geprägte Ideen bestimmten immer mehr die Gewerbepolitik, die bereits jetzt auf die Beseitigung der Fesseln drängte, welche die Verfassung der Handwerkszünfte für die Ausübung des Gewerbes noch immer bildete. Der Tod Josephs II. sollte diesen Prozeß dann etwas ins Stocken bringen, die ersten Jahrzehnte des 19. Jahrhunderts brachten ein noch weiteres Abgehen von der josephinischen Gewerbepolitik.

Es muß festgestellt werden, daß die Gewerbepolitik im Vormärz uneinheitlich gehandhabt wurde. Auf der einen Seite versuchte die Bürokratie die Entwicklung der Gewerbe zu fördern, andererseits trachtete Kaiser Franz II. (I.) vor allem in Wien die wirtschaftliche Expansion zu beschränken und die Gewerbestrukturen so zu konservieren, wie sie sich zu Ende des 18. Jahrhunderts präsentierten. Eines der Merkmale des Systems der österreichischen Handels- und Gewerbsleitung im „Vormärz" war die Unterscheidung zwischen zünftigen und unzünftigen Gewerben. Die Bewilligung zum selbständigen Gewerbebetrieb war von Anfang an auf dem Land von der Ortsobrigkeit, in den Städten und Märkten aber vom Magistrat im Einvernehmen mit der jeweils zuständigen Innung bzw. Zunft erteilt worden. In Städten und Märkten war daher die Bewilligung zum Antritt eines selbständigen Gewerbes regelmäßig mit der Verleihung des Bürgerrechts durch den Magistrat und mit der Erteilung des Meisterrechts durch die Zunft sowie mit der Aufnahme in diese verbunden[7].

Es erschien die durch das Zunftwesen bewirkte Abschließung und Zerteilung des Gewerbes in den Städten und Märkten der merkantilistischen Wirtschaftspolitik als Hemmschuh für eine gedeihliche Weiterentwicklung des inländischen Gewerbes und Handels, wiewohl das landesfürstliche Hof- bzw. Hofmarschallamt immer schon „Hofbefreiungen" ausgestellt hatte, unter deren Schutz Gewerbetreibende auch neben und außerhalb der Zunft arbeiten durften. Zur Auflockerung der alten zünftischen Organisationen trugen nicht nur die sich bildenden Fabriken bei – wiewohl diese im 18. und beginnenden 19. Jahrhundert noch etwas anderes darstellten als heute –, auch andere Gruppen scherten gewissermaßen aus dem Korsett der Zünfte aus. Die Handwerker der Stadtguardia etwa (Soldatenhandwerker), die uns ab dem 17. Jahrhundert in nahezu allen Handwerksbranchen begegnen, die sogenannten Dekretisten, unbefugte Handwerker, die seit 1725 gegen Zahlung eines Schutzgeldes Schutzdekrete erhielten, und die „Störer" – Lohnhandwerker, die gegen Tag- bzw. Stücklohn arbeiteten – standen außerhalb der Zünfte.

Während des Zeitraumes vom 16. bis zum 18. Jahrhundert hatten sich in Wien im wesentlichen folgende Berufsarten etabliert: Landwirtschaft und Tierzucht, Metallverarbeitung (Gießer, Schmiede, Schlosser, Büchsenmacher u. a.), Textilindustrie (Tuchmacher, Spinner, Posamentierer, Sticker), Lederindustrie (z. B. Sattler), Nahrungs- und Genußmittel-, Bekleidungsindustrie, Handel und Verkehr (z. B. Krämer, Tandler). Im zweiten Jahrzehnt des 19. Jahrhunderts gab es in Wien 150 bürgerliche Zünfte bzw. Innungen. Quantitative Angaben, aber auch inhaltlich wertvolle Erkenntnisse können wir für die Zeit vor 1859 in hohem Maße aus den Unterlagen dieser rund 150 in Wien bestehenden Innungen (Urkunden, Aufding- und Freisprechbücher, Gesellen- und Meisterbücher, Akten, Kundschaften u. ä.) entnehmen[8]. (In gewisser Weise kann man ein Weiterleben und Fortbestehen des mittelalterlichen Zunft- bzw. Innungswesens in funktionaler Hinsicht in den Genossenschaften und Gewerkschaften sehen; im übrigen führten die Fachgruppen der Sektion Gewerbe im Rahmen der Kammern der gewerblichen Wirtschaft auch nach 1859, also nachdem sie einen öffentlich-rechtlichen Charakter erhalten hatten, den Titel „Innung" weiter.)

Der schon zitierte Wandlungsprozeß, dem der gesamte Bereich Handel und Gewerbe unterzogen war, wird auch in der Entwicklung einiger Branchen im Vormärz deutlich. So vollzog sich etwa ab 1830 bis ca. 1860 ein rapider Verfall der Textilgewerbe (z. B. Seidenerzeugung), neue Leitindustrien entstanden, z. B. der Werkzeug- und Maschinenbau. Auch fielen einige traditionelle Handwerkszweige, wie z. B. Büchsenmacher und Schwertfeger oder Feilenhauer, der indu-

Kat. Nr. 15/18 Der Schlosser, um 1835

Kat. Nr. 15/18 Der Weber, um 1835

Kat. Nr. 15/18 Maurer und Steinmetz, um 1835

Kat. Nr. 15/18 Der Tischler, um 1835

striellen Konkurrenz ersatzlos zum Opfer. Überdurchschnittliches Wachstum zeigten im Verlauf des fortschreitenden Jahrhunderts das Nahrungsmittel- und Dienstleistungsgewerbe. Die Zahl der Bäcker und Zuckerbäcker stieg etwa von 191 bzw. 32 (1828) auf 225 bzw. 59 (1847), die der Mechaniker und Optiker von 38 (1828) auf 135 (1847) an, hingegen fiel die Zahl der Seidenzeug- und Bandmacher bzw. der Posamentierer von 735 bzw. 225 (1828) auf 563 bzw. 185 (1847). Eine überwiegende Zahl der Handwerker lebte und arbeitete in den Vorstädten und Vororten. Im Jahr 1820 zeigte ein „Verzeichnis der bestehenden Werker, Fabrikanten und Manufakturisten" folgendes Bild[9]:

| **Beruf** | **Zahl insges.** | **davon in Stadt** | **Vorstädte, Vororte** |
|---|---|---|---|
| Anstreicher | 29 | 2 | 27 |
| Baumwollzeugerzeuger und Weber | 392 | (65) | 327 |
| Drechsler | 67 | 15 | 52 |
| Galanteriewarenerzeuger | 101 | 19 (17) | 65 |
| Hutmacher | 105 | 6 (28) | 71 |
| Sattler | 61 | 4 (21) | 36 |
| Schlosser | 162 | 5 (35) | 122 |

( ) ohne genaue Adreßangabe

Obwohl in der Frühzeit des städtischen Handwerks nicht nachweisbar, bildete sich allmählich die Dreiteilung Lehrjunge – Geselle – Meister heraus und blieb im wesentlichen auch bestehen. Schon seit dem 15. Jahrhundert gab es eine Entwicklung, die mit den Lehrjahren einsetzte und über die Gesellenzeit zur Meisterschaft führte. Auch die Abgrenzung der Lehrzeit, in jeder Handwerksordnung festgehalten, gehörte zu dieser Entwicklung. Wichtige Hinweise über diese Tradition geben uns etwa die Aufding- und Freisprechbücher. Jeder Junge, der ein entsprechendes Gewerbe erlernen wollte, mußte ordentlich aufgedungen werden. Zu diesem Zweck hatte er seinen Geburtsbrief vorzuweisen, zwei oder mehrere Zeugen zu stellen und eine Taxe zu entrichten. Dieser meist feierliche Vorgang wurde in das Aufdingbuch eingetragen. Oftmals wurden die Aufdingbücher auch gleichzeitig als Freisprechbücher benutzt, wobei neben der Aufdingung in der Regel das Datum der Freisprechung eingetragen wurde. Lehrgeld und Lehrzeit war bei einzelnen Gewerben verschieden. Wurde der Lehrjunge in das Haus des Meisters aufgenommen, erwuchs diesem auch die Pflicht, für dessen Erziehung zu sorgen. Auch die Zahl der Lehrjungen und Gesellen, die bei einem Meister arbeiteten, war von Handwerk zu Handwerk verschieden. Von der Aufdingung bis zur Erwerbung des Meisterrechtes – die Anfertigung eines Meisterstückes war hiefür eine der Bedingungen – stand der Handwerker in ständiger Verbindung mit und in Beobachtung durch seine in der Zunft zusammengefaßten Handwerksgenossen.

Ein ganz wesentlicher Faktor für den einzelnen Handwerker war die soziale Fürsorge, die ihm seine Innung bzw. Zunft sicherte. So wurde etwa die Krankenfürsorge geregelt, seit es Gesellenverbände gab. Jeder Geselle, der länger als 14 Tage in Wien in Arbeit stand, in die Gesellenlade einzahlte, hatte im Falle einer Erkrankung auch Anspruch auf Unterstützung. Daß diese Unterstützung der einzelnen Handwerker auch noch im 19. Jahrhundert von den Betroffenen angenommen wurde, läßt sich aus den Akten der einzelnen Innungen eindeutig ersehen.

Besondere Tradition hatte auch das Gesellenwandern. Innerhalb des Handwerks waren die Gesellen im 19. Jahrhundert durch das von ihnen noch lebhaft geübte Wandern das eigentlich bewegende Element. In der Regel stellten sich die Gewerbe mit zwei Wanderjahren zufrieden. Als Stätte der Unterkunft für wandernde Gesellen diente lange die Herberge. Sie befand sich meist in der Wohnung des Meisters, welcher jährlich vom Handwerk als Herbergs-Vater gewählt wurde. Auch über diesen Bereich geben uns Schriftstücke des 19. Jahrhunderts noch Auskunft, die sogenannten „Kundschaften" (siehe Kat. Nr. 15/22). Der Begriff, einem Handwerksburschen oder später auch allgemein, jemand etwas „in die Kundschaft setzen", ist schon im 17. Jahrhundert belegt, dürfte aber so alt sein wie das Gesellenwandern selbst. „Kundschaft" hieß das schriftliche Zeugnis des Wohlverhaltens eines Gesellen, das er beim Abschied von seinem Meister erhielt, es ist aber seit dem 18. Jahrhundert auch der gesetzlich festgelegte Begriff für die vorgeschriebenen Arbeitszeitbestätigungen nach Muster, als Vorläufer der im beginnenden 19. Jahrhundert sie ablösenden Wander-, später Arbeitsbücher. Besonders hübsch und kulturgeschichtlich interessant sind „Kundschaften", die mit Stadt- bzw. Ortsansichten versehen sind (Kundschaft mit Vedute).

Das 19. Jahrhundert brachte dem Handwerk und seiner zunftmäßigen Ordnung das Ende einer jahrhundertelangen Entwicklung. Neue Wege wurden beschritten, neue Organisationsformen setzten sich allmählich durch. Dennoch lebten viele alte Traditionen noch in dieser Zeit weiter, ja überdauerten den Bruch des Jahres 1859 teilweise, indem sie noch lange – dann nur mehr als bloßes Ritual und Symbol – weitergegeben wurden.

**Anmerkungen:**

[1] Georgine Stephan, „Dieses leyde von mir, und keinem anderen!" – Gesellenmachen. In: WGBll. 36 (1981), S. 146ff.

[2] Viktor Thiel, Gewerbe und Industrie. In: Geschichte der Stadt Wien, Bd. IV, Wien 1911, S. 411ff.

[3] Rudolf Vierhaus, Vormärz – Ökonomische und soziale Krisen, ideologische und politische Gegensätze. In: Francia, Bd. 13 (1985), S. 363.

[4] Siehe dazu: Handwerker in der Industrialisierung – Lage, Kultur und Politik vom späten 18. bis ins frühe 20. Jahrhundert, hrsg. von Ulrich Engelhardt, Bd. 37 der Schriftenreihe des Arbeitskreises für moderne Sozialgeschichte, Stuttgart 1984.

[5] Josef Ehmer, Ökonomischer und sozialer Strukturwandel im Wiener Handwerk – Von der industriellen Revolution zur Hochindustrialisierung, in: siehe Anm. 4, S. 101.

[6] Heinz Zatschek, Handwerk und Gewerbe in Wien – Von den Anfängen bis zur Erteilung der Gewerbefreiheit im Jahre 1859, Wien 1949, S. 46.

[7] Andreas Baryli, Gewerbepolitik und gewerberechtliche Verhältnisse im vormärzlichen Wien, in: Forschungen und Beiträge zur Wiener Stadtgeschichte, Bd. 8, Wien 1980, S. 3ff.

[8] Helmut Kretschmer, Innungen, in: Veröffentlichungen des Wiener Stadt- und Landesarchivs, Reihe A, Archivinventar, Serie 2, Heft 2, Wien 1987.

[9] Handlungs-Gremium und Fabriken Addressen-Buch der Haupt- und Residenzstadt Wien für das Jahr 1820, hrsg. von Anton Redl, Wien 1820.

# STICHWORTE ZUR BIEDERMEIERZEIT: „HAUS“ UND „HÄUSLICHKEIT“

*Konstanze Mittendorfer*

> *„Mariahilf: entzückendes Dachgeschoß-Terrasseneigentum in reizendem Spätbiedermeierhaus. S 540.000,– erforderlich.“*
> *(Kurier 1986)*

Wiener Biedermeierhaus 1987, Westbahnstraße 13

## Erster Annäherungsversuch: Die Aktualität des Biedermeierhauses

Der Sachverhalt scheint klar, seine Erwägung unverzichtbar zu sein: der Kern dessen, was „Biedermeier“ genannt wird, wuchs und gedieh im Haus. Die häusliche Welt und ihre Gestaltung gilt nicht nur als vorrangiges Thema biedermeierlicher Aufmerksamkeit und als der damals neu entdeckte Schauplatz bürgerlichen Lebensstils schlechthin. Sie hat auch noch eine festgeschriebene Rolle an der Erklärung des Phänomens, mit dem sich Biedermeierforschung im allgemeinen beschäftigt. Demnach zogen sich die Bürger, von der politischen Entwicklung nach dem Wiener Kongreß enttäuscht, aus der restaurativen Öffentlichkeit in diesen häuslichen Bereich zurück und widmeten sich dort, gleichsam in einer Kompensationshandlung aus überschüssiger Gestaltungsenergie, ihrer eigenen, privaten Umwelt. Die aus dieser Grundhaltung, der Beschränkung auf die häusliche Welt, entstandenen kultivierten Produkte tragen für uns die Zeichen des Biedermeierstils und sind als solche Gegenstand ernsthafter Betrachtungen der Kunst-, Literatur- und im weitesten Sinne der Kulturgeschichte. Allen diesen Erläuterungen ist gemeinsam, daß sie – meistens in der allgemeineren Einleitung, bevor sie sich auf ihre Spezialaspekte einlassen – die Formel vom Rückzug des Bürgers ins Haus beschwören, aus dem dann das Biedermeier hervorging.

## Variationen der Wertschätzung

Wie einzelne Beispiele zeigen, ist dieser Gedanke in geringfügigen Variationen so eng und fraglos mit der Vorstellung von Biedermeier verbunden, daß er bereits den Stellenwert eines Topos einzunehmen scheint. Unterschiede beziehen sich nur mehr auf die Bewertung des Formelinhalts. Ursprünglich war es ironisierend negativ gemeint, wie Ludwig Eichrodt, „einer der Erfinder des Biedermaier“, seine Figur beschrieb: „Der genügsame Biedermaier, dem seine kleine Stube, sein enger Garten, sein unansehnlicher Flekken und das dürftige Los eines verachteten Dorfschulmeisters zu irdischer Glückseligkeit verhelfen ( . . .), zählt zu den fossilen Überresten jener vormärz – sündfluthlichen Zeit, wo Deutschland noch im Schatten kühler Sauerkrauttöpfe gemüthlich aß, trank, dichtete und verdaute und das Übrige Gott und dem Bundestag anheimstellte“[1]. Diese Linie, den Rückzug in die Stube kritisch als unpolitische Haltung zu diagnostizieren, hat sich, wenn auch immer weniger beißend formuliert, in der Biedermeier-Rezeption bis zur Gegenwart, z. B. in Gertraud Zaepernicks Buch über Bilderbögen, erhalten: „Da ihm (dem Bürgertum) die erhoffte Mitarbeit im staatlichen Leben verwehrt wurde, wandte es all seine Energien auf das Gebiet der Kunst und Literatur, des häuslichen und geselligen Lebens und bemühte sich – nicht ohne Erfolg – aus der Not der Beschränkung eine Tugend zu machen, wobei es freilich der Gefahr der Beschränktheit oft erlag“[2].

Auf der anderen Seite steht in der Beschäftigung mit dem Biedermeier ein positiv akzentuierter Traditionsstrang, der in der Wiederentdeckung von Kunst und Kunsthandwerk aus der ersten Hälfte des 19. Jahrhunderts wurzelt, wie sie die großen Ausstellungen in Wien und Berlin um die Jahrhundertwende vorführten, die erstmals diesem Zeitabschnitt die Komponente des Stilbegriffs beifügten. Die ursprünglich negativ bewertete Lebenshaltung wandelte sich zum geschätzten biedermeierlichen Lebensstil – die Erklärungsfigur aber blieb unverändert. Auch wenn in populärwissenschaftlichem Ton von ganz unpolitischen, gemütlichen Dingen erzählt wurde, galt es zuerst, den enttäuschten Rückzug zu erwähnen: „Da man die Wege zur öffentlichen Tätigkeit verrammelt fand, lebte man sich nach innen aus. (. . .) Das Bürgerhaus und seine Häuslichkeit als Stätte der Kultur zu begründen, das war die Aufgabe der Zeit“[3].

Biedermeier wurde allgemein mit „Beschränkung auf die Urformen menschlichen Daseins, Familie und Häuslichkeit“ charakterisiert, und als eigenständige kulturelle Leistung hob man hervor, daß „alles, das zum Hausen gehörte und der Behausung diente, alles Kleine, Nahe, Praktische und Ökonomische gepflegt wurde“[4]. Wie unverändert die Biedermeier-Formel auch in der jüngsten Gegenwart wiederverwendet wird, führt das populäre Hermes-Handlexikon vor: „Biedermeier ist Flucht, gewollter Rückzug in eine kleine geordnete Welt – weil die Zeiten zerrissen sind, (. . .) retirieren die kleinen Leute in die gute Stube“[5].

Das Erklärungsmuster vom Rückzug ins Haus als Anfang aller beschränkt oder gediegen bezeichneten Kultur der Häuslichkeit ist also sowohl in der ironisch gebrochenen Beschreibung als auch in der uneingeschränkten Bewunderung erkennbar. Es erweist sich dauerhafter als die je nach Ausgangsperspektive wechselnden Bewertungen.

## Biedermeierliche Häuslichkeit: Zivilisationsphase oder Flucht?

Die Einstimmigkeit dieses Biedermeierbildes macht mißtrauisch und neugierig, umso mehr, als sich „Häuslichkeit“ unter den vielfältigeren Gesichtspunkten von Wohnverhalten, materieller häuslicher Kultur oder Haushalts- und Familienstruktur in dieser Zeit betrachten läßt[6]. Solcherart historische und soziologische Arbeiten können uns vor allem weitläufigere Erklärungen liefern, weil sie die erste Hälfte des 19. Jahrhunderts (und mit ihr die biedermeiertypische Häuslichkeit) in den langfristigen Verhaltenswandel im Übergang von der alten, agrarwirtschaftlichen Gemeinschaft zur neuen, industriekapitalistischen Gesellschaft einordnen. Diese Forschungsansätze relativierten jedenfalls die ausschließliche Rolle der restaurativen Politik in der Folge

Kat. Nr. 17/33 Wohn- und Schlafzimmer der Wiener Kaufmannsfamilie Baumann, um 1822

des Wiener Kongresses an der Entstehung von neuen Ausdrucksformen einer bürgerlichen Kultur.

Aber bis jetzt wurden die langfristig typisierenden Beobachtungen den Soziologen überlassen oder unter der historischen Periodisierung „Vormärz" rezipiert und eingeordnet[7]. Das „Biedermeier" blieb von alledem unberührt.

Sowohl diesen umfassenderen Erkenntnissen als auch widersprechenden Details zum Trotz, die wie Bettgehertum und Ein-Zimmer-Wohnungen zweifellos Bestandteile historischer Realität waren, evoziert „Biedermeier" immer noch die Vorstellung vom uneingeschränkt nach eigenen Bedürfnissen, unabhängig von der öffentlichen Ordnung gestalteten Hort der Häuslichkeit.

**Der besondere Ort des Biedermeierhauses**

Das Biedermeierhaus verkörpert uns nicht nur einen Ort, an dem die Menschen in der ersten Hälfte des 19. Jahrhunderts wohnten, arbeiteten und ihre zeitspezifischen Spuren hinterlassen haben, sondern auch und vor allen anderen Funktionen einen Gegenort zur fremdbestimmten Öffentlichkeit. Im biedermeierlichen Rückzugsort hat die Idee eines letzten Restraums für den einzelnen, in dem sich Individualität nach eigenem Gutdünken Ausdruck verschaffen kann, geschichtliche Gestalt und damit Beweiskraft gewonnen.

Wenn auch die biedermeierlichen Werte mit neuen Inhalten gefüllt wurden wie das Spätbiedermeierhaus mit Terrasseneigentumswohnungen, so sitzen wir seit damals zuhause und wollen es wenigstens in den „eigenen" vier Wänden gemütlich haben. Dafür läßt sich der Topos vom biedermeierlichen Rückzug ins Haus gebrauchen: weil er den Rückzug in kausaler Verbindung mit der damaligen politischen Lage und damit einer für unsere Situation heute bedeutungslosen, überwundenen historischen Ursache setzt – im Aufzeigen und Beschwören einer Tradition aber Beweiskraft in die Gegenwart ausstrahlt. Am Biedermeierhaus führen wir uns die Realisierbarkeit eines auch in der zweiten Hälfte des 20. Jahrhunderts lebendigen Glaubens vor, daß entgegen allen zeitspezifischen Widrigkeiten wenigstens im häuslichen Terrain eine Möglichkeit liegt, ein unserem Gemüt entsprechendes (= gemütliches) und deshalb einzigartiges, unaustauschbares privates Reservat zu schaffen. Unser potentieller Rückzug in dieses Reservat um Familien-, Gefühls- und Freizeitleben, den wir „Selbstverwirklichung im Privaten" nennen, erfolgt nicht mehr nur, wie im historisch ausgeführten Konstrukt, aus Resignation über eine veränderbare politische, sondern über die allgemeine gesellschaftstypische Bedeutungslosigkeit des Einzelmenschen.

**Historische Verortung unserer Privatwelt**

„Die geringe Möglichkeit zur Wirkung nach außen führte bei den Menschen zum Bedürfnis, ihr Leben nach innen, im kleinen Kreis der Freunde und Familie reicher, lebenswerter, erfüllter zu machen. Der Mensch in seiner kleinen Welt wurde zum Maßstab aller Dinge (. . .)", beschreibt die Einleitung eines Bildbandes und meint damit merkwürdigerweise nur die „Epoche, die ihre äußere Begrenzung zwischen Wiener Kongreß und März-Revolution findet"[8]. – „Subjektivität zeigt sich am Wohnort des Bürgers als Rückzug aus einer feindlich gewordenen Umwelt wieder. Privatheit als Ideal ist Angst vor feindlicher Öffentlichkeit (. . .). Im folgenden soll die Aufmerksamkeit auf den Ort der Verlassenheit des Individuums gerichtet werden: Haus und Wohnung" – diese Rückzugsbeschreibung stammt aus dem Kommentar zu einem Fotobuch über Innenräume amerikanischer Wohnungen der 1970iger Jahre[9].

Ins historische Konstrukt „Biedermeier" fließen Züge aktueller Realität, der man in der Gegenwart durch ein historisch aufgewertetes Rückzugsdenken zu entkommen versucht. Daß dieses persönliche Reservat mit serienweise produzierten Massenverbrauchsgütern bestückt ist und unsere Selbstverwirklichung sich vorwiegend in der freien Wahl zwischen vorfabrizierten Markenimages äußern soll, tut dem Privatfühlen wenig Abbruch und ist andererseits tragender Funktionsteil jener unpersönlichen industriekapitalistischen Marktwirtschaft seit der Biedermeierzeit. Für diese systematische Selbsttäuschung, daß der Rückzug vor einer fremdbestimmten Öffentlichkeit, das Ausgrenzen in einen persönlichen Frei-Raum eine geschichtlich nachweisbare Möglichkeit, ja eine eigenständige kulturelle Leistung sein kann – weil es uns die Vorstellung vom privaten Lebensstil bedeutet, deshalb bewahren wir das „Biedermeier" und seine häusliche Welt vor einer differenzierenden Geschichtsbetrachtung –, dafür ist der „Vormärz" gut.

Wir putzen lieber unsere persönliche Warenwelt damit auf. „Achtung Biedermeierfans! Suche guterhaltenen 2-türigen Biedermeierkasten und schönen Biedermeier-Schreibtisch, zahle Spitzenpreis. Privat!" (Bazar, November 1986)

**Zweiter Annäherungsversuch: Zu historischen Bedeutungen über das Lexikon-Haus**

Unter den Bildern und Phantasien, die wir mit den Begriffen von „Haus" und „Häuslichkeit" zur Biedermeiergeschichte verschmolzen haben, liegen die historischen Bedeutungen, die sie anlockten. Statt eines neuerlichen Interpretierens biedermeierlicher Häuslichkeit aus literarischen, materiellen oder bildlichen Quellen erscheint es konsequenter, diesen Bedeutungen auf die Spur zu kommen, ihre Entwicklung dem entgegenzusetzen, was wir in sie hineingedacht haben und auf diese Weise mit Begriffen als Schlüssel auch zu den Denkfiguren vorzudringen, von denen das „Haus" der Biedermeierzeit *damals* belegt war.

Folgen wir den Vorstellungen und Realitäten dorthin nach, wo wir sie bereits aus allen situativen Zusammenhängen herausgeschält und zu Stichwörtern in der sezierenden Kunstordnung des Alphabets gereiht auffinden, ins Lexikon. Dort läßt sich zwar nicht die so gern beschriebene Alltags- und Lebenspraxis um und in den unzähligen Häusern gewinnen, aber dafür all der kollektive Besitz an Wissensinhalten und Wissensformen, der damals unter den einschlägigen Stichwörtern, zur zeitgenössischen Orientierung, dem Haus zugeschrieben wurde. Der Vergleich solcher genormter Bedeutungen in Lexika und Wörterbüchern könnte auch uns epochenfremden Lesern Veränderungen von Wörtern und Inhalten und damit die Richtung der neuen Entwicklungen im häuslichen Bereich anzeigen.

**Traditionelle Begriffsvielfalt**

Daß mit dem simplen Wort „Haus" früher, im Unterschied zum Sprachgefühl der Gegenwart, traditionell ein vielfältiges und viel breiteres Bedeutungsspektrum verbunden war, läßt sich in den großen Wissenskompendien des 18. Jahrhunderts auf den ersten Blick feststellen. Die verschiedenen semantischen Aspekte von „Haus", die noch 1781 in Krünitz' „Ökonomisch-technologischer Encyclopädie" berührt werden, umfassen: geschlossenes Behältnis / bedecktes Gebäude / Wohnhaus / Wohnung, Aufenthaltsort / Adel, Geschlecht / in einem Hause wohnende Personen / häusliche Gesellschaft als Familie und Gesinde, Haushaltung / Familie / Handelshaus[10]. Die jüngeren lexikalischen Informationen der Biedermeierzeit zum Stichwort „Haus" sind von dieser alten Bedeutungsvielfalt geprägt, drücken in ihren Modifikationen aber auch die neuen zeitspezifischen Veränderungen aus. Die wichtigste ist die Ausgrenzung des Gesindes in den Erläuterungen über die häusliche Gesellschaft. Der traditionelle personenbezogene Aspekt, die Hausgemeinschaft, ging zunehmend auf die engere „Familie" über, die nur mehr mit dem „Haus" als Lebensort verbunden war, meist aber schon die Mietwohnung damit bezeichnete. Der Rest der alten Bedeutung von der selbstproduzierenden Wirtschaftseinheit blieb lediglich für Familienunternehmen im engeren Sinn, die Handelshäuser, gebräuchlich.

Setzen wir das vergleichende Nachschlagen bis in den Brockhaus der Gegenwart fort, wo man unter „Haus" nur mehr „das Wohnhaus; im weiteren Sinn auch das aus Wänden und Dach bestehende Gebäude" versteht, so sind alle über das „Gebäude" hinausgehenden aktuellen Signifikate weggefallen, und es wird noch deutlicher, daß wir es im diachronen Sprachwandel mit einem langfristigen Prozeß der Bedeutungsverengung zu tun haben[11]. Heutige Interpretatoren des Biedermeierhauses müssen sich also zuerst einmal dieser verlorenen Bedeutungsvielfalt des Begriffes, jedenfalls aber des ursprünglich mitgemeinten und gerade im Laufe der Biedermeierzeit enger gezogenen häuslichen Personenverbandes bewußt werden.

**Zerfall in Einzelteile**

Aber sehen wir uns an, wie die konstatierte Begriffsfülle beschrieben wurde. Das Stichwort „Haus" provoziert die lexikalischen Informationen auf zwei Ebenen, einer „eigentlichen" und einer „figürlichen", d. h. zu einem praktischen, materiellen und einem metaphorischen, symbolischen Bereich. Das Lexikon-Haus lud auch in der Biedermeierzeit – im Anschluß an eine reiche Tradition disparaten Wissens, die von der aristotelischen Ökonomielehre bis zur Hausväterliteratur reichte – noch dazu ein, diese zwei Wissensqualitäten unter einem Dach zu vereinen. Nach dem alten Grundmuster stehen da erstaunlich genau Informationen zu Sachfragen aus der Fachpraxis von Land- und Hauswirtschaft, der Baukunst, neben juristischen Definitionen über den Status der Bewohner oder persönlichen Ratschlägen an Hausbesitzer und einer Sammlung von alten Sprichwörtern und Ausdrücken zum häuslichen Geschehen. Es handelte sich in der weiterwirkenden lexikalischen Tradition des 18. Jahrhunderts um gleichberechtigte Informationseinheiten aus unterschiedlichen Lebensbereichen, die da an einem (Sprach-)Ort „Haus" zusammengeführt wurden.

Während die Inhalte noch präsent waren, begann sich die Organisation des Wissens aber zu verändern, die Erläuterungen zum Stichwort „Haus" wurden kürzer, verlagerten sich vom Zentralbegriff auf einzelne spezialisierte Stichwörter. Bezeichnend dafür ist die moderne Gliederung des Hauswissens in den ersten Auflagen der in der Biedermeierzeit gegründeten Brockhaus-Encyclopädie: das „Haus" wird dort überhaupt nicht mehr aufgeführt, Einschlägiges wie eine systematische Einteilung von Bauwerken findet man unter „Gebäude", Wissen zu Teilbereichen unter „Hausehre", „Häusersteuer", „Hausmittel" und in der späteren Auflage auch „Hausrecht", „Hauslehrer", „Haussuchung", „Hausverträge" usw.[12].

Wenn wir uns dazu an den vorläufigen Endpunkt dieser Entwicklung im modernen Brockhaus erinnern, so führt die Entwicklung der lexikalischen Definitionen seit der Biedermeierzeit vor, was sich auch außerhalb der Lexika abspielte. Das Lexikon-Haus begann in seine vielen Bausteine, in spezialisierte Teilgebiete zu zerfallen, die bald nur mehr formal zusammengefügt waren. Entgegen allen Erwartungen von biedermeierlicher Bedeutsamkeit wurde seit damals dem Stichwort „Haus" seine eigenständige, umfassende Bedeutung zunehmend entzogen, so daß es bis heute nicht mehr zum aktuellen Wissenstransport taugt oder als Kompositum von anderen bedeutungstragenden Begriffen abhängig ist. Was ist das für eine Idee, heutzutage ein Lexikon mit wissenschaftlichem Anspruch ausgerechnet nach dem „Haus" zu befragen? Dort gibt es nichts mehr zu wissen.

In den lexikalischen Definitionen aus der ersten Hälfte des 19. Jahrhunderts stand neben diesen ersten Anzeichen einer abnehmenden Wichtigkeit des Hauses aber noch eine Menge an Informationen zur Verteilung auf die kombinierbaren Begriffe an. Da ist einmal der Kreis der durch verschiedene Funktionen und Positionen an das Haus gebundenen Menschen. Wenn sie im selben Haus wohnten, konnten sie auch in der Biedermeierzeit noch als „Hausgenossen" oder „Hausgesellschaft" bezeichnet werden. Dahinter steckte die hausständische Tradition, die häusliche Gesellschaft als Wohn- und Arbeitsgemeinschaft eines Hauses. Auch wenn im 19. Jahrhundert immer weniger der in einem Hause lebenden Menschen solchen hausständischen Arbeits- und Rechtsbeziehungen unterlagen, sondern an ihren Wohnort nur mehr durch ähnliche Mietverhältnisse gegenüber demselben Hausbesitzer verbunden waren, so konnte wenigstens über die Wörter als Sprech- und Denkeinheiten noch Integration vorgegeben werden. Erst in der zweiten Hälfte des 19. Jahrhunderts scheint neben den „Hausgenossen" die neutralere Bezeichnung „Hausbewohner" auf, und im 20. Jahrhundert hat der Segmentierungsprozeß in der Wohnrealität schließlich auch die Begriffe eingeholt, die Mieter eines Hauses lassen sich nicht mehr auf einen (lexikalischen) Nenner bringen[13].

Kat. Nr. 15/30 „Häuslichkeit" einer Handwerkerfamilie, um 1833/37

## Hausherr und Hausfrau

In der alten Hausgemeinschaft, wie sie sich in den Begriffen ausdrückte, entsprachen die Positionen der an ein Haus geknüpften Personen einem Geflecht von hierarchischen Beziehungen, in dessen Mittelpunkt der Leiter des Hauswesens stand. „Hauswirth" oder „Hausvater" waren Bezeichnungen für den, der ein eigenes Haus und eigenes Gesinde hatte, eine an den Bezirk des gesamten Hauswesens gebundene Herrschaftsposition. Der „Hausherr" bezog sich schon mehr auf Miethsleute als Hausgenossen, und der „Hausbesitzer" wurde in der Biedermeierzeit immer häufiger frequentiert, weil er ein von feudalen Herrschaftstraditionen freies, sachliches Besitzverhältnis ausdrückte.

In diesem von ständisch-patriarchalischen Assoziationen unbelasteten Bereich findet sich dann auch eine extra angeführte weibliche Form, die „Hausbesitzerin". „Hausfrau" dagegen ist schon per definitionem unselbständig bestimmt, die „Frau des Hausherrn", die „Ehegattin" als Vorsteherin des Hauswesens", die „Gehülfin des Hausvaters". Während die eigentliche Entsprechung auf derselben hierarchischen Ebene, die Hausherrin, nur in einem Lexikon, auch nur als „zuweilen so genannte Hausfrau" angeführt wird, ist das weibliche Begriffspendant zur Hausfrau der „Hausmann", der vom Hausherrn durch Dienstleistungen oder Zinszahlungen abhängig war – ein expliziter Hinweis der Begriffe auf die untergeordnete Stellung der Frau in der Hierarchie der häuslichen Gesellschaft.

## Die traditionelle Arbeit im Haus

Der Kern des Gegensatzes zwischen der auslaufenden alten hausständischen und der neuen industriekapitalistischen Gesellschaftsordnung aber drückt sich in der Gegenüberstellung der Stichwörter „Hausarbeit" und „Häuslichkeit" aus. Hausarbeit erklärt Krünitz 1781 als „eine Arbeit, welche von einem fleißigen Hausvater und einer sorgfältigen Hausmutter zu Hause vorgenommen wird; im Gegensatz der Feld-, Garten- und Weinbergsarbeiten". Der Tenor dieser Definition, die rein räumliche und nicht geschlechtsspezifische Abgrenzung von den „draußen" stattfindenden Wirtschaftsarbeiten, wurde erstaunlicherweise in der Biedermeierzeit beibehalten[14]. Noch war es eine an landwirtschaftlichen, selbstproduzierenden Haushalten ausgerichtete Begriffsdefinition, im hausständischen Umfeld, dem die Trennung von Produktion und Reproduktion fremd war, tief verankert. Erst aus der Perspektive der außerhäuslichen Lohnarbeit, die vor allem in der Stadt zur unübersehbaren Realität geworden war, erhielten die Arbeitsleistungen im Haus ihre „moderne" Ausrichtung, d. h. sie wurden auf die Reproduktionsleistungen für Familienmitglieder begrenzt. Das industriekapitalistische Bewertungssystem entkleidete nicht mit Geld entlohnte Leistungen ihres Arbeitscharakters, und das traf vor allem auf die Tätigkeit der Hausfrau zu, die nun nicht mehr als Arbeit betrachtet wurde, auch wenn sie sich oft von den bezahlten Leistungen der Dienstboten oder Haushälterinnen gar nicht unterschied. Für diese in der ersten Hälfte des 19. Jahrhunderts neue Einstellung zur Arbeit im Haus, die nun aus den täglichen Versorgungs- und Instandhaltungsleistungen im Familienhaushalt bestand und sich vom umfassenderen traditionellen Begriff der produzierenden „Hausarbeit" grundsätzlich unterschied, fand sich auch eine geeignetere Bezeichnung. In den Lexika der Biedermeierzeit ist dieses Konzept unter „Häuslichkeit" zu finden, einem nicht neuen, aber früher wenig relevanten Ausdruck, der bezeichnenderweise in seiner Lautkette frei von jeder Assoziation mit Arbeit ist. An seiner diachronen Bedeutungsverschiebung wird der allmähliche Wandel in der Betrachtung und Bewertung des Geschehens im Hause sichtbar.

## Das moderne Konzept: „Häuslichkeit“

Noch im 18. Jahrhundert verstand man darunter die „Fertigkeit, die häuslichen Ausgaben mit weiser Sparsamkeit einzuschränken; tugendhafte Sparsamkeit in der Haushaltung“, also eine rein wirtschaftliche Qualifikation in der Kalkulation des Haushalts. Sie wurde in dieser Hinsicht ausdrücklich nicht geschlechtsspezifisch verwendet. Beides, „ein häuslicher Mann, eine häusliche Frau“, war gebräuchlich. In der ersten Hälfte des 19. Jahrhunderts wurden über die Sparsamkeit hinaus darunter bereits sämtliche „Geschicklichkeiten, die der häuslichen Gesellschaft vorteilhaft sind“, verstanden. Von der wirtschaftlichen Komponente abgelöst, verwandelten sich die Arbeitsleistungen im Haushalt nun zu höheren Werten, deren Erfüllung nicht nur spezifischen Fähigkeiten, sondern einer bestimmten Disposition der menschlichen Anlagen entsprach, den „häuslichen Tugenden“. Das Wiener Conversationslexicon (1828) nennt unter dem Stichwort das breite Spektrum eines gesamten Lebensbereiches, den „vorherrschenden Sinn für die Pflichten, Geschäfte, die Ruhe und die eigentlichen Freuden des häuslichen und Familienlebens“. „Häuslichkeit“ näherte sich der ausschließlichen Beschränkung des Lebensbereiches auf das Haus, aus der die immer eindeutigere geschlechtsspezifische Festlegung folgte. Die Wörterbücher der Biedermeierzeit führen nur mehr die Kombination „ein häuslich Weib“ an, und im Beispiel für die gebräuchliche Verwendung verwandelt sich der Begriff zur Beschreibung ideal ausgeprägter Weiblichkeit schlechthin: „Häuslichkeit ist des Weibes größte Zierde“[15]. So bildete sich neben dem Begriff der „Hausarbeit“, der in der ersten Hälfte des 19. Jahrhunderts noch in der traditionellen, geschlechtsneutralen Bedeutung für landwirtschaftliche Arbeiten im Haus weiterverwendet wurde, „Häuslichkeit“ als Chiffre für die neue, im Zuge der Industrialisierung sich ausbreitende Perspektive auf das Haus: der Arbeit entkleidet, wird es in seiner verbliebenen Funktion als Aufbewahrungsstätte von Menschen zur „Sphäre“ aufgewertet, deren zur Lebensaufgabe erweiterte Betreuung „Häuslichkeit“ bezeichnet. Seither stellt sie ein hochrangiges Beurteilungskriterium für das Wohlverhalten ausschließlich weiblicher Menschen dar.

## Fazit: Rückzug in Uneindeutigkeiten

Zwischen „Haus“ und „Häuslichkeit“ standen in den Lexika nur Wörter, Begriffe, Sprachteile einer weit vielfältigeren Realität. Was sich dort aber nachlesen ließ, ist das Nebeneinander von Begriffen aus der ausklingenden alten, feudal-ständischen und der neu entstehenden industriekapitalistischen Gesellschaftsordnung, die für den Bereich des Hauses verwendet wurden und das Biedermeierhaus als einen bis in Sprache und Denken geprägten Umbruchsort charakterisieren.

Unsere Vorstellung von der biedermeierlichen Häuslichkeit hat Teile der damals entstandenen ideologischen Umbesetzung des Hauses herausgepickt und sie nach unserem Gutdünken, unseren Bedürfnissen zusammengesetzt zum Biedermeier-Topos. Schon die nähere Begutachtung des Wortes „Häuslichkeit“ zeigt jedoch, daß der beschworene Rückzug ins gemütliche Haus, mit dem alles seinen Anfang genommen haben soll, nicht von enttäuschten Bürgern vollzogen wurde, sondern den Frauen galt – während sich die Männer mit dem fortschreitenden Auszug von Produktion und Lohnarbeit aus dem häuslichen Umfeld ausgrenzten.

Daß zwischen der außerhäuslichen, unpersönlichen Arbeitswelt und der privaten häuslichen Zelle seither nicht nur Trennwände, sondern vor allem Wechselwirkungen und Abhängigkeiten bestehen, wollten wir aber eigentlich vergessen. Wer ist es nun wirklich, der sich ins Biedermeierhaus zurückgezogen hat?

### Anmerkungen:

[1] Vorrede zu „Biedermaiers Liederlust“ von 1869 aus Ludwig Eichrodt (Hrsg.), Das Buch Biedermaier. Gedichte von Ludwig Eichrodt und Adolf Kußmaul sowie ihrem Vorbild, dem „alten Dorfschulmeister“ Samuel Friedrich Sauter, Stuttgart 1911.

[2] Gertraud Zaepernick, Neuruppiner Bilderbogen, Leipzig 1972, S. 48.

[3] Eugen Kalkschmidt, Biedermeiers Glück und Ende. München, Neuaufl. 1977, S. 28.

[4] Wilhelm Mrazek und Rupert Feuchtmüller, Biedermeier in Österreich, Wien, Hannover, Bern 1963, S. 68.

[5] Marianne Bernhard, Das Biedermeier. Kultur zwischen Wiener Kongreß und Märzrevolution, Düsseldorf 1983 (= Hermes Handlexikon), S. 7.

[6] Hier setzt die Dissertation der Verf. mit dem Arbeitstitel „Haus und Häuslichkeit. Lebens- und Diskursformen der Biedermeierzeit“ an, die am Biedermeierhaus die Abtrennung des privaten Bereichs von der Öffentlichkeit untersucht.

[7] Die von Norbert Elias' Zivilisationsforschung ausgelösten Untersuchungen zu Entwicklung und Wandel einzelner Verhaltensaspekte sind hier ebenso zu nennen wie die auf empirisch verarbeitetem, historischem Material beruhenden Detailanalysen von epochenspezifischen Problemen, die dann bezeichnenderweise unter Titeln wie „Wien im Vormärz“ erscheinen, ein 1980 vom Verein für Geschichte der Stadt Wien herausgegebener Sammelband.

[8] Horst Koch (Hrsg.), Wiener Biedermeier, Ramerding 1977, S. 6.

[9] Günter Liehr und Jan Thorn-Prikker, Container: Ex Interieur. Bilder vom Wohnen in Amerika. Zu den Bildern von Chauncey Hare. In: Kunstforum international Nr. 41, Jg. 5 (1980), 203 f..

[10] Johann Georg Krünitz, Ökonomisch-technologische Encyclopädie oder allgemeines System der Staats- Stadt- Haus- und Landwirthschaft und der Kunstgeschichte, Bd. 22 (1781), S. 284.

[11] Vgl. dazu „Haus“ in: Neuestes Conversations-Lexicon oder allgemeine deutsche Real-Encyclopädie für gebildete Stände, 19 Bde, Wien 1825–1836. Bd. 8 (1828), S. 293; Theodor Heinsius, Vollständiges Wörterbuch der Deutschen Sprache. Mit Bezeichnungen der Aussprache und Betonung für die Geschäfts- und Lesewelt, 4 Bde. Wien 1840, Bd. 2, S. 266; H. A. Pierer (Hrsg.), Universal-Lexicon der Gegenwart oder neuestes encyclopädisches Wörterbuch der Wissenschaften, Künste und Gewerbe, 26 Bde. Altenburg, 2. Aufl. 1843, Bd. 13, S. 426, und Brockhaus-Enzyklopädie in zwanzig Bänden, Wiesbaden, 17. neubearb. Aufl. 1969, Bd. 8, S. 232.

[12] Allgemeine deutsche Real-Encyclopädie für gebildete Stände, Leipzig, 5. Aufl. 1822, Bd. 3, S. 605 f., und 9. Aufl. 1844, S. 703 ff.

[13] Vgl. Pierer, Bd. 13, S. 429; Heinsius, Bd. 2, S. 269, und Jakob und Wilhelm Grimm, Deutsches Wörterbuch. Bearbeitet von Moritz Heyne, Leipzig 1877, S. 653. Im Brockhaus, Bd. 8 (1969), S. 232 ff., fehlt ein entsprechender Ausdruck. Das Haus als Einheit ist dort nur auf technischer Ebene erhalten geblieben, wo der frühere kommunikationsfördernde „Hausanschluß“ nur mehr die Verbindung der hauseigenen Rohr- und Drahtleitungen mit den Leitungen des kommunalen Versorgungsnetzes meint.

[14] Krünitz (1781), S. 370 und Heinsius (1840), S. 267 wie Pierer (1843), S. 427, der darunter „im Gegensatz der Feldarbeit“ noch immer „Dreschen, Spinnen und dgl.“ aufführt.

[15] Vgl. zu „Häuslichkeit“ z. B. Johann Christoph Adelung, Versuch eines vollständigen grammatisch-kritischen Wörterbuches der hochdeutschen Mundart, Leipzig, 2. Aufl. 1793–1804, S. 1032; Heinsius, S. 266, und Neues Conversationslexicon, S. 297.

# ERZIEHUNG UND SCHULE (BIEDERMEIER UND VORMÄRZ)

*Gertrude Langer-Ostrawsky*

Die beiden im Ausstellungstitel genannten Begriffe für den Zeitraum von 1815 bis 1848 kennzeichnen schlagwortartig die Situation des Schul- und Erziehungswesens. „Biedermeierlich" erscheint die gesteigerte Aufmerksamkeit für die Erziehung des Kindes innerhalb der Familie; im „vormärzlicher" Unterdrückung werden die bildungspolitischen Inhalte vorgegeben und beschränkt.

Die „Pädagogisierung" der Erziehung machte in zunehmendem Maße die Familie für das Erlernen der von der Gesellschaft geforderten sozialen Verhaltensweisen verantwortlich. Die Institution Schule hingegen übernahm die Berufsausbildung und die staatsbürgerliche Erziehung.

**Die Erziehung in der Familie**

In der ständisch gegliederten Gesellschaft war die Haushaltsgemeinschaft die Stätte der Erziehung, in der Lebens-, Erlebnis- und Erziehungswelt für das Kind zusammenfielen. Das Kind lernte durch unmittelbare Anschauung, durch Mit-Tun, durch Mitarbeit und wuchs so kontinuierlich in die Welt der Erwachsenen hinein.

Mit der beginnenden Industrialisierung setzte die Auflösung des „ganzen Hauses" (Otto Brunner)[1] als Wirtschafts- und Lebensgemeinschaft ein. Durch die Trennung von Berufs- und Privatsphäre konnte das Kind nicht mehr durch unmittelbare Anschauung und Nachahmung in der Familie lernen. Zunehmend wurde die Erziehung und Ausbildung in die Institution Schule verlagert. Als Gegengewicht zu diesem Verlust einer Funktion der Familie setzte eine stärkere Emotionalisierung des Familienlebens ein. Das Kind wurde nicht mehr als bloße „Miniatur-Ausgabe" des Erwachsenen angesehen, sondern als Persönlichkeit mit einer eigenen Lebenswelt und spezifisch „kindlichen" Bedürfnissen. Im Biedermeier zeigen sich erste Ansätze einer speziellen Kindermode, die dem Spiel- und Bewegungsdrang der Kinder entgegenkam. Auch das nunmehr breit gefächerte Angebot von Spielzeug ist Ausdruck dieser neuen Sicht.

Puppenstuben und -küchen für die Mädchen, Pferdegespanne und Soldatenausrüstung für die Knaben – geschlechtsspezifisch streng getrenntes Spielzeug sollte die Kinder auf ihre späteren Rollen als Hausfrau bzw. Familienoberhaupt vorbereiten.

Freilich galt dieses spielerische Lernen nur für eine schmale Schicht von Kindern. Während eine Tochter aus gutbürgerlichen Kreisen mit Puppengeschirr hantierte, war für ein gleichaltriges Mädchen aus der Unterschicht die Führung des Haushaltes anstrengende Arbeit. Statt Puppen zu wiegen, mußte sie sich um ihre jüngeren Geschwister kümmern, während Vater und Mutter in der Manufaktur, Fabrik oder sonstwo als Lohnarbeiter arbeiteten und damit oft kaum den notwendigsten Lebensunterhalt verdienten. Nicht selten mußten Kinder aus ärmeren Schichten zum Familieneinkommen beitragen – eine der schrecklichsten Formen von Kinderarbeit war die in den Textilfabriken, wo fünf- bis sechsjährige Kinder eingesetzt wurden. Aufgrund ihrer geringen Körpergröße konnten sie sich leichter und geschickter zwischen den Maschinen bewegen, und noch dazu wurde Kindern der geringste Lohn bezahlt[2]. Auch die Heimarbeit war unter Kindern sehr verbreitet – das Spielzeug, das bürgerlichen Kindern zur Freude diente, wurde nicht selten von Gleichaltrigen unter den ausbeuterischsten Bedingungen hergestellt.

Der Vernachlässigung von Kindern aus Unterschichtfamilien suchten die Gründer von Kinderbewahranstalten entgegenzutreten[3].So wurden z. B. im Jahre 1830 in Margareten und Wieden Kleinkinderbewahranstalten errichtet, die Kinder im Alter zwischen 2 und 5 Jahren aus gewerblichen und industriellen Lohnarbeiterkreisen während der Arbeitszeit ihrer Eltern betreuten. Diese Anstalten sollten gleichsam als Elternersatz einspringen und die Kinder vor moralischer Schädigung infolge fehlender Aufsicht oder mangelnder Überwachung durch unerfahrene Geschwister oder gleichgültigen Nachbarn sowie vor Gefahren durch Unglücksfälle schützen.

Das staatliche Engagement für eine Kinder- und Jugendfürsorge war im Vormärz äußerst gering und gegenüber der Zeit Josephs II. eher im Rückgang begriffen. Eine pädagogisch orientierte Sicht der Kinderfürsorge blieb auf einige wenige Philanthropen beschränkt. Aber auch die oben erwähnten Kinderbewahranstalten wiesen neben dem sozialpädagogischen Element eine deutliche Zweckorientierung auf die Formung von autoritäts- und gottgläubigen Staatsdienern auf.

Ein wichtiges Erziehungsmittel stellten die Kinderbücher dar, die im Biedermeier eine erste große Blüte erlebten. Sie vermitteln einerseits die allgemein verbindlichen Normen sittlichen Verhaltens – Wahrhaftigkeit, Hilfsbereitschaft, Mildtätigkeit, Religiosität. So lautet etwa der Untertitel eines Kinderbuches von Leopold Chimani, dem wohl fruchtbarsten Kinder- und Jugendbuchautor des Wiener Biedermeier, programmatisch (als Beispiel für viele ähnliche): „Eine Sammlung lehrreicher Erzählungen . . . zur Erwekkung des religiösen und moralischen Gefühls"[4].

Seit der Aufklärung hatte man sich zunehmend vom rein religiösen Unterricht gelöst, und entsprechend den Anforderungen der neuen Zeit trat nun die Vermittlung von Sachwissen zur sittlichen Erziehung. Neben den moralisierenden Erzählungen, die den Kindern sittlich richtiges Verhalten beispielhaft vor Augen führen sollten, kamen nun Bilderbücher auf, die in anschaulichen Bildern und Schilderungen Begriffe der Umwelt und des täglichen Lebens erläuterten. Diese Bücher unterstützten auch die Eltern, solange es noch keinen verpflichtenden und systematischen Schulbesuch gab, ihren Kindern einen gewissen Bildungsstand zu vermitteln.

Ein besonders anschauliches Beispiel für diese bürgerliche Kinderliteratur ist Leopold Chimanis „Das Landleben oder Lustreisen der Familie Friedheim in ländliche Gegenden, zur Betrachtung der Naturgegenstände und der Landwirthschaft"[5]. Die jungen Leserinnen und Leser begleiten die bürgerliche Familie Friedheim mit ihren drei Kindern auf ihren Fahrten und Spaziergängen über das Land und erfahren dabei allerlei Wissenswertes. Der Vater, Gottlieb Friedheim, wird als Träger eines öffentlichen Amtes vorgestellt, „dem er alle Müh und Sorge und die schönsten Stunden des Tages widmen muß. Nur der Abend gehört seiner Familie an . . ." (S. 1). Die Mutter verkörpert den Idealtypus der Frau, „welche nur für ihren Gatten und für ihre Kinder lebt", die vor allem für die

Kat. Nr. 15/72 Aus dem Kinderbuch „Treue besteht, Falschheit vergeht“

Herausbildung der Herzenstugenden ihrer Kinder verantwortlich ist, der also in ganz typischer Weise in der Zuschreibung der „Geschlechtscharaktere“ (Karin Hausen)[6] der affektiv-emotionale Bereich der Erziehung zufällt. Der Vater hingegen will „ihren (= der Kinder) Verstand bilden, sie zum richtigen Denken, Urtheilen und Schließen anleiten“ (S. 2).

**Der Privatunterricht in Bürgertum und Adel**

Eltern der gehobenen Mittelschicht ließen ihre Kinder gerne von Hauslehrern unterrichten, da das öffentliche Unterrichtswesen nur allzu offenkundige Mängel aufwies. Ein angestellter Privatlehrer ließ den Eltern Möglichkeiten, die Unterrichtsinhalte selbst zu beeinflussen, bot mehr Kontrollmöglichkeiten und konnte schließlich auch auf die Eigenarten und Begabungen der Kinder besser eingehen. Nicht zuletzt war ein eigener Hauslehrer für das aufstrebende Bürgertum ein Statussymbol, das nach außen hin Reichtum und Bildungswillen signalisierte. Auch im Bereich der Privaterziehung wurden die Bildungswege von Söhnen und Töchtern getrennt. Während die Knaben unter der Leitung eines Hauslehrers Studien betrieben, die den offiziellen Anforderungen entsprachen, vervollkommneten die Töchter ihre hauswirtschaftlichen und gesellschaftlichen Kenntnisse unter der Aufsicht einer Gouvernante.

Vorbild für diese Art der Privaterziehung war natürlich der Adel[7], der auch aus Gründen der sozialen Distanzierung von der üblichen Bevölkerung seine Söhne und Töchter nicht an öffentlichen Lehranstalten unterrichten ließ. Neben der reinen Wissensvermittlung war in der adeligen Erziehung vor allem das Erlernen von standesgemäßen Umgangsformen wesentlich. Marie v. Ebner-Eschenbach berichtet in ihren Erinnerungen[8] über ihren Unterricht bei einer „eleganten Französin, die den Tanzunterricht damit begann, daß sie uns . . . in den Salon eintreten und den Salon verlassen und grüßen (lehrte) – je nach Gebühr . . . ‚Oh, meine jungen Damen, genau muß das wissen, wer gute Manieren haben will! Gute Manieren, meine jungen Damen, sind sehr viel, sind beinah alles. Wenn Napoleon gute Manieren gehabt hätte, wäre er ein *ganz* großer Mann gewesen!‘ “.

Die Kontakte zwischen Eltern und Kindern waren in adeligen Häusern recht distanziert und meist auf eine bestimmte Stunde des Tages beschränkt – so nahmen etwa Söhne das Mittagessen allein in Gesellschaft des Erziehers ein und nahmen nur am Sonntag an der Mittagstafel teil.

Die Kinderzimmer bildeten mit eigenem Speisesaal, Studier- und Aufenthaltsräumen eine Welt für sich. Neben den Kinderzimmern wohnten Kindermädchen, Gouvernante und Erzieher, räumlich den Kindern viel näher als Mutter und Vater, die ihre Appartements oft in anderen Stockwerken hatten.

Eine für die Gesellschaftskreise der österreichischen Aristokratie ganz übliche Kindheit schildert Marie von Ebner-Eschenbach (geb. 1830) in ihren biographischen Skizzen „Meine Kinderjahre“[9].

Die unmittelbar praktische Erziehung der Geschwister oblag einer Kinderfrau; Trost und Zuflucht suchte man bei der ehemaligen Amme, die der „lichte Stern unserer Kinderstube und immer freundlich und gut“ war[10].

Die Kinder schliefen bei der Kinderfrau und nahmen auch das Mittagessen gemeinsam mit dieser – und nicht mit den Eltern – ein. Ebner-Eschenbach erinnert sich auch bezeichnenderweise, daß der Tisch sowohl der Dienerschaft als auch der Kinder mit leicht beschädigtem veralteten Porzellan gedeckt war, während auf der herrschaftlichen (= elterlichen) Tafel modernes englisches Steingutgeschirr prangte und daß sie diesen Umstand als Kind für entwürdigend empfunden habe.

Die Mutter – bzw. Stiefmutter – erscheint als liebevolle, anmutige Gestalt nur an der Peripherie des Kinderlebens auf, doch trotz aller Entfernung lange nicht so distanziert wie der Vater. Dieser erschien den Kindern in der Rolle einer kontrollierenden Instanz, die am Ende eines Tages über dessen Verlauf, das Betragen der Kinder, ihre Lernfortschritte urteilte, Belohnungen austeilte oder Strafen verhängte.

„In der Furcht vor dem Papa waren meine Schwester und ich aufgewachsen. Man hatte sie uns in der Kinderstube eingeflößt durch eine Drohung, die sich nie erfüllte, stets aber wirksam blieb: Wartet nur, ich sag’s dem Papa, und dann werdet ihr sehen!“[11]

Die Autorität des Vaters duldete keinen Zweifel – Ehrfurcht und Unterwerfung unter den väterlichen Willen prägten das Verhältnis zu den Kindern. Dazu Marie v. Ebner-Eschenbach: „Wir meinten, daß man an der Handlungsweise seines Vaters Kritik nicht üben kann . . . Wir standen mit unserem Vater auf dem Duzfuße; er war aber ungefähr von der Sorte, auf dem sich das russische Bäuerlein mit dem Väterchen in Petersburg befindet. Von einer Seite ein unbeschränktes Machtgefühl, von der anderen Unterwürfigkeit.“[12]

**Das Schulsystem**

„. . . recht herzlich gute, lenksame und geschäftstüchtige Menschen . . .“[13], dies war das Bildungsziel des österreichischen

Erziehungssystems im Vormärz, wie es in der „Politischen Schulverfassung“ von 1805 für die Mehrzahl der Bevölkerung formuliert wurde. Die „Politische Schulverfassung“ zeigte sich gegenüber fortschrittlichem aufklärerischem Gedankengut repressiv. Als Reaktion auf die Ereignisse und Forderungen der Französischen Revolution, die das herrschende politische System bedrohte, sollten schon in der Schule sowohl von den Lehrplänen als auch von der Formulierung der Lernziele her mögliche Reaktionen der Bevölkerung auf revolutionäre Anregungen im Keim erstickt werden.

Die theresianisch-josephinischen Reformen hatten eine Förderung und Intensivierung vor allem des niederen Schulwesens gebracht. Als Bildungsziel stand hinter den Schulreformen der Aufklärung eine Hebung des allgemeinen Wissensstandes, der Arbeitsamkeit und der Disziplin. Nicht der selbständig denkende Mensch, sondern der in seiner Arbeitsleistung durch bessere Ausbildung produktivere Untertan sollte herangebildet werden. Doch schon zu Ende der Regierungszeit Josephs II. erhoben sich warnende Stimmen gegen die unliebsamen Folgen eines „Zuviel“ an Bildung.

So bedeutete die „Politische Schulverfassung“ von 1805 keinen eigentlichen Wendepunkt, sondern knüpfte bereits an Tendenzen an, die eine Zurücknahme der Reformen Josephs II. schon im ausgehenden 18. Jahrhundert mit sich brachte. Vor allem wurde der zeitweilig eingeschränkte Einfluß der Kirche auf das Schulwesen wieder verstärkt.

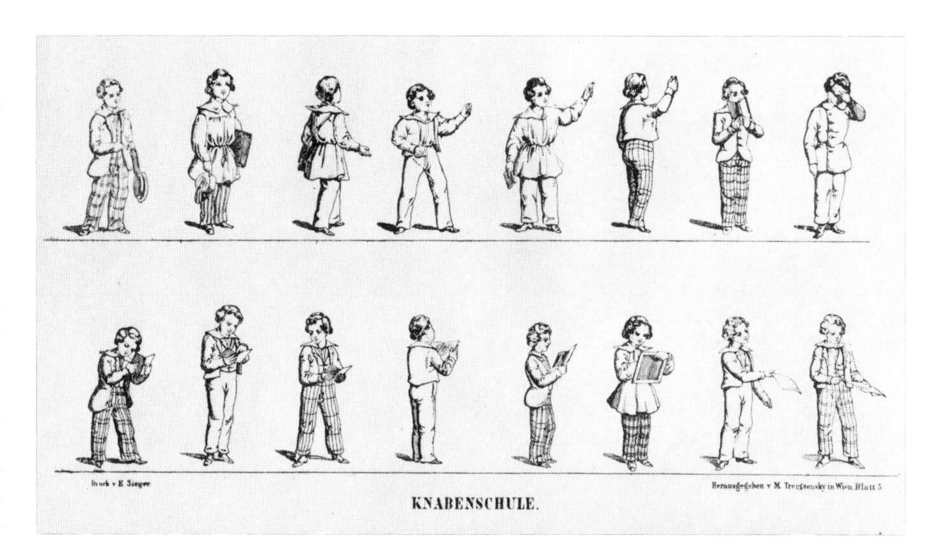


Kat. Nr. 15/71 Knabenschule, Ausschneidebogen aus dem Verlag Trentsensky, um 1850

**Schultypen**

Welche Bildungsmöglichkeiten standen nun den Kindern offen? Die Grundausbildung sollten die Kinder in den Trivial-, Haupt- oder Normalschulen erhalten, Schultypen, die bereits in der „Allgemeinen Schulordnung“ von 1774 geschaffen worden waren und bis zum Reichsvolksschulgesetz von 1869 bestanden. Diese Schultypen waren für die Ausbildung einer je bestimmten Gesellschaftsschicht gedacht und kanalisierten die Bildungswege der Kinder von Anfang an. Der Großteil der Bevölkerung konnte lediglich die ein- oder zweiklassige Trivialschule besuchen, deren Aufgabe in der „Politischen Schulverfassung“ recht deutlich genannt wird: „Kinder der Trivialschulen gehören zu derjenigen nützlichen Classe von Menschen in Städten und auf dem Lande, welche ihren Unterhalt beinahe bloss durch Anstrengung ihrer physischen Kräfte erwerben . . . Die Masse der Schüler (solle) nur solche Begriffe erhalten, welche sie in ihren Arbeiten nicht stören und mit ihrem Zustande unzufrieden machen, sondern viel mehr ihr ganzes Gedankensystem auf die Erfüllung ihrer moralischen Pflichten und auf die kluge und emsige Erfüllung ihrer häuslichen und Gemeinde-Obliegenheiten einschränken“[14]. Die Trivialschule hatte also darauf zu achten, daß den Angehörigen der „arbeitenden Classen“ nur diejenigen Wissensinhalte vermittelt wurden, die ihrer Schicht und ihren Verhältnissen genau entsprachen. Jedes überflüssige Wissen war zu vermeiden. Der Unterricht in den Trivialschulen beschränkte sich nur auf die elementarsten Kenntnisse der Religion, des Lesens, Schreibens und Rechnens. Unterrichtet wurden die Kinder von schlecht ausgebildeten Lehrern und Schulgehilfen, die nur durch einen dreimonatigen „Präparandenkurs“ auf ihre Tätigkeit vorbereitet worden waren. Der schlechten Berufsausbildung der Lehrer entsprach auch deren geringe Besoldung – und ein dementsprechend geringes soziales Ansehen, auch in den Augen der Schüler. Kein Wunder, daß Prügel und andere drakonische Maßnahmen ein Haupterziehungsmittel in den Schulen bildeten. Eine bessere Schulbildung gab es in den sogenannten Hauptschulen, die aber nur in größeren Städten eingerichtet wurden, und in den „Normalschulen“, die gleichzeitig als Lehrerbildungsstätten dienten. Letztere exstierten lediglich in den Landeshauptstädten. In Wien galt die Normalhauptschule bei St. Anna als besonders gute Erziehungsanstalt. Auf dem Gebiet des heutigen Österreich war nur ein Bruchteil aller Schulen Hauptschulen, so daß der überwiegende Teil der Jugend nur die elementarste Ausbildung erhielt. In Wien etwa bestanden bis zur Mitte des 19. Jahrhunderts nur fünf vierklassige Hauptschulen und neun dreiklassige Pfarrschulen gegenüber 53 zweitklassigen Trivialschulen[15], in denen Knaben und Mädchen gemeinsam unterrichtet wurden.

Im allgemeinen war das Ausbildungs- und Erziehungssystem des Vormärz in einer tristen Situation. Mangelnde finanzielle und sachliche Ausstattung der Schulen, durch die Zensur eingeschränkte Lehrbehelfe und mangelhafte Ausbildung der Lehrerschaft drückten das Niveau vor allem in den Pflichtschulen. „Es sollen alle Kinder, Mädchen und Knaben, bemittelte und arme, vom Antritt des 6. bis zur Vollendung des 12. Jahres in die Schule gehen.“ Dieser Abschnitt aus dem Paragraph 1 der „Politischen Schulverfassung“ von 1805 sollte noch lange Jahre eine reine Absichtserklärung bleiben, denn die Schulpflicht konnte nur langsam durchgesetzt werden. Viele Eltern wollten oder konnten nicht auf die Arbeitskraft ihrer Kinder verzichten. Zudem stellte die Bezahlung des Schulgeldes, das nach Abschaffung der unentgeltlichen Armenschulen 1820 eingehoben wurde, viele Familien vor große finanzielle Probleme – viele Kinder wurden aus Kosten-

Kat. Nr. 15/71 Mädchenschule, Ausschneidebogen aus dem Verlag Trentsensky, um 1850

gründen einfach nicht in die Schule geschickt. Die allgemeine Schulpflicht wurde weiters durchlöchert durch die immer mehr anwachsende Kinderarbeit in den Fabriken.

## Die „Fabrikskinder"

In der Frage der sogenannten „Fabrikskinder" zeigt sich die zwiespältige Haltung des Staates zwischen ökonomischen Interessen und Verpflichtung zur Bildung der Untertanen. Viele Manufakturbetriebe oder Fabriken gründeten ihre wirtschaftliche Existenz auf – billiger – Kinderarbeit. Die staatlich geförderte Kinderarbeit führte zu dem Konflikt zwischen der Einhaltung der Schulpflicht und der vom Morgengrauen bis zum Abend dauernden Arbeitszeit der Kinder. Bei der positiven Beurteilung der Kinderarbeit von seiten der Regierung konnte der Gedanke, die Arbeit schulpflichtiger Kinder zu verbieten, überhaupt nicht aufkommen. Man suchte vielmehr die Erreichung beider Ziele zu verbinden, indem man die Unterrichtsstunden für schulpflichtige, in der Fabrik arbeitende Kinder nach Arbeitsschluß oder für den Sonntag festsetzte. In den Schulgesetzen von 1805 heißt es dazu: „Da dem Staate sehr daran gelegen ist, daß so viele in den Fabriken arbeitende Kinder einerseits nicht in der rohen Unwissenheit, der Mutter wilder Sittenlosigkeit aufwachsen, andererseits aber den Fabriken die nöthigen Hände, der geringen Classe der Verdienst nicht entzogen wird, so ist überall nach Beschaffenheit der Umstände die Einrichtung zu treffen, daß diese Kinder teils in einer Abendschule, teils an Sonn- und Feiertagen von dem Ortsseelsorger und Schullehrer den unentbehrlichen Unterricht gegen Bezahlung des Fabrikeninhabers und der Eltern erhalten"[16].

Man kann sich unschwer vorstellen, welche Erfolge dieser Unterricht bei den von einem 13- bis 16stündigen Arbeitstag völlig übermüdeten Kindern noch erzielte. Erst 1843 wurde ein Gesetz erlassen, daß Kinder vor Beendigung der Schulpflicht (= vor dem 12. Lebensjahr) nicht zur Fabriksarbeit herangezogen werden dürfen, Kinder vor dem 9. Lebensjahr sollten „nicht ohne Not" in die Fabrik gehen.

Ebenso unzureichend wie die Förderung des Pflichtschulwesens war im Vormärz der Ausbau weiterführender Schulen: Die naturwissenschaftlich orientierten, 1805 eingeführten Realschulen wurden nur zögernd eingerichtet. Erst 1809 erfolgte in Wien die Gründung der ersten Realschule. 1815 wurde das Polytechnikum, eine Höhere Technische Lehranstalt, eingerichtet. Eine höhere Allgemeinbildung vermittelten die Gymnasien, die aber nur Knaben zugänglich waren. Schwerpunkt des Unterrichtes lag auf der lateinischen Sprache. Auch die Gymnasialbildung litt unter der Einschränkung von Lehr- und Lernfreiheit und unter den geringen finanziellen Zuwendungen von seiten des Staates. Um den Staatshaushalt bei gleichzeitiger Anhebung der Gymnasialbildung zu entlasten, wurde unter Kaiser Franz I. die Gymnasialbildung wieder verstärkt in die Hände von Stiften und Klöstern gelegt – sie sollten die Schulen und den Unterricht aus dem eigenen Vermögen erhalten. Die Zugangsmöglichkeiten zum Gymnasium wurden je nach Bedarf des Staates durch Verschärfung der Prüfungsbedingungen oder Einhebung von Schulgeld gesteuert.

## Mädchenbildung

Im Bereich der Pflichtschulbildung waren seit den Maria Theresianischen Schulreformen die Mädchen und Knaben gleichgestellt, sowohl was die Schulpflicht vom 6. bis zum 12. Lebensjahr als auch den Wiederholungsunterricht am Sonntag-Nachmittag, die sogenannte „Sonntagsschule", betraf. Bildungsmöglichkeiten, die über die Volksschule hinausreichten, existierten für Mädchen nicht. Eine bessere Ausbildung für Mädchen galt im allgemeinen als unnötiger Luxus und konnte nur in Privatlehranstalten erworben werden. Eine Ausnahme bildeten in Wien zwei öffentliche Lehranstalten für Mädchen mit ähnlichen Zielsetzungen. Sowohl das 1786 gegründete Zivil-Mädchenpensionat als auch das seit 1775 bestehende Offizierstöchter-Institut sollten der Ausbildung von Lehrerinnen bzw. Erzieherinnen dienen. Den meisten Mädchen waren aber diese Institute verschlossen, da nur Töchter von Staatsbeamten bzw. Offizieren aufgenommen wurden. Die Ausbildung in diesen Instituten sollte die Mädchen zu Erzieherinnen für die weibliche Jugend und damit nutzbar für den Staat machen[17]. Der Zugang zu höheren Bildungsinstitutionen war Mädchen prinzipiell versagt – so konnten Mädchen z. B. das Gymnasium nicht besuchen. Eine höhere Bildung widersprach den für das weibliche Geschlecht akzeptierten und geforderten Bildungsinhalten. Eine „richtige Mädchenerziehung" sollte dazu befähigen, ebenso kundig einem Haushalt vorzustehen, die Dienstboten anzuleiten, die Wirtschaft zu führen wie auch in der Gesellschaft stets den rechten Ton zu finden, sich standesgemäß zu benehmen und auch dem zukünftigen Gatten eine hingebungsvolle, verständige Gefährtin zu sein. Je nach Gesellschaftsschicht lag das Schwergewicht der Ausbildung entweder mehr auf dem hauswirtschaftlichen Aspekt oder auf der Rolle einer „Dame der Gesellschaft". Das Erziehungsziel einer harmonischen Ausbildung des Verstandes, Gemütes und Willens wurde vor allem in höheren Mädchenschulen verfolgt, die aber nur für die Töchter der höheren Stände zugänglich war.

Prinzipiell aber galt für das gesamte Schulsystem des Vormärz, daß eine weiterführende Bildung für den Großteil der Kinder nicht möglich und auch nicht gewünscht war.

Zusammenfassend läßt sich sagen, daß das österreichische Bildungssystem im Vormärz durch eine Reihe von Faktoren – geistige Isolation vom Ausland, zensurbedingter Mangel an Lehrbehelfen, unzureichend qualifizierte Lehrer, ungenügende finanzielle Ausstattung – seine Bildungs- und Erziehungsaufgaben nur unzureichend erfüllen konnte. Im Bereich der privaten Erziehung kam es vor allem im aufstrebenden Bürgertum zu einer verstärkten Aufmerksamkeit auf die spezifischen Eigenschaften des Kindes, auch was dessen Bildung und die dazu eingesetzten Mittel betraf. Im Adel blieben traditionelle Erziehungsmuster relativ lange erhalten, doch blieb auch er nicht unbeeinflußt vom bürgerlichen Bildungskonzept. Die Lebensbedingungen der Unterschichten ließen kaum Raum für eine Erziehung im Sinne einer neuen pädagogisch orientierten Sicht des Kindes.

**Literaturverzeichnis:**

[1] Otto Brunner, Das „ganze Haus" und die alteuropäische Ökonomik. In: Brunner, Neue Wege der Verfassungs- und Sozialgeschichte, Göttingen 1968.

[2] Vgl. Ludwig von Mises, Zur Geschichte der österreichischen Fabriksgesetzgebung, In: Zschr. für Volkswirtschaft, Sozialpolitik und Verwaltung 14, 1905

[3] Vgl. im Folgenden Peter Feldbauer / Hannes Stekl, Wiens Armenwesen im Vormärz. In: F. Czeike (Hrsg.), Wien im Vormärz. Forschungen und Beiträge zur Wiener Stadtgeschichte 8, Wien 1980, S. 198f.

[4] Leopold Chimani, Festgeschenk für gute Söhne und Töchter. Eine Sammlung lehrreicher Erzählungen . . . Wien 1824 (St. B. 8744 A).

[5] ders., o. J. (St. B. 79918).

[6] Karin Hausen, Die Polarisierung der „Geschlechtscharaktere" – Eine Spiegelung der Dissoziation von Erwerbs- und Familienleben, In: Werner Conze (Hrsg.) Sozialgeschichte der Familie in der Neuzeit Europas. Stuttgart 1976, S. 363ff.

[7] Vgl. im folgenden Hannes Stekl, Österreichs Aristokratie im Vormärz. Herrschaftsstil und Lebensformen der Fürstenhäuser Liechtenstein und Schwarzenberg (= Sozial- und Wirtschaftshistorische Studien 2), Wien 1973, S. 103ff.

[8] Marie von Ebner-Eschenbach, Meine Kinderjahre. Biographische Skizzen, München 1959, S. 134f.

[9] ebd.

[10] ebd., S. 16ff.

[11] ebd., S. 23.

[12] ebd., S. 35.

[13] Zit. nach Adolf Ficker, Bericht über das österreichische Unterrichtswesen. Aus Anlaß der Weltausstellung 1873, Wien 1873, I. Teil, S. 26.

[14] Zit. nach Ficker, a. a. O., S. 27f.

[15] Wien im Zeitalter Franz Joseph I. Schilderungen von Reinhold E. Petermann, Wien 1913, S. 204.

[16] Zit. nach Mises, a. a. O., S. 227.

[17] Adele von Arbter, Aus der Geschichte der k. u. k. Offiziers-Töchter-Erziehungs-Institute, Wien 1892.

**Weitere grundlegende Literatur:**

Ernst Bruckmüller, Sozialgeschichte Österreichs, Wien – München 1985.

Helmut Engelbrecht, Geschichte des österreichischen Bildungswesens, Band 3, Von der frühen Aufklärung bis zum Vormärz, Wien 1984.

Renate Krüger, Biedermeier. Eine Lebenshaltung zwischen 1815 und 1848, Leipzig 1979.

Gunda Mairbäurl, Die Familie als Werkstatt der Erziehung. Rollenbilder des Kindertheaters und soziale Realität im späten 18. Jahrhundert (= Sozial- und Wirtschaftshistor. Studien 16), Wien 1983.

Susanne Schwank, Kindheit und Erziehung im Zeitalter der Aufklärung, In: Beiträge zur histor. Sozialkunde, 3. Jg., Nr. 2, 1973.

Gustav Strakosch-Graßmann, Geschichte des österreichischen Unterrichtswesens, Wien 1905.

## 15 ALLTAG IN DER STADT

### Auf Markt und Straße

**15/1**
**Wiener Szenen und Volksbeschäftigungen, 1818/20**

Heinrich Papin (1786–1839) nach
Josef Lanzedelli d. Ä. (1774–1832)
Serie von 12 Blatt
Wien, Verlag Jeremias Bermann
Kreidelithographien, koloriert
ca. 40,8 × 50,8 cm
Sign. li. u.: J. Lancedelli delin. und re. u.: Papin fecit.

**15/1/1**
**Die Obstweiber**

Mit Zensurvermerk von Satori 1818
HM, Inv. Nr. 108.423

**15/1/2**
**Die Faßzieher**

HM, Inv. Nr. 57.058

**15/1/3**
**Die Wasch-Weiber**

47,5 × 65 cm
Mit Zensurerlaubnis v. Satori 1819
HM, Inv. Nr. 108.422

**15/1/4**
**Die Wasserträger**

HM, Inv. Nr. 98.230

**15/1/5**
**Die Milchweiber**

HM, Inv. Nr. 108.312

**15/1/6**
**Die Gassenkehrer**

HM, Inv. Nr. 108.001

**15/1/7**
**Die Schornsteinfeger**

HM, Inv. Nr. 32.770/2

**15/1/8**
**Die Holzhauer**

HM, Inv. Nr. 61.970

**15/1/9**
**Die Musikanten**

HM, Inv. Nr. 51.060

**15/1/10**
**Die Fiaker**

HM, Inv. Nr. 108.313

**15/1/11**
**Die Straßenpflasterer**

HM, Inv. Nr. 51.062

Kat. Nr. 15/1/3

Kat. Nr. 15/1/4

Kat. Nr. 15/1/7

Kat. Nr. 15/2/2

**15/1/12**
**Die Scherenschleifer**

HM, Inv. Nr. 51.061

Das Straßenbild Wiens wurde von vielen Händlern und Gewerbetreibenden bevölkert, die einerseits von den Verdienstmöglichkeiten der Stadt angezogen wurden, anderseits die Versorgung der immer mehr anwachsenden Stadtbevölkerung gewährleisteten. Die überwiegende Mehrheit zog mit ihren Kleinwaren durch die Straßen, dann gab es die Hand- oder Tagwerker, die ihre Dienstleistungen öffentlich anboten. Einige Berufe wurden als Wiener Typen legendär, darunter auch die Wiener Wäschermädchen.

Die Schlagfertigkeit der Wiener Wäschermädchen war so populär, daß die „Wäschertonerl" – so wurde die Wäscherin im Volksmund bezeichnet – im Revolutionsjahr 1848 sogar als Titel für eine politische Streitschrift verwendet wurde. Trotz der schweren Arbeit, bei der auch Männer beim Seilspannen und Auswinden der Wäsche halfen, wurden die Wäschermädchen immer wieder in den Erzählungen als besonders fröhlich und gesangsfreudig beschrieben; viele überlieferte Lieder legen heute ein Zeugnis davon ab. Im Laufe des 19. Jahrhunderts entwickelten die Wäscherinnen eigene gesellschaftliche Formen, die in den „Wäschermädlbällen" Berühmtheit erlangten.

Die Arbeitszeit dauerte von Montag bis Samstag, bei schlechter Witterung mußte auch der Sonntag einbezogen werden. Montag früh wurde die frische Wäsche geliefert, nachmittags mußte die von den Kunden aus der Stadt abgeholte schmutzige Wäsche sortiert werden. Die große Anzahl der Fremden in Wien und die besondere Bevorzugung der Wienerin für weiße Kleider brachten im 19. Jahrhundert einen Aufschwung der Wäschereibetriebe, die sich vor allem entlang des Wienflusses ansiedelten.
ReWi
Abbildung

**15/2**
**Wien und die Wiener, 1844**

Carl Mahlknecht (1810–1893) nach Wilhelm Böhm
Stahlstiche, koloriert, ca. 24 × 14,5 cm
Sign. li. u.: W. B.; re. u. C. M.
Aus dem Sammelwerk „Wien und die Wiener", hrsg. von Adalbert Stifter, Pesth 1841 –1844

**15/2/1**
**„Greisler"**

HM, Inv. Nr. 179.744/3

**15/2/2**
**„Die Knödelköchin"**

HM, Inv. Nr. 31.738/4

**15/2/3**
**„Schusterbub"**

HM, Inv. Nr. 31.734/2

**15/2/4**
**„Beinelstierer"**

HM, Inv. Nr. 31.736/4

Kat. Nr. 15/2/4

Kat. Nr. 15/2/8

**15/2/5**
**„Haderlumpweib“**

HM, Inv. Nr. 31.738/1

**15/2/6**
**„Werkelmann“**

HM, Inv. Nr. 31.738/3

**15/2/7**
**„Der Holzhacker“**

HM, Inv. Nr. 31.736/2

**15/2/8**
**„Wäscherin“**

HM, Inv. Nr. 31.738/2

**15/3**
**Markt am Lichtensteg**

Georg Emanuel Opiz (1775–1841)
Aquarell und Sepiafeder, 36,8 × 25,6 cm
Sign. li. u.: G. Opiz del
Beschr.: Wien / Der lichte Steg, Fleischerläden, Frauen, Dienstmädchen, die guten Hausväter aus der Mittelklasse, ein Lichtzieherknecht
HM, Inv. Nr. 37.098

Zu beiden Seiten der schmalen Gasse zwischen Hohem Markt und Rotenturmstraße hatten im Biedermeier die Fleischer ihre Verkaufsstände aufgeschlagen. Deshalb wurde der Lichtensteg auch „Unter den Fleischbänken“ benannt. In den Jahren 1841 und 1847 wurden sie vollkommen entfernt und der Lichtensteg dadurch wesentlich verbreitert.
ReWi
Abbildung

**15/4**
**Am Bauernmarkt**

Georg Emanuel Opiz (1775–1841)
Aquarell und Sepiafeder, 38,3 × 26,2 cm
Sign. re. u.: Opiz del.
Beschr.: Wien / Der Bauernmarkt. Bürgersfrauen, ein Grätzer Dienstmädchen, ein Koch mit seinem Küchenjungen / ungarische Landleute.
HM, Inv. Nr. 37.097

Ursprünglich hielten am Bauernmarkt – Verkehrsweg zwischen der St. Peterskirche und dem Hohen Markt – die Bauern ihre frischen Produkte feil. Der Name Bauernmarkt erhielt sich, obwohl am Beginn des 18. Jahrhunderts die Bauern auf andere Plätze in der Stadt verwiesen wurden. 1793 wurde angeordnet, daß alles auf Wagen nach Wien geführte Obst und Gemüse auf dem Naschmarkt zum Verkauf zu gelangen habe, wogegen das mit den Donauschiffen gebrachte Obst und Gemüse auf das Schanzel kam.
ReWi

## Veränderungen in der Landwirtschaft

**15/5**
**Modell der Saatharke von Jordan**

Abbé Harder
Vösendorf 1812
Holz, Eisen, L.: 35,5 cm, B.: 17 cm, H.: 9 cm
Wien, Technisches Museum, Inv. Nr. 9.503
GM

**15/6**
**Modell der Kegeldreschmaschine von Daninger**

Abbé Harder
Wien 1815
Holz, L.: 41 cm, B.: 41 cm, H.: 11,5 cm
Wien, Technisches Museum, Inv. Nr. 9.452
GM

**15/7**
**Modell der Mähmaschine von Smith**

Abbé Harder
Wien 1816
Holz, Messing, Eisen
L.: 66,5 cm, B.: 17 cm, H.: 16 cm
Wien, Technisches Museum, Inv. Nr. 21.551

Mit einer nach diesem Modell angefertigten Smithschen Mähmaschine fanden 1817 in Vösendorf bei Wien die ersten Mähversuche mit einer Mähmaschine auf dem Kontinent statt.
GM

**15/8**
**Modell der Maissämaschine von Burger**

Abbé Harder
Wien um 1830
Holz, Eisen
L.: 36,5 cm, B.: 17,5 cm, H.: 12,5 cm
Wien, Technisches Museum, Inv. Nr. 21.196
GM

**15/9**
**Weineimer, 1826**

Johann Georg Lux
Originalmustermaß des städtischen Zimentamtes
Messing
H.: 69 cm, Dm. u.: 55,5 cm, Dm. o.: 15 cm
Lateinische und deutsche Beschriftung: Wurde von Johann Georg Lux unter der Aufsicht von Joseph Jaeckel verfertigt, 1826
HM, Inv. Nr. 32.680

Kat. Nr. 15/3

**15/10**
**Hohlmaße für Flüssigkeiten**

Messing

**15/10/1**
**Großes Seitel, 1825**

Johann Georg Lux
H.: 17 cm, Dm. u.: 9,5 cm, Dm. o.: 8 cm
Mit lateinischer Bez. und dat. auf der Unterseite: J. G. Lux mechanicus
HM, Inv. Nr. 167.999/1

**15/10/2**
**Wiener Seitel, 1820**

H.: 17,3 cm, Dm. u.: 7,1 cm, Dm. o.: 5,9 cm
Bez. u. dat.: Wiener Seidel 1820 A
Löwenmaske mit Ausgußöffnung
Aus der Figdorstiftung
HM, Inv. Nr. 56.451

**15/10/3**
**Halbes Seitel, 1820**

H.: 11,4 cm, Dm. u.: 6 cm, Dm. o.: 5,3 cm
Bez. u. dat.: Halbes Seitel 1820 A
Löwenmaske mit Ausgußöffnung
Aus der Figdor-Stiftung.
HM, Inv. Nr. 56.450

**15/10/4**
**Viertel Seitel, 1825**

H.: 4,5 cm, Dm.: 4 cm
Mit zwei Punzen und einer Datierungspunze: 825
HM, Inv. Nr. 167.999/2

**15/11**
**Hohlmaße für Mehl und Körper**

Holz, gedrechselt, Messingreif
Maßeinheit und Monogramm AW eingebrannt

**15/11/1**
**Ein Becher**

H.: 16,7 cm, Dm. u.: 8,7 cm, Dm. o.: 7 cm
Bez. u. dat.: 1 B/857 Wien
HM, Inv. Nr. 111.202/1

Ein Becher entsprach 1/128 des Wiener Metzen.

**15/11/2**
**Halber Becher**

H.: 14 cm, Dm. u.: 8 cm, Dm. o.: 5,8 cm
Bez. u. dat.: ½ B 837
Mit Nacheichnungsstempeln aus den Jahren 1843 und 1867
HM, Inv. Nr. 111.202/2

**15/11/3**
**Achtel Becher**

H.: 9 cm, Dm. u.: 5 cm, Dm. o.: 4,3 cm
Bez.: 1/8 B
HM, Inv. Nr. 111.202/3

**15/11/4**
**Abstrichlöffel für Hohlmaße**

Holz, L.: 13,8 cm, B.: 3,3 cm
HM, Inv. Nr. 111.202/4

**Der Mensch und sein Beruf**

**15/12**
**Der Bauer, 1837**

Edinger nach Schmutzer
Kolorierte Kreidelithographie, 40 × 50 cm
Sign. li. u.: Schmutzer inv., re. u.: Edinger Lith. Bez. Mi. u.: Der Bauer
Aus der Serie: Der Mensch und sein Beruf, Nr. 5
HM, Inv. Nr. 87.005/13

In der Serie „Der Mensch und sein Beruf" darf natürlich der Bauernstand nicht fehlen. Der Herausgeber schien bemüht, soviel Berufsstände wie möglich zu erfassen, ohne jedoch eine Wertung durch die Reihenfolge der Blätter vorzunehmen. Einzig durch den Stil des Begleittextes unterscheiden sie sich. Während die meisten Texte ausführliche Beschreibungen der Tätigkeiten der einzelnen Berufsgruppen enthalten, neigt der Autor (die Autoren) etwa beim Arzt, dem Beamten, dem Priester, dem Soldaten und dem Bauern zu sehr pathetischen Ausführungen.

Das Bild selbst zeigt uns eine Bauernfamilie, die vor einem vom Sturm zerstörten Getreidefeld steht. Die Embleme des Ackerbaus, der Vieh- und Bienenzucht und des Weinbaues umschließen das Hauptbild.
EPS
Abbildung

Kat. Nr. 15/12

**15/13**
**Der Weber, 1838**

M. Brehms nach N. Geiger
Kreidelithographie, koloriert, ca. 40 × 50 cm
Sign. li. u.: N. Geiger inv.; re. u.: M. Brems lith. Bez. Mi. u.: Der Weber
Aus der Serie: Der Mensch und sein Beruf, Nr. 11
HM, Inv. Nr. 87.005/73

Auf diesem Bild ist ein Weber zu sehen, der gerade eines seiner Erzeugnisse verkauft. Interessant ist der Blick durch die offene Türe in die Werkstätte, wo die Gesellen an den Webstühlen arbeiten. Auf den Randzeichnungen stellt der Künstler allegorisch dar, daß der Mensch von seiner Geburt an bis zu seinem Tod auf die Erzeugnisse des Webers angewiesen ist.
EPS
Abbildung

**15/14**
**Der Mechaniker, Optiker und Astronom, 1839**

Carl Joseph Geiger (1822–1905)
Kreidelithographie, koloriert, 40,8 × 51,7 cm
Sign. re. u.: Carl Geiger inv.
Bez. Mi. u.: Der Mechaniker, Optiker, Astronom etc.
Aus der Serie: Der Mensch und sein Beruf, Nr. 20
HM, Inv. Nr. 87.005/7

Die Darstellung zeigt einen Mechaniker in einer Werkstätte klassisch-kleingewerblichen Typs, die eng mit dem Wohnbereich verbunden ist. Der Maschinenbau hat sich in seiner industriell-großbetrieblichen Form erst relativ spät etabliert, der Bedarf an Maschinen wurde in den ersten Jahrzehnten des 19. Jahrhunderts zum Teil durch Einfuhr aus schon stärker industrialisierten Ländern – z. B. England – gedeckt.

Von den Wiener Optikern und Mechanikern erwarb sich insbesondere Simon Plößl (1794–1868) durch sein dialytisches Fernrohr (1832), das eine wesentliche Verbesserung darstellte, große Verdienste. Wurden bisher Geräte dieser Art aus England eingeführt, so konnte Plößl die Bestellungen aus dem Ausland kaum befriedigen, die sogar aus England kamen.
ReWi
Abbildung

Kat. Nr. 15/15

**15/15**
**Der Glasmacher, 1840**

R. Dreyer nach Carl Joseph Geiger (1822–1905)
Kreidelithographie, koloriert, ca. 40 × 50 cm
Sign. li. u.: R. Dreyer lithogr.; re. u.: C. Geiger del. Bez. Mi. u.: Der Glasmacher
Aus der Serie: Der Mensch und sein Beruf, Nr. 32
HM, Inv. Nr. 47.746/23 (87.005/37, 38)

„Der Künstler führt uns in dem vorliegenden Mittelbilde, das Innere einer Glashütte vor, in deren Hintergrunde sich der Schmelz- und Kühlofen, so wie auch mit Glasmacherei beschäftigte Arbeiter befinden. Im Vordergrunde zeigt der Glasmeister einem Offizier und einer Dame einen wohlgelungenen Becher . . "
(Begleittext, gekürzt)

Dieses Blatt und der Begleittext sind nicht nur dem Glasmacher, sondern auch dem Glasschleifer, Glaser, Glasmaler und Spiegelfabrikanten gewidmet.
EPS
Abbildung

**15/16**
**Der Chemiker, 1839**

Szichna nach Josef Haselwander
Kreidelithographie, koloriert, ca. 40 × 50 cm
Sign. li. u.: Haselwander del.; re. u. Szichna lith. Bez. Mi. u.: Chemiker, Physiker, Luftfahrer
Aus der Serie: Der Mensch und sein Beruf, Nr. 25
HM, Inv. Nr. 87.005/79

„Wir sehen in dieser Darstellung einen Chemiker in seinem Laboratorium. So eben scheint einer seiner Versuche mißlungen zu sein, oder es zeigt sich bei dem Gelingen desselben eine Erscheinung, die er nicht erwartet hat; denn in diesem Momente hat auf seinem Herde eine bedeutende Explosion Statt, welcher er mit Entsetzen entflieht." (Begleittext gekürzt)

In der Randverzierung sind die vier Elemente symbolisch dargestellt. Weiters sind zu sehen ein Luftfahrer, ein Physiker mit Luftpumpe und Elektrisiermaschine, ein Pottaschensieder, ein Parfümeur und Destillateur. Auch findet sich auf dem Blatt u. a. das Emblem des Fabrikanten chemischer Feuerzeuge.
EPS
Abbildung

**15/17**
**Der Beamte, 1838**

Carl Kunz nach Peter Johann N. Geiger (1805–1880)
Kolorierte Kreidelithographie, 40 × 50 cm
Sign. li. u.: Joh. Nep. Geiger; re. u.: C. Kunz lith. Bez. Mi. u.: Der Beamte
Aus der Serie: Der Mensch und sein Beruf, Nr. 18
HM, Inv. Nr. 87.005/54

Auf dem Hauptbild sieht man Gerichtsbeamte unterschiedlichen Ranges bei einer Amtshandlung, die offenbar eine handgreifliche Auseinandersetzung zum Anlaß hat. Der Begleittext schildert in höchsten Tönen die Wichtigkeit und Notwendigkeit des Beamtenstandes. Heute mögen uns folgende Zeilen allzu pathetisch erscheinen, doch war diese Ausdrucksweise im Biedermeier nicht unüblich (sicher hätte die Zensur jede kritische Äußerung über das Beamtentum verhindert):

„Herrlich ist es in dem Gewühle der Schlacht, Blut und Leben für das theure Vaterland muthig hinzuopfern; segensreich ist das gottgeweihte Wirken des Priesters aber nicht minder verdienstvoll ist das Leben des

Kat. Nr. 15/16

Kat. Nr. 15/18/9

Beamten, mag ihm nun die Verwaltung der Einkünfte des Staates oder die Gerechtigkeitspflege anvertraut sein. Wie schön ist daher der Geschäftskreis, in welchem man das bedrohte Recht der Einzelnen beschützen, den Armen vor Anmaßung und Übermuth verwahren und den Wehrlosen die entrissenen Rechte zurückerstatten kann; ein Sphäre, in welcher man sich mehr, als in irgend einer anderen durch Thätigkeit und strenge Gerechtigkeit die Achtung und Liebe seiner Mitbürger erwerben kann!"

(Begleittext, gekürzt)
EPS

**15/18**
**Handwerk und Gewerbe, um 1835**

Federlithographien, koloriert, 22 × 26 cm
Serie von 12 Blatt
Wien, Verlag Matthäus Trentsensky

**15/18/1**
**„Der Maurer und Steinmetz"**

**15/18/2**
**„Der Zimmermann"**

**15/18/3**
**„Der Tischler"**

**15/18/4**
**„Der Drechsler"**

**15/18/5**
**„Der Gerber"**

**15/18/6**
**„Der Hutmacher"**

**15/18/7**
**„Der Weber"**

**15/18/8**
**„Der Töpfer"**

**15/18/9**
**„Der Faßbinder"**

**15/18/10**
**„Der Schlosser"**

**15/18/11**
**„Der Schmied"**

**15/18/12**
**„Der Bäcker"**
HM, Inv. Nr. 87.002/1–12

Die verheerende wirtschaftliche Depression nach 1815 und die Papiergeldinflation trafen vor allem das mittelständische Handwerk. Auf der Gewerbe-Enquete 1833 wurde die „Herabwürdigung der Kaufleute zu bloßen Krämern und der Handwerker zu bloßen Taglöhnern" sowie die „Aufreibung der unteren Klassen und des Mittelstandes" beklagt.

Auch innerhalb des Handwerks fand eine Proletarisierung statt, viele selbständige Handwerker waren nun eingebunden in ein Verlagssystem, viele Meister arbeiteten nur mehr allein oder höchstens mit einem Gesellen. Mit der Änderung der Arbeitswelt und der gleichzeitigen Zunahme der Bevölkerung stieg auch die Arbeitslosigkeit. Zu dieser Zeit kamen eine Fülle von populären Druckwerken und Darstellungen auf den Markt, die eine heile Welt des Handwerks heraufbeschwören.

*Lit.: R. Witzmann, „Zu ebener Erde und erster Stock". Zur Wiener Gesellschaftsstruktur in der 1. Hälfte des 19. Jahrhunderts. In: Die Aera Metternich, Aussstellungskatalog, Wien 1984.*
ReWi
Abbildung

**15/19**
**In der Schneiderwerkstätte, 1835**

Franz Heinrich (1802–1890)
Aquarell, teilweise Glanzstellen
27,2 × 39,9 cm
Sign. u. dat. li. u.: Heinrich 1835
HM, Inv. Nr. 144.995

Abbildung

**15/20**
**„In der Schmiede I", 1837**

Ignaz Raffalt (1800–1857)
Öl auf Leinwand, 36 × 47,5 cm
Sign. re. u.: Raffalt; dat. Mi. u.: 1837
Schweinfurt, Sammlung Georg Schäfer,
Inv. Nr. 4.691

**15/21**
**„In der Schmiede II", 1837**

Ignaz Raffalt (1800–1857)
Öl auf Leinwand, 36 × 47,5 cm
Monogr. u. dat. li. u.: II R 837
Schweinfurt, Sammlung Georg Schäfer,
Inv. Nr. 4.692
Abbildung

**15/22**
**Kundschaft vom 17. März 1810**

Kupferstich, 55 × 46 cm
Wien, Wiener Stadt- und Landesarchiv, Innungen (Kundschaften, A 1/1/17)

Unter „Kundschaft" verstand man das schriftliche Zeugnis des Wohlverhaltens eines Handwerksgesellen, das er beim Abschied von seinem Meister erhielt. Der Begriff, jemand etwas „in die Kundschaft setzen", ist seit dem 17. Jh. belegt, dürfte aber so alt wie das Gesellenwandern selbst sein. Die vorliegende „Kundschaft" der Zimmermeister aus dem frühen 19. Jh. gehört zu jenen im 18. und 19. Jh. üblichen Handwerksattestaten mit Ortsbildern. Durch ihre in Zierschrift und mit bildlichen Darstellungen versehene Ausführung besitzen solche Dokumente auch einen kunst- bzw. kulturgeschichtlichen Wert.
HK

**15/23**
**Handwebstuhl**

Sogenannter Hochkammstuhl, zur Erzeugung von Bändern, Baujahr ca. 1830 (wenn nicht früher)
Holz, 250 × 90 × 270 cm
Wien, Bezirksmuseum Neubau

Dieser Webstuhl wurde von der Firma Puxbaum (gegründet 1862 in der Zieglergasse, später Bandgase) mit mehreren anderen bereits gebraucht erworben, wahrscheinlich von einer der vielen auf dem Schottenfeld ansässigen Firmen. Seit 1862 arbeitete der Betrieb, der Bänder und Posamenten erzeugte (u. a. Ausstattung der Hermes-Villa), mit solchen Handwebstühlen. Später rüstete man dann auf elektrische um. Als die Firma Härtel (gegründet 1879, Neustiftgasse 37) 1960 die Fabrik übernahm, kam dieser Webstuhl in ihren Besitz und wurde bis ca. 1975, allerdings zum Schluß nur zum Anlernen von Lehrlingen, verwendet. 1982 übergab der jetztige Inhaber der Firma Härtel den Stuhl dem Bezirksmuseum Neubau.

Dieser Hochkammstuhl ermöglicht es durchaus, Bänder mit kompliziertem Muster herzustellen, allerdings ist die Leistungskapazität gering, man rechnet mit etwa 1 m Band pro Stunde. Durch die Einführung der (mechanischen) Jacquard-Webstühle wurden die Handstühle verdrängt. Dies brachte u. a. den Konkurs vieler kleiner Erzeugungsstätten, die nur wenige Stühle besaßen, manchmal auch nur einen, mit sich. Es mangelte ihnen am nötigen Kapital, das es ihnen ermöglicht hätte, die Jacquard-Webstühle anzuschaffen und die dafür nötigen großen Lokalitäten zu mieten. So kam es in der zweiten Hälfte des 19. Jhs. zum Niedergang der Seiden- und Bandindustrie auf dem Neubau und Schottenfeld. Hier waren seit dem Jahre 1800 ca. zwei Drittel aller in Wien existierenden Seiden, Seidenband- und Band erzeugenden Betriebe ansässig gewesen.
EF

**Die Mechanisierung des Handwerks**

**15/24**
**Schlosser**

**15/24/1**
**Englischer Greifzirkel**

Wien, um 1820
Eisen, B.: 20 cm, H.: 12 cm, T.: 3 cm
Wien, Technisches Museum, Inv. Nr. 19.968
GM

**15/24/2**
**Dickzirkel**

Wien, um 1840
Eisen, Messing
B.: 15 cm, H.: 8,5 cm, T.: 1 cm
Wien, Technisches Museum, Inv. Nr. 19.984
GM

Kat. Nr. 15/21

**15/24/3**
**Mikrometerschraube**

Kraft und Sohn, Wien um 1840
Stahl, B.: 14 cm, H.: 11 cm, T.: 1 cm
Wien, Technisches Museum, Inv. Nr. 21.852
GM

**15/24/4**
**Schublehre**

Wien, um 1840
Messing, Stahl
L.: 21 cm, H.: 3,5 cm, T.: 0,5 cm
Wien, Technisches Museum, Inv. Nr. 21.849
GM

**15/24/5**
**Schublehre**

Wien, um 1840
Messing, Stahl
L.: 34 cm, H.: 12 cm, T.: 2 cm
Wien, Technisches Museum, Inv. Nr. 21.847
GM

**15/24/6**
**Doppelte Schublehre**

Wien um 1840
Messing, Stahl
L.: 21 cm, H.: 8 cm, T.: 1 cm
Wien, Technisches Museum, Inv. Nr. 21.855
GM

**15/24/7**
**Schublehre**

Wien, um 1840
Messing, Stahl
L.: 25 cm, H.: 7,5 cm, T.: 0,5 cm
Wien, Technisches Museum, Inv. Nr. 21.854
GM

**15/25**
**Uhrmacher**

**15/25/1**
**Rundlaufzirkel, um 1820**

Messing, L.: 12 cm, B.: 6 cm, H.: 2,5 cm
Wien, Technisches Museum, Inv. Nr. 23.566
GM

**15/25/2**
**Gleichdickzirkel um 1820**

Messing, L.: 13,5 cm, B.: 6 cm, H.: 1 cm
Wien, Technisches Museum, Inv. Nr. 23.567
GM

**15/25/3**
**Tanzmeister um 1840**

Messing, Stahl
L.: 22 cm, B.: 14 cm, H.: 2 cm
Wien, Technisches Museum, Inv. Nr. 30.136
GM

**15/25/4**
**Uhrmacherdrehstuhl mit Kreuzsupport, 1844**

J. G. Petzold
Wien 1844
Messing, Stahl
L.: 43 cm, B.: 19 cm, H.: 23 cm
Wien, Technisches Museum, Inv. Nr. 12.016
GM

**15/25/5**
**Räderschneidzeug mit Teilscheibe um 1840**

Messing, Stahl
L.: 25 cm, B.: 18 cm, H.: 24 cm
Wien, Technisches Museum, Inv. Nr. 30.137
GM

**15/25/6**
**Schneckenschneidzeug, 1826**

König
Wien, 1826
Messing, Stahl
L.: 31 cm, B.: 19 cm, H.: 16 cm
Wien, Technisches Museum, Inv. Nr. 30.138
GM

**15/25/7**
**Kommodenstanduhr (Stockuhr)**

Wien, 1835
Nußgehäuse, 46 × 31 × 13 cm
HM, U. I. Nr. 34
FSch

**15/26**
**Kammacher**

**15/26/1**
**Kammrohling um 1840**

Rinderhorn, L.: 28 cm, B.: 24 cm
Wien, Technisches Museum, Inv. Nr. 27.112
GM

**15/26/2**
**Bockmesser**

Schadlbauer und König, Wien um 1830
Eisen, Holz, L.: 40 cm, B.: 24 cm
Wien, Technisches Museum, Inv. Nr. 27.114
GM

**15/26/3**
**Handfeile**

Schadlbauer und König, Wien um 1830
Eisen, Holz, L.: 31 cm, B.: 10 cm, H.: 5 cm
Wien, Technisches Museum, Inv. Nr. 27.118
GM

**15/26/4**
**Spitzfeile, um 1830**

Eisen, Holz, L.: 31 cm, B.: 3 cm, H.: 3 cm
Wien, Technisches Museum, Inv. Nr. 27.124
GM

**15/26/5**
**Zieher, um 1830**

Eisen, Holz, L.: 26 cm, B.: 3 cm, H.: 3 cm
Wien, Technisches Museum, Inv. Nr. 27.123
GM

**15/26/6**
**Model zum Biegen des Kammes**

Wien, um 1830
Werkstätte des k. k. Polytechnischen Institutes
Holz, L.: 23 cm, B.: 8 cm, H.: 11 cm
Wien, Technisches Museum, Inv. Nr. 27.116
GM

Kat. Nr. 15/28/2

**15/26/7**
**Halbfertiger Kamm**

Viktor Valadier
Wien, um 1830
Horn, L.: 18 cm, B.: 11 cm
Wien, Technisches Museum, Inv. Nr. 8.504
GM

**15/26/8**
**Kamm**

Viktor Valadier
Wien, um 1830
Horn, L.: 13 cm, B.: 6 cm
Wien, Technisches Museum, Inv. Nr. 27.132
GM

**15/26/9**
**Kamm**

Franz Auer
Wien, 1820
Schildpatt, L.: 15 cm, B.: 14 cm
Wien, Technisches Museum, Inv. Nr. 27.127
GM

**15/26/10**
**Frisierzeug**

Schadlbauer und König
Wien, um 1830
Holz, Eisen, L.: 37 cm, B.: 8 cm, H.: 4 cm
Wien, Technisches Museum, Inv. Nr. 27.117
GM

**15/27**
**Metallpressen**

**15/27/1**
**Preßform mit Oberstempel, um 1840**

Eisen, Kupfer, Dm.: 5,5 cm, H.: 6,5 cm
Wien, Technisches Museum, Inv. Nr. 22.703/1,2
GM

**15/27/2**
**Presse für Leisten, um 1840**

Eisen, L.: 34 cm, B.: 8 cm, H.: 20 cm
Wien, Technisches Museum, Inv. Nr. 23.612
GM

**15/27/3**
**Modell eines Fallwerkes, um 1830**

Holz, Eisen
L.: 63,5 cm, B.: 26,5 cm, H.: 86,5 cm
Wien, Technisches Museum, Inv. Nr. 24.098
GM

**15/27/4**
**Mustertafel mit Vorarbeiten zu gepreßten Metallarbeiten, 1822/24**

Winklerische Metallwarenfabrik, Ebersdorf 1822/24
Tafel Karton, Muster Kupfer und plattiertes Kupfer
Tafel B.: 33 cm, H.: 43 cm
Wien, Technisches Museum, Inv. Nr. 7.906
GM

**15/27/5**
**Mustertafel mit Kastenbeschlägen, 1822**

Winklersche Metallwarenfabrik, Ebersdorf
1822
Tafel Karton, Beschläge goldplattiertes Blech
B.: 33 cm, H.: 43 cm
Wien, Technisches Museum, Inv. Nr. 6.612
GM

**Fabrik**
(Vergleiche auch Kat. Nr. 14/18)

**15/28/1–3**
**„Apollo-Kerzen-Fabrik im Apollo-Saale", um 1845**

Franz Xaver Sandmann (1805–1856)
Lithographie mit Tonplatte
Ca. 19,5 × 24,5 cm
Sign. li. u.: Lith. v. X. Sandmann; re. u.: Gedr. bei J. Rauh

**15/28/1**
**Außenansicht**

HM, Inv. Nr. 63.001

**15/28/2**
**„Arbeits-Saal Nr. I im Apollo-Saale"**

HM, Inv. Nr. 15.678/2

**15/28/3**
**„Arbeits-Saal Nr. II im Apollo-Saale"**

HM, Inv. Nr. 15.678/3

Ursprünglich war der Apollosaal (heute Wien 7, Zieglergasse 15) eines der berühmtesten und elegantesten Vergnügungsetablissements von Wien (vgl. Kat. Nr. 4/1). 1808 gegründet, erlebte er seine Glanzzeit während des Wiener Kongresses und war auch noch nachher Schauplatz großer Feste. 1839 wurde das Gebäude von der 1. Österreichischen Seifensiedergesellschaft (1833 gegründet) erworben und die Räume zu Fabrikshallen adaptiert. Der Name des ehemaligen Tanzsaales wurde auf die Erzeugnisse übertragen (Apollokerzen). Aus der Zeit des Biedermeier gibt es nur wenige Darstellungen von Fabriksinnenräumen aus Wien. Diese Blätter zeigen den arbeitsteiligen Produktionsprozeß sowie den großen Anteil der Frauen am entstehenden Industrieproletariat.
ReWi
Abbildungen

Kat. Nr. 15/29

**„Zu ebener Erde und erster Stock"**

**15/29**
**Vorstadtzimmer, 1837**

Bleistift, aquarelliert, 20 × 25,3 cm
Sign. u. dat.: R.A. 837
HM, Inv. Nr. 94.348

Dieser Raum wurde vermutlich von einem Arbeiter oder einem Handwerksgesellen bewohnt. Nur das Lebensnotwendigste ist vorhanden: ein Bett, ein Ofen ohne Rauchabzug, ein Tisch. Die Kleider hängen an Wandhaken beziehungsweise befinden sich auf einem Wandregal, die Raumdecke ist aus Holz – ein Palmbuschen ist am tragenden Balken angebracht –, der Besen lehnt neben der Tür. Auf dem Ofen liegt eine Wärmeflasche. Die Darstellung liefert ein Beispiel für die Wohnverhältnisse des sich damals bildenden vierten Standes.
ReWi
Abbildung

**15/30**
**Wohn-, Schlaf- und Arbeitsraum eines Tischlers, um 1833/37**

Federlithographie, 28 × 39 cm
Wien, Verlag Matthäus Trentsensky
Aus der Serie: Die Stände in verschiedenen weiblichen Lebensaltern, Bl. 5 „Der Bürgerstand"
HM, Inv. Nr. 79.892/1

Diese sehr seltene Darstellung zeigt den familiären Handwerksbetrieb, wie er im Biedermeier in Wien weit verbreitet war.
ReWi
Abbildung

Kat. Nr. 15/31

Kat. Nr. 15/33

**15/31**
**Aufbruch eines Arbeiterehepaares, 1854**

Ferdinand Georg Waldmüller (1793–1865)
Öl auf Holz, 70 × 86 cm
Sign. u. dat.: Waldmüller 1854
Wien, Niederösterreichisches Landesmuseum, Inv. Nr. 678

In einer ärmlichen Dachstube rüstet sich ein Arbeiterehepaar zum morgendlichen Aufbruch. Die Großmutter bleibt mit den sechs Kindern zurück, von denen das Kleinste in einem Waschtrog als Bettersatz schläft.

*Lit.: Bruno Grimschitz, Ferdinand Georg Waldmüller, Salzburg 1957, S. 350, Œuvreverzeichnis Nr. 801. – Maria Buchsbaum, Ferdinand Georg Waldmüller. Salzburg 1976, Abb. 133, S. 158. Alltag und Fest im Biedermeier. Ausstellungskatalog des Niederösterreichischen Landesmuseums, Wien 1968.*
ReWi
Abbildung

**15/32**
**Schreibkabinett, um 1840**

Aquarell, 25,2 × 21,6 cm
HM, Inv. Nr. 96.745/5

Das Arbeitszimmer scheint eben verlassen worden zu sein. Auf dem Tischchen liegen noch die Schreibgeräte, ein Strickstrumpf und eine Briefkassette, und im darunter befindlichen Papierkorb häufen sich geöffnete Briefumschläge. Der Durchblick in zwei anschließende Räume vergrößert das kleine Kabinett.
ReWi

**15/33**
**Schlaf- und Arbeitskabinett, um 1840**

Aquarell, 27,1 × 18,9 cm
HM, Inv. Nr. 96.745/6

Der Raum ist vollkommen ausgenützt. Dem Eintretenden wird durch einen vorgestellten Kasten der Blick auf das Bett verhindert. Ein Schreibtisch, ein Nachtkästchen und ein Kleiderständer komplettieren die schlichte Einrichtung.
ReWi
Abbildung

**15/34**
**Wohnschlafzimmer, 1843**

Joseph Schütz
Aquarell, 25,3 × 36,4 cm
Sign. u. dat. li. u.: Schütz 843
HM, Inv. Nr. 96.745/3

Im Schlafzimmer dominiert das Himmelbett, das auf der linken Bildseite in den Raum ragt. Ein Kachelofen, eine Sitzgarnitur, ein Sekretär, ein Nähtischchen, eine Kommode und ein Spieltischchen sind in dieser Reihenfolge an der Wand beziehungsweise unter den Fenstern aufgestellt. Die Wände schmücken kleinformatige Ölbilder, unter denen jeweils Medaillons mit Silhouetten hängen, die in jener Zeit in großer Anzahl auch von Dilettanten hergestellt wurden.
ReWi
Abbildung

**15/35**
**Adelige Gesellschaft im Salon, um 1830**

Gouache, 23,3 × 34,7 cm
HM, Inv. Nr. 61.087

Traditionellerweise wird das Blatt dem Maler J. B. Hoechle zugeschrieben und die Darstellung als die Ernennungsszene von Prinz Franz Josef Carl zum Herzog von Reichstadt im Jahre 1818 interpretiert. Doch ist die Entstehungszeit des Bildes – allein schon durch die Damenmode – bedeutend später anzusetzen, so daß diese Annahme in Zweifel gesetzt werden muß.
Das Mobiliar besteht aus Servante mit Teegeschirr, einem aufklappbaren Studiertisch, Schreibtisch, mehreren Etageren, einer gepolsterten Sitzbank und einer Sitzecke mit rundem Salontisch. Der Fußboden ist zur Gänze mit einem blaugemusterten Teppich verlegt.
ReWi

**Küchen und Essen**

**15/36**
**Küche, um 1850**

Serie von 6 Ausschneidebogen (Mandlbogen)
Federlithographien, koloriert, 23,2 × 37,5 cm
Wien, Verlag Matthias Trentsensky
Druck von Eduard Sieger
HM, Inv. Nr. 69.940/38–40, 94.110/232

Im Biedermeier war vor allem noch der gemauerte Küchenofen mit offener Herdplatte unter einem dachartigen Kaminabzug üblich. Im Wiener Kochbuch der Marianka 1847 werden noch genaue Regeln und Anregungen für das Kochen auf offenem Feuer gegeben. Um 1840 lassen sich aber schon die Bemühungen um geschlossene Herdformen, die keinen Rauch mehr machen und weniger Hitze abgeben, erkennen. Dieser Sparherd mit geschlossener eiserner Kochplatte, Ofenrohr und Wasserwanne löste eine jahrhundertealte Form des Kochens ab.

Der Ausschneidebogen stellt mit Detailtreue das Inventar einer damaligen Küche dar.
ReWi
Abbildungen

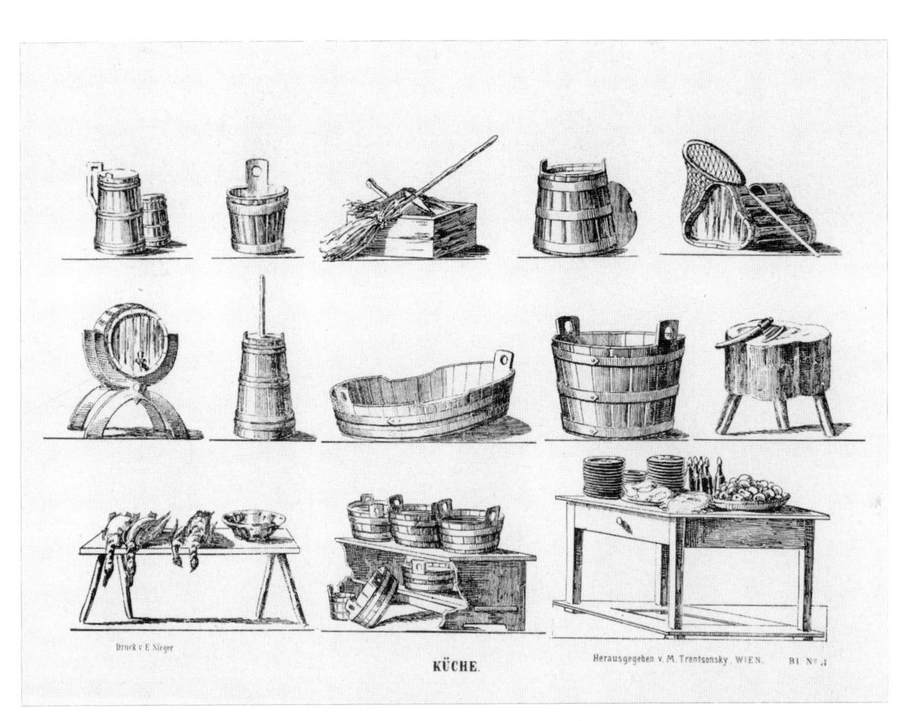


Kat. Nr. 15/36

**15/37**
**Zuckerhut**

Nachbildung, Gewicht: 6 kg
Wien, Bezirksmuseum Mariahilf

**15/38**
**Zuckerhacke**

Eisen, Holz; L.: 30 cm
Wien, Bezirksmuseum Mariahilf

**15/39**
**Zuckerhammer**

Eisen, Holz; H.: 45 cm, B.: 12 cm
Wien, Bezirksmuseum Mariahilf

**15/40**
**Dampfkaffeemaschine, Wien 1847**

Friedrich Suttinger
Weißblech; L.: 24,5 cm, B.: 18 cm, H.: 40 cm
Wien, Technisches Museum, Inv. Nr. 8.573
GM

**15/41**
**Kaffeeröster**

Blech, Holz; L.: 60 cm
Wien, Bezirksmuseum Mariahilf

Ursprünglich wurde der Kaffee beim Cafetier geröstet. Nachdem man zunächst offene eiserne Pfannen dazu verwendet hatte, griff man später auf die aus dem Orient bekannten Rösttrommeln zurück. Erst ab Mitte des 19. Jahrhunderts wurde der Röstkaffee ein Handelsprodukt; im Biedermeier wurden die Kaffeebohnen im Haushalt selbst verarbeitet.

*Lit.: P. Albrecht, Kaffee – Zur Sozialgeschichte eines Getränkes, Ausstellungskatalog des Braunschweigischen Landesmuseums für Geschichte und Volkstum, 1980*
ReWi

**15/42**
**Stielpfanne**

Bartelmus und Schöll's Email-Eisenfabrik in Brünn 1836
Gußeisen, innen weiß emailliert
L.: 30 cm, Dm.: 17,5 cm, H.: 16 cm
Wien, Technisches Museum, Inv. Nr. 24.532
GM

**15/43**
**Kochtopf, Brünn 1839**

Gebrüder Bartelmus
Gußeisen, innen weiß emailliert
L.: 18 cm, Dm.: 15,5 cm, H.: 18 cm
Wien, Technisches Museum, Inv. Nr. 22.444
GM

**15/44**
**Obststurz, Wien um 1830**

Drahtgitter; Dm.: 21 cm, H.: 12 cm
Wien, Technisches Museum, Inv. Nr. 30.103
GM

**15/45**
**Schüssel, Wien 1829**

Anton Falkbeer
Weißblech; Dm.: 30 cm, H.: 3,5 cm
Wien, Technisches Museum, Inv. Nr. 8.594
GM

**15/46**
**Teller, Wien 1829**

Anton Falkbeer
Weißblech; Dm.: 23,5 cm, H.: 3 cm
Wien, Technisches Museum, Inv. Nr. 8.596
GM

**15/47**
**Teller, Wien 1837**

Joseph Denk
Weißblech; Dm.: 23,5 cm, H.: 2,5 cm
Wien, Technisches Museum, Inv. Nr. 8.591
GM

**15/48**
**Teller, Wien 1837**

Joseph Denk
Weißblech; Dm.: 23,5 cm, H.: 2,5 cm
Wien, Technisches Museum, Inv. Nr. 30.102
GM

**15/49**
**Kartoffel-Kochmaschine, Wien 1846**

Johann Mach
Weißblech; Dm.: 19 cm, H.: 30 cm
Wien, Technisches Museum, Inv. Nr. 30.101

Die Kartoffel wurde am Beginn des 19. Jahrhunderts euphorisch als „wahre Speise der Armen" gepriesen, die Hungersnöte drastisch senken könne. Vorerst war die Kartoffel nur als Notkost und Viehfutter verbreitet gewesen, im Biedermeier beginnt sie zum Massennahrungsmittel zu werden.
GM

**15/50**
**Spucknapf um 1850**

Messingblech; Dm.: 21,5 cm, H.: 11,5 cm
Wien, Technisches Museum, Inv. Nr. 6.598
GM

Kat. Nr. 15/61

**15/51**
**Schmalzfasserl mit Deckel**

Holz
H.: 36,5 cm, u. Dm.: 38 cm, o. Dm.: 28,5 cm
Wien, Niederösterreichisches Landesmuseum
WG

**15/52**
**Waffeleisen**

Eisen, Holzgriff; L.: 23,5 cm
Wien, Niederösterreichisches Landesmuseum, Inv. Nr. II. 9.555
WG

**15/53**
**Pfanderl mit Dreifuß**

Schmiedeeisen
H.: 17 cm, L.: 40 cm, Dm.: 18,5 cm
Wien, Niederösterreichisches Landesmuseum, Inv. Nr. II. 9.179
WG

**15/54**
**Pfanderl mit Ausguß**

Kupfer; H.: 8 cm, L.: 42 cm, Dm.: 12 cm
Wien, Niederösterreichisches Landesmuseum, Inv. Nr. II. 9.900
WG

**15/55**
**Gugelhupfform**

Keramik, innen grün und außen schwarz glasiert
H.: 8 cm, Dm.: 26 cm
Wien, Niederösterreichisches Landesmuseum
WG

**15/56**
**Satz von sechs Quirlen**

Astholz; L.: 28,5 cm bis 11 cm
Wien, Niederösterreichisches Landesmuseum, Inv. Nr. II. 2.229
WG

**15/57**
**Backform**

Kupfer; L.: 25,5 cm, H.: 9 cm
Wien, Niederösterreichisches Landesmuseum, Inv. Nr. II. 1.710
WG

**Kochbücher**

**15/58**
**Anna Dorn**

Neuestes Universal- oder Großes Preßburger-Kochbuch . . .
F. Tendler, Wien 1834
S. 442/443
Wien, Wiener Stadt- und Landesbibliothek, A 183.121

Wie die meisten Kochbuchautoren dieser Zeit gibt auch Anna Dorn neben Anleitungen zur Speisenzubereitung Ratschläge zur Einrichtung der Küche, zur Haustierhaltung, Einlagerung von Lebensmitteln, Tranchieren und Anrichten sowie Beispiele für Speisezettel für Fleisch- und Fasttage. Bemerkenswert ist ihre Meinung, daß man Schlachtvieh gut und sauber halten muß, wenn die Viehhaltung erfolgreich sein soll. Gänse füttert man am besten mit Körnern, Gerstenschrot und zerstampften Rüben. „Sie werden bey dieser Art Behandlung bald ebenso fett werden, als bey den abscheulichen und unverantwortlichen, unmenschlichen Nudeln nur immer geschehen kann. Zudem erhält man ein besseres und schmackhafteres Fleisch . . ."
GB

**15/59**
**Theresia Ballauf**

Die Wiener-Köchin, wie sie seyn soll . . .
F. Wimmer, Wien 1822
S. 352/353
Wien, Wiener Stadt- und Landesbibliothek, A 23.760

Gebratene oder gebackene Lammköpfe, aber auch Köpfe von Karpfen, Hechten oder anderen Fischen dienten oft zum „Belegen" von Gemüsespeisen, die nie ohne Fleisch-, Fisch- oder Wurstgarnierung auf den Tisch kamen. Die Köpfe wurden entweder als Ganzes verwendet oder das gekochte Fleisch abgelöst, klein geschnitten und als Ragout gereicht. Die zeitraubenden Rezepte für die Verwendung von Fischköpfen als Beilagen verschwinden später ganz aus den Kochbüchern, die Regeln für die Zubereitung von Kalbs-, Lamm- und Schweineköpfen hingegen blieben fester Bestandteil der Kochbücher.
GB

**15/60**
**F. G. Zenker**

Allgemein bewährtes Wiener Kochbuch in zwanzig Abschnitten . . .
C. Gerold, Wien 1831
S. 260/261
Wien, Wiener Stadt- und Landesbibliothek, A 127.880

Gugelhupf verfertigte man in der Biedermeierzeit in den verschiedensten Spielarten; den feinen oder „Kaisergugelhupf" stets ohne Rosinen, da diese in dem lockeren Teig zu Boden gesunken wären. Man verwendete zur Herstellung des Krebsgugelhupfs Krebsbutter und mengte rund 20 klein geschnittene Krebsschweiferln dazu, man buck gewöhnlichen Gugelhupf schnittenweise in Schmalz, nachdem man ihn in Palatschinkenteig, eventuell unter Zusatz von Wein, gewälzt hatte, man strich zwischen zwei Stück Gugelhupf dickes Kompott oder Marmelade, wendete alles in Teig und buck es in heißem Fett.
GB

**Das Kind und seine Welt**

**15/61**
**Die Puppenjause, 1844**

Heinrich August Mansfeld (1816–1861)
Öl auf Karton, 26 × 32 cm
Sign. u. dat. re. u.: Mansfeld pinx/1844
HM, Inv. Nr. 78.847

Zwei bürgerlich gekleidete Kinder sitzen beim Tisch und jausnen teilweise unter Verwendung eines Puppengeschirrs; ein Spielzeugwurstel liegt ebenfalls auf dem Tisch.
ReWi
Abbildung

Kat. Nr. 15/63

Kat. Nr. 15/62

**15/62**
**Knabe mit Spielzeug, 1839**

Leopold Fertbauer (1802–1875)
Öl auf Holz, 24,5 × 19,7 cm
Sign. u. dat. re. u.: Fertbauer/1839
HM, Inv. Nr. 71.529
Abbildung

**15/63**
**Auf dem Bau, um 1859/60**

Ferdinand Georg Waldmüller (1793–1865)
Öl auf Holz, 53,5 × 44 cm
Sign. u. dat.: Waldmüller
HM, Inv. Nr. 10.137

Das Gemälde ist auch unter dem Titel „Bautaglöhner erhalten ihr Frühstück" bekannt.
ReWi
Abbildung

**15/64**
**Bettelnde Kinder am Glacis, 1853**

Johann Matthias Ranftl (1805–1854)
Öl auf Holz, 50 × 39 cm
Sign. u. dat. re. u.: Ranftl/1853 Wien
HM, Inv. Nr. 68.814

Ein ähnliche Thematik hatte Ranftl schon ein Jahr zuvor aufgegriffen, als er ein Kinderpaar darstellte, das Schwefelhölzchen verkauft (HM, Inv. Nr. 44.693). Die übergroße Militärmütze des Knaben deutet eventuell auf Soldatenwaisen hin. – Die anklagenden Bilder von Ranftl weisen deutlich auf die soziale Lage unmittelbar nach 1848: keine Versorgung von Waisen, schlechte Kleidung der Kinder, Kinderarbeit.
ReWi
Abbildung

Kat. Nr. 15/65

Kat. Nr. 15/64

**15/65**
**„Kinder-Belustigungen", 1827**

Moritz von Schwind (1804–1871)
Feder, 26 × 42 cm
Dat. re. u.: 7. März 827
HM, Inv. Nr. 63.973
Abbildung

**15/66**
**Kinder beim Spiel mit Papiertheater, um 1835**

Aquarell und Sepiafeder, 10,3 × 15 cm
HM, Inv. Nr. 80.384

Wien entwickelte sich im Biedermeier zum Zentrum populärer Druckgraphik. Besonders der Verlag Trentsensky brachte qualitätvolle Bilderbogen heraus, die die Kinder selbst ausschneiden, bemalen und auf Karton aufkleben konnten. Auf diese Art entstanden viele kleine Haustheater, die durch ihre günstigen Herstellungskosten weit verbreitet waren. Als Vorlage für die Theaterblätter dienten aktuelle Aufführungen der Wiener Bühnen wie zum Beispiel „König Ottokars Glück und Ende" von Franz Grillparzer oder „Der Verschwender" von Ferdinand Raimund.
ReWi
Abbildung

**15/67**
**Kinder mit Großvater (?) vor der Büste Kaiser Franz' (II.) I., 1842**

Johann Nepomuk Mayer (1805–1866)
Aquarell, 22 × 26,5 cm
Sign. u. dat. re. u.: J. N. Mayer/842
HM, Inv. Nr. 97.566

Der alte Mann ist vermutlich der Bildhauer Josef Klieber (1773–1850), der Kindern (seinen Enkeln) eine Büste des Kaisers Franz I. zeigt. An der Wand das patriotische Bild „Der stille Gang" mit dem Kaiser, das in der Lithographie von Heinrich nach Koralek verbreitet war.
ReWi

**15/68**
**Kinderzimmer, 1849–1851**

Gustav von Seldern
Bleistift, aquarelliert, 19,1 × 30,1 cm (blauer Untersatzkarton 21 × 32,6 cm)
Betitelt: Gosvin u. Euphemie's Kinderzimmer 1849–1851
Sign. li. u.: Gezeichnet von Gustav Gf. von Seldern
HM, Inv. Nr. 78.301

Dargestellt ist ein Kinderzimmer, das es nur im adeligen und großbürgerlichen Bereich als neue Einrichtung gegeben hat. Diverses charakteristisches Spielzeug ist erkennbar: Auf dem Kasten steht ein Papiertheater, auf einer Vitrine, die wiederum auf einer Kommode steht, thront ein Lebensbäumchen. Auf dem Schrank zwischen den Fenstern wird ein Kaufmannsladen aufbewahrt. Ein Schaukelpferd und eigene Kindermöbel vervollständigen das biedermeierliche Sujet.
ReWi
Abbildung

Kat. Nr. 15/68

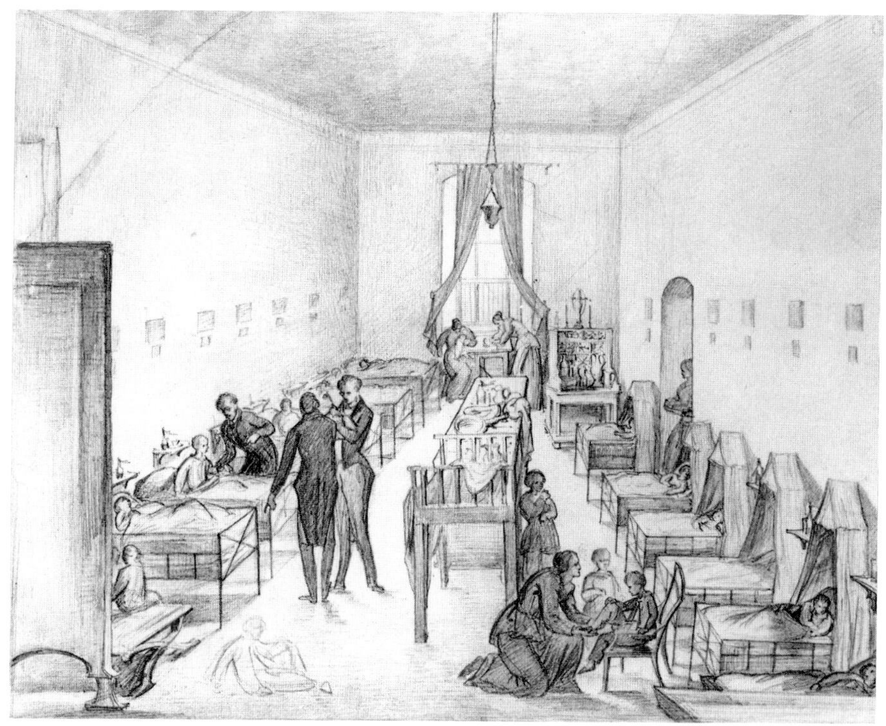

Kat. Nr. 15/70

**15/69**
**„Das gymnastisch-orthopädische Institut in Wien"**

Franz Wolf (1795–1859)
Kreidelithographie, koloriert, 32 × 40,2 cm
Sign. li. u.: F. Wolf del.
Aus: Journal pittoresque
HM, Inv. Nr. 19.291

Das Institut befand sich in Währing. Die Beschäftigung mit dem Sport und Turnen gewann immer mehr an Bedeutung: So kam es auch zu Gründungen von Schwimmschulen, Eislaufplätzen usw.
ReWi
Abbildung

**15/70**
**Krankensaal im St.-Anna-Kinderspital, um 1850**

Bleistift, 22,1 × 27,4 cm
HM, Inv. Nr. 15.758

Das erste öffentliche Kinderkrankeninstitut wurde 1787 in Wien eröffnet. Es folgte erst 1847/48 über Anregung von Dr. Ludwig Wilhelm Mauthner die Gründung eines weiteren Spitals, des späteren St.-Anna-Kinderspitals.
ReWi
Abbildung

Kat. Nr. 15/66

Kat. Nr. 15/69

Kat. Nr. 15/74

**15/71**
**Schule**

**15/71/1**
**Mädchenschule, um 1850**

Ausschneidebogen (Mandlbogen)
Serie von 6 Blatt
Federlithographien, 23,3 × 35,5 cm
Wien, Verlag Matthias Trentsensky
Druck von Eduard Sieger
HM, Inv. Nr. 94.110/537–39
Abbildung

**15/71/2**
**Knabenschule, um 1850**

Ausschneidebogen (Mandlbogen)
Serie von 6 Blatt
Federlithographien, 23,3 × 35,5 cm
Wien, Verlag Matthias Trentsensky
Druck von Eduard Sieger
HM, Inv. Nr. 94.110/526–27
Abbildung

**Kinder- und Jugendbücher**

**15/72**
**Anton Sturm**

Treue besteht, Falschheit vergeht oder Begebenheit aus der Familie von Lilienstadt.
Mit acht Illustrationen
Wien, Verlag Heinrich Friedrich Müller
Aufgeschlagen: Titelbild, Kupferstich, koloriert
HM, Inv. Nr. 186.160
Abbildung

**15/73**
**Friedrich Justin Bertuch (1747–1822)**

Bilderbuch zum Nutzen und Vergnügen der Jugend

Mit 49 Bildtafeln, Band 16
Wien, Verlag B. Ph. Bauer
Aufgeschlagen: Künste und Handwerke in China
Kupferstich, koloriert, 23 × 18 cm
HM, Inv. Nr. 98.917

**15/74**
**Die zwölf Monate**

Vincenz Raimund Grüner (1771–1832)
Zwölf Bildtafeln mit vierzeiligem Vers.
Radierungen, koloriert, 11 × 7,2 cm (Untersatzkarton 21,2 × 15,7 cm)
Monogr. re. u.: V.R.G.
HM, Inv. Nr. 111.110/1–12
Abbildungen

Kat. Nr. 15/74

Kat. Nr. 15/74

**15/75**
**Mädchenlust in den Erholungsstunden auf dem Schlosse zu Feldbrunn, um 1815/20**

Mit acht Illustrationen
Wien, Verlag Heinrich Friedrich Müller
Aufgeschlagen Seite 98: Der Reif, Das Längsseil
Kupferstich, koloriert
HM, Inv. Nr. 186.162/7
Abbildung

**15/76**
**Jakob Glatz (1776–1831)**

Die Bilderwelt
Ein unterhaltendes und belehrendes Bilderbuch. Mit Illustrationen von Vincenz Raimund Grüner
Wien, Verlag Anton Doll
Aufgeschlagen Band 1, Seite 117, Tafel XIV: Seiden- und Bienenzucht
HM, Inv. Nr. 98.382
Abbildung

**15/77**
**Jakob Glatz (1776–1831)**

Das grüne Buch. Ein belehrendes und unterhaltendes Lesebuch für jugendliche Knaben und Mädchen.
Mit sechs Illustrationen von Matthäus Loder, Stecher: Adolph Dworzack
Wien, Verlag Heinrich Friedrich Müller 1826
Aufgeschlagen Seite 36: Des Vaters Lieblingsblume
Kupferstich, koloriert
Sign. li. u.: Adolph Dworzack sculps;
HM, Inv. Nr. 110.419

Kat. Nr. 15/75

**Spielzeug**

**15/80**
**Leopold Chimani (1774–1844)**

„Das kleine Belvedere / oder / Mignon-Bilder-Galerie“, 1839
Wien, Verlag Heinrich Friedrich Müller
Plastische Aufstellung in Schuber
Federlithographie, koloriert, 14 × 21,5 cm
HM, Inv. Nr. 87.393/1–28

Mit diesem kleinen Papiermuseum sollten die Kinder an das Museum und an die Kunst herangeführt werden. Chimani hat mit dem Untertitel „Mignon-Bilder-Galerie“ ganz offensichtlich an das von dem Wiener Verleger Matthäus Trentsensky herausgegebene „Mignon-Theater“ als Vorbild angeknüpft. Unmittelbarer Anlaß der Herausgabe war die Neuaufstellung der Galerie im Belvedere und das Erscheinen des Gemäldeverzeichnisses von Peter Krafft. Leopold Chimani war ein gefragter Kinderbuchautor. In seinem Text zu dem Papiermuseum „Kleines Belvedere“ vermittelte er Tugenden wie Fleiß, Bescheidenheit, vaterländische Gesinnung und Gottvertrauen.
ReWi

Kat. Nr. 15/76

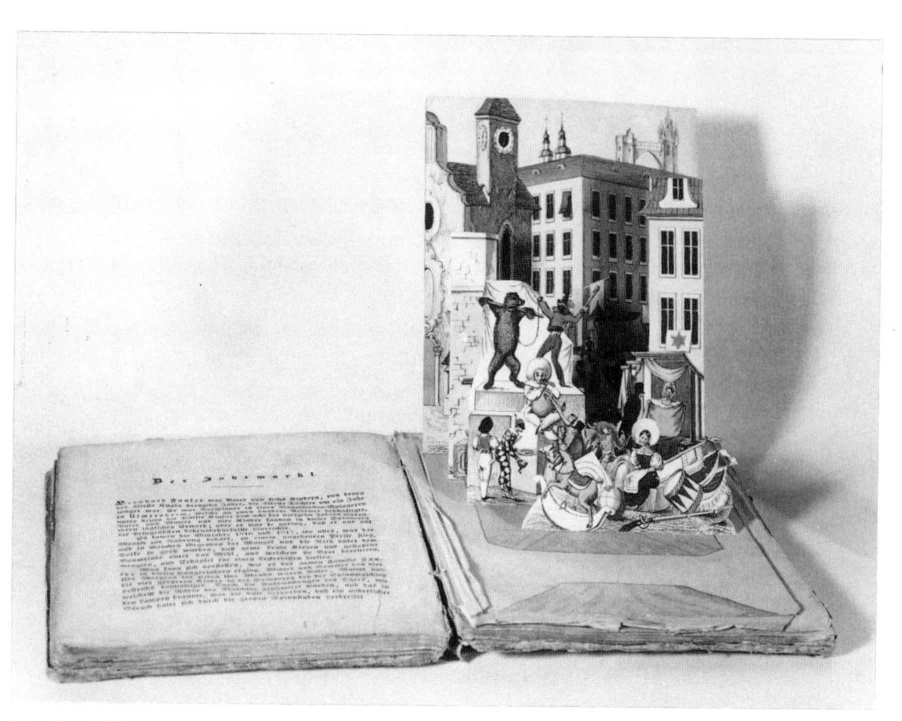

Kat. Nr. 15/78

**15/78**
**Leopold Chimani (1774–1844)**

Bunte Scenerien aus dem Menschenleben.
Ein Bilderbuch ganz neuer Art.
Mit vier Illustrationen (Panoramabildern) von Matthäus Loder
Wien, Verlag Heinrich Friedrich Müller
Aufgeschlagen Seite 116
HM, Inv. Nr. 110.531
Abbildung

**15/79**
**Franz Stelzhamer (1802–1874)**

Jugendnovellen
Mit vier Illustrationen von Josef Haselwander
Wien, Verlag Gustav Heckenast, 1847
Aufgeschlagen Titelblatt
Kreidelithographie mit Tonplatte, 13 × 9 cm
HM, Inv. Nr. 97.714

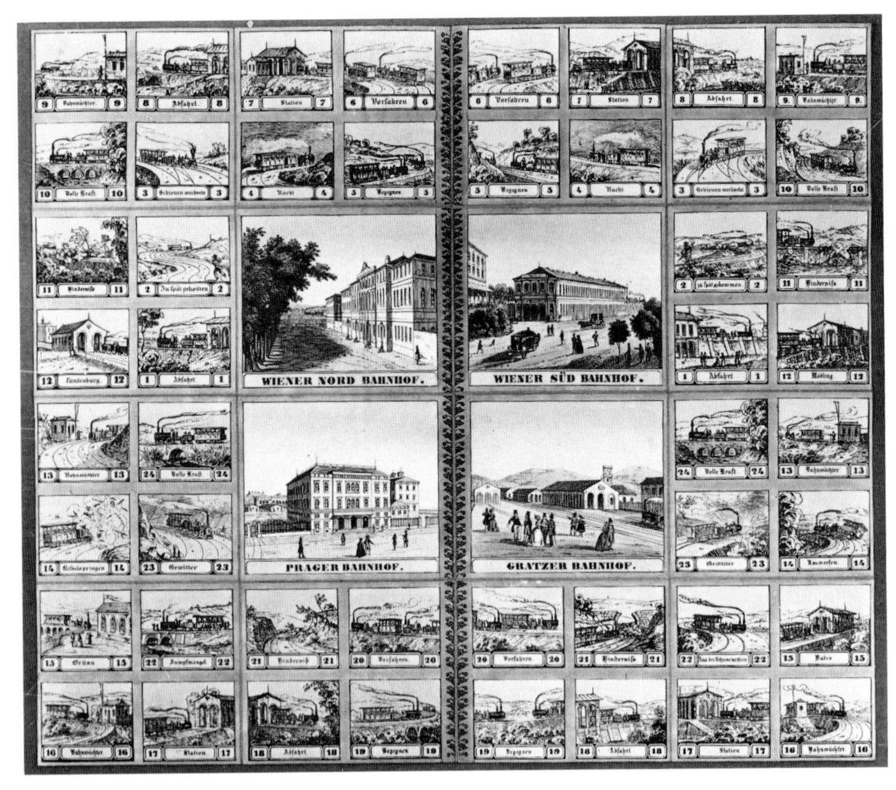


Kat. Nr. 15/81/2

**15/81**
**Das Eisenbahn-Spiel**

Würfelspiel für Kinder
Wien, Verlag Matthäus Trentsensky

**15/81/1**
**Kartonschachtel mit Titelbild**

Federlithographie, koloriert, 18 × 20 × 2 cm

**15/81/2**
**Aufklappbare Karte**

Federlithographie auf Leinen geklebt
51 × 61 cm
Spielzubehör
HM, Inv. Nr. 69.340/1, 2, 3
Abbildung

**15/82**
**Einsiedlerspiel oder Solitaire**

Geduldspiel
Holz, Spielsteine aus Elfenbein
HM, Inv. Nr. 52.633

**15/83**
**Ritterspiel**

Entwurf Moritz von Schwind (1804–1871)

**15/83/1**
**„Geduld Spiel", um 1823**

Federlithographien, koloriert auf Sperrholz aufgezogen, 24 × 33,8 cm

**15/83/2**
**Kartonschachtel**

Karton, marmoriert und umbriert
Um 1833/37
Bez.: Verlag von Trentsensky & Vieweg in Wien und Leipzig, 24,7 × 34,8 cm
HM, Inv. Nr. 41.033

Einige Serien, die Schwind für den Verlag Joseph Trentsensky zeichnete, brachte später Matthäus Trentsensky auch als Puzzles heraus, indem er den Bilderbogen auf Sperrholz kaschierte und ihn zerschnitt.
ReWi

**15/84**
**„Das veränderliche Schaukelpferd / Ein Spiel für Knaben"**

Radierung, koloriert
Schuber, 22 × 18 cm
Wien, Verlag Heinrich Friedrich Müller
Beschriftet „Mit einer Schaukel, vielen in Kupfer gestochenen illuminierten und ausgeschnittenen Figuren, Sätteln, Zäumen, Schabracken, Pferden und anderen Bestandteilen"
HM, Inv. Nr. 124.634/1–2

**15/85**
**Papiersoldaten, um 1840**

Carl Josef Lemann (1785–1847)
Deckfarben auf Papier, ausgeschnitten
Aus dem Besitz der Wiener Kaufmannsfamilie Marsano
HM, Inv. Nr. 38.772

Spielzeugsoldaten aus Papier gehörten zu einem wesentlichen Bestandteil des bürgerlichen Knabenspielzeuges. Die Kinder sollten mit diesen plastischen Aufstellungen bereits praktische Kenntnisse des „Exercier-Unterrichtes" bekommen und von den ersten Aufstellungen bis zu größeren taktischen Bewegungen üben können. Die größte Serie, die der berühmte Wiener Verleger Matthäus Trentsensky herausbrachte, war militärischen Darstellungen gewidmet. Carl Josef Lemann, der Zeichner vorliegender Papiersoldaten, hat auch ein Papiertheater entworfen (siehe Kat. Nr. 7/4).
ReWi

**15/86**
**Landleben**

Kreidelithographie, koloriert
Plastische Aufstellung in Kassette, 19 × 27 cm
Wien, Verlag Matthäus Trentsensky
HM, Inv. Nr. 42.480

**15/87/1–2**
**Puppenpärchen, um 1832**

Kopf aus Kunstmasse, Leder, Leinen, Baumwolle, Wollstoff, Tüllspitze, Samt.
Dame in hochgeschlossenem beigen Kleid mit eng anliegendem, in Falten gelegten Oberteil, Schinkenärmeln und weitem Rock. Gestreifte Schürze. Häubchen mit Tüllspitzenrand.
Herr in blauem Gehrock mit grünem Samtkragen, weißem Hemd, Gilet und Hose.
HM, Inv. Nr. M 1.517, M 1.518

**15/88**
**Puppe, um 1830**

Kopf aus Kunstmasse, Lederkörper, unbekleidet
HM, Inv. Nr. 118.007
Abbildung

**15/89**
**Puppe, um 1830**

Kopf aus Kunstmasse, Leder, Leinen, Seidensatin, Tüllspitze. Kleid mit eng anliegendem, tief dekolletiertem Oberteil, kurzen Ärmeln und leicht ausgestelltem Rock mit Schleppe, verziert mit Tüllspitze.
HM, Inv. Nr. M 1.520

**15/90**
**Puppenkleid, um 1835**

Baumwolle, bedruckt mit floralem Dekor. Oberteil anliegend, gezogen, runder Halsausschnitt, Schinkenärmel. Rock teilweise in Falten gelegt, ausgestellt geschnitten.
HM, Inv. Nr. M 1.534/1

**15/91**
**Puppenstrümpfe, 1. H. 19. Jh.**

Weißer Baumwollzwirn, handgestrickt, oberer Rand verziert mit gestrickter Spitze.
HM, Inv. Nr. M 2.092/2

**15/92**
**Puppenkleid, um 1838**

Rosa Reinseidensatin. Oberteil eng anliegend mit tiefem Dekolleté und Puffärmeln, weiter Rock.
HM, Inv. Nr. M 1.535/1

**15/93**
**Puppenkleid, um 1850**

Weiße Baumwolle, verziert mit Säumchen und Häkelborte.
HM, Inv. Nr. M 6.741/1

**15/94**
**Puppenmantel, um 1835**

Roter Seidensatin, naturfarbenes Seidensatinfutter, wattiert. Hochgeschlossener Mantel, Oberteil eng anliegend, Schinkenärmel, weiter Rock.
HM, Inv. Nr. M 1.520/6

Kat. Nr. 15/87

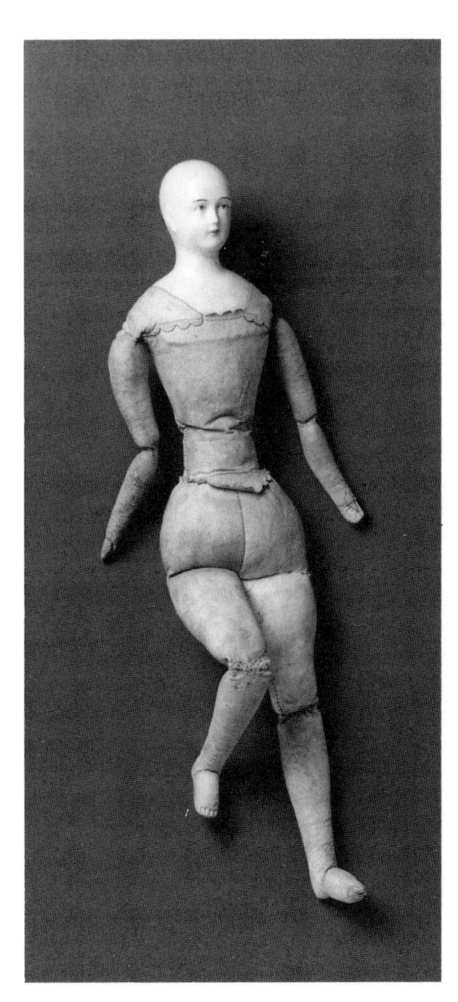

Kat. Nr. 15/88

**15/95**
**Puppenhandschuhe, fingerlos, um 1850**

Eisgrüne Seide, maschinengestrickt.
HM, Inv. Nr. M 1.059/1

**15/96**
**Puppenkleid, um 1838**

Baumwolle, bedruckt mit floralem Dekor. Oberteil eng anliegend, Dekolleté, Schinkenärmel, weiter gezogener Rock.
HM, Inv. Nr. M 1.525

**15/97**
**Puppenstrümpfe, 1. H. 19. Jh.**

Weiße Baumwolle, gestrickt.
HM, Inv. Nr. M 1.546/2

**15/98**
**Puppenbeinkleid, 1. H. 19. Jh.**

Weiße Baumwolle, Hosenkante verziert mit Maschenspitze.
HM, Inv. Nr. M 1.058/1

**15/99**
**Puppenwickler, um 1830**

Schwarzer Faille, verziert mit schwarzem Webpelz. Mantel in Capeform geschnitten.
HM, Inv. Nr. M 1.522/1

**15/100**
**Puppenkleid, um 1838**

Anthrazitfarbener Seidentaft, verziert mit Faltenpartien und Passepoiles. Oberteil eng anliegend, Dekolleté, Schinkenärmel, weiter Rock.
HM, Inv. Nr. M 1.536/1

**15/101**
**Puppenkleid, um 1835**

Grauer Seidentaft, verziert mit Faltenpartien u. Passepoiles. Oberteil eng anliegend mit tiefem Dekolleté, Schinkenärmel, weiter Rock.
HM, Inv. Nr. M 1.530/1

**15/102**
**Puppenkleid, um 1838**

Anthrazitfarbener Seidentaft, verziert mit Faltenpartien und Passepoiles. Hochgeschlossen, Oberteil eng anliegend, Schinkenärmel, weiter Rock.
HM, Inv. Nr. M 1.526/1

**15/103**
**Puppenkleid, um 1835**

Hellgrauer Seidentaft, verziert mit Faltenpartien und Passepoiles. Oberteil eng anliegend mit Dekolleté, Schinkenärmel, weiter Rock.
HM, Inv. Nr. M 1.531/1

Kat. Nr. 15/108

**15/104**
**Puppenbettchen mit Bettzeug und Bettwäsche**

Holz, Textilien
L.: 53 cm, H.: 25,5 cm, T.: 24 cm
HM, Inv. Nr. 72.278

**15/105**
**„Vermischte Waaren Handlung", um 1840**

Kaufmannsladen für Kinder
Holz, Glas, Intarsienimitationen, Papier
L.: 47 cm, H.: 24 cm, T.: 30 cm
Mit Firmenetikett: Aus der Spielwaren Niederlage Franz Kietaibl „Zum Chinesen", Habsburgergasse Nr. 10, Wien
Wien, Österreichisches Museum für Volkskunde, Inv. Nr. 45.911

Im Ladeninneren befindet sich an der Rückwand beiderseits ein Ladenregal mit je 8 beschrifteten Schubladen und in der Mitte ein offenes Regal mit 8 Tiegeln und Flaschen aus Holz. In der Mitte ein Verkaufstisch mit großer Waage; eine zweite hängt an der Wand. Auf dem obersten Regalbrett stehen 6 Zuckerhüte, dahinter das Schild mit der Aufschrift.
KB

**Gesellschaftskritik und Karikaturen**

**15/106**
**Die Emanzipierte**

Johann Baptist Reiter (1813–1890)
Öl auf Leinwand, 80 × 63 cm
Sign. li. am o. Rand: J. B. Reiter
Linz, Oberösterreichisches Landesmuseum

Das Rauchen bedeutete für Frauen eine besondere Zeichensetzung ihrer Emanzipation.
ReWi
Abbildung

**15/107**
**„Emancipation – Ein Damen-Duell"**

Andreas Geiger (1765–1856) nach Anton Elfinger (Cajetan) (1821–1864)
Radierung, koloriert
Pl. 21,3 × 28,2 cm, Bl. 24,1 × 31 cm
Sign. li. u.: Cajetan del., re. u.: And. Geiger
Beilage zur Wiener Theaterzeitung, Satirisches Bild, Nr. 85
HM, Inv. Nr. 96.842/85

In der populären Druckgraphik des Biedermeier erschienen ab 1835 zahlreiche Spottblätter auf die Frauenemanzipation. Die sogenannten „Amazonen" waren in der Gesellschaft nicht sehr angesehen. Eine Art Zusammenfassung aller Gegenstände, die bei ihrer Verwendung gegen die weibliche Tugend sprechen, sind am oberen Bildrand festgehalten: Fechtwaffen, Tintenfaß, Herrensattel, Pistolen, Pfeifen und Peitschen. Hingegen symbolisieren Besen und Kochlöffel die häusliche „Weiblichkeit".
ReWi

**15/108**
**„Die Schnüranstalt"**

Johann Christian Schoeller (1782–1851)
Aquarell, 11 × 13,7 cm
Monogr. u. dat. re. u.: S. 1844
HM, Inv. Nr. 55.583

Witzige Darstellung auf die sich wieder verbreitende Mode des Korsetts.
ReWi
Abbildung

**15/109**
**„Die alte Jungfrau"**

Johann Christian Schoeller (1782–1851)
Aquarell
11,1 × 14,4 cm (Untersatzkarton 17 × 20 cm)
Sign. u. dat. re. u.: Schoeller del. 1841
HM, Inv. Nr. 119.162/5

Solche Karikaturen, die unverheiratete Frauen als Hunde- und Katzenliebhaberinnen zeigen, haben in Wirklichkeit einen bitteren Hintergrund: Die statistischen Zahlen aus jener Zeit geben als durchschnittliches Heiratsalter bei den Männern 33,5 und bei den Frauen 29,7 Jahre an. Die sozialen Verhältnisse, die Wohnungs- und Arbeitsbedingungen ließen vor allem bei unselbständig Beschäftigten überhaupt keine Eheschließung zu.
ReWi
Abbildung

**15/110**
**„Zerrbilder menschlicher Thorheiten und Schwächen"**

Joseph Stöber (1781–1828) nach
Matthäus Loder (1768–1852)
Karikaturen
Text von Ignaz Franz Castelli
Wien 1818, 2. Auflage ebenfalls 1818
Auswahl aus der Serie (2. Auflage)

Kat. Nr. 15/109

Kat. Nr. 15/106

**15/110/1**
**„Stolz“**

Kupferstich, aquarelliert
Pl. 22,2 × 14,5 cm, Bl. 27,2 × 18,7 cm
Monogr. li. u.: L., re. u.: St.
HM, Inv. Nr. 21.761/4

**15/110/2**
**„Kartenspiel“**

Kupferstich, aquarelliert
Pl. 23,4 × 14,7 cm, Bl. 26,9 × 19 cm
Monogr. li. u.: L., re. u.: St.
HM, Inv. Nr. 21.761/22

Vorliegende Karikaturen erschienen 1818 bei Franz Härter in Wien, und Loder übte dabei sehr herbe Kritik an seinen Zeitgenossen. Ihre Verlogenheit, ihr Spießertum, ihre Freßsucht, Eitelkeit, aber auch ihre Vertrauensseligkeit nahm er unter die Lupe und schuf diese aus seinem sonstigen Schaffen herausfallenden Zeichnungen. Bei vielen dürften diese Darstellungen Betroffenheit ausgelöst haben, denn die Serie wurde im gleichen Jahr nochmals aufgelegt, allerdings wurde den Titeln die ätzende Schärfe genommen; aus dem „hochmüthigen Narren“ entstand die unverfänglichere Überschrift „Stolz“ usw. Viele waren auch geschockt, und die ablehnende Kritik im „Janus“ vom 15. Jänner 1819 dürfte der allgemeinen Auffassung entsprochen haben.

*Lit.: Walter Koschatzky, Biedermeier und Vormärz. Die Kammermaler Matthäus Loder und Eduard Gurk, Katalog zur 267. Ausstellung der Albertina, Wien 1978, S. 29 und Kat. Nr. 32; Reingard Witzmann, Von Lebensglück und Narretey. Spielkarten aus dem Wiener Biedermeier von Matthäus Loder, Wien, Piatnik 1987.*
ReWi
Abbildung

**15/111**
**Gieriger und Bettler, um 1818**

Karikatur von Matthäus Loder (1781–1828)
Aquarell, 13,6 × 12,6 cm
Sign. re. u.: Loder
HM, Inv. Nr. 97.995

Matthäus Loder war ein sehr scharfer Beobachter seiner Zeitgenossen. Sein Aquarell verweist auf den schroffen Gegensatz zwischen arm und reich.
ReWi

**15/112**
**„Der Zinstag**
**Eine Festgabe für den 24. April“**

Andreas Geiger (1765–1856)
Radierung, koloriert
Pl. 24,8 × 20,3 cm, Bl. 31 × 24,2 cm
Sign. re. u. And. Geiger
Besondere Beilage zur Wiener Theaterzeitung
HM, Inv. Nr. 108.253/1

Die Karikatur bezieht sich auf den üblichen Termin für den Mietzins in Wien: Zu Georgi (24. April) und zu Michaeli (29. September) mußten die Mieter dem Hausherrn den Zins entrichten. Wer nicht zahlen konnte, mußte ausziehen. In der Mitte der Darstellung thront der Hausherr, der ohne Arbeit und Anstrengung zu einer mit Geldsäcken gefüllten Truhe kommt.
ReWi
Abbildung

**15/113**
**„Der Hausherr wird Augen machen, wenn er erwacht, und entdeckt, daß wir ausgezogen sind, ohne den Zins zu zahlen“**

Andreas Geiger (1765–1856) nach
Johann Christian Schoeller (1782–1851)
Radierung, koloriert
Pl. 25,2 × 18,7 cm, Bl. 30,5 × 22 cm
Sign. li. u.: Schoeller del., re. u.: A. Geiger sc.
Bild zur Wiener Theaterzeitung, Nr. 44 vom 24. April 1841
HM, Inv. Nr. 108.242/2

Die Mobilität der Bevölkerung, die oft an dem Zinstag umzog, war bedeutend höher als heute. Da ohne rechtlichen Schutz und daher den Forderungen des Hausherrn ausgesetzt, übersiedelten die Familien mit ihrer wenigen Habe.
ReWi
Abbildung

**15/114**
**Die Pfändung**

Peter Fendi (1796–1842)
Kolorierte Kreidelithographie, 35 × 43,6 cm
HM, Inv. Nr. 87.006

Das nachdenklich stimmende Motiv weist auf ein wesentliches Merkmal der Biedermeierzeit hin. Der überwiegende Teil der Bevölkerung hatte mit großen Wohnungssorgen zu kämpfen, die hohen Mieten konnten oft nicht mehr bezahlt werden. Während z. B. die Bevölkerung Wiens im Jahrzehnt zwischen 1826 und 1836 um mindestens 15 Prozent anwuchs, nahmen die Häuser nur um etwa die Hälfte, um 7 Prozent zu. Bis 1846 war noch ein stärkerer Bevölkerungszuwachs zu verzeichnen, während sich die Häuseranzahl nur um 6 Prozent

Kat. Nr. 15/113

vermehrte. Der Wohnungszins betrug im Jahre 1830 durchschnittlich 132 fl.

Fendis Darstellung trägt zwar den Titel „Die Pfändung", der Gläubiger dürfte aber der Hausbesitzer sein, der wegen Nichtzahlung des Mietzinses den Rechtsweg beschritten hat und mit der Handbewegung die Räumung anweist, während der Vollstreckungsbeamte in der Tischlade nach pfändbaren Gegenständen sucht.

*Lit.: Peter Feldbauer, Stadtwachstum und Wohnungsnot. In: Sozial- und wirtschaftshistorische Studien, Bd. 9, München 1977.*
WD

**15/115**
**Blauer Montag beim Praterheurigen, 1818**

Joseph Lanzedelly d. Ä. (1772–1831)
Kreidelithographie
Steinplatte 25 × 34 cm, Bl. 28,3 × 36,5 cm
Sign. li. u.: Lanzedelly del. e. lithog.
Aus der Serie: Charakteristische Volksszenen
HM, Inv. Nr. 111.142

Der sogenannte „Blaue Montag" war ein seit dem Mittelalter eingeführter Brauch bei den Handwerkern, der allerdings nicht einheitlich angewandt wurde. Es gab Handwerke, bei denen er arbeitsfrei war, andere, die nur den Nachmittag freigaben und wieder andere, die ihn nur einige Male im Jahr zuließen. Die überwiegende Mehrheit hatte diesen zusätzlichen freien Arbeitstag unter Verbot gestellt. – Lanzedelly nimmt diese gewonnene Freiheit unter die Lupe. Bei einem Heurigen singen Handwerker zu Zitherspiel, einige allerdings haben dem Wein bereits zuviel zugesprochen.
ReWi

**15/116**
**Ausspeisung, um 1820**

Karikatur von Joseph Lanzedelly d. Ä.
Lithographie, koloriert, 27,1 × 36,2 cm
Sign. li. u.: Lanzedelly del. u. lith.
Aus der Serie: Scenen aus dem Leben, Bl. Nr. 2, Der gute Appetit
HM, Inv. Nr. 20.580/3

Ab 1847 wurde zur Linderung der Not unentgeltlich die sogenannte „Rumfordsuppe" verabreicht, doch gab es schon vorher einzelne Volksküchen. Auch boten z. B. die „Bratelbraterin" oder die „Knödelköchin" in Verkaufständen auf der Straße billige warme Speisen an.
ReWi

# KAPITEL 16

## FEST UND FREIZEIT

Der bis Ende des 18. Jahrhunderts in kirchlichen Bindungen ablaufende Freizeit- bzw. „Feierzeitbereich“ der Städter wurde im Biedermeier individueller. Die Aufklärung hatte zu umfangreichen Einschränkungen gemeinsam begangener religiöser Feierlichkeiten geführt.

Der öffentliche Tanzsaal, Vergnügungsstätten wie der Volksprater, das Kaffeehaus, der Salon bildeten sich als neue großstädtische Kommunikationszentren heraus.

Von den brauchtümlichen Festen hatten sich vor allem zwei markante in das 19. Jahrhundert hinübergerettet, die nun mit neuem städtischen Prunk ausgestattet und in jeder Wien-Schilderung der Biedermeierzeit als besonders sehenswürdig hervorgehoben wurden: die Fronleichnamsprozession und der Kirchtag in der Brigittenau.

Zu einem neuen gesellschaftlichen Zentrum entwickelte sich am Beginn des 19. Jahrhunderts die Familie und ein geschlossener Kreis von Freunden. Die Familie bedeutete einen der wenigen Bezugspunkte, die Vertrauens- und Verläßlichkeitserlebnisse garantieren konnten. Der Trend vom traditionellen Gemeinschaftsbrauch zum forciert in der Familie praktizierten Brauch läßt sich in jener Zeit beobachten: So gewinnt das Weihnachtsfest als ein zurückgezogenes häusliches Fest um den neu eingeführten Christbaum an Bedeutung.

# BIEDERMEIER-GENÜSSE Vom Bier bis zur Vergnügungsreise

*Roman Sandgruber*

Der Begriff Biedermeier vereint die Vorstellung von Häuslichkeit und Straßentumult, von Phäakentum und revolutionärer Gärung, von Wohlleben und Pauperismus, junger Industrie und Fortschrittsängsten. Neue Konsumgüter und Konsummöglichkeiten veränderten den Lebensstil, „Backhendl" und Kartoffelsalat, Zucker ebenso wie Kartoffelschnaps, das Gaslicht und die Eisenbahnreise, die Zigarre und das Lagerbier, rauchfreie Küchen und schöngeformte Sitzmöbel, Seidenshawls und Baumwollstoffe. Ein Streifzug vom biedermeierlichen Backhuhn bis zur vormärzlichen Eisenbahnreise soll nicht nur wirtschaftliche Umwälzungen, sondern auch gesellschaftliche Differenzierungen verdeutlichen.

## „Backhendl" und Kartoffelsalat

„Bei Geflügel ist der Luxus der Kaiserstadt unglaublich", schrieb der Statistiker Georg Hassel um 1800. Das „Backhendl" war zum kulinarischen Wohlstandssymbol des Biedermeier geworden. Daß der hohe Anteil von Geflügelfleisch für die Wiener Konsumgewohnheiten bis zur Mitte des 19. Jahrhunderts kennzeichnend war, läßt sich statistisch gut absichern. Der beträchtliche Verbrauchsrückgang, der sich in den vierziger und fünfziger Jahren bei diesem damals teuren und geschätzten Fleisch anbahnte, wurde hingegen als ein deutliches Signal eingeschränkter Lebensweise empfunden. An die Stelle des „Backhendl", des einstigen „Capua der Geister", seien jetzt die billigeren „Würstel mit Kren" getreten, hatte Ernst von Schwarzer 1857 gemeint.

Eingebettet war diese Einschränkung in einen generellen Rückgang des Fleischverbrauchs: Der Wiener Fleischverbrauch sank von über 100 kg pro Kopf um 1800 auf etwa 70 kg in den frühen fünfziger Jahren. Abgenommen hatte vor allem der Schaffleischkonsum, aber auch der Geflügel- und Fischverbrauch.

Insgesamt wurde im Vormärz die Lebenshaltung, was den Essensaufwand betraf, zunehmend einfacher, einerseits als Zeichen vermehrter bürgerlicher Spargesinnung, andererseits als Ausdruck der Verarmung der Unterschichten. Seit 1800 wird in Wien von einer Abnahme der feinen Tafeln gesprochen. Der Reiseschriftsteller Mathias Koch wies in den vierziger Jahren auf den bedeutend veränderten Lebensstil in Wien hin, auf eine neue Frugalität der Reichen, die auf Essen und Trinken nun bedeutend weniger Wert legten, weil ihnen Genüsse anderer Art in Menge geboten seien.

Zugenommen hatte hingegen in Wien der Verbrauch von Kartoffeln. „Der Wiener sei so gar kein Freund der Kartoffel", konnte man noch 1827 feststellen. Der Pro-Kopf-Verbrauch an Kartoffeln, Rüben und Kraut in Wien stieg von 1830 bis 1850 von etwa 47 kg auf etwas über 60 kg, im Verhältnis zu späteren Zeiten zwar immer noch relativ geringe Werte, aber doch schon ein Anzeichen wachsender Bedeutung pauperisierter Schichten.

## Zucker

Das Biedermeier war die erste große Zeit der Wiener Konditoreien. Zu den Ballsälen des Vormärz gehörten Verkaufsstände, wo Backwerk, Zuckermandeln und Bonbons angeboten wurden. Mit der zunehmenden Verbreitung des Zuckers begann der Aufschwung der gesüßten Mehlspeisen: Apfel- und Milchrahmstrudel, Golatschen, Dalken, Schmarren, Buchteln und Germknödel, die mit der Wiener Küche so sehr assoziiert werden.

Die inländische Zuckergewinnung aus Zuckerrüben und Ahornsirup, die während der Napoleonischen Kriege zögernd in Gang gekommen war, war zwar in den zwanziger Jahren wieder ganz aufgegeben und erst in den dreißiger Jahren erneut aufgegriffen worden. Dennoch war der Vormärz der Startboden für die Durchsetzung des Zuckers.

Der Zuckerverbrauch in den deutschen Erbländern, der um 1800 etwa 0,4 kg pro Kopf betrug, war in der kritischen Endphase der Napoleonischen Kriege auf weniger als 0,2 kg pro Kopf abgesunken. 1818 wurde der Zuckerverbrauch der Monarchie erneut auf etwa 10.000 Tonnen oder 0,4 kg pro Einwohner geschätzt, 1836 bereits auf 36.400 Tonnen oder etwa 1,1 kg pro Kopf. Bis 1850 hatte der Zuckerverbrauch der Habsburgermonarchie etwa 2,5 kg pro Kopf erreicht. Der Zucker verlor seine Exklusivität, seit die Zuckerrübe in Konkurrenz zum Kolonialzucker trat und damit das Angebot entscheidend ausgeweitet und verbilligt wurde.

Immer noch aber war Zuckerkonsum ein Privileg reicher Städter. Eine Weihnachtsmahlzeit mochte man sich um die Mitte des 19. Jahrhunderts aber auch in abgelegenen Gebieten nicht mehr ohne Zucker vorstellen, wie Peter Rosegger aus seinen Kindheitstagen zu erzählen wußte. Der 1842 in der Zuckerfabrik Datschitz erfundene Würfelzucker, der unter dem Markennamen „Thee-Zucker" oder „Wiener Würfelzucker" verkauft wurde, vereinigte praktische Vorzüge für sparsame Konsumenten: „Durch ihre gleichartige Form nicht nur sehr vollkommen, sondern auch ein sicherer Maßstab, um jedes Getränk genau bis zu dem gewünschten Grade zu versüßen und den Zuckervorrat – ein lockender Artikel für Dienstleute – streng zu kontrollieren."

## Kaffee und Kaffeehäuser

Kaffee galt um 1800 als das bürgerliche Getränk schlechthin. Die bürgerliche Küche kannte zahlreiche Kaffeemahlzeiten, den Frühstückskaffee, die Kaffeejause und den Mocca als Abschluß der Hauptmahlzeiten.

Im Vormärz dominierten anstelle der ausgesprochen politischen und literarischen Kaffeehäuser der Josephinischen Zeit mehr die Vergnügungskaffeehäuser,

| Jahr | Rindfleisch | Kalbfleisch | Schweinefleisch | Schaffleisch | Geflügel | Wild | Fische | insgesamt |
|---|---|---|---|---|---|---|---|---|
| 1800 | 52,0 | 13,0 | 10,6 | 8,1 | | | | ca. 100,0 |
| 1823 | 70,4 | 18,3 | 16,2 | 5,0 | 6,3 | 1,2 | 1,7 | 119,1 |
| 1832 | 58,7 | 14,9 | 9,9 | 3,3 | 8,2 | 1,2 | 1,5 | 97,7 |
| 1840 | 61,2 | 12,1 | 10,7 | 2,7 | 8,1 | 1,4 | 2,5 | 97,7 |
| 1845 | 56,3 | 12,2 | 9,9 | 2,3 | 8,1 | 1,4 | 2,1 | 92,3 |
| 1850 | 46,6 | 11,6 | 10,0 | 2,2 | 4,9 | 0,7 | 1,9 | 72,0 |

so daß ein Besucher 1840 feststellte, „daß hier Spiel und Gespräch die Hauptsache und Zeitung und Journallektüre nur Nebensache sind“. An die Stelle der Information traten Billard und Kartenspiel, genußvolles Rauchen, Kaffeetrinken und Konversation. Auch die schöne Aussicht auf die Straße und Landschaft war gefragt, wovon die Ausflugskaffeehäuser außerhalb der Linien profitierten, das Dommayer, Tivoli oder Hohe Warte.

Um 1800 hatten auch in den Kleinstädten die Kaffeehäuser die Funktion der Öffentlichkeitsbildung übernommen. Wie der Kaffee beschaffen war, der dort serviert wurde, und wie der Geschäftsgang sich gestaltete, wissen wir nicht. Hoffentlich war er besser als der des Café G'schlader, das Nestroy in Steyr angesiedelt hat, ein „Geschäft, wo kein Geschäft z'machen ist“.

Von den Städten und Märkten aus verbreitete sich das Kaffeetrinken auf das Land. In Niederösterreich servierte man bereits im frühen 19. Jahrhundert zu bäuerlichen Festmahlzeiten, bei Hochzeits- und Leichenschmäusen regelmäßig Kaffee.

Vor allem aber wurde Kaffee, wenn auch oft in Form billigen Ersatzkaffees, zum wesentlichen Bestandteil der Kost der Arbeiterschaft. Kaffee half hungern. Er schien somit geeignet zu sein, zur Erhöhung der Leistungsfähigkeit der Arbeitskraft beizutragen, obwohl sein Nährwert gering war. Wie die Arbeitszeit durch neue Beleuchtungstechniken länger werden konnte, so schien sich der Kaffee zur künstlichen Verlängerung der Wachzeit anzubieten.

**Branntwein und Bier**

Im 18. Jahrhundert ist eine Abnahme des Alkoholverbrauchs in den Städten und bei den adeligen Oberschichten festzustellen. Der in josephinischer Tradition wurzelnde Ignaz Beidtel wollte bei seinen Zeitgenossen das Seltenerwerden veritabler Saufgelage bemerkt haben, auch wenn die insgesamt konsumierten Alkoholmengen immer noch sehr hoch waren. Die neue Klasse der Großbürger und Kapitalisten trank mäßig und im privaten Kreis. Das unterschied sie von Aufsteigern wie Fortunatus Wurzel aus Ferdinand Raimunds „Bauer als Millionär“, der solches bürgerliches Verhalten noch nicht angenommen hat, auch wenn er von der „Jugend“, als sie mit dem berühmten „Brüderlein fein“ von ihm Abschied nimmt, nicht mehr gern an frühere Trinkeskapaden erinnert werden will.

Der Übergang vom zyklisch exzessiven zum regelmäßigen, aber mäßigen Alkoholgenuß mag am ehesten den Vorstellungen des Wirtschaftsbürgertums entsprochen haben. Im Kleinbürgertum, das ja vom Wienerlied vor allem angesprochen wird, verblieb das ältere Trinkverhalten viel hartnäckiger erhalten: „Mein' Rausch hab' i jahraus, jahrein / Es wird doch heut' kein' Ausnahm' sein“, singt der Schuster Knieriem. „Und was hab' i trunken? Neun Halbe Bier; aber seit dem letzten Kometen greift mich alles so an.“ Da ist dann „alles wurst, nur net der Durst!“

An Sonn- und Feiertagen, an Kirchtagen, bei den vielen Wallfahrten konnte es allerdings nie ohne tüchtiges Trinken abgehen: „Eine Pilgerfahrt ohne Einkehrn, das is was Schreckliches“, bangt Meister Pfriem aus Nestroys „Höllenangst“ vor zu viel asketischem Ernst. Ähnliches galt für den Trinkcomment der Zünfte, der im studentischen Brauchtum seine Fortsetzung fand.

Es ist allerdings nicht so, daß bei den Oberschichten generell das Trinkverhalten einer neuen, sozial gebremsten Rationalität gefolgt wäre. Sowohl im Bürgertum wie beim Adel hielten sich bedeutsame Gruppen, in denen exzessiver Alkoholkonsum zum Alltag gehörte, bei den studentischen Korporationen genauso wie im Offizierskorps.

Als nach 1815 die Verwendung von Kartoffeln anstelle von Getreide die Branntweinproduktion revolutionierte, konnte der Alkohol zu einem täglichen Gebrauchsartikel für das städtische und ländliche Proletariat werden. Kartoffeln, Kaffee und Branntwein, das galt nun als Trias der Arbeiternahrung.

Es steht außer Zweifel, daß die Industrialisierung die Attraktivität des Alkohols verstärkte, wegen der erhöhten physischen Belastung und Arbeitsmonotonie, wegen der sanitären Defizite der Wohnsiedlungen, der regionalen Entwurzelung vieler neu zugezogener Arbeiter und der Enge der Wohnungen. Solches wurde durch die damals noch wenig widersprochene Überzeugung gestützt, daß Alkohol die körperliche Widerstandskraft erhöhe.

Der Branntwein brachte die Industrialisierung des Trinkens. Das charakteristische Phänomen der Beschleunigung war nun auch für den Bereich des Alkoholkonsums gegeben: eine Berauschung war innerhalb weniger Minuten möglich. Die Branntweinerzeugung erfuhr durch die Industrialisierung eine radikale Umgestaltung, seit der Kreis der Rohstoffe über die diversen Wurzeln und Sammelfrüchte, über Wein und Obstmost auch auf Getreide, vor allem aber ab etwa 1825 auf Kartoffeln und später noch Mais und Zuckerrübenmelasse erweitert wurde und die Brennereien, die zu Beginn des 19. Jahrhunderts noch durchgehend als Kleinbetriebe geführt wurden, sich zu großen Fabriken entwickelten.

Der Höhepunkt der Branntweinpest war in Österreich-Ungarn mit einem Pro-Kopf-Wert von fast 10 Litern um die Mitte des 19. Jahrhunderts zu verzeichnen, wobei der Verbrauch nunmehr neben den nordöstlichen Teilen der Monarchie durchaus auch in den Städten, vor allem in Wien, aber auch in manchen Teilen der Alpen, so im – wie die Polizei sich ausdrückte – trunksüchtigen oberen Inntal, sehr hoch war. Der Branntweinverbrauch war zu einem deutlichen Indikator städtischer und ländlicher Notstandszonen geworden.

Auch Bier wurde durch die großindustrielle Produktion zunehmend billiger, während zuvor der hohe Preis und der Mangel an Bargeld den einkommensschwachen Schichten einen häufigeren Alkoholgenuß unmöglich gemacht hatten.

Mit dem Lagerbier des Anton Dreher seit den dreißiger Jahren und der Verbreitung des Pilsener Biers gegen Ende der fünfziger Jahre fand eine Bierrevolution statt. Im Jahr 1736 war in Wien noch dreimal soviel Wein als Bier getrunken worden, 1754 nur mehr doppelt soviel, und gegen Ende des 18. Jahrhunderts war der Bierverbrauch bereits höher als der Weinverbrauch. Wien, die Weinstadt, wurde zu einem Bierzentrum. Selbst in den klassischen Heurigenorten, in Nußdorf und Grinzing, Hernals und Ottakring nisteten sich Brauereien ein. Der zunehmende Übergang zum Bier mag darauf zurückzuführen sein, daß sich gewisse Schichten Wein nicht mehr leisten konnten und auf der anderen Seite viele Einkommensbezieher, statt Wasser zu trinken, sich jetzt Bier kaufen konnten. Das Bier gewann somit einerseits als Zeichen der Verarmung, andererseits als Zeichen eines steigenden Massenkonsums und der Hebung der Masseneinkommen an Boden. Auch spielten Verschiebungen der relativen Preise eine erhebliche Rolle.

Josef Lanzedelly, Gesellschaft in einem Gasthausgarten, um 1818

Eine der Hauptursachen für die steigende Beliebtheit des Bieres lag sicher in der Qualitätsverbesserung. Die bis ca. 1840 gebräuchliche Obergärung bedingte schlechte Lagerfähigkeit und minderen Geschmack, so daß das Bierbrauen an die kühlen Monate gebunden war.

Bier wurde zum Modegetränk der Intelligenz des Vormärz, der Beamten, Studierenden, Künstler und mittleren Bürger, die alle es sich wohl auch leisten hätten können, ein Glas Wein zu trinken, wie erstaunte Beobachter bemerkten. Sechs Bierbeiseln nacheinander, fand die Polizei mit Akribie bei ihren Überwachungen heraus, besuchte Friedrich Schlegel tagtäglich in Wien. Grillparzer, Beethoven, Raimund erkoren sich, weil es modisch war, ihr Stammwirtshaus. Die geistige Elite traf sich in den Bierhäusern, die revolutionäre Avantgarde feierte bei Bier ihre Feste. Die Bierhäuser waren die eigentlichen Tempel der politischen Kannegießereien des ausgehenden 18. und frühen 19. Jahrhunderts. Die rituelle Vorliebe der Studentenschaft für das Bier rührt aus jener Periode, als das Korporationswesen aufblühte.

In den Bierhäusern hatten Stammtischrunden, Bruderschaften, Krankenunterstützungsanstalten, Leichenvereine, Sparvereine und sonstige gesellige oder gemeinnützige Vereine ihren Sitz.

Die so beliebten Wochenendpartien des Vormärz führten nicht nur zu den Weinheurigen nach Neulerchenfeld, sondern auch ins Brauzentrum Gaudenzdorf, im Vormärz „ein liederliches und feuchtfröhliches Nest“, um daselbst entweder direkt im Brauhaus oder in einem der dortigen 45 Wirtshäuser den Bierdurst vor der Linie billig zu stillen. Ebenso berühmt war das Hütteldorfer Bräuhaus als Ziel häufiger biedermeierlicher Ausflüge mit dem Zeiselwagen, von denen uns Ignaz Castelli einen alle mehr oder weniger ästhetische Stadien einer solchen Tagesfahrt durcheilenden Bericht gibt.

### Pfeife und Zigarre

Das Pfeifenrauchen verdrängte zu Beginn des 19. Jahrhunderts das Schnupfen. Während der Raucher früher gegenüber dem Schnupfer gesellschaftlich unmöglich war, kehrte sich die Situation im Vormärz um, wurde der Schnupfer zum unästhetischen Greuel und war der Pfeifenraucher tonangebend. Das war nun die berühmte Zeit der echten „Meerschaumenen“, die hohe Zeit der berühmten Wiener Pfeifenschneider. Meerschaumpfeifen schön anzurauchen war eine Kunst, die gelernt sein wollte.

Dazu die passenden Tabaksorten: die teuersten der Knaster, der beste zu 12 Gulden das Pfund, der Kaisertabak oder Krul (nach dem tschechischen Kurul für König) und der Sonne und Mond, ein Türkischer. Die Sorte ärarischen Rauchtabaks, die in der Fabrik zu Hainburg fabriziert und in Wien und Niederösterreich am meisten konsumiert wurde, war der sogenannte Dreikönig. Schlechter und billiger war noch der ordinari Rauchtabak. Die ärmeren Volksschichten kauften größtenteils diesen Landtabak in Briefen oder Rollen.

Zigarren, die in Niederösterreich den Rauchern erstmals 1818 in zwei Sorten offiziell zum Verkauf angeboten wurden, fanden anfangs nur wenig Anklang. Der Jahresverbrauch an Gefällszigarren, der 1823 3,1 Millionen Stück betragen hatte, stieg bis 1842 recht langsam auf 29,5 Millionen Stück und schnellte dann bis 1848 auf 168,6 Millionen Stück. 1848 enthielt der Verschleißtarif bereits 13 Regiezigarren und 11 importierte Havanna-Manila-Zigarren. 1846 wurden erstmals auch die „Virginierzigarren“ in Österreich verkauft, die sich in der Lombardei und in Venetien schon vorher großer Beliebtheit erfreut hatten.

Zigarren waren teuer: Die Zigarre galt dem Bürgertum des Vormärz als Kennzeichen revolutionärer Gesinnung: Wenn Karl Marx Zigarren rauchte, so tat er dies zwar sicher wohl mehr als Genießer denn als Revolutionär. Aber den Behörden schien Vorsicht geboten: Der Zigarrenraucher fliehe das Familienleben, besuche Wirts- und Kaffeehäuer; die Zigarre, das „Szepter der Ungeniertheit“, zerstöre die Rangunterschiede, unterminiere die Subordination.

In den Herrenrunden des Vormärz, wie etwa in der „Ludlamshöhle“, rauchte man selbstverständlich Zigarren: Zigarren gehörten zum Fortschrittssignum des Vormärz und Liberalismus, ihrer bedienten sich Studenten, Liberale und Revolutionäre: Zu Ende des Vormärz war Pfeifenrauchen der Genuß des kleinen Mannes, des Subalternen. Wer sich besser dünkte, die jungen Dandies und vermögenden Revolutionäre, hatte sich inzwischen längst der Zigarre zugewendet. Der revolutionär gesinnte Honoratiorensohn oder der junge Adelige rauchten teure Zigarren. Der Polizeispitzel, der sich nur Dreikönig leistete, setzte sich dem Spott der Zigarre oder doch zumindest Knaster rauchenden Studenten aus.

Bald aber hatte die Zigarre die revolutionäre Signalwirkung verloren und war zu einem Zeichen der Behäbigkeit, Zufriedenheit und Saturiertheit geworden. Bauernfeld stellt in seiner „Republik der Tiere“, geschrieben 1848, den Kapitalisten, einen fetten Hamster, schon behaglich die Zigarre schmauchend dar.

Auch Rauchen in der Öffentlichkeit zeugte von revolutionärer Gesinnung. Ähnlich wie in Berlin zogen sich auch in Wien die Auseinandersetzungen zwischen der Bürgerschaft und Obrigkeit um die Freiheit des Rauchens in der Öffentlichkeit den ganzen Vormärz über hin. Wie sich bei der damaligen Zylindermode jeder Filzhutträger schon einer revolutionären Gesinnung verdächtig machte, so witterte man auch in jedem Raucher auf der Straße einen gefährlichen Demokraten.

Es war vor allem verpönt, die Zigarre im Mund zu behalten, wenn man an einem militärischen Wachtposten vorbeiging. Das alles erschien nicht nur unlogisch, es erschien auch als unmittelbar verspürter Ausdruck der staatlichen und geistigen Bevormundung: Zwischen Studenten und Polizei kam es immer wieder zu Auseinandersetzungen um die „Rauchfreiheit".

Auch Blaustrümpfe wie George Sand und Lola Montez rauchten demonstrativ in der Öffentlichkeit; Hosen und Zigarren wurden zu Zeichen weiblicher Emanzipationsbestrebungen: Barrikadenmädchen, die in der 1848er-Revolution die Pfeife probierten oder mit der Zigarre im Mund sich auf die Straße wagten, wurden zu einem beliebten Sujet der Malerei.

### Neue Moden

„Was jetzt die Maderln treiben, / ist gar nicht zu beschreiben . . .", sang man im Wienerlied. Der Vormärz kann mit Recht als Beginn einer eigenständigen Wiener Mode angesprochen werden. Die erste Schaufensterpuppe, „die schöne Wienerin", war in Wien 1807 zu sehen. Die Gründung der Wiener Moden-Zeitung 1816 durch Johann Schickh zeigte deutlich das Bestreben, sich vom Ausland zu lösen und die Modegestaltung dem Wiener Gewerbe zu überantworten. Bis 1830 widmete die Moden-Zeitung ihren Modeteil ganz den Produkten inländischer Handwerker, auch wenn man erkennen mußte, daß eine gänzlich autonome oder originale Wiener Mode Utopie wäre.

Im Vormärz gelang es Wien immer mehr, auf dem Gebiet der Mode zumindest für den ostmitteleuropäischen Raum eine dominierende Stellung zu gewinnen, zum einen unter dem Einfluß der wirtschaftlichen Entwicklung des späten 18. Jahrhunderts und der Napoleonischen Zeit, zum anderen unter dem Eindruck des größten gesellschaftlichen Ereignisses des Vormärz, des Wiener Kongresses. So stellte die stark vermehrte Textilproduktion und die Anwendung verfeinerter Arbeitstechniken die Voraussetzung dar, daß vom städtischen Geschmack diktierte Modeströmungen über die traditionellen Volks- und Brauchtumsgrenzen hinweg wirksam werden konnten. Mode begann im Beziehungsgefüge von Konzentrationsinteresse und Raumabhängigkeit eine bedeutende Rolle zu spielen. Sie begünstigte nicht, wie Regierungskreise des Vormärz noch hoffen konnten oder angenommen hatten, die Chancengleichheit des Kleinbetriebes, sondern förderte durch Vereinheitlichung des Marktes die großbetriebliche Entwicklung und Konzentration.

Kat. Nr. 15/36 Küche, um 1850

### Von der Rußküche zum Sparherd

Zur verfeinerten Wohnkultur des Biedermeier kontrastierte in Wien noch immer die Rußküche: Erst im Verlauf der ersten Hälfte des 19. Jahrhunderts verschwanden die offenen Feuerstellen und Rauchküchen aus den Häusern, was sowohl zur Schaffung verbesserter Arbeitsbedingungen in den Küchen als auch zur Brennstoffeinsparung wesentlich beigetragen hatte.

Die Einführung des Sparherdes dürfte in Wien um die Mitte des 19. Jahrhunderts im wesentlichen abgeschlossen gewesen sein, wobei die Baukonjunktur der vierziger Jahre zusammen mit der ab 1840 geltenden Zulassung enger, nicht schliefbarer Kamine wesentliche Schrittmacherdienste geleistet hatte. Nach 1840 ist kein Einreichplan mit einer offenen Herdstelle mehr bekannt. Mittels eines Ofenrohres war die Umstellung für ärmere Leute auch ohne große bauliche Veränderungen möglich.

Maßgeblich für die in den dreißiger und vierziger Jahren plötzlich recht rasche Umstellung auf Sparherde mögen nicht nur die Heizkosten, sondern auch die steigenden Mieten und dramatisch zunehmenden Belagsdichten der Wohnungen gewesen sein. Die Küchen waren nun nicht mehr die „Schwarzen Kucheln", welche keinem anderen Zweck als dem Kochen dienen konnten, sondern übernahmen für die Arbeiterfamilien immer mehr Wohnfunktionen in Form von Eß-, Aufenthalts- und Schlafräumen. Während in den Arbeiterquartieren der Frühindustrialisierung die Benützung eines Herdes durch mehrere Familien in Gemeinschaftsküchen durchaus üblich war, wurde mit dem Verschwinden der Rauchküchen diese Idee nicht oder nur mehr als Experiment weiterverfolgt.

Erst mit der rauchfreien Beheizung konnte die Küche zum Prestigeraum der bürgerlichen Hausfrau werden, konnten auch jene nicht zu vernachlässigenden Nachfrageeffekte wirksam werden, die von der Einführung eiserner Öfen und eiserner Herdplatten auf die Gußeisenindustrie ausgingen und die in summa dem Eisenbedarf der frühen Eisenbahnen nahegekommen sein mögen.

Bildquellen und Kochbücher dokumentieren den Fortschritt: Die Titelkupfer des Neuen Linzer Kochbuchs der 1. Auflage von 1800, der 2. Auflage 1807 und der 13. 1846 unterscheiden sich zwar in der Form der Darstellung, sind aber inhaltlich in der Abbildung einer Rauchküche ident. Erst in der 18. Auflage 1855 wurde die grundlegende Umgestaltung in einen Sparherd nachvollzogen. Auch in der 6. Auflage von Elisabeth Stöckels „Bürgerlicher Küche“ aus 1844 waren die Rezepte noch für offene Feuerstellen berechnet. Im „Neuesten Wiener Kochbuch“ des Franz Zelena (1. Auflage Wien 1828) war auf die neuen Sparherde noch in einer durchaus ablehnenden Form eingegangen worden: „Die Sparherde und andere neu erfundene Brat- und Backöfen sind wohl in bürgerlichen Küchen anwendbar, ja sogar nützlich, aber in großen herrschaftlichen Küchen gänzlich zu verwerfen . . .“

Der Holzverbrauch war schichtspezifisch außerordentlich stark differenziert. Jedermann konnte Nestroys Beispiel zu „ebener Erde und im ersten Stock“ verstehen, das mit dem Mangel an Heizmaterial und der bitteren Kälte der Wohnstätten der armen Leute einerseits, der Holzverschwendung in den Küchen und Kaminen der Reichen andererseits die sozialen Unterschiede erklärt: Rauchküchen sind noch selbstverständlich: Während man zu ebener Erde auch bei mehr Geld nicht gewohnt ist, das Feuer größer werden zu lassen („Salerl, was machst denn für ein unsinnig's Feuer? Man muß nit gleich urassen mit'm Holz, wenn sich's Glück ein wenig zeigt“), ist man im ersten Stock zu faul zum Nachlegen und heizt mit dem teuersten Brennstoff, der sich zu der Zeit vorstellen läßt: „Werft ein paar Pfund Gansfetten hinein, dann brennt's gleich wieder lustiger“, sagt Meridon. Daß damit ein veritabler Zimmerbrand heraufbeschworen wird, ist eine der Launen des Glücks. Auch wenn „der Schaden, den das Feuer ang'richt hat, unbedeutend ist für so einen reichen Herrn“, so nennt es Nestroy doch einen der manierlichsten und edelsten Charakterzüge des Feuers, „daß es hinaufbrennt und nicht herunter z'ebener Erd', wo die armen Leut' logieren“.

## Stearinkerzen und Gaslicht

Ein Apotheker hatte 1816 erstmals in Wien sein Lokal und einige Zimmer mit Gas erhellt, das Polytechnische Institut in Wien und die Baumwollspinnerei in Schönau folgten bald nach. 1818 wurden in der Wiener Innenstadt versuchsweise zwei Gassen, die Walfisch- und die Krugergasse, mit 25 Gaslaternen beleuchtet. Das

Franz Wolf, Der Vergnügungspark Kolosseum in der Brigittenau

Urteil der Wiener Zeitung war recht positiv: „Nach dem einstimmigen Urtheile übertrifft dieses Gaslicht das gewöhnliche Lampenlicht weit an Stärke, Glanz und Reinheit . . .“

1828 wurde das erste Gaswerk Wiens errichtet, 1832 die Imperial Continental Gas Association gegründet, die sich ab 1845 ein weitgehendes Monopol verschaffen konnte und in der zweiten Jahrhunderthälfte zur dominierenden Gasgesellschaft Wiens aufstieg.

Die Wiener Ballsäle des Vormärz versuchten mit strahlender Beleuchtung, mit Glaslustern, Argandlampen und dem neuartigen Gaslicht eine möglichst elegante Atmosphäre zu schaffen und solcherart das Publikum anzulocken.

Die Vorteile der Gasbeleuchtung wurden vom Direktor des Polytechnischen Instituts Johann Josef Prechtl folgendermaßen begründet: „Es brennt immer stet und mit gleichförmigem Lichte, braucht weder Putzen, noch Nachhilfe, so daß nachts besser dabei zu lesen und zu schreiben ist, als bei den besten Wachskerzen.“ Die Hofkammer sah die vorteilhaftesten Effekte der Anwendung vor allem in Fabriksunternehmungen gegeben, befürchtete aber mit der Verbilligung und Verbesserung der Beleuchtung nicht zu Unrecht eine weitere Verlängerung der Arbeitszeit in den Fabriken.

## Vergnügungsfahrten

Für die Gegner des Eisenbahnbaus war einer der häufigsten Einwände immer wieder das Argument gewesen, das neue Verkehrsmittel tauge bloß für „Plaisirfahrten“ des Mittelstandes, dem eine Eisenbahnfahrt als Sehenswürdigkeit eine willkommene Abwechslung böte. Die ersten Betriebsjahre der Nordbahn, die ganz im Zeichen des Personenverkehrs standen, schienen das voll zu bestätigen: „Die Neuheit des Unternehmens brachte es mit sich, daß selbst eine von der Natur stiefmütterlich behandelte Gegend“, wie der Nordbahn-Ingenieur Hartwig Fischel ausführte, „zu einem Ziel für Lustfahren wurde.“

Obwohl die Nordbahn vornehmlich für den Warenverkehr konzipiert war, ausgehend von den Erfahrungen bei der Pferdebahn Linz–Budweis, wo das Verkehrsaufkommen fast zur Gänze im Gütertransport lag, waren bis 1845 die Einnahmen aus dem Personenverkehr höher als aus dem Frachtverkehr. Im 1. und 2. Jahr gab es überhaupt fast nur Personentransporte. Die Zahl der Reisenden stieg von 176.000 im Jahre 1838 auf 334.000 im Jahre 1841 und dann sprunghaft auf 707.000 im darauffolgenden Jahr. Bis 1848 verblieb das Passagieraufkommen in dieser Höhe.

Noch mehr wurden Vergnügungsfahrten auf der Südbahn zum großen Verkaufsschlager. Sehr viel stärker noch als die Nordbahn diente diese Bahn dem Vergnügungs- und Ausflugsverkehr, drei Viertel davon nach Baden und Mödling, später auch nach Gloggnitz und auf den Semmering. Es wurde gleich mit der Eröffnung ein sehr hohes Passagieraufkommen erreicht: 1841 1,3 Millionen Personen, 1843 1,2 Millionen, 1847 1,3 Millionen. Auch war der Anteil der ersten und zweiten Klasse höher als bei der Nordbahn.

Reisen konnte bei den hohen Tarifen vorwiegend nur die Ober- und Mittelschicht. Ein Ausflug nach Mödling und zurück kam 1841 1. Klasse auf 1 Gulden 23 Kreuzer und 4. Klasse immer noch auf 22,5 Kreuzer, nach Baden und zurück auf 2 Gulden 20,5 Kreuzer und 4. Klasse auf 37,75 Kreuzer. Der Taglohn eines Bauarbeiters betrug zu dieser Zeit 24 Kreuzer. Der distinguierte Reisende im Zylinder, die elegante Dame, der situierte Handwerksmeister und die wohlhabende Bürgersgattin prägten das Bild der ersten Eisenbahnen.

Bereits ein Jahr nach Eröffnung der Südbahn 1841 war die Reichenauer Gegend ein Lieblingsplatz des Wiener Publikums geworden und ergaben sich erste Klagen über die Massen und die erhöhten Preise. Die Bahn hatte, so schreibt ein Schneeberg-Führer aus dem Jahre 1842, die Berge „in den Bereich der Umgebungen Wiens gezogen". Blauverklärte Berge luden zum „großen Körper- und Seelenbade", reinigten vom „Staub der Residenzstadt".

Die Bahn als Bühne: Wo sonst konnte man vor Erfindung des Kinos die vorbeiflitzende Landschaft erleben. Der Rundblick der riesenhaften, zu Beginn des 19. Jahrhunderts allenthalben als Massenunterhaltung errichteten künstlichen Panoramen konnte von einer Bahnfahrt nicht nur ersetzt, sondern mit vielfach verstärkter Wirkung übertroffen werden. Die Eisenbahn inszenierte eine neue Landschaft, wie für einen Theaterbesucher, nur war der ganze Zuschauerraum in Bewegung geraten. Die Theaterzeitung schwärmte in ihrem Bericht über die erste Fahrt auf der Nordbahn vom magischen Vorübergleiten der an der Bahn stehenden Zuschauer, „welche wie in einer Laterna magica erscheinen und verschwinden". Auch distinguierte Herrschaften konnten zu staunenden Kindern werden.

**Literatur:**

Gerda Buxbaum: Die Gesellschaftskritik in den Wiener Modezeitungen des 19. Jahrhunderts, Diss. Wien 1981.
Dorothea Seiter: Die Mode als publizistischer Faktor im Kommunikationsprozeß. Eine Untersuchung der „Wiener-Moden-Zeitung", des „Repository of Arts" und des „Journal des Dames et Modes", 1816–1830, Diss. Wien 1972.
Roman Sandgruber: Die Anfänge der Konsumgesellschaft. Konsumgüterverbrauch, Lebensstandard und Alltagskultur in Österreich im 18. und 19. Jahrhundert, Wien 1982.
Roman Sandgruber: Bittersüße Genüsse. Kulturgeschichte der Genußmittel, Wien 1986.
Erich Kaessmayer: Die bauliche Entwicklung der Wiener Küche, Diss. Wien 1983.
Zug um Zug. Einmal Marchfeld und zurück, hrsg. v. Reinhard Linke und Hannes Schopf. St. Pölten 1987.
Wolfgang Kos: Über den Semmering. Kulturgeschichte einer künstlichen Landschaft, Wien 1984.

## 16 FEST UND FREIZEIT

### Brauch

**16/1**
**Weihnachtsfest bei einer adeligen Familie, um 1833/37**

Federlithographie, koloriert, 28 × 39 cm
Wien, Verlag Matthäus Trentsensky
Aus der Serie: Die Stände in verschiedenen weiblichen Lebensaltern, Blatt Nr. 9, Der Adelsstand
HM, Inv. Nr. 140.095/1

Zu einem neuen gesellschaftlichen Zentrum entwickelte sich am Beginn des 19. Jahrhunderts die Familie und ein geschlossener Kreis von Freunden. Die Familie bedeutete einer der wenigen Bezugspunkte, die Vertrauens- und Verläßlichkeitserlebnisse garantieren konnte. Der Trend vom traditionellen Gemeinschaftsbrauch zum forciert in der Familie praktizierten Brauch läßt sich in jener Zeit beobachten: So gewinnt das Weihnachtsfest als ein zurückgezogenes häusliches Fest um den neu eingeführten Christbaum an Bedeutung.

Das gabenbringende Christkind hat in Österreich noch keine lange Tradition. Erst zu Beginn des 19. Jahrhunderts, als aus dem Elsaß und anderen deutschen Regionen der Weihnachtsbaum nach Österreich kam, tauchte plötzlich auch die Vorstellung vom Christkind auf.
ReWi

**16/2**
**Sommer- und Winterspiel, 1834**

Johann Mathias Ranftl (1805–1854)
Öl auf Karton, 38,5 × 48,4 cm
Wien, Niederösterreichisches Landesmuseum, Inv. Nr. 6.235

Kinder vollziehen ein brauchtümliches Spiel, das den Kampf zwischen Sommer und Winter symbolisieren soll. Von den beiden maskierten Buben ist der eine barfuß und trägt um die Schultern ein vor der Brust verknotetes Laken und auf dem Kopf einen geflochtenen Strohkranz, von dem einige unausgedroschene Halme in die Höhe stehen. In der Rechten hält er einen Besen, der mit Buchsbaumlaub umbunden ist. Hinter ihm folgt der zweite Bub in ausgesprochener Grünmaskierung. Interessant ist der mitgeführte Ziegenbock.

Bei den Erntedankfesten der Winzer spielte die sogenannte „Weinberggoas" – eine aus Weintrauben geformte Nachbildung einer Ziege – eine Rolle.
ReWi
Abbildung

**16/3**
**Fronleichnamsprozession auf dem Graben, um 1840**

Balthasar Wigand (1776–1846)
Gouache, 19,2 × 31,3 cm, auf Untersatzpapier: 27 × 39,5 cm
Sign. li. u.: Wigand. Bez. Mi. u.: der Graben
HM, Inv. Nr. 56.381

Im Gegensatz zu den vielen Prozessionen des Barock hat sich im 19. Jahrhundert, neben der weniger wichtigen Auferstehungsprozession am Karsamstag, lediglich der Fronleichnamsumzug in seinem Prunk erhalten. Schon unter Maria Theresia wurden die häufigen und weit ausziehenden Prozessionen eingeschränkt, Kaiser Joseph II. verbot alle bis auf den Fronleichnamsumzug, auf dessen Ausgestaltung man sich nun besonders konzentrierte. Im „Curiositäten- und Memorabilien-Lexicon von Wien" aus dem Jahr 1846 wird berichtet: „In der Stadt selbst wird die Prozession mit großer Würde begangen. Der erste Zug findet schon am frühesten Morgen statt und besteht aus den zahlreichen Handwerks- und Gewerbeinnungen oder Zünften. Die Hauptprozession geht um neun Uhr von St. Stephan aus und ist höchst imposant."
ReWi
Abbildung

Kat. Nr. 16/3

**16/4**
**„Entstehung des Volksfestes in der Brigittenau zu Wien A. 1645", um 1830**

Radierung, Pl. 18 × 29,2 cm, Bl.: 22,5 × 37 cm
HM, Inv. Nr. 57.818

Auf dem Flugblatt wird nostalgisch die Sage um die Entstehung des Brigittakirchtages aus dem 30jährigen Krieg erzählt.

Von den Kirchtagen der ehemaligen dörflichen Gemeinden des heutigen Wiens erlangte der Brigittakirchtag eine weit über das Lokale hinausgehende Bedeutung. Er wurde am vierten Sonntag nach Pfingsten seit dem 18. Jahrhundert zu „St. Brigitta, wo ohnweit der Leopoldstadt an der Donau auf einer sehr lustigen Wiesen im Busch-Holz gelegen" abgehalten. Am Beginn des 19. Jahrhunderts entwickelte sich der Kirchtag zu einem besonderen Volksfest, an dem alle Bevölkerungsschichten von Wien teilnahmen. Die Besucher kamen mit eigener Kutsche, Zeiselwagen oder zu Fuß, wie sie es sich gerade leisten konnten. Das Fest dauerte bis in die Nacht hinein und wurde später bis zum Montag ausgedehnt, dem sogenannten „Nachkirtag". Ein Jahr vor der Revolution, im Jahre 1847, ist der letzte Kirchtag abgehalten worden. Franz Grillparzer gibt in seiner Novelle „Der arme Spielmann" eine Schilderung: „In Wien ist der Sonntag nach dem Vollmonde im Monat Juli jedes Jahres samt dem darauffolgenden Tage ein eigentliches Volksfest, wenn je ein Fest diesen Namen verdient hat. Das Volk besucht es und gibt es selbst; und wenn Vornehmere dabei erscheinen, so können sie es nur in ihrer Eigenschaft als Glieder des Volkes. Da ist keine Möglichkeit der Absonderung wenigstens vor einigen Jahren noch war keine.

An diesem Tage feiert die mit dem Augarten, der Leopoldstadt, dem Prater in ununterbrochener Lustreihe zusammenhängende Brigittenau ihre Kirchweihe. Von Brigittenkirchtag zu Brigittenkirchtag zählt seine guten Tage das arbeitende Volk. Lange erwartet, erscheint

Kat. Nr. 16/2

Kat. Nr. 16/5

Kat. Nr. 16/8

endlich das saturnalische Fest. Da entsteht Aufruhr in der gutmütig ruhigen Stadt."
(Siehe auch Kat. Nr. 4/19.)
ReWi

**16/5**
**Wallfahrt der Wiener Seidenzeug-, Samt- und Dünntuchmacher nach Atzgersdorf, 1843**

Öl auf Karton, aufgezogen auf Holz
74 × 95 cm
Beschriftung Mi. u.: Von den Vorstehern der Krankenlade der Seidenzeug-, Sammt- und Dünntuchmacher in Wien als Erinnerung / in dem Jahr 1755 zum ersten Mals nach Atzgerdorf gefahret und dann alljärig wiederholte, feierliche / . . . die glückliche Abwendung aller herrschenden Krankheiten. Gewidmet im Jahre 1843
HM, Inv. Nr. 111.206
ReWi
Abbildung

## Sport

**16/6**
**Eislaufplatz beim Stubentor, 1805**

Georg Emanuel Opiz (1775–1841)
Gouache, 51,7 × 69,9 cm
Sign. u. dat. re. u.: G. E. Opiz inv. & pinx 1805
Vorlage für einen Druck
HM, Inv. Nr. 42.937

Karikatur auf das gesellschaftliche Treiben beim Eislaufen am Hafenbassin des Wiener-Neustädter Kanals, der 1803 fertiggestellt worden war. Der Eislaufsport bekam ab diesem Zeitpunkt einen großen Aufschwung in Wien. – Noch gibt es keine eigene Sportkleidung, sondern die Männer tragen das übliche Alltagsgewand wie „Angströhren" und „Napoleonhüte". Wenige Frauen beteiligen sich aktiv auf dem Eis, links im Bild ist eine Eisläuferin gestürzt, ein Schusterbub muß dafür von ihrem Begleiter Schläge einstecken. Unterhalb der Brücke sind ein Büffett und ein Eisringelspiel angelegt. Im Hintergrund erhebt sich das Invalidenhaus, vor dem sich zahlreiche Kutschen und Zuseher sammeln.

1810 suchte Franz Gräffer um die Bewilligung einer neuen Schlittschuhlaufanstalt ein, die aber von der Behörde abgelehnt wurde. Unter anderem lautet die Begründung dazu, daß „die Polizei sich nur unnötiger Weise neue lästige Aufsicht und Gehäßigkeit zuziehen würde".

*Lit.: G. Gugitz, Eislauf in Alt-Wien. In: Von Leuten und Zeiten im alten Wien, Wien, Leipzig 1922, S. 142 ff.*
ReWi

**16/7**
**Die Militärschwimmschule im Prater, 1815**

Jakob Alt (1789–1872)
Aquarell, 27,8 × 41,4 cm
Sign. u. dat. re. u.: J. Alt, 1815
HM, Inv. Nr. 31.155

Die Militärschwimmschule (Wien 2, Handelskai 15) wurde 1813 eingerichtet und nach Entwürfen des späteren Feldmarschalleutnants Franz Frh. v. Schulzig erbaut.
ReWi

**16/8**
**„Erste Damenschwimmschule in Wien", 1833**

Franz Wolf (1795–1859)
Kreidelithographie, 29,7 × 45,2 cm
Sign. li. u.: Nach der Natur gez. u. lyth. v. F. Wolf 833
Aus: Journal pittoresque
HM, Inv. Nr. 179.484

Nach Realis (1846) gab es neben der militärischen Schwimmschule am mittleren Donauarm noch die „schöne Privat-Schwimm- und Bade-Anstalt zur Fahnstangen und das dem Publikum eröffnete kalte Freibad".
ReWi
Abbildung

Kat. Nr. 16/9

**Die schöne Welt**

**16/9**
**Beim Morgenkonzert im Augarten, um 1825/1830**

Georg Emanuel Opiz (1775–1841)
Aquarell und Sepiafeder, 37,5 × 25 cm
Sign. re. u.: G. OPIZ del.
Bez.: Wien / Der Augarten, das Morgenkonzert.
HM, Inv. Nr. 166.532
ReWi
Abbildung

**16/10**
**Vor der Michaelerkirche, um 1825/30**

Georg Emanuel Opiz (1775–1841)
Aquarell und Sepiafeder, 36,5 × 25 cm
Sign. re. u.: G. Opiz del.
Bez.: Bey den Michaelern. Der Segen, schöne Welt, Freudenmädchen, Adressen, Müssiggänger.
HM, Inv. Nr. 141.513

**16/11**
**In der Praterhauptallee bei den Kaffeehäusern, 1824**

Jakob Alt (1789–1872)
Aquarell mit Sepia, 15,9 × 22,5 cm
Sign. u. dat. re. u.: J. Alt, 1824
HM, Inv. Nr. 60.853

Das letzte in der Hauptallee angelegte Kaffeehaus – das Dritte Kaffeehaus – erhielt 1793 ein Privileg, nach dem es auch im Winter offen halten durfte. Es gab auch Bälle, doch waren die musikalischen Darbietungen während der Zeit des Biedermeier bescheidener als in den beiden anderen Kaffeehäusern. 1820 berichtete Eipeldauer vom „Schweigerschen oder dritten Kaffeh-Haus im Prater" (nach dem Besitzer seit 1811 so genannt), wo im Winter auch getanzt wurde: „Man wird freilich sagen, die Musikanten, die im Winter in diesem Kaffeehaus Bierhäusel-Tänz und andere zum Strampfen eingerichtete Musikstücke zum Besten geben . . ." (J. Richter, Eipeldauerbriefe, 1820, 4. H., S. 175).
ReWi

**16/12**
**Pfänderspiel im Garten des Mohrenköpflhauses in der Alservorstadt, um 1840**

Franz Alt (1821–1914)
Öl auf Leinwand, 37 × 42,2 cm
HM, Inv. Nr. 66.226

Franz Alt war der um neun Jahre jüngere Bruder des berühmten Rudolf Alt. Seine selbständigen Arbeiten entstanden nicht auf dem Boden der Landschaftsmalerei, sondern er wandte sich vorerst der im Biedermeier besonders beliebten Thematik der Genreszene zu. Das autobiographische Bild „Pfänderspiel" zeigt die Familie im Garten des Hauses „Zum Mohrenköpfl" in der Adlergasse (heute Wien 9, Mariannengasse 30). Die Künstlerfamilie Alt bewohnte dieses Vorstadthaus in den Jahren 1828–1841, und in dem dazugehörigen großen Garten voller Obstbäume, in dem auch

Gemüse und Blumen gepflanzt wurden, verbrachten Franz und Rudolf ihre Kindheit und Jugendzeit.

*Lit.: H. Bisanz, Werke von Jakob, Rudolf und Franz Alt im Besitz des Historischen Museums der Stadt Wien. Ausstellungskatalog Wien 1976, Kat. Nr. 283. – W. Koschatzky, Rudolf von Alt, Salzburg 1975, S. 27 f.*
*ReWi*
*Abbildung*

**Vergnügungsstätten**

**16/13**
**Fünfkreuzertanz, um 1829**

Michael Neder (1807–1882)
Öl auf Leinwand, 42 × 55,3 cm
Sign. li. u.: Neder
HM, Inv. Nr. 48.755

Auf den ländlichen Tanzfesten im Prater und in der Umgebung Wiens herrschte – im Gegensatz zum städtischen Tanzsaal – der improvisierte Einzeltanz vor. Neugierige Städter (im Bild rechts) beäugen das Treiben auf der Tanzfläche, das zu den billigeren Vergnügungen gehörte.
ReWi
Abbildung

**16/14**
**Musikanten im Gasthaus**

Michael Neder (1807–1882)
Öl auf Leinwand, 42 × 53,5 cm
HM, Inv. Nr. 46.906
*Lit.: Siehe Beitrag Walter Deutsch, Die musikalische Folklore im Konzertleben des Biedermeier in diesem Katalog.*
Abbildung

**16/15**
**Kommodenstanduhr**
Wien um 1835/40

A. Olbrich
Holz, Perlmutter, Glas, Blech
34 × 24,6 × 24 cm
Bez.: A. Olbrich in Wien
HM, Inv. Nr. 56.452

Die Uhr ist in Form des berühmten Vergnügungsortes Tivoli gestaltet. 1830 wurde von den Besitzern der Berliner Rutschbahn – Gericke und Wagner – auf dem Grünen Berg bei Meidling ein vornehmes Vergnügungslokal geschaffen. Das Gebäude war mit Hallen und Galerien versehen. Als Jausenstation wie auch als Tanzstätte erfreute sich das Tivoli eines großen Zulaufs. Johann Strauß (Vater) spielte mit seiner Kapelle hier auf. Der schön angelegte Garten hatte auch eine beliebte Rutschbahn.

Der Name Tivoli wurde wegen seiner Lage und Aussicht nach dem gleichnamigen Ort östlich von Rom übernommen.

*Lit.: Reingard Witzmann, Wiener Walzer und Wiener Ballkultur, in diesem Katalog, S. 130.*
ReWi

Kat. Nr. 16/16

Kat. Nr. 16/12

Kat. Nr. 16/13

**16/16**
**„Der erste May 1831 im Tivoli"**

Franz Wolf (1795–1859)
Kreidelithographie, 30 × 45 cm
Sign. re. u.: Nach der Natur v. F. Wolf
Aus: Journal pittoresque
HM, Inv. Nr. 179.475
Abbildung

**16/17**
**Rutschfahrt im Tivoli, um 1830**

Kreidelithographie, 28 × 23,4 cm
HM, Inv. Nr. 97.087

**16/18**
**Plakat zur Versteigerung vom Tivoli, 1835**

Lithographie, 64 × 88,5 cm
HM, Inv. Nr. 68.468

Durch die ungeheuren Ausgaben erwies sich das Luxusetablissement bald als unrentabel, so daß es die Besitzer verkaufen wollten. Sie spielten die Liegenschaft 1835 in einer Lotterie aus – diese wurde von den Besitzern wieder selbst gewonnen.
ReWi

**16/19**
**Der Vergnügungspark Landgut, um 1834**

Aquarell, 16,6 × 23 cm
Monogr. li. u.: N. P.
HM, Inv. Nr. 57.814

Das Kasino befand sich in der Gegend des heutigen Antonsplatzes (Wien 10), wo man eine lohnende Aussicht hatte. Der Kaffeesieder Leander Prasch baute hier ein Vergnügungszentrum mit Aussichtsturm, Tanzsaal, Rutschen, Schaukeln usw. auf. Lanner, Morelly, Fahrbach spielten hier zum Tanz auf. 1851 wurde der Garten in einen Acker umgewandelt, und die Räumlichkeiten mußten einer Fabrik weichen. Prasch eröffnete in der Schikanedergasse eine neue „Caffee- und Billard-Halle", die er als „größtes Kaffeehaus der Welt" anpries.
ReWi
Abbildung

**Der Prater**

*Wenige Hauptstädte in der Welt dürften so ein Ding aufzuweisen haben wie wir unsern Prater. Ist es ein Park? „Nein." Ist es eine Wiese? „Nein." Ist es ein Garten? „Nein." Ein Wald? „Nein." Eine Lustanstalt? „Nein." – Was denn? Alles dies zusammengenommen. Im Osten der Stadt Wien liegt eine bedeutende Donauinsel, ursprünglich ein Auland, wie so viele Inseln der Donau, wo sie Flachland durchströmt, aber im Laufe der Zeit zu einem reizenden Gemische geworden von Wiese und Wald, von Park und Tummelplatz, von menschenwimmelndem Spazierplan und stillster Einsamkeit, von lärmendem Kneipegarten und ruhigem Haine –. Viele Wiener mag es geben, die die Reize und Schönheiten ihres Praters nicht kennen, wenn er auch noch so besucht ist; denn so betäubend das Gewimmel an einigen Stellen, besonders zu gewissen Zeiten ist, so einsam, wie in der größten Einöde, ist es an andern, so daß man wähnen sollte, wenn man diese Wiesen und Gehölze entlang schritte, müsse man eher zu einer artigen Meierei gelangen als zu der riesenhaften Residenz einer großen Monarchie; – aber gerade die riesenhafte Residenz braucht einen riesenhaften Garten, in den sie ihre Bevölkerung ausgießt, und doch noch Teile genug leer läßt für den einsamen Wandler und Beobachter – und wohl uns, daß wir den Prater haben.*

*Adalbert Stifter, Studien aus dem alten Wien. In: „Wien und die Wiener, in Bildern aus dem Leben", Wien 1844.*

**16/20**
**„Prater-Scenen"**

Federlithographien, koloriert, 24 × 38,5 cm
Wien, Verlag M.R. Toma

**16/20/1**
**Volkssänger**

Blatt 11
HM, Inv. Nr. 57.822/2

**16/20/2**
**Kasperltheater, Stelzengeher, Bänkelsänger**

Blatt 12
HM, Inv. Nr. 57.822/1

Der Wurstelprater zwischen Feuerwerksallee und Hauptallee umfaßte die verschiedensten Vergnügungen: Es gab Ringelspiele, Kegelbahnen, Kaffeehäuser, Billards, Schaukeln, eine Haspel und mehrere Pulcinellhütten – also Kasperltheater.
ReWi
Abbildung

**16/21**
**Der „Circus gymnasticus" im Prater, um 1824**

Tobias Dionys Raulino (1787–1839)
Aquarell auf Karton, 16,8 × 24,4 cm
Sign. re. u.: Raulino ad nat.
HM, Inv. Nr. 64.043

Das Blatt diente als Vorlage für die im Verlag Joseph Trentsensky erschienene Federlithographie „Der Circus De Bach im Prater" als Nr. 19 der Serie „Wiens mahlerische Umgebung" (1825).
KAW

Kat. Nr. 16/19

Kat. Nr. 16/20

**16/22**
**Die Schaukeln im Prater, um 1824**

Tobias Dionys Raulino (1787–1839)
Aquarell auf Karton, 16,7 × 24,4 cm
Sign. re. u.: T. Raulino del. ad natu.
HM, Inv. Nr. 105.357/1

Das Blatt diente als Vorlage für die im Verlag Joseph Trentsensky erschienene Federlithographie „Die Schaukeln im Prater" als Nr. 22 der Serie „Wiens mahlerische Umgebung" (1825).
KAW

**16/23**
**„Ringelspiel im Prater", 1826**

Jakob Hyrtl (1799–1868)
Kupferstich, koloriert
Pl.: 17,8 × 22,6 cm, Bl.: 24,8 × 31 cm
HM, Inv. Nr. 1.470/2

Der Name „Ringelspiel" leitet sich von einer Art Karussel ab, bei dem man auf Holzpferden reitend ursprünglich auf Türkenköpfe oder in kleine Ringe mit einem Spieß treffen mußte. Es handelte sich um eine volkstümliche Abart des höfischen Kriegsspiels und als solches um eine beliebte Unterhaltung im Prater auch für Erwachsene.
KAW

Kat. Nr. 16/26

Kat. Nr. 16/28

**16/24**
**Beim Praterwirtshaus „Zum Grünen Paperl", 1817**

L. Welden
Aquarell, 27 × 40,3 cm
Sign.: L. Welden 817. Auf Untersatzkarton, 43 × 56 cm, mit Aufschrift: Zum Krenen Bapberl genant.
HM, Inv. Nr. 64.143

Nahezu im Zentrum des alten Wurstelpraters befand sich bis 1873 das Wirtshaus „Zum Paperl", neben dem „Wilden Mann" eines der beliebtesten und bekanntesten Pratergasthäuser des Vormärz, ein richtiges Alt-Wiener „Backhendlparadies", in dem jährlich Tausende dieser Spezies verzehrt wurden. Rechts im Bildhintergrund ist der ausgedehnte Gastgarten, bei Schönwetter natürlich gesteckt voll, zu sehen. Joseph Richter erklärt uns in seinen „Eipeldauer-Briefen" (1802, 7. Heft, 53) zu der Wirtshaus-Tafel: „Herr Vetter, das ist kein Mamsell Baberl, sondern ein Paperl", gemeint ist also ein grüner Papagei.

Gleich nebenan, im Zentrum der Darstellung, sind die bekanntesten Praterunterhaltungen, Schaukel und Haspel, zu sehen. Bei den Schaukeln kann man Boot und Pferd ausnehmen. „Eipeldauer" schreibt (1821, 3. Heft, S. 114) dazu treffend: „Da hab ich so unterm Essen vis-à-vis von Paperl dem Hutschen zug'schaut, und wie die Fabriksmamsellen mit ihren Liebhabern aus den Beiseln schon um ein Uhr nach dem Essen sich von dem gemeinen Erdenleben losmachen wollen, und in einer Hutschen, die Mühseligkeit der Welt zu vergessen, gegen Himmel fliegen. Aber o Spektakel! So g'schwind nach dem Essen tut es sich nicht gleich im Himmel; fünf, sechs von diesen Godeln haben Üblichkeiten bekommen, und haben die gegen sie sitzenden Liebhaber so bedient, daß diese sich vom Himmel in ihren Leben nichts mehr zu sehen verlangen."

Und auch die Haspel beschreibt er (1797, 35. Heft, S. 28): „Da steht noch ein andre curiose Schutzen da. Die geht um und um, wie ein Mühlradel. Da sind vier Schlafsessel dran anbracht, und da ist der eine bald in der Höh und der andre halt unten."
KAW

**16/25**
**Der Bachsche Zirkus im Prater auf der Zirkuswiese, 1815**

Jakob Alt (1789–1872)
Aquarell, 17,2 × 41 cm
Sign. re. u.: J. Alt, 1815.
HM, Inv. Nr. 31.160

Das Blatt diente als Vorlage für den mit Radierung kombinierten Kupferstich von Leopold Beyer „Circus Gymnasticus im Prater bey Wien" im Verlag Artaria.

Der Kunstreiter Christoph de Bach begründete den Zirkus, dessen Gebäude von Josef Kornhäusel schräg gegenüber dem Dritten Kaffeehaus errichtet und 1808 eröffnet wurde.
KAW

**16/26**
**Fassade des Circus de Bach im Prater, 1807**

Josef Kornhäusel (1782–1860)
Federzeichnung, aquarelliert, 47,8 × 64,5 cm
Sign. re. u.: Joseph Kornhäusel / Architeckt inve. 807.
Wien, Graphische Sammlung Albertina
Abbildung

**16/27**
**Aufriß des Circus de Bach im Prater, 1807**

Josef Kornhäusel (1782–1860)
Feder, 63 × 99 cm
Wien, Graphische Sammlung Albertina
Das Blatt zeigt einen Durchschnitt durch die Holzkonstruktion.

Der von Josef Kornhäusel entworfene, prunkvoll ausgestattete Bau wurde von einem auf Holzsäulen ruhenden Glaskuppeldach bekrönt. Der Zuschauerraum umfaßte drei Galerien und dreizehn Logen. Bach zeigte Reitkunststücke, Duelle, Reitturniere und Dressurreiten. Während seiner Auslandstourneen gastierten im Prater auch fremde Kunstreiter. Nach seinem Tod 1834 führte seine Frau, Laura Bach, das Unternehmen. Da jedoch niemand für große Sanierungsarbeiten aufkommen wollte, wurde mit großem Bedauern vieler Wiener der populäre „Circus gymnasticus" 1852 abgetragen.
KAW

**16/28**
**„Beim Ringelspiel"**

Friedrich Treml (1816–1852)
Aquarell, 21 × 26 cm
HM, Inv. Nr. 34.331

Diese Art von Karusell wurden zu dieser Zeit noch händisch, und zwar meistens unterirdisch betrieben. Diese Karussellschieber wurden von J. B. Moser (Das Wiener Volksleben in komischen Scenen mit eingelegten Liedern, in zwanglosen Heften, Wien 1842–1844, Heft 2, S. VI) verewigt: „Der Ringelspieltreiber oder Caroussell-Dreher [ist] ein Mensch aus der untersten Volksclasse. Vom Frühjahr bis Ende Herbst leben diese Gattung Menschen auch der Classe gemäß, in welche sie gehören – unter der Erde – kommen dann erst auf ihre Oberfläche. Um einen sehr geringen Lohn drehen sie im Wurstelprater jene unterirdische Maschinen, durch welche das Ringelspiel in Bewegung gesetzt wird und ist die Ringelspielsaison vorüber, so verlassen sie den Wustelprater und suchen in Stadt und Vorstadt mit anderen Beschäftigungen sich durchzubringen und die Wintermonate nach ihrem Ausdrucke ‚zu übertauchen'. Sie kehren über die vom Regenwetter kotig gewordene Straße hie und da einen reinen Weg und sprechen jeden ihn betretenden Fußgänger höflich an: ‚I bitt um a Bisserl was, weil i ein'n saubern Weg g'macht hab!'"

*Lit.: Florian Dering, Volksbelustigungen. Eine bildreiche Kulturgeschichte von den Fahr-, Belustigungs- und Geschicklichkeitsgeschäften der Schausteller vom 18. Jahrhundert bis zur Gegenwart (Nördlingen 1986), S. 40f., Anm. 86.*
KAW
Abbildung

# KAPITEL 17

# BILDERVERGNÜGEN TRIUMPH DER BEWEGUNG

Ein Jahr nach dem Erscheinen der strengen „General Zensur-Verordnung“ vom 22. Februar 1795 kam die erste Glückwunschkarte als Zugkarte auf den Wiener Markt. Von diesem Zeitpunkt an rissen die Spielereien mit Papier nicht mehr ab. Bewegung und Räumlichkeit hießen die neuen Leitsterne, und zahlreiche Erfindungen – kleine Wunderwerke aus Papier und Faden – versuchten optische Reize zu erzielen. In Wien erfand Simon Stampfer 1833 die Stroboskopischen Scheiben, welche die Weiterentwicklung des beweglichen Bildes in Richtung Film brachten.

## 17 BILDERVERGNÜGEN – TRIUMPH DER BEWEGUNG

### Glückwunsch- und Freundschaftskarten

Der Freundschaftskult des ausgehenden 18. Jahrhunderts, vorbereitet in Philosophie und Dichtung, spielte auch in Wien eine große Rolle. Schwärmerei war die herrschende Seelenstimmung, und einander Glück zu wünschen entsprach nicht nur der Konvention, sondern war ein echtes Anliegen. Kleine Gaben mit Souvenircharakter wie bemalte Gläser, Papierfächer oder Glückwunschkarten mit Symbolen der Freundschaft waren die passenden Geschenke. Die technischen Fortschritte in der ersten Hälfte des 19. Jahrhunderts brachten neue Möglichkeiten. Einerseits belieferte die Industrie das Publikum mit der bedeutend billigeren Lithographie, andererseits gestalteten in teurer Einzelherstellung Johann Endletsberger und seine Nachahmer mit handwerklichem Fleiß kleine Miniaturkunstwerke in Form von Kunstbillets. Zu den Wiener Spezialitäten gehörten auch die mechanischen Glückwunschkarten, die der Betrachter in Bewegung setzen konnte.

*Lit.: G. E. Pazaurek, Biedermeier-Wünsche, Stuttgart 1908; R. Witzmann, Freundschafts- und Glückwunschkarten aus dem Wiener Biedermeier, Dortmund–Harenberg, 1979.*
ReWi

**17/1**
**Amor und Psyche**

Papierprägedruck von Johann Seidan, 1815
Biskuitmanier, teilweise ausgeschnitten und mit Gaze unterlegt, Rand aquarelliert
7 × 9,4 cm
Sign. li. u.: Joh. Seidan
Handschriftliche Widmung: Was ich Dir in diesem Jahr / zu wünschen habe, / bleibe ein Geheimnis vor der Welt, / Unser Aller Herr, segne dieses Wunschesgabe, / daß Sie mir und Dir nur / wohlgefällt.
Auf der Rückseite: Zum 1805t Jahre / von deinem hochglücklichen / Freunde / Neuber
HM, Inv. Nr. 72.619

**17/2**
**Amor im Schlangenkreis**

Imitation einer Pergamentmalerei, um 1800
Wien, Verlag Johann Neidl, Nr. 130
Punktierstich auf getöntem Papier, koloriert
9,6 × 6,9 cm
Handschriftliche Widmung: Jose: Pate (unleserlich)
HM, Inv. Nr. 123.968

Kat. Nr. 17/7

Kat. Nr. 17/7

**17/3**
**„Ich bin unverbrennbar, und / will es seyn, Denn mein Herz brennt nur / für Sie allein."**

Wien, Verlag Johann Adamek, um 1820
Radierung, koloriert
8,7 × 6,7 cm (beschnitten)
Handschriftliche Widmung auf der Rückseite: Zum Andenken von Ignatz Englisch
HM, Inv. Nr. 164.292

**17/4**
**„Befehlen Sie ich thu's recht gern Mes Dames, giebts keine Öfen / zu kehren?"**

Zugkarte
Wien, Verlag Joseph Frister
Radierung, koloriert, 10,7 × 7,9 cm
HM, Inv. Nr. 48.559

**17/5**
**„Wahre Freundschaft / reiner Sinn, Sey mein Streben immerhin. – So lange ich am Leben bin."**

Hebelzugkarte, 1810/20
Wien, Verlag Georg Gruber
Radierung, koloriert, 9 × 7 cm
HM, Inv. Nr. 123.445

**17/6**
**Neues Schauspiel**

Etagen- und Hebelzugkarte, um 1815
Wien, Verlag Anton Leitner, Nr. 15
Radierung, koloriert, 9,1 × 12,7 cm
HM, Inv. Nr. 123.458/2

**17/7**
**„Zieh'weck den Berg der Feuer blitzet,
Du find'st ein Bild so sanft und süß:
Und wenn Dir auch das Bild nicht nützet,
Das gröste Glück wünsch ich gewiß!"**

Vorhang- und Hebelzugkarte
Wien, Verlag Johann Neidl, Nr. 69
Radierung und Punktierstich, koloriert
10,5 × 8 cm
HM, Inv. Nr. 123.486
Abbildungen

**17/8**
**„Immer heiter immer helle Ströme – Frohsinn aus der Quelle."**

Zugkarte, 1820/25
Wien, Verlag Heinrich Friedrich Müller, Nr. 385
Radierung, koloriert, 7,5 × 10 cm
HM, Inv. Nr. 47.874/75

**17/9**
**„Alles bricht und alles fällt
Mit dem Leben in der Welt:
Lieb und Freundschaft nur allein
Soll bey uns unsterblich seyn."**

Wien, Verlag Georg Gruber, 1810/20
Punktierstich, koloriert, 9,1 × 6,6 cm
HM, Inv. Nr. 123.437/2

**17/10**
**„Mein Auge sieht nur – SIE"**

Zugkarte, um 1815/20
Wien, Verlag Heinrich Friedrich Müller, Nr. 294
Radierung, koloriert, Auge mit Glimmer überzogen, 7,2 × 9,2 cm
HM, Inv. Nr. 47.794

**17/11**
**„Das fünfte Rad am Wagen
Auf dieser Lebensfahrt,
muß man oft Unheil tragen;
Drum wünsch ich auf jeden Fall
– Das fünfte Rad am Wagen."**

Etagenzugkarte, 1815/20
Wien, Verlag Johann Adamek
Radierung, koloriert, 8,3 × 6,8 cm
HM, Inv. Nr. 48.544
Abbildung

Kat. Nr. 17/11

Kat. Nr. 17/12

**17/12**
**Geflügelter Genius, um 1810**

Matthäus Loder (1781–1828)
Auf den drei Zugstreifen, deren Ende die Muscheln bilden: Zufriedenheit, Gesundheit, ruhiges Gemüt
Vorlage für Streifenzugkarte
Feder, aquarelliert, 11,7 × 8,3 cm
HM, Inv. Nr. 97.743
Abbildung

**17/13**
**„Türkische Waar**
**fürs ganze / Jahr"**

Matthäus Loder (1781–1828)
Klappkarte, um 1810
Wien, Verlag Dorothea Hochenleitter, Nr. 7
Radierung, koloriert, 11,5 × 14,2 cm
HM, Inv. Nr. 123.449

**17/14**
**„Nim meinen besten Wunsch heut durch / die Blumen hin,**
**Und glaube daß ich stets – die treu'ste Freundinn bin!"**

Drehscheibenkarte, 1812/15
Wien, Verlag Heinrich Friedrich Müller, Nr. 179
Radierung, koloriert, 9 × 7 cm
HM, Inv. Nr. 47.874/70
Abbildungen

**17/15**
**„Hir nimm die Hälfte meines Herzens**
**Zum / neuen / Jahre"**

Neujahrskarte, 1810/15
Wien, Verlag Johann Adamek, Nr. 8
Punktierstich, koloriert, 10,4 × 7,5 cm
HM, Inv. Nr. 123.388/2

**17/16**
**„Die ganze Welt hätt ich sie nur,**
**Gäb ich mit Freuden Dir!**
**O! Gib das kleinste Plätzchen nur**
**– In Deinem Herzen mir."**

Hebelzugkarte, 1820/25
Radierung, koloriert, 9 × 6,7 cm
Handschriftliche Widmung auf der Rückseite: Netti . . . (unleserlich)
HM, Inv. Nr. 31.496

**17/17**
**Freundschaftskuß**

Matthäus Loder (1781–1828)
Wien, Verlag Lukas Hochenleitter
Radierung, koloriert, 8,5 × 7,2 cm
HM, Inv. Nr. 123.451/1

Nach den neusten Forschungen kann diese Glückwunschkarte dem Wiener Maler Matthäus Loder zugeordnet werden.
ReWi
Abbildung

**17/18**
**„Es zeigt des Hauses Schild**
**Was darinn enthalten;**
**Es spricht für mich das Bild,**
**– Wir bleiben die Alten!"**

Vorhangzugkarte
Wien, Verlag Johann Neidl, Nr. 178
Radierung, koloriert, 10,2 × 7,5 cm
HM, Inv. Nr. 164.217

**17/19**
**„Wer ist an der Glocke?**
**Wer ist an der Thür?**
**– Gut Freund fürs ganze Jahr."**

Hebelzugkarte, 1825/30
Wien, Verlag Jeremias Bermann, Nr. 200
Radierung, koloriert, 7,5 × 9 cm
HM, Inv. Nr. 164.216

Kat. Nr. 17/14

Kat. Nr. 17/14

Kat. Nr. 17/17

Kat. Nr. 17/20

Kat. Nr. 17/20

**17/20**
**„Neben Dir / Ist das Liebste / Plätzchen mir; Deine milden Blicke / geben Meinem Herzen / Wonnebeben. Was Du wünschest / werde Dir!“**

Schwebezugkarte, 1820/25
Wien, Verlag Heinrich Friedrich Müller, Nr. 341
Radierung, koloriert, 9,6 × 7,1 cm
HM, Inv. Nr. 123.478/2
Abbildungen

**17/21**
**„Kurz alles soll zu Asche werden Was Dich trübt und kränkt auf Erden – Zufriedenheit / soll Dir durchs / Leben: Des wahren Glückes Fülle / geben. – Sie soll Dich wonnevoll / umwalten Und unsere / Freundschaft / nie erkalten.“**

Türflügelkarte, 1826/30
Wien, Verlag Anton Paterno, Nr. 97
Radierung, koloriert, 9,9 × 7,7 cm
HM, Inv. Nr. 46.724
Abbildungen

Kat. Nr. 17/21

Kat. Nr. 17/21

**17/22**
**Orientalischer Glücksbringer**

Hebelzugkarte, 1815/20
Auf den vier Zugstreifen: Glück, Gesundheit, Segen, Zufriedenheit
Wien, Verlag Jeremias Bermann, Nr. 143
Radierung, koloriert, 8,3 × 6,2 cm
HM, Inv. Nr. 123.400/3
Abbildung

**17/23**
**„Wahr und ohne falschen Schein Will ich – Deine / Freundinn / seyn.“**

Hebelzugkarte, 1815/20
Wien, Verlag Heinrich Friedrich Müller, Nr. 196
Radierung, koloriert, 8,6 × 7,3 cm
HM, Inv. Nr. 123.476/2

Kat. Nr. 17/22

**17/24**
**„Auf allen Wegen – Glück und Segen.“**

Schwebezugkarte, 1815/25
Wien, Verlag Heinrich Friedrich Müller, Nr. 373
Radierung, koloriert, 9 × 7 cm
HM, Inv. Nr. 164.213

**17/25**
**„Es eilen die Tage, schnell schwindet die Zeit D'rum sey jede Stunde, der Freund / schaft geweiht.“**

Joseph Endletsberger (1779–1856)
Kunstbillett, um 1820
Reliefartige Collage aus Papier, Email (Zifferblatt) und geprägtem Gold auf Krepp, geprägter Goldpapierrahmen
9,5 × 7,8 cm
Monogr. re. u.: I. E.
HM, Inv. Nr. 123.852

**17/26**
**„Könnt' ich des Lebens Glück mit dir vereint geniessen, Wie gerne wollte ich die Freiheit dann vermissen.“**

Joseph Endletsberger (1779–1856)
Kunstbillett, 1820/30
Reliefartige Collage aus koloriertem Papierprägedruck, mit Metall bestreutem Papier und Goldpapier auf Krepp, geprägter Goldpapierrahmen
7 × 5,3 cm
Monogr. re. u.: I. E.
HM, Inv. Nr. 123.846

Kat. Nr. 17/31

Kunstbillett von Joseph Endletsberger, 1825/30

**17/27**
**„So viel Blumen so viel Freuden,
So viel Blätter, so viel Glück."**

Joseph Endletsberger (1779–1856)
Kunstbillett
Reliefartige Collage aus koloriertem Papierprägedruck und Goldmetallfolie auf Krepp, Messingblechumrahmung
7 × 8 cm
Monogr. re. u.: I. E.
HM, Inv. Nr. 164.211

**17/28**
**„Es fließt unter Frohsinn und Scherzen
Das Leben stets glücklich dahin:
Die Freundschaft erwärmet die Herzen,
Und die Freude erheitert den Sinn."**

Joseph Endletsberger (1779–1856)
Kunstbillett, um 1820/30
Reliefartige Collage aus Papierprägedruck und Radierung (Hintergrund) auf Krepp, koloriert. Geprägte und vergoldete Papierumrahmung
7,5 × 9,1 cm
Monogr. re. u.: I. E.
HM, Inv. Nr. S.N. 31.403

**Stammbücher**

*Von Harmonie durchdrungen
Von Sympathie umschlungen
Will ich an Freundeshand durchs Leben gehen.*
Aus dem Stammbuch der blinden Pianistin und Komponistin Maria Theresia Paradies (1759 bis 1832)

**17/29**
**Stammbuch**

Eintragungen 1800–1826
Leder gebunden, 11,8 × 18 cm
Aufgeschlagen S. 87: Blumenaquarell mit Vers:
„Wem Liebe Rosen bringt, die Freundschaft Kränze flicht, / Der ist den Göttern gleich, und braucht den Himmel nicht."
HM, Inv. Nr. 111.438

**17/30**
**Stammbuch**

Wilhelmine von Call, geb. Brabbée (gest. 1842)
Eintragungen 1816–1825
Leder, gebunden, 11,7 × 16,1 cm
Aufgeschlagen S. 92/93: Reich mit Blumen gefüllte Sockelvase mit Ideallandschaft und Freundschaftstempel
Aquarell, sign. re. u.: Kraus
Auf der nebenstehenden Seite das Gedicht: „Weh'n der Trennung finstre Flügel / Um des Lebens Rosenflur, / Hält wohl ihren sanften Spiegel / Tröstend uns Erinn'rung vor."
Wien, am 30. July 825 / M. Kraus.
HM, Inv. Nr. 111.096

**17/31**
**Stammbuch**

A. von Seydel
Eintragungen 1811–1855
Lederimitat, geprägt, 11,4 × 19,2 cm
Aufgeschlagen S. 53: Blumenkranz, Aquarell. Innerhalb des Kranzes das Gedicht: „Ziehe voll Sorgfalt die schönste der Blumen, doch weislich / Über die Schönste vergieß auch die geringeren nicht / Leicht zerstört ein giftiger Thau die liebliche Rose / Heil dir, wenn dann Feilchen und Nelken dir blühn.
Wien, am 1ten April 1813 / J. G. Smirschiz"
HM, Inv. Nr. 108.849
ReWi
Abbildung

**17/32**
**Schraubmedaille auf die Freundschaft**

Johann Endletsberger (1779–1856)
Vs.: DER ERINNERUNG GEWEIHT Darstellung der Ceres
Rs.: Würdigung der Freundschaft. In der unteren Bildhälfte Schlange, die sich in den Schwanz beißt sowie Blumenzweige
Mi. u. sign.: ENDLETSBERGER
Nickel, versilbert, Dm.: 50 mm
Inliegend: Leporelloalbum, bestehend aus 26 kreisrunden Stichen. Erstes Blatt bez.: ALMANACH/für/das Jahr/1817./WIEN/bei Jos. Riedl bürgl.: Buchbinder/im Schottenhof.; Vs.: zum jeweiligen Monatskalender des Jahres 1817 jeweils das dazugehörende Sternzeichensymbol, Rs.: zu jedem Sinnspruch eine dazugehörende kolorierte Darstellung.
HM, Inv. Nr. 48.964

**17/33**
**Stammbuch**

Nina Braun
(Tochter von Anton und Katharina Braun)
Eintragungen 1821–1824
Lederimitat, gebunden, 12,9 × 19,8 cm
Aufgeschlagen S. 53: Rosenkranz, Aquarell.
Im Kranz der Spruch:
„Glaube mir, dem Menschen ist / ein Mensch noch immer / lieber als ein Engel. / Zur Erinnerung von Joseph Baron / Zinnenburg, Lieut.
Wien, den 22. Febr. 1824"
HM, Inv. Nr. 18.583
*Lit.: K. Gladt, Stammbuch-Blätter aus Wien, Wien – München, 1967, S. 42 f.*
ReWi

**17/34**
**Erinnerungsbuch für die Wiener Kaufmannsfamilie Baumann, 1825**

Franz Xaver v. Paumgartten (1779–1851)
Aquarell und Gouachen, 10,8 × 7,5 cm
Mitgebundene Radierungen von G. Mansfeld und J. Gerstner
Einband aus dunkelblauem Wollrips mit Miniaturreliefs aus Silber.
Vorderdeckel: Adler mit Spruchband „Schoenheit und Tugend besiegten den Helt(!)en", Eichenlaubkranz mit Stab und Spruchband „Bürger Tugend Lohn". Falter mit herzförmig geschwungenen Fühlern, Adler mit Spruchrolle in den Krallen „Tugend bewirkte, was Waffe nicht konnte;" in der Mitte ein Pegasus auf einem Steinblock mit der Beschriftung „Freier Wille" Rückendeckel: zwei gekrümmte und auseinanderstrebende Fische mit Muschel. Löwe mit Wappenschild in beiden Vorderpranken und Schrift „Die Redlichkeit", geflügelter Merkurstab mit zwei S-förmig geschweiften und sich überkreuzenden Schlangen, brennende Fackel mit Eichenlaubkranz, in der Mitte Wappenschild mit verschlungenem Monogramm: „v.P.B.C." (?), darüber eine Fackel, bekränzt mit Zweigen und darunter Pfeil und Bogen in einem Kranz von Rosen.

Aufgeschlagen Abb. 9: Weihnachtsfest, 1820. Auf der Rückseite dazugehöriger Spruch: „Am Christ-Abend und St. Nicolaus / Kam der Krampus auch in's Haus."
HM, Inv. Nr. 98.743

Der Autor des Erinnerungsbüchleins Franz Xaver Freiherr von Paumgartten war nach der Absolvierung der Wiener Neustädter Militärakademie an den Feldzügen der Kriege gegen Frankreich beteiligt. Im Jahre 1813 und dann wieder von 1817 bis 1824 verkehrte er in der Wiener Kaufmannsfamilie Carl Baumann, die in jener Zeit in der Weihburggasse Nr. 10 wohnte. Die Familie hatte sechs Kinder, der jüngste Sohn Alexander konnte sich später als Dichter mit seinem Erfolgsstück „Das Versprechen hinterm Herd" einen Namen machen. Der Vater Carl Baumann hatte eine Mitbesitzerin der „Wiener Zeitung", eine der Erben der „Edlen von Ghelen" geheiratet, und somit war eine Grundlage für einen wirtschaftlichen Aufstieg gegeben. Baumann wurde 1806 stiller Gesellschafter der Brüder Baboin und gleichzeitig Direktor der diesen gehörenden Krapp-,

Kat. Nr. 17/34

Kat. Nr. 17/34

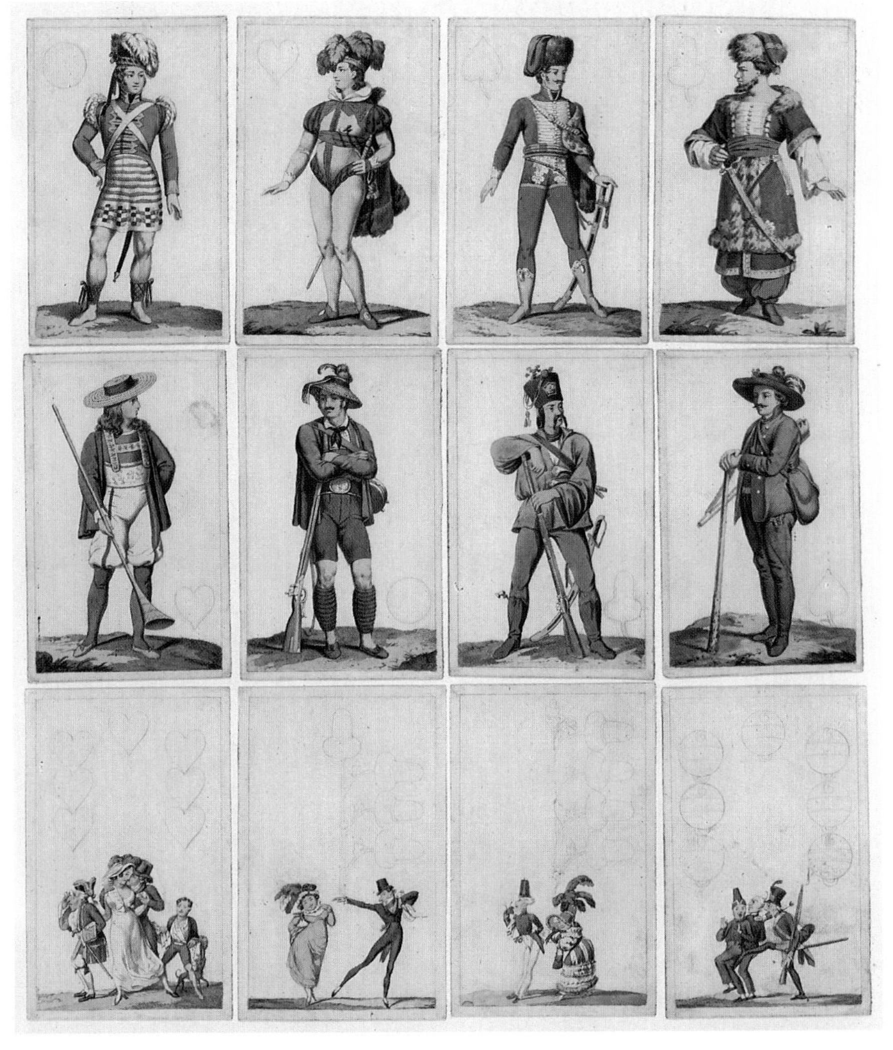

Kat. Nr. 17/40

Farb- und Materialwarenfabrik in Himberg, seit 1819 beteiligte er sich in gleicher Eigenschaft an der Ebreichsdorfer Spinnfabrik. 1824/25 gründete er mit der „bürgerlichen Material-, Spezerei- und Farbenhandlung" im Haus „Zum schmeckenden Wurm" (heute Lugeck 5) ein eigenes Unternehmen und wurde selbständig. Die Aquarelle von Paumgartten geben Einblicke in das Leben eines bürgerlichen Menschen innerhalb der Familie, fernab von jedem Klischee der üblichen Genrebilder. Es sind intime Darstellungen, Momentaufnahmen persönlicher Art – die sich in folgende Themenkreise gliedern lassen: Interieurs, jahreszeitlich gebundene Feste im Familienkreis (Weihnachten usw.), theatralische Hausfeste (Pantomimen usw.), Ausflüge in die Umgebung Wiens und Alltagsszenen.

Die Welt des bürgerlichen Menschen spielte sich einerseits geborgen in der häuslichen Atmosphäre ab, andererseits wird die Landschaft, die Natur als wirklich erlebter Raum in der Freizeit hinzugenommen.

Am Deckel des kleinen Erinnerungsbuches sind kürzelhaft die Ideale und Symbole der Menschen nach den Befreiungskriegen und nachfolgenden Enttäuschungen angebracht.

*Lit.: Hubert Kaut, Ein Erinnerungsbuch von 1825 für die Wiener Kaufmannsfamilie Baumann. In: Studien aus Wien, hrsg. vom Historischen Museum der Stadt Wien (Wiener Schriften, H. 5), Wien 1957, S. 127 ff.*
ReWi
Abbildungen

**17/35**
**„Aus meinem Leben im Jahre MDCCCXXXIX"**

Raimund Mößmer
Erinnerungsbuch, 1839
Papiereinband mit aufgeklebter Etikette: 1839
16 × 21 cm.
Aufgeschlagen: Szene aus dem Leben eines k. k. Infanteristen.
HM, Inv. Nr. 125.030

*Lit.: Katalog der 5. Ausstellung des Verbandes der Antiquare Österreichs, Wien 1968, Kat. Nr. 161.*

**Gesellschaftsspiele**

**17/36**
**Der Gold-Ritter**

Würfelspiel mit Bildkarten
Entwurf: Matthäus Loder (1791–1828)
Radierung, koloriert, 11 × 8 cm
Wien, Verlag Heinrich Friedrich Müller
Bestehend aus 13 Spielkarten und 6 Würfeln
HM, Inv. Nr. 18.160

**17/37**
**Hammer und Glocke**

Würfelspiel mit Bildkarten
Entwurf: Matthäus Loder (1791–1828)
Radierung, koloriert, 11 × 8 cm
Wien, Verlag Heinrich Friedrich Müller
Bestehend aus 5 Bildkarten, 7 Spielsteinen (nicht vollständig) und Spielanleitung
HM, Inv. Nr. 98.922

Das von dem Kunsthändler H. F. Müller entwickelte Gesellschaftsspiel erlebte eine große Verbreitung und wurde bis in unser Jahrhundert verwendet. Bis zu zwanzig und mehr Personen konnten mitspielen. Durch seinen Hasardcharakter unterschied es sich von anderen Gesellschaftsspielen.
ReWi

**17/38**
**Die Tanzgesellschaft (L'assemblé de Bal)**

Tanzspiel mit 48 Spielkarten
Wien, Verlag Jeremias Bermann
HM, Inv. Nr. 25.350/1–50

Die 48 Karten enthalten 2 „Wiener Tänzer", 2 „Steyrische Tänzer" und 2 „Ungarische Tänzer", 6 Musiker, 16 Instrumente und 10 Musikstücke. Sehr charakteristisch sind die Darstellungen der verschiedenen Tänzer getroffen: Der Wiener schreitet zur Rundtanzfassung, das ungarische Paar tanzt mit komplizierten Schritten ohne Andeutungen einer Handfassung, während das steirische Paar die gegengleichen Arme erhoben hat, um die Figur auszuführen, bei der sich das Mädchen unter dem Arm des Burschen durchdreht.
ReWi

**17/39**
**Die ägyptische Lotterie**

Würfelspiel mit Bildkarten und Glassteinchen
Wien, Verlag Jeremias Bermann
(Spiel ist nicht mehr vollständig erhalten)
Radierung, koloriert
Haupttabelle: Dm.: 20,5 cm, Bildkarton: 12,7 × 10,8 cm
HM, Inv. Nr. 96.581

**Spielkarten**

**17/40**
**Spielkarten mit deutschen Farben, um 1824 (1832)**

Entwurf: Matthäus Loder (1781–1828)
Holzschnitt, koloriert, 8,3 × 5,3 cm
Wien, Verlag Max Uffenheimer
HM, Inv. Nr. 111.436/1–36

Bis zur Wende zum 19. Jahrhundert dominierten in Wien vor allem Spiele mit deutschen Farben (Eichel, Herz, Schelle, Blatt) und das italienische Vierfarbspiel (Schwert, Stab, Becher, Münze). Zu dem Wiener Typus gehören auch die „berittenen Könige".

Für das vorliegende Spiel befinden sich die Vorlagen von Matthäus Loder im Besitz des Historischen Museums der Stadt Wien.

*Lit.: R. Witzmann, Von Lebensglück und Narretey. Spielkarten aus dem Wiener Biedermeier von Matthäus Loder, Wien, Piatnik, 1987.*
ReWi
Abbildung

**17/41**
**„Wiener-Comet-Whist", 1834**

Entwurf: Franz Krammer
Stecher: Jakob Hyrtl (1799–1868)
Radierung, mit Schablone koloriert, Wien, Verlag Jonathan Gabriel Uffenheimer
9 × 5,4 cm
HM, Inv. Nr. 78.430

Das illustrationsfreudige 19. Jahrhundert brachte eine bisher ungeahnte Fülle von Motiven auf den Spielkarten. Themen wie Ansichten, Szenen aus der Literatur und Mythologie, Tiere und Trachten wurden dargestellt.
ReWi
Abbildung

**17/42**
**Tarock „Industrie und Glück", 1840**

Wien, Verlag Anton Moser
Lithographie, mit Schablone koloriert,
10,5 × 5,8 cm
HM, Inv. Nr. 47.149

Im Biedermeier bildete sich in Wien ein Typus heraus, der bis heute unter der Devise „Industrie und Glück" allen Kartenspielern ein Begriff ist. Auf den Karten sind Trachtenpärchen aus der Monarchie abgebildet, daneben gibt es kleine Szenen aus der Märchenwelt des Fernen Osten. Dieses frühe Spiel stammt von Anton Moser, dem unmittelbaren Vorgängerbetrieb der heutigen Wiener Spielkartenfabrik Ferdinand Piatnik & Söhne; 1843 hat F. Piatnik den Witwenbetrieb Moser übernommen.

*Lit.: S. Mann, „Industrie und Glück" – Eine Untersuchung über eine bestimmte Art von Tarockkarten. In: Die Spielkarte 2/1967.*
ReWi

Kat. Nr. 17/44

Kat. Nr. 17/41

**17/43**
**„Constitutionstarock", 1848/49**

Entwurf: Anton Elfinger (Pseudonym Cajetan) (1821–1864)
Stahlstiche, mit Schablone koloriert
Wien, Verlag Joseph Glanz
HM, Inv. Nr. 158.701

Auf der Spielkarte als Informationsträger konnte erst während der Revolutionstage 1848 auf politische Ereignisse reflektiert werden, nachdem die strenge Zensur aufgehoben worden war. Die Illustrationen von Anton Elfinger, eines Mediziners, der für die Wiener Theaterzeitung von Adolf Bäuerle zahlreiche Karikaturen schuf, sind von der Idee des konstituellen Liberalismus geprägt.
ReWi

**Theater und optische Spielereien aus Papier**

Im Jahre 1819 machten die Brüder Joseph und Matthäus Trentsensky eine lithographische Anstalt in Wien auf. Die weitgespannten Unternehmungen des Verlages brachten eine Fülle von optischen Spielereien von höchster künstlerischer Qualität auf den Markt.

Zu den frühen Verlagsproduktionen gehörten bereits die Theaterblätter. Im Jahre 1825 erschien das „Große Theater" mit kompletten Dekorationen, Soffitten und Versatzstücken nach den Zeichnungen des Wiener Theatermalers Theodor Jachimovicz und Figurinen, die zum größten Teil von Joseph Schmutzer stammen. Es war „eingerichtet für alle möglichen Vorstellungen von Feenstücken, genau nach der Perspektive gezeichnet". Doch wurden keine eigenen „Papiertheaterstücke" für Kinder entworfen, sondern als Vorbild dienten vor allem Aufführungen von aktuellen und beliebten Stücken auf Wiener Bühnen.

Zum Aufstellen gab es das dazugehörige „Theatergestell, grundirt, zum Zerlegen, nebst Portal und Cortine, colorirt und vollständig hergerichtet". Die Theaterbögen wurden alljährlich ergänzt, und knapp vor Trentsenskys Tod waren bereits 41 Theaterstücke mit 243 Figurinenblättern herausgekommen, während die Dekorationen mit allem Zubehör auf 400 Blatt angewachsen waren.

Einige Jahre später erschien das „Mignontheater", eine kleine Ausgabe, mit eigenen Dekorationen, von dem gleichen Künstler gezeichnet. In einem Holzkästchen, das „sehr transportabel eingerichtet" war, konnten gleich die Dekorationen fixiert werden. Die Theaterstücke des großen Theaters waren bis auf vier Stücke nicht mit denen des Mignon-Theaters identisch.

Auch das Schattentheater gab es in kleinen und großen Ausgaben, mit Bühne, Hintergründen, Versatzstücken und Figuren, die teilweise sogar beweglich waren. Sehr viele Auflagen erlebte das „Chinesische Feuerwerk"; zu dieser Serie wurde eine „farbige transparente Vorrichtung zum Drehen" geliefert, mit der man besondere Effekte bei der Projektion erzielen konnte.

Kat. Nr. 17/46/2

*Lit.: A. Koll, Trentsensky: Papiertheater und Lithographie, Diss. Wien 1971; Die kleine Welt des Bilderbogens, Ausstellungskat., Hist. Museum, 1977.*
ReWi

**17/44**
**„Bewegliche Schattenspiel-Figuren", um 1835**

Federlithographien, ca. 23 × 38 cm
Serie von 12 Blatt
Wien, Verlag Matthäus Trentsensky
HM, Inv. Nr. 87.039/1–12

**17/45**
**Chinesisches Feuerwerk, um 1830**

Federlithographien, koloriert, auf Karton, perforiert und transparent, 36 × 56 cm (mit Rahmen)
Serie von 18 Blatt
Wien, Verlag Matthäus Trentsensky
HM, Inv. Nr. 143.921

„Chinesisches Feuerwerk" zählte zu den Schattenspielen. In einer Annonce aus dem Jahr 1830 führte der Verlag Trentsensky die einzelnen, dazugehörigen Teile an: „Ein Chinesisches Feuerwerk, mit Gestell, Portal und Cortine, 12 ausgestochenen Decorationen und einer sich selbst bewegenden transparenten Trommel." Im Historischen Museum der Stadt Wien haben sich lediglich „ausgestochene Decorationen" erhalten, also Blätter, bei denen die Umrißzeichnungen mit Hilfe von Perforierungen hervorgehoben wurden, durch die das färbige Licht der bunten Leuchttrommel drang. Der „Feuerwerkseffekt" wurde noch verstärkt, da manche Figuren im schwarzen Hintergrund mit transparenten Papieren eingelassen waren.
ReWi

**17/46**
**Großes Theater**

Wien, Verlag Matthäus Trentsensky
Wien, Anna Feja Seitler

**17/46/1**
**Proszenium im französischen Stil, vor 1850**

Lithographie, koloriert, auf Holzgestell aufgeklebt

**17/46/2**
**Dekoration zu „Der Verschwender"**
Abbildung

**17/46/3**
**Figurenauswahl**

Als das Zaubermärchen von Ferdinand Raimund im Jahre 1846 im Theater an der Wien wieder aufgeführt wurde, diente diese Inszenierung als Vorbild für diese Mandlbogenfolge.
ReWi

**17/47**
**Stroboskopische oder Optische Zauberscheiben, um 1835**

Wien, Verlag Matthäus Trentsensky, und London, Joseph Myers & Co.

**17/47/1**
**Scheibe**

Lithographie auf Karton aufgezogen
Dm.: 29,2 cm

**17/47/2**
**Holzgestell**
HM, Inv. Nr. 110.514/2

Die Stroboskopischen Scheiben oder auch Optischen Zauberscheiben wurden von Simon Stampfer in Wien entwickelt, der zusammen

Kat. Nr. 17/47

mit Matthäus Trentsensky 1833 ein zweijähriges Privileg auf diese Erfindung erhielt. Durch einen optischen Trick entstanden bereits die ersten Bewegungsbilder. Im Ansuchen des Privilegs erläuterte der Verleger Trentsensky die neuen „Zauberscheiben“: „Hr. Professor Stampfer hat höchst interessante optische Täuschungsphänomene aufgefunden, indem er das Princip einzelner, ähnlicher, besonders durch englische Gelehrte bekannt gemachter Erscheinungen zu einer größeren Allgemeinheit erhob. Er stellte durch sehr einfache, auf eine Scheibe angebrachte Zeichnungen, die meistens an und für sich gar keine Bedeutung haben und völlig unzusammenhängend erscheinen, die verschiedenartigsten Bewegungen und selbst ganze zusammenhängende Handlungen dar, welche dem Auge nicht weniger Vergnügen schaffen, als die vor mehreren Jahren mit so viel Beifall aufgenommenen kaleidoskopischen Phänomene.“

Das Gerät wird noch genauer erläutert: „. . . die mannigfachsten optischen Täuschungen in zusammenhängenden Bewegungen, und Handlungen dem Auge sich darstellen und wobei diese Bilder am einfachsten auf Scheiben von Pappe, oder irgend einem anderen zweckmäßigen Materiale gezeichnet werden, an deren Peripherie Löcher zum Durchsehen angebracht seien. Wenn diese Scheiben, einen Spiegel gegenüber, schnell um ihre Axen gedreht werden, so zeigen sich dem Auge beim Durchsehen durch diese Löcher die belebten Bilder im Spiegel, und es können auf diese Weise nicht nur Maschinenbewegungen jeder Art, z. B. Räder im Hammerwerke, fortrollende Wägen und steigende Ballons, sondern auch die verschiedenartigsten Handlungen in Bewegungen von Menschen und Tieren überraschend dargestellt werden. Auch lassen sich nach demselben Princip und andere mechanische Vorrichtungen selbst zusammengesetzte Handlungen, z. B. theatralische Scenen, in Tätigkeit begriffene Werkstätten etc. sowohl durch transparente als auch nach gewöhnlicher Art gezeichnete Bilder darstellen.“

Durch die Verwendung eines Spiegels als Reflektor stand die Methode Stampfers, die Trentsensky 1833 auszuwerten begann, dem Film näher als das nach der Mitte des 19. Jahrhunderts stärker verbreitete Lebensrad. Solche neuen Dimensionen der Bewegung und Räumlichkeit gerieten allerdings vorerst wieder in Vergessenheit.

*Lit.: R. Witzmann, Wiener Bilderbogen im Biedermeier. Theatralisches Spiel mit Raum und Bewegung. In: Österreichische Zeitschrift für Volkskunde (Neue Serie Bd. XL), Heft 4, Wien 1986, S. 328ff.*
ReWi
Abbildung

**Erotika**

**17/48**
**Erotische Szenen**

Peter Fendi (1796–1824)
Feder, aquarelliert, 20,5 × 13,8 cm
Nachdruck, einer Folge von 40 Blatt, hrsg. von Gustav Gugitz
Auswahl von 8 Blatt
Wien, Wiener Stadt- und Landesbibliothek
HM, Inv. Nr. V 538

Der Standort der Originale ist bis jetzt unbekannt. In Privatbesitz und auch in manchen Bibliotheken ist nur vorliegendes Mappenwerk vorhanden, von denen eine Auswahl gezeigt wird. Peter Fendi war ein Künstler, der für den Hof und die Hocharistokratie arbeitete. Er schuf eine Fülle von manchmal rührenden Genreszenen. Bei diesem „Seitensprung“ in die Erotik dürfte es sich um ein Auftragswerk handeln, das in Wien entstand. Die naivderben Aquarelle zeigen ausgefallene Bade-, Jagd- und Zirkusszenen.
ReWi

**17/49**
**Lackdose mit galanter Darstellung**

Österreich, um 1820
Wien, Österreichisches Tabakmuseum, Inv. Nr. 2.494
HR

**17/50**
**Meerschaumzigarrenspitz mit galanter Spitze**

Österreich, Mitte 19. Jh.
Wien, Österreichisches Tabakmuseum, Inv. Nr. 2.024
HR

**17/51**
**Meerschaumzigarrenspitz mit galanter Szene**

Österreich, Mitte 19. Jh.
Wien, Österreichisches Tabakmuseum, Inv. Nr. 2.045
HR

# AUFBEGEHREN – REAKTION

Noch nie war es möglich, die Wirklichkeit auf immer außer Acht zu lassen. Der in Österreich lange hinausgezögerte Zusammenbruch der unhaltbar gewordenen Ordnung trat 1848 endlich ein. Trotz ihres Scheiterns zählte die Wiener Revolution von 1848 zu den größten revolutionären demokratischen Traditionen in Europa, die Welt des Biedermeier war zu Ende. Heinrich Heine erkannte das bereits 1849:

*Wir treiben jetzt Familienglück –*
*Was höher lockt, das ist von Übel –*
*Die Friedensschwalbe kehrt zurück,*
*Die einst genistet in des Hauses Giebel.*
*Gemütlich ruhen Wald und Fluß,*
*Von sanftem Mondlicht übergossen;*
*Nur manchmal knallts – ist das ein Schuß? –*
*Es ist vielleicht ein Freund, den man erschossen.*

# BIEDERMEIER UND ZENSUR

*Hans Bisanz*

Im System Metternich richtete sich die staatliche Zensur nicht nur gegen die Freiheit des gesprochenen und geschriebenen Wortes: Es wurde von ihr auch jede für die Öffentlichkeit bestimmte bildhafte Aussage überprüft. Verboten wurde, was als „staatsgefährdend“ galt oder als Verstoß gegen die „guten Sitten“ empfunden wurde.

So entstand ein Spannungsfeld zwischen den Schriftstellern, Journalisten oder Illustratoren und der in ihre Arbeit eingreifenden Staatsmacht. Es kam zu den vielfältigsten Reaktionen: Diese reichten von sklavischer Unterwürfigkeit bis zur erbitterten Ablehnung, verbunden mit der Abfassung – erfolglos bleibender – Petitionen. Es gab die heitersten Fälle von Überlistung der Zensur durch Einschmuggeln versteckter und doch vom Publikum aufgenommener Anspielungen (Eduard von Bauernfeld war darin Meister) und andererseits persönliche Tragödien wie die des Dichters und Schubert-Freundes Mayrhofer, der Beamter bei der Zensur war und einen Teil seiner eigenen Arbeiten nicht veröffentlichen konnte.

Wer sich als Biedermeiermaler für „unpolitische“ Genreszenen, Veduten oder Landschaften entschied, hatte zumindest als Künstler nichts zu befürchten, da seine beruflichen Interessen nicht mit denen der Obrigkeit kollidierten. Im Gegenteil, Bilder von Peter Fendi und Josef Danhauser gefielen dem Kaiser und Metternich und wurden angekauft. Nicht nur dadurch gerieten diese Künstler in den Verdacht, Mitläufer des Regimes zu sein: Auch die unverdiente Ehre, hundert Jahre später den Machthabern des Dritten Reiches zu gefallen – umso mehr, wenn es um dargestellten Kindersegen oder um rührige Bauern ging –, scheint die Biedermeiermalerei als obrigkeitshörige „Staatskunst“ zu entlarven.

Schon vorher (1903) hatte Ludwig Hevesi in seinem Standardwerk „Österreichische Kunst im 19. Jahrhundert“ die Biedermeiermalerei als bejahende Parallelaktion zur wohlfunktionierenden Staatsmaschinerie aufgefaßt: „Dieses bürgerliche Sittlichkeitsbewußtsein paart sich mit dem unbedingten Respekt vor Ordnung und Gesetz, d. i. vor hoher Obrigkeit in jeglicher Form, bis zum Grundwachter hinab. Der Maler darf nie vergessen, daß auch er vor allem und jedem loyaler Untertan ist, und die Wohlgesinntheit im Sinne des Polizeistaates ist daher ein weiteres Hauptkennzeichen seines künstlerischen Schaffens“[1].

Übersehen wird hier aber, daß die Biedermeiermaler umgekehrt in ihren Arbeiten nichts aufweisen, was als Applaus für das Regime ausgelegt werden könnte. Die von Hevesi gezogene Parallele ist daher anzuzweifeln: Die Wahl häuslicher Themen bei Fendi oder Danhauser muß nicht dem Regime zuliebe erfolgt sein. Ihr können ebensogut eigene künstlerische Entscheidungen zugrunde liegen, die wegen ihrer politischen Unverfänglichkeit kein allerhöchstes Mißfallen erregten.

Diesem waren damals in erster Linie die Romantiker ausgesetzt, die nicht den häuslichen Alltag oder das idyllische Stadt- und Landschaftsmotiv malten, sondern religiöse und historische Darstellungen im Sinne des Mittelalters. Ihre historischen Themen aus der deutschen Geschichte und Sage waren Metternich, der in nationalen Regungen Gefahren für den Fortbestand der Vielvölkermonarchie sah, als „Teutonismus“ suspekt. Er und der Kaiser äußerten 1819 in Rom beim Besuch einer Ausstellung deutscher und österreichischer Künstler ihr Mißfallen über die „Altdeutschen“. Der Kaiser empfahl ihnen, „doch der Natur zu folgen“[2].

Wer sich daran hielt – wenn man hier unter „Natur“ in weiterem Sinne die Wirklichkeit der eigenen Gegenwart versteht –, wurde durch Ankäufe gefördert oder wie Waldmüller in seinem Kampf um die Naturdarstellung, von Metternich (zumindest anfänglich) gegen den Akademiesenat in Schutz genommen. Je unliterarischer die Themenwahl eines Malers oder Graphikers war, umso weniger Angriffspunkte lieferte er den Zensoren.

Verkörpert wurde die Zensur bekanntlich durch Josef Graf Sedlnitzky, der 1815 Vizepräsident, 1817 Präsident der obersten Polizei- und Censur-Hofstelle in Wien geworden war. Seine Unbeliebtheit machte ihn zur Zielscheibe zahlreicher Witze: So wurde ihm etwa, da er so häufig zum Rotstift griff, der aus den beiden bekanntesten Wiener Klavierfirmen zusammengesetzte Name „Graf Streicher“ verliehen[3]. Der Dichter Ignaz Franz Castelli wiederum schuf eine andere Montage, indem er den obersten Zensor zerlegte und auf seine beiden Hunde verteilte. Eduard von Bauernfeld würdigte diese Namensübertragung durch ein Gedicht:

Kat. Nr. 18/1/14 Josef Danhauser, Die Hundekomödie, 1841

„Du hieltst dir auch zwei Hunde / Die Rache ist so süß! / Wovon der eine ‚Sedl‘, / Der andere ‚Nitzky‘ hieß“[4].

„Graf Sedlnitzky hatte es innerhalb dieser drei Decennien, welche er an der Spitze eines so wichtigen Verwaltungszweiges stand, freilich verstanden, den Geist in der Residenz niederzuhalten – wir sagen ausdrücklich in der Residenz – denn in den Provinzen wurde das Zensursystem (. . .) weit humaner gehandhabt als in der Reichshauptstadt, aber nicht ihn allein trifft die Schuld, sondern auch Jene, die sich niederhalten ließen (. . .)“ In dieser 30 Jahre später verfaßten Kritik[5] werden in erster Linie Saphir und Bäuerle als Kollaborateure und „Macher der öffentlichen Meinung“ angeprangert, die Sedlnitzky die Arbeit erleichtert haben.

Der aus Ungarn stammende Moritz Gottlieb Saphir (1795–1858) lebte seit 1834 ständig in Wien, war zunächst Mitarbeiter der „Theaterzeitung“ Bäuerles und gab seit 1837 die eigene Zeitschrift „Der Humorist“ heraus. Dort erschienene ungerechtfertigte Literatur- und Kunstkritiken machten ihn weithin unbeliebt, ebenso sein Eintreten für das Regime und nicht zuletzt seine Bestechlichkeit (letzterer ist das Lustspiel „Der literarische Salon“ von Bauernfeld gewidmet).

Im „Humoristen“ Saphirs wurde auch Josef Danhauser mehrmals angegriffen. Dieser rächte sich durch sein Bild „Hundekomödie“ (1841), das zeigt, wie die Zeichnungen eines Künstlers von Hunden zerrissen werden. Zwei der Hunde lassen deutlich die Gesichtszüge von Saphir und dem (ebenfalls regimehörigen) Dichter Zedlitz erkennen. Die Vorzeichnung zu dieser Satire, die der Zensur vorgelegt werden mußte, reichte Danhauser unter dem Titel „Die Notwendigkeit der Maulkörbe oder Versäumte Vorsicht“ ein. Der Zensor strich den ersten Teil dieses Titels und erlaubte die Veröffentlichung der Darstellung. Als jedoch Danhauser das ausgeführte Ölbild in der nächsten Ausstellung der Akademie zeigen wollte, erwies sich, daß es dort zu viele gab, die sich „niederhalten ließen“ und sogar päpstlicher als der Papst waren: Man befürchtete Schwierigkeiten wegen der Erkennbarkeit von Saphir und Zedlitz und weigerte sich, das Bild auszustellen, worauf Danhauser seine (ein Jahr zuvor angetretene) Akademieprofessur niederlegte.

Saphirs Gesicht kam überhaupt Karikaturisten sehr entgegen: Der Dichter Friedrich Kaiser – der als Zeichner begonnen hatte – behauptete, er könne es „in einer Minute zu Papier bringen“, Moritz Michael Daffinger meinte sogar, er könne „Saphirs Porträt in den Schnee pissen“[6].

Saphir hatte in Wien zuerst bei Adolf Bäuerle mitgearbeitet. dessen „Theaterzeitung“ (in den Jahren 1841–1847) das meistgelesene Blatt der Monarchie war. Durch seine eigenen Theaterstücke erwarb sich Bäuerle besondere Verdienste um die Entstehung des Wiener Volksstükkes; seinen „Bürgern in Wien“ entstammt die Figur des „Staberls“. Seine Volkstümlichkeit wirkte sich nachteilig aus, wenn es um Politik ging: Hier förderten seine gedankenlosen Scherze eine allgemeine Gleichgültigkeit gegenüber dem Schicksal zahlreicher Künstler und Intellektueller in der Ära Metternich. „In Wien (. . .), leichtlebig wie man war, blieb man, so lange Saphir alle Woche seine Portion Witze, so abgestanden und fade sie oft waren, servirte, und so lange Bäuerle mit seinem ‚Geschwind etwas Neues‘ zur Hand war, gegen dieses entwürdigende Unterdrückungssystem des freien Gedankens gleichgiltig“, so lange man „jeden Sonntag sein Backhuhn im Topfe, oder doch seine Würstel mit Kren vor sich hatte“[7].

Es hat sich inzwischen herausgestellt, daß es ungerecht war, Sedlnitzky der Dummheit und Willkür zu bezichtigen. Er war keinesfalls ungebildet und – in den engen Grenzen seiner Tätigkeit – auch nicht unkorrekt, sondern handelte strikt nach gesetzlich fundierten Grundsätzen. Diese waren lange vor seinem Amtsantritt von Kaiser Franz erlassen worden: 1793 wurde die Polizei-Hofstelle errichtet, 1795 wurden die einzelnen Zensurverordnungen zusammengefaßt und 1801 dieser Polizei-Hofstelle zur Durchführung übergeben. Das (ebenso wie die Richtlinien für die Zensoren geheimgehaltene) Zensuredikt von 1810 wurde dann bis 1848 trotz wiederholt vorgelegter Petitionen weiter verschärft.

Sedlnitzky „hielt sich streng an die Zensurvorschriften, doch hat er auch in Zweifelsfällen sich um die Zulassung von Werken beim Kaiser oder bei Metternich bemüht, bei denen er anderer Meinung als diese war. Selbst Autoren, die ihm feindlich gesinnt waren, behandelte er sachlich und oft wohlwollend[8].

Die Ereignisse von 1848 beendeten die wohlgeordnete bürokratische Tätigkeit Sedlnitzkys. „Wie wenig er aber die neue Zeit begriff oder wie sehr der alternde Greis Gewohnheitskind geworden, zeigt die Tatsache, daß er am 14. März 1848, als um fünf Uhr Abends Preßfreiheit verkündet wurde, vier Stunden später die ,Wiener Zeitung' censurierte und in einem Concertberichte einige Stellen strich"[9].

Einer der Polizei-Direktoren hatte noch im Jänner 1848 angekündigt, es werde in drei Monaten in Wien kein verbotenes Buch mehr zu finden sein. „Er hatte wahr gesprochen, nach der am 14. März proclamirten Preßfreiheit gab es kein verbotenes Buch mehr in Wien, denn Alles war erlaubt"[10].

Für die typischen Biedermeiermaler brachte die Revolution – im Gegensatz zu Schriftstellern, Journalisten und Zeitungsillustratoren – keine einschneidenden Veränderungen. Ihr künstlerisches Verhältnis zum nunmehr gestürzten Regime war mehr oder minder neutral gewesen, da ihre Themenwahl sich Verfolgungen entzogen hatte. Das Verhalten der Zensur im Fall Danhausers zeigt, daß seine „Hundekomödie" lediglich als Angriff auf Saphir und Zedlitz angesehen wurde, nicht aber als indirekter Angriff auf das von den beiden bejahte System.

Ein Freund Danhausers stellte sich 1848 offen in den Dienst der Revolution: der Genre- und Tiermaler Johann Mathias Ranftl, der wegen seiner zahlreichen Hundedarstellungen den Spitznamen „Hunde-Raphael" ertragen mußte. In London hatte er 1838 als Begleiter des Fürsten Paul Esterházy die dortige humoristische Zeitungsillustration kennengelernt und selbst einige Beiträge für das berühmte Witzblatt „Punch" geliefert. Zehn Jahre später hatte er Gelegenheit, seinen Humor mit seiner Begabung als Tiermaler zu vereinen: Er illustrierte das im April 1848 – also schon ohne Zensur – erschienene Buch „Die Republik der Tiere" von Bauernfeld. Im Text wird die Revolution begrüßt: „Welt-Frühling wird's – Frühling für Alle"; zugleich wird aber, sicherlich unter dem Eindruck der Französischen Revolution, vor Terror und Anarchie gewarnt. Die Vertreter des Neuen treten in Tiergestalt auf, ebenso die Vertreter des abgedankten Regimes, darunter Sedlnitzky als „Polizeidirektor Ochse", unterstützt von einem Gehilfen, dem „Polizeidiener Windspiel". Mit dieser Verwandlung der Beteiligten setzten Bauernfeld und Ranftl den Endpunkt unter das Kapitel „Zensur".

**Anmerkungen:**

[1] L. Hevesi, Österreichische Kunst im 19. Jahrhundert, Leipzig 1903, S. 256.
[2] J. Garms, in: Kat. Österreichische Künstler und Rom, Wien (Akademie der bildenden Künste) 1972, S. 9f.
[3] C. v. Wurzbach, Biographisches Lexikon des Kaisertums Österreich 33, Wien 1877, S. 286.
[4] I. F. Castelli, Memoiren meines Lebens I, München o. J., 284.
[5] Wurzbach 33, S. 284.
[6] Castelli II, S. 272.
[7] Wurzbach 33, S. 285.
[8] H. Kaut, in: Kat. Wien 1800–1950, Wien (Historisches Museum der Stadt Wien) 1969, S. 137f.
[9] Wurzbach 33, S. 287.
[10] Wurzbach 33, S. 286.

# ZENSUR IM VORMÄRZ

*Walter Obermaier*

Wann immer die Situation des österreichischen Schriftstellers in der Zeit zwischen 1815 und 1848 näher charakterisiert wird, fällt unweigerlich das Wort „Zensur". Und häufig wird aus Karl Postls (Charles Sealsfields) anonym erschienener Schrift „Seufzer aus Österreich" (1834) zitiert: „Der österreichische Schriftsteller ist wohl das meistgequälte Geschöpf auf Erden. Er darf keine wie immer benannte Regierung angreifen, auch keine Behörde, nicht die Geistlichkeit oder den Adel, er darf nicht freisinnig, nicht philosophisch, nicht humoristisch, kurz, er darf gar nichts sein. Unter den verbotenen Dingen sind nicht nur Satire und Witz verstanden, er darf sich überhaupt nicht vertiefen, weil dies zu ernsterem Nachdenken anregen könnte. Wenn er irgendetwas zu sagen hat, muß dies in jenem unterwürfigen und ehrfurchtsvollen Ton geschehen, der einem österreichischen Untertanen ziemt, der es überhaupt wagt, den Schleier von solchen Dingen zu heben."

Bei aller Bitterkeit und Einseitigkeit dieser Worte enthalten sie doch viel Wahres. Die Zensur wurde von den Betroffenen fast durchwegs als drückend empfunden und zumindest in ihrer tagtäglichen Praxis abgelehnt. Viele bekämpften sie offen oder versteckt, suchten sie zu umgehen oder lähmten sie an ihrer besonderen Schwachstelle, dem Bürokratismus. Andere wieder arrangierten sich und noch andere, des Haders und ständigen Kleinkrieges müde, verließen Österreich und begaben sich in die Emigration nach anderen deutschen Staaten. Zwar existierte auch dort die Zensur als Institution, und alle Schriften mußten vor der Drucklegung dem Zensor vorgelegt werden, doch wurde dieses staatliche Instrument nirgends so rigoros und repressiv wie im Österreich Metternichs gehandhabt.

Freilich war die Zensur keine Erfindung Metternichs oder auch nur seines Polizeipräsidenten Sedlnitzky, ja nicht einmal eine solche des so leicht Verschwörung und Revolution witternden Kaiser Franz I. Sie bestand als Institution schon zur Zeit Maria Theresias und Josephs II. und blieb – mit nur geringfügigen Modifikationen, was die gesetzlichen Grundlagen und die Durchführungspraktiken betraf – bis zur Märzrevolution des Jahres 1848 in Kraft. Am 14. November 1850 wurde die Zensur wieder restauriert und erst mit dem Ende der Monarchie aufgehoben; die Theaterzensur wurde überhaupt erst 1926 abgeschafft.

Die General-Zensur-Verordnung vom Februar 1795 regelte die Modalitäten. Sie hatte in erster Linie die Buchdrucker im Auge und erwähnt die Schriftsteller nur am Rande. Jedes zum Druck bestimmte Werk hatte dem Bücherrevisionsamt bzw. der 1793 unter dem Eindruck der Französischen Revolution neu geschaffenen Polizeihofstelle eingereicht zu werden. Dort entschieden dann Fachzensoren pro oder kontra der eingereichten Werke. Für wie wichtig der Kaiser die Tätigkeit der Zensur erachtete, läßt sich daraus ersehen, daß er eine 1798 geschaffene Zensurkommission seiner persönlichen Leitung unterstellte und die Zensuragenden erst 1801 der Polizeihofstelle überwies, bei der sie bis 1848 verblieben. 1803 wurde eine interne Zensurvorschrift erlassen, die die Vorgangsweise der Zensoren regeln sollte, doch war sie sehr allgemein gehalten und hatte einen zu weiten Auslegungsspielraum. Die französische Besetzung Wiens 1809 brachte eine merkliche Lokkerung der Zensur mit sich, und der Wiener Polizeipräsident Freiherr von Haager suchte die Gelegenheit zu nützen, ein milderes Zensurgesetz vorzubereiten. Er machte dem Kaiser gegenüber geltend, daß ein zu restriktives Vorgehen zu einem fühlbaren Mangel an wirklich gebildeten Lehrern führen müßte, daß auch Wissenschaft und Literatur behindert würden und insgesamt Österreichs Ruf im Ausland eine Schmälerung erfahren würde.

Diese neue Zensurvorschrift wurde am 14. September 1810 erlassen, doch war sie – entgegen den Intentionen Haagers – vom Kaiser und von Metternich verschärft worden. Der schöne Vorsatz, daß „kein Lichtstrahl", woher er auch immer komme, in der Monarchie unerkannt bleiben solle, war nur ein leeres Wort und galt nicht für die „verderblichen Ausgeburten" der Literatur – und deren gab es nach Meinung der Obrigkeit viele. Gelehrte Schriften, bei denen – Originalität vorausgesetzt – der Zensor Milde walten lassen sollte, wurden von Unterhaltungsschriften getrennt. Diese sollten mit voller Strenge zensiert werden, um vor allem der sinnlichen Romanlektüre ein Ende zu bereiten. Aber auch für Klassiker der Literatur gab es kaum mehr Milde, wie überhaupt ausdrücklich darauf hingewiesen wurde, daß kein einziges Werk von der Zensur befreit sei. Der Kaiser, die Staatsverwaltung und die Religion genossen äußersten Schutz, und jeder literarische Verstoß gegen den so weitgefaßten Begriff der „guten Sitten" wurde unnachsichtig geahndet. Und die Liste aller jener Personen, denen es gestattet war, von der Zensur verbotene Schriften zu lesen, hatte dem Kaiser zur Bewilligung vorgelegt zu werden.

Die wenigen Paragraphen der Verordnung enthielten wohl allgemeine Grundsätze, aber kaum konkrete Durchführungsbestimmungen. Dadurch ergab sich für den Zensor ein relativ breiter Ermessensspielraum, der bald zu einer Verschärfung der Praxis, in Einzelfällen auch zu einer Milderung führen konnte. Auch die Weisung, daß die Zensur möglichst rasch zu einem Urteil gelangen sollte, war auslegungsabhängig. Es wurde auch immer wieder (wenn auch nicht immer zu Recht) über die langen Wartezeiten geklagt. Das Wiener Zentralrevisionsamt (Bücherrevisionsamt), bei dem die Druckwerke eingereicht wurden, hatte sich immer mehr zu einem reinen Expedit entwickelt und fungierte nur mehr selten als Entscheidungsträger. Es war mit Agenden überhäuft, hatte auch die umfangreichen Verbotslisten zu führen, und so kam es hier immer wieder zu Verzögerungen bei der Ausfertigung von Beurteilungen. Ähnlich langsam war das Verfahren auch bei der Polizeihofstelle, bei der als nächster Schritt zwei voneinander unabhängige Fachzensoren ein Gutachten über die eingereichten Schriften verfaßten. In manchen Fällen wurde noch ein dritter Zensor, ab und zu sogar der Präsident, zugezogen. An diesen konnte man auch Beschwerden richten. – Wegen der Umständlichkeit und Langsamkeit des Vorganges sowie wegen der von den Einreichern wie von den Zensoren gleich unbefriedigend empfundenen gesetzlich verankerten Grundsätzen der Zensur wurde 1845 unter dem Einfluß Bauernfelds eine Umorganisation mit einem neugeschaffenen „Oberzensurkolleg" in Angriff genommen. Die neue Organisationsform kam allerdings nicht mehr recht zum Tragen, da der März 1848 auch die Zensur wegfegte.

Das erklärte Ziel der Zensur war ein möglichst umfassender Schutz des Staates im Sinne einer Erhaltung des bestehenden Systems. Den Untertanen sollte nach Möglichkeit materielle Wohlfahrt geboten werden, Ideen aber, die das System in Frage stellten oder gar auf Veränderung oder Revolution hinzielten, sollten bereits im Ansatz unterdrückt werden. In ganz besonderem Maße traf dies auf Publikationen, Theaterstücke oder öffentliche Äußerungen zu, denen man eine entsprechende Breitenwirkung zutraute. Unter diesem Gesichtspunkt wurde auch bei der Beurteilung von Schriften differenziert: einige wurden zugelassen, andere wurden erst nach entsprechenden Abänderungen zugelassen, wieder andere wurden verboten oder waren nur gegen eigene Bezugsscheine einem entsprechend qualifizierten Publikum zugänglich. Für den Staat war vor allem wichtig, daß die Kontrolle möglichst umfassend war. Daher wurden nicht nur Theaterstücke, Bücher, Zeitungen, öffentliche Vorlesungen und sogar Predigten zensuriert, sondern auch Musikdrucke, bildliche Darstellungen, Widmungszeilen, Grabinschriften und Geschäftsschilder.

Schien die Musik selbst auch verhältnismäßig frei zu sein – Grillparzer preist sie in einem Gedicht als die freieste der Künste und bemerkt Beethoven gegenüber, daß die Zensoren nicht wüßten, was dieser bei seinen Kompositionen dächte –, so wurde sie doch genau geprüft. Revolutionäre Lieder oder Freiheitslieder waren natürlich am Text kenntlich und daher verboten. Auch Studentenlieder unterlagen weitestgehenden Beschränkungen, und mit Libretti und Liedtexten hatten die Komponisten immer wieder Schwierigkeiten. So bekam Schuberts Verleger Czerny das Lied „Der Kampf" auf einen Text von Schiller erst nach mühevollen Rekursen 1829 von der Zensur frei; der Komponist war mittlerweile verstorben. Widmungstexte wurden ebenfalls genau geprüft und gelegentlich auch beanstandet. – Im März 1848 klagt ein Artikel über „Musik und Preßfreiheit" in Frankls Wiener Sonntags-Blättern: „Die Musik hat volle Notenköpfe, und wo volle Köpfe waren, da kam die Censur mit ihrer Kneipzange hin, und zwackte. Wie viele schöne Lieder durften nicht gesungen werden, weil es den Scharfrichtern des Gedankens und des Ausdrucks so beliebte."

Auch die Bildzensur war entsprechend umfassend. Der Bildinhalt wurde genau daraufhin geprüft, ob er Staat und Religion nicht unangebracht ins Bild setzte oder gar gegen die guten Sitten verstoße. Da verfiel eine entblößte Brust ebenso dem Federstrich des Zensors wie ein etwas handgreiflicher orientalischer Sklavenmarkt. Manchesmal hatte der Zensor sogar am Bart eines Händlers etwas auszusetzen. Auch ein Blatt, das Raimunds Begräbnis in Gutenstein mit der dabei versammelten Geistlichkeit zeigte, wurde auf Anordnung der Zensur eingezogen und durch eine „gereinigte" Fassung ohne Geistliche ersetzt – schließlich war Raimund Selbstmörder, und was man am offenen Grab gerade noch geduldet hatte, sollte nicht durch einen Kupferstich unerwünschte weitere Verbreitung erfahren.

Ein besonderes Schmerzenskind der Behörde war die Zeitungszensur, da sie rasch und genau zu geschehen hatte und sowohl die generelle Tendenz eines Blattes wie auch einzelne Meldungen zu überprüfen hatte. Dadurch boten sich auch einem gewiegten Zensor jede Menge an Fallstricken an. Obwohl die österreichischen Blätter, die sich natürlich den Eigenheiten des Systems anpassen mußten, als ein Muster an Harmlosigkeit galten – „Diese Blätter waren einst so unschuldig wie g'wasserte Milich", erinnert sich 1848 der Ratsdiener Klaus in Nestroys „Freiheit in Krähwinkel" –, so passierte es doch ab und zu, daß dem Zensor eine Meldung entging, die nachträglich als zensurwidrig erkannt wurde. Bei den auswärtigen Zeitschriften, die ja zumeist an einen begrenzten Kreis von Beziehern gingen, wählte man meist moderate Wege. Man wollte die Zahl der Journale verringern, aber nicht durch Verbote auf sie aufmerksam machen. So ließ man einfach die Bezugszeit auslaufen und erneuerte dann die Bezugsbewilligung nicht.

Bücherverbote im eigentlichen Sinn gab es in Österreich kaum, da ja hier sämtliche zum Druck bestimmten Werke bereits als Manuskript eingereicht werden mußten. Fand der Zensor etwas Anstößiges – und es galten auch sozialkritische Äußerungen als anstößig –, so schlug er Änderungen vor oder er verbot das Werk. Beschlagnahmt wurde das Manuskript nicht, sondern dem Autor retourniert, der es dann abgeändert wieder einreichen oder auf eine Publikation verzichten konnte. Freilich war es streng untersagt, Schriften ohne vorherige Approbation durch die österreichische Zensurbehörde auch bloß anonym im Ausland drucken zu lassen. Trotzdem wurde dieser Weg immer wieder eingeschlagen und führte dann – soweit die Autoren weiterhin in der Monarchie lebten – zu umständlichen und meist ergebnislosen Verfahren.

Ein Kapitel für sich war die Theaterzensur. Das Theater hatte in den Augen der Obrigkeit vor allem die Aufgabe, das Publikum harmlos zu unterhalten und von gefährlichen Gedanken abzulenken. Menschen, die ihre Abende im behördlich überwachten Theater verbrachten, waren kontrollierbar und konnten nicht gleichzeitig konspirativ tätig sein. Um aber „durch fortgesetzte Maßnahmen der Polizei . . . zu einer öffentlichen Unterhaltung ohne Gefahr für Kopf, Herz, Sitten und Stimmung des Volkes" zu gelangen, wie es in der Instruktion von 1803 gefordert worden war, waren eine Reihe von Maßnahmen nötig. Selbstverständlich mußten auch die Theaterstücke der Zensur eingereicht werden und wurden sehr genau überprüft. Die Schwierigkeit dabei war, daß einerseits ein relativ großes und inhomogenes Publikum vorausgesetzt werden mußte, andererseits mußte der Zensor bei seiner Arbeit mit einkalkulieren, daß durch Mienenspiel und Gestik eine an und für sich harmlose Textpassage eine unerwünschte Nebenbedeutung bekommen könnte. Und schließlich war noch mit der eben durch die Zensur provozierten Deutungssucht des Publikums zu rechnen, das auch dort versteckte Anspielungen witterte, wo wirklich keine verborgen lagen. So kontrollierte die Zensur alles in Frage kommende, vom Theaterzettel und den Ankündigungen an bis hin zu den Kulissen. Selbstverständlich durften keine geistlichen Personen dargestellt oder kirchliche Requisiten benutzt werden. Auch der Realität entnommene Uniformen und Rangabzeichen sowie Anspielungen auf Staat, Staatsverwaltung und befreundete Staaten und Herrscherhäuser waren verboten; desgleichen die Verächtlichmachung von Personen, Ständen oder Berufsgruppen. Herloßsohns Theaterlexikon von 1846 vermerkt dazu: „Häufig wird ein anderer Titel, andere Stände und Namen der Charaktere, oder auch Verlegung des Schauplatzes in andere Zeit oder andere Länder verlangt." Manchesmal – so wird hier weiter ausgeführt – vertritt der Zensor aber auch bloß die Auffassung der öffentlichen Meinung, und trotz manchen Widersinnes handle es sich bei der Zensur schließlich doch um eine ganz nützliche Einrichtung.

Schärfer formuliert da ein Theaterlexikon von 1841, das übrigens ebenso wie das von Herloßsohn nicht in Österreich, sondern im freisinnigeren Leipzig erschienen ist. Da so viel von der Zensurbehörde abhänge, solle sie „stets aus gelehrten, aufgeklärten und billigen Männern bestehen, die eine genaue Instruction haben müssen, um bei ihren Urtheilen und Verboten jede Willkühr zu entfernen". Hat die Behörde aber Änderungen und Streichungen angeordnet und „verliert nach solcher Verstümmelung das Stück seine Tendenz oder wesentliche Schönheiten, so sollte man es lieber gar nicht zur Aufführung bringen". Es wird auch darauf hingewiesen, daß die Zensur in Österreich und Bayern am schärfsten, in Sachsen aber am liberalsten sei. Und dann wird eine Eigenheit der österreichischen Theaterzensur hervorgehoben, die den Betroffenen in der Tat am meisten zu schaffen machte: „In Oestreich sitzt bei jedem neuen Stücke, trotz der bereits ertheilten Bewilligung zur Aufführung, ein Censor auf den Proben (wenigstens der Generalprobe), damit kein in *seinem Sinne* anstößiger Gedanke, ja kein Wort den Schauspielern entschlüpft." Tatsächlich hatte allabendlich der Theaterkommissär darüber zu wachen, daß die Schauspieler beim approbierten Text blieben und nicht extemporierten, daß keine „anstößigen" Gesten den Sinn einer Stelle verkehrten und daß dem Publikum keine Gelegenheit zu unliebsamen Demonstrationen geboten wurde. Übertretungen der Zensurvorschriften wurden unnachsichtlich mit Geld- oder Arreststrafen belegt. Der Theaterleiter hatte dafür Sorge zu tragen, daß jeder Mitarbeiter seines Hauses mit den Theater- und Zensurgesetzen vertraut war.

Nicht nur kein Tagesschreiber, sondern auch kein bedeutender Bühnenautor blieb von der Zensur unbehelligt. Und es waren nicht nur die zeitgenössischen Autoren, sondern auch die Klassiker betroffen. Vor allem Schiller war verdächtig, und bei der Aufführung seiner Stücke gab es jede Menge Schwierigkeiten, Umarbeitungen, Verzeichnungen und Verbote. Aber auch Goethes „Götz von Berlichingen" und „Egmont" hatte es den Zensoren angetan, und Lessings „Nathan der Weise" fand aus Gründen des Schutzes der katholischen Religion keine Gnade vor den Augen der Polizeihofstelle. Immerhin ist es interessant, zumindest auswahlweise einen Blick auf die polizeiliche Behandlung der im Laufe eines Jahres von den Wiener Bühnen eingereichten Stücke zu werfen. 1820 wurden von rund 200 eingereichten Stükken etwa die Hälfte beschränkt (d. h. nach Streichung bzw. Korrektur einzelner Stellen) zugelassen, ein Drittel in der eingereichten Form erlaubt und der Rest verboten. 1836 standen bei 200 Stücken 76 % beschränkt zugelassene 13 % erlaubten und 11 % verbotenen Stücken gegenüber. Und 1842 wurden von 175 eingereichten Stücken 73 % beschränkt erlaubt, 19 % unbeschränkt und nur 8 % verboten. Alles in allem läßt sich also feststellen, daß die Mehrzahl der Stücke beschränkt bzw. unbeschränkt erlaubt wurde, wobei natürlich ins Kalkül zu ziehen ist, daß die Autoren von vornherein ihre Stücke so verfaßten, daß sie tunlichst die Zensur passieren konnten. Die beanstandeten Änderungen sind auch in ihrer Mehrzahl Korrekturen einzelner Ausdrücke, Wendungen, Namen oder Standesbezeichnungen, die der Zensor als nicht mit den Grundsätzen der Zensur vereinbar fand. – Was die Dauer der Erledigung eines eingereichten Stückes betraf, so lag sie durchschnittlich bei ein bis zwei Wochen, doch war es auch nicht unüblich, daß ein Stück bereits nach zwei Tagen zurückgestellt wurde, und es gab sogar Fälle (manchmal solche, wo Metternich selbst mitzensierte), in denen das eingereichte Stück am selben Tag wieder dem Theater zuging.

Wer waren nun die Zensoren, von deren Beurteilung das Wohl und Wehe der Autoren abhing? Ihre Bildung und ihr Charakter wird von den Betroffenen im Ausland (oder nach 1848) einem harten und meist abfälligen Urteil unterworfen. Nestroys Verdikt ist bekannt: „Ein Zensor is ein menschgewordener Strich über die Erzeugnisse des Geistes, ein Krokodil, das an den Ufern des Ideenstromes lagert, und den darin schwimmenden Literaten die Köpf' abbeißt"; und: „Die Zensur is die jüngere von zwei schändlichen Schwestern, die ältere heißt Inquisition" (Freiheit in Krähwinkel). Bei etwas näherer Betrachtung erweisen sich die Zensoren allerdings doch etwas besser als ihr Ruf. In der Mehrzahl waren es gebildete Menschen mit Literatur- und Sprachkenntnis, oft auch mit entsprechender wissenschaftlicher Qualifikation, die sich als Beamte – und als solche natürlich völlig systemkonform – um ein parteiloses Urteil zumindest bemühten. Dabei hatten sie mit verschiedenen Schwierigkeiten zu kämpfen. Ihre Zahl war in Hinblick auf die anfallende Arbeit immer zu gering, und sie hatten sich nach zwei Seiten zu verteidigen: einerseits gegen die strenge Aufsicht der übergeordneten Behörde (Rügen oder gar Amtsenthebungen waren durchaus keine Seltenheit!) und andererseits gegen Kritik und Angriffe der Schriftsteller, wozu noch die Gefahr kam, von der Deutungssucht des Publikums überlistet zu werden.

Der oberste Zensor war der Kaiser selbst, der häufig in Zensurvorgänge eingriff, zuerst ja auch persönlich die 1798 geschaffene Zensurkommission leitete und sich noch bis 1809 vorbehielt, wer Bezugsscheine für an sich verbotene Literatur erhalten durfte. Franz I. griff in Einzelfällen aber auch zugunsten von Petenten ein. So etwa, wenn er Grillparzers „König Ottokars Glück und Ende" entgegen allen Zensurbedenken zur Aufführung an der Hofbühne zuließ oder wenn er sich für die Freigabe von Schreyvogels Bearbeitung des „Wilhelm Tell" einsetzte. Der Staatskanzler Metternich wiederum zeichnete für die Zensurpraxis vor allem vom Tod des Kaisers 1835 bis zum Jahre 1848 verantwortlich. Er ging in Österreich präventiv vor und repressiv hinsichtlich der Verbreitung auswärtiger Literatur, wobei er und die Zensurabteilung der Staatskanzlei nach politischen Gesichtspunkten urteilten und zumeist härter als die Polizei durchgriffen. Metternichs persönliches Eingreifen läßt sich nicht nur beim berühmten Verbot von Grillparzers Gedicht „Campo vaccino" nachweisen, sondern sehr häufig auch bei der Theaterzensur: so bei der Unterdrükkung der Werke Gutzkows und des Jungen Deutschland. Hier war er strenger als der vielgehaßte Polizeipräsident Sedlnitzky, der als „Tyrann des Geistes" galt. Sedlnitzky war an sich ein gebildeter, wenn auch ein trockener und den Vorschriften verpflichteter Beamter, was in Einzelfällen auch seine Vorteile haben konnte. Er war ein äußerst fleißiger und exakter Arbeiter, der zutiefst von der Notwendigkeit der Zensur überzeugt war. Im Falle Grillparzers hat er den Kaiser bei der Erlaubnis des „König Ottokar" bestärkt und ihm auch später den Plan eines Ankaufes von „Ein treuer Diener seines Herrn" ausgeredet; wäre dieser nämlich zustande gekommen, hätte der Kaiser das Stück von der Bühne abgezogen.

Aus der Reihe der beamteten Zensoren seien nur einige herausgegriffen. Da amtierte etwa Franz Sartori, der Verfasser einer Literaturgeschichte, der 1832 als Bücherrevisions-Amtsdirektor an der Cholera starb, oder der Schriftsteller und Professor an der orientalischen Akademie Alois Zettler und nicht zuletzt Johann Mayerhofer, der Freund Schuberts. Er, der in jungen Jahren Theologie, dann Sprachen und Jura studiert hatte, der Gedichte schrieb, in Schuberts Künstlerkreis verkehrte und eine Zeitlang sogar mit Schubert ein Zimmer bewohnte, wurde 1820 Revisor am Bücherrevisionsamt, eine Tätigkeit, die den ohnehin unausgeglichenen Charakter sicher in einen Gewissenskonflikt brachte. Daß er aber 1836 Selbstmord beging, ist eher seiner Furcht vor der Cholera zuzuschreiben als einer unerträglich gewordenen Spannung zwischen Freiheitssänger und strengem Zensor, wie es Bauernfeld 1858 in seinem Gedicht „Ein Wiener Censor" zu wissen vorgibt.

Daß kein Geringerer als der im josephinischen Geiste handelnde Joseph Schreyvogel, freisinniger Publizist, Kritiker und Bühnenautor sowie gefeierter Reformator des Burgtheaters, ebenfalls im Dienste der Zensur stand, wird meist schamhaft verschwiegen. Seit 1817 übte er die Tätigkeit eines Zensors aus – sicher nicht zuletzt deshalb, um eine Staatsstellung und damit ein gesichertes Einkommen zu haben. Immerhin entspricht auch die Heranziehung solch qualifizierter Zensoren der späteren geheimen Forderung der Wiener Ministerkonferenz von 1834, daß das Zensorenamt nur Männern von erprobter Gesinnung und Fähigkeit zu übertragen sei und ihnen dafür eine entsprechende Stellung zu sichern sei. – Auch der Lyriker Johann Gabriel Seidl, Gymnasiallehrer, Archäologe, Epigraph und Numismatiker und als solcher seit 1840 am kaiserlichen Münzkabinett tätig, wurde 1841 Aushilfszensor und seit 1847 definitiv angestellt. Bei dieser Gelegenheit bestätigt ihm die vorgesetzte Behörde „eben so viel Sachkenntniß, Fleiß und Bereitwilligkeit, als richtigen Takt in Anwendung der Zensurnormen". Auch für Seidls Weg zum Zensoramt waren sicher materielle Beweggründe ausschlaggebend. Soweit feststellbar und innerhalb der Vorschriften überhaupt möglich, scheint er sich in seiner Tätigkeit doch um ein ausgewogenes Urteil bemüht zu haben. Lenau allerdings kritisierte ihn und kündigte ihm die Freundschaft auf, und Hieronymus Lorm nennt ihn einen „herzlosen Censor". Im März 1848 bekennt Seidl dann schuldbewußt in einem etwas peinlich anmutenden Gedicht, das in „Der Humorist" veröffentlicht worden war, daß er – im Gegensatz zu anderen – für die Nacht gekämpft habe; „und meine Schuld war: Schild statt Schwert zu sein!" Dabei hatte Seidl 1823 selbst Anstände mit der Zensur gehabt, da er unerlaubt Gedichte in Deutschland publiziert hatte.

Ähnlich erging es Seidls Kollegen im Zensorenamt Johann Ludwig Deinhardstein. Er hatte sich mit dem Studium von Philosophie, Ästhetik und Jus eine etwas gemischte Bildung angeeignet und war in jungen Jahren als Spaßvogel verschrien und gefürchtet, der bei der Unsinnsgesellschaft „Ludlamshöhle" tonangebend war. Wegen zweier Spottgedichte gegen den Ästhetikprofessor Ignaz Liebel hatten er und Castelli Anstände bei der Polizei. Als sich Deinhardstein, der auch als Bühnenautor hervorgetreten war, um eine Professur am Theresianum bewarb, verweigerte ihm der Kaiser trotz Sedlnitzkys Fürsprache lange das Definitivum. 1826 wurde er aber Aushilfszensor, war seit 1842 auch für die Zeitungszensur zuständig, doch wurde er von diesem Zweig der Zensur bald wieder enthoben. Von 1832 bis 1841 leitete er das Burgtheater, bis ihm diese Funktion wegen des sinkenden Niveaus und der steigenden Disziplinlosigkeit an dieser Bühne wieder entzogen wurde. Am bedeutsamsten ist Deinhardstein vielleicht als Herausgeber der „Wiener Jahrbücher für Literatur" (1829–1849), in denen er sich für Gutzkow, Hebbel und Herwegh einsetzte und wo man aus seinen Rezensionen geradezu eine „Ästhetik der Zensur" (Lechner) destillieren kann. Im Gegensatz zu Seidl hat es Deinhardstein auch nach 1848 vorgezogen, „Schild statt Schwert" zu sein und hat sich als Zensor noch 1855, im Gegensatz zu zwei anderen Gutachtern, gegen eine Aufführung von Nestroys Version der „Zwölf Mädchen in Uniform" ausgesprochen. Offenbar war ihm die vormärzliche Praxis zu sehr geläufig, in der die Zensoren unter dem Eindruck der Metternich-Sedlnitzkyschen Strenge dazu tendierten, eher streng als milde zu urteilen.

Die Schriftsteller, die unter der Zensur zu leiden hatten, reagierten verschieden. Ferdinand Raimund etwa ließ, wie er einmal äußerte, eine so große Vorsicht walten, daß seine Manuskripte die Zensur praktisch unverändert wieder verließen. Nestroy wiederum hatte ein Leben lang mit der Zensur zu kämpfen - und dies, obwohl er in seinen Werken bereits eine Art Selbstzensur anwendete. Er zeichnete in seinen Manuskripten jene Stellen an, die bei der einzureichenden Abschrift durch eine „gereinigte" Fassung zu ersetzen waren. Allerdings waren es die Extempores und Zusatzstrophen, wohl auch die auf der Bühne dann doch gesprochene „Originalfassung" mancher Dialoge, wie überhaupt eine mißtrauische Haltung der Zensur seinen Stücken gegenüber, die ihn in Schwierigkeiten brachten. Sein Brünner Engagement 1825/26 mußte Nestroy unter dem Druck der Polizei abbrechen, und in Wien hatte er von 1832 bis 1860 immer wieder Geldstrafen zu erlegen und 1836 sogar eine fünftägige Arreststrafe abzusitzen. Allerdings gab Nestroy nie zu früh und vor allem nicht kampflos auf. So kam er mit seinen Eingaben gegen Zensureingriffe bei der Posse „Mein Freund" (1851) schließlich durch Beharrlichkeit doch noch zu seinem Recht.

Der junge Grillparzer kam bereits 1820 mit seinem Gedicht „Campo vaccino" in das Räderwerk der Zensur, die ihm ihre ganze Strenge fühlen ließ – übrigens auch Schreyvogel, der das Gedicht als Zensor durchgelassen hatte. Eine Textpassage wurde als Angriff auf die christliche Religion gedeutet und das bereits ausgelieferte Taschenbuch „Aglaja" wieder eingezogen. Auch „König Ottokars Glück und Ende", der am 25. November 1823 eingereicht worden war, kam am 21. Jänner 1824 mit einem Verbot zurück. Eingaben Grillparzers an Sedlnitzky, dieser möge ihm nicht „die Frucht jahrelanger Arbeiten, meine Aussicht auf die Zukunft" rauben, blieben ergebnislos, doch setzte sich zuletzt Kaiser Franz I. selbst über die Zensurstellen hinweg und verfügte die Aufführung. 1828 versuchte dann allerdings derselbe Monarch in einer Art eleganter Zensur „Ein treuer Diener seines Herrn" durch Ankauf aus dem Verkehr zu ziehen, was allerdings mißlang. Als 1838 „Weh dem, der lügt" ein Mißerfolg beim Publikum wurde, resignierte Grillparzer und schrieb fortan nur mehr für die Schreibtischlade. Als Direktor des Hofkammerarchives und somit als festbesoldeter Beamter konnte er sich diesen Luxus leisten. Daß es viel mehr der Unverstand des Publikums als der des Zensors war, der Grillparzer von der Bühne vertrieben hatte, änderte nichts an der Einstellung des Dichters zu Zensur und Metternich. Als der Staatskanzler im August 1839 schwer erkrankt war, schrieb ihm Grillparzer etwas voreilig einen Grabspruch mit dem Vorwurf, Metternich hätte zuletzt an die eigenen Lügen geglaubt. Der nur für einen kleinen Kreis von Gleichgesinnten gedachte Spruch wurde von einem Unbekannten dem kaum wieder genesenen Staatskanzler eiligst hinterbracht.

Anton Graf Auersperg und Nicolaus Niembsch von Strehlenau suchten den Zensurschwierigkeiten durch die Wahl der Pseudonyme Anastasius Grün und Nikolaus Lenau aus dem Wege zu gehen; obendrein publizierten sie fast ausnahmslos im Ausland. 1831 ließ Grün seine „Spaziergänge eines Wiener Poeten" erscheinen, in denen er die österreichische Situation schonungslos darstellt, was ihm allerdings erst Jahrzehnte später als „historisch-patriotisches Verdienst" angerechnet wurde. In einem dieser Gedichte hält er mit dem Zensor scharfe Abrechnung: „Ja, du bist ein blut'ger Mörder! doppelt arg und doppelt dreist! Nur die Leiber tötet jener, doch du mordest auch den Geist!" Grün hatte permanente Auseinandersetzungen mit der Polizei, doch gab er erst 1840 sein Pseudonym öffentlich zu. Meistens lebte er verhältnismäßig unangefochten auf seinem Gut in Krain, da er – wie er 1836 mit Anspielung auf die Zensurbehörde an Lenau schreibt – „nicht große Lust verspüre allzuoft in Wien auf den österreichischen Parnaß . . . citirt zu werden". Und 1839 schreibt er an einen deutschen Verleger, der ihn um ein Gedicht für das Gutenbergdenkmal ersucht, es sei noch nicht sicher, ob er ein Gedicht senden werde, „da ich nicht gerne wieder mit der unsauberen Polizei in Berührung kommen möchte. Man besudelt sich nur bei solchem Conflict."

Lenau war bereits 1832 vorübergehend nach Nordamerika ausgewandert, von wo er „mein Vaterland, das feige dumm, die Ferse des Despoten küßt" grüßt. In seinem Gedicht „Faust"" läßt er Mephistopheles sagen: „Wie für die Taten einst die Alten Zensoren hielten, sollt Ihr halten Zensoren als Gedankenbüttel. Ja, so ein Zensor, so ein echter, Ein unerbittlich scharfer Wächter Und tapferer Gedankenwürger, . . . Das wäre so mein Augentrost!" 1836 wurde Lenau wegen unerlaubten Publizierens im Ausland angezeigt, doch begründete er sein „Vergehen“ mit seiner häufigen Abwesenheit von Wien, der unsicheren Rechtslage und der ungeklärten Frage, welche Behörde für ihn als gebürtigen Ungarn zuständig sei. Das Verfahren zog sich jahrelang hin, wanderte von einer Behörde zur anderen und kam schließlich zu keinem Ergebnis. Davon unbeirrt, publizierte Lenau weiterhin in Deutschland, und erst 1840 bedeutet er seinem Verleger, daß er nichts zur Drucklegung schicken könne, denn „die Maßregeln unserer hiesigen Zensur haben sich in neuester Zeit sehr verschlimmert“.

So spielte sich der Kampf gegen die Zensur recht differenziert ab. Man konnte Eingaben machen, die allerdings oft nicht sehr erfolgversprechend waren, und gegen Bescheide rekurrieren. Man konnte auch verbotenerweise im Ausland und unter Pseudonym publizieren, hatte dafür aber polizeiliche Überwachung und enervierende Behördenverhöre zu gewärtigen. Am erfolgreichsten erwies sich hier der immer wieder vorgebrachte und nicht so leicht zu widerlegende Vorwand, Gedichte seien ohne Wissen des Autors in ausländische Veröffentlichungen aufgenommen worden. Es war auch nicht besonders schwer, sich in Österreich verbotene ausländische Literatur zu beschaffen, da der Bücherschmuggel florierte und man in manchen Buchhandlungen gewissermaßen unter dem Verkaufspult ausländische Literatur zum Kauf angeboten erhielt. Allerdings kam es auch dank des ausgebildeten und weitreichenden Spitzelwesens in solchen Buchhandlungen immer wieder zu Konfiskationen. – Die radikalste Reaktion auf die Zensur war die Emigration ins Ausland. Unter den emigrierten Autoren stand Karl Postl, der als Charles Sealsfield in Amerika und der Schweiz lebte, an erster Stelle. Andere waren Alfred Meissner, Ignaz Kuranda, Moritz Hartmann und Eduard Mautner, die ins liberale Sachsen zogen und sich keineswegs nach dem Österreich Metternichs zurücksehnten. „Wer einmal die Süßigkeit der Freiheit genossen hat, wer es einmal empfunden, wie schön es ist, nur dem eigenen Genius gehorchend zu schaffen, der mag sich nicht mehr von Polizeifingern sein reines Manuskript betasten lassen“ (Meissner, 1847).

Ein literarischer Kampf gegen die Zensur in Österreich selbst setzte erst kurz vor der Märzrevolution ein. Grillparzer hatte bereits 1844 einen Aufsatz gegen die Zensur geschrieben, der aber im Schreibtisch blieb. Obzwar „gar kein Freund dieser Anstalt“, hatte er allenfalls noch Einsehen dafür, daß man zerstörerische Werke präventiv verbiete. Aber wem sei es schon möglich, das Wahre und Schöne irrtumsfrei zu erkennen? „Da aber eine gute Zensur nicht möglich ist, eine schlechte aber verderblicher als keine, darum keine, aber nur darum.“ Es ist nur konsequent, daß sich dann Grillparzer als einer der ersten unter den 99 Unterzeichnern der „Denkschrift über die gegenwärtigen Zustände der Zensur in Österreich“ befand, die am 11. März 1845 dem Staatsminister Anton Graf Kolowrat überreicht wurde. Die Petenten verlangten eine ausreichende gesetzliche Grundlage der Zensur auf der Basis der Verordnung von 1810 sowie einen geordneten Rekursweg und wirklich unabhängige Zensoren. Auch Bauernfeld, Feuchtersleben, Ladislaus Pyrker, Castelli, Ludwig August Frankl, Anastasius Grün, Stifter, Hammer-Purgstall, Friedrich Kaiser und Saphir unterzeichneten, ebenso eine Reihe namhafter Maler, Musiker und Mediziner.

Metternich lehnte die Petition in allen Punkten als zu seicht ab und bemerkte, die Unterzeichner mögen sich nicht in das schwere Geschäft des Regierens einmischen. Gleichzeitig unternahm er einen Versuch – es sollte sein letzter sein –, die Zensur zu verteidigen. Der dem Staatskanzler nahestehende Schriftsteller Klemens Hügel gab 1847 eine entsprechende Broschüre heraus. Der Verfasser wählte einen in Cholerazeiten für treffend erachteten Vergleich: „In ganz Europa geht das Verlangen nach Preßfreiheit wie eine ansteckende Krankheit herum“, und gelangt zu dem Schluß: „Die Zensur ist aber dem Staate notwendig wie die Polizei . . . als die diskretionäre Gewalt des Hausvaters.“ Grillparzer verspottete den Autor des Pamphletes als ein „Ichneumon irgendeines diplomatischen Krokodils“, und Hieronymus Lorm urteilte von jenseits der Grenze: „Wir sprechen unsere gerechte Verachtung aus gegen jene, die sich heutzutage noch den österreichischen Zensurgesetzen unterwerfen, die nicht lieber schweigen, als ihre Muse im Polizeihaus notzüchtigen zu lassen.“ Noch im gleichen Jahr mußte Hügel sein Elaborat wegen der Aufregung, die es verursachte, zurückziehen. Im März 1848 ging – vom geistigen Österreich und den Heimgekehrten heftig akklamiert – das ganze System in die Brüche. Metternich, Sedlnitzky und die Zensur verschwanden über Nacht. Letztere allerdings nur, um bereits zwei Jahre später in nur wenig veränderter Form wiederzukehren.

# TOLERANZ ODER EMANZIPATION? Die Wiener Juden zwischen 1815 und 1848

*Wolfgang Häusler*

Ich sank zu Deinen Füßen bleich und blutend,
Ich zeigte stumm auf die Vergangenheit,
Ich sprach, im Sterben mich ermutend:
Sei Du mein Heiland, jüngste stolze Zeit!

*Friedrich Hebbel, Der Jude an den Christen*

„Was ist aber diese große Aufgabe der Zeit?" fragte Heinrich Heine, als er 1828 über das Schlachtfeld von Marengo kam, wo Napoleon Bonaparte im Anbruch des neuen 19. Jahrhunderts seinen entscheidenden Sieg über die österreichische Armee errungen hatte. Heines Antwort lautete: „Es ist die Emancipation. Nicht bloß die der Irländer, Griechen, Frankfurter Juden, westindischen Schwarzen und dergleichen gedrückten Volkes, sondern es ist die Emancipation der ganzen Welt, absonderlich Europas, das mündig geworden ist und sich jetzt losreißt von dem eisernen Gängelbande der Bevorrechteten, der Aristokratie"[1]. Der große Dichter traf den Kernpunkt der Frage: Emanzipation, das hieß praktisch gewordene Aufklärung, Ausgang aus Unmündigkeit, Beseitigung alten Unrechts. Die bürgerliche Gleichstellung der Juden konnte nur Teil der allgemeinen, politischen und sozialen Emanzipationsbewegung sein[2].

In Österreich liegen die Bedingungen dieser Emanzipation im aufgeklärten Absolutismus. Joseph II. hatte von den Juden des Habsburgerreiches zugleich mit seiner Toleranzgesetzgebung gefordert, „anders" zu werden, sich zu „nützlichen Untertanen" zu bilden. Der Reformabsolutismus zeigte den Juden einen Januskopf. Einer privilegierten Oberschicht als Initiator von Handel und Industrie sollte der Weg in die entstehende bürgerliche Gesellschaft gebahnt werden. Tatsächlich hatte das Toleranzpatent für die Wiener Juden (1782) zur Folge, daß die Eingliederung des Hofjudentums aus der Zeit des Kameralismus in die moderne, bürgerlich-kapitalistische Welt unter der Bedingung der Aufgabe jüdischer Sonderexistenz reibungslos vor sich gehen konnte[3]. Dieser schmalen, auf die Hauptstadt konzentrierten Oberschicht stand die große Masse der Juden vor allem in den Sudetenländern und in Galizien gegenüber. Auf ihnen lasteten der Druck einer kleinlichen Gesetzgebung, außerordentliche Steuern und Einschränkung der beruflichen Tätigkeit, so daß ihre soziale Außenseiterstellung nicht überwunden werden konnte.

Unter Ausschaltung ihrer fortschrittlichen Elemente entartete die josephinische Tradition unter Franz II. (I.) zu bürokratischer Staatsomnipotenz und polizeilicher Bevormundung. Die modernen Ansätze der Toleranzgesetzgebung wurden vielfach rückgängig gemacht. Das 1792, also gleich bei Regierungsantritt des Kaisers Franz, eingerichtete Wiener Judenamt sollte die jüdische Bevölkerungsbewegung kontrollieren; mittellose Juden wollte man überhaupt von der Hauptstadt fernhalten. Der dauernde Aufenthalt in Wien war nur den Tolerierten und ihren Familien gestattet, alle anderen Juden mußten unter beschämenden Schikanen an der Stadtgrenze die „Bollettentaxe", eine Neuauflage der alten Leibmaut, entrichten. Demgegenüber kam man den für die Kriegsführung gegen das revolutionäre Frankreich unentbehrlichen jüdischen Finanzmännern entgegen: Mit den „Vertretern" wurde den „Herren Tolerierten" im gleichen Jahr 1792 eine Körperschaft zugestanden, die zum Ausgangspunkt für die Artikulation gemeinsamer Interessen werden sollte. Privilegien für einige wenige, entwürdigende Repression für die Mehrzahl der Juden – dieser Widerspruch prägte die Existenz des österreichischen Judentums bis 1848. Der Wiener Kongreß stellte die Frage der Eingliederung der Juden in die nachrevolutionäre Gesellschaft nicht nur für Österreich, sondern auch für Deutschland. In Napoleons Machtbereich hatten ja Reformen Platz gegriffen, welche die Juden aus mittelalterlichen Ghettoverhältnissen entbanden; auch im Zuge der preußischen Reformen war 1812 die – freilich eingeschränkte – Rezeption der Juden als Staatsbürger erfolgt. Die preußischen Staatsmänner Hardenberg und Wilhelm von Humboldt waren es auch, die einer generellen Regelung der Rechtsstellung der Juden sympathisch gegenüberstanden; selbst Metternich verhielt sich nicht ablehnend. Die Juden der Hansestädte hatten Carl August Buchholz zu ihrem Rechtsvertreter am Kongreß bestellt. Seine Propositionen zur „Verbesserung des bürgerlichen Zustands der Israeliten" stießen aber auf die strikte Gegnerschaft der Repräsentanten der Hansestädte und Frankfurts, die von der bürgerlichen Gleichstellung der Juden eine Gefährdung ihrer Wirtschaftsinteressen fürchteten[4].

In den äußerlich strahlenden Tagen des Wiener Kongresses erlebten auch Geselligkeit und Kultur in den Salons der jüdischen Bankiersfamilien ihren Höhepunkt. An erster Stelle standen die Häuser der Schwager Nathan Adam Freiherr von Arnstein und Bernhard Freiherr von Eskeles, die mit den Töchtern des Berliner Bankiers Daniel Itzig vermählt waren. Namentlich Fanny von Arnstein hat als gefeierte Schönheit und Meisterin gepflegter Konversation ihre Zeitgenossen bezaubert. Im Arnsteinschen Salon brannte zu Weihnachten 1814 ein Lichterbaum – das jüdische Chanukka-Fest sollte in dieser einzigartigen, kulturelle Symbiose begünstigenden Atmosphäre das christliche Brauchtum befruchten. Zu den Gästen Fannys zählte auch Metternichs rechte Hand, der geschmeidige und genußsüchtige Friedrich von Gentz, der wohl gerne Gastfreundschaft und Kredit von Juden in Anspruch nahm, sich aber privat höchst abfällig über sie äußerte. Gentz ließ sich dann auch bestechen, den Artikel 16 der Deutschen Bundesakte im letzten Augenblick zuungunsten der Juden zu verfälschen: Nicht die „in" den Staaten des Deutschen Bundes geltenden Rechte der Juden, wie es ursprünglich geheißen hatte, sollten aufrecht bleiben – durch die Einsetzung der Partikel „von" wurde die Rechtskontinuität der Napoleonischen Reformen abgebrochen und die Behandlung der Juden der Kleinstaaterei der Reaktionsepoche und ihrer Misere preisgegeben.

Auch in Wien selbst hatte die äußere blendende Stellung einzelner Familien zur allgemeinen Rechtsverbesserung wenig bis nichts beigetragen. Die Epoche des Wiener Kongresses zeigte, daß die Juden „mit politischem Elend für gesellschaftlichen Glanz und mit gesellschaftlicher Verachtung für politische Erfolge gezahlt" haben[5].

Die schwerfällige Tätigkeit des österreichischen Beamtenapparats hat im Vormärz eine Flut von Akten produziert, in denen das Für und Wider bescheidenster Reformen in ermüdender Breite abgehandelt wurde – getan wurde so gut wie nichts. Lediglich die diskriminierenden Formen des Judeneides wurden 1846 abgeschafft[6]. Wichtiger als die Dürftigkeit dieser bürokratischen Maßnahmen ist die geistige und kulturelle Selbsterneuerung des Wiener Judentums geworden, das die Verbindung mit den fortschrittlichen Strömungen des Auslandes suchte. Die alten Formen des Gottesdienstes und Ritus konnten die in die Höhen der Gesellschaft vorgestoßenen jüdischen Honoratioren nicht mehr fesseln; diese Tatsache fand in der im 19. Jahrhundert stark verbreiteten Taufbewegung – Heines „Entréebillett zur europäischen Kultur"! – ihren Niederschlag. Fast alle Nachkommen der genannten Bankiers konvertierten früher oder später; besonders auffälig war das Bekenntnis eines schwärmerischen Katholizismus durch die Tochter Moses Mendelssohns, Dorothea, die sich in zweiter Ehe mit dem auch in Wien wirkenden Romantiker Friedrich von Schlegel vermählte. Geistig bedeutende Konvertiten wie der Domprediger Johann Emanuel Veith und der Staatsrat Karl Ferdinand von Hock haben maßgebend an der katholischen Restaurationsbewegung Anteil genommen.

Gegen diese für die Substanz des Judentums gefährlichen Auflösungstendenzen wurde in Wien wie in Deutschland die gottesdienstliche Reform ins Treffen geführt. Die Situation des Kultus war in Wien äußerst trist, da Joseph II. die Bildung einer Gemeinde ausdrücklich untersagt hatte. Andererseits hatten die Wiener Juden die ihnen vorgeschlagene Gründung einer jüdischen Normalschule abgelehnt, da sich die reichen Juden für ihre Kinder Hauslehrer hielten. So fehlte ein geistiges Zentrum. Die angesehenen Familien hatten Privatbetzimmer; für die Menge standen nur unzulängliche, dunkle Kulträume zur Verfügung. Der Großhändler Michael Lazar Biedermann wurde zum Wegbereiter der überfälligen Reform. Als typischer Selfmademan seiner Zeit war er aus dem Preßburger Ghetto in das Spitzenfeld der österreichischen Wirtschaft aufgestiegen. Anders als sehr vielen seiner indifferenten Glaubensgenossen war ihm die Reform ein Herzensanliegen. Allen Schwierigkeiten zum Trotz gelang im Jahre 1811 der Ankauf des Pempflingerhofes, in dem 1812 Betzimmer, rituelles Frauenbad und Religionsschule eingerichtet wurden. Biedermann hatte nicht nur äußere Widerstände zu überwinden, auch im Kreise der konservativen Wiener Juden war die Reform keine Selbstverständlichkeit. Diese Opposition führte Isak Löw Hofmann von Hofmannsthal – übrigens ein Urgroßvater des österreichischen Dichters. Auf ihn ging die Berufung von Lazar Horwitz zurück, der als „Ritualienaufseher" die Funktionen eines Rabbiners in der de jure nicht existenten Gemeinde wahrnahm.

Biedermanns Hauptanliegen war der Bau einer würdigen Synagoge und die Gewinnung eines Predigers aus dem Kreis der deutschen Reform. Mit der Errichtung des Tempels in der Seitenstettengasse durch den namhaftesten Architekten des Biedermeier, Josef Kornhäusel, in den Jahren 1825/26 setzte sich das Wiener Judentum ein bleibendes Denkmal. Der Stadttempel, der in einer gelungenen Synthese Erinnerungen an das Pantheon, die Kuppelarchitektur des Wiener Barocks mit eleganten klassizistischen Säulenreihen verschmolz, erhielt – den Bestimmungen für Gotteshäuser der tolerierten Religionsgemeinschaften entsprechend – kein Straßenportal. Als Prediger wurde der in Kopenhagen geborene Isak Noa Mannheimer berufen, der sich nach seinen eigenen Worten die „Wiedergeburt eines zerfallenen, aufgelösten Volkes, Wiederherstellung des reinen Gottesdienstes, der Einheit und Würde unserer unwissenden verwahrlosten Glaubensgenossen" zur Aufgabe machte[7]. Durch den hervorragenden Kantor Salomon Sulzer aus Hohenems, der mit Franz Schubert befreundet war und dessen Gesangskunst Liszt bewunderte, wurde die synagogale Vokalmusik auf beispielhaftes Niveau geführt[8].

Allerdings konnte die Wiener Kultusreform, die auf dem Kompromiß zwischen orthodoxer Tradition und Assimilation beruhte, die Vereinigung der sozial und herkunftsmäßig höchst unterschiedlichen Gruppen des Wiener Judentums nur sehr unvollkommen leisten. Die Bevölkerungsstruktur des Wiener Judentums hatte im Vormärz erhebliche Änderungen erfahren. Gesellschaftlich und wirtschaftlich dominierten nach wie vor die uns schon bekannten Bankiersfamilien; unter ihnen schob sich das Wiener Haus Rothschild bald in die überragende Führungsposition. Salomon Mayer Rothschilds Denkmal in der Halle des alten Nordbahnhofes (heute im Technischen Museum) erinnert an die Bedeutung dieses Bankiers für den Bau der k. k. Ferdinand-Nordbahn, der ersten überregional bedeutsamen Bahnlinie des Kontinents. Die enge Verflechtung des Staatsapparats mit der internationalen Finanzmacht Rothschilds wurde als Bündnis von politischer Reaktion und Hochfinanz gerade von der demokratischen Intelligenz jüdischer Abstammung heftig, ja zuweilen haßerfüllt kritisiert. Besonders markant haben etwa Ludwig Börne, der aus Ungarn stammende Dichter Karl Isidor Beck und Karl Marx in diesem Sinn Stellung genommen. Das Eingreifen des jungen Marx in die in den vierziger Jahren vehement geführte Diskussion um den Stellenwert der jüdischen Emanzipation im revolutionären

Wandel der Gesellschaft eröffnete neue Perspektiven: „Die Frage nach der Emanzipationsfähigkeit des heutigen Juden ist das Verhältnis des Judentums zur Emanzipation der heutigen Welt", formulierte Marx und – als Schlußsatz seiner oft interpretierten und oft mißverstandenen Schrift „Zur Judenfrage" (1843): „Die gesellschaftliche Emanzipation des Juden ist die Emanzipation der Gesellschaft vom Judentum." Das Ärgernis für Marx ist die Privilegierung einzelner, die auf Kosten der allgemeinen Emanzipation die alte politische Ordnung für ihre egoistischen Zwecke ausbeuten. Die bürgerliche Emanzipation kann daher, wie Marx meint, das Problem nicht lösen. Überhaupt ist die isolierte Stellung der Judenfrage falsch; mit der Situation des Juden ist vielmehr zugleich die entfremdete Situation des Menschen im Kapitalismus bezeichnet. Nicht die politische Emanzipation also, sondern die menschliche, das heißt soziale Emanzipation als Revolutionierung der bürgerlich-kapitalistischen, antihumanen Gesellschaft kann die „Judenfrage" aufheben. Marx' Stellungnahme wurde hier zitiert, da die deutsch-jüdische Emanzipationsdebatte am Vorabend der bürgerlichen Revolution ihre Argumente ganz wesentlich von der so widerspruchsvollen Wiener Situation bezog. Josef Wertheimers Schrift „Die Juden in Österreich. Vom Standpunkte der Geschichte, des Rechtes und des Staatsvorteiles" (2 Bde., Leipzig 1842) hatte über die Toleranz hinaus bürgerliche Gleichberechtigung gefordert; vermittelt durch die Kritik des Linkshegelianers Bruno Bauer ist so die Situation des österreichischen Judentums zum Hintergrund für die Formulierung der berühmten Thesen von Marx geworden.

Im Laufe des Vormärz war die Stellung der Juden Wiens in der Tat zu einem Schlüsselproblem der Emanzipationsbewegung geworden. Die Zahl der tolerierten Familien war von 102 im Jahre 1793 auf 197 vor der Märzrevolution angewachsen. Doch nicht dieser Umstand, sondern der allen Verboten und bürokratischen Repressalien zum Trotz erfolgende Zuzug von geistig und wirtschaftlich regen Elementen in die Metropole machte Wien zum Brennpunkt der österreichisch-jüdischen Geschichte. Die Zahl der jüdischen Einwohner Wiens (es gab keine zuverlässige Zählung) wird man gegen Ende des Vormärz auf 4000 bis 5000 schätzen dürfen.

Wien wurde ein Zentrum des hebräischen Buchdrucks; die Offizin des Edlen Anton von Schmid belieferte das Judentum der gesamten Habsburgermonarchie und über ihre Grenzen hinaus mit Literatur. Ihre Lektoren und Korrektoren kamen aus Italien, Deutschland, Galizien, Polen und Ungarn nach Wien und vermittelten vielerlei Anregungen. Die Auseinandersetzung der Tradition mit der Moderne wurde in diesen Kreisen zum befruchtenden Dialog, in dem die Haskala, die jüdische Aufklärung, wurzelte[9]. In Wien bündelten sich die Verbindungslinien des Ostjudentums zur europäischen Kultur.

Noch erschien den Juden aus den Provinzen die Niederlassung in der Kaiserstadt als Erfüllung ihrer Wünsche; nur als Curiosum mag ein Auswanderungsprojekt nach Palästina erwähnt werden. Als Adolphe Crémieux, der Wortführer des französischen Judentums, im Zuge der Damaskus-Affäre 1840 – eine an den ungeklärten Tod eines Kapuziners anknüpfende blutige Judenverfolgung – nach Wien kam, überreichten ihm zwei jüdische Studenten aus Böhmen bzw. Mähren ein Projekt zur jüdischen Kolonisation in Palästina. Der Plan, für den sich auch Sedlnitzkys Polizei interessierte, wurde allerdings nicht weiterverfolgt[10].

Eine neue Generation war herangewachsen. Die etablierte Honoratiorenschicht hatte durch ihr politisches Verhalten zu erkennen gegeben, daß sie sich mit dem wirtschaftlichen Bündnis mit der Staatsmacht und den daraus resultierenden Privilegien zufrieden gab; ein Kampf um allgemeine Freiheitsrechte lag außerhalb ihres Gesichtskreises. Umso entschlossener nahm sich die junge jüdische Intelligenz Wiens der politischen, sozialen und nationalen Forderungen der Revolution von 1848 an. Von der ersten Stunde der Revolution an standen Juden an vorderster Front. Am 13. März waren es vor allem jüdische Mediziner, die der spontan in Gang gekommenen Demonstrationsbewegung politische Ziele setzten. Die berühmt gewordene Rede des Sekundararztes Dr. Adolf Fischhof im Landhaushof gab der Revolution ihr durchschlagendes Programm[11]. Später war Fischhof – gewiß eines der größten politischen Talente des 19. Jahrhunderts in Österreich – durch sein Wirken im Sicherheitsausschuß und im Reichstag einer der markantesten liberalen Politiker des Revolutionsjahres. Dr. Ludwig August Frankl schrieb der jungen Revolution mit seinem oft vertonten Gedicht „Die Universität" die Hymne.

Groß waren die Hoffnungen, die sich auch für die Juden an die Errungenschaften der Märztage knüpften. Bei der feierlichen Beisetzung der Märzgefallenen – unter ihnen zwei Juden, der junge Technikstudent Karl Heinrich Spitzer und der Webergeselle Bernhard Herschmann – fanden diese Hoffnungen auf einen Ausgleich der konfessionellen Unterschiede im Geiste humanitärer Toleranz und gemeinsamen Kampfes um die Freiheit ihren Ausdruck. Seite an Seite mit dem katholischen Priester Anton Füster, dem späteren Feldkaplan der Akademischen Legion, betonte Isak Noa Mannheimer diesen Gedanken eindrucksvoll in seiner Grabrede:

„Ihr habt gewollt, daß die toten Juden da mit Euch ruhen in Eurer, in *einer* Erde. Sie haben gekämpft für Euch, geblutet für Euch! Sie ruhen in Eurer Erde! Vergönnt nun aber auch denen, die den gleichen Kampf gekämpft und den schwereren, daß sie mit Euch leben auf *einer* Erde, frei und unbekümmert wie Ihr."

Die Emanzipation der Juden, die man in der Begeisterung der Märztage für eine Selbstverständlichkeit gehalten hatte, erwies sich aber in der Folge als eines der am schwierigsten zu lösenden Probleme der demokratischen Neugestaltung. Das Jahr 1848 hat nicht nur die Prinzipien des Liberalismus und der Demokratie verkündet, es ist auch das Geburtsjahr eines aggressiven Antisemitismus geworden, dessen Folgen noch lange zu spüren waren. Die letzten Gründe für diesen Antisemitismus sind in den ökonomisch zurückgebliebenen Verhältnissen Österreichs zu suchen – es ist mit Recht betont worden, daß für die Erforschung des Phänomens Antisemitismus die Erhaltung vorkapitalistischer Klassen und soziale Stagnation besonders beachtet werden müssen.

So traten der bürgerlichen Emanzipation der Juden ernste Hindernisse in den Weg. Man hatte versucht, durch eine Massenpetition für den Gedanken der Emanzipation in der Öffentlichkeit zu werben – ein keineswegs von allen Juden befürworteter Schritt. Deputationen bei dem Wiener Erzbischof Milde und beim Kaiser blieben erfolglos, gleichzeitig meldeten sich in großen Auflagen verbreitete Flugblätter gegen die Emanzipationsbestrebungen lautstark zu Wort. Eine

Durchsicht dieser Pamphlete vermittelt einen traurigen Querschnitt der antiliberalen und antisemitischen Argumentation. Schon hier werden die Juden als Urheber der Revolution denunziert; im Falle ihrer Emanzipation wird offen mit Judenverfolgungen gedroht. Die alten Motive des Hasses gegen den Andersgläubigen verquicken sich mit ökonomisch begründetem Konkurrenzneid des Krämers und Kleingewerbetreibenden zu einem unerfreulichen Gemenge. Auf jüdischer Seite reagierte man mit Bestürzung auf diesen unerwarteten Ausbruch antisemitischer Leidenschaften. Die Hoffnung der Märztage auf sofortige Gleichstellung war zerstoben, die Juden sahen sich vor die Perspektive einer langwierigen Auseinandersetzung mit einer feindlichen Umwelt gestellt. Das „Österreichische Central-Organ für Glaubensfreiheit, Cultur, Geschichte und Literatur der Juden" wurde zum Spiegel dieser Entwicklung; sein Herausgeber, Isidor Busch, emigrierte in der Reaktionszeit nach den USA.

Nur einige Aspekte des frühen Antisemitismus können hier hervorgehoben werden. Als dunkles Erbe der Vergangenheit begegnet uns immer noch der Antijudaismus spezifisch christlicher Prägung, der sich im „Juden" ein Feindbild schuf. Ludwig Börne sprach treffend von einem „unerklärlichen Grauen, welches das Judentum einflößt, das wie ein Gespenst, wie der Geist einer erschlagenen Mutter das Christentum von seiner Wiege an höhnend und drohend begleitete". Der publizistische Wortführer dieser Richtung war der Priester Sebastian Brunner, der mit Recht als Bindeglied „zwischen dem christlichen Antijudaismus eines Abraham a Sancta Clara und dem katholischen Antisemitismus der christlichsozialen Bewegung des späten 19. Jahrhunderts" bezeichnet wurde[12]. In der „Wiener Kirchenzeitung" hat Brunner die Motive seines Kampfes dargelegt: Er, der selbst aus dem Wiener Gewerbe, der Seidenweberei des Schottenfeldes, stammte, erblickte in den aufsteigenden kapitalistischen Wirtschaftsformen die Entchristlichung einer heilen Gesellschaftsordnung – Schuld daran hätten die Juden und ihr zersetzender Geist. Der katholische Antisemitismus, dem Brunner die Schlagworte geliefert hatte – auch die Ritualmordbeschuldigungen hat er wieder in die Öffentlichkeit gebracht –, fand seinen Erben in der christlichsozialen Bewegung des Wiener Kleinbürgertums in der zweiten Jahrhunderthälfte. Mit einiger Berechtigung bezeichneten die Nationalsozialisten den ehemaligen Artillerieunteroffizier Johann Quirin Endlich als Antisemiten in ihrem Sinn. Endlich, der sich 1848 und in der Reaktionszeit publizistisch betätigte, vertrat sozusagen den absoluten Antisemitismus, für ihn war „der Jude überall gleich". Er stellte die Synthese zwischen dem alten christlichen Judenhaß und dem Rassenantisemitismus her – ihm galt „der Jude" als schlechthin böse. Zur Begründung dieser These wurden Behauptungen vorgebracht, daß Juden zu jedem Umsturz geneigt und die schlimmsten Ausbeuter in den Fabriken seien. Charakteristisch ist hier, daß zwischen den sozialen Gruppen der Juden kein Unterschied gemacht wird; der demokratische Revolutionär erscheint dem Antisemiten als ebenso typisch „jüdisch" wie der wirtschaftstreibende, politisch konservative Jude[13].

Die Niederlage in der Entscheidungsschlacht des Wiener Oktobers 1848 drängte die fortschrittlichen Kräfte in die Defensive – der siegreichen Reaktion galten die als fremde Aufwiegler bezeichneten Vertreter der jüdischen demokratischen Intelligenz als besonders gefährlich und verfolgungswürdig. Aus ihren Reihen fiel der am 23. November 1848 erschossene Dr. Hermann Jellinek, ein Bruder des bedeutendsten Predigers der Wiener jüdischen Gemeinde in der liberalen Ära, Dr. Adolf Jellinek. „Man brauchte eben einen Juden und hatte sonst keinen zur Hand", kommentierte Bauernfeld mit bitterem Sarkasmus diesen Justizmord der Gegenrevolution[14].

Der Sieg der konservativen Kräfte über die Revolution zeitigte auch für das österreichische Judentum schwerwiegende Folgen. Noch konnte der nach Kremsier verlegte Reichstag die bürgerliche Gleichstellung aller Konfessionen im liberalen Sinn kodifizieren. Die Auflösung des Reichstages und die Proklamation der oktroyierten Verfassung im März 1849 setzten auch einen Schlußpunkt unter die aus der Revolution geborenen Entwürfe der bürgerlichen Grundrechte. Immerhin kannte auch die neue Verfassung keinen Unterschied der Bekenntnisse, doch trat sie nie ins Leben, und der Neoabsolutismus brachte wieder eine teilweise Rückkehr zur Rechtsungleichheit des Vormärz für die Juden. Erst die liberale Ära knüpfte mit der bürgerlichen Gleichstellung der Angehörigen aller Konfessionen (1867) an den Kremsierer Reichstag und das Vermächtnis der Revolution an. Unter den jüdischen Honoratioren herrschte große Freude, als der junge Kaiser Franz Joseph I. am 3. April 1849 in einer Ansprache die Wendung „israelitische Gemeinde von Wien" gebrauchte – daran konnte der Aufbau einer Kultusgemeinde im Rechtssinn anknüpfen.

Die im Vormärz wurzelnden Probleme der jüdischen Existenz in der bürgerlichen Gesellschaft waren aber damit nicht gelöst[15]. Allzu lange war die überfällige Emanzipation hinausgeschoben worden; die gewaltsame Unterdrückung der bürgerlich-demokratischen Revolution hatte auch für das Judentum tiefgreifende negative Folgen. Eine nicht emanzipierte Gesellschaft war außerstande, ihre Minderheiten zu integrieren; soziale Konflikte wurden auf dem Rücken der Juden ausgetragen. Der in mittelalterlich-barokker Tradition wurzelnde Judenhaß wurde um die Mitte des 19. Jahrhunderts zum Untergrund jenes nicht nur gegen die Juden, sondern gegen die Menschlichkeit selbst gerichteten Antisemitismus, dessen schreckliche Konsequenzen unser Jahrhundert gezeigt hat und zu dessen Bekämpfung wir stets aufs neue aufgerufen sind.

**Anmerkungen:**

[1] Heinrich Heine, Reise von München nach Genua, Kap. 29. Das Wort „Emanzipation" wurde in dieser Zeit von der Debatte um die Emanzipation der britischen Katholiken auf die Juden übertragen und fand seit den dreißiger Jahren Eingang in die deutsche politische Terminologie.

[2] Für ausführliche Quellen- und Literaturhinweise vgl. Wolfgang Häusler, Toleranz, Emanzipation und Antisemitismus. Das österreichische Judentum des bürgerlichen Zeitalters (1782–1918), in: Das österreichische Judentum. Voraussetzungen und Geschichte, 2. Aufl., Wien – München 1982, S. 83 ff.; Das Judentum im Revolutionsjahr 1848, Studia Judaica Austriaca 1, Wien – München 1974; Der Weg des Wiener Judentums von der Toleranz zur Emanzipation, in: Jahrbuch des Vereins für Geschichte der Stadt Wien 30/31 (1974/75), S. 84 ff.; Das österreichische Judentum zwischen Beharrung und Fortschritt, in: Die Habsburgermonarchie 1848–1918, Bd. 4, Wien 1985, S. 633 ff. Von älteren Werken ist immer noch grundlegend: Sigmund Mayer, Die Wiener Juden. Kommerz, Kultur, Politik 1700–1900, 2. Aufl., Wien – Berlin 1918; Ludwig Bato, Die Juden im alten Wien, Wien 1928; Hans Tietze, Die Juden Wiens. Geschichte – Wirtschaft – Kultur, Wien – Leipzig 1933. Weiterführende neuere Literatur: Hanns Jäger-Sunstenau, Geadelte Judenfamilien im vormärzlichen Wien, Diss. Wien 1951; Hilde Spiel, Fanny von Arnstein oder die Emanzipation, Frankfurt 1962; Karl Heinrich Rengstorf – Siegfried von Kortzfleisch (Hrsg.), Kirche und Synagoge. Handbuch zur Geschichte von Christen und Juden, 2 Bde., Stuttgart 1968–1970; 1000 Jahre österreichisches Judentum, Ausstellungskatalog Eisenstadt 1982.

[3] Vgl. zuletzt Joseph Karniel, Die Toleranzpolitik Kaiser Josephs II., Gerlingen 1985.

[4] Salo Baron, Die Judenfrage auf dem Wiener Kongreß, Wien – Berlin 1920.

[5] Hannah Arendt, Elemente und Ursprünge totaler Herrschaft, Frankfurt 1955, S. 95.

[6] Alfred F. Přibram, Urkunden und Akten zur Geschichte der Juden in Wien 1526–1847, Quellen und Forschungen zur Geschichte der Juden in Deutsch-Österreich 8, Wien – Leipzig 1918.

[7] Vgl. Sigmund Husserl, Gründungsgeschichte des Stadt-Tempels der israelitischen Kultusgemeinde Wien, Wien – Leipzig 1906; Moses Rosenmann, Isak Noa Mannheimer. Sein Leben und Wirken, Wien – Berlin 1922; 150 Jahre Wiener Stadttempel, Wien 1976; Der Wiener Stadttempel 1826–1976, Studia Judaica Austriaca 6, Eisenstadt 1978.

[8] Hanoch Avenary (Hrsg.), Kantor Salomon Sulzer und seine Zeit, Sigmaringen 1985.

[9] Bernhard Wachstein – Israel Taglicht – Alexander Kristianpoller, Die hebräische Publizistik in Wien, Quellen und Forschungen zur Geschichte der Juden in Deutsch-Österreich 9, Wien 1930.

[10] Nathan Michael Gelber, Zur Vorgeschichte des Zionismus, Judenstaatsprojekte in den Jahren 1695–1845, Wien 1927, S. 203 ff.

[11] Richard Charmatz, Adolf Fischhof. Das Lebensbild eines österreichischen Politikers, Stuttgart – Berlin 1910, S. 19 ff.

[12] Erika Weinzierl, in: Rengstorf-Kortzfleisch, a. a. O., Bd. 2, S. 499.

[13] Vgl. zum Komplex des frühen Antisemitismus: Eleonore Sterling, Judenhaß. Die Anfänge des politischen Antisemitismus in Deutschland (1815–1850), Frankfurt 1969; Dorothea Weiß, Der publizistische Kampf der Wiener Juden um ihre Emanzipation in den Flugschriften und Zeitungen des Jahres 1848, Diss. Wien 1971.

[14] Eduard Bauernfeld, Ausgewählte Werke (Hrsg. Emil Horner), Bd. 4, Leipzig o. J., S. 193.

[15] Vgl. Reinhard Rürup, Emanzipation und Antisemitismus. Studien zur „Judenfrage" in der bürgerlichen Gesellschaft, Kritische Studien zur Geschichtswissenschaft 15, Göttingen 1975; John Bunzl – Bernd Marin, Antisemitismus in Österreich. Sozialhistorische und soziologische Studien, Innsbruck 1983.

# „SCHERZ, SATIRE, IRONIE UND TIEFERE BEDEUTUNG“

*Wolfgang Häusler*

Wir treiben jetzt Familienglück –
Was höher lockt, das ist von Übel –
Die Friedensschwalbe kehrt zurück,
Die einst genistet in des Hauses Giebel.

Gemütlich ruhen Wald und Fluß,
Von sanftem Mondlicht übergossen;
Nur manchmal knallts – ist das ein Schuß?
– Es ist vielleicht ein Freund, den man erschossen.

*Heinrich Heine, Im Oktober 1849*

Die Namensschöpfung „Biedermeier“ führt uns mitten in die Satire dieser Zeit: Der Arzt Adolf Kußmaul und der Jurist Ludwig Eichrodt verfaßten in Nachahmung der unfreiwillig komischen Ergüsse des 1848 verstorbenen Dorfschulmeisters Samuel Friedrich Sauter für die Münchener „Fliegenden Blätter“ Scherzgedichte unter dem fingierten Namen Gottlieb Biedermeier[1]. Diese Symbolfigur des beschränkten Untertanenverstandes hat sich, wie wir wissen, seit der Jahrhundertwende von der Kunst- und Literaturgeschichte her auf mancherlei Umwegen der Epoche deutscher und österreichischer Geschichte zwischen Wiener Kongreß und Märzrevolution bemächtigt. „Biedermeier“ meint aber von seinen Ursprüngen her nicht Nostalgie, nicht die gute alte Großväterzeit (die in der imaginierten Form niemals existierte), sondern ironische Distanz zum philiströsen Bürgertum des Vormärz, das seine historischen Möglichkeiten versäumte.

Die Kluft zwischen Sein und Schein, in der Satire wurzelt, war selten so tief wie in dem nur oberflächlich befriedeten Zeitraum zwischen den europäischen Revolutionen. In Biedermeiers Welt brach sich das Massen- und Industriezeitalter Bahn, rang das Bürgertum um den ersten Platz in Gesellschaft und Staat, kündigte sich die soziale Frage stürmisch an. Die Stabilitätspolitik Metternichs, dessen Galaauftritt die Epoche eingeleitet hatte, sollte sich als illusorisch erweisen. Alles geriet in Bewegung, an allem war zu zweifeln.

Fragen wir mit Grabbe nach der „tieferen Bedeutung“ von „Scherz, Satire, Ironie“ im österreichischen Biedermeier! „Mir kam es vor, als lache es dabei innerlich in ihm“, erinnerte sich Bauernfeld an eine Audienz bei Kaiser Franz I. (1829) und noch in dessen Todesjahr 1835 an eine „trockene Lache“ des alten Herrn[2]. In jüngeren Jahren hatte der scheinbar so pedantisch-nüchterne Monarch Spaß daran, die Dinge auf den Kopf zu stellen – man denke an das bizarre „Haus der Laune“ im Laxenburger Schloßpark. Der Zynismus des Kaisers wurde allerdings für den schärfsten Kritiker Alt-Österreichs, Charles Sealsfield/Karl Postl, ein Indiz für den „im Gewande größter Biederkeit“ und „in der väterlichsten Weise“ geübten Despotismus. „Das ist eine, die einen Puff aushalten wird; das ist recht, wenigstens hab' ich nicht wieder in vierzehn Tagen eine Leich'!“ – soll Franz beim ersten Anblick seiner vierten Gemahlin, Carolina Augusta von Bayern, seinem Oberstkämmerer zugeflüstert haben[3].

Im Vormärz sind Satire und Zensur komplementäre Begriffe. Als aus Schillers „Räubern“ das Wort „Franz heißt die Kanaille“ gestrichen wurde (Begründung: „Es könnte das als Anspielung auf S. M. den Kaiser genommen werden“), kommentierte der Betroffene: „Unsere Zensur ist wirklich blöd“[4]. Mit Zensuranekdoten könnte man ein heiteres Büchlein füllen – rasch noch zwei Beispiele für viele: In einem Theaterstück sollte ein Mädchen ihrem stürmischen Liebhaber entgegnen: „Der Weg zu meiner Kammer, mein Herr, führt durch die Kirche“, wobei der Zensor aus „Kirche“ sinnigerweise „Küche“ machte. – Am Burgtheater hatte ein Schauspieler zu sagen: „Da möcht' ich ja lieber ein Pfaffe werden!“ Die Zensur strich den „Pfaffen“ und setzte dafür einen „Schuft“ ein[5].

Das Thema geistiger Unterdrückung ist allerdings zu ernst, um unbefangener Erheiterung zu dienen. Der Druck der Zensur, der das geistige und literarische Leben vergiftete, hat aber auch das Gefühl für sprachliche Nuancen und Doppeldeutigkeiten ungemein geschärft. Wir möchten meinen, daß die Ausdrucksformen der österreichischen Literatur dadurch in weit höherem Maß geprägt worden sind, als dies gemeinhin bewußt ist. „Satiren, die der Zensor versteht, werden mit Recht verboten“, bemerkte noch Karl Kraus.

„Der Mensch soll lustig sein, sich betrinken, Zoten reißen, allenfalls eine Baumwollspinnerei anlegen und Adolf Bäuerles Theaterzeitung lesen“, so kennzeichnete Victor von Andrian-Werbung den behördlich konzessionierten Humor des Österreichers[6]. Nicht nur Bäuerles vielgelesenes seichtes Blatt, auch die humoristischen Zeitschriften im engeren Sinn spiegeln diese Situation wider. Die „Briefe eines Eipeldauers an seinen Herrn Vetter in Kakran über d'Wienstadt“, in ihren besten Jahren volkstümlicher Wortführer der josephinischen Aufklärung, degenerierten zu einem polizeilich gesteuerten Organ; der einst so kecke Spottvogel entschlief 1821 unter Bäuerles Redaktion als zahnloser Greis. Die „Komischen Briefe des Hans-Jörgel von Gumpoldskirchen“ setzten die regierungsfromme Linie seit 1832 fort und hetzten 1848 unter der Redaktion des gesinnungslosen Geschäftemachers Johann B. Weis gegen Demokraten und Juden. Es wäre einer Untersuchung wert, wieviel der zählebige „Hans-Jörgel“ zur Prägung und Fixierung von Vorurteilen des „dummen Kerls von Wien“ beigetragen hat.

Auch die Erwähnung der Zote in Andrians Kritik verdient ernstgenommen zu werden. Der Witz „ermöglicht die Befreiung eines Triebes gegen ein im Wege stehendes Hindernis, er umgeht dieses Hindernis und schöpft somit Lust aus einer durch das Hindernis unzugänglich gewordenen Lustquelle“, definierte Sigmund Freud[7]. Es ist in unserem Zusammenhang merkwürdig, daß sich in die Begriffssprache der Psychoanalyse der Terminus „Traum*zensur*“ eingeschlichen hat. Die Verdrängung der Sexualität aus der Sphäre öffentlicher, gemeinschaftsbildender Komik läßt sich an der Zentralfigur der Wiener Volksbühne verfolgen: Die Aufklärung – und mit ihr die bürgerliche Sexualmoral – nahm Anstoß an der unverhüllten Freß-, Sauf-, Sexual- und Fäkalkomik des barocken Hanswurst, der als Höhepunkt seiner Lazzi buchstäblich die Hose herunterzulassen pflegte. Wie bezeichnend war nicht in dieser Hinsicht Hanswursts Wandlung zu dem in hohem Diskant krähenden Kasperle Laroches, weiter zum kindischen Thaddädl Hasenhuts und endlich zum spießbürgerlich angepaßten Staberl Bäuerles!

Hinter der Fassade bürgerlicher Wohlanständigkeit trieben Prostitution und Perversion ihre Sumpfblüten. In der 1826 aufgelösten Ludlamshöhle, in der die geistige Elite Wiens (Grillparzer!) verkehrte, bestritt die Zote einen guten Teil der Herrenabende. Der „Wiener Phäake" Ignaz Franz Castelli, genannt „Charon der Höhlenzote", exzellierte in der „Frivolitätswissenschaft", die zu den obligaten Prüfungsfächern der Neophyten zählte. Bei den Wirtshausunterhaltungen der unteren Volksschichten gaben Harfenist(inn)en den Ton an, der an krasser Deutlichkeit nichts zu wünschen ließ. Die obszönen Vierzeiler aus den Bierschenken und Bordellen des Spittelberges machten ihre Runde durch ganz Wien. In dieser überreizten Atmosphäre sah und hörte man „Unanständiges", auch wenn es – wie im Falle der Stücke und der Schauspielkunst Nestroys – nach unseren Begriffen kaum gegeben sein konnte. Die hier angedeutete Fehlentwicklung hat dazu geführt, daß im Sturmjahr die schüchternen Ansätze zur Frauenemanzipation von der Männerwelt lediglich als frivole Libertinage gesehen wurden – zahlreiche pornographische Karikaturen dokumentieren diese Verklemmtheit[8].

Mit den dahingeschwundenen Formen geselliger Kommunikation im Gasthaus, auf Markt und Straßen hat auch der „G'spaß" der Biedermeierzeit seine Lebensluft verloren. Es ist wieder Castelli, der uns seine „Bären" aus dem Biedermeierwien aufbindet. Wenn auch gefiltert und gesiebt, dringt aus den Wechselreden von Marktweibern, Fuhrleuten, Hausmeistern und – Inbegriff Altwiener Schlagfertigkeit – Schusterbuben doch noch ein Nachhall des lebendigen Wortwitzes an unser Ohr[9].

Wer kennt heute von Moriz Gottlieb Saphir – „lebenslänglicher Prätendent des Titels ‚deutscher Humorist', geistreicher Schriftsteller von Gnaden einiger befreundeter Blätter, . . . populärer Volkscharakter ohne gefährliche Folgen", wie er sich selbst bezeichnete[10], mehr als den Namen? Nachdem Saphir Berlin und München unsicher gemacht hatte, gründete er 1837 in Wien den „Humorist". Gewiß ist die Überschätzung, mit der einst seine Wortspiele und Deklamationen von einem dankbaren Publikum beklatscht wurden, nicht am Platz – allzu groß ist seine Ähnlichkeit mit dem von ihm selbst karikierten „Anekdoten-Krampus". Doch dürfte es hoch an der Zeit sein, ihn vor den Verdammungsurteilen seiner Zeitgenossen (Grillparzer und Nestroy haßten ihn) zu rehabilitieren und sein Werk als Zeitphänomen zu würdigen. Saphirs jüdische Herkunft verurteilte ihn zu einer Außenseiterrolle im literarischen und gesellschaftlichen Leben. Der Witz, so meinte er sarkastisch, müsse sich ja durch die Zensur „beschneiden" lassen, so daß „er sich selbst für einen Juden" ansehen müsse. Dann aber nimmt Saphir – der protestantisch Getaufte! – Bezug auf das „tragische Schicksal dieser Nation", in dem er das Wesen ihres Witzes erkennt: „Das Christentum hat seinen alten greisen Vater: das Judentum, mehr als totgeschlagen, es hat ihn in ein finsteres Loch gesperrt, Luft und Licht geraubt und reicht ihm elende Kost. Es bleibt diesem gemißhandelten Vater nichts übrig, als in herzzerreißender Resignation, in der tollen Lustigkeit der Ohnmacht, aus seinem Kerker herauszulachen. Klagen und Worte kann man ersticken, aber lachen, fürchterlich lachen, gräßlich lachen kann auch der Geknebelte[11].

Die Lektüre des „Humoristen" und verwandter Postillen des Wiener Biedermeier ist ein Vergnügen, das dem Leser des 20. Jahrhunderts nur knapp vor dem Einschlafen anzuraten ist. Umso überraschender ist der Fund eines satirischen Textes, der aufhorchen läßt. Der Autor heißt Franz Gräffer und ist jedem an der Kulturgeschichte der josephinisch-franziszeischen Epoche Interessierten als Polyhistor, Biblio- und Lexikograph bekannt[12]. Da stößt man im „juxigen Wirrwarr" der Gräfferschen Anekdotensammlungen und „Dosenstücke" auf ein Büchlein mit dem Titel „Wienerische Kurzweil, oder lustige, drollige, auch possenhafte und schnurrige Auftritte, Geschichtchen, Gattungsstücke und andere derley Schilderungen – Wien betreffend und die Wiener", erschienen 1846, Castelli und Saphir gewidmet. Das ist, als ob ein Wirbelwind sich in toller Laune des Zettelkastens des kauzigen Privatgelehrten bemächtigt hätte. Gräffers Komik stammt aus barocker und josephinischer Tradition und liest sich wie vorweggenommener Herzmanovsky-Orlando. Herr Farilari, „ein charmanter Herr, schon ältlich, aber rüstig und lebensfreudig", der sich mit seinem Kinderballett beim „Wirt zum kupfernen Lanner, gegenüber dem goldenen Strauß" einquartiert, könnte ein Vorfahre des „wirren Amanten" Hofsekretär Jaromir Edler von Eynhuf im „Gaulschreck im Rosennetz" sein. Man muß selbst die grotesken Rückgriffe auf die Wiener Geschichte nachlesen oder die Abenteuer des Chinesen Hu-wau-wau-tsi", der nach „Rhinozeros" (= Wien) kommt, als Mohr verkleidet, „denn an die Chinesen ist man noch nicht gewohnt". Gräffers geistige Ahnen heißen Abraham a Sancta Clara und E. T. A. Hoffmann. Seine Sprachartistik tanzt den Kehraus mit den bunten Phantomen der zu Ende gehenden Biedermeierzeit, mit ihren seltsamen Dämonen und zerbrochenen Illusionen. Gräffers Ende war eines großen Österreichers würdig: Er kam ins St. Marxer Armenhaus und starb 1852 in der Döblinger Irrenanstalt. In diesen Instituten konnte man damals Leuten wie Madersperger und Lenau begegnen. Einer seiner letzten Vorschläge galt dem „gesunden Unfug" einer „Lachanstalt": „Burleske, groteske Marionettenspiele, Anekdoten szenisch . . . Man kann auch einen oder einige Vorlacher haben; dann jocose Sprungkobolde, die unter den Leuten, dem Publikum selbst, wie Dämone, wie Überall und Nirgend, herum hüpfen, allerlei Spuk und Schelmereyen und Kurzweil aus dem Stegreif treibend. Tausenderley Stoff liefern die Anlässe der Zeit selbst." Die Philosophie des verrückten Antiquars wiegt viele gelehrte Abhandlungen über die Ästhetik des Komischen auf: „Lachen heißt glücklich sein. Während der Periode des Lachens selbst sind alle störenden Elemente weggebannt, der Lachgeist hat alle Sorgen, allen Ärger, allen Schmerz getötet. Vielleicht ist das Lachen das reinste, vollkommenste, höchste Glück."

Nur mit einem flüchtigen Seitenblick können wir die Volksbühne als „Lachtheater" (so die zeitgenössische Bezeichnung für das Leopoldstädter Theater) streifen, auf die Staberl-Figur als Soziogramm des Wiener Kleinbürgertums hinweisen, an die Rolle von Travestie und Parodie und an das Zerbrechen Ferdinand Raimunds zwischen humoristischer Versöhnung und satirischer Entlarvung erinnern[13].

Die Quellen josephinischer, scharf antiklerikaler Weltanschauung speisten die zu politischer Dichtung hohen Ranges geformten „Spaziergänge eines Wiener Poeten" (1831) des liberalen Grafen Anton Auersperg, der unter dem Pseudonym Anastasius Grün schrieb. Ihm und seinen zahlreichen Nachfolgern erwuchs auf konservativer Seite mit dem Priesterpublizisten und -dichter Sebastian Brunner ein knorriger, vor keiner Derbheit zurückscheuender Gegner („Der Nebeljungen Lied", 1845; „Der deutsche Hiob" 1846; „Die Prinzenschule zu Möpselglück", 1848).

Zum Sturmvogel der Revolution wurde – Beaumarchais' „Tollem Tag" vergleichbar – Bauernfelds Lustspiel „Großjährig", das im November 1847 „auf die politisch keuschen Bretter des Hofburgtheaters" geschmuggelt wurde. „Blase"-Metternich wurde dem Gelächter eines „großjährig" gewordenen Publikums preisgegeben.

Das Feld, das der Revolutionssturm der Satire und Karikatur eröffnete, war unermeßlich groß. Noch in den Märztagen zeigte Anton Zampis auf seiner klassisch gewordenen Karikatur „Jede Constitution erfordert Bewegung" den einst allmächtigen, nun mit langer Nase aus Wien davonlaufenden Staatskanzler; auch Johann Christian Schoeller und Cajetan von der Theaterzeitung wurden zu fruchtbaren politischen Karikaturisten[14]. August Pettenkofen reichte in Technik und Aussagekraft seiner sozialkritischen Lithographien an die Großen Frankreichs, Daumier und Gavarni, heran.

Das wichtigste Wiener Karikaturenblatt, Sigmund Engländers „Katzenmusik"[15], knüpfte an die meistverbreitete Protestform des Sturmjahres an: Das oft mit satirischen Elementen durchsetzte Charivari als mißtönendes nächtliches Konzert erfaßte, ausgehend von studentischem Brauchtum und Roderich Benedix' am 1. April 1848 im Theater an der Wien aufgeführtem Stück „Das bemooste Haupt", breite Schichten der Vorstadtbevölkerung. Die Katzenmusik – verewigt in Nestroys „Freiheit in Krähwinkel" und in Johann Strauß' (Sohn) „Liguorianer-Seufzer-Polka" – machte Hausherren, Bäckern und Fleischhauern das Leben sauer, stürzte Minister und vertrieb Erzbischof Milde und den Redemptoristenorden aus Wien. Der Respekt vor Autoritäten schwand zusehends. Beim Hainbacher Kommers zu Pfingsten verspotteten die Studenten die Symbolfiguren des gestürzten Absolutismus, aber auch die Drahtzieher der Reaktion in einem kecken Mummenschanz. Als Kaiser Ferdinand im August aus Innsbruck nach Wien zurückkehrte, defilierte die Akademische Legion unter den flotten Klängen eines Marsches, der sich an das studentische Fuchslied anlehnte. Sein majestätsbeleidigender Text („Was kommt dort von der Höh' . . . der lederne Herr Papa, ça, ça, Herr Papa") brachte die „Gutgesinnten" in Harnisch. In deutschen Karikaturenblättern war der „gütige" österreichische Kaiser zu einer wasserköpfigen Witzfigur geworden.

Die Revolutionssatire erreichte ihren Höhepunkt bei Johann Nestroy, wobei hier auf die Forschungskontroverse um das Nestroy-Bild nicht eingegangen werden kann – sie reicht vom „konservativen" Nestroy Rio Preisners bis zu Ernst Fischers „Jakobiner der österreichischen Vorstadtbühne"[16]. Die Burleske „Die schlimmen Buben in der Schule" zur Eröffnung des neuerbauten Carl-Theaters am 10. Dezember 1847 präludierte der Revolution; am 13. März 1848 spielte die Leopoldstadt den „Lumpazivagabundus". Nestroys Auftritt als Nationalgardist gemeinsam mit seinem beleibten und beliebten Kollegen Wenzel Scholz konnte nichts daran ändern, daß er in Katzenmusiken gegen Direktor Carl involviert wurde und mit den „Anverwandten" im Mai einen handfesten Theaterskandal erlebte. Nur vor diesem Hintergrund sind die Zwischentöne der „Freiheit in Krähwinkel" zu verstehen, die vom 1. Juli bis 4. Oktober 1848 auf dem Spielplan stand. Der Sieg über Metternich und seine Helfershelfer, den verschlagenen Ratsdiener Klaus und den aufgeblasenen Rummelpuff – Bürokratie und Armee – wird vom Krähwinkler Volk unter Ultras Führung nicht in offenem Kampf, sondern durch spielerische Überrumpelung errungen. Nestroy blieb gegenüber Freiheit und Fortschritt skeptisch. Während sich die geschäftigen Akteure noch an Fackelzug, Arndts „Deutschem Vaterland" und Strauß' „Revolutionsmarsch" ergötzen, lauert das „Gespenst" der Reaktion schon in den Kulissen. Kein anderer Satiriker hat so präzise wie Nestroy die Schwächen der „loyalen Revolution" – „a bisserl Revolution anschauen" – diagnostiziert. Die Realität selbst lieferte eines Nestroy würdige Witze: In den glorreichen Maitagen gab es tatsächlich eine „k. k. Barricade" in der Naglergasse – eine Lithographie F. Werners hat sie festgehalten mitsamt der schwarzrotgoldenen Fahne und den von Nestroy apostrophierten Kreideinschriften auf den Gewölbetüren „Heilig das Eigentum". In eine Gesamtdarstellung von Nestroys Verhältnis zur Revolution gehören auch seine Epiloge („Lady und Schneider", „Höllenangst", „Der alte Mann mit der jungen Frau" und vor allem die hintergründige Hebbel-Travestie „Judith und Holofernes").

Dem großen „Durchblicker" Nestroy ist nur *ein* Zeitgenosse – mit gebührendem Respektabstand – an die Seite zu stellen: der „Wiener Aristophanes" Bauernfeld, der schon 1844 mit seiner „Reichsversammlung der Tiere" und dann 1848 mit der „Republik der Tiere" treffsicher Aufstieg und Krise der bürgerlichen Revolution prophezeite[17].

Nach der Niederlage der Revolution haben österreichische Dichter die Ursachen für ihr Scheitern kritisch-satirisch durchleuchtet. Hier ist der Deutschböhme Alfred Meißner mit seiner 1850 anonym erschienenen, grimmigen Satire „Der Sohn des Atta Troll. Ein Winternachtstraum" zu nennen, die den Sohn des Heineschen Tendenzbären, Michel Troll, in der Frankfurter Paulskirche kläglich scheitern läßt. Konsequenter als Meißner ist sein Jugendfreund Moritz Hartmann bis zum Tode den Idealen der Revolution treugeblieben. Hartmann, der mit Robert Blum als Abgesandter der Frankfurter Linken im Wiener Oktoberkampf im Feuer stand, harrte bis zur gewaltsamen Auflösung des deutschen Parlaments in Stuttgart am 18. Juni 1849 aus. Die letzten Kapitel seiner „Reimchronik des Pfaffen Maurizius", der bedeutendsten deutschsprachigen Revolutionssatire, sandte er seinem Verleger schon aus dem Schweizer Exil. Seinen Freunden aus den Wiener Oktoberkämpfen, Blum, Becher und Jellinek, die der Mordjustiz des fürstlichen Feldmarschalls Windisch-Graetz zum Opfer fielen, widmete er tiefempfundene Nachrufe. Diese Märtyrer und das Volk von Wien sind die wahren Helden der Revolution, nicht die gelehrten Professoren und wortreichen Liberalen des Zentrums der Paulskirche mit ihren „kühnen Griffen" nach fürstlichen Reichsverwesern und ihrer Unterwürfigkeit vor Kronen und Thronen. Es ist das Recht und die Pflicht des Satirikers, Illusionen zu entlarven – Hartmann hat dies mit unerbittlicher Härte getan, ohne sich selbst zu schonen. Wenn er die Schwächen der zu Gegnern der Demokratie gewordenen Liberalen in allzu grellen Farben gemalt hat, ist ihm die Erkenntnis zugute zu halten, daß mit der Niederlage der Revolution die Hoffnung des Jahrhunderts, Fürstenstaat und Untertanengeist endlich zu überwinden, zu Grabe getragen wurde. Der fatalen ideologischen Mischung aus abgestandener Reichsromantik und realpolitischem Machtstaatsdenken, die gegenüber der weiterdrängenden Volksrevolution allzu schnell bereit war, die Freiheit einer von oben diktierten Einheit aufzuopfern, ist in Hartmann ein unversöhnlicher Gegner erwachsen. Hartmann verweigerte der preußischen „Kaiserwahl" seine Zustimmung mit dem Ruf „Ich mache keinen Anachronismus mit und wähle keinen Kaiser!", getreu seinem Wahlspruch, den er in das Album der Paulskirche eintrug und der auch in der „Reimchronik" steht:

*Das ist der Zeiten schwere Not,*
*Der Widerspruch, so schwer zu heben;*
*Daß wohl die Monarchie schon tot*
*Und daß noch die Monarchen leben!* [18]

Konservative Geschichts- und Literaturwissenschaft hat die Satiriker zu allen Zeiten der Zersetzung der hergebrachten Wertordnungen und des Zynismus beschuldigt. Die Satire trifft dieser Vorwurf nicht. In Zeiten des Zerfalls des Alten schlug (und schlägt) ihre Stunde. Dann gilt es nicht nur, das Überlebte zu belachen und zu kritisieren, sondern auch den Bauplatz für das Kommende zu räumen und abzustecken. Der große Satiriker weiß um diese Aufgabe. Er mißt seine Zeit und seine Welt, wie schon Schiller erkannte, am Maßstab des Ideals und fordert von den Menschen, über sich hinauszuwachsen.

In diesem Sinn hat es auch in Österreich „große" Satiriker gegeben – in der kampferfüllten Zeit des „Biedermeier", in den Stürmen der Revolution und in den bitteren Jahren nach der Niederlage der Demokratie. Die besten aus ihren Reihen wurden geächtet und verfemt, ins Exil getrieben, mit Absicht vergessen; andere verstummten und verschlossen ihren Widerspruch zu den Herrschenden in der Einsamkeit innerer Emigration. An einem Wendepunkt österreichischer Geschichte erfüllte die politische Satire ihre historische Aufgabe, die Köpfe aufzuklären für das, was der Zeit nottat. Zum Ganzen der Geschichte gehört nicht allein das Faktum, sondern auch die Möglichkeit, es ganz anders, besser, vernünftiger zu machen – die Alternative, die der unbestechliche Geist der Satire aufzeigt.

Moritz Hartmann sollte recht behalten, wenn er schrieb:

*Es geht nicht mehr so wie es ging –*
*Die Köpfe schlägt man wohl vom Rumpf,*
*Doch die Idee – ein ander Ding –*
*Sie spielt euch doch den letzten Trumpf* [19].

**Anmerkungen:**

[1] Friedrich Eichrodt (Hrsg.), Das Buch Biedermeier, Stuttgart 1911.
[2] Eduard Bauernfeld, Ausgewählte Werke, Bd. 4, Leipzig 1905, S. 138f.
[3] Charles Sealsfield, Österreich, wie es ist, Wien 1919, S. 129, 132.
[4] Ludwig August Frankl, Erinnerungen, Prag 1910, S. 145f.
[5] Adolf Glaßbrenner, Bilder und Träume aus Wien, Wien – Berlin – Leipzig – München 1922, S. 168.
[6] Zit. nach Viktor Bibl, Der Zerfall Österreichs, Bd. 2, Wien – Berlin – Leipzig – München 1924, S. 112.
[7] Sigmund Freud, Der Witz und seine Beziehung zum Unbewußten, Fischer-Bücherei 193, Frankfurt 1958, S. 81.
[8] Richard Waldegg, Sittengeschichte von Wien, Stuttgart–Bad Cannstatt 1957, S. 327ff.; Die Frau im Korsett, 88. Sonderausstellung des Historischen Museums der Stadt Wien, Wien 1985.
[9] Leopold Schmidt, Wiener Schwänke und Witze der Biedermeierzeit, Wien 1946.
[10] Moriz Gottlieb Saphir, Humoristische Werke, Bd. 1, Berlin – Leipzig 1889, S. 5.
[11] Jacob Toury, Moriz Saphir und Karl Beck – zwei vormärzliche Literaten Österreichs, in: Juden im Vormärz und in der Revolution von 1848, Stuttgart – Bonn 1983, S. 143.
[12] Franz Gräffer, Kleine Wiener Memoiren und Wiener Dosenstücke (Hrsg. Anton Schlossar), 2 Bde., München 1918.
[13] Otto Rommel, Die Alt-Wiener Volkskomödie, Wien 1952; Reinhard Urbach, Die Wiener Komödie und ihr Publikum, Stranitzky und die Folgen, Wien – München 1973; Jürgen Hein, Das Wiener Volkstheater, Darmstadt 1979.
[14] Margarethe Poch-Kalous, Cajetan. Das Leben des Wiener Mediziners und Karikaturisten Dr. Anton Elfinger, Wien 1966; Johann Christian Schoeller. Karikatur und Satire in Biedermeier und Vormärz, 54. Sonderausstellung des Historischen Museums der Stadt Wien, Wien 1978.
[15] Wolfgang Häusler, Sigmund Engländer – Kritiker des Vormärz, Satiriker der Wiener Revolution und Freund F. Hebbels, in: Juden im Vormärz und in der Revolution von 1848, Stuttgart – Bad Cannstatt 1983, S. 83ff.; Johannes Gamillscheg, Witz, Satire und Karikatur in der Wiener Revolution von 1848, Diss. Wien 1977. – Wenig brauchbar ist Carl Elbinger, Witz und Satire anno 1848, Wien 1948.
[16] In unserem Zusammenhang wichtig: Günter Berghaus, Johann N. Nestroys Revolutionspossen im Rahmen des Gesamtwerks, Diss. Berlin 1977; Barbara Rett, Johann N. Nestroy und die bürgerliche Revolution, Diss. Innsbruck 1978.
[17] Neuausgabe von Gustav Wilhelm, Wien – Leipzig 1919.
[18] Reimchronik des Pfaffen Maurizius, Frankfurt 1849, S. 18.
[19] Ebenda, S. 37.

# „SIEGENDE GESCHLAGENE“ – Demokratie und soziale Bewegungen in der Wiener Revolution von 1848

*Wolfgang Häusler*

Plötzlich wettert scharfe Luft
in den Trödelladen:
Spielerischer Traum verpufft
auf den Barrikaden.
*Josef Weinheber, Biedermeier*

Sucht man in Büchmanns Zitatenschatz nach einem geflügelten Wort der deutschen Sprache über die Demokratie, so findet man nur einen einzigen, wenngleich bezeichnenden Beleg: „Gegen Demokraten helfen nur Soldaten.“ Der Literat Wilhelm von Merckel hatte diesen Satz im Spätsommer 1848 geprägt; im November setzte ihn der preußische Oberst von Griesheim als Titel auf seine gegenrevolutionäre Broschüre für die, „die wir den König von Gottes Gnaden wollen und nicht die rote Republik von Teufels Gnaden“. Diesem bösen Wort der preußischen Reaktion läßt sich noch Schlimmeres aus Wien an die Seite stellen. Als die Konterrevolution ihren traurigen Triumph mit den „Begnadigungen zu Pulver und Blei“, mit Spießrutenlauf und Festungshaft feierte, zog ein Dichterling namens Joseph Weyl die Summe des Revolutionsjahres:

*Vom Schmutz: Republikaner,*
*Vom Unflat: Demokrat,*
*Fegt rein der Serežaner,*
*Befreite der Kroat'!*[1]

War die geschlagene Revolution wirklich vergeblich gewesen? Bleibt sie auch im historischen Rückblick das „tolle Jahr“ – ein vorübergehender Anfall von Unbotmäßigkeit sonst braver und treuer Untertanen?

Die europäische Revolutionswelle von 1848/49, deren Teil das Wiener Sturmjahr war, gehört in die große Reihe jener Umwälzungen, die das Ende der Feudalordnung herbeiführten. Was die englische Revolution des 17. Jahrhunderts für das Inselreich bewirkte, was der Unabhängigkeitskrieg für die jungen nordamerikanischen Staaten war, was die Revolution von 1789 für Frankreich vollzog, das sollte 1848 für Mitteleuropa werden. Aber nicht nur die politische Emanzipation des wirtschaftlich aufsteigenden Bürgertums war die Aufgabe dieser verspäteten Revolution. In ihrem Verlauf wurden die außerhalb der altständischen Gesellschaft stehenden Unterschichten vom Objekt polizeilicher Kontrolle zum geschichtsmächtigen Subjekt. Der Abbau herrschaftlicher Bindungen des Feudalismus schlug im 19. Jahrhundert in die gleichzeitige Aufrichtung von neuer Abhängigkeit, Ausbeutung und Entfremdung um – Widersprüche, welche die bürgerliche Gesellschaft und den modernen Staat, deren Werte seit 1789 in den Kategorien von „Freiheit und Gleichheit“ definiert waren, nicht zur Ruhe kommen ließen. Das Bewußtwerden des Antagonismus der neuen Gesellschaftsordnung, die auf Technik und Industrie aufbaute, wurde selbst zum revolutionierenden Moment im Prozeß der Entstehung *unserer* Welt[2].

Der revolutionäre Übergang vom Ancien régime zur modernen Klassengesellschaft ließ unterschiedliche Antworten auf die Frage zu, was Demokratie sei. Während für das Großbürgertum und seine liberalen Wortführer die Teilnahme an der politischen Macht unabdingbar an „Besitz und Bildung“ geknüpft blieb, kritisierten die Demokraten eine nur formale Gleichberechtigung und interpretierten den aus der Großen Französischen Revolution überkommenen Katalog der Menschenrechte im Sinne ihrer jakobinischen Vorläufer. In der Begriffsbildung von Marx und Engels läßt sich diese Entwicklung der „Demokratie“ – vom linken Flügel radikaler Intellektueller bis hin zur entstehenden Arbeiterbewegung – gut ablesen. Schon 1845 sagte Engels im Zusammenhang mit dem schlesischen Weberaufstand und den Unruhen unter den böhmischen Baumwoll- und Eisenbahnarbeitern: „Hierzulande sind Demokratie und Kommunismus, soweit es sich um die Arbeiterklasse handelt, völlig identisch.“ Und am Vorabend von 1848 brachte das „Manifest der Kommunistischen Partei“ diesen Gedanken mit der Formulierung zum Ausdruck, „daß der erste Schritt in der Arbeiterrevolution die Erhebung des Proletariats zur herrschenden Klasse, die Erkämpfung der Demokratie ist“.

Mit dem Blick auf die Wiener Revolution stellt sich die Frage, welche Rolle das sich formierende großstädtische Proletariat in der „bürgerlich-demokratischen“ Revolution spielte, und wie es kam, daß die dialektisch miteinander verknüpften Emanzipationsbewegungen des Bürgertums und der Arbeiterschaft so tragisch der feudal-militärischen Gegenrevolution erlagen. Während in der klassischen bürgerlichen Revolution, die Frankreich seit 1789 durchlief, die Sansculotten mit selbständigen Forderungen den Schauplatz erst betraten, nachdem der Dritte Stand seine Revolution gegen Adel, Kirche und Königtum siegreich durchgeführt hatte, standen die unterbürgerlichen Gesellschaftsschichten in den Revolutionen des Jahres 1848 schon zu Anfang an der Spitze des Kampfes gegen die alten Mächte, aber auch in einer spontanen Protestbewegung gegen den die traditionellen Lebens- und Arbeitsverhältnisse zerstörenden Kapitalismus. Das Bürgertum konnte 1848 das bereits wesentlich stärker entwickelte Proletariat nicht mehr als seine Gefolgstruppe den eigenen Zielen unterordnen; Schutz suchend bei den alten Mächten des Staates, gab es seine Revolution preis.

Trotz bedeutenden Wirtschaftswachstums und partiell weit vorangetriebener Modernisierung hafteten der ökonomischen Entwicklung der Donaumonarchie Kennzeichen relativer Rückständigkeit an: grundherrschaftliche Bindung des Bauerntums, Fortbestand von zünftischem Handwerk und Kleingewerbe sowie von Manufakturformen des 18. Jahrhunderts mit Verlagswesen und Heimarbeit, Abhängigkeit von ausländischem Kapital und Technologie, Übergewicht des mit der Staatsführung eng verflochtenen Bankkapitals gegenüber einer sehr heterogenen Industriebourgeoisie, deren Betriebe angesichts ständiger Krisen auf schwachen Beinen standen. Der k.k. privilegierte Fabrikant war vom politischen Selbstbewußtsein des westeuropäischen Bourgeois weit entfernt.

Die sozialökonomische Grundstruktur der Haupt- und Residenzstadt Wien repräsentierte den klassischen Typus einer Konsum- und Luxusstadt: Das handwerklich gediegene, hochspezialisierte Gewerbe des „Biedermeier“ (Seide, Möbel, Instrumente, Porzellan, Galanteriewaren) erfüllte die Bedürfnisse des Hofes und Adels, aber auch schon eines gehobenen bürgerlichen Lebensstils. Dennoch darf nicht übersehen werden, daß die Stadt schon in der „protoindustriellen“ Phase durch die Manufakturbetriebe ihres Umlandes in ein dynami-

Kat. Nr. 18/2/7 Erstürmung der Baumwoll-Druck-Fabrik Granichstätten in Sechshaus, 14. März 1848

sches ökonomisches Kraftfeld integriert war[3]. Das in der Habsburgermonarchie geographisch zentral gelegene Wiener Becken bot mit seinen Verkehrswegen, den reichlich vorhandenen Energiequellen (Wasserkraft durch von Grundwasser gespeiste Flüsse, Holz und Holzkohle) sowie dem bis zum böhmischen Raum erweiterbaren Arbeitskräftereservoir günstige Standortbedingungen. Seit dem Beginn des 19. Jahrhunderts hatte sich insbesondere die Baumwollverarbeitung zügig auf maschinelle Produktion umgestellt – das Ende der alten Handspinnerei beschleunigte die Proletarisierung der ländlichen Unterschichten rapide.

Die in der Revolution zutage tretenden sozialen Widersprüche sollten sich besonders deutlich an der „Peripherie", der Überlappungszone von traditionellem Handwerk und moderner Maschinenindustrie, in den Vorstädten und Vororten Wiens, manifestieren. Während die traditionsreiche Seidenweberei des „Brillantengrundes", der westlichen Vorstädte, stagnierte, entstand außerhalb der „Linie", der Verzehrungssteuergrenze, eine Kattundruck- und Appreturfabrik nach der anderen. Die Einführung von Maschinen (Perrotinen) in den letzten Jahren des Vormärz ließ hier ein arbeitsloses, von den Zeitgenossen als „Fabrikenpöbel" bezeichnetes Proletariat entstehen, das nichts zu verlieren hatte.

Einbrüche der modernen Maschinenindustrie in das biedermeierliche Sozialmilieu erfolgten ferner durch den früh und mit Energie betriebenen Eisenbahnbau – am Wiener Nord- und Südbahnhof entstanden bedeutende, mehrere hundert Facharbeiter beschäftigende „Etablissements" zum Lokomotiv- und Maschinenbau. Das neue Verkehrsmittel beförderte nicht nur materielle Güter in einem bisher unerhörten Ausmaß, es revolutionierte auch die soziale Mobilität und den Transport von Ideen. Den Widerspruch, in den das versteinerte Regierungssystem der Staatskonferenz mit diesen neuen wirtschaftlichen und sozialen Entwicklungen geraten mußte, drückte Friedrich Engels am 27. Jänner 1848 in der „Deutsch-Brüsseler Zeitung" treffend aus, indem er zunächst ein Wort des alten Kaisers Franz zitierte: „‚Mich und den Metternich hält's aus!' – Die französische Revolution und die Julistürme hat's ausgehalten, aber den Dampf hält's nicht aus . . . Der Dampf hat die österreichische Barbarei in Fetzen gerissen und damit dem Haus Habsburg den Boden unter den Füßen weggezogen."

Die revolutionäre Krise verdichtete sich im Phänomen des „Pauperismus", der massenhaften Verelendung der arbeitenden Bevölkerung bei tendenziell steigender industrieller Kapazität. Eine rückständige Landwirtschaft war nicht in der Lage, die rasch anwachsende Bevölkerung in den großstädtischen und industriellen Ballungsräumen ausreichend zu versorgen. Die Hungerkrisen, welche die vorindustrielle Gesellschaft Europas in periodischen Abständen heimgesucht hatten, behielten ihre katastrophale Wirkung noch in der Frühzeit der industriellen Revolution. Die „hungry forties" schufen zusammen mit der von Großbritannien ausgehenden Handelskrise die Basis der revolutionären Massenbewegungen der Jahrhundertmitte.

Die Verflechtung der sozialen Frage und der politischen Emanzipationsbestrebungen mit den ungelösten nationalen Problemen der Habsburgermonarchie sollte die österreichische Revolution – besser sollte man von differenzierten, nicht koordinierten Revolutionsprozessen sprechen – in all ihren Widersprüchen prägen. Der Wiener Revolution leuchteten Flammenzeichen im weiten Vielvölkerreich voran: Seit 1846 war Galizien nicht mehr zur Ruhe gekommen; die blutigen Bauernerhebungen dieser östlichen Provinz signalisierten die Notwendigkeit, die längst überfällige Agrarfrage zu lösen. Die Unruhe in den italienischen Provinzen schwoll seit Anbruch des Jahres 1848 zu offenem Aufruhr. Die ungarische Nation meldete durch den Mund des großen Tribunen Kossuth ihre Ansprüche auf Verfassung und Selbständigkeit an. Die Tschechen formulierten ihr staatsrechtliches, auf Autonomie zielendes Programm. Auch die südslawischen und rumänischen Bauernvölker erwachten aus dem Schlaf der „Geschichtslosigkeit" zu nationalem Bewußtsein.

Der Monat März begann in Wien mit Petitionen bürgerlicher Gremien wie des Niederösterreichischen Gewerbevereins und des Juridisch-Politischen Lesevereins, die in bescheidenem Ton Teilnahme des Großbürgertums an Verwaltung und Finanzgebarung des Staates erbaten. Die Studenten hatten dem ängstlich zögernden Wirtschaftsbürgertum den Elan der Jugend voraus – sie verlangten klar und deutlich Presse-, Rede- und Lehrfreiheit, Volksbewaffnung, Gleichstellung der Konfessionen, allgemeine Volksvertretung und eine Reform der deutschen Bundesverfassung. Durch ihren Zug zum Landhaus in der Herrengasse, dem Tagungsort der niederösterreichischen Stände, wollte die akademische Jugend den liberalen Postulaten Nachdruck verleihen. Hier wurde die Reformbewegung durch den brutalen Einsatz von Militär gegen die friedlichen Demonstranten zur Revolution. Während Bürger und Studenten in der Innenstadt das Zeughaus Am Hof besetzten und den Rücktritt Metternichs forderten, erhob sich die Bevölkerung der Vorstädte und Vororte. Eine Bewegung von elementarer Wucht hatte diese Menschen erfaßt, deren lange verhaltener Groll sich nun in Zerstörungsakten gegen die verhaßten Einrichtungen der Verzehrungssteuerämter, Polizeistuben und Grundgerichte Luft machte. Die durch die Maschine arbeitslos Gewordenen stürmten die Fabriken rings um Wien. Die bürgerliche Revolution siegte dank dem spontanen Eingreifen des Proletariats – Metternichs Abdankung erfolgte unter dem Eindruck der im Angesicht der Hofburg aufsteigenden Feuersäulen. Mit dem Sturz des verhaßten Staatskanzlers und den „Märzerrungenschaften" – Pressefreiheit, Nationalgarde „auf den Grundlagen der Bildung und des Besitzes" und das Versprechen einer „Constitution" – brachte das Bürgertum die Ernte der Tage vom 13. bis 15. März in die Scheuer. Es war das Proletariat, das in seinem Protest gegen die Auswüchse der kapitalistischen Wirtschaftsordnung dem Bürgertum zum politischen Sieg verholfen hatte; dieses Paradoxon sollte den weiteren Verlauf der Revolution prägen.

Demokratische Intellektuelle – Studenten, Schriftsteller, Journalisten, kleine Beamte – nahmen sich der Interessen des Kleinbürgertums und der Arbeiterschaft, die unter dem Begriff „Volk" subsumiert wurden, an. Dr. Hermann Jellinek, einer der publizistischen Wortführer des Sturmjahres, hat die später von konservativen Historikern oft verzerrte Bedeutung der Massenbewegung für die Erkämpfung der Demokratie gewürdigt: „Die Märzrevolution hat das Volk gemacht, der ‚Pöbel', auf den die Bourgeoisie so stolz herabblickt, das ‚Gesindel', welches der hohe Adel für ‚Bestien' erklärte: Die Märzrevolution war das große Werk der Volksmassen."[4] Vergleichbar den Jakobinern in der Französischen Revolution, beanspruchten die Demokraten, die in zahlreichen Zeitungen ein wirkungsvolles Sprachrohr fanden, das Vertretungsrecht für die Anliegen des Volkes. Tatsächlich vermittelten sie, die sich in Vereinen seit Ende März erste Formen politischer Organisation schufen, der spontanen Massen- und Protestbewegung wichtige politische und organisatorische Anstöße

Kat. Nr. 18/2/20 Zug der Arbeiter in die Stadt zum Barrikadenbau, 26. Mai 1848

zur Weiterführung der Revolution. In den Auseinandersetzungen um die Verfassung formierten sich die demokratischen Kräfte zu gemeinsamem politischem Engagement.

Die „Sturmpetition" vor der Hofburg am 15. Mai, an der auch Arbeiter eindrucksvoll beteiligt waren, setzte die demokratischen Forderungen durch. Den Schachzug der Reaktion, den Hof aus der revolutionären Residenz nach Innsbruck zu verlegen (17. Mai) und den Versuch, die Akademische Legion aufzulösen, beantwortete Wien mit den Barrikadentagen des 26. bis 28. Mai. Die Aula (heute Akademie der Wissenschaften) wurde das Zentrum des demokratischen Widerstandes. Im Rathaus in der Wipplingerstraße trat der Sicherheitsausschuß als Beratungs- und Exekutivorgan der kleinbürgerlichen Demokratie zusammen. Der Gedanke der Volkssouveränität hatte gesiegt. Der aufgrund allgemeiner Wahlen zusammengesetzte Reichstag sollte die künftige Verfassung des Staates bestimmen.

Die Arbeiter ernteten nicht die Früchte jener politischen Rechte, die sie für das Bürgertum erkämpft hatten. Um dem Heer der Arbeitslosen Beschäftigung zu verschaffen, hatte man Erdarbeiten organisiert, bei denen schon im Juni über 20.000 Menschen, darunter viele Frauen und Jugendliche, gezählt wurden. Das Arbeitsministerium, der Sicherheitsausschuß und der Gemeindeausschuß versuchten, diese Arbeitermassen unter Kontrolle zu halten. In bestürzender Analogie zu den Pariser Vorgängen, die in der von General Cavaignac niederkartätschten Junierhebung gipfelten, verschärften sich die sozialen Probleme zu offener Konfrontation. Bürgerliche Nationalgarden und städtische Sicherheitswache richteten unter den Erdarbeitern, die gegen eine vom Ministerium verfügte, existenzbedrohende Lohnkürzung demonstrierten, am 23. August ein blutiges Gemetzel an. Karl Marx, der bald nach der „Praterschlacht" als Redakteur der „Neuen Rheinischen Zeitung" in Wien weilte und vor dem Demokratischen Verein und dem Arbeiterverein sprach, betonte, daß es sich „jetzt auch hier – wie in Paris – um den Kampf zwischen der Bourgeoisie und dem Proletariat" handle. Das „Recht auf Arbeit", das die Mairevolution proklamiert hatte, war in einer kapitalistischen Wirtschaftsordnung nicht einlösbar – ein großer Teil der unruhigen Arbeiterschaft wurde in der Folge außerhalb Wiens beim Bau der Semmeringbahn eingesetzt. Die auf Ausgleich der sozialen Gegensätze bedachte kleinbürgerliche Demokratie war durch diese Vorgänge erschüttert und offenbarte ihre Schwäche in den Septemberunruhen der Wiener Handwerker.

An der Krise der Revolution konnte auch der Umstand nichts ändern, daß sich die fortgeschrittenen Gruppen der Arbeiterschaft unter Führung des Buchbindergesellen Friedrich Sander aus Peine (Hannover) mit einem politische Demokratie und soziale Forderungen vereinenden Programm zusammenschlossen und mit der deutschen „Arbeiterverbrüderung" Kontakt aufnahmen. Eine funktionierende gewerkschaftliche Organisation bauten die Buchdrucker auf. In den Maschinenfabriken konnte der Zehnstundentag durchgesetzt werden – soziale Errungenschaften, die in der Reaktionszeit sofort widerrufen wurden und erst nach Jahrzehnten von der organisierten Arbeiterbewegung nach und nach erkämpft werden konnten.

Kat. Nr. 18/2/37 Die Praterkämpfe, 23. August 1848

Man darf nicht übersehen, daß die wichtigste Tat des in der Hofreitschule beratenden Reichstags, die „Bauernbefreiung", nicht in konsequent demokratischem Sinn vollzogen worden ist. Die durch Hans Kudlichs berühmten Antrag initiierten Debatten endeten damit, daß die Bauern für die Ablösung der Herrschaftsrechte Entschädigung zu leisten hatten – die Demokraten hatten es nicht gewagt, an das revolutionäre Potential des Bauerntums zu appellieren. Vom Sommer an bildeten die Bauern kein revolutionäres Element mehr.

Die Reaktion sah ihre Stunde gekommen. Erfolgreiche militärische Interventionen gegen die nationalrevolutionäre polnische Bewegung in Krakau, gegen die Tschechen im Prager Pfingstaufstand und vor allem Radetzkys Siege in Oberitalien ließen die Pläne eines konterrevolutionären Vorgehens gegen die immer stärker ihre Selbständigkeit betonenden Magyaren und gegen Wien reifen. Die dumpfe, gewitterschwüle Atmosphäre entlud sich im bewaffneten Konflikt des 6. Oktober. Noch einmal erhoben sich Arbeiter, Kleinbürger und Studenten Wiens gemeinsam gegen den Versuch des Kriegsministers Latour, Truppen nach Ungarn zu schicken, wo der kroatische Banus Jellačić gegenüber der ungarischen Honvédarmee arg in die Klemme geraten war. Die Wiener Demokraten wußten, daß der Staatsstreich gegen Ungarn auch ihnen galt. Der Abmarsch der Richter-Grenadiere, die zu den Revolutionären übertraten, wurde in blutigem Kampf am Tabor verhindert. Der Angriff der „schwarzgelben", konservativen Teile der Nationalgarde auf die in die Innenstadt zurückkehrende Volksmenge beim Stephansdom (noch heute ist beim Leopoldsaltar eine Kugelspur zu sehen) und das Kartätschenfeuer der Truppen erbitterte die Vorstadtgarden und die Arbeiter bis zur Weißglut; in kurzer Zeit war das Volk Herr der Stadt, die Garnison mußte zurückgezogen werden, Latour wurde von einer rasenden Volksmenge Am Hof gelyncht. In der Nacht vom 6. zum 7. Oktober bestürmten die waffenlosen Arbeiter das kaiserliche Zeughaus in der Renngasse, das am Morgen übergeben wurde; diese durchaus mit dem Bastillesturm vergleichbare Tat gab dem bisher unbewaffneten Volk die Möglichkeit, die Initiative an sich zu reißen. Der Sieg über das Militär konnte aber aus Mangel an entschlossenen Führungskräften nicht ausgenützt werden. Der Reichstag, der eine Permanenzkommission einsetzte, der Gemeinderat und das Oberkommando der Nationalgarde unter dem ewig zögernden Messenhauser suchten ängstlich die Fiktion der Legalität festzuhalten und zeigten sich der revolutionären Situation nicht gewachsen, da dem Gegner derlei Bedenken fernlagen. Demokratischer Verein und Akademische Legion erwiesen sich als zu schwach, um die kampfbereiten Massen zu entscheidenden Taten zu führen.

Die „Demokratie" wuchs in diesen Kämpfen, die zunächst zur Abwehr des Schlages der Gegenrevolution geführt wurden, in eine neue Dimension. Die fortgeschrittensten Demokraten sprachen nun unumwunden von der „sozialen Demokratie" als Ziel der Revolution und lehnten die Kompromißformel der „demokratischen Monarchie" ab. So schrieb Hermann Jellinek im „Radikalen": „Wißt ihr, wo die Gerechtigkeit ruht? In der sozialen Demokratie und nirgends anders. Unsere Demokratie ist nicht etwa die des kleinen engherzigen Geldkrämers oder des beschränkten Kleinbürgers, welcher entzückt ist, daß man gegen einen Minister auftritt, aber außer sich gerät, wenn man ihn selbst seine Privilegien aufzugeben zwingt. Diese Demokratie wird noch große Kämpfe kosten."

Während des Ringens um Wien waren es Arbeiter, Handwerker und Studenten, die bis zuletzt auf ihrem Posten verharrten. Ihre Hoffnung auf das Eingreifen der Ungarn war angesichts der erdrückenden Stärke der konterrevolutionären Truppen unter Feldmarschall Fürst Windisch-Graetz illusorisch; der Entsatzversuch der Magyaren wurde bei Schwechat zurückgeschlagen. Die letzten Kämpfe schon nach der von Gemeinderat und Nationalgardeoberkommando geschlossenen Kapitulation am 30. und 31. Oktober – am Äußeren Burgtor und am Stock-im-Eisen-Platz wurde der letzte Widerstand geleistet – waren vom rein militärischen Standpunkt sinnlos. Die Revolution ergab sich aber nicht auf den Knien, sondern empfing den Todesstreich stehend; dies war der historische Sinn des Widerstandes der Wiener Revolutionäre, unter denen die Arbeiter an die erste Stelle getreten waren. Selbst zeitgenössische Beobachter, die sonst durchaus nicht mit dem Proletariat und seinen revolutionären Aktivitäten sympathisierten, zollten diesem Einsatz ihren Respekt, wie etwa Adolf Pichler: „Nie werde ich einen

Kat. Nr. 18/2/47 Der Brand von Wien, 28. Oktober 1848

Arbeiter vergessen, der blaß und verwundet durch die Alsergasse herabkam. Auf der Schulter die Muskete mit brandigem Schloß, in der Hand den Säbel, blickte er sich von Zeit zu Zeit um, setzte dann wieder den Weg fort, für sich murmelnd: ‚Es ist alles umsonst, wir sind wieder verraten und verkauft'"[5].

War wirklich alles vergeblich gewesen? Gewiß hatte sich schon 1848 mehrfach gezeigt, daß nationaler Egoismus und „Realpolitik" die großen Ideen einer Brüderschaft der Völker und des Internationalismus der demokratischen und der Arbeiterbewegung zu überwuchern drohten. Dennoch war der aus der Revolution geborene Reichstag von Wien und Kremsier die erste – und einzige – Stätte, an der sich die gewählten Volksvertreter verschiedener Nationalitäten zu echter Gemeinsamkeit in wechselseitiger Kompromißbereitschaft zusammenfanden. Der achtzehnjährige Franz Joseph, der am 2. Dezember 1848 den österreichischen Kaiserthron bestiegen hatte, war von seinem Ministerpräsidenten Schwarzenberg und den Militärs übel beraten, als er – noch ehe ein Jahr seit der Märzrevolution vergangen war – das erste österreichische Parlament auseinandertreiben ließ.

Was blieb von 1848 außer enttäuschten Hoffnungen? Die unwiderrufliche Vernichtung der sozialen Grundlagen des Feudalismus eröffnete den Völkern der Donaumonarchie den Weg in die bürgerliche Gesellschaft. Die 1848 erstmals ins Bewußtsein getretenen Probleme sollten auf einer höheren Entwicklungsstufe immer wieder gestellt werden. Der Gedanke einer demokratischen Lösung der sozialen Frage und des Nationalitätenproblems wurde das Vermächtnis dieses großen Jahres. Was das Erbe des 19. Jahrhunderts an fortschrittlichen Ideen bis zum heutigen Tag bildet, war schon einmal in der die Massen in Bewegung setzenden Revolution des Jahres 1848 gedacht und gesagt worden. Diese Ideen konnten von der Gegenrevolution niemals vernichtet und aus dem Gedächtnis der Völker getilgt werden.

Die Revolution von 1848 schuf aber nicht nur die Grundlagen der bürgerlichen Gesellschaftsordnung, sondern zeigte auch die mit ihr verknüpften Konflikte und Gefährdungen auf. Das Sturmjahr bezeichnete tatsächlich, wie der Publizist Andreas von Stifft damals schrieb, „den Anfang eines Kampfes, der die Welt durchzieht", des Kampfes um Demokratie und soziale Gerechtigkeit[6].

„Ideen können nicht erschossen werden", schrieb der am 23. November 1848 kriegsrechtlich erschossene Hermann Jellinek vor seinem Tod[7] – ein Wort, das auch nach 140 Jahren seine Gültigkeit nicht verloren hat. Die Wiener Arbeiter und Handwerker und jene Studenten und Demokraten, die sich auf ihre Seite stellten, waren, wie Ferdinand Freiligrath in seinem Gedicht „Die Toten an die Lebenden" die Gefallenen der Pariser Junischlacht nannte, wahrhaft die „siegenden Geschlagenen" der Revolution. Ihnen, den Hingerichteten, Eingekerkerten, Verfolgten und Geächteten – und nicht den Herrschern und ihren Generälen und Henkern – sollte die Zukunft gehören.

**Anmerkungen:**

[1] Joseph A. v. Helfert, Der Wiener Parnaß im Jahre 1848, Wien 1882, S. 400. Die Serežaner waren die durch ihre Tracht („Rotmäntler") auffälligen, furchteinflößenden Elitetruppen der Militärgrenze, die vom kroatischen Banus Jellačić im Oktober 1848 gegen Wien geführt wurden.

[2] Für das Studium der Wiener Revolution sind die älteren Darstellungen von Helfert, Reschauer-Smets, Bach, Zenker und Kißling immer noch relevant. Dies gilt auch für die schon 1850 erschienene Analyse von Ernst Violand, Die soziale Geschichte der Revolution in Österreich (Neuausgabe Wien 1984). In meinem Buch: Von der Massenarmut zur Arbeiterbewegung. Demokratie und soziale Frage in der Wiener Revolution von 1848, Wien – München 1979, finden sich ausführliche Quellen- und Literaturbelege zur hier diskutierten Problematik. Eine Reihe von jüngst erschienenen Überblicken und Epochendarstellungen bezeugt das wissenschaftliche Interesse an den Emanzipations- und Revolutionsprozessen des 19. Jahrhunderts: Thomas Nipperdey, Deutsche Geschichte 1800–1866. Bürgerwelt und starker Staat, München 1983; Reinhard Rürup, Deutschland im 19. Jahrhundert 1815–1871, Göttingen 1984; Wolfram Siemann, Die deutsche Revolution von 1848/49, Frankfurt 1985; Dieter Langewiesche, Europa zwischen Restauration und Revolution 1815–1849, München 1985; Heinrich Lutz, Zwischen Habsburg und Preußen. Deutschland 1815–1866, Berlin 1985; Günther Wollstein, Deutsche Geschichte 1848/49. Gescheiterte Revolution in Mitteleuropa, Stuttgart – Berlin – Köln – Mainz 1986. Die Ergebnisse der sehr intensiven Forschungsarbeit in der DDR resümiert zuletzt Bd. 4 der Deutschen Geschichte, Berlin 1984.

[3] Vgl. Wien im Vormärz, Forschungen und Beiträge zur Wiener Stadtgeschichte 8, Wien 1980.

[4] Hermann Jellinek, in: Kritischer Sprechsaal, Heft 2, Wien 1848, S. 25.

[5] Adolf Pichler, Aus den März- und Oktobertagen zu Wien 1848, Innsbruck 1850, S. 34.

[6] Wolfgang Häusler, Freiherr Andreas von Stifft d. J. (1819–1877). Leben und Werk eines Wiener Publizisten im Zeitalter der bürgerlich-demokratischen Revolution, in: Jahrbuch des Instituts für Deutsche Geschichte 15 (1986), S. 231 ff.

[7] Wolfgang Häusler, Hermann Jellinek (1823–1848). Ein Demokrat in der Wiener Revolution, in: Jahrbuch des Instituts für Deutsche Geschichte 5 (1976), S. 125 ff.

Kat. Nr. 18/2/66 Karikatur auf die Pariser Februar-Revolution

**Die Revolution 1848 in Wien**

**Februar:**

**24.** Ausbruch der Revolution in Paris. Beginn der europäischen bürgerlichen Revolution des Jahres 1848 mit besonderen Auswirkungen auf die österreichische Monarchie.

**März:**

**3.** Ludwig Kossuth, der Führer der ungarischen Opposition, hält die „Taufrede der österreichischen Revolution", er fordert für Ungarn eine Verfassung.

**13.** Ausbruch der Revolution in Wien (1. Aufstand) als spontane Auflehnung gegen den Polizeistaat des Vormärz. Petitionen und Denkschriften demokratischer Tendenz verschiedener Gruppierungen waren unbeantwortet geblieben; anläßlich der Tagung der niederösterreichischen Landstände erfolgt nun die Demonstration der Studenten und Professoren in der Herrengasse. Arbeiter gesellen sich zu den Studenten, am Nachmittag wird Militär gegen die Volksmenge eingesetzt, die ersten Todesopfer („Märzgefallene") sind zu beklagen. Die Bürger bewaffnen sich, Barrikaden werden errichtet, das Vorstadtproletariat stürmt und zerstört Fabriken und Maschinen. Metternich dankt ab.

**14.** Bildung der Nationalgarde und der Akademischen Legion.

Fürst Alfred Windisch-Graetz wird Stadtkommandant von Wien; Verkündigung der Aufhebung der Zensur, Gewährung der Pressefreiheit.

**15.** Versprechen Kaiser Ferdinands I., eine konstitutionelle Verfassung zu gewähren. Flucht Metternichs. Abdankung des Leiters der Polizei- und Zensurstelle, des Grafen Josef Sedlnitzky.

**17.** Leichenbegängnis der „Märzgefallenen".

**29.** Aufhebung der Polizeihof- und Zensurstelle.

**April:**

**1.** Veröffentlichung des neuen provisorischen Pressegesetzes.

**12.** Das provisorische Wiener Gemeindestatut und die Gemeindewahlordnung werden beschlossen.

**25.** Veröffentlichung des konstitutionellen Verfassungsentwurfes (Pillersdorfsche Verfassung): Volle Glaubens- und Gewissensfreiheit werden gewährt, die Neuordnung der Gemeinden wird zugesichert. Die Verfassung ruft heftige Kritik der Liberalen hervor und wird letzten Endes niemals verwirklicht.

**Mai:**

**2.** Einspruch der Studenten gegen die Aprilverfassung.

**7.** Bildung des „Zentral-Comités der gesamten Nationalgarde Wiens".

**9.** Veröffentlichung des Wahlgesetzes.

**15.** 2. Aufstand in Wien: „Sturmpetition" von Nationalgarde, Studenten und Arbeitern in der Wiener Hofburg. Die Zurücknahme der „Oktroyierten Verfassung" vom 25. April und die Einberufung eines konstituierenden Reichstages mit in allgemeiner, direkter und freier Wahl gewählten Abgeordneten wird gefordert.

**16.** Durch kaiserliche Proklamation wird die Verfassung vom 25. April als provisorisch erklärt.

**17.** Kaiser Ferdinand I. und die kaiserliche Familie fliehen nach Innsbruck.

**20.** Wahlen für den „Gemeindeausschuß" finden statt.

**24.** Schließung der Universität als Antwort auf Tumulte der Studenten.

**25.** Der neugewählte Wiener „Gemeindeausschuß" hält seine konstituierende Sitzung ab; die Regierung verfügt die Auflösung der Akademischen Legion.

**26.** 3. Aufstand in Wien gegen die Verfügung zur Auflösung der Akademischen Legion. Nationalgarde und Akademische Legion errichten unter stärkster Beteiligung der Wiener Bevölkerung in der Inneren Stadt 160 Barrikaden. Man ist entschlossen, für den Fortbestand der Legion zu kämpfen, die Regierung nimmt ihre Verfügung zurück und anerkennt die Forderungen der Revolutionäre. Es konstituiert sich der „Sicherheitsausschuß von Wiener Bürgern, Nationalgarde und Studenten zur Aufrechterhaltung von Ruhe und Sicherheit und zur Wahrung der Volksrechte“ zur Übernahme der Vermittlerrolle zwischen Volk und Regierung.

**Juni, Juli:**
Die Monate Juni und Juli stehen im Zeichen des Reichstages und Erzherzog Johanns, der vom Frankfurter Parlament zum Reichsverweser gewählt worden war.

**Juli:**

**22.** Eröffnung des Reichstages in der Winterreitschule.

**26.** Der schlesische Bauernsohn Hans Kudlich stellt seinen ersten Antrag zur Auflösung des Untertänigkeitsverhältnisses.

**August:**

**8.** Beratungen des Reichstages über Kudlichs Antrag beginnen.

**12.** Rückkehr des Hofes nach Wien.

**19.** Herabsetzung der Löhne für die mit Notstandsarbeiten beschäftigten weiblichen und jugendlichen Erdarbeiter.

**21.** Demonstrationen gegen die Lohnherabsetzungen beginnen.

**23.** „Praterschlacht“: Die Nationalgarde gerät gegen einen Demonstrationszug der Arbeiter in den Kampf, 22 Tote und 338 Verwundete sind zu beklagen, der „Sicherheitsausschuß“ löst sich auf.

**27.** Neue provisorische Wahlordnung für den Wiener Gemeinderat erlassen.

**31.** Beschluß des Reichstages zur Aufhebung der bäuerlichen Untertanenlasten.

**September:**

**3.** Trauerkundgebung für die Opfer der Praterschlacht.

**6.** Kaiserliche Sanktion des Reichstagsbeschlusses zur Aufhebung der bäuerlichen Untertanenlasten: Die zu einem großen sozialen Erfolg gekommene Bauernschaft, die an der Revolution fast gar nicht beteiligt war, wird dadurch für die Krone gewonnen.

**Oktober:**

**5.** Wahlen zum Wiener Gemeinderat.

**6.** Kaiserliche Truppen sollen gegen die ungarischen Aufständischen von Wien aus in Marsch gesetzt werden, Arbeiter, Studenten und meuternde Truppen verhindern den Abmarsch. Straßenkämpfe flammen auf, der Kriegsminister Graf Theodor Baillet-Latour wird ermordet.

**6./7.** Sturm auf das kaiserliche Zeughaus in der Renngasse.

**7.** Flucht des Hofes mit Kaiser Ferdinand I. nach Olmütz. Der erste frei gewählte Wiener Gemeinderat tritt zu seiner ersten öffentlichen Sitzung im Ständesaal des Niederösterreichischen Landhauses zusammen. Angesichts der bedrohlichen Lage tagt er ab nun in Permanenz.

**10.** Josef Jellačić, der Banus von Kroatien, trifft mit seinen Truppen vor Wien ein und vereinigt sich mit dem aus der Stadt geflohenen Militär.

**16.** Der Schriftsteller Cäsar Wenzel Messenhauser übernimmt das Oberkommando über die Nationalgarde. Er bildet die Mobilgarde, die er in aller Eile aus den bisher unbewaffneten Teilen der Bevölkerung zusammenruft.

**17.** Feldmarschall Fürst Windisch-Graetz führt seine böhmischen Truppen der Belagerungsarmee zu.

**22.** Über Wien wird der Belagerungszustand verhängt; der Reichstag erklärt das Vorgehen des Fürsten Windisch-Graetz für ungesetzlich und wird daher aufgefordert, nach Kremsier zu gehen, beschließt aber, in Wien zu bleiben.

**26.** Der Kampf um Wien beginnt: Die Taborschanze, der Nordbahnhof, der Prater und Teile der Leopoldstadt werden von den Belagerungstruppen besetzt.

**28.** Die kaiserlichen Truppen treten zum Hauptangriff an, sie beschießen die Stadt, in der zahlreiche Brände ausbrechen. Der Rest der Leopoldstadt, die Landstraße, die Vororte und weitere Vorstädte werden besetzt.

**30.** Das aufständische ungarische Entsatzheer trifft zu spät ein und wird bei Schwechat zurückgeschlagen.

**31.** Die Lage der Revolutionäre ist aussichtslos, die Stadtmauer, unter die sich die Verteidiger zurückgezogen haben, ist nur schwach besetzt, es fehlt an Waffen, Munition und vor allem an Menschen. Am Nachmittag wird die Stadt noch einmal beschossen, um 17 Uhr sprengen die kaiserlichen Truppen das Burgtor und ziehen in die Stadt ein.

**November:**

**9.** Robert Blum wird standrechtlich erschossen.

**16.** Cäsar Wenzel Messenhauser wird standrechtlich erschossen.

**22.** Wiedereröffnung des Reichstages in Kremsier.

**Dezember:**

**2.** Franz Joseph I. besteigt den Thron. Die Revolution findet ihren äußerlichen Abschluß.

## 18 AUFBEGEHREN

**18/1**
**Zensur**

*„Die Censur ist die jüngere von zwey schändlichen Schwestern, die ältere heißt Inquisition; – die Censur ist das lebendige Geständniß der Großen, daß sie nur verdummte Sclaven t r e - t e n, aber keine freyen Völker r e g i e r e n können; die Censur is etwas, was tief unter dem Hencker steht, denn derselbe Aufklärungsstrahl, der vor 60 Jahren dem Hencker zur E h r l i c h k e i t verholfen, hat der Censur in neuester Zeit das Brandmahl der V e r a c h - t u n g aufgedrückt."*

οηανν Νεστρου, Φρειηειτ ιν Κρηωινκελ, 14. Σζενε, 1. Ακτ

**18/1/1**
**Innenansicht des Sauerbades in Baden mit Anmerkung des Zensors, 1834**

Vinzenz Reim (1796–1858)
Skizzenbuch
Aquarell und Tuschfeder, 21 × 29,5 cm
Bez.: Sauerbad 19ter Juni-34
HM, Inv. Nr. 78.242/5

Das Skizzenbuch (1834–1836) enthält 72 Bleistift- und aquarellierte Federzeichnungen mit Ansichten von Wien und Österreich, die als Vorlagen einer Kupferstichserie der Zensur vorgelegt werden mußten. Auf Blatt 28 vermerkte der Zensor Mayrhofer am 25. Oktober 1834: „1–30. Cor. corrig. Excudatur, nähmlich weibliche Figuren im Sauerbad u. im Grazientempel.", was bedeutete, daß die 30 Blätter veröffentlicht werden durften, allerdings mußte bei der aufgeschlagenen Darstellung des Sauerbades (Nr. 5) und beim Grazientempel in Feldsberg (Nr. 19) die anscheinend das sittliche Gefühl erregende, nackte Weiblichkeit bedeckt werden.
KAW

**18/1/2**
**Das innere Sauerbad in Baden**

Vinzenz Reim
Kolorierter Kupferstich, 18,7 × 13,2 cm
HM, Inv. Nr. 95.641/14

Die nach Beanstandung des Zensors korrigierte und ausgeführte Fassung der Badeszene.
KAW

**18/1/3**
**Choleraschutzmaßnahmen, 1831**

Anonyme Karikatur
Bleistift, aquarelliert, 32 × 46,7 cm
Bez.: „So ausgerüstet, und so versehen, ist man sicher, die Cholera – am Ersten zu bekommen."
Mit handschriftlichem Zensurvermerk
HM, Inv. Nr. 31.741

Es handelt sich um die Vorzeichnung für die noch 1831 erschienene Kreidelithographie. Der Zensor Franz Sartori vermerkte am 18. November 1831 „Excudatur jedoch nicht auszuhängen". Durch diese Auflage war, wenn sie tatsächlich eingehalten wurde, die Absatzmöglichkeit der Druckgraphik sehr eingeschränkt, da sie nicht in der Auslage ausgestellt werden durfte.
KAW

**18/1/4**
**Joseph Graf Sedlnitzky (1778–1855)**

Moritz Michael Daffinger (1790–1849)
Photographie nach Miniatur, 17,8 × 12,7 cm
Wien, Bildarchiv und Porträtsammlung der Österreichischen Nationalbibliothek, Pf 14.008 C(2)

Sedlnitzky war von 1817 bis 1848 Präsident der obersten Polizei- und Zensurhofstelle in Wien. „Er war kein verächtlicher Charakter, besaß gewisse bürgerlich-romantische Rechtlichkeit, war aber im Grund ein bornierter Kopf, mit viel Routine, ohne literarische Bildung" (Bauernfeld).
WD

**18/1/5**
**Franz Grillparzer (1791–1872)**

Das goldene Vließ. II. Die Argonauten, 4. Aufzug, Schlußszene
Eigenhändige Federzeichnung, 18,4 × 22,6 cm
Wien, Wiener Stadt- und Landesbibliothek, H.I.N. 82.182

Grillparzer dilettierte auch als Komponist und Zeichner. Seine Federzeichnungen zu „Das goldene Vließ" sind allerdings keine Illustrationen, sondern visuelle Hilfsmittel zur Gestaltung des Dramas.
WO

**18/1/6**
**Franz Grillparzer**

Eingabe an den Grafen Joseph Sedlnitzky, 1. Dezember 1819
Eigenhändiger Entwurf, 25 × 18 cm
Wien, Wiener Stadt- und Landesbibliothek, H.I.N. 80.151

Sedlnitzky hatte über die Beschlagnahmung des Gedichtes „Campo vaccino" dem Kaiser berichtet, der sich mit der Maßnahme einverstanden zeigte, Grillparzer versuchte mit seiner Eingabe darzulegen, daß ihm eine Verletzung der Religion fern gelegen habe.
WO

**18/1/7**
**Franz Grillparzer**

Eingabe an den Grafen Joseph Sedlnitzky, Dezember 1823
Eigenhändiger Entwurf, 24,6 × 20 cm
Wien, Wiener Stadt- und Landesbibliothek, H.I.N. 80.152

Grillparzer schreibt dem Leiter der Polizei- und Zensurstelle. „Es geht ein Gerücht . . ., man gehe damit um mein Trauerspiel König Ottokar zu verbiethen" und ersucht, ihm nicht „die Frucht jahrelanger Arbeiten, meine Aussicht auf die Zukunft" zu rauben. Tatsächlich konnte das Stück erst über Intervention der Kaiserin Carolina Augusta am 19. Februar 1825 uraufgeführt werden.
WO

**18/1/8**
**Leopold Kupelwieser (1796–1862)**

Fierabras. Heroisch romantische Oper in drey Akten. 1823.
Handschriftliches Zensurexemplar
23,3 × 39,5 cm
Wien, Wiener Stadt- und Landesbibliothek, Ia 171.942

Kupelwiesers Text zu der Oper von Franz Schubert wurde am 21. Juli 1823 der Zensur eingereicht und kam am 19. August 1823 von der Polizeihofstelle gesiegelt zurück. Der Zensor Alois Zettler, ein vielseitig gebildeter Mann, hatte die Aufführung om(issis) del(etis), d. h. mit Ausnahme der gestrichenen Stellen, gestattet. Anspielungen auf fremde Staaten, auf Monarchen, ja selbst auf die Götter wurden beanstandet.
WO

**18/1/9**
**Nikolaus Lenau (1802–1850)**

[Protest], Gedicht (Oktober/November 1833)
Eigenhändige Reinschrift, 13 × 15 cm
Wien, Wiener Stadt- und Landesbibliothek, H.I.N. 156.587, p. 20

Lenaus Ablehnung der Unfreiheit „O glaubet nicht, ich fühle keinen Zunder . . ., tritt wo ein Fürst sein Volk im Übermut", gegen Ende des Jahres 1833 in ein Notizbüchlein geschrieben, konnte erst 1852 aus dem Nachlaß gedruckt werden.
WO

**18/1/10**
**Anastasius Grün (Anton Graf Auersperg) (1806–1876)**

Brief an Nikolaus Lenau
Thurn am Hart 24. XII. (richtig: XI.) 1836
Eigene Handschrift, 23,6 × 14 cm
Wien, Wiener Stadt- und Landesbibliothek, H.I.N. 127.721

„Da ich . . . eben nicht große Lust verspüre, allzuoft in Wien auf den österreichischen Parnaß in der Spenglergasse neben dem Auge Gottes (!) citirt zu werden, so habe ich beschlossen, diesen Winter nicht nach Wien zu kommen und einmal zu versuchen, wie sichs hier in Frost und Schnee mit meinen Nachbarn, den Wölfen und Kroaten, leben läßt. Es sind ehrliche Kerle, welche wenigstens den poetischen Schnappsack des grünen Anastasius nicht beschnüffeln und beschnoppern." Zwischen Spenglergasse (der heutigen Tuchlauben) und Petersplatz befand sich die Polizeidirektion. Der Datierungsfehler ergibt sich aus dem mit 5. Dezember 1836 datierten Antwortbrief Lenaus, in dem dieser Grüns Gedanken aufgreift: „. . . die Inquirenten auf dem Petersplatz. Hols der Teufel!" – Grüns Brief wurde übrigens nicht mit der offiziellen Post, sondern privat befördert.
WO

**18/1/11**
**Die zensurierte Brust, 1830**

Neuangefertigter Kupferstich eines Blattes von 1789 (Burke nach Sicardi)
Bl.: 48 × 35 cm (beschnitten)
Bildinschrift: „Oh, Che Boccone! / Oh! Qué Bocado!" Handschriftliche Anmerkung des Zensors Franz Sartori vom 3. September 1830 mit angebrachtem Papierstempel des K. k. Zensur- und Revisionsamtes.
HM, Inv. Nr. 31.720

Der Zensor nimmt Anstoß an der – bereits 1789 veröffentlichten – entblößten Brust der liegenden Schönheit, setzt mit brauner Tinte ein Kreuz darüber und stellt 1830 seine Auflage zur Veröffentlichung: „Ist die Brust zu verdecken."
KAW
Abbildung

**18/1/12**
**„Der zudringliche Floh"**

Carl Leybold (1786–1844), 1846
Kreidelithographie, 42 × 27 cm
Dat. und bez. samt handschriftlichem Zensurvermerk und Stempel des k. k. Zensur-, Bücher- und Revisionsamtes
HM, Inv. Nr. 50.504

Der halb entblößte Busen veranlaßte den Zensor Moshamer am 24. April 1846 zur Verfügung: „Wird zum Drucke nicht zugelassen."
KAW
Abbildung

**18/1/13**
**Orientalischer Sklavenmarkt**

Carl Schustler nach Johann Heinrich Ramberg (1763–1840), 1839
Federzeichnung, 22 × 27,8 cm
Mit handschriftlichem Vermerk des Zensors Beer „Non imprimatur/1/10 39"
HM, Inv. Nr. 56.476

Die teilweise nackten Frauen und die handgreiflich gustierenden Orientalen erregten das Mißfallen des Zensors, daher sein „Non imprimatur" und damit Verbot der Drucklegung. Das Blatt wurde scheinbar in einem Brief, zweifach gefaltet, an die „Lithographische Anstalt" (in Handschrift auf der Rückseite des Blattes) zurückgestellt.
KAW

**18/1/14**
**Die Hundekomödie**

Josef Danhauser (1805–1845), 1841
Bleistift, aquarelliert, 21,7 × 27,5 cm
Re. o. Zensurvermerk (mit Stempel): Excudatur, aber bloß mit der/Unterschrift: Versäumte Vorsicht/ – 841 Moshamer
HM, Inv. Nr. 166.973

Studie zu dem Ölbild (ebenfalls im Historischen Museum der Stadt Wien). Der Zensurvermerk bezieht sich auf die beiden vorgeschlagenen ursprünglichen Titel der Komposition (auf der Rückseite der Zeichnung, von alter Hand): „Die Nothwendigkeit der Maulkörbe

Kat. Nr. 18/1/11

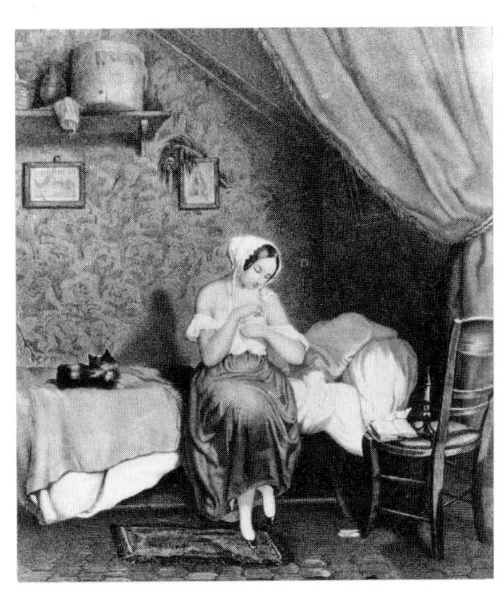

Kat. Nr. 18/1/12

oder Versäumte Vorsicht." Von diesen beiden Titeln wurde der erstere abgelehnt, da er als Affront gegen die Einrichtung der Zensur selbst aufgefaßt werden konnte. In der Literatur wurde häufig auf die Ähnlichkeit der Hunde mit den unbeliebten Kritikern Moriz Gottlieb Saphir (der Hund auf dem Tisch) und Joseph Christian Freiherr v. Zedlitz (rechts unten) hingewiesen, die als Kollaborateure des Regimes bekannt waren. Aufgrund dieser Ähnlichkeiten schreckte die Akademie davor zurück, das ausgeführte Ölbild auszustellen, was zum Antrag Danhausers auf Beurlaubung von seiner Professur führte. Diesem Antrag wurde sogleich entsprochen.

*Lit.: V. Birke, Katalog J. D., Graphische Sammlung Albertina 1983, S. 91 f.*
HB
Abbildung

**18/1/15**
**Anastasius Grün (Anton Graf Auersperg)**

Gedichte, 3. Auflage, Leipzig 1841
Buchdruck und eigene Handschrift
17 × 23 cm
Wien, Wiener Stadt- und Landesbibliothek, la 55.564

Das Druckexemplar der 2. Auflage 1838 wurde mit handschriftlichen Zusätzen von eingefügten Gedichten versehen und vom deutschen Zensor Dr. Gretschel nicht weiter beanstandet: „Diese erweiterte Auflage ist zulässig."
WO

**18/1/16**
**Eduard von Bauernfeld (1802–1890)**

Tagebuch, November 1826
Eigene Handschrift, 20,5 × 17 cm
Wien, Wiener Stadt- und Landesbibliothek, la 179.621, f. 65 v.

Aus Anlaß des Verbotes des für Franz Schubert geschriebenen Operntextes „Der Graf von Gleichen" durch die Zensur notierte Bauernfeld: „Wann wird endlich der Teufel diese verfluchte Censur holen?"
WO

**18/1/17**
**Franz Grillparzer**

(Über die Aufhebung der Zensur), 1844
Eigenhändiger Entwurf, 23 × 38,5 cm
Wien, Wiener Stadt- und Landesbibliothek, H.I.N. 81.885

Grillparzer hat 1844 zwei Aufsätze zur Aufhebung der Zensur entworfen, die allerdings nie gedruckt wurden. Eine gute Zensur sei unmöglich, „eine schlechte aber verderblicher als keine" und „Es kann keine Censur geben, weil es keine Censoren gibt".
WO

**18/1/18**
**Franz Grillparzer**

Campo vaccino. Gedicht (begonnen in Rom, 20. 4. 1819)
Eigenhändiges Fragment, 15,2 × 10,5 cm
Wien, Wiener Stadt- und Landesbibliothek, H.I.N. 81.440

Das Fragment enthält jene Stelle, in der Grillparzer die Anbringung des Kreuzes an den Ruinen des Kolosseums kritisiert: „Thut es weg dies heil'ge Zeichen!" und damit bei der Zensur Anstoß erregte. Das bereits ausgelieferte Taschenbuch „Aglaja" für das Jahr 1820, das das Gedicht enthielt, wurde eingezogen und das Gedicht daraus entfernt. Siehe auch Kat. Nr. 18/1/6.
WO

**18/1/19**
**„Denkschrift / über die gegenwärtigen Zustände der / CENSUR / in Österreich"**

1845 März 11, Wien
Original, Papier, 22 Folien
Wien, Österreichisches Staatsarchiv Abt. Haus-, Hof- und Staatsarchiv, Minister-Kolowrat-Akten Zl. 425/1845, fol. 1–22
Aufgeschlagen:
fol 1: Titel (wie oben)
fol 18v: Beginn der Unterschriften

99 österreichische Schriftsteller und Gelehrte unterschrieben eigenhändig die an den Staats- und Konferenzminister Anton Graf Kolowrat gerichtete Denkschrift. Grillparzers Unterschrift steht an erster Stelle, nachdem ursprünglich vor ihm Hammer-Purgstall und Endlicher unterschrieben hatten, jedoch dann die Tilgung ihrer Namen vornehmen ließen.
GD

**18/1/20**
**Parodien auf Arien und Gedichte, 1837**

Anonyme Handschrift, 20,2 × 24,5 cm
Wien, Wiener Stadt- und Landesbibliothek, Secr. Ib 552 B 9–12

Wie immer in Zeiten der Unterdrückung des gedruckten Wortes kursierten eine große Zahl einschlägiger obszöner Verse in Handschrift, wobei mit Vorliebe klassische Werke parodiert wurden. Hier etwa Schillers „Die Räuber", Mozarts „Die Zauberflöte" und Webers „Der Freischütz": „Wir rauben dir den Jungferkranz".
WO

**18/1/21**
**Die Priape und Phallus-Abbildungen des Alterhumes . . ., 1821**

Anonyme Handschrift, 22,5 × 37 cm
Wien, Wiener Stadt- und Landesbibliothek, Secr. Ia 532

Erotische Darstellungen oder Texte hatten selbstverständlich überhaupt keine Chance, die Zensur zu passieren. Sie kursierten daher – wie der vorliegende Band, der sich einer Art wissenschaftlichen Aufarbeitung antiker Phallusdarstellungen widmet – nur in wenigen handschriftlichen Exemplaren oder wurden gezielt für Sammler hergestellt.
WO

Kat. Nr. 18/2/1

**18/2**
**Revolution**

*„In diesem Jahr ist politisch Wichtiges zu erwarten, davon sind wir alle überzeugt."*

Eduard von Bauernfeld, Tagebuch, 1. Jänner 1848

**MÄRZ**

*„. . . Ja, auf uns ruht der schwere Fluch eines erstickenden Qualms. Aus den Beinkammern des Wiener Systems weht eine verpestete Luft . . . die Zukunft unseres Vaterlandes ist nicht gesichert, solange das Regierungssystem allen konstitutionellen Grundsätzen grob widerspricht . . . Wir bitten daher, den kaiserlichen Thron mit konstitutionellen Einrichtungen zu umgeben, allen Ländern Österreichs eine Verfassung verleihen zu wollen . . ."*

Ludwig Kossuth, Rede im Preßburger Landtag, 3. März

**18/2/1**
**Die Ansprache des Arztes Adolf Fischhof im Hof des Landhauses, 13. März**

Bleistift, 40,4 × 30,6 cm
HM, Inv. Nr. 89.519

Dr. Adolf Fischhof (1816–1893) hielt die erste Rede der Wiener Revolution, er verlangte Pressefreiheit, Religionsfreiheit, Lehr- und Lernfreiheit, die Konstitution und die Lösung der nationalen Probleme der österreichischen Monarchie: „Denken wir uns die hochstrebenden, dem Idealen zugewendeten Deutschen, die zähen, fleißigen und ausdauernden Slaven, die ritterlichen und schwungvollen Magyaren, die gewandten und scharfblickenden Italiener an den gemeinsamen Aufgaben des Staates mit vereinter und dadurch potenzirter Kraft arbeitend, und es kann in uns kein Zweifel entstehen, daß die Stellung Österreichs inmitten der Staaten Europas eine imposante werden müsse." (Heinrich Reschauer, Das Jahr 1848. Geschichte der Wiener Revolution 1. Bd., Wien 1872, 183.). Fischhof wurde Mitglied der Akademischen Legion und Kommandant des Medizinerkorps, schließlich bis 17. Juli 1848 Präsident des Sicherheitsausschusses. Zu diesem Zeitpunkt leitete er bereits das Sanitätsreferat des Ministeriums des Inneren (2. Juli bis 20. Dezember 1848). Im Kremsierer Reichstag gehörte er dem Verfassungsausschuß an, nach Aufhebung des Reichstages wurde er in Untersuchungshaft genommen; nach erfolgtem Freispruch ließ er sich als praktischer Arzt in Wien nieder und übersiedelte 1875 nach Kärnten.
GD
Abbildung

**18/2/2**
**Am 13. März vor dem Landhaus**

J. Albrecht
Kreidelithographie, koloriert, 31,5 × 23 cm
Bez. li. u.: Original-Zeichnung. Bez. re. u.: Gedruck von Hüffel bei Zöller. Sign. re. u.: Albrecht. Bez. Mi. u.: Scene am 13ten März 1848 beim Landhaus in Wien/zu haben in der Rofranogasse N° 56.
HM, Inv. Nr. 87.534

Am 13. März zogen die Studenten zum Landhaus in der Herrengasse, um der dort tagenden Versammlung der Stände ihre Forderungen (Presse- und Redefreiheit, Lehr- und Lernfreiheit, staatsbürgerliche Gleichstellung der Angehörigen aller Religionsgemeinschaften, Öffentlichkeit und Mündlichkeit des Gerichtsverfahrens, Einführung der Geschworenengerichte, Beseitigung des Untertanenverhältnisses, Selbstverwaltung der Gemeinden und eine allgemeine Volksvertretung) vorzutragen. Eine große Menge schloß sich ihnen an in Erwartung der kommenden Ereignisse, da sich dieses Vorhaben bald wie ein Lauffeuer herumgesprochen hatte. Die Ereignisse überstürzten sich nun. Revolutionäre Reden wurden gehalten, die Menge vom Militär beschossen, und die ersten Opfer waren zu beklagen:

Peter Fürst, Essigsieder, Hausbesitzer, 66 Jahre, Schußwunde
Karl Heinrich Spitzer, Techniker, 18 Jahre, Schußwunde
Isidor Langer, Strumpfwirker, Schußwunde
Bernhard Herschmann, Webergeselle, 25 Jahre, Schädelzertrümmerung
Anna Serflinger, Pfründnerin, erdrückt

GD
Abbildung

Kat. Nr. 18/2/2

**18/2/3**
**Der erste Angriff der Kavallerie vor dem Bürgerlichen Zeughaus, 13. März**

A. Bettenhofer (Pseudonym für August von Pettenkofen), (1822–1889)
Kreidelithographie, 26,9 × 34,4 cm
Bez. Mi.o: 13 te MÄRZ, 1848. Sign. u. dat. li. u.: Betenhofer 848. Bez. li u.: A. Bettenhofer gez. u. lith. Bez. re. u.: Gedr. bei J. Rauh in Wien. Bez. Mi. u.: ERSTER ANGRIFF DER CAVALLERIE VOR DEM BÜRGERLICHEN ZEUGHAUSE.
HM, Inv. Nr. 20.131

Auch auf dem Platz Am Hof hatte sich eine große Menschenmenge eingefunden, und als das „Volk" der Forderung Erzherzog Albrechts, des ältesten Sohnes von Erzherzog Carl, die Versammlung aufzulösen, nicht nachkam, wurde um 3 Uhr am Nachmittag eine Kavallerieattacke befohlen und eine beträchtliche Anzahl von Leuten verwundet.
GD
Abbildung

**18/2/4**
**Triumphzug des verwundeten Schneidergesellen Josef Abeck über den Platz Am Hof, 13. März**

B. Bachmann-Hohmann
Bleistift 14,7 × 18 cm
Sign. re. u.: B. B. Hohmann
HM, Inv. Nr. 88.710

John Viscount Ponsonby, der Botschafter Großbritanniens in Wien, berichtete zu diesem Vorfall: „Während sich das in der Nachbarschaft des Landhauses ereignete, hatte sich eine große Menge Am Hof versammelt, wo sich das Kriegsministerium und das Bürgerliche Zeughaus befinden. Hier richtete Erzherzog Albrecht eine Ansprache an das Volk, jedoch in sehr heftiger Sprache; es wurde eine Kavallerieattacke (3 Uhr) befohlen und eine beträchtliche Anzahl von Leuten wurden verwundet. Einer der Verwundeten wurde hernach im Triumphzug durch die Stadt geführt; mit Blumen bekränzt ritt er das Pferd eines Husaren, den die Menge vom Pferd heruntergerissen hatte." (London, Public Record Office FO 7/348/N.98.) Eine solche Reaktion des Volkes ist mehrfach bezeugt: Außer Abeck erlebten verwundete Knaben und der Student Böhm derartige Triumphzüge.
GD
Abbildung

**18/2/5**
**Waffenausgabe an die Studenten, 13. März**

Ferdinand Hofbauer (1801–1864)
Kreidelithographie, koloriert, 45 × 61 cm
Bez. li. u.: F. Hofbauer lithogr. Bez. Mi. u.: 13. März 1848. / Erste Vertheilung der Waffen an die Studierenden der Wiener Universität. / Herausgegeben von M. Trentsensky in Wien. Bez. re. u.: Gedr. bei Eduard Sieger.
HM, Inv. Nr. 87.609

Nachdem am Abend des 13. März die erste Forderung der Studenten, eine allgemeine Volksbewaffnung durchzuführen, bewilligt worden war, begann noch in der Nacht im Bürgerlichen Zeughaus die Waffenausgabe.
GD
Abbildung

**18/2/6**
**Zerstörung der Mariahilfer Linie, 13. März**

Sepiapinsel und Tuschfeder, 13,4 × 19,1 cm
HM, Inv. Nr. 20.304

Seit 1829 wurde bei den Linienämtern die Verzehrungssteuer für Lebensmittel, die in die Stadt und die Vorstädte gebracht wurden, eingehoben. Gegen diese sehr unpopuläre Abgabe, die alle anderen eingehobenen Mauten ersetzte, richtete sich der Zorn vor allem der ärmeren Vorstadtbevölkerung, die dadurch wesentlich teurer lebte als die Bewohner der Vororte. Alle Verzehrungssteuerämter wurden am 13. März angegriffen, die Zerstörung der Mariahilfer Linie war nicht zuletzt deshalb der Höhepunkt, weil zumindest ein Todesopfer aus den Reihen der Finanzwächter zu beklagen war.
GD

**18/2/7**
**Erstürmung der Baumwoll-Druck-Fabrik Granichstätten in Sechshaus, 14. März**

Franz Kaliwoda (1820–1859)
Feder in Sepia, aquarelliert, 29,5 × 43,5 cm
HM, Inv. Nr. 89.518

Die Textilarbeiter waren sozial am schlechtesten gestellt, für sie galten niedrige Löhne, lange Arbeitszeit, Kinder- und Frauenarbeit, unregelmäßige Beschäftigung, Arbeitslosigkeit durch Einführung neuer Maschinen, schlechte und teure Wohnungen als selbstverständlich. Als nun die Arbeiter der Vorstädte und Vororte der bürgerlichen Erhebung in der Innenstadt nach Bekanntwerden der Ereignisse in der Herrengasse zu Hilfe kommen wollten und die Stadttore verschlossen vorfanden, kehrte das Proletariat um und wandte seine Wut nun gegen die Unternehmer und deren Maschinen, denen sie ihre Not zuschrieben. Eine der ersten Unternehmungen, der diese Aktionen galten, war die Baumwoll-Druck-Fabrik der Brüder Albert und Emanuel Granichstätten (Wien 15, Pillergasse), die in der Nacht vom 13. zum 14. März zerstört und in Brand gesteckt wurde.
GD
Abbildung

**18/2/8**
**Die Brandruinen der Baumwoll-Druck-Fabrik Granichstätten**

Franz Kaliwoda (1820–1859)
Sepiapinsel, Tuschfeder, teilweise aquarelliert, 21,3 × 29,3 cm
Monogrammiert u. dat. re. u.: F. K. 48.
HM, Inv. Nr. 89.522

Die sinnlosen, aber der äußersten Verzweiflung der Arbeiterschaft entsprungenen Zerstörungen der Fabriken bewirkten, daß sich das Bürgertum, sobald es im Mai seine politischen Wünsche – gerade mit Hilfe der Massenaktionen des Proletariates – zum Teil erfüllt sah, von eben diesem trennte, und zwar aus Sorge um das Wirtschaftsleben und aus Furcht vor der radikalen sozialen Revolution.
GD
Abbildung

**18/2/9**
**Bekanntmachung der Konstitution, 15. März**

Carl Goebel (1824–1899)
Kreidelithographie auf Tonplatte, 47 × 63 cm
Dat. u. sign. re. u.: 848 Goebel. Bez. li. u.: Gez. u. Lith. v. Göbel. Bez. Mit. u.: BEKANTMACHUNG DER CONSTITUTION / auf dem Sammelplatze der Nationalgarde im Freihause auf der Wieden / AM 15. MÆRZ 1848.
HM, Inv. Nr. 87.778

Die offizielle Zusicherung einer konstitutionellen Staatsform, einer der Hauptprogrammpunkte der Revolution, löste ungeheuren Jubel in der Bevölkerung aus. Schon am 25. April wurde der Verfassungsentwurf veröffentlicht. Darin wurde allen Staatsbürgern volle Glaubens- und Gewissensfreiheit gewährt und eine Neuordnung der Gemeinden zugesichert.
GD
Abbildung

**18/2/10**
**Karikatur auf die Flucht Metternichs**

Anton Zampis (1820–1883)
Kreidelithographie, 34,9 × 27,2 cm
Bez. u.: Ged. bei J. Höfelich / Jede Constitution erfordert Bewegung / den 14. März 1848.
HM, Inv. Nr. 89.100

Nach der Abdankung Metternichs am 13. März und der Zerstörung seiner Villa am Rennweg am 14. März flüchtete er mit seiner Familie über Feldsberg, Prag, Dresden, Hannover und Holland nach England, das er am 20. April erreichte. 1851 kehrte er nach Wien zurück und übte bis zu seinem Tod (1859) noch Einfluß auf den jungen Kaiser Franz Joseph I. aus. Er wandte sich gegen den konstitutionellen Staat, gegen den Zentralismus und riet zur Einigung mit Ungarn und Italien.
GD
Abbildung

**18/2/11**
**Die Ausfahrt Kaiser Ferdinands I., 15. März**

Hermann Kowalski (1813–nach 1848)
Feder, aquarelliert, 15,9 × 20,2 cm
HM, Inv. Nr. 111.178

Trotz anfänglicher Bedenken entschlossen sich der Kaiser und seine Ratgeber schließlich doch zu einer Rundfahrt des Monarchen durch die revolutionäre Innenstadt; die Fahrt entwickelte sich zu einem Triumphzug und bewies die überwältigende Loyalität der Bevölkerung.
GD
Abbildung

**18/2/12**
**„Der erste Buchhandel der freyen Presse 1848“**

Johann Nepomuk Höfel (1786–1864)
Aquarell, 20,5 × 27,2 cm
Sign. u. dat. re. u.: IOH. HÖFEL, 1848. Bez. Mi. u.: Der erste Buchhandel der freyen Presse 1848.
HM, Inv. Nr. 88.677

Nach Verkündigung der Pressefreiheit am 14. März verlegte sich das Schwergewicht des Vertriebes von aktuellen Bildern, Flugschriften, Zeitungen usw. auf die Straße. Die erste Kolportage in modernem Sinn wurde geboren. Fliegende Händler etablierten sich auf fahrbaren Ständern, wandernde Verkäufer riefen ihre Tagesliteratur aus, und auf den Plätzen und Märkten wurde neben Obst und Gemüse in den gleichen Obstkörben aktuelle Literatur und Karikatur vertrieben.
GD
Abbildung

**18/2/13**
**Begräbnis der „Märzgefallenen“, 17. März**

Bleistift, weiß gehöht, 15,2 × 22,5 cm
HM, Inv. Nr. 20.184

Die 35 Gefallenen des 13. März 1848 („Märzgefallene“) fanden ihre erste Ruhestätte auf dem Schmelzer Friedhof (heute Wien 15, Märzpark), wo die gemeinsame Bestattung unter Assistenz von Geistlichen aller Konfessionen stattfand. Sie erhielten nach der am 6. September 1888 erfolgten Exhumierung ein Ehrengrab auf dem Wiener Zentralfriedhof.
GD

**Die Universität**

*Was kommt heran mit kühnem Gange?*
*Die Waffe blinkt, die Fahne weht,*
*es naht mit hellem Trommelklange*
*die Universität.*
*Die Stunde ist des Lichts gekommen;*
*was wir ersehnt, umsonst erfleht,*
*im jungen Herzen ist's entglommen*
*der Universität.*
*Das freie Wort, das sie gefangen,*
*seit Joseph arg verhöhnt, geschmäht,*
*vorkämpfend sprengte seine Spangen*
*die Universität*
Ludwig August Frankl

**18/2/14**
**Reglement der Nationalgarde**

„Wie muß eine Nationalgarde exercirt werden? Erschöpfende Entwicklung der Abrichtung des einzelnen Garden und aller selbständigen Abtheilungen. Von W. M. . . . r. ehemaligem k. k. Officier Wien, Verlag von Tendler et Comp. 1848.“ 35 Seiten (broschürt).
HM, Inv. Nr. 123.294
Abbildung

**18/2/15**
**Einreihungskarten in die Nationalgarde**

Vordruck, ausgefüllt mit brauner Tinte, 7 × 11,7 cm
a) Akademische Legion. Juristen-Corps
HM, Inv. Nr. 49.080
b) Akademische Legion. Philosophen-Corps
HM, Inv. Nr. 49.081
c) Akademische Legion. Mediziner Corps
HM, Inv. Nr. 98.321/5
d) Akademische Legion. Techniker Corps
HM, Inv. Nr. 72.786/1
e) Akademische Legion. Künstler Corps
HM, Inv. Nr. 98.321/4
f) Nationalgarde VII. Kompanie
HM, Inv. Nr. 18.169

**18/2/16**
**Die Döblinger Nationalgarde im Jahre 1848**

Michael Neder (1807–1882)
Öl auf Leinwand, 63 × 78 cm
HM, Inv. Nr. 27.071

Kat. Nr. 18/2/14

**18/2/17**
**Josef Matthias Aigner (1818–1886) als Kommandant der Akademischen Legion, 1848**

Selbstbildnis, 1849
Öl auf Leinwand, 75 × 56 cm
Bez. u. dat. re. u.: Zur Erinnerung / meinem Freunde Franko / J. M. Aigner, letzter Commandant der Legion / 1848 invenit 849.
HM, Inv. Nr. 31.039

Der Porträtmaler Josef Matthias Aigner, ein Schüler Friedrich Amerlings, war der letzte Kommandant der Akademischen Legion. Als solcher wurde er am 11. November gefangen genommen und am 23. November 1848 zum Tode verurteilt, von Fürst Windisch-Graetz jedoch sofort begnadigt; angeblich weil Aigner die Revolutionäre von der Erstürmung des Zimmers von Innenminister Baron Doblhoff abgehalten hatte.
GD/SK

**18/2/18**
**Studentenwachstube in der Aula der alten Universität**

Franz Schams (1824–1883)
Feder, aquarelliert, 17,4 × 23,7 cm
HM, Inv. Nr. 20.236

Die Studenten waren die Triebfeder der Revolution, und die Aula der alten Universität (heue Akademie der Wissenschaften, 1, Dr.-Ignaz-Seipel-Platz 2) wurde immer mehr zum Zentrum der revolutionären Bewegung. Diesem Beispiel folgten bald alle übrigen höheren Lehranstalten Wiens, die während der Revolutionsmonate keinen regelmäßigen Lehrbetrieb mehr durchführten.
GD
Abbildung

**MAI**

*Wer ist der Adel*
*und wer ist das Gesindel von Wien?*
*Die ohne Furcht vor Spielberg, Galgen und vor Bann,*
*bei Österreichs Landhaus riefen: „Fluch der Tyrannei“,*
*die man nur tot aus blut'ger Gasse bringen kann,*
*jedem der Wahlspruch gilt: „Erschossen oder frei“,*
*die's Zeughaus waffenlos zu stürmen sich bemühn,*
*das sind gar kühne Herren, der Adel ist's von Wien!*
*Doch die von Hofwitz und von Pfaffenränken voll*
*zu dekretier'n geruhten Östreichs Sklavenjoch;*
*mit Schuld belasteten vom Lande jeden Zoll,*
*bei ungeheurem Sold den Staat bestahlen noch,*
*und jetzo vor dem Volke kriechen oder fliehn,*
*das sind gar feige Knechte, das Gesindel ist's von Wien!*
Theodor Scheibe

**18/2/19**
**Verkündigung der neuen Zugeständnisse am 15. Mai auf dem Michaelerplatz**

Carl Goebel (1824–1899)
Sepia und Tuschfeder, 16 × 23 cm
Sign. re. u.: Goebel. Bez. auf Rückseite: Verkündigung der neuen Zugeständnisse am 15[ten]/Mai auf dem Constitutionsplatze (früheren Michaelerplatze).
HM, Inv. Nr. 20.218

Als Auftakt zu den Barrikadentagen vom 26. bis 28. Mai kann die sogenannte „Sturmpetition“ bezeichnet werden. Ein großer Zug von Studenten, Nationalgarde und Arbeitern bewegte sich zum Ballhausplatz und forderte das allgemeine Wahlrecht und die Abschaffung des Senats, der nur dem Adel vorbehalten war. Die Regierung gab nach und bewilligte sämtliche Forderungen; der Kaiser reiste jedoch am 17. Mai fluchtartig ab und verlegte die Residenz nach Innsbruck.
GD
Abbildung

**Barrikaden**

*Barrikaden! Barrikaden! jubelnd wie zum Festgepränge*
*nach dem Schauplatz von Ruinen wogt die aufgeregte Menge:*
*von den Schanzen wehen Fahnen, weiß wie Leichen, rot wie Blut,*
*und auf zornentbrannten Mienen spielt der Wachenfeuer Glut.*
*Barrikaden! Barrikaden! Wien hat keine noch gesehen,*
*sind's die ersten doch die drohend auf der heil'gen Erde stehen:*
*eines zorn'gen Volksbewußtsein unumstößlicher Beweis,*
*dran der Puls der Widersacher wohl erstarren mag zu Eis!. . . .*
*Ungeheuer ist die Sünde der erbärmlichen Tyrannen,*

Kat. Nr. 18/2/24

*so die neugeborne Freiheit feig und schnöd zu morden sannen . . .*
*Allen, die gefrevelt haben, wird der Rache Stunde schlagen,*
*als Gespenst der Schmach noch wandeln auf den morschen Sarkophagen . . .*
Ludwig Bowitsch

**18/2/20**
**Zug der Arbeiter in die Stadt zum Barrikadenbau, 26. Mai**

Franz Gaul d. J. (1837–1906)
Aquarell und Deckfarben, 26,9 × 37 cm
Später beschriftet auf Rückseite: Am 26. Mai 1848 / dem ersten Barrikadentage. / In den Nachmittagsstunden des genannten Tages zog eine / große Masse bewaffneter Eisenbahnarbeiter, geführt von / einem Studenten der akademischen Legion zum Sukkurs / der Legion in die Stadt. / Dieselben kamen gemengt mit Weibern, die ebenfalls bewaffnet waren von der / Südbahn. / Die Skizze stellt dar, wie die Masse mit Krampen, Schaufeln, Hämmern, Eisenstangen / u. Sensen bewaffnet, an der großen Barrikade bei der sogenannten „steinernen Brücke“ / : / die später an anderer Stelle durch die Elisabethbrücke ersetzt wurde: / über den Wienfluß, nächst dem / Naschmarkt vorbeizieht. Rückwärts reitet eine Abteilung Cürassiere durch die lange Pappelallee / in der Richtung des Schwarzenbergpalais, die längs des Wienflusses heraufgeritten kamen.
HM, Inv. Nr. 88.690
Abbildung

**18/2/21**
**Die erste Barrikade in der Märzstraße, 26. Mai**

Eduard Ritter (1808–1853)
Kreidelithographie, koloriert,
23,7 × 30,2 cm
Sign. re. u.: E. Ritter
HM, Inv. Nr. 72.937

Für kurze Zeit wurde im Jahre 1848 die damalige „Untere Bäckerstraße“ (heute 1., Sonnenfelsgasse) in Märzstraße umbenannt.
GD
Abbildung

**28/2/22**
**Die dritte Universitätsbarrikade, 26. Mai**

Eduard Ritter und Bayer
Kreidelithographie, koloriert,
20,5 × 28,5 cm
Sign. re. u.: Ritter et Bayer
HM, Inv. Nr. 87.862

**18/2/23**
**Barrikade auf dem Stephansplatz, 26. Mai**

Carl Goebel (1824–1899)
Sepiapinsel und Tuschfeder über Bleistiftvorzeichnung, 17,3 × 24,9 cm
Bez. u.: Baricade am Stephansplatz im Fürst / Erzbischöflichen Pallast die Fenster fallen Steine / innen alles mit Nationalgarde und academischer / Legion foll.
Begleitschreiben: Goebels re.: Euer Wohlgeboren / Bin durch die Ereignisse / so in Anspruch genommen daß / es mir nicht möglich war eine / ausgeführtere Zeichnung / zu liefern indem ich immer / Nationalgarddienst habe / ich glaube dise Baricade dürfte von Wichtigkeit die größte seyn. / Bitte mir gefälligst auf / mein erstes Schreiben / zu antworten sonst könnte / es seyn daß ich vielleicht / nicht diesen Ansprüchen genüge / etz / mit Achtung / Goebel / Wien den 27. May / 1848.
HM, Inv. Nr. 20.228
Abbildung

**18/2/24**
**Barrikade am Heidenschuß, 26. Mai**

Johann Nepomuk Passini (1798–1874)
Aquarell, 29 × 22,5 cm
Dat. u. sign. re. u.: Nach der Natur gezeichnet am 26. Mai 1848 / am Haidenschuß – zur Erinnerung von Joh. Passini
HM, Inv. Nr. 96.374
Abbildung

**18/2/25**
**Eine Barrikade vom 26. Mai**

Bleistift, 11,1 × 17,8 cm
Dat. li. u.: 26. Mai
HM, Inv. Nr. 20.225

**18/2/26**
**Barrikade auf dem Michaelerplatz, 26. Mai**

Carl Goebel (1824–1899)
Sepiapinsel und Tuschfeder, 20,3 × 17,1 cm
Sign. li. u.: Goebel. Dat. Mi. u.: 26. u. 27. Mai 1848
HM, Inv. Nr. 20.230

Auf der Rückseite eine Erläuterung Goebels: „Wien / May / 26. Wollte man der academischen Legion mit / Gewalt die Waffen nehmen und selbst aufheben / es wurden Baricaden gemacht eine solche zeichnete / ich hier, es ist die am Michaelerplatz.“
Abbildung

Kat. Nr. 18/2/3

Kat. Nr. 18/2/4

Kat. Nr. 18/2/5

Kat. Nr. 18/2/8

Kat. Nr. 18/2/9

Kat. Nr. 18/2/11

Kat. Nr. 18/2/12

Kat. Nr. 18/2/18

Kat. Nr. 18/2/19

Kat. Nr. 18/2/21

Kat. Nr. 18/2/23

Kat. Nr. 18/2/30

Kat. Nr. 18/2/26

Kat. Nr. 18/2/27

**18/2/27**
**Die Barrikade auf dem Michaelerplatz in der Nacht vom 26. auf den 27. Mai**

Anton Ziegler, 1848
Öl auf Leinwand, 68,7 × 55 cm
Sign. u. dat. re. u.: 27. Mai/1848/A. Ziegler
HM, Inv. Nr. 31,471

Als am 25. Mai die Auflösung der Akademischen Legion als selbständiger Bestandteil der Nationalgarde verfügt und ihre Vereinigung mit dieser angeordnet wurde, zogen am nächsten Tag in großen Massen Studenten, Nationalgarde und Arbeiter in die Stadt und erzwangen gewaltsamen Einlaß bei den mit Militär besetzten Stadttoren. Sie vereinigten sich mit der Akademischen Legion und errichteten über 160 Barrikaden in der Inneren Stadt. Unter dem Eindruck dieser Kampfmaßnahmen wurde der Auflösungsbeschluß zurückgenommen. Noch am 26. Mai konstituierte sich ein „Sicherheitsausschuß von Wiener Bürgern, Nationalgarde und Studenten zur Aufrechterhaltung von Ruhe und Sicherheit und zur Wahrung der Volksrechte", der die Vermittlerrolle zwischen Volk und Regierung übernehmen sollte. Am 27. Mai wurde diese Körperschaft von der Regierung anerkannt. Es wurden ihr Behördenfunktionen übertragen, die Revolution war auf ihrem Höhepunkt angelangt.
GD
Abbildung

**18/2/28**
**Diorama: Die Barrikade auf dem Michaelerplatz in der Nacht vom 26. auf den 27. Mai**

Edith Fohler

**18/2/29**
**Frau beim Barrikadenbau vom 26. Mai**

Franz Ruß d. Ä. (1817–1892)
Bleistift, aquarelliert, 17,4 × 13,4 cm
Sign. u. dat. re. u.: F. Ruß 1848. Bez. Mi. u.: Am 26t May 1848 in Wien
HM, Inv. Nr. 88.712

Während der Barrikadentage vom 26. bis 28. Mai nahmen zahlreiche Frauen am Barrikadenbau teil. Erst beim Abwehrkampf im Oktober reihten sich Frauen in die Mobilgarde ein und nahmen auch am Kampf teil.
GD
Abbildung

**18/2/30**
**Rede eines Studenten an die Arbeiter**

Johann Nepomuk Höfel (1786–1864)
Aquarell, 30 × 40,8 cm
Sign. u. dat. re. u.: JOH. HÖFEL/Juni 1848.
Bez. Mi. u.: Rede eines Studenten an die Arbeiter/in der Märzgasse (: untere Bäckerstrasse:) am 27t May 848 in Wien.
HM, Inv. Nr. 88.685
Abbildung

**18/2/31**
**Anschlag-Zettel zum Schutze jüdischer Einrichtungen, 26. Mai**

Druck auf Papier, 43,8 × 53,5 cm
HM, Inv. Nr. 124.598
Abbildung

Kat. Nr. 18/2/29

Dieses
Bethhaus
und diese
Schule
stehen unter dem Schutze
des Volkes.

Kat. Nr. 18/2/31

**18/2/32**
**„Erinnerung an Wien mit seinen Barricaden am 26–27 u. 28ten Mai 1848."**

H. Sommer nach Gustav Veith
Kreidelithographie, 34,4 × 38,8 cm
Titelvignette, Plan von Wien mit seinen 160 Barrikaden und 6 Einzeldarstellungen von Barrikaden.
Sign. li. u.: G. Veith gez. Sommer lith.
HM, Inv. Nr. 20.234

**SOMMER**

**18/2/33**
**Zeitungsverkauf im Juni**

Johann Nepomuk Höfel (1786–1864)
Aquarell, 25,8 × 35,1 cm
Sign. Mi. u.: I. Höfel. Bez. Mi. u.: Verkauf der Wahrheit (:Volksblatt:) zu Wien/im Juni 1848 um 1Xr Conv:Mz:
HM, Inv. Nr. 88.676
Abbildung

Kat. Nr. 18/2/33

**18/2/34**
**Reichstagssitzung im Rittersaal des Niederösterreichischen Landhauses im Juli**

A. Seyß
Bleistift, 19,1 × 22,6 cm
Sign. li. u.: A. Seyß. f. Bez. auf Rückseite: Sitzung der Reichsversammlung in Wien
HM, Inv. Nr. 20.241

Nach der feierlichen Eröffnung des Reichstages am 22. Juli in der Winterreitschule, bei der Erzherzog Johann als Reichsverweser die Thronrede hielt, wurde der Rittersaal des Landhauses zum eigentlichen Tagungsort. Das wichtigste Werk des Reichstages war der Beschluß vom 31. August über das Grundentlastungsgesetz sowie die Aufhebung von Robot und Zehent. Die entsprechende kaiserliche Sanktion erfolgte am 6. September.
GD

**18/2/35**
**Ein bei Notstandsarbeiten eingesetzter Arbeiter**

Johann Baptist Reiter (1813–1890)
Öl auf Leinwand, 39,5 × 28,5 cm
Sign. u. dat. re. u.: J. Reiter Wien/848.
Budapest, Szépmüvészeti Múzeum
Abbildung

**18/2/36**
**Ein bei Notstandsarbeiten eingesetzter Arbeiter**

Johann Baptist Reiter (1813–1890)
Öl auf Leinwand, 40 × 29 cm
Sign. u. dat. re. u.: J. Reiter Wien/848.
Budapest, Szépmüvészeti Múzeum
Abbildung

**AUGUST**

**Ein Nachtstück**

*Halloh, halloh, zur Praterjagd!*
*Auf Schützen, auf zur wilden Hetze!*
*Das Waidwerk war auch lang versagt*
*durch allerhöchste Jagdgesetze.*
*Drauf, sichre Schützen, gut gezielt!*
*Und was die Kugeln nicht erreichen,*
*das hetzt zu Tod, das edle Wild,*
*in der Parforce-Jagd sondergleichen!*
*Nacht ist's. Das Totenlämpchen brennt*
*in der barmherz'gen Väter Spittel,*

Kat. Nr. 18/2/35

Kat. Nr. 18/2/36

*dort nimmt ein Mann das Sakrament,*
*ein Arbeitsmann im groben Kittel;*
*glanzlos sein Aug', er röchelt dumpf,*
*es liegt sein Haar in wirren Flechten,*
*wild starrt er in den blut'gen Stumpf,*
*den blut'gen Stumpf von seiner Rechten.*
*Und links und rechts in langen Reih'n*
*die armen Opfer, blutbegossen,*
*ein Dutzend schon im Totenschrein,*
*ein Hundert wund, zerhackt, zerschossen!*
*Da liegen sie . . . Gott sei's geklagt!*
*Nun, nun – daß es nur keinen wundert!*
*Man schießt doch wohl auf solcher Jagd,*
*der Häslein achtzig oder hundert! . . .*
Julius Schwenda

**18/2/37**
**Die Praterkämpfe, 23. August**

F. Werner
Kreidelithographie, koloriert, 27,2 × 40,7 cm
Bez. re. u.: D. u. V. bei F. Werner Mariahilf N° 128 i. Wien. Bez. Mi. u.: Scene im Prater (in Wien) am 23. August 1848.
HM, Inv. Nr. 87.546

Um die große Zahl der Arbeitslosen zu verringern, wurden diese zu Notstandsarbeiten bei öffentlichen Bauten herangezogen. Die zunächst entsprechende Entlohnung unterblieb durch witterungsbedingte Arbeitsausfälle; als auch ohne jede Begründung der Lohn der Frauen und Jugendlichen um 5 Kreuzer herabgesetzt wurde, kam es nach vergeblichen Vermittlungsversuchen zu den Ereignissen am 23. August. Ein anfangs friedlicher Demonstrationszug der Arbeiter artete zu einer regelrechten Schlacht mit der Sicherheitswache aus, in die schließlich auch die Nationalgarde gegen die Demonstranten eingriff. Nicht zuletzt durch die große Zahl an Opfern – auf Seite der Arbeiter gab es 282 Verwundete und 18 Tote, auf der Gegenseite 56 und 4 – wurde die bisher gemeinsame Front der Studenten, Arbeiter und Nationalgarde gesprengt, die revolutionäre Basis wurde kleiner.
GD
Abbildung

## OKTOBER

### A la Laterne!!

*Sie lernen nichts, sie lernen nichts,*
*die Herrn Hochwohlgeboren!*
*Vergeblich schmettert des Gerichts*
*Posaune ihren Ohren:*
*daß golden nur aus schwarzer Nacht*
*das Morgenrot der Freiheit lacht*
*nach blutig schweren Wehen.*
*Sie mögen's nicht verstehen!*
*Weil denn die Herrn von bess'rem Blut*
*die neue Zeit nicht lernen,*
*so hängt die Herren kurz und gut*
*hoch, hoch an die Laternen!*

**18/2/38**
**Der Kampf an der Taborbrücke in der Leopoldstadt, 6. Oktober**

Bonaventura Emler (1831–1862)
Öl auf Leinwand, 34,5 × 42 cm
Sign. u. dat. re. u.: Emler 849
HM, Inv. Nr. 31.706

Gefecht zwischen der Nationalgarde und Akademischer Legion auf der einen Seite und dem Regiment Nassau auf der anderen, das den Abmarsch des Grenadierbataillons Richter zur Bekämpfung der ungarischen Revolution mit Gewalt erzwingen wollte. Das Militär wurde zurückgeschlagen und die Wiener zogen, begleitet von fraternisierenden Truppen des Grenadierbataillons Richter, mit drei erbeuteten Kanonen triumphierend in Wien ein. Bonaventura Emler nahm als Akademischer Legionär an diesem Gefecht teil.
GD
Abbildung

**18/2/39**
**Die Ermordung Latours, 6. Oktober**

Bleistift, weiß gehöht, 29,7 × 23,4 cm
HM, Inv. Nr. 20.114

Der Kriegsminister Graf Theodor Baillet-Latour wurde am 6. Oktober 1848 im Kriegsministerium (Hofkriegskanzlei) ermordet, da man in ihm den Verantwortlichen für den Abmarsch des Grenadierbataillons Richter nach Ungarn sah. Seinen geschändeten Leichnam hing man sodann auf einer Laterne des Platzes Am Hof auf.

Latour wurde im Hof des Kriegsministeriums (Kriegskanzlei) in grausamster Weise ermordet: „. . . von rechts und links zielten mörderische Hiebe und Stöße auf das Opfer. Gleichzeitig traf ihn ein Hammerschlag von rückwärts auf den Kopf, ein Säbelhieb über das Gesicht und ein Bajonettstich in die Brust. Er sank unter dem Frohlocken der Menge zu Boden, eben als die Hofuhr ¾ auf 5 schlug. Aber nicht genug, daß es seinen Leib gräßlich zermartert hatte, riß das Pack den noch Lebenden empor, schlang ihm eine Schnur um den Hals und hing ihn an einem Eisenstabe des Fenstergitters auf, und als die Schnur riß, schleifte es den Leichnam zu dem Hofe hinaus auf den Platz vor dem Kriegsgebäude und knüpfte ihn dort abermals an dem großen Gaskandelaber auf, welcher vor der Hauptwache stand. Und die Offiziere und Soldaten der Besatzung ließen, ohne eine Hand zu erheben, ihren Kriegsminister von der entmenschten Rotte hinschlachten, ja ein Grenadier gab selbst seinen Mantelriemen zu seiner Aufhängung her . . ."

*Lit.: Moritz Smets, Das Jahr 1848. Geschichte der Wiener Revolution, 2. Bd., Wien 1872, 577 f.*
GD
Abbildung

**18/2/40**
**Tod des Grafen Latour, 6. Oktober**

Johann Christian Schoeller (1782–1851)
Aquarell, 14 × 11,9 cm
Sign. re. u.: Schoeller del. Bez. auf Rückseite: Tod des Grafen/und Kriegsministers/Baillet de la Tour/am Hof den 6. October/1848.
HM, Inv. Nr. 104.776

*„. . . Die Anarchie hat ihr Äußerstes vollbracht, Wien ist mit Brand und Mord erfüllt, mein Kriegsminister, den schon sein Greisenalter hätte schirmen sollen, hat unter den Händen meuchelmordischer Rotten geendet . . . Ich vertraue auf Gott und mein Recht, verlasse die Nähe meiner Hauptstadt, um Mittel zu finden, dem unterjochten Volke Hilfe zu bringen. Wer Österreich, wer die Freiheit liebt, schare sich um seinen Kaiser . . ."*
Ferdinand I.

Kat. Nr. 18/2/39

Kat. Nr. 18/2/41

**18/2/41**
**Alfred Fürst Windisch-Graetz (1787–1862)**

Karl Sterio
Aquarell auf blauem Papier, 47,6 × 36,4 cm
HM, Inv. Nr. 12.337

Alfred Fürst Windisch-Graetz, seit 1809 Kommandeur bei den Ulanen, kämpfte bereits in der Schlacht von Aspern 1809. 1813 Vertrauter von Metternich, blieb er immer ein Vertreter des Konservativismus, als der er 1848/49 mit unnachsichtiger Strenge zuerst in Prag und dann in Wien gegen die Revolutionäre vorging.
GD
Abbildung

**18/2/42**
**Die Erstürmung der Sternbarrikade, 28. Oktober**

Carl Lanzedelly (1806–1865)
Kreidelithographie, koloriert,
24,7 × 29,3 cm
Bez. o.: Scizzen von Wien im October 1848.
Sign. li. u.: Lith. v. C. Lanzedelli, und re. u.: Gedr. bei J. Loder. Bez. Mi. u.: DIE ERSTÜRMUNG DER ÄUSSEREN BARIKADE IN DER JÄGERZEILE./durch die K. K. Truppen den 28. October 1848.
HM, Inv. Nr. 96.488/8
Abbildung

**18/2/43**
**Diorama: Kampf bei der Sternbarrikade in der Jägerzeile am 28. Oktober**

Edith Fohler

Der Fall dieser stärksten Barrikade, der „Sternbarrikade" (Praterstern), die von General Bem verteidigt wurde, besiegelte das Schicksal der Stadt. Nunmehr mußte die letzte, bisher nicht eroberte Barrikade bei der Taborstraße, deren Verteidigung der Kommandant der Akademischen Legion, der Porträtmaler Josef Matthias Aigner (vgl. Kat. Nr. 18/2/17), leitete, aufgegeben werden. Damit war der Weg für die Truppen bis zur Stadtmauer frei.
GD

**18/2/44**
**Kampf in der Jägerzeile, 28. Oktober**

B. Bachmann-Hohmann
Bleistift, 21,9 × 31 cm
Sign. li. u.: B. Bachmann-Hohmann. Bez. auf Rückseite: Vertheidigung der Jägerzeilbarrikade, nächst der Johanneskirche.
HM, Inv. Nr. 43.568

Nach dem Fall der „Sternbarrikade" (Praterstern), der stärksten Barrikade, bedeuteten die Kämpfe in der Praterstraße (Jägerzeile) nur mehr Rückzugsgefechte.
GD
Abbildung

**18/2/45**
**Brand in der Inneren Stadt in der Nacht vom 28. zum 29. Oktober**

Bleistift, weiß gehöht, 16,3 × 30,9 cm
HM, Inv. Nr. 20.332

Blick vom Kaisergarten (heute Burggarten) auf das Gelände zwischen Michaelerkirche und Augustinerkirche.
GD
Abbildung

**18/2/46**
**In einem Hauskeller während des Bombardements, 26. bis 31. Oktober**

Johann Schneetter
Aquarell, 26,4 × 21,8 cm
Sign. u. dat. re. u.: 1848/Schneetter, Bez. Mi. u.: ANDENKEN/Der Familien Johañ Koperto und Michael Poppenberger, welche sich vom 26ten bis/31ten October 1848, während der Dauer des Bombardements u: der Feuersbrünste der

Kat. Nr. 18/2/46

Vorstädte u:/der Stadt Wien, im eigenem Haus, Leopoldstadt, Donaustrasse No 146 im keller beysam̄en befanden. Umschrift: Ringsumher der fürchterliche Brand von mehr als 5000 Klafter Brennholz, der dem Herrn Feldmüller gehörigen Holz-Legestädte, und jener, der bedeutenden Bauholz Niederlage des Herrn Pausingers und Kirschners.
HM, Inv. Nr. 56.427

Leopoldstadt, Donaustraße 146 = heute: 2,, Obere Donaustraße 7.
Abbildung

**18/2/47**
**Der Brand von Wien, 28. Oktober**

Michael Mayr
Öl auf Papier, 9,9 × 15,9 cm
Bez. u. dat. auf Rückseite: Zur Erinnerung an/Dein Freund Seiler/1848.
HM, Inv. Nr. 125.060
Abbildung

**18/2/48**
**„Wien in der Nacht vom 28. auf den 29. October 1848"**

Friedrich Exter
Kreidelithographie, koloriert,
47,4 × 61,6 cm
Sign. li. u.: Nach d. Natur gez. u. lith. v. Friedr. Exter
HM, Inv. Nr. 31.639

Blick auf die brennende Stadt vom Kahlenberg aus, nach der Beschießung durch die kaiserlichen Truppen vor dem Generalangriff.
GD

**18/2/49**
**„Schlacht bei Schwechat am 30ten October 1848"**

Franz Xaver Zalder (1815–nach 1848)
Kreidelithographie, koloriert, 42,5 × 56 cm
Sign. li. u.: Nach d. Natur gez. u. lith. v. F. X. Zalder. Bez. re. u.: Gedr. b. J. Rauh in Wien.
HM, Inv. Nr. 87.478

Die ungarische Befreiungsarmee zum Entsatz des von den kaiserlichen Truppen umzingelten Wien traf zu spät ein und war auch außerdem zu schwach. Nach ihrer Niederlage bei Schwechat, die in Wien erst am 31. Oktober bekannt wurde, war jede Aussicht auf Hilfe von außen geschwunden, damit trat auch eine starke negative psychologische Wirkung ein. Die weitere Folge war, daß die Zahl der aktiven Kämpfer in der Stadt zusammenschmolz, da keine reale Aussicht auf einen Erfolg mehr bestand. Der nun einsetzende Verzweiflungskampf konnte die endgültige Einnahme der Stadt nur mehr um wenige Stunden verzögern.
GD
Abbildung

**18/2/50**
**Abtragung der „Latour-Laterne" Am Hof durch kaiserliche Truppen**

Bleistift, weiß gehöht, 25,1 × 23,5 cm
HM, Inv. Nr. 20.115
Abbildung

**18/2/51**
**Das zerstörte Wien im Oktober 1848 Jägerzeile und Mackshe Zuckerfabrik**

Carl Goebel (1824–1899)
Kreidelithographie, koloriert, 26,4 × 35 cm
Sign. u. dat. Mi. re.: Goebel/1848. Bez. o.: Skizzen von Wien im October 1848
HM, Inv. Nr. 96.488/2
Abbildung

Kat. Nr. 18/2/50

Kat. Nr. 18/2/38

Kat. Nr. 18/2/42

Kat. Nr. 18/2/44

Kat. Nr. 18/2/45

Kat. Nr. 18/2/51

Kat. Nr. 18/2/55

Kat. Nr. 18/2/49

Kat. Nr. 18/2/57

Kat. Nr. 18/2/58

Kat. Nr. 18/2/60

Kat. Nr. 18/2/65

Kat. Nr. 18/2/54

**18/2/52**
**Die Brandruinen des Schüttel, November**

Bleistift, weiß gehöht, 13,7 × 48,7 cm
HM, Inv. Nr. 20.279

**18/2/53**
**Die St. Marxer Linie nach dem Kampf**

Carl Goebel (1824–1899)
Bleistift, 11,6 × 36,2 cm
Sign. re. u.: Göbel.
HM, Inv. Nr. 20.289

**18/2/54**
**Die Nußdorfer Linie nach der Einnahme durch die kaiserlichen Truppen, Ende Oktober**

Öl auf Leinwand, 63,5 × 79,5 cm
HM, Inv. Nr. 31.474
Abbildung

**18/2/55**
**Verhaftung von Angehörigen der Nationalgarde, der Akademischen Legion und der Mobilgarde, 31. Oktober**

B. Bachmann-Hohmann
Bleistift, 14,2 × 18,8 cm
Sign. u. dat. re. u.: B. Bachmann-Hohmann Wien 849
HM, Inv. Nr. 88.675

Die Lage der Revolutionäre war bereits aussichtslos geworden, als am Nachmittag des 31. Oktober die Stadt noch einmal beschossen wurde. Beim Einzug in die Stadt kam es zu zahlreichen Übergriffen von seiten der kaiserlichen Truppen. Viele Beispiele von Plünderungen und Gewalttaten gegenüber Gefangenen, Verwundeten und Zivilpersonen sind bezeugt.
GD
Abbildung

**18/2/56**
**Seressaner**

Carl Goebel (1824–1899)
Bleistift, aquarelliert, 27,5 × 22,6 cm
Sign. re. u.: Goebel. Bez. li. u.: Sereschaner Kroaten in Wien.
HM, Inv. Nr. 64.699
Abbildung

**Das Ende der Revolution**

**Eine neue Geschichte**

*'s war einer, dem's zu Herzen ging,*
*daß ihm der Zopf von hinten hing,*
*er spielte den Erlöser.*
*Da rief man: Heisa! Hopsasa!*
*Sang keck: „Was macht der Herr Papa“,*
*und trug den Kalabreser!*
*Und jeder, der im lieben Wien*
*nicht mitgesungen, mitgeschrien,*
*den hieß man Zopf-Chineser!*
*Da sang man rings am Donaustrand:*
*„Was ist des Deutschen Vaterland?“*
*und trug den Kalabreser!*
*Das war der Aula eben recht,*
*sie dachte sich, es wär' nicht schlecht,*
*wenn wir die Reichsverweser!*
*Man nahm das Volk in neue Lehr',*

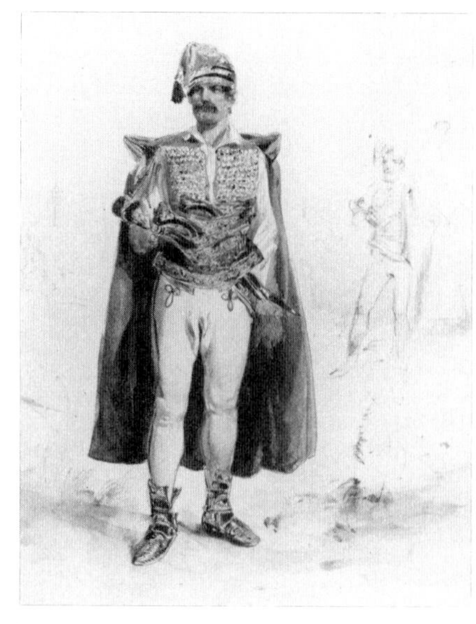

Kat. Nr. 18/2/56

*gab jedem Knaben ein Gewehr*
*und trug den Kalabreser!*
*Man lenkte die Empörung schlau,*
*verstand der Barrikaden Bau*
*und trieb es immer böser.*
*Und jeder, was er wollte, tat,*
*wollt nimmer hören klugen Rat,*
*und trug den Kalabreser!*
*Doch Nemesis bewährt sich stets,*
*die schickte Fürsten Windischgrätz*
*als echten Volkserlöser:*
*da war die Aula plötzlich leer,*
*Studenten sah man keinen mehr,*
*auch keinen Kalabreser!*
*Lauft durch die ganze Stadt euch müd',*
*ihr hört nichts mehr vom Fuchsenlied,*
*seht keinen Legioneser.*
*Kein Gardensäbel klappert mehr,*
*man trägt jetzt Stock statt dem Gewehr*
*und keinen Kalabreser!*
Josef Weil

**18/2/57**
**Verhaftung eines Bürgers durch Seressaner, November**

Franz Gaul d. J. (1837–1906)
Aquarell, 25,7 × 412,7 cm
Bez. auf Rückseite: Eine Arretirung in den ersten Novembertagen 1848/die ersten Seressaner die wir sahen./:/am Glacis in der Nähe der ehemaligen steinernen Brücke über den/Wienfluß.
HM, Inv. Nr. 88.699
Abbildung

**18/2/58**
**Standrechtliche Erschießung des Abgeordneten zur Frankfurter Nationalversammlung, Robert Blum, 9. November**

Kreidelithographie, 20,3 × 25 cm
Bez. Mi. o.: Robert Blum's Tod
HM, Inv. Nr. 98.098

Robert Blum (geb. 10. November 1807 in Köln), der als Abgeordneter des Frankfurter Parlaments als Kompanieführer an den Oktoberkämpfen teilgenommen hatte, wurde unter Bruch des Völkerrechts, trotzdem sich sogar Alfred Fürst Windisch-Graetz für seine Begnadigung aus diplomatischen Gründen eingesetzt hatte, standrechtlich erschossen.
GD
Abbildung

**18/2/59**
**Standrechtliche Erschießung des Kommandanten der Nationalgarde, Cäsar Wenzel Messenhauser, 16. November**

Weixelgärtner
Kreidelithographie, 27,2 × 34 cm
Sign. li. u.: Gez. u. lith. v. Weixelgärtner. Bez. Mi. u.: MESSENHAUSER's TOD./„Zielt gut, meine Freunde! – hier ist das Herz, und das Herz müsst ihr Treffen . . . an . . . Feuer.“
HM, Inv. Nr. 87.568

Messenhauser (4. Jänner 1813 Proßnitz – 16. November 1848 Wien, standrechtlich erschossen im Stadtgraben bei der Neutorbastei) nahm 1848 als Offizier bei den Deutschmeistern seinen Abschied. Mit seiner Berufung zum Kommandanten der Wiener Nationalgarde wurde er zu einem der loyalsten Führer der Revolution, der den Befehlen von Gemeindeausschuß und Reichstag gehorchte. Seine Sorge galt der Verteidigung der Stadt und der Eintracht und Festigkeit ihrer Bürger. In den letzten, bereits aussichtslos gewordenen Tagen der Wiener Revolution konnten ihn die Aufständischen zur neuerlichen Übernahme des Oberbefehls bewegen, die in der Katastrophe vom 31. Oktober endete. Nach der Eroberung Wiens durch die kaiserlichen Truppen stellte sich Messenhauser Alfred Fürst Windisch-Graetz, wurde im „Stabsstockhaus“ gefangen gesetzt, zum Tode verurteilt und am 16. November 1848 standrechtlich erschossen.
GD

**18/2/60**
**Standrechtliche Erschießung von Cäsar Wenzel Messenhauser im Stadtgraben, 16. November**

Franz Gaul d. Ä. (1802–1874)
Tuschpinsel in Sepia, 21 × 30,3 cm
HM, Inv. Nr. 96.430
Abbildung

**18/2/61**
**„Wien im Belagerungszustande Nr. 1“**

Carl Goebel (1824–1899)
Kreidelithographie, 51,5 × 65 cm
Sign. re. u.: Goebel.
„Bulletin-Leser. – Halt wer da! – Patrouille – Befestigung – Invaliden – Cavallerie Courier – Ehrenbezeugung – Waffenauffindung – Honvéd Escorte – Attentat – Verspätete Ballgäste – wie Seressaner einen Civilisten wegen Waffen untersuchen.“
HM, Inv. Nr. 97.887/1

Der Belagerungszustand über Wien, der von Alfred Fürst Windisch-Graetz am 22. Oktober 1848 verhängt worden war, währte bis 1853. Auf den Basteien wurden nach der Einnahme Wiens Palisaden errichtet und mit Kanonen bestückt. Erst unter dem Eindruck des mißglückten Attentats auf Kaiser Franz Joseph I. (18. Februar 1853) entschloß sich dieser, den Belagerungszustand aufzuheben und das Militär, das Wien besetzt gehalten hatte, abzuziehen.
GD

**18/2/62**
**„Wien im Belagerungszustande Nr. 2"**

Carl Goebel (1824–1899)
Kreidelithographie, 52,3 × 65 cm
Sign. u. dat. re. u.: Goebel/1849
„Cavallerie Patrouille – Arretirung wegen verheimlichten Waffen – Verhöhr – Waffen – Einsammlung – Befestigung der Bastei nächst dem Kärntnerthor – Das Losungswort – Eine scharfe Execution – Ehren – Medaillen – Verleihung"
HM, Inv. Nr. 97.887/2

**Kecker Ban**
*Kecker Ban,*
*komm nur ran!*
*Sieh! die Wälle stolz gebrüstet,*
*wenn es dich nach Blut gelüstet,*
*Hunderttausend sind gerüstet,*
*legen die Gewehre an . . .*
*In dem Zeughaus kannst du sehen*
*einen Türkenschädel stehen –*
*was geschah, kann noch geschehen,*
*kecker Banus komm nur an!*
Ludwig August Frankl

**18/2/63**
**Seressaner bei der Spinnerin am Kreuz**

Joseph Heicke (1811–1861), 1858
Öl auf Leinwand, 112 × 175 cm
Sign. u. dat. re. u.: J. Heicke 1858
HM, Inv. Nr. 1.732

Die Vorlage zum Ölgemälde (aquarellierte Zeichnung, datiert: 17. October 1848) befindet sich im Heeresgeschichtlichen Museum in Wien. Josef Jellačić (auch Jellachich) Frh. v. Bužim (1801–1859). Feldmarschalleutnant und Banus von Kroatien und Slavonien, führte 1848 die kaisertreuen Kroaten (Seressaner) gegen die ungarische Revolution und im Oktober gemeinsam mit Alfred Fürst Windisch-Graetz gegen Wien.
GD

**18/2/64**
**Die Hinrichtung der Mörder Latours, 20. März 1849**

Johann Christian Schoeller (1782–1851)
Aquarell, 11,3 × 14,2 cm
Sign. u. dat. re. u.: Schoeller del. 1849. Bez. auf Rückseite: Die Hinrichtung/der 3 Mörder Latours,/Wangler, Jurkowiz u. Brambosch./ auf der Glacis zwischen dem/Neuen und Schottenthor,/den 20. März/1849.
HM, Inv. Nr. 104.777
Abbildung

Kat. Nr. 18/2/64

**18/2/65**
**Ankunft der Wiener Freiwilligen aus Italien, 1849**

Hermann Kowalski (1813–nach 1848)
Öl auf Leinwand, 52 × 66 cm
Sign. u. dat. li. u.: Año 1849./H. Kowalski
HM, Inv. Nr. 8.261

Trotz der Siege der österreichischen Truppen bei Vicenza am 9. Juni 1848 und bei Custozza am 25. Juli 1848 versuchten die Italiener 1849 neuerlich, die österreichische Herrschaft abzuschütteln. Mit den Siegen vom 21. März 1849 bei Mortara und vom 23. März 1849 bei Novara gelang es Feldmarschall Graf Johann Radetzky, den Abfall der italienischen Provinzen zu verhindern. In beiden Feldzügen wurden zur Auffüllung der stark dezimierten Truppen Freiwilligenverbände nach Italien entsandt.
GD
Abbildung

**Karikatur**

**18/2/66**
**Karikatur auf die Pariser Februarrevolution**

Johann Christian Schoeller (1782–1851)
Aquarell, 18,2 × 14,2 cm
Bez. Mi. u.: Proclamation de la République française./Paris le 24 Fevrier 1848. Monogrammiert u. dat. re. u.: S. 1848
HM, Inv. Nr. 48.321

Das Bürgerkönigtum des Louis Philippe d'Orléans, 1830 begründet, sah sich bald einer wachsenden Opposition gegenüber, wobei die Republikaner und Bonapartisten weitaus gefährlicher wurden als die Legitimisten. Die Jahre 1846/47 brachten Wirtschaftskrisen und damit eine immer mehr zunehmende Radikalisierung des neuen Proletariats, gegen welches das in Gruppen zersplitterte Kleinbürgertum, im Verein mit den Arbeitern, sich um Louis Blanc sammelte. Seine Forderungen nach staatlicher Arbeitssicherung durch Nationalwerkstätten trafen sich mit Lamartines Wünschen zur Änderung des Wahlrechtes und des Parlaments. Guizots Verbot eines Reformbanketts löste die Februarrevolution aus. Studenten, Arbeiter und die Nationalgarde erzwangen die Abdankung des Bürgerkönigs. Er vollzog diese zugunsten seines minderjährigen Enkels, des Grafen von Paris, Louis Philippe. Als die Tuilerien von den Aufständischen eingenommen wurden, rettete sich die Mutter des Grafen, die Herzogin Helene von Orléans, mit ihren Söhnen in das Sitzungshaus der Deputiertenkammer, in das Palais Bourbon. Hier wagte jedoch keiner der Minister den Vorschlag zur Proklamierung des Königs, und mit dem Eindringen der bewaffneten Proletarier in das Palais war die Existenz der französischen Republik gesichert.
GD
Abbildung

**18/2/67**
**Karikatur auf die Flucht Metternichs**

Johann Christian Schoeller (1782–1851)
Aquarell, 11,2 × 14,2 cm
Sign. u. dat. re. u.: Schoeller 15. Mz. 1848.
Bez. Mi. u.: Kein Champagner! abgezogenen Johannisberger am Reñweg.
HM, Inv. Nr. 48.334
Abbildung

**18/2/68**
**Karikatur auf die Akademische Legion**

Johann Christian Schoeller
Feder, laviert, 13,5 × 16,4 cm
Monogrammiert u. dat. re. u.: S. del. 1848.
Bez. Mi. u.: Ein Grenadier Corporal hält seiner Mannschaft eine medicinische Vorlesung.
HM, Inv. Nr. 48.323
Abbildung

**18/2/69**
**Karikatur auf die Beratungen zur Uniformierung der Nationalgarde**

Johann Christian Schoeller
Feder, laviert, 13,6 × 16,5 cm
Monogrammiert u. dat. re. u.: S. del. 1848.
Bez. auf Rückseite: Ein Comité berathschlagt über die/Uniformirung und besonders Kopfbedekung/der National Garde während 4 Wochen/ohne zu einem Endschluß zu kommen./ Viele Köpfe wenig Sinn./Altes Sprichwort.
HM, Inv. Nr. 48.332

**18/2/70**
**Karikatur auf eine Barrikade vom 26. Mai**

Johann Christian Schoeller
Aquarell, 18,3 × 13,8 cm
Monogrammiert re. u.: S. del. Bez. Mi. u.: Die Barricaden in Wien am 26 May 1848.
HM, Inv. Nr. 48.339
Abbildung

**18/2/71**
**Karikatur auf die Maitage**

Johann Christian Schoeller
Feder, laviert, 13,8 × 16,5 cm
Monogrammiert u. dat. re. u.: S. May 1848.
Bez. Mi. u.: Vier deutsche Krieger formiren gegen das herannahende Ungewitter von/ Nord, Ost, Süd, und Westen eine Quarré.
HM, Inv. Nr. 48.337

Kat. Nr. 18/2/67

Kat. Nr. 18/2/72

Kat. Nr. 18/2/68

Kat. Nr. 18/2/70

Kat. Nr. 18/2/74

**18/2/72**
**„Die Carolinen Baricade"**

Johann Christian Schoeller
Aquarell, 14,3 × 11,3 cm. Monogrammiert u. dat. re. u.: S. 1848. Bez. Mi. u.: Die Carolinen Baricade.
HM, Inv. Nr. 48.338

Karikatur auf den besonderen Anteil der Frauen beim Barrikadenbau.
GD
Abbildung

**18/2/73**
**„Patriotischer Club emancipirter Frauen und Mädchen"**

Johann Christian Schoeller
Aquarell, 14,8 × 18,1 cm
Sign. u. dat. re. u.: Schoeller del. 1848. Bez. auf Rückseite: Patriotischer Club emancipirter Frauen und Mädchen.
HM, Inv. Nr. 48.316

Karikatur auf die Emanzipationsbestrebungen der Frauen. An der Wand ein Bild der Jungfrau von Orléans und zweier Vorkämpferinnen der Frauenrechte.
GD
Abbildung

**18/2/74**
**Karikatur auf die radikale Presse**

Johann Christian Schoeller
Aquarell, 14,4 × 11,3 cm
Monogrammiert u. dat. re. u.: S. 1848. Bez. Mi. u.: Der Ultra-Radicale.
HM, Inv. Nr. 48.327

Karikatur auf die radikale Presse. Ein Zeitungsleser während der Barrikadentage vom 26. bis 28. Mai, umgeben von Akademischen Legionären, Nationalgardisten, Arbeitern und Arbeiterinnen.
GD
Abbildung

**18/2/75**
**Karikatur auf die Errungenschaften der Revolution**

Johann Christian Schoeller
Aquarell, 12,2 × 13,9 cm
Monogrammiert u. dat. re. u.: S. 1848. Bez. Mi. u.: Unsere Errungenschaften.
HM, Inv. Nr. 48.333

Mit der Karikatur „Unsere Errungenschaften" ist die Flut von Zeitungen, Plakaten, Broschüren und Karikaturen gemeint, die sich nach Verkündigung der Pressefreiheit erhob.
GD

**18/2/76**
**„Halt ein Barbar!"**

Johann Christian Schoeller
Aquarell, 11,8 × 13,9 cm
Monogrammiert u. dat. re. u.: S. 1848. Bez. u.: Halt ein Barbar! willst du den Vater deiner Kinder ermorden?
HM, Inv. Nr. 48.326
Abbildung

**18/2/77**
**„Die Barricade am Eingang der Schulerstraße, den 10. October."**

Johann Christian Schoeller
Aquarell, 16,6 × 13,6 cm
Monogrammiert re. u.: S. del. Bez. Mi. u.: Die Barricade am Eingang der Schulerstraße, den 10. October./1848.
HM, Inv. Nr. 48.342

Das revolutionäre Wien bereitete sich auf den Angriff der kaiserlichen Truppen vor. Die Kroaten und Seressaner, die unter dem Oberbefehl des Banus von Kroatien, Jellačić, gegen Wien marschierten, besetzten bereits am 11. Oktober Simmering und den Laaer Berg. Sie warteten die Ankunft der aus Böhmen unter Führung des Feldmarschalls Fürst Windisch-Graetz kommenden Truppen ab, um gemeinsam den Generalangriff auf Wien zu unternehmen. Siehe auch Kat. Nr. 18/2/63.
GD
Abbildung

Kat. Nr. 18/2/76

Kat. Nr. 18/2/73

Kat. Nr. 18/2/77

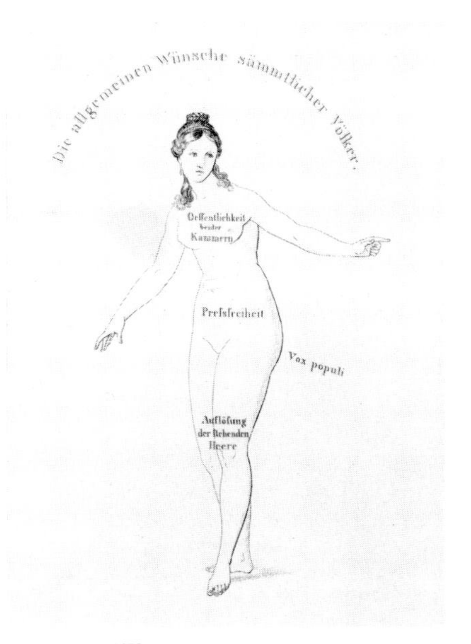


Kat. Nr. 18/2/79

Kat. Nr. 18/2/78

**18/2/78**
**Karikatur auf den Einsatz der Seressaner**

Johann Christian Schoeller
Aquarell, 16,5 × 13,4 cm
Monogrammiert re. u.: S. del. Bez. Mi. u.: Das Beschiesen der Leopoldstadt/den 28. October 1848.
HM, Inv. Nr. 48.343
Abbildung

**18/2/79**
**„Die allgemeinen Wünsche sämmtlicher Völker"**

Kupferstich, Pl. R.: 26,4 × 20,8 cm, Bl. R.: 28,9 × 23,5 cm
HM, Inv. Nr. 98.088
Abbildung

**18/2/80**
**„Ignaz Rößler ein Polizey-Spitzel . . . wird am 3. Mai 1848 von den Studenten arretirt."**

Druck auf Papier, 42,2 × 26,9 cm
HM, Inv. Nr. 106.877

**18/2/81**
**Karikatur auf den Barrikadenbau im Mai**

Alexander
Aquarell auf Bleistift, 29,5 × 21,5 cm
Sign. u. dat. re. u.: ALEXANDER/1848. Bez. u.: Ein Volksgebäude im mo-/dernsten Geschmacke!/(:27. Mai 1848.)
HM, Inv. Nr. 20.446/30

**18/2/82**
**Karikatur auf die Moral**

Alexander
Aquarell auf Bleistift, 29,5 × 21,6 cm
Sign. u. dat. (zweifach): ALEXANDER/1848. Bez. li. u.: „Morgenstunde hat Gold im Munde" (:altes Sprichwort:)/„Heilig ist das Eigenthum"? (:neue Redensart:)/2. Mein lieber Baron heute können wir uns ungestörter Freude/hingeben, – mein Mann ist auf einer Vierundzwanzigstündigen!
HM, Inv. Nr. 20.446/28

Kat. Nr. 18/2/84

Kat. Nr. 18/2/85

**Zur Erinnerung**

**18/2/83**
**Akademischer Legionär**

Hanns Gasser (1817–1868)
Gips, Höhe 25 cm
HM, Inv. Nr. 18.387

Am 14. März wurden die Schüler der Akademie der bildenden Künste durch einen Anschlag aufgefordert, in das akademische Korps einzutreten. Unter der Leitung von Professor Perger bildeten die Künstler das fünfte Bataillon der neuerrichteten Akademischen Legion. Im Ratssaal veranstaltete man eine Festversammlung zur Feier der vom Kaiser verliehenen Verfassung. Hier soll Hanns Gasser diese Figur mit der von ihm selbst entworfenen Uniform das erstemal vorgestellt haben. Der Kopf ist ein Selbstporträt des Künstlers.
SK

**18/2/84**
**Glasbecher**

Wien, 1848
Glas, geschliffen, H.: 15 cm, Dm.: 8,7 cm
An der Wandung Darstellung eines Wiener Nationalgardisten zu Pferd. In der Satteldecke Monogramm NG.
HM, Inv. Nr. 56.237
Abbildung

**18/2/85**
**Glaspokal**

Wien, 1848
Weißes Überfangglas
H.: 12,6 cm, Dm.: 8 cm
An der Wandung rot-weiß-rote Fahne mit Aufschrift: 13. 14. 15. März 1848. Gegenüber die Inschrift „Preßfreiheit! Nationalgarde! Constitution!"
HM, Inv. Nr. 93.388
Abbildung

**18/2/86**
**Glaspokal**

Wien, 1848
Rotes Überfangglas, geschliffen, graviert
H.: 12,1 cm, Dm.: 8,2 cm
An der Wandung Revolutionssymbole, eingraviert: Nationalgarde, Constitution, Preßfreiheit, auf drei Fahnen: 13. 14. 15. März 1848, Kundmachung: Aufhören der Censur.
HM, Inv. Nr. 159.458
Abbildung

**18/2/87**
**Fahne mit Fahnenband des Korps der Bildenden Künstler, 1841**

Fahnenblatt: weiße Seide, beidseitig bemalt. Erste Seite: Doppeladler mit Datierung (1841) darüber. Zweite Seite: Hl. Anna und hl. Maria mit Datierung (1841) darüber. Rand des Fahnenblattes Rot-Gold-Schwarz-Silber, geflammt. Fahnenblatt mit gravierten Messingnägeln (Namen der Angehörigen des Korps) an Fahnenstange befestigt.
Fahnenstange bandförmig Schwarz-Rot-Gold-Silber, bemalt. Spitze aus vergoldeter Bronze. Erste Seite: Monogramm MA (= Maria Anna) bekrönt mit Kaiserkrone. Zweite Seite: Bindenschild.

Kat. Nr. 18/2/86

Fahnenband: rote Seide mit silbernen Fransen, erhabene Stickerei mit Gold und Silber geziert. Erste Seite: An einem Ende hl. Leopold, am anderen Ende österreichisches Kaiserwappen. Zweite Seite: An einem Ende Wappen von Niederösterreich, am anderen Ende hl. Lukas malt die Madonna. Dazwischen die Inschrift: SECUNDO FIDEI SAECULO MDCCCXLI

MARIA ANNA AUSTRIAE IMPERATRIX, 158 × 140 cm
HM, Inv. Nr. 128.031

Die Fahnenweihe fand am 26. Juli 1841 auf dem Glacis statt.
GD

**18/2/88**
**Fahnenband der Akademischen Legion**

Drei Seidenbänder – Schwarz, Gold, Rot; das mittlere Band (Gold) mit eingewebten Metallfäden ornamental bestickt – bekrönt von Rosette (Schwarz, Gold, Rot) mit aufgelegtem österreichischen Kaiseradler (schwarzes Blech).
Bänder: 136,5 cm, Dm. Rosette: 16,5 cm
HM, Inv. Nr. 157.900

**18/2/89**
**Fahnenband der Floridsdorfer Nationalgarde**

Schwarz-rot-gelbe Seide. Zwei Fahnenbänder vernäht.
Gesamtlänge: 165 cm
HM, Inv. Nr. 29.779/1

**18/2/90**
**Fahnenband der Floridsdorfer Nationalgarde**

Zweiteilig, rote und weiße Seide, goldene Fransen, goldgestickte Inschrift auf weißem Band: Für Recht und Freiheit. Goldgestickte Inschrift auf rotem Band: Ordnung und Sicherheit National-Garde / von / Floridsdorf. Die beiden Bänder mit Agraffe aus Goldstickerei zusammengehalten.
Gesamtlänge: 166 cm
HM, Inv. Nr. 29.779/2

**18/2/91**
**Bandelier des Standartenführers der berittenen Nationalgarde**

Rotes Samtband, einseitig mit erhabener Stikkerei in Gold und Silber geziert. Silbergetriebene Schnalle, silbergetriebene Abschlußplatte, Stickerei: In rundem Medaillon das Datum 13. 14. 15. März 1848, umgeben von Trophaios. Name der Stifterin: Frau Kathari. KROPH. 1848
200 × 14,5 cm
HM, Inv. Nr. 128.197

Kat. Nr. 18/2/92

**18/2/92**
**Hut der Akademischen Legion**

Hoher Hut aus Seidenfilz mit Krempe, Lederband, Kokarde, Federgesteck (schwarze Straußenfeder). H.: 16 cm
HM, Inv. Nr. 65.823/1

Der Träger gehörte der Juristen-Kohorte an. Die „Akademische Legion der Studenten" bildete innerhalb der in der Nacht vom 13. zum 14. März 1848 gegründeten „Nationalgarde" einen selbständigen Körper.
GD
Abbildung

**18/2/93**
**Tschako der Nationalgarde**

Schwarzes Leder, Roßhaar, Sturmband. An der Stirnseite Kokarde. H.: 36 cm
HM, Inv. Nr. 65.823/2
Abbildung

**18/2/94**
**Kappenrosette der Nationalgarde**

Messing, roter Samt
Dm.: 2,5 cm. Auf Samt: NC
HM, Inv. Nr. 94.234

**18/2/95**
**Kokarde**

Seide: schwarz-rot, auf der Vorderseite schwarzer, ornamentierter, flacher Hornknopf, auf der Rückseite kugelförmiger Messingknopf. Dm.: 6 cm
HM, Inv. Nr. 157.901

**18/2/96**
**Anstecknadel**

Silberne Anstecknadel, H.: 9 cm
Auf der Fahne beschriftet: CONSTITUTION / 15. März 1848.
HM, Inv. Nr. 55.868
Abbildung

**Die Waffen**

**18/2/97**
**Gewehr mit Bajonett – Bewaffnung der Nationalgarde**

Runder, glatter Lauf, glattes Batterieschloß, Modell 1798 mit unterstützter unterer Hahnlippe und Pulverpfanne aus Messing. Schwarzer Vollschaft mit schlankem Kolben, Messingmontierung. Düllenbajonett mit dreikantiger Klinge.
Lauflänge: 106 cm, Gesamtlänge: 138 cm, Bajonettklinge: 47 cm
HM, Inv. Nr. 55.019/1

Diese Gewehrmodelle, zumeist Armeegewehre, wurden teilweise für die Bürgerwehr umgearbeitet und waren anscheinend bis um 1840 in Gebrauch. 1848 bewaffnete sich damit teilweise die Nationalgarde.
GD

Kat. Nr. 18/2/93

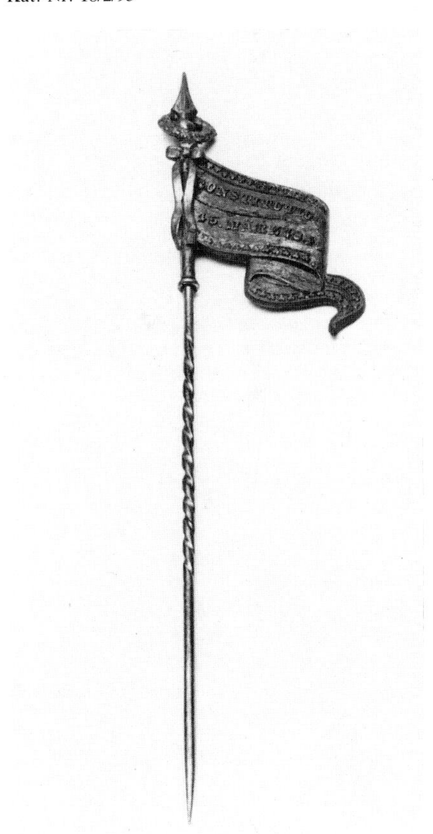

Kat. Nr. 18/2/96

**18/2/98**
**Bandelier mit Infanteriesäbel und Bajonettscheide – Bewaffnung der Nationalgarde**

Bandelier
Weißes Hirschleder, Messingschnalle
Gesamtlänge: 154 cm
HM, Inv. Nr. 55.019/4

Infanteriesäbel und Scheide
Einfache Griffkappe mit ausgebauchtem Faustbügel aus Messing
Klingenlänge: 76 cm, Gesamtlänge: 89 cm, Klingenbreite: 3 cm
HM, Inv. Nr. 55.019/2a

Scheide
Schwarzes Leder mit Messingmontierung
Gesamtlänge: 78 cm
HM, Inv. Nr. 55.011/2b

Bajonettscheide
Holz mit schwarzem Leder überzogen, Messingsmontierung
Gesamtlänge: 49,5 cm
HM, Inv. Nr. 55.019/3

**18/2/99**
**Schwerter der Akademischen Legion**

Zur Bewaffnung der Akademischen Legionäre gehörte auch ein eigens angefertigtes Kurzschwert mit kräftiger Klinge und einem kreuzförmigen Gefäß aus Eisenguß. Die Hersteller dieser Schwerter waren Franz Wertheim und vermutlich Jakob Eyb aus Arzberg. Die Klingen tragen zumeist den Hersteller- und den Ortsnamen.
Manche Klingen weisen dekorative Flachätzungen und Inschriften auf: patriotisch-revolutionäre Sprüche, Namen der Träger. Zumeist sind die schwarzen Lederscheiden mit eisernem Scheidenmundstück und Ortband erhalten. Das Gefäß wurde entweder in einem gotisierenden Stil, vermischt mit barocken Formen, gestaltet oder aber im Halbrelief in Art von Renaissancewaffen geschmückt. Wenn auch diese Schwerter mit ihrer bewußt altertümlichen und wenig praktischen Formgebung einen stark theatralischen Charakter besitzen, der dem spätromantischen Geist der Zeit entsprang, so soll andererseits doch ihre solide Ausführung nicht übersehen werden.
Klingenlänge: ca. 65 cm, Gesamtlänge: ca. 83 cm, Klingenbreite: ca. 4 cm
HM, Inv. Nr. 126.350 ff.
GD

**18/2/100**
**Schwert der Akademischen Legion**

Gefäß in Eisenguß, an Knauf, Griff und Mittelstück Reliefs mit Herkulesszenen: am Knauf Kampf der Kentauren und Lapithen, an dem Herkules teilnimmt; am Griff Kampf des Herkules mit Antäus und mit der Lernäischen Schlange; am Mittelstück Kampf mit der Keryntischen Hirschkuh sowie mit dem Kentauren Nessus. Die Parierstange sehr dekorativ geformt mit Drachenköpfen, aus denen Blumensträuße herausragen. Verbreitung des Mittelstücks am Klingenansatz beiderseits mit Maskarons verziert. Gerade zweischneidige Klinge mit dekorativer Flachätzung (unleserlich). Im Oberteil der Name Arzberg eingeschlagen.

Kat. Nr. 18/2/100

Klingenlänge: 60,5 cm, Gesamtlänge: 79,5 cm, Klingenbreite: 3,7 cm
HM, Inv. Nr. 163.921
Abbildung

**18/2/101**
**Nationalgardesäbel**

Blankpoliertes Stahlgefäß, verlängerte, einfache Griffkappe und vasenförmig geschwungener Faustbügel. Lederbezogener Holzgriff. Schildförmiges Mitteleisen. Klinge mit Hohlschliff. Blankpolierte Stahlscheide mit zwei Tragringen an gebuckelten Kappen. Die Säbel entsprechen dem Infanterie-Offizierssäbel Modell 1838.
HM, Inv. Nr. 126.251

**18/2/102**
**Nationalgardesäbel**

Beidseitig geätzte Klinge. Rechts Schriftkartusche zwischen Trophäen: Erinnerung an 13. 14. 15. März 1848, Links Schriftkartusche zwischen Trophäen: Frankl.
Klingenlänge: 85,5 cm, Gesamtlänge: 100 cm
Vgl. Kat. Nr. 18/2/101
HM, Inv. Nr. 126.252

**18/2/103**
**Nationalgardesäbel**

Klinge beidseitig geätzt. Rechts von Klingenende gegen Klingenmitte: Schriftkartusche in Ornament: Für Recht und Freiheit den 13. 14. 15ten März 1848. Links von Klingenende gegen Klingenspitze: Schriftkartusche in Ornament: Erinnerung an den 15. und 26. Mai 1848. Auf Faustbügel der österreichische Doppeladler eingeschlagen.
Klingenlänge: 77 cm, Gesamtlänge: 101 cm
Vgl. Kat. Nr. 18/2/101
HM, Inv. Nr. 126.253

**18/2/104**
**Nationagardesäbel**

Klinge beidseitig geätzt. Rechts von Klingenende gegen Klingenspitze: Trauerweide, daneben Grabstein mit Inschrift: Gefallen fürs Vaterland 13. 14. März 1848., stilisierte Burg, Karl Brehm. Trophäen mit Fahne, darauf Inschrift: Recht Freiheit und Vaterland. Links von Klingenende gegen Klingenspitze: Trophäen, Erinnerung 13. 14. 15. März 1848. Fahne mit Inschrift: Konstitution Nationalgarde Press Freiheit.
Klingenlänge: 82,8 cm, Gesamtlänge: 99 cm
Vgl. Kat. Nr. 18/2/101
HM, Inv. Nr. 126.256

**18/2/105**
**Nationalgardesäbel**

Klinge beidseitig geätzt. Rechts von Klingenende gegen Klingenspitze: Figur eines Nationalgardisten, Franz Kansky, 1848 (vergoldet), Trophäe. Links von Klingenende gegen Klingenspitze: stilisierter Tempel, Erinnerung an 13. 14. 15. März, Trophäen.
Klingenlänge: 85,2 cm, Gesamtlänge: 100 cm
Vgl. Kat. Nr. 18/2/101
HM, Inv. Nr. 126.257

**18/2/106**
**Nationalgardesäbel**

Klinge geätzt. Rechts von Klingenende gegen Klingenspitze: Rankenornament, Schriftkartusche (Goldätzung): Drauf. Rankenornament. Links von Klingenende gegen Klingenspitze: Rankenornament, Schriftkartusche (Goldätzung): Carl Lenzmann. Rankenornament.
Klingenlänge: 83,5 cm, Gesamtlänge: 96,5 cm
Vgl. Kat. Nr. 18/2/101
HM, Inv. Nr. 160.508/1

**18/2/107**
**Nationalgardesäbel**

Klinge beidseitig geätzt. Rechts von Klingenende gegen Klingenspitze geometrisches Ornament, Schriftkartusche: Erinnerung des 13. 14. 15. März und 15. 26. Mai 1848, Rankenornament. Links von Klingenende gegen Klingenspitze: geometrisches Ornament, Schriftkartusche: Joseph Schupka, folgende Schriftkartusche: Rückkehr des Kaisers, den 12. August, Rankenornament.
Klingenlänge: 77,5 cm, Gesamtlänge: 89,5 cm
Vgl. Kat. Nr. 18/2/101
HM, Inv. Nr. 160.519/1

**18/2/108**
**Nationalgardesäbel**

Klinge geätzt. Rechts von Klingenende gegen Klingenspitze: Blattornament, Trophäen, geometrisches Ornament, Schriftkartusche (Goldätzung): Erinnerung/an 13. 14. 15. März 1848. Trophäen. Rankenornament: Links von Klingenende gegen Klingenspitze: Blattornament, Trophäen, Schriftkartusche (Goldätzung): Leopold Höfelmayer. Trophäen. Rankenornament.
Klingenlänge: 83,5 cm, Gesamtlänge: 96 cm
Vgl. Kat. Nr. 18/2/101
HM, Inv. Nr. 160.553/1

**18/2/109**
**Nationalgardesäbel**

Klinge beidseitig geätzt (Goldätzung), gebläut. Rechts von Klingenende gegen Klingenspitze: P. Külb, Lorbeerkranz. Trophäen, Blumen, Rankenornament. Links von Klingenende gegen Klingenspitze: in Solingen, Rankenornament, Trophäen, Lorbeerzweig, Blumen, Rankenornament.
Klingenlänge: 86 cm, Gesamtlänge: 100 cm
Vgl. Kat. Nr. 18/2/101
HM, Inv. Nr. 160.554/1

**18/2/110**
**Nationalgardesäbel**

Klinge beidseitig geätzt und gebläut. Rechts von Klingenende gegen Klingenspitze: Rankenornament, Schriftkartusche: Josef Kunst, Trophäen, Rankenornament. Links von Klingenende gegen Klingenspitze: Blatt- und Rankenornament, geometrisches Ornament.
Klingenlänge: 83,5 cm, Gesamtlänge: 95,5 cm
Vgl. Kat. Nr. 18/2/101
HM, Inv. Nr. 160.559/1

**18/2/111**
**Nationalgardesäbel**

Klinge beidseitig geätzt. Rechts von Klingenende gegen Klingenspitze: Rankenornament, Schriftkartusche: Erinnerung an 13. 14. 15. März 1848. Rankenornament, Trophäen. Links von Klingenende gegen Klingenspitze: Rankenornament, Schriftkartusche: Johann v. Kesslern. Trophäen, Rankenornament.
Klingenlänge: 85 cm, Gesamtlänge: 97,5 cm
Vgl. Kat. Nr. 18/2/101
HM, Inv. Nr. 160.563/1

**18/2/112**
**Nationalgardesäbel**

Klinge beidseitig goldgeätzt. Rechts von Klingenende gegen Klingenspitze: Stern, Rankenornament, 13. 14. 15. März 1848, Rankenornament. Links von Klingenende gegen Klingenspitze: Stern, Rankenornament, Andreas Glocknitzer, Rankenornament.
Klingenlänge: 82,5 cm, Gesamtlänge: 95,5 cm
Vgl. Kat. Nr. 18/2/101
HM, Inv. Nr. 160.605/1

**18/2/113**
**Nationalgardesäbel**

Klinge beidseitig geätzt. Rechts von Klingenende gegen Klingenspitze: Rankenornament, Trophäen, Schriftkartusche: Dr. Hebra, Rankenornament, Trophäen. Links von Klingenende gegen Klingenspitze: Rankenornament, Trophäen, Schriftkartusche: Erinnerung an den 13. 14. 15. März 1848. Trophäen, Rankenornament.
Klingenlänge: 86 cm, Gesamtlänge: 98,5 cm
Vgl. Kat. Nr. 18/2/101
HM, Inv. Nr. 160.606/1

Der berühmte Dermatologe Dr. Ferdinand Hebra (1816–1880) war 1848 Primararzt am Allgemeinen Krankenhaus.
GD

**18/2/114**
**Nationalgardesäbel**

Klinge beidseitig geätzt. Rechts von Klingenende gegen Klingenspitze: geometrisches Ornament, Schriftkartusche: Für Freiheit und Recht, Trophäen, darauf ein Schild 13. 14. 15./ März. Links von Klingenende gegen Klingenspitze: drei Nationalgardisten auf Barrikade, darunter: 26. May, Rankenornament, Schriftkartusche: J. Th. Minko, Trophäen, auf Schild: 15. May, auf Fahne: „eine Kamer“, Rankenornament.
Klingenlänge: 85,5 cm, Gesamtlänge: 98 cm
Vgl. Kat. Nr. 18/2/101
HM, Inv. Nr. 160.608/1

**18/2/115**
**Nationalgardesäbel**

Klinge beidseitig geätzt. Rechts von Klingenende gegen Klingenspitze: Trophäen, Blattornament, Rankenornament, Schriftkartusche: Erinnerung an den 13. 14. 15. März 1848, folgende Schriftkartusche: Für Freiheit und Recht. Links von Klingenende gegen Klingenspitze: Trophäen, Rankenornament, erste Schriftkartusche: Stirb für das Volk, doch nie für einen Fürsten! Folgende Schriftkartusche: Josef Neubacher, Rankenornament, Trophäen.
Klingenlänge: 82,5 cm, Gesamtlänge: 95 cm
Vgl. Kat. Nr. 18/2/101
HM, Inv. Nr. 160.617/1

**18/2/116**
**Nationalgardesäbel**

Beidseitig goldgeätzte Klinge. Rechts von Klingenende gegen Klingenspitze: Rankenornament, Schriftkartusche: Erinnerung an den 13. 14. 15. März 15. 26. May 1848. Links von Klingenende gegen Klingenspitze: Rankenornament, Trophäen, Schriftkartusche: Wenzl Kromes, Rankenornament.
Klingenlänge: 84,5 cm, Gesamtlänge: 97,5 cm
Vgl. Kat. Nr. 18/2/101
HM, Inv. Nr. 160.631/1

**18/2/117**
**Nationalgardesäbel**

Beidseitig goldgeätzte Klinge. Rechts Trophäenkartuschen, links Rankenornamente und Trophäen.
Klingenlänge: 85,5 cm, Gesamtlänge: 98,5 cm
Vgl. Kat. Nr. 18/2/101
HM, Inv. Nr. 160.637/1

**18/2/118**
**Nationalgardesäbel**

Beidseitig goldgeätzte Klinge. Rechts geometrisches Ornament und Trophäen, Schriftkartusche: Erinnerung an den 13. 14. 15. März 1848, Rankenornament. Links von Klingenende gegen Klingenspitze: geometrisches Ornament, Trophäen, Schriftkartusche: Leopold Gromes.
Klingenlänge: 82,5 cm, Gesamtlänge: 95,5 cm
Vgl. Kat. Nr. 18/2/101
HM, Inv. Nr. 160.640/1

**18/2/119**
**Nationalgardesäbel**

Beidseitig geätzte Klinge. Rechts von Klingenende gegen Klingenspitze: Blattornament, Trophäen, Schriftkartusche: Dr. Rashi d: Z: Universitäts-Prokurator. Links von Klingenende gegen Klingenspitze: Blattornament, Trophäen, Schriftkartusche: Den 13. 14. 15. März 1848. Trophäen. Rankenornament.
Klingenlänge: 83 cm, Gesamtlänge: 95,5 cm
Vgl. Kat. Nr. 18/2/101
HM, Inv. Nr. 160.642/1

**18/2/120**
**Nationalgardesäbel**

Beidseitig goldgeätzte Klinge. Rechts von Klingenende gegen Klingenspitze: geometrisches Ornament, Trophäen, Schriftkartusche: Erinnerung an den 13. 14. 15. März 1848. Links von Klingenende gegen Klingenspitze: Rankenornament, Trophäen, Schriftkartusche: Joseph Pellstrich, Für Recht und Freiheit.
Klingenlänge: 83,5 cm, Gesamtlänge: 95 cm
Vgl. Kat. Nr. 18/2/101
HM, Inv. Nr. 160.645/1

**18/2/121**
**Nationalgardesäbel**

Beidseitig geätzte Klinge. Rechts von Klingenende gegen Klingenspitze: Rankenornament, Schriftkartusche: Gott segne Österreich u. die Deutschen Brüder. Trophäen, ferner der Name: Franz. Links von Klingenende gegen Klingenspitze: Rankenornament, Schriftkartusche: Parma. Trophäen, Erinnerung an 13. 14. 15. März–15. u. 26. Mai 1848.
Klingenlänge: 82 cm, Gesamtlänge: 94,5 cm
Vgl. Kat. Nr. 18/2/101
HM, Inv. Nr. 160.654/1

**18/2/122**
**Nationalgardesäbel**

Beidseitig goldgeätzte Klinge. Rechts von Klingenende gegen Klingenspitze: Blattornament, Schriftkartusche: Johann Liese, Blattornament. Links von Klingenende gegen Klingenspitze: Trophäen, Blattornament, Schriftkartusche: Erinnerung an 26. May.
Klingenlänge: 82,5 cm, Gesamtlänge: 95 cm
Vgl. Kat. Nr. 18/2/101
HM, Inv. Nr. 160.664/1

**18/2/123**
**Nationalgardesäbel**

Beidseitig goldgeätzte Klinge. Rechts von Klingenende gegen Klingenspitze: Blattornament, Trophäen, Schriftkartusche: Für Freiheit und Recht. Links von Klingenende gegen Klingenspitze: Blattornament, Schriftkartusche: Erinnerung an 13. 14. 15. März 1848. E. H. Trophäen.
Klingenlänge: 79 cm, Gesamtlänge: 92 cm
Vgl. Kat. Nr. 18/2/101
HM, Inv. Nr. 160.680/1

**18/2/124**
**Nationalgardesäbel**

Klinge beidseitig gebläut und goldgeätzt. Rechts und links Blattornament und Trophäen.
Klingenlänge: 84 cm, Gesamtlänge: 96 cm
Vgl. Kat. Nr. 18/2/101
HM, Inv. Nr. 160.693/1

**18/2/125**
**Nationalgardesäbel**

Klinge beidseitig geätzt, Golätzung teilweise erhalten. Rechts von Klingenende gegen Klingenmitte: P. Küll, Rankenornament und Trophäen. Links von Klingenende gegen Klingenspitze: Rankenornament und Trophäen.
Klingenlänge: 76 cm, Gesamtlänge: 86,5 cm
Vgl. Kat. Nr. 18/2/101
HM, Inv. Nr. 160.717/1

**18/2/126**
**Nationalgardesäbel**

Beidseitig gebläute und goldgeätzte Klinge. Rechts und links Blätter und Trophäen.
Klingenlänge: 82 cm, Gesamtlänge: 93 cm
Vgl. Kat. Nr. 18/2/101
HM, Inv. Nr. 160.720/1

**18/2/127**
**Nationalgardesäbel**

Beidseitig geätzte Klinge. Rechts Schriftkartusche zwischen Rankenornament und Trophäen: Für Freiheit und Recht. Links von Klingenende gegen Klingenmitte: Schriftkartusche zwischen Rankenornament und Trophäen: Anton Weber.
Klingenlänge: 82 cm, Gesamtlänge: 95 cm
Vgl. Kat. Nr. 18/2/101
HM, Inv. Nr. 160.895/1

**18/2/128**
**Nationalgardesäbel**

Klinge beidseitig geätzt. Rechts von Klingenende gegen Klingenspitze: Schriftkartusche in Rankenornament: Erinnerung an den 13. 14. 15. März 1848. Links von Klingenende gegen Klingenspitze: Schriftkartusche in Rankenornament zwischen Trophäen: Karl Schindler.
Klingenlänge: 85 cm, Gesamtlänge: 97 cm
Vgl. Kat. Nr. 18/2/101
HM, Inv. Nr. 161.003/1

**18/2/129**
**Nationalgardesäbel**

Beidseitig goldgeätzte Klinge. Rechts von Klingenende gegen Klingenspitze: Rankenornament, dazwischen Schriftkartusche: Andenken an den 13. 14. 15. März 1848. Links von Klingenende gegen Klingenspitze: Erinnerung an den 15. und 26. Mai 1848.
Klingenlänge: 84,5 cm, Gesamtlänge: 98 cm
Vgl. Kat. Nr. 18/2/101
HM, Inv. Nr. 161.022/1

**18/2/130**
**Nationalgardesäbel**

Beidseitig geätzte Klinge. Rechts von Klingenende gegen Klingenspitze: Rankenornament, Trophäen, beflaggter Turm, Schriftkartusche: Erinnerung an 13. 14. 15. März und 15. 26. Mai 1848, Mauer mit Trophäen bekrönt, auf der einen Fahne: Press Freiheit. Links von Klingenende gegen Klingenspitze: Trophäen, beflaggtes Haus, Schriftkartusche: Für Freiheit und Volksrecht, Nationalgardist auf Barrikade, darüber Trophäen, Rankenornament.
Klingenlänge: 81 cm, Gesamtlänge: 93,5 cm
Vgl. Kat. Nr. 18/2/101
HM, Inv. Nr. 161.025/1

**18/2/131**
**Nationalgardesäbel**

Beidseitig geätzte Klinge. Rechts von Klingenende gegen Klingenspitze: Schriftkartusche in Rankenornament: Erinnerung an 13. 14. 15. März 1848. Links von Klingenende gegen Klingenspitze: Schriftkartusche in Rankenornament: Joh. Strauss.
Klingenlänge: 84 cm, Gesamtlänge: 99 cm
Vgl. Kat. Nr. 18/2/101
HM, Inv. Nr. 161.079/1

Nationalgardesäbel von Johann Strauß (Sohn) (1825–1899).

Kat. Nr. 19/1

## 19 REAKTION

**19/1**
**Die Thronbesteigung Kaiser Franz Josephs I. am 2. Dezember 1848 in Olmütz**

Franz Kollarž (1825–1894)
Lithographie, 47,2 × 60,3 cm
HM, Inv. Nr. 134.044

Nicht in der kaiserlichen Haupt- und Residenzstadt, die unter Kriegsrecht stand und noch nicht zur Ruhe gekommen war, sondern in Olmütz verzichtete Kaiser Ferdinand I. auf die Krone zugunsten seines Neffen. Die „Presse" berichtete am 5. Dezember 1848:
„Olmütz den 2. September.

Am heutigen tage um 8 Uhr Morgens versammelten sich im Krönungssaale der fürsterzbischöflichen Residenz zu Olmütz sämmtliche hier anwesende Glieder der durchlauchtigsten kaiserlichen Familie, nämlich Ihre kaiserlichen Hoheiten Erzherzog Franz Karl, die Frau Erzherzogin Sophie, die Erzherzoge Franz Joseph, Ferdinand Maximilian, Karl Ferdinand, Karl Wilhelm und Joseph, die verwirtwete Frau Erzherzogin Maria Dorothea, die Frau Erzherzogin Elisabeth und Höchstdero Gemahl Se. königliche Hoheit Erzherzog Ferdinand Viktor von Este, ferner:

Se. Durchlaucht Feldmarschall Fürst zu Windischgräz und der Banus von Croatien F. M. L. Freiherr von Jellachich, so wie der Oberhofmeister Sr. kaiserlichen Hoheit des Erzherzogs Franz Joseph G. M. Graf von Grünne.

Sämmtliche Minister, nämlich Fürst Felix von Schwarzenberg, Se. Erlaucht Graf von Stadion . . .

Bald darauf erschienen, unter dem Vortritte des General-Adjutanten G. M. Fürsten v. Lobkowitz, und gefolgt von dem zufällig in Olmütz anwesenden Obersthofmarschall Landgrafen v. Fürstenberg und der Obersthofmeisterin Landgräfin v. Fürstenberg, Ihre Majestäten der Kaiser und die Kaiserin, und ließen sich, sowie sämmtliche Glieder der kaiserlichen Familie auf den für sie bereiteten Sitzen nieder.

Se. Majestät der Kaiser eröffneten nunmehr der Versammlung, daß Allerhöchstdieselben aus wichtigen Gründen den Entschluß gefaßt haben, die Kaiserkrone zu Gunsten Allerhöchst ihres Neffen, des durchlauchtigsten Erzherzogs Franz Joseph niederzulegen, nachdem Allerhöchstihr durchlauchtigster Bruder Erzherzog Franz Karl erklärt hätten, auf das Ihnen zustehende Recht der Thronfolge zu verzichten.

Die hierauf bezüglichen Urkunden wurden demnächst von dem Minister des Hauses Fürsten von Schwarzenberg verlesen, und die Abdankungsakte von Sr. Majestät dem Kaiser und Sr. k. Hoheit dem Erzherzoge Franz Karl unterzeichnet, und von dem Minister des Hauses gegengezeichnet.

Ihre Majestäten begrüßten nunmehr Ihren durchlauchtigsten Neffen als regierenden Kaiser.

Se. Majestät Kaiser Franz Joseph I. empfingen sodann die Huldigung sämmtlicher anwesenden Familienmitglieder und der übrigen Zeugen.

Mit der Verlesung und Unterfertigung des Protokolles durch sämmtliche Anwesende endigte dieser feierliche Staatsakt."
WD
Abbildung

**19/2**
**Kaiser Franz Joseph I. und die kaisertreuen Generale**

Josef Krumholtz
Lithographie, koloriert, 47,1 × 63,7 cm
U. bez.:
1. L. Freiherr v. Welden k. k. FML
2. Graf Radetzky k. k. FM
3. Freiherr D'Aspre k. k. FML
4. Franz Graf v. Schlick k. k. FZM
5. Franz Josef 1[te] Kaiser v. Oesterreich etc. etc. etc.
6. Baron Wohlgemuth k. k. FZM
7. B. Heinau k. k. FML und Armee Comandant in Ungarn
8. Jellacic FML und Banus von Croatien

HM, Inv. Nr. 134.052

Die Darstellung, vermutlich 1849 entstanden, zeigt den jungen Kaiser mit den Generälen, die die Revolution in Italien und Ungarn niedergeschlagen hatten.
WD
Abbildung

**19/3**
**Feldmarschall Johann Josef Wenzel Graf Radetzky (1766–1858)**

Georg Decker (1818–1894)
Öl auf Leinwand, 61 × 50 cm
HM, Inv. Nr. 17.770

Radetzky war seit 1831 Generalkommandant der österreichischen Armee in der Lombardei und Venetien. Er betrachtete die Armee als einzig wirksames Instrument gegen Unabhängigkeitsbewegungen und Revolutionen. Er schlug in den Schlachten von Santa Lucia, Mortara und Novara – die die ersten erfolgreichen Maßnahmen der Gegenrevolution waren – die nationale italienische Revolution nieder. Die Stadt Wien verlieh ihm das Ehrenbürgerrecht, dessen Urkunde Grillparzers Worte verkündet: „Wiederhersteller des Vaterlandes,

Kat. Nr. 19/3

Kat. Nr. 19/4

größter Feldherr, Zierde Österreichs, Stolz Deutschlands."
WD
Abbildung

**19/4**
**Attentat auf Kaiser Franz Joseph I., 1853**

Johann Josef Reiner
Öl auf Leinwand, 90,5 × 78,5 cm
Sign. u. dat. li. u.: J. Reiner fet. 1853
Legende: Franz Josef I. Kaiser v. Österreich, wurde am 18. Febr. 1853, durch Meuchlers Hand / am Hinterhaupte verwundet. Durch die göttliche Vorsehung wurde es aber dem / Obersten Grafen O Donell Flügeladjutant S. M. u. Jos. Ettenreich, Bürger von Wien / ermöglicht, das geheiligte Haupt des Kaisers vom gewissen Tode zu erretten. / Gott dankend, widmet dieses Bild, Ferdinand Braunsteiner
HM, Inv. Nr. 103.939

Dargestellt sind außer dem Kaiser Johann Libenyi (1831–1853), der Attentäter, sowie Maximilian Karl von O'Donnell (1812–1895; 1853 Graf) und Josef Ettenreich (1800–1875; 1853 geadelt), als Retter.

Das mißglückte Attentat des ungarischen Schneiders János Libényi auf Kaiser Franz Joseph I. am 18. Februar 1853 war ein Ausdruck für die Ablehnung des reaktionären Systems bei einem Großteil der Bevölkerung in Österreich und Ungarn. Besonders die Magyaren konnten es Franz Joseph lange nicht verzeihen, daß er ihre revolutionäre Bewegung mit Hilfe der Russen niedergerungen hatte. Es dauerte mehr als eineinhalb Jahrzehnte, bis die Ungarn Franz Joseph zu ihrem König krönten.

Das Attentat hatte übrigens zur Folge, daß über Initiative von Erzherzog Maximilian, des späteren Kaisers von Mexiko, zum Dank für die Errettung des Herrschers aus Todesgefahr die Votivkirche errichtet wurde.
WD
Abbildung

**19/5**
**Kaiser Franz Joseph I. (1830–1916)**

Adam Ramelmayr (1807–1887), nach 1853
Zinkguß, H.: 200
Heldenberg, Klein-Wetzdorf, Niederösterreich

In der Schlacht von Santa Lucia während der Kämpfe der österreichischen Armee in Italien im Mai 1848 hatte der damals erst 17jährige Erzherzog Franz unter Feldmarschall Radetzky das erste Mal an einer militärischen Aktion teilgenommen: „Ich habe zum ersten Male die Kanonenkugeln um mich pfeifen gehört und bin ganz glücklich", schreibt er seiner Mutter. Die unglückliche Schlacht von Solferino, elf Jahre später, sollte seinen persönlichen militärischen Ambitionen zwar ein Ende setzen, aber der Kaiser wird bis zu seinem Tod fast ausschließlich Uniform tragen, wie vor ihm sein Großonkel Joseph II., der der erste habsburgische Kaiser war, der dies mit Vorliebe tat. Eine in Prag 1849 erschienene Broschüre von J. Müller, „Österreichs Joseph der Zweyte, römischer König, Kaiser der Deutschen – der Völker süßes Erinnern und Franz Joseph der Erste, Kaiser des einigen Österreichs und der Völker gläubige Hoffnung", gibt diesen Assoziationen Ausdruck. Auch der Doppelname, den Franz Joseph bei seiner Thronbesteigung in Olmütz am 2. Dezember 1848 annahm, sollte bewußt an den gerade im Revolutionsjahr sehr beliebten „Volkskaiser" Joseph II. erinnern. Kaiser Franz Joseph I. selbst soll über diese Idee seines Ministerpräsidenten Schwarzenberg zuerst nicht sehr glücklich gewesen sein. Die damit verbundenen Gedankengänge sind Ausdruck des Willens der österreichischen Regierung nach 1848, ihr Reformprogramm nicht auf der Basis der neuen demokratischen Bewegungen des 19. Jahrhunderts, sondern auf der Grundlage der aufgeklärten Monarchie des 18. Jahrhunderts durchzuführen.

Der Heldenberg, die „österreichische Walhalla", ist eine Schöpfung des Heereslieferanten und Gutsbesitzers Josef Pargfrieder, der ihn als Grabstätte für den von ihm verehrten Feldmarschall Radetzky und als Ruhmesstätte für die österreichischen Truppen 1848 und 1849 geplant hatte. Das umfangreiche bildhauerische Programm wurde von dem Wiener Bildhauer Adam Ramelmayr mit Hilfe von Johann Fessler aus Vorarlberg und dem Wiener Anton Dietrich ausgeführt. Nach dem Attentat auf Kaiser Franz Joseph I. 1853 wurde das ursprüngliche Programm etwas abgeändert und am Ende der sogenannten „Kaiserallee" ein Standbild von Franz Joseph I. errichtet und ganz in der Nähe die Büsten seines Adjutanten Maximilian Graf O'Donnel und des Bäckermeisters Josef Ettenreich, die den Attentäter überwältigt hatten, aufgestellt. „Ihr wachsames Auge ruht auch dort noch unablässig auf der geheiligten Person ihres Herrn und Kaisers" (Feldmarschall Graf Radetzkys Ruhestätte auf dem Heldenberg im Schloßpark von Wetzdorf, von einem steyrischen Grenadier, Wien 1858). Die Statue unterscheidet sich auch stilistisch von den übrigen Großplastiken der Anlage: Sie wirkt malerischer, die offene Form und die lockere Art der Darstellung erscheinen moderner. Der Kaiser trägt Generalsgala mit der Collane des Ordens vom Goldenen Vlies. Auf einer von einem Putto gehaltenen Konsolplatte neben ihm liegen die Insignien des Kaisertums Österreich.
SK

# ZEITTAFEL

## Politik

**1815** **1. März:** Napoleon, aus der Verbannung zurückgekehrt, betritt französischen Boden, in der Folge „Herrschaft der 100 Tage".

**13. März:** Der am 18. September 1814 eröffnete Wiener Kongreß verhängt über Napoleon die Acht.

**25. März:** Erneuerung der Quadrupelallianz von Chaumont (1814), der Österreich, Preußen, Rußland und Großbritannien angehören.

**8.–9. Juni:** Beschluß der Gründung des Deutschen Bundes, Unterzeichnung der Schlußakte des Wiener Kongresses.

**18. Juni:** Niederlage Napoleons bei Waterloo, in der Folge seine Abdankung und Verbannung nach St. Helena.

**26. September:** Errichtung der „Heiligen Allianz" zwischen Rußland, Österreich, Preußen und Großbritannien.

**20. November:** Zweiter Friede von Paris.

**1816** **14. April:** Vertrag zwischen Bayern und Österreich über die im Frieden von Schönbrunn an Bayern gefallenen Gebiete.

**5. November:** Eröffnung des „Deutschen Bundestags" in Frankfurt am Main.

**1817** Lockerung des allgemeinen Vereinsverbotes durch ein Hofdekret.

Josef Graf Sedlnitzky wird „Präsident der Obersten Polizei- und Zensurbehörde" in Wien, Verschärfung der Zensur und des Spitzelwesens als Folge des Wartburgfestes der deutschen Burschenschaft (18.–19. Oktober).

**1818** **29. September–21. November:** Erste Konferenz der Monarchen der „Heiligen Allianz" in Aachen.

**15. November:** König Ludwig XVIII. von Frankreich tritt der Quadrupelallianz von Chaumont bei, der Österreich, Preußen, Rußland und Großbritannien angehören.

**1819** **6.–31. August:** Karlsbader Beschlüsse (als Folge des am 23. März von Karl Ludwig Sand in Mannheim verübten Attentats, dem der konservative Theaterdirektor August von Kotzebue zum Opfer gefallen war).

## Stadtbild

**1816** Für das Polytechnische Institut wird ein neues Gebäude errichtet und 1818 vollendet (heute: Technische Universität am Karlsplatz).

**1817** Der erste „Gesellschaftswagen" fährt von Wien nach Hietzing.

Die Basteien werden mit Alleen bepflanzt und zur Promenade freigegeben.

Eröffnung des Karolinentors, eines nur für Fußgänger bestimmtes Stadttores.

**1818** Probefahrten des Dampfschiffes „Carolina" auf der Donau.

Eröffnung eines Kurpavillons auf dem Wasserglacis.

**1819** **22. Mai:** Grundsteinlegung der Ferdinandsbrücke (Donaukanal). Beginn der Anlage des Volksgartens anstelle der alten Wallanlagen.

## Technik, Wirtschaft und Wissenschaft

**1815** **Jänner:** Der Wiener Mechaniker Johann Nepomuk Mälzel erhält auf das von ihm erfundene Metronom ein k. k. Privileg.

**6. November:** Gründung des „Polytechnischen Instituts" (heute: Technische Universität am Karlsplatz).

Errichtung einer optischen Werkstätte durch Johann Friedrich Voigtländer.

**1816** **1. Juni:** Gründung der Österreichischen Nationalbank.

Gasbeleuchtung des Apothekergeschäfts „Zum goldenen Löwen" (Wien-Josefstadt).

**1817** Experimente mit Leuchtgas im Polytechnischen Institut.

**1819** **4. Oktober:** Eröffnung der Ersten österreichischen Spar-Casse in Wien-Leopoldstadt.

Errichtung des „K. k. Technischen Kabinets", welches 1841 ins Polytechnische Institut übernommen wird.

## Musik und bildende Künste

**1815** Ferdinand Olivier entdeckt auf einer Reise die Salzburger Landschaft für die Malerei, eine weitere Reise folgt 1817.

**1817** **18. Oktober:** Ausstellung von zwei Gemälden von Johann Peter Krafft im großen Saal des Invalidenhauses aus Anlaß des Jahrestages der Schlacht bei Leipzig.

**1818** **1. März:** Erste öffentliche Aufführung eines Werkes von Franz Schubert („Ouverture im italienischen Stil") in einem Wiener Gasthof.

**25. Dezember:** In Oberndorf (Salzburg) wird erstmals „Stille Nacht, heilige Nacht" (komponiert von Franz Xaver Gruber, Text von Joseph Mohr) gesungen.

**1819** Auf Anregung der „Gesellschaft der Musikfreunde" in Wien wird mit der Sammlung und Aufzeichnung des alten Volksmusikgutes begonnen.

## Literatur, Theater und Tanz

**1816** **4. September:** Eröffnung des Hietzinger Sommertheaters.

**1817** **31. Jänner:** Uraufführung von Franz Grillparzers Drama „Die Ahnfrau" im Theater an der Wien.

**1818** **21. April:** Uraufführung von Grillparzers „Sappho" im Wiener Burgtheater.

Friedrich von Gentz gibt die Wiener Jahrbücher für Literatur heraus, die bis 1849 erscheinen.

## Chronik

**1815** **22. Jänner:** Festliche Schlittenfahrt des Wiener Hofes.

Predigten des Kanzelredners Zacharias Werner gegen die Frivolität der Kongreßzeit. Überall rauschende Feste, Blüte der „Salondiplomatie".

**1816** **1. Jänner:** Johann Schickh gründet die „Wiener Zeitschrift für Kunst, Literatur, Theater und Mode".

**7. April:** Tod von Maria Ludovika (dritte Gemahlin von Kaiser Franz I.).

**10. November:** Franz I. heiratet Carolina Augusta von Bayern.

**1817** Gründung der Wiener Dichter- und Künstlervereinigung „Ludlamshöhle".

Ebenso wie 1816 Mißernte und als Folgen Hunger und Not.

**1818** **31. Jänner:** Hinrichtung des Räuberhauptmanns Johann Georg Grasl auf dem Glacis vor dem Neutor.

**3. Juni:** Tod von Fanny Freifrau von Arnstein.

**Juni:** Erstes Wiener Gastspiel der Sängerin Angelica Catalani.

| | Politik | Stadtbild | Technik, Wirtschaft und Wissenschaft |
|---|---|---|---|
| **1819** | **25. November:** Beginn einer Konferenz aller deutschen Bundesstaaten in Wien wegen einer Verschärfung der Karlsbader Beschlüsse. | | Jakob Degen erfindet in Wien den „Doppeldruck für Banknoten“. |
| **1820** | **15. Mai:** Unterzeichnung der Schlußakte der „Wiener Konferenz“, später deren Bestätigung durch den Deutschen Bundestag (8. Juni).<br><br>**Juli:** Verschwörung im Königreich beider Sizilien.<br><br>**20. Oktober:** Beginn des Kongresses der „Heiligen Allianz“ in Troppau. | Baubeginn des Theseustempels (Volksgarten, 1823 vollendet). | Eröffnung der Wiener Niederlassung des Bankhauses Rothschild.<br><br>Ausbau der Ziegelwerke am Wienerberg und Laaerberg. |
| **1821** | **26. Jänner:** Beginn des Kongresses der „Heiligen Allianz“ in Laibach.<br><br>**Februar–April:** Kämpfe im Königreich beider Sizilien und Sardinien-Piemont.<br><br>**8. April:** Niederlage der Aufständischen bei Novara.<br><br>**25. Mai:** Fürst Metternich wird Haus-, Hof- und Staatskanzler. | Baubeginn des „äußeren“ Burgtors (1824 vollendet).<br><br>Umbau des „Tierarzney-Instituts“ am Wiener Neustädter-Kanal (1823 abgeschlossen). | Johann Nepomuk Reithoffer begründet in Wien eine Kautschukfabrik.<br><br>In Wien werden erstmals in der Welt fälschungssichere Banknoten nach dem System Degen hergestellt. |
| **1822** | **20. Oktober–14. Dezember:** Fürstenkongreß von Verona. | Umbau des Theaters in der Josefstadt (Josef Kornhäusel). | |
| **1823** | Erklärung des USA-Präsidenten Monroe: „Amerika den Amerikanern“ (Monroe-Doktrin). | Fertigstellung des Kaisergartens (heute: Burggarten), nächst der Hofburg. | Der Franzose Philippe Henri de Girard baut bei Fischamend an einem verbesserten Dampfschiff.<br><br>Johann Friedrich Voigtländer erfindet das Opernglas. |

## Musik und bildende Künste

**1819** Der englische Porträtmaler Thomas Lawrence kommt nach Wien.

**1820** **27. April:** Johann Martin Fischer, neben Franz Anton Zauner († 1822) der bedeutendste klassizistische Bildhauer in Wien, stirbt. Die Bedeutung der Skulptur innerhalb der bildenden Künste nimmt immer mehr ab.

**1821** **7. März:** Franz Schuberts Komposition „Erlkönig" erstmals vor großem Publikum (Kärntnertortheater).

Franz Liszt kommt nach Wien und wird Schüler von Carl Czerny.

**1822** Unter dem Namen „Konservatorium" werden die 1817 eröffnete Singschule und die Schulen für Instrumentalmusik (seit 1821) der Gesellschaft der Musikfreunde vereinigt (Altes Musikvereinsgebäude in Wien, Tuchlauben).

Gründung einer Lithographischen Anstalt in Wien durch Joseph und Matthias Trentsensky.

**1823** **25. Oktober:** In Wien Uraufführung der Oper „Euryanthe" von Carl Maria von Weber.

## Literatur, Theater und Tanz

**1820** Philipp Taglioni wird Ballettmeister am Kärntnertortheater.

**1821** **12. Februar:** Das Wiener Burgtheater erhält offiziell den Titel „Hofburgtheater".

**26.–27. März:** Uraufführung von Grillparzers „Das goldene Vließ" im Hofburgtheater.

**3. Oktober:** Uraufführung von Kleists „Prinz Friedrich von Homburg" im Hofburgtheater.

**Dezember:** Verpachtung des Kärntnertortheaters.

Beginn der Wiener Zeit des Schauspielers Heinrich Anschütz.

**1822** **3. Oktober:** Eröffnung des Theaters in der Josefstadt mit Beethovens „Die Weihe des Hauses".

Im nördlichen Burgenland verfaßt Nikolaus Lenau eine Vielzahl seiner Gedichte.

**1823** **17. Jänner:** Der Schriftsteller und Prediger Zacharias Werner stirbt in Wien.

**9. Juni:** Der Schriftsteller Johann Pezzl stirbt in Wien-Oberdöbling.

**18. Dezember:** Uraufführung von Ferdinand Raimunds „Der Barometermacher auf der Zauberinsel" im Theater in der Leopoldstadt.

## Chronik

**1820** **15. März:** Tod des späteren Stadtpatrons von Wien Klemens Maria Hofbauer, der Orden, dem er angehörte (Redemptoristen), wird in Wien zugelassen (18. April).

**10. August:** Ballonfahrt von Wilhelmine Reichard im Prater.

Das in Skandale verwickelte Kinderballett des Theaters an der Wien wird eingestellt.

**1821** Errichtung des Kaffeehauses Jakob Stierböck in Wien-Leopoldstadt, das zu einem Zentrum des gesellschaftlichen Lebens wird.

Veröffentlichung eines Reiseführers durch Wien, verfaßt von Johann Pezzl.

Für das Vergnügungsviertel Spittelberg (vor dem Burgtor) wird eine Wasserleitung installiert.

**1822** **28. Jänner:** Leopold Maximilian Graf Firmian wird zum Erzbischof von Wien ernannt.

**1823** **1. März:** Eröffnung des Volksgartens für das Publikum.

**14. April:** Konstituierung der (ersten) „Donaudampfschiffahrtsaktiengesellschaft".

**30. Juli:** Tod des Wiener Bürgermeisters Stephan Edler von Wohlleben.

**Oktober:** Girards neues Dampfschiff „Franz I." fährt von Wien über Fischamend nach Pesth.

Anton Lumpert wird Bürgermeister von Wien.

Gründung des allgemeinen Pensionsinstituts für Witwen und Waisen.

| Jahr | Politik | Stadtbild | Technik, Wirtschaft und Wissenschaft |
|---|---|---|---|
| **1824** | **16. August:** Erneuerung der Karlsbader Beschlüsse durch den Bundestag des Deutschen Bundes. | **18. Oktober:** Eröffnung des von Peter Nobile konzipierten Äußeren Burgtores.<br>Die Omnibus-Wagen nehmen ihre Fahrten auf. | **12. Juli:** Der Erfinder Franz Uchatius führt in Wien mit einem von ihm entwickelten Bildprojektor das erste Heimkino vor.<br>Gründung der Holzverkleinerungsanstalt „Phorus".<br>Johann Nepomuk Reithoffer erhält ein Privileg zur Erzeugung wasserdichter Stoffe.<br>Gründung der ersten Feuerversicherungsanstalt. |
| **1825** | Der Bruder Zar Alexanders I. besteigt als Nikolaus I. den Thron. | **4. Oktober:** Als erste Kettenbrücke Wiens wird die Sophienbrücke (Donaukanal) eröffnet.<br>Umbau des Palais Engelskirchner (Wien-Wieden). | Umgestaltung der Universitätssternwarte.<br>In Atzgersdorf wird die erste Dampfmaschine zum Fabriksgebrauch in Betrieb genommen.<br>Gründung der Wechselseitigen Brandschaden-Versicherung. |
| **1826** | **Oktober:** Ein Gegner von Fürst Metternich, Franz Anton Graf Kolowrat-Liebsteinsky, wird Kabinettsminister. | Umbau des Schottenhofes durch Josef Kornhäusel.<br>Fertigstellung der Synagoge in der Seitenstettengasse (Architekt: Josef Kornhäusel).<br>Baubeginn der Döblinger Pfarrkirche (1828 vollendet). | **Sommer:** Die (erste) „Donau-Dampfschiffahrtsaktiengesellschaft" geht ihrem geschäftlichen Ruin entgegen. |
| **1827** | **Februar:** Abzug der österreichischen Truppen aus dem Königreich beider Sizilien. | Josef Kornhäusel beendet den Bau seines 1825 begonnenen Wohnhauses in der Seitenstettengasse. | Der ungarische Chemiker Ladislaus Stefan Romer beginnt in Wien mit der Herstellung von Feuerzeugen.<br>Joseph Ressel erhält ein Patent auf die von ihm erfundene Schiffsschraube. |
| **1828** | | Der Karlskettensteg wird als Fußgängerbrücke über den Donaukanal erbaut. | Ignaz Bösendorfer gründet in Wien-Josefstadt eine Klavierfabrik, welche unter seinem Sohn Ludwig zu Weltruhm gelangt.<br>Errichtung eines Gaswerkes in der Roßau.<br>Zwei Briten (John Andrews und Joseph Prichard) erhalten ein Privileg zum Bau von Donau-Dampfschiffen. |

| Jahr | Musik und bildende Künste | Literatur, Theater und Tanz | Chronik |
|---|---|---|---|
| **1824** | **7. Mai:** Uraufführung von Beethovens 9. Symphonie im Kärntnertortheater, letzter Auftritt des Komponisten.<br><br>Joseph Lanner, seit 1819 Primus eines Streichquartetts, gründet ein eigenes Tanzorchester. | Debüt der Ballerina Maria Taglioni am Hofoperntheater. | **1. April:** In Wien stirbt der Bankier Johann Heinrich Freiherr von Geymüller.<br><br>Regelung der Armentarife für Land- und Wundärzte auf Veranlassung des Kaisers. |
| **1825** | | **19. Februar:** Uraufführung des Trauerspiels „König Ottokars Glück und Ende" von Franz Grillparzer im Hofburgtheater.<br><br>**31. Mai:** Vorläufig letzte Vorstellung im Theater an der Wien. | **5. August:** Erstbesteigung des 2995 m hohen Dachsteins (Steiermark). |
| **1826** | Der Wiener Musikalienverleger Tobias Haslinger macht sich selbständig. | **10. November:** Uraufführung von „Der Bauer als Millionär" von Ferdinand Raimund in Wien.<br><br>**Dezember:** Versteigerung des Theaters an der Wien, welches Carl von Bernbrunn (Carl Carl) übernimmt. | **April:** Die Künstlervereinigung „Ludlamshöhle" wird als staatsgefährdend aufgelöst.<br><br>**26. Dezember:** In Paris stirbt der Wiener Bankier und Kunstmäzen Moriz (senior) Reichsgraf Fries. |
| **1827** | **26. März:** Der Komponist Ludwig van Beethoven stirbt in Wien. | **15. Dezember:** Der Schauspieler Johann Nepomuk Nestroy gibt sein Debüt als Theaterdichter mit der Lokalposse „Der Zettelträger Papp". | **29. März:** Begräbnis von Ludwig van Beethoven auf dem Währinger Ortsfriedhof.<br><br>**2. Mai:** Erstes Pferdewettrennen auf der Simmeringer Heide.<br><br>**30. August:** Der Raubmörder Severin von Jaroszynski (Freund der Schauspielerin Therese Krones) wird hingerichtet.<br><br>Zur Hebung des Gartenbaus wird in Wien die „Gartenbaugesellschaft" gegründet. |
| **1828** | **29. März:** Gastspiel des Violinvirtuosen Niccolò Paganini im großen Redoutensaal.<br><br>**19. November:** Der Komponist und „Liederfürst" Franz Schubert stirbt in Wien.<br><br>Johann Peter Krafft beginnt die Arbeit an den drei Wandgemälden (Szenen aus dem Leben von Kaiser Franz I.) im Reichskanzleitrakt der Wiener Hofburg (1833 vollendet). | **28. Februar:** Uraufführung des Trauerspiels von Franz Grillparzer „Ein treuer Diener seines Herrn" im Hofburgtheater.<br><br>**17. Oktober:** Uraufführung von Ferdinand Raimunds „Der Alpenkönig und der Menschenfeind" in Wien. | **Anfang August:** Als Geschenk des Vizekönigs von Ägypten an die kaiserliche Menagerie in Schönbrunn trifft in Wien die erste Giraffe ein.<br><br>**21. November:** Leichenbegängnis Franz Schuberts, er wird neben Beethoven auf dem Währinger Ortsfriedhof beigesetzt. |

## Politik

**1829** Ende des 1821 begonnenen Freiheitskampfes Griechenlands gegen die Türkei, im Frieden von Adrianopel wird die Unabhängigkeit Griechenlands garantiert, Rußland erweitert seinen Einflußbereich beträchtlich.

**1830** **Juli:** Revolution in Paris, Abdankung von Karl X., sein Nachfolger ist der „Bürgerkönig" Louis Philippe von Orléans (bis 1848). In weiterer Folge Unabhängigkeitskampf der Belgier, Aufstände in Portugal, Spanien, Italien und Polen (dieser von Rußland grausam unterdrückt), Erhebungen in verschiedenen Teilen Deutschlands.

**18. August:** Erzherzog Franz Joseph, der spätere Kaiser, wird geboren.

**28. September:** Erzherzog Ferdinand wird in Preßburg zum König von Ungarn gekrönt.

**31. Oktober:** Der Bundestag in Frankfurt am Main beschließt „Maßregeln zur Herstellung und Erhaltung der Ruhe in Deutschland".

**1831** **Februar:** Infolge der dortigen Unruhen verläßt Marie Louise, die Witwe Napoleons, das Herzogtum Parma und begibt sich nach Österreich, die Aufständischen werden von österreichischen Truppen besiegt.

**März:** Österreichische Truppen marschieren im Herzogtum Modena ein, siegen bei Rimini und besetzen die zum Kirchenstaat gehörende Provinz Ancona.

**Sommer:** Johann Josef Wenzel Graf Radetzky von Radetz wird zum Generalkommandanten der österreichischen Truppen in Lombardo-Venetien ernannt.

**21. Juli:** Prinz Leopold von Sachsen-Coburg-Gotha besteigt den Thron des neu errichteten Königreichs Belgien (der ehemaligen Österreichischen Niederlande).

**1832** **27.–30 Mai:** Hambacher Fest, abgehalten auf dem Hambacher Schloß (Pfalz).

**5. Juli:** Als Reaktion auf das Hambacher Fest verkündet der Deutsche Bundestag mehrere Erlässe, die Presse-, Vereins- und Versammlungsfreiheit einschränken.

## Stadtbild

**1829** Erneuerung der 1809 abgebrannten Augartenbrücke.

Der Göttweiger Hof (Wien, Seilergasse) wird in klassizistischer Form neu gestaltet.

**1830** Eröffnung des Schikanederstegs über den Wienfluß.

Der Mühlschüttel, eine große Donauinsel östlich von Floridsdorf, wird besiedelt.

**1831** **1. Mai:** Eröffnung des Vergnügungsortes „Tivoli" am Grünen Berg in Wien-Meidling.

Am Tabor nimmt eine Schwimmanstalt ihren Betrieb auf.

Der 1830 begonnene Umbau des Hauses „Zum roten Igel" (unter den Tuchlauben) wird abgeschlossen (altes Musikvereinsgebäude).

**1832** Es wird begonnen, die Straßen Wiens zu pflastern.

## Technik, Wirtschaft und Wissenschaft

**1829** Errichtung des „Statistischen Zentralamts" in Wien (mit dem Ziel, die Bevölkerungszahl aller österreichischen Provinzen statistisch zu erfassen).

Im Hafen von Triest findet mit dem schraubengetriebenen Dampfschiff „Civetta" eine Probefahrt statt.

Gründung der „Ersten österreichischen k. k. privilegierten Donau Dampfschiffahrts-Gesellschaft".

Einführung einer allgemeinen Verzehrungssteuer.

**1830** **17. September:** Der Raddampfer „Kaiser Franz I." unternimmt seine erste Probefahrt von Wien nach Pesth.

Der Wiener Feinmechaniker und Linsenschleifer Simon Plößl baut das erste dialytische Fernrohr.

Michael Thonet erfindet eine Methode, Holz zu biegen; daraus entwickelt sich ab 1842 der „Wiener Sessel".

In Wien werden die nach ihrem Erfinder Romer benannten „Phosphor-Zündhölzer" erfunden.

**1831** **1. Februar:** Das Donau-Dampfschiff „Kaiser Franz I." nimmt seine regelmäßigen Fahrten bis in die Moldau-Fürstentümer auf.

Mit der Fabrik von Treu (Treu, Nuglisch & Comp.) wird in Wien die Parfümerieindustrie begründet.

Gründung der „Assicurazioni Generali" in Triest und ihrer Hauptagentur in Wien.

Johann Nepomuk Reithoffer gründet in Wimpassing (Niederösterreich) eine Fabrik zur Herstellung von „gummierten Geweben".

**1832** **1. August:** Auf der Strecke der Pferdeeisenbahn Linz–Budweis (erste Eisenbahn auf dem Kontinent) wird der regelmäßige Güterverkehr aufgenommen.

**18.–27. September:** Die 1822 in Leipzig gegründete „Gesellschaft deutscher Naturforscher und Ärzte" hält ihre 10. Versammlung in Wien ab.

## Musik und bildende Künste

**1829** **11. August:** Frédéric Chopin debütiert in Wien als Klaviervirtuose und Komponist.

Joseph Lanner wird Musikdirektor der Redoutensäle in Wien.

**30. Dezember:** Ferdinand Georg Waldmüller wird 1. Kustos der Gemäldegalerie der Akademie und Professor.

Der Wiener Volkssänger Johann Baptist Moser beginnt mit seinem Wirken.

**1830** In Wien entsteht ein privater Kunstverein zur Förderung der bildenden Künste und zur Unterstützung „vaterländischer Künstler".

**1831** **Herbst:** Das neue Gebäude der Gesellschaft der Musikfreunde wird unter den Tuchlauben eröffnet (sogenanntes „altes Musikvereinsgebäude").

**1832** Friedrich Amerling porträtiert Kaiser Franz I. und begründet damit seinen Ruf als erster Bildnismaler des Hochadels, aber auch des Großbürgertums.

Richard Wagner besucht erstmals Wien.

## Literatur, Theater und Tanz

**1829** **17. Jänner:** In Wien stirbt der Schriftsteller und Staatsrechtslehrer Adam Müller, ein wichtiger Vertreter der politischen Romantik.

**1830** **20. Juni:** Tod der Hofschauspielerin Sophie Müller in Wien-Hietzing.

**28. Dezember:** Tod der Volksschauspielerin Therese Krones in Wien.

**1831** **5. April:** Uraufführung von Grillparzers „Des Meeres und der Liebe Wellen" im Hofburgtheater.

Die „Spaziergänge eines Wiener Poeten" von Anastasius Grün erscheinen anonym in Hamburg.

**1832** **Mai:** Der Dichter Nikolaus Lenau bricht zu einer Reise nach Amerika auf.

**28. Juli:** Joseph Schreyvogel (seit 1814 Burgtheaterdirektor und Dramaturg) erliegt in Wien der Choleraepidemie.

## Chronik

**1829** **18. Februar:** In der Hauskapelle des Brandhofes (bei Mariazell, Steiermark) heiratet Erzherzog Johann die Bürgerliche Anna Plochl, die Eheschließung wird nicht öffentlich bekanntgegeben.

**22. Februar:** In Wien stirbt Adam Albert Graf Neipperg, welcher seit 1822 mit der früheren Gattin Napoleons, Marie Louise, verheiratet war.

Die neu eingeführte Verzehrungssteuer wird an den Linien eingehoben, sie trifft vor allem die ärmeren Schichten, welche in die billigeren Vororte Wiens abwandern.

**1830** **28. Februar:** Ein Eisstoß auf der Donau führt zu verheerenden Überschwemmungen in den Wiener Vorstädten.

Die „Einsiedelei" in Ober-St. Veit erhält das Schankrecht und wird zu einem beliebten Ausflugsziel der Wiener.

Anläßlich der Geburt von Erzherzog Franz Joseph wird in Wien-Margareten eine Kinderbewahranstalt gestiftet.

In Wien gibt es erste Anzeichen für eine Cholera-Epidemie.

**1831** **7. Jänner:** Von 19 bis 23 Uhr ist über Wien Nordlicht zu beobachten.

**Herbst:** Die Choleraepidemie in Wien erreicht ihren Höhepunkt, entlang der Wienflußufer werden sogenannte Cholerakanäle gebaut.

**29. November:** Tod von Leopold Maximilian Graf Firmian, sein Nachfolger als Erzbischof von Wien ist Vinzenz Eduard Milde.

**1832** **9. Juni:** In seiner Villa im Wiener Vorort Weinhaus stirbt der Staatsmann und Publizist Friedrich von Gentz.

**22. Juli:** In Schönbrunn stirbt der Herzog von Reichstadt, Napoleons Sohn, an Tuberkulose.

**26. September:** Festmahl in Laxenburg, von Kaiser Franz I. aus Anlaß der Naturforscher-Tagung veranstaltet.

## Politik

**1832** **9. August:** Im Helenental bei Baden (Niederösterreich) wird auf Erzherzog Ferdinand ein Attentat verübt. Der Erzherzog entgeht dem Anschlag, er verwendet sich für den Attentäter, den pensionierten Hauptmann Franz Reindl.

**1833** **22. März:** Der „Deutsche Zollverein" konstituiert sich, er tritt mit Beginn des Jahres 1834 in Kraft.

**3. April:** Aufständische stürmen die Konstablerwache in Frankfurt am Main, um die Bundesversammlung zu sprengen.

**30. Juni:** Der Bundestag beschließt auf Antrag Österreichs, eine neue Zentraluntersuchungskommission gegen die revolutionären Umtriebe einzusetzen.

**August:** Konferenz in Münchengrätz (Böhmen): Kaiser Franz I., der Zar und der preußische Kronprinz einigen sich über ein gemeinsames Vorgehen gegen aufständische Bestrebungen.

**1834** **Jänner:** Beginn der geheimen Ministerkonferenz der Bevollmächtigten des Deutschen Bundes in Wien.

**12. Juni:** Schlußprotokoll der Wiener Ministerkonferenz, die Wiener Schlußakte vom Mai 1820 werden bekräftigt und verschärft.

**1835** **2. März:** In Wien stirbt Kaiser Franz I. von Österreich. Sein kränkelnder Sohn Ferdinand wird sein Nachfolger.

**Juni–Oktober:** Österreichische Truppen versuchen erfolgreich, gegen bosnische Streifscharen verzugehen.

**12. Dezember:** Eine „Geheime Staatskonferenz" übernimmt, da Kaiser Ferdinand I. nicht handlungsfähig ist, die Regierungsgeschäfte.

## Stadtbild

**1833** **24. Juni:** Im Wiener Vorort Hietzing wird das von Josef Leistler erbaute Dommayersche Kasino eröffnet.

Umbau des Gasthauses „Zur goldenen Birne" (Wien-Landstraße) zum Tanzpalast („Annentempel").

**1834** **1. Juni:** In Wien-Brigittenau wird das Vergnügungslokal „Universum" eröffnet, es besteht bis 1842. (Am selben Tag nehmen auch die dem Theater in der Josefstadt angeschlossenen „Sträußelsäle" ihren Betrieb auf.)

Das „Landgut" in Wien-Favoriten wird von dem Kaffeesieder Leander Prasch in ein „Kasino" umgewandelt.

In Wien-Döbling wird für den Industriellen Rudolf von Arthaber ein vornehmes Landhaus (die spätere Wertheimstein-Villa) erbaut.

**1835** **3. Jänner:** Die Organisierung einer städtischen Baubehörde wird durch ein Hofdekret angeordnet.

**März:** Baubeginn des neuen Hauptmünzamtes (Leitung: Paul Sprenger, Fertigstellung 1838).

Der Architekt Alois Pichl beginnt am Graben mit dem Bau der Ersten österreichischen Spar-Casse (1839 vollendet).

**1836** **24. November:** Einweihung des Margaretenbrunnens.

## Technik, Wirtschaft und Wissenschaft

**1832** Das Palais Engelskirchner-Geymüller in Wien-Wieden wird zum ersten mittels Gas beleuchteten Wohnhaus Wiens.

**1833** Auf der Donau wird der Linienverkehr Wien–Konstantinopel eingerichtet.

Gauß und Weber erfinden in Göttingen den Telegraphen.

**1834** **26. Februar:** Der Erfinder der Lithographie, Alois Senefelder, stirbt in München.

**23. August:** Ein Hofkammerdekret erleichtert die Gründung an die Zunftordnung gebundener Gewerbe.

Der Pathologe Karl von Rokitansky wird Universitätsprofessor in Wien.

In Wien-Meidling wird eine Ziegelarbeitersiedlung (das spätere Wilhelmsdorf) gegründet.

**1835** Baubeginn der Kaiser-Ferdinands-Wasserleitung (1841 fertiggestellt).

Erste „Allgemeine oder Central-Gewerbsproducten-Ausstellung" (veranstaltet in den Redoutensälen der Hofburg).

**1836** **9. April:** Salomon von Rothschild erhält die Erlaubnis, die von ihm geplante und finanzierte Eisenbahnlinie Wien–Galizien „Kaiser Ferdinands-Nordbahn" zu nennen.

In Schwechat (Niederösterreich) übernimmt Franz Anton Drehers Sohn Anton die Brauerei seines Vaters und verschafft ihr in der Folge Weltruf.

In Triest wird der „Österreichische Lloyd" gegründet.

## Musik und bildende Künste

**1832** **20. Oktober:** Der Maler Anton Romako wird in Wien-Atzgersdorf geboren.

**1833** **25. Mai:** Der Pianist, Komponist und Klavierfabrikant Johann Andreas Streicher stirbt in Wien.

**20. Juni:** Im Josefstädter Theater wird die Oper „Robert der Teufel" von Meyerbeer aufgeführt.

**1834** **28. November:** In Wien stirbt der Architekt Johann Aman.

**1835** **1. August:** In Baden bei Wien stirbt der Komponist und Kapellmeister Wenzel Müller.

**12. Dezember:** In Wien stirbt der Maler Johann Nepomuk Hoechle.

**1836** Rudolf von Arthaber macht seine private Gemäldegalerie (untergebracht in der späteren „Wertheimsteinvilla") öffentlich zugänglich.

## Literatur, Theater und Tanz

**1833** **11. April:** Uraufführung von Nestroys Zauberposse „Der böse Geist Lumpazivagabundus oder Das liederliche Kleeblatt" im Theater an der Wien.

**1834** **20. Februar:** Uraufführung des Zaubermärchens „Der Verschwender" von Ferdinand Raimund (Musik von Conradin Kreutzer) im Theater in der Josefstadt.

**4. Oktober:** Im Hofburgtheater wird „Der Traum ein Leben" von Franz Grillparzer uraufgeführt.

**1835** **24. September:** „Zu ebener Erde und erster Stock oder Die Launen des Glückes", eine „Lokalposse" von Johann Nestroy, wird in Wien uraufgeführt.

**6. November:** In Wien stirbt der Schauspieler und Sänger Ignaz Schuster.

**1836** **5. September:** In Pottenstein (Niederösterreich) stirbt Ferdinand Raimund.

## Chronik

**1833** **4. Februar:** Der Kaffeesieder Josef Daum eröffnet in den Kellern des Seitzerhofes unter den Tuchlauben den Unterhaltungsort „Elysium".

**4. August:** Der frühere Spion und spätere Kaffeesieder Pietro Corti, Inhaber der Kaffeehäuser im Paradeisgartl und im Volksgarten, stirbt in Wien.

Eröffnung der ersten Damenschwimmschule Wiens.

**1834** **13. Oktober:** Das „Neue Wiener Tagblatt" berichtet über die Verurteilung des Musikdirektors Johann Strauß wegen „verbotenen Spiels und einer feuersgefährlichen Handlung".

## Politik

**1837** In Großbritannien beginnt mit der Thronbesteigung von Königin Viktoria das nach ihr benannte Zeitalter.

**1838** **6. September:** Kaiser Ferdinand I. wird in Mailand mit der „eisernen Krone" zum König von Lombardo-Venetien gekrönt.

**1839** **19. April:** Unterzeichnung des Londoner Protokolls, welches Belgiens Unabhängigkeit und dauernde Neutralität bestätigt.

Beginn des englisch-chinesischen Opiumkrieges und der Orientalischen Krise (Krieg zwischen der Türkei und dem von Frankreich unterstützten Ägypten).

**1840** **15. Juli:** Quadrupelvertrag von London zur Befriedung der Levante.

Friedrich Wilhelm IV., König von Preußen, tritt seine Regierung an.

## Stadtbild

**1837** Der Umbau des Niederösterreichischen Landhauses in der Herrengasse wird begonnen (1848 fertiggestellt).

**1838** **14. Jänner:** In Wien-Landstraße wird ein russisches Dampfbad eröffnet, das bald darauf den Namen „Sophienbad" erhält.

Demolierung des Seitzerhofes (unter den Tuchlauben).

Einrüstung des Stephansdomes.

Die 1837 begonnenen Arbeiten am (ersten) Nordbahnhof (Wien-Leopoldstadt) werden abgeschlossen.

**1839** **19. August:** Die Stephansturmspitze wird in einer Länge von 60 Fuß abgetragen.

Das auf den Gründen der bürgerlichen Schießstätte errichtete Landesgerichtsgebäude wird fertiggestellt (Baubeginn 1831).

**1840** In Wien-Landstraße wird mit dem Bau eines neuen Zollamtsgebäudes begonnen (1844 fertiggestellt).

Der Graben wird vergrößert (Abbruch des Gräflich Schallenbergschen und des Zugschwertschen Hauses).

In Wien-Fünfhaus wird ein Gaswerk errichtet.

## Technik, Wirtschaft und Wissenschaft

**1837** **13. September:** Das Dampfschiff „Maria Anna" fährt erstmals stromaufwärts (von Wien nach Linz).

**19. November:** Erste öffentliche Fahrt der „Kaiser Ferdinands-Nordbahn" (von Floridsdorf nach Deutsch Wagram).

In Wien konstituiert sich die „Gesellschaft der Ärzte".

In Liesing bei Wien wird die erste Stearinfabrik Österreichs (Stearinkerzen) gegründet.

**1838** **6. Jänner:** Nach Fertigstellung der Donaubrücke fährt der erste Eisenbahnzug der „Kaiser-Ferdinands-Nordbahn" vom neu errichteten Wiener Nordbahnhof nach Deutsch Wagram.

Die 1828 gegründete Seidenwarenfabrik Adensamer errichtet eine Fabrik in Wien-Schottenfeld.

**1839** Gründung des „Militärgeographischen Instituts" und des „Niederösterreichischen Gewerbevereins" in Wien.

Das neue städtische Marktamt erhält die Aufgabe, Schwierigkeiten auf dem Versorgungssektor zu bekämpfen.

Die erste moderne Fabrik Wiens entsteht, es ist die nach englischem Vorbild organisierte Maschinenfabrik der Wien-Gloggnitzer-Eisenbahngesellschaft.

Mit der Produktion der später zum Begriff gewordenen „Apollokerzen" wird begonnen.

In Paris führt Daguerre die von ihm erfundene Photographie (Daguerrotypie) erstmals vor.

**1840** Auf der Südbahnstrecke wird der Eisenbahnverkehr zwischen Wien und Mödling aufgenommen.

Adolf Ignaz Mautner pachtet die St. Marxer Brauerei, sie wird in der Folge zu einer für das Drehersche Unternehmen bedrohlichen Konkurrenz.

Erste Pferdeeisenbahn in Wien (1842 als unrentabel eingestellt).

Gründung der ersten Werbefirma Wiens.

Die Handweberei des Philipp Haas im niederösterreichischen Mitterndorf fertigt ihren ersten Teppich.

In Wien wird das „Petzval-Porträt-Objektiv" entwickelt, ein Meilenstein für die Weiterentwicklung der Fotografie. (Das von Josef Petzval berechnete Objektiv erweist sich als sechzehnmal lichtstärker als das Daguerre-Objektiv.)

## Musik und bildende Künste

**1837** **17. Februar:** Der Maler Johann Baptist Lampi der Jüngere stirbt in Wien.

**1838** Robert Schumann kommt nach Wien, um hier eine Musikzeitung herauszugeben.

Ludwig Ferdinand Schnorr von Carolsfeld malt „Die breite Föhre nächst der Brühl bei Mödling".

Franz Liszt tritt das erste Mal als Klaviervirtuose in Wien auf und gibt ein Konzert zugunsten der Opfer der Überschwemmung von Ofen und Pesth.

**1839** Josef Danhauser malt die „Testamentseröffnung".

**1840** **16. Jänner:** Joseph Lanner dirigiert erstmals auf dem Hofball in Wien.

Der aus Böhmen stammende Maler Josef von Führich wird Professor für „Geschichtliche Kompositionen" an der Wiener Akademie.

## Literatur, Theater und Tanz

**1837** **20. Jänner:** Auftritt der Drahtseiltänzerin Madame Romanini im Theater in der Leopoldstadt.

Die Tänzerin Fanny Elßler erlangt mit der von ihr kreierten „Cachucha" eine bald weltweite Berühmtheit.

**1838** **6. März:** Die Uraufführung von Franz Grillparzers „Weh dem, der lügt!" im Hofburgtheater endet mit Mißfallenskundgebungen.

**18. Dezember:** Carl Carl (eigentlich Carl von Bernbrunn) erwirbt das Theater in der Leopoldstadt (das spätere Carl-Theater).

**1839** **27. August:** Im Leopoldstädter Theater wird erstmals ein Stück von Johann Nestroy aufgeführt, die Parodie „Zampa, der Tagdieb oder die Braut von Gips".

**1840** **16. Dezember:** Uraufführung von „Der Talisman" von Johann Nestroy im Leopoldstädter Theater.

„Condor" und „Das Heidedorf", die ersten Erzählungen des Schriftstellers Adalbert Stifter, werden in der „Wiener Zeitschrift für Kunst, Literatur, Theater und Mode" veröffentlicht.

## Chronik

**1837** **11. Juli:** Das „Tabakrauchen auf den Gassen, Plätzen in der inneren Stadt" wird vom Wiener Magistrat untersagt.

**26. August:** In der Wiener Vorstadt Schottenfeld wird das erste Kinderspital Wiens eröffnet.

**1838** **6. September:** In Wien-Dreihaus stirbt der Bankier und Großhändler Nathan Adam Freiherr von Arnstein.

In Wien entsteht die erste Privat-Turnanstalt.

**1839** **11. März:** Franz Ludwig, das einzige Kind von Erzherzog Johann, wird geboren.

**7. August:** In Wien-Hietzing stirbt der Bankier und Mitbegründer der „Oesterreichischen Nationalbank", Bernhard Freiherr von Eskeles.

**1840** **1. März:** Im Keller des St.-Anna-Gebäudes in der Johannesgasse wird das Vergnügungsetablissement „Neues Elysium" eröffnet.

## Politik

**1841** **13. März:** Ägypten anerkennt die Friedensbedingungen des Quadrupelvertrages von London.

**Frühjahr:** Truppen einer britisch-österreichischen Flotte besetzen Beirut. Die Briten beschießen Alexandria.

**19. Juni:** Gründung des juridisch-politischen Lesevereins, der sich in der Folge zum wichtigsten Forum der oppositionellen Intellektuellen Wiens entwickelt.

**13. Juli:** In London wird der Dardanellenvertrag unterzeichnet, wonach die türkischen Meerengen für fremde Kriegsschiffe gesperrt werden.

Preußen beginnt mit der Produktion des 1827 erfundenen Zündnadelgewehrs, eines Hinterladers nach dem System Dreyse.

**1842** Ende des englisch-chinesischen Opiumkrieges.

**1843** **11. Mai:** Die ungarische Ständetafel setzt durch, daß im ungarischen Reichstag fortan nur die ungarische Sprache verwendet wird.

**1844** Schlesischer Weberaufstand.

## Stadtbild

**1842** Das 1804 eröffnete Dianabad erhält eine gedeckte Schwimmhalle.

Die in der Nähe des Augartens befindliche Ferdinand-Marien-Schwimm- und Badeanstalt nimmt ihren Betrieb auf.

Im inneren Burghof wird mit der Errichtung des Denkmals für Kaiser Franz I. begonnen (1846 vollendet).

**1843** Vor der Paulanerkirche (Wien-Wieden) wird mit der Errichtung eines (1846 fertiggestellten) Brunnens begonnen.

Auf der Laimgrube (Wien-Mariahilf) wird das Karolinenbad erbaut.

Auf der Seilerstätte entsteht unter Verwendung alten Baubestandes das Coburgpalais.

**1844** In Wien-Meidling wird die Pfarrkirche zum heiligen Johann Nepomuk fertiggestellt.

Beginn der Arbeiten am „Austria-Brunnen" auf der Freyung (1846 vollendet).

## Technik, Wirtschaft und Wissenschaft

**1841** **10. Mai:** Mit der englischen Firma Imperial-Continental-Gas-Association wird seitens der Stadt Wien der erste Vertrag abgeschlossen. Danach wird mit der Durchführung einer allgemeinen Gasbeleuchtung der Stadt begonnen.

**6. Juni:** In Wien stirbt der Textilfabrikant Christian Georg Hornbostel.

**20. Juni:** Eröffnung der Eisenbahnlinie Wien–Wiener Neustadt.

Karl Rudolf Ditmar gründet in Wien die erste Lampenfabrik Österreichs.

**1842** Gründung der Eisenbahn-Generaldirektion in Wien.

Michael Thonet beginnt mit der Produktion der Wiener Bugholzmöbel.

Die Hofburg und ihre Umgebung werden mit Gas beleuchtet.

Der Amerikaner John J. Greenough konstruiert eine Nähmaschine nach dem in Vergessenheit geratenen, vom Tiroler Schneider Madersperger entwickelten System.

Johann Christian Doppler veröffentlicht in Wien seine bahnbrechende Arbeit über das nach ihm benannte Prinzip der Wellenlehre („Dopplereffekt").

**1843** Schloß Schönbrunn und die dahin führende spätere Mariahilfer Straße werden mit Gas beleuchtet.

In Wien werden erste Versuche mit der Telegraphie unternommen.

Karl Friedrich Kuhn erzeugt in Wien erstmals Stahlschreibfedern.

**1844** Die Gasbeleuchtung Wiens macht weitere Fortschritte, die 1834 eingeführten Tautschekschen Öllampen werden nach und nach durch Gaslaternen ersetzt.

Das „Egyptische Museum" wird aus der Johannesgasse in das Untere Belvedere übersiedelt.

Der später weithin bekannte Spielkartenfabrikant Ferdinand Piatnik übernimmt die Kartenmalerei Moser.

In Wien werden erstmals Mädchen im Zuschneiden und Nähen von Kleidern unterrichtet.

## Musik und bildende Künste

**1841** **31. März:** In Jerusalem stirbt der Wiener Maler Eduard Gurk.

**1842** **28. März:** Die Wiener philharmonischen Konzerte werden als ständige Einrichtung eingeführt.

**18. Juni:** In Wien stirbt der Musikverleger Tobias Haslinger.

**5. Juli:** In Wien stirbt der Musikverleger Domenico (Dominik) Artaria.

**22. August:** In Laab am Walde (Niederösterreich) stirbt der Maler Karl Schindler.

**28. August:** In Wien stirbt der Maler und Kupferstecher Peter Fendi.

Gaetano Donizetti wird Hofkomponist in Wien.

**1843** **27. März:** In Wien stirbt der Maler und Zeichner Jakob Gauermann.

**14. April:** In Oberdöbling bei Wien stirbt der Tanzgeiger und Komponist Joseph Lanner.

**6. Oktober:** Gründung des „Wiener Männergesang-Vereines".

**1844** **15. Oktober:** Johann Strauß (Sohn) debütiert mit einer eigenen Kapelle beim „Dommayer" in Wien-Hietzing.

## Literatur, Theater und Tanz

**1841** **6. Februar:** In Wien stirbt der beliebte Komiker Anton Hasenhut, welcher dem Publikum als „Thaddädl" zum Begriff wurde.

**1842** Ludwig August Frankl beginnt mit der Herausgabe der „Wiener Sonntagsblätter".

**1843** **9. Juli:** In Wien stirbt die Schriftstellerin Caroline Pichler.

**17. November:** Im Leopoldstädter Theater findet die Uraufführung der Posse „Nur Ruhe!" von Johann Nestroy statt, das Stück stößt bei den Wienern auf schroffe Ablehnung.

**1844** **8. März:** Der Schauspieler und Regisseur Nikolaus Heurteur stirbt in Wien.

**9. April:** „Der Zerrissene" von Johann Nestroy wird in Wien uraufgeführt.

Adalbert Stifter veröffentlicht den Sammelband „Wien und die Wiener".

## Chronik

**1841** Alfons Markgraf Pallavicini erwirbt das Palais Fries auf dem Josefsplatz und läßt die Innenräume umgestalten.

Eröffnung des unentgeltlichen St.-Josefs-Kinderspitals am Schaumburgergrund.

**1842** **11. Juni:** Ein Hofkammerdekret bestimmt, daß Kinder vor dem neunten Lebensjahr keine Fabriksarbeit leisten dürfen.

**8. Juli:** In Wien gibt es eine totale Sonnenfinsternis.

Gründung eines Lehrer- und Pensionsvereins und einer Unterstützungskasse für erkrankte Buchdrucker- und Schriftgießergesellen.

Für das Wiener Armenwesen wird der Magistrat (nicht mehr die Regierung) für verantwortlich erklärt.

Das in Wien-Schottenfeld errichtete, in der Zwischenzeit vergrößerte Kinderspital wird als „Anna-Kinderspital" eröffnet.

**1843** In Wien entstehen zahlreiche Selbsthilfeorganisationen zur Unterstützung Kranker und Bedürftiger.

**1844** Heinrich Griensteidl eröffnet seine erste Kaffeeschenke.

Der Kinderarzt Dr. Franz Hügel gründet ein unentgeltliches Kinderambulatorium.

Es konstituieren sich mehrere humanitäre Vereine, darunter ein Schutzverein für entlassene Sträflinge und ein Rettungsverein für verwahrloste Kinder.

| Jahr | Politik | Stadtbild | Technik, Wirtschaft und Wissenschaft |
| --- | --- | --- | --- |
| **1844** | | | Josef Freiherr von Hormayr zu Hortenburg beendet sein Werk „Wien, seine Geschichte und seine Denkwürdigkeiten" (Band 1 1822 erschienen). |
| **1845** | **März:** Petition der Wiener Schriftsteller an den Kaiser, sie ersuchen um ein geordnetes Zensurverfahren.<br><br>**3. Juni:** Petition der niederösterreichischen Stände an den Kaiser, sie wünschen die Wiederherstellung ihrer verfassungsmäßigen Rechte.<br><br>Die Militärdienstzeit wird auf acht Jahre herabgesetzt.<br><br>Wegen der steigenden Arbeitslosigkeit gibt es Unruhen in der Bevölkerung. | Der Bau einer neuen niederösterreichischen Statthalterei (Herrengasse) wird begonnen (1848 fertiggestellt).<br><br>Demolierung des Federlhofes (Rotenturmstraße), welcher durch einen 1846/47 errichteten Neubau ersetzt wird.<br><br>In Wien-Erdberg wird ein Gasometer aufgestellt. | Die dritte Gewerbe- und Produktenausstellung findet in einem dafür speziell erbauten Gebäude vor dem Polytechnikum statt.<br><br>Die Lebensmittelpreise steigen um mehr als 100 Prozent, beinahe die Hälfte der Wiener Gewerbetreibenden ist vom Bankrott bedroht, viele Arbeiter werden arbeitslos. |
| **1846** | **Februar–März:** Unruhen in Galizien, der Aufstand polnischer Nationalisten wird von österreichischen Truppen niedergeschlagen.<br><br>**15. April:** Der Freistaat Krakau wird mit russischem und preußischem Einverständnis dem Kaiserreich Österreich einverleibt, Frankreich und England erheben Einspruch.<br><br>Beginn des dänisch-preußischen Konflikts. | Die Johann Nepomuk-Kirche auf der Jägerzeile (heute: Praterstraße) wird fertiggestellt (Baubeginn 1841).<br><br>Umbau des Wirtshauses „Zum weißen Schwan" auf dem Neuen Markt.<br><br>In Wien-Roßau wird die k. k. Zigarrenfabrik errichtet.<br><br>In der Wiener Vorstadt Gumpendorf wird die evangelische Kirche erbaut. | Mißernte, gleichzeitig schlechte Ernteaussichten für das folgende Jahr.<br><br>Es wird mit dem Bau städtischer Schlachthäuser begonnen, um der Lebensmittelteuerung auf dem Fleischsektor wirksam zu begegnen.<br><br>Der Internist Joseph Skoda wird Universitätsprofessor in Wien.<br><br>Von Adolf Martin Pleischl, Arzt und Universitätsprofessor für allgemeine und pharmazeutische Chemie in Wien, wird das emaillierte Blechgeschirr erfunden.<br><br>Die Forschungsreisende Ida Pfeiffer tritt ihre erste Weltreise an.<br><br>Gegen Jahresende sinkt der Kurs der Industriepapiere, der Konjunkturverfall verschärft sich. |
| **1847** | **Frühjahr:** Hungernde Arbeitslose plündern in den Wiener Vorstädten Lebensmittelgeschäfte.<br><br>**9. Juni:** Ein Komitee des Niederösterreichischen Landtages berät über Fragen der Pressefreiheit.<br><br>**10. Oktober:** Wegen der Lebensmittelknappheit, der Preiserhöhungen und der abermaligen Entlassungen von Fabriksarbeitern kommt es in Wien zum Sturm auf Bäckerläden und Fabrikantenhäuser.<br><br>Sonderbundskrieg in der Schweiz. | Das alte Theater in der Leopoldstadt wird abgerissen und durch einen Neubau ersetzt.<br><br>Errichtung des Hotels National in der Taborstraße (anstelle des alten Gasthauses „Zum goldenen Ochsen"). | **14. Mai:** Nach langem Zögern erfolgt in Wien die Gründung der Akademie der Wissenschaften, Erzherzog Johann wird zum Kurator bestellt.<br><br>**1. Juni:** Neuerliche Erhöhung der Brot- und Fleischpreise.<br><br>Gründung des „Wiener Kreuzervereins zur Unterstützung der Gewerbsleute".<br><br>Als erste große Überlandverbindung auf dem europäischen Kontinent wird die Telegraphenlinie Wien–Brünn–Prag in Betrieb genommen. |
| **1848** | **1.–2. Jänner:** „Zigarrenrummel" in Mailand, Padua und Brescia.<br><br>**14. Jänner:** Für Wien wird ein neues Presse- und Zensurgesetz erlassen. | Der 1845 begonnene Umbau des „Sophienbades" zu einer Schwimmhalle, welche im Winter als Tanzsaal verwendet werden kann, wird abgeschlossen („Sophiensäle"). | **8. Juni:** In Wien wird der Ingenieur- und Technikerverein gegründet.<br><br>**28. August:** Der Uhrmacher und Mechaniker Jakob Degen stirbt in Wien. |

| | Musik und bildende Künste | Literatur, Theater und Tanz | Chronik |
|---|---|---|---|
| **1845** | **4. Mai:** In Wien stirbt der Maler zahlreicher Altar-, Historien- und Genrebilder Josef Danhauser.<br><br>Der französische Komponist Hector Berlioz gibt in Wien eine Reihe von Konzerten. | **30. August:** Das Theater an der Wien öffnet unter seinem neuen Besitzer Franz Pokorny seine Pforten.<br><br>Der Dichter Friedrich Hebbel kommt nach Wien, er heiratet hier die Hofburgschauspielerin Christine Enghaus. | **8. Jänner:** In Wien-Leopoldstadt wird das „Odeon", der größte und vornehmste Tanzsaal der Stadt, eröffnet.<br><br>Die Gemahlin von Erzherzog Johann wird zur Gräfin von Meran erhoben. |
| **1846** | **22. April:** Erstes Gastspiel von Jenny Lind, der „schwedischen Nachtigall", in Wien.<br><br>**30. Mai:** Gustav Albert Lortzings Oper „Der Waffenschmied" wird im Theater an der Wien uraufgeführt, der Komponist erhält daraufhin die Anstellung als Theaterkapellmeister (bis 1848).<br><br>Johann Strauß (Vater) wird zum Hofballmusikdirektor ernannt. | Das „Wiener Fremdenblatt" beginnt zu erscheinen. | Der „Wiener Tierschutz Verein" wird gegründet. |
| **1847** | **25. September:** Uraufführung der Oper „Martha" von Friedrich von Flotow in Wien.<br><br>**20. Oktober:** Uraufführung der Oper „Undine" von Gustav Albert Lortzing im Theater an der Wien (großer Mißerfolg). | **2. Dezember:** In Wien stirbt Johann Ladislaus Pyrker von Felsö-Ör, Patriarch-Erzbischof von Erlau (Ungarn) und Autor patriotisch-historischer Dramen.<br><br>**10. Dezember:** Mit Johann Nestroys „Die schlimmen Buben in der Schule" wird das neue Leopoldstädter Theater (unter dem Namen Carl-Theater) eröffnet. | **30. April:** In Wien stirbt der Generalfeldmarschall Erzherzog Carl („Sieger von Aspern").<br><br>**17. Dezember:** Im Herzogtum Parma stirbt Marie Louise, die frühere Gemahlin Napoleons, welche 1834 mit Charles René Graf Bombelles eine dritte (morganatische) Ehe eingegangen war.<br><br>Auf der Schmelz werden die jährlichen Militärübungen und abschließenden Paraden eingeführt.<br><br>Heinrich Griensteidl übersiedelt sein Kaffeehaus aus der Bibergasse in das Herbersteinische Palais am Michaelerplatz. |
| **1848** | **4. Dezember:** In Wagrain (Salzburg) stirbt Joseph Mohr, der Verfasser des Textes von „Stille Nacht". | **Jänner:** Trotz strengsten Verbotes kursieren die anonymen „Sibyllinischen Bücher aus Oesterreich" in Wien. | **25. Jänner:** Beisetzung des Leichnams von Erzherzogin Marie Louise in der Kapuzinergruft. |

## Politik

**1848** **3. März:** „Taufrede der österreichischen Revolution", gehalten von Ludwig Kossuth, dem Führer der ungarischen Opposition.

**6.–12. März:** Einer „Adresse gegen die herrschenden Verhältnisse", verfaßt vom Niederösterreichischen Gewerbeverein, folgen Petitionen der Wiener Bürger und der Wiener Studenten.

**13. März:** Kämpfe in Wien, Rücktritt von Staatskanzler Clemens Wenzel Fürst Metternich, der nach England flieht.

**14. März:** Wiener Studenten gründen die „Akademische Legion", Kaiser Ferdinand I. gestattet die Aufstellung der Nationalgarde, hebt die Zensur auf, verspricht ein freiheitliches Pressegesetz. In den Vorstädten stürmen die Arbeiter Fabriken und zerstören Maschinen.

**17.–18. März:** In Venedig und Mailand beginnt der offene Aufstand.

**22. März:** Bildung eines ungarischen liberalen Ministeriums.

**31. März:** In der Frankfurter Paulskirche wird das deutsche Vorparlament eröffnet. Für Österreich wird ein provisorisches (freiheitliches) Pressegesetz erlassen.

**25. April:** Die „Pillersdorfsche Verfassung" (auch „Oktroyierte Verfassung" genannt) wird erlassen.

**15.–16. Mai:** Sturmpetition der Nationalgardisten, Studenten und Arbeiter (2. Wiener Aufstand).

**18. Mai:** Eröffnung der Deutschen Nationalversammlung in der Paulskirche in Frankfurt am Main.

**26. Mai:** 3. Wiener Aufstand, ausgelöst durch die beabsichtigte Auflösung der Akademischen Legion.

**29. Mai:** Bildung einer provisorischen böhmischen Regierung in Prag.

**28. Juni:** In Wien wird der „Erste allgemeine Arbeiterverein" gegründet.

**29. Juni:** Erzherzog Johann, in der Zwischenzeit von seinem Neffen Kaiser Ferdinand I. mit der Regierung betraut, wird vom Frankfurter Parlament zum Reichsverweser gewählt.

**8. Juli:** Rücktritt von Franz Freiherr von Pillersdorf, dem Urheber der „Oktroyierten Verfassung".

## Stadtbild

**1848** Baubeginn der Pfarrkirche von Altlerchenfeld.

Errichtung der k. k. Irrenanstalt am Brünnlfeld (Vorstadt Michelbeuern, heute Wien IX).

Baubeginn eines neuen Versorgungshauses in Wien (Spitalgasse).

Das „Anna-Kinderspital" wird als „St.-Anna-Kinderspital" am heutigen Standort neu eingerichtet.

Das größte Wiener Schlachthaus (jenes zu St. Marx) wird erbaut.

**Oktober:** Im Zusammenhang mit der Revolution zahlreiche Brände, ihnen fällt beispielsweise in Wien-Leopoldstadt das „Odeon" zum Opfer.

## Technik, Wirtschaft und Wissenschaft

**1848** **4. Oktober:** Ida Pfeiffer kehrt von ihrer ersten Weltreise nach Wien zurück.

**5. November:** Der aus Innsbruck gebürtige Historiker und Publizist Josef Freiherr von Hormayr zu Hortenburg stirbt in München.

**10. Dezember:** Der Industrielle und Politiker Ferdinand Graf Colloredo-Mansfeld stirbt in Gresten (Niederösterreich). Am selben Tag wird die Errichtung einer Handelskammer für Wien angeordnet.

In Wien-Wieden wird die erste Wiener Dampfbäckerei eröffnet, welche aber nur wenige Monate existiert.

In den Vorstädten werden Armenausspeisungen mit billigen Suppen (den sogenannten „Rumford-Suppen") durchgeführt.

Baubeginn der Eisenbahnstrecke über den Semmering, der ersten Gebirgseisenbahn Europas.

Auflösung des Hofbaurates.

## Musik und bildende Künste

## Literatur, Theater und Tanz

**1848** **1. Juli:** Uraufführung von Johann Nestroys Posse „Freiheit in Krähwinkel" im Carl-Theater.

**23. Juli:** Das von Franz Pokorny gekündigte Ensemble des Josefstädter Theaters eröffnet ein Freilufttheater, die „National-Arena in Hernals", die Bewilligung zur Benützung der Arena wurde mit Waffengewalt erzwungen.

## Chronik

**1848** **17. März:** Begräbnis der Märzgefallenen auf dem Schmelzer Friedhof (Wien XV).

**3. Juli:** In Wien erscheint die erste Nummer der neuen Tageszeitung „Die Presse".

**Ende August – Anfang September:** Karl Marx tritt auf Wiener Arbeiterversammlungen auf.

**3. September:** Auf dem Währinger Ortsfriedhof werden die während der „Praterschlacht" Gefallenen beigesetzt.

**7. September:** Der Reichstag beschließt, die „Österreichische Arbeiterzeitung" zu gründen.

Der Gutsbesitzer und Armeelieferant Josef Pargfrieder beginnt in Kleinwetzdorf (Niederösterreich) mit der Anlage des „Heldenberges" (der „Österreichischen Walhalla"), einer dem österreichischen Soldatentum gewidmeten Weihestätte (1849 vollendet).

| | Politik | Stadtbild | Technik, Wirtschaft und Wissenschaft |
|---|---|---|---|

**1848**

**22. Juli:** In Wien wird der konstituierende Reichstag eröffnet.

**23. Juli–6. August:** Siegreiche Gefechte der österreichischen Truppen in Norditalien.

**21.–23. August:** 4. Wiener Aufstand, durchgeführt von Arbeitern und Arbeiterinnen, in der „Praterschlacht" geht erstmals die Nationalgarde gegen Demonstranten vor.

**9. September:** Kaiser Ferdinand I. bestätigt den Reichstagsbeschluß vom 7. September, welcher die Aufhebung der bäuerlichen Untertänigkeit vorsieht.

**28. September:** Der Oberbefehlshaber der kaiserlichen Truppen in Ungarn, Feldmarschall Franz Philipp Graf Lamberg, wird in Pesth ermordet.

**3. Oktober:** Kaiser Ferdinand I. verhängt über Ungarn den Belagerungszustand.

**6. Oktober:** Beginn der Oktoberrevolution in Wien, die Aufständischen lynchen den Kriegsminister Theodor Graf Baillet von Latour.

**12. Oktober:** Mit 50.000 Mann trifft der Banus von Kroatien, Josef von Jellačić, vor Wien ein.

**20. Oktober:** Feldmarschall Alfred Fürst zu Windisch-Graetz erscheint mit seinen Truppen vor Wien und verhängt über die Stadt den Belagerungszustand.

**31. Oktober:** Wien wird im Sturm genommen. In der Folge standrechtliche Erschießung der Revolutionäre (darunter Cäsar Wenzel Messenhauser und Robert Blum).

**22. November:** Eröffnung des österreichischen Reichstages in Kremsier (Südmähren).

**2. Dezember:** Abdankung von Kaiser Ferdinand I., sein Neffe besteigt als Kaiser Franz Joseph I. den Thron, er wird vom ungarischen Reichstag nicht als Staatsoberhaupt anerkannt.

**5. Dezember:** Kaiserliches Patent, wonach die Befreiung des Adels vom Militärdienst aufgehoben ist.

## Musik und bildende Künste

## Literatur, Theater und Tanz

## Chronik

**Literatur:**

Walter Kleindel, Österreich. Daten zur Geschichte und Kultur, Wien – Heidelberg 1978.

Derselbe, Die Chronik Österreichs, Dortmund 1984.

Stadt Chronik Wien. 2000 Jahre in Daten, Dokumenten und Bildern, Wien – München 1986.

**Zusammenstellung:**
Susanne Walther, Historisches Museum der Stadt Wien.

**Mitarbeit:**
Selma Krasa, Wien.

**Mitarbeiter am Katalogteil:**

(KAW) Dr. Karl Albrecht-Weinberger
(TA) Univ.-Doz. Dr. Theophil Antonicek
(GB) Dr. Gerda Barth
Dr. Christian Beck-Managetta
(KB) HR Prof. Dr. Klaus Beitl
Hofrat Dr. Anna Hedwig Benna
Dr. Alfred Bernhard-Walcher
(OBi) Dr. Otto Biba
(HB) Dr. Hans Bisanz
(OB) Dr. Otto Brusatti
Dr. Maria Buchsbaum
(AB) Dkfm. Arnold Busson
Univ.-Doz. Dr. Peter Csendes
(BD) Mag. Dr. Bernhard Denscher
Prof. Walter Deutsch
(WD) Dr. Wilhelm Deutschmann
(GD) Dir. Dr. Günter Düriegl
Dr. Josef Ehmer
(WE) Dr. Wolfgang Etschmann
(EF) Dr. Elfriede Faber
Univ.-Doz. Dr. Maria G. Firneis
Dr. Regina Forstner
Dr. Gerbert Frodl
(WG) Dr. Werner Galler
Univ.-Prof. Dr. Gernot Gruber
Dr. Gerlinde Haid
(IHK) Dr. Irmgard Hauser-(Köchert)
Univ.-Prof. Dr. Wolfgang Häusler
Dr. Dora Heinz
Dr. Irmgard Helpersdorfer
Dr. Gudrun Hempel
(EHF) Dr. Elisabeth Herrmann-Fichtenau
(GH) Gertrud Höller
(JH) Univ.-Doz. Dr. Josef Hüttner
Hofrat Dr. Franz Kaindl
(RKM) Dr. Renata Kassal-Mikula
(SKB) Sabine Kehl-Baierle
HR Prof. Dr. Walter Koschatzky
(MK) Michael Kovacek
Dr. Michael Krapf
(SK) Dr. Selma Krasa
(HK) Dr. Helmut Kretschmer
Dr. Gertrude Langer-Ostrawsky
Dr. Heide Leigh-Theissen
Univ.-Prof. Dr. Walter Leitsch
(WL) Walpurga Litschauer
Prof. Dr. Franz Mailer
(GM) Dipl.-Ing. Gerhard Maresch
Dr. Gerhard Meißl
Mag. Konstanze Mitterndorfer
Hofrat Dr. Wilhelm Mrazek
Dr. Stefan Nebehay
Dr. Ludwig Nennlinger
(WO) Dr. Walter Obermaier
(EPS) Mag. Eva Maria Pammer-Salzmann
(PP) Min.-Rat Dr. Peter Parenzan
Mag. Helmbrecht Prasch
Prof. Rikki Raab
Dr. Christa Riedl-Dorn
Dr. Wilhelm Georg Rizzi
(HR) Dr. Herbert Rupp
(ESch) Dr. Elisabeth Schmuttermeier
(HSchö) Prof. Dr. Heinz Schöny
(ASch) Dr. Adelbert Schusser
Univ.-Doz. Dr. Klaus Semsroth
(HCS) Dr. Hans Carl Singer
(HS) Min.-Rat Dr. Hebert Spehar
Dr. Walter Spiegl
(ChTh) Dr. Christiane Thomas
Dr. Reinhard Urbach
Dr. Eckhart Vancsa
Dr. Angela Völker
HR Dr. Robert Waissenberger †
(SW) Dr. Susanne Walther
(JW) Dr. John Whitten
(CWD) Dr. Christian Witt-Dörring
(ReWi) Dr. Reingard Witzmann
(SWu) Dr. Sylvia Wurm
(JZ) Johann Ziegler

**Abkürzung:**
HM = Historisches Museum der Stadt Wien

**Für wertvolle Mitarbeit und Hinweise ist zu danken:**

Dr. Paul Asenbaum
Univ.-Doz. Dr. Helmut Grössing
Dr. Ernst Hilmar
Hofrat Dr. Wilhelm Mrazek
Dr. Waltraud Neuwirth
Harald C. Rath
Peter Rath
Mag. Ulrike Smola
Rektoratsdirektor Dr. Alfred Sommer
Univ.-Prof. Dr. Helmut Wyklicky

**Firmenverzeichnis:**

Kreativtechnik
Werner & Susanne Gschiers OHG
Kreativtechnikgasse 18
2544 Leobersdorf
Dekoration & Meßbau
Schrift

Johann Höbinger & Co.
Breitenfurter Straße 310
1230 Wien
Holzbau – Zimmerei
Bautischlerei

Klik Bühnen
Bühnensysteme Ges.m.b.H. & Co. KG
Mariahilfer Straße 100
1072 Wien
Fassadenbau

Künstlerhaus
Gesellschaft m.b.H.
Karlsplatz 5
1010 Wien
Tischler- u. Glaserarbeiten

Lazelberger Ges.m.b.H.
Untere Donaustraße 27
1020 Wien
Tapezierer- und Einrichtungswerkstätte

Atelier Lux
Brigitte u. Ernst Lux
Kirchenplatz 6
3400 Klosterneuburg-Kierling
Tapeten

Friedrich Macke
Ges.m.b.H.
Phorusgasse 12
1040 Wien
Malerbetrieb

Peter Obadalek
Baumeistergasse 41/9/2
1160 Wien
Technisches Büro für Installationstechnik

Elektro-Österreicher Ges.m.b.H.
Billrothstraße 6
1190 Wien
Elektro-Installationen

Karl Scharz
Plösslgasse 5–7
1040 Wien
Modellbau

Druckerei F. Seitenberg Ges.m.b.H.
Straußengasse 16
1050 Wien

Ing. Konrad Silberberger
AV-Technik
Bergsteiggasse 49 a
1170 Wien
Audiovisuelle Geräte & Systeme

Wolfgang Weitzdörfer
Bühnenbildner
Wiedner Hauptstraße 35/18
1040 Wien

Fa. Josef Zahn & Co.
Salesianergasse 9
1030 Wien

# DAS HAUS HABSBURG

## KUNST UND KULTUR UNTER JOSEF II. BIS FRANZ JOSEPH

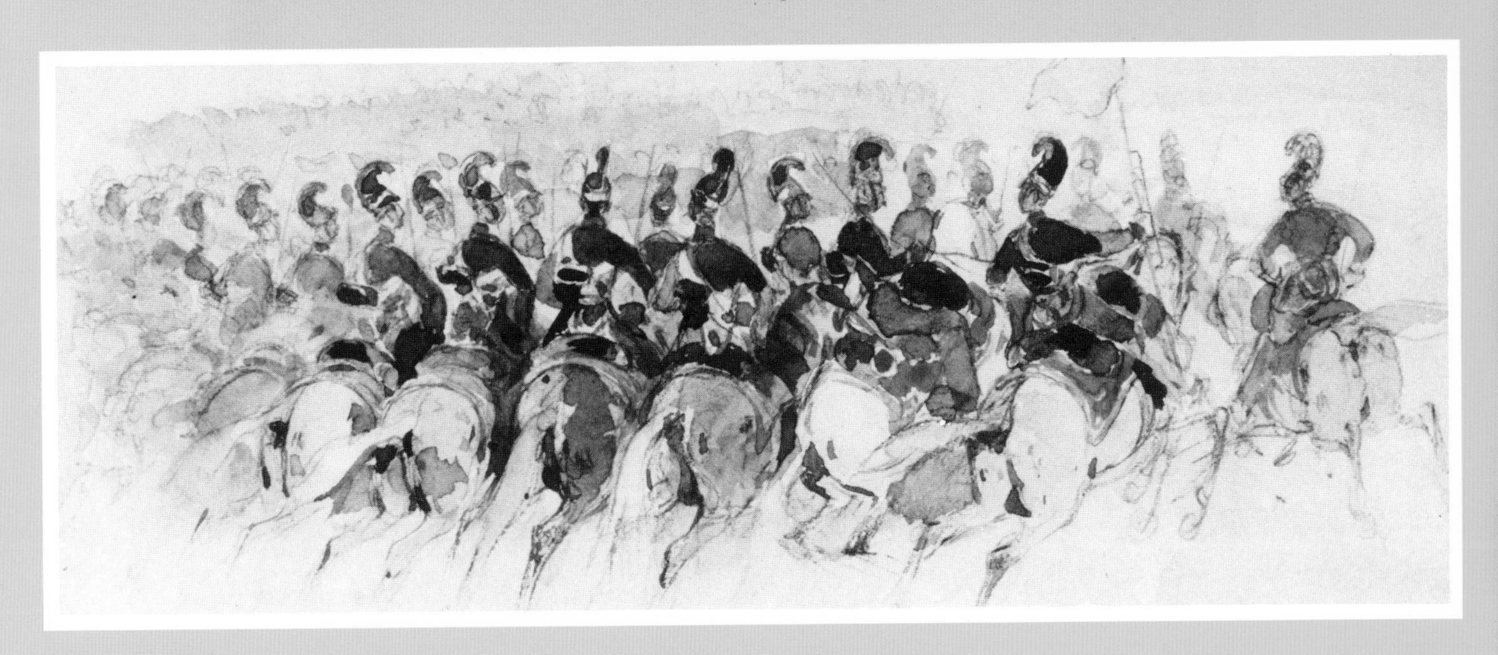

## 1780—1860

... und Bein.

Wir versichern
Stein ...

Ob den David von Michelangelo oder die Beine der Miss Austria. Ob ein altes Haus oder ein junges Glück. Die Wiener Städtische versichert's. Vom kleinsten bis zum größten Fall. Mit der großen Sicherheit der größten österreichischen Versicherung.